ISBN 978-0-428-25724-8
PIBN 10346558

JAHRESBERICHT

ÜBER DIE

LEISTUNGEN UND FORTSCHRITTE

IN DER

GESAMMTEN MEDICIN.

UNTER MITWIRKUNG ZAHLREICHER GELEHRTEN

HERAUSGEGEBEN

VON

RUD. VIRCHOW UND AUG. HIRSCH.

UNTER SPECIAL-REDACTION

VON

AUG. HIRSCH.

XIX. JAHRGANG.

BERICHT FÜR DAS JAHR 1884.

ERSTER BAND.

BERLIN 1885.

VERLAG VON AUGUST HIRSCHWALD.

N.W. UNTER DEN LINDEN No. 68.

Inhalt des ersten Bandes.

Allgemeine Medicin.

Arzneimittellehre, öffentliche Medicin.

ERSTE ABTHEILUNG.

Anatomie und Physiologie.

Descriptive Anatomie

bearbeitet von

Prof. Dr. KOLLMANN in Basel.

I. Handbücher und Atlanten.

1) Bardeleben, K., Anleitung zum Präpariren auf dem Secirsaale. Für Studirende verfasst. Mit 2 lith. Tafeln und 6 Skizzen im Texte. Jena. 8. — 2) Brass, A., Grundriss der Anatomie, Physiologie und Entwicklungsgeschichte des Menschen. Leipzig. 8. Mit 66 Abbildungen. (Eine allgemein verständliche Darstellung der wichtigsten Erkenntnisse auf den obigen Gebieten.) — 3) Braune, W., Das Venensystem des menschlichen Körpers. 1. Lfg. Die Venen der vorderen Rumpfwand des Menschen. gr. qu. Fol. 4 Chromolith. nebst erläut. Text. Mit 13 Holzschn. gr. 8. Leipzig. — 4) Flower and Garson, Catalogue of Specimens of Osteology and Dentition of Vertebrated Animals in the Museum of the Royal College of Surgeons of England. Part. 2. Roy. 8. London. — 5) Gruber, Wenzel, Verzeichniss der 1844—1884 veröffentlichten Schriften. St. Petersburg. 33 Ss. 4. — 6) Derselbe, Beobachtungen aus der menschlichen und vergleichenden Anatomie. IV. Hft. Mit 1 Tab. und 2 Taf. 4. Berlin. — 7) Derselbe, Dasselbe. V. Heft. Mit 1 Kupfertafel (29 Figg.). 4. Berlin. — 8) Heiberg, J., Atlas der Hautnervengebiete, ein Lehrmittel für Aerzte und Studirende. Christiania. Mit 10 Taf. 8. — 9) Heitzmann, C., Die descriptive und topographische Anatomie des Menschen in 600 Abbildungen. 3. Aufl. (In 6 Lieferungen.) 1. Lfg. gr. 8. Wien. — 10) Henke, W., Topographische Anatomie des Menschen. II. Hälfte. 8. Berlin. — 11) Hennig, Das anatomische Museum in Braunschweig und die jugendlichen verbildeten Becken. Naturforschende Gesellschaft zu Leipzig. Sitzungsberichte. Jahrgang X. 1883. Leipzig. 8. S. 42—54. — 12) Hoffmann, G., Acht Skelettafeln zum Einzeichnen von Gelenkbändern, Muskeln und anderen Organen. Fol. Berlin. In Mappe. — 13) Holden, L., Manual of the Dissection of the Human Body. 5. ed. 8. London. — 14) Hyrtl, Jos., Lehrbuch der Anatomie des Menschen. 17. Aufl. 8. Wien. — 15) Derselbe, Die alten deutschen Kunstworte der Anatomie. Mit Synonymen-Register. gr. 8. Wien. — 16) Joessel, G., Lehrbuch der topographisch-chirurgischen Anatomie mit Einschluss der Operationsübungen an der Leiche. I. Theil. Die Extremitäten. Mit 155 grösstentheils in Farbendruck ausgeführten Holzschnitten. Bonn. — 17) Internationale Monatsschrift für Anatomie und Histologie. Herausgegeben von R. Anderson in Galway, C. Arnstein in Kasan, Ed. van Beneden in Lüttich, G. Bizzozero in Turin, H. F. Formad in Philadelphia, C. Golgi in Pavia, H. Hoyer in Warschau, G. Mihalkovics in Buda-Pest, G. Retzius in Stockholm, E. A. Schäfer in London, L. Testut in Bordeaux und W. Krause in Göttingen. Berlin. — 18) Bardeleben, K., Ueber Freizügigkeit der Studirenden der Medicin an den Universitäten deutscher Zunge. Bonn. 8. Als Manuscript gedruckt. — 19) Kupffer, C., Gedächtnissrede auf Theod. L. W. von Bischoff, gehalten in der öffentlichen Sitzung der königl. bayer. Acad. der Wissenschaften. München. Acad. 4. 52 Ss. — 20) Leboucq, s. unter Methodik. — 21) Müller, F., Lehrbuch der Anatomie der Haus-Säugethiere mit besonderer Berücksichtigung des Pferdes. 3. Aufl. 8. Wien. — 22) Pansch, Ad., Anatomische Vorlesungen für Aerzte und ältere Studirende. Theil I: Allgemeine Einleitung, Brust und Wirbelsäule. Mit 70 Holzstichen. Berlin. 8. — 23) Tillaux, P., Traité d'anatomie topographie av. applic. à la chirurgie. 4. éd. Av. 271 fig. 8. Paris.

Heiberg's Atlas (8) stellt, wie schon der Titel angiebt, die Hautnervengebiete dar. Um die Uebersichtlichkeit zu steigern, sind Farben gewählt, und zwar solche, die auch bei künstlichem Licht noch verschieden bleiben. Die ganze Arbeit ist sehr gefällig durchgeführt, und wird gewiss Nutzen stiften.

[Heiberg, Jacob, Tre Tavler over Hjärnenervernes Virkning samt Håndens Hudnerver. Kristiania 1883. 8.

Die Wirkung der Hirnnerven wird auf zwei von Text begleiteten Tafeln dargestellt; derselbe Farbendruck ist angewandt, roth für die Muskeln, gelbbraun für die Haut- und Schleimhäute, blau für die specifischen Nerven.

Eine dritte Tafel zeigt die Verbreitung der Hautnerven der Hand in zwei Figuren, eine von der Dorsal-, die andere von der Volarfläche der Hand; die Verbreitung des N. radialis ist blau, die des N. ulnaris violet und die des N. medianus roth bezeichnet.

Ditlevsen.]

II. Anatomische Technik.

1) Heiberg, J, Atlas der Hautnervengebiete, ein Lehrmittel für Aerzte und Studirende. Christiania. Mit 10 Tafeln. 8. — 2) Freud, Sigm., Eine neue Methode zum Studium des Faserverlaufs im Centralnervensystem. Sep.-Abz. aus Archiv f. Anat. u. Physiol. Anat. Abtheil. S. 453—460. — 3) Krause, W., Die Methode in der Anatomie. Internat. Monatsschrift f. Anat. u. Histol. Bd. I. Heft 2. — 4) Kölliker, A., Die Aufgaben der anatomischen Institute. Eine Eröffnungsrede. Würzburg. — 5) Leboucq, H., Le musée anatomique de l'université de Gand. Gand. 8. — 6) Schiefferdecker, P., Beiträge zur Kenntniss des Stützgewebes der Retina. Nachr. v. d. kgl. Gesellschaft der Wiss. u. der Georg-Augusts-Universität zu Göttingen. No. 7. S. 294—302. — 7) Semper, C., Zoologie und Anatomie. Eine Erwiderung auf Herrn v. Kölliker's Rede: „Die Aufgaben der anat. Institute". Wiesbaden. (Sep.-Abdr a. d. „Arbeiten des zool.-zootom. Instituts in Würzburg, Bd. VII.") — 8) Luys, J., Nouvelles recherches sur la structure du cerveau et l'agencement des fibres blanches de la substance cérébrale. Compt. rend. T. 99. No. 1. p. 19. — 9) Waldeyer, Wie soll man Anatomie lehren und lernen? Rede, zur Feier des Stiftungstages der militärärztl. Bildungsanstalten am 2. August. Deutsche medicinische Wochenschr. No. 37. — 10) Zander, R., Die frühesten Stadien der Nagelentwicklung und ihre Beziehungen zu den Digitalnerven. Archiv f. Anat. und Physiol. (Anat. Abth.) mit Taf. VI. S. 103—144.

Von zwei Seiten her wird gleichzeitig die Anwendung von Farben für Unterrichtszwecke empfohlen, und ich glaube mit vollem Recht. Die geistige Anstrengung für das Festhalten der Erinnerungsbilder wird verringert, und überdies durch die gewonnene Uebersicht vieler Verhältnisse wesentlich erleichtert. Bei der Fülle des zu bewältigenden Materials ist eine verbesserte Methodik ja höchst wünschenswerth. So hat Heiberg (1) an der unter seiner Leitung stehenden Sammlung (Universität Christiania) bunte Farben in grosser Ausdehnung angewendet. An vielen Sägeschnitten und Präparaten von macerirten Schädeln erhielten einzelne Knochen eine constante immer wiederkehrende Farbe. Muskelursprünge und -Insertionen werden an Knochen nach Luther Holden, Human osteology, London 1855, roth und blau angelegt; Epiphysenlinien, Kapselinsertionen der Gelenke, Windungen des Gehirns an Modellen durch bunte Farben demonstrirt. An Statuen, Gypsabgüssen und Modellen sind ferner die Bezirke der Hautnerven farbig angegeben.

Das Bemalen der Knochen ist schon in vielen Instituten in der Uebung, und findet wie Ref. weiss, auch in Frankreich Verwendung. Leboucq (5) geht noch weiter und bemalt auf die Empfehlung von Plateau hin auch Präparate, welche Muskeln und andere Organe enthalten. Es besteht darin, die Muskeln mit Ammonikcarmin zu färben. Man kann verschiedene Nuancen hervorrufen, indem man Chromblei oder Beinschwarz? (Noir du fumée, Kienruss) zusetzt, um auf diese Weise die mehr natürliche Farbe des Fleisches zu erreichen. Nach dem Färben wird das Object in eine kalt gesättigte Lösung von Alaun eingetaucht, dann mit Wasser abgewaschen und in Alcohol aufbewahrt.

Nervenpräparate erhalten dadurch eine ausserordentliche Klarheit, denn die weissen Nervenstämme gehen gut von dem dunkeln Untergrund los. Ferner rühmt L. die Eingeweidepräparate der Brust- und Bauchhöhle, welche nach der von His angegebenen Methode angefertigt worden sind (Injection einer $^1/_2$ proc. Lösung von Chromsäure in die Leiche). Die Mucosa des Darms, der Gallenblase, der Harnblase, das Herz u. s. w. geben vortreffliche Präparate, „rien n'égale ce mode de préparation". Noch mehr über Anfertigung oder Aufstellung s. im Original.

Freud (2) schlägt für die Feststellung der Nervenfasern in dem Centralorgan folgende Methode vor, welche Vortreffliches leisten soll.

Feine Schnitte des in doppelt-chromsaurem Kali gehärteten Präparates werden kurz in destillirtem Wasser abgespült, um sie vom Alcohol, mit welchem das Messer des Microtoms befeuchtet war, zu befreien, sodann in ein Uhrschälchen mit 1 pCt. Goldchloridlösung gebracht und 3—5 Stunden darin belassen. Sodann werden sie mit einem reinen Holzstift herausgehoben, in destillirtem Wasser gewaschen und in ein Schälchen mit starker Natronlauge (1 Theil Natron causticum fusum auf 5—6 Theile Wasser) gebracht, in welchem sie meist sofort durchscheinend werden. Sie bleiben darin nur 3 Minuten, werden dann abermals mit Holzstiften herausgehoben und an Filtrirpapier angehalten, so dass einige Tropfen der Lauge abfliessen. Selbst grosse und dünne Präparate erleiden durch die dabei unvermeidliche Faltung und Zusammenrollung keinen Schaden. Die von Lauge durchtränkten Schnitte werden nun in ein Schälchen mit 10—12 proc. Jodkaliumlösung gebracht, in welcher sie sich ausbreiten und eine zarte, allmälig in dunklere Nuancen übergehende Rothfärbung annehmen. Nach 5—15 Minuten ist die Färbung vollendet. Wenn man das betreffende Priparat noch nicht erprobt hat, thut man gut, nach den ersten 5 Minuten einen Schnitt auf den Objectträger zu bringen und in der alkalischen Jodkaliumlösung anzusehen. Treten die Fasern in dunkler Färbung auf lichtrothem Grunde hervor, so wird der Schnitt auf dem Objectträger durch sanftes Auflegen von Filtrirpapier getrocknet, durch Eintauchen des Objectträgers in eine Schale mit destillirtem Wasser frei gemacht, das Wasser sodann gewechselt, die Schnitte mittelst eines Spatels und Pinsels zuerst in schwächeren dann in starken Alcohol gebracht und nach kurzem Verweilen in Alcohol nach den bekannten Methoden aufgehellt und eingeschlossen. So behandelte Präparate zeigen im Allgemeinen die groben und feinen markhaltigen Fasern in ausgezeichneter Deutlichkeit dunkelrothbraun bis schwarz auf lichtrothem, oder blau auf ungefärbtem Grunde.

Die Härtung des Präparates in Erlicki'scher Flüssigkeit ($2^1/_2$ Theile doppelchromsaures Kali und

½ Kupfervitriol auf 100 Theile Wasser). Die Nachhärtung im Alcohol ist ganz unschädlich. Das Centralnervensystem der Neugeborenen und der älteren Embryonen ist das dankbarste Object für die Anwendung der beschriebenen Methode. Das Fehlschlagen aus unbekannten Gründen, wie es bei anderen Vergoldungsverfahren den Histologen oft Anlass zur Klage giebt, kann der hier mitgetheilten Methode nicht zum Vorwurf gemacht werden. Ist ein Präparat überhaupt für die Anwendung derselben geeignet, so kann man mit aller Bestimmtheit darauf rechnen, beliebig grosse Schnittreihen gleichmässig gefärbter Präparate herzustellen.

Als Vorzüge der Methode sind zweierlei hervorzuheben: Erstens die überraschende Deutlichkeit, mit welcher die Faserzüge dunkel auf hellem Grunde gezeichnet erscheinen. Zweitens das Sichtbarwerden sehr feiner markhaltiger Fasern, welche an Carminpräparaten nicht erkannt werden können, deren Masse und Verbreitung wir überhaupt erst seit der Anwendung der Methoden von Exner und Weigert übersehen.

Schiefferdecker (6) empfiehlt für den Nachweis des Stützgewebes der Retina statt des Ranvier-schen Alcohols eine Mischung, welche als Methylmixtur bezeichnet wird.

Aqu. dest.	20 Vol.	Th.
Glycerin	10 „	„
Methylalcohol	1 „	„

Wie lange man eine Retina in dieser Flüssigkeit liegen lassen muss, lässt sich leider im Allgemeinen nicht sagen, es ist das nach den Thiergattungen und wohl auch nach dem Alter verschieden, durchschnittlich jedoch mehrere Tage.

Luys (8) erhärtet das Gehirn successive in doppelchromsaurem Kali, Phenylsäure und Methylalcohol. Dadurch sollen die Nervenfaserzüge die Resistenz und die Biegsamkeit von Leinenfäden erhalten und sich vortrefflich durch die verschiedenen Abtheilungen des Centralorganes verfolgen lassen. Genauere Angaben über die Anwendungsart dieser Flüssigkeiten fehlen.

Zander (10) benutzte für die Vorbereitung anatomischer Objecte für Nervenpräparation folgendes Verfahren, das auf der Heidelberger Anatomie in der Uebung ist.

Aus einer recht frischen, mageren Leiche wurde mit Salzwasser die Hauptmasse des Blutes ausgewaschen. Es wurde so lange Wasser in die Aorta injicirt, bis es rein aus der eröffneten Arteria pulmonalis ausfloss. Diese wurde verschlossen und jetzt so lange eine dünne, hellgelbe Chromsäurelösung injicirt, bis Hände und Füsse wassersüchtig wurden. Die Leiche blieb nun drei Tage liegen und wurde darauf in dünnen Alcohol eingelegt. Nach einigen Wochen werden die Nerven präparirt, die sich durch ihre glänzend weisse Farbe von dem sonstigen gelblichen Gewebe mit grosser Deutlichkeit bis zu den feinsten Reiserchen hin abhoben. Die hydropische Beschaffenheit der Objecte erleichterte nicht unwesentlich die Isolirung der feinen Nerven.

[Hennum, J. O., Om Hering's levercellemodel. Nord. medic. Arkiv. XVI. No. 28. I.

Verf. zeigt, dass das bekannte Hering'sche Modell der Leberzellen (s. Wiener Sitzungsberichte, 1866), sich mittelst eines einfachen Versuchs darstellen lässt:

Man wiegt gleich grosse Mengen von weichem Thon ab, rollt sie zwischen den Händen, bis sie gerundet sind, und bestreut sie reichlich mit Hexenmehl (Lycopodiumsporen), damit sie nicht zusammenkleben. Von solchen Kugeln legt man alsdann eine geradlinige Reihe auf eine plane Fläche, hinter diese Reihe eine neue solchermassen, dass Linien von den Centren der Kugeln der zweiten Reihe perpendiculär auf die Verbindungslinie zwischen den Centren der Kugeln der ersten Reihe, diese gerade in den Berührungspunkten der Kugeln treffen. Alsdann legt man einen geraden, cylindrischen Stab parallel mit den Kugelreihen in die Furche zwischen denselben. Dies wird, so oft man wünscht, wiederholt. Endlich legt man eine neue Schicht Kugeln in derselben Weise auf die erste Schicht, doch so, dass verticale Linien, von den Centren der Kugeln der ersten Reihe niedergefällt, die Berührungspunkte der Kugeln der untersten Reihe treffen. Die Anzahl der Schichten darf nicht unter drei sein.

Finden sich unendlich viele Kugeln in jeder Schicht, und eine unbegrenzte Anzahl von Schichten, dann wird jede Kugel 10 Kugeln und 4 Stäbe berühren. Nennt man die Berührungspunkte zwischen den Kugeln einer Reihe die Pole der Kugel, so findet man bei jedem Pol eine Kugel und auf jeder Seite des Aequator 4 Kugeln.

Werden die so geordneten Haufen von Kugeln gleichmässig zusammengedrückt, so bekommt man Polyëder von derselben Form, wie die Leberzellenmodelle Hering's, nur mehr cuboide.

Die Stäbe repräsentiren die Gefässe und bilden mittelst ihres Druckes die Gefässfurchen auf den Polyëdern. Verwendet man keine Stäbe, so bekommt man lauter Tessaracaidecaëder; diese werden genauer beschrieben. Bidlevsen.]

III. Osteologie und Mechanik.

1) Aeby, Das Talo-Tarsalgelenk des Menschen und der Primaten. Archiv für Anatomie und Physiologie (Physiol. Abth.). Supplementband 1883/84. S. 312. — 2) Albrecht, P., Processus paracondyloides. Corresp.-Blatt der deutsch. anthrop. Gesellsch. 10. und 11. Bericht über die XV. allgemeine Versammlung in Berlin. — 3) Derselbe, Epiphysen zwischen Hinterhauptsbein und Keilbein beim Menschen. Ebendas. — 4) Derselbe, Ueber die epipituitaren Wirbelcentren der Säugethiere. Ebendas. — 5) Derselbe, Ueber die extracranialen Räume in der Schädelhöhle der Säugethiere. Ebendas. — 6) Derselbe, Sur les éléments morphologiques du manubrium du sternum chez les mammifères. 8. Extrait du livre jubilaire publié par la Soc. de Méd. de Gand a l'occasion du 50. anniversaire de sa fondation. — 7) Derselbe, Sur les spondylocentres épipituitaires du crâne, sur la non-existence de la poche de Rathke et la présence de la chorde dorsale et des spondylocentres dans le cartilage de la cloison du nez des vertébrés, dont voici le résumé. La presse médicale Belge. No. 14. p. 108—110. — 8) Derselbe, Sur la valeur morphologique de la trompe d'Eustache et les dérivés de l'arc palatin, de l'arc mandibulaire et de l'arc hyoïdien des vertébrés, suivi de la preuve que le „symplectico-hyomandibulaire" est morphologiquement indépendant de l'arc hyoïdien. Communication faite à la Soc. d'Anat. pathol. de Bruxelles. Séance du 11 mai. Avec 15 grav. dans le texte. 8. p. 41. — 9) Derselbe, Ueber die Zahl der Zähne bei den Hasenschartenkieferspalten. Sep.-Abdr. a. d. Centralbl. f. Chirurgie. No. 32. — 10) Derselbe, Erwiderung auf Herrn Prof. Dr. Hermann v. Meyer's Aufsatz: „Der Zwischenkieferknochen und seine Beziehungen zur Hasenscharte und zur schrägen Gesichtsspalte" auf S. 293 des XX. Bandes der Deutsch. Zeitschrift für Chirurgie. Deutsche Zeitschr. f. Chirurgie Mit 6 Figg. — 11) Derselbe, Ueber die morphologische Bedeutung der Kiefer-, Lippen- und Gesichtsspalten. Centralblatt für Chirurgie. No. 23. Beilage. — 12) Derselbe, Sur la fossette vermienne du crâne des mammifères. Bull. de

la Soc. d'Anthrop. de Bruxelles. Pl. V. p. 138—158. — 13) Derselbe, Dasselbe, abgekürzt in: Correspondenzblatt der deutschen anthrop. Gesellschaft unter demselben Titel. — 14) Derselbe, Sulla fossetta vermiana del cranio dei mammiferi. Estratto dall' Arch. di Psichiatria, Scienze penali ed Antropologia criminale. Vol. V. Fasc. II—III. 8 14 pp. Con una tavola. — 15) Derselbe, Sur les homodynamies qui existent entre la main et le pied des mammifères. Extr. de la Presse médicale belge. No. 42. 19. Octobre. 10 pp. 8. — 16) Anderson, R. J., The transverse measurements of human ribs. Journ. of anatomy and physiol. Bd. XVIII. Part. II. p. 171—173. — 17) Bardeleben, K., Das Intermedium tarsi beim Menschen. Sitzungsber. der Jenaischen Gesellschaft. März 1883. S. 37—39. — 18) Derselbe, Das Os intermedium tarsi der Säugethiere. Ebendas. April 1883. S. 75—77. Weitere Mittheilungen über das Intermedium tarsi. Ebendas. S. 91—93. — 19) Derselbe, Das Intermedium tarsi der Säugethiere und des Menschen. Biologisches Centralblatt. IV. No. 12 S. 374—378. — 20) Derselbe, Zur Entwickelung der Fusswurzel. (Ein neuer Tarsusknorpel beim menschlichen Embryo und eine neue, sechste Zehe bei Beutelthieren.) Sitzungsber. der Jenaischen Gesellsch. f. Medicin und Naturwissenschaft. Jahrg. 1885. 3. Sitzung vom 6. Febr. — 21) Baur, G., Ueber das Centrale carpi der Säugethiere. Morphol. Jahrbuch. Bd. X. Heft III. S. 455—457. — 22) Derselbe, Dinosaurier und Vögel. Eine Erwiderung an Herrn Prof. W. Dames in Berlin. Ebendas. Bd. X. Heft III. S. 446—454. — 23) Derselbe, Bemerkungen über das Becken der Vögel und Dinosaurier. Ebendas. Bd. X. Heft IV. S. 613—616. — 24) Derselbe, Zur Morphologie des Tarsus der Säugethiere. Ebendas. Bd. X. Heft III. S. 458—461. — 25) Boegle, C., Ueber den Mechanismus des menschlichen Ganges und die Beziehungen zwischen Bewegung und Form. München. gr. 8. Mit Fig. und 3 Taf. — 26) Bourne, Alfred Gibbs, Abnormalities of the vertebral column. Quarterly journ of microscop sc. New Series. XCIII. p. 83—88. Pl. IV. — 27) Cathcart, Ch. W., Movements of the shoulder girdle involved in those of the arm on the trunk. Journal of Anatomy and Physiol. Vol. XVIII. p. 211—215. — 28) Cleland, Notes on raising the arm. Ibidem. Vol. XVIII. p. 275—278. — 29) Dames, W., Entgegnung an Herrn Dr. Baur. Morpholog. Jahrb. Bd. X. Heft IV. S. 603—612. — 30) Dobson, G. E., Comparative variability of bones and muscles, with remarks on unity of type in variations of the origin and insertion of certain muscles in species unconnected by unity of descent. Journ. of Anatomy and Physiology. Vol. XIX. Part. I. p 16 bis 23. — 31) Gruber, W., Beobachtungen aus der menschlichen und vergleichenden Anatomie. Berlin 1883. 4. Ueber das Os centrale carpi des Menschen. — 32) Derselbe, Schlauchförmige, bis auf den Tarsus reichende Aussackung der Bursa mucosa intermetatarsophalangea II. Virchow's Archiv. Band 95. S. 183. Taf. VIII. Fig. 2. — 33) Derselbe, Zergliederung des rechten Armes mit Duplicität des Daumens von einer Frau und einem Jünglinge. Ebendas. S. 186. Taf. VIII. Fig. 3. — 34) Derselbe, Anatomische Notizen. (Fortsetzung.) No. I—IV. Ebendas. Band 98. Hierzu Taf. XI—XII. I. Bericht über neue Funde des Os centrale carpi radiale (mihi) beim Menschen. (Taf. XI. Fig. 1.) S 396—402. II. Ueber das Os centrale carpi ulnare (mihi) bei dem Menschen und über das muthmassliche homologe Carpalstück bei den Amphibien. (Taf. XI. Fig. 2—3.) S. 402—408. III. Drei neue Fälle von Os lunatum carpi bipartitum und ein Fall von Os lunatum tripartitum (vorher nicht gesehen). Verhalten des Os lunatum secundarium dorsale wie ein „Os centrale carpi medium". S. 408—413. IV. Ossificationen an ungewöhnlichen Orten (vom Aussehen eines Processus am Triquetrum carpi und eines Ossiculum sesamoides in der Ursprungssehne des M. rectus femoris). (Hierzu Taf. XII.) S. 413—416. — 35) Heiberg, J., Ueber die Drehungen der Hand. Historisch und experimentell bearbeitet. Mit 36 Holzschn. Kristiania Vidensk. Forh. 1883. No. 11. — 36) Horrocks, White and Lane, An account of the abnormalities observed in the dissecting room. During the winter session 1882—1883. Guy's Hosp. Reports. XXVII. p. 39—49. — 37) Lane, A., Cervical and bicipital ribs in man. Ibid. XXVII. p. 109—133. — 38) Derselbe, Costal and sternal asymmetry. Journ. of Anatomy and Physiol. Vol. XVIII. p. 335—338. — 39) Lanzi, G., Di una interessante anomalia dell' osso occipitale umano. Soc. Ital. di Antrop., Etnol. e Psicol. comp. in Florenz. Arch. per l'antrop. e la etnol. Vol. XIV. Fasc. 1. p. 13—16. Firenze. 8. — 40) Lavocat, A., Du rachis dans la série des animaux vertébrés. Compt. rend. Tom. 99. No. 25. p. 1125 bis 1127. — 41) Lebouçq, H., De l'augmentation numérique des os du carpe humain. Ann. de la soc. de méd. de Gand. Févr. p. 42—64. — 42) Derselbe, Dasselbe. Ibid. Febr. p. 42—64. — 43) Derselbe, Recherches sur la morphologie du carpe chez les mammifères. Extr. des Arch. de Biologie. Tom. V. Pl. III—V. p. 35—102. — 44) Derselbe, Résumé d'un mémoire sur la morphologie du carpe chez les mammifères. Extr. du Bull. de l'Acad. de Belgique. 3er sér. Tom. XVIII. No. 1. — 45) Leche, W., Das Vorkommen und die morphologische Bedeutung des Pfannenknochens (Os acetabuli). Internat. Monatsschr. für Anat. und Histol. Bd. I. Heft 6. S. 363—383. 1 Taf. — 46) Luzzani, Alcib. e Ces. Staurenghi, Relazione delle anomalie anatomiche trovate nelle dissezioni eseguite nel laboratorio di Anatomia Normale di Pavia. Boll. Scientif. Maggi e Zoja. Anno 5. No. 4. p. 107—115. Anno 6. No. 1. p. 7—14. — 47) Meyer, H. von, Der Zwischenkieferknochen und seine Beziehungen zur Hasenscharte und zur schrägen Gesichtsspalte. Separat-Abdruck aus der „Deutschen Zeitschrift für Chirurgie". — 48) Retterer, E., Contribution au développement du Squelette des Extrémités chez les mammifères. Journal de l'anatomie et de la physiol. No. 6. p. 467—614. Mit 2 Tafeln. — 49) Rosenberg, E., Untersuchungen über die Occipitalregion des Cranium und den proximalen Theil der Wirbelsäule einiger Selachier. Mit 4 Tafeln. gr. 4. Dorpat. — 50) Rosenberry, H. L., Some interesting facts in comparative osteology. Columbus M. J. 1883. 4. II. 106—116. — 51) Scott, J. Halliday, Note on a specimen of bicipital rib. Journ. of Anat. and Phys. April. Vol. XVIII. p. 339—340. — 52) Shepherd, F. J, The significance of human anomalies. The popular science monthly. Octobre. p. 721—732. — 53) Shufeldt, R. W., Osteology of Cerylae alcyon. Journ. of anat and phys. Vol. XVIII. Pl. XIV. p. 279—294. — 54) Derselbe, Osteology of Numenius longirostris, with notes upon the skeletons of other american limicolae. Ibid. Vol. XIX. Part. I. p. 51—82. Pl. IV and V. — 55) Spitzka, E. C., An anomaly of a vertebra, with a suggestion regarding the causation of certain forms of spinal-irritation. Medical record. Dec. p. 680—681. — 56) Strasser, H., Ueber den Flug der Vögel. Freiburg i. B. 8. (Eine vorläufige Mittheilung, welche die Kapitel einer demnächst erscheinenden grösseren Arbeit angiebt. Wir werden nach dem Erscheinen des Hauptwerkes auf den Gegenstand zurückgreifen. Ref.) — 57) Sutton, J. B., On the nature of certain ligaments. Journ. of Anat. and Phys. April. Vol. XVIII. Pl. XIII. p. 225—238. — 58) Derselbe, Nature of ligaments. Ibid. Vol. XIX. Part. I. p. 27 bis 50. Pl. III. — 59) Derselbe, On the relation of the orbito-sphenoid to the region pterion in the side wall of the skull. Ibid. XVIII. P. II. p. 219—222. Pl. XII. — 60) Derselbe, On some points in the anatomy of the chimpansee. Ibid. London 1883. 4.

XVIII. p. 66—85. — 61) Symington, J., Anatomy of acquired flat-foot. Ibid. Vol. XIX. Part I. p. 83 bis 93. Pl. VI. — 62) Thompson, W. d'Arcy, On the nature and action of certain ligaments. Ibid. Vol. XVIII. July. p. 406—410. — 63) True, H., Etudes sur le thorax normal de l'homme. Soc. d. sc. méd. de Lyon. No. 31. 3. Août. p. 441—448. Fortsetzung No. 33. p. 504—512. — 64) Virchow, Hans, Zur Frage der Schlangenmenschen. Aus den Sitzungsber. der Würzburger phys.-med. Gesellschaft. 8. Mit einem Nachtrage. — 65) Turner, W., A second specimen of a first dorsal vertebra with a foramen at the root of the transverse process. Journal of anatomy and phys. Vol. XVIII. Part II. p. 223. — 66) Welcker, H., Die morphologische Bedeutung des ersten Daumengliedes. Mit 1 Figurentafel. 18 Ss. 4. (Sep.-Abdruck a. d. Preisvertheilungsprogramm der Universität Halle.) — 67) Wolff, Jul., Das Gesetz der Transformation der inneren Architectur der Knochen bei pathologischen Veränderungen der äusseren Knochenform. Sitzungsber. d. königl. preuss. Acad. d. Wissenschaften zu Berlin. Bd. XXII. Sitzung der physical.-mathem. Classe vom 24. April. Taf. III. S. 475—496.

Aeby (1). In seinem allgemeinen Aufbau stimmt das Talo-Tarsalgelenk, trotz aller Abweichungen im Einzelnen, mit keiner andern Knochenverbindung mehr überein, als mit derjenigen von Radius und Ulna. Beide sind einaxige Doppelgelenke. Die Gelenkkörper bestehen aus Kopf und Pfanne und zwar in verschränkter Anordnung, so dass jeweilen das Kopfende des einen mit dem Pfannenende des andern zusammentrifft. Die nachfolgende Uebersicht soll das erläutern.

		Radio-Ulnar-gelenk	Talo-Tarsal-gelenk
Proximales Ende	Kopf	Radius	Calcaneus
	Pfanne	Ulna	Talus
Spatium interosseum		—	—
Distales Ende	Kopf	Ulna	Talus
	Pfanne	Radius	Calcaneus.

Jede Drehbewegung, unter welchen besonderen Verhältnissen sie auch erscheinen mag, trägt ausnahmslos einen doppelten Character. Jener stempelt sie zur Rad- oder Trochoid-, dieser zur Speichen- oder Radialbewegung. Im Radio-Ulnargelenk hat die Radbewegung die Oberhand, während im Talo-Tarsalgelenk beide in gleicher Grösse auftreten. In dieser Darstellung bleiben die Angaben vollkommen fremdartig, und es bedarf für ihr Verständniss der Figuren und des von Ae. eingeschlagenen vergleichend-anatomischen Weges. Der Sprung vom Radio-Ulnargelenk zum Talo-Tarsalgelenk ist ein so grosser, dass die Kluft durch Zwischenformen erst geebnet werden muss, soll man die Identität des Prinzipes trotz seiner beträchtlichen Modification doch noch richtig beurtheilen können. Wir verweisen auf das Original, denn eine Abkürzung der Angaben ist kaum möglich ohne eine vorausgegangene Vergleichung mindestens der vom Autor angezogenen Formen des Seehundes und der Primaten.

Albrecht (5) betrachtet den aclivischen Abschnitt des hinteren Keilbeinkörpers nicht mehr als einen Wirbelcentrencomplex, sondern setzt ihn dem Vomer sämmtlicher kiefertragender Wirbelthiere homodynam. Dann sind aber die grossen Keilbeinflügel oder die Alisphenoide der Säugethiere keine Wirbelbogen- oder Neurapophysencomplexe mehr.

Diese Auffassung hat sehr einschneidende Consequenzen, denn dann sind Foramen ovale und rotundum keine, den sogenannten „Intervertebrallöchern" der Wirbelsäule homodyname Intervertebralcanäle des Schädels. Je weiter man die Reihe der Säugethiere hinuntergeht, um so einfacher werden die Alisphenoide, bis sie schliesslich jederseits als eine, vorn von der Fissura orbitalis superior, hinten von dem Foramen lacerum anterius begränzte, von keinem Canale durchbohrte Platte erscheinen. Daraus folgte nun, dass Foramen lacerum anterius, Foramen ovale, Foramen rotundum und Fissura orbitalis superior überhaupt keine den sogenannten Intervertebrallöchern homodyname, sondern Pseudointervertebrallöcher sind.

Bei fast allen nicht säugenden Gnathostomen tritt der Trigeminus entweder durch das Prooticum oder vor dessen cranialem Rande aus dem Schädel. Und bei den Säugern ist gerade dasselbe der Fall. Noch beim Menschen tritt der Trigeminus durch das Petrosum, eben durch jenes Foramen der Dura mater, das A. den Canalis trigemini nennt. Somit ist der Canalis trigemini der Interprotovertebrallöchercomplex desjenigen Spinalnervencomplexes, den man als Nervus trigeminus bezeichnet.

„Das Alisphenoid der Säugethiere ist überhaupt kein Schädelknochen, sondern ein Gesichtsknochen." Es ist derselbe Knochen, der als Alisphenoid der Vögel und Krokodile, als Processus alisphenoidalis des Scheitelbeins der Schildkröten und Schlangen, als Columella cranii der Eidechsen, als vorderer Arm des Quadratbeins der Amphibien, als Ectopterygoid der Fische bekannt ist. Denn alle die eben genannten Namen sind nach A.'s Ansicht nichts anders, als verschiedene Bezeichnungen für ein und dasselbe Organ: das Ectopterygoïd.

Caudal von diesem Ectopterygoide der Fische liegen Quadratum und Metapterygoid. Und noch beim Menschen liegen hinter dem Alisphenoide (Ectopterygoid) dieselben Knochen: Quadratum und Metapterygoid (Squamosum), welche zusammen die sogenannte Schuppe des Schläfenbeins der Säugethiere bilden.

Der von Albrecht (9. 10. 11) aufgestellte Satz, dass bei dem Menschen und den Säugethieren vier Zwischenkiefer vorkommen, und dass die Hasenscharte zwischen dem innern und äussern Zwischenkiefer liege, hat mehrfache Discussion hervorgerufen. Es soll nach der Mittheilung A.'s auf dem Chirurgencongress dieses Jahres zu Berlin hier der Hauptpunkt hervorgehoben werden. Auf die Discussion, die sich an den Vortrag angeschlossen, kann hier nicht eingegangen werden. Es liegt überdies eine Arbeit von H. v. Meyer über denselben Gegenstand vor, die wir berücksichtigen werden. A. geht von vergleichenden anatomischen Untersuchungen aus wie folgt: Unter denjenigen Thieren, die in hohem Grade entwickelte Zwischenkiefer besitzen, befindet sich das Pferd, das für die Behandlung der Zwischenkieferfrage insofern einen klassischen Werth gewonnen hat, als

Goethe gerade am Pferde die Nomenclatur der verschiedenen am Zwischenkiefer der Säugethiere auftretenden Organe feststellte. A. unterscheidet nach vorne gelegen einen stärker ausgebildeten massiven Theil, den Goethe bereits als den Körper des Zwischenkiefers bezeichnet hat. Von diesem Körper gehen 2 Fortsätze aus, der Processus palatinus und der Processus nasalis. Dieser letztere verbindet sich mit 2 Knochen, nämlich nach oben mit dem Nasenbeine, nach hinten mit dem Oberkiefer. Die erste Naht ist eine Sutura intermaxillo-supramaxillaris. Die descriptive Anatomie des Menschen bezeichnet die Naht zwischen dem Zwischenkiefer und dem Oberkiefer als Sutura incisiva. Der Körper des Zwischenkiefers sowie sein Processus palatinus einer Seite verbinden sich mit dem Körper des Zwischenkiefers und dessen Processus palatinus der entgegengesetzten Seite durch eine in der Mittellinie liegende Naht, welche kurzweg als Symphyse der jederseitigen Zwischenkiefer bezeichnet werden kann. Die Schneidezähne, die in den Zwischenkiefern des normalen Pferdes auftreten, sind jederseits 3, von welchen 2 im Körper und 1 im Processus nasalis des Zwischenkiefers stehen, und zwar gilt dies sowohl für das Milch- wie für das bleibende Gebiss des Pferdes. Hinter der Sutura incisiva befindet sich der Eckzahn im Oberkiefer. Die Goethe'sche Theorie sagte: Bei der Hasenscharten-Kieferspalte liegt die Scharte zwischen dem Zwischenkiefer und dem Oberkiefer, sie ist der Ausdruck für die nicht zu Stande gekommene Sutura incisiva, wie diese letztere wiederum der Ausdruck für die verhinderte Kieferspalte ist. In einem von A. beschriebenen Fall einer Hasenscharte beim Pferd ist 1) der Processus nasalis von dem Körper und dem Gaumenfortsatze des Zwischenkiefers abgetrennt, 2) der Processus nasalis nicht von dem Oberkiefer abgetrennt, sondern mit demselben wie im normalen Zustande durch die Sutura incisiva vereinigt; also liegt 3) Coëxistenz der Sutura incisiva und der Hasenscharten-Kieferspalte vor; also ist die Goethe'sche Theorie wenigstens für diesen Fall falsch!

Bei allen Hasenscharten-Kieferspalten des Pferdes liegt also, wenn man dies nach der alten Theorie ausdrückt und nur einen Zwischenkiefer jederseits voraussetzt, die Kieferspalte nicht zwischen Zwischenkiefer und Oberkiefer, sondern im Zwischenkiefer intraincisiv! Es giebt mit einem Worte 2 Zwischenkiefer jederseits, einen inneren und einen äusseren. Die beiden inneren Zwischenkiefer verbinden sich durch die mediane Symphyse; die beiden äusseren Zwischenkiefer verbinden sich mit Oberkiefern und Nasenbeinen. Bei der Hasenscharten-Kieferspalte findet also keine Vereinigung des inneren oder vorderen Zwischenkiefers mit dem äusseren oder hinteren Zwischenkiefer statt. Die Scharte liegt zwischen ihnen beiden. Beim Menschen fand A., dass auch alle Hasenscharten-Kieferspalten des Menschen vorschriftsmässig zwischen innerem und äusserem Zwischenkiefer lagen, letzterer durch die Sutura incisiva sich mit dem Oberkiefer verband und niemals von demselben abgetrennt war.

Die Kieferspalte liegt also niemals, wie dies in der Goethe'schen Theorie behauptet wurde, zwischen dem Zwischenkiefer und dem Oberkiefer, sondern stets zwischen dem inneren Zwischenkiefer und dem äusseren Zwischenkiefer. Es giebt nicht nur, wie dies bisher angenommen wurde, nur einen Zwischenkiefer jederseits, sondern zwei, im Ganzen also vier Zwischenkiefer. Es giebt also im Ganzen 2 innere und 2 äussere Zwischenkiefer. Die Sutura incisiva hat den morphologischen Werth einer Naht zwischen dem äusseren Zwischenkiefer und dem inneren Zwischenkiefer.

v. Meyer (47) prüfte diese Theorie, und spricht sich wie folgt aus: Es wurden im Ganzen 32 Oberkiefer von Neugeborenen und überhaupt Früchten von dem 7. bis zum 9. Monat untersucht und an nicht weniger als 17 derselben eine deutliche Nahtspalte gefunden, welche ein dem äusseren Schneidezahn angehöriges Zwischenkieferbein von einem dem inneren Schneidezahn angehörigen Zwischenkieferbein trennt. Ganz besonders schön und deutlich konnte noch die Naht zwischen beiden Zwischenkiefern, sowie diejenige zwischen dem äusseren Zwischenkieferbein und dem Oberkieferbein an dem Oberkiefer eines im Zahnwechsel begriffenen, also etwa 7jährigen Individuums erkannt werden. Aehnlichen, wenn auch nicht ganz so deutlichen Befund ergab ein jugendlicher Negerschädel. In diesen beiden Fällen war der Befund auf beiden Seiten gleich. Mit Einrechnung dieser beiden Exemplare hat M. also an 26 Oberkiefern die Naht zwischen dem inneren und dem äusseren Zwischenkieferbeine gefunden und zwar bei der vorherrschenden Mehrzahl als vollkommen deutliche Spalte. Aus diesen Gründen, die im Original noch weiter ausgeführt sind, hält M. den Satz erwiesen, dass in der Entstehung des erwachsenen Oberkiefers jeder der beiden Schneidezähne sein besonderes Os incisivum hat, dass aber diese beiden Ossa incisiva früher miteinander verschmelzen, als das dann einheitliche Os incisivum (der seitherigen Auffassung) mit dem Oberkieferbeine verwächst. Was das Verhältniss dieser anatomischen Thatsache zu der Theorie der Hasenscharte betrifft, so ergeben die Beobachtungen unserer Autoren den Schluss: die Bildung der Hasenscharte beruht auf einer Spaltung zwischen innerem und äusserem Zwischenkieferbein, nicht auf einer Spaltung zwischen äusserem Zwischenkieferbein und Oberkieferbein.

Heiberg (35). Die herrschende Ansicht über die Drehung der Hand, nach welcher der Radius allein die Bewegung ausführt, und zwar um eine Axe welche vom Capitulum radii bis nach dem Capitulum ulnae läuft, wird mit guten Gründen bekämpft. Ueber dieses Thema hatten wir Veranlassung, schon öfters zu referiren (Koster, dieser Bericht für 1880, Einthoven, dieser Bericht für 1882, Heiberg, dieser Bericht, 1883, S. 13, No. 36 u. 37.) Wir können also auf die eben angeführten Referate verweisen.

Bardeleben (17, 18, 19, 20). 1) Das Intermedium tarsi seu Trigonum ist bei niederen Säugethieren (Beutelthieren) ein selbständiger Fusswurzelknochen. 2) Bei menschlichen Embryonen wird das Intermedium tarsi als getrennter Knorpel angelegt, bleibt jedoch nur eine kurze Zeit selbständig, indem es sich mit dem Tibiale zum Astragalus vereinigt, dessen hinteren (proximalen) Fortsatz es vorstellt. 3) Das Intermedium tarsi kommt beim erwachsenen Menschen gelegentlich als selbständiger Knochen vor.

Was die Beziehungen der einzelnen Knochen mit denen der Thierreihe betrifft, so fehlt noch die endgültige Entscheidung.

Albrecht (15) hält nicht das Trigonum Bardeleben's, sondern den Talus für das Intermedium; das Trigonum ist nach ihm homodynam dem Triquetrum der Handwurzel.

Baur (24) hinwiederum bezeichnet das Trigonum als Sesambein, was Bardeleben (20) entschieden bestreitet.

B. hat neuestens (24) bei dem menschlichen Embryo einen neuen Knorpel am Naviculare tarsi gefunden und so bestände das Naviculare tarsi aus einem Tibiale + Centrale. Das Os pisiforme homologisirt B., wie das früher geschah, und wie Albrecht es auch wieder thut, mit dem ganzen Calcaneus, nicht nur mit seiner Tuberositas. Am Tarsale I bei Didelphys cancrivora und auch bei dem Menschen kommen Spuren einer früheren Trennung vor, die B. für Rudimente einer sechsten Zehe erklärt vorbehaltlich weiterer Information.

Im Carpus wie im Tarsus kommen nach Albrecht (15) zwei Ossa intermedia vor, nämlich ein Intermedium des Talus = Os semilunare, dann aber ein Intermedium, das sog. Os pyramidale homodynam mit dem Os triquetrum.

Hierher gehören gleichzeitig die Arbeiten von Lebouсq (41, 42, 43, 44) und W. Gruber (34), welche sich mit dem Os centrale carpi beschäftigen. Nach G. (31) kann dieser Knochen ausnahmsweise bei beiden Geschlechtern zeitlebens, isolirt und articulirend persistiren. Er hat seine Lage im Centrum des dorsalen Theiles des Carpus, zwischen Naviculare, Multangulum minus und Capitatum. Es giebt zwei Arten des Centrale carpi beim Menschen, eine mit Sitz in einem Ausschnitt des Naviculare articulirt immer mit dem Multangulum minus; die zweite Art hat ihren Sitz am dorsalen Ulnarwinkel des Naviculare, aber articulirt bald am Multangulum minus, bald nicht. Die erstere Art ist die häufigere, variirt bedeutend in der Grösse, liegt grösstentheils im Carpus versteckt. Das Centrale carpi ist ein aus einem früheren Zustande herrührendes Carpuselement und ist dem Centrale carpi gewisser Genera und Species aus den Ordnungen der Quadrumana, Insectivora und Glires und demselben bei den Reptilien und Amphibien homolog.

Nicht nur das supernumeräre Centrale carpi des Menschen, sondern auch das constant vorkommende gewisser Säugethiere kann mit dem Naviculare verwachsen. Solche Verwachsungsspuren am Naviculare sind jetzt von Gruber in dieser Abhandlung aufgeführt und mehrfach abgebildet.

Lebouсq's (41—44) Untersuchungen über das Os centrale carpi, auf welche wir schon in diesem Bericht (1882, S. 17, No. 35) aufmerksam gemacht, haben mehrfache Erweiterung erfahren, von denen wir einige hier hervorheben wollen. „Das Centrale differenzirt sich zu derselben Zeit wie die anderen Elemente des Carpus, nämlich gegen die 5. Woche". Gegen das Ende des 2. Monats beginnt es mit dem Radiale sich zu vereinigen. Die Verwachsung ist in der Regel vor dem Ende des dritten Monats abgeschlossen, doch zeigt das distale Gebiet des Radiale noch Spuren der einstigen Trennung. Die Zahl der von L. getrennt gefundenen Ossa centralia beträgt vier. Wie W. Gruber, so sieht auch L. bei dem Erwachsenen Spuren der früheren Trennung, und zwar bezeichnet er die dorsale Fläche des Knochens in der Nähe der Articulation mit dem Trapezoid als die Stelle, wo solche Zeichen vorkommen. In dieser Gegend existirt entweder ein Tuberculum oder eine Furche, welche auf der concaven Gelenkfläche mit dem Os capitatum sichtbar wird. Im frischen Zustand bei $^2/_3$ der Ossa navicularia zu sehen d. h. also, die Mehrzahl der Hände trägt noch bei dem Erwachsenen die Spuren eines Os centrale.

Von den Anthropoiden haben Gorilla und Chimpanse dieselbe Anordnung wie der Mensch, nur ist das eben erwähnte viel stärker, der Orang-Utang hat dagegen in der Regel ein freies Os centrale carpi, das genau denselben Platz einnimmt, wie das Centrale des Menschen, sobald es isolirt bestehen bleibt.

Was die Untersuchungen über das Os pisiforme betrifft, so drängen sie mehr und mehr dahin, diesem Knochen eine höhere Bedeutung zuzuerkennen, als die eines Sesamknochens. Die vergleichende Untersuchung lehrt vor Allem, dass er im Vergleich mit seinem Homologon bei den Thieren entschieden eine regressive Metamorphose erfahren hat. Die Entwicklungsgeschichte und die vergleichende Anatomie lassen in der Hand der Säuger selbst bei den höchsten noch die typische Grundlage des Archypterygium erkennen. Die Hauptaxe geht durch Humerus, Ulna, zur Basis des Os pisiforme, dann schief durch den Carpus und endigt in dem Daumen. Die Entwicklungsgeschichte zeigt ferner, dass die Carpalknochen durch Differenzirung aus den proximalen Abschnitten der Metacarpalia entstehen. „Der Radius ist nicht als ein Strahl aufzufassen, der sich von der entgegengesetzten Seite der Axe abzweigt, sondern als eine secundäre Axe, die seit den Urodelen existirt". Endlich bemerkt L., dass die Anordnung der Carpalknochen (die quere Lage) eine secundäre Anpassung sei, dass urspünglich die Finger so angeordnet waren, dass der Daumen am meisten distal lag und das Os pisiforme, ein Rudiment, den am meisten proximal liegenden Strahl darstellte.

Leche (45) hat die Frage nach dem Vorkommen und der Bedeutung eines vierten Beckenknochens (Os acetabuli) einer Bearbeitung unterzogen. Er findet den Pfannenknochen bei Repräsentanten fast aller Säugethiergruppen, nur für die Monotremen und die Fledermäuse fehlt noch zur Zeit dieser Nachweis. Dieser vierte Abschnitt verknöchert viel später als die bekannten drei anderen Beckenelemente. Neben diesen zuletzt genannten Ossificationen besteht daher unter Umständen noch lange bei jugendlichen Individuen ein verkalktes Knorpelstück, und bei den Nagern verharrt dasselbe zeitlebens in diesem Zustand geweblicher Differenzirung. Die Lage des Os acetabuli in der Pfannenregion ist insofern eine constante, als es stets oralwärts von der Incisura acetabuli sich findet. Dagegen wechselt der Grad seiner Ausbildung beträchtlich. So kommt es, dass dasselbe bald nur einen der drei bekannten Abschnitte des Hüftbeins (das Os pubis) von der Pfanne abdrängt, bald deren zwei (Os pubis und Os ilium) davon ausschliesst. Auch bezüglich seiner Verschmelzung mit den anderen Elementen des Os coxae tritt eine grosse Mannigfaltigkeit des Befundes zutage. Es kommt dem Os acetabuli die gleiche Selbständigkeit zu, wie den längst bekannten übrigen Stücken. Zur Stütze dieses Satzes dient der Nachweis eines homologen Gebildes bei niederen Wirbelthieren (Krokodiliern und sehr wahrscheinlich auch Amphibien).

Welcker (66) legt dar, dass der erste Daumenknochen des Menschen ein ächter Metacarpusknochen und keine Phalanx sei und ebensowenig eine Mittelform beider, oder beides zugleich. In seiner äussern Form weicht der Metacarpus des menschlichen Daumens von dem des zweiten, dritten und vierten Fingers erheblich ab, wie der fünfte Metacarpus gleichfalls. Beide bleiben darum dennoch ihrem morphologischen Werthe nach ächte Metacarpi. Weder die freie Beweglichkeit des Metacarpus pollicis, noch die etwas abweichende Form seines Gelenkkopfes können die Natur desselben beeinträchtigen. Die Anordnung der Muskulatur bestätigt überdies diese Auffassung des Knochens in allen Punkten. Die angebliche Phalanx I des Daumens liegt im Fleische; von ihr und dem Metacarpus des zweiten Fingers entspringt der M. interosseus dorsalis I genau so, wie von dem zweiten und dritten Metacarpus der zweite Interosseus. Der ganze Längsrand des Metacarpus pollicis ist von dem Opponens des Daumens (Op. p.) genau so besetzt, wie der Längsrand des Metacarpus fünf vom Opponens quinti. Damit der zweite Knochen des Daumens zur Grundphalanx gestempelt werde, inseriren an sie an den betreffenden Stellen zwei zu jener Gruppe gehörige Muskeln: M. adductor pollicis und M. abductor pollicis brevis. Auch teratologische Thatsachen sind der Auffassung des ersten Daumenknochens als Metacarpus günstig.

[Naumann, C. F., Ossa tendinum. Nord. medic. arkiv. XVI. No. 20. III.

Verf. zeigt, dass die Ossa tendinum, Patella ausgenommen, bisher allzuwenig beachtet sind; sie sind keineswegs ohne Bedeutung, indem sie die Kraft der bezüglichen Muskeln vergrössern; eben deshalb sind sie bisweilen durch knöcherne Prominenzen ersetzt oder umgekehrt; so z. B. wird beim Colymbus L. die Patella durch eine Verlängerung der Tuberositas tibiae ersetzt. Solche Knochen finden sich deshalb eben, wo eine stärkere Muskelkraft erforderlich ist, besonders auf der Beugeseite. Diesbezügliche Beispiele aus der Thierwelt hebt der Verf. hervor.

Die Eintheilung dieser Sehnenknochen in constante und zufällige, wie sie bei den meisten Anatomen sich findet, ist nicht erfahrungsgemäss; so z. B. sind Sehnenknochen beim zweiten Gliede des Daumens und der Grosszehe fast immer vorhanden und sie müssen demgemäss den constanten angereiht werden; diese Thatsache ist allgemein übersehen, weil sie sehr klein sind und erst im 20—23jährigen Alter sich ausbilden. Umgekehrt wird man bisweilen vergebens nach dem sonst constanten Sehnenknochen beim ersten Daumengliede suchen, indem beide oder das eine derselben mittelst Vorsprünge des Capitulum ossis metacarpi primi ersetzt sind.

Das Vorkommen der zufälligen Sehnenknochen ist sehr wechselnd und nicht selten findet man nur eine Anlage derselben, nämlich einen kleinen Knorpel; die Ursache ihres Vorkommens dürfte wahrscheinlich in ungewöhnlichen Verwendungen der bezüglichen Muskeln zu suchen sein. Ditlevsen.]

IV. Myologie.

1) Bardeleben, K., Die Ausgangsöffnungen des Leisten- und des Schenkelkanals. Sitzgsber. der Jenaischen Gesellsch. März 1883. S. 39. — 2) Chudzinski, Sur un faisceau supplémentaire du muscle grand pectoral. Bull. de la Soc. d'Anthrop. de Paris. Tome VII. Serie III. Fasc. 2. p. 362. — 3) Derselbe, Anomalie du muscle grand pectoral. Ibid. Tome VII. Série III. Fasc. 2. p. 446. — 4) Cunningham, J., The musculus sternalis. Journ. of anatomy and physiol. Vol. XVIII. Part II. p. 208—210. — 5) Gegenbaur, Eine Besprechung. Morphologisches Jahrbuch. Bd. X. S. 331. — 6) Gibbes, H., Quergestreifte Muskeln an Tasthaaren. Siehe Titel Angiologie. — 7) Gruber, W., Beobachtungen aus der menschlichen und vergleichenden Anatomie. V. Heft. Berlin. 4. Mit 2 Tafeln. (Monographie über den Musculus ulnaris digiti V. und seine Reductionen auf einen supernumerären Radialbauch und auf eine Handrückensehne des Musculus ulnaris externus und deren Homologie.) — 8) Derselbe, Ein neuer Musculus peroneo-calcaneus externus anterior. Virchow's Archiv. Bd. 95. S. 177. Taf. VIII. Fig. 1. — 9) Derselbe, Mangel beider Musculi gemelli bei Abwesenheit des Obturator internus. Zurückweisung der Homologie dieser beim Menschen anomalen Anordnung mit derselben bei gewissen Säugethieren normalen, aber bei Abwesenheit des Obturator internus bestehenden Anordnung. Ebendas. S. 180. — 10) Derselbe, Anatomische Notizen (Forts.). No. V.—VII. und No. X. Ebend. Bd. 98. Hierzu Taf. XI. Fig. 4. V. Neuer Musculus retro-clavicularis proprius. Tensor laminae profundae fasciae colli. S. 416—422. VI. Neuer Musculus radialis digiti I. s. pollicis. (Taf. XI. Fig. 4.) S. 422—424. VII. Ein Zwischensehnen-Muskelchen am Handrücken. S. 424—425. X. Weitere Nachträge in Bezug auf den anomalen Infraclavicularcanal. (Verlauf der Vena axillaris durch denselben.) S. 435—440. — 11) Imbert, A., Contribution à la mécanique des muscles du membre supérieur chez l'homme. Journal de l'anatomie. No. 2. p. 85—105. — 12) Symington, J., The fold of the nates. Journ. of anatomy and physiol. Bd. XVIII. Part II. Plates X. p. 198—202. — 13) Derselbe, Note on a case of complete absence of both semi-membranosus muscles. Ibid. July. Vol. XVIII. p. 461—462. — 14) Testut, L., Contribution à l'anatomie comparée des races humaines. Dissection d'un Boschisman. Compt. rend. Tom. 99. No. I. p. 47—50. — 15) de Quatrefages, Einige Bemerkungen zu der obigen Mittheilung. Ibid. S. 50. — 16) Testut, L., Le muscle présternal et sa signification anatomique. Journ. de l'Anat. et de la Physiol. No. I. p. 71—84. — 17) Derselbe, Note sur quatre cas de muscle court coraco brachial observé chez l'homme. Journ. de méd. de Bordeaux, 1883/84. XIII. p. 124—126. — 18) Thürler, Louis, Studien über die Function des fibrösen Gewebes. Zürich. 8. (52 Ss.)

Diss. — 19) Turner, W., Case of absence of the semimembranosus muscle; also case of absence of gemelli and quadratus femoris. Journ. of Anatomy and Physiol. July. Vol XVIII. p. 463. — 20) Walsham, J., A two-headed muscle extending from the front of the axis to the basilar process of the occipital bone (rectus capitis anticus medius). Ibid July. Vol. XVIII. p. 461.

Gegenbaur (5). Wenn hier von der „Besprechung" eines Werkes Mittheilung geschieht, so haben wir lediglich die allgemeinen Gesichtspunkte im Auge, die bei dieser Gelegenheit hervorgehoben werden. Testut hat geschrieben über: Les anomalies musculaires chez l'homme expliquées par l'anatomie comparée, leur importance en Anthropologie, XV., 844 pp. Diese Publication giebt G. Veranlassung, in eine Erörterung der leitenden Principien innerhalb dieses Forschungsgebietes einzutreten, der wir die weiteste Verbreitung wünschen.

Die wissenschaftliche Anatomie hat nicht erst in neuester Zeit begonnen ihr Augenmerk den Abweichungen zuzuwenden, welche im Bereiche der Organisation des Menschen an den einzelnen Organsystemen auftreten. Für alle jene Bildungszustände, welche nicht als krankhafte Störungen der normalen Existenz des Organismus gelten können, hat man längst versucht Beziehungen zu entdecken, gleichwie die pathologische Anatomie jene anderen Zustände gleichfalls in Beziehungen, eben zu pathologischen Processen gesetzt hat. Darin besteht eben alle Wissenschaft, dass sie die Dinge kritisch betrachtet und sie in causale Verbindungen setzt.

Jene Abnormitäten, welche wir hier im Auge haben, hat man meist in zwei grosse Gruppen geschieden, indem man einen Theil auf ontogenetische Zustände zurückführen konnte, und sie von einer Fortdauer jenes Verhaltens ableitete. Für einen anderen Theil hat sich eine andere Verknüpfung klar dargestellt. Das sind solche, deren Ableitung von embryonalen Befunden versagte, sei es auch nur, weil die Ontogenie der Organe für manche Systeme der letzteren noch zu lückenhaft sich erwiesen hat. Für einen grossen Theil solcher Zustände haben sich „Thierähnlichkeiten" herausgestellt, und für viele Befunde, besonders des Muskelsystemes, ist es längst kein Geheimniss mehr, dass sie uns in jenen Beziehungen verständlicher werden können. Wer nicht darin blosse „Naturspiele" sieht, — und das ist auch durch die Annahme nicht anders, dass da oder dort aus überschüssigem Materiale ein Muskelbauch sich gebildet habe, der eigentlich nicht hierher gehört — der wird nach einem tieferen Grunde suchen, und den findet er in der Verknüpfung jener Bildungen mit denen anderer, verwandter Organisationen. Wenn man aus alle dem, worin Uebereinstimmungen der Organisation des Menschen mit jener der ihm zunächst stehenden Säugethiere zu erkennen sind, ein Motiv gewinnt für die Begründung eines solidarischen Verhaltens jener, so hat man nothwendigerweise auch für jene Abweichungen von der Norm die Verbindungen mit niederen Formen aufzusuchen und wird in jenen aus einem niederen Zustande überkommene Erbstücke sehen. Solche Versuche sind für einzelne Variationen des Muskelsystems mehrfach unternommen worden. In grossem Maassstabe ausgeführt finden wir jene Aufgabe in dem oben bezeichneten Werke.

Das Buch ist in fünf Abschnitte getheilt. Im ersten werden die Muskelanomalien des Stammes behandelt, im zweiten jene des Halses und des Nackens, der dritte und vierte Abschnitt sind den Gliedmaassen gewidmet. In einem fünften endlich ist eine Anzahl von Betrachtungen vereinigt, welche die Häufigkeit jener Anomalien, ihr Verhalten zur Erblichkeit, ihr Vorkommen bei Negerrassen, das Verhalten der Muskulatur des Menschen zu jener der Affen und ähnliche Fragen betreffen. Es repräsentirt dieser letzte Abschnitt somit einen allgemeinen Theil.

In jedem der ersten vier Abschnitte sind die Muskeln nach Gruppen geordnet, welche den traditionell unterschiedenen so ziemlich entsprechen. Jeder Variation oder Anomalie folgt als „vergleichende Anatomie" eine Darstellung des Befundes bei Thieren, unter welchen die Mammalia selbstverständlich die bevorzugten sind. So viel über die äussere Einrichtung des Werkes, in welchem ein überaus reichhaltiges Material verarbeitet ist, und mit vielen neueren Angaben auch die durch die Literatur bekannten in sehr vollständiger Weise zur Verwerthung kommen.

In der eingehaltenen regionalen Behandlung, bei der einzig das räumliche Beisammensein bestimmend wird für die Gruppirung, möchten wir einen Mangel erblicken. Es wird dadurch zwar keineswegs der Vergleichung mit Thieren ein grosses Hinderniss in den Weg gelegt, allein es erwachsen doch für die Zwecke und Ziele der Vergleichung Schwierigkeiten aller Art, denn es wird dadurch morphologisch Zusammengehöriges geschieden und man verliert den Weg zur Erkenntniss des indifferenten Zustandes, aus welchem die differenzirten einzelnen Muskeln hervorgegangen sind. Je mehr wir die Ansicht für begründet halten müssen, dass die myologische Forschung ihren Zielpunkt in der Zurückführung der Muskulatur auf einfachere Zustände haben muss, oder die Ableitung der complicirteren, weil differenzirter von einfacheren, indifferenteren, desto grösseres Gewicht müssen wir auf ein Princip legen, welches ein wissenschaftlicheres ist, als das rein topographische, und eben deshalb auch sicherer leitet, wo es sich um die Frage der Zusammengehörigkeit handelt. Dieses Princip beruht in der Rücksichtnahme auf die Innervation; seine Anwendung wird postulirt durch die Betrachtung des Muskels als eines Endorganes des Nerven. Was für die vergleichende Myologie, wenn sie heute mit Neuem hervortritt, unerlässlich erscheint, da es einen ganz bedeutenden Fortschritt anbahnt, das können wir auch für die Berücksichtigung der Anomalien oder Varietäten nicht für entbehrlich halten. Für die sogenannten überzähligen Muskeln, die zuweilen wie Fremdlinge in Gesellschaft bekannter Muskeln auftreten, ist das in erster Reihe erforderlich. Das Gewicht der Vergleichung mit Muskeln von Thieren wird durch jene Rücksichtnahme verdoppelt, das Ergebniss in positiverer

Weise sicher gestellt. Man wird hiergegen einwenden können, dass jener Anforderung deshalb nicht entsprochen werden kann, weil fast die gesammte grosse Literatur über Muskelvarietäten auf das Verhalten zu den Nerven keine Rücksicht nimmt, dass also die ganze Arbeit von mehr als einem Jahrhundert im Momente unverwerthbar ist. In diesem Momente, ja; aber nicht in einem späteren, wenn man von den allmälig immer wiederkehrenden Variationsbefunden auch die Nerven aufgesucht und damit der Variation oder dem überzähligen Muskel seinen bestimmten Platz angewiesen haben wird, dann sind auch die früheren Angaben der gleichen Fälle brauchbar, sie bieten statistisches Material. Nirgends, wo es sich um einen wissenschaftlichen Fortschritt handelt, darf ja die Frage, was mit dem Alten geschehen soll, für den Vollzug des Fortschritts ein Hinderniss sein. Das ist ja ebenso in anderen Gebieten der Fall gewesen.

Ein wichtigerer Punkt als der vorhin aufgeführte betrifft die Vergleichung der theromorphen Befunde.

Der Verf. will die Anomalien als nichts absolut Fremdartiges betrachten wissen, sondern als Zustände, welche in der Wirbelthierreihe als normale Einrichtungen realisirt sind. Wir halten zwar schon diese Auffassung für einen Fortschritt, besonders jener gegenüber, welche die Thatsachen der Variationen einfach ignorirt oder ohne jede Beziehung betrachtet, aber wir glauben nicht, dass es bei dieser Behandlungsweise bleiben darf. Was soll durch jene Vergleichung ausgedrückt werden? Doch nicht bloss das Bestehen ähnlicher Zustände der Muskulatur in verschiedenen Abtheilungen. Damit würde nicht viel geleistet sein. Jene Variationen sollen auch erklärt werden; erklärt durch Ableitung von verwandten Formen auf dem Wege der Vererbung. Die Anomalien der Muskeln wollen durch die vergleichende Anatomie verständlich gemacht werden. Aber wir können noch nicht finden, dass ein Muskelbefund beim Kameel, beim Ameisenbär, bei einem Vogel oder einer Schildkröte eine beim Menschen vorkommende Varietät schon explicirt, denn wir vermögen uns nicht vorzustellen, dass die atavistische Reihe bis zu jenen hinführt. Es ist nicht die Länge des Weges, die uns Schwierigkeiten böte, denn für manche Muskeln, man denke an den M. pyramidalis, muss eben so weit zurückgegangen werden, — sondern es ist die abseits von der atavistischen Reihe liegende Stellung jener Formen, auf welche sie bezogen wird. Die vergleichende Anatomie kann nicht die Absicht haben, von Pferden und Kameelen, Cetaceen und Edentaten her Muskeln des Menschen abstammen lassen zu wollen. Die Anomalie beim Menschen und der normale Befund bei den meisten Vögeln haben nichts mit einander gemein, als dass sie jede vollkommen von einander unabhängig auf dieselbe Art entstanden sind. Das Gleiche gilt von den Chiropteren. Es sind analoge Befunde mit dem äusseren Anscheine der Homologie. Denn es wird doch Niemand, der kritisch verfährt, die Anomalie beim Menschen als ein von den Vögeln oder Chiropteren her überkommenes Erbstück betrachten. Wir sagen, Niemand der kritisch verfährt, denn von Anderen steht auch die Aufnahme fliegender Organismen in die Ahnenreihe des Menschen zu erwarten, zumal da Aussicht besteht, wie für alles Paradoxe, baldigst Anhänger zu finden.

Unter den gleichen Gesichtspunkt fällt eine grosse Anzahl anderer Varietäten. Wir werden also solche, die als ererbte Einrichtungen sicher gelten können, atavistische Varietäten, von jenen aus einander halten, für die ein solcher Nachweis nicht erbracht werden kann. Diese theilen sich dann wieder in zwei Klassen, einmal Varietäten, die im Bereiche der Wirbelthiere zwar als Normalbefunde bestehen, aber nicht direct von daher auf den Menschen bezogen werden können, und zweitens solche, welche gar nicht von jenen Normalbefunden ableitbar sind und höchst wahrscheinlich nur aus individuellen Schwankungen der Muskulatur hervorgingen. Hierher gehört das Heer der Kapselspanner und zahlloser anderer Formationen. Wenn es auch mehr ein negatives Merkmal ist, welches letztere zusammenhält und von den ersteren unterscheidet, so ist doch, scheint mir, die Trennung durchaus geboten und jedenfalls besteht für beide eine Verschiedenartigkeit des Werthes und der Bedeutung der Fälle.

G. erinnert ferner daran, dass auch die ontogenetische Prüfung der Muskeln Vieles aufzuklären vermag. Wir besitzen bereits mehrere in jener Richtung gehende Arbeiten, so von G. Ruge über die M. interossei pedis, und können daraus ersehen, wie viel von dieser Richtung bei ihrer ausgedehnteren Verfolgung zu erwarten steht. Zunächst wäre die Untersuchung von Embryonen überall da zu empfehlen, wo es sich um Muskeln handelt, die beim Menschen discret geworden, bei Säugethieren noch indifferent, d. h. mit einem anderen Muskel zusammen bestehen.

In dem Buche ist ein unzweifelhafter Fortschritt angebahnt und es wird Jedem unentbehrlich sein, der sich mit der Myologie des Menschen wissenschaftlich beschäftigt.

Diese Ausführungen G.'s sind gleichzeitig eine vollkommene Antwort auf einige Bedenken, welche de Quatrefages (15) laut werden liess bei der Vorlage der Arbeit von Testut über die Zergliederung eines Buschmannes (14). de Q. bestreitet überhaupt das Recht, in den Muskelanomalien atavistische Erinnerungen zu vermuthen. Er meint, wenn man die der Affen so auffasse, so gebe es keinen Halt mehr, und man müsse alle in der nämlichen Weise interpretiren. Aus der Mittheilung Testut's folge auf diese Art mit unerbittlicher Consequenz, dass nicht allein alle Affen, sondern auch die Fleischfresser, die Wiederkäuer und die Nager in der genealogischen Ahnenreihe des Menschen einhermarschirten. Ja das gehe sogar noch weiter, man würde bis zu den Schlangen hinabgewiesen. Die Antwort auf diesen Einwurf, der theilweise berechtigt ist, wird der Leser in dem Vorausgegangenen finden.

Dobson (s. IV. Osteologie. No. 28) behandelt ebenfalls eine den Werth der Anomalie betreffende Frage, auf die wir in dem folgenden Bericht ausführlicher zurückkommen werden.

Gruber (7) hat über das Verhalten des M. ulnaris externus Untersuchungen angestellt und den wahren M. ulnaris digiti V. aufgefunden, sowie dessen Reductionen auf einen supernumerären Fleischbauch oder auf eine Handrückensehne des Ulnaris externus in vielen Varianten beider mit Insertion oder Endigung, so u. A. an der Basis des Metacarpale V., am Corpus in verschiedener Höhe und am Capitulum desselben, und endlich am Rücken des 5. Fingers in verschiedener Tiefe und selbst an der Phalanx III., also gradatim mit Herabsteigen zum Metacarpus, auf den Metacarpus und auf den Digitus V. selbst bis zur Phalanx III.

Der wahre Musculus ulnaris digiti V. tritt in dem Verhältnisse 1:595 oder 1:449 nach Cadaver-Zahl = überhaupt in 0:66 pCt. auf, ist somit eine grosse Rarität. Der Muskel erstreckt sich von einer 11 cm über dem unteren Ende der Ulna befindlichen Stelle bis zur Basis der Phalanx I. des 5 Fingers. Er ist 20—21 cm lang, wovon auf seinen Fleischbauch, der fast bis zum Lig. carpi dorsale herabreicht, ein gleiches Stück kommt, wie auf seine Ansatzsehne. An dem Fleischbauche ist er bis 1 cm breit und 3 mm dick. Seine platt-rundliche Sehne ist 1,5 mm breit und 0,75 mm dick. Der Muskel entspringt fleischig 3 cm hoch von der äusseren Fläche der Ulna, in deren ganzer Breite von dem Ursprunge des E. dig. indicis proprius, mit dem er ganz oben zusammenhängt, bis zum Angulus externus, wovon er 2 cm hoch abgeht. Der Muskel steigt, vom Ulnaris externus grösstentheils bedeckt, auf der Ulna herab, tritt mit seiner Sehne in die Vag. VI. des Lig. carpi dorsale für den Ulnaris externus, verlässt 2,5 cm über dessen Insertion an das Metacarpale V. diese Vagina und kommt in seine eigene Vagina. Seine lange Ansatzsehne strahlt über der Capsula metacarpo-phalangea des 5. Fingers fächerförmig in Fasern aus, die an der Ulnarhälfte der Basis der Phalanx I. des 5. Fingers sich ansetzen. Ueber die verschiedene Häufigkeit des Vorkommens der einzelnen Varianten oder Gruppen derselben ist Folgendes zu berichten: Der Procentsatz der Häufigkeit des Vorkommens der „Handrückensehne" in allen ihren Varianten beträgt im Medium nach Cadaverzahl = 51 pCt., nach Armezahl = 44 pCt. Die Handrückensehne kommt somit überhaupt in der Hälfte der Cadaver beiderseitig oder einseitig vor. Der Procentsatz der Variante mit Insertion an die Basis des Metacarpale V. variirt nach der Cadaverzahl von = 17—40 pCt. Unter den Säugethieren setzt sich beim Ornithorhynchus der M. ulnaris externus an die erste Phalange des 5. Fingers. Bei Echidna hystrix erstreckt sich der ganze M. ulnaris externus constant auf den 5. Finger und zwar bis zur Nagelphalange. Beim Menschen tritt selten ein wahrer M. peroneus digiti V. auf. Bei den Säugethieren hingegen kommt derselbe bei vielen Genera gewisser Ordnungen constant vor. Der ausnahmsweise beim Menschen vorkommende M. ulnaris digiti V. ist insofern, als er mit dem Ulnaris externus verschmolzen auftritt, homolog dem constant vorkommenden und als wahrer Extensor digiti V. auftretenden Ulnaris externus bei Echidna. Die in der Hälfte der Fälle auftretende Handrückensehne hat in dieser beim Chimpanse ausnahmsweise existirenden Sehne ihre homologe Sehne. Der ganz ausnahmsweise beim Menschen auftretende wahre Ulnaris digiti V. hat im Peroneus digiti V. und in dem bei vielen Säugethieren constant vorkommenden Peroneus digiti V. seinen homologen Muskel.

Thürler (18). Aus den Schlusssätzen der unter H. v. Meyer entstandenen Dissertation nehmen wir folgende heraus: das fibröse Gewebe ist eine Varietät des Bindegewebes, mit paralleler Anordnung der fibrillären Elemente durch die mechanische Einwirkung von Zug und Spannung. Die Sehnen und Aponeurosen zeigen stets dieselbe Richtung ihrer Faserung wie die Muskeln, zu welchen sie gehören. Es kommt vielfach vor, dass aponeurotische Sehnenausbreitungen sich mit Fascien vermengen und somit direct an der Bildung von Fascien Theil nehmen. Anordnungen dieser Art finden ihre Erklärung in den Beziehungen zu der Aufsaugung der Zersetzungslymphe, und zwar a) dadurch, dass sich eine Gesetzmässigkeit in dem Verhältniss der Muskelsubstanz und des zugehörigen fibrösen Gewebes erkennen lässt. Ein jeder Querschnitt des Muskels besitzt eine entsprechend angeordnete Menge von fibrösem Gewebe; b) dadurch, dass Muskeln, welchen eine grössere Arbeit zukommt, auch mit grösseren relativen Mengen von fibrösem Gewebe als constituirenden Elementen ausgestattet sind.

[Poulsen, Kr., Om Fascierne og de interfasciale Rum på Halsen. Diss. Köbenhavn. M. 2 Tavln.

I. Einleitung (S. 1—6). Verf. giebt eine historisch-kritische Darstellung der wichtigsten Beschreibungen über die Fascie des Halses mit besonderer Berücksichtigung der folgenden früheren Untersuchungen: Allen Burns, Godmann, Froriep, Velpeau, Malgaigne, Dittel, Tillaux, Luschka und Henke. Die eignen Untersuchungen des Verf. sind mittelst zweier Methoden angestellt: erstens auf Querschnitten von gefrorenen Leichen, zweitens mittelst Einspritzungen von gefärbten Leimlösungen in die interfascialen Räume.

II. Die Fascien des Halses studirte der Verf. auf den oben genannten gefrorenen Querschnitten, von denen zwei, der eine in der Höhe des untersten Theiles des vierten Halswirbels, der andere in der Höhe des Angulus maxillae inferioris, zugleich bildlich dargestellt sind. Der erstgenannte Querschnitt zeigt eine Lamina superficialis fasciae colli und eine Lamina profunda fasciae colli, welche letztere die Prävertebralmuskel deckt, sammt 5 interfascialen Räumen, 1) vom M. sternocleidomastoideus erfüllt, 2) ein Venenraum, 3) ein Arterienraum, 4) ein Raum zwischen den Prävertebralmuskeln und den Mm. constrictores pharyngis, und 5) ein Raum zwischen Larynx und Lamina superficialis colli. Mit diesen Verhältnissen als Ausgangspunkt giebt Verf. jetzt eine eingehende Beschreibung der Halsfascie; in dieser berücksichtigt er überdies verschiedene frühere Darstellungen, besonders auch Gegenbaurs Darstellung des Omohyoideus von einem comparativ-anatomischen Ausgangspunkte. Für alle Einzelheiten müssen wir übrigens auf die Abhandlung selbst verweisen.

III. Die interfascialen Räume. Die Untersuchungen des Verf. über diese Verhältnisse sind gestützt auf 100 Injectionen an 64 Leichen, er beschreibt besonders Folgendes: 1) Spatium suprasternale, 2) Trigonum cervicale inferius, 3) den retrovisceralen Raum, 4) den prävisceralen Raum, 5) die Gefässspalte, 6) Regio submaxillaris, 7) Regio retromaxillaris s. parotidea, 8) Regio sternocleidomastoidea und 9) Regio lateralis colli.

IV. Versuche. Hier giebt der Verf. eine detaillirte Beschreibung der Resultate seiner 100 Injectionen, indem die Lage und Begrenzungen jedes der bei diesen gebildeten Leimtumoren ins Einzelne dargestellt werden: A. Injection in das Spatium suprasternale: 9 Versuche. B. Injection in das Trigonum cervicale inf.: 19 Versuche. C. Injection in den retrovisceralen Raum: 7 Versuche. D. Injection in den prävisceralen Raum:

8 Versuche. E. Injection in die Gefässspalte: 17 Versuche. F. Injection in die Regio submaxillaris: 10 Versuche. G. Injection in die Regio parotidea: 10 Versuche. H. Injection in die Regio sternocleidomastoidea: 8 Versuche. I. Injection in die Regio lateralis colli oberhalb des M. omohyoideus: 12 Versuche. Ditlevsen.]

V. Angiologie.

1) Bégoune, Anna, Ueber Gefässversorgung der Kröpfe mit besonderer Berücksichtigung der Struma cystica. Diss. Mit 2 Taf. Leipzig. — 2) Duroziez, P., Sphincters des embouchures des veines caves et cardiaques. Occlusion hermétique pendant la présystole. Compt. rend. Tom. 99. No. 8. p. 362—363. — 3) Gibson, J. L., On the „invisible blood corpuscle" of norris. Journal of anatomy and physiology. Vol. XVIII. p. 393—399. — 4) Gompertz, C., Ueber Herz und Blutkreislauf bei nackten Amphibien. Archiv für Anatomie und Physiologie (Phys. Abth.). S. 242. Mit Tafel IV. S. 243—249. — 5) Gruber, Wenzel, Anatomische Notizen. (Fortsetzung.) No. VIII: Ueber die den Collateralkreislauf vermittelnden, aus erweiterten arteriellen Anastomosen in der Ellbogenregion entstandenen starken Communicationsbogen in einem Falle von Obliteration des Ellenbogenstückes der A. brachialis an einer arteriell injicirten Extremität. Virch. Arch. Bd. 98. S. 425—430. — 6) Hasse, Ueber den Einfluss der Bewegungen des menschl. Zwerchfells. Congrès périodique international des sc. méd. Août. p. 5 und 6. — 7) Hensman, A., On the relations of the dorsal artery of the foot to the cuneiform bones. J. Anat. and Physiol. London 1883/84. XVIII. p. 60. — 8) Hiller, Rob., Ueber die Elasticität der Aorta. Diss. Halle. 8. — 9) Langer, C, Ueber den Ursprung der inneren Jugularvene. Aus dem LXXXIX. Bande der Sitzungsber. der k. Acad. der Wissensch. III. Abth. Mai-Heft. S. 336—345. Mit 1 Taf. — 10) Paterson, A. M., Notes on abnormalities, with special reference to the vertebral arteries. Journ. of Anat. and Phys. Vol. XVIII. Plate XV. April. p. 295—302. — 11) Pohl-Pincus, Ueber die Muskelfasern des Froschherzens. Archiv f. microscop. Anatomie. Bd. XXIII. S. 500—505. — 12) Ruge, G., Beiträge zur Gefässlehre des Menschen. Mit 24 Figuren in Holzschnitt. Morphologisches Jahrbuch. Bd. IX. S. 329—388. — 13) Sabourin, Ch., Faits pour servir à l'histoire des veines sus-hépatiques dans le foie. Racines glissoniennes des veines sus-hépatiques. Le progrès Médical. 12e Année. No. 32. p. 639—641. — 14) Schöbl, Jos., Ueber Wundernetzbildungen im Fettgewebe. I. In der Umgebung der Schwanzwirbelsäule einiger Saurier. II. Im Mesenterium des Menschen. Archiv für microscop. Anatomie. Bd. XXIV. Heft 1. Taf. V u. VI. S. 92—97. — 15) Thomson, Arthur, Variations of the thoracic duct associated with abnormal arterial distribution. Journal of anatomy and physiol. Vol. XVIII. July. p. 416—425. — 16) Derselbe, Notes on two instances of abnormality in the course and distribution of the radial artery. Ibid. April. Vol. XVIII. p. 265—269. — 17) Turner, Ch., Case of abnormal development of the coronary arteries of the heart. Ibid. Vol. XIX. Part. I. p. 119. — 18) Zuckerkandl, E., Ueber den Circulationsapparat in der Nasenschleimhaut. Mit 5 Tafeln. Wien. 4. (Denkschriften der mathem.-naturw. Classe der kaiserl. Acad. d. Wissensch. XLIX. Bd.)

Duroziez (2) vermuthet im rechten Vorhof drei Klappen, welche während der Zusammenziehung der Vorkammern „présystole" die beiden Vv. cavae und die V. coronaria vollkommen abschliessen. Er nimmt damit eine Vorstellung auf, welche man schon im abgelaufenen Jahrhundert hatte. Für die V. cava superior existiren longitudinale und circuläre Fasern, welche bisweilen noch verstärkt werden durch eine Valvula sigmoidea. Für die V. cava inferior werden die embryonalen Gebilde des foetalen Herzens theilweise verwendet um denselben Effect hervorzurufen, also Valvula Eustachii, seitlich der Limbus Vieussenii, und das Tuberculum Loweri. Für die V. coronaria cordis kommen die Valvula Thebesii und die Valvula Eustachii in Betracht.

Hasse (6) schildert den Einfluss der Thätigkeit des Diaphragma auf die Circulation des Blutes wie folgt: Jede Zusammenziehung des Zwerchfells hat eine Erweiterung der diastolisch erschlafften Herzabtheilungen und der V. cava inferior zur Folge. Das Maass der Zusammenziehung bedingt das Maass der Erweiterung und damit die Menge des zuströmenden Blutes; und die Schwankungen in Grösse und Schnelligkeit der Zusammenziehungen der Zwerchfellfasern sind als wesentliche Factoren bei den Schwankungen des Druckes und der Geschwindigkeit des Blutes im Venensystem in Rechnung zu ziehen. Jede Zusammenziehung des Zwerchfells befördert den Blutumlauf in der Leber, einmal durch Aspiration des Venenblutes in die Cava und ferner durch Ansaugung des Pfortaderblutes in die Leber, durch Bildung eines luftleeren Raumes unter derselben, vor allem im Bereiche des Gefässeintritts. Die Erschlaffung des Zwerchfells, die Exspiration hindert das freie Einfliessen des Pfortaderblutes und es erscheint fraglich, ob der Abfluss des Lebervenenblutes dadurch gefördert wird. Jede Zusammenziehung des Zwerchfells presst das Blut der Milz in die Venen derselben und erschwert die arterielle Zufuhr, jede Erschlaffung des Zwerchfells befördert dagegen die arterielle Zufuhr, beschwert dagegen den Abfluss. Jede Zusammenziehung des Zwerchfells bedingt einen Druck rings auf die Magenwände und fördert die Entleerung nach dem Pylorus hin. Ebenso bewirkt dieselbe wesentlich die Entleerung der Gallenblase. Die Verkleinerung des Magens, die Verkleinerung und damit die Entleerung der Gallenblase, sowie das Zuströmen des Pfortaderblutes zur Leber ist, wenn auch wesentlich von der Zusammenziehung des Zwerchfells, so doch auch von dem in entgegengesetzter Richtung nach aufwärts hinten wirkenden Drucke der elastischen Bauchwand und der Därme abhängig.

Langer (9). Die Existenz eines Bulbus venae jugularis internus (cerebralis) ist durchaus nicht constant. Beim Neugeborenen fehlt er immer. Er ist von Haus aus keine Ampulla des Venenrohres, noch weniger eine trichterförmige Erweiterung, vielmehr nur eine mehr oder weniger scharfe Abbiegung desselben, welche, wenn sie vorhanden, nicht dem eigentlichen Stamm der Jugularvene angehört, sondern ein dem Sinus zugehöriges Gebilde ist. Es entsteht durch eine Ausbiegung des Blutstromes in einen Recessus jugularis des Schläfenbeins, wird auch wohl als „Ampulle" bezeichnet.

Aus der Arbeit Ruge's (12) sollen vorzugsweise

die aus den Untersuchungen abgeleiteten Anschauungen hier Platz finden; bezüglich der Erörterungen bestimmter Varietätengruppen in dem Bereich der A. brachialis verweisen wir auf das Original, denn die Art und Weise, wie der Verf. die Thatsachen unter bestimmte Gesichtspunkte ordnet, bedürfte zahlreicher Holzschnitte, welche in dem Text zerstreut sind und ohne die eine Besprechung kaum verständlich werden dürfte. Bei dem Forschen nach dem Wesen der Varietäten im arteriellen Gefässsystem hat man mit dem Variiren sowohl der Organismen als auch der Organe und Organsysteme zu rechnen, das aus der Anpassungsfähigkeit an die unmittelbare und weitere Umgebung, an die Aussenwelt hervorgeht. Die Organe sind dabei in verschiedener Weise der Variabilität ausgesetzt, weil die einen von den anderen sich direct abhängig zeigen. Die Muskulatur ist es wiederum, welche die Herrschaft führend viele Wandlungen und bleibende Zustände von Skelet, Nerven und Gefässen überwacht. Die Gefässe und Nerven verhalten sich wie die Trabanten der genannten Gebilde und verrathen als solche zugleich ihre verschiedene Natur. Die grösseren Gefässstämme lösen sich bekanntlich durch fortgesetzte Theilung in ein reichlich verzweigtes Netzwerk auf, das in capillärer Form alle Organe umspinnt und durchsetzt. Beim Muskel, auch bei anderen Organen, empfängt dieses Capillarnetz von vielen Seiten her grössere Bezugsquellen in typischer Anordnung. Auf dem Zusammenhang der grösseren Bahnen mit den feineren beruht das Princip der Entwickelung von stärkeren Verbindungsästen, von Anastomosen. Diese Anastomosen und Collateralstämme entfalten sich unter günstigen Bedingungen zu mächtigen Gebilden und können als solche mit anderen Gefässen in Concurrenz treten und unter Umständen dasselbe verdrängen. Wo ganze Muskelgruppen gemeinsame Gefässe beziehen, ist der Ausschlag der Variation an letzteren, als Correlationsveränderung jener, grösser. Deswegen ist es gewiss kein Spiel des Zufalls, dass in der Gegend des Ellbogengelenkes und weit mehr noch an den Theilen der Hand, also an Stellen, wo die Mannigfaltigkeit der Bewegungen vorzüglich sich äussert, die Gefässvarietäten an Reichthum gewinnen. Die Functionsverhältnisse der Theile erklären uns die Erscheinung, dass die Gefässvarietäten der oberen viel zahlreicher als die der unteren Extremität sich gestalten; es liegt in der einseitigen Verwendung des einen, in der vielseitigen des anderen Körpertheiles. Auf derselben Basis beruht die Häufigkeit der Variationen innerhalb einer Gliedmasse, im distalen gegenüber dem proximalen Gefässdistricte; fernerhin die verhältnissmässig grosse Häufigkeit an den Extremitäten gegenüber den Theilen des Rumpfes, welcher, man möchte sagen, im Vergleiche zu den Extremitäten eine starre Form angenommen hat. Dabei sind die proximalen Abschnitte einer Gliedmasse mit ihren Gefässen weit mehr stationär als die direct mit der Aussenwelt in Berührung stehenden Endabschnitte. Auch in den Abweichungen verrathen sich typische Formen. Die Genese der Gefässvarietäten ist aus der harmonischen, das Ganze durchwebenden Abhängigkeit der Theile des Organismus abzulesen.

Bezüglich der embryonalen Gefässvertheilung lässt sich nachweisen, dass die Gefässe der oberen Extremität, wahrscheinlich aller Körpertheile, schon sehr frühzeitig in gröbere und feinere Bahnen sich differenzirt zeigen. Zu keiner Zeit herrscht ein chaotisches Gewirre im Gefässsystem, welches erst eine dem Zufall ausgesetzte Kraft zu ordnen hat; sondern viele, auch späterhin als Hauptgefässe verbleibende Bahnen treten schon frühzeitig auf.

Der umfangreiche Stoff ist, der Uebersicht wegen, in folgende Abschnitte getheilt:

- Abschnitt I: Processus supracondyloideus; Varietäten des Musculus pronator teres; Verlagerung des N. medianus und der A. brachialis.
- " II: Ueberführung des N. medianus und der A. brachialis aus der abnormen Lage hinter dem Proc. supracond. in die normale.
- " III: Rückbildung der A. brachialis bei dem Vorhandensein eines Proc. supracondyloideus.
- " IV: Rückbildung der A. brachialis und des Proc. supracondyloideus.
- " V: Inselbildung im Gebiete der A. brachialis.
- " VI: Der aus der A. brachialis zum Vorderarme gelangende collaterale Gefässstamm.
- " VII: Entwickelung des über der normalen Schlinge des N. medianus gelagerten Collateralgefässes.
- " VIII: Verhalten des bei distalwärts gerückter Medianusschlinge ausgebildeten Collateralgefässes.
- " IX: Doppelte Medianusschlinge. Das Collateralgefäss geht durch die Spalte der Medianusschlinge.
- " X: Hoher Ursprung oder hohe Theilung der A. brachialis? — Bedeutung doppelseitiger Arterienvarietäten. — Entwickelungsgeschichtliches über die Gefässe der oberen Extremität.

[Odenius, M. V., Skottsår genom Hjärtat. Ett bidrag till kännedomen om det lefvande Hjärtats läge. Nord. medic. arkiv. XVI. No. 20. II.

Ein Fall von Selbstmord mittelst Schusswunde durch das Herz wird vom Verf. zur Erläuterung der Frage über die Lage des lebenden Herzens verwerthet:

Der Sectionsbefund zeigte, dass das Projectil, eine Revolverkugel von 9 mm, die Brustwand im 4. Intercostalraume dicht oberhalb der 3. Rippe durchbohrt hatte, demnächst war es durch den Vorderrand des linken oberen Lungenlappens passirt, hatte den Herzbeutel und die vordere Wand der linken Herzkammer an zwei Stellen perforirt, um schliesslich in den Körper des 8. Brustwirbels einzudringen, woselbst es wiedergefunden wurde. Die Eingangsstelle auf der vorderen Herzkammerwand lag 43 mm oberhalb der Spitze des Herzens und 27 mm links vom Sulcus longitudinalis. Der Schusscanal ging durch die vordere Kammerwand aufwärts, nach hinten und links, öffnete sich in die Höhle der Kammer vor dem rechten Theile der Basis des vorderen M. papillaris, zwischen diesem und der Kammerwand; hier war der genannte Muskel theilweise von seiner Wandinsertion abgelöst und seine vordere, gegen die Wand gerichtete Fläche zugleich theilweise zerrissen; die hintere Fläche desselben Muskels war nur unbedeutend lädirt, die Chordae tendineae und die hinteren Papillarmuskeln fanden sich ganz unbeschädigt. Der Theil des Schusscanals, durch welchen das Projectil weiter ging, fand sich ganz nahe der Basis und weit mehr nach links; die Ausgangsöffnung selbst fand sich auf der Vorderfläche der linken Kammer 8—9 mm unter der Kreisfurche und ca. 1,5 cm vor dem höchsten Gewölbe des Margo obtusus. Auf der Innenwand der Kammer fing der Schusscanal hier an mit einer Oeffnung, deren Mitte ca. 1 cm links und oberhalb der Spitze des hinteren Papillarmuskels lag, während der obere Rand die Höhe des freien Randes des unbeschädigten hinteren Zipfels der Mitralvalvula erreichte.

Soweit der engere Sectionsbefund: aus den begleitenden in der Abhandlung näher gewürdigten Umständen schliesst der Verf. Folgendes: Der Schuss hat ein normal fungirendes Herz getroffen; das Projectil hat seinen Weg ohne Deviation zurückgelegt, so dass demgemäss sämmtliche oben erwähnten Perforationsstellen im gegebenen Momente in der geraden Linie zwischen der Hautwunde und dem Körper des 8. Brustwirbels gelegen waren.

Die Frage, in welcher Respirationsphase der Brustkorb sich im Momente des Schusses befand, beantwortet der Verf. dahin, dass er eine active Exspirationsstellung einnahm.

Die nächste Frage, in welcher Contractionsphase das Herz sich gleichzeitig befand, beantwortet der Verf. dahin, dass es im Momente der Systole war, und er hält es für wahrscheinlich, dass der Schuss das Herz eben im Beginne der Contraction getroffen hat.

Wenn man annimmt, dass das Herz bei seiner Contraction theils eine Torsion der Spitze, theils eine ganze Rotation um seine Längsaxe erleidet (Haller, Kürschner), so zeigt unser Fall, dass unter der oben gegebenen Voraussetzung der Schuss das Herz in der Systole getroffen hat, die Vorderfläche der linken Kammer hauptsächlich seitlich und nach hinten gerichtet war, während nur ein ganz geringer Theil der genannten Vorderwand nach vorn gerichtet war. Es ist auch wahrscheinlich, dass die systolische Rotation nach rechts, welche allgemein angenommen wird, beim Menschen keine beträchtliche Excursionsweite haben kann.

Dillevsen.]

VI. Splanchnologie.

1) Alezais, H., De la bourse séreuse de Fleischman ou bourse sublinguale. Journ. de l'anatomie No. 5. p. 441—454. — 2) Bertè, F. e A. Cuzzi, Contributo alla anatomia dell' ovaio della donna Gravida. Rivista Clinica di Bologna. No. 7. p. 577—591. Fig. 2. — 3) Bickel, G., Ueber die Ausdehnung und den Zusammenhang des lymphatischen Gewebes in der Rachengegend. Virchow's Archiv Bd. 97. S. 340. — 4) Brüsike, G., Anatomische Mittheilungen. I. Ein Fall von congenitaler S-förmiger Verwachsung beider Nieren. Taf. IX. Fig. 2. p. 338—342. II. Ueber einen Fall von medialem Ventriculus laryngis tertius. S. 342—345. III. Ueber einen Fall von Divertikel der Seitenwand des Pharynx in Communication mit der Tuba Eustachii. S. 345—353. Virch. Archiv Bd. 98. — 5) Chiari, H., Zur Kenntniss der accessorischen Nebennieren des Menschen. Zeitschrift f. Heilkunde. Bd. V. Taf. 19. Fig. 1, 2, 3. S. 449—458. — 6) Craig, William, Rectum opening into the membranous part of the male urethra. Journ. of Anatomy and Physiol. Vol. XVIII. April. Plate XVII. p. 341 bis 343. — 7) Dobson, E., On the presence of Peyer's patches (Glandulae agminatae) in the caecum and colon of certain mammals. Ibid. July. p. 388—392. — 8) Flesch, M., Ueber die Fascien des Beckenausganges. Corresp.-Blatt für schweiz. Aerzte. Jahrg. XIV. — 9) Gegenbaur, C., Ueber die Unterzunge des Menschen und der Säugethiere. Morphol. Jahrb. Bd. IX. Taf. XXI u. XXII. S. 428—456. — 10) Derselbe, Zur näheren Kenntniss des Mammarorgans von Echidna. Ebend. Bd. IX. S. 604. — 11) Gibbes, Heneage, On some points in the minute structure of the Pancreas. With figg. Quart. Journ. of Microsc. Sc. N. S. Vol. 24. Apr. p. 183—185. — 12) Derselbe, Histological Notes. I. Ciliated Epithelium in the Kidney. Ibid. p. 191. — 13) Derselbe, On some structures found in the Connective Tissue between the renal artery and vein in the human subject. Ibid. New series. No. XCIV. p. 186—190. Pl. XVI. Figgs. 4 and 5. (Ebenda eine Bemerkung über quergestreifte Muskelfasern an den Follikeln der Tasthaare.) — 14) Gocke, E., Ueber die Gewichtsverhältnisse normaler menschlicher Organe. Diss. München 1883. 8. — 15) Kirk, Rob., Malformation of incisor teeth. Journal of Anat. and Phys. Vol. XVIII. p. 339. — 16) Körner, O., Weitere Beiträge zur vergleichenden Anatomie und Physiologie des Kehlkopfs. Mit 1 Taf. gr. 4. Frankfurt a./M. — 17) Kölliker, Zur Anatomie der Clitoris. Aus d. Sitzungsberichten der Würzburger phys.-med. Gesellsch. — 18) Kunze, Zur vergleichenden microscopischen Anatomie der Organe der Maulhöhle, des Schlundkopfes und des Schlundes der Haussäugethiere. Deutsche Zeitschr. f. Thiermedicin und vergl. Pathologie. Bd. XI. Taf. I und II. — 19) Derselbe, Beitrag zum histologischen Bau der grösseren Speicheldrüsen bei den Haussäugethieren. (Aus d. phys. Laborat. d. königl. Thierarzneischule zu Dresden.) Ebendas. Bd. XXVI. S. 375—380. — 20) Laimer, E., Einiges zur Anatomie des Mastdarmes. (Aus dem anat. Inst. in Graz.) Wiener medic. Jahrb. S. 49—59. Mit Taf. V. — 21) Lesshaft, P., Ueber die Muskeln und Fascien der Dammgegend beim Weibe. Morphol. Jahrb. Bd. IX. S. 475—533. Mit Taf. XXIV und 3 Holzsch. — 22) List, J., Ueb. Becherzellen im Blasenepithel d. Frosches. Mit 2 Taf. Lex.-8. Wien. — 23) Ludwig Ferdinand, Prinz v. Bayern, Zur Anatomie der Zunge. Mit 51 dopp. und 2 einf. Taf. in Farbendr. gr. 4. München. — 24) Marshall, M., On certain abnormal conditions of the reproductive organs in the frog. Journ. of Anatomy and Physiol. XVIII. Part. II. p. 121—137. — 25) Miura, J. M., Beiträge zur Histologie der Leber. Virchow's Archiv. Bd. 97. Taf. VI. S. 142—148. (Hält die im Leberparenchym beschriebenen Nervenplexus für elastische Fasern, u. stimmt darin mit Asp überein. Wahrscheinlich sind auch die ähnlichen Netze in der Niere und Nebenniere des Hundes ähnlich zu deuten.) — 26) Derselbe, Beiträge zur Kenntniss der Gallencapillaren. Berlin. 8. Diss. Mit 1 Taf. (Spricht sich für die Existenz einer ganz bestimmten und selbständigen Wand der Gallencapillaren aus und findet das nämliche Verhalten bei dem Kaninchen, dem Menschen und dem Salamander u. s. w. Auch ist der Gallencapillarzweig zwischen den Zellen mit Sicherheit constatirt worden.) — 27) Oberdieck, Gustav, Ueber Epithel und Drüsen der Harnblase und weibl. und männl. Urethra. Gekrönte Preisschrift. Göttingen. Mit 4 Taf. S. 43. 4. — 28) Pellacani, Paolo, Der Bau des menschlichen Samenstranges. (Aus dem anat. Institut zu Strassburg, Elsass.) Archiv f. microscop. Anatomie. Bd. XXIII. Taf. XV u. XVI. S 305—335. — 29) Ranke, H., Ein Saugpolster in der menschl. Backe. Virchow's Archiv. Bd. XCVIII. Taf. XVIII und XIX. S. 527—547. — 30) Richmond, Stephenson, Abnormal ureters. Journ. of Anatomy and Physiology. Vol. XIX. Part. I. p. 120. — 31) Rüdinger, N., Zur Anatomie der Prostata, d. Uterus masculinus u. d. Ductus ejaculatorii beim Menschen. Mit 3 Taf. in Farbendruck. Lex.-8. München. (Titel im Bericht des Vorjahres unvollständig, deshalb wiederholt.) — 32) Schiefferdecker, P., Beiträge zur Kenntniss der Drüsen des Magens und Duodenums. Sep.-Abdr. a. d. Nachr. d. k Gesellsch. d. Wissensch. zu

Göttingen. No. 7. S. 303—306. — 33) Paneth, Josef, Bemerkung zu dem Aufsatze des Herrn Schieffer-decker „Zur Kenntniss des Baues der Schleimdrüsen." Arch. f. microscop. Anatomie. Bd. XXIV. Heft 1. S. 98. — 34) Sée, Marc, Sur le calibre relatif de la trachée et des bronches. Note lue à l'Acad. de méd. le 23. avril 1878. Gaz. hebd. de méd. et de chirurgie. No. 18. p. 294—295. — 35) Smith, F., Congenital malformation of the trachea of a horse. Journ. of Anatomy and Physiology. Vol. XIX. Part. I. p. 24—26. — 36) Stöhr, Ph., Ueber Schleimdrüsen. Stzgsber. d. Würzb. phys.-med. Gesellsch. No. 6. S. 93—96. Schluss in No. 7. S. 97—104. (Tritt für die Auffassung ein, dass die Zelle bei der Secretion erhalten bleibe. Diejenigen Gebilde, welche als Ersatzzellen aufgefasst wurden, deutet er als unthätige Drüsenelemente, welche von den sich blähenden Schleim producirenden Zellen zusammengedrückt werden.) — 37) Derselbe, Ueber Mandeln u Balgdrüsen. Virchow's Archiv. Bd. 97. S. 211. Mit Taf. IX. u. X. — 38) Tafani, A., L'organo del Corti nelle scimmie. Bollet. delle mal. dell' orecchio. Juli. ff. — 39) Theile, F. W., Gewichtsbestimmungen zur Entwickelung des Muskelsystems und des Skeletes beim Menschen. Durch eine biopraphische Notiz eingeleitet von W. His. Halle. 4. Auch in Nova acta der Ksl. Leop.-Carol. Deutschen Akademie der Naturforscher. Bd. XLVI. No. 3. — 40) Trinkler, Nikolai, Ueber den Bau der Magenschleimhaut. (Gekrönte Preisschrift der Universität Charkow.) Archiv f. microscop. Anatomie. Bd. XXIV. Heft 2. S. 174—210. Taf. X und XI. (Referat in dem Bericht des Vorjahres) — 41) Vauthier, U., Recherches anatomiques sur les corps libres de la tunique vaginale. Revue Méd. de la Suisse Romande. IVme Année. No. 7. p. 369—402. — 42) V., C., Fonctions du muscle crico-thyroïdien ou muscle antérieur. La presse médicale Belge. No. 11. p. 81 bis 83. — 43) Wunderlich, L., Beiträge zur vergleichenden Anatomie und Entwicklungsgeschichte des unteren Kehlkopfes der Vögel. 10 Bog. Text und 4 lithogr. Tafeln. Nova Acta Acad. Leop.-Carol. Vol. 48. 10 Bogen Text und 4 lithgr. Tafeln. — 44) Cholodkovsky, Sur les vaisseaux de Malpighi chez les Lépidoptères. Acad. d. Sciences de Paris. Compt. rend. hebd. des séanc. I. Semestre. Tome 98. No. 10. Paris. 4. p. 631—633. — 45) Cleland, Notes on the viscera of the porpoise (Phocaena communis) and white-beaked dolphin (Delphinus albirostris). Journ. of Anat. and Phys. Vol. XVIII. p. 327—334. — 46) Grobben, C., Morpholog. Studien über den Harn- u. Geschlechtsapparat der Cephalopoden. Mit 3 Taf. und 3 Holzschn. 8. Wien.

Bickel (3) erkennt ausser der Tonsilla faucium nur noch die Existenzberechtigung einer besonders benamsten Tonsilla pharyngea an. Die sog. Tonsilla tubaria und die Balgdrüsen der Zungenbasis — Tonsilla lingualis — sind lediglich flächenhaft ausgebreitete Gebilde. Sie sind als Uebergangsformen zu einfacher Ansammlung adenoider Substanz aufzufassen. Die Tonsillen und die Lymphdrüsen sind die höchste Entwicklungsform des lymphatischen Gewebes. Im Bereich der Rachengegend sind drei verschiedene Grade der diffusen Infiltration des lymphatischen Gewebes zu unterscheiden. Die Rachentonsille ist im foetalen Zustande und auch noch im ersten Lebensjahre nur eine einfache Einstülpung der Schleimhaut. Auf der Zungenbasis zeigen sich im foetalen Leben starke Falten der Schleimhaut, zuweilen einer kräftig entwickelten Pharynxtonsille ähnlich. Später tritt Reduction ein. Ebenso verhält es sich mit der Tubentonsille. Die Entwicklungsgeschichte ergiebt die Bestätigung des adenoiden Ringes um den Isthmus faucium.

Chiari (5) bringt Funde von accessorischen Nebennieren zwischen den Nieren und Geschlechtsdrüsen. Seine Fälle thun dar, dass nicht bloss bei Neugeborenen und Kindern, sondern auch bei Erwachsenen accessorische Nebennieren vorkommen können, und dass auch beim erwachsenen männlichen Geschlechte zwischen der Niere und der Geschlechtsdrüse accessorische Nebennieren eingelagert sein können.

Gegenbaur (9). An der Unterfläche der Zunge erscheint bei Neugeborenen und Kindern sehr deutlich, bei Erwachsenen in verschiedenem Grade in Rückbildung begriffen, eine bemerkenswerthe Eigenthümlichkeit. Die Schleimhaut bildet jederseits in einiger Entfernung von der Uebergangsstelle vom Mundhöhlenboden in einer nach vorne mit der anderseitigen convergirenden Linie eine Falte, die sich streckenweise in ziemlicher Breite von der Zunge abhebt und einen fein ausgezackten Rand besitzt, Plica fimbriata. Die von diesen beiden Falten lateral eingeschlossene Fläche wird von einer abgerundeten medianen Falte durchsetzt, welche jedoch nicht bis zur Spitze reicht. Eine etwas breitere, von der Schleimhaut gebildete freie, fein ausgezackte Lamelle findet sich meist unmittelbar an der Umschlagestelle (Plica sublingualis). Diese Reliefverhältnisse bieten eine auffallende Aehnlichkeit mit den bei manchen Säugethieren, z. B. Prosimiern, manchen Affen u. a. vorkommenden Gebilden, durch welche der Apparat der Unterzunge repräsentirt wird. Man wird nicht fehlen, speciell in der Plica fimbriata ein Rudiment dieser Unterzunge zu sehen.

Gibbes (11) findet in der Bindesubstanz zwischen der Arteria und Vena renalis bei dem Menschen lymphoide Organe mit sinuösen Bluträumen, ähnlich der Milz.

Derselbe (12) findet wie Klein flimmerndes Epithelium in den gewundenen Canälen nahe den Malpighi'schen Körperchen. Es ist von ihm gesehen worden bei den weissen und braunen Ratten, dem Meerschweinchen, dem Hund, beim neugebornen Kind und zwar immer, sobald die Präparate frisch genug waren. Auch bei dem Erwachsenen lassen sie sich nachweisen, wenn auch schwierig. Der Nachweis gelingt nach Erhärtung der frischen Präparate in Alcohol und an sehr feinen Schnitten. Die Cilien sind nämlich sehr fein und kurz. J. W. Groves (King's Colleg) und Tuttle (Ohio) sollen nach Angabe des Autors dieselbe Beobachtung gemacht haben.

Die Resultate der Lesshaft'schen Arbeit (21) werden getrennt aufgeführt, nämlich zunächst diejenigen über die Anordnung und Deutung der Muskeln, und dann jene bezüglich der Fascien. Doch auch in der Wiedergabe der von dem Autor selbst übersichtlich zusammengestellten Resultate kann nicht alles hervorgehoben werden. Ueber die Muskeln der Dammgegend beim Weibe gilt folgendes: Am untern Ende des Mastdarms ist die äussere Schicht des M.

levator ani auct. als oberer Theil des M. sphincter externus zu unterscheiden. Dieser Theil ist ein Schliess- und kein Hebemuskel. Nach innen von diesem Theil liegt ein eigentlicher Hebemuskel: M. levator ani proprius. Er besteht aus einer vorderen, die Scheide seitlich umfassenden Portion und aus einer hinteren Steissbeinportion. Beide Portionen gehen zum After, den sie bei ihrer Contraction heben. Dieser Muskel ist beim Weibe stärker entwickelt als beim Manne. Die Musculi transversi perinei sind, ebenso wie beim Manne, zwischen der inneren Beckenwand und dem Septum perineale gelagert. Sie sind ebenso durch Fascienblätter von einander geschieden und von unten nach oben (bei aufrechter Stellung) als superficialis, medius und profundus zu unterscheiden. Der M. transversus vaginae ist wohl als Theil des M. transversus perinei profundus anzusehen, nur dass er nicht zum Septum perineale, sondern zur vorderen Wand der Scheide geht. Alle queren Muskeln spannen die Aponeurosen und erzeugen fixe Punkte, die bei der Thätigkeit der Schliessmuskeln unbedingt nöthig sind. Ueber die Beckenfascien sei angeführt: Die Aponeurosis s. Fascia anoperinealis propria ist eine Fortsetzung der Fascia glutea. Im hinteren analen Theile kleidet sie das Cavum ischio-rectale aus, im vorderen perinealen Theile theilt sie sich hinter dem Rande des M. transversus perinei medius in eine Lamina superficialis, die nach vorn in die Fascia clitoridis übergeht, und in eine Lamina profunda, die am Lig. arcuatum pubis endigt. Die Beckenfascie ist zwischen den Beckenwänden und der Harnblase, Scheide und dem Mastdarm ausgespannt, von ihr gehen jederseits nach unten zwei seitliche sagittale Fortsätze (Processus descendens fasciae pelvis externus et internus) und ein mittlerer frontaler Fortsatz (Processus descendens medius fasciae pelvis). Zwischen der seitlichen Beckenwand und dem Processus descendens externus ist der M. obturatorius internus gelagert. Zwischen dem Processus descendens externus und internus liegt der M. levator ani auctor. Der vordere Theil des Processus internus, der Processus descendens medius, die Lamina profunda fasciae perinei profundae, die Fascia pelvis und der untere Theil der Innenfläche der Synchondrosis pubis bilden eine Capsula urethrovaginalis. Der untere Theil dieser Kapsel kann als Diaphragma urogenitale (Henle) angesehen werden.

Ranke (29) lenkt die Aufmerksamkeit auf ein Saugpolster in der Wange. Es ist beim Neugebornen vorhanden und bei dem Erwachsenen, und verschwindet durch keine Atrophie. Es grenzt sich von dem Panniculus adiposus der Umgebung ab. Eine bindegewebige Kapsel umgiebt dasselbe und ein dicker, breiter Faserzug verbindet es mit dem Buccinator, welchem es in der Periode der Entwickelung noch nicht so enge anliegt wie in späterer Zeit. Eine theils von dem M. subcutaneus colli, theils von dem Risorius abstammende Muskellage begrenzt das Polster von aussen, theilweise auch von oben und unten. Die Blutversorgung ist eine reichliche und betheiligen sich an derselben verschiedene Arterien, nämlich die Art. maxillaris externa, transversa faciei und maxillaris interna. Das fragliche Fettpolster ist ein selbständiges, anatomisches Gebilde, das zur Unterstützung der Function der Backe beim Saugen dient.

Overdieck's Arbeit (27) enthält manche werthvolle Details. Das Epithel der Harnblase, im Ganzen mit wenig Schichten versehen, hat das schon bekannte vielgestaltete Ansehen, das aber doch eine unverkennbare Regelmässigkeit in den einzelnen Schichten zeigt. Je nach der Ausdehnung oder dem Collaps hat es sehr verschiedenes Ansehen und die Grössenunterschiede der Zellen sind sehr beträchtlich. Es lassen sich folgende Veränderungen constatiren: wenn alle Falten der Schleimhaut verstrichen, nimmt die Dicke des Epithels ab. Die oberste Epithellage von platten Zellen erleidet die bedeutendste Formveränderung; sie werden in der Fläche vergrössert. Bezüglich der Drüsen der Harnblase wird bemerkt, dass von fünf untersuchten menschlichen Blasen nur in einer nicht gerade sehr zahlreiche, runde oder ovale Crypten mit Cylinderepithel gefunden wurden, von denen einige im Querschnitt die Form eines griechischen Omega (ω) hatten. Das Epithel der weiblichen Urethra wurde an zwei Harnröhren durchweg als Pflasterepithel befunden. Drei besassen jedoch Cylinderepithel. Diese widersprechenden Befunde erklären sich beim Weibe aus individuellen Verschiedenheiten. In der Harnröhre wurden Lacunen gefunden. Es handelt sich um lange vielfach verzweigte Gänge, die in der Muskelschichte parallel zur Urethra verlaufen. Die grösseren Lumina werden stets durch Vereinigung der kleineren gebildet. Etwa sechs an der Zahl, in der Nähe des Orificium externum mündeten entweder auf dem Rande oder innerhalb der Urethra. Am blinden Ende fand sich einschichtig cylindrisches Epithel, es ging dann in geschichtet cylindrisches über und wurde in unmittelbarer Nähe der Mündung pflasterförmig, wie das Epithel der Urethra. Von 31 Spirituspräparaten der anatomischen Sammlung zu Göttingen hatten 22 äussere Lacunen. In einem Falle mündeten drei Lacunen jederseits in eine Tasche, die so gross war, dass sie einen Catheter irre führen könnte. Solche Taschen mit Lacunenöffnungen wurden auch einseitig gesehen. Sie lassen keine Regelmässigkeit in Bezug auf Zahl, Symmetrie oder Mündungsstelle erkennen und dürfen wohl kaum als Drüsen angesprochen werden. In Bezug auf das Epithel der männlichen Harnröhre schliesst sich O. der Ansicht der deutschen Autoren an, die das Epithel wie das der Trachea als einschichtig cylindrisch, in der Tiefe mit Ersatzzellen versehen, beschreiben. In der männlichen Urethra sind zwei Arten von Drüsen zu unterscheiden: einfache traubenförmige Drüsen, deren Drüsenblasen 0,1 mm mittleren Durchmesser haben, von einem 0,03 mm hohen Cylinderepithelium ausgekleidet sind und einzelne Maschengruppen des cavernösen Gewebes ausfüllen und eigentlich acinöse Drüsen, die auf die Pars cavernosa beschränkt sind und entweder frei in die Urethra oder in die Lacunae Morgagni einmünden.

Schiefferdecker (32) resumirt seine Untersuchungen, welche, was die Magendrüsen betrifft, die „Secretions-Metamorphosen" der Zelle betonen. Es giebt einen Zustand der Drüsen, bei dem z. B. die Belegzellen völlig fehlen können. Die Pylorusdrüsen sind nach ihm von den Fundusdrüsen durchaus verschieden. Die Aehnlichkeit zwischen dem Epithel ist nur eine oberflächliche. Dagegen sind die Pylorusdrüsen identisch mit den Brunner'schen Drüsen des Duodenums, wenigstens bei Mensch, Schwein, Hund

und Katze. Sch. fasst demgemäss beide Formen zusammen als „Drüsen der Pylorzone."

Sée (34) beweist durch Messungen, dass das Kaliber der Trachea im normalen Zustand ebenso gross ist wie dasjenige der beiden Bronchien. Die respiratorischen Wege stellen also einen Cylinder dar, und keinen Kegel. Dieses Resultat steht im Gegensatze zu der geläufigen Annahme von der Kegelbeschaffenheit des Kalibers der respiratorischen Wege, aber in vollkommener Uebereinstimmung mit dem Verhalten des arteriellen Systems. Denn auch dieses bildet, in seiner Gesammtheit betrachtet, einen Cylinder und keinen Kegel.

C. V. (42) tritt mit Entschiedenheit dafür ein, jeden Musculus crico-thyreoideus in zwei Portionen zu trennen, wie dies schon oft geschehen ist. Er unterscheidet also eine vordere Portion, welche von dem unteren Rand der Cartilago thyreoidea kommt, um sich an der Cartilago cricoidea, medianwärts an ihrem unteren Rand zu befestigen. Die laterale Portion kommt vorzugsweise vom kleinen Horn des Schildknorpels und dem zunächst liegenden Winkel, um sich an die Insertion der vorerwähnten Portion zu begeben. Die Ursprünge an der Cartilago thyreoidea sind etwas complicirter, denn sie finden nicht nur aussen statt sondern auch innen. Doch das ist nebensächlich. Wichtiger ist die Voraussetzung, dass durch die Pharynxmuskulatur der Larynx in seiner Totalität fixirt ist, dagegen der Ringknorpel nicht. Nur durch ein elastisches Band mit der Trachea beweglich verbunden, ist er der einzige Abschnitt, der excursionsfähig sein kann. Der Muskel zieht ihn hinauf und zwar geht die vordere Hälfte des Ringes in die Höhe, die hintere herab, also gleicht die Bewegung derjenigen einer Wage. Der Processus vocalis wird unter solchen Umständen nach rückwärts gezogen, die Chorda vocalis also gespannt. Quod erat demonstrandum.

VII. Sinnesorgane.

Sehorgan.

1) Bunge, Paul, Ueber Gesichtsfeld und Faserverlauf im optischen Leitungsapparat. gr. 4. M. 8 Taf. Halle. — 2) Dogiel, A, Zur Frage über den Bau der Retina bei Triton cristatus. Arch. f. microscop. Anat. Bd. XXIV. Taf. XXII. S. 451—467. — 3) Fuchs, E. (Lüttich), Beiträge zur normalen Anatomie des Augapfels. Arch. f. Opthalmologie. Bd. 30. Abth. 4. S. 1. Hierzu Tafel 1—5. — 4) Geberg, Alex, Ueber die Nerven der Iris und des Ciliarkörpers bei Vögeln. (Aus dem histolog. Laborat. von Prof. C. Arnstein in Kasan.) Internat. Monatsschrift f. Anatomie u. Histologie. Bd. I. Heft 1. S. 1—46. Taf. I—III. — 5) Gunn, R. M., On the eye of ornithorhynchus paradoxus. Journal of anatomy and physiology. Vol. XVIII. p. 400 bis 405. Pl. XIX. — 6) Sacchi, Giuseppe, Nuovo indagini relativi alla territori della nevroglia nella retina di vertebrati. Lo sperimentale. Giugno. (Diese Arbeit betrifft vorzugsweise die Stützsubstanz der Retina.) — 7) Sardemann, Emil, Zur Anatomie der Thränendrüse. Zool. Anz. Jahrg. VII. No. 179. S. 569—572. — 8) Schiefferdecker, P., Beiträge zur Kenntniss des Stützgewebes der Retina. Nachr. von der Kgl Gesellsch. der Wissensch. u. d. Georg-Augusts-Universität zu Göttingen. No. 7. S. 294—302. — 9) Staurenghi, Ces. e Dom. Stefanini, Dei rapporti delle fibre nervose nel Chiasma ottico dell' uomo e dei Vertebrati. Communic. prevent. Boll Scientif. di Maggi, Zoja e de Giovanni, Anno VI. Sett. Dicbre. No. 3 e 4. p. 123. — 10) Virchow, Hans, Ueber den Bau der Zonula und des Petit'schen Canales. Verhandl. der physiologischen Gesellschaft zu Berlin. No. 1, 2, 3, 4, 5. S. 6—8. — 11) Derselbe, Ueber Zellen des Glaskörpers. Archiv f. microscopische Anatomie. Bd. XXIV. Heft 2. S. 99—112. Taf. VII. Fig. 1—5. — 12) Derselbe, Augengefässe der Ringelnatter. Sitzungsber. d. Würzburger med.-phys. Ges. 1883. (S. 3.) — 13) Younan, Arthur, Histology of the vitreous humour. Journ. of Anatomy and Physiol. Vol. XIX. Part. I. p. 1—15, Pl. I and II. — 14) Carrière, Justus, On the eyes of some invertebrata Quarterly journal of microscop. sc. New series, No. XCVI. p. 673—681. Pl. XLV. — 15) Grenacher, H., Abhandl. zur vergl. Anatomie des Auges. I. Die Retina der Cephalopoden. Sep.-Abdr. aus den Abhdl. der Naturf.-Ges. zu Halle. Bd. XVI. Mit 1 Taf. 4. — 16) Hilger, C, Beiträge zur Kenntniss des Gastropodenauges. Morphologisches Jahrbuch. Bd. X. Heft III. S 351—371. Taf. XVI u. XVII. — 17) Bütschli, O., Nachschrift zu vorstehender Arbeit. Ebendas. S. 372—375. — 18) Lankester, Ray, On procalistes, a young cephalopod with pedunculate eyes, taken by the „Challenger" Expedition. Quarterly Journal of microscop. sc. New-Series, No. XCIV. pag. 311 bis 318.

Dogiel (2) studirt die kolbenförmigen Körper Landolt's, ihr Verhältniss zu den Sehzellen und der Schicht der Nervenansätze. Es handelt sich um die Retina von Urodelen und Fischen, deren innere Körnerschicht als „Ganglion retinae" (W. Müller) bezeichnet wird. Sie enthält zweierlei Kernarten, die einen sind nicht nervöser, die anderen nervöser Natur, haben dann zwei Fortsätze, einen mehr dicken peripheren, der mit dem kolbenförmigen Körper Landolt's endigt, und einen dünnen centralen. Nach diesen Vorbemerkungen reihen wir die Schlussresultate an, zu denen D. gelangt ist: 1) Als Bestandtheile der Schicht des Ganglion retinae bei dem Triton finden wir, ausser den bipolaren, auch multipolare Nervenzellen. 2) Die Nervenzellen, welche Bestandtheile des Ganglion retinae bilden, liegen nicht nur innerhalb der genannten Schicht, sondern auch weiter nach aussen — in der Schicht der Sehzellen (äussere Körnerschicht). 3) Die peripherischen Fortsätze sämmtlicher Nervenzellen des Ganglion retinae theilen sich stets, unabhängig von ihrer Form und Lage. Die Theilungsäste verlaufen in zwei Richtungen; die einen, in Zahl von 2—4, verlaufen horizontal (horizontale oder laterale Fortsätze), einer jedoch (äusserer Fortsatz) begiebt sich nach aussen, zur Schicht der Sehzellen. 4) Die horizontalen Fortsätze ziehen der Oberfläche der Retina parallel in der Schicht der Nervenansätze und verbinden sich ausschliesslich mit den Sehzellen (Stäbchen und Zapfen). Der äussere Fortsatz dringt in die Schicht der Sehzellen hinein und endet unmittelbar unter der M. limit. externa mit einem Landolt'schen Kolben. 5) Jeder Landolt'sche Kolben sendet stets feine Fäden, die ausserhalb der M. limit. externa liegen; mithin endigen die äusseren Fortsätze der Nervenzellen frei, in Gestalt feiner Fäden. 6) Die Schicht der Nervenansätze — Plexus basal Ranvier — wird von den horizontalen Ausläufern der Nervenzellen des Ganglion retinae gebildet. 7) In dem Baue der Retina des Tritons und der Knorpelfische lässt sich eine fast vollständige Analogie erkennen.

Fuchs' (3) Abhandlung enthält folgende Abschnitte: I) Insertionen der Augenmuskeln, S. 5. — II. a. Lage und Zahl der Wirbelvenen, S. 20. II. b., Microscopische Anatomie der Wirbelvenen, S. 32. — II. c., Verhältniss der Wirbelvenen zu den Augenmuskeln, S. 41. — III. Arterien und Venen der Aderhaut, S. 49. I. Die Lage der Insertionslinien der vier geraden Augenmuskeln zu den Meridianen und dem Aequator des Auges bietet manche Unregelmässigkeiten dar. In ungefähr der Hälfte der Fälle waren z. B. die Insertionen des äusseren und inneren geraden Augenmuskels symmetrisch zum horizontalen Meridian, so dass dieser die Insertionslinie in ihrer Mitte traf. Wo dies nicht der Fall war, hatte sich die Insertionslinie des Rectus internus nach unten verschoben (nur in 2 Fällen nach oben) und zwar zuweilen so stark, dass fast $^2/_3$ der Sehnen unterhalb des horizontalen Meridianes lag. Für die Sehne des Rectus externus gilt das Gegentheil. Abweichungen dieser Sehne kämen selten nach unten vor, viel häufiger und in höherem Grade dagegen nach oben. II. a. Sämmtliche Arten der Venenvertheilung lassen sich auf einen Grundtypus zurückführen, dessen Varianten sie darstellen. Vier Venen treten an den Augapfel heran, welche sich zu zwei Paaren, einem oberen und einem unteren gruppiren, die beiden Venen des oberen Paares liegen zu beiden Seiten der oberen Hälfte des vertikalen Meridianes. Sie sind jedoch nicht genau symmetrisch zu demselben gelagert, sondern etwas nach innen verschoben, d. h. die äussere Vene liegt dem Meridiane näher, die innere aber ferner. Die beiden Venen senken sich 7—8 mm hinter dem Aequator in die Sclera ein, und zwar die äussere etwas weiter nach hinten als die innere. Das untere Paar der Vortexvenen steht in einem analogen Verhältnisse zur unteren Hälfte des vertikalen Meridians.

Nur in der Hälfte der Fälle waren vier vorhanden, in den übrigen wurden 5—7 Venen vorgefunden. Die Vereinigung der von jeder Aderhauthälfte herkommenden Wirbelvenen zu einem gemeinschaftlichen Stamme kommt beim Menschen nicht in regelmässiger Weise vor. — Die Untersuchung über die microscopische Anatomie der Wirbelvenen bezieht sich auf den innerhalb der Sclera verlaufenden Abschnitt. Die Richtung des durchtretenden Kanals ist niemals eine streng diagonale. Die Vene verläuft vielmehr ganz nahe unter der äusseren Oberfläche der Sclera. Nach ihrem Durchtritt besitzt sie eine Art von venösem Sinus, der oft 1 $^1/_2$—2 mm Breite besitzt. Die Frage, ob irgend einer der Augenmuskeln im Stande wäre, beständig oder bei gewissen Stellungen des Auges auf eine der Wirbelvenen zu drücken, dort wo sie das Auge verlässt, beantwortet F. mit Nein für die Recti, dagegen sind die beiden äusseren Venen einer Compression durch die Obliqui ausgesetzt. Aus dem dritten Abschnitt bemerken wir, dass auch die Arterien ähnlich den Wirbelvenen die Sclera schräg durchsetzen. Die Länge des intersceleralen Abschnittes der Arterie schwankt oft zwischen 3 und 7 mm, und beträgt im Mittel 3,8 mm. Jede der beiden langen Ciliararterien ist von einem Ciliarnerven begleitet. Derselbe hat ein stärkeres Kaliber als die Arterie. Keines der beiden Gebilde ist irgendwo mit der Wand des Scleralkanals verwachsen, und es befindet sich zwischen ihnen und dem Scleralkanal in dessen ganzer Länge ein freier Raum — Lymphraum.

Geberg (4). Die motorischen Endapparate der quergestreiften Muskelfasern in der Iris und dem Corpus ciliare bei Vögeln werden ausschliesslich von markhaltigen Nervenfasern versehen. Verlauf und Vertheilungsweise der Endzweige dieser Nerven zeigen Folgendes:

Die Endzweige der zu den Muskeln verlaufenden Fasern zeichnen sich durch häufige, meist dichotomische Theilungen aus. Die Theilungsfasern können nach kurzem Verlaufe an einer Muskelfaser enden oder sie verlaufen über grössere Strecken und geben ihrerseits neue Theilungen ein. Jede einzelne Muskelfaser wird gewöhnlich von einer, wenn auch durch Theilung entstandenen Nervenfaser versehen. Zu den parallel liegenden Muskelfasern der Iris treten die Nerven meist nahezu unter rechtem Winkel heran. Der markhaltige Nerv verliert seine Markscheide meist unmittelbar vor der Vereinigung mit dem Muskel, selten um ein geringes höher. Die Henle'sche Bindegewebsscheide des Nerven geht in das Perimysium internum der Muskelfaser über, während die Schwann'sche Scheide in eine kernhaltige structurlose Membran sich fortsetzt, welche die Oberfläche der Nervenhügel bekleidet. Der Axencylinder erfährt in der Regel an seiner Eintrittsstelle eine meist dichotomische Theilung. Die Nervenendhügel bestehen aus einer granulirten kernhaltigen, in Form einzelner oder multipler Hügel (Buckel) sich erhebenden Masse (Sohle). An den Theilungswinkeln der sich vielfach verästelnden Irismuskeln werden nicht selten Endhügel angetroffen, was auf eine gemeinsame Innervation dieser sich mitunter rechtwinklig theilenden Muskelfasern hinweist. Der Axencylinder sendet zahlreiche Fortsätze aus, welche die granulirte Sohle durchsetzen, um mit der contractilen Substanz der Muskelfaser in unmittelbaren Contact zu treten. Sowohl die Osmiumpräparate als die mit Chlorgold, sowie schliesslich die mit Alcohol und Hoyer'schem Carmin behandelten Objecte haben betreffs der Endigungsweise der Muskelnerven wesentlich übereinstimmende Resultate geliefert. Die Befunde über die Gefässnerven und die gangliösen Gebilde der Iris lassen sich kurz, wie folgt, wiedergeben: Vasomotoren und Muskelnerven verlaufen in der Uvea der Vögel bis gegen die peripherischen Endverzweigungen hin in gemeinsamen Stämmchen. In diesen Faserbündeln finden sich meist bipolare Ganglienzellen zerstreut. Zusammenhängende gangliöse Plexus kommen an der Vogeliris nicht vor. Eine nähere Beziehung der terminalen Fortsätze zu den Zwischenscheiben konnte nicht constatirt werden.

Schiefferdecker (8). Die Stützsubstanz der Retina lässt zwei Hauptsysteme von grösseren Zellen erkennen, eines, welches die Retina der Dicke nach durchzieht: die radialen, eines, welche sie der Fläche nach durchzieht, tangentiale Fulcrumzellen. Beide Zellarten liegen mit ihrem protoplasmatischen kerntragenden Theil (soweit sie kernhaltig sind) in der inneren Körnerschichte. Die innere Körnerschichte enthält nach Sch. folgende verschiedene Gebilde: a) Die nervösen Körner und deren Fasern. b) Die Spongioblasten. c) Die kernhaltigen tangentialen Fulcrumzellen, wenigstens Zellkörper und Kerne. d) Die kernhaltigen tangentialen Fulcrumzellen. e) Den Kern und den protoplasmatischen Theil des Zellkörpers der radialen Fulcrumzellen.

Die grosse Mehrzahl dieser Gebilde gehört der Stützsubstanz an.

In der äusseren granulirten Schicht liegen: a) Die Fasern der nervösen inneren Körner mit ihren Verästelungen, welche sich hier mit den Stäbchen- und Zapfenfasern verbinden. b) Die Ausläufer der tangentialen Fulcrumzellen resp. diese selbst, wo mehrere Lagen vorhanden sind. c) Die äusseren gewöhnlich verästelten Enden der radialen Fulcrumzellen, welche senkrecht oder schräg hindurchtreten. d) Die kleinen Körnchen der granulirten Schichte, welche überall dazwischen liegen, und auch den isolirten Theilen vermittelst der farblosen geronnenen Grundsubstanz gewöhnlich anhaften.

Virchow (11) hat den fixen Zellen und den Wanderzellen des Glaskörpers Aufmerksamkeit geschenkt. Bei Leuciscus erythrophthalmus der Plötze finden sich die ersteren an der Oberfläche als eine Platte mit einem flachen Kern und feinen verästelten Ausläufern, welche von dem Rande der Platte ausgehen. Fische, welche eine gefässführende Leiste am Boden des Auges besitzen, zeigen neben dieser Leiste oft (vielleicht immer) solche fixe Zellen, aber der ganze übrige Glaskörper ist frei davon, bei anderen sind Zellen über die ganze Oberfläche verbreitet. Sie schliessen sich dem Stützgewebe eng an. Wanderzellen, lymphoide Zellen findet man in jedem Präparat, welches von der Glaskörperoberfläche eines Cyprinoiden genommen ist; ihre Vertheilung ist denjenigen Unregelmässigkeiten unterworfen, die man auch sonst kennt: oft sind weite Strecken von ihnen frei, oft finden sie sich zu mehreren beisammen. Ihre Formen, die Beschaffenheit ihres Körpers und ihres Kernes machen sie den beschriebenen Zellen gegenüber genau kenntlich, auch wenn sie in Fortsätze ausgezogen sind. An der Glaskörperoberfläche der Cyprinoiden giebt es auch, wie in der Hornhaut des Frosches und Kaninchens „fixe" Zellen und Wanderzellen. Bekanntlich ist es die Lehre von der Entzündung, welcher wir die ersten ausführlichen und lebhaften Schilderungen von den Zellen der Hornhaut und von den Vorgängen in dieser verdanken. Vieles, was über die Hornhaut gesagt worden ist, könnte beim Glaskörper wiederholt werden.

Gehörorgan.

19) Albrecht, P., Sur la valeur morphologique de la trompe d'Eustache. (Siehe den vollständigen Titel unter 4. Osteologie unter No. 8.) — 20) Chatin, J., Recherches pour servir à l'histoire du noyau dans l'épithélium auditif des Batraciens. Extr. in Ann. Science. Nat. (6) Zool. T. 16. (5 p.) Abstr. in Journ. R. Microsc. Soc. (2) Vol. 4. P. 5. p. 715. — 21) Doran, Alban, On the Auditory Ossicles of Rhytina Stelleri. With 1 woodcut. Journ. Linn. Soc. London. Zool. Vol. 17. No. 102. p. 366—370. — 22) Eitelberg, A., Resultate der Wägungen menschlicher Gehörknöchelchen. Monatsschr. f. Ohrenheilkunde. No. 5. — 23) Graff, L. v., Zur Naturgesch. des Auerhahnes (Tetrao urogallus l.). Zeitschr. f. wiss. Zoologie. Bd. XLI. Taf. VII. S. 107—115. — 24) Hasse, C., Das Gehörorgan der Wirbelthiere. Von Gustav Retzius. Archiv f. Ohrenheilkunde. XXI. Bd. S. 314—324. (Eine Besprechung von G. Retzius: Gehörorgan der Wirbelthiere.) — 25) Herms, Ernst, Ueber die Bildungsweise der Ganglienzellen im Ursprungsgebiete des Nervus acustico-facialis bei Ammocoetes. Sitz.-Ber. der k. Acad. d. Wissensch. II. Cl. II. S. 333—354. Mit 2 Taf. — 26) Moos, J., Ueber gefässführende Zotten der Trommelhöhlenschleimhaut. Vortrag. Sep.-Abd. a. d. Zeitschr. f. Ohrenheilkunde. XIV. Taf. I. Fig. 2. — 27) Moos, S. u. H. Steinbrügge, Untersuchungsergebnisse von vier Felsenbeinen zweier Taubstummen. Ebendas. XIII. Bd. Taf. 1. S 255—262. — 28) Pritchard, Urb., The cochlea of ornithorhynchus platypus compared with that of ordinary mammals and of birds. With 2 pl. Philos. Transact. R. Soc. London. Vol. 172. P. 2. 1881. p. 267—282. — 29) Retzius, G., Das Gehörorgan der Wirbelthiere. I. u. II. gr. 4. Stockholm. — 30) Steinbrügge, H., Ueber die zelligen Gebilde des menschlichen Corti'schen Organs. Zeitschr. f. Ohrenheilkunde. Bd. XII. 1883—1884. S. 206—207. (Mit 2 Holzschnitten) (Bestätigt die Angaben von der rundlichen Form der äusseren Corti'schen Zellen in der menschlichen Schnecke; an der Stelle der Hörhärchen wurde meist nur ein, die Lamina reticularis durchsetzender stäbchenförmiger Fortsatz beobachtet.) — 31) Dahl, Friedr., Das Gehör- und Geruchsorgan der Spinnen. Arch. f. microscop. Anatomie. Bd. 24. Heft I. Taf. Ia. S. 1—10.

Graff (23) schiebt die überraschende Erscheinung, dass der Auerhahn während des Balzgesanges völlig taub sei, auf die Existenz der Schwellfalte zurück, welche erectil ist. Sie hängt im nicht erigirten Zustande als eine schlottrige Hautfalte oder Keiner schlaffen Warze gleich und für eine Pincette gut fassbar an der hintern Wand des Gehörganges herab. Im injicirten Zustande ist sie prall aufgebläht, und füllt den grössten Theil der inneren Partie des Gehörganges aus, indem sie sich in grosser Ausdehnung der Vorderwand desselben anschmiegt. Betrachtet man ein injicirtes Ohr von aussen, so erscheint dasselbe völlig verschlossen. Die Taubheit des Auerhahnes während des Balzgesanges hat also nichts mit dem Processus angularis des Unterkiefers zu thun, wie man früher annahm, G. bringt auch hierfür die Belege, sondern ist im Wesentlichen auf die Erection der Schwellfalte zurückzuführen.

Retzius (29), der sich in den letzten Jahren mit dem Gehörorgan der Wirbelthiere beschäftigte, hat schon wiederholt Nachrichten hierüber in die Literatur gelangen lassen, von denen auch in diesen Berichten Mittheilung geschah. (Siehe diese Berichte von 1880—1883.) In dem Jahre 1881 erschien nun der erste Band eines gross angelegten und musterhaft ausgestatteten Werkes über das Gehörorgan der Wirbelthiere, mit 38 Tafeln. Es erstreckte sich auf das Gehörorgan der Fische und Amphibien, und zwar wurden aus jeder Abtheilung der Cyclostomen, Ganoiden, Teleostier, der Elasmobranchier. Dipnoër, der Urodelen und Anuren mehrere Arten untersucht. In diesem Jahre ist nunmehr ein zweiter Band unter demselben Titel erschienen, der nunmehr das Gehörorgan der Reptilien, der Vögel und der Säugethiere enthält. Auch hier sind die wichtigsten Vertreter der Hauptgruppen berücksichtigt worden, so z. B. 4 Formen von Cheloniern, 6 Ophidier, 12 Saurier und Krokodilier. Von Vögeln wurden Natatores, Cursores und Insessores in mehrfacher Zahl untersucht, und die Formen überdies dargestellt sowohl anatomisch als histologisch.

Der Schluss erstreckt sich auf die Säugethiere und den Menschen. Von den ersteren finden wir vertreten die Rodentia durch das Kaninchen, die Pecora durch Bos taurus, die Belluae durch Sus scrofa, die Carnivoren durch Felis domestica. Dieser zweite Band ist noch umfangreicher geworden als der erste, er enthält 46 Bogen in 2° und 39 Tafeln. Beschränken wir uns auf den neuen in diesem Jahre erschienenen Band, so ist es auch hier wieder das Bestreben des Autors gewesen, durch die verschiedenen Klassen der Wirbelthiere Gestalt und Bau des membranösen Gehörorgans, vor Allem aber die Nervenendstellen darzulegen, im Ganzen bei 34 verschiedenen Typen.

Bei dem Kaninchen, der Katze und dem Menschen wurde ganz besonders auch das Cortische Organ berücksichtigt. In diesem Gebiet ist es Retzius gelungen, viele streitige Fragen mit guten Gründen zu entscheiden und an die Stelle von unrichtigen Angaben das sicher festgestellte einzufügen. Die Ergebnisse gerade dieser seiner Anstrengungen sind in zahlreichen Abbildungen niedergelegt, was wir mit um so grösserer Freude begrüssen, als die bis jetzt vom Gehörorgan vorliegenden doch Manches zu wünschen liessen. Dabei vernehmen wir mit Befriedigung, dass die Abbildungen sämmtlich von Retzius' eigener Hand ausgeführt sind, denn damit wächst das Vertrauen in die Darstellung der verwickelten und feinen Verhältnisse. Nur der Autor ist im Stande, diese schwierigen Details zu beherrschen. Auch die Reproduction ist, Dank den künstlerischen Kräften vortrefflich ausgefallen, und so ist denn das ganze Werk eine Zierde der Literatur. Für die deutschen Gelehrten ist es in hohem Grade schmeichelhaft, dass R. sich der deutschen Sprache bedient hat, und wir wollen ihm gern die Versicherung geben, dass die Durchsichtigkeit in der Anordnung des Stoffes und Sicherheit des Ausdruckes in der Beschreibung der allerschwierigsten Details vollkommen befriedigt.

Auf Seite 358 hat der Autor, nachdem er uns mit den vielen Formen vertraut gemacht hat, die Hauptresultate unter dem Titel „allgemeine Bemerkungen" zusammengefasst, aus denen Ref. folgende Bemerkungen herausgreift. Bei den Reptilien bestehen innerhalb der vier Ordnungen recht grosse Verschiedenheiten hauptsächlich in der Schnecke. Die Chelonier und Ophidier zeigen eine niedrigere Beschaffenheit der Schnecke. Sie schliessen sich am meisten an die Urodelen an und zwar vor allem die ersteren. Die Schnecke stellt eine taschenförmige Ausstülpung des Sacculus dar. Eine Membrana basilaris existirt zwar mit einer kleinen länglich ovalen Papilla acustica basilaris, aber nach allem ist anzunehmen, dass sich die Chelonier früher vom phylogenetischen Stammbaum abgezweigt haben, später erst die Ophidier. Bezüglich der Saurier stellt R. die Frage, ob es wohl berechtigt sei, die bunte Sammlung verschiedener Typen in eine einzige Ordnung zusammenzufassen. Bei der merkwürdigen Hatteria steht die Ausbildung der Schnecke und vor Allem der Pars basilaris offenbar den entsprechenden Gebilden der Saurier nach! Sie ist kein Verbindungsglied der höchsten Saurier und der Krokodilier, sondern stellt auch in Betreff des Gehörorgans einen eigenthümlichen Typus dar, dessen Phylogenese unklar ist. Was die Krokodilier betrifft, so wird die Angabe früherer Beobachter bestätigt, dass sowohl die Schnecke der Vögel als auch diejenige der Säugethiere in ihrem Grundtypus angelegt wird. Das membranöse Gehörorgan der Vögel stellt einen besonderen, vom Stammbaum nach der Seite hin abgehenden Zweig dar. Die Vermittlung der Vorfahren der Vögel mit den eigentlichen Säugethieren findet hinsichtlich des Gehörorgans in frappanter Weise durch die Monotremen statt. Für alle Säugethiere ist die spiralig aufgewundene Gestalt der Schnecke characteristisch, ferner die Lage des relativ kleinen Sacculus und die Verbindung desselben einerseits mit der Schnecke durch den Canalis reuniens, andererseits mit dem Utriculus durch den relativ langen, engen Canalis utriculo-saccularis. Für alle diese Säugethiere ist ferner auch das Verschwinden der Papilla ac. lagenae und der Macula ac. neglecta mit ihren resp. Nervenzweigen characteristisch. Wenn man nun auch zugiebt, dass das membr. Gehörorgan des Kaninchens in seinen relativen Proportionen etwas niedriger wie dasjenige der übrigen Säugethiere zu stehen scheint, so lässt sich doch, was diese betrifft, aus der allgemeinen Gestalt und den Dimensionen kaum auf eine niedrigere Stellung des Gehörorgans des Ochsen, des Schweines und der Katze im Verhältniss zu demjenigen des Menschen schliessen. Eine höhere morphol. Entwickelung des Organes, wenn vorhanden, wäre deshalb eher im feineren Bau zu suchen.

Was den feineren Bau des membranösen Gehörorgans betrifft, so hat R. in den Maculae und Cristae acusticae aller Wirbelthiere sowie in den Papillae der Schnecke, der Fische, Amphibien, Reptilien und Vögel stets nur zwei Arten von Zellen gefunden, von welchen er die eine Art, die stützenden oder indifferenten Zellen, mit dem Namen Fadenzellen, die andere mit Haarzellen bezeichnet. Bei allen Wirbelthieren, von den Cyclostomen bis auf den Menschen, sind diese beiden Zellenarten in fast ganz derselben Gestalt und Anordnung vorhanden. Was nun die eigentliche Nervenendigung anbetrifft, so hat R. aufs Neue für die Vögel und den Frosch urgirt, dass die vor dem Eintritt ins Epithel marklos gewordenen Nervenfasern, ohne sich zu theilen und ohne Anastomosen einzugehen, den intraepithelialen Plexus bilden, in welchem je eine Faser ungetheilt an dem unteren Ende einer der haartragenden Zellen endigt. Es gelang ihm, dies in ganz überzeugender Weise und in Hunderten von Fällen bei den höheren Wirbelthierklassen nachzuweisen und zwar bei den Reptilien (Alligator), wie bei den Vögeln (Taube) und den Säugethieren (Kaninchen, Katze, Mensch). Er steht dafür ein, dass die Nervenfaser entweder ungetheilt, wenn sie ganz dünn ist, sich mit dem unteren Ende je einer Haarzelle verbindet, oder, wenn sie dicker ist, sich verbreitert und das untere Ende mehrerer (2—4 oder 5) Haarzellen mantelförmig umfasst. Die Haarzellen der Maculae und Cristae acusticae sind deshalb als wirkliche Sinneszellen zu betrachten, und ihre Hörhaare, aus dicht aneinander gelagerten parallelen feinen Fäden zusammengesetzt, behalten ihre beanspruchte Bedeutung als Sinnesendapparate. An den Maculae acusticae sind diese Haare verhältnissmässig kurz und stecken in eigenthümlichen Deckmembranen, welche mehr oder weniger mit Otolithenkrystallen versehen sind. An den Cristae acusticae sind dagegen die Haare der Haarzellen viel länger und stecken nicht in wirklichen Deckmembranen.

Es lässt sich erwarten, dass auf einer so breiten vergleichenden Grundlage für den feineren Bau der Schnecke der Säugethiere und des Menschen manche wichtige Erfahrung und Erklärung gewonnen wurde. Allein wir können nur einige der vielen lehrreichen Punkte hervorheben. Die Membrana basilaris ist in ihrer ganzen Breite aus feinsten, in radialer Richtung ausgespannten Fasern zusammengesetzt, welche an der inneren Zone undeutlich hervortreten, in der äusseren Zone aber scharf und deutlich erscheinen. — Die Pfeilerzellen bestehen das ganze Leben hindurch aus wirklichen Zellen. Die Deiters'schen Zellen sind den Pfeilerzellen entsprechende Gebilde. Sie stehen nach aussen von den äusseren Pfeilerzellen in drei oder vier Reihen mit alternirenden polygonalen Fussflächen auf der Basilarmembran und ragen dicht gedrängt mit hellem, polygonalem Körper nach innen. Durch die ganze Länge jeder dieser Zellen läuft ein aus mehreren Fäserchen bestehender, dem Pfeiler der Pfeilerzellen entsprechender Faden. Die äusseren Haarzellen sind echt cylindrische Zellen, welche nur am untersten Ende, nach unten vom sphärischen Kern, eine grössere, körnig erscheinende Protoplasmaansammlung haben. Die an der Oberfläche der Haarzellen hervorragenden Stäbchen stehen in halbkreisförmiger Anordnung und sind beim Menschen viel zahlreicher wie beim Kaninchen und der Katze. Die Anordnung der äusseren Haarzellen ist beim Menschen durch ihre Unregelmässigkeit characterisirt. R. glaubt im Gegensatz zu anderen Autoren die Zahl dieser Zellen nicht höher wie auf etwa 12,000 anschlagen zu können; bei der Katze berechnet er sie zu 9.900, beim Kaninchen zu 6,100. Die inneren Haarzellen bilden beim Kaninchen, der Katze und dem Menschen eine fast nie unterbrochene Reihe. Im Bau unterscheiden sie sich in mehrerer Hinsicht von den äusseren und ähneln etwas den Haarzellen der Maculae und Cristae acusticae. Die Nervenfasern des Acusticus behalten bei allen Nervenendstellen fast bis zum Austritt ins Epithel ihre Myelinscheide und ihre Schwann'sche Scheide; es ist dies auch an der Papilla basilaris der Fall. Kurz vor dem Eintritt in die Kanäle der Habenula perforata geben sie diese Scheiden ab und treten blass in die eben besprochene Zellenpartie aus; hier zerfallen sie mehr oder weniger in Primitivfibrillen, welche als varicös erscheinende Fäserchen theils spiralig umbiegen und unter den inneren Haarzellen den ersten spiralen Zug bilden; theils gehen einzelne Fäserchen an den Haarzellen empor und umstricken ihre unteren Theile; theils treten zwischen den inneren Pfeilerzellen Fäserchen oder Bündel von Fäserchen in den Tunnelraum hinein, um hier neben dem unteren Ende der fraglichen Pfeilerzellen einen dicht gedrängten spiralen Zug, den spiralen Tunnelfaserzug zu bilden. Von diesem Zug zweigen sich radial verlaufende Fasern ab, welche zwischen je zwei äusseren Pfeilerzellen nach aussen ziehen, um an den Deiters'schen Zellen wieder umzubiegen und die 3—4 äusseren spiralen Faserzüge zu bilden. Ihre Endigung ist noch nicht sicher festgestellt, doch lässt sich sagen, dass die unteren Enden der äusseren Haarzellen die Fasern der Spiralzüge berühren und ihnen sogar anhaften.

Andere Sinnesorgane.

32) Beard, John, On the segmental sense organs of the lateral line, and on the morphology of the vertebrate auditory organ. Zool. Anz. VII Jahrgang. No. 161 u. 162. — 33) Blaue, Jul., Untersuchungen über den Bau der Nasenschleimhaut bei Fischen und Amphibien, namentlich über Endknospen als Endapparate des N. olfactorius. Mit 3 Taf. Arch. f. Anat. u. Physiol. Anat. Abth. 3 u. 4. Heft. S. 231—309. — 34) Drasch, O., Histologische und physiologische Studien über das Geschmacksorgan. Mit 2 Tafeln u. 3 Holzschn. Lex.-8. Wien. — 35) Löwenberg, B., Anatomische Untersuchungen über die Verbiegungen der Nasenscheidewand. Schwierigkeiten, welche dieselben bei Operationen verursachen etc. Zeitschrift f. Ohrenheilkunde. Bd. XII. 1883—84 S. 1—19. Mit 5 Holzschnitten. — 36) Wolff, W., Die Nerven des Froschlarvenschwanzes. Archiv f. Anat. und Physiol. (Physiol. Abth.) S. 178. (Die Endigungen liegen im Schleimgewebe unterhalb des Epithels.) — 37) Zuckerkandl, E., Das Schwellgewebe der Nasenschleimhaut und dessen Beziehungen zum Respirationsspalt. Vortrag. Separat-Abdruck a. d. Wiener med. Wochenschr. No. 38.

Zuckerkandl (37) bestimmt die Nasenarterien, deren Endäste in der basalen Schichte der Nasenschleimhaut und ihr weitmaschiges Geflecht; die Venenstämme treten aus dem bekannten Schwellgewebe hervor, und lassen fünf Gruppen unterscheiden, welche nach verschiedenen Richtungen abziehen, eine gegen die äussere Nasenöffnung, die zweite und dritte (Venae ethmoidales) aufwärts gegen die Schädel- und Augenhöhle, eine vierte rückwärts gegen das Gaumensegel und endlich eine fünfte rück- und aufwärts in die Flügelgaumengrube. Die äussere Nase besitzt einen grossen Reichthum an Venen und zwar in drei Lagen übereinander geschichtet, die eine in der Haut, die zweite in der Auskleidung des Vestibulum nasale, die dritte zwischen beiden im Perichondrium der Nasenknorpel. Die gegen die Schädelhöhle gerichteten Venen (Venae ethmoidales) der Nasenschleimhaut anastomosiren in der Schädelhöhle mit dem Venennetze der harten Hirnhaut und mit dem oberen Sichelblutleiter. Wichtiger als diese Verbindung ist eine andere, welche von einer, einen grösseren Nebenzweig der Arteria ethmoidalis anterior begleitenden und durch die Siebplatte in die vordere Schädelgrube eindringenden Vene gebildet wird, und die entweder in das Venennetz des Tractus olfactorius oder direct in eine grössere Vene am Orbitallappen inosculirt. Aehnlich, wie die Arterien des Thränenapparates, stellen die stärkeren Venen des Plexus lacrymalis eine indirecte Verbindung zwischen Nasen-, Gesichts- und Augenhöhlenvenen her. Die Füllung und Entleerung des Schwellkörpers in der Nasenschleimhaut steht unter dem Einflusse des Nervensystems. Die Circulation in der Nasenschleimhaut stellt sich in folgender Weise her: Die Arterien lösen sich im Periost, um die Drüsen und in der conglobirten Schichte in drei capillare Netze auf, und zwischen den Capillaren und Venen ist ein Schwellkörper, d. h. ein dichter Venenplexus eingeschaltet. Die Capillaren der conglobirten Schichte und der obere Theil der Drüsencapillaren ergiessen ihr Blut in das Rindennetz, das periostale Netz und die tieferen Schichten der Drüsencapillaren in die lacunäre Partie des Schwellkörpers und von dort aus in die grossen Abzugsvenen, welche sich zu den bereits aufgezählten peripheren Venen hinbegeben.

[Sörensen, William, Om Lydorganer hos Fisks. Disp. Kjöbenhavn. M. 4 Tavln.

Die erste äussere Veranlassung zu dieser Untersuchung bekam der Verf., als er zufällig bei seiner Ankunft an der Küste von Südamerika sehr starke, von eingefangenen Fischen hervorgebrachte Töne oder Geräusche beobachtete, eine Wahrnehmung, welche ihn anspornte, seinen darauf folgenden längeren Aufenthalt in dem genannten Welttheil zu einer eingehenderen Untersuchung der angedeuteten Erscheinungen zu verwerthen. In der Einleitung macht er darauf aufmerksam, dass viele Knochenverbindungen der Fische sich nicht ohne weiteres unter den in der descriptiven Anatomie allgemein geltenden Categorien unterbringen lassen; so verdienen, wie bekannt, viele sog. Gelenke der Fische nur uneigentlich diese Benennung, weil die Bewegung nicht zwischen den freien Flächen der bezüglichen Knochen stattfindet, sondern in unverknöcherten, dieselben vereinigenden Gewebspartien. Dies ist z. B. der Fall bei den Wirbeln. Weiterhin findet man, was wenig bekannt ist, bei Fischen sog. Suturen, welchen dieser Name gar nicht zukommen kann, denn sie sind bewegliche Verbindungen, und die Bewegung hat nicht statt zwischen den Knochen, sondern in unverknöcherten, dieselben vereinigenden Sehnenknorpeln; Beispiele solcher sind die mediane Vereinigung der zwei „Radii" bei manchen Siluroiden, ferner die Verbindung zwischen dem ersten Wirbel und dem Schädel, und die zwischen diesem und den beiden Aesten der Scapula bei mehreren Siluroiden u. s. w. Solche Vereinigungen nennt der Verf. suturähnliche, aber bewegliche Verbindungen.

Die in der Abhandlung erläuterten Lautorgane theilt der Verf. in zwei Gruppen, solche, deren Töne nur begleitende Nebensache bei ihrer eigentlichen, anderen Zwecken dienenden Function sind, und die Schwimmblase, insoweit ihr Bau auf Erzeugung von Tönen, um des Schalles willen als solchen, berechnet ist.

I. Waffen (Stacheln), deren Bewegung unter gewissen Verhältnissen Geräusche erzeugen. Die häufigsten solcher Waffen sind Stachelstrahlen in der Rücken- und Afterflosse. Die Bedeutung solcher Stacheln als Angriffswaffen wird erhöht, wenn sie zur Fixation eingerichtet sind, und besonders, wenn ein einzelner, am häufigsten der vorderste Stachel, vorzüglich entwickelt und diesem Zwecke angepasst ist; in solchen Fällen bekommt nämlich der bezügliche Fixationsapparat eine eigenthümliche Entwickelung, worauf die Stärke der mittelst ihrer hervorgebrachten Geräusche beruht. Der Verf. beschreibt erstens die Rückenflosse bei den Gattungen Doras, Synodontis, Euanemus, Pseudaroides und Platystoma, sowie dasselbe Organ eines Plecostomus; demnächst erläutert er die Brustflossen der fünf erstgenannten Genera, sowie die Gattungen Clarias und Silurus; von allen diesen Verhältnissen giebt er genaue anatomische Beschreibungen, und endlich folgt eine Besprechung der Weise, auf welche der Ton mittelst der Bewegungen der bezüglichen Stacheln erzeugt wird. Die Erscheinung wird mittels eines Scheuerns, einer Reibung der bezüglichen Facetten bewirkt; diese Facetten ermangeln ganz der Gelenkknorpel, sind nackt (nur von einer sehr dünnen Beinhaut bedeckt) und im ganzen genommen glatt; der Ton ist eine nach einander folgende Reihe von vielen einzelnen Geräuschen, ganz wie der Ton einer Schnarre. — Nach diesen Mittheilungen giebt der Verf. beiläufig einige kurze Bemerkungen über den Porus pectoralis der Siluroiden, und schliesslich besondere Beschreibungen der Brustflossen von Plecostomus, der Rückenflosse von Balistes ostula L., Monacanthus pardalis L., Acanthurus chirurgus Bl., Capros aper L., Triacanthus brevirostris Schl., Centriscus scolopax L., der Rückenstacheln von Gasterosteus aculeatus L., der Rückenflosse von Anarrhichas lupus L., der Bauchflossen von Triacanthus biaculeatus Bl., Capros agno L., Gasterosteus aculeatus L., des vorderen Kiemendeckels von Dactylopterus volitans L., Cottus bubalis Cuv. u. Val. und Cottus Scorpius L.

Von allen diesen Organen bemerkt der Verf., dass sie scheinbar am ehesten mit den Stridulationsorganen der Arthropoden sich vergleichen lassen, denn bei diesen wird der Ton ebenfalls mittels Reibung harter Theile gegen einander hervorgerufen. Dennoch steht die Sache bei den Fischen ganz anders, denn hier ist die Fixation überall am vollkommensten und der Ton am stärksten, je glatter die reibenden Flächen sind. Ueberdies spielt die Feuchtigkeit der bezüglichen Flächen eine nicht zu unterschätzende Rolle, eben als wenn ein feuchter Korkpfropf gegen eine gläserne Fläche gerieben wird, ganz im Gegensatz zu den auswärts gerichteten, trockenen Stridulationsflächen der Insecten.

II. Die Schwimmblase ist das einzige Organ bei Fischen, welches an sich den Namen eines Lautorganes verdient; diesem Zwecke ist sie bei vielen Fischen angepasst. Der Verf. beschreibt erstens die Schwimmblase des Doras maculatus Cuv. u. Val., Platystoma, Pseudaroides, Pygacentrus, Myletes, Prochilodus, Chalcinus, Salminus, Leporinus und Alestes, also von Genera der Siluroiden und Characinen; zu diesen Zergliederungen fügt er Beobachtungen über die Erzeugung der Töne. Unter diesen Wahrnehmungen heben wir folgende hervor: Beim Doras sieht man, wenn der lebende Fisch in der Bauchlinie geöffnet ist, und die Schwimmblase bloss gelegt ist, eine krampfhafte, zitternde Bewegung dieses Organs, mit welcher gleichzeitig der Ton erzeugt wird; dieser ist stark genug, um in einem Abstand von 100 Fuss durch die Luft hörbar zu sein. Gleichzeitig mit dem Ton sieht man eine Contraction der an den „Muskelfedern" (besonderen Knochentheilen) sich inserirenden Muskeln; werden diese durchschnitten, so hört der Ton auf. Ein kleines Loch, durch die Schwimmblasenwand gebohrt, schwächt nicht den Ton besonders, aber eine grössere in dieselbe gemachte Oeffnung schwächt ihn sehr. Wird die Schwimmblase wegpräparirt, so wird der Ton sehr schwach und ist dann ausschliesslich mittels der „Federn" erzeugt. — Aehnliche Beobachtungen an den übrigen genannten Fischen werden auch mitgetheilt. Als Hauptresultat dieser Untersuchungen hebt der Verf. hervor, dass die Schwimmblase bei verhältnissmässig vielen Fischen dem Zwecke der Erzeugung von Tönen dient, und ebenfalls darauf berechnet ist, eben solche, von anderen Individuen derselben Art hervorgebrachte Töne auf grösseren Abständen hörbar zu machen.

Jetzt folgt ein Abschnitt „über die Verhältnisse, unter welchen die Siluroiden Geräusche hervorbringen". Von diesen will ich folgendes hervorheben: Wie gross der Abstand ist, in welchem der Ton durch das Wasser gehört werden kann, hat der Verf. nicht ermitteln können; am stärksten lässt sich der Ton an stillen Abenden hören, besonders wenn man sich im Raume eines den Fluss hinabgleitenden Schiffes befindet. Ist das Wasser in Aufruhr, so wird der Ton nicht gehört. Dass die Absicht des Tones der Herbeiruf anderer Individuen von derselben Art ist, geht daraus hervor, dass der Ton besonders im Februar und März, während welcher Zeit die Ovarien der genannten Siluroiden von Eiern strotzen, gehört wird; diese Fische sind zudem Bodenfische mit kleinen, fast pigmentlosen Augen, weshalb es wahrscheinlich ist, dass das Gehör der Sinn ist, mittels welchem die beiden Geschlechter einander am leichtesten finden. Im folgenden giebt der Verf. eine geschichtliche Uebersicht über unsere Kenntnisse der von Fischen hervorgebrachten Töne. Wir heben nur Folgendes hervor: Schon Aristoteles erwähnt mehrere Fische, welche Töne erzeugen; in sehr langen Zeiten nach ihm werden solche jedoch nur gelegentlich in zerstreuten Bemerkungen verschiedener Verfasser berührt; erst Joh. Müller gab eine besondere, vom Verf. jedoch scharf kritisirte Abhandlung über die Frage; die Untersuchungen von Duffossé sind die ersten bahnbrechenden, und unser Verf. verweilt mit Vorliebe bei ihnen. In einigen Fällen, wo die Wand der Schwimmblase mit einer Muskelfascie genau verbunden ist (z. B. bei Sciona), nimmt Dufossé an, dass der Ton mittels Muskelcontraction erzeugt wird, demgemäss ein Muskelton sei und nicht von der Schwimmblase herrühre, eine Hypothese, welche der Verf. bestreitet. Kürzer erwähnt der Verf. die Untersuchungen Moreau's, Jobert's und Haddon's.

Schliesslich giebt der Verf. Beschreibungen der Schwimmblase einer Reihe von Fischen, welche als tongebend bekannt sind, und stellt seine eigene Beobachtungen mit denjenigen anderer Forscher zusammen. Diese Fische sind folgende (die in Parenthese gesetzten sind nach fremden Untersuchungen mitgetheilt): Euanemus nuchalis, Malapterurus electricus, Synodontis Schal (andere Siluroidgenera), (Amblyopsis spelaeus), Trigla Gunardus (und andere Cataphracti), Diodon Hystrix, Tetrodon Fahaka, Balistes ostula, Monacanthus Pardalis, Triacanthus brevirostris, Ostraeion trigonus, Ophidium Broussoueti?, Macrurus coelorhynchus, Phycis mediterraneus, Gadus Morrhua, Batrachus Tau, Holacanthus tricolor, (Priacanthus macrophthalmus), Scionoiderne, Pristipomatidae, Holocentrum Sogho, Zeus Faber, (Caraux, Ophiocephalus), (Hippocampus brevirostris), Nerophis aequoreus, Mormyrus cyprinoides?

III. Kann man schon jetzt sagen, dass die Schwimmblase allgemein ein Lautorgan ist? Ist sie jemals ein Respirationsorgan? Die erste dieser Fragen kann man noch nicht beantworten; doch ist unser Organ bei einigen Fischen (Cobitis, Clarias und Loricarini) so von einer Knochenmasse umschlossen, dass es nicht wahrscheinlich ist, dass es sich durch die an ihm inserirten Muskeln bewegen lässt, weshalb es in diesen Fällen kaum Töne erzeugen kann. Bei allen anderen Fischen lässt sich die Möglichkeit, dass die Schwimmblase ein Lautorgan sein kann, nicht absprechen, doch muss die Entscheidung späteren Untersuchungen vorbehalten werden.

Ueber die Verhältnisse, welche die Function der Schwimmblase als Lautorgan bedingen, äussert sich der Verf. folgendermassen: Wo die Schwimmblase ein Lautorgan ist, ist dieses um so kräftiger, je dicker die Wände sind und je mehr rigid oder elastisch sie sind; ferner je mehr die Blase in Räume getheilt ist, je kräftiger die Musculatur ist und je inniger sie mit dem Skelete verbunden ist. Ueberall, wo man diese Bedingungen zusammen findet, kann man die Schwimmblase als Lautorgan bestimmen, doch nur insofern sie geschlossen ist oder einen langen, engen und dünnwandigen Luftgang besitzt.

Die zweite Frage, in wie weit die Schwimmblase jemals ein Athemorgan ist, bespricht der Verf. ausführlich; ich hebe hieraus Folgendes hervor: Wo der Luftgang lang, eng, dünnwandig und leicht zusammenfallend ist (z. B. Characinen und Siluroiden), kann die Schwimmblase kein Athemorgan sein, denn die Luft lässt sich nicht in sie hineinsaugen. Ist dagegen der Luftgang kurz, weit, und hat er eine spaltförmige Oeffnung in den Darm, dann lässt sich die fragliche Function nicht in Abrede stellen; solches ist der Fall bei Acipenser, Polypterus und einzelnen anderen Formen. Man kennt jetzt eine Anzahl Fische, welche atmosphärische Luft athmen, aber in den bekannten Fällen sind immer andere Organe als die Schwimmblase hierbei wirksam; so der Darm (Cobitis und mehrere andere Fische), das Keimenlabyrinth (Anabas, Polyacanthus, Osphromenus, Trichogaster, Ophiocephalus und Rhynchobdella), accessorische Athemhöhlen (Amphipnous, Clarias und Saccobranchus); bei Lepidosteus und Amia ist es bisher unentschieden, welches Organ die atmosphärische Luft aufnimmt. Bei Sudis gigas und einigen Erythrinusarten giebt Jobert die Schwimmblase als Athemorgan an, eine Hypothese, deren Zulässigkeit der Verf. doch aus manchen Gründen bezweifelt.

Die Frage, ob eine in Zellen getheilte Schwimmblase als Athemorgan sich auffassen lässt, giebt dem Verf. Gelegenheit zu einer eingehenden Polemik gegen die bekannten, von Joh. Müller auf den Kreislaufsverhältnissen gegründeten Kriterien der respiratorischen Function eines Organs, diejenige nämlich, dass es „dunkeles" Blut vom Herzen empfängt und wieder „helles" Blut zum Herzen abgiebt*). Demnächst erörtert er die Schwimmblase des Protopterus und Ceratodus mit kritischen Bemerkungen über die Beobachtungen verschiedener Verfasser von der Respiration dieser Thiere. Folgt dann eine kritische Besprechung der Untersuchungen von Boas über die bezüglichen Verhältnisse bei Ceratodus, Protopterus, Amia, Lepidosteus und Polypterus. Schliesslich äussert der Verf., dass die respiratorische Function der Schwimmblase bisher nur eine unbewiesene Möglichkeit ist. Den Abschluss der Darstellung bildet eine besondere Besprechung der Schwimmblase bei Polypterus Bichii. **Ditlevsen.**]

VIII. Neurologie.

1) Aeby, Chr., Schema des Faserverlaufes im menschlichen Gehirn u. Rückenmark. 2. Aufl. Mit 1 Chromolithogr. 8. Bern. — 2) Ahlborn, F., Ueber die Bedeutung der Zirbeldrüse (Glandula pinealis; Conarium; Epiphysis cerebri). Mit 1 Fig. Zeitschr. f. wiss. Zool. 40. Bd. 2. Heft. S. 331—337. — 3) Baistrocchi, E, Sul peso specifico dell' encefalo umano, sue parti e del midollo spinale e sulla determinazione quantitativa della

*) Im Gegensatz zu diesem stellt der Verf. den Satz auf, dass ein inneres Organ ein Respirationsorgan ist, wenn es Sitz einer mechanischen Respiration ist, deren Erhaltung für das Leben des Thieres unentbehrlich ist.

sostanza bianca e della grigia. Ricerche sperimentali. Freniatria (dall' istituto d'Anatomia pathologica di Parma). p. 193—240. — 4) Boas, J. F V., Ein Beitrag zur Morphologie der Nägel, Krallen, Hufe und Klauen der Säugethiere Morphologisches Jahrbuch. Bd IX. S. 389—400. Mit Taf. XVIII. — 5) Eberstaller, Ueber Gehirnwindungen. „Oesterreichische Aerztl. Vereinszeitung." V. Monatsversammlung 24. März. — 6) Derselbe, Zur Oberflächen-Anatomie der Grosshirn-Hemisphären. Aus dem Grazer. anat. Institute. (Vorläufige Mittheilung.) Sep.-Abdr. aus No. 16, 18, 19, 20 u. 21 (1884) der „Wiener Medic. Blätter". — 7) Exner, S., Die Innervation des Kehlkopfes. Mit 3 Taf. Lex.-8. Wien. — 8) Féré, Ch, Note sur la région sylvienne et en particulier sur les plis temporo-pariétaux. Le progrès Médical. 12e Année. No 26. p. 516—517. — 9) Forgue et Lannegrace, Sur la distribution spéciale des racines motrices du plexus brachial. Compt. rend. Tom. 98. No. 13. p. 829 bis 831. — 10) Dieselben, Distribution des racines motrices dans les muscles des membres. Ibid. Tom. 98. No. 1. p. 685—687. — 11) Fusari, R, Sull' origine delle fibre nervose nello strato molecolare delle circonvoluzioni cerebellari dell' uomo. Atti R. Accad. delle Sc. di Torino. Memorie. Serie 2. Vol. XIX. Disp. 1, 2. Torino 1883—84. 8. p. 47—51. — 12) Gegenbaur, C., Zur Morphologie des Nagels Mit 8 Holzsch. Morphol. Jahrb. Bd. X. Heft IV. S. 465—479. — 13) Giacomini, C., Fascia dentata del grande hippocampo nel cervello umano. Giornale della R. Accademia di Medicina di Torino. 1883. F. 11—12. 71 pp. Tav. I—III. — 14) Derselbe, Dasselbe. Arch. Ital. de Biologie. T. V. p. 1. Mit 3 Tafeln. 205. 396. — 15) Gratia, Une curieuse anomalie anatomique, constituée par la présence de tissu musculaire strié dans la substance du nerf pneumogastrique. Presse med. Belge. No. 49. p. 387—388. — 16) Hare, A. W., On a method of determining the position of the fissure of rolando and some other cerebral fissures in the living subject. Journ. of anatomy and physiol. Bd. XVIII. Part. II. p. 174 bis 180. — 17) Henke, J., Das Wachsthum des menschlichen Nagels und des Pferdehufes. Abhandlungen der kgl. Ges. der Wissenschaften zu Göttingen. Mit 5 lith. Taf. 4. — 18) Hepburn, David, Note on the nerve supply of the sterno-clavicular articulation. Journ of Anatomy and Physiol. Vol. XVIII. p. 340. — 19) Hess, C, Das Foramen Magendii und die Oeffnungen an den Recessus laterales des IV. Ventrikels. Morphol. Jahrb. Bd. X. Heft IV. Mit Taf. XXIX. S. 578—602. — 20) Hollis, W. A., Researches into the histology of the central Grey substance of the spinal cord, medulla oblongata, and pons varolii. Journ. of Anat. and Phys. Vol. XVIII. p. 411—415. Pl. XX. — 21) Kasem Beck, Zur Kenntniss der Herznerven. (Aus dem Laborat. von Prof. Joh. Dogiel in Kasan.) Arch. f. microscop. Anat. Bd. 24. Heft I. Taf. I. B. S. 11 bis 19. — 22) Lustig, A., Zur Kenntniss des Faserverlaufes im menschlichen Rückenmarke. Wiener Sitzgsbr. 1883. No. 88. Abthl. III. S. 139—156. Mit 1 Taf. — 23) Luys, J, Nouvelles recherches sur la structure du cerveau et l'agencement des fibres blanches de la substance cérébrale. Compt. rend. Tom. 99. No. I. p. 19—22. — 24) Mantegazza, P., La physiognomie et l'expression des sentiments. Av. fig. et 8 pl. 8. Paris. — 25) Marchi, Vittorio, Sulla struttura dei talami ottici, ricerche istologiche. Rivista sperimentale di Freniatria. T. X. p. 329—331. — 26) Mitrophanow, Ueber die Endigungsweise der Nerven im Epithel der Kaulquappen. Archiv. für Anatomie u. Physiologie (Physiolog. Abth.) S. 191. Hierzu Taf. II (Die Nervenendigungen liegen zwischen den Epithelzellen.) — 27) v. Monakow, Experimentelle Beiträge zur Kenntniss der Pyramiden- u. Schleifenbahn. Corresp.-Blatt f. Schweizer Aerzte. XIV. Jahrg. No. 6. S. 129. Schluss in No. 7. S. 157—164. — 28) Onodi, A. D., Ueber das Verhältniss der cerebrospinalen Faserbündel zum sympathischen Grenzstrange. Archiv f. Anat. u. Physiologie (Anat. Abth). S. 145. Mit Taf. VII u. VIII. — 29) Openchowski, Th., Ein Beitrag zur Lehre v. den Herznervenendigungen. gr. 8. Mit 1 Taf. Dorpat. — 30) Rabl-Rückhard, Das Gehirn der Knochenfische. Biolog. Centralbl. 4. Bd. No. 16 S. 499—510. No. 17. S. 528—541. Deutsche medic. Wochenschr., No. 33. flgd. (25 Ss.) — 31) Rattone, G., Sur l'existence de cellules ganglionaires dans les racines postérieures des nerfs rachidiens de l'homme. Internat. Monatschrift für Anat u. Histologie. Bd. I. Heft 1. Avec Pl. IV et V. (werden mit dem nächsten Monatshefte nachgeliefert). p. 53—68. — 32) Raymond, Sur l'orgine corticale du facial inférieur. Gaz. med. de Paris. No. 22. 55. année. 7. série Tome I. p. 253—256. — 33) Reid Rob. W, Observations on the relation of the principal fissures and convolutions of the cerebrum to the outer surface of the scalp. The lancet. Sept. p. 534—540. — 34) Robon, J. V., Zur Anatomie der Hirnwindungen bei den Primaten. Mit 2 Taf. gr. 8. München. — 35) Sagemehl, M., Beiträge zur vergleichenden Anatomie der Fische. II. Einige Bemerkungen über die Gehirnhäute der Knochenfische. Morphologisches Jahrbuch. Band IX. S. 457. Mit Taf. XXIII. — 36) Sapolini, J., Etudes anatomiques sur le nerf du Wrisberg et la corde du tympan ou un treizième nerf cranien. Extr. du Journal de Medecine, de Chirurgie et de Pharmacologie de Bruxelles. 8. — 37) Spitzka, C., Contributions to the anatomy of the lemniscus. With remarks on centripetal conducting tracts in the brain. III. The component of the lemniscus which passes through the interolivary layer. The medical record Vol 26. No. 16. p. 421—427. No. 17. p. 449—451. No. 18. p. 477—478. Relations of the lemniscus proper to the internal capsule. — 38) Derselbe, Mittheilung, die angebliche Abwesenheit der Vierhügeltheilung bei Reptilien betreffend. Sep.-Abdr. aus „Neurologisches Centralblatt". No. 24. („Bei allen Amnioten sind die Ganglien des Vorder- u. Hinterpaares vertreten.") — 39) Testut, L., Recherches anatomiques sur l'anastomose du nerf musculo-cutané avec le nerf médian. Journ. de l'anat. et de la physiol. normales et pathol. de l'homme et des animaux. — 40) Thudichum, J. L. W., A Treatise on the Chemical Constitution of the Brain. 8. London. — 41) Topinard, Revue d'Anthrop. p. 192. (Schwere des Gehirns von Turgeniew 2012 gr.!! Die Section wurde gemacht durch die Herren Brouardel, Paul Segond, Descont et Magnin. Die Regelmässigkeit und der Reichthum der Windungen sehr gross.) — 42) Vignal, W., Formation et structure de la substance grise embryonnaire de la moelle épinière des vertèbres supérieures. Acad. des Sc. de Paris. Compt. rend. hebd. des séances. 1. Semestre. Tome 98. No. 25. p. 1526—1529. Paris. 4. — 43) Vincenzi, Livio, Note istologiche sull' origine reale di alguni nervi cerebrali. Arch. per le science mediche. Vol. VII. No. 22. p. 319—346. — 44) Derselbe, Dasselbe in Archives de Biologie. T. V. p. 109. — 45) Viti, A., Recherches de morphologie sur le nerf dépresseur chez l'homme et chez les autres mammifères. Ibid. T. V. p. 191. — 46) Wilder, Burt, G., The brain of a cat lacking the corpus callosum. Journ. of anatomy and physiol. Vol. XVIII. Part. II. p. 223. — 47) Wrigth, R. Ramsay, Dr. Coues' Renumeration of the Spinal Nerves. Amer. Naturalist., Vol. 18. June. p. 641. — 48) Young, Br., Abnormal disposition of the colon. Journal of Anatomy and Physiology. Vol. XIX. Part. I. p. 98 bis 108. — 49) Zander, R., Die frühesten Stadien der Nagelentwickelung und ihre Beziehungen zu den Digitalnerven. Sep.-Abz. aus Archiv f. Anat. u. Physiol. (Anat. Abtheil.) Taf. VI. S. 103—144. — 50) Marshall, Milnes, On the nervous system of Antedon rosaceus. Quarterly journ. of microscop. sc. New series No. XCV. p. 507—548. Pl. XXXV.

Eberstaller (5) versucht die Aufstellung eines neuen, auf eine hinreichende Basis von Untersuchungen gestützten Normal-Schemas über Gehirnwindungen.

Es wurden 50 Weiber- und 50 Männer-Gehirne genommen, d. i. 200 Hemisphären, und die gewonnenen Resultate durch weitere 50 Gehirne Erwachsener, durch die Untersuchung fötaler Gehirne und schliesslich erst durch das Studium der einschlägigen Literatur controlirt.

Die Hauptfurchen sind öfter aus einzelnen Theilstücken hervorgegangen; zwischen den Theilstücken bleiben hin und wieder breitere oder schmälere Brücken, welche in anderen Fällen bei fortschreitendem Wachsthum mit in die Tiefe gezogen werden können. Es sind dies die „Tiefenwindungen", deren einige schon Gratiolet als Plis de passage auf den Hinterhauptslappen beschrieben hat, indess Heschl auf andere aufmerksam machte. Sind Tiefenwindungen oberflächlich, so trennen sie Furchen, welche andernfalls communiciren, die Gehirne werden windungs- und furchenreicher; bleiben Windungszüge in der Tiefe, so werden die Gehirne windungsärmer.

Nicht immer geschieht die erste Anlage der Furchen-Theil-Elemente an genau demselben Orte der Gehirnoberfläche, sondern zuweilen etwas höher oben an der Hemisphäre u. s. w. Die Kenntniss dieser Verhältnisse ist von Belang für das Verständniss scheinbarer und wirklicher Anomalien in der Furchenbildung.

In dem Normal-Schema finden sich folgende Besonderheiten gegenüber den geläufigen Angaben:

1. Am Stirnhirn eine sagittale Furche, welche mit grosser Constanz in der vorderen Hälfte der zweiten Stirnwindung auftritt und an Tiefe der oberen Stirnfurche nicht nachgiebt, sie sogar oft noch übertrifft. Dieser Sulcus frontalis medius ist jedenfalls zu den typischen Hauptfurchen zu rechnen. da er auch schon an dem Gehirne eines 27 cm langen Fötus zu bemerken war; er beginnt mit kurzem Querstücke meist in der vorderen Hälfte der zweiten Stirnwindung und endet in der Nähe der Orbitalkante mit dem Wernicke'schen Sulc. frontomarginalis. Durch diese Furche wird der mittlere Stirnwindungszug in zwei Partien getheilt. Je weiter hinten der Sulc. frontalis medius beginnt und je länger die Pars medialis der zweiten Stirnwindung selbstständig bleibt, um so ausgesprochener ist der „Vierwindungstypus" des menschlichen Gehirnes im Stirntheile, und zwar durch Dopplung der mittleren Stirnwindung.

2. Der Verlauf jenes Furchen-Conglomerates, welches Ecker als Sulc. interparietalis bezeichnet, lässt sich in drei typische Einzelbestandtheile auflösen: ein vorderes Querstück (s. postcentralis, postrolandicus, retrocentralis autt.), ein hinteres Querstück, die Affenspalte (s. perpend. ext. der Primaten-Hirne) und in einen sagittalen Abschnitt, den eigentlichen Sulc. interparietalis im engeren Sinne.

Der sagittale Furchentheil pflegt stets in gegen die Mantelkante convexem Bogen nach hinten zu ziehen. Das hintere Querstück des Sulc. interpar. ist als die eigentliche Affenspalte anzusehen, indess die vordere Occipitalfurche Wernicke's nebst den sie umgebenden Windungen ganz und ausschliesslich dem unteren Scheitellappen angehört.

Die „Incisura praeoccipitalis" von Schwalbe und der Jensen'sche Furchenconflux sind nichts anderes als das auf die Aussenseite der Hemisphäre hinüberragende Ende des mittleren Theiles der dritten oder unteren Schläfenfurche

Die Affenspalte verdient den Namen: Sulcus occipitalis anterior. Sie ist eine typische Primärfurche des Menschenhirnes, welche schon im sechsten Embryonalmonate auftritt und nicht wieder verschwindet, sondern an jedem Gehirne, wenngleich manchmal etwas verschoben, erhalten bleibt. Der Occipitallappen ist durch sie auch auf der Aussenfläche der Hemisphäre nach vorne gut abgegrenzt.

Nicht minder leicht gelingt die Abgrenzung nach unten durch eine constante Furche von sagittaler Richtung. Ihrer Lage nach dürfte sie dem Sulcus occipitalis inferior von Ecker am meisten entsprechen; sie wird am Besten als Sulcus occipitalis lateralis bezeichnet. Was unterhalb davon ist, gehört nicht mehr zum Occipitallappen, sondern zum Systeme der zweiten und dritten Schläfenwindung.

Nur zu beiden Seiten der Affenspalte hängt der Hinterhauptslappen mit dem Scheitellappen zusammen und das sind Gratiolet's première et seconde pli de passage; beide sind öfters zu Tiefenwindungen eingedrückt, so dass dann die Parieto-occipital-Furche mit der Interparietalis communicirt, beziehungsweise die Affenspalte mit der Occip. lateralis.

Der auf diese Weise abgegrenzte Occipitallappen des Menschen hat freilich an Grösse viel verloren; er ist auf weniger als die Hälfte des Gebietes reducirt, das man ihm bisher meist eingeräumt hat. Es stimmt aber dies vollkommen mit der schon von Gratiolet hervorgehobenen Thatsache, dass, je höher organisirt in der Reihe der Primaten ein Glied dieser Kette ist, um so kleiner relativ sein Hinterhauptslappen ausfällt: beim Menschen ist er auf ein Minimum reducirt. Während bei den Affen bis zu den Anthropoïden hinauf der Hinterhauptslappen klappdeckelartig den Scheitellappen überragt, kommt es beim Menschen durch die enorme Grössenzunahme des unteren Scheitellappens in sagittaler Richtung zur Andeutung eines Operculums im entgegengesetzten Sinne: im Primaten-Gehirne dringt die Affenspalte schief nach hinten in die Tiefe, beim Menschen schneidet sie schräg nach vorne ein.

Auf dem reducirten Hinterhauptslappen selbst verdient eine triradiate Furche hervorgehoben zu werden. Eben dieselbe Furche pflegt auch am Menschenhirn bald als zusammenhängende Furche, bald getrennt, in ihren Elementen vorhanden zu sein. Stets ist die Vereinigungsstelle der drei Strahlen näher an die Mantelkante gerückt als beim Orang.

Das Gehirn eines Grobschmiedes bietet eine geradezu colossale Hyperplasie jener Windungen dar, welche gegenwärtig als die motorischen Rindengebiete der Extremitäten gelten; nämlich der beiden Centralwindungen und der Wurzelstücke der beiden oberen Stirnwindungen. Rohe Windungen in dieser Gegend mögen freilich öfter vorkommen, aber so auffällig, wie bei diesem Exemplare gewiss selten. Ausserdem ist es der Erwähnung werth, dass unter fünf Schmiedegehirnen drei diese auffallende Breite des motorischen Rindengebietes zeigten.

Féré (8) legt besonderen Nachdruck auf eine genaue Unterscheidung der Inselwindungen. In der Regel sind es drei radiär angeordnete, von denen die beiden hinteren sich oft theilen. Die vordere ist in der Regel kurz und entspricht der Lage nach den zwei vorderen Dritteln der dritten Stirnwindung, die mittlere der Wurzel der dritten Stirnwindung; die hintere Windung der Insel, die längste, entspricht dem untern Ende des Gyrus postrolandicus (= pli pariétale ascendante Féré). Auf diese Art besitzt die Reil'sche Insel auch drei Furchen. Nur diese eben beschriebenen Furchen und Windungen rechnet F. zu der Insel. Alle anderen Theile bilden die Umhüllung derselben. Drei Holzschnitte dienen zur Illustration dieser Mittheilung. die sich auch noch auf die Lage der centralen grossen Ganglien (Streifen- und Seehügel) und auf diejenige der Insel zu der unverletzten Oberfläche des Gehirns erstreckt.

Forgue et Lannegrace (9) combiniren die Experimente an Thieren mit den Thatsachen der Anatomie, um die specielle Function der motorischen Wurzeln innerhalb des Plexus brachialis bei dem Menschen festzustellen. Die 5. Wurzel geht nach ihnen zum Levator anguli scapulae, zu dem M. rhomboideus und zu dem Subscapularis. Diese eben erwähnten Muskeln sollen gleichzeitig die einzigen sein, die nur von einer einzigen Wurzel innervirt werden. Dieselbe 5. Wurzel giebt dann noch Fäden zu dem N. musculocutaneus, zur äussern Hälfte des N. medianus und dadurch zu dem Pronator teres und palmaris longus; zur Herstellung der N. thoracici antt., also zur Innervation der Clavicularportion des grossen Brustmuskels und des M. subclavius; zur Herstellung des N. thorac. lat. (Nerv. thoracicus longus) und dadurch zur Versorgung der oberen Partie des M. serratus anticus major; zu dem N. circumflexus und dadurch zur Versorgung des Musculus deltoideus. Endlich zu dem Nervus radialis, wodurch der 5. Cervicalnerv den Supinator longus und die Mm. radiales externi versorgt, und endlich zur Bildung des N. phrenicus, wodurch die hintere Portion des Zwerchfells Zweige erhält, während die vordere unter der Herrschaft der 3. und 4. motorischen Wurzel der Halsnerven steht.

Die motorische Wurzel des 6. Halsnerven besitzt eine nicht minder complicirte Vertheilung. Auch sie giebt Bündel ab zum Nervus musculo-cutaneus, zu dem N. medianus und dadurch zu dem M. pronator teres und M. palmaris longus. Ihre Fasern gelangen zu den Nn. thorac. antt., zu dem N. circumflexus, also ebenfalls zu dem Deltoideus; zu dem N. radialis, und damit zu dem Supinator longus und den Mm. radiales ext.; zu dem N. thorac. longus, und zwar zur Innervation der mittleren Portion dieses Muskels. Endlich was sehr bemerkenswerth, wenn hier der experimentelle Theil nicht durch Stromschleifen oder dergl. getrübt ist, zur Innervation des hinteren Zwerchfellabschnittes. — Diese Beispiele mögen genügen. Eine Angabe der Methode fehlt. Was in dem Compte rendue vorliegt, ist nur ein Resumé, und es steht zu erwarten, dass eine ausführliche Publication nachfolgen wird.

Forgue et Lannegrace (10) haben bei Hunden und drei Affen die Vertheilung der Muskelnerven an der oberen und unteren Extremität untersucht. Sie reizten die peripherischen Enden der durchschnittenen Wurzeln der Plexus brachialis und lumbosacralis im Wirbelcanal isolirt und auch einzelne Bündel dieser Wurzeln. Die Arbeit hat wesentlich physiologischen Character, indessen wird der bekannte (vergl. des Ref. Handb. d. menschl. Anat. Bd. II. 1879. S. 739) Satz von neuem bestätigt, dass weiter abwärts gelegene Wurzeln mehr distale Partien der Extremität versorgen; übrigens erhalten die Muskeln von mehreren Wurzeln ihre Nervenfasern. Die genannten Säugethiere verhalten sich übereinstimmend. (Krause.)

Giacomini (14) findet die Thesis, dass der Pes hippocampi einer Gehirnwindung entspreche, unannehmbar. Der Pes ist vielmehr eine besondere Modification der Gehirnrinde. Und das ist um so wahrscheinlicher, weil viele Thiere, denen die Hirnwindungen vollkommen fehlen, dennoch den Pes hippocampi besitzen. Stellt man sich auf diesen Boden, dann macht schon dadurch das Studium dieses Organes Fortschritte. Man gewinnt jene Unbefangenheit, welche das Urtheil erheischt. Der Uncus erscheint als das vordere umgekrempte Ende dieses Organs. Das Ammonshorn selbst ist auch durchaus kein Anhängsel des Seitenventrikels. Das Bändchen des Uncus, die Fascia dentata, die Fasciola cinerea, die Nevi Lancisi, die Pedunculi corporis callosi sind lediglich verschiedene Abschnitte eines und desselben Organes. Sie werden von dem Autor sämmtlich macroscopisch und microscopisch abgehandelt und durch Figuren erläutert.

Kasem-Beck (21) hat die Beobachtungen Vignal's einer eingehenden Prüfung unterzogen, und kommt zu einem abweichenden Endergebniss.

Die Ganglienzellen im Hechtherzen bestehen aus körnigem Protoplasma mit einem Kern und Kernkörperchen. Jede dieser Zellen sendet aus ihrem Protoplasma einen Fortsatz aus. Eine jede Zelle besitzt eine Kapsel. Die Grösse der Zellen ist verschieden. Kleine Nervenzellen kommen sehr oft mit grossen verbunden vor, weshalb man wohl erstere als Gebilde neueren Datums auffassen kann. Im Froschherzen kommen nur Nervenzellen mit einem geraden Fortsatz, welcher aus einem ganzen Bündel feinster Fäserchen besteht, vor. Stösst man auch zuweilen auf Nervenzellen, die ausser dem geraden noch einen Spiralfortsatz zu haben scheinen, so ist es nur Schein, weil hier Falten der Nervenhülle Gebilde vortäuschen.

Nervenzellen mit einem geraden und einem Spiralfortsatz sind auch im Schildkrötenherz nicht gefunden.

In Kaninchenherzen traf K.-B. bald ein-, bald zweikernige, meist ovale Nervenzellen an. Alle hatten nur einen Fortsatz.

Die erhaltenen Resultate sprechen also nicht für die Annahme, dass im Herzen der untersuchten Thiere und des Menschen zwei Gruppen von Nervenzellen, sympathische (zweikernige) und cerebrospinale (einkernige), vorkommen, sondern gegen Vignal. In den Herzen der untersuchten Thiere fand K.-B. keine unipolare Nervenzellen, welche ausser einem geraden Fortsatz noch einen Spiralfortsatz besessen hätten, auch sah er niemals eine Spiralfaser zur Communication der Nervenzellen unter einander dienen. So lange aber ein Unterschied in der Structur der Nervenzellen im Herzen sich nicht feststellen lässt, kann man kaum von einer besonderen Function (excitomorische und hemmende) derselben sprechen. (Wie lange wird die Ungewissheit über die Beschaffenheit der Nervenzellen noch anhalten, hie — unipolar, hie — multipolar, so schwankt das Zünglein auf und ab. Ref.)

Lustig (22) findet nach Behandlung der Querschnitte des menschlichen Rückenmarkes die Zahl der Nervenfasern in der grauen Substanz viel grösser als man bisher angenommen. Ueberdies liessen sich einige Punkte bezüglich des Verlaufes der ein- und austretenden Fasern fester bestimmen. Wir führen diese Punkte nach der von dem Autor gegebenen Uebersicht auf, welche in dem Original durch eine schematische Abbildung vervollständigt ist. Die Substantia spongiosa setzt in Erstaunen durch die Zahl der markhaltigen Nervenfasern; wo sonst eine granulirte Grundsubstanz vorzuliegen scheint, sieht man ein deutliches Gewirre markhaltiger Nervenfasern der verschiedensten Dicke. Auch in der grauen Substanz der Hinterhörner und besonders in der in Rede stehenden Substantia gelatinosa wurde die Zahl der markhaltigen Nervenfasern unterschätzt. Da, wo in der Regel eine körnig-faserige Substanz geschildert wird, sind meistens markhaltige Nervenfasern verschiedener Dicke zu sehen. Die vordere Commissur wird aus markhaltigen Fasern verschiedenen Verlaufes gebildet, und zwar: 1. aus Fasern der vorderen Commissur; 2. aus Fasern, die beiderseits parallel zu der inneren Grenze der medialen Theile des Vorderstranges im Vorderhorn verlaufen, sich später in der grauen Substanz desselben fächerförmig ausbreiten und in das complicirte Geflecht zwischen den Nervenzellen eintretend sich der weiteren Beobachtung entziehen; 3. aus Nervenfasern, die in die Septa des entsprechenden Vorderstranges eintreten; 4. aus querverlaufenden Fasern, die sich in dem Fasergewirre des entsprechenden grauen Seitenhorns verlieren. Die hintere graue Commissur besteht: 1. aus Fasern, die geradlinig verlaufend, durch die graue Substanz der entsprechenden Seitenhörner bis an die innere Grenze der Seitenstränge gelangen; 2. aus Fasern, die mit bogenförmigem Verlauf ihren Weg nach der grauen Substanz der Hinterhörner nehmen, um dort längsverlaufende Fasern derselben zu werden; 3. aus Fasern, die in den Hinterstrang der entsprechenden Seite gelangen; 4. aus Fasern, die in die bindegewebigen Septa der Hinterstränge eintreten. Was die vorderen Wurzeln der Spinalnerven betrifft, so entsprechen die Resultate den bisherigen Vorstellungen, nur das ist deutlich bemerkt worden, dass die lateralen vorderen Wurzelfasern direct durch das Vorderhorn derselben Seite in den entsprechenden Seitenstrang übergehen um zu Längsfasern desselben zu werden.

Von den hinteren Wurzeln der Spinalnerven zeigte sich, dass 1. der seitlichste Antheil der lateralen hinteren Wurzelfasern durch das Hinterhorn eintritt, in den hinteren Theil des Seitenstranges derselben Seite einbiegt, um zu längsverlaufenden Seitenstrangsfasern zu werden; 2. die weniger seitlich gelegenen Bündel der lateralen hinteren Wurzelfasern horizontal gegen den vorderen Theil der Substantia gelatinosa Rolandi hinziehen, und dort angelangt theilweise in die senkrechte Richtung umbiegen; 3. ein anderer Theil dieser Bündel sich gleich nach seinem Eintritt in das Hinterhorn jeder Beobachtung entzieht, indem er sich in dem um die Zellen liegenden Geflecht verliert; 4. andere Fasern dieses Bündels bis an die hintere Grenze der grauen Substanz des entsprechenden Vorderhornes verfolgt werden können.

Luys (23) bestimmt durch das von ihm eingeschlagene Verfahren den Verlauf der centralen weissen Fasern in drei Hauptsystemen: 1) die Commissurenfasern, welche die homologen Bezirke beider Hemisphären verbinden, und jene, welche die verschiedenen Gebiete derselben Hälfte in gegenseitigen Contact bringen. Der Gyrus calloso-marginalis ist in Wirklichkeit eine grosse Commissura antero-posterior. 2) Fibrae cortico-thalamicae, strahlenförmige Fasern, welche die verschiedenen Punkte der Oberfläche mit der Sehhügelregion verbinden. Darunter finden sich die Kölliker'schen Fasern, der Stabkranz von Reil, diejenigen der sog. Capsula interna. Ihr Ende erreichen sie u. A. auch in dem centralen Höhlengrau in der Umgebung des 3. Ventrikels. Das 3. System, das bisher nicht genügend beschrieben ist, besteht aus einer Reihe von weissen Fasern, die in den verschiedenen Abtheilungen der Rinde entstehen, und sich in das Corpus striatum und in die Nuclei subthalamici einsenken. Dieses System wird dasjenige der Fibrae cortico-striatae genannt. Auch sie sind fächerförmig angeordnet und strahlen durch die Capsula externa aus. Eine Abtheilung derselben soll die Inselwindungen bilden helfen. Eine ganz bestimmte Gruppe derselben soll sich dann von der Regio subthalamica aus in die Pedunculi cerebri fortsetzen.

Onodi (28) hat sich mittels der Verdauungsmethode, die er an Pferden durchführte, überzeugt, dass die Rami communicantes anatomisch sich nur bis zu den vordern Wurzeln der Spinalnerven verfolgen lassen. Dies schliesst jedoch keineswegs die Existenz anderweitiger Verbindungen aus. Ein weiterer Schritt gelingt durch embryologische Beobachtungen und hier ergiebt sich z. B. beim Huhn ein Zusammenhang zwischen Sympathicusganglion und dorsalem Spinalast durch ein „Schleifenbündel", dessen Anordnung bei höheren Vertebraten dem Blick entzogen ist. Aber obwohl der grössere Theil des Schleifenbündels dem Ramus communicans entstammt, verlaufen doch gleichzeitig in derselben Bahn auch noch einzelne Faserbündel, welche vom anderen Spinalast in den hintern hinüberbiegen. Aus diesem ebenerwähnten anatomischen Verhältniss und aus den physiologischen Versuchen schliesst O., dass Sensibilité récurrente durch sensible Fasern geleitet werde, welche von dem spinalen Stamm aus in die vorderen Wurzeln gelangen. Ueber den Verlauf der cerebrospinalen Faserbündel in dem Grenzstrang des Sympathicus präcisirt O. die herrschenden Anschauungen dahin, dass wenigstens beim Pferd die cerebrospinalen Fasern sich in zwei Theile spalten, deren Verlaufsrichtung an diversen Theilen des Grenzstranges verschieden ist. Vom 6. bis 7. sympathischen Brustganglion angefangen, steigt der grösste Theil der Fasern der weissen Rami communicantes im Grenzstrange aufwärts und nur ein kleiner Theil abwärts. Der grösste Theil der Fasern der übrigen Brust-Ramicommunicantes steigt im Grenzstrange abwärts, ein kleiner Theil nach aufwärts.

Raymond (32) analysirt zwei Fälle von Monoplegie des Facialis, bei welchen Zerstörungen der unteren Partie des Gyrus praecentralis (frontale ascendante) der entgegengesetzten Seite vorhanden waren.

Reid (33) versucht eine exacte Bestimmung zwischen den Hauptfurchen des Gehirns und der Oberfläche des menschlichen Schädels herzustellen, eine zweifellos praktisch sehr werthvolle Aufgabe, nicht ohne Schwierigkeiten, welche der Autor richtig hervorhebt. Seine Methode soll übrigens trotz individueller Variabilität ausreichend sein, um die Lage der Furchen zu bestimmen, so dass bei Entfernung eines Haut- und Schädelstückes von 1 Zoll englisch im Quadrat, oder der Abnahme mit der einzölligen Trepankrone die gesuchte Stelle freigelegt werden kann. Ein paar gute Holzschnitte erläutern sein Verfahren, das in den Hauptzügen aus folgenden Einzelnheiten besteht. Er fixirt zunächst sichere Punkte, wie die Glabella, d. h. die haarlose Stelle zwischen den Augenbrauen und die Protuberantia occipitalis externa, die Scheitellinie, die Scheitelhöcker und den hintern Rand des Processus mastoideus in der Höhe des Meatus auditorius, ferner den Processus zygomaticus ossis frontis, den Stirntheil der Schläfenlinie und den Arcus supraorbitalis. — Fissura transversa. — Eine Linie entlang der Linea nuchae media zu dem ebenerwähnten Ohrpunkt, also entlang der Linie, innerhalb deren die Nackenmuskulatur aufhört und die Pars libera ossis occipitis beginnt. — Fissura Sylvii. — Man ziehe eine Linie 1 1/4 Zoll hinter dem Processus zygomaticus ossis frontis beginnend gegen den Scheitelhöcker, 3/4 Zoll unter dessen Mitte. — Sulcus Rolando. — Für das Aufsuchen dieser Furche muss man zuerst die Scheitellinie ziehen von der Glabella zur Protuberantia occip. externa, dann den Verlauf der Fissura sylvii, dann ziehe man eine Ohr-Scheitellinie, d. i. eine gerade von dem Grübchen vor dem Antitragus zum Scheitel und eine zweite von dem hintern Rand des Processus mastoideus dicht an seiner Wurzel, eben dorthin. Das durch diese Linien begrenzte ungleichseitige Viereck liegt über der Sylvischen Furche. Zieht man nun durch diesen Raum eine Diagonale von oben und hinten nach abwärts und vorn, dann soll der Sulcus Rolando durch diese letztere bestimmt sein. Wir begnügen uns mit diesen Angaben. Denn hat man an einem Kopf diese Linien gefunden, so ist die Bestimmung der übrigen mit Hilfe des Ecker'schen oder Broca'schen Schemas über die Projection der Windungen auf die Schädeloberfläche nicht mehr schwierig.

Sagemehl's Beiträge (35) werfen manches Licht auf die Gehirnhüllen des Menschen und der höhern Wirbelthiere. Die vergleichende Methode, welche bis zu den Fischen hinabsteigt, trägt auch hier ihre Früchte, wenn es sich um die Erkenntniss der verwickelten Vorgänge bei den an dem entgegengesetzten Endpunkt der Reihe stehenden Wesen handelt. Bei Fischen existirt ein einziger Spaltraum in dem zwischen Gehirn und Cranium liegenden Gewebe; er trennt eine dünne, das Gehirn umkleidende Membran, die Gefässhaut, von einer äusseren Schicht, die an einzelnen Stellen mächtig entwickelt ist und bald aus einer fettartigen Masse besteht, bald von einem Gewebe gebildet wird, das zur Kategorie des Schleimgewebes zu rechnen ist. Die Gefässhaut ist überall innig mit dem Gehirn verbunden. Nur an den Stellen, wo tiefe Einschnitte zwischen sind, theilt sich dieselbe; die tiefere Lamelle dringt in den Spalt hinein, während die oberflächliche sich über denselben hinüberspannt. Diese Gefässhaut lässt zwei Schichten unterscheiden. Die äussere Schicht wird aus zarten Bindegewebsfasern gebildet, und enthält zahlreiche rundliche, glänzende Kerne. Die innere Schicht besteht aus einer continuirlichen Lage von grossen Zellen mit trübem Protoplasma und grossen Kernen. Diese Lage kann ebenso gut auch schon zum Gehirn selbst gerechnet werden, wie überhaupt die Grenze zwischen diesen beiden keine ganz scharfe ist. Nach aussen wird die Gefässhaut des Gehirns von dem bei Fischen einzigen pericerebralen Lymphraume umgeben. Die beiden einander zugewandten Seiten dieses Lymphraumes werden von einem flachen Epithel bedeckt. Dieser pericerebrale Lymphraum wird an verschiedenen Stellen unterbrochen durch die vom Gehirn entspringenden Nerven. Die äussere Hirnhaut stellt eine voluminöse Gewebsmasse vor. An der frisch eröffneten Schädelhöhle von Barbus besteht die Hauptmasse aus grossen runden, mit dem blossen Auge deutlich sichtbaren Fettzellen, zwischen welchen sehr zahlreiche, zum Theil von grossen Pigmentzellen begleitete Gefässe verlaufen. Auch Nerven enthält sie in nicht geringer Zahl. Jede einzelne Fettzelle besitzt eine ausserordentlich zarte Wandung. Auch die Zwischensubstanz, welche die einzelnen Zellen zusammenhält, ist sehr weich und zerfliesslich. Es sind also Zellen, die im Wesen vollständig den bekannten Fettzellen der höheren Wirbelthiere gleichen. Ein kleiner Rest von Intercellularsubstanz giebt die zerfliessliche Bindemasse zwischen den Fettzellen ab. Es ist somit ein Gewebe, welches zum Schleimgewebe in demselben Verhältniss steht, wie das Fettgewebe der höheren Wirbelthiere zum gewöhnlichen Bindegewebe. Gefässe und Nerven werden von Scheiden umgeben, die aus einem bindegewebigen Reticulum mit zahlreichen eingelagerten Lymphzellen bestehen (cytogenes [adenoides] Bindegewebe). An den Theilungsstellen der Gefässe ist es stärker angehäuft und erinnert in gewissem Maasse an die Malpighischen Körperchen der Milz. S. hegt die Vermuthung, dass wir es hier mit einem Gewebe zu thun haben, welches bei der Blut- resp. Lymphbereitung thätig ist. Die bedeutendsten Verschiedenheiten im Aufbau der Gehirnhäute der Fische werden durch den Umstand bedingt, dass das Fettgewebe bei vielen Fischen durch typisches Schleimgewebe repräsentirt wird. Aus den weiteren Untersuchungen geht hervor, dass jene Fische, deren äussere Hirnhaut aus Schleimgewebe besteht, die primitiveren sind, von denen sich die anderen ableiten lassen. Der pericerebrale Lymphraum der Fische entspricht dem Subduralraum der höheren Wirbelthiere, die nach aussen von demselben gelegene voluminöse Gewebsmasse ist ein Homologon der Dura mater, während die Gefässhaut des Gehirnes der bei Fischen in Folge des Mangels eines Subarachnoidealraumes anatomisch noch nicht unterscheidbaren Pia und Arachnoidea entspricht. Die grossen Verschiedenheiten, die in der Bildung der Dura beim Menschen und bei den Fischen bestehen, verwischen sich fast vollständig, wenn wir statt der Dura mater des Gehirns diejenige des Rückenmarks in Betracht ziehen. Diese hat Organisationsverhältnisse bewahrt, die ihr bei niederen Wirbelthieren im Bereich des ganzen Centralnervensystems zukommen. Die Gehirnhäute sind also als Producte der Differenzirung einer ursprünglichen gleichartigen Bindegewebsschicht aufzufassen, die sich zwischen den Theilen des Centralnervensystems und den dieselben umgebenden Skelettheilen befand. Die schärfere anatomische Unterscheidbarkeit der einzelnen Gehirn- und Rückenmarkshäute beruht auf dem Auftreten von pericerebralen resp. perimedullaren Lymphräumen, die aus der Vereinigung von erweiterten Lymphspalten hervorgegangen zu denken sind. Der sowohl phylogenetisch, als auch in der Ontogenie der höheren Vertebraten zuerst auftretende Lymphraum ist der Subduralraum. Die Dura mater besteht bei niederen Wirbelthieren aus zwei Grenzlamellen, zwischen denen ein stark vascularisirtes Schleimgewebe, das häufig den Character von Fettgewebe annimmt, liegt; die äussere Grenzlamelle der Dura ist nichts anderes als das Periost, während die innere Grenzlamelle an den Subduralraum grenzt. Dieser Zustand der Dura mater erhält sich bei höheren Vertebraten nur an dem medullaren Theil derselben.

v. Monakow (27) versucht den histologischen Ursprungselementen der Pyramidenbahn in der Gehirnrinde, der feineren Umgrenzung ihres Ursprungsgebietes im Vorderhirn, sowie dem Ort ihrer Endigung in der grauen Substanz des Rückenmarks nachzugehen. Es handelt sich zunächst um die Pyramide des Katzen- und des Kaninchengehirns. Die Thiere waren zum Zwecke des Studiums secundärer Atrophien in den ersten Tagen nach der Geburt operirt worden und mehrere Monate nach der Operation am Leben geblieben. Der Katze x wurden auf der rechten Seite unter Schonung des Gyr. sigmoid., des Lob. olfact. und der ersten äussern Windung sämmtliche Parietalwindungen mitsammt der zugehörigen Marksubstanz und ein Theil der vordern innern Capsel abgetragen; dabei wurde die Rinde der lateralen Hälfte der Sehsphäre mit entfernt, während die mediale Hälfte der letztern sammt ihren Stabkranzbündeln verschont blieb, desgl. das Temporalhirn. Der Katze y wurde rechts der gesammte Gyr. sigmoid. isolirt abgetragen.

Das Kaninchen a wurde des rechten Stirnhirns beraubt und dem Kaninchen b die linke Rückenmarkshälfte dicht unter der Pyramidenkreuzung unter Schonung der rechten Seite durchschnitten. Letzteres Präparat wurde im Archiv für Psych., Bd. XIV., I. genau beschrieben.

Das Gehirn der Katze y zeigt, dass die rechte Pyramide der Oblongata, gegenüber der linken verkümmert ist auf kaum den dritten Theil der Ausdehnung der gesunden Pyramide. Sagittal gerichtete Durchschnitte zeigen die Atrophie der rechten Pyramide, welche mit dem Defect im Stirnhirn in Continuität steht.

Dieser Versuch liefert den Beweis, dass aus dem Gyr. sigmoid. sehr viele, aber nicht alle Pyramidenfasern stammen. Nach den Resultaten des Versuchs an der Katze x ist ferner die Betheiligung des Frontalendes (Meynert) an der Pyramidenbildung sicher.

Die Untersuchungen von Munk, der dem Frontalende eine Reihe von Beziehungen zum Rumpf zuschreibt, sprechen ebenfalls für einen Ursprung von Pyramidenfasern aus jenem Gebiete.

Eine totale Pyramidenatrophie kann bei der Katze auch erzeugt werden, wenn man den Gyr. sigmoid. völlig schont, hingegen die der Pyramidenzone entstammenden und in die innere Capsel ziehenden Projectionsbündel vernichtet, wie dies durch den operativen Eingriff bei der Katze x geschah. Es gehen ausser der Pyramidenbahn eine ganze Reihe von andern Bahnen und graue Regionen absteigend zu Grunde. Aber auch aufsteigende Atrophien fehlen nicht. Vor Allem zeigt der Gyr. sigmoid. eine ganz auffallende Volumsverkleinerung. Das Mark zwischen den obern und untern Rindenabschnitten (letztere am Sulc. calloso-marginal.) erscheint bis auf die Associationsfasern völlig vernichtet und die Gehirnrinde selber im Umfange jener Windungen etwas verschmälert. Die Schnittreihe durch das Gehirn der Katze x zeigt, dass die Pyramidenbahn abwärts durch den medialen Theil des Pedunculus cerebri verläuft. Sie vollzieht sich in den Ebenen der Pyramidenkreuzung. Gleichzeitig mit der Pyramide vollzieht sich eine Kreuzung der Vorderstränge. Die Pyramidenfasern treten wahrscheinlich mit den Zellengruppen des Processus reticularis in Verbindung, denn die Atrophie in den Process. reticular. liegt direct in der Forsetzung der Pyramidenseitenstrangslücke.

Beim Kaninchen b findet sich in den Processus reticular. der operirten Seite ganz dieselbe Atrophie wie bei der Katze x. Abwärts zeigte sich bei jenem Thier eine totale Atrophie der Pyramidenbahn.

Das Gehirn der pyramidenlosen Katze x gab überdies Gelegenheit, über den Verlauf der Schleifenbahn einiges zu beobachten, allein auch hier gehen die Andeutungen des Autors nicht über den Grad von „Wahrscheinlichkeit“ hinaus.

Vielleicht handelt es sich bei der Rindenschleifenbahn um eine Bahn, die centripetale Leitungen vermittelt und die daher als eine psycho-sensorische Bahn aufgefasst werden kann.

Zander (49) constatirt mit Hilfe des unter der Categorie „Methodik“ aufgeführten Verfahrens folgendes Verhalten der Finger- und Zehennerven:

Es stehen der Innervation der Finger und Zehen je zwei dorsale und zwei volare resp. plantare Nerven vor. So sind die Verhältnisse in Wirklichkeit, wenn die Dorsalnerven bis zu der Nagelbasis reichen, was bei der Nagelbasis meistens, bei den Fingern mehr oder weniger häufig der Fall zu sein scheint. Zieht der Rückennerv nicht so weit, so wird von dem volaren resp. plantaren Nerven ein stärkerer Ast dorsalwärts steigen und die vom Rückennerven nicht versorgten dorsalen Abschnitte innerviren. An den Fingern kommen solche ergänzende Rami dorsales aus den Volarnerven häufig vor. Ist der Rückennerv schwach ausgebildet, so dass er sich nur auf dem ersten Gliede oder noch etwa an der Basis des zweiten ausbreitet, so übernimmt ein Ramus dorsalis, der an dem Metacarpophalangealgelenk aus dem Volarnerven hervorgeht, seine Function und versorgt den Fingerrücken bis zum Nagel hin entweder allein, oder noch mit Hilfe eines zweiten Ramus dorsalis. Von diesen eben erwähnten Varianten kann nur eine dem ursprünglichen Verhalten entsprechen. Man muss es als das Primäre auffassen, dass die Dorsalnerven die Nagelbasis erreichen. Dafür sprechen auch vergleichend anatomische Beobachtungen. Bei Calyptocephalus Gayi Bibr. liessen sich die dorsalen Digitalnerven bis zur äussersten Spitze der Zehen hin darstellen. Ferner die Zehenrückennerven bis an die Nägel heran bei Alligator lucius, Haliaeus carbo, Echidna hystrix, Macropus giganteus, bei Macacus cynomolgus u. s. w. Ausserdem spricht dafür, dass bei den Zehen, bei dem Daumen und auch beim kleinen Finger immer, bei den drei anderen Fingern bisweilen die dorsalen Nervi digitales bis zu dem Nagel ziehen.

Also Zehen, Daumen, kleiner Finger, die eine weniger ausgedehnte Oberfläche als der zweite, dritte und vierte Finger besitzen, zeigen die primär angenommene Art der Nervenvertheilung. Nie fand sich die Erstreckung der Dorsalnerven bis zum Nagelglied an dem Mittelfinger. Zeige- und Ringfinger bald ebenso, bald nicht. Hiernach liegt die Vermuthung nahe, dass es von der Grösse des zu innervirenden Abschnittes, ferner von der Länge der Strecke, welche die Nerven von dem Hauptstamme aus zu durchlaufen haben, abhängt, ob ein dorsaler Digitalnerv in dem speciellen Falle den Nagel erreicht oder nicht.

Eine in dieser Richtung angestellte Untersuchung ergab Resultate, die vollkommen den Voraussetzungen entsprachen, denn während der Entwicklung erfährt das Endglied, wenigstens beim Menschen, allmälig eine Lageveränderung von der volaren beziehungsweise plantaren Fläche her.

Dasselbe Organ, der Nagel, hat noch drei andere Bearbeitungen erfahren, die wir hier, in einem anderen Zusammenhang noch einmal nennen wollen. Es sind die von Boas (4), Gegenbaur (12) und Henle (17). Gegenbaur stellt sich, die Arbeiten von B. und Z. zusammenfassend, auf einen breiteren Boden und ist dadurch in der Lage, einzelne Punkte zu erweitern, andere zu modificiren. B. hat das „Sohlenhorn" der Hufthiere auch bei den Primaten nachgewiesen, und dieselbe Bildung findet sich, freilich in reducirtem Zustande auch noch bei dem Menschen — saumartig am Uebergange des Nagelbettes in die Leistchen-tragende Haut der Fingerbeere. Sie spielt zwar hier bei der Nagelbildung keine bedeutende Rolle mehr und wird deshalb passender als Nagelsaum bezeichnet. Z. vertritt die Ansicht, der Nagel wandere von einer terminalen Stellung in eine dorsale. Die vergleichende Anatomie kann dieser Fassung des Vorganges nicht unbedingt zustimmen. Man hat kein Recht zu sagen, dass bei den Säugethieren noch endständige Nägel vorkämen. Bei allen besteht nur eine dorsale Nagelplatte, an welche das Sohlenhorn oder sein Homologon ventral sich anschliesst. Bei Hylobates, Orang und Schimpanse sind die Finger und Zehen mit bedeutendem Sohlenhorn ausgestattet. An diese Verhältnisse schliesst sich die Nagelbildung des Menschen an, zwar nicht so eng als die Anthropoiden unter sich verknüpft erscheinen, aber immer noch deutlich genug, denn auch beim Menschen ist eine Modification der Gestalt des Nagels vom 1.—5. Finger bemerkbar. Der Nagel des Daumens ist platter als die übrigen, die gegen den 5. Finger an seitlicher Krümmung zunehmen. Diese Krümmung zeigt sich am Nagel des 5. Fingers zuweilen sogar sehr hochgradig. Wie der Daumennagel phylogenetisch am frühesten in die Plattenform übergeht und sein Sohlenhorn zum Nagelsaum reducirt, indess die folgenden Finger sich der Reihe nach anschliessen, so zeigt auch der ontogenetische Process (Z.) den Daumen den übrigen Fingern voranschreitend, und ähnlich verhält es sich auch am Fusse. G. vertritt also die Auffassung, 1. dass der Nagel in der aufsteigenden Thierreihe durchaus nicht dorsalwärts rückt, und 2., dass ein vom Nagel wohl zu unterscheidendes Gebilde, das Sohlenhorn es ist, welches bis zum Menschen von der proximalen Seite her Rückbildungen erleidet. Diese Thatsachen sind keineswegs im Gegensatz zu Z.'s Beobachtungen über den Entwicklungsgang des primären Nagelgrundes. Es wird dabei verständlich, dass die ventralen Nerven sich bis zum Nagelsaume und auch zum seitlichen Theile des Nagelwalles verbreiten.

Allein dies ist offenbar eine sehr alte Erbschaft. Völlig dunkel bleibt dagegen der Grund der Versorgung des Nagelbettes von volaren Nerven. Siehe die Bedenken gegen die Erklärung Z.'s bei G., von denen wir nur das eine anführen wollen, dass ja für alle Nägel die gleiche Lageveränderung nachweisbar ist, bei einigen Fingern aber verschiedene Ursachen bei der Nervenvertheilung wirksam sein sollen! Das ist nicht wahrscheinlich.

IX. Anatomie der Menschenrassen.

Rassenanatomie.

a) Handbücher, Zeitschriften, Methodik.

1) Bardeleben, C., Aufforderung zu anthropologischen Untersuchungen, an die Aerzte Thüringens gerichtet. Sep.-Abdr. aus No. 2 der Corresp.-Blätter des allgem. ärztl. Vereins von Thüringen. 1885. — 2) Benedikt, Schädelmessung. Cranio- und Cephalometrie. Artikel in Real-Encyclopädie der ges. Heilkunde. Sep.-Abdr. Wien. 68 Ss. 8. — 3) Bertillon, A., Les Races sauvages, ethnographie moderne. Les peuples de l'Afrique, les peuples de l'Amerique, les peuples de l'Océanie. Quelques peuples de l'Asie et des régions boréales. 1 volume grande in-8 avec 115 gravures, dont 8 planches. Paris. — 4) Bulletin de la Societé d'Anthropologie de Lyon. Tom. II. 1883. 8. (Lyon et Paris.) — 5) Bulletin de la Société d'Anthropologie de Bruxelles. Tom. I. 1882—1883. — 6) Cartailhac, P., Leçon d'ouverture du Cours libre d'Anthropologie. Bull. Scientif. dépt. du Nord. T. 6. 1883.

No. 9/10. p. 161—178. — 7) Dictionnaire des Sciences anthropologiques: anatomie, craniologie, archéologie préhistorique, ethnographie (moeurs, lois, arts, industrie), démographie, langues, religions; publié sous la direction de M. M. Bertillon, Coudereau, Hovelacque, Issaurat, André etc. etc. A. — 9. Paris. 4. à 2 col. (III. 565 pp.). — 8) Flower, W. H., Presidents adress. On the aims and prospects of the study of Anthropology. Journ. of the Anthrop. Institut. Vol. XIII. p. 480. (Uebersicht über anthropol. Sammlungen in Grossbritannien. E. B. Tylor, ist Professor der Anthropologie in Oxford.) — 9) Derselbe, Dasselbe, im Auszug. Nature, Vol. 29. No. 744. p. 319—322. — 10) Galton, Francis, On the Anthropometric Laboratory at the international Health Exhibition. Journ. of the anthr. Institut. Febr. 1885. Vol. XIV. S. 205. Mit 2 Tafeln. (Enthält die Beschreibung des Verfahrens für Bestimmung der Sehschärfe, des Farbensinnes, der Hörschärfe, der Armkraft etc.) — 11) Garson, J. G., The Frankfort craniometric agreement, with critical remarks thereon. Ibid. Vol. XIV. Pl. VIII and IX (20 pp.). — 12) Grassmann, Rob., Die Menschenlehre od. die Anthropologie. Stettin. 8. (VIII, 432 Ss.) (Eine werthlose Compilation anatomischer, physiologischer u. entwickelungsgeschichtlicher Kenntnisse.) — 13) Hällstén, K., Sur la mensuration de l'angle de Daubenton. Abdr. v. „Bidrag till Kännedom om Finland Natur och Folk, Häft. 40". Cahier 2. Helsingfors 1882—1884. 1885 (französisch). — 14) Catalog der anthropologischen Sammlung des anatomischen Instituts zu Breslau. Festgabe des anat. Instituts an den deutschen Anthropologen-Congress in Breslau. Braunschweig. 4. 40 Ss. u. Arch. f. Anthropologie. — 15) Lissauer, Ein perigraphischer Apparat. Archiv f. Anthropologie. Bd. XV. Supplementheft. — 16) Mittheilungen der Anthropologischen Gesellsch. in Wien. 13. Bd. (N. F. 3. Bd) 3. u. 4. Hft. 14. Bd. (N. F. 4. Bd.) 1. Heft. Wien. 4. — 17) Mies, Jos., Beschreibung und Anwendung eines neuen craniometrischen Instruments. Beiträge zur Anthropologie und Urgeschichte Bayerns. Bd. 6 S. 83. (Die Messung der Stirnkrümmung; daher auch Metopometer-Stirnmesser.) — 18) Ranke, J., Bronzeschädel und Schädelcubirungsmethoden. Corresp.-Blatt der deutschen anthropol. Gesellsch. XV. Jahrg No. 10. S. 98. (R. constatirt, dass eine internationale Verständigung über die Schädelcubirung angebahnt ist.) — 19) Derselbe, Ueber Körpermessung an Lebenden. Ebendas. XV. Jahrg. No. 11. S. 171. — 20) Rauber, A., Urgeschichte des Menschen. Ein Handbuch für Studirende. 1. Bd. Realien. Mit 2 Taf. Leipzig. 8. (X. 436 Ss.) — 21) Schmidt, E., Ueber die kubische Messung der Schädelhöhle. Corresp.-Blatt der deutschen anthropologischen Gesellschaft. XV. Jahrgang. No. 1. S. 6. — 22) Schröter, P., Anthropologische Untersuchungen am Becken lebender Menschen. Dorpat. 82 Ss. 8. (Beschreibung des Apparates zur Bestimmung der anthropologischen Beckeneingangsebene. S. 53 u. ff. und Abbildung auf einer Tafel.) — 23) Sergi, G., Antropologia Biologica. Milano-Torino. 8. 8 pp. — 24) Svenska Sällskapet för Antropologi och Geografi in Stockholm. Antropol. Sektionens Tidskrift. 3. Jahrg. Stockholm. 1883. — 25) Sammlung der Beiträge zur vaterländischen Anthropologie, herausgegeben von der anthropologischen Commission der Academie der Wissenschaften in Krakau. Tom. VII. 1883 (polnisch). — 26) Thomson, Arthur, Delineation of skulls by composite photography. Journ. of Anatomy and Physiology. Vol. XIX. Part. I. p. 109—114. Pl. VII. — 27) Topinard, P., L'Anthropologie. Av. 52 fig. 4. éd. 12. Paris. — 28) v. Török, Kraniometrische Apparate. Correspondenzblatt der deutschen anthropologischen Gesellsch. XV. Jahrg. No. 11. S. 168. — 29) Transactions of the Anthropological Society in Washington. 1882. 8. — 30) Virchow, R., Anthropologische Aufnahme. Eine Tabelle zum Eintragen der Rassenmerkmale. — 31) Derselbe, Ein neuer tragbarer Apparat für Körpermessungen. Verhandl. der Berliner Gesellsch. für Anthrop., Ethnol. und Urgeschichte. Sitzung vom 19. Juli. S. 405—407.

b) Allgemeine Rassenanatomie.

32) Albrecht, P., 1. Ueber die grössere Länge der zweiten Zehe bei den alten Griechen. 2. Ueber die grössere Bestialität des weiblichen Menschengeschlechts in anatomischer Hinsicht. 3. Ueber die Unterschiede des menschl. Beckens von den übrigen Affenbecken. Corresp.-Bl. d. deutsch. anthrop. Gesellsch. No. 10 u. 11. Bericht über die XV. allgem. Versamml. in Berlin. — 33) Derselbe, Processus paracondyloides. Ebendas. No. 11. S. 178. — 34) Bartels, Ueber den Affenmenschen und den Bärenmenschen. Verhandl. der Berliner Gesellsch. f. Anthrop., Ethnol. u. Urgeschichte. Sitzg. vom 19. Jan. S. 106—113. — 35) Derselbe, Abnormitäten der Zahnbildung bei der Hypertrichosis universalis des Menschen. — 36) Derselbe, Ein Pseudoschwanz beim Menschen. (Lipoma pendulum caudiforme). Sep.-Abd. a. d. deutschen Zeitschr. f. Chirurgie. XX. Bd. Taf. XIII. S. 100—112. — 37) Babbitt, Miss Frances E., Vestiges of Glacial Man in Minnesota. Amer. Nat. Vol. 18. No. 6. June. p. 594—605. — 38) Beneden, Ed. van, Découverte d'ossements humains préhistoriques dans la commune de Sprimont (Liège). Bull. Acad. R. de Belg. (3) T. 5. No. 5. p. 610—611. — 39) Bollinger, O., Ueber Zwerg- und Riesenwuchs. Sammlung gemeinverständl. wissenschaftl. Vorträge. Serie XIX. Heft 455. Mit 3 Holzschn. Berlin 1885. — 40) Candolle, Alph. de, Hérédité de la couleur des yeux dans l'espèce humaine. Extr. des Archives des Sc. phys. et nat. Août, troisième période, tome XII., p. 97. — 41) Cope, E. D., The Evolutionary significance of human character. Amer. Naturalist. Vol. 17. Sept. p. 907—919. — 42) Daffner, Fr., Vergleichende Untersuchungen über die Entwicklung der Körpergrösse und des Kopfumfanges. Archiv f. Anthrop. Bd. XV. S. 37. — 43) Daleau, F., Sur les lésions que présentent certains os de la période paléolithique. Assoc. Franç. pour l'avanc. des sciences. Congrès de Rouen. 1883. — 44) Dawson, Henry P, On the supposed human foot-prints recently found in Nevada. With figg. Nature, Vol. 28. No. 720. p. 370—371. — 45) Delisle, Quelques observations de scaphocephalie prises sur le vivant. Bull. de la Soc. d'Anthr. de Paris. Tom. VII. Fasc. 1. p. 77—81. — 46) Duval, Math., L'hybridité (Cours d'anthropologie). Revue Scientif. T. 33. No. 4. p. 97—104. No. 5. p. 143—148. — 47) Flower, W. H., On the size of the teeth as a character of Race. Journ. Anthrop. Inst. Vol. XIV. p 183. — 48) Fürst, L., Hypertrichosis universalis mit Hypertrophie der Kiefer-Alveolarränder. Virchow's Archiv Bd. 96. S. 357. Mit Taf. XIV. Fig. 2—4 u. Taf. XV. Fig. 1a—1c. — 49) Henning, C., Ueber die Beckenneigung bei verschiedenen Völkern. Corresp.-Bl. der deutschen anthrop. Gesellschaft. 15. Jahrg. No. 1. — 50) Holmes, T. V., The geological position of the human skeleton found at Tilbury. Nature. Vol. 29. No. 749. p. 440—441. — 51) Johnson, Geo H., Human Footprints on Sandstone near Managua in Nicaragua. Amer. Journ. of Sc. (Silliman) (3) Vol. 27. March, p. 239—240. — 52) Kerkhoffs, La machoire de Maestricht et les récents découvertes. Bull. de la Soc. d'Anthrop. de Paris. Tom. VII. p. 324—330. — 53) Kollmann, J., Deux espèces des variations corrélatives dans le crâne facial de l'homme. Ass. Franç. pour l'av. d. Sc. Congrès de Rouen. 1883. (Siehe diesen Bericht f. 1883.) — 54) Derselbe, Hohes Alter der Menschenrassen. Zeitschr. f. Ethnologie. Berlin. S. 181—212. — 55) Le Bon, Sur la détermination de la circonférence du crâne en fonction

de ses diamètres. Bull. de la Soc. d'Anthrop. de Paris. Tom. VII. p. 240—243. — 56) Lissauer, Die sagittale Schädelkrümmung. Verhandl. der Berliner Gesellsch. f. Anthrop., Ethnol. u. Urgeschichte. Sitzg. vom 18. October. S. 468—473. — 57) Derselbe, Dasselbe. Archiv für Anthropologie. Band XV. Supplement. (Enthält die obige Arbeit in extenso). — 58) Lucae, J. Chr. G., Die Sutura transversa squamae occipitis. Eine vergleichend-anatomische Studie. Biol. Centralbl. No. 11. S. 347—348. Referat von W. Krause (Göttingen). — 59) Marsh, O. C., On the supposed human footprints recently found in Nevada. With woodcut. Amer. Journ. of Sc. (Silliman). Vol. 26. Aug. p. 139—140. — 60) Mortillet, G. de, Crâne de la race de Néanderthal. Bull. de la Soc. d'Anthropologie de Paris. Tom. VII. p. 10—12. — 61) Nadaillac, Marqu. de, De la période glaciaire et de l'existence de l'homme durant cette période en Amérique. Paris. 8. 16 pp. (Extr. de la Revue: Matériaux pour l'hist. primit. de l'homme. 3 Sér. T. 1. Mars.) — 62) Ornstein, B., Ein sehr ausgedehnter behaarter Naevus. Verhandl. der Berliner Gesellsch. f Anthrop., Ethnol. und Urgesch. Sitzung vom 19. Jan. S. 99—106. — 63) Park, Harrison J., On the relativ Length of the first three toes of the human foot. Journal of the anthrop. Inst. Vol. XIII. No. III. Febr. p. 258—269. — 64) Ploss, H., Zur Verständigung über ein gemeinsames Verfahren zur Beckenmessung. Archiv für Anthrop. Bd. XV. Heft 3. 4. (Enthält u. A. eine sehr umfassende Aufzählung der Literatur über die Rassenanatomie des Beckens, dann der bisher angewendeten Messmethoden zur Bestimmung der wichtigsten Merkmale, endlich Vorschläge, betreffend Zeichnung und Abbildung des Rassenbeckens [Pelvigraphie].) — 65) Derselbe, Das Weib in der Natur- und Völkerkunde. Anthropologische Studien. Leipzig. 2 Bände. (Ein sehr reichhaltiges Buch.) — 66) Portis, A., Nuovi studi sulle traccie attribuite all' uomo pliocenico, Memorie. Accad. delle Scienze di Torino. 4. p. 327—354. — 67) Quatrefages, A. de, Hommes fossiles et hommes sauvages, études d'anthropologie. Paris. 8. (640 pp. 209 Figg.) Analyse. Revue scientif. T. 33. No. 14. p. 468—473. — 68) Romiti, G., Nota sulla sutura incisiva nell' uomo adulto. Arch. p. l'Anthrop. e la Etnolog. ital. Vol. XIV. 8. p. 98—100. — 69) Derselbe, Nota sulla suttura incisiva nell' uomo adulto. Atti Soc. Tosc. Sc. Nat. Proc. Verb. Vol. 4. p. 43—44. — 70) Roth (Santiago), Fossiles de la Pampa amerique du sud. Catalogue. No. 2. Genova. 7 Pl. 15 pp. 8. (Dabei die Abbildung eines Menschenschädels, der in den Pampas gefunden wurde, und ein sehr hohes, wahrscheinlich ein geologisch hohes Alter besitzt.) — 71) Schaaffhausen, Aus dem Rheinischen Diluvium. Corresp.-Bl. der deutschen anthrop. Gesellschaft. No. 11. S. 147. (Der Schädel von Podbaba.) — 72) Schimmer, G. A., Erhebungen über die Farbe der Augen, der Haare und der Haut bei den Schulkindern Oesterreichs. Mit 2 Karten. Wien. 4. Mitth. der anthropol. Gesellschaft in Wien. Suppl I. — 73) Schröter, P., Anthropologische Untersuchungen am Becken lebender Menschen. Diss. Dorpat. 32 Ss. 8. Mit 1 Tafel. — 74) Sergi, G, L'uomo terziario in Lombardia. Archivio per l'Antrop. e l'Etnol. Vol. XIV. Fasc. 3. Mit 1 Taf. — 75) Ten Kate, Sur la synonymie ethnique et la toponymie chez les indiens de l'amérique du nord. Amsterdam. 8. Overgedrukt uit de Verslagen en Mededeelingen der Koninklijke Akad. van Wetenschappen, Afdeeling Letterkunde. 3. Reeks. Deel I. p. 353—363. — 76) Tillmanns, H., Ueber abnorme Behaarung beim Menschen nebst Demonstration der russischen Haarmenschen. Corresp.-Blatt der deutsch. anthrop Gesellsch. No. 4. S. 32. (Ist lediglich die Ankündigung des gehaltenen Vortrags) — 77) Topinard, Crânes pathologiques. Bulletin de la Soc. d'Anthrop. de Paris. Tom. VII. p. 482—484. — 78) v. Török, Ueber macrocephale Schädel und Anderes. Corr.-Bl. der deutschen anthrop. Gesellschaft. XV. Jahrg. No. 11. S. 177. — 79) Turner, W., Note on hereditary deformity of the hand. Journ. of Anatomy and Physiol. July. Vol. XVIII. p. 463—464. — 80) Verrier, Anomalie placentaire. Bulletin de la Soc. d'Anthrop. de Paris. Tom. VII. p. 22—27. — 81) Derselbe, Nouvelle classification du bassin suivant les races au point de vue de l'obstétrique; conséquences qui en découlent. Ibid., p. 317—321. — 82) Virchow, Photographien zweier geschwänzter Menschen aus Indien. Verhandl. der Berliner Gesellsch. f. Anthrop., Ethnol. u. Urgesch. Sitzung vom 17. Mai. S. 273—274. — 83) Derselbe, Skelet mit Plagiocephalie und halbseitiger Atrophie. Ebendas. Sitzung vom 15. November. S. 480—482. — 84) Derselbe, Die Verbreitung des blonden und des brünetten Typus in Mitteleuropa. Sitzungsber. der königl. preuss. Acad. d. Wiss. zu Berlin. 1885. — 85) Vis, Ch. W. de, On a fossil humerus. Linnean Soc. of New South Wales in Sidney. Proceedings. Vol. VIII. P 3. Sydney 1883. 8. p 404—409. — 86) Derselbe, On a fossil humerus Ibid. Vol. VIII. Pt. 3. Sydney 1883 8. p. 404—409. — 87) Zoia, Giov., Di un solco men noto dell' osso frontàle. Arch. p. l'anthrop. e la Etnol. Vol. XIV. 8. S. 100—104.

c) Specielle Rassenanatomie.

88) Arbo, C., La première découverte d'ossements humaines de l'age de la pierre en norvège. Revue d'anthropologie. 2. Serie. Bd. V. p. 497. — 89) Bent, Th., Notes on prehistoric Remains in Antiparos. Journ. Anthrop. Inst. Vol. XIV. S 134. (Eines der mit Stein [Obsidian] und Bronzeartefacten ausgestatteten Begräbnissfelder lieferte dem Kundschafter einen Schädel. Index [nach Garson] 80,9. Das Gesicht orthognath, Nase mesorrhin, Index 51,0; Orbitalindex 84,6, Persistenz der Sutura frontalis.) — 90) Chantre, Apperçu sur les caractères cephalométriques des Ossèthes. Bull. Soc. d'Anthrop. Lyon. T. II. p. 29—32. — 91) Derselbe, Observations anthropométriques sur cinq Zoulous de passage à Lyon. Ibid. p. 72—75. — 92) Colquhoun, Arch. R., Quer durch Chryse. Forschungsreise durch die südchinesischen Grenzländer etc. Mit über 300 Abbildungen. Leipzig. 8. 2 Bände. — 93) Deniker, Sur les Kalmouks du jardin d'acclimatation. Extr. des Bull. de la Soc. d'Anthropologie. Séance du 1. Novembre 1883. — 94) Dudrewicz, L., Ein Schädel aus einem Tumulus in Turow bei Ptock (in Russ.-Polen). Physiogr. Denkschriften. Tom. III. Warschau 1883. Referat in Mittheilungen der Wiener anthrop. Gesellsch. S. 66. (Der Schädel ist extrem dolichocephal. Index [64,7].) — 95) Fischer, G. A., Die Volksstämme in den Gebieten der ostafrikanischen Schneeberge. Verhandl. der Berliner Gesellschaft für Anthrop., Ethnol. und Urgesch. Sitzung vom 15. März. S. 219—221. — 96) Flower, W. H., Additional observations on the Osteology of the natives of the Andaman Islands. Journ. Anthrop. Inst. Vol. XIV. p. 115. — 97) Forbes, H. O., On the Kubus of Sumatra. Journ. Anthrop. Inst. XIV. S. 121. Mit einer Zahlentabelle. — 98) Garson, On the osteological characters of the Kubus of Sumatra. Ibid. S. 128. — 99) Forbes, H. O., On some of the Tribes of the Island of Timor. Ibid. Vol. XIII. S. 402. Taf. 26 und 27. — 100) Garson, J G., On the cranial characters of the natives of Timor-Laut. Ibid. Vol. XIII. Pl. XXIV u. XXV. (18 p.) (Diese beiden Mittheilungen ergänzen sich.) — 101) Guppy, H. B., Anthropological Notes in the Salomon Islands. Nature, Vol. 29. No. 749. p. 429. — 102) Hartwich, Gräberfelder und Urnenfunde bei Tangermünde. Verhandl. der Berliner Gesellsch. f. Anthrop., Ethnol. und Urgesch. Sitzg. vom 22. Juni. S. 335—349. — 103) Hällstén, K., Crânes trouvés en Laponie, à Enare, paroisse de Utsjoki,

Gouvernement d'Uleåborg. Helsingfors 1881. 51 pp. 8. Tiré de „Bidrag till Kännedom af Finlands Natur och Folk, Häftet 35". Cahier 2. Helsingfors 1885 (französisch). — 104) Holl, M., Ueber die in Tirol vorkommenden Schädelformen. Mittheilungen der Anthrop. Gesellsch. in Wien. XIV. Bd. (Neue Folge. IV. Bd.) Hierzu 13 Maass-Tabellen und 2 Taf. 4. S. 77—116. — 105) Houzé, Sur l'indice céphalique des Flammands et des Wallons. Bull. d. l. Soc. d'Anthropologie de Bruxelles. T. I. p. 20—26. — 106) Derselbe, Rapport sur les crânes Francs de la province de Namur. Ibid. T. II. 1883/84. p. 15—20. — 107) Derselbe, Rapport sur les caractères physiques des races européennes. Ibid. p. 80—90. — 108) Ikow, C., Neue Beiträge zur Anthropologie der Juden. Archiv für Anthropologie. Bd. 15. S. 369. — 109) Johnston, H. H., On the races of the Congo and the Portuguese Colonies in Western Afrika. Journ. of the Anthrop. Institut. Vol. XIII. p. 461. Tafel 28 u. 29. — 110) Koenen, A. von, Ueber prähistorische Funde dicht bei Göttingen. Nachr. v. der kgl. Ges. d. Wissensch. und der Georg-Augusts-Universität zu Göttingen. No. 5. März. S. 109—116. — 111) Kollmann, J., Craniologische Mittheilungen. Antiqua No. 7. Zürich. S. 89—92. — 112) Derselbe, Ein Schädel von der Pfahlbaute bei Bevaix und die Ausgrabungen in Hermance. Ebendas. No. 8. Zürich. 8. S. 105 bis 113. — Derselbe u. B. Reber, Das Todtenfeld in Confignon, Canton Genf. Ebendas. No. 11. S. 155 bis 158. — 114) Derselbe, Calvaria aus d. Lützelstätter Riede (Bussensee). Ebendas. No. 1. 1885. S. 2—3. — 115) Derselbe, Schädel aus einem Grabe v. „Geisberg" bei Zürich. Ebendas. Nr. 3. 1885. S. 38—40. — 116) Derselbe, Beiträge zu der Rassen-Anatomie der Indianer, Samojeden und Australier. Verhandl. der naturforschenden Gesellsch. in Basel. VII. Theil. 3. Heft. S. 588—622. — 117) Derselbe, Kalmücken der kleinen Dörbeter Horde in Basel. Ebendas. S. 623 bis 647. Mit einem Holzschnitt. — 118) Derselbe, und Stud. med. Kahnt, Schädel und Skeletreste aus einem Judenfriedhof des 13. und 14. Jahrhunderts zu Basel. Ebendas. VII. Theil. 3. Heft. S. 648—656. — 119) Derselbe und Stud. med. C. Hagenbach, Die in der Schweiz vorkommenden Schädelformen. Ebd. S. 657—667. Mit einer Curve. — 120) Kopernicki, J., Ueber die Knochen und die Schädel der Aino. Denkschrift der Academie der Wissenschaften, mathemat.-naturhist. Section. 4. Krakau 1882. Bd. VII. S. 27. — 68. Taf. II bis V. (Referat in dem Archiv für Anthr. S. 472, das sehr ausführlich gehalten und um so werthvoller ist, weil die Arbeit K's in polnischer Sprache erschien. Gleichzeitig ist auch auf die Arbeit Anutschin's Rücksicht genommen, welche in russischer Sprache veröffentlicht wurde.) — 121) Krause, R., Südsee-Schädel. Corresp. der deutschen anthropologischen Gesellsch. XV. Jahrg. No. II. S. 187 u. ff. (76 Schädel vom Viti-Archipel sind dolichocephal, und der Gesichtsindex schwankt zwischen 103 und 78,2, der Orbitalindex zwischen 100 und 75, und der Nasalindex zeigt ebenso die stärkste Platyrrhinie wie die tiefste Leptorrhinie.) — 122) Krause, W., Ausgrabungen zu Botensdorf bei Fallersleben. Verhandl. der Berliner anthrop. Ges. Sitzg. vom 15. Nov. S. 503. — 123) Lütken, K., Des crânes et de autres ossements humains de Minas Geraës dans le Brésil central. Copenhague (Extr. du compte-rendu du congrès internat. des américan. Copenhague 1883. p. 40—48.) — 124) Man, E. H., On the Andaman Islands an their Inhabitants. Journ. of the anthrop. Instituts. Vol. XIV. p. 253. 1885. Vorzugsweise geograph. u. ethnolog. — 125) Mantegazza, P., Studii sull' etnologia dell' India. Soc. Ital. di Antrop., Etnol. e Psicol. comp. in Florenz. Arch. per l'antrop. e la etnologia. Vol. XIV. Fasc. 1. p. 63—96. Firenze. 8. — 126) Manouvrier, Crânes trouvés à la Nouvelle-Calédonie. Bull. de la Soc. d'Anthrop de Paris. Tom. VII. p. 262—264. — 127) Montano, Sur les races des Philippines. Bull. de la Soc. d'Anthrop. de Paris. Tom. VII. p. 51—55. — 128) Miklouchо-Maclay, N. de, On a very dolichocephalic skull of an Australian aboriginal. Linnean Soc. of New-South-Wales in Sydney. Proceedings. Vol. VIII. Pt. 3. Sydney 1883. 8. p. 401—403. — 129) v. Nordenskiold, Die wissenschaftlichen Ergebnisse der Vega-Expedition. Von Mitgliedern der Expedition und anderen Forschern bearbeitet. Leipzig. Brockhaus 1883. 8. Bd. 1. (Darin über die Samojeden u. Tschuktschen von Dickson.) — 130) Njáry, E. v., Die Aggleteker Höhle als prähistorischer Begräbnissplatz. Mit zahlreichen Abbildungen und 4 Tafeln. Ungarisch. Fol. (Ueber die in der Höhle gefundenen Schädel haben Virchow und der Referent Berichte und Messungen veröffentlicht. Virchow: Verhandl. der Berliner anthrop. Gesellschaft. Sitzug vom 21. Juli 1877 unter dem Titel: Die Bärenhöhle von Aggletek in Oberungarn. Siehe diesen Bericht Literatur vom Jahre 1878. Bd. VII. Kollmann: Corresp.-Bl. der deutsch. anthrop. Gesellsch. 1877 No. 3 u. 4. S. 24.) — 131) Ossowski, G., Berichte über anthropologisch-archäologische Untersuchungen in den Höhlen der Umgebung von Krakau (polnisch). Referat in dem Archiv f. Anthropologie. S. 471. — 132) Passavant, Carl, Craniol Untersuchung der Neger und der Negervölker, nebst einem Bericht über meine erste Reise nach Cameroons (Westafrika) im Jahre 1883. Mit 1 Curventafel. Inaug.-Dissertat. Basel. 8. — 133) Pauli, Kamerun. Abdruck aus Dr. A. Petermann's Mittheilungen. 1885. Heft 1. S. 13—21. 4. — 134) Peixoto, Rodr., Novos estudos craniologicos sobre os Botocudos. Rio de Janeiro. 1882. 8. (53 pp., 40 figg. auf 11 Blättern.) — 135) Pigorini, Luigi, I liguri nelle tombe della prima età del ferro die Golasecca (Provincia di Milano). Atti de Lincei-Mem. Cl. Sc. mor. ecc. Serie 3ª Vol. XIII 1 Taf. 4. — 136) Riebeck, E., Die Hügelstämme von Chittagong. Ergebnisse einer Reise im Jahre 1882 Berlin 1885. Fol. — 137) Schadenberg, Ur- und Mischrassen der Philippinen. Corr.-Blatt der deutschen anthrop Gesellsch. XV. Jahrg. No. 10. S. 109. — 138) Schmidt, E., Die Mound-builders und ihr Verhältniss zu den historischen Indianern. Sep.-Abdr. aus „Kosmos". I. Bd. S. 81 bis 176. — 139) Derselbe, Ueber Alt- und Neuägyptische Schädel. Leipzig 1885. 8 Inaug.-Abhdlg. — 139a) Derselbe, Dasselbe in Corresp.-Blatt der deutschen anthrop. Ges. XV. Jahrg. No. 5. S. 37. — 140) Derselbe, Die antiken Schädel Pompejis. Archiv für Anthropologie. Bd. XV. S. 229. — 141) Sergi, G., Anthropologia storica del Bolognese. Resoconto dalle antiche necropoli felsinee. Con 1 Tavola. 36 pp. 8. Modena. — 142) Derselbe, Polimorfismo e anomalie delle tibie e dei femori degli scheletri etruschi di Bologna. R. Accad. delle Sc. di Torino. Memorie. Serie 2. Tom. XXXV. Torino. 4. p. 355 bis 368. — 143) Serrurier, L. et Ten Kate, Notices anthropologiques. No. 1. Nègres Kru. Musée Royal d'ethnographie de Leyde. 4. — 144) Sommer, Alf., Der Rinne-Kälns und seine Bedeutung für die Anthrop. Livlands. Dorpat. 8. Archiv f. d. Naturk. Liv-, Esth- und Kurlands. Serie II. Bd. IX. Liefg. 5. — 145) Stillfried, Japan und seine Bewohner. Mittheil. der Wiener anthrop. Gesellsch. Verhdl. vom 8. März. S. 37. — 146) Studer, Th., Die Thierwelt in den Pfahlbauten des Bielersees. Mittheil. der Berner Naturf. Gesellsch. 1883. Mit 5 Tafeln. 99 Ss. 8. — 147) Derselbe, Nachtrag zu dem Aufsatze über die Thierwelt in den Pfahlbauten des Bielersees. Mit 6 Taf. S. 26. 8. Ebendas. — 148) Studley, C. A., Notes upon human remains from Caves in Coahuila, Mexico. 16. u. 17. Report of the Peabody Museum of Americ. Archäol. and Ethnol. Vol III No. 3 and 4. p. 233 bis 259. — 149) Tarenetzky, A., Beiträge zur Craniologie der grossrussischen Bevölkerung der nördlichen und mittleren Gouvernements des europäischen Russlands. Mém. de l'acad. impér. d. sc. de St. Petersbourg, VIIe série. Tome XXXII. No. 13. 4. — 150) Ten Kate, Matériaux pour servir à l'anthropologie de la presqu'île Californienne. Bull. de la Soc. d'Anthrop. de Paris Séance du 3 juillet. — 151) Derselbe, Sur quelques crânes de l'Arizona et du nouveau Mexique Extrait Revue d'Anthrop. fasc. 3. p. 486—492. — 152) Testut, Contribution a l'anatomie comparée des races nègres. Bordeaux. 11 pp. 8 — 153) v. Török, Der Kadahügel von Alpár an der Theiss Corresp.-Bl. der deutschen anthrop. Ges. Jahrgang 15. No. 11. — 154) Turner, W., Report on the human crania and other bones of the skeletons collected during the Voyage of H. M. S. Challenger, in the years 1873—1876. The Zool. of the Voyage of H. M. S. Challenger. Part XXIX. p. 130. Pl. 7. 4. — 155) Ujfalvy, E., Aus dem westlichen Himalaja. Ergebnisse und Forschungen. Mit 151 Abbild. u. 5 Karten. 8. S. XXVI. und 330. Leipzig. — 156) Derselbe, Cachmiris et Pandites. Bull. de la Soc. d'Anthrop. de Paris. Tom. VII. p 243—248. — 157) Virchow, Burgwall bei Ketzin. Verhandl. der Berliner Gesellsch. für Anthrop., Ethnol. u. Urgeschichte. Sitzg. vom 19. Jan. S. 47—56. Taf. II. — 158) Derselbe, Das neolithische Gräberfeld von Tangermünde. Ebendas. Sitzg. vom 19. Jan. S. 113—124. — 159) Derselbe, Timoresische Köpfe, insbesondere die Defecte am Schädelgrund und die Haare. Ebendas. Sitz. vom 16. Febr. S. 149—152. — 160) Derselbe, Schädel von Rosengarten bei Frankfurt a. O Ebendas. Sitzg vom 16. Febr. S. 152—153. — 161) Derselbe, Zwei künstlich deformirte Schädel von Niue und den Neu-Hebriden, letzterer mit temporaler Theromorphie. Ebendas. Sitzg. vom 16. Febr. S. 153—158. — 162) Derselbe, Die Rasse von La Tène. Ebendas. Sitzg. vom 16. Febr. S. 168—181. — 163) Derselbe, Zwei Schädel des Stralsunder Museums. Ebendas. Sitzg. v. 17. Mai. S. 276—277. — 164) Derselbe, Schädel mit zwei Schläfenringen aus Nakel. Ebendas. Sitzung vom 22. Juni 1884. S 308—310 (Orthodolichocephal 71,4. Gesichtsindex 88,7, chamaeprosop. Der Schädel von Nakel schliesst sich an die von Slaboszewo beschriebenen an.) — 165) Derselbe, Ueber alte Schädel von Assos und Cypern. Mit 5 Taf. 4. Berlin. A. d. Abhandl. der K. Preuss. Acad. d. Wissensch. zu Berlin (Sitzb. St. XXIV. S. 541). — 166) Derselbe, Ueber Pithos-Gräber in Kleinasien. Verhandl. der Berliner Gesellschaft für Anthrop., Ethnol. u. Urgesch. Sitzg. vom 18. Oct. S. 429. — 167) Derselbe, Alterthümer und ein Schädel der Calchaquis, sowie Steingeräthe von Catamarca, Cordoba u. s. w. in Argentinien. Ebendas. Sitzg. vom 19. Juli. S. 372—380. — 168) Derselbe, Die anthropologische Excursion nach Feldberg. Ebendas. Sitzg. vom 19 Juli. S. 390—397. (Enthält Maassangaben über 5 Schädel, welche wahrscheinlich aus einem alten Pest- oder Seuchenfriedhof stammen.) — 169) Derselbe, Australier von Queensland. Ebendas. Sitzg. vom 19. Juli. S. 407—418. — 170) Derselbe, Bemerkungen zu den Skeletresten bei Gelegenheit der Ausgrabungen zu Bokensdorf bei Fallersleben. Ebendas. Sitzg. vom 15. Nov. S. 511 u. 512. — 171) Derselbe, Anthropologische Gegenstände von den Tuschilange. Mit einer Liste über 3 untersuchte Tuschilange von Stabsarzt Dr. Wolf. Ebendas. Sitzg. vom Dec. S 603. — 172) Derselbe, Schädel von Savoe (Insel in der Nähe von Batavia). Ebendas. Sitzg. vom Dec. S. 590. — 173) Weisbach, A., Die Serbocroaten der adriatischen Küstenländer. Anthrop. Studie. Zeitschr. für Ethnologie. XVI. Jahrg. Supplement. 77 Ss. 1 Tafel. — 174) Welcker, H., Der Schädel Rafael's und die Rafaelportraits. Sendschreiben an Geh. Rath Prof. Dr. H. Schaaffhausen. Hierzu 2 Taf. Archiv für Anthrop. Bd XV Heft 4. — 175) Zuckerkandl, E., Craniologische Untersuchungen in Tirol und Inner-Oesterreich. Sep.-Abdr. aus dem XIV. Bde. (N. F. IV. Bd.) der „Mittheil. d. anthrop. Ges. in Wien". 4. S. 117—128.

Virchow (30). Wir geben die Tabelle, welche sich durch ihre practische Einrichtung für anthropologische Aufnahmen auf Reisen sehr gut eignet. Wie sehr leicht ersichtlich werden viele Merkmale einfach dadurch notirt, dass die betreffenden Worte der nicht vorhandenen durchstrichen werden.

№ ....

Anthropologische Aufnahme.

Ort und Tag der Aufnahme: ....
....

Name: ....
Geschlecht: ♂ ♀ Alter: ....
Stamm: .... Geburtsort: ....
Beschäftigung: ....
Ernährungszustand: ....
Haut, Farbe von Stirn: Broca .... Radde ....
„ „ „ Wange: „ .... „ ....
„ „ „ Brust: „ .... „ ....
„ „ „ Oberarm: „ .... „ ....
„ Tättowirung: ....
Auge, Iris: blau, grau, hellbraun, dunkelbraun, schwarz.
„ Form: ....
„ Stellung: ....
Haar, Kopf: blond, hellbraun, dunkelbraun, schwarz, roth.
„ „ straff, schlicht, wellig, lockig, kraus, spiralgerollt.
„ Bart: ....
„ sonstiges: ....
Kopf: lang, kurz, schmal, breit, hoch, niedrig.
Gesicht: hoch, niedrig, schmal, breit, oval, rund.
Stirn: niedrig, hoch, gerade, schräg, voll, Wülste.
Wangenbeine: vortretend, angelegt.
Nase: Wurzel ...., Rücken ....
„ Scheidewand ...., Flügel ....
„ Pflöcke ...., Ringe ....
Lippen: voll, vortretend, zart, geschwungen, durchbohrt.
Zähne: Stellung ...., Aussehen; opak, durchscheinend, massig, fein.
„ Feilung ...., Färbung ....
Ohr: Läppchen ...., Durchbohrung ....
Brüste: Warze: ...., Warzenhof ....
„ Form ....
Genitalien: ....
Waden: ....
Hände: .... Nägel: ....
Füsse: längste Zehe ...., Form: ....
Sonstige Besonderheiten: ....

Maasse in Millimetern.

I. Kopf.

Grösste Länge: ....
Grösste Breite: ....
Ohrhöhe: ....
Stirnhöhe: ....
Gesichtshöhe A (Haarrand): ....
„ B (Nasenwurzel): ....
Mittelgesicht (Nasenwurzel bis Mund): ....
Gesichtsbreite a (Jochbogen): ....
„ b (Wangenbeinhöcker): ....
„ c (Kieferwinkel): ....
Distanz der inneren Augenwinkel: ....
„ „ äusseren „ ....
Nase: Höhe: .... Länge ....
Ohr, Höhe: ....
Entfernung des Ohrloches von der Nasenwurzel: ....
Horizontalumfang des Kopfes: ....

II. Körper.

Ganze Höhe: ....
Klafterweite: ....
Höhe, Kinn: ....
" Schulter: ....
" Ellenbogen: ....
" Handgelenk: ....
" Mittelfinger: ....
" Nabel: ....
" Crista ilium: ....
" Symphysis pubis: ....
" Trochanter: ....
" Patella: ....
" Malleolus externus: ....
" im Sitzen, Scheitel (über dem Sitz): ....
" " " Schulter " " " ....
Schulterbreite: ....
Brustumfang: ....
Hand, Länge (Mittelfinger): ....
" Breite (Ansatz der 4 Finger): ....
Fuss, Länge: ....
" Breite: ....
Grösster Umfang des Oberschenkels:
" " der Wade:

Virchow (84) fasst die von der Deutschen anthropologischen Gesellschaft veranlassten Untersuchungen über die Farbe der Haut, der Haare und der Augen bei den Schulkindern zusammen. Sie haben ebenso entscheidende, als überraschende Ergebnisse in Bezug auf die Verbreitung der Blonden und der Braunen geliefert. Ganz analoge Erhebungen haben in Belgien und der Schweiz stattgefunden und der soeben veröffentlichte Bericht über die Schulen des cisleithanischen Oesterreich Schimmer (72) hat den vorläufigen Abschluss für Mitteleuropa gebracht. Es mag daher jetzt gestattet sein, eine kurze Uebersicht über die Erforschung dieses grossen Gebietes zu geben. Die vorliegende Statistik umfasst im Ganzen mehr als 10 Millionen Kinder. Niemals früher ist ein gleich grosses und gleich gutes Material für anthropologische Zwecke zusammengebracht worden. Mit Ausnahme der Niederlande ist in vollem Zusammenhange die Jugend fast aller Schulen vom Pregel im Norden und von dem oberen Dniester im Süden bis zum Aermelcanal und bis zu den Vogesen, von der Ost- und Nordsee bis zum adriatischen Meere und den Alpen durch die Untersuchung erfasst worden. Die verschiedensten Stammes- und Sprachgebiete, einzelne ganz, andere theilweise, sind Gegenstand der gleichen somatologischen Betrachtung geworden. Was nun die Frequenz der Typen betrifft, so ergeben sich für den rein blonden Typus etwas mehr als $^1/_4$. Auf den brünetten Typus fallen etwas mehr als $^1/_6$. **Mehr als die Hälfte aller Schulkinder in Mitteleuropa fällt also den Mischtypen zu.** Die Vertheilung der reinen Typen ist aber eine sehr verschiedenartige. Es fanden sich nämlich

	Blonde	Brünette
in Deutschland	31,80 pCt.	14,05 pCt.
" Oesterreich	19,79 "	23,17 "
" der Schweiz	11,10 "	25,70 "
" Belgien	—	27,50 "

Ergiebt sich daraus mit Sicherheit, dass das deutsche Reich in seinem gegenwärtigen Bestande noch immer den rein blonden Typus in der grössten Häufigkeit unter den mitteleuropäischen Staaten darbietet, so ist doch auch innerhalb seiner Grenzen die Vertheilung eine höchst ungleiche. Norddeutschland zeigt zwischen 43,35, Mitteldeutschland zwischen 32,5, Süddeutschland zwischen 24,46 Blonde, während dagegen die Zahl der Brünetten in Süddeutschland zwischen 25 und 19, in Mitteldeutschland zwischen 18 und 13, in Norddeutschland zwischen 12 und 7 Procent schwankt. Durch diesen Nachweis war zunächst die von französischer Seite ausgegangene Behauptung, dass der eigentlich germanische Typus in Süddeutschland zu suchen sei, Norddeutschland dagegen von einem brünetten Mischvolk, aus Finnen und Slaven hervorgegangen, bewohnt werde, als eine willkürliche Erfindung dargethan. **Noch jetzt stellt Norddeutschland das eigentliche Land der Blonden dar.** Wir können hier nur das Hauptergebniss bezüglich der Rassenanatomie mittheilen, die mehr ethnologische Seite über die Wanderungen der Germanen muss von diesem Berichte ausgeschlossen werden. Dagegen ist noch Folgendes von Bedeutung. An mehreren Punkten Mitteleuropas treten „dunkle“ Rassengebiete auf, gegen alles Erwarten dort, wo man zumeist die Abkömmlinge der hellen Rasse voraussetzte. Wie ist diese ausgedehnte Dunkelung z. B. der mittel- und noch mehr der süddeutschen Stämme zu erklären. Verf. weist den Gedanken einer Art von Transformation im Sinne Darwin's zurück. „Es bleibt daher keine andere als die durch Erblichkeit“, durch die Unveränderlichkeit der Formen. Bei der Existenz von zwei somatologisch verschiedenen Rassen sind die Mischformen offenbar durch Kreuzung hervorgegangen. Es sind also nicht klimatische Einflüsse, welche die Merkmale durcheinander rütteln. Durch diese somatologische Erhebung und ihre Deutung durch Virchow in dem eben angeführten Sinne kommt die Lehre von der Unveränderlichkeit der Rassenmerkmale gegenüber der bisherigen Annahme von der Veränderlichkeit in Folge von äussern Einflüssen zum Durchbruch, wofür Referent schon wiederholt eingetreten ist. (1) Kollmann, J. Beiträge zu einer Craniologie der europäischen Völker. Archiv f. Anthropologie Bd. XIII. 1881. — 2) Derselbe: Die Autochthonen Amerikas. Zeitschrift f. Ethnologie 1883. — 3) Derselbe: Hohes Alter der Menschenrassen. Ebendas. 1884 und bei anderen Gelegenheiten [54].) Zwar handelt es sich bei der Entscheidung dieses besonderen Falles nur um die Menschenrassen Europa's, allein es unterliegt keinem Zweifel, dass der Beweis von einer Statistik dieser Art eine starke Bürgschaft bietet für die Dauerbarkeit der Rassenmerkmale aller Orten. Wenigstens hat sich zeigen lassen, dass alle Repräsentanten des Menschen in Amerika, sie mögen noch so tief hineinreichen in das Dunkel menschlicher Geschichte auf jenem Continent, stets schon vollkommen entwickelte, rassenhaft vollendete „Indianer“ sind, wie sie noch heute dort drüben herumwandeln. Sie haben sich unter dem Einfluss des Klimas, überhaupt der äussern Umgebung nicht verändert. Die Schädel und die Gesichtsformen

3*

sind heute noch die nämlichen dort drüben, wie zur Zeit des Diluviums. Und so ist es auch bei uns in Europa. Der Mensch in seiner heutigen Gestalt ist schon ein sehr alter Gast auf dieser Erde, und die Zeit, da ihn die transformirende Gewalt schuf, liegt hinter der diluvialen Epoche, soweit wir dieselbe kennen. Seit jener Zeit hat er sein rassenanatomisches Kleid nicht geändert. Er hat sich zwar an die Kälte des Nordpoles und die Hitze der Tropen gewöhnt, und seine physiologischen Eigenschaften sind dadurch modificirt worden, aber die morphologischen Merkmale blieben dieselben. Das predigt jeder Schädelfund aus alter Zeit, das lehrt die Statistik von 10 Millionen Kindern, das steht im Einklang mit einer Menge anderer Erscheinungen aus der Entwicklung seines Organismus. Und endlich giebt es genug der Parallelen unter der ihn umgebenden Pflanzen- und Thierwelt. Wie viele haben nicht mit ihm schon das Diluvium erlebt, und sind unverändert dieselben geblieben, trotz Wechsel des Klima's, der Nahrung und des Standortes! Es sind dies die „Dauertypen" unter ihnen, und die Menschenrassen sind ebenfalls solche Dauertypen.

Histologie

bearbeitet

Prof. W. KRAUSE in Göttingen.

I. Lehrbücher, Zeitschriften, Allgemeines, Untersuchungsverfahren.

1) Bonnet, R., Kurz gefasste Anleitung zur microscopischen Untersuchung thierischer Gewebe für Anfänger in der histologischen Technik. München. 8. 61 Ss. Mit Holzschn. (Kurze Darstellung der gewöhnlichen Untersuchungsmethoden, hauptsächlich für Thierärzte; sie soll dem Lehrer das Dictiren ersparen helfen.) — 2) Brass, A., Grundriss der Anatomie, Physiologie und Entwickelungsgeschichte des Menschen. VIII und 344 Ss. 8. Mit 66 Holzschn. (S. 7—25: Die Zellen und Gewebe des menschlichen Körpers. Populäre Darstellung.) — 3) Éternod, A., Des illusions d'optique dans les observations au microscope. Revue médic. de la Suisse Romande. No. 6. p. 325—331. — 4) Ellenberger, W., Die Histologie der Haussäugethiere. 8. Mit 204 Holzschn Berlin. — 5) Fol, H., Lehrbuch der vergleichenden microscopischen Anatomie mit Einschluss der vergleichenden Histologie und Histogenie. Erste Liefrg: Die microscopisch-anatomische Technik. 8. 208 Ss. Mit 84 Holzschn. Leipzig. (Dieses erste Heft erörtert die Untersuchungsmethoden, Microscope, Tinctionsmethoden u. s. w. mit besonderer Rücksicht auf die Bedürfnisse des Zoologen. Werthvoll ist besonders der Abschnitt über die so oft vernachlässigte microchemische Untersuchung der Gewebe. Als Beispiel, wie sorgfältig der Verf. registrirt, mögen nur die sog. Charcot'schen, zuerst, wie Ref. hinzufügt, von Förster im Bronchialauswurf des verstorbenen Chirurgen Baum entdeckten Krystalle erwähnt sein. Dieselben bestehen nicht aus Fett, sondern aus Phosphorsäure mit einer, dem Lecithin nahestehenden, sog. Schreiner'schen Basis.) — 6) Garbini, A., Manuale per la technica moderno del microscopio nelle osservazioni zoologiche, istologiche ed anatomiche. 1885. 8. 208 pp Con IX tav. Verona (Zusammenstellung der gebräuchlichen Untersuchungsmethoden mit besonderer Berücksichtigung der in der zoologischen Station zu Neapel und in dem von Claus geleiteten zoologischen Institut zu Wien bevorzugten. Die Tafeln erläutern nur die Apparate und genügen in ihrer Ausführung bescheidenen Ansprüchen.) — 7) Internationale Monatsschrift für Anatomie und Histologie. Herausgegeben von R. Anderson etc. etc., E. A. Schäfer (London), L. Testut (Lille) und W. Krause (Göttingen). Bd. I in 6 Hftn. 8. 410 Ss. Mit XIII Doppel-Taf. u Holzschn. Berlin. — 8) Klein, E., Nouveaux éléments d'histologie. Traduit sur la 2e éd. angl., annoté par G. Variot. 12. Avec 183 figg. Paris. — 9) Krause, W., Anatomie des Kaninchens in topographischer und operativer Rücksicht bearbeitet. Zweite Auflage. 8. XVI u. 383 Ss. Mit 161 Holzschn. Leipzig. (Microscopische Notizen in betreff der weissen und rothen Muskeln, Zähne, Speicheldrüsen, Gl. Harderiana etc., anatomische Vergleichung des Hasen und Kaninchens mit Rücksicht auf Bastardzüchtung) — 10) Orth, J., Cursus der normalen Histologie. 3. Aufl. 8. XII u. 340 Ss. Mit 108 Holzschn. Berlin. — 11) Thanhoffer, L. von, Grundzüge der vergleichenden Physiologie und Histologie. 1885. 8. Mit 195 Holzschnitten. VIII und 752 Ss. Stuttgart. (Dieser deutsche Text ist eine getreue Wiedergabe des ungarischen Werkes; eine theilweise Umarbeitung erlitten die Abschnitte der Physiologie der Bewegung, Stoffwechselbilanz, der Nerven- und Muskelphysiologie, der Accommodation des Auges, sowie der Geburt. Bestimmt für Thierärzte, Landwirthe und Studirende.) — 12) Toldt, C., Lehrbuch der Gewebelehre mit vorzugsweiser Berücksichtigung des menschlichen Körpers. 2. Aufl. 8. XIV u. 679 Ss. Mit 195 Holzschn. Stuttgart. (Ein neu hinzugefügter Abschnitt, welcher die microscopische Anatomie der Centralorgane des Nervensystems von S. 167 bis 301 enthält und mit 35 Holzschnitten ausgestattet wurde, ist das Werk von O. Kahler.)

Éternod (3) meint, dass, wer stets Immersionslinsen anzuwenden vorzieht, kein guter Microscopiker sei. Je schwächer die Vergrösserung, desto nothwendiger würde Schärfe der Beobachtung, desto geringere Macht hätten die Fehlerquellen. Es werden sodann die optischen Bilder, welche Blutkörperchen mit und ohne Kern zu geben vermögen, discutirt. Je nach der Einstellung des Focus ändert sich begreiflicherweise das Bild; dass die Beobachtung mit der Theorie des Ganges der Lichtstrahlen durch das menschliche oder das Froschblutkörperchen im Einklange ist, zeigt É. ausführlich; namentlich, warum es unmöglich ist, die Bestandtheile eines Froschblutkörperchens sämmtlich gleichzeitig genau zu sehen. Dass man bei microscopischen Messungen den Rand scharf einstellen müsse, scheint dem Ref. sich von selbst zu verstehen.

II. Microscop und microscopische Technik.

A. Microscop und microscopische Apparate.

1) Ahrens' Erecting microscope. Journ. R. Microsc. Soc. S. II. V. IV. P. II. p. 278. — 2) Aylward's Rotating and swinging tail-piece microscope. Ibid. Soc. S. II. V. IV. P. I. p. 110. — 3) Beck, Condenser with two Diaphragma-plates. Ibid. Soc. S. II. V. IV. P. I. p. 124. (Der dem Abbe'schen ähnliche Beleuchtungsapparat gestattet dem Gesichtsfelde einen Farbenton zu geben.) — 4) Behrens, W., Noch ein automatisches Microtom. Zeitschr. f. wissensch. Microscopie und micr. Technik. Bd. I. H. 2. S. 244—247. — 5) Derselbe, Eine neue Construction des Abbeschen Beleuchtungsapparates Ebendas. Bd. I. H. 3. S. 409—411. — 6) Bulloch's Improved biological microscope. Amer. Monthly Microsc. Journal. Vol. V. No. 1 p. 9. — 7) Caldwell, H, Caldwells's Automatic Microtome. Quarterly Journal of Microsc. sc. N. S. No. XCVI. p. 648—658. Mit 1 Taf. — 8) Carnoy, J. B., La biologie cellulaire. T. I. Technique microscopique etc. 270 pp. 8. Avec 141 fig Lierre. — 9) Carpenter, W. B., Remarks on microscopical observations. Syllab. Carlisle Microsc. Soc. Microsc. News. Vol. IV. p. 23. (Dem Ref. unzugänglich) — 10) Cox's microscope with concentric movements. Journ. R. Microsc. Soc. S. II. V. IV. P. II. p. 279. — 11) Dippel, L., Micrographische Mittheilungen. Zeitschr. f. wissensch. Microscopie und micr. Technik. Bd. I. H. 1. S. 23—32 — 12) Edinger, L., Notiz betreffend die Behandlung von Präparaten des Centralnervensystems, welche zur Projection mit dem Scioptikon dienen sollen. Ebendas. Bd. I. H. 2. S. 250—251. (Schnitte werden, mit Salpetersäure 1:15 behandelt, blendend weiss, sind auch zur Demonstration für das freie Auge geeignet.) — 13) Flesch, M., Ueber einen heizbaren, zu schnellem Wechsel der Temperatur geeigneten Objecttisch. Ebendas. Bd. I. H 1. S. 33—38. — 14) The future of the microscope. Journ. R. Microsc. Soc. S. II. V. IV. P. II. p. 291. — 15) Geneva company's microscope. Ibid. S. II. V. IV. P. II. p. 281. — 16) Gottschau, M., Vorzüge und Nachtheile verschiedener Microtome und ihrer Hilfsapparate. Zeitschr. f. wissensch. Microscopie und micr. Technik. Bd. I. H. 3 S. 327—348. (Beschreibung der Gottschau'schen Micrometerklammer für Keil- und planparallele Schnitte.) — 17) Hager, L., Le microscope. Théorie et application. Trad. de l'allem. par L. Planchon et L. Hugounenq. 8. X et 264 pp. Avec 350 fig. Paris. — 18) Henking, H., Neue Construction des Objecthalters am Schlittenmicrotom, eine genaue Einstellung des Objectes bezweckend. Zeitschr. f wissenschaftl. Microscopie und microsc. Technik. Bd. I. S. 491—496. (Das eingeklemmte Object wird mit Hülfe eines Kugelgelenkes und zwei auf einander rechtwinkliger Schrauben nach links und rechts, vorn und hinten, oder wie man diese Richtungen nennen will, geneigt. Anzubringen an einem Spengel'schen oder ähnlichem Microtom, um Schnitte genau in der beabsichtigten Richtung zu führen.) — 19) Mc Larens micropscope with rotating foot. Journ. R. Microsc. Soc. S. II. V. IV. P. I. p. 111. — 20) Malassez, L., Microtome de Roy perfectionné. Archives de physiol. XVI ann. No. 9. p. 348—368. (Siehe Jahresbericht 1883. S. 44.) — 21) Moeller, J., Das neue Patent-Schlittenmicrotom von Reichert. Zeitschrift f. wissensch. Microscopie und micr. Technik. Bd 1. H. 2. S. 241—243. — 22) Derselbe, Ein neues Präparirmicroscop. Ebendas. Bd. I. H. 3. S. 412—413. — 23) Moore, A. Y., The parabola as an illuminator for homogeneous immersion objectives. The Microsc. Vol. IV. p. 27. — 24) Purser, J. M., A manual of histology and of histological methods. 396 pp. 12. Dublin. — 25) Rabl, C., Ueber Zelltheilung. I. Thl. Morphologisches Jahrb. Bd. X. H. 2. S. 214—330. — 26) Schröder. Journ of the Royal microsc. Soc. 1883. 2. Ser. Vol. III. p. 818 (S. unter B, Mallassez. No. 11.) — 27) Sollas, J., An improvement in the method of using the freezing microtome. Quarterly Journ. of micr. science. N. S. No. XCIII. Jan. p. 163—164. — 28) The improved „biological" stand. Americ. Monthly Microsc. Journal. Vol. V. No. 1. p. 9. — 29) A new form of stand. Ibidem Vol. IV. No. 4. p. 65. — 30) The improved Investigator stand. Ibidem. Vol. V. No. 5. p. 84. — 31) The standard micrometer. Ibidem. Vol. V. No. 2. p. 34. — 32) Stein, S. von, Einfache Vorrichtung für das Microtom zur Einbettung der Präparate. Centralbl. f. die medic. Wissensch. XXII. Jahrg. No. 7. S. 100. 33) Swift's fine Adjustement. Amer. Monthly Micr. Journal. Vol. V. No. 2. p. 26. — 34) Testing a microscope. Ibidem. Vol. V. No. 1. p. 7. — 35) Tolles students microscope. Journ. R. Microsc. Soc. S. II. V. IV. P. II. p. 283. — 36) Vogel, J., Das Microscop und die wissenschaftlichen Methoden der microscopischen Untersuchung u. s. w. 4. Aufl. von O. Zacharias. — Auch unter dem Titel: 37) Zacharias, O., Das Microscop und die wissenschaftlichen Methoden der microscopischen Untersuchung in ihrer verschiedenen Anwendung von J. Vogel. Vierte Aufl., vollständig neu bearbeitet unter Mitwirkung von E. Hallier und E. Kalkowsky. 1885. 8. IV u. 289 Ss. Mit Holzschnitten. Leipzig. (Der botanische Theil rührt von Hallier, der mineralogische von Kalkowsky, das übrige von Zacharias her, die ersteren umfassen etwa je 30 Seiten, der letzte Abschnitt bezieht sich auf die microscopische Untersuchung von Nahrungsmitteln und Handelswaaren. Alles ist neu bearbeitet.)

Caldwell (7) construirte ein Microtom, welches mit der Kurbel bewegt wird und in der Minute hundert egale Schnitte liefert. Statt mit der Hand kann die Kurbel auch durch einen Wassermotor gedreht werden. Im Laboratorium zu Cambridge genügte eine einzige Maschine, um die sehr grosse Anzahl der Studirenden mit Schnitten zu versehen.

Wenn das Chloroform nicht vollständig die im Paraffin einzubettenden Schnitte durchtränken will, so empfiehlt es sich, dem ersteren einige Tropfen Aether zuzusetzen und mit Chloroform auszuwaschen. Auf dem Wasserbade wird bei 60° C. das Chloroform gründlich entfernt.

Sollas (27) empfiehlt die Präparate für das Gefriermicrotom durch Einbetten in Gelatine (Gelatine jelly) anstatt in Gummi vorzubereiten und nach dem

Schneiden mit Glycerin einzukitten. Er hat auf diese Art Pleurosigmen geschnitten. Namentlich empfiehlt sich die Methode, wenn die zu schneidenden Stücke Partien von sehr ungleicher Consistenz enthalten.

Malassez (20) lässt das Rasirmesser des von ihm verbesserten Microtoms eine Spirale beschreiben, der Angriffswinkel der Schneide beträgt z. B. 14° oder 7°. Zum Gefrierenlassen verwendete Malassez Methylchlorür anstatt Aether.

[Weigert (Leipzig, jetzt Frankfurt a./M.), Nowy mikrotom do duzych skrawków. (Ein neues Mikrotom zur Anfertigung grosser Schnitte). Gazeta lekarska N. 51.

In einer Arbeit, die der Verfasser dem Professor Hoyer in Warschau zur Feier seines 25jährigen Jubiläums widmet, beschreibt er ein neues von ihm construirtes Microtom zur Anfertigung grosser Schnitte. Da die Beschreibung ohne bildliche Darstellung des Microtoms zwecklos wäre, so weisen wir die Leser auf das Original hin. v. Kopff (Krakau).]

B. Zeichnen, Microphotographie, Hülfsvorrichtungen überhaupt.

1) Brunn, A. v., Der Westien'sche Universalloupenhalter. Arch. f. microsc. Anatomie. Bd. XXIV. H. 3. S. 470—471. Mit 1 Holzschn. (Bewegung nach drei Richtungen des Raumes, Feststellung durch eine einzige Schraube.) — 2) Decker, F., Ein neuer Schnittstrecker. Ebendas. Bd. XXIII. H. 4. S. 537—543. Mit 2 Holzschn. (Zu beziehen von Stöber in Würzburg.) — 3) Flesch, M., Welche Aussichten bietet die Einführung des electrischen Lichtes in die Microscopie. Zeitschr. f. wissensch. Microscopie und micr. Technik. Bd. I. H. 2. S. 175—180. — 4) Gärtner, G., Ueber das electrische Microscop. Med. Jahrb. der k. k. Gesellsch. der Aerzte. Wien. 2. u. 3. Heft. S. 217—244. Mit 1 Taf. u. 1 Holzschn. — 5) Giant, Electric microscop. Journ. R. Microsc Soc. S. II. V. IV. P. II. p. 283. — 6) Gittay, E., Theorie der Wirkung und des Gebrauches der Camera lucida. Zeitschrift für wissensch. Microscopie und micr. Technik. Bd. I. H. 1. S. 1—22. — 7) Haacke, W., Entwässerungsapparate für macro- und microscopische Präparate. Zool. Anzeiger. VII. Jahrg. No. 166. S. 252 bis 256. Mit 1 Holzschn. (Beschreibung eines complicirten Entwässerungsapparates, dessen Princip auf Mischung von Alcohol und Wasser durch eine capillare fein ausgezogene Glasröhre beruht. Wie es scheint will der Verf. den vorläufig theoretisch construirten Apparat erst noch bauen lassen. Man hat es in seiner Gewalt, binnen wie viel Stunden das Präparat aus Wasser oder verdünntem in absoluten Alcohol gelangen soll.) — 8) Heurck, H. van, Entgegnung auf den Artikel des Herrn Stein: Die Verwendung des electrischen Glühlichtes zu microscopischen Untersuchungen. Zeitschr. f. wissensch. Microscopie und micr. Technik Bd. I. H. 3. S. 419—422. — 9) Jung, H., Ueber ein neues Compressorium. Ebendas. Bd. I. H. 2. S. 248—249. — 10) Krause, W., Durchbohrte Objectträger. Internationale Monatsschrift für Anatomie und Histol. Bd. I. H. 5. S. 353—354. (Um feine Schnitte von ihren beiden Seiten betrachten zu können. Bei Oppermann in Hohenbüchen bei Alfeld, Preussen, 25 Stück für 6 Mark. — Rabl — s. unter III, No. 27 — construirte sich selbst einen Glasrahmen zu dem gleichen Zweck und hebt die Nützlichkeit des Umwendens der Präparate warm hervor.) — 11) Malassez, E., Sur les chambres claires en général et sur une chambre claire à 45°. Arch. de physiol. 3. Sér. T. IV. No. 7. p. 238—251. — 12) Stein, S. Th., Sonnenlicht und künstliche Lichtquellen in ihrer Bedeutung für wissenschaftliche Arbeiten. Mit 167 Fig. und 2 Taf. 8. Halle. — 13) Derselbe, Das Licht im Dienste wissenschaftlicher Forschung. 2. Aufl. Mit 431 Fig. und 12 Taf. 8. Halle. — 14) Derselbe, Die Verwendung des electrischen Glühlichts zu microscopischen Untersuchungen und microphotographischen Darstellungen. Zeitschr. für wissensch. Microscopie u. microsc. Technik. Bd. I. H. 2. T. 161—174.

Decker (2) bringt über dem Rasirmesser des Microtoms einen verstellbaren, in seiner Längsaxe drehbaren Glascylinder an, der den microscopischen Schnitt, an der Aufrollung hindert; ersterer ist 5 cm lang, 4 oder 6 oder 9 mm dick. Der Apparat kann an den meisten Microtomen angebracht werden.

Gärtner (4) beschreibt ausführlich das von Plössl & Co. construirte electrische Bildmicroscop, welches seit Anfang 1884 im Institut für allgemeine und experimentelle Pathologie in Wien von Stricker zu Demonstrationszwecken gebraucht wird. (S. Jahresber. f. 1883, S. 45.)

Als Lichtquelle dient eine electrische Bogenlampe, die von einer durch einen sechspferdigen Gasmotor im Souterrain getriebenen Dynamomaschine gespeist wird. Die Leuchtkraft der Flamme beträgt in Maximo 2500 Normalkerzen; sie wird von einem Assisten ten mit der Hand regulirt und flackert dann nicht, was bei automatischen Regulatoren kaum zu vermeiden ist. Um die Wärmestrahten abzuhalten, welche die microscopischen Präparate gründlich zerstören können, dienen verschiedene, nicht jedesmal ausreichende Kunstgriffe, am sichersten geht man bei Anwendung von Immersionslinsen. Man kann homogene Immersion: Reichert $^1/_{18}$ und Seibert's Wasserimmersionen VIII bis X im Projectionsmicroscop noch benutzen; letzteres giebt eine 8000fache Linearvergrösserung. Als Schirm zum Auffangen der Bilder diente eine Platte aus feinstem Gyps von 1,5 m Durchmesser, auf derselben erscheint unter diesen Umständen ein rothes Blutkörperchen des Menschen als Scheibe von 6 cm Durchmesser. Die amöboiden Bewegungen der weissen Blutkörperchen kann ein Auditorium von 300 Köpfen mit voller Deutlichkeit wahrnehmen, womit wohl das beste Criterium für die Leistungsfähigkeit des electrischen Bogenlichtes gegeben ist (Ref.). Ueber die Handhabung des Apparates und die Nebenapparate vergl. das Original.

Malassez (11) construirte ein Camera lucida zum Zeichen am Microscop.

Der Axe des Letzteren wird eine Neigung von 40° bis 45° gegen den Aufstellungstisch und nach dem Beobachter hin gegeben und mittelst zwei Prismen das microscopische Bild auf den Tisch resp. eine Papierunterlage geworfen. Von der Vorrichtung Schröder's (s. o., A., No 26) unterscheidet sich die Malassez'sche dadurch, dass bei Schröder das eine Prisma ein schiefes Parallelepipedon darstellt und der Beobachter seine Augenaxe rechtwinklig über das Papier zu bringen hat, während Malassez zwei dreikantige Prismen nach Doyère und Milne Edwards oder Nachet anwendet und die Augenaxe in der verlängerten optischen Axe des Microscopes verbleibt. Malassez rühmt seine Construction; er hat damit Tuberkelbacillen bei 1500facher Linearvergrösserung gezeichnet.

C. Untersuchungsverfahren, Härten, Färben, Einbetten etc.

1) Adamkiewicz, A., Neue Rückenmarkstinctionen. I. Ergebnisse am normalen Gewebe. Sitzungs-

berichte d. k. Acad. d. Wiss. zu Wien. Bd. 89. Abth. III. S. 245—265. Mit 3 Taf. Sep.-Abdruck. — 2) Baumgarten, P., Ueber eine gute Färbungsmethode zu Untersuchung von Kerntheilungsfiguren. Zeitschrift f. wissenschaftl. Microscopie und microscop. Technik. Bd. I. Heft 3. S. 415—417. (Fuchsin und Methylenblau.) — 3) Barrett, J. W., New method of cutting sections for microscopical examination. Journ. of anat. and physiol. Vol. XIX. P. I. Oct. p. 94—97. (Empfiehlt Celloidin von Zimmermann, Mincing Lane, London E. C.) — 4) Bernheimer, St., Zur Kenntniss der Nervenfaserschicht der menschl. Retina. Sitzungsbericht d. k. Acad. d. Wiss. zu Wien. 90. Abth. III. 3. Juli. 6 Ss. Sep.-Abdr. — 5) Blochmann, F., Ueber Einbettungsmethoden. Zeitschrift f. wissensch. Microscopie u. microsc. Technik. Bd. I. Heft 2. S. 218—233. — 6) Brass, A., Die Methoden bei der Untersuchung thierischer Zellen. Ebendas. Bd. I. H. 1. S. 39—50. — 7) Brock, J., Technische Notizen. Internationale Monatsschr. f. Anat. u. Histol. Bd. I. Heft 5. S. 349. (Empfiehlt den Rückenkamm der Tritonenmännchen für mitotische Zellentheilungen. — Boraxcarmin färbt die Farbdrüsen, gleichzeitig Hämatoxylin die Schleimdrüsen im Mantelrand der Pulmonaten.) — 8) Cornil, V., Instruction sur le mode de conservation des pièces anatomiques destinées à être examinées au microscope. Le Progrès médical. 12e ann. No. 13. p. 242—244. — 9) Flemming, W., Mittheilungen zur Färbetechnik. I. Ein neues Verfahren zum bequemen Aufsuchen von Zelltheilungen und zur Hervorhebung der Nucleolen. II. Zur Tinction der inneren Wurzelscheide des Haares. III. Nachträgliche Pikrinfärbung anderweitig behandelter Präparate für Demonstrationen. Zeitschr. f. wissensch. Microscopie u. microscop. Technik. Bd. I. Heft 3. S. 349—360. — 10) Flesch, M., Notiz über die Anwendung des Farbstoffes des Rothkohls in der Histologie. Ebendas. Bd. I. H. 2. S. 253—254. — 11) Fol, H., Lehrbuch der vergleichenden microscop. Anatomie etc. Erste Lieferung. Die microscop.-anat. Technik. 8. 208 Ss. Mit 84 Holzschn. Leipzig. — 12) Francotte, P., Nouveaux réactifs colorants. Bullet. de la Soc. Belge de Microsc. T. IV. No. 5. p. 76. (Empfiehlt nach Hoyer, 1882, den Carmin- oder Pikrocarminlösungen etwa 10 pCt. Chloralhydrat zuzusetzen.) — 13) Freud, S., A new physiological method for the study of nervetracts in the Brain and Spinal chord. The Brain. Jan. p. 86—88. — 14) Derselbe, Eine neue Methode zum Studium des Faserverlaufes im Centralnervensystem. Centralbl. f. d. med. Wissensch. No. 11. S. 161—163. — 15) Derselbe, Eine neue Methode zum Studium des Faserverlaufes in den Centralorganen. Archiv für Anatomie und Physiologie. Anat. Abth. S. 453—460. (Härtung in 2,5 pCt. Kalibichromat auf 0,5 pCt. Kupfersulphat. Feine Schnitte werden 3—5 Std. in 1 procentige Goldchloridlösung gebracht, mit Wasser ausgewaschen; in 1 Thl. caustisches Natron auf 5—6 Thle. Wasser 3 Minuten lang gethan, lässt man sie etwas abtropfen, dann kommen die Schnitte 5—15 Minuten lang in 10—12 procentige Jodjodkaliumlösung. Schliesslich Alcoholbehandlung und Einkitten. Die Nervenfasern erscheinen braun oder schwarz auf lichtrothem oder blau auf ungefärbtem Grunde. Freud meint, es gebe viele Methoden in der Histologie, welche sich nur in den Händen ihrer Erfinder als brauchbar erwiesen hätten.) — 16) Gierke, H., Färberei zu microscopischen Zwecken. Zeitschr. f. wissensch. Microscopie u. microscop. Technik. Bd. I. H. 1. S. 62—100. H. 3. S. 372—408. — 17) Hamann, O., Eine neue Carminlösung. Internationale Monatsschrift f. Anatomie und Histologie. Bd. I. H. 5. S. 345—348. — 18) (Hitchcock, R.), Glycerin in mounting. American Monthly Micr. Journ. Vol. V. No. 1. p. 15. — 19) Heidenhain, B., Eine neue Verwendung des Hämatoxylin. Arch. f. microscop. Anat. Bd. XXIX. H. 3. S. 468 bis 470. — 20) Hoffmann, F. W., Einfacher Einbettungsapparat. Zool. Anzeiger. VII. Jahrg. No. 165. S. 230—232. (Preis 16 M. beim Glasbläser Hildebrand in Erlangen.) — 21) Krause, W., Untersuchungsmethoden. Internationale Monatsschr. f. Anat. u. Histol. Bd. I. H. 2. S. 152—157. (Zur Conservirung und Isolirung der Retina-Elemente ist eine 10 procentige wässrige Lösung von Chloralhydrat zu empfehlen. Sie übertrifft in mancher Hinsicht die Ueberosmiumsäure.) — 22) Leboucq, H., Un mot sur la technique des coupes en séries. Annales de la Société de Médecine de Gand. Sept. et Oct. p. 167—168. — 23) Lavdowsky, M., Myrtillus, ein neues Tinctionsmittel für thierische und pflanzliche Gewebe. Arch. f. microscop. Anat. Bd. XXIII. H. 4. S. 506—508. — 24) Martinotti, G., Sull' uso dell' allume di cromo nella tecnica microscopica. Zeitschrift für wissenschaftliche Microscopie und microscopische Technik. Bd. I. H. 3. S. 361—366. — 25) Stein, S. von, Einfache Vorrichtung für das Microtom zur Einbettung der Präparate. Centralblatt für d. medicinischen Wissenschaften. No. 7. S. 100. — 26) Tschisch, W. von, Ueber die künstliche Bildung von Farbstoff im Nervengewebe. Archiv f. pathol. Anat. Bd. 97. H. 1. S. 173—176. (Warnung vor schwarzen Niederschlägen, welche die Erlitzky'sche aus $1^1/_2$—2 pCt. Kalibichromat u. 0,5 pCt. Kupfersulphat bestehende Erhärtungsflüssigkeit im Rückenmark erzeugt: sie dürfen nicht für pathologisches Pigment gehalten werden!) — 27) Virchow, Hans, Ueber die Einwirkung des Lichtes auf Gemische von chromsauren Salzen resp. Chromsäure, Alcohol und extrahirten organischen Substanzen. Technische Mittheilung. Arch. f. microscop. Anat. Bd. XXIV. H. 2. S. 117—119. — 28) Weigert, C. (Zusatz zu einer Mittheilung von Lissauer, Ueber die Clarke'schen Säulen), Fortschritte der Medicin. Bd. II. No. 4. S. 120. — 29) Derselbe, Ausführliche Beschreibung der neuen Färbungsmethode für das Centralnervensystem. Ebendas. No. 6. S. 190—191.

Adamkiewicz (1) verwendete als Härtungsflüssigkeit Alcohol oder Pikrinschwefelsäure.

Feine Schnitte wurden in Wasser gewaschen, dann mit Salpetersäure angesäuertem Wasser behandelt und darauf gefärbt. Von einer Lösung des Safranin No. 0 (Grübler in Leipzig) hält man eine wässrige Lösung von 1 : 60 vorräthig und verdünnt bis zu tief burgunderrother Farbe. Die so gefärbten Schnitte werden in Spiritus gewaschen, dann in Alcohol, der mit Salpetersäure angesäuert ist, gebracht und dann in Nelkenöl. Sobald sie an letzteres keinen Farbenstoff mehr abgeben, werden sie in Canadabalsam eingeschlossen. Statt des Safranins kann man Methylenblau anwenden, dann muss man zugleich Essigsäure statt der Salpetersäure anwenden.

Es stellt sich nun heraus, dass in verschiedenen Gegenden des Rückenmarkes verschiedene Partien der weissen Substanz chromoleptisch sind, d. h. sie haben grössere Affinität zu den genannten Farbstoffen. Wahrscheinlich ist die chromoleptische Substanz mit der erythrophilen von Weigert identisch. Diese Substanz gehört noch dem Nervenmark an, sie umgiebt auf Querschnitten der Nervenfasern ringförmig und namentlich halbmondförmig den Axencylinder. Die intensivere Färbung zeigt nach verschieden langer Dauer der Einwirkung des Farbstoffes verschiedene Bilder, wonach man mehrere Stadien der Wirkung unterscheiden kann; in dieser Hinsicht muss auf das Original verwiesen werden. Im Cervicalmark sind chromoleptisch: die hintere Partie der Vorderstränge, die vordere mediale Partie der Hinterstränge und die Gegend der Seitenstränge hinter der Seitensäule (Tractus intermediolateralis). Im unteren Theile des Dorsalmarkes ist die Vertheilung der Färbung ähnlich, doch fehlt diejenige der Vorderstränge, welche aber im Lumbal- und Sacralmark wiedererscheint, wogegen diejenige der Seitenstränge in letzterem verschwindet. Schlüsse auf die Bedeutung der fraglichen Substanz (auf den Faserverlauf im Rückenmark, Ref.) aus diesen Thatsachen zu ziehen, hält Adamkiewicz mit Recht für verfrüht und verweist auf seine in Angriff genommene Untersuchung pathologischer Rückenmarke. Jedenfalls erfährt aus der unter diesen Umständen hervortretenden so zu sagen freiwilligen Doppelfärbung, welche einerseits die Pia mater, die Neuroglia der grauen und die Septa der weissen Substanz, andererseits die Nervenfasern annehmen, der Satz eine neue Bestätigung, dass die Neuroglia Bindegewebe sei. Hingegen enthalten die marklosen Kernfasern der grauen Säulen chromoleptische Substanz.

Barret (3) empfiehlt das Celloidin, wo entweder mässig dünne, zugleich grosse, oder sehr dünne und mässig ausgedehnte Schnitte erforderlich sind.

Das frische Gewebe wird 3—4 Wochen in Müller-sche Flüssigkeit gelegt, die anfangs täglich, dann alle 2—3 Tage, dann wöchentlich gewechselt wird. Dann Härtung in Alcohol, der mit Methylalcohol (10 pCt., Ref.) denaturirt ist, 14 Tage lang, und schliesslich 1 oder 2 Tage lang in absolutem Alcohol. Dann kommt das Präparat in ein Papierkästchen mit einer dünnen Lösung von Celloidin in gleichen Theilen Alcohol und Aether für einige Tage. Eingeschlossen in dem Kästchen, bis sie oberflächlich getrocknet sind, werden die Präparate ferner in einem Gemisch von methylirtem (s. oben) Alcohol und Wasser von ca. 0,82 spec. Gew. ($H_2O = 1$) etwa 3 Tage gehärtet. Dann gelangen sie nach Entfernung des überschüssigen Celloidin 24 Stunden in Wasser, welches häufig gewechselt wird. Ferner werden sie in Gummilösung durch Kälte zum Erstarren gebracht und mit dem Gefriermicrotom geschnitten. Mit einem in warmes Wasser getauchten Pinsel werden sie vom Messer gelöst, kommen, falls sie sich rollen, erst in Wasser, darauf in Spiritus und aus diesem wieder in Wasser. Dann in absoluten Alcohol bis sie ganz trocken sind, in Bergamottöl und endlich in Balsam.

Bernheimer (4) färbt blasse Nervenfasern zunächst diejenigen der Retina (s. den Bericht über descriptive Anatomie) mit Haematoxylin in folgender Weise.

In destillirtem Wasser 24 Stunden lang gut ausgewaschene Präparate, die in Müller'sche Flüssigkeit vorher gefärbt waren, kommen 24 Stunden lang in eine jedesmal frisch bereitete concentrirte alcoholische Hämatoxylinlösung. Letzterer werden (welcher Quantität ist vom Verf. nicht angegeben) 4—5 Tropfen einer Alaunlösung (1:300) und 5—6 Tropfen von verdünntem Ammoniak (1:3) zugesetzt. Nach 24 Stunden wird das Präparat gründlich ausgewaschen, noch 24 Stunden in destillirtem Wasser gelassen und dann kommt dasselbe in Glycerin. (Ref. kann die Erfolge dieser Methode bestätigen, allerdings nehmen auch die Grundsubstanzen diffuse Färbungen an.)

Cornil (8) schildert in ergötzlicher Weise den Zustand, in welchem anatomische Präparate seinem (pathologischen) Laboratorium zur Untersuchung übersendet zu werden pflegen. Zur Abhülfe giebt er ganz genaue Vorschriften, auch für die einzelnen Organe. — Centrales Nervensystem: 2- bis 4procentiges Ammoniumbichromat oder Kaliumbichromat; ferner Ueberosmiumsäure. — Lungen: Alcohol oder Pikrinsäure oder Müller'sche Flüssigkeit. Dann zur Hälfte mit Glycerin gemischte Gummilösung mit Phenylsäure, dann Alcohol. Oder 1 procentige Ueberosmiumsäure. — Magen: Injection von Alcohol oder Müller'scher Flüssigkeit mittelst der Schlundsonde bald nach dem Tode; nachher wie bei der Lunge. Ebenso der Darmkanal. — Leber und Milz: Kleine Stücke (15 zu 5—6 mm) werden ebenso oder zuerst mit Pikrinsäure behandelt — Niere: Wie das Gehirn, nachher Gummi und Alcohol. — Harnblase, Harnröhre, Geschlechtsorgane wie Magen oder Leber. — Lymphdrüsen: Einstichinjection von Drittel-Alcohol oder Ueberosmiumsäure, dann Gummi und Alcohol. — Muskeln: wie das Gehirn. — Knorpel: Pikrinsäure. — Knochen: 90procentiger Alcohol oder Müller'sche Flüssigkeit. Entkalkung durch Pikrinsäure oder 1 proc. Chromsäure. — Auge: Einstichinjection in den Glaskörper durch die Sclera mit Ueberosmiumsäure.

Flemming (9) benutzt neuerdings für Darstellung mitotischer (karyokinetischer) Zellentheilung ein Osmium-Chrom-Essigsäure-Gemisch.

2 Theile 2proc. Uberosmiumsäure kommen auf 7 Theile 1proc. Chromsäure und 0,2—0,5 Theile Eisessig. Dann Auswaschen, kurze Alcoholnachhärtung, Schnitte, Färbung mit Safranin oder Gentiana, am besten successive mit beiden, Ausziehen mit leicht durch Salzsäure angesäuertem Alcohol, absolutem Alcohol, Nelkenöl, Dammar. Die Mitosen sind in Leukocyten der Säuger schon mit 150 bis 200facher Vergrösserung sichtbar (vgl. unten: Epithelien).

Fol (11) bemerkte, dass der rothe, aus den Häuten der schwarzen Johannisbeere gewonnene Farbstoff, das Ribesin, die Kerne blaugrünlich färbt, gerade wie wenn seine Lösung leicht alkalisch gemacht wird. Daraus folgert Fol im Gegensatz (Ref.) zu einer namentlich von J. Ranke (Grundzüge d. Physiologie d. Menschen. 1872. S. 81) ausgesprochenen Idee, wonach der Kern sauer reagirt, weil er Carmin aus neutraler Lösung auf sich niederschlägt, dass die chromatophile Substanz sich wie ein schwach alkalischer Körper verhält.

Hamann (16) empfiehlt eine neutrale essigsaure Carminlösung nach Lang in Neapel, deren Bereitung an die von Kupffer (1882) mitgetheilte erinnert.

Auf 30 g Karmin füllt man 200 g Ammoniak (Salmiakgeist — pur. et conc.) und setzt dieser Mischung tropfenweise völlig reine Essigsäure (Acid. acetic. glacial.) hinzu, und zwar so lange, bis die Mischung neutral ist, oder doch nur schwach sauer reagirt. Jetzt muss die Flüssigkeit zwei bis vier Wochen stehen; je länger die Zeit ist, desto besser geräth sie. Nach dieser Frist wird dieselbe filtrirt und ist zum Gebrauche fertig. Auf dem Boden der Flasche, in welcher man die Lösung bereitete, hat sich ein Niederschlag gebildet, welcher von Neuem benutzt wird, indem man, wie oben angegeben worden ist, mit Auffüllen von Salmiakgeist und Essigsäure verfährt. Dieser zweite Aufguss ist dem ersten weit vorzuziehen. Dasselbe gilt von den weiteren Lösungen. Man kann vier oder noch mehr Lösungen von den jedesmaligen Niederschlägen herstellen.

Heidenhain (19) ermittelte eine neue Tinctionsmethode. Eine 0,5—1 procentige wässerige Lösung von Haematoxylin dient um Alcoholpräparate zu färben. Nach 8—10 Stunden kommen die Stücke in ein gleiches Volumen (8—10 cm) einer 0,5—1 proc. wässerigen Lösung von Kaliumbichromat. Dann Ausziehen mit Wasser, Behandlung mit Alcohol, Einbettung in Paraffin, nachher Xylol oder Terpenthinöl, Canadabalsam. Statt Kaliumbichromat kann man auch eine 1 proc. wässerige Alaunlösung nehmen. Die Schnitte müssen sehr fein sein. Man erhält bei Speicheldrüsen u. s. w. die Kerne schwarz oder (Alaun) blau gefärbt, ausserdem aber die Zellengrenzen tingirt, ebenso die Stäbchenstructur. Die Halbmonde, die Axencylinder und Korbscheiden der Nervenfasern, die Querstreifung der Muskelfasern, die Bestandtheile des Eierstockes u. s. w. werden deutlich. Die Zellenkörper selbst erscheinen grau. (Ref. kann die Vorzüglichkeit der Methode nach eigenen Versuchen bestätigen.)

Hoffmann (20) construirte einen Apparat, um mit Hülfe der Luftpumpe die Einbettung von Präparaten in Paraffin zu bewerkstelligen.

Als Kraftquelle für eine Saugluftpumpe dient die Wasserleitung des Laboratorium. Das in Näpfchen befindliche Paraffin oder erst eine Mischung von Paraffin mit verharztem Terpentinöl, worin das Präparat liegt, wird im Wasserbade unter einer Glocke auf ca. 60° erhitzt, an einem Thermometer wird diese Temperatur des Paraffins abgelesen. Eine mittelst eines T-rohres eingeschaltete Flasche dient dazu, etwaige Druckschwankungen in der Wasserleitung unschädlich zu machen, auch um ein Manometer anzubringen.

Bei einem Manometerstande von 700—720 mm Hg wird ein Präparat in etwa 20 Minuten von Paraffin durchtränkt, doch muss man z. B. bei Augenhälften und anderen zarten Objecten geringeren Druck anwenden. Die Details der Beschreibung werden durch den beigegebenen Holzschnitt verständlich.

Leboucq (22) modificirt die Methoden um Serienschnitte auf dem Objectglase zu fixiren.

Man hat sie aufgeklebt mit Guttapercha in Benzol und Chloroform gelöst (Frenzel), Kautschuk in Benzol gelöst (Threlfall), Gummi arabicum (Flögel), Gummi in absolutem Alcohol gelöst (Giesbrecht), Collodium (1 Theil) mit 3 Theilen Nelkenöl (Schällibaum) Die beiden letzteren Methoden combinirend überzieht Leboucq das erwärmte Objectglas erst mit Gummi, dann mit Collodium. Die noch Paraffin enthaltenden Schnitte kommen auf das Objectglas, dieses auf eine mit der Lampe erwärmte Glasplatte; sobald das Paraffin geschmolzen ist, wird es mit Terpentinöl oder Benzol entfernt und zum Schlusse werden die Schnitte mit Canadabalsam montirt.

Lavdowsky (23) presst frisch gepflückte Heidelbeeren (Vaccinium myrtillus) gut aus, vermischt den Saft mit 2 Volumtheilen destillirten Wassers und einigen ccm 90 proc. Alcohols, filtrirt warm. Um Kerne, auch Cellulosemembranen zu färben, wird noch mit 2—3 Theilen Wassers verdünnt. Roth werden erstere mit der frischen, etwas sauren Flüssigkeit, lila dagegen, wenn die Säure mit 2 proc. Alaunlösung oder 1 proc. Bleizuckerlösung abgestumpft ist. Auch Mitosen färben sich gut. Für Doppeltinctionen empfiehlt sich Eosin.

von Stein (25) beschreibt eine Einrichtung zur Einbettung von Präparaten, namentlich des Nervensystems.

An Stelle der Klammervorrichtung wird ein nach oben offenes Metallkästchen, an dessen Boden ein Haft mit oder ohne einen Schlitz angebracht ist, gesetzt. Die Wände werden durch 2 Ringe gebildet. Auf den unteren 10 mm hohen wird der obere 30 mm hohe Ring geschoben. Zum stärkeren Anhaften der Einbettungsmasse ist der Boden an seiner Innenfläche mit 3 Schrauben, welche 4 mm hoch hervorragen, versehen. Zum Gebrauche wird der obere Ring eingeölt und auf seinen Platz gebracht, dann die Einbettungsmasse (am besten 1 Theil Oel und 2 Theile Wachs) in's Kästchen gegossen, bis die Schrauben bedeckt sind. Man lässt dieselbe ein wenig erkalten, legt das Object hinein und füllt dann den übrig gebliebenen Raum. In kurzer Zeit ist die Masse erstarrt. Nun kann man den oberen Ring leicht abziehen und bekommt dann eine Wachssäule, in der das Object fest ruht. Die Schnitte werden im Wasser angefertigt, indem man das ganze Microtom in dasselbe einsenkt. Diese Vorrichtung lässt sich sehr leicht an das Leyser'sche und besonders an das Schanze-sche Microtom anbringen. Die Grösse und Form (rund oder oval) der Kästen ist abhängig vom Objecte des Nervensystems (eine Hemisphäre). Diese Einrichtung hat den Vortheil, 1) dass das Object keinem Drucke ausgesetzt wird, ohne dass man die grossen und theuren Messer (wie z. B. bei Katsch) braucht, sondern gewöhnliche, 18 cm lange, der Fläche nach gebogene: 2) dass das Messer nicht so bald stumpf wird, denn es kommt nicht in Berührung mit der oberen Platte, wie dies beim Ranvier'schen Microtom der Fall ist. Die Vorrichtung wird von der Firma Schiller & Rasumow in Moskau, Schmiedebrücke-Strasse, hergestellt.

Hans Virchow (27) hat zum ersten Male seit der langen Zeit, in welcher die Tinctionstechnik zu ihrer heutigen Ausdehnung sich erhoben hat, die Frage scharf formulirt, was denn eigentlich bei diesen bisher rein empirischen Methoden vor sich geht. „Wenn wirklich die Erhärtungs- und Färbetechnik in Chemie verwandelt werden soll, so dürfen auch physicalische Vorgänge, zumal wo es sich um so so handgreifliche nnd exact definirbare Effecte handelt, nicht unbeachtet bleiben." Von ersterem, oben gesperrt gedruckten Ausspruch wird vielleicht später eine neue Aera der microchemischen Technik zu datiren sein.

Um was es sich handelt, gestattet sich Ref. durch ein Beispiel zu erläutern. Wenn man mit einer concentrirten wässrigen Lösung von Anilinsulfat das Papier dieses Jahresberichtes oder irgend eines Zeitungsblattes betupft, so wird es, wie bekannt, gelb oder doch schwach gelblich, weil mehr oder weniger Holzcellulose (Sägespäne) dem Papierbrei bei der Fabrication beigemischt wird. Nimmt man einen älteren Jahrgang, z. B. vom Jahre 1850, so bleibt der betupfte Fleck weiss. Nun sind wir nicht im mindesten im Stande anzugeben, worauf diese technisch sehr gebräuchliche Reaction beruht, d. h. wodurch sich die Holzcellulose von der Cellulose der Leinenfaser (aus Lumpen in diesem Falle) chemisch unterscheidet. Aber wir können die Reaction trotzdem zu allen practischen Zwecken benutzen, ohne Aufstellung einer Formel für den chemischen Vorgang. Wenn nur dieses Stadium in der Erkenntniss der microchemischen Färbetechnik erreicht wäre, könnte man sehr zufrieden sein, wenn man z. B. mit Sicherheit sagen könnte: mit Safranin färbt sich in den karyomitotischen Figuren eine chemische Substanz, die mit einem bestimmten chemischen Körper, dem Nuclein, identisch ist. Dabei käme es vorläufig gar nicht darauf an, zu wissen, warum sich das Nuclein, welches selbst allerdings ein chemisches Gemenge ist, färbt. Aber sogar diese bescheidene Forderung ist vorläufig fast immer unerfüllbar, und den ersten Versuch zur chemischen Analysirung der Härtungsvorgänge gemacht zu haben, ist das grosse Verdienst von Hans Virchow.

Virchow fand nämlich, dass es nicht gleichgültig ist, ob man die mit Chromsäure oder Chromatin behandelten, nachträglich mittelst Alcohol zu härtenden Gewebsstücke, z. B. Rückenmark, dem Lichte aussetzt oder nicht. Das Licht erzeugt, gerade wie bei dem photographischen Verfahren, die bekannten, für den Microscopiker mehr oder weniger störenden Niederschläge. Man muss daher die mit Müller'scher Flüssigkeit u. s. w. behandelten Thiere, Organe etc. in Alcohol im Dunkeln härten und zwar so lange bis der Alcohol keine Färbung mehr annimmt.

Ob der schon benutzte Alcohol, welcher bereits Nervenmark gelöst enthält, nicht gerade bei der Erhärtung weiterer Stücke des centralen Nervensystems vortheilhaft zu benutzen wäre, will H. Virchow vorläufig unentschieden lassen.

Um Nervenfasern der Centralorgane des Nervensystems zu färben, empfiehlt Weigert (28) anstatt des Säurefuchsins in Müller'scher Flüssigkeit gehärtete Präparate zu nehmen, die Schnitte stark mit Haematoxylin zu färben und dann mit einer alkalischen Lösung von Ferricyankalium (rothem Blutlaugensalz) auszuwaschen. Die Grundsubstanz wird hellgelb, die Ganglienzellen werden bräunlich, die Nervenfasern tiefschwarz. Genauere Vorschriften sind in der zweiten Mittheilung Weigert's (29) enthalten.

[Adamkiewicz (Krakau), O nowym składniku włókien nerwowych (istota chromoleptyczna) i o dwubarwności tkanki rdzenia pacierzowego (Ueber einen neuen Bestandtheil der Nervenfasern [chromoleptische Substanz] und über die Doppelfärbung [Dichroismus] des Rückenmarksgewebes.) Medycyna. No. 23—24.
v. Kopff (Krakau).]

III. Elementare Gewebsbestandtheile, Zellenleben, Regeneration.

1) Arnold, J., Weitere Beobachtungen über die Theilungsvorgänge an den Knochenmarkzellen und weissen Blutkörpern. Arch. für pathol Anat. Bd. 97. H. 1. S. 107—130. Mit 1 Taf. — 2) Binz, E., Protoplasmic Movement and Quinine. Quarterly Journal of Microscop. sc N. S. No. XCVI. p. 682—684. — 3) Blochmann, F., Bemerkungen über einige Flagellaten (Trichomonas vaginalis, Oxyrrhis marina u. s. w.). Zeitschr. für wissenschaftliche Zoolog. Bd. XL. H. 1. S. 42—49. Mit 1 Tafel. — 4) Bower, F. O., On recent researches into the Origin and Morphology of Chlorophyll Corpuscules and Allied Bodies. Quarterly Journal of microscop. science. N. S. No. XCIV. April. p. 237—254. Mit 1 Taf. (Nebst Anmerkung von Ray Lankester, p. 252 und 253.) — 5) Brass, A., Biologische Studien. 1. Thl. Die Organisation der thierischen Zelle. 2. Hft. 8. Mit 4 Taf. Halle. — 6) Derselbe, Beiträge zur Zellphysiologie. Halle. 41 Ss. — 7) Derselbe, Bemerkungen zu P. Fraisse's Erwiederung an Herrn Prof. Flemming in No. 163 des Zoologischen Anzeigers. Zool. Anzeiger. VII. Jahrg. No. 166. S. 246—247. — 8) Carnoy, J. B., La biologie cellulaire. Fasc. I. 8. 270 pp. Avec 142 Fig. Lierre. — 9) Carpenter, P. H., On the Apical System of the Ophiuroids. With pl. Quarterly Journ. of microscop. science. N. S. No. XCIII. p. 1—23. — 10) Courchet, L., Du noyau dans les cellules végétales et animales 8. Paris. — 11) Emery, C., Untersuchungen über Luciola italica L. Zeitschr. f. wissenschaftl. Zool. Bd. XL. H. 2. S. 338—355. Mit 2 Taf. (Der Sitz des Leuchtens der italienischen Leuchtkäfer sind, wie schon M. Schultze angab, die Tracheenendzellen, welche die Ueberosmiumsäure reduciren.) — 12) Engelmann, Th. W., Physiology of Protoplasmic Movement. Quarterly Journ. of microscop. science. N. S. No. XCV. p. 370—419. (Englische Uebersetzung eines Abschnittes aus Hermann's Handwörterbuch der Physiologie von A. G. Bourne.) — 13) Fraisse, Eine Erwiederung an Herrn Professor Flemming Zoolog. Anzeiger. VII. Jahrg. No. 163. S. 172—175. — 14) Frommann, C., Untersuchungen über Structur, Lebenserscheinungen und Reactionen thierischer und pflanzlicher Zellen. Jenaische Zeitschr. f. Naturwiss. Bd. XVII. H. 1 u. 2. S. 1—349. Mit 3 Taf. Besonderer Abdruck. — 15) Derselbe, Dasselbe. 8. Mit 3 Tafeln. Jena. — 16) Geddes, P., A Re-Statement of the Cell theory with application to the morphology, classification and physiology of Protist plants and animals, together with an hypothesis of Cell-structure and an hypothesis of Contractility. With pl. Proceed. of the Roy. Societ. of Edinburgh. 1883/84. Vol. XII. p. 266—292. — 17) Graff, L von, Zur Kenntniss der physiologischen Function des Chlorophylls im Thierreich. Zoolog. Anzeiger. VII. Jahrgang. No. 177. S. 520—527. — 18) Gruber, A, Ueber Kern und Kerntheilung bei den Protozoen. Zeitschrift f. wissensch. Zoologie. Bd XL. H. 1. S. 121—153. Mit 2 Taf — 19) Heitzmann, C, Ueber den feineren Bau des Glaskörpers. Bericht über die fünfzehnte Versamml. der ophthalmolog. Gesellschaft zu Heidelberg. Klinische Monatsbl. f. Augenheilkunde. 1883. Jahrg. XXI. Beilage. S. 33—38. — 20) Hertwig, O., Welchen Einfluss übt die Schwerkraft auf die Theilung der Zellen? Untersuchungen zur Morphologie und Physiologie der Zelle von O. Hertwig und R. Hertwig. Heft 2. 32 Ss. Mit 1 Tafel. Jena. — 21) Hertwig, O. und R. Hertwig, Die Kerntheilung bei Actinosphärium Eichhornii. Von R. Hertwig. Ebendas. Heft I. Mit 2 Taf. 8. 32 Ss. Jena. — 22) Jickeli, C. F., Ueber die Kernverhältnisse der Infusorien. Zool. Anz. VII. Jahrg. No. 175. S. 468—473. No. 176. S. 491—497. — 23) Korschelt, E., Ueber die eigenthümlichen Bildungen in den Zellkernen der Speicheldrüsen von Chironomus plumosus. Ebendas. VII. Jahrg. No. 164, S. 189 bis 194, mit 1 Holzschn.; No. 165, S. 221—225; No. 166, S. 241—246. — 24) Metschnikoff, E., Researches on the Intracellular Digestion of Invertebrates. Quarterly Journ. of microscropical sc. N. S. No. XCIII. p. 89—111. (Uebersetzung in's Englische eines früheren Aufsatzes [s. Jahresber. 1883. S. 54]). — 25) Derselbe, The ancestral history of the Inflammatory Process. Ibid. N. S. No. XCIII. p 112—117. (Uebersetzung in's Englische eines früheren Aufsatzes [s. Jahresber. f. 1883. S. 56].) — 26) Nüsslin, O., Ueber einige neue Urthiere aus dem Herrenwieser See im badischen Schwarzwald. Zeitschr. f. wissensch Zoologie. Bd XL. H. 4. S. 697 bis 724. Mit 2 Taf (Vier neue Urthiere: Zonomyxa violacea, Vaginicola Bütschlii, Epistylis ophrydiiformis, Amphitrema stenostoma werden beschrieben; das letztere enthält grüne Zellen [? des Verf. — vergl. Brandt u Hamann, s. Jahresbericht f. 1883, S. 43]) — 27) Rabl, C., Ueber Zelltheilung. I. Th. Mit 7 Taf. u 5 Holzschn Morphol Jahrb. Bd X. H. 2. S. 214 bis 330. — 28) Rauber, A., Der karyokinetische Pro-

cess bei erhöhtem und vermindertem Atmosphärendruck. Tagebl. der 57. Versamml. deutscher Naturf. u. Aerzte zu Magdeburg. 20. Sept. S. 196. — 29) Russow, E., Ueber den Zusammenhang der Protoplasmakörper benachbarter Zellen. Biologisches Centralbl. Bd. IV. Nr. 9. S. 260—263. Referat von Wilhelm nach einem Sep.-Abdr. aus den Sitzungsber. der Dorpater Naturforschergesellschaft. Sept. 1883. Kl. 8. 23 Ss. Dorpat. — 30) Sallitt, Jessie A., On the chlorophyll Corpuscules of Infusoria. Quarterly Journ. of microsc. science. N. S. No. XCIV. April. p. 165—170. Mit 2 Taf. Nebst Anmerkung von Ray Lankester. p. 167. — 31) Schäfer, E. A., Ueber die Fettresorption im Dünndarm. Oeffentlicher Brief an den Herausgeber Herrn Prof. Pflüger. Archiv für die gesammte Physiol. Bd. 33. S. 513—514. — 32) Sheridan, Delépine, Contribution tothe Study of Nucleus-Division, based on the Study of Prickle Cells. Journ of anat. and physiol. Vol. XVIII. P. IV. p. 442—458. Mit 1 Taf. — 33) Strasburger, E., Die Controversen der indirecten Kerntheilung. Arch. f. microsc. Anat. Bd. XXIII. H. 2. S. 246—304. Mit 2 Taf. — 34) Besonderer Abdruck: Derselbe, Die Controversen der indirecten Kerntheilung. 8. Mit 2 Taf. Bonn. — 35) Tartuferi, F., Ueber den feineren Bau des Kernes. Centralbl. f. d. medic. Wissensch. No. 31. S. 546—548. (Als Anfangsstadium des karyomitotischen Processes sind namentlich in gereizten Conjunctivae vom Kaninchen und Meerschweinchen „intranucleare Spindeln" zu betrachten, deren achromatophile Fäden in je zwei Kernkörperchen zusammenlaufen. Beim Meerschweinchen sind sie 0,004 mm lang, 0,003 m breit. Färbung mit Carminsäure.) — 36) Wiemer, O., Ueber den Mechanismus der Fettresorption. (Aus dem anat. Laboratorium in Bonn.) Archiv für die gesammte Physiologie. Bd. 33. S. 515—537. — 37) Zawarykin, Th., Einige die Fettresorption im Dünndarm betreffende Bemerkungen. Ebendas. Bd. 35. S. 145—156. (Polemik gegen Schäfer und Wiemer s. oben.)

Arnold (1) wies mitotische Theilungsvorgänge in den Riesenzellen nach, die als indirecte Fragmentirung bezeichnet und nach vier Phasen gesondert werden können. Aehnliche Vorgänge trifft man an den kleinen Zellen des Knochenmarkes, ferner Kerntheilungsfiguren im leucämischen Blut; wahrscheinlich vermehren sich die Wanderzellen, die weissen Blutkörperchen, die Zellen des Knochenmarkes, der Milz und der Lymphdrüsen sowohl nach dem Typus der directen als der indirecten Fragmentirung.

In einem schon 1880 an Binz (2) gerichteten Briefe bestätigt Engelmann (abweichend von seiner früheren Ansicht), dass Chinin die amöboiden Bewegungen von Leucocyten sistirt.

Blochmann (3) fand bei Oxyrrhis marina indirecte Kerntheilung vor, die Abbildung zeigt das Tochtersternstadium.

Auch in diesem Jahre ist auf das Studium der karyokinetischen Zellentheilung eine grosse Menge Arbeit verwendet worden. Unter den Resultaten scheinen dem Ref., abgesehen von der fast ausnahmslos anerkannten Bedeutung der Mitosen, die Studien über wechselnde Anzahl der Schleifen, ferner die unten folgenden Resultate von O. Hertwig und von Rabl die interessantesten zu sein.

Brass (6) hält in einer neueren Arbeit seine Anschauungen (Jahresber. f. 1883, S. 50) in Betreff der mitotischen Zellentheilungen mit Entschiedenheit aufrecht. Es braucht nicht in jedem Falle die chromatische (chromatophile, Ref. 1881) Substanz in der gleichen Weise aufzutreten, sondern es werden natürlich ihre Bewegungen verschieden sein, weil sie secundär in die Zelle eingelagert ist, zum grossen Theil also auch von äusseren Umständen abhängt, man findet daher in den Gewebszellen und in den Eizellen der verschiedenen Thiere, dass die chromatische Substanz niemals zwei vollständig gleiche Figuren darstellt, dass sie niemals in derselben Masse vorhanden ist und dass sie innerhalb verschiedenartiger oder verschieden functionirender Kerne in ganz verschiedener Weise auftritt. Ob an die chromatische Substanz noch andere Functionen gebunden sind, ob sie, wie man angenommen hat, Vererbungsstoffe in sich eingeschlossen enthält (z. B. Spermatozoenköpfe, Ref.), wagt Brass zur Zeit nicht zu entscheiden, so viel ist ihm aber sicher, dass man sie durch Hungernlassen der Zellen vollständig entfernen kann, dass sie weiterhin aus niederen Thieren in verschiedenen Entwickelungsstadien derselben vollkommen verschwindet. Unterdessen hat jedoch Korschelt (23) Chironomuslarven verhungern lassen, das Chromatin nahm aber in vielen Kernen nicht ab, wohl aber in denjenigen des hinteren Darmabschnittes in den Malpighi'schen Gefässen und namentlich in den Zellen des Fettkörpers. (Vergl. a. Rabl, 27). — Br. beobachtete eingekapselte Amöben, welche das gesammte Material an chromatischer Substanz nach und nach vollständig verbrauchten und dabei so klar wurden, dass man die Cysten für abgestorben halten und keinen lebenden Plasma-Inhalt in ihnen vermuthen konnte. Aber das Ausschlüpfen der chromatinlosen, in Tinctionsmitteln sich absolut nicht färbenden Amöben lieferte den Beweis, dass das Protoplasma, welches ganz homogen erschien und nur bei schiefer Beleuchtung Andeutung concentrischer Schichtung zeigte, alle Functionen eines Lebewesens auszuüben vermochte. Sowie eine solche Amöbe Nahrung aufnahm und diese assimilirte, schied sich auch im Kerne und in dem übrigen Plasma chromatische Substanz ab. Der Umstand, dass sämmtliche Gewebszellen die chromatophile Substanz enthalten, weist auch darauf hin, dass sie ein für alle Zellen Gemeinsames sein muss Sämmtliche Zellen enthalten aber die chromatophile Substanz in fast genau gleicher Ausbildungsweise, wenigstens reagirt dieselbe in allen verschiedenen Zellen auf die gebräuchlichen Reagentien und Färbemittel gleichartig. Untersucht man nun zwei neben einander liegende Zellen eines Gewebes, von denen man annehmen muss, dass sie dieselben Functionen auszuüben haben und dass sie unter gleichen Bedingungen neben einander existiren, so bemerkt man stets Unterschiede, was die Form der chromatophilen Substanz, ihr Verhalten bei der Theilung u. s. w. anlangt (Ref. wäre geneigt die Differenz der chromatophilen Substanz in ruhenden Kernen auf das Verflossensein verschiedener Bruchtheile jener Zeit zu beziehen, welche zwischen dem Entstehen und der nächsten Theilung einer Tochterzelle gelegen ist). Wäre nun das Chromatin derjenige

Stoff, welcher die physiologische Thätigkeit der Zelle bedingt oder wäre derselbe auch nur für die Zelle von Wichtigkeit als activ thätiger Theil derselben, so müsste man ihn innerhalb solcher neben einander liegender Gewebszellen in derselben Weise ausgebildet vorfinden. Der Umstand, dass dies nicht der Fall ist, sondern dass vielmehr die verschiedenen Zellen. z. B. der Epidermis einer Salamanderlarve ganz verschiedene Bilder der chromatophilen Substanz zeigen und dieselbe in wechselnden Mengen eingeschlossen enthalten, deutet auch schon darauf hin, dass ihr nicht eine hohe physiologische Bedeutung zukommen kann, sondern dass sie nur ein für das Zellenleben allerdings bedeutungsvoller, aber nicht activ in das Leben eingreifender Stoff ist. Immerhin muss nach Br. vorausgesetzt werden, dass die chromatophile Substanz kein gleichartig in allen Zellen vorhandener Stoff ist, sondern dass sie sehr wahrscheinlich aus einer grossen Anzahl der verschiedensten Stoffe besteht. So ist z. B. keineswegs anzunehmen, dass die chromatophile Substanz des Spermatozoenkopfes dieselbe ist wie diejenige, welche sich innerhalb der ausgebildeten grossen Kerne gewisser Drüsen oder Eizellen vorfindet.

Der Schwerpunkt der Betrachtungen von Br. liegt jedoch in Bemerkungen über das Protoplasma der Zellen. Nicht weniger als vier morphologisch wie functionell gesonderte, concentrisch angeordnete Schichten sind daran, zunächst bei Immersion, mit Hülfe von Reagentien (Chlorwasserstoffsäure, Chromsäure, Essigsäure, Tinctionsmittel etc.) zu unterscheiden. Die äusserste oder Bewegungsschicht ist hell, sie streckt die amöboiden Fortsätze, Pseudopodien aus, welche ein Fortkriechen der Zelle ermöglichen. Die Eizelle entbehrt diese Schicht, auf welche sonst als zweite oder Athmungsschicht eine ebenfalls helle, nur selten granulirte Schicht folgt, die z. B. bei den in Wasser schwimmenden Eiern Sauerstoffaufnahme und Kohlensäureabgabe besorgt. Strömungen verlaufen in derselben, welche, wenn sie bei Paramaecium beispielsweise nach rechts herumgehen, einer anderen der tieferen, dritten oder Nahrungsschicht angehörenden Strömung begegnen, die links herum vor sich geht. Diese Nahrungsplasmaschicht ist verhältnissmässig gleichartig gebaut, sie besteht aus einer zähflüssigen Grundsubstanz, in welche das aufgenommene Nahrungsmaterial eingebettet wird. Sie verhält sich dem letzteren gegenüber indifferent; in ihr bilden sich aber Vacuolen und Excretionsstoffe, die entweder hier abgeschieden werden, oder in dieser Schicht zur Ausscheidung gelangen. Im Vogelei wird die Sache dadurch complicirt, dass das Keimbläschen allmälig an die Dotterperipherie rückt, wobei die Lagerung der Schichten sich etwas verschiebt. Endlich die vierte, den Kern umschliessende, wiederum hellere Zone ist die Ernährungsschicht; in derselben ereignen sich bei Infusorien, Eizellen, embryonalen Gewebszellen die gleichen Formveränderungen, welche zum Resultat haben: aus dem Nahrungsplasma Stoffe aufzunehmen, in Lösung zu bringen und sie so zu assimiliren. In den (künftigen) Entodermzellen erzeugt gerade diese Schicht die bekannten strahligen Figuren; sie giebt auch assimilirte Substanz an den Kern ab, der gerade dann seine Karyokinese beginnt, wenn eine genügende Menge Dottermaterial in lebensfähiges Plasma umgewandelt ist.

Br. beschränkt die Anwendung dieser Sätze ausdrücklich auf freie Zellen, einzellige Organismen und Keimzellen, d. h. Eizellen. Es liegt jedenfalls hier ein erster Versuch vor, innerhalb des meist als einheitlich betrachteten Elementarorganismus, den wir Zelle zu nennen gewohnt sind, Arbeitstheilungen aufzudecken, deren Vorhandensein zugleich an morphologischen Characteren nachzuweisen sein würde. — Bemerkt mag noch werden, dass Br. in den Gregarinen zweizellige Thiere zu erkennen glaubt, indem verhungerte Gregarinen nach Behandlung mit Pikrinschwefelsäure und heissem Wasser sowie Boraxcarminfärbung und Ausziehen mit Chlorwasserstoffsäure in ihrem sog. Kopfende einen ziemlich gut gefärbten Kern erkennen liessen.

Brass (7) erklärt ferner, dass er seinerseits den Begriff Chromatin weiter als Flemming fasse, ferner dem hellen Zellenplasma mehr Gewicht beilege und überhaupt mehr die Lebensfunctionen der Zelle und der einzelnen Theile derselben betrachte. Eine weitere Ausführung darüber s. unten. Er sei überhaupt mit Flemming bis auf geringfügigere Abweichungen einverstanden, dagegen in (vielfältigem, Ref.) scharfem Gegensatz: „1) zu jenen Physiologen, denen die Wissenschaft nur vom Frosch zum Menschen reicht, 2) von Pathologen, welche die Vererbung annehmen, ohne eine Ahnung von allgemeinen phylogenetischen Gesetzen zu haben, die z. B. die pathogenen Spaltpilze als constante, zur Geissel der Menschheit geschaffene Arten auffassen, 3) zu den Chemikern und physiologischen Chemikern, welche halbe Seiten lange Formeln für die Eiweissverbindungen aufstellen, welche Formeln von der Zusammensetzung C 40,81; H 5,38; N 15,98 . . . etc. dem Histologen als Grundlage darbieten, 4) gegen die Physiker, welche gestützt auf die Wellenhypothese, das hohe Pferd bestiegen und andere Wissenschaften maassregeln wollen und 5) gegen die nicht denkenden Schnittserienfabrikanten und -Färber unter den Histologen".

Fraisse (13) erwiederte auf die Bemerkungen von Flemming (Jahresber. 1883, S. 49), dass gerade dem bisher etwas vernachlässigten Achromatin die Hauptrolle bei den Theilungserscheinungen zuzuschreiben, das Chromatin dagegen als blosses Nahrungsplasma zu betrachten sei. In diesem Falle würde es doch auffallen (Ref.) dass dieses Nahrungsplasma so besondere Formen, gleichartig für die ganze Thier- und Pflanzenwelt, anzunehmen in der Lage ist (vergl. unten O. Hertwig, 20).

Frommann (14) untersuchte eine Menge von Zellen und Formen, sowohl thierische und pflanzliche auf ihre Structur, ihre Lebenserscheinungen und Reactionen. Namentlich Krebsblutkörperchen wurden studirt, ferner Körner unter dem Sarcolem der Muskelfasern von Krebsen, Blutkörperchen von Asellus aquaticus, Salamandra maculosa, vom Frosch, von Puppen der Dasichyra pudibunda und Deilephila Euphorbiae, ferner die Tentakeln von Hydra fusca, die Epidermiszellen des Hühnchens in der dritten Woche der Bebrütung, die Neuroglia u. s. w. (Vergl. d. Jahresber. f. 1883, S. 52.)

Geddes (16) will nicht entscheiden, ob in den Zellenkörpern ein Fadenwerk enthalten sei, macht aber aufmerksam auf die Anhäufung von Körnchen im Protoplasma, wie sie z. B. bei fleischfressenden Pflanzenzellen während der Verdauung u. s. w. zu beobachten ist. Solche Aggregationen mögen auch in Zellen höherer Thiere vorkommen, sie sind oft stark in die Länge gezogen, können in den verschiedensten Richtungen verlaufen, sich theilen oder vereinigen. Die Differenzirungen im Protoplasma der sich furchenden Eizelle haben dieselbe Bedeutung. G. bemühte sich ausserdem, die Zelltheorie wieder herzustellen. Die Zelle an sich könne als ein Kern mit umgebendem Protoplasma definirt werden (der Kern kann fehlen, Ref.). Ausgehend von den Protomyxeten erscheint nun G. als das Wesentliche der Umstand, dass eine Zelle vier Perioden ihres Lebens durchzumachen pflegt, die einen vollständigen Cyclus bilden, in welchem aus dem Endstadium wieder das Anfangsstadium hervorgehen kann. Diese Stadien sind: die Encystirung, die Zelle mit einem Geisselfaden, das Amoebenstadium und das Plasmodium, letzteres aus dem Zusammenfliessen von Amoeboiden entstanden. Indem diese Stadien für alle Zellen, mögen erstere beobachtet sein oder nicht, vorausgesetzt werden, unternimmt G. aufzuklären: Die Classification und die Verwandtschaften der Protozoen und Protophyten, die systematische Stellung der Myxomyceten und anderer Formen, die Annahme oder Verwerfung von Haeckel's drittem oder Protistenreich, die Phylogenie der niederen Thiere und Pflanzen sowie ihren monophyletischen oder polyphyletischen Ursprung, die Beziehungen der Protophyten zu den höheren Pflanzen und der Protozoen zu den höheren Thieren, die morphologischen Beziehungen der Pflanzen zu den Thieren und ihren monophyletischen oder polyphyletischen Ursprung, die Classification der thierischen Gewebe, das physiologische Rationale der Veränderungen in der Form der Zelle, die Theorie der geschlechtlichen Erzeugung, das Verhältniss der letzteren zur Conjugation und anderen Fällen der Vereinigung von Zellen, das Verhältniss zwischen normalen und pathologischen Geweben, den Einfluss der Encystirung auf den Ursprung organischer Formen; schliesslich soll eine Theorie der cellularen Variation aufgestellt werden, da die Descendenztheorie eine Variationstheorie enthält und alle Variationen, pathologische und normale, am Ende ausdrückbar sein müssen in cellularen Variationen.

Solchem Gedankengange zu folgen, ist an und für sich etwas schwierig und an diesem Orte zumal die äusserste Beschränkung unerlässlich. Um mit der Geddes'schen Cellularpathologie anzufangen, so würden pathologische Variationen solche sein, die einen für die Concurrenz unter den Lebenden ungünstigen Effect zur Folge hätten. Das Protistenreich findet insofern Genehmigung, dass die Grenze zwischen Protisten und Thieren keine andere wäre, als diejenige zwischen Metazoen und Protozoen, letzteren die Protophyten mit hinzugerechnet. Die Encystirung ist einer Ausscheidung von Cellulose zu vergleichen, letztere aber ist ein Kohlenhydrat, um es kurz auszudrücken, und als Producte des Stoffwechsels einer sich bewegenden Zelle treten Kohlensäure und Wasser auf. Diese sind es, welche in Form der Cellulosemembran um die Pflanzenzelle abgelagert werden. Das Chitin aber ist nach Fremy wesentlich Cellulose mit etwas Proteinsubstanz. Ruht der Muskel, so liefert er nicht mehr, wie sonst, Kohlensäure und Wasser, sondern häuft in sich Inosit an, welcher der Cellulose isomer ist. Die Anwendung dieser Gesichtspunkte auf die Therapie führt vor Allem zu der Forderung, das Verhalten lebenden Zellenprotoplasmas gegen Reagentien zu studiren, wozu nach der Ansicht von Geddes die Pharmaceuten die schönste Gelegenheit hätten. Die Anhäufung von Caffein, Strychnin, Calabar u. s. w. um den pflanzlichen Embryo habe wohl nicht die Bedeutung allein, demselben Schutz zu gewähren, damit nicht Thiere ihn fressen, sondern diese chemischen Körper mögen als Stimulantien auf das Zellenprotoplasma wirken u. s. w. — Ueber die Muskelcontraction s. unten Muskelgewebe.

v. Graff (17) bestreitet, dass die chlorophyllführenden Thiere oder Phytoporen von ihren pflanzlichen Insassen, einzelligen Algen, ernährt werden, weil die Experimente von Brandt dies nicht bewiesen haben. Hydra viridis sollte auf das Fangen von Beute allmälig verzichten. Nach v. Graff verhungern sie einfach in destillirtem Wasser, sie bleiben grün dabei; aber im Dunkeln starben sie früher. Jedenfalls ist, abgesehen von der Vorstellung Ray Lankester's, wonach die Chlorophyllkörper vom Thiere selbst erzeugt werden sollen (s. unten Sallitt), dieser interessante Fall der Symbiose von Pflanzen und Thieren nicht erwiesen.

Gruber (18) fand mitotische (karyokinetische) Figuren, namentlich Knäuelstadien auch bei Rhizopoden; die Verhältnisse sind aber sehr complicirt und z. B. bei Rotalina besteht der längliche Kern aus zwei verschiedenen Hälften, von denen nur die eine chromatische Substanz enthält, die andere Abtheilung bleibt hell, ebenso bei Ovulina, wo sie mehrere Kernkörperchen enthält. Bei Amoeba proteus und princeps dagegen ist die chromatische Substanz in einer Kugelschale vereinigt, welche das ebenfalls sich tingirende grosse Kernkörperchen umgiebt, nach innen wie nach aussen liegt dann noch eine achromatophile Schicht, resp. eine Rindenschicht. Incl. der Kernmembran ist also eine vierfache Einschachtelung vorhanden. Bei den Helioporen verschmelzen die Kernkörperchen des multinucleolären Kernes, wenn es sich um mehrere der ersteren handelt, zu zwei compacten Platten, welche aus einander rücken; dann spaltet sich der Kern und in ihm scheiden sich wieder die Nucleoli aus. Bei den Gregariniden und Flagellaten kommt directe, bisquitförmige Kerntheilung vor. Bei der Theilung der ciliaten Infusorien bilden die Chromatinkörner Fäden, welche sich der Längsaxe des sich streckenden Kernes parallel legen und welche in der Mitte ihrer Länge quer durchgeschnürt werden. Auch bei den Suctorien verwandeln sich die Chromatinkörner des Kernes in Fäden, welche durchgeschnürt werden.

Es giebt aber Protozoen, bei welchen die Kernsubstanz in zahlreiche winzige Fäserchen durch das Zellenprotoplasma hin vertheilt ist; andere enthalten zahlreiche, ganz kleine Kerne. Die Bildung eines eigenen Kernes hängt jedenfalls mit der Fortpflanzung zusammen. Die genaue Halbirung der Kernsubstanz ist am auffallendsten bei den ciliaten Infusorien, wo sich die chromatophile Substanz in gleich lange Fäden anordnet, die bei der Theilung des Kernes in der Mitte durchrissen werden. Bei den Metazoen ist die Kerntheilung ein viel complicirterer Vorgang.

Heitzmann (19) betont die netzförmige Structur des Zellenprotoplasma sowie der Intercellularsubstanz. Nur das Netz, welches im Protoplasma flüssig, in den Intercellularsubstanzen aber verhältnissmässig solide ist, sei mit Leben begabt. Im Gewebe giebt es keine Zellen, keine Individuen. Alles lebt in den Epithelien sowohl wie in den Bindegewebskörperchen, und nicht minder in der Krytalllinse und im Glaskörper. In der Linse ist die Kittsubstanz, welche die Fasern trennt, von Fädchen durchzogen; im Glaskörper sind durch Goldchlorid sichtbar zu machende Netze lebender Materie vorhanden, deren Knotenpunkte bisher als Körnchen gedeutet wurden. — Ueber die pathologischen Consequenzen dieser zum Theil von Heitzmann schon 1873 aufgestellten Hypothesen in Bezug auf Entzündung, Eiterung, Gliome, Pigmentsarcome u. s. w. u. s. w. s. das Original.

O. Hertwig (20) prüfte die Pflüger'sche Angabe (Jahresber. 1883. S. 89), wonach die Schwerkraft die Lage der beiden ersten Furchungsebenen im sich furchenden Froschei bestimmt. Sie stehen bekanntlich senkrecht. Die dritte Theilungsebene bildet sich dann in genau horizontaler Richtung aus, jedoch nicht im Aequator des Eies, sondern näher dem oberen schwarzen animalen Pole, so dass vier obere kleinere dunkle und vier untere grössere, unpigmentirte Zellen zu Stande kommen. H. findet es übrigens natürlicher, von der Lage der Verbindungslinie der beiden ersten Tochterkerne auszugehen, welche selbstverständlich senkrecht auf jener Ebene, in diesem Falle also horizontal gelegen ist. Die Verbindungslinie ist die Kernaxe, sie wird markirt durch die Mittellinie der (achromatophilen) Kernspindel.

H. benutzte nun zunächst Echinodermeneier (Seeigel). Diese Eier sind kuglig, vollkommen durchsichtig, leicht unter dem Microscop frei suspendirt in einem Wassertropfen zu beobachten. Der Schwerpunkt des Echinideneies liegt in seinem Centrum, nicht excentrisch wie beim Froschei, dessen Dotterbestandtheile ein verschiedenes spec. Gewicht haben, so zwar, dass der constant nach oben sich richtende schwarze Pol der specifischleichtere ist. Es zeigte sich nun sofort, dass auf die Seeigeleier die Schwerkraft keinen richtenden Einfluss ausübt, insofern die Lage der Kernaxe nichts weniger als constant horizontal, vielmehr in beliebigen Winkeln gegen den Horizont geneigt war, häufig sogar senkrecht stand. Die Schwerkraft hat also keineswegs die Eigenschaft, nach einem uns noch unbekannten Gesetze die thierische Organisation in weitgehender, tief eingreifender Weise zu dirigiren, wie es die Experimente von Born, Roux und Rauber (vgl. unten Entwicklungsgeschichte, Keimblätter) mehr oder weniger, die von letzterem Forscher auch an Forelleneiern zu bestätigen schienen, sondern es handelt sich beim Frosch um den speciellen Fall, dass unter dem Einfluss der Schwere eine geocentrische Differenzirung erfolgt, nach Jäger sind rings um die geocentrische Eiaxe oben leichtere, unten specifisch schwerere Keimprotoplasma-Bestandtheile herumgelagert. Der Einfluss der Schwerkraft überhaupt sollte also mit dem Gesagten nicht im Mindesten bestritten werden. In merkwürdiger Weise äussert sich, wie schon Rosenbach (s. unten Entwicklungsgeschichte) vermuthete, der Einfluss der Befruchtung. Im alecithalen Ei zeigt sich eine vom central gelegenen, ersten Furchungskern ausgehende Kraftwirkung in der gesammten Dottermasse so, dass alle Plasmatheilchen vom Centrum bis zur Kugeloberfläche radiär gerichtet werden (Sonnenfigur). Im telolecithalen Ei, wie bei dem des Frosches, zieht dagegen der excentrisch gelegene Kern, der sich stets oben befindet, immer mehr Protoplasma nach oben; hier beginnt die Furchung und bei vielen Teleostiereiern setzt sich erst in Folge der Befruchtung eine deutlich wahrnehmbare Keimscheibe vom Nahrungsdotter schärfer ab. Ueber die Verhältnisse in nicht-kugligen Eiern vergl. das Original; im Allgemeinen lässt sich der Satz aufstellen, dass der Kern stets die Mitte seiner Wirkungsphäre einzunehmen sucht. Die Lage der oben definirten Kernaxe nun — und das tritt gerade an den von Auerbach untersuchten, ellipsoidisch geformten Eiern von Ascaris nigrovenosa und Strongylus auricularis besonders deutlich hervor — hängt davon ab, dass sich an dem Furchungskern die zwei vor jeder Theilung auftretenden Kraftcentra in der Richtung der grössten Protoplasma-Ansammlungen der Zelle ausbilden. Man sieht jetzt sofort ein, weshalb die Kernaxe im Froschei horizontal liegt. Denn im telolecithalen Ei ist die active Protoplasmasubstanz am animalen Pole scheibenförmig in horizontaler Richtung ausgebreitet und schon hierdurch die Stellung der künftigen ersten Kernspindel und der folgenden Theilungsebenen regulirt.

Was die letzteren betrifft, so führt Hertwig das einmal erkannte Gesetz in folgender Weise für die weitergehende Dotterfurchung durch. Ein kugliges, alecithales Ei mit centralem Kern vorausgesetzt, würde die Kernaxe jede beliebige Richtung darbieten können, wie es die Betrachtung des Echinideneies thatsächlich ergab, falls nicht der Ort des Austritts der Richtungskörperchen eine Bevorzugung einer bestimmten Richtung begünstigen sollte; hierüber liess sich am Seeigelei nichts ausmachen, weil dieser Austritt schon im

Ovarium erfolgt. Ist aber die erste Halbirung des Dotters erfolgt, so ist damit die Richtung aller folgenden gegeben. Denn die Theilstücke sind nach der Voraussetzung Halbkugeln und die grösste Protoplasmaansammlung liegt in einer Halbkugel parallel deren planer Fläche, niemals aber stellt sich die neue Kernspindel in den halb so grossen, auf die genannte Fläche senkrechten Durchmesser der Halbkugel. Vielmehr lagert sich die Kernaxe jedesmal in irgend einem von den vielen der planen Grenzfläche parallelen Durchmesser. Die zweite Theilungsebene muss also die erste rechtwinklig schneiden. Die Theilungsstücke müssen Quadranten sein; in diesen findet aber der Kern nur einen einzigen möglichen grössten Durchmesser des Protoplasma vor, die im dritten Cyclus gebildeten Theilungsebenen müssen daher rechtwinklig die zwei zuerst entstandenen schneiden (wie sich durch eine einfache Construction zeigen lässt). So erfolgen nach Hertwig die einzelnen Theilungsstadien mit ihren verschiedenen, so regelmässig zu einander geordneten Ebenen aus einer inneren Nothwendigkeit ohne Zuhülfenahme einer von aussen einwirkenden Kraft. Mutatis mutandis gelten dieselben Erklärungen, wie sich leicht übersehen lässt, auch für die Eier mit inäqualer und partieller Furchung. Dass bei solchen von telolecithalem Typus die Gesetzmässigkeit um so klarer hervortritt, je strenger sich die Scheidung von Dotterbestandtheilen verschiedenen spec. Gewichtes nach den beiden Eipolen vollzogen hat, leuchtet von selbst ein. In ellipsoidischen Eiern liegt die Kernaxe einfach in der grössten Axe des Ellipsoides. Die Erklärung der abnormen Furchungserscheinungen unter besonderen Umständen braucht hier nicht im Einzelnen abgeleitet zu werden. Nur einer der Schlusssätze der ganzen lichtvollen Auseinandersetzung ist noch zu erwähnen. Die Richtung und Stellung der Theilungsebenen hängt in erster Linie von der Organisation der Zelle selbst ab; sie wird direct bestimmt durch die Axe des sich zur Theilung anschickenden Kernes. Die Lage der Kernaxe aber steht wieder in einem Abhängigkeitsverhältnisse zur Form und Differenzirung des ihn umhüllenden protoplasmatischen Zellenkörpers. Die ausserordentliche Wichtigkeit dieser zunächst von Echinideneiern abgeleiteten Resultate für die Mechanik jeder Zellentheilung rechtfertigt deren Wiedergabe an dieser Stelle; vergl. übrigens unten Entwickelungsgeschichte, Keimblätter.

R. Hertwig (21) fand in dem Süsswasserrhizopoden Actinosphärium Eichhornii ein ausgezeichnetes Object, um an dem comprimirten Thiere die Vorgänge der mitotischen Zellenbildung während des Lebens zu studiren. Auch bietet dasselbe besonderes Interesse dar, weil hier ein Uebergang oder eine Vermittelung zwischen den scheinbar so differenten Kerntheilungserscheinungen an pflanzlichen und thierischen Objecten sich darstellt. Manche Kerne von Infusorien theilen sich unter dem Bilde einer directen Kerntheilung, wie sie früher allgemein angenommen wurde und in einigen Stadien des Processes liefert auch Actinosphärium Bilder, welche ganz an solche Vorgänge erinnern. Als Untersuchungsmethoden wurden 1 bis 2 proc. Ueberosmiumsäure, oder dieselbe mit 0,5 proc. Chromsäure oder mit 2 proc. Essigsäure versetzt angewendet, auch mit 2 proc. Kalibichromat und nachher mit Wasser ausgewaschen, mit Pikrocarmin oder Beale'schem Carmin etc. tingirt. Verdünnte Chromsäure sowie Safranin erwiesen sich weniger zweckmässig, weil das Protoplasma des Thieres die Anilinfarben zu begierig aufnimmt.

R. Hertwig giebt nun zunächst über die Structur des ruhenden Kernes an, dass man von einem solchen Ruhezustande ja eigentlich gar nicht reden kann, weil auch in den Zwischenzeiten zwischen zwei Theilungen die Kerne beständigen Veränderungen unterliegen, nur dass dieselben sich äusserst langsam vollziehen, so dass man ihren Zusammenhang nicht durch directe Beobachtung, sondern nur durch Combination zu erschliessen vermag. (Ref. kann jenen bedeutungsvollen Satz nicht genug hervorheben, übrigens für Salamandra maculosa auch vollinthaltlich bestätigen; vergl. oben S. 43.)

Die altbekannte Beschaffenheit des Kernes als eines spärischen Bläschens mit Kernkörperchen stellt bei Actinosphärium einen rasch vorübergehenden Zustand dar, welcher der beginnenden Kerntheilung unmittelbar vorausgeht. Ursprünglich besteht der Kern aus einer doppeltcontourirten Membran und flüssigem Kernsaft; in diesem ist ein äusserst feines Fadenwerk enthalten, welches im frischen Zustande feinkörnig aussieht. Zahlreiche (6—20) Nucleoli sind im Innern enthalten, sie bestehen aus Chromatin (chromatophiler Substanz, Ref.) oder Nuclein. Eines dieser Kernkörperchen aber ist blasser, es besteht aus Paranuclein. Nach und nach vereinigen sich mehrere Nucleoli zu grösseren Körnern, das Paranuclein bildet eine strahlige Figur, an deren Enden die Nucleoli sitzen, das Bild gleicht einer Rosette (und erinnert frappant an die von Virchow 1857 abgebildeten Kernfiguren aus Carcinomen. Ref.) Mehr und mehr vereinigen sich benachbarte Nucleoli, bis schliesslich nur ein einziger kugliger oder kurz vorher hantelförmiger Nucleolus übrig bleibt; das Paranuclein aber nimmt die Form von mehreren oder von einem kurzen Stäbchen an, welche in die concave Seite des hantelförmigen oder kugelschalenförmigen Kernkörperchens hineinragen und schliesslich daneben liegen.

Die Kerntheilung selbst beginnt nun damit, dass in dem umgebenden Zellenprotoplasma eine strahlige, dipolare Anordnung, eine spindelförmige, an den Enden sternförmige Figur, ein Protoplasmakegel, auftritt. Man kann aber daraus noch nicht schliessen, dass der Anstoss zur Theilung vom Zellenprotoplasma ausgeht, ebensowohl können im Kern an zwei optisch nicht weiter ausgezeichneten Stellen dipolare Anziehungskräfte wirksam werden. Uebrigens bleibt der Doppelkegel während der etwa $1^1/_2$ stündigen Karyokinese unverändert. Mit seinem Auftreten wird der Kern ganz gleichmässig feinkörnig, dann drängen sich die Körnchen aequatorialwärts zusammen, an jedem Pole ist eine helle, homogene Calotte vorhanden.

Am Aequator entsteht die Kernplatte (Aequatorialplatte, Ref.); jene Calotten werden zu glänzenderen aber dünneren Polplatten, die wie verdickte Stellen der Kernmembran aussehen. Dabei läuft von Pol zu Pol eine meridionale Streifung, die Kernplatte zerfällt in kurze Stäbchen, dann spaltet sich die Platte in zwei Theile, die Seitenplatten; diese bestehen aus kürzeren Stäbchen oder Stiftchen. Die meridionalen Fäden sind in verschiedener Anzahl (12—22) auf dem optischen Durchschnitt des Kernes vorhanden, sie sind aus achromatophiler Substanz mit eingestreuten Chromatinkörnchen gebildet. Wenn die letzteren sich zu den Stäbchen der Kernplatte vereinigt haben, so bleiben die Achromatinfäden allein an ihrem Orte zurück. Uebrigens sind die Stäbchen, wie sich in gut tingirten Carminpräparaten zeigt, nicht homogen, sondern sie bestehen aus etwa 6—7 Chromatinkörnchen.

R. Hertwig zieht aus seinen Beobachtungen weiter den Schluss, dass im Gegensatz zu Flemming's und Strasburger's Angaben die Kernplatte bei Actinosphärium ursprünglich als einfaches Element auftritt und sich erst später in die beiden Seitenplatten differenzirt. Nachdem letztere sich getrennt haben, persistirt noch lange Zeit die Zusammensetzung der Seitenplatten aus einzelnen Stäbchen; ihre äquatorialwärts gerichteten Enden sind dünner, die polaren keulenförmig verdickt, dann verschmelzen sie mit den Polplatten; eine Verbindung wird immer noch durch eine zarte Streifung angedeutet, das Verbindungsstück streckt sich, wird homogen, ist im frischen Zustande kaum von dem umgebenden Zellenprotoplasma zu unterscheiden. Die mit den Polplatten verschmolzenen Seitenplatten aber bilden homogene, stark lichtbrechende halbe Hohlkugeln und schliesslich zwei Kugeln (die mit ihrem achromatophilen Verbindungsstrang scheinbar den Eindruck einer directen Kerntheilung machen, Ref.)

Es ergiebt sich also, dass bei Actinosphärium und wohl auch bei anderen Infusorien achromatophile Kernfäden zeitweise vorhanden sind, in welchen Chromatin eingelagert ist (resp. welche von solchem bedeckt werden). Sie selbst bestehen aus Paranuclein, enthalten aber ausserdem noch geringe Spuren von tingirbarem Nuclein. Letzteres verleiht ihnen, ehe es sich zur Kernplatte condensirt, ihr gekörneltes Aussehen. Aber auch die Polplatten, welche ausser bei Actinosphärium nur noch vom Spirochona bekannt sind, gehen aus dem Paranuclein hervor.

Die Achromatinstäbchen etc., welche oben aus ruhenden Kernen beschrieben wurden, sind als partielle Verdickungen des sehr feinen, achromatophilen Kernfadenwerkes zu deuten. Weit deutlicher und grobmaschiger erscheint letzteres, worauf R. Hertwig am Schlusse aufmerksam macht, in Kernen von Insecten. Die ganz gleichmässig feinkörnige Beschaffenheit des Actinosphäriumkernes im Beginn seiner Theilung bedeutet eine gleichmässige Vertheilung des im Nucleolus enthaltenen Nucleins auf Bahnen, die durch die Fäden des Kernfadenwerkes vorgezeichnet werden.

Jickeli (22) färbte Infusorien mit Beale'schem Carmin oder Ranvier's Pikrocarmin, um die Verhältnisse ihrer Kerne zu studiren. Zunächst fragte es sich, was aus dem Nuclein der aufgenommenen Nahrung wird. Unter „Nuclein" will J. keine chemischen Körper, sondern das Kernfadenwerk incl. der Nucleolen, also die chromatophile Substanz des Ref. (1881) verstanden wissen. Jenes Nuclein verhält sich nun gegen die Verdauungskräfte der Infusorien verschieden, am meisten resistent zeigte es sich bei Strombidium. Dieses bei der Resorption wie es scheint aufgelöste Nuclein tritt dann später als tingirbare Substanz im Plasma des Thieres auf, öfters aber verschwindet es spurlos. Ersteres zeigt sich bei Chilodon cucullulus nach Fütterung mit Euglena viridis; das Verschwinden bei Stentor. Vielleicht wird das Nuclein wieder ausgestossen, vielleicht gelangt es in den Kern des Versuchthieres. — Die Nebenkerne der Infusorien hält J. nicht für Ersatzkerne im Sinne Bütschli's, sie können zahlreicher sein als die Kerne, z. B. 19 : 10 bei einem Loxodes rostrum.

Merkwürdig ist ein zuweilen beobachtetes Ausstossen von Polkörperchen bei den Infusorien, welches an das Ausstossen der Richtungskörperchen aus der Eizelle erinnert. Beobachtet wurde ein solches bei Colpidium Colpoda, Chilodon Cucullulus, Ophrydium versatile, bei letzterem nach erfolgter Conjugation; aber im Ganzen nur viermal. Aus dem hier wiedergegebenen Resumé ist noch hervorzuheben, dass der Nebenkern öfters eine achromatophile Spindel bei der Theilung des Infusorium bildet; der Kern aber vermehrt sich stets durch directe Theilung.

Das Nuclein der aufgenommenen Beutethiere wird in Lösung übergeführt, tritt dann bei manchen Arten in Gestalt grösserer Körner, bei manchen in Form von Anhäufungen kleinster molecularer Krümel wieder auf oder ist im Organismus nicht mehr aufzufinden. Das in Körnern oder Haufen molecularer Krümel wieder gesammelte Nuclein wird zum grösseren Theil ausgeworfen, scheint aber zum Theil auch dem Kern einverleibt zu werden. Im Kern der Infusorien lassen sich unterscheiden: eine Grundsubstanz von Achromatin, eine in dieser Grundsubstanz enthaltene, äusserst zarte Gerüstsubstanz, welche Farbstoffe aufzunehmen scheint, eine in Körnchen, Körner oder Brocken angesammelte, reichlich Farbstoffe aufnehmende (chromatophile) Substanz, in den Kern eintretende Protoplasmafäden, endlich eine Kernmembran. Der Nebenkern zeigt bei verschiedenen Infusorienarten alle Uebergänge von einem gegen Farbstoffe beinahe unempfindlichen Körper, eine Sonderung in färbbare und gegen Farbstoffe unempfindliche (achromatophile) Substanz bis zu solchen Formen, wo derselbe gleichmässig intensiver gefärbt erscheint als der Kern. Kern und Nebenkern sind mit einander verbunden, die Kernmembran scheint sich über den Nebenkern fortzusetzen. Bei der Vermehrung zerfällt der Kern unter der Erscheinung einer directen Kerntheilung, der Nebenkern unter der Erscheinung einer Spindelbildung. Je nach dem Verhalten des Nebenkerns gegen Farbstoff ist auch dasjenige der Spindel bei verschiedenen Species ein verschiedenes. Die Theilung des Nebenkernes geht der Theilung des Kernes voraus, aber sie folgt erst anderen die Theilung vorbereitenden wichtigen Neubildungen von Seiten des Protoplasma, so dass bei den Infusorien die Initiative bei der Theilung in das letztere und nicht in den Nebenkern, noch weniger in den Kern verlegt werden darf. Es kommt eine von der Conjugation unabhängige Fragmentation des Kernes vor, wobei der Nebenkern unverändert zu bleiben scheint; bei der Conjugation findet ein Austausch von Theilungssprösslingen des Nebenkernes statt.

Korschelt (23) untersuchte die von Balbiani (1881) entdeckten, von Leydig (Jahresber. 1883, S. 50) eingehend erörterten eigenthümlichen Gebilde in Speicheldrüsenzellen der Larven von Chironomus plumosus. An überlebenden Kernen zeigt sich, dass dieselben eine mehr oder weniger in die Länge gezogene, kolbige oder dreieckige Form haben, auch mit Einbuchtungen versehen sind. Vom Rande gehen dann lange Pseudopodienartige Ausläufer ab, die sich in die umgebende hellere und homogene Schicht des Protoplasma erstrecken. Gestalt und Zahl der Fortsätze verändern sich langsam unter dem Auge des Beobachters; schliesslich wird der Kern oval oder rund und erscheint scharf begrenzt. Aeussere Einwirkungen sind bei diesen Bewegungen ausser Spiel. Das Kernkörperchen ist selten doppelt vorhanden, sehr gross, rund, oval, unregelmässig lappig oder biscuitförmig; meist gleichen sie einer Schale mit sehr dickem Boden und flacher Höhlung, deren Concavität nach dem Innern des Kernes sieht. Die Substanz des Kernkörperchens ist feinkörnig, mit Vacuolen durchsetzt, durch Ueberosmiumsäure kann dasselbe sternförmig, rhizopodenähnlich erscheinen. Die überlebenden Kerne im Blut des Thieres untersucht, sind anfangs hell und klar, dann tritt am Rande eine Erscheinung ein, als ob nach und nach der ganze Kern mit Ausnahme des Kernkörperchens von feinen radiär gestellten Lamellen durchsetzt würde. Aus dieser Bildung gehen dann quergestreifte Bänder hervor, die nur uneigentlich letzteren Namen führen, weil sie cylindrisch sind. Später ziehen sie sich zusammen, werden dünner, wobei das Kernkörperchen sein Volumen verkleinert. Auch bei ganz jungen Larven treten die quergestreiften Cylinder auf. Ob dieselben präexistiren und nur wegen ihres mit demjenigen der Kernflüssigkeit gleichen Brechungsindex unsichtbar sind (Leydig), oder ob sie durch das Absterben der Zellen hervorgerufene Gerinnungserscheinungen sind, will Korschelt nicht entscheiden. Sie können sich aber theilen und wieder vereinigen, plötzlich anschwellen und wieder dünner werden, Knoten bilden u. s. w. Mit der Kernmembran treten sie nicht in Verbindung.

Balbiani hatte die Querstreifung durch eine Schichtung von hellen und dunklen Platten erklärt, von denen die ersteren wie bei quergestreiften Muskelfasern flüssig oder doch halbflüssig wären. Leydig fand bereits, dass die Querstreifung sich auf die Cylinderoberfläche beschränkt. Korschelt hebt dagegen hervor, dass die Cylinder bei Anwendung von Oelimmersionen an den Rändern gekerbt sind, entsprechend den dunkeln Streifen. Isolirt man die Cylinder durch Druck, so ziehen sie sich in schmalere, quergestreifte Fäden aus und erinnern an die Querstreifung der Kernfäden in den Pollenmutterzellen von Tradescantia, die nach Baranetzky (1880) durch eine spiralige Umwickelung eines Fadens mit einer festeren Substanz hervorgebracht wird, was Strasburger (1882) freilich leugnete. Letzterer betrachtet diese Querstreifung als optischen Ausdruck einer regelmässigen Abwechselung von homogenem Nucleohyaloplasma und Nucleomicrosomensubstanz, die einer Zusammensetzung der Fäden aus Scheiben entsprechend geschichtet sind. Bei dem grossen Interesse, welches alle solche Querstreifungen (bei den Kernfiguren, den quergestreiften Muskelfasern, den Aussengliedern der Retinastäbchen, Ref.) darbieten, da es sich um Fundamentalerscheinungen handelt, die an der Grenze der Wahrnehmbarkeit stehen. so ist deren Vergleichung mit einander gewiss gerechtfertigt. Die Querstreifung der Chironomuscylinder ist, wie schon Flemming (1882) bemerkte, eine unregelmässige. An Anschwellungsstellen des Cylinders fehlt sie, indem sich die Faltenbildung an seiner Oberfläche ausglich, nur so ist nach K. die Erscheinung zu erklären. Zerfallen die Cylinder in Stücke, so sind diese immer dicker, als der Dickendurchmesser eines einzelnen Querstreifens. An Stellen, wo sich der Cylinder krümmt, verschmälern sich sowohl die dunkeln als die hellen Querstreifen nach der concaven Seite und zwar die ersteren ehe sie sich gegenseitig berühren resp. drücken könnten. Eine Zusammensetzung der Cylinder wie aus feinsten Längsfibrillen, welche Leydig beschrieb, hat K. nur einmal gesehen und hält sie für Kunstproduct. An Präparaten, die mit Methylgrün in 1 proc. Essigsäure gefärbt sind, erscheinen die Einsenkungen heller, ebenso an Präparaten aus 1 proc. Ueberosmiumsäure, die mit Safranin gefärbt wurden. Eine differente Färbung der hellen und dunkeln Querstreifen lässt sich nicht erzielen.

Aus Methylgrünessigsäure-Präparaten lassen sich in Glycerin die Cylinder mit den Kernkörperchen im Zusammenhange isoliren, nur die ersteren färben sich dabei, alles übrige bleibt ungefärbt. Der Cylinder entspringt von der convexen Seite des Kernkörperchens und durchsetzt dessen Substanz, die man mit Boraxcarmin intensiv roth tingiren kann. Aber dieses centrale Ende gleicht in seiner Affinität zu Farbstoffen mehr dem Nucleolus, so dass ein Uebergang zwischen beiden vorhanden zu sein scheint. Eine ringartige, nicht weit von der Verbindungsstelle gelegene Verdickung des Bandes, die sich nach Balbiani gegen Farbstoffe wie das Kernkörperchen verhalten soll, fand Korschelt nicht constant, noch weniger jenes Verhalten des Ringes. Bei jüngeren Larven sieht man statt der gestreiften Cylinder unregelmässig knotige wurstartige Körper rings um das Kernkörperchen, bei ganz jungen Larven (4,5 mm) ist erst eine einzige Windung des Cylinders vorhanden, das Kernkörperchen dabei sehr gross. Analoge und kleinere Cylinder sah K., wie schon Balbiani und Leydig nachwiesen, in den Kernen anderer Gewebe von Chironomus, in den Darmepithelien, Malpighi'schen Gefässen u. s. w. Ueber das Verhalten der chromatophilen Substanz bei verhungernden Larven s. oben 6, Brass.

Rabl (27) wendete für die Vorstellung von karyomitotischen Figuren Chromsäure-Ameisensäure (200 g einer 0.33 proc. Chromsäurelösung mit 4 bis 5 Tropfen concentrirter Ameisensäure, frisch zugesetzt; nachher Alcohol) an. Platinchlorid in 0,33 proc. Lösung zeigt die Chromatinkugeln von Pfitzner in den Fäden besonders deutlich. Ausser Hämatoxylin und Safranin wurden auch Doppelfärbungen mit beiden: in Hämatoxylin nur schwach gefärbt, gut in Wasser ausgewaschen, dann Safranin angewendet; dabei wurde in grünem Lichte mit Hülfe eines grösseren, zwischen Lichtquelle und Spiegel eingeschalteten Glases untersucht. Die beiden Hälften eines Mutterknäuels sind nicht ganz übereinstimmend gebaut, R. unterscheidet daher Pol und Gegenpol. An der Längsseite des ellipsoidischen Kernes, also einseitig tritt die achromatische Kernspindel ursprünglich auf und ändert dann ihre Lage allmälig so, dass sie beinahe senkrecht auf jene Längsaxe zu stehen kommt.

Sowie ein Kern sich zur Theilung anschickt oder aus derselben hervortritt, lässt er wie gesagt, eine Polseite und eine Gegenpolseite erkennen und auf der Polseite wieder eine enger begrenzte Stelle, das Polfeld. Characterisirt werden dieselben durch den Verlauf der Kernfäden. Diese gehen von der Gegenpolseite aus, ziehen nach der Polseite und ins Polfeld, biegen hier schlingenförmig um und kehren wieder zur Gegenpolseite zurück. Anfangs sind beim Beginn der Theilung die Fäden mit zackigen rauhen Rändern versehen, als ständen sie noch durch zarte Ausläufer mit einem feinsten Fasernetz in Verbindung, wie in den Endstadien der Theilung die Fäden wieder knotig werden und feinste Fortsätze aussenden. Die Schleifenform der primären Kernfäden würde also auch im Ruhezustande des Kernes conservirt bleiben, das Kernfadenwerk entstände durch Aussendung und Verbindung secundärer Fäden, Anhäufung von Chromatinmassen liefert die Nucleolen. Beim Beginn der Theilung concentrirt sich die chromatophile Substanz in die schon vorhandenen primären Fäden, Längsspaltung der letzteren in Schwesterfäden (s. unten) ist das Wesentliche der karyomitotischen Theilung: gewiss ein sehr einfacher Vorgang. Ob die chromatischen Fäden aus hyaliner Substanz und eingebetteten, sehr feinen Körnchen (Hyaloplasma und Microsomen von Strasburger) bestehen, ist dabei unwesentlich, aber nicht unwahrscheinlich. Verbindung der Fadenenden zu einem continuirlichen Kernfaden scheint nicht nur bei Chironomus (Korschelt, 23), sondern auch in Keimbläschen des Proteus (Rabl) vorzukommen. Der anscheinenden Wiederholung der Stadien des Mutterkernes in umgekehrter Weise bei den Tochterkernen schreibt R. keine tiefere Bedeutung zu: die exacte Wiederholung beginnt erst, wenn der Tochterkern sich von Neuem zu theilen anfängt.

Was die Einzelheiten anlangt, so ist im Knäuelstadium nicht ein continuirlicher Faden (wie bei Chironomus, s. oben Korschelt), sondern es sind mehrere vorhanden. Im Stadium des segmentirten Knäuels genau 24 Fäden. Am Ende dieses Knäuelstadium tritt bereits die Längsspaltung der Knäuelfäden auf; statt der Zusammensetzung aus Chromatinkugeln sah R. einmal (beim Proteus) hakenförmig umgebogene Stäbchen. Auf Grund von sieben sorgfältigen Zählungen, zu denen vier frühere von Flemming hinzukommen, erklärt R. die Zahl von 24 Schleifen für die Knäuel- und Muttersternstadien als constant bei Salamanderlarven. Beim Proteus scheint sie dieselbe zu sein, beträgt aber in dem Hoden beider Thiere und ebenso in den Eifollikelepithelien wahrscheinlich nur 16, bei Ascaris megalocephala in den Spermatocyten und Furchungskugeln nach Nussbaum und van Beneden nur 4 Schleifen. Die Anzahl ist eine ganz bestimmte, für jede Art von Zellen constante.

Im Stadium der Muttersternbildung findet eine stumpfwinklige Knickung der Schleifen ungefähr in der Mitte ihrer Länge als constante Erscheinung statt. Die Längsspaltung in je zwei Schwesterfäden ist am besten an den Hodenepithelien vom Proteus zu sehen. Dort ist die Kernspindel sehr lang, die Anzahl der Schleifen gering, umgekehrt verhält sich die Sache in den grossen Blutkörperchen, Hämatoblasten der Milz. Ein Eindringen von Zellenprotoplasma zwischen die chromatophilen Fäden in diesem Stadium ist ausserordentlich unwahrscheinlich wegen der Regelmässigkeit der ganzen Anordnung, die bei oberflächlicher Betrachtung leicht übersehen werden kann. Ausser der Kernspindel ist an jedem Pole derselben eine ebenfalls achromatophile Strahlenfigur vorhanden, die ein ganz anderes optisches Verhalten zeigt, die Strahlen dringen in das Zellenprotoplasma ein. Auch Polkörperchen finden sich. Zu färben ist die achromatophile Kernspindel noch am besten mit Hämatoxylin nach Flemming.

Bei der Bildung der Tochtersterne wird je ein Schwesterfaden dem einen, der andere Schwesterfaden der chromatischen Figur dem anderen Pole zugeführt, gelangt also später in eine andere Zelle. Die Anzahl der Fäden beträgt natürlicherweise in jeder Tochterzelle 24, soviel wie in der Mutterzelle. Diese beiden Thatsachen scheinen dem Ref. für die Mechanik der Karyokinese von fundamentaler Bedeutung zu sein. Heuser hatte bereits den ersteren Punkt für Pflanzenzellen unabhängig constatirt. Die von Strasburger beobachteten J-S-f-förmigen Figuren erklären sich aus ungleicher Länge der beiden Schleifenschenkel, das äquatoriale Ende der Schleife ist kürzer als das polare. Solche Ungleichheit ist nach R. eine sehr häufige Erscheinung. Die Pole der achromatophilen Kernspindel liegen dem Centrum des Kernes etwas näher als die Pole der chromatophilen Tochtersterne. Wenn aus letzteren die Tochterknäuel sich hervorbilden, erhalten sie am Pole einen Eindruck oder Delle, die äquatoriale Seite wird zur Gegenpolseite (s. oben). Die chromatophilen Fäden werden dann rauh und zackig, eine Verbindung gröberer Fäden untereinander liess sich nicht nachweisen. Was die Einflüsse der Ernährung anlangt, so fand R. ziemlich reichliche karyomitotische Figuren bei erwachsenen Exemplaren von Salamandra maculosa, die im Winter fünf Monate gehungert hatten, ohne dass die Menge des Chromatins unter diesen Umständen sich irgendwie vermindert hatte. Hiermit dürfte die Vermuthung von Brass (6) widerlegt sein.

Ganz ähnlich wie die Kernfäden verhält sich das Secret der Cloakendrüsen von Triton cristatus gegen Safranin und Hämatoxylin; Carmin färbt dasselbe nur wenig. Vielleicht verdient jene leichter in grösserer Menge zu erhaltende Substanz wegen solcher Uebereinstimmung eine genauere Untersuchung (Ref.). Den Kern der Zelle hält R. für ein Organ der Ernährung und Fortpflanzung nach dem Flemming'schen Satze: Omnis nucleus a nucleo, wie Omnis cellula a cellula — in die Definition der Zelle soll die Bedingung mit eingehen, dass sie durch Theilung einer mit nur einem einzigen Kern versehenen anderen Zelle entstanden sei — wenigstens bei dem Metazoen.

Rauber (28) fand, dass ein Druck von drei oder andererseits von einer halben Atmosphäre die Furchung in Forellen- und Frosch-Eiern zum Stillstand bringt; Druck von zwei Atmosphären bedingt allerlei ungewöhnliche Leibesformen. Ersteres gilt ebenso für die Karyokinese bei Eiern und Larven des Frosches, ferner für die Epidermis der letzteren, nur bewirkt Druck von zwei Atmosphären manche ungewöhnlichen Kerntheilungsfiguren. — Dass beiderlei Erscheinungen in einem Causalzusammenhange stehen, wird gewiss nicht zu bezweifeln sein, obgleich sich die Details der Nachforschung noch entziehen.

Nach Russow (29) steht in jeder Pflanze während des ganzen Lebens das Gesammtprotoplasma ihrer Zellen durch Verbindungfäden in Continuität. Die achromatophilen Fäden der Schwesterkerne sind es, welche die Verbindung bleibend vermitteln und die Fortleitung physiologischer Reize von Zelle zu Zelle wird danach verständlicher. (Dabei ist an die Intracellularbrücken der früher sog. Stachelzellen zu erinnern, vergl. unten S. 52, Sheridan Delépine.)

Schäfer (31) beruft sich darauf, dass er in einem ausserordentlich verbreiteten Werk, nämlich in der von ihm besorgten Auflage von Quain's Anatomy schon 1876 seine Ansichten über die Fettresorption dargelegt habe. Wenn Zawarykin (37) dagegen einwendet, dass nirgends in den Jahresberichten die Schäfer'sche Darstellung referirt sei, so bemerkt Ref. dazu, dass jene Berichte bekanntlich nicht da sind, umfangreiche Handbücher zu recensiren, die sich Jeder selbst leicht verschaffen kann. Schäfer's Meinung (Practical Histology, 1877) geht nun dahin, dass die Fettpartikelchen im Dünndarm zuerst von den Cylinderepithelien aufgenommen werden, dann von letzteren in Leucocyten übergehen, welche sie in das centrale Lymphgefäss der Darmzotte transportiren. Schäfer hat übrigens die Angelegenheit durch eine grosse, mit Abbildungen versehene Abhandlung illustrirt (Internationale Monatsschrift f. Anat. u. Histol., 2. Jahrg. 1885. S. 6—29), über welche im nächsten Jahr zu referiren sein wird.

Wiemer (36) arbeitete unter Nussbaum's Leitung und konnte zwar beim Frosche die von Schäfer, Zawarykin und Watney (1876) im Zottenepithel gesehenen Lymphkörperchen bestätigen, scheint auch zu glauben, dass der Stäbchenbesatz des Basalsaumes contractil sei, fand aber in der Mehrzahl der Leucocyten gar kein Fett oder solches nur sehr spärlich im Gegensatz zu dessen massenhafter Aufnahme in die Cylinderepithelialzellen! Daher sei das Eintreten von Fettkörnchen in die Leucocyten mehr als zufälliges, für die Fettresorption unwesentliches Moment zu erachten. Dafür spricht, dass bei Fröschen, die mit fettfreiem Fleisch gefüttert wurden, ganz dieselben Verhältnisse der Lymphkörperchen sich constatiren liessen.

Nach Zawarykin (37) spielen die Cylinderepithelien der Darmzotten keine Rolle bei der Fettresorption. Das freie Ende jeder Cylinderzelle wird von einem schmalen Graben umgeben, aus dem letzteren nehmen die wandernden Lymphzellen mittelst ihrer Fortsätze das Fett auf und transportiren dasselbe in die Lymphgefässe. Die Darmzotten sollen mit Ueberosmiumsäure und Pikrocarmin behandelt, in Hollundermark geschnitten und schliesslich mit Nelkenöl und Canadabalsam durchsichtig gemacht werden.

Miss Sallitt (30) untersuchte viele Infusorien (Paramaecium, Stentor, Vaginicola, Vorticella, Phacus, Euglena, auch Hydra viridis), welche Chlorophyllkörperchen enthalten. Letztere bieten häufige Theilungen in 2—4 Körperchen dar. Bekanntlich haben K. Brandt und Hamann (Jahresber. 1883. S. 41) daraus geschlossen, dass es sich wenigstens bei Hydra nicht um thierisches Chlorophyll, sondern um parasitische Algen handelt. Lankester (4 und 30) tritt dieser Ansicht entschieden entgegen, obgleich S. bei jungen Euglenen nur 1—2 Chlorophyllkörperchen gefunden hatte. Lankester meint, dass Hamann's Schluss auf die Uebertragung von dem Mutterthier auf die Eizelle bei Hydra deshalb keine Folgerungen gestatte, weil Analoges auch bei Chlorophyllpflanzen vorkomme. Ausserdem haben Engelmann und Miss Sallitt Chlorophyll in diffus vertheiltem Zustande bei Vorticellen angetroffen. Bower (4), der neueren Terminologie von Schimper folgend, nennt die Chlorophyllkörperchen der Pflanzen Chloroplastiden und macht darauf aufmerksam, dass sie sich wie Kerne nur durch Theilung vermehren, letzteres kann nach Reinke bekanntlich sogar eintreten, wenn die Mutterpflanze (Kürbis) bereits in Fäulniss übergegangen ist. Auch die Stärkemehlkörperchen sind in analoge Leucoplastiden eingeschlossen, die sich zu theilen vermögen, niemals von selbst frei in der Zelle entstehen, sondern von Generation auf Generation übertragen werden; dasselbe gilt von den farbigen Körperchen, Chromoplastiden, mancher Blumen und Früchte. Eine Discussion über die Beziehungen zu dem Verhalten der Zellenkerne hält Bower (4) für verfrüht; jedenfalls erinnerten die genannten Plastiden, die auch Crystalle enthalten können, an Symbiose, Zusammenleben von Thieren und Pflanzen. Dem thierischen Chlorophyll fällt dabei die chemische Rolle der Sauerstofflieferung zu.

Die anscheinende Verzahnung der Epidermiszellen des Rete mucosum und anderer polygonaler Epithelialzellen ist als Ausdruck feiner Protoplasmabrücken, die von Zelle zu Zelle hinüberlaufen, erkannt worden. Delépine (32) fand zunächst im Rete mucosum der über Epitheliomen gelegenen Haut, dass die Zähnchen sich kernwärts fortsetzen und bündelweise die Kerne benachbarter Zellen in Verbindung setzen. Die Anzahl der Streifen wechselt von 2—5—6 und mehr, das Bündel besteht vielleicht aus 40 Fasern; sie erscheinen dunkel wegen des geringeren Lichtbrechungsvermögens ihrer Zwischensubstanz; sie färben sich nicht. Ob alle scheinbaren Zähnelungen diesen intranuclearen Faserbündeln ihre Entstehung verdanken bleibt zweifelhaft. Sie sind nichts weiter als der Rest der achromatophilen Fäden, der Kernspindel von Strasburger, welche bei der Karyokinese die Verbindung zwischen zwei Tochtersternen aufrecht erhalten. Delépine glaubt sogar die Cilien der Flimmerzellen, die sog. Porenkanälchen der Basalmembran von Cylinderepithelzellen, die Fibrillen des Bindegewebes, der quergestreiften Muskelfasern, die Ganglienzellen und Nervenfasern, sowie den protoplasmatischen Zusammenhang von Pflanzenzellen durch Tüpfelcanäle in Zusammenhang mit den Erscheinungen der intranuclearen Faserbündel bringen zu können. Die Zelle würde dann nicht mehr als organische Einheit oder Element erscheinen, sondern so lange sie existirt mit ihren Nachbaren in continuirlichem Zusammenhange stehen. Ref. kann die intranuclearen Faserbündel in der Epidermis von Salamandra maculosa mit gewöhnlichen Vergrösserungen bestätigen. (Vergl. a. Flemming, 1882).

Strasburger (33) befindet sich jetzt in erfreulicher Uebereinstimmung mit Flemming in Betreff mehrerer schwebender Controversen, die sich auf die Karyokinese oder die Mitosen, wie Letzterer jetzt die karyokinetischen Figuren nennt, beziehen. St. hat den Wandbeleg des Embryosackes von Fritillaria imperialis, ausserdem eine ganze Reihe von Monocotyledonen und Dicotyledonen untersucht und dabei wie schon früher das Verhalten der achromatischen Kernspindel besonders ins Auge gefasst. In letzterem Punkte besteht noch eine Differenz, indem Strasburger die Pflanzenzellen als günstigere Objecte in dieser Hinsicht hervorhebend, die Entstehung der Spindelfasern aus eindringendem Zellenprotoplasma abzuleiten versucht. Abgesehen von Safranin, Goldchlorid, Hämatoxylin, Chrom — Osmium — Essigsäure wurde auch 1 procentige Ameisensäure mit Methylgrün benutzt, die achromatischen Spindelfasern aber namentlich an Alcoholpräparaten mittelst rauchender Salzsäure dargestellt.

Die Stadien der Karyokinese bezeichnet Str. als Prophasen, Metaphasen und Anaphasen. Im ruhenden Kern wird die sog. Kernmembran nur von einer verdichteten Grenzschicht des Zellenprotoplasma gebildet, die sich als porös herausstellt. Während des Ruhezustandes besteht im Kern ein einziger Kernfaden fort; bei der Knäuelbildung treten in demselben niedrigtonnenförmige Microsomenscheiben auf, die durch sehr schmale Streifen von hyaliner Zwischensubstanz, Hyaloplasma, getrennt werden (vergl. oben Korschelt, Chironomus). Sobald die Kernwand verschwunden ist, wird der dickflüssige, tingirbare Kernsaft körnig: dies rührt vom Eindringen des Zellenprotoplasma her; diese körnigen Streifen laufen parallel der Längsaxe des Kernes. Die Anzahl der Fadenschleifen des Mutterkernes oder der Kernplattenelemente, wie sie Strasburger nennt, beträgt bei Fritillaria persica 10—12, meist die letztere Anzahl, während sie bei Salamandra maculosa nach Flemming 24 beträgt (vergl. oben Rabl). Wie bei verschiedenen Thieren ist nach Str. auch bei verschiedenen Pflanzen die Anzahl der Schleifen oder Segmente verschieden, ebenso in verschiedenen Geweben desselben Thieres und derselben Pflanze. Die Längstheilung der Fadenschleifen hatte Heuser (1883) auch bei Pflanzenzellen nachgewiesen, sowie dass je zwei Schwesterfäden sich auf die beiden Tochterkerne vertheilen. Die Fäden platten sich vor ihrer Längsspaltung zunächst ab. Mit dem Augenblick, wo die Sonderung der Schwesterfäden oder Zwillingssegmente vollzogen ist, würde das Stadium der Aequatorialplatte oder Kernplatte, zu welchen letzteren Strasburger auch die Muttersterne rechnet, eintreten. Indessen würde der Hypothese von Roux, wonach die karyokinetische Zellentheilung die Aufgabe erfüllt, eine möglichst vollständige Halbirung der geformten Kernsubstanz mit allen ihren Qualitäten herbeizuführen, eine durchgreifende Bedeutung nicht beizumessen sein. Denn an den Pollenmutterzellen von Hemerocallis fulva fand Strasburger, dass bei der Zweitheilung des Kernes einzelne Fäden der Kernplatte im Aequator zurückbleiben (was Flemming schon gesehen hatte) und den Ursprung für kleine accessorische Zellenkerne abgeben können. Solche Kerne dürften, wie Strasburger meint, kaum existenzfähig sein, falls alle Microsomenscheiben verschieden wären, während in Wahrheit dieselben eine ganz normale Weiterentwickelung, Theilung u. s. w. durchmachen können. Trotzdem soll die Bedeutung einer gleichmässigen Vertheilung der in den Microsomenscheiben enthaltenen Substanzen auf die beiden Tochterkerne nicht in Abrede genommen werden.

Ueber die S-förmige Biegung der Schleifenfäden der Tochtersterne vergl. das Original. Mit Rücksicht auf die Arbeit von Rabl (27) hebt Ref. noch hervor, dass Strasburger den queren Verlauf der Kernfäden in den Tochterknäueln und deren polare Anordnung in Pollenmutterzellen von Fritillaria persica abbildet; indessen verschmelzen die Enden der Tochterschleifen mit einander. — Vom Kern erklärt Strasburger, dass er zugleich ein Ernährungsorgan der Zelle sei.

[Hennum, J. O., Til belysning af cellernes former. I. Archiv f. Mathematik og Naturvidenskab. IX. M. 7 Tavln.

Der Verf. äussert gleich im Anfang dieser Abhandlung, dass die microscopische Erforschung der Gewebe lebender Organismen uns die hexagonale Form als die häufigste Folge gegenseitigen Drucks der Zellen antreffen lässt; dennoch zeigten Versuche, eine solche Zelle zu modelliren, dass sich kein Körper von lauter regulären Hexagonalen begrenzen lässt. Um deshalb die bei gegenseitigem Druck entstehenden Zellenformen zu untersuchen hat der Verf. Versuche mit gleich grossen weichen Thonkugeln angestellt, indem er sie auf verschiedene Weise ordnete und zusammendrückte. Mittelst solcher Versuchen bekommt man eine Reihe von Formen, die zwar nicht mathematisch genau sind, aber doch immer mit hinreichender Regelmässigkeit auftreten, so dass sie Wegweiser bei der Construction rein mathematischer Formen sein oder Beweise für die Richtigkeit der bei der Construction gefundenen Formen abgeben können.

Unter zwei gleich zu nennenden Bedingungen fand der Verf., dass ebenso wie alle Crystallformen aus einzelnen Grundformen sich ableiten lassen, es auch möglich ist, alle die mittelst gegenseitigen Druckes gebildeten Zellenformen aus wenigen Grundformen abzuleiten, Grundformen, die man darstellen kann, wenn man gleich grosse Kugeln bestimmten Druckverhältnissen unterwirft. Jene oben angedeuteten Bedingungen sind nun aber folgende: 1. Die Kugeln müssen gleicher Grösse sein; 2. ihre Substanz muss absolut zusammendrückbar sein; 3. sie müssen in 6 bestimmten Ordnungen und in einer oder mehreren Schichten auf einer Ebene liegen; 4. der Druck soll entweder Verticaldruck sein und perpendiculär gegen die Ebene wirken, oder Horizontaldruck sein und parallel der Ebene wirken, oder endlich sollen diese beide Druckformen gleichzeitig wirken. der Druck demgemäss gleichmässig sein. Die so entstehenden Formen sind: 1. Der Würfel, 2. das rechtseitige Prisma, 3. das Rhombododekaëder und 4. das Tessarakaidekaëder. Von diesen lassen sich die zwei letzgenannten leicht aus den zwei ersten ableiten, weshalb diese zwei die primären Grundformen sind. — Die Urform aller lebenden Zellen ist die Kugel, die Form, welche alles in geeigneten Flüssigkeiten suspendirte Protoplasma spontan annimmt; die polyëdrischen Zellen entstehen wahrscheinlich nur mittelst Druck. Der Verf. will aber nur die Formen der Zellen zu erklären suchen, insoweit sie mittelst Druck entstanden sind, und lässt es dahingestellt, in wie weit alle Zellenformen sich aus mechanischen Verhältnissen ableiten lassen. Die folgenden Untersuchungen nehmen nur Rücksicht auf die ideellen mathematischen Grundformen, als die Typen, welche der Natur bei der Modellirung vorgeschwebt haben; von den mannigfachen Abweichungen, wie solche sich in der wirklichen Natur constant vorfinden, wird einstweilen ganz abgesehen; nur so kann man die Gesetze der Formen und ihre Abänderungen finden. Von diesen Voraussetzungen ausgehend, entwickelt der Verf. im Folgenden unter vier Hauptabschnitten I. die Grundformen, II. die Ordnung der Kugeln, III. die stereometrischen Formen, welche entstehen, wenn die Kugeln gedrückt werden und IV. die Schnitte durch die Kugel und die Grundformen. Näheres darüber s. im Original.

Der Verf. hat sich überall auf die Formen, welche bei gleichmässiger Zusammendrückung erhalten wurden, beschränkt.

Schliesslich macht der Verf. die Bemerkung, dass in den meisten histologischen Zeichnungen sich fast alle Schnitte von Zellen kernhaltig finden, was nach den Untersuchungen des Verf. kaum richtig sein kann.

Ditlevsen.]

IV. Epithelien und Integumentbildungen.

1) Beltzow, A., Zur Regeneration des Epithels der Harnblase. Archiv f. pathol. Anatomie. Bd. 97. H. 2. S. 279—288. Mit 1 Taf. — 2) Bockendahl, A., Ueber die Regeneration des Trachealepithels. Arch. f. microsc. Anat. Bd. XXIV. H. 3. S. 361—371. Mit 4 Fig. — 3) Emery, C., Les taches brillantes de la peau chez les poissons du genre Scopelus. Arch. ital. de Biologie. T. III. — 4) Flemming, W., Studien über Regeneration der Gewebe (Fortsetzung). Ueber die Regeneration verschiedener Epithelien durch mitotische Theilung. Archiv f. microsc. Anat. Bd. XXIV. H. 3. S. 338 (resp. 371) bis 397. Mit 1 Taf. — 5) Derselbe, Zur Kenntniss der Regeneration der Epidermis beim Säugethiere. Ebendas. Bd. XXIII. H. 2. S. 148—154. — 6) Derselbe, Zelltheilungen in den Keimschichten des Haares. Monatshefte f. prakt. Dermatologie. Bd. III. H. 5. S 4. — 7) Derselbe, Ueber den Inhalt der Intercellularlücken in geschichteten Epithelien. Mittheilungen des Vereins Schlesw.-Holst. Aerzte. H. 10. (In dem Kiemenepithel der Salamanderlarve schwärzen sich die Intercellularlücken, sie können daher wohl nicht mit Lymphe gefüllt sein.) — 8) Gibbes, Heneage, Histological Notes. (Vergleiche den Bericht über descriptive Anatomie.) II. Striped Muscular Tissue attached to Hair Follicles. Quarterly Journ. of microsc. science. N. S. No. XCIV. p. 193. (G. beschreibt die allgemein bekannten — vergleiche Kölliker, Gewebelehre. 1867. S. 341 und W. Krause, Allgemeine und microscopische Anatomie. 1876. S. 81. — quergestreiften Muskelfasern an Haarbälgen von Spürhaaren, indem er dieselben für etwas Neues zu halten scheint!) — 9) Henle, J., Das Wachsthum des menschlichen Nagels und des Pferdefusses. Abhandlung der physic. Classe der kgl. Gesellsch. der Wissensch. zu Göttingen. 4. Bd. XXXI. S. 3—48. Mit 5 Taf. (S Ber. f. 1885.) — 10) Griffini, L, Contribuzione alla Patol. del tessuto epiteliale cilindrico. Arch. per le scienze mediche. Vol VIII. No. 1. p. 1—43. Mit 2 Taf. — 11) List, J. H., Ueber Becherzellen im Blasenepithel des Frosches. Zoolog. Anz. VII. Jahrg. No. 169. S. 328. — 12) Derselbe, Dasselbe. Sitzungsbericht d. k. Acad. der Wissensch. zu Wien. Bd. 89. Abth. III. S. 186—210. Mit 2 Taf. — 13) Derselbe, Dasselbe. 8. Mit 2 Taf. Wien. — 14) Derselbe, Das Cloakenepithel von Scyllium canicula. Zool. Anz. VII. Jahrg. No. 178. S. 545—546. — 15) Lustig, A., Die Degeneration des Epithels der Riechschleimhaut des Kaninchens nach Zerstörung der Riechlappen desselben. Sitzungsberichte d. k. Acad. d. Wissensch. zu Wien. Bd. 89. Abth. III. S. 119—132. Mit 1 Tafel. — 16) Martius, Methode zur absoluten Frequenzbestimmung der Flimmerbewegung auf stroboscopischem Wege. Archiv f. Anatomie u. Physiol. Physiol. Abth. S. 456—460. (Die Cilien der Gaumenschleimhaut des Frosches schwingen 10—14 mal in der Secunde, meistens 11—12 mal, höchstens 16—17 mal. Durch Erwärmung bis auf 40° lassen sich die höheren Frequenzziffern hervorrufen, aber nicht überschreiten.) — 17) Oberdieck, G., Ueber Epithel und Drüsen der Harnblase, der weiblichen und männlichen Urethra. Gekrönte Preisschrift. Göttingen 4. 43 Ss. und 5 Taf. — 18) Paulicki, Ueber die Haut des Axolotls. Archiv für microscopische Anatomie. Bd. XXIV. H. 2. S. 120—173. Mit 2 Taf. — 19) Ranvier, L., De l'éléidine et de la répartition de cette substance dans la peau, la muqueuse buccale et la muqueuse oesophagienne des Vertébrés. Arch. de Physiol. 3e S. T. III. No. 2. p 125—140. Mit 1 Taf. — 20) Riehl, G., Zur Kenntniss des Pigments im menschlichen Haar. Vierteljahrsschr. f. Dermatol. u. Syphilis. S. 33. (Das Haarpigment soll stets an Zellen gebunden sein.) — 21) Sheridan-Delépine, Contributions to the Study of

Nucleus-Division, based on the Study of Prickle Cells. Journ. of anat. and physiol. Vol. XVIII. P. IV. p. 442—458. Mit 1 Tafel. (Siehe oben: Elementare Gewebsbestandtheile.) — 22) Schiefferdecker, P., Zur Kenntniss des Baues der Schleimdrüsen. I. Einzellige Drüsen in der Blase der Amphibien. Nachrichten v. d. kgl. Gesellsch. d. Wissensch zu Göttingen. No. 2. S. 68—69. Archiv f. microscop. Anat. Bd. 23. H. 3. S. 382—412. Mit 2 Taf. — 23) Waldeyer, W., Atlas der menschlichen und thierischen Haare, sowie der ähnlichen Fasergebilde. Mit erklärendem Text. Lahr. Querfolio. IV u. 195 Ss. Mit XII Taf.

Beltzow (1) reizte beim lebenden Kaninchen die von der Bauchhöhle her aufgeschnittene Harnblasenschleimhaut entweder mechanisch mittelst eines Pinsels oder chemisch durch 10—40 proc. Lösung von Silbernitrat. Nach einem bis fünf Tagen fanden sich zahlreiche mitotische Kerntheilungsfiguren in den untersten und auch in den mittleren Schichten des Harnblasenepithels, im Gegensatz zu Oberdieck's (17) Befunden. Die Regeneration ist am lebhaftesten nach 48 Stunden. Ausserdem kommen in den mitttleren Schichten Fälle von indirecter Fragmentirung vor, wobei der Kern in mehrere Stücke zerfällt. Vielleicht waren diese Zellen aber Wanderzellen; auch wurden Riesenzellen beobachtet. Ebenfalls zeigt das subepitheliale Bindegewebe zahlreiche Leukocyten mit indirecter Fragmentirung, während die Bindegewebszellen karyomitotische Figuren darboten.

Bockendahl (2) prüfte die Angaben von Drasch (1880), der im Trachealepithel des Menschen und Rindes nur einmal eine mitotische Kerntheilung gesehen hatte und die früheren Ansichten über Zellenregeneration ohne Betheiligung des Kernes noch aufrecht zu erhalten suchte. Bockendahl fand nun beim Hunde im Luftröhrenepithel die Mitosen so zahlreich, dass in jedem Schnitte 3—5 Kerntheilungen in den verschiedensten Phasen und zwar in allen Schichten des Flimmerepithels vorhanden waren. Die Mitosen finden sich aber nicht überall, sondern nur hier und da, niemals gruppenweise vereint; sie fehlen oft über weite Strecken: so erklärt es sich, dass Drasch sie nicht finden konnte B. glaubt, dass Regeneration des Flimmerepithels nur langsam stattfinde. Untersucht wurden ausser dem Hunde die Katze, das Meerschweinchen, Kaninchen und zwei menschliche Luftröhren, und überall dieselben Verhältnisse constatirt. Bei jungen Thieren sind die Mitosen zahlreicher. Uebrigens wird das Trachealepithel von zahlreichen Leukocyten durchwandert, die Drasch ebenfalls entgangen waren, während Stöhr (1883) sie aufgefunden hatte. Reizung des Trachealepithels mittelst eingeblasener Dämpfe von Ueberosmiumsäure ergab Vermehrung der Mitosen: anstatt 3 in der Norm wurden in der Nachbarschaft der gereizten Stelle durchschnittlich 8—10 in einzelnen Schnitten angetroffen, aber diese Vermehrung zeigte sich wiederum nicht in jedem Schnitt. Trotzdem ist nicht zu bezweifeln, dass die Regeneration auch des pathologisch afficirten Trachealepithels auf dem Wege der mitotischen Kerntheilung stattfindet, vorausgesetzt, dass die Basalzellen des Flimmerepithels intact geblieben sind.

Flemming (4) setzte seine Studien über Karyokinese fort und fand die Mitosen in den tieferen Epidermisschichten gruppenweise vertheilt, was auf schubweises Auftreten und Cessiren hinzudeuten scheint. Ebenso im Epithel der Mundhöhle bei Kaninchen und Meerschweinchen, auf dem Zungenrücken des Menschen, im Darmepithel des Kaninchens, um die Mündungen der Lieberkühn'schen Drüsen herum und in letzteren selbst, im Flimmerepithel des Eileiters beim Kaninchen (woselbst ca. 4000 in einer Tube gleichzeitig im Gange waren), im Follikelepithel des Ovarium bei Kaninchen, Siredon und Salamandra. Diese Epithelzellen sind häufig mit einzelnen Chromatinpartikeln durchsetzt. Das Bindegewebe der genannten Organe, auch die glatte Musculatur für die Tube zeigen zahlreiche, aber einzeln zerstreute Mitosen. Ueber eine Auseinandersetzung Flemming's mit Drasch, sowie über Becherzellen s. das Original.

Flemming (5) nennt die karyokinetischen Figuren jetzt bekanntlich Mitosen. Solche finden sich sehr zahlreich im Stratum Malpighi der Epidermis des Schweinsrüssels; sie lagen gruppenweis und fehlten oft auf weiten Strecken. Dass die vom Ref. von demselben Orte abgebildeten Kernfiguren mit Theilungsformen etwas zu thun hätten, bestreitet Flemming, ohne die verschiedene Untersuchungsmethode in Erwägung zu ziehen.

Flemming (6) erwähnt ferner die Angabe von Waldeyer (23), dass die Zellen des Epithelzapfens, welcher die Anlage des jungen Haares beim Haarwechsel darstellt, sich durch mitotische Theilung vermehren. Flemming selbst sah zahlreiche Mitosen in manchen den Haarpapillen benachbarten Zellen beim Meerschweinchen und Kaninchen, ebenso in der äusseren Wurzelscheide. Es kommt darauf an, überlebende lebenswarme Theile zu untersuchen und die besten Kerntinctionsmittel (vergl. oben Untersuchungsmethoden, Flemming) anzuwenden.

Griffini (10) experimentirte über Wiedererzeugung von Flimmerepithel in der Trachea von Hunden (auch im Uterus), Kaninchen, Hühnern, ferner an Fröschen, Anodonta (? — Cocciole di mare) und Amphioxus. Das Epithel der Luftröhre wurde abgekratzt oder durch Crotonöl zerstört. Das wiedererzeugte Epithel bildet sich vom Wundrande aus, zuerst als eine Lage einfachen Plattenepithels, daraus wird successive unter fortgesetzter Zellentheilung geschichtetes Plattenepithel und geschichtetes Flimmerepithel. Mit der Neubildung haben weder die Wanderzellen im Epithel, noch die Bindegewebszellen der Schleimhaut selbst etwas zu thun; erstere geht nur von den präexistirenden Epithelialzellen aus. — Ueber pathologische Veränderungen (Entzündung, Croup, Tuberkeln) s. das Original.

List (11) sah constant in den tieferen Schichten des Blasenepithels von Rana esculenta und temporaria (ferner bei Triton alpestris) Becherzellen, wie sie aus der Epidermis bekannt sind. Sie haben die Bedeutung selbständiger, einzelliger Drüsen. Im Blasenepithel von Testudo graeca kommen Bechermetamorphosen der meisten oberflächlichen Cylinderzellen vor.

Derselbe (12) unterscheidet im Epithel der Harnblase von Rana esculenta und temporaria ausser dem gewöhnlichen, geschichteten Epithel a) Becherzellen und b) Kylikoide oder becherähnliche Zellen. Die Becherzellen sind als als einzellige Drüsen zu betrachten, sie finden sich in den oberen und mittleren Schichten, sind theils gestielt, theils ungestielt, kugelig. In den tieferen Schichten sind sie geschlossen, in den obersten besitzen sie sowohl eine Theca als ein Stoma und kommen auch bei Triton cristatus vor, nicht aber in dem einschichtigen Harnblasenepithel von Salamandra maculosa. Die kylikoiden Zellen entstehen aus den cylinderförmigen Epithelzellen der oberflächlichen Schicht, sie sind metamorphosirte Zellen der letzteren; eine ähnliche Metamorphose wird an denselben als Kunstproduct durch Maceration in Drittel-Alcohol hervorgebracht. Die eigentlichen Becherzellen gehören nicht in den Entwicklungskreis der gewöhnlichen Epithelzellen; sie sind selbständige Gebilde.

Derselbe (14) hat ferner eine Untersuchung über das Blasenepithel sämmtlicher Wirbelthiere in Aussicht genommen. Vorläufig beschreibt er das Cloakenepithel von Scyllium canicula, das sich ganz wie das bekannte Blasenepithel der Säugethiere verhält. Grosse Becherzellen kommen sehr häufig vor, gestielte und seltener ungestielte, und zwar in allen Schichten, sie sind als einzellige Drüsen anzusehen. Mit Eosin färbt sich, wie Schiefferdecker empfahl, das Epithel rosenroth und mit Methylgrün tingiren sich zugleich die Riesenzellen grün. Die durch diese Methode hervorgerufenen verschiedenen Stadien der Becherzellen will List auf verschiedene Entwicklungszustände zurückzuführen; keineswegs sind diese mit Zellen der echten Schleimdrüsen zusammenzuwerfen, „denn Schiefferdecker habe vollkommen übersehen, dass im Blasenepithel des Frosches (auch bei Bufo vulgaris, Bombinator igneus, Triton cristatus) geschlossene Becherzellen vorkommen und zwar in verschiedenen Schichten".

Lustig (15) zerstörte bei Kaninchen, von denen 7 ausgewachsen waren, einen oder beide Bulbi olfactorii mit dem Glüheisen oder scharfen Löffel; sie wurden 45 bis 65 Tage nach der Operation getödtet und mit Hülfe 1 proc. Ueberosmiumsäure untersucht. Es degenerirten nicht nur die Stäbchenzellen (Riechzellen), sondern auch die Cylinderzellen. In der normalen Regio olfactoria sah Verf., wie Exner, alle möglichen Uebergänge zwischen beiden Zellenarten. Letztere degeneriren gleichzeitig fettig. die Stäbchenzellen verlieren ihren centralen Fortsatz sowie die Härchen ihrer freien Oberfläche. Auf der freien Oberfläche der Cylinderzellen fand der Verf. sowie Ref. (1876) feine Härchen. Beide Zellenarten gehen theils durch Atrophie, theils durch Zerfall zu Grunde. Auch die Kerne der Basalzellen (des Ref., 1876) machen die fettige Entartung durch.

Oberdieck (17) bestätigte die vom Ref. (1876) für den Menschen gemachte Angabe, dass das Harnblasenepithel vier Zellenlagen enthält, für das Kaninchen. Ferner die Angabe London's (1881), dass bei Dehnung der Blase die Dicke des Epithels abnimmt und der Flächeninhalt der Zellen, wenigstens in den beiden oberflächlichen Lagen zunimmt. Die Abnahme der Dicke verhielt sich wie 4 : 1 oder wie 2 : 3, je nach den Umständen. Bei den obersten Zellen verhielt sich der Flächeninhalt wie 0,005 : 0,0156, also etwa wie 1 : 3. Beim Frosch wurde 1 : 4—6 gefunden. In der tiefsten Schicht und nur in dieser kommen mitotische Kernfiguren vor.

In der weiblichen Urethra fand O. unter vier Fällen dreimal einschichtiges Cylinderepithel mit Ersatzzellen in der Tiefe, bei Hündinnen auch Kernfiguren. Ferner kommen beim Menschen Lacunen innerhalb der Harnröhre vor. Die beiden grösseren Kanälchen aussen neben der Mündung, welche zuerst Skene (1880) beschrieben hatte, hält O. (gegen Kocks, 1883) nicht für Gartner'sche Canäle. — Beim Mann sind in der Harnröhre Lacunen vorhanden und ausserdem in der Pars cavernosa sowohl einfache traubenförmige als eigentlich acinöse Drüsen. Der Name Littre'sche Drüsen ist zu verwerfen oder auf die einfacheren zu beschränken.

Paulicki (18) konnte das von Pfitzner (1880) beschriebene Durchtreten kleiner Tröpfchen einer glashellen Substanz durch die Zwischenräume der Intercellularbrücken der Epidermiszellen der Larve von Salamandra maculosa beim Axolotl nicht bestätigen, wohl aber, dass zwischen den Brücken ein solches im Leben mit Flüssigkeit erfülltes, sehr feines Canalsystem vorhanden ist. Durch Reagentien, Pikrocarmin, Alcohol etc. gerinnt die Flüssigkeit körnig; sie soll der Ernährung der Epidermiszellen dienen. Am deutlichsten waren die Intercellularbrücken an den Fingerspitzen und der Schnauze.

Ranvier (19) verfolgte das Eleidin in seiner Verbreitung in der Haut, der Mund- und Oesophagusschleimhaut von Vertebraten mit Hülfe des „picrocarminate d'ammoniaque" und macht darauf aufmerksam. dass man sich genau an seine Vorschrift in betreff dieses Reagens halten müsse, was Ref. als sehr richtig seit langer Zeit bestätigen kann. Das Glycerin darf durchaus nicht sauer sein. Besonders instructiv werden die Präparate, wenn man mit Pikrocarminat (auf Deutsch: Pikrocarmin, Ref.) gefärbt hat, dann die Schnitte einige Minuten mit 1 proc. Ueberosmiumsäure behandelt und nachher mit Ameisensäure, die sogar concentrirt sein kann. Das Eleidin ist nun durch Osmium fixirt, während dasselbe sonst schon durch Essigsäure zerstört wird. — Mit dem Verhornungsprocess hat das Eleidin nichts zu thun, wie die kleinen Haare am Rüssel des Schweines zeigen, sie haben keinen Markraum und führen kein Eleidin, vielmehr tritt letzteres in der Wurzelscheide an der Einmündungsstelle der Talgdrüsen in den Haarbalg und oberhalb derselben auf. Ferner ist es kein Hyalin oder Keratohyalin, auch nicht fest, wie Waldeyer (1882) angegeben hatte. sondern flüssig und kann auf dem Deckglas etwa wie Fett umhergeschmiert werden. Ebenfalls gegen Waldeyer vermisst Ranvier das Eleidin bei Vögeln, Reptilien und Amphibien, ferner im Nagelfalz und in der Rinde des Haares, bestätigt es aber nach Waldeyer (1882) im Mark und in der inneren Wurzelscheide der Barthaare des Menschen und im Epithel des Haarbalghalses wie schon gesagt. Die Buccal-, Gaumen-, Zungen- und Oesophagusschleimhaut führen bei der Ratte und dem Meerschweinchen Eleidin, nicht aber beim Menschen, Kaninchen und Hunde. Doch kommt es an kraterförmigen Papillen auf dem hinteren Theile des Zungenrückens beim Menschen und der Fledermaus (Vesperugo noctula) vor. Während es in der Epidermis auf das Stratum granulosum beschränkt ist und im Stratum intermedium (sive lucidum) diffus verbreitet sich zeigt, erstreckt es sich in den genannten Schleimhäuten mehr in die Tiefe der Schleimschicht ihres Epithels. Auch im Blindsack des Rattenmagens findet es sich, nicht aber im Pylorustheil. — Vergl. a. Jahresber. f. 1883. S. 57.

Schiefferdecker (22) hält die Becherzellen in der Blase von Rana esculenta und Bufo vulgaris für einzellige Drüsen, welche sich bald mehr in einem protoplasmatischen, bald mehr in einem schleimgefüllten Zustande befinden (vergl. Drüsen). Mit Eosin-Dahlia oder Eosin-Methylviolett wurden Doppelfärbungen ausgeführt, dann erhält man zwei Arten von Zellen: körnige rosafarbene und homogen erscheinende blaue. Mit Eosin-Anilingrün färbt sich ein Reticulum im Zellenkörper wie bei den Schleimdrüsen.

Waldeyer (23) bezeichnet die Luft in den Haaren je nach ihrer Lage als intracellulär oder intercellulär. Der ausgezeichnet schöne Atlas ist mit einer Erklärung versehen, die so gut ist wie eine vollständige Monographie des Haares; besonders interessant sind die anthropologischen Bemerkungen (S. 46—103), in Betreff welcher hier auf das Original verwiesen werden muss, sowie die forensischen Beziehungen.

[Hennum, J. O., Til belysning af cellernes former. II. Kristiania.

In dieser zweiten Abhandlung studirt der Verf. die Epithelien mittelst der in der ersten (s. oben S. 53) entwickelten Grundsätze. Besonders nimmt er dabei die bekannten Arbeiten von Lott, Rollett, Drasch und Vossius über die Zellenformen der epithelialen Gewebe zum Ausgangspunkt. Zu dem Zwecke referirt er erstens ausführlich die Untersuchungen Lott's über die verschiedenen Zellenformen des Cornea-Epithels, die Fusszellen, die Flügelzellen, die oberen Plattenzellen und die übrigen Formen, besonders auch die Uebergänge zwischen den genannten. Demnächst giebt er ebenfalls die Hauptzüge der Untersuchungen Drasch's über das Flimmer-Epithel der Luftröhre mit dessen Basalzellen, Keilzellen, Becherzellen und Flimmerzellen sammt den untergeordneten Formen. Weder Lott noch Drasch hat die Reduction dieser Zellformen zu einfachen stereometrischen Formen unternommen, ein Versuch, welcher wesentlich nur mit den Leberzellen gemacht ist, indem Hering diese als Octaëder mit abgestutzten Endflächen oder als Tessarakaidekaëder auffasst, Kölliker dagegen in ihnen 5—6seitige niedrige Säulen erblickt und Asp endlich dieselben Zellen als hexagonale Doppelpyramiden mit abgestutzten Polen schildert.

Die eigentliche Abhandlung ist in 7 Hauptabschnitte getheilt:

I. Ueber die Regeneration der Epithelzellen. Der Verf. schliesst sich an die Hypothese, dass eine Epithelzelle nur von einer Epithelzelle erzeugt werden kann, und nimmt mit Lott und Anderen an, dass die Regeneration von den tiefsten Schichten der Epithelien ausgeht.

II. Die Kugel als die Grundform der Epithelzellen. Verf. erinnert an eine Aeusserung von His, dass die Form einer Zelle nicht nur durch ihre innere Organisation, sondern auch von äusseren auf die Zelle wirkenden Kräften bedingt wird. Ferner erinnert er, dass ein Cylinderepithel, ja ein Flimmerepithel ein Pflasterepithel erzeugen kann. Zur Stütze der Hypothese von der kugeligen Grundform der epithelialen Zelle nennt er die Eizelle, die Furchungskugeln, die Zellen der Keimscheibe des nicht bebrüteten Hühnereies, die kleinsten Fusszellen im Epithel der Hornhaut und der Luftröhre, die tiefsten Zellen im Blasenepithel des Frosches, die Zellen der Cornea, welche sich zur Karyokinese anschicken (Vossius). Ferner citirt er Aeusserungen von Kölliker, Toldt, Preyer, Ebner und Drasch, welche dasselbe stützen. Auch die innere Wurzelscheide des Haares zeigt Uebergänge von kugeligen zu polyëdrischen Formen, und zwar in beiden Schichten, sowohl Huxley's wie Henle's. Umgekehrt hebt er Häckel's Magosphaera planula hervor als Beispiel eines Organismus, dessen eckige Zellen die Kugelform annehmen können. Schliesslich findet er die Hypothese gestützt durch die Thatsache, dass der Cubikinhalt der sechsseitigen Zelle des Pigmentepithels der Netzhaut gleich gross ist wie der Inhalt einer Kugel, deren Radius dem Radius eines in die Hexagonale eingeschriebenen Cirkels gleich ist.

III. Die Grösse der Epithelzellen. Verf. setzt voraus, dass alle gleichalterigen Zellen ungefähr gleich gross sind und in derselben Schicht sich finden.

IV. Die elastische Kraft der Epithelzellen. Nach Lott und Drasch nimmt diese Kraft ab mit dem zunehmenden Alter der Zelle; sie ist demgemäss am grössten in den jungen Zellen.

V. Die Ordnung der Epithelzellen ist bei einschichtigen Epithelien entweder quadratisch oder triangulär; die quadratische Ordnung ist nicht häufig; Beispiele davon sind das Froschei und das Amphioxusei in den ersten Furchungsstadien. Die trianguläre Ordnung im reinsten Vorkommen ist auch nicht eben häufig; sie findet sich im Blastulastadium des Amphioxuseies, in der Linse, in dem Pigmentepithel der Netzhaut, in den zwei Zellenschichten der inneren Haarwurzelscheide, in dem Schmelz u. s. w. Dass diese letztere Ordnung doch die überwiegend häufigere ist, lässt sich daraus schliessen, dass der Verf. bei einer darauf bezüglichen Zählung in 60—70 pCt. von Fällen Zellen mit sechsseitiger Aequatorialzone fand. Die Ordnung in der verticalen Richtung ist vorherrschend tetraëdrisch.

Als der Verf. eine Anzahl Froscheier in einem Glasgefäss in eine einzelne Schicht legte, ordneten dieselben sich von selbst triangulär; als er darauf eine neue Schicht auflegte, glitten die einzelnen Eier derselben herunter zwischen die Eier der ersteren Schicht, und die Ordnung wurde jetzt tetraëdrisch.

VI. Der Druck und seine Wirkung auf die Epithelzellen. Dass Druck die Form einer Epithelzelle ändern kann, ist bewiesen an den Epithelien der Lunge (Kölliker, Elenz) und der Blase (Paneth, London); ebenfalls bei der Furchung des Amphioxuseies (Hatschek) sowohl, als mittelst der oben genannten Versuche des Verf. mit Froscheiern.

Verf. bespricht jetzt besonders: a) den Druck, welcher entsteht, wenn die Zellen sich gegenseitig drücken. Ausgehend von der Annahme der grösseren elastischen Kraft der jüngeren Zellen erörtert der Verf. erstens die Darstellung Lott's von der Wirkung des Druckes bei der Bildung der Formen der Epithelzellen der Hornhaut, und giebt demnächst auch diesbezügliche Aeusserungen von Drasch und Vossius wieder; b) den Druck, welcher in einer epithelialen Zellenplatte auf gewissen Stellen entsteht, wo sie sich faltet. Hier stützt Verf. sich auf die Darstellung von His von den Druckverhältnissen im oberen und unteren Keimblatte der Embryonalanlage des Hühnchens. c) Druck von aussen auf den Complex der Epithelzellen. Hier erinnert der Verf. theils an das Lungen- und Blasenepithel, theils an die Darstellung Ebner's über die Zellformen in der inneren Wurzelscheide des Haares.

VII. Die Formen der Epithelien, so wie sie mittelst des Druckes erläutert werden. Unter Zugrundelegung seiner ersten Abhandlung sucht der Verf. die verschiedenen Formen von epithelialen Zellen zu erklären: Das Pigmentepithel der Netzhaut ist ein Plattenepithel, dessen Entwickelung sich durch einen verticalen Druck auf eine Schicht triangulär geordneter Kugeln erklären lässt. Die cubische Zellenschicht des Ovarialepithels entspricht derjenigen Form, welche man erhält, wenn Kugeln gleichmässig in einer Schicht zusammengedrückt werden, indem triangulär geordnete Kugeln nur so lange wachsen, bis das Wachsthum eben die Räume zwischen den Zellen erfüllen kann. Cylindrische Zellen erhält man beim Wachsthum unter gleichmässiger Energie von kleinen, triangulär geordneten Kugeln, welche inzwischen immerhin auf der Unterlage kleben, sie werden alsdann sechsseitige Prismen. Als Schema des mehrschichtigen Plattenepithels benutzte der Verf. die Darstellung Rollett's. Er geht dabei davon aus, dass die Zellen die Kugelform anstreben, gleich gross sind, gleich schnell wachsen, wenn sie gleich alt sind, dass sie tetraëdrisch geordnet sind und dass sie in derselben Schicht gleich alt sind, endlich dass die Rudimenttheorie Lott's richtig ist. Dann wird die Entwickelung des Epithels sich folgendermassen stellen: a) erstens bildet sich eine einzelne Schicht, in welcher die ursprünglich kugeligen Zellen sich zu einem Cylinderepithel entwickelt haben (s. oben). b) An jeder zweiten Ecke der sechsseitigen Basalflächen entwickelt sich jetzt eine Rudimentzelle, welche die Form einer dreiseitigen Pyramide annimmt, wahrscheinlich mittelst einer Knospung. c) Die sechsseitigen Prismenzellen der ersten Schicht werden von den Rudimentzellen aufwärts getrieben und werden gestielt; jetzt finden sich 1) sechsseitige Prismenzellen mit convexen Scheitelflächen und der Basalfläche von einer dreiseitigen Rhombododekaëderspitze, welche in einen prismatischen Stiel sich fortsetzt; der Stiel endet unterwärts in die oberste Spitze einer dreiseitigen Pyramide. 2) Sechsseitige Prismenzellen, deren jede zweite Seitenkante abgestutzt ist, abwärts mittelst einer dreiseitigen Rhombododekaëderecke zugespitzt ist und nach unten abgestutzte Basalecken hat. d) Wachsen die letzterwähnten Zellen weiter, dann verdünnt sich der prismatische Stiel bis er schliesslich berstet; wir finden alsdann 1. dreiseitige pyramidale Rudimente und 2. u. 3. die oben beschriebenen Zellen. e) Die neuen Rudimente wachsen, treiben die übrigen Zellen empor und jetzt werden die Cylinderzellen (c 2) becherförmig (c 1) bis der Stiel zerreisst (d); es finden sich jetzt 4 Formen: Rudimentzellen (d 1), Cylinderzellen (c 2), Zellen, welche verlängert gedachten Rhombododekaëdern ähneln, und endlich die obersten Zellen (e 1).

Die obersten Zellen müssen immer eine convexe Scheitelfläche haben (cfr. z. B. die Epithelzellen des Magens u. s. w.).

Das aufgestellte Schema muss jedoch modificirt werden, weil die Naturverhältnisse nicht ideal sind; im Cornea-Epithel nimmt z. B. der Raumumfang der Zellen gegen die Oberfläche deutlich ab; ferner ist die elastische Kraft der Zellen verschieden, weshalb die Convexität der Scheitelfläche der Zellen in den oberen Schichten abnehmen muss. Auch mehrere andere hierher gehörige Verhältnisse erörtert der Verf. ausführlicher.

Schliesslich hebt er hervor, dass die Combination der Isolations- und der Schnittmethoden zu diesen Studien unentbehrlich ist. **Ditlevsen.**]

V. Bindesubstanz.

A. Bindegewebe, elastisches Gewebe.

1) Nordmann, O., Beiträge zur Kenntniss und namentlich zur Färbung der Mastzellen. Dissertation. Göttingen. 8. 52 Ss. — 2) Retterer et Robin, Ch., Sur la distribution des fibres élastiques dans les parois artérielles et veineuses. Journ. de l'anatomie. No. 2. p. 116—138. — 3) Stricker, S., Ueber den Bau der Sehne. Allgem. Wiener med. Zeitung. No. 7. S. 70. (Laterna magica, Oelimmersion, electrisches Licht; Demonstration von Sehnenquerschnitten.) — 4) Viallanes, H., Sur un nouveau type de tissu élastique, observé chez la larve de l'Eristalis. Compt. rend. P. 98. No. 25. p. 1552—1553. (Bei der Larve einer Schwebfliege, Eristalis, existiren am Respirationsrohre, welches das Ende des Körpers bildet, eine Menge elastischer Fasern in Zellen eingeschlossen. Diese Zellen sind spindelförmig, haben je einen grossen Kern, die elastische Faser verschmilzt an ihrem einen verästelten Ende mit dem Zellenprotoplasma, im übrigen ist sie spiralig aufgerollt, dehnsam wie ein Cautschukfaden und mit dem anderen in einem langen Fortsatz enthaltenen Ende an die innere Wand des Respirationsrohres geheftet. Gegen Reagentien verhalten sich die Fasern resistent wie bei Wirbelthieren. Ueber Nutzanwendungen auf die Muskelfasern des Herzens der letztgenannten Thiere, der Insectenflügelmuskeln u. s. w. siehe das Original.)

Nach einem kurzen Ueberblick über die Geschichte der Mastzellen macht Nordmann (1) auf die Möglichkeit und Gefahr aufmerksam, sie für Microorganismen zu halten, ein Irrthum, dem z. B. nach seinen Untersuchungen Morison (1883) verfallen, als derselbe Bacterien als specifische Microorganismen bei der Syphilis gefunden haben wollte. Auf dieselbe Weise wie Morison seine Syphilisbacterien, lassen sich auch die Mastzellen färben. Eingehender wird besprochen, mit welchen Mitteln eine genaue Unterscheidung durch Behandlung des Präparates selbst zwischen Mastzellen und Tuberkelbacillen gemacht werden könne, deren Verwechselung mit einander bei genauer Untersuchung freilich nicht als möglich zugegeben werden dürfe. Werden die Tuberkelbacillen nach einfacher Färbung mit Anilinfarben bedeutend langsamer durch Säuren (Salpetersäure, salzsauren Alcohol) entfärbt, als die Mastzellen, so kommt diesen dagegen die Eigenthümlichkeit zu, dass sie einfach vorgefärbt von einer zweiten Anilinfarbe nicht unberührt bleiben, dass aus beiden angewendeten Farbstoffen eine eigenthümliche Mischfarbe entsteht. Von Einfluss auf diese ist einmal die „Zeit der Einwirkung der zweiten Farbe, sodann die Dauer des Aufenthaltes im absoluten Alcohol" nachdem das Präparat in der zweiten Farbe gewesen. In Bezug auf die Einzelheiten muss auf das Original verwiesen werden.

Anlässlich einer Angabe von Raudnitz, dass die Mastzellen mucinös degenerirte Zellen seien und vom Amyloid, das er nach seinen Untersuchungen mit

Mucin einem und demselben Process, sei dieser physiologischer, sei er pathologischer Natur, einzureihen scheint, nur durch die Jodschwefelsäurereaction unterschieden werden könnten, hat Nordmann seinerseits mit denselben Farbstoffen vergleichende Färbungen gemacht zwischen Amyloid und Mucin einerseits und Mastzellen andererseits, es konnten aber die Angaben von Raudnitz, soweit sie auf Mastzellen Bezug hatten, keineswegs bestätigt werden. Es wird besonders aufmerksam gemacht auf das eigenthümliche Verhalten der Mastzellen, je nach dem nach Vorfärbung mit Safranin das Präparat darauf mit absolutem oder salzsaurem Alcohol behandelt wurde.

Bei Benutzung einer concentrirten Vesuvinfarbstofflösung konnte Nordmann feststellen, dass die Mastzellen durch eine solche erheblich dunkler gefärbt wurden, als die Gewebskerne, dass des Weiteren die Mastzellen bei nachher angewendeter Säure weniger an Farbe einbüssten, als die Kerne; auch gelang es so, mittelst einer mit Salzsäure angesäuerten (4—5 pCt.) concentrirten Vesuvinfarbe in einem Präparat eine Doppelfärbung der Mastzellen und Kerne zu erzielen, indem erstere dunkler gefärbt wurden. (Als Untersuchungsobjecte dienten Schnitte von gehärteter Hundezunge.)

Retterer et Robin (2) untersuchten die Vertheilung der elastischen Fasern in den Gefässwandungen, namentlich mit Hülfe des Pikrocarmin. Die elastischen Fasern wurden gelb, Zellen und Kerne roth gefärbt. Zwischen Tunica intima und media der Arterien wird eine Tunica Bichati angenommen, ungefähr 0,2 mm dick in der Aorta, 0,1 mm in den kleinen Arterien; sie enthält spindelförmige Bindegewebszellen mit ellipsoidischen Kernen. Nirgends, weder in Arterien noch in Venen giebt es eine Tunica fenestrata, wohl aber elastische Lamellen von Millimetergrösse, gefenstert zum Durchtritt anderer Formenelemente. Die Maschen werden in den Arterien von theils starken, theils feinen elastischen Fasern bogenförmig begrenzt. Worin diese Beschreibung, von der unpassenden Nomenclatur abgesehen, Neues bringen soll, vermag Ref. nicht einzusehen; ebenso beschreiben die anderen Autoren jene gefensterte Haut. Besonders variabel ist ist die Form der Lücken der letzteren in der A. pulmonalis. Diese Arterie gleicht in ihrem Bau, wie schon Gimbert (1865) bemerkte, am meisten den Aa. carotides. (Beide sind ja Theile von Kiemenarterien, Ref.); sie hat eine sehr deutlich abgegrenzte Tunica Bichati.

In den Venen ist die Tunica Bichati nur halb so dick als in den Arterien, gefässlos, feinfibrillär, netzförmig angeordnet; sie wird durch Essigsäure nicht verändert. Die Venen haben also vier Membranen. An der cardialen Fläche der Venenklappen ist diese Tunica ebenfalls vorhanden (in Wahrheit ist dieselbe nichts Anderes als der innere Theil der Tunica intima, so weit letztere keine glatten Muskelfaserzüge enthält, Ref.). Der letztgenannte Theil der Venenintima ist nach Cadiat dem Endocard homolog.

In den Lungenvenen überwiegen die elastischen Fasern, erstere nähern sich dadurch den Arterien. Angeordnet sind dieselben zu longitudinalen, 0,04—0,5 mm von einander entfernten, anastomosirenden Faserzügen, welche polygonale Maschen bilden. Die Bindegewebszellen liegen dicht an der Tunica Bichati. — Ueber den Bau der Lungenvenen des Schafes und Pferdes, sowie über die Vv. cavae des letzteren vergl. das Original.

B. Knorpel, Knochen, Ossificationsprocess, Zähne.

1) Busch, F., Die Längenabnahme ausgewachsener Knochen nach der Resorptionstheorie erklärt. Berliner klin. Wochenschrift. No. 14. S. 212—214. (Durch trophoneurotische Störungen.) — 2) Lankester, Ray E., On the Skeleto-trophic Tissues and Coxal Glands of Limulus, Scorpio and Mygale. With 6 pl. Quarterly Journ. of microsc. science. N. S. No. XCIII. p. 129 bis 162. — 3) Wolff, J., Zur neuesten, die Knochenwachsthumsfrage betreffenden Polemik. Berliner klin. Wochenschr. No. 40. S. 635—637. (Bestreitet gegen Busch — s. oben — die Appositionstheorie.) — 4) Derselbe, Ein Beitrag zur Lehre vom Knochenwachsthum. Arch. f. Anat. u. Physiol. Physiol. Abth. S. 179. — (Ueber Zähne siehe den Bericht über Entwicklungsgeschichte.)

Wolff (4) untersuchte das Knochenwachsthum an Fingerphalangen von 15 mm langen Fröschchen. Im Knorpel bildet sich eine Markhöhle zugleich mit dem Beginn der Verknöcherung unter dem Perichondrium der Mitte der Diaphyse, in Folge des Einschmelzens der vergrösserten Knorpelzellen; in der Markhöhle treten Markzellen auf, die nicht von den Knorpelzellen herzuleiten sind. Die weiteren Vorgänge wurden am Femur verfolgt.

VI. Ernährungsflüssigkeiten und deren Bahnen.

A. Blut, Lymphe, Chylus.

1) Afanassiew, M., Ueber den dritten Formbestandtheil des Blutes im normalen und pathologischen Zustande und über die Beziehung desselben zur Regeneration des Blutes. Arch. f. klin. Med. Bd. XXXV. S. 217. Vergl. Centralbl. f. d. med. Wissensch. No. 51. S. 914—915. — 2) Aly, W., Ueber die Vermehrung der rothen Blutkörperchen bei Amphibien. Dissert. Halle a/S. 9. Aug. 8. 40 Ss. — 3) Bernstein, J., Ueber den Einfluss der Salze auf die Lösung der rothen Blutkörperchen durch verschiedene Agentien. Tagebl. d. 57. Versamml. deutscher Naturforscher und Aerzte in Magdeburg. 19. Sept. S. 96. — 4) Bizzozero, J. und A. A. Torre, Ueber die Entstehung der rothen Blutkörperchen bei den verschiedenen Wirbelthierklassen. Arch. f. pathol. Anat. Bd. 95. H. 1. S. 1 bis 25. Mit 1 Taf. — 5) Derselbe, Ueber die Bildung der rothen Blutkörperchen. Anhang zur vorhergehenden Arbeit. Ebendas. S. 26—45. — 6) Feiertag, H., Beobachtungen über die sog. Blutplättchen (Blutscheibchen). 8. 1883. Dorpat. — 7) Cohnstein, J., Blutveränderung während der Schwangerschaft. Arch. f. die ges. Physiol. Bd. XXXIV. H. 3 u. 4. S. 233 bis 236. — 8) Gibson, Lockhart J., On the Invisible Blood Corpuscule of Norris. Journ. of anat. and physiology. Vol. XVIII. P. IV. p. 393—399. — 9) Gram, C., Untersuchungen über die Grösse der rothen Blutkörperchen im Normalzustande und bei verschiedenen Krankheiten. Fortschritte d. Medicin. Bd. II. No. 2. S. 33—47. Mit 1 Taf. — 10) Groth, O., Ueber die Schicksale der farblosen Elemente im kreisenden Blute.

S. 90 Ss. Dorpat. Referat siehe im Centralblatt f. d. medic. Wissenschaften. 1885. No. 8. S. 118. — 11) Hayem, G., De l'action des solutions chlorurées sodiques additionnées de violet de méthyle sur les éléments du sang. Gazette hebdom. de méd. et de chir. 2e Sér. T. XX. No. 31. p. 513. — 12) Lavdowsky, M., Microscopische Untersuchungen einiger Ernährungsvorgänge des Blutes (I). Arch. f. path. Anat. Bd. 96. S. 60—99. Mit 4 Taf. (II.) Bd. 97. S. 177—210. Mit 2 Taf. — 13) Lewis, Th. R., Further Observations on Flagellated Organisms in the Blood of Animals. Quarterly Journ. of microscop. science. N. S. No. XCV. p. 357—369. — 14) Löwit, M., Ueber die Bildung rother und weisser Blutkörperchen. Sitzungsber. d. k. Academie der Wissenschaften zu Wien. 1883. Bd. 88. Abth. III. S. 356—401. Mit 2 Taf. — 15) Derselbe, Dasselbe. 8. 1883. Mit 2 Taf. Wien. — 16) Derselbe, Beiträge zur Lehre von der Blutgerinnung. I. Mittheilung. Ueber das coagulative Vermögen der Blutplättchen. Sitzungsbericht der kgl. Academie der Wissenschaften zu Wien. Abth. III. Aprilheft. — 17) Derselbe, Dasselbe. Zweite Mittheilung. Ueber die Bedeutung der Blutplättchen. 8. Mit 1 Taf. Wien. — 18) Meltzer, S. J. und W. H. Welch, Zur Histiophysik der rothen Blutkörperchen. Centralbl. für die medic. Wissensch. No. 41. S. 721—723. (Schüttelt man Blut mit unlöslichen körnigen Substanzen, so verschwinden die Blutkörperchen: bei Quecksilber nach 7—8 Stunden, bei groben Schrotkörnern nach circa 3 Tagen. Kupfersulphat von 10 pCt., Silbernitrat von 3 pCt. etc. machen die Schatten der Blutkörperchen als dunkle Ringe, Kaliumchlorat von 6 pCt. als runde Scheiben sichtbar.) — 19) Siegel, F., Ueber Methode und practische Verwerthung der Blutkörperchenzählung. Allgemeine Wiener medic. Zeitung. No. 16 und 24. S. 272. (Pathologisch.) — 20) Waldeyer, W., Tageblatt der 57. Versammlung deutscher Naturforscher und Aerzte in Magdeburg. 19. Sept. S. 195.

Bernstein (3) theilt die Agentien, durch welche die rothen Blutkörperchen gelöst werden, in physicalische und chemische ein; er fand, dass Salze die Resistenz gegen physicalische Lösungsmittel erhöhen, gegen chemische herabsetzen.

Waldeyer (20) äusserte in der Discussion über Bernstein's Vortrag, dass eine genauere Untersuchung des Auflösungsprocesses der rothen Blutkörperchen unter dem Microscop sehr wünschenswerth wäre.

Bizzozero und Torre (4) verfolgten die Entstehung rother Blutkörperchen durch karyomitotische Zelltheilung bei Fischen (Tinca vulgaris, Anguilla vulgaris, Salmo Thymallus, Leuciscus alburnus, Carassius auratus), namentlich beim Goldfisch, dem Blutentziehungen durch Schnitte in die Kiemen gemacht wurden. Ferner bei Reptilien, (Testudo graeca, Vipera aspis, Tropidonotus natrix, Podarcis muralis, Lacerta viridis, Anguis fragilis) und Amphibien (Hyla viridis, Bufo vulgaris, Rana temporaria und esculenta, ferner Triton cristatus, Salamandra maculosa, Glossoliga Hagenmülleri, Siredon pisciformis). Bei allen erwachsenen Wirbelthieren finden sich indirecte Theilungen der rothen Blutkörperchen, beim Goldfisch vielleicht auch directe Theilung. Die Theilung ereignet sich aber in bestimmten Organen: bei den Säugern, Vögeln, Reptilien und Anuren im Knochenmark, bei den Urodelen in der Milz, bei den Fischen in der Milz und in der lymphdrüsenähnlichen Substanz der Fischniere. In den genannten Organen sind die Kernfiguren zahlreicher als in den Blutkörperchen des circulirenden Blutes; nach Blutentziehung werden sie auch in letzteren zahlreich. — Die Angaben Feuerstack's (1883) über Bildung von rothen aus weissen Blutkörperchen werden für unhaltbar erklärt.

In einem Anhange zu nachstehender Arbeit bemerkt Bizzozero (5), dass beim Triton die karyomitotische Theilung unter den Augen des Beobachters in 15—20 Minuten abläuft. An Wanderzellen aus dem Knochenmarke des Frosches hatte B. die Theilung bereits früher (1868) direct wahrgenommen. Aus den Blutplättchen oder den Hämatoblasten von Hayem bilden sich keine rothen Blutkörperchen, ebenso wenig aus Riesenzellen nach Foà und Salvioli, weder in der Leber und Milz des Embryo, noch im Knochenmark des erwachsenen Thieres. Beim Hühnerembryo geht die Karyokinese erst im Blute vor sich, darauf in der Milz, zuletzt im Knochenmarke, wo sie dann das ganze Leben hindurch fortdauert.

Die von Bizzozero erhaltenen Resultate sind bereits durch eine sehr sorgfältige, unter Eberth's Leitung entstandene Arbeit von Aly (2) bestätigt worden. Es wurden Triton cristatus und Rana esculenta und temporaria untersucht und die Theilung der rothen Blutkörperchen durch Karyokinese unzweideutig festgestellt. Ausser 0,75 proc. Kochsalzlösung mit Methylviolett nach Bizzozero wurde beim Frosch auch Essigsäure benutzt, doch reicht schon die letztere für sich allein aus und Färbung ist gar nicht nothwendig, um die Kernfiguren zu erkennen. Beim Triton ist hauptsächlich die Milz das hämatopoëtische Organ, beim Frosch tritt das Knochenmark in den Vordergrund. Aly wendet sich ebenfalls (vergl. oben Bizzozero) in scharfer Weise gegen Feuerstack. Auch Froschlarven von 3—3,5 cm Länge wurden untersucht, sie enthielten etwa 19 kleine rothe Blutkörperchen auf 55 erwachsene Zellen. Denn man muss nach Aly beim Triton kleine runde granulirte Zellen, embryonale Blutkörperchen, ferner Jugendformen, die mehr Protoplasma besitzen und mehr elliptisch sind, endlich erwachsene rothe Blutkörperchen unterscheiden, während beim Frosch sich zwischen die letzteren und die Jugendformen noch Uebergangsstadien einschieben. Farbige kernlose Zellen sind Kunstproducte. Uebrigens zeigen sich Kernfiguren nur bei frisch eingefangenen Fröschen häufig, schon am dritten Tage waren solche kaum aufzufinden, während die Tritonen sich gegen die Einsperrung indifferent verhielten. Bei den Froschlarven waren die kleinen embryonalen Zellen weit häufiger, als bei den erwachsenen Fröschen; diese Zellen tragen durch ihre Theilung zur Vermehrung der Blutkörperchen hauptsächlich bei, doch wagt Aly die Bildung von rothen Blutzellen aus Lymphkörperchen nicht gänzlich auszuschliessen.

Cohnstein (7) fand bei trächtigen Schafen in cmm Blut im Mittel 9,742222 Blutkörperchen und 7,8 pCt. Hämoglobin, bei nichtträchtigen 12,090000 Blutkörperchen und 5,5 pCt. Hämoglobin. Der Hämoglobingehalt des einzelnen rothen Blutkörperchens muss also bei trächtigen Thieren grösser sein, als bei nichtträchtigen. In der That beträgt nun der Flächendurchmesser im Mittel 0,0049 bei nichtträchtigen und 0,0063 mm bei trächtigen Schafen. Wenn bei trächtigen Thieren die Zahl der Blutkörperchen abnimmt, so wird der Ausfall doch durch die Volumszunahme der Blutkörperchen reichlich (das Gesammtvolum verhält sich etwa wie 3 : 4. Ref.) gedeckt: während der Trächtigkeit werden die rothen Blutkörperchen grösser.

Gibson (8) untersuchte die von Norris (1882) beschriebenen, für gewöhnlich wegen angeblich gleichem Brechungsindex mit dem Serum unsichtbaren Blutkörperchen. Mit Hülfe des Hämatocytometers von Gower erhielt G. eine sehr dünne, nur aus einzelnen Blutkörperchen bestehende Blutschicht. Das Blut war vom Hunde, es enthielt in der Norm 8 Millionen Blutkörperchen im cmm; nach Mischung mit concentrirter Chlornatriumlösung aber nur noch 5 Millionen. Nach einer Stunde war die Anzahl auf 1 Million und nach 18 Stunden auf 400 000 gesunken. Die Chlornatriumlösung löst also die Blutkörperchen allmälig auf. Ebenso färben sich in einer sehr dünnen Lösung von 0,04 pCt. Anilinblau in einer 0,75 proc Kochsalzlösung anfangs nur wenige (1 : 10), später alle Blutkörperchen mehr oder weniger intensiv. Norris hatte farblose Kerne im Blut von Fröschen und Tritonen für junge rothe Blutzellen gehalten, die Kernen von blassen, aus dem Knochenmark und der Milz stammenden Lymphkörperchen entsprechen. G. zeigt jedoch, dass dies während der Beobachtungsdauer ausgetretenen Kerne von rothen Blutkörperchen sind. Auch haben die unsichtbaren Körperchen nichts mit der Blutgerinnung zu thun, gesättigte Kochsalzlösungen etc. verhindern nicht die Coagulation, weil sie die unsichtbaren Körperchen verändern, sondern weil sie die fibrinogene Substanz coaguliren. Die Norris'schen Körperchen incl. der wie oben tingirten ergeben mit den übrigen, dann sichtbaren Blutkörperchen genau die Gesammtzahl der im Blute ursprünglich vorhandenen Zellen; erstere sind also gewöhnliche, nur durch beginnende Einwirkung von Reagentien veränderte, rothe Blutkörperchen (Jahresber. f. 1883, S. 61). Die Blutplättchen von Bizzozero oder Hämatoblasten von Hayem (Jahresber. f. 1883, S. 61) haben nichts mit den Körperchen von Norris zu thun; sie sind wahrscheinlich Stücke zerfallener weisser Blutkörperchen.

Gram (9) bestimmte die Anzahl rother Blutkörperchen des Menschen in einem cmm zu 4,430000 mit einer Unsicherheit von 1 pCt. Die Durchmesser betragen 0,0067—0,0093 mm, und zwar ist 0,0079 der häufigste, 0,0093 mm der seltenste (zugleich pathologische). Die Grenzen des Normalen liegen zwischen 0,0077 und 0,008, das Mittel beträgt 0,00784 mm.

Groth (10) erörterte die Schicksale von Leukocyten aus Lymphdrüsen, Eiter, Flüssigkeiten seröser Höhlen, die in Venen von Hunden oder Katzen injicirt wurden. Wenn die Thiere die erzeugten Thrombosen überstanden, so gingen nicht nur die injicirten, sondern auch bis 90 pCt. der normal im Blute kreisenden Leukocyten zu Grunde, worin die Ursache der intravasculären Gerinnungen zu finden ist, da der rasche Zerfall der Zellen eine Steigerung des Fermentgehalts der Blutflüssigkeit bewirkt. Das Blutplasma verliert die Fähigkeit, das Protoplasma der Leukocyten unter Entwickelung von Fibrinferment zu zerlegen, so dass eine zeitweise Gerinnungsunfähigkeit des schwarz und theerartig werdenden Blutes eintreten kann.

Hayem (11) bestreitet, dass Bizzozero's Darstellung von der directen Theilung rother Blutkörperchen des Frosches zu acceptiren sei. H. machte Frösche durch Blutentziehungen anämisch, untersuchte das Blut nach einem Monat mit 0,5 proc. Chlornatriumlösung, die mit 1 pCt. einer concentrirten Methylviolettlösung (nach Bizzozero) versetzt war und beobachtete an jungen rothen Blutkörperchen in zahlreichen Fällen, dass durch das Reagens Einschnürungen entstanden, die den Kern halbiren können, so dass zwei kernhaltige Zellen daraus hervorgingen. H. erklärt diese Bilder für Kunstproducte.

Lavdowsky (12) schildert von Neuem die bekannten amoeboiden Bewegungen der weissen Blutkörperchen, das Ausstrecken von Pseudopodien, Fortkriechen, Emigriren durch die Capillargefässwände unter normalen und pathologischen Verhältnissen. Es wurden aber sehr starke Vergrösserungen angewendet, die Vorgänge in ihren Details beschrieben und abgebildet, weshalb auf das Original verwiesen werden muss (ebenso in Betreff der Differenzen mit einigen russischen Autoren). Untersucht wurden Axolotl, Triton, Frosch, von Säugethieren Kaninchen, Meerschweinchen, Ratte, Katze, Hund, und namentlich die grobkörnigen Elemente ins Auge gefasst; am Schluss der Beobachtung der lebenden Zellen im Omentum, Mesenterium u. s. w. wurden die Bilder meist durch 1 proc. Uberosmiumsäure u. dgl. fixirt. Folgende Sätze lassen sich aufstellen:

Die Leukocyten können im Innern der Gefässe ganz so wandern oder kriechen wie ausserhalb derselben. — Die Wanderung der Leukocyten auch in den Gefässen ist zweifellos eine active und kann ganz unabhängig von der Circulation und ihr entgegen sich vollziehen. — Die intravasale Wanderung der Leucocyten, sowie ihre Randstellung steht in keiner Beziehung zum Blutdrucke, sowie der Blutdruck keinen besonderen Einfluss auf die Emigration der Leukocyten hat, indem er diesen Process nur mehr oder weniger befördert.

Karyomitotische Zelltheilungen wurden sowohl bei Leucocyten als farbigen Blutkörperchen von Axolotl-Larven constatirt, ferner an den Kernen von Epithelialzellen, Bindegewebszellen, Knorpelzellen, den Kernen der Muskel- und Nervenfasern und an den Endothelien der Blutgefässe. Bei den farblosen Blutkörperchen kommen aber auch directe Theilungen vor, ferner sog. gewaltsame Theilungen. Dem Kerngerüst ruhender Kerne schreibt L. die Fähigkeit spontaner

Bewegungen zu und bezeichnet die chromatische oder chromatophile daher als kinetische Substanz. Die an sich bewegenden Leucocyten wahrnehmbaren Erscheinungen sollen mit Rücksicht auf die mechanischen Kraftausserungen, welche dabei stattfinden können, als Eigenbewegungen aufgefasst werden, wobei äussere Einwirkungen (wie z. B. der Blutdruck nach Cohnheim) keine wesentliche Rolle spielen. Indessen gehen abgerissene kernlose Zellenhälften bald zu Grunde. Im Wesentlichen steht L. auf dem Standpunkte Derjenigen. welche an besondere mysteriöse Kräfte des lebenden Zellenprotoplasma glauben. Auch hierüber ist auf das in Jedermanns Händen befindliche Original zu verweisen.

In rothen Blutkörperchen von Winterfröschen hatte Gaule (1881) Würmchen oder Cytozomen beschrieben. die als ein Formelement. welches aus der Substanz der Blutzellen sich bilde, aufgefasst werden konnten. Lankester (1882) erklärte dieselben hingegen für parasitische Organismen, junge Sporozoen. Lewis hatte bereits 1879 Flagellaten aus Rattenblut beschrieben, welche Saville Kent als Herpetomonas Lewisii classificirte und von dem Letzterer glaubte, es könne sich um Samenfäden kleiner Nematoden, Microfilarien oder anderer metazoischer Entoparasiten handeln. Lewis (13) beschreibt nun jetzt Flagellaten aus dem Blut von Pferden, Kameelen, Hunden, Ratten, von denen einige mit den bekannten Recurrensspirillen viel Aehnlichkeit und einen deutlichen Geisselfaden haben. Jedoch fand Evans bei einem Kameelpaare in dem Blut des einen Thieres Flagellaten, bei dem andern Nematoden-Embryonen, welche der Filaria sanguinis hominis Lewis glichen. Alle diese räthselhaften Wesen sind nicht auf Ostindien beschränkt, v. Wittich beschrieb sie 1881 aus dem Blut von Hamstern und nach Lewis ist das Merkwürdigste die anscheinend völlige Gesundheit der Thiere, in deren Blut sie vorkamen.

Löwit (14) empfiehlt zur Kernfärbung für rothe und weisse Blutkörperchen das Chrom-Osmium-Essigsäure-Gemisch von Flemming (s. oben Untersuchungsmethoden) und dann Anilinfarben in erwärmter, wässriger, concentrirter Lösung zu verwenden.

Das Blut von Warmblütern wird auf dem Objectglase erst 1—2 Stunden im Trockenschrank auf 110 bis 115° C. erhitzt, das von Kaltblütern auf 120 bis 125°, das von Embryonen auf 100—115°, dann 1 bis 1½ Stunden lang Behandlung mit dem erwähnten Säuregemisch, Auswaschen, dann ½—1 Minute heisse, aber nicht kochende Lösung von Gentianaviolett oder Safranin (Rosanilin, Solidgrün und dergl.); Ausziehen des überschüssigen Farbstoffs mit Alcohol, schliesslich Terpentinöl und Canadabalsam. Das Hämoglobin wird durch alcoholische Aurantia-Lösung nach dem Ausziehen mit Alcohol gelb gefärbt wie im Leben.

Nicht an die Blutplättchen Bizzozero's ist die Fibringerinnung nach Löwit (16) gebunden, sondern an die weissen Blutkörperchen. Die normale Kaninchenlymphe enthält keine Blutplättchen; die Gerinnung hängt ebenfalls von den Lymphkörperchen ab. Im übrigen muss hier auf das anderweitige Referat in diesem Jahresberichte verwiesen werden.

B. Gefässe, seröse Räume.

1) Batelli, A., Dello addattamento di alcune cellule endoteliali nelle membrane serose. Ricerche ed experimenti (Laboratorio d'istologia fisiologica nell' istituto superiore di Firenze). Lo sperimentale. Agosto. p. 132. — 2) Lankester, Ray E., The supposed taking-in and shedding-out of water in relation to the vascular system of Molluscs. Zool. Anzeiger. VII. Jhrg. No. 170. S. 343—346.

Batelli (1) untersuchte die Stomata und Stigmata der Endothelien, zunächst am Peritoneum parietale von Bufo vulgaris und Rana esculenta, um mit Hülfe des Experimentes über die Einrichtungen klar zu werden, welche die Communication mit dem grossen Lymphsack hinter dem Peritoneum bewirken. Nach einer historischen Einleitung, in welcher dem Ref. und Ranvier eine in diesen Dingen zwischen sich entgegenstehenden Ansichten vermittelnde Stellung zugeschrieben wird, weist Batelli zunächst die Existenz wirklicher, von besonders beschaffenen Endothelzellen kranzförmig umgebener Stomata auch in diesem Theil des Peritoneum nach. Mittelst 0,5 proc. Ueberosmiumsäure am lebendem Thiere behandelte Präparate zeigten aber die Löcher von körnigen, kernhaltigen Zellen theils ganz verschlossen, theils zur Hälfte, theils weit geöffnet. Es kommen auch theilweise Verschlüsse vor, welche durch darüber sich erstreckende Ausläufer von sternförmig gewordenen Endothelzellen bedingt sind; diese Verhältnisse werden durch Holzschnitte erläutert. Die erwähnten Begrenzungszellen nahmen keinen Zinnober oder Sepia etc. auf, wenn diese Stoffe fein vertheilt in die Peritonealhöhle injicirt wurden, wohl aber führten solche die im Lymphsack wandernden weissen Blutkörperchen. Auch wenn Myelinkörnchen aus fein verriebenem Rückenmark eingeführt und nachher Ueberosmiumsäure angewendet worden war, führten weder die gewöhnlichen, noch die das Stoma umgebenden Endothelzellen geschwärzte Fettkörnchen.

Lankester (2) hatte sich überzeugt, dass bei Solen legumen und Planorbis cornea durch keinerlei Poren Blut auf die äussere Körperoberfläche gelangt, es sei denn, dass das Thier verwundet wäre. Strömt also auch kein Blut nach aussen, so könnte doch bei Mollusken Wasser durch Poren in das Blut aufgenommen werden. Zunächst ist noch zu bemerken, dass bei Solen legumen das Pericardium keineswegs Blut, sondern nur eine farblose Flüssigkeit enthält, wie Penrose (1882) und Bourne (1883) gefunden haben. Bei Anodon konnte Lankester keine Poren in der Pericardialhöhle nachweisen, in welche sich Venen öffnen sollten. Also kann vielleicht mit Ausnahme der Neomeniae kein Blut vom Pericardium aus durch die renopericardialen Poren nach aussen gelangen. Was nun die Aufnahme von Wasser durch Poren in dem Fusse anlangt, wie sie von Griesbach vertreten wird, so läugnet L. für Anodon und Solen legumen, dass irgend welche Poren in der Epithelbekleidung des Fusses vorhanden sind (vergl. Jahresber. f. 1883, S. 64, Cattis). Die Imbibition von Lösungen diffusionsfähiger Farbstoffe in die Gefässräume des Fusses können nichts beweisen, um so weniger, da fein vertheilte aufgeschlemmte Pulver von Farbstoffen nicht eindringen.

C. Lymph- und Blutgefässdrüsen.

1) Drews, R., Zellvermehrung in der Tonsilla palatina beim Erwachsenen. Arch. f. microscop. Anat. Bd. XXIV. H. 3. S. 338—341. Mit 2 Fig. — 2) Flemming, W., Ueber die Regeneration der Lymphzellen und der Leucocyten überhaupt, sowie über den Bau der Lymphdrüsen und verwandten Organe. Mitth. des Vereins schlesw.-holst. Aerzte. 9. Juni. Sep.-Abdr. 2 Ss. — 3) Derselbe, Studien über Regeneration der Gewebe. Arch. f. microsc. Anat. Bd. XXIV. H. 1. S. 50—91. Mit 1 Taf. — 4) Möbius, O., Zellvermehrung in der Milz beim Erwachsenen. Ebendas. Bd. XXIV. H. 3. S. 342—345. Mit 1 Fig. — 5) Paulsen, E., Zellvermehrung und ihre Begleitungserscheinungen in hyperplastischen Lymphdrüsen und Tonsillen. Ebendas. Bd. XXIV. H. 4. S. 345—351. Mit 2 Fig. — 6) Schedel, J., Zellvermehrung in der Thymusdrüse. Ebendas. Bd. XXIV. H. 4 S. 352 bis 354. Mit 2 Fig. — 7) Stöhr, Ph., Ueber Tonsillen bei Pyopneumothorax. Sitzungsber. der naturw. Gesellsch. zu Würzburg. No. 2. S. 25—34. — 8) Derselbe, Ueber Mandeln und Balgdrüsen. Archiv für path. Anat. Bd. 97. H. 2. S. 211—235. Mit 2 Taf.

Drews (1) nennt die Follikel der Tonsillen u. s. w. Secundärknötchen, parallelisirt diese Keimcentren nach Flemming (2), den His'schen Vacuolen in den Lymphdrüsen und weist zahlreiche Mitosen in ersteren nach. Die Auswanderung von Lymphkörperchen durch das Epithel (vergl. Stöhr, 7) konnte Drews zwar bestätigen, hält es aber für möglich, dass die neugebildeten Lymphkörperchen statt dessen in grossem Massstabe in die Lymphbahnen übergehen. Untersucht wurden Katze, Ziege, Kaninchen und Meerschweinchen.

Flemming (3) entdeckte, dass beim Rinde die Rindenfollikel der Lymphdrüsen (auch bei der Katze), sowie die Follikel der Peyer'schen Haufen, Solitärfollikel des Coecum (beim Kaninchen) die Balgdrüsenfollikel der menschlichen Zungenwurzel von mitotischer Zellentheilung wimmeln. Diese Organe sind mithin Brutstätten massenhafter Erzeugung von Lymphkörperchen durch Zellentheilung. Später ist dasselbe auch für andere Follikel (der Milz, der Tonsillen, der Thymus etc.) von Flemming's Schülern gezeigt worden (vergl. Drews, Paulsen, Schedel). Die eigentlichen Lymphdrüsen und die peripherischen Lymphfollikel treten daher in die Rolle zurück, welche ihnen verloren zu gehen schien, weil mit den früheren Untersuchungsmethoden und unter der Herrschaft des Vorurtheiles von directer Kerntheilung, Niemand Zellentheilung in denselben hatte nachweisen können. Das Suchen nach eingekerbten Kernen war nämlich vergeblich geblieben (Ref.). Flemming nennt die Follikel daher secundäre Knötchen oder Keimcentren und weist die massenhafteste mitotische Zellenvermehrung in den Lymphdrüsen den hellen, vor langer Zeit von His gesehenen Vacuolen zu, deren Bedeutung hierdurch wie mit einem Schlage erhellt wird. Erleichtert wurden diese höchst wichtigen, selbstverständlich nur am überlebenden Gewebe ausführbaren Nachweisungen durch die Verbesserung der Untersuchungsmethode (s. oben), welche es Flemming gestattete, die Mitosen beim Säugethier schon mit 150 bis 200facher Vergrösserung aufzusuchen, um sie dann mit den besten homogenen Immersionen zu studiren.

Aus den Follikeln gelangen die neugebildeten Lymphkörperchen allmälig in die Lymphgefässe, bei oberflächlich gelegenen Follikeln mögen sie auch das Epithel durchwandern. Einzelne Bilder, die als directe Kerntheilungen (Fragmentirung, van Beneden) gedeutet werden können, kommen zahlreich in Wanderzellen des Trachealepithels, sehr sparsam in den Lymphfollikeln vor und sind vielleicht auf kriechende Leukocyten, deren Kerne natürlich ihre Form zeitweise ändern müssen, zu beziehen. Merkwürdig aber sind chromatophile resp. gentianophile Körner, die in dem Zellenleibe mancher Lymphkörperchen innerhalb jener Keimcentren vorkommen und so wie andere Zellen gelbe Pigmentkörnchen enthalten. Kleinere tingible Körner nehmen mit Gentiana intensiv violetblaue Färbung an; die grösseren verdanken ihre Farbe sicher nicht aufgenommenem Hämoglobin. Ihre Bedeutung ist vollkommen unbekannt.

Möbius (4) traf bei Kaninchen und Meerschweinchen sehr zahlreiche Mitosen in den Malpighi'schen Körperchen oder Milzfollikeln. Auch in der Milzpulpe kommen solche zahlreich vor.

Paulsen (5) bestätigte beim Menschen die zahlreichen Mitosen der normalen Tonsillenfollikel (s. oben Drews) für hyperplastische Tonsillen, Tonsilla pharyngea und Lymphdrüsen aus der Inguinalgegend. Es gab viele Zellen, die chromatophile Körnchen in ihrer Substanz enthielten.

Schedel (6) untersuchte wie Drews, Möbius und Paulsen unter Leitung von Flemming und zwar die Thymus der Katze, der Ziege und des Kalbes. Ueberall fanden sich zahlreiche Mitosen in der Peripherie der Thymusfollikel; im Centrum derselben fehlen sie oder sind nur spärlich vorhanden.

Nach Stöhr (7) entstehen die in den Tonsillen und Zungenbalgdrüsen der Säuger befindlichen Leukocyten nicht in loco durch fortwährende Theilung, sondern sie treten fortwährend aus den Blutgefässen dieser Organe aus (vergl. jedoch oben Flemming, 3). — Sie wandern fortwährend in zahlloser Menge durch das Epithel in die Mundhöhle, schieben sich zwischen den Epithelialzellen hindurch, beeinträchtigen zugleich durch ihre Wanderung und zahlreichen (directen) Theilungen die Thätigkeit des Epithels und zerstören letzteres. Die Wanderung beginnt mit der Geburt und hält, von Krankheiten abgesehen, während des ganzen Lebens an. Sie ist eine ganz constante Erscheinung bei jedem Säugethier, das Tonsillen besitzt. Untersucht wurden ausser dem Menschen: Katze, Kaninchen, Igel, Rind, Kalb, Schaf, Schwein, Hund, Maulwurf, Zungenbalgdrüsen des Kalbes u. s. w. (In Betreff einer Abbildung des Ref. scheint Stöhr übersehen zu haben, dass dieselbe bei nur dreissigfacher Vergrösserung gezeichnet ist.)

VII. Muskelgewebe, electrische Organe.

1) Chatin, Compt. rend. de la Soc. de Biol. No. 15. Avr. 28. 1883. p. 290. — 2) Geddes, P., A Re-Statement of the Cell-theorie etc., together with an hypothesis of Cell-structure and an hypothesis of contractility. Proceed. of the Roy. Society of Edinburgh. 1883/84. Vol. XII. p. 266—292. — 3) Grützner, P., Zur Anatomie und Physiologie der quergestreiften Muskeln. Recueil zoolog. Suisse. T. I. No. 4. pag. 665—684. Mit 1 Taf. — 4) Mayer, S., Zur Histologie des quergestreiften Muskels. Biolog. Centralbl. Bd. IV. No. 5. S. 129—137. (Versuch, die Kölliker'schen zellenhaltigen Muskelfasern des Frosches mit den Miescher'schen Schläuchen in Zusammenhang zu bringen.) — 5) Rabl, C., Ueber Zelltheilung. I. Theil. Mit 7 Taf. und 5 Holzschn. Morph Jahrb. Bd. X. H. 2. S. 214—330. — 6) Rutherford, Proceed. of the Roy. Society of Edinburgh. 1883.

Chatin (1) hat in quergestreiften Muskeln von Insecten Tyrosin chemisch nachgewiesen. Es finden sich microscopische Krystalle, theils lange, der Längsaxe der Muskelfasern parallel in letztere eingelagerte Nadeln, theils langgestreckte Rhomboëder, welche an die sog. Charcot'schen Krystalle des Bronchialsecretes erinnern (dieselben sind lange vor Charcot von Förster in seinem Handbuch der pathologischen Anatomie, 1854, entdeckt worden, vergl. oben S. 36), theils Gruppen von Krystallen. Behandelt man die Muskelstückchen in Reagenzgläsern entweder nach Piria, so geben sie dessen Reaction, oder mit concentrirter Schwefelsäure, so färben sie sich roth, ebenso mit Quecksilbernitrat, wonach das Roth successive in Braun übergeht.

Geddes (2) versucht eine eigenthümliche Theorie der Muskelcontraction aufzustellen. Suspendirt man einen Fetttropfen in einer mit dem Fett nicht mischbaren Flüssigkeit von gleichem specifischen Gewicht z. B. in wässrigem Alcohol und sucht den Fetttropfen in die Länge zu dehnen, so strebt derselbe beim Nachlassen des Zuges wieder seine Kugelgestalt anzunehmen. Nun sind in der Muskelfaser auch nach G. zwar Fibrillen vorhanden, sehr feine lange Röhrchen und die Quermembranen bieten feste Punkte. Aber die Anisotropen könnten als Körnchenapparate angesehen werden, welche nach Rutherford (6) bei der Contraction dicht zusammenrücken, lebendige Kraft ausgeben und letztere soll vielleicht als negative Schwankung erscheinen, die (vielleicht) der wie oben suspendirte Fetttropfen auch zeigen würde, wenn man darauf prüfen wollte!

Die weisse Beschaffenheit einiger Muskeln des Hauskaninchens, des Brustmuskels der Hühnervögel u. s. w. hatte Ref. (Anat. d. Kaninchens, 2. Aufl., 1884 — s. oben Lehrbücher) aus der erworbenen Unthätigkeit dieser Muskeln erklärt und sich darauf bezogen, dass das wilde Kaninchen der Insel Borkum jene weissliche Beschaffenheit des M. adductor magnus nicht darbietet. Grützner (3) beruft sich dagegen auf das Garennekaninchen, bei welchem nach Ranvier weissliche Muskeln vorkommen. Jedoch werden die Lapins de garenne (Gehegekaninchen) vom Menschen gehegt und geschützt: sie haben nicht nöthig täglich um ihr Leben zu laufen, wie die wilden Kaninchen. Dem Ref. erscheinen diese Thatsachen vollkommen durchschlagend.

Grützner (3) fand nun aber ein erheblich differentes Ansehen unter den quergestreiften Muskelfasern in den Muskeln des Frosches constant. Beide Faserarten sind durch einander gemischt: die einen dünner, längsgestreift, dunkler und mit zahlreichen interstitiellen Körnchen versehen, die keinenfalls Fett sind (aber auch kein Glycogen Ref. — vergl. dagegen Jahresber. f. 1883, S. 67). Die andere Sorte ist dicker, heller, frei oder fast frei von Körnchen und deutlich quergestreift. Beide Faserarten parallelisirt G. den rothen und weissen Muskeln des Kaninchens (nach des Ref. Ansicht würden die körnigen Froschmuskelfasern als junge zu betrachten sein). In Betreff der physiologischen Differenzen beider Faserarten muss auf das Original verwiesen werden.

Die helle Substanz, welche man in quergestreiften Muskelfasern z. B. von Wasserkäfern antrifft, die mit Goldchlorid etc. behandelt wurden, erklärt Rabl (5) mit Recht für die Muskelfibrillen selbst, die sich schwärzenden Körnchen oder scheinbaren Fibrillen sind Interfilarsubstanz, wie Rabl die interstitielle Masse nennt.

Derselbe beschreibt die glatten Muskelfasern der Kloakendrüsen von Triton cristatus als längsgestreift; diese Fibrillen entsprechen den Fäden, die man in Epithelien, Cylinder-Flimmerepithelien u. s. w. allgemein verbreitet antrifft.

VIII. Nervengewebe.

A. Structur der Nerven, Ganglien und des Centralorgans.*)

1) Beard, J., On the Segmental Sense organs of the lateral line and on the Morphology of the Vertebrate Auditory organ. Zoolog. Anzeiger. VII. Jahrg. No. 161 u. 162. S. 123—126 u. S. 140—143. — 2) Beneden, Éd. van et Julin, Le syst. nerv. central des Ascidies adultes et ses rapports avec celui des larves urodèles. Arch. de Biologie. 1883. T. III. Fasc. 2. — 3) Fraipont, Recherch. sur le syst. nerv. central et périphérique des Archiannélides (Protodrilus et Polygordius) et du Saccocirrus papillocerus. Arch. ital. de Biolog. 1883. T. III. Fasc. 2. — 4) Frommann, C., Ueber die normale und pathologische Histologie der Nervencentren. Sitzungsber. d. Jenaischen Gesellsch. f. Naturwissensch. etc. Bd. XX. S. 40—74. — 5) Gaffron, E., Kurzer Bericht über fortgesetzte Peripatusstudien. Zoolog. Anzeiger. VII. Jahrg. No. 170. S. 336—339. — 6) Grenacher, H., Abhandlungen zur vergleichenden Anatomie des Auges. I. Die Retina der Cephalopoden. Mit 1 Taf. 4. (S. d. Referat über descriptive Anatomie.)

*) Andere Arbeiten siehe: Referat über descriptive Anatomie, Neurologie.

— 7) Gruenhagen, A., Ueber ein Epithelialelement der Nervenprimitivscheide. Arch. f. microsc. Anat Bd. XXIII. H. 3. S. 380—381. Mit 1 Holzschn. — 8) Halter, Béla, Beiträge zur Kenntniss der Nerven im Peritoneum von Doris tuberculata, Lam. Mit 1 Taf. Wien. Aus den Arbeiten des zoologischen Instituts in Wien. T. V H. 3. S. 253—270. Mit 1 Taf. — 9) Jickeli, C. F., Vorläufige Mittheilung über den Bau der Echinodermen Zoolog. Anzeiger. VII. Jahrg. No. 170. S. 346—349. — 10) Joseph, H., Beiträge zur Kenntniss des Nervensystems der Nematoden. Ebendas. VII. Jahrg. No. 167. S. 264—266. — 11) Marshall, Milnes A., On the nervous System of Antedon rosaceus. Quarterly Journal of microsc. science. N. S. No. XCV. p. 507—548. Mit 1 Taf. — 12) Meynert, Th., Ueber Ernährung des Gehirns. Anzeiger der k. k. Gesellsch. d. Aerzte zu Wien. No. 13. S. 64—67. (Nutritive Attraction der Axencylinder, Retardation von Diffusionsströmungen von Seiten des Nervenmarkes) — 13) Mondino, C., Sulla struttura delle fibre nervose midollare periferiche. Archivio per le scienze mediche. Vol. III. N. 2. p. 45—66. Mit 1 Taf. Atti della R. Accademia delle scienze di Torino. Vol. XIX. Adunanza del 23 Marzo. 12 pp. Con tavola. — 14) Derselbe, De la structure des fibres périphériques à myeline. Arch. italiennes de Biologie. T. V. p. 340—344.

Beard (1) glaubt an den Annelidenursprung der Vertebraten und hält die Organe der Seitenlinie bei den Capitelliden und Anamnioten in allen wesentlichen Punkten für übereinstimmend. Cranialwärts von der aus mindestens sechs Wurzeln bestehenden Vagusgruppe würden noch vier segmentale Nerven existiren: Oculomotorius, Trigeminus, Facialis, Glossopharyngeus. Der Oculomotorius soll nun ein Organ der Seitenlinie innerviren, weil das Ganglion ciliare einen Zweig zu einer Hautstelle mit verdicktem Epithel nach van Wijhe entsendet. Ebenso die drei anderen Nerven und der N. acusticus, als ein dorsaler Ast des 7. Paares (Facialis), innervirt ursprünglich eine Hautstelle, eine Stelle des Epiblasts. Sonach ist das Gehörorgan der Vertebraten, trotz seiner secundären Complicationen, nichts weiter als ein modificirtes Organ der Seitenlinie. Wie die letzteren Wasserwellen zur Perception bringen (was doch mehr als zweifelhaft ist, Ref.), so das Gehörorgan Luftwellen.

Frommann (4) bestreitet, dass die Neuroglia des Rückenmarkes eine weiche, gerinnbare, eiweissartige Grundlage enthalte, sowie dass die perivasculären Räume und die Lanterman'schen Einkerbungen präformirt seien. Ueber Auseinandersetzungen mit Henle und Stricker, sowie über pathologische Fibrillenbildung in sclerotischen Herden und bei der grauen Degeneration vergl. das Original.

Gaffron (5) fand bei Peripatus Edwardsii Blanch. aus Caracas im Gehirn etwa acht Riesenganglienzellen, welche sich von den gewöhnlichen ausser durch ihren etwa 6—8 fachen Durchmesser auch durch ihren Bau wesentlich unterscheiden. Einen Uebergang bilden Ganglienzellen mittlerer Grösse, die in etwa dreifacher Anzahl im Gehirn, zerstreut auch in den Längsnervenstämmen vorkommen.

Gruenhagen (7) grenzte durch Silber um jeden Kern des Neurilems (der sog. Schwann'schen Scheide) im N. ischiadicus vom Frosch eine unregelmässige Zellplatte ab; der durch Silber geschwärzte Contour entspricht einer Endothelzelle und ähnliche Silberlinien fand G. auch in den kernlosen Gegenden des Neurilems. Folglich würde letzteres einen Bau wie die Blutcapillaren besitzen.

Bei Chiton hatte Haller (8) früher terminale Körperchen an feinen Nerven des Peritoneum gefunden und mit Vater'schen (der Katze) verglichen. Bei Doris finden sich grössere centrale Ganglienzellen als bei anderen Mollusken und peripherische Ganglien sind bei Doris bereits mit freiem Auge am Mitteldarm sichtbar. In den Nervenstämmchen des Peritoneum kommen eingestreute peripherische Ganglienzellen von 0,5—0,99 (!) mm Durchmesser vor. Ausserdem aber endständige Ganglienzellen: einmal auch ein endständiges Ganglion, welches aus vier ellipsoidischen Zellen bestand. Am Bemerkenswerthesten ist die von H. aufgestellte Theorie, wonach in den Nervenfasern der Mollusken ein Netzwerk vorhanden ist, welches den von Kupffer in den Leberzellen sogenannten Protoplasmafäden entspricht; in deren Zwischenräumen liegen die Körnchen des Paraplasma. In der That ist die Nervenfaser eine directe Fortsetzung des netzförmig construirten Zellenleibes der Ganglienzellen und diese Anordnung soll in Folge der Function zu gewissen Zeiten eintreten. Bei manchen Zellen, so bei den Leberzellen nach Kupffer, sind jene Protoplasmafädchen contractil. Die erwähnten terminalen Ganglienzellen, sog. Endzellen, besitzen häufig keine Hülle, ebensowenig die zu ihnen tretenden Nervenfasern; in anderen Fällen ist eine solche vorhanden. Die Ganglienzellen der Mollusken wie der Vertebraten zeigen häufig eine concentrische oder fibrilläre Streifung.

Joseph (10) untersuchte an lebenden Thieren, sowie mit Goldchlorid und Picrocarminlösung das Nervensystem bei Plectus spec. und jungen Ascariden, namentlich Ascaris mystax. Bei den erstgenannten Grottennematoden existiren nicht ein Bauchstrang, sondern deren zwei, die durch quere Anastomosen, besonders am Rectum, auch mit den Rückennerven verbunden sind. Im Uebrigen ist das Verhalten wie bei den grossen Ascariden, Ascaris lumbricoides und megalocephala, bei denen der Bauchstrang mit zwei Wurzeln aus dem Schlundnervenring entspringt. J. schliesst daraus, dass das Vorhandensein von zwei Bauchnerven der ursprüngliche, das eines einzigen der abgeleitete Zustand ist. Letzterer tritt bei den grossen Ascariden nur im Jugendalter, wahrscheinlich bis zur ersten Häutung, auf, bei den Grottennematoden persistirt der ursprüngliche Zustand während des ganzen, auch des geschlechtsreifen Lebens. Die Tendenz zur Verschmelzung zeigt sich bei letzteren in der Vereinigung der beiden distalen Endäste nahe der Analöffnung zu einem einzigen; die Trennung aber repräsentirt die ursprüngliche Gesondertheit des einen in zwei getrennte Bauchnerven.

Mondino (13) findet es wahrscheinlich, dass sich das Neurilem der peripherischen Nervenfasern an den Schnurringen auf die Axencylinderscheide continuirlich fortsetzt. Daselbst entstanden nämlich braunrothe Niederschläge, wenn doppeltcontourirte Nervenfasern, z. B. vom N. ischiadicus des Kaninchens, mit einer Mischung von 10 Theilen Müller'scher Flüssigkeit oder 2proc. Kaliumbichromat und einem Theil 1proc. Ueberosmiumsäure, dann mit 0,5proc. Silbernitrat behandelt und mit Carmin gefärbt worden waren.

[Schou, Jens, Om den periphere marcholdige Nerveprimitivtraads Bygning. Disp. Kjöbnhavn. M. 1 Tavle.

Die Aufgabe dieser Abhandlung ist eine Untersuchung der Schmidt-Lanterman'schen Incisuren in den peripheren markhaltigen Nervenfasern und der Kühne-Ewald'schen Neurokeratinscheiden.

Die Incisuren: Verf. giebt erstens eine historische Darstellung der Entwickelung unserer Kenntnisse von diesen Bildungen und bespricht in dieser ausführlich die betreffenden Beobachtungen verschiedener Autoren. Demnächst theilt er seine eigenen Beobachtungen mit: Er hat den Menschen, das Kaninchen, das Meerschweinchen, die Maus, die Katze, das Huhn, die Taube, die Krähe und den Frosch untersucht, doch verweilte er besonders bei diesen letztgenannten Thieren, weil die Verhältnisse überall wesentlich dieselben waren. Zuerst untersuchte er die lebenden Nerven der Froschlunge; er hebt den constanten doppelten Contour der lebenden Fasern hervor; unzweifelhafte Incisuren fanden sich immer, doch constant weniger, als auf den gehärteten Nerven, und verhältnissmässig viele dieser Incisuren waren einseitig. Ohne es streng beweisen zu können, hält er es doch für das wahrscheinlichste, dass sie in den lebenden Nerven Platz und Zahl nach verschiedenen physiologischen Zuständen ändern. Demnächst untersuchte er gehärtete Nerven. Die Osmiumsäure, 1 pCt., zeigt eine sehr variable Anzahl unserer Bildungen; auf Längsschnitten gehärteter Nervenstämme sieht man die Incisuren sehr zahlreich in den centralen Fasern, sehr sparsam oder ganz fehlend in den peripherischen; die einseitigen waren sehr selten. Die von Kuhnt in den Incisuren angegebene „Zwischenmarkscheide" fand der Verf. nicht. Die stabförmige Structur des Marks (Lanterman) beobachtete er oft, aber ihr Vorkommen war launenhaft, und der Verf. hält sie für ein Kunstproduct. Die Chromsäure und deren Salze, die Pikrinsäure, das Pikrocarmin, und das Alcannaterpenthinöl wurde ebenfalls versucht, aber weniger nützlich als die Osmiumsäure befunden. Die Untersuchung im Humor aqueus zeigte die auch von früheren Beobachtern erwähnten feinen Fibrillen, welche in den Incisuren ausgespannt sind; sie wurden auch mittelst anderer Reagentien gefunden. Eine die Incisuren erfüllende geformte Substanz, Protoplasmablättchen, Kittsubstanz oder dergleichen, leugnet der Verf. entschieden und giebt zudem eine eingehende experimentelle Kritik der von Koch mittelst Silbernitrat gewonnenen Resultate; auch die Wirkung von Dahlia und Eosin bespricht er. Dagegen giebt er zu, dass die Incisuren wahrscheinlich von einer formlosen Substanz, z. B. Lymphe oder einem Spaltungsproduct des Myelins oder dergl. erfüllt ist. Auch erörtert er die Wirkung des Kochens mit Chloroform. Als schliessliches Resultat stellt der Verf. hin, dass die Incisuren normale Bildungen sind, dass sie von keiner ihnen eigenthümlichen Substanz erfüllt sind, und dass sie gewiss variabel nach Stelle und Zahl sind.

Die Hornscheiden. Die früheren Untersuchungen von Kühne-Ewald, Rumpf, Tizzoni, Gerlach, Rawitz, Hesse, Unger, Pertik, Waldstein, Weber und mehreren Verff. werden sorgfältig mitgetheilt. Die eigenen Untersuchungen des Verfassers, welche eigentlich früher als die Veröffentlichung der Beobachtungen von Pertik, Cecci, Waldstein und Weber abgeschlossen waren, führten ihn zu dem Schlusse, dass er die Präexistenz des Hornskeletes entschieden in Abrede stellen muss; er hat besonders die Alcohol-Aether-Behandlung, Pepsin, Trypsin, destillirtes Wasser und Chloroform benutzt. Ditlevsen.]

B. Nervenendigungen.

1) Bourne, A. G., Contributions to the Anatomy of the Hirudinea Quarterly Journ. of microsc. science. N. S. No. XCV. p. 419—506. Mit 11 Tafeln — 2) Cattani, Giuseppina, Ricerche intorno alla normale tessitura ed alle alterazioni sperimentali dei corpuscoli Pacinici degli uccelli (Corpuscoli dell' Herbst). R. Accadd. dei Lincei. Mem. della Cl. di scienze fisiche, matem. e naturali. Vol. XVIII. 39 pp. 4. Mit 2 Tafeln. — 3) Ciaccio, G. V., Sur la terminaison des fibres nerveuses motrices dans les muscles striés de la Torpille. Journ. de Micrographie. 7. ann. 1. fasc. p. 38—41. — 4) Exner, S., Ueber die Bedeutung der feuchten Schnauze der mit feinem Geruchssinn ausgestatteten Säuger. Zeitschr. f. wissensch. Zool. Bd. XL. H. 3. S. 557—558. — 5) Fischer, Paul Moritz, Ueber den Bau von Opithotrema cochleare nov. gen. nov. spec. Ebendas. Bd XL. H. 1. S. 1—41. Mit 1 Taf. — 6) Flemming, W., Ueber Organe vom Bau der Geschmacksknospen an den Tastern verschiedener Mollusken. Arch. f. mikroskop. Anat. Bd. XXIII. H. 2. S. 141—148. Mit 1 Tafeln. (Trochus cinerarius, Pecten etc. Die Endhärchen ragen frei über das Knospenende hervor.) — 7) Hoggan, G., Neue Formen von Nervenendigungen in der Haut von Säugethieren. Ebendaselbst. Bd. XXIII. H. 4. S. 508—525. Mit 2 Taf. — 8) Derselbe, Des formes nouvelles de terminaisons nerveuses dans la peau des mammifères, Journ. de l'anat. et de la physiol. XX. ann. No. 4. p. 265—283. Mit 2 Taf. — 9) Derselbe, New Forms of Nerve Termination in Mammalian Skin. Journal of anat. and physiol. Vol. XVIII. T. II. p. 182—197. Mit 2 Taf. — 10) Jickeli, C. F., Vorläufige Mittheilungen über den Bau der Echinodermen. Zool. Anzeiger. VII. Jahrg. No. 170, S. 346. No. 171, S. 366—370. — 11) Krause, W., Die Nervenendigung in den Froschmuskeln. Internationale Monatsschr. f. Anat. u. Histol. Bd. I. H. 3. S. 194—203. Mit 2 Tafeln. — 12) Derselbe, Die Nervenendigung in der äusseren Haut und den Schleimhäuten. I. Nervenendigungen bei Amnioten. Biolog. Centralbl. Bd. IV. No. 6. S. 161—182 Mit 17 Holzschnitten. Ebendas. No. 7. S. 205—210. II. Nervenendigungen bei Anamnioten. Ebendas. No. 7. S. 210 bis 211. — 13) Krimke, A., Die Nerven der Capillaren und ihre letzten Endigungen. Diss. München. 26 Ss. und 1 Taf. 8. Augsburg. — 14) Kühne, W., Ueber Nervenendigung in den Muskeln. Nach Beobachtungen von M. B. van Syckel. Abdruck aus den Verhandlungen des Naturhist.-med. Vereins zu Heidelberg. N. F. Bd. III. H. 3. S. 238—242. (Besohlung des Nervengeweihs; Anastomosen oder Pseudoanastomosen im Nervengeweih? — Säuger, Eidechse, Salamander etc.) — 15) Derselbe, Wiederlegung der Bemerkungen E. du Bois-Reymond's über mehrfache Nervenendigungen an einer Muskelfaser. Zeitschr. für Biologie. Bd. XX. H. 4. S. 531—539. — 16) Kultschizky, N. K., Ueber den Bau der Grandry'schen Körperchen. Arch. f. microsc. Anatomie Bd. XXIII. H. 3. S. 358—379. Mit 1 Taf. — 17) Suchard, E., Recherches sur la Structure des corpuscules nerveux terminaux de la conjunctive et des organes génitaux. Archives de physiol. XVI. ann. No. 8. p. 337—347. Mit 1 Taf.

Bourne (1) giebt eine schöne Abbildung der Nervenendigungen in der Haut von Hirudo.

nach einem Goldchlorid-Präparat. Einzelne sensible Nervenfasern steigen senkrecht bis unter die Epidermis auf, theilen sich wiederholt dichotomisch, die Aeste anastomosiren hier und da, die Endzweige schwellen zu Ganglienzellen-ähnlichen Gebilden an, die schon innerhalb der Epidermis gelegen sind. Von jeder Anschwellung setzt sich zwischen den cylinderförmigen Epidermiszellen ein gerade verlaufender Nervenfaden bis zur freien Oberfläche fort, welche letztere von einem Cuticularsaum gebildet wird.

Cattani (2) untersuchte die Herbst'schen Körperchen längs der A. interossea des Unterschenkels vom Huhn zum ersten Mal in Serien auf dem Querschnitt und bestätigt die Angabe des Ref., dass die Terminalfaser platt ist, sowie dass nach Resection des N. ischicadicus die fettige Degeneration nach der Peripherie hin fortschreitet, wobei schliesslich die Terminalfasern körnig-fettig entarten.

Exner (4) lehnt die Verantwortlichkeit für die Resultate der von Cybulski (Zybulski — Jahresber. f. 1883. S. 70) in seinem Laboratorium ausgeführten Arbeit über die Nervenendigungen in der Schnauze und Lippe des Rindes ab. E. hält die Feuchtigkeit der Schnauze für ein wichtiges Hülfsmittel des Geruchssinnes, um die Richtung, aus welcher der Geruch kommt, mittelst der intraepithelialen Nervenfasern zu erkennen. Letztere würden also dem Temperatursinn dienen, so, wie man einen Finger nass macht, um die Richtung des Windes zu erkennen (aber die Fingerhaut hat nur Tastkörperchen, Ref.).

Fischer (5, S. 13, Fig. 13) beschreibt an der Haut, welche die Geschlechtsöffnung umgiebt, bei einem neuen Trematoden (Opithotrema cochleare) hügelförmige Papillen, welche je ein ellipsoidisches terminales Körperchen (Tastkörperchen) von 0,004 mm Durchmesser enthalten. Verfolgung der zutretenden Faser zu Nervenstämmchen gelang vorläufig nicht. Verf erinnert an die Geschlechtspapillen von Bothriocephalus latus,

Hoggan (7, 8, 9) beschreibt gleichzeitig in drei Sprachen drei Arten terminaler Körperchen aus den Pfoten von Procyon lotor. Die Hoggan-Körperchen sind nach des Ref. Meinung gewöhnliche cylindrische Endkolben, welche die bekannten, mitunter vorkommenden Theilungen der Terminalfasern, auch dichotomische Theilung des Innenkolbens aufweisen. Die Blackwell-Körperchen sind schräge Durchschnitte von Vater'schen Körperchen, die in Folge der Schiefheit und Feinheit des Schnittes (im Verhältniss zu so grossen Körperchen), sowie der Methode — Citronensaft, 0,5 proc. Goldchloridlösung, essigsaures Wasser — etwas unkenntlich geworden sind. Die Browne-Körperchen erinnern zumeist an schräg durchschnittene cylindrische Endkolben. — Eine eigenthümliche Form von Terminalkörperchen fand H. beim Känguruh (Halmaturus Bennettii) an der Volar- und Plantarfläche; sie werden den Tastkörperchen zugerechnet. Einen Vorwurf, den H. gegen den verstorbenen Longworth in Cincinnati richtet, weist Waldeyer (7, S. 511) entschieden zurück.

Jickeli (10) bestreitet, dass die Papillen der Tentakeln bei Comatula einzellige Drüsen und ihre angeblichen Sinneshaare Secretfäden seien, wie H. Ludwig (Zeitschr. f. wiss. Zool. Bd. 28) angegeben hatte. J. sah vielmehr auf der Papillenkuppe 3—4 starre Haare und eine langsam schwingende Geissel. Die Haare gehören ebenso viel Zellen an; in der Axe der Papille steigt eine starke Nervenfaser auf, welche in der Geissel endigt. Die Tentakelpapillen sind also complicirt gebaute Sinnesorgane. Das von W. Carpenter als solches bezeichnete Gewebe ist thatsächlich nervöser Natur, besteht aber aus Röhren, die Bahnen des Gefässsystems darstellen, nicht aus soliden Strängen Im Ambulacralnerven sind reichliche Nervenzellen enthalten. derselbe bildet aber keinen Ring um die Mundöffnung; dagegen umschliesst die letztere ein drittes bisher nicht bekanntes Nervencentrum, welches die Tentakeln versorgt.

Krause (11). Die früher von Kühne (Ueb. d. periph. Endorgane d. motor. Nerven. 1862. Taf. III) abgebildeten, durch Salpetersäure und Kalichlorat dargestellten mehrfachen Nervenendigungen an isolirten Froschmuskelfasern hatte Ref. bereits vor langer Zeit (Die motorischen Endplatten u. s. w. Hannover, 1869. S. 138) für Blutgefässe erklärt und diese Notiz war von Du Bois-Reymond (1877) citirt worden. Ref. (11) theilte nun in Bezug auf eine Notiz von Kühne (1879) neue Untersuchungen mit über die schon früher discutirte Frage, ob die Froschmuskelfasern in längeren Muskeln dieses Thieres nur eine einzige motorische Nervenendigung oder mehrere erhalten. Letzteres war von Kühne (1862 u. 1879) für den M. sartorius angegeben und zwar handelte es sich nach dem Ausdruck von Du Bois-Reymond (1883) um makroskopisch von einander entfernte Innervationsstellen. Solche konnte Ref., nachdem mit Oxalsäure und Ueberosmiumsäure die Muskelfasern isolirt und die Nervenfasern gefärbt waren, nicht finden.

Kühne (15) hält im Gegentheil daran fest, dass einzelne Muskelfasern in langen Froschmuskeln vorkommen, welche solche makroskopisch von einander entfernte Innervirungsstellen besitzen. K. beruft sich dabei auf eine von der medicinischen Facultät zu Berlin gekrönte Preisschrift von G. Sandmann, über welche im nächsten Jahresbericht zu referiren sein wird.

Krause (12). Ref. gab eine durch Abbildungen erläuterte Zusammenstellung der Nervenendigungen in der äusseren Haut und den Schleimhäuten. Die terminalen Körperchen der einfachsensiblen Nerven lassen sich, soweit ihre manigfaltigen Formen bis jetzt bekannt sind, in eine Art von Stammbaum einordnen, was die Uebersicht erleichtert.

Terminale Körperchen.

- Kolbenkörperchen *(Reptilien)*
  - Endkolben *(Säuger)*
    - Cylindrische Endkolben *(Säugethiere)*
      - Key-Retzius'sche Körperchen *(Vögel)*
        - Herbst'sche Körperchen *(Vögel)*
      - Endkapseln *(Säugethiere)*
        - Vater'sche Körperchen *(Säuger)*
        - Genitalnervenkörperchen *(Igel)*
      - Genitalnervenkörperchen *(Säugethiere)*
    - Kugelige Endkolben *(Primaten)*
      - Genitalnervenkörperchen *(Mensch)*
      - Gelenknervenkörperchen *(Säuger)*
  - Grandry'sche Körperchen *(Vögel)*
    - Tastkolben *(Vögel)*
      - Tastkörperchen *(Primaten)*
    - Leydig'sche Körperchen *(Anuren, Reptilien)*

Zu dieser Tabelle muss noch bemerkt werden, dass die Genitalnervenkörperchen mehrmals darin erscheinen, weil sie bei verschiedenen Thieren von differenten Grundformen terminaler Körperchen abzuleiten sind.

Kultschizky (16) hält die beiden sog. Tastzellen (Kolbenzellen, Ref.) der Grandry'schen Körperchen aus den Papillen der Schleimhaut des hinteren Drittels der Entenzunge für Neuroepithelzellen, da die Nervenfaser nicht in denselben endigt, sondern in der Tastscheibe (disque tactile. Ranvier). Die Anzahl der Zellen wechselt zwischen 2—7. Ausserdem kommen kleinere wandständige Endothelzellen an der Innenwand der Bindegewebshülle des Grandry'schen Körperchens vor. An demselben Orte fand Kultschizky Gruppen von Tastzellen nahe den untersten Zellen des geschichteten Epithels.

Suchard (17) bestätigt die Endkolben der Conjunctiva des Menschen und des Kalbes (er nennt die letzteren Pacini'sche Körperchen), ferner die Genitalnervenkörperchen beim Kaninchen und Menschen; im Penis des letzteren enthalten sie eine ausserordentlich reiche, von Suchard durch Goldchlorid-Ameisensäure dargestellte und abgebildete Verzweigung blasser Terminalfasern. In der Glans des Kaninchens kommen ausserdem echte Vater'sche Körperchen vor.

IX. Drüsen.

1) Bourne, A. G., Contributions to the Anatomy of the Hirudinea. Quarterly Journal of microscop. science. N S No. XCV. p. 419—506. Mit 11 Taf. — 2) Dahl, F., Ueber den Bau und die Functionen des Insectenbeines. Zoologischer Anzeiger. VII. Jahrg. No. 158. S. 38—41. (Vorläufige Mittheilung.) — 3) Kultschizky, N., Zur Lehre vom feineren Bau der Speicheldrüsen Zeitschr. f. wissensch Zool. Bd. XLI. H 1. S. 99—106. Mit 1 Taf. — 4) Langley, J. N., On the structure of secretory Cells and the changes which take place in them during Secretion. Internationale Monatsschrift f. Anat. u. Histol. Bd. I. H. 1. S. 69 bis 77. — 5) Rombouts, J. E., Ueber die Fortbewegung der Fliegen an glatten Flächen. Zoolog. Anzeiger. VII. Jahrg. No. 181. S. 619—623. — 6) Simmermacher, H., Untersuchungen über die Haftapparate an Tarsalgliedern von Insecten. Zoolog. Anzeiger VII. Jahrg. No. 165. S. 225—228. (Vorläufige Mittheilung.) — 7) Derselbe, Antwort an Herrn H Dewitz in Berlin. Ebendas. VII. Jahrg. No. 177. S. 513—517. (Polemik über die Haftapparate des Laubfrosches, von Fliegen u. s. w. — Vergl. Jahresber. f. 1883, Histologie, S. 73). — 8) Derselbe, Untersuchungen über Haftapparate von Tarsalgliedern von Insecten. Zeitschr. f. wissensch. Zoologie. Bd. XLI. H. 4. S. 480—553. Mit 3 Taf. — 9) Schiefferdecker, P., Zur Kenntniss des Baues der Schleimdrüsen Nachrichten v. d. Kgl. Gesellsch. der Wissensch. zu Göttingen. Sitzung vom 5. Jan No. 2. S. 68—72. — 10) Derselbe, Dasselbe. Arch. f. microsc. Anat. Bd. 23. H. 3. S 382—412. Mit 2 Taf. — 11) Stöhr, P., Ueber Schleimdrüsen. Sitzungsber. d. physic. med. Gesellsch. zu Würzburg. No. 6 u. 7. S. 93—104.

Bourne (1) giebt eine sehr vollständige und sorgfältige anatomische Beschreibung der Hirudineen, mit den besten Hülfsmitteln ausgeführt. Zu erwähnen ist hier daraus nur die Entdeckung von ganz einfachen Lymphfollikeln bei Pontobdella, welche eine mehr oder weniger deutliche, aus verlängerten Bindegewebszellen gebildete Hüllmembran besitzen. Sie sind von kugliger Form, communiciren hie und da mit Blutgefässen; im Innern enthalten sie ein dichtes Netzwerk sternförmiger, anastomosirender Bindegewebszellen und in deren Zwischenräumen zahlreiche weisse Blutkörperchen. Wir haben es also hier mit Lymphdrüsengewebe in seiner einfachsten Form zu thun; ohne Zweifel produciren sie Lymphzellen.

Kultschizky (3) beschrieb die verschiedenen Speicheldrüsen des Igels; sie sollen in seröse Drüsen, Schleimdrüsen und gemischte Drüsen eingetheilt werden. Diejenige der letzteren, welche eine gemischte seröse Drüse ist, enthält ausser den serösen mucinoide Zellen. Diese färben sich roth mit Carmin, die serösen Zellen violett mit Haematoxylin; auch bei Doppelfärbungen.

Nach Rombouts (5) sondern die Härchen an den Fliegenfüssen eine ölige Flüssigkeit ab, welche durch Capillarattraction das Haften an Glasflächen vermitttelt.

Bei den Insectenfüssen wirkt nach Simmermacher (8) aufdiese, einerlei, ob sie sexuellen Zwecken dienen oder als Kletterapparate functioniren, in erster Linie der atmosphärische Druck, welcher durch ein die Adhäsion beförderndes, aber nicht als Klebstoff aufzufassendes Secret begünstigt werden kann.

Schiefferdecker (9) hält im Gegensatz zu

Stöhr (11) die Zellen der Halbmonde in Speicheldrüsen für junge Zellen, welche als Ersatzzellen dienen; sie sind reich an Nuclein. In welcher Weise der Ersatz in denjenigen Drüsen vor sich geht, die keine Halbmonde besitzen, ist unbekannt. Schiefferdecker färbte mit Eosin-Anilingrün u. s. w. die Gl. sublingualis, submaxillaris und die Mundhöhlendrüsen von einem Hingerichteten, er untersuchte die Gl. submaxillaris des Hundes auch nach Chorda- resp. Sympathicus-Reizung, ferner die Gl. orbitalis und lingualis vom Hunde. In den Zellenkörpern bildet sich ein mit Anilin sich stark färbendes Reticulum, dasselbe sowie die interreticuläre Substanz sind mucigen, beide treten auf dem Gipfel der Thätigkeit durch einen Porus aus, der während der Metamorphose sich bildet. Der übrigbleibende Theil der Zelle bildet sich zu dem protoplasmatischen Ruhezustande zurück; eine Anzahl der Zellen wird aber ausgestossen. Ueber die physiologischen Ergebnisse s. das Original.

Stöhr (11) bediente sich zur Untersuchung von Schleimdrüsen der von Westphal (1880) angegebenen Methode. St. glaubt nicht, dass die Schleimdrüsenzellen bei der Secretion zu Grunde gehen. Folglich brauchen auch die Halbmonde, die ohnehin keineswegs in allen Schleimdrüsen vorkommen, nicht Ersatzapparate zu sein, vielmehr sind sie nichts weiter als die protoplasmatischen, nicht metamorphosirten Abschnitte der Schleimzellen; so wird den Halbmondschleimdrüsen ihre Ausnahmestellung entzogen. (Ueber die Befunde an den Magendrüsen s. das anatomische Referat.)

Entwickelungsgeschichte

bearbeitet von

Prof. W. KRAUSE in Göttingen.

I. Lehrbücher, Technik, Allgemeines.

1) Brass, A., Grundriss der Anatomie, Physiologie und Entwickelungsgeschichte des Menschen. Bd VIII. 344 Ss. 8. Mit 66 Holzschn. (S. 253—321: Entwickelungsgeschichte. Populäre Darstellung.) — 2) Gerlach, L., Beiträge zur Morphologie und Morphogenie. I. (1883.) Stuttgart. Mit 8 Holzschn. und 10 Taf. IV und 120 Ss. gr. 8. — 3) Derselbe, Technische Notiz. Beiträge zur Morphologie und Morphogenie. I. (1883) Stuttgart. S. 118—120. (Glasplatten vom Glasbläser Hildebrand in Erlangen.) — 4) Kölliker, A., Grundriss der Entwickelungsgeschichte des Menschen und der höheren Thiere. 2. Aufl. Mit 1 Taf. und 299 Holzschn. 8. VIII und 454 Ss. Leipzig. (Theilweise umgearbeitet unter Berücksichtigung der meisten Arbeiten über jüngere menschliche Embryonen, ferner mit Rücksicht auf vergleichende Entwickelungsgeschichte und unter Hinzufügung neuer Holzschnitte. Das Buch ist hauptsächlich für Studirende berechnet) — 5) Preyer, W., Specielle Physiologie des Embryo, Untersuchungen über die Lebenserscheinungen vor der Geburt. 8. 2. Lfg. Mit Holzschnitten und 3 Taf. Leipzig. — 3. Lfg. 8. S 321 bis 480. Mit Holzschn. und 3 Chromolith. Leipzig. — 4. oder Schlusslfg. 8. XII und S. 481—644. Mit 9 Taf. und Holzschn. 1885. Leipzig.

Gerlach (3) löst in 200 ccm gesättigter Lösung von arseniger Säure 40 g Gelatine auf, fügt 120 ccm Glycerin hinzu und klärt mit Eiweiss. Die Lösung ist gelblich. Die Objecte werden mit derselben in einem Uhrglas mittelst einer kreisförmigen, an den Rändern in einem Ringe von 1 cm Breite ganz eben geschliffenen Glasplatte eingeschlossen und mit geschmolzenem Wachs, am folgenden Tage mit Bernsteinlack luftdicht verkittet, später wird der Verschluss durch Guttapercha (3/7) und Talg (4/7) zu etwa gleichen Theilen nach Selenka (1882) hergestellt.

II. Generationslehre.

A. Generationslehre s. s.

1) Bertè, F. e A. Cuzzi, Contributo alla anatomia dell' ovaio della donna gravida. Revista clinica di Bologna. No 7. p. 577—591. (S. den Bericht f. descript. Anatomie.) — 2) Born, G., Ueber die inneren Vorgänge bei der Bastardbefruchtung der Froscheier. Breslauer ärztliche Zeitschr. No. 16 S. 208 bis 211. — 3) Eberth, C. J, Die Befruchtung des thierischen Eies. Fortschritte der Medicin. Bd. 2. No. 14. S. 469—472. (Bei Echiniden spec und Spatangus spec tritt in der Regel nur ein Spermatozoon in den Dotter. Die Bildung der Vorkerne geht so vor sich, wie es Flemming angegeben hatte — entgegen Schneider, 1883.) — 4) Graff, L von, Zur Naturgeschichte des Auerhahns (Tetrao urogallus). Zeitschr. f. wissensch. Zool. Bd. XLI. H. 1. S. 107—115. Mit 1 Taf. (Beim Balzen wird die Ohröffnung durch eine schwellbare Falte in der unteren Wand des äusseren Gehörganges geschlossen. Sie ist stark entwickelt beim Truthahn, wenig bei der Auerhenne und Truthenne, rudimentär beim Haushuhn). — 5) Grützner, P., Phy-

siologische Untersuchungen über die Zeugung. Dtsch. med. Wochenschr. No. 30. (Zusammenstellung der Resultate aus den Arbeiten von Pflüger, Born, Roux etc. in den letzten Jahren). — 6) Hertwig, O., Das Problem der Befruchtung und der Isotropie des Eies, eine Theorie der Vererbung. Abdr. aus der Jenaischen Zeitschr. für Naturwissensch. N F. Bd. XI. 8. IV und 43 Ss. Jena. (Im nächsten Jahresbericht). — 7) Jickeli, C. F., Ueber einen der Begattung ähnlichen Vorgang bei Comatula mediterranea. Zoolog. Anzeiger. VII Jahrg. No. 174 S. 448—449. — 8) Derselbe, Ueber die Copulation von Difflugia globulosa Duj. Ebendas. VII. Jahrg. No. 174. S. 449—451. — 9) Derselbe, Ueber die Kernverhältnisse der Infusorien. Ebendas. VII. Jahrg. No. 175. S. 468—473. No. 176. S. 491—497 — 10) Koch, H., Ueber die künstliche Herstellung von Zwergbildungen im Hühnerei. L. Gerlach's Beiträge zur Morphologie und Morphogenie. I. (1883). S. 1—36. Mit 2 Taf (Entwickelungsstörungen nach vermindertem Sauerstoffzutritt u. s. w.) — 11) Derselbe, Eine frühzeitige embryonale Drillingsmissbildung vom Hühnchen Ebendas S 37—49. Mit 1 Taf. — 12) Mojsisovics, A., von, Nachträge zur Anatomie von Loxodon africanus Falc Sep. Abdr. aus den Mitth. des naturwissensch Vereins für Steiermark. 1883. 8. 24 Ss. Mit 2 Taf. (Beschreibt die Brunstperioden eines 17jährigen männlichen afrikanischen Elephanten, sowie dessen Anatomie.) — 13) Plate, L., Zur Kenntniss der Rotatorien. Zoolog. Anz. VII. Jg. No. 179. S. 573—576.

Born (2) setzte seine Bastardirungsversuche zwischen verschiedenen Froschspecies mit Bufo cinereus und variabilis fort. Bei Säugethieren und Ascariden ist die Norm, dass ein Spermatozoon das Ei befruchtet; dringen beim Frosch mehrere ein, wenn concentrirter Samen benutzt wird, so ist Barockfurchung und Absterben des Eies die Folge.

Jickeli (9) constatirte bei der Conjugation von Infusorien (Paramaecium, Spirostomum) ein Stadium vollständiger Lähmung der Pärchen, welches nach einiger Zeit wieder verschwindet. Ausnahmsweise verschmelzen statt zwei Individuen deren drei mit einander.

Plate (13) ermittelte, dass die weiblichen Hydatinen entweder nur Sommereier oder nur Wintereier legen; aus den ersteren entwickeln sich, wenn sie von derselben Mutter stammen, entweder ausschliesslich Männchen oder ausschliesslich Weibchen. Eine Begattung, die mit mehreren Männchen gleichzeitig stattfinden kann, übt auf die Art der Eier keinen bestimmten Einfluss, namentlich erzeugt sie Wintereier nicht. Noch weniger können Räderthiere bei Wassermangel eintrocknen, um bei Wasserzufuhr wieder aufzuleben.

B. Generationsorgane. Samen, Ei.

1) Ayers, Howard, On the development of Oecanthus Niveus etc. Memoirs of the Boston Society of Nat. History. Vol. III. No. 8. — 2) Bambeke, Ch. van, Contributions à l'histoire de la constitution de l'oeuf. I Rapport médiat de la vésicule germinative avec la périphérie du vitellus. Bulletin de l'Acad. roy. des sciences de Belgique. 1883. 52 ann. 3 sér. t. VI No. 12. Sep.-Abdr. 36 pp. Mit 2 Taf. — 3) Derselbe, Contributions à l'histoire de la constitution de l'oeuf. Archives de Biologie. 1883. T. IV. Fasc. 4. p. 803—832. Mit 1 Taf. — 4) Bellonci, G., Intorno alla Cariokinesi nella segmentazione dell' ovo di Axolotl. R Accad. dei Lincei. Mem. della Cl. di scienze fisiche. matem. e natur. Vol. XIX. 7 pp. in 4. Mit 1 Taf. — 5) Beneden, É. van, Recherches sur la maturation de l'oeuf et la fécondation (Ascaris megalocephala). Archives de Biologie. 1883. T. IV. Fasc. 2—3. p. 265—640. Mit 10 Taf. — 6) Benckiser, A., Zur Entwickelungsgeschichte des Corpus luteum. Arch f Gynäcol. Bd. XXIII. H. 3. S. 350—366. Mit 1 Taf — 7) Berg, E., Die Eiweissschicht und das befruchtete Eichen der Säugethiere im Eileiter. Allgemeine Wiener medicinische Zeitung 1883. No. 44 S. 469. — 8) Brunn, Max von, Weitere Funde von zweierlei Samenkörperformen in demselben Thiere. Zoolog. Anzeiger. VII Jahrg. No. 178. S. 546—547. — 9) Flemming, W., Ueber Bauverhältnisse, Befruchtung und erste Theilung der thierischen Eizelle. Biolog. Centralbl. Bd. III. No. 21. S. 641—654 No. 22. S. 678—687. (Ausführliche Zusammenstellung des aus neueren Arbeiten Bekannten mit Berücksichtigung der Controversen.) — 10) Gasser, E, Eierstocksei und Eileiterei des Vogels. Sitzungsber. d. naturwiss. Gesellsch. zu Marburg S. 84—90. — 11) Hartlaub, C., Beobachtungen über die Entstehung der Sexualproducte bei Obelia. Zoolog. Anzeiger. VII. Jahrg. No. 162. S. 144—148. — 12) Jensen, O. S., Recherches sur la Spermatogenèse. Archives de Biologie. 1883. T. IV. Fasc. 1 p. 1—94. Mit 2 Taf. Fasc. 4. p. 669—748. Mit 1 Taf. — 13) Lachi. P., Della granulosa ovarica e dei moi elementi. Lo sperimentale Maggio. p. 517—522. Mit 1 Holzschn. — 14) Lee, Arthur Bolles, Recherches sur l'ovogenèse et la spermatogenèse chez les Appendiculaires. Recueil zoolog. Suisse. T. I. No. 4 p. 645—664. Mit 1 Taf. — 15) Nussbaum, M., Ueber die Veränderungen der Geschlechtsproducte bis zur Eifurchung. Arch. f. micr. Anat Bd. XXIII. H. 2 S. 155—213. Mit 3 Taf. — 16) Perravex, E., Sur la formation de la coque des oeufs du Scyllium canicula et du Scyll. catulus. Compt. rend. T. 99. No. 24. p. 1080—1082. — 17) Swaen, A. et H. Masquelin, Étude sur la Spermatogenèse. Arch de Biol. 1883 T. IV. Fasc 4. p 749—802. Mit 5 Taf. — 18) Roux, W., Beiträge zur embryonalen Entwicklungsmechanik. II. Ueber die Aufhebung der richtenden Wirkung der Schwere Breslauer ärztliche Zeitschr. Jahrg. VI. No. 6. S. 57—62. (Befruchtete Eier von Rana fusca entwickelten sich im Centrifugalapparat. Die Entwicklung bedarf keiner richtenden und gestaltenden Einwirkung von aussen; sie ist ein Process vollkommener Selbstdifferenzirung.) — 19) Schneider, A., Zoologische Beiträge. Bd. I. H. 2. (Nachträgliche Bemerkungen über das Ei und seine Befruchtung.) — 20) Virchow, Hans, Durchtreten von Granulosazellen durch die Zona pellucida des Säugethiereies. Arch f. microsc Anat. Bd. XIV. H. 2. S. 113—116. Mit 1 Taf. — 21) Weismann, A., Die Entstehung der Sexualzellen bei den Hydromedusen. 8. 1883 Mit 24 Taf. Ein Auszug des Verfassers daraus s. Biolog. Centralbl. Bd IV. No. 1. S. 12—31. (Vergl. Jahresber. f. 1883. S 84.) — 22) v. Wielowiejski, Vorläufige Bemerkungen über die Eizelle. Biolog. Centralbl. Bd. IV. No. 12. S. 360—370. (Nach Untersuchungen an Arthropodeneiern lassen sich die im Keimbläschen enthaltenen Formbestandtheile durch essigsaure Methylgrünlösung nicht färben, im Gegensatz zu den Bändern im Kern der Speicheldrüsenzellen von Chironomus). — 23) Will, L., Ueber die Entstehung des Dotters und der Epithelzellen bei den Amphibien und Insecten. Zoolog Anzeiger. VII. Jahrg No. 167. S 272—276. No. 168. S. 288—291 — 24) Derselbe, Zur Bildung des Eies und des Blastoderms bei den viviparen Aphiden. Arbeiten des zool.-zoot Instituts zu Würzburg Bd. VI. 42 Ss. u. 1 Taf. Biol Centralbl. Bd. III No. 25. S. 747—750. (Die gestielten Zellen in den Endfächern der agamen Aphidenweibchen sind primitive Eier.)

van Bambeke (3) unterscheidet mit Hülfe von 0,7 proc. Kochsalzlösung, 0,3 proc. Chromsäure etc. an Ovarialeiern verschiedener Species von Teleostiern eine äussere und innere Schicht. Vom Keimbläschen geht ein schon von Anderen (z. B. Pflüger) gesehener Strang, in Form einer Keule oder dergl., aus, welche sich zum Dotterkern oder bis zu der äusseren Zone erstreckt. Vielleicht deutet sie einen präformirten Weg an, den nachher die Richtungskörperchen oder selbst die Spermatozoen einschlagen um zu dem Pronucleus femininus zu gelangen. Uebrigens scheint es bei den von Leydig und Schäfer beschriebenen Verbindungen mit der Peripherie des Dotters sich um ein verdichtetes Bündel des Zellenstroma gehandelt zu haben, eine ähnliche aber membranöse Verdichtung würde die beiden Dotterzonen von einander trennen.

Bellonci (4) bildet die schönsten karyokinetischen Theilungsfiguren aus dem sich furchenden Ei von Siredon pisciformis ab. In den pigmentirten Zellen findet sich eine Zellplatte und achromatophile Kernspindel wie in Pflanzenzellen.

Benckiser (6) stellt sich die Frage, ob das Gewebe des Corpus luteum im Eierstock aus einer Wucherung der Zellen des Follikelepithels oder der Tunica interna hervorgeht, speciell, ob die grossen multiformen sog. Luteinzellen im noch nicht zurückgebildeten Corpus luteum vom Follikelepithel oder von der Tunica interna oder von beiden abstammen.

Untersucht wurden Ovarien vom Schwein frisch zerzupft oder in Jodserum oder 1 procentiger Ueberosmiumsäure nach 24 Stunden. Gehärtet wurden sie meist in Alcohol oder Müller'scher Flüssigkeit oder Pikrinschwefelsäure, gefärbt nach verschiedenen Carminmethoden oder mit Haematoxylin, mit letzterem am liebsten nach Ueberosmiumsäurebehandlung; Einbettung in Paraffin oder Celloidin; auch die Arterien und Lymphgefässe wurden injicirt.

Es ergab sich, dass die grossen Epithelienähnlichen Zellen des Corpus luteum beim Schwein nur von der Tunica interna des Follikels abstammen, wahrscheinlich theils von Wanderzellen, theils von dessen Bindegewebszellen. (Trotz deren lebhafter Wucherung zeigten sich keine karyomitotischen Figuren, was bei den angegebenen Methoden und weil überlebende Objecte nicht untersucht wurden, nicht Wunder nehmen darf. Ref.) Zwischen Tunica interna und dem Epithel liegt ein reiches Capillargefässsystem, aber in keinem Stadium des Follikels eine homogene Membran und ebensowenig zeigen sich im Gewebe des entwickelten Corpus luteum Lymphgefässe, wie schon Exner (1874) für das Kaninchen angegeben hatte. Die Bildung des Corpus luteum beruht daher beim Schwein auf Hypertrophie und Hyperplasie der in der Tunica interna des Follikels präexistirenden Elemente (Bindegewebszellen und Blutgefässe), welche schon vor der Follikelberstung beginnt und nach derselben bis zu einem gewissen Höhenpunkte noch energischer weiter schreitet. Die sog. Membrana granulosa geht physiologisch bei der Berstung zu Grunde. Das Blutcoagulum ist ein inconstanter und für die Bildung des Corpus luteum unwesentlicher Bestandtheil des letzteren; es fehlte bei 100 Schweinen etwa 8 mal.

Berg (7) bezweifelt, dass die sog. Eiweissschicht, welche das Säugethierei in der Tube umgiebt, aus Eiweiss bestehe, da beim Kaninchen etc. weder die Xanthoproteinsäure-Reaction, noch Färbung mittelst des Millon'schen Reagens hervorzurufen war.

v. Brunn (8) fügt zu den aufgezählten Arten von Prosobranchiern mit zwei verschiedenen Formen der Spermatozoen noch neun weitere Arten hinzu: Murex erinaceus, Columbella rustica, Marsenia spec., Aporrhois pes pelecani, Cassidaria echinophora, Dolium galea, Tritonium cutaceum, parthenopeum, Vermetus gigas.

Gasser (10) untersuchte Eierstocks- und Eileiter-Eier vom Kanarienvogel. Diejenigen Kerne, welche in sehr frühen Furchungsstadien in dem sich nicht mitfurchenden Reste des Bildungsdotters, der Unterlage des sich furchenden Theiles, wie bei Elasmobranchiern, auftreten, nennt G. jetzt Dotterkerne, anstatt wie früher Parablasten. Eine besondere Chromatophilie zeichnet sie bald gegenüber den Kernen der Keimscheibe aus Jene Unterlage mischt sich mit Bestandtheilen des Nahrungsdotters; in derselben bleiben Dotterkerne zurück, wandeln sich, nach früheren Untersuchungen desselben Autors, zu Bestandtheilen des secundären Keimwalles um; daraus werden dann theils Dottersackepithelien, theils Mesodermzellen resp. Anlagen von Blut und Blutgefässen.

Hartlaub (11) fand, dass bei Hydromedusen (Obelia Adelungi, nov. spec. und Obulia helgolandica, nov. spec.) die Keimstätte der Eier und Spermatoblasten am Manubrium sei; wenigstens ist sie theilweise noch dort, wenn auch von früherer Zeit her ein Verschiebungsprocess derselben begonnen zu haben und noch im Gange zu sein scheint.

Jensen (12) theilte bereits im vorigen Jahre seine ausgedehnten Untersuchungen über Spermatogenese bei Holothurien, Borstenwürmern, Selachiern u. s. w. mit. Zahlreiche Abbildungen, insbesondere Plagiostomum vittatum Leuckart, Clitellio arenarius O. F. Müller, Triopa clavigera, Cucumaria frondosa Gunn, Raja clavata und Raja vomer Fries betreffend, erläutern die Darstellung. Die Resultate schliessen in Bezug auf die Entwickelung der Samenfäden bei den genannten zumeist wirbellosen Thieren sich im Wesentlichen an die allgemein acceptirte Darstellung von La Valette St. George an, dessen Terminologie G. ebenfalls folgt. Ref. bedauert, an diesem Orte nicht Raum zu haben, um über die umfangreiche Arbeit eingehend referiren zu können. Nur ein specieller Punkt, der zugleich von höherem allgemeinem Interesse ist, kann hier hervorgehoben werden.

Die Schwänze der Spermatozoen sind bekanntlich bei manchen Thieren von einem Spiralraum oder Spiralfaden umwunden. Sehr lange ist die eigenthümlich undulirende Membran von Tritonen etc. bekannt. La Valette St. George (1876) hatte zwei Schwänze bei Bufo cinereus entdeckt, G. selbst (1879) einen Spiralfaden bei Turbellarien, Blatta americana, Bufo cinereus, Raja clavata, Raja vomer, Mus decumanus etc. Nähere Angaben machte Heneage Gibbes (1880) über den Spiralfaden beim Menschen, Säugethieren, Vögeln, Reptilien, Amphibien; Ref. (1881) bestätigte denselben Saum beim Menschen und Stier. — Leydig (1883) und v. Brunn (1883) sahen eine spiralige Structur am Mittelstück der Samenfäden bei der Maus. Dagegen konnte G. Retzius (1881) beim Menschen und Stier absolut nichts von einem solchen Structurverhältniss wahrnehmen.

J. bildet nun nicht nur den das Schwanzstück umwindenden Spiralfaden von Wirbellosen, namentlich aber auch von Raja clavata ab. Er empfiehlt vielmehr ausser den früher von ihm untersuchten Thieren als besonders günstig die Samenfäden der Ratten und bestreitet, dass es sich um eine wirkliche Membran handelt; vielmehr sei nur ein spiraliger Faden vorhanden (den Andere für den Rand eines in Anilinfarbstoffen etc. sich tingirenden Saumes halten). G. erwähnt auch, dass ein geringer Grad von Selbstmaceration der Spermatozoen für die Darstellung vortheilhaft zu sein pflege. Endlich aber ist die zunächst das Pferd und das Schaf betreffende Bemerkung hervorzuheben, dass die Spiralfäden oder der Spiralsaum am besten (falls man letzteren noch nicht genau kennt, Ref.) an beinahe, aber noch nicht völlig reifen Spermatozoen zu untersuchen sind und es dürfte mit dieser Auseinandersetzung J.'s ein so überaus merkwürdiges Fundamentalverhältniss definitiv festgestellt sein.

Lachi (13) unterscheidet an der Membrana granulosa des Ovarialfollikels mit Hülfe der Chrom-Osmiumsäure-Methode (vergl. Histol. des Nervensystems. Mondino) drei Arten von Zellen. Die dem Ei unmittelbar angelagerten sind spindelförmig, mit länglich-ellipsoidischen Kernen, einer der Fortsätze ist mit der Dotterhaut in Berührung, der entgegengesetzte theilt sich öfters; es kommen auch Fäden vor, die varicösen Nervenfibrillen gleichen. Die vom Ei entferntere Lage enthält grosse, polyëdrische, körnige Zellen, theils mit ähnlichen Fortsätzen versehen, theils ohne solche — wonach die erwähnten drei Arten von Zellen herauskommen.

Nussbaum (15) hält an der Auffassung von La Valette St. George fest, wonach die maulbeerförmige Kerntheilung am Spermatoblastenfusse an den Anfang der Spermatogenese zu setzen ist (Flemming und Ref. hatten dieselbe einer regressiven Metamorphose zugeschrieben) und stützt sich darauf, dass solche im Juni bei Rana fusca etc. neben Mitosen im Hoden sich finden.

Rollt man Kernspindeln gehärteter isolirter Spermatoblasten (Spermatogonien) aus gehärteten Präparaten, die in einer specifisch leichteren Flüssigkeit schwimmen, so kommen sie gern mit senkrecht stehender Kernaxe (vergl. oben Histologie, S. 20, O. Hertwig) zur Ruhe. N. erinnert dabei an den Einfluss der Schwerkraft auf die Eifurchung. In den Eiern von Ascaris megalocephala sind nur 4 Fadenschleifen vorhanden, im Gegensatz zu der grossen Anzahl an anderen Stellen (vergl. Histologie, S. 20). N. findet es daher wahrscheinlich, dass die mitotische Theilung durch stetige Abnahme der Fadenelemente in die directe Theilung übergeht. Wenn die Spindelfasern Leitungsbahnen für die getheilten Fäden sind, so wird eine Theilung des Kernkörperchens in nur zwei Theile keiner Spindel bedürfen, die man bei der directen Theilung daher vermisst.

Die Abhandlung erörtert successive die Entwickelung und Copulation der Geschlechtsproducte bei Ascaris megalocephala, die Theorie der Befruchtung, die Entwickelung der Geschlechtsdrüsen und die Vererbung, endlich die Bedeutung der einzelnen Theile der Samenzellen. — Man kann die befruchteten Nematodeneier in 30 proc. Alcohol sich furchen und Embryonen entwickeln sehen, da derselbe sie wochenlang nicht tödtet; die Untersuchung ist sehr bequem.

Perravex (16) fand Becherzellen im cylindrischen Flimmerepithel des Eileiters von Scyllium canicula und catulus. Die Drüse des Oviductes, welche die eigenthümliche, einer Geige mit zwei Stielen an entgegengesetzten Enden ähnelnde Eischale der Haifischeier liefert, besteht aus drei Theilen; die Eischale ist lamellös geschichtet. Nur der mittlere Theil der Drüse liefert — zwar nicht die ganze Eischale, wie man glauben könnte — sondern den Geigenkörper, während die fadenförmigen torquirten Stiele in den oberen und unteren Partien der Drüse gebildet werden. Der hierbei nach der Ansicht von Perravex wirksame Mechanismus ist im Original nachzusehen.

H. Virchow (20) constatirte bei einem frischen Ovarialei, wahrscheinlich vom Schwein, dass eine Anzahl (elf) Granulosazellen durch die Zona pellucida in das Ei eindringen. Sie wurden durch Ueberosmiumsäure meist in hantelförmiger Gestalt, welche sie beim Durchtritt annehmen, fixirt, in den Dotter waren sie noch nicht eingedrungen. Ob die Granulosazellen ein Absterben des Eies einleiten (Pflüger, 1863) oder zur Ernährung desselben dienen (Lindgren, 1877) lässt sich nach den wenigen vorliegenden Beobachtungen nicht entscheiden.

Will (23) fand an jungen Eifollikeln der Batrachier, dass einige der chromatophilen Keimflecke sich am überlebenden Ei der Keimbläschenmembran dicht anlegen, aus dem Keimbläschen heraustreten und in das Protoplasma der Eizelle gelangen. Jene Membran wird dadurch zu transitorischen Buckeln und Knospen aufgetrieben, die schon O. Hertwig gesehen hat. Bei Rana finden sich in jeder Hervorragung in der Regel ein, bei Bufo aber mehrere kleine Keimflecke. Nach dem Austritt umgeben die Knospen sich mit einer tingirbaren Kernmembran, deren Binnenraum hellen Kernsaft und chromatophile Keimflecke enthält. Die grossen Keimflecke wandern nach der Peripherie des Eies, zerfallen in kleine Körnchen, die gelbliche Farbe annehmen und den Dotterkern des Amphibieneies darstellen. Die einzelnen Körner desselben zerstreuen sich durch das Ei als junge Dotterkörner. Auch die Membran der kleinen Keimflecke löst sich wieder auf und letztere theilen dasselbe Schicksal mit den grossen; die Dotterkörnergruppen häufen sich zuerst peripherisch an und füllen nach und nach zufolge des Nachrückens den ganzen Dotter. Den Begriff „Dotterkern" wünscht W. entweder ganz fallen zu lassen oder auf alle auswandernden Keimflecke zu übertragen. Die Körnchen wachsen zu den grossen Dotterplättchen an, die neu austretenden Keimflecke zerfallen zu Körnchen: daher ist der Dotter in der Umgebung des Keimbläschens am feinkörnigsten und sobald letzteres sich gegen den schwarzen Eipol hinbewegt, enthält letzterer zu dieser Zeit die kleinsten Dotterkörnchen. Aus deren chromatophiler Substanz stammt das Baumaterial für die späteren zahlreichen embryonalen Kerne. Homologien mit den Myriapoden- und Tunicateneiern sind unverkennbar; bei den Insecten finden sich am Anfang der Eiröhre grosse Kerne, Ooblasten, mit je einem Hof feinkörnigen Protoplasmas. Aus den Kernen treten Ballen chromatophiler Substanz, werden zu Kernen; die zuerst entstandenen wachsen zu den zwischen den Eiern gelegenen Nährzellen heran, die zuletzt entstandenen, kleinsten theilen sich und werden zu Epithelzellen; später liefern auch die Nährzellenkerne solche. In Folge des Austretens von Nucleinmassen werden die Ooblasten zu Keimbläschen mit hellem Inhalt und wenigen chromatophilen Keimflecken; bei Schwimmkäfern (Pterostichus) aber tritt aus dem Keimbläschen noch mehr Kernsubstanz und wandelt sich in Dottersubstanz um. Theilweise, soweit sie nicht zu Epithelkernen werden, lösen sich auch die Kerne der Nährzellen in Dottermasse auf; dasselbe gilt vom Nuclein des Keimbläschens bei manchen Insecten. Nicht minder liefern die Epithelzellenkerne chromatophile Substanz, die in Gestalt feinerer Körnchen oder als geballte Kugeln in den Dotter eindringen. Für die Hemipteren haben dieselben Entwickelungsvorgänge Gültigkeit, wahrscheinlich auch für die Orthopteren. Bei diesen stammt der Dotter theils aus dem Keimbläschen, theils aus den Epithelzellen (nach Ayers, s. 1). Das Vorhandensein der Epithelzellen ist gleichsam nur als ein eingeschobenes anzusehen, ebenso werden bei den Insecten die Nährzellen eingeschoben. Letztere können innerhalb des Eidotters zu 1—2, bei Carabus sogar bis zu 12 an Zahl dicht neben dem Keimbläschen auftreten, sie gehen nicht etwa zu Grunde, sondern vermehren sich und liefern Epithelzellenkerne, indem sie zur Peripherie fortrücken. Unter diesen Umständen kann W. das Ei nicht mehr als eine Zelle ansehen, vielmehr laufe die Eientstehung auf Bildung eines Productes hinaus. Ref. ist nicht ganz sicher darüber, ob eine chemische Identität der Dotterplättchen mit chromatophiler oder chromatischer Kernsubstanz behauptet werden soll. Dass erstere sich mit Safranin färben, ist bekannt. (Vergl. unten Keimblattlehre, Davidoff).

III. Allgemeine Entwickelungsgeschichte. Keimblattlehre.

1) Born, G., Ueber den Einfluss der Schwere auf das Froschei. Verhandlungen der medicin. Section der schles. Gesellschaft für vaterl Cultur. 4. April. Breslauer ärztl. Zeitschrift. No. 8. — 2) Derselbe, Dasselbe. Ebendas. No. 15. S. 185—189 (Die Wirkung erfolgt indirect, da der specifisch leichtere Kern der Eizelle nach oben steigt. Trotz Zwangslage der Eier entwickelten sich normale Kaulquappen von Rana fusca.) — 3) Bütschli, O, Beiträge zur Gastraeatheorie. Morpholog. Jahrbuch. Bd. IX H. 3. S. 415—427. Mit 1 Taf — 4) Davidoff, M., Ueber d. Entstehung der rothen Blutkörperchen und den Parablast von Salamandra maculosa. Vorläufige Mittheilung. Zoolog. Anzeiger. VII. Jahrg. No. 174. S. 453—456. — 5) Goette, A., Abhandlungen zur Entwickelungsgeschichte der Thiere 2. Heft. Untersuchungen zur Entwickelungsgeschichte der Würmer. Hamburg und Leipzig. — 6) Haeckel, E, Ursprung und Entwickelung der thierischen Gewebe. Ein histogenetischer Beitrag zur Gastraeatheorie. Jenaische Zeitschrift für Naturwissenschaft. Bd XVIII. N F. Bd. XI. Auch separat erschienen Jena. 8 71 Ss. (Bekämpft die Anschauungen von His, Kölliker, Waldeyer u. s. w Vier Keimblätter sind anzunehmen; Ableitung der Gewebe aus den Keimblättern. Die Säugethiere haben einen monophyletischen Stammbaum; ihre Vorfahren waren ovipare Amnioten, deren Eier mit grossem Nahrungsdotter ausgestattet waren; Amphioxus ist das älteste Wirbelthier u. s. w. Die Keimblättertheorie, die phylogenetische Classification des Thierreiches etc. haben trotz vieler Irrthümer im Einzelnen sich im Ganzen und Grossen Anerkennung verschafft u. s w.) — 7) Hoffmann, C. K, Ueber das Amnion des zweiblätterigen Keimes. Archiv f. microscopische Anatomie. Bd. XXIII. H. 3. S. 530—536. Mit 1 Tafel und 4 Holzschnitten. — 8) Jaworowski, A., Weitere Resultate entwickelungsgeschichtlicher und anatomischer Untersuchungen über die endogene Zellvermehrung. Zool. Anz. VII. Jahrg No. 164. S. 194—197. — 9) Kölliker, A. v., Ueber die Nichtexistenz eines embryonalen Bindegewebskeims (Parablasts). Sitzungsber. d. phys. medic. Ges. zu Würzburg. S. 14—16 u 17—18. — 10) Derselbe, J. Kollmann's Akroblast. Zeitschrift für wissenschaftliche Zoologie. Bd. LXI. H. 1. S. 155—158. — 11) Kollmann, J., Der Mesoblast und die Entwickelung der Gewebe bei Wirbelthieren. Biolog. Centralblatt. Bd. III. No. 24. S 737—747 (Nach der Bildung des Gastrula-Urmundes bleibt an der Umbeugungstelle ein Zellenlager, der Akroblast, welcher weder dem Ectoblast, noch dem Entoblast angehört, unabhängig vom Mesoblast. Er liefert Poreuten, Wanderzellen, welche zunächst Blut und Gefässen den Ursprung geben. Das Ei ist eine Zelle durch die ganze Wirbelthierreihe; das Blut eine Stützsubstanz mit flüssiger Intercellularsubstanz) — 12) Derselbe, Der Randwulst und der Ursprung der Stützsubstanz. Archiv f. Anat. u. Phys. Anatomische Abtheilung. S. 341—434. Mit 3 Taf. — 13) Derselbe, Ein Nachwort. Ebendas. S. 461—465. — 14) Derselbe, Intracellulare Verdauung in der Keimhaut von Wirbelthieren. Recueil zoologique Suisse. T. I. No. 2. p. 259—289 Mit 1 Taf. — 15) Kupffer, C., Die Gastrulation an den meroblastischen Eiern der Wirbelthiere und die Bedeutung des Primitivstreifs. Archiv für Anatomie und Physiologie. Anat. Abth. S. 1—40. Mit 2 Tafeln — 16) Pflüger, E., Ueber die Einwirkung der Schwerkraft und anderer Bedingungen auf die Richtung der Zelltheilung III. Abh. Archiv für die gesammte Physiol. Bd. XXXIV. H. 11 u. 12 S. 607—616. — 17) Rabl-Rückhard. Centralblatt für die medic. Wissenschaften. 1885. No. 2. S 19—21. — 18) Rauber, A., Schwerkraftversuche

an Forelleneiern. Bericht der naturf. Gesellschaft zu Leipzig 12. Febr. — 19) Derselbe, Ueber die Bedeutung der ersten Furchung des Eies Tagebl. der 57. Versamml. deutscher Naturforscher und Aerzte zu Magdeburg 20. Sept. S. 196—197. — 20) Derselbe, Ueber histologische Systeme. Ebendas. 20. Sept. S. 197—198. (Vergl. Jahresber. f. 1883. S. 85.) — 21) Rosenbach, Verhandlungen d. medicinischen Section der schlesischen Gesellschaft für vaterländische Cultur. Sitzung vom 4. April (Discussion eines Vortrages von Born.) — 22) Roux, W, Ueber die Entwicklung der Froscheier bei Aufhebung der richtenden Wirkung der Schwere. Breslauer ärztliche Zeitschrift. No. 6. — 23) Derselbe. Ebendas. No. 15. S. 189. (Bei Eiern von Rana esculenta stellte sich constant, von Rana fusca sehr häufig die den hellen und dunklen Pol verbindende Eiaxe nicht senkrecht, sondern etwa um 20—30° schräg geneigt ein.) — 24) Derselbe, Tageblatt der 57. Versammlung deutscher Naturforscher u. Aerzte zu Magdeburg 22. Sept. S. 330 — 25) Selenka, E., Studien über Entwickelungsgeschichte der Thiere. 3. Heft. Die Blätterumkehrung im Ei der Nagethiere. 4. 99 Ss. Mit 6 Taf. Wiesbaden. (Die von Bischoff entdeckte Umkehrung der Keimblätter beim Meerschweinchen ist eine Erscheinung, die sich bei vielen Nagern vorfindet, namentlich bei Mus decumanus, sylvaticus, musculus, Arvicola arvalis; es lässt sich jedoch nachweisen, wie bei allen diesen Thieren die freie Keimblase den typischen Bau der Keimblase anderer Placentarsäugethiere besitzt und die Blätterumkehrung erst nach erfolgter Verwachsung der Keimblase mit der Uteruswand sich vollzieht. Nach Bischoff sind jenen Thieren noch Hypudaeus amphibius, nach Franz Müller Dasyprocta Aguti, nach Selenka wahrscheinlich noch andere Nager, namentlich die Species der Ratten und Mäuse hinzuzurechnen.) — 26) Spee, Graf Ferdinand, Ueber directe Betheiligung des Ectoderms an der Bildung der Urnierenanlage des Meerschweinchens. Archiv f. Anat. u. Phys. Anat. Abth. S. 99—101. Mit 1 Taf. — Vergl. a. Histologie, Zellenleben, Flemming etc.

Nach der von Haeckel herrührenden Anschauungsweise galt als einfachste zweiblättrige Metazoenform die Gastrula; die Gastraea ging aus der Invagination einer einschichtigen Blastula oder Blastosphaera hervor. Dem gegenüber bestritten Lankester und Metschnikoff die Ursprünglichkeit der Entstehung einer zweiblättrigen Form durch Invagination und damit die Bedeutung der Invaginationsgastrula als Urform. Für Lankester tritt an deren Stelle eine des Urmundes entbehrende Planula, welche mit einem ursprünglichen Hohlraum ausgerüstet ist, wogegen Metschnikoff diejenigen Planulaformen für die primitiven erklärte, welche nach eingetretener Zweiblättrigkeit solide sind und erst später durch Auseinanderweichen der centralen Entodermzellenmasse einen Darmhohlraum erhalten. Anfänglich sollen Entodermzellen, die reichlich Nahrung aufgenommen hatten, nach innen gewandert sein, so würde das Entoderm ursprünglich weder eine centrale Urdarmhöhle umschlossen haben, noch durch eine Mundöffnung zugänglich gewesen sein. Beides findet Bütschli (3) sehr unwahrscheinlich, er bekämpft die mit einer soliden Entodermmasse ausgestattete Parenchymula von Metschnikoff und hebt hervor, wie auch in der Lankester'schen Hypothese das Auftreten einer Mundöffnung unmotivirt und daher unverständlich erscheine. B. geht, um seinerseits eine neue, theilweise vermittelnde Ansicht zu begründen, auf die Flagellatencolonien zurück, von denen eine Volvocineengattung, Gonium, nach dem Typus einer einschichtigen Zellplatte gebaut ist. Lässt man die Zweiblättrigkeit in einer solchen Zellplatte auftreten, so erhält man eine zweischichtige Placula. Sobald die beiden Oberflächen der letzteren zu verschiedenen Functionen sich ausbildeten, die der Locomotion sich auf die äussere, die der Ernährung auf die innere Zellenlage concentrirte, so ist es leicht verständlich, wie daraus durch Einkrümmung nach der Entodermseite und Zusammenkuglung eine Gastrula mit Blastoporus werden konnte. Nun sind bei Nematoden, von Cucullanus durch Bütschli, von Rhabdonema durch Goette (1882) als Resultat des Furchungsprocesses wirklich solche zweischichtige, aus Ectoderm und Entoderm bestehende, später in der geschilderten Weise zur Gastrula sich einkrümmende Platten, echte Placulae bekannt. Nicht immer tritt die Plattenform so rein hervor, wenngleich Anklänge häufig sind, so bei Lumbricus, Paludina, Chiton, Sagitta, Phoronis und Ascidia mentula. Zwischen den beiden Schichten der Placula bildet sich hier eine geringe Ansammlung von Flüssigkeit, eine Furchungshöhle, die der ersten Placula fehlt. Dazu kommt, dass F. E. Schulze (1883) in Trichoplax adhaerens ein Thier beschrieb, welches nach Schulze und Bütschli sicher keine Larve ist und sich von der Placula nur dadurch unterscheidet, dass es eine dreischichtige Platte darstellt. Zwischen das aus Cylinderzellen bestehende Entoderm und das plattzellige Ectoderm schiebt sich ein bindegewebiges, aus dem Entoderm hervorgegangenes Mesoderm, womit natürlich keine Homologie dieses letzteren mit demjenigen der Metazoen behauptet werden soll. Jedenfalls lässt sich aus der zweischichtigen Placula die Invaginationsgastrula leicht ableiten: indem sich zwischen beiden Zellenlagen successive mehr Flüssigkeit ansammelt, entsteht ein kugelförmiger Binnenraum, dessen Wand zur Hälfte vom Ectoderm, zur anderen Hälfte vom Entoderm gebildet wird. Die Blastulae der Volvocineen entstehen im Uebrigen durch allmälige Einkrümmung einer einschichtigen Zellplatte, wobei also die erste allmälig zum Abschlusse gelangende Blastulahöhle bis zum letzten Augenblick durch eine Art Blastoporus geöffnet bleibt. Ueber das Verhältniss der Invaginationsblastula zur Deliminationsgastrula s. das Original; letztere sieht B, ebensowenig für eine ursprüngliche Form an, als er die Platte als ein Umbildungsproduct einer ursprünglichen Blastula betrachten kann.

Davidoff (4) verdankte die Anregung zu seiner Arbeit über die Entstehung der rothen Blutkörperchen einigen microscopischen Präparaten von Embryonen der Salamandra maculosa, welche Kupffer mit Boraxcarmin tingirt hatte. Die Kerne der rothen Blutkörperchen hatten sich nicht gefärbt und zeigten eine auffallende Aehnlichkeit mit den daneben herumgestreuten Dotterplättchen. Unter Kupffer's Leitung wurde der Gegenstand weiter verfolgt. Da nach His, Kupffer u. A. der Dottersack die erste Bildungsstätte des Blutes bei meroblastischen Eiern ist, so wurde zunächst dieser an Salamanderembryonen untersucht. Die Dotterplättchen färben sich sehr intensiv mit Safranin (vergl. oben Ei, Will), nicht aber mit Boraxcarmin und werden durch Pikrocarmin gelb. Ausserdem aber sind in Umwandlung befindliche Dotterplättchen vorhanden, deren Peripherie körnig wird und sich mit Boraxcarmin, sowie mit Pikrocarmin blassröthlich zu tingiren beginnt. Drittens zeigen sich die schon bekannten Parablastkörper: ovale, aus einem Protoplasmanetz und einer Membran zusammengesetzte Zellen. Das Netz färbt sich nicht mit Safranin, dagegen roth mit Boraxcarmin oder Pikrocarmin. Sie können ziemlich gross werden und gleichen dann amöboiden Plasmodien; sie vermehren sich durch Abschnürung, ohne karyokinetische Figuren zu zeigen. D. hält es nun für wahrscheinlich, dass mit den Dotterplättchen Parablastkörper und aus letzteren rothe Blutkörperchen. sowie andere, mit dem Parablast genetisch zusammenhängende Zellen hervorgehen. In den älteren Parablastzellen bemerkt man nämlich zuerst an der Peripherie im wandständigen Protoplasma eingebettete Dotterkörnchen. Nach und nach füllt sich die Zelle mit Dotterkugeln, die anfangen, sich mit Boraxcarmin oder Pikrocarmin blassröthlich zu tingiren. Diese Parablastzellen sind noch indifferent: sie können Endothelzellen oder Paradermzellen (secundäres Entoderm) werden. Wird die Zelle zu einer Blutzelle, so condensirt sich das Protoplasmanetz mit den Dotterkörnchen im Centrum der Zelle und liefert deren Kern. In den Blutgefässen, dem Herzen und der Leber trifft man Blutzellen, deren Peripherie noch nicht vollständig in Hämoglobin umgewandelt ist. Von der Peripherie zum Kern verlaufen Protoplasmafädchen, die Dotterkörnchen führen: solche sind auch in der Wandschicht anzutreffen, Es erinnert dies an eine Beobachtung von Malassez (1882) in Betreff des Knochenmarkes und dessen Blutbildungszellen. Der Bau des Kernes der rothen Blutkörperchen kann in diesem Stadium beim Salamander mit einer Morula verglichen werden, der Kern enthält kein Chromatin und ist überhaupt nicht weiter differenzirt. Seine Configuration ist sehr unregelmässig, er kann sogar durchlöchert sein; in Safranin färbt er sich, wie Flemming (1882) schon bemerkte, weit intensiver als die anderen Kerne, gerade wie die Dotterplättchen; der Blutkörperchenkern bestände hiernach aus Dotterkörnchen, die in einer protoplasmatischen Grundlage eingebettet sind. Dies würde mit der Ansicht von Brass (s. Histologie, Zellenleben) übereinstimmen, wonach das Chromatin nichts Anderes als aufgespeichertes Nahrungsmaterial der Zelle sein soll.

Goette (5) spricht auf das Bestimmteste seine Meinung aus, dass ein bestimmter histiogenetischer Werth der sogenannten Keimblätter nicht existirt. Unsere so beschränkte Kenntniss der vergleichenden Physiologie beruhe hauptsächlich auf Analogieschlüssen aus den histologischen Befunden, auf sog. Homoidien, während die Physiologie zu der Lehre von den homologen Bildungen wie selbstverständlich nicht dieselbe innige und unmittelbare Beziehung zeigt. Die angeblichen Fälschungen der Einzelentwickelung sind nichts weiter als Divergenzerscheinungen, welche die ursprünglichen Homologien keineswegs aufheben, sondern nur deren Kenntlichkeit auf den späteren Stufen beschränken, so dass sich der Gegensatz dieser Homologien und der etwa später hervortretenden Homoidien immer noch nachweisen lässt.

Derselbe bestreitet ferner die Darstellung, welche Hatschek vom Prostomaschluss des Amphioxus gegeben hat: die angebliche Prostomanaht sei nicht wirklich gesehen worden. G. findet eine erhebliche Uebereinstimmung des Vorganges mit demjenigen bei Ascidien und auch bei den Anamnien. Beim Amphibienembryo entsteht die Neuralseite zwischen dem Prostoma und dem Scheitelpol und das Prostomialfeld bezeichnet nur das Hinterende der Neuralseite. Die Cyclostomen zeigen keine Abweichungen von diesem Verhalten, bei den Selachiern schliesst sich das Prostoma zuerst unmittelbar hinter der Neuralseite in einer medianen Naht; bei den übrigen Fischen erschwert jedoch die Anwesenheit eines umfangreichen Nahrungsdotters die Orientirung. Zugleich fällt die bekannte Deutung der Hypophysis cerebri als Spur eines früheren Annelidenmundes, welcher die Hirnbasis durchbohrte.

Hoffmann (7) versucht, die seit Bischoff bekannte Blätterumkehrung im Keim des Meerschweinchen (und anderer Nager, vergl. oben Keimblattlehre, Selenka) zu erklären. Das Amnion besteht ursprünglich aus Ectoderm und Entoderm. Wird dasselbe angelegt, so lange der Keim noch zweiblättrig ist, so müssen bei allen Amnioten die Keimblätter scheinbar umgekehrt liegen und zwar um so täuschender, je früher das Amnion sich anlegt. Auf diesen primären Zustand des Amnion sollen die Fälle von sog. Umkehrung der Keimblätter zurückzuführen sein, was H. durch mehrere schematische Figuren zu erläutern sucht.

Jaworowski (8) hatte früher im Eierstock von Chironomus den Zerfall einer Mutterzelle in mehrere Tochterzellen beobachtet. In den ersten 24 Stunden der Bebrütung zeigen sich beim Hühnchen im Mesoderm Mutterzellen mit Vacuolen. Zwischen denselben entstehen die Tochterzellen, welche letzteren die erste Anlage der Wand der Blutgefässe liefern. die Mutterzelle dagegen bildet die ersten Blutkörperchen. Aber auch die das Lumen des Gefässes umgebenden Mesodermzellen verwandeln sich in Mutterzellen, deren Tochterzellen nach Auseinanderschieben der Wandzellen in das Lumen des Gefässes gerathen. In ähnlicher Weise soll sich das Herz der Wirbelthiere entwickeln. Die Entstehung rother Blutkörperchen durch mitotische Zellentheilung läugnet J., findet die Mesodermzellen des Hühnchens vom 1. bis 7. Tage mit einer aus Zellen zusammengesetzten Membran umgeben. Der sog. Kern in denselben ist in Wahrheit eine grobkörnige Zelle, diese Körnchen werden zu Tochterzellen, von denen die kleinsten nur wenig grösser sind als die Körnchen.

Gestützt auf diese Resultate leitet J. die Entstehung der rothen Blutkörperchen beim erwachsenen Wirbelthiere von Lymphkörperchen her, die in den Venen grösser als in den Arterien sein sollen. Denn beim Durchgange durch die Capillaren zerfallen solche weisse Blutmutterzellen in Folge mechanischen Druckes in Tochterzellen und jede der letzteren wird entweder wieder eine Mutterzelle oder zu einem rothen Blutkörperchen. Alles dies geht in den Blutgefässen vor sich. In Bezug auf die Anlage der quergestreiften Muskelfasern glaubt J., dass die isotrope Substanz der Muskelfibrillen je eine Tochterzelle darstelle und verspricht weitere Mittheilungen über diese etwas verwickelten Resultate nebst Abbildungen.

An die His'sche Lehre vom Archiblast und Parablast haben sich neuerdings Waldeyer und Rauber insofern angeschlossen, als sie für die Erzeugung der Bindesubstanzen der Gefässe und des Blutes ebenfalls eine umgrenzte, embryonale Keimstätte im Bereich der Area opaca annehmen, für welche Waldeyer den Namen Parablast beibehält, während Rauber (20) dafür „Visceralblatt" vorschlägt. Nach Kölliker (9) entstehen die ersten Blutgefässe und Blutzellen im peripherischen Theil der mittleren Keimblätter, beim Hühnchen im Bereiche des mittleren Theiles der Area opaca und in den hinteren Theilen der Area pellucida. Von hier aus wachsen, wie His zuerst nachgewiesen hat, die Gefässanlagen theils in der Darmfaserplatte und zwischen dieser und dem Entoblast, theils in der Hautplatte in den Embryo hinein, während im Embryo selbst keine soliden Zellenstränge, wie es im Fruchthofe der Fall ist, sich bilden. Bei dieser Gefässwucherung betheiligen sich unter Umständen auch indifferente Zellen der Bindesubstanz.

Was die Blutbildung anlangt, so ist nicht nachgewiesen, dass später noch Blutzellen im Innern von Gefässanlagen sich bilden, die einmal vorhandenen rothen Blutzellen vermehren sich durch Theilung; ausserdem entstehen solche bei Säugethieren aus den farblosen Zellen der Milz und des Leberblutes, nach Neumann auch im Knochenmark von Embryonen. In der nachembryonalen Zeit ist die Milz (woran Kölliker festhält), jedenfalls das rothe Knochenmark ihre Bildungsstätte, indem die kernhaltigen rothen Zellen nach und nach ihren Kern verlieren. Alle anderen Bildungen wie sie Schäfer und Ranvier geschildert haben, weist Kölliker zurück. (Vergl. dazu Histologie, Blut, Bizzozero). — Die erste Bindesubstanz des Hühnerembryos entsteht unabhängig von den Gefässen im Mesoblast. Beim Kaninchen zeigt das mittlere Keimblatt bei seinem ersten Auftreten anastomosirende Spindel- und Sternzellen. Die im Körper des Embryo auftretende Bindesubstanz entsteht in loco aus einem Theile der ursprünglichen Elemente selbst, namentlich aus dem tieferen Theil der Urwirbel und den Hautplatten, welche letzteren das gefässfreie Amnion erzeugen. Nirgends sind Blutgefässe oder Blut bei der Erzeugung des Bindegewebes betheiligt, auch nicht an den Extremitäten.

Die Darmfaserplatten bringen das Bindegewebe der Herz- und Darmwand theilweise selbständig hervor. — Beim Hühnchen scheint ausserdem die Bindesubstanz der Area vasculosa mit den Gefässen in den Embryo hineinzuwuchern. Die Bindegewebserzeugung beginnt jedenfalls lange vor dem Auftreten farbloser Blutzellen, die beim Hühnerembryo erst am 5. bis 6. Tage aufzutreten anfangen und sehr wahrscheinlich eingewanderte Bindesubstanzzellen darstellen. — Das mittlere Keimblatt erzeugt ausser dem Bindegewebe die Epithelien des Urogenitalsystems, alle Endothelien und alles Muskelgewebe, das quergestreifte entsteht vorzugsweise aus Theilen der Urwirbel, aus der Hautplatte, kann auch aus der Darmfaserplatte hervorgehen. Aus beiden letztgenannten Platten entsteht das glatte Muskelgewebe. Epithelien scheinen in allen Theilen der mittleren Keimblätter sich bilden zu können, daher wäre die scharfe Trennung von Epithelien und Endothelien nach Kölliker aufzugeben. Die Unterscheidung archiblastischer und parablastischer Gewebe will Kölliker weder im Sinne von His noch mit der Waldeyer'schen Modification (s. oben) acceptiren. Denn ein embryonales Primitivorgan, dass alle Bindesubstanzen und das Blut und nur diese lieferte, existirt nach Kölliker nicht.

Kölliker (10) bestreitet in einer späteren Mittheilung, dass der Randkeim oder Acroblast Kollmann's (12) ein besonderes, im Keimwulste gelegenes Primitivorgan sei. Kollmann lässt aus demselben das Blut und die Gefässe, muthmasslich auch die Stützsubstanz hervorgehen. Kölliker findet dagegen, dass in der Gegend des Keimwulstes des Blastoderms nur der Ectoblast mehr oder minder bestimmt abgegrenzt ist, die tiefer gelegenen Elemente dagegen eine zusammenhängende Masse bilden. Die nach Kollmann vom Acroblasten abzuleitenden Theile rechnet Kölliker dem Mesoblasten zu, ebenso Alles, was Kollmann als Poreuten (Wanderzellen) und als Blutzellenanlagen beschrieben hat. Auch haben die Anamnien keinen besonderen Blutkeim.

Kollmann (12) fasst seine Resultate an Vögeln und Reptilien folgendermassen zusammen. Nach der Bildung des Gastrula-Urmundes bleibt zwischen Ectoblast und Entoblast ein Zellenlager, das keinem dieser beiden Keimblätter angehört, es ist der Keim für die Stützsubstanz der Wirbelthiere. — Aus diesem Keim geht eine neue Zellenbrut hervor: Poreuten (Wanderzellen); sie geben Blut und Gefässen ihren Ursprung. — An der Berührungsfläche von Randwulst und Dotterwall findet zu keiner Zeit der ersten Entwickelungsstadien eine Einwanderung weisser Dotterelemente statt. Was man als solche bezeichnet hat, ist vielmehr auf einen Verdauungsprocess innerhalb des eben entstandenen Entoblasten zurückzuführen — Wenn Blut ein Abkömmling des Randkeimes ist, also nicht axial entsteht, dann ist es als die erste Stützsubstanz mit flüssiger Intercellularmasse aufzufassen. — Die mesodermalen Gewebe sind doppelten Ursprunges, sie entwickeln sich einerseits aus dem Mesoblast, andererseits aus dem von Kollmann vortrefflich abgebildeten Acroblast. — Das Blut entsteht unabhängig vom Embryo und der Embryo entsteht ohne Blut. — Das von mehreren Beobachtern gefundene Beispiel einer verlangsamten Furchung bei meroblastischen Eiern kommt in einem extremen Grade bei Coluber aesculapii vor (Kupffer), ist aber kein Beweis für eine Einwanderung von ungefurchten Dotterelementen.

Diese weittragenden Sätze werden voraussichtlich noch zu vielfachen Discussionen Anlass geben. In seinem Nachwort (13) wendet sich Kollmann gegen eine Bemerkung Kölliker's (s. oben). Erwähnt muss hier noch werden, dass Kollmann (14) den Entoblastzellen verdauende, fressende Eigenschaften von früh an zuschreibt und die Aufstellung eines Paraderms im Sinne Kupffer's nicht zugiebt. In Betreff des Abschnittes über den Mesenchymkeim und die herrschende Bindegewebstheorie muss auf das Original verwiesen werden. Bei Gelegenheit des Gallertgewebes bemerkt Kollmann, dass sich gerade bei den niederen Wirbelthieren wie in der Nabelschnur der Mammalien die schärfsten histologischen Belege für die formative Thätigkeit der Intercellularsubstanz finden. Die Fibrillen entstehen in ihr und haben mit den Umwandlungen der Zellsubstanz direct nichts zu thun.

Auch die elastischen Fasern entstehen nicht aus Zellen, worin Kollmann mit Rabl-Rückhard (17) übereinstimmt, entsprechend (Ref.) einer älteren Ansicht von Henle (1851). Ebenso bilden sich die structurlosen Häute und umspinnenden Membranen durch einen Verdichtungsprocess der Intercellularsubstanz.

Kollmann (14) schreibt wie gesagt den Entoblastzellen, zunächst in der Area vasculosa und vitellina alba des Eidechsenembryo, abgesehen von ihrer Vermehrungfähigkeit die Eigenschaft zu, Dotterkugeln und andere Elemente zu incorporiren, zu verdauen, und die verdauten Stoffe in veränderter Form abzugeben. Letzteres geschieht durch Entleerung des Inhaltes der Zelle am freien Ende der letzteren. Beim Hühnchen von 7—20 Urwirbeln sind die Vorgänge in der Area vasculosa ähnlich, doch mannigfaltiger. Auch hier sind die Zellen gleichsam als einzellige Drüsen zu betrachten, die verdauen, secerniren und sich vermehren. Die Nahrungsaufnahme erfolgt durch amöboide Bewegung des Zellenprotoplasma, die Verdauung durch Auflösung der Dotterkugeln von ihrem Rande her. Auch die Zellen des Ectoblasts, des Acroblasts (vergl. oben) und deren Abkömmlinge, die Poreuten oder Wanderzellen betheiligen sich an der Verdauung, letztere nehmen direct die von der Entoblastzelle gelieferte Masse in sich auf. Diese für den Organismus nützlichen Eigenschaften des Aufnehmens (Fressens) und Verdauens behalten auch die Wanderzellen in späterer Zeit bei; deren Abgrenzung gegen die sog. fixen Bindegewebskörperchen ausserdem eine unbestimmte ist.

Kollmann zerlegt zugleich das Mesoderm in zwei Theile: den eigentlichen, als Primitivstreifen auftretenden Mesoblast und den oben öfters erwähnten Acroblasten am Rande der Keimscheibe. Der Acroblast besteht aus Zellen, deren Abkömmlinge wandern; sie werden daher Poreuten genannt. Sie gehen nämlich sogleich auf die Wanderschaft, gelangen aus der Tiefe des Randwulstes an dessen Oberfläche unter den Ectoblast, bilden daselbst in breiter Schicht das Gefässblatt oder die Gefässplatte. Aus den Poreuten gehen hervor: die rothen Blutkörperchen, die weissen Blutkörperchen, die Endothelzellen der Capillargefässwandungen sowie der grösseren Blutgefässe, die Wanderzellen im ganzen Organismus, die Zellen der Bindesubstanzen, welche zum Theil zeitweise oder doch in ihren Nachkommen wieder ein Wanderleben anfangen.

Kupffer (15) setzte seine fundamentalen Forschungen (vgl. Jahresber. f. 1882) über die Gastrulabildung am Ei der Vertebraten fort. Es werden die dem so bezeichneten Einstülpungs- resp. Einsenkungsvorgang am Blastoderm der Eier von Reptilien und Vögeln entsprechenden Erscheinungen am Teleostierei (von Osmerus eperlanus, Esox lucius, Forelle) auseinandergesetzt und durch vortrefflich ausgeführte Abbildungen erläutert. Eines Auszuges sind die betreffenden Mittheilungen, deren Fortsetzung in Aussicht gestellt wurde, nicht wohl fähig; über specielle Verhältnisse der Medulla oblongata vergl. unten (Entwickelung der Organe). K. hält übrigens daran fest, an den meroblastischen Eier ein primäres und secundäres Entoderm oder Paraderm zu unterscheiden. Das eingestülpte Blastoderm, die in besonderer Weise zellenbildende Rindenschicht des Dotters (Parablast) und der passive, nicht organisirte Nahrungsdotter bilden zusammen den Entoblast, vergleichbar dem ausschliesslich durch Invagination entstandenen Entoblast, etwa der Gastrula des Amphioxus. Aus jenem zusammengesetzten wie aus diesem einfachen Entoblast entsteht in beiden Fällen dasselbe, nämlich das Epithel des Darmes und das Mesoderm. Genetisch aber ist offenbar nur das eingestülpte Blastoderm des meroblastischen Eies dem Entoblast des Amphioxus homolog und daher ist der zusammengesetzte Entoblast eben als Paraderm zu bezeichnen, im Anklange an seine Entstehungsweise aus dem Parablast. Da es dieselben Elemente sind, welche das Blut und die ersten Gefässwände entstehen lassen, so ist das Paraderm offenbar mesenchymatösen Ursprunges, um diese Bezeichnungsweise der Gebrüder Hertwig beizubehalten. Für die betreffende Anschauung bringt K. Belege auch aus der Untersuchung des Teleostiereies. Aber auch bei Vögeln, wie bei den Reptilien betheiligt sich das Paraderm in ausgesprochener Weise an der Bildung des Mesoderms. — Die Primitivrinne der Vögel ist genetisch herzuleiten von der fast in der Mitte des Blastoderms erscheinenden Einstülpungsöffnung, dem Gastrulamunde, der Reptilien. Das Dotterloch der meroblastischen Eier ist mithin kein Blastoporus oder Urmund: K. schlägt vor, dasselbe Blastotrema zu nennen.

Pflüger (16) hat seine Untersuchungen (siehe Jahresber. f. 1883. S. 89) über die Einwirkung der Schwerkraft auf die Zellentheilung, speciell im befruchteten Ei von Bombinator igneus fortgesetzt.

Die Wirkungen der Schwere auf die Richtungen im sich furchenden Batrachierei spricht P. mit aller Bestimmtheit als primäre an, nicht etwa als secundäre. Die primäre Axe des Eies, welche dessen schwarzen und hellen Pol verbindet, liegt nur dann symmetrisch, wenn sie vertical gestellt ist. Legt man nun ein Ei auf eine Fläche, so wird es sich zufolge seiner Zusammensetzung aus flüssigen und festen Theilen abplatten. Die verticale Axe wird dann kürzer, das Ei bleibt aber ein um diese Axe symmetrisch orientirter Rotationskörper; man kann daher diese Axe die secundäre oder symmetrische Axe nennen. P. hebt daneben mit Recht hevor. von ihm sei schon früher (1875) gezeigt worden. dass der Zelleninhalt ein Fädengerüst enthalte, welches von Lösungen umspült wird. Nun hängen die Richtungen der Furchungen unter den erwähnten Umständen nicht von der primären, sondern von der secundären Eiaxe ab, sie sind vermöge der Schwerkraft durch diese symmetrische Axe gegeben und symmetrisch zu derselben. Die Richtung, in welcher die achromatische Kernspindel einer sich theilenden Zelle liegt, zieht P. vor, kurz als diejenige der karyokinetischen Streckung zu bezeichnen. Letztere Streckung aber erfolgt stets in der Richtung des geringsten Widerstandes. Fallen die primäre und die secundäre Axe zusammen, wie es unter ganz normalen Verhältnissen bekanntlich der Fall ist, so liegt der Kern (das Keimbläschen) oben. Wegen seiner geringeren specifischen Schwere behält er diese Lage, auch wenn die primäre Axe in eine unsymmetrische Lage gebracht wird. Würde nun die erste karyokinetische Streckung in senkrechter Richtung geschehen, so müsste sie in den specifisch schwereren Theil des Dotters eindringen. Da sie aber den geringsten Widerstand gleichsam aufsucht, so steht die erste Streckung horizontal in zunächst beliebigem Azimuth, die erste Furchungsebene steht also senkrecht, und ebenso aus denselben Gründen die zweite.

Pfl. nöthigte nun die Zellen, sich zu theilen, wie er es wünschte, indem ein Ei, dessen primäre Axe irgend welche unsymmetrische Lage hatte, zwischen zwei parallelen, lothrechten Glasplatten einer mässigen Compression ausgesetzt wurde. Das Ei wird natürlicher Weise ellipsoidisch und die erste karyokinetische Streckung geschieht in der Richtung der grössten horizontal gelegenen Axe des abgeplatteten Ellipsoides. Nach der angeführten Theorie konnte Pfl. diesen Erfolg voraussehen, derselbe trat in 80—90 pCt. ein; die Ursachen der Ausnahmen siehe im Original. Die zweite Furchungsebene steht in der Norm ebenfalls senkrecht wie die erste und rechtwinklig auf die letztere. In comprimirten Eiern ist aber die zweitgrösste Axe des Ellipsoides horizontal. Wenn die Richtung des geringsten Widerstandes von bestimmendem Einfluss ist. so muss die zweite Furchungsebene bei solchen comprimirten Eiern senkrecht zum Horizont und zugleich zu den Ebenen der Glasplatten sein. Dies kommt in der That in Ausnahmefällen vor und dann hat man drei parallele Furchungen, sämmtlich vertical und lothrecht auf die Glasplatten. In der Regel verläuft aber die zweite Furchung des comprimirten Eies annähernd horizontal, häufig schief oder gebogen, was sich alles vollständig erklären liess.

Pfl. bestätigte auch an Eiern von Rana esculenta und Bombinator igneus die Versuche von Rauber (Jahresber. f. 1883, S. 85) an Forelleneiern, wonach der richtende Einfluss der Schwere durch die Wirkung eines Centrifugalapparates ersetzt werden kann. Ferner entdeckte Pfl., dass die Frequenz der Zellentheilungen in der zufällig nach oben gerichteten Hälfte des Eies eine grössere ist und dass trockener gehaltene Eier, also die mit concentrirterem Dotter versehenen sich rascher wiederholt theilen als solche Eier, denen mehr Wasser hinzugefügt worden ist. Endlich die sehr merkwürdige Thatsache. dass dasselbe Organ aus sehr verschiedenen Theilen desselben Eies entstehen kann, je nach der Lage, welche man künstlich der primären Eiaxe aufzwingt, wobei der Embryo an verschiedenen Orten des Eies entstehen kann. Man sieht, wie das Batrachierei zum Studium solcher Fragen ein classisches Object liefert, aber die Schwere wird bei den Eiern aller Thiere die Richtung des kleinsten Widerstandes, also der karyokinetischen Streckung beeinflussen; eine Verlagerung des Eies wird immer mit einer Veränderung in der Gruppirung der unter sich verschiedenen Dotterelemente verknüpft sein. Nach dem vorher Gesagten wird die Schwere auf die Theilungsrichtungen in allen Zellen einen grösseren oder geringeren Einfluss ausüben, sodass Zug und Druck, welche auf die im Organismus wachsenden Zellen wirken, für die Richtung der karyokinetischen Streckung von wesentlichem Belange sein werden. — Hieraus ergiebt sich die bedeutende Tragweite der vorliegenden Arbeit.

In erfreulicher Uebereinstimmung mit dem Wesentlichen der Pflüger'schen Betrachtungen steht die Abhandlung von Hertwig (siehe oben Histologie, Zellenleben).

Rauber (20) will die Gewebe in Germinalgewebe und Personalgewebe sondern; zu den ersteren gehören wesentlich das Ovarial- und Testiculargewebe.

Rauber (18) fand, dass die erste Furchungsebene bei Eiern des Axolotl (Amblystoma mexicanum) und eines Nematoden (Rhabditis) senkrecht zur Längsaxe des Embryo liegt, also vorn und hinten von einander geschieden hatte. Bei der Rhabditisform war nicht nur dasselbe der Fall, sondern die beiden Furchungszellen sind auch ungleich gross, ohne dass sich sagen liesse, welche Hälfte des Eies zur vorderen, welche zur hinteren des Embryo wird. Bekanntlich deutete Éd. van Beneden die eine etwas grössere der beiden ersten Furchungskugeln des Kanincheneies als primitive Ectodermzelle (Globe ectodermique), die andere kleinere (Globe entodermique), welche in Ueberosmiumsäure dunkler wird und Pikrocarmin leichter annimmt, als erste Entodermzelle (Ref.).

Die Rauber'sche Darstellung steht wie man sieht in fundamentalem Widerspruch mit den durch Pflüger und Roux (Jahresber. f. 1883. S. 91) unabhängig von einander erhaltenen Resultaten. Die Aufklärung der wichtigen Angelegenheit erfolgte sogleich in der Discussion durch Roux.

Roux (24) bemerkte nämlich dazu, dass die erste Furchungsebene nach Pflüger's und seinen eigenen früheren Untersuchungen bei Froscheiern mit der künftigen Medianebene des Embryo zusammenfalle, also rechts und links von einander scheide, nicht vorn und hinten, wie Rauber will. Dagegen fiel bei den 1884 von Roux angestellten Versuchen die Medianebene nur sehr selten mit der quergestellten ersten Furche zusammen. Dieses differente Verhalten erklärt sich daraus, dass in diesen späteren und nach Roux auch wohl in Rauber's Versuchen die Eier sich in Zwangslage befanden: angeklebt waren.

Graf Spee (26) schloss sich der Meinung Hensen's (1867, 1875) an, die noch von Niemandem bestätigt worden war, wonach das Epithel der Urogenitalanlage, speciell der Urnierengang nicht etwa indirect, sondern direct durch Abschnürung aus dem Ectoderm herstammt. Untersucht wurde das Meerschweinchen, auch wurden zahlreiche Zählungen von Kernen in microscopischen Serienschnitten verschiedener Entwickelungsstadien an mehreren Embryonen vorgenommen. Diese Schnitte waren durchschnittlich kaum mehr als 0,005 mm dick, bei einem Embryo von 3 mm Länge. Uebrigens meint Spee, dass auch wohl für das Hühnchen die Abspaltung anzunehmen, jedenfalls die vom Mesoderm nicht nachgewiesen sei und His erkennt in einer Anmerkung die Beweiskraft von Serien so feiner Schnitte an. Die Chrom-Osmium-Essigsäure-Methode (s. Histologie, Untersuchungsmethoden) erlaubte zugleich zahlreiche schöne Mitosen in den abgebildeten Durchschnitten zu entdecken.

IV. Specielle Entwickelungsgeschichte.

A. Entwickelungsgeschichte der Fische und Amphibien.

1) Goronowitsch, N, Vorläufige Mittheilung über die Entwickelung des Centralnervensystems bei Knochenfischen. Zoolog. Anzeiger. VII. Jahrgang. No. 167. S. 270—272. — 2) Hatschek, B., Mittheilungen über Amphioxus. Ebendas. VII. Jahrg. No. 177. S. 517 bis 520. — 3) Janosik, J., Partielle Furchung bei den Knochenfischen. Arch. f. microsc. Anat. Bd. XXIV. H. 3. S. 472—474. (Bei Crenilabrus rostratus, Crenilabrus pavo und Tinea vulgaris zeigt sich eine Höhle zwischen dem eigentlichen Keime und einer dem Dotter anliegenden Zellenlage, die vielleicht am Vogelei ihr Homologon findet. Ausserdem existirt eine Furchungshöhle im Keime. Beim Beginn der Furchung durchdringen die Furchen nicht den ganzen Bildungsdotter.) — 4) Kupffer, C., Die Gastrulation an den meroblastischen Eiern der Wirbelthiere und die Bedeutung des Primitivstreifs. Arch. f. Anat. u. Physiol. Anat. Abth. S. 1—40 Mit 2 Taf. (Vergl. oben: Keimblätter.) — 5) Kollmann, J., Die Anpassungsbreite der Batrachier u. die Correlation der Organe. Zool. Anz. VII. Jahrg. No. 167 S. 266—270. — 6) Nuel, J. P., De l'innervation de l'oeil. Bullet. de la soc. de Médec. de Gand. Janv. p. 8—12. Mit 1 Holzschnitt. — 7) Wijhe, J. W. van, Ueber die Mesodermsegmente und die Entwickelung der Nerven des Selachierkopfes. Natuurk. Verh. der koninkl. Akad. te Amsterdam. 1883. D. XXII. — 8) Wolff, W., Die Nerven des Froschlarvenschwanzes. Archiv f. Anat. und Physiol. Physiol. Abth. S. 178. (S. den anat. Bericht.)

Goronowitsch (1), der unter Gegenbaur's Leitung arbeitete, ermittelte, dass bei Teleostierembryonen der Axenstrang im distalen Theile des Embryo als ein Vermehrungsherd von Zellmaterial aufzufassen ist, welcher das Substrat für die Keimblätter liefert. Die Medullarplatte ist keine „Sinnesplatte", liefert auch nicht die Anlage des Gehörorgans, wie schon früher Hoffmann entgegen Goette angab. Die älteren Angaben über Bildung von zwei Rückenfurchen, von denen die erste auf Verdickung beruhende bald verschwindet, die zweite eine Einfaltung darstellt, sind begründet. Die letztere Rinne bietet im Kopftheile eine vordere ovale und eine hintere, unregelmässig rhomboidale, welche übrigens nichts mit einer Prostombildung zu thun hat. Die rhomboidale Verbreiterung der Medullarrinne entspricht der Hinterhirnregion, die ovale Grube der Region des primären Vorderhirnes; später als das Vorderhirn entsteht die Mittelhirnanlage; viel früher als der Schluss der Medullarplatte stattfindet, sieht man die Anlagen der Augenblasen. Beim Schlusse ist das Aneinanderlegen der latero-dorsalen Oberflächen im Kopftheile deutlich nachzuweisen. Von etwaiger Raumbeschränkung im Ei sind diese primitiven, während des noch offenen Zustandes des Medullarplatte auftretenden, weit in die Ontogenie zurückreichenden Zustände unabhängig.

Hatschek (2) constatirte, dass die am cranialen Ende des Medullarrohres von Amphioxus gelegene trichterförmige Flimmergrube beim erwachsenen Thiere persistirt und zur Wassereinfuhr in den Centralcanal dient. Der betreffende Porus ist dem äusseren Ende des Zirbelcanals der Cranioten zu homologisiren. — Am Geruchsorgan sind zwei Abtheilungen zu unterscheiden. Dasselbe entwickelt sich aus dem abgeschnürten linken Darmdivertikel des Embryo, legt sich quer unter die Chorda und differenzirt sich in zwei Abschnitte, einen flimmernden dünnwandigen Sack linkerseits und einen dickwandigen rechtsseitigen Abschnitt; jenes Wimperorgan bildet nach der Metamorphose das Räderorgan. Beide Abschnitte bleiben in Communication, die Flimmerströmung führt bei der Larve Carminkörnchen u. s. w. in den mit hohen Cylinderepithelien ausgekleideten dickwandigen Abschnitt, die je mit einem starren Haar in das Lumen dieses Abschnittes hineinragen: dies ist das eigentliche Sinnesorgan, Geruchs- oder Geschmacksorgan. Die Mundöffnung der Larve ist nicht mit dem bleibenden Munde identisch, sondern entspricht jener Oeffnung des Velum, welches die Mundhöhle von der Höhle des Kiemendarmes scheidet. Das ziemlich umfangreiche Sinnesorgan liegt an der rechten Seite der Chorda, sein Lumen mündet an der dorsalen Wand der Mundhöhle in einer verdickten Scheibe von Wimperepithel, die den vordersten Theil des Räderorganes bildet. — Nur linkerseits entwickelt sich vor der Mundöffnung eine echte Niere, ein Organ, das nach

Bau und Entwickelung dem Typus der Nephridien angehört. Es entwickelt sich an der Larve als mesodermaler, sich verengernder Trichter und Canal in der Region des ersten Metamers, wächst aber später weiter distalwärts und erstreckt sich bei dem ausgebildeten Thiere linkerseits längs des centralen Randes der Chorda von nahe am vorderen Mundrande bis dicht hinter das Velum und scheint hier in den Kiemendarm zu münden; es liegt in einem engen Fortsatz der Leibeshöhle. Bei Ascidien giebt es nach Herdmann (1882—1883) ebenfalls zwei nebeneinander liegende Gebilde: ein Geruchsorgan und eine Neuraldrüse, deren präcise Homologisirung mit den Organen des Amphioxus Hatschek von der Entwickelungsgeschichte der Ascidien erwartet Dagegen liegt die Sache zweifelhaft bei der Hypophysis der Cranioten. Balfour hatte vermuthet, sie sei einstmals ein in den Mund sich öffnendes Sinnesorgan gewesen. Aber die Vergleichung des Geruchorganes (Wimperorgan, Sinnesorgan) bei Amphioxus mit der Einstülpung der Hypophyse findet ihre Schwierigkeit in der entodermalen Entstehung des Organes bei Amphioxus. Dasselbe mündet an einer ectodermalen Fläche. bei der Larve an der freien Körperoberfläche. es wäre also zu untersuchen. ob nicht auch das Epithelsäckchen der Hypophyse ein Entodermgebilde ist, wie es W. Müller darstellte. das nur bei einigen primitiveren Formen (Sclachier, Cyclostomen, Amphibien) secundär mit dem Ectodermepithel zumeist der Mundbucht sich verbindet.

Kupffer (4) entdeckte am Teleostierei (vergl. oben Keimblattlehre), speciell bei Forellenembryomen vom 19. Tage fünf Segmente der Medulla oblongata, welche von Spalten gebildet werden, die durch die Seitenwände des Bodens der Medulla hindurchgehen. (Ebenso bei Stichlingsembryonen, bei der Maus und bei einem menschlichen Embryo von ca. drei Wochen.) K. legt mit Recht Gewicht auf diese zu einem gewissen Zeitpunkt vorhandene regelmässige Gliederung. Segmentirungen der Art sind schon früher vom Hühnchen, Kaninchen und Rinde hier und da abgebildet worden.

Kollmann (5) fand bei Basel überwinternde Larven von Rana esculenta und Pylobates fuscus, letztere von 10 cm Länge, welche ihre Jugendform festgehalten hatten, obgleich sie Gelegenheit genug hatten, ans Land zu steigen. K. bezeichnet dieses Festhalten als Neotonie. Dieselbe ist nach Camerano (Jahresber. f. 1883, S. 93) bei Triton alpestris besonders häufig. ebenso bei Rana muta, und bisher bei 15 Anurenspecies in Europa nachgewiesen, ausserdem beim Axolotl viel erörtert. Bei den Urodelen reifen die Geschlechtsproducte, beim Axolotl liefern sie neue Generationen. Die überwinternden Larven haben zwar Lungen, die nebenbei Luft aufnehmen, aber klein bleiben; Schädel, Wirbel und Darm behalten ihre embryonale Beschaffenheit, der ganze Körper: Knochen, Muskeln und die Circulation verharren mit den Kiemen auf der gleichen ontogenetischen Entwickelungsstufe. Das Alles ändert sich, sobald die Lungen ihre physiologische Function antreten, wodurch sie den tiefgreifendsten Einfluss für die correlativen Umwandelungen der einzelnen Theile des Organismus gewinnen. Für die Anpassung wie für die Correlation bieten die Batrachier geeignete Objecte des Studium.

Nuel (6) giebt ein Resumé der Arbeiten von Milnes Marshall (1881) und van Wijhe (7) über die morphologische oder genetische Bedeutung der Augenmuskelnerven bei den Haien. Vor der ersten Kiemenspalte des Embryo liegen zwei Urwirbel des Kopfes, hinter derselben sieben, die Gesammtzahl ist neun; der zehnte entspricht dem ersten Halswirbel. Zwischen dem ersten und zweiten Schädelwirbel kommt der Mund zur Anlage, der Zungenbeinbogen wird vom dritten und vierten Wirbel producirt.

Nun ist der N. oculomotorius eine ventrale, zum ersten Wirbel gehörende Wurzel, dessen dorsale Wurzel den R. ophthalmicus des N. trigeminus liefert. Der N. trochlearis ist die zum zweiten Wirbel gehörende ventrale Wurzel, der grössere Theil des N. trigeminus correspondirt der dorsalen Wurzel des zweiten Wirbels. Der N. abducens entspricht der ventralen Wurzel des dritten Wirbels; die Nn. acusticus und facialis repräsentiren zwei dorsale Wurzeln des dritten und vierten Schädelwirbels. Letzterer besitzt keine ventrale Nervenwurzel. Ebenfalls atrophiren die dorsalen Theile des fünften und sechsten Wirbels. Der N. glossopharyngeus ist die ventrale Wurzel des fünften Wirbels, der N. vagus und accessorius repräsentirt diejenigen des sechsten, siebenten, achten und neunten Wirbels. Der N. hypoglossus enthält die ventralen Wurzeln vom siebenten, achten, neunten Wirbel. Wir erhalten also folgendes — wenn man vom N. facialis absieht — allerdings übersichtliche Schema:

Urwirbel des Schädels.	Dorsale Wurzel.	Ventrale Wurzel.
1.	R. ophth.	N. III.
2.	N. V.	N IV.
3.	{N. VII	N. VI.
4.	{N. VIII.	—
5.	N. IX.	—
6.	N. X.	—
7.	N. X.	N. XII.
8.	N. X.	N. XII.
9.	N. X.	N. XII.

B. Entwickelung der Reptilien und Vögel.

1) Benecke, H., Ein neuer Cyprinoidenbastard. Zoolog. Anzeiger. VII. Jahrg. No. 165. S. 229—230. (Bastarde von Alburnus lucidus und Scardinius erythrophthalmus, bei Deutsch-Eylau gefangen, werden als Scardinopsis alburniformis bezeichnet.) — 2) Dareste, C., Recherches sur l'incubation des oeufs de poule dans l'air confiné et sur le rôle de la ventilation dans l'évolution embryonnaire. Compt. rend. T. 88. No. 14. p 924—926. — 3) Duval, M., Sur un organe placentoïde chez l'embryon des Oiseaux. Ibidem. No. 7. p. 447—448. (Vorläufige Mittheilung, vergl. den folgenden Aufsatz.) — 4) Derselbe, Etudes histologiques et morphologiques sur les annexes des embryons d'oiseau. Journal de l'anat. et de la physiol.

No. 3. p. 201—241. Mit 2 Taf. — 5) Gardiner, Edward G., Beiträge zur Kenntniss des Epitrichium und der Bildung des Vogelschnabels. Archiv f. microsc. Anat. Bd. XXIV. H. 3. S. 289—338. Mit 2 Taf. — 6) Hoffmann, C. K., Beiträge zur Entwickelungsgeschichte der Reptilien. Zeitschr. f. wissensch. Zoolog. Bd. XL. H. 2. S. 214—246. Mit 2 Taf. u 1 Holzschn. — 7) Johnson, Alice, On the Fate of the Blastopore and the Presence of a Primitive Streak in the Newt (Triton cristatus). Quarterly Journal of Microsc. science. N. S. No. XCVI. p. 659—672. Mit 1 Taf. — 8) Dieselbe, Dasselbe. Proceed. Roy. Soc. of London. June. — 9) Strahl, H., Ueber Wachsthumsvorgänge an Embryonen von Lacerta agilis. Abhandl. der Senckenbergischen naturf. Gesellschaft. Bd. XIII. S. 409—473 in 4. Mit 5 Taf. — 10) Derselbe, Nachtrag. Ebendas. S. 469—471.

Dareste (2) schloss 8—14 befruchtete Hühnereier luftdicht mit 12,000 ccm atmosphärischer Luft in eine Brütmaschine ein und erhielt die Luft darin in einigen Experimenten mit Feuchtigkeit gesättigt. Nach 21 Tagen schlüpften einige normale Hühnchen aus, die meisten waren zu Grunde gegangen, am frühesten solche mit Missbildungen; andere waren normal, aber in Fäulniss übergegangen: dann fanden sich Bacterien. Aber am häufigsten zeigte sich eine Pflanze, ähnlich dem Saccharomyces cerevisiae, mit den Knospungserscheinungen des letzteren. Dieselbe lebt auf Kosten des Eieralbumins und stört die Ernährung und Respiration des Embryo. Die Hefenkeime müssen wohl im Ei vorhanden sein, mangelnder Luftwechsel begünstigt ihre Vermehrung. Aus Eiern, die keine Pilze enthielten, schlüpften die normalen Hühnchen aus. Bei den mit feuchter Luft eingeschlossenen Eiern sickerte flüssiges Eiweiss durch die Schalen, sonst verliefen die Sachen ganz ähnlich. Nur trat statt des Saccharomyces eine Aspergillusspecies auf, dessen Mycelium im Innern des Albumins wucherte. Grünliche Fructificationsformen zeigten sich im Luftraum der Eier und schliesslich auf der Wandung der Eischale. Ebensolche Erscheinungen boten sich dar, wenn ein mit Feuchtigkeit gesättigter Luftstrom die Eier bestrich. Es ist zu schliessen, dass der Embryo im Kampfe gegen die mit ihm eingeschlossenen Kryptogamen dann erliegt, wenn die umgebende Luft durch die Producte der embryonalen Respiration verändert wird. Daher ist genügender Luftwechsel eine für Brütmaschinen, wie man weiss, unerlässliche Bedingung. — Einfacher würde dem Ref. die Annahme erscheinen, dass die Hühnchen im Ei sich unter einander um den sparsam zugemessenen Sauerstoff streiten, wobei diejenigen erliegen, die aus irgend einem Grunde die schwächeren sind. Nachträglich wucherten dann die Pilze auf den Todten. Auch mag es schwieriger sein als es aussieht, eine ungleich erwärmte grössere Brütmaschine hermetisch abzuschliessen.

Duval (4) strebt die Kluft zwischen Placentalen und Oviparen zu überbrücken. (Ueber das Eierlegen der Schnabelthiere vergl. Descendenztheorie, Haacke). Er beschäftigte sich mit den die Eihüllen betreffenden Vorgängen am spitzen (petit) Eipol, namentlich während der zweiten Hälfte der Bebrütungszeit. Es wurden ganze. in Chromsäure, Pikrinsalpetersäure (Acide picro-azotique) etc. gehärtete, tingirte, in Collodium eingebettete Eier der Grasmücke (Fauvette), einmal auch der Nachtigall geschnitten. Obgleich dies bei Hühnereiern in toto nicht gelang — solche wurden so hart wie Stein — liessen sich doch manche Verhältnisse beim Hühnchen verificiren. In der Terminologie behält D. die Unterscheidung von drei Keimblättern bei. Die Dotterhaut wird in der Gegend des Embryo nach und nach resorbirt, jenseits des Aequators des Eies bleibt sie in Form einer Calotte bestehen, die zu weiteren accessorischen Bildungen verwendet wird. Das Ectoderm erstreckt sich weit über das Entoderm hinaus; letzteres besteht in der betreffenden Zone aus einer Schicht Dottersubstanz mit zahlreichen Kernen, nicht aus differenzirten Zellen und wächst nicht durch Zellentheilung, sondern durch directe Transformation der Dottersubstanz. Am Beginn der inneren Zone endigt das mittlere Keimblatt mit einem dickeren Rande, dem Bourrelet mesodermique. Als ursprünglich trichterförmiger Anhang des Dottersackes bildet sich am spitzen Eipol ein Saccus umbilici umbilicalis. Nabel des Nabels (Ombilic ombilical) nennt nämlich D. eine Narbenbildung der Oeffnung, welche von jenem Wulst des Mesoderms ringförmig umgeben wird. Der Saccus umbilici umbilicalis communicirt mit dem Hohlraum des Dottersackes durch eine kleine Oeffnung, während die entgegengesetzte (distale) Begrenzung von der erwähnten Calotte der Dotterhaut gebildet wird. Wenn die vom Mesodermwulst begrenzte Communicationsöffnung sich durch eine Narbe geschlossen hat, so communiciren selbstverständlich Dottersack und Umbilicalsack nicht mehr, vielmehr wird die Verbindung zwischen beiden nur noch durch einen fibrösen, aus den Elementen des Mesodermwulstes gebildeten Strang hergestellt. Bald aber wird der Umbilicalsack ganz resorbirt.

Die Allantois umwächst das Ei, an der Innenfläche der fibrösen Lamelle des Chorion sich anlegend: mit letzterer verschmilzt ihr dem Mesoderm ebenfalls angehörendes Grundgewebe. Indem sie am spitzen Pol des Eies der Eischale folgt, schliesst sie an diesem Pol in einem kleinen Saccus placentoides den Rest des Eiweisses des Eies ein. Die sich entgegenwachsenden Hälften der Allantois verschmelzen nämlich nicht mit einander wie man glauben könnte, insofern für die Vereinigungsstelle der Ausdruck eines Allantoisnabels angewendet wird, sondern sie umschliessen allseitig den Rest des Eiweisses des Vogeleies und legen sich an den beschriebenen fibrösen Strang oder den Ursprungstheil des Umbilicalsackes. Als Placentarsack aber kann der von der Allantois umwachsene eiweisshaltige Raum bezeichnet werden, weil dieser Sack an seiner Innenfläche Chorionzotten besitzt, die von Blutcapillaren durchzogen werden: letztere stammen aus der Allantois. Dieser placentare Sack wird nach dem stumpfen Eipol hin begrenzt vom Dottersack, seitlich und nach dem spitzen Pol hin von der Allantois, welche sich vom Dottersack entfernt hat. Austapeziert ist die innere Wand des Sackes vom Ectoderm nicht nur längs des Dottersackes, sondern auch an den übrigen Partien, weil die Allantois bei ihrem Wachsthum sich mit dem Chorion überkleidet hatte. Das Ectoderm wuchert zuerst am Dottersack zu papillären Excrescenzen, dann zu wirklichen Chorionzotten aus, deren Axe von einer bindegewebigen Grundlage gebildet wird. Die letztere wird von der benachbarten fibrösen Membran geliefert, in die von dickem Epithel überkleideten Zotten wachsen feine Blutcapillaren hinein, wenigstens ist dies der Fall im Allantoistheil des placentaren Sackes. Während der weiteren Ausbildung des Embryo wird der Sack gegen die Zeit des Ausschlüpfens hin atrophisch, je nachdem der Rest seines Eiweisses absorbirt wird. Den Sack betrachtet D., wie gesagt, als analog der Placenta der placentalen Säuger. Anstatt dass die Zotten an der letzteren in das mütterliche Gewebe hineinwachsen und von dort her Ernährungsmaterial aufnehmen, schöpfen sie beim Vogel aus dem Albumin des Eies, welches Eiweiss ebenfalls die mütterlichen Säfte hergegeben haben. Die Eischale zwingt die Allantois, die Form eines (placentaren) Sackes anzunehmen, dessen Zotten nach innen, statt wie in der Placenta nach aussen gerichtet sind. Man denke sich, meint D., ein ovovivipares Reptil, dessen dünne und membranöse Eischale resorbirt worden ist, so werden die Zotten der Allantois, anstatt sich nach innen zu wenden, an der Wand des Eileiters sich befestigen können. Jener placentare Sack würde also eine primitive Form der eigentlichen Placenta darstellen und so die oben erwähnte Brücke von den Vögeln und Reptilien zu den placentalen Säugethieren geschlagen sein. Während aber die Placenta der Vögel auf ihrer Innenfläche ein resorbirendes Nutritionsorgan darstellt, erfüllt sie auf ihrer Aussenfläche respiratorische Functionen; bei den Säugern sind beide Leistungen an dieselben Blutgefässe gebunden. Endlich ist die proximale, nach dem stumpfen Eipol gekehrte Partie der Vogelplacenta wenigstens anfangs rein dem Dottersack angehörig, sie nähert sich in gewisser Beziehung den Umbilicalplacenten der Plagiostomen.

Gardiner (5) untersuchte in Leuckart's Laboratorium das Epitrichium des Vogelschnabels und des Hufes vom Schwein, Dicotyles etc., auch den Eizahn des Hühnchens, der Ente, Taube, Weihe, des Bussards und Wellenpapageis. Das Epitrichium von Welcker ist eine Schicht von Epidermiszellen, welche die Haare des Neugeborenen bedeckt; als zusammenhängende, den ganzen Körper umhüllende Schicht kommt sie bei Faulthieren und Schweinen vor, als epitrichoide Schicht, die sich allmälig ablöst, bei Raubthieren, Nagern, Wiederkäuern, Beutelthieren und wie bekannt beim Menschen als Vernix caseosa. Das Epitrichium ist nach Gardiner nichts anderes als ein Theil der Epidermis, der entstanden ist, ehe der Fötus reif genug war, eine Hornschicht zu bilden.

Der Eizahn des Hühnchens enthält nur wenig Calciumcarbonat (vielleicht mehr Calciumphosphat? Ref.). Seine Ausbildung richtet sich keineswegs nach der Dicke der Eischale, z. B. hat Melopsittacus eine dünne Schale und trotzdem einen ebensolchen Eizahn wie das Hühnchen. Ein analoges Werkzeug kommt als Zwischenkieferzahn bei Schlangen und Eidechsen, doch auch bei viviparen Eidechsen vor. Das Geräusch, welches man im Hühnerei einige Tage vor dem Ausschlüpfen hört, rührt nicht vom Bohren des Eizahnes, sondern von der etwa 132 Mal in der Minute erfolgenden Pulsation des Herzens her (die Dauer der Eizahnarbeit beträgt nur wenige Stunden, Ref.). Ueber eine dem Eizahn anscheinend analoge Bildung vergl. unten Wirbellose, Patten.

Hoffmann (6) handelt die Bildung des Mesoderms und die Anlage der Chorda dorsalis bei Reptilien ab.

An Embryonen von Lacerta agilis, die Strahl in Marburg zur Verfügung gestellt hatte, liess sich die Bildung des Canalis neurentericus studiren. In diesem Momente besteht das Blastoderm nur aus zwei Keimblättern: Ectoderm und primäres Entoderm. Ersteres verdickt sich, stülpt sich ein, das primäre Entoderm verdickt sich jederseits neben dem Canal und verdünnt sich unter demselben, bildet aber caudalwärts und jederseits lateralwärts vom Canalis neurentericus eine dicke Schicht, die sich in das secundäre Entoderm, d. i. ein aus einer einzigen Zellenlage bestehendes ventrales Blatt und in ein dorsales sehr dickes Blatt, das Mesoderm sondert. Das Mesoderm kann hier also allein aus Abspaltung entstehen; das axiale (primäre) Entoderm hat sich dann schon zu einem einschichtigen Blatte verdünnt. In diesem bricht die Ectodermeinstülpung auch an der ventralen Seite durch; noch ehe dies geschieht, nehmen die an der Durchbruchsstelle gelegenen axialen Entodermzellen Cylinderform an; hat der Durchbruch stattgefunden, dann geht das Ectoderm unmittelbar in das Entoderm über, welches vor der Durchbruchstelle sich schon zu einem einschichtigen Blatte verdünnt hat. Gleichzeitig mit diesem ventralen Durchbruch entsteht die erste Anlage des Mesenteron und aus dieser durch einen Act von Invagination gebildeten Urdarmhöhle entwickelt sich jederseits eine kleine blinddarmförmige Einstülpung, die Anlage des durch Einstülpung sich bildenden Mesoderms, welches die Gliederung des Entoderms in drei Stücke: in das unpaarige Chordaentoderm, welches unmittelbar in die untere vordere Wand des Canalis neurentericus sich fortsetzt und das paarige Darmentoderm bedingt. Lateralwärts von dem durch Einfaltung angelegten Mesoderm spalten sich vom Darmentoderm neue Zellen ab, welche das durch Einfaltung angelegte auf diese Weise vergrössern helfen. Die Thatsache, dass das Chordaentoderm jederseits durch eine feine Spalte vom Darmentoderm getrennt ist, hat nach Hoffmann darum eine so grosse Bedeutung, weil daraus wohl unzweifelhaft hervorgeht, dass das mittlere Keimblatt anfängt, sich durch Einfaltung anzulegen.

In dem vorderen Theil des Blastoderms ist demnach das Mesoderm durch Einfaltung entstanden, mehr nach hinten durch Einfaltung und Abspaltung und am hinteren Ende der ventralen Ausmündung des Canalis neurentericus nur noch durch Abspaltung, für die Achse fehlt das Blatt. Die Verhältnisse bei den Reptilien und Selachiern stimmen überein, nur legt sich bei ersteren der Embryo mehr in der Mitte des Blastoderms an und so wird der Blastoporus zu einem Canal, der Invaginationsöffnung des Canalis neurentericus.

Weitere Studien an einem Eidechsenembryo mit sechs Urwirbeln ergaben, dass die Verwachsung der Keimblätter in der Achse des postembryonalen Theiles, in dem Primitivstreifen, bei den Reptilien noch weit deutlicher als bei den Vögeln eine secundäre ist.

Was die erste Entstehung des Blutes anlangt, so finden sich kleine Haufen rundlicher Zellen zwischen Ectoderm und Entoderm jenseits der Stelle, wo die Somatopleura in die Splanchnopleura umbiegt. Sie stammen von den Entodermzellen, enthalten noch Dotterkörnchen und bilden sich in Blutkörperchen um, während die peripherisch gelegenen zum Theil zu Gefässendothelien werden. Später erhalten diese Blutinseln eine Adventitia von der Splanchnopleura. Das Blut ist also ein Product des Entoderms, wie es auch bei den Knochenfischen der Fall ist, der Nahrungsdotter betheiligt sich nach H. nicht direct am Aufbau des Embryo.

Bei dem Embryo mit sechs Urwirbeln hängt die Chorda am Vorderende continuirlich mit dem Entoderm, der dorsalen Wand des Urdarms zusammen, ein wenig weiter nach vorn tritt sie auch lateralwärts mit dem Mesoderm zusammen. Aber in der Achse des embryonalen Theiles ist niemals Mesoderm anzutreffen, vielmehr geht an der vorderen Wand des Canalis neurentericus das (Chorda-)Entoderm oder die Anlage der Chorda unmittelbar in das Ectoderm, die ventrale Wand der sich inzwischen anlegenden Medullarfurche über. Nur in dem postembryonalen Theile liegt in der Achse Mesoderm; die Verwachsung der drei Keimblätter ist daselbst eine secundäre, wenngleich sehr frühzeitig eintretende. Wie bei den Selachiern und Vögeln geht also an der vorderen Wand des Canalis neurentericus oder Blastoporus das Ectoderm unmittelbar in das Entoderm über, die Chorda fängt daselbst an sich anzulegen und in zwei Richtungen nach vorn und hinten weiter zu wachsen und hat da ihre hintere Wachsthumsstelle.

Die Differenzen, welche zwischen Hoffmann und Strahl (s. unten) bestehen, hält der Erstere für mehr scheinbar als wesentlich: sie wurzeln in dem einen Punkt, ob je in der embryonalen Achse Mesoderm angetroffen wird. Nach Hoffmann's Meinung biegt sich das Ectoderm an der vorderen Wand des Canalis neurentericus unmittelbar in das Entoderm um und mit dem Knopf des Primitivstreifens von Strahl hat es eine andere Bewandtniss. Nach Strahl fehlt an der Stelle, wo dieser vor dem Auftreten der die Bildung des Canalis neurentericus einleitenden Einstülpung entstehende Knopf sich zeigt, zunächst die untere Abgrenzung des Ectoderms. Weiter vorn steht dasselbe mit dem Entoderm nur in losem Zusammenhange. Der Knopf besteht aus kleinen dichtgedrängten Zellen, an seinem unteren ventralen Rande finden sich der Regel nach noch eine grössere Anzahl von Entodermzellen vor, die nach oben allmälig in das so angelegte Mesoderm des Primitivstreifens übergehen. Hoffmann möchte nun diesen bei Vogelembryonen von ihm ebenso bezeichneten Knopf am liebsten Blastoporus nennen, der auf einer Verdickung des Ectoderms beruht und sich anlegt, noch bevor das Mesoderm zur Ausbildung gekommen ist. Indem diese Ectodermverdickung nach unten und vorn wächst und auf derselben die Invagination entsteht, häufen sich die Zellen jederseits derselben (lateralwärts) zu einem mächtigen Haufen an und verdünnen sich unter derselben, bis nur eine einzige Schicht übrig bleibt. Erst dann, wenn die Einstülpung an der ventralen Seite durchbrochen ist, fängt vor dem Canalis neurentericus die Bildung des Mesoderms durch Einfaltung an und gliedert sich das primäre Entoderm jederseits neben dem Canalis neurentericus in ein einschichtiges (secundäres) Entoderm und in ein mehrschichtiges Mesoderm, welches in der Achse immer fehlt. Wäre dies nicht so, so würde der Blastoporus der Reptilien nach Hoffmann nicht mehr als Homologon des Blastoporus resp. Canalis neurentericus des Amphioxus, der Selachier und Amphibien zu betrachten sein, bei welchem an dessen vorderer Wand gerade das Mesoderm fehlt.

Strahl (10) wendet dagegen ein, dass Querschnittsserien an der entscheidenden Stelle eine Zellenlage enthalten, welche der vorderen Wand des Canalis neurentericus entspricht, die betreffende (cylindrische) Zellenlage gehört daher nach Hoffmann's Darstellung zum Ectoderm; Strahl rechnet sie zum mittleren Keimblatt (Mesoderm).

Auch ist Strahl keineswegs zufrieden mit der Deutung, welche Hoffmann an einem von Strahl's Medianschnitten durch das hintere embryonale Ende angebracht hat und glaubt, dass schräge oder sagittale neben der Medianebene geführte Schnitte solche Bilder liefern können, wie sie Hoffmann zeichnet.

Hoffmann erörtert ferner die erste Anlage der Allantois und glaubt den Nachweis liefern zu können, dass dieselbe auch bei den Reptilien, wie bei Vögeln und Säugethieren aus den vorhandenen Keimblättern sich anlegt. Hoffmann hält es nämlich für sehr unwahrscheinlich, dass ein in der Phylogenie (Ontogenie) der Amnioten neu auftretendes Organ ohne directe Betheiligung der Keimblätter sich einfach aus den indifferenten Zellen des Primitivstreifens bilden sollte. Bei einem Eidechsenembryo mit sechs Urwirbeln fand nun Hoffmann nahe (0,1 mm) hinter dem hinteren (caudalen) Ende des Canalis neurentericus, woselbst die drei Keimblätter lateralwärts vollkommen selbständig auftraten, eine kleine rundliche Einstülpung des Entoderms, während Strahl früher sie als soliden Zapfen angelegt gefunden hatte. Hoffmann bestreitet ferner gegen Kupffer, dass die Allantois aus dem zum Canalis neurentericus führenden Gange entstehe. Späterhin wächst die Allantois, bei Lacerta muralis wird sie fast kugelförmig, nicht aber bei Schlangen (Tropidonotus natrix); sie schickt einen hohlen Stiel dem Schwanzdarm entgegen, durch Wachsthum des letzteren tritt bald Berührung ein und die sich berührenden Zellenwände werden dann aufgelöst. In Betreff der weiteren Entwickelung der Allantois verweist Verf. auf Strahl's erschöpfende Darstellung.

Strahl (10) wendet dagegen ein, dass die von Hoffmann abgebildete Allantoisanlage nichts weiter sei, als die erste Anlage des Verbindungsganges zwischen Allantois und Enddarm, die sich durch Einfaltung bildet und jederzeit im offenen Zusammenhange mit dem Darm steht; die Allantoishöhle aber entsteht viel weiter nach hinten zuerst an dem hintersten Ende des Allantoiswulstes. Die Entwickelung des Amnion ist von Hoffmann bei Reptilien (Lacerta agilis) speciell untersucht und es sind die früheren Resultate Strahl's (Jahresber. f. 1883. S. 94) von Hoffmann ganz ausdrücklich bestätigt worden. In Bezug auf die Vögel zeigt das bei den Reptilien ja zuerst auftretende Amnion die beträchtliche Differenz, dass das am Kopfamnion der letzteren das Entoderm, welches in die Bildung des Amnion mit eingeht, über (dorsalwärts) dem Embryo liegt; letzterer befindet sich daher an dieser Stelle in einem Raume zwischen Nahrungsdotter und Blastoderm, während in späteren Stadien die Sache sich wie bei den Vögeln verhält. Hoffmann zeigt nun, wie das letztere Stadium sich aus dem ersteren entwickelt; er schlägt vor, die zwischen den beiden Entodermplatten, deren Einfaltung das Amnion bilden hilft, vorhandene ausgedehnte Höhlung das Blastodermcoelom zu nennen; es hängt mit dem anfangs sehr wenig ausgebildeten Körpercoelom des Embryo zusammen. Bei den Selachiern ist das durch Einfaltung entstandene centrale Mesoderm von dem durch Abspaltung am Rande des Blastoderms später angelegten peripherischen Mesoderm zu unterscheiden. Beide wachsen von vorn nach hinten, vorn aber (cranialwärts) zeigt sich nur centrales, in der Mitte centrales und peripherisches Mesoderm durch einen kleineren oder grösseren Zwischenraum getrennt; hinten sind beide Mesodermarten im Zusammenhang. Bei den Reptilien wird es wahrscheinlich ebenso sein, mag nun jener Zwischenraum existiren oder nicht.

Das durch Abspaltung entstandene Mesoderm wächst immer weiter nach vorn, als ein bilateraler Sack, als bilaterales Blastodermcoelom. Aber je weiter nach vorn es kommt, um so mehr findet es das entodermale Amnion schon vollständig geschlossen; so lange dies nicht der Fall ist, kann das Blastodermcoelom oben und seitwärts zwischen Ectoderm und Entoderm hineinwachsen; ist einmal das entodermale Amnion geschlossen, so findet es allein über dem Embryo d. h. dorsalwärts von demselben Platz und indem die beiden Coelomsäcke sich in der Medianlinie vereinigen, entsteht dadurch das unpaarige Blastodermcoelom. Dieser Sack wächst dann allmälig nach vorn und beiden Seiten um den Embryo herum, und wenn die beiden blindgeschlossenen Enden dieses Sackes auch mit einander in der ventralen Medianlinie verwachsen sind, so ist derselbe Zustand hergestellt, wie ihn das Amnion bei den Vögeln zeigt. Die Verhältnisse sind dadurch so complicirt, dass das Anfangs im Kopfamnion nur dorsalwärts gelegene Blastodermcoelom bei seinem weiteren Wachsthum nach der ventralen Seite dem sich inmittelst ebenfalls weiter entwickelnden Embryo in den verschiedensten Stufen der Ausbildung begegnet, wie eine Untersuchung älterer Embryonen lehrt.

Der Aufsatz von Alice Johnson (7) über den Blastoporus von Triton cristatus ist unter Leitung von Sedgwick ausgearbeitet und vertritt wesentlich dessen Ansichten (vergl. unten). Letzterer hatte nur Flächenansichten des distalen Endes des Blastoporus, welcher zum bleibenden Anus wird, studirt; Miss Johnson füllt die Lücke durch Querschnittserien aus. Der Blastoporus oder Rusconi'sche After rückt mit dem Ablauf der Segmentirung vom distalen Ende des Embryo an dessen ventrale Seite und wird zur bleibenden Anusöffnung. Auf der Dorsalfläche existirt proximalwärts vom offenen Blastoporus, ein Primitivstreifen. Die Primitivfurche erstreckt sich längs der ganzen Dorsalseite vom Blastoporus an und noch etwas proximalwärts von den Medullarfalten. Das proximale Ende der Primitivfurche vertieft sich zu einem tiefen Loch, in dessen Grunde sehr wahrscheinlich einer Verschmelzung des Epiblastes und Hypoplastes stattfindet.

Der fragliche Triton zeigt nach Miss Johnson ein abermaliges interessantes Beispiel von der Variabilität in der Lage der zuletzt offenen Partie des Blastoporus bei den Chordaten. Amphioxus nämlich hat einen distalwärts gelegenen Blastoporus, welcher zur Bildung eines Canalis neurentericus Anlass giebt. Ebenso bei den Ascidien. Bei den Elasmobranchiern wird der Blastoporus in einen neurenterischen Kanal verwandelt, distalwärts von letzterem folgt ein Dotterblastoporus, welcher nachher spurlos verschwindet. Bei den Teleostiern ist von einem Blastoporus nichts bekannt. Dagegen findet bei Petromyzon eine Einstülpung statt. Der Blastoporus bleibt eine Zeit lang, aber nicht dauernd offen. Der Medullarcanal bildet sich zuerst als ein solider Strang, welcher am Rande des Blastoporus mit dem Hypoblast in Verbindung tritt und auf diese Art ein Rudiment eines Canalis neurentericus darstellt. Bei Acipenser wird der Blastoporus in den genannten Kanal verwandelt. Die Anordnung bei Lepidosteus scheint auf einen Primitivstreifen und neurenterischen Kanal wie bei den höheren Chordaten hinauszulaufen.

Bei den Amphibien entsteht ein neurenterischer Canal aus einem Einstülpungsblastoporus; nur beim Triton wird letzterer zum Anus, wahrscheinlich auch bei Amblystoma. Beim Triton scheint kein neurenterischer Canal vorhanden zu sein, die übrigen Details s. oben.

Bei den Reptilien verhält sich die Sache wie bei den Amphibien. Distalwärts vom Canalis neurentericus ist der Primitivstreifen vorhanden, entlang dessen Linie bildet sich der Anus; der Streifen reicht an der Ventralseite, wenigstens bis zur Ursprungsstelle der Allantois cranialwärts. Nach Strahl beginnt bei der Eidechse die Einstülpung nahe der Mitte der Länge des Primitivstreifens, oder etwas distalwärts vom cranialen Ende desselben, an welchem der neurenterische Canal nach erfolgter Reducirung des Streifens gelegen ist.

Bei den Vögeln tritt der Eistülpungsblastoporus spät auf, so erscheint derselbe voll entwickelt bei der Ente mit 26 Urwirbeln und einem mit Ausnahme seines distalen Endes geschlossenen Medullarcanal. Noch später findet sich ein neurenterischer Canal.

Was die Säuger betrifft, so beginnt nach Heape (1881) die Blastoporuseinstülpung als ein Loch im Epiblast am proximalen Ende des Primitivstreifens, die sich einsenkt und das Blastoderm vollkommen durchbohrt. Wenn dann die Medullarfurche sich gebildet hat, so entsteht daraus ein neurenterischer Canal, dessen centrale Oeffnung jedoch obliterirt, bevor noch die Medullarfurche sich geschlossen hat.

Der Primitivstreifen ist ein Theil des ursprünglichen Blastoporus. Aber weshalb sich letzterer so verschieden verhält bei differenten Chordaten ist nichts weniger wie aufgeklärt. Zuweilen ist er eine einfache Oeffnung, welche einen Canalis neurentericus erzeugt und dann verschwindet. In anderen Fällen ist der Blastoporus langgestreckt, repräsentirt einen Primitivstreifen mit einer Oeffnung, die zum neurenterischen Canal wird, entweder an seinem proximalen Ende, oder (bei der Eidechse) in der Mitte, oder (bei Triton) am distalen Ende des Primitivstreifens. Hier persistirt sie, ohne Bildung eines Canales. Auch besteht der Blastoporus mitunter aus dem Primitivstreifen ohne irgend welche Oeffnung.

Die Oeffnung hat stets embryonalen Character, persistiren sieht man sie nur bei Triton. Bei Peripatus (s. unten Wirbellose, Gaffron, Kennel) ist der Blastoporus eine langgestreckte Bildung, deren Mitteltheil sich schliesst, während die Enden zu Mund und Anus werden. Nach Miss Johnson erstreckt sich der Primitivstreifen weiter proximalwärts als bisher angenommen, das Loch (pit) am proximalen Ende der Primitivfurche correspondirt seiner Lage nach mit dem bleibenden Munde (bei Triton). So soll denn Sedgwick's Ansicht unterstützt werden, wonach die erwähnten Befunde bei Peripatus das ursprüngliche Verhalten beim Wirbelthierembryo repräsentiren. Ueber eine etwa mögliche Verschmelzung der Ansichten über die Bildung des Mesoblastes: entweder durch Auswachsen vom Primitivstreifen, also von den Rändern des Blastoporus oder vom Hypoblast — s. das Original. In den Regionen des Embryo, wo der Primitivstreifen obliterirt war, konnte der Mesoblast nur vom Hypoblast auswachsen; eine Verschmelzung der Keimblätter scheint nicht nur wie sonst gewöhnlich am distalen, sondern auch am proximalen Ende beim Tritonen-Embryo sich zu ereignen,

Strahl (9) untersuchte Embryonen von Lacerta agilis zur Zeit der Anlage des Canalis neurentericus. Es wurden die Keimscheiben in der Gegend des letzteren in einer Ausdehnung von etwa 2,4 mm in Querschnittserien von 0,025 mm Dicke jedes Schnittes zerlegt und diese meist bei 45facher Vergrösserung gezeichnet. Die Wandungen des genannten Canals gehören abgesehen von der oberen Eingangsöffnung, dem Mesoderm und nur diesem an. Seine Resultate stellt Strahl folgendermassen zusammen:

Die spätere Medullarplatte und das Hornblatt bilden in früher Entwickelungszeit eine zusammenhängende Platte hoher cylindrischer Zellen, in welcher die Anlagen beider nicht von einander zu trennen sind. Das Hornblatt wird dadurch von der Medullarplatte unterscheidbar, dass man an gleicher Stelle, an der sich früher hohe Zellen befanden, später eine einschichtige Lage niedriger cylindrischer Zellen antrifft. Soweit die cylindrischen Ectodermzellen sich hinter der oberen Eingangsöffnung zum Canalis neurentericus vorfinden, kann aus denselben überhaupt nur Hornblatt angelegt werden, da an dieser Stelle keine Rückenfurche mehr gebildet wird, also auch keine eigentliche Medullarplatte vorkommen kann.

Während man in früherer Zeit die Medullarplatte dicht vor dem Canalis neurentericus in der Mittellinie dünner findet, als zu den Seiten, ist dieselbe an gleicher Stelle zur Zeit der Anlage der Kopfscheide in der Mitte nicht dünner als seitwärts.

Von der Zeit der Eröffnung des Canalis neurentericus an findet sich nach hinten von der oberen Eingangsöffnung desselben unter dem Endwulst eine abgegrenzte Entodermanlage, die zuweilen nur in der Mitte viel dünner ist, als seitlich. Erst zur Zeit der Entwickelung des Enddarmes und der Bildung einer Verbindung desselben mit der Allantois tritt ein Entwickelungszustand ein, in welchem hinter dem Canalis neurentericus unter dem im Endwulst gelegenen Medullarstrang eine Entodermgrenze nicht beobachtet wird.

Das Mesoderm breitet sich ringförmig nach allen Seiten um den Canalis neurentericus aus. Bald tritt in dem nach vorn von der oberen Eingangsöffnung zum Canal gelegenen Abschnitt eine schon von Kupffer beschriebene Dreitheilung des Mesoderms ein. Die mittlere Partie bildet die unmittelbare Fortsetzung der Canalwandungen nach vorn und zwar vor der Eröffnung die Fortsetzung der ganzen den Canal einschliessenden Wand, nach der Eröffnung die der oberen Canalwand. Sie ist stellenweise vom Entoderm nicht zu trennen. Die beiden seitlichen Abschnitte sind gegen Ectoderm und Entoderm stets abgegrenzt. Nach hinten vom Canalis neurentericus ist das Mesoderm in der Regel zu früher Entwickelungszeit von einer Ectodermanlage nicht zu trennen. Dasselbe erscheint in den verschiedenen Entwickelungsstadien an dieser Stelle verschieden dick; während zuerst sich ein mittlerer dickerer Strang entwickelt, verschwindet dasselbe dann, um später wieder hervorzutreten.

Die Chorda, soweit dieselbe aus der oberen Wand des Canalis neurentericus angelegt wird und seitlich mit dem Mesoderm im Zusammenhang steht, ist stets in Verbindung mit demjenigen Theil, welcher, weiter vorn im Embryo gelegen, für lange Zeit der Entwickelung als Entodermverdickung erscheint. Eine ganz selbständige Anlage des letzteren Abschnittes ist demnach nicht anzunehmen und eine Betheiligung von Zellen des hinteren direct aus der Canalwand angelegten Theiles derselben ebensowenig auszuschliessen, als eventuell eine Betheiligung des Entoderm.

In einer Anmerkung erörtert St. mehrere Differenzpunkte mit der unterdessen erschienenen Arbeit von Kupffer (s. Amphibien), worüber auf das Original verwiesen wird.

C. Entwickelung des Menschen und der Säugethiere.

1) Beneden, É. van et C. Julin, Recherches sur la formation des annexes foetales chez les Mammifères (Lapin et Cheiroptères). Archives de Biologie. T. V. F. III. p. 369—434. Mit 5 Taf. — 2) Bonnet, R., Beiträge zur Embryologie der Wiederkäuer, gewonnen am Schafe. Arch. f. Anat. u. Physiol. Anat. Abth. S. 170—230. Mit 3 Taf. — 3) Caldwell, H., On the Arrangement of the Embryonic Membranes in Marsupial Animals. Quarterly Journal of Microsc. sc. N. S. No. XCVI. p 655—658. Mit 1 Taf. — 4) Colman, Walter S., Notes on the Minute Structure of the Spinal Cord of a Human Foetus. Journ. of anat. and physiol. Vol. XVIII. T. IV. p. 436—441. Mit 1 Taf. — 5) Cohnstein, J. und N. Zuntz, Untersuchungen über das Blut, den Kreislauf und die Athmung beim Säugethierfötus. Arch. f. d. ges. Physiologie. Bd. XXXIV. Heft 3 und 4. S. 173—233. Mit 1 Taf. — 6) Dieselben, Dasselbe. Biologisches Centralblatt. Bd IV. No. 18. S. 570—573 (Auszug von Zuntz). — 7) Deniker, J., Sur un foetus de Gorille. Compt. rend. T. 98. No. 12. p. 753—756. — 8) Fol, H., L'anatomie d'un embryon humain d'un peu plus de trois semaines. Revue médicale de la Suisse romaine. IV. Ann. No. 4. p. 177—202. Mit 2 Taf. — 9) Gerlach, L., Ein menschlicher Embryo longonasus aus der Mitte des zweiten Monats. Beiträge zur Morphologie und Morphogenie. I. (1883.) S. 65 bis 68. Mit 1 Taf. — 10) Hilbert, R., Ueber die nach der Geburt eintretenden entwickelungsgeschichtlichen Veränderungen der brechenden Medien und des Augenhintergrundes der Katze. Arch. f. Ophthalm. Bd. XXX. Abth. 3. S. 245—250. — 11) Lieberkühn, N., Ueber die Chorda bei Säugethieren (Fortsetzung). Arch. für Anat. und Physiol. Anat. Abth. S. 435—452. Mit 1 Taf. — 12) Meyer, Otto, Ueber den Glycogengehalt embryonaler und jugendlicher Organe. Diss. Breslau. — 13) Pyle, J. P., An experimental research on the uteroplacental circulation. Philadelphia Medical Times. June 24. p. 711—715. — 14) Ribbert, H., Ueber Albuminurie des Neugeborenen und des Fötus.

Arch. f. pathol. Anat. Bd. 98. H. 3. S. 527—539. — 15) Wiener, Zur Frage des fötalen Stoffwechsels. Arch. f. Gynaecol. XXIII. H. 2. S. 183—214.

Bonnet (2) schildert die Zeugungsgeschichte, Brunstperiode, Begattung u. s. w. beim Schafe. Das Ei scheint um die Mitte der nur 24 Stunden dauernden Brunstperiode aus dem Follikel auszutreten. Spermatozoen wurden 2 Tage $4^1/_2$ Stunden nach der Begattung noch beweglich im Uterus angetroffen; später nirgends mehr. Die reifen Ovarialeier haben 0,12—0,136 mm Durchmesser; solche enthalten beim Kaninchen (in etwa 4 pCt.) ausser dem Keimbläschen mehrere theils intacte, theils verwachsen aussehende Kerne, die muthmasslich eingewanderten Granulosazellen oder Wanderzellen angehören, wie man solche auch in zu Grunde gehenden Eierstockseiern findet. „Vielleicht hängt es nur von der Lebensfähigkeit beider Zellenformen im Einzelfalle ab, wer frisst oder gefressen wird."

Die Entwickelung des Eies im Uterus untersuchte B. an Keimblasen mit ca. 0,25 mm messendem Embryonalschild, die 13 Tage alt waren, bis zu 15 Tage alten Eiern mit 2 mm grossen Embryonen. Letztere zeigten den von Gasser bei der Gans, von Balfour und Strahl bei der Eidechse, von Heape (1883) beim Maulwurf gesehenen Canalis neurentericus. Schon bei 12—13 Tage alten Eiern zeigt sich ein im distalen Gebiete des Embryonalschildes etwas excentrisch gelegener Knoten, der Primitivknoten, welcher auf seiner freien Oberfläche eine flache Grube, die Primitivgrube, enthält. Dieser Knoten besteht aus gewucherten Ectoblastzellen; er ist es, welcher den ectoblastogenen centralen Antheil des Mesoblastes liefert, im Gegensatz zu dem peripherischen, in Form einer spindelförmigen, wallartigen Verdickung am Rande des Darmentoblastes, also vom Entoblast her entstehenden, entoblastogenen Mesoblast. Vermuthlich gelangen die letzteren Mesoblastzellen durch amöboide Eigenbewegung unter den Embryonalschild. Die Cölombildung beginnt zuerst peripherisch vom Schilde im Gebiete des Mesoblasthofes (dunkeln Fruchthofes) und findet centrifugal weiter schreitend ihre proximale Grenze anfangs in nächster Nähe des Schildrandes. Da die beiden Mesoblastblätter entoblastogen am Rande des Darmentoblastes entstehen, so ergiebt sich die indirect entoblastische Herkunft der Blutgefässanlagen.

Was nun den Canalis neurentericus anlangt, so wird die Darmhöhle mit der später in die Bildung des Medullarrohres einbezogenen Knotenoberfläche des Primitivstreifens wenigstens auf kurze Zeit durch einen Canal verbunden, der bei etwa 15 Tage alten Embryonen auf der Knotenoberfläche sich einsenkt und den Kopffortsatz des Primitivstreifens durchsetzt; dies ist jener neurenterische Canal. — Erwähnenswerth scheint noch, dass das Ei des Schafes in diesen Stadien vom 13.—15. Tage nach der Befruchtung durchschnittlich mindestens 1 cm in der Stunde wächst, in der Secunde also fast 0,2 mm, so dass man das Wachsthum mit freiem Auge müsste sehen können. Damit stimmt die grosse Anzahl mitotischer Kernfiguren überein, die B. nach der Tinction an der Oberfläche des Eies unregelmässig vertheilt antraf.

Caldwell (3) beobachtete sehr merkwürdige Erscheinungen in betreff der Eihüllen bei Beutelthieren. Die Didelphier weichen danach gänzlich von den Monodelphiern ab und auch die phylogenetische Entwickelung der Placenta-Einrichtung bei letzteren wird von den Didelphiern aus keineswegs erhellt. Untersucht wurden etwa 100 Embryonen von Phascolarctos cinereus, ausserdem Halmaturus ruficollis und andere Känguruhs.

Beide produciren halbjährlich je ein Junges, doch kamen einmal drei Eier in einem Uterus vor. Einmal war ein solches noch ungefurcht. Sowohl in dem leeren, als in dem eihaltigen Uterus entwickelt sich eine mächtige Uterindrüsenschicht, die vielleicht ein den Embryo ernährendes Fluidum liefert. Niemals existiren Gefässverbindungen des Embryo mit der Uteruswand. Am merkwürdigsten erscheint die Dotterblase. Sie bildet um das Amnion herum einen grossen Sack, in dessen Centrum der Embryo wie eingestülpt liegt, an einer Stelle bleibt der Sack offen und daselbst erscheint gegen das Ende der intrauterinen Periode eine Blase, deren innere Wand von der gefässhaltigen Allantois, die äussere dem Uterus anliegende Wandung aber von der Allantois und einer subzonalen Membran gebildet werden; zwischen derselben und dem Amnion liegt Flüssigkeit. Als subzonale Membran bezeichnet C. das Amnion incl. des Ectoderms, welches das Blastodermbläschen überzieht. Die Zellen jener Membran schicken amöboide Fortsätze aus, welche sich zwischen die Zellen des Uterin-Epithels eindrängen und diese durchaus gefässlose Verbindung ist die einzige, welche zwischen Ei und Uterus existirt; die Region der Dottergefässe hat glattes Epithel; sie nimmt etwa die Hälfte der Oberfläche eines 35 mm langen Eies von Phascolarctos ein. Niemals entwickelt die Allantois Zotten (vergl. hierzu oben Vögel, Duval).

Colman (4) untersuchte das Rückenmark eines fünfmonatlichen menschlichen Fötus, welchen er zwei Stunden nach der Geburt erhielt.

Härtung in 2procentigem Ammoniumchromat sechs Wochen lang, allmäliger Zusatz von verdünntem mit Methylalcohol versetztem Alcohol drei Wochen lang, dann nur in letzteren. Färbung mit 0,05procentigem Eosin eine halbe Stunde und in sehr verdünntem Hämatoxylin eine Viertelstunde lang.

C. glaubt nicht, dass die Neuroglia des Rückenmarkes einen ausschliesslich mesoblastischen Ursprung habe, weil stellenweise die Epithelialzellen des Centralcanals kaum von denjenigen des subepithelialen Bindegewebes zu trennen sind; letztere scheinen daher von den ersteren abzustammen. Vier Fälle werden (aus Schnittpräparaten, Ref.) abgebildet, in welchen je zwei benachbarte Ganglienzellen durch Protoplasmafortsätze anastomosirten; zwei dieser Zellen hatten je zwei Kerne. Ein Theil der Axencylinder der vorderen Wurzeln gelangte in einem Bündel zu der Hintersäule. Die weisse Sub stanz enthielt viele in Kerntheilung (Karyokinese? Ref.) begriffene Neurogliazellen. Bindegewebsbündel erstreckten sich von der vorderen und hinteren Commissur zum Centralcanal, das von hinten kommende theilte sich spitzwinklig dichotomisch, bevor es den Canal erreichte.

Cohnstein und Zuntz (5) studirten die Beschaffenheit des Blutes beim Säugethierfötus, sowie seine Menge und Vertheilung im fötalen Körper und in die Placenta. Benutzt wurden Kaninchen. Meerschweinchen, Hund und Schaf. Die Anzahl der Blutkörperchen schwankte im Vergleich zum Blut der Mutterthiere (= 1) zwischen 0,0895 und 0.96. In den frühen Stadien der Entwicklung ist die Anzahl sehr gering. Sie steigt ganz allmälig während des Fötallebens. Bei gleichzeitig excidirten Geschwistern kommen aber nur unwesentliche Schwankungen vor. Selbst beim reifen Fötus zeigt sich aber noch eine Differenz der Anzahl zu Gunsten des mütterlichen Blutes. wobei daran zu erinnern ist, dass nach Cohnstein (s. Histologie. Blut) trächtige Schafe weniger Blutkörperchen haben als nichtträchtige (Verhältniss wie 1 : 1,2). Dagegen verhält sich die Sache bei neugeborenen Thieren anders. Die Anzahl der Blutkörperchen ist grösser bei Kaninchenfötus, die geathmet haben; das Blut ist concentrirter bei spät abgenabelten, als bei früh abgenabelten; es ist concentrirter bei neugeborenen Kaninchen bis 5 Stunden Lebensdauer, als bei ihren spät abgenabelten Geschwistern; bei ersteren erreicht die Blutkörperchenanzahl im cmm diejenige des Mutterthieres, übersteigt sie aber nicht; bei älteren neugeborenen Kaninchen bis zu 18 Stunden Lebensdauer kann dies jedoch der Fall sein. Dagegen findet bei 8—10 Tage alten Kaninchen von 80—84 g Körpergewicht wieder eine Abnahme der Anzahl der rothen Blutkörperchen statt.

Was die Hämoglobinmenge im Blut des Fötus anlangt, so wurde der Oxyhämoglobingehalt des Blutes spectroscopisch bestimmt. Im Mittel fanden sich mg in einer Million Blutkörperchen:

	Fötus.	Mutterthier.
Beim Kaninchen . . .	0,0254	0,0179
„ Meerschweinchen.	0,0209	0,0210
„ Hund	0,0247	0,0202
„ Schaf	0,0084	0,0081

Das einzelne Blutkörperchen enthält durchschnittlich beim Fötus 25 pCt. Hämoglobin mehr als bei dem Mutterthier.

Die Blutmenge im Fötus des Kaninchens (und Meerschweinchens) schwankt je nach der Dauer der Trächtigkeit, der Zeit der Abnabelung, nachdem der Fötus in Zusammenhang mit der Placenta noch bis zu 5 Minuten respirirt hatte und vor Allem je nachdem das Blut in der Placenta mit bestimmt wurde oder nicht. Beispielsweise betrug bei einem Fötus von 0,59 g Körpergewicht das Gewicht der Placenta 2,01 g, das Volum des Blutes im Fötus 3,56 pCt., dasjenige in der Placenta 18,64 pCt. des Fötusgewichtes. Die analogen Ziffern stellten sich für einen 45,86 g schweren Kaninchenfötus bei später Abnabelung und vorhandener Athmung auf resp. 2,45 g, 7,36 pCt. und 1,01 pCt. Da der Eintritt des Placentarblutes in den Körper des Fötus mit grosser Geschwindigkeit erfolgt, so trifft man die normale Vertheilung nur bei apnoischem Fötus, der frühzeitig genug abgenabelt wird. Letzteres ist beim Menschen fast nie möglich und die von verschiedenen Beobachtern gefundenen Differenzen entsprechen daher nur verschiedenen Stadien später Abnabelung, wobei die Placenta nach und nach blutärmer wird.

In Folge der Geburt wird durch die Aspiration des fötalen Thorax die grösste Menge des Placentarblutes dem fötalen Körper einverleibt. Sofort erfolgt aber eine Eindickung des Blutes in Folge von Transsudationen. welche von dem 10. Lebenstage beim Kaninchen ihr Ende erreicht. Die Ziffern stellen sich:

Alter in Tagen.	Procente d. Fötus incl. Placenta an Blut.	Millionen Blutkörp. in 1 cmm.
Sofort getödtet	9,45	3,80
4 Min. geathmet.	8,37	4,00
2½ Tage	11,78	5,11
3½ „	10,42	5,12
6½ „	8,3	5,00
10 „	9,62	4,56

Bei manchen Thieren hat auch für das Mutterthier die Geburt eine Eindickung des Blutes im Gefolge; beim Menschen fehlt sie in der Regel wegen des reichlichen Blutverlustes während der Entbindung.

Den Kreislauf und die Athmung des Fötus untersuchten Cohnstein und Zuntz (5) experimentell bei Schafen. Die Pulsfrequenz zeigte sich grösser beim jüngeren Fötus, ebenso steigt der arterielle Mitteldruck. Letzterer sinkt durch Aderlässe, um sich schon nach einigen Minuten wieder auf die Norm zu erheben, die beim fast reifen Schaffötus 83,7 mm Quecksilberdruck betrug. Während der arterielle Druck sich nach der Geburt auf mehr als das Doppelte steigert, ist der venöse Druck umgekehrt beim Fötus sehr viel höher: der niedrigste in der V. umbilicalis beobachtete Druck war 16,4 mm. Der Grund hiervon liegt im Fehlen der Thoraxaspiration. Da nun der arterielle Druck an der Grenze liegt, wo die Leistungsfähigkeit der Niere zur Harnabsonderung beginnt, der venöse Druck aber gesteigert ist, so liegen die Verhältnisse für die fötale Nierensecretion — im Widerspruche zu Wiener's (15) Annahme — so ungünstig wie nur möglich. Die Druckdifferenz beträgt in der Niere des Erwachsenen mehr als 100 mm, beim Fötus zwischen 14,2 bis 51,1 mm. Dass der letztgenannte Werth beim fast ausgetragenen Fötus sich findet, macht für das Schaf, wie es auch für den Menschen annehmbar ist, eine stärkere Nierensecretion in der letzten Zeit vor der Geburt wahrscheinlich. Die Stromgeschwindigkeit in der A.

umbilicalis ist jedenfalls gering im Vergleich zu ebenso weiten Arterien des erwachsenen Thieres.

Die Untersuchung der Blutgase lehrte, dass das mütterliche Blut in der Placenta jedenfalls viel weniger Procente Sauerstoff verliert, als in anderen Capillargebieten. Die Sauerstoffmenge, welche der Fötus beansprucht, ist nicht sehr bedeutend; die mütterlichen capillaren Räume der Placenta sind sehr weit, daher kann das Nabelvenenblut hell aussehen, mit Sauerstoff beinahe ebenso gesättigt sein, wie arterielles Blut der Mutter. Indessen zeigt das fötale Blut eine merkwürdige Schnelligkeit in der Aufzehrung des dargebotenen Sauerstoffes. Der Gehalt betrug in der Nabelvene 6,3 pCt. und schwankte in der Nabelarterie zwischen 2,3—6,7 pCt. In Bezug auf Sauerstoffbindung ist das fötale Hämoglobin demjenigen des erwachsenen Thieres gleichwerthig. Der Kohlensäuregehalt des Blutes ist derselbe wie beim mütterlichen Thiere etwa 46 pCt.

Die Athmung des ca. 1300 g wiegenden Schaffötus gestaltet sich so, dass per kg in der Minute 1,16 ccm Sauerstoff, beim erwachsenen Thiere dagegen 5,8 ccm, also etwa das Vierfache verbraucht werden. Ein 3600 g schwerer, fast reifer Fötus verbrauchte sogar nur 0,49 ccm, vorübergehend — wie es schien in Folge von Bewegungen des Fötus — allerdings 2.3 ccm. Jedenfalls beweist die geringe Grösse des placentaren Gaswechsels, wie schon Pflüger gelehrt hatte, dass der Stoffwechsel des Fötus sehr viel langsamer ist, als beim Erwachsenen; wahrscheinlich um so langsamer je jünger der Fötus ist. Um so länger kann derselbe auch eine Unterbrechung seiner Respiration ertragen.

Mit diesen Erkenntnissen würde der erste Schritt zu einer quantitativen Erforschung des Stoffwechsels beim Säugethierfötus und seinen Bedingungen gethan sein.

Deniker (7) hatte zum ersten Male die Gelegenheit, den Fötus eines Gorilla anatomisch zu untersuchen. Alles, was die Literatur bietet, sind zwei Fötus des Orang-Utang von Darwin und Trinchese, sowie eines Hylobatesfötus von Gratiolet.

Der Gorilla war weiblich, entsprach dem menschlichen fünften Schwangerschaftsmonate und schien die Lage eines solchen im Uterus gehabt zu haben. Die Länge vom Kopf bis zu den Füssen betrug 196 mm, das Gewicht (in Alcohol) 310 g; der Nabel lag 11 mm unter dem Halbirungspunkt der Körperlänge. Der Längenbreitenindex des Kopfes betrug 86,2, derjenige des Schädels 84,7, also mehr als dasjenige jugendlicher Gorillas. Die Hand nähert sich in ihrer Form mehr der menschlichen, am Unterschenkel fehlt die Wade, die untere Extremität ist weit kürzer als die obere. Die Stirn, der Scheitel, die Lippenränder und die Genitalien sind mit 3—6 mm langen Haaren bedeckt, der übrige Körper ist glatt. Die Anordnung der Haare ist auf dem Kopfe beinahe wie beim menschlichen Fötus, an der oberen Extremität zeigt sich die für den Gorilla characteristische. Die Hautfarbe war (im Alcohol) kaffeebraun, jedoch waren das Gesicht, der Bauch, die Hohlhand und Planta von hellerer Färbung.

Fol (8) beschrieb einen menschlichen Embryo aus der vierten Schwangerschaftswoche, der einer Sammlung von 250 Embryonen, die in den letzten Jahren in Genf vorkamen, angehört. Im dritten Theil der Fehlgeburten waren die Embryonen zu Grunde gegangen, die Eier also leer. Als Conservationsmittel bewährten sich am besten 10 proc. Salpetersäure, Pikrinschwefelsäure und Pikrinchromsäure, die Menge muss aber wenigstens 50 mal das Volumen des Embryo übertreffen. Der von F. Untersuchte war 5,6 mm, im ganz gestreckten Zustande vom Kopfende bis zur Schwanzspitze 14,5 mm lang und etwa 25 Tage alt. gerade dieses Stadium ist ausserordentlich selten beobachtet, vermuthlich weil die meisten Fehlgeburten erst beim Ablauf des ersten Schwangerschaftsmonates, wenn sonst eigentlich die Menstruation wiederkehren sollte, sich zu ereignen pflegen. F. scheint anzunehmen, dass es sich in seinem Falle um eine verspätete, etwa acht Tage nach der letzten Menstruation eingetretene Befruchtung des Eies gehandelt habe. Uebrigens war der Embryo in Alcohol gehärtet und mit gewöhnlichem Carmin gefärbt; er besass 33 oder 34 Wirbel.

Im Nervensystem waren die Gehirnbläschen sehr undeutlich getrennt, das Cerebellum eben angedeutet, die rechte und linke Grosshirnhemisphäre noch nicht gesondert, das Foramen Monroi eine grosse weite Communicationsöffnung.

Die Chorda überschreitet nicht cranialwärts die Basis der Sella. Am caudalen Ende des Oberkieferbogens entspringt ein Zellenstrang, der caudalwärts verlaufend in einem kleinen Bläschen endigt, dies ist die Anlage der Gl. thyroidea, die nach F. mit dem Zungenrücken keinen Zusammenhang hat; der von His und Born beschriebene Streifen gehört nach F. dem Mesoderm an und der Ursprung der Schilddrüse liegt viel weiter cranialwärts. Kiemenspalten sind vier vorhanden, die erste zwischen Kiefer- und Zungenbeinbogen ist dem Spiraculum zu homologisiren, die zweite ist es, welche die Tuba Eustachii liefert, die dritte war unzweifelhaft geöffnet, die vierte ist rudimentär, aber ihre Entodermtasche erzeugt, wie es Born vom Schafe beschrieben hatte, die Seitenhälfte der Thymus. Alle jene Taschen haben, worauf F. besonderes Gewicht legt, eine spiralige Biegung, woraus die Entstehung der Tuba Eustachii und der Thymus herzuleiten sein würde. Der Magen zeigt sich als leichte Erweiterung des Darmrohres nach links, nahe dabei liegt caudalwärts eine Einstülpung: die bisher beim Menschen so früh noch nicht gesehene Anlage des Pancreas. Die Wand des caudalen Endes des Darmrohres verschmilzt (va se confondre) mit derjenigen des Medullarrohres, doch war kein Lumen eines Canalis neurentericus vorhanden. Die distalen Enden der Wolff'schen Gänge, welche den Ureteren den Ursprung geben, münden in die laterale oder neutrale Wand der Cloake. Die Wolff'schen Körper zeigen etwa je zwei Kanälchen für jede Somite, soweit das Organ reicht. — Im Gefässsystem sind zwei Kiemenbogen jederseits vorhanden, der dritte und vierte; indessen werden der Kieferbogen und Zungenbeinbogen von sehr kleinen Gefässen der Länge nach durchzogen. Man könnte in diesem

Stadium vier starke Aortenbogen erwartet haben. Die Aorta descendens abdominalis hat einen ovalen Querschnitt: Rest ihrer Zusammensetzung aus zwei Gefässen.

In der Leber bildeten die Vv. umbilicales sinuöse Erweiterungen, die gebogen verlaufen, unter einander und mit solchen, die der Nabelvene angehören, communiciren. Dagegen fehlte der von His beschriebene Venenkranz um den Pylorus. Uebrigens muss alles Blut der distalen Körperhälfte die Leber passiren. Das Coelom reicht bis zur Cloake und umfasst die Höhlen des Pericardium, der Pleura und des Peritoneum; die Leber und der Beginn des Diaphragma trennen das Coelom, wie es His gefunden hatte, in eine proximale und distale Hälfte.

In Betreff der Diagnose menschlicher Embryonen unbekannten Ursprunges legt F. Gewicht auf die Form des Nabelstranges, das Uebergewicht des Kopfes, die Kleinheit des Auges, die Kürze des Schwanzes, welche eine solche mit Sicherheit gestatten. Der Abstand der distalen Extremität von der proximalen betrug 2,95 mm, derjenige von der proximalen bis zum Kopfende im gestreckten Zustande gemessen 7,35, von der distalen Extremität bis zum Schwanzende 2 mm.

Hilbert (10) untersuchte ein 9 Tage altes Kätzchen wiederholt ophthalmoscopisch, und fand die brechenden Medien des Auges, zunächst die Cornea, noch lange nach der Geburt trübe, sowie, dass die Entwickelung des Tapetum erst über einen Monat nach der Geburt beginnt. Auf der Linse sieht man der Membrana capsulopupillaris angehörende Blutgefässe; ob an der Hinterfläche der Linse Verzweigungen der A. hyaloidea existirten, war wegen Glaskörpertrübung u. s. w. nicht zu entscheiden. Erst fast zwei Monate nach der Geburt erlangt das Auge der jungen Katze seine vollständige Ausbildung.

Lieberkühn (11) kam in Betreff des Chordacanales zu folgenden Resultaten. Bei Cavia kommt vor Bildung dieses Canales ein Zustand der Keimscheibe vor, in welchem proximalwärts vom Hensenschen Knoten (Primitivknoten, Bonnet s. oben) drei getrennte Keimblätter existiren, sowohl in der Axe als peripherisch, das mittlere geht nach hinten continuirlich in den Primitivstreifen über. Der mediale Streifen des mittleren Keimblattes proximalwärts von dem erwähnten Knoten geht ohne Grenze lateralwärts in den Mesoblast über. — Der Chordacanal liegt in etwas späteren Stadien völlig im Mesoblast; er besitzt weder einen Eingang von der Ectoblastseite her, noch einen Ausgang nach der Entoblastseite. — Bei Embryonen mit zwei Somiten ist der Canal kaum 0.02 mm lang. Distalwärts davon verschmelzen Ectoblast, Chorda-Anlage und Entoblast, die Chorda grenzt sich aber lateralwärts vom Mesoblast ab; die Grenze wird weiter distalwärts undeutlicher und verschwindet. — Bei Embryonen mit sechs Somiten existirte kein eigentlicher Canal mehr. Es bildet sich stets noch von neuem Primitivrinne an. An der Uebergangsstelle der Medullarrinne in die Primitivrinne kommt eine Art Spalte zu Stande. — Aus einer Vergleichung der gesammten Entwickelungsprocesse ergiebt sich, dass es sich um einen proximal-distalwärts ablaufenden Entwickelungsvorgang handelt, der die allmälige Differenzirung der Medullarplatte und der Chorda aus dem Primitivstreifen zur Folge hat.

Meyer (12) benutzte eine von Ehrlich gefundene Methode, um microscopisch den Glycogengehalt embryonaler Organe festzustellen, der beim Hühnchen und Säuger (Kaninchen, Mensch) erhebliche Unterschiede darbietet. Die Embryonen wurden in Alcohol gehärtet, in Celloidin geschnitten, die Schnitte mit Jodgummi getrocknet, welches 1 pCt. einer concentrirten Jod-Jodkalium-Lösung enthielt. Das Glycogen wird dunkelbraun bis braunroth und ist theils diffus, theils in Form kleiner Kugeln in den Zellen enthalten. Die Abhandlung ist eines hinreichenden Auszuges nicht fähig, aber von grosser Wichtigkeit. Beim Hühnchen findet sich eine glycogenhaltige, anscheinend aus grossen, runden, Knorpelzellen gleichenden Zellen bestehende Platte in der Medianlinie des vierten Ventrikels. Dieselbe entspricht der Raphe, also der Fissura longitudinalis anterior des Rückenmarkes und dient vielleicht als Bindemittel der beiden Hälften der Medulla oblongata resp des hineinwachsenden Bindegewebes. Beim Kaninchen, der Maus und dem Menschen (im fünften Monat) sind ähnliche Verhältnisse vorhanden. — Beim Hühnchen beschränkt sich das Glycogen auf Darm, Muskel, Knorpel, Gehirn und Herz. Bereits am zweiten und dritten Tage der Bebrütung enthält letzteres reichlich Glycogen. Beim Säugethier zeigt es sich in der Leber, den Sammelröhren der Nieren, den Ausführungsgängen der Speicheldrüsen, den Bronchien (beim Menschen in der Lunge selbst), aber auch in der Epidermis, im Epithel der Mundhöhle, den Darmzotten, Lieberkühn'schen Drüsen, im Herzen, der Chorda dorsalis, den übrigen Knorpeln, den Plexus chorioidei. Bei der Katze war es zwei Tage nach der Geburt in der Leber reichlich im Darm gar nicht vorhanden; beim Menschen auch in der Dura mater.

Pyle (13), der unter Leitung von Formad in Philadelphia arbeitete, prüfte auf experimentellem Wege den Uebergang von geformten Substanzen aus dem Blut der Mutter in den Fötus.

„Es wurden bei trächtigen Kaninchen Injectionen von Ultramarin, das mit Glycerin fein verrieben war, in das Unterhautbindegewebe, die Aorta abdominalis, zumeist aber in die V. jugularis externa gemacht und nach einiger Zeit, Minuten oder Stunden, auch nach mehreren Tagen die Fötus aus den verschiedenen Entwickelungsstadien untersucht. Statt des Ultramarins wurden auch Spaltpilze in das Blutgefässsystem eingeführt; etwaige Fehlerquellen dabei sorgfältig vermieden. Manche Experimente fielen negativ aus, doch konnte Pyle unter 19 Ultramarinversuchen 16 gelungene aufzählen, wenn auch nicht in jedem Embryo bei mehrfacher Trächtigkeit positive Resultate erlangt wurden. Bei den grösseren Fötus erwies sich die Leber häufig mit Ultramarinkörnchen durchsetzt, manchmal der Nabelstrang, die Placenta, die mütterlichen Gewebe überhaupt. Die Bacterien wurden mit Hülfe von Glycerin und Essigsäure zu gleichen Theilen aufgesucht; auch wurden Stückchen von Pseudomembranen, Erysipelas phlegmonosum, diphtherische Membranen u. s. w. unter die Haut des Mutterthieres gebracht. Denn Pyle hatte sich die Aufgabe gestellt zu untersuchen, ob feste geformte Bestandtheile von der Mutter auf den Fötus durch präexistirende Kanäle übertragen werden können, mit Rücksicht auf die Fragen nach der Vererbung von Eigenschaften, der Uebertragung von Infectionskrankheiten, der Uebertragung von Geschwülsten, Syphilis, Septicämie etc.

Wiener (15) untersuchte, zum Theil auf experimentellem Wege, den Stoffwechsel des Fötus und fand, dass derselbe, wenn auch geringer als der des Geborenen, keineswegs minimal ist, sondern höchst wahrscheinlich in einem gewissen Verhältnisse zur jeweiligen Grösse und Wachsthumsgeschwindigkeit des Fötus steht, und dass die Producte des fötalen Stoffwechsels immerhin so gross sind, dass eine regelmässige und ausgiebige Thätigkeit der Fötalniere ermöglicht wird. Letzterer Schluss stützt sich mit auf die Resultate von Einstichinjectionen, die beim Kaninchen durch die Bauchdecken der Mutter hindurch in die Rückenhaut des Fötus gemacht wurden (Technik nicht weiter angegeben, Ref.).

Wurde Natriumindigsulphat auf diese Weise eingespritzt, so zeigten sich schon nach 22 Min. die Kerne der Epithelzellen der gewundenen Harnkanälchen, gerade wie beim erwachsenen Thier unter gleichen Umständen intensiv blau gefärbt, die Glomeruli dagegen farblos. Dies ergab sich schon beim Fötus von 4 ½ cm Länge. Auch konnte wenige Stunden nach der Injection etwas blau gefärbter Harn erhalten werden, ebenso beim Hundefötus. Injicirt man in das Amnionwasser etwa 1 ccm. einer 6 procentigen Ferrocyankaliumlösung, so lassen sich im Urin wie in allen Organen des Fötus nach 2 ½ Stunden Berlinerblaufärbungen darstellen. Die Injection in die Rückenhaut ändert also (gegen Krukenberg) die Lebensbedingungen nicht wesentlich. Spritzt man einem Kaninchenfötus wässriges Glycerin unter die Haut, so bekommt derselbe nach 1—1 ½ Stunden starke Hämoglobinurie: die Harnkanälchen und das Nierenbecken sind damit erfüllt. Die verhältnissmässig energische Thätigkeit der Fötalniere lässt also auf einen regeren Stoffwechsel beim Fötus schliessen. (Vergl. oben Cohnstein und Zuntz, S. 86.) Dem entsprechend gehen in 0,6 procentiger Chlornatriumlösung aufgeschlemmte Zinnoberkörnchen oder Olivenöl, welche in die Bauchhöhle injicirt wurden, in die Lymphbahnen des Centrum tendineum, in die Lymphgefässe des Zwerchfelles, den Ductus thoracicus und das Blut der V. cava superior über, obgleich die befördernden Respirationsbewegungen, resp. Contractionen des Diaphragma und der Bauchmuskeln beim Fötus fehlen. Bei jenem Experiment mit Kaliumeisencyanat wurde dasselbe auch vom Fötus verschluckt und nach 2—3 Stunden in der Magen- und Darmwandung, Mesenterium (Cutis und Nieren) durch Eisenchlorid nachgewiesen. Es liessen sich bei directer Injection von verdünnter Milch mittelst einer Schlundsonde in den Magen des Fötus nach etwa 9 Stunden Fetttröpfchen in den Darmzotten, deren Spitzen und Epithelien wie beim Erwachsenen auffinden. Dieses Epithel ist also schon fähig zu resorbiren (vergl. oben Keimblattlehre, Kollmann), wie denn das Vorhandensein von Pepsin in der Magenschleimhaut des 3- bis 4 monatl. menschlichen Fötus von früher her (Moriggia, 1874; Langendorff, 1879) bekannt ist; auch verdauen zu früh geborene Kinder ihre Milchnahrung. Zweifel (1874) sah beim 4 monatlichen Fötus Glycogen in der Leber, bei einem 3 monatlichen Galle im Darmkanal. Nicht minder scheint Wiener die fötale Muskelthätigkeit höher anzuschlagen zu sein, als gewöhnlich geschieht, da so viele Schwangere von den Kindsbewegungen belästigt werden, obgleich sie doch diejenigen, die gegen ihre Wirbelsäule hin gerichtet sind, gar nicht fühlen.

Zuntz (1877) hatte per Kilogramm und Tag beim Fötus im Durchschnitt von 280 Schwangerschaftstagen 0,169 g Sauerstoffverbrauch, beim Erwachsenen dagegen 14—15 g berechnet. Hiergegen wendet Wiener ein, dass das energische Wachsthum des Fötus eine in der Berechnung nicht berücksichtigte Sauerstoffaufnahme nach Gusserow voraussetze. Bekanntlich beträgt noch beim Neugeborenen die Blutmenge ¼ des Körpergewichtes statt 1/13 beim Erwachsenen, dazu kommt relativ grösseres Volumen und Gewicht des Herzens beim Fötus, als beim Geborenen sowie die grössere Pulsfrequenz. Man würde also hohen Blutdruck und rasche Lymphströmung beim Fötus erwarten dürfen. Das Blut selbst endlich ist zwar specifisch leicht, doch reich an rothen Blutkörperchen (Hayem, 1877. u. A.), aber für das Blut der Nabelarterie fand Denis 1,070—1,075 spec. Gew. und Andere constatirten einen hohen Hämoglobingehalt des Fötalblutes. Gleichwohl ist das Blut der Nabelarterie wie bekannt dunkelroth, das der Nabelvene dagegen hellroth (Zweifel, 1874; Preyer, 1883 — Kaufmann vor 1854, Ref.). So erscheint Alles zusammengenommen das fötale Blut vermöge seines Blutkörperchen- und Hämoglobinreichthumes vollständig geeignet, grössere Sauerstoffmengen aufzunehmen

Wie man weiss, steht letzteres Ergebniss im Widerspruch mit Pflüger's experimentellen Resultaten. Preyer's (s. oben Lehrbücher) Ausführungen sind im Original einzusehen. In Betracht kommen aber noch die Befunde von Ribbert (14). Dieser zeigte nämlich nach dem Erscheinen von Wiener's Arbeit, dass die fötale Niere constant Eiweiss ausscheidet und der fötale Harn oft, nach Virchow (1857) regelmässig, Eiweiss enthält. Die Albuminurie der Neugeborenen könnte danach eine verstärkte Fortsetzung des gleichen Vorganges beim Fötus sein. Jedenfalls fand Ribbert die Kapseln der Glomeruli und die gewundenen Harncanälchen namentlich bei mittelgrossen Kalbfötus mit fein geronnenem Eiweiss gefüllt. Die Ringe um die Gefässknäuel waren so breit wie bei Albuminurie hohen Grades, das Lumen der Canälchen sehr weit und mit dem gleichen Gerinnseln erfüllt. Bei neugeborenen Kindern und Kaninchen waren diese Verhältnisse noch deutlicher, sodann füllten die Gerinnsel unter Umständen das ganze Nierenbecken. Nach dem Gesagten findet auch beim Embryo eine beständige Transsudation vom Blutplasma durch die Gefässwände statt; wie Ribbert vermuthet, weil die Glomeruli noch unvollkommen ausgebildet und unfähig sind, wie beim Erwachsenen zu functioniren.

V. Entwicklungsgeschichte der Organe.

1) D'Ajutolo, G., Intorno ad un caso di capsula soprarenale accessoria nel corpo pampiniforme di un feto. Archivio per le scienze mediche. Vol. VIII. No. 14. p. 283—306. Mit 1 Taf. — 2) Blaschko, Zur Anatomie und Entwicklungsgeschichte der Oberhaut. Arch. f. Anat. und Physiol. Physiol. Abth. S. 173—175. —

3) Bourne, A. G., On Certain Abnormalities in the Common Frog (Rana temporaria). Mit 1 Taf. I. The occurrence of an Ovotestis. Quarterly Journ. of microsc. science. No. XCIII. p. 83—86. — 4) Bramann, F., Beitrag zur Lehre von dem Descensus testiculorum und dem Gubernaculum Hunteri des Menschen. Arch. für Anat. und Physiol. Anat. Abth. S. 310—340. Mit 1 Taf. — 5) Cadiat, O., Du développement du canal de l'uterus et des organes génitaux de l'embryon. Journal de l'anat. et de la physiol. T. XX. No. 3. p. 242—264. Mit 4 Taf — 6) Derselbe, Mémoire sur l'utérus et les trompes. Ibidem. No. 5. p. 409 bis 431. Mit 3 Taf. — 7) Carrière, J., Die postembryonale Entwickelung der Epidermis des Siredon pisciformis. Arch. f. microsc. Anat. Bd. XXIV. H. 1. S 19—49. Mit 2 Taf. — 8) Diesing, R., Beiträge zur Kenntniss der Haarbalgmuskeln. L. Gerlach's Beiträge zur Morphologie und Morphogenie. I. 1883. 8. S. 50—64. Mit 2 Tafeln Stuttgart. — 9) Emery, C., Ricerche embriologiche sul rene dei mammiferi. Lo Sperimentale. T. LIII. p. 645—647. Vergl. Archiv. Ital. de Biologie. Oct. 1883. (Die bleibende Niere und der Wolff'sche Körper der Amnioten sind homodynam; erstere ist im Allgemeinen „in una maniere generale", homolog der Niere der Anamnien.) — 10) Fischel, W., Ueber das Vorkommen von Resten des Wolff'schen Ganges in der Vaginalportion. Arch. f. Gynäcologie. Bd. XXIV. H. 1. S. 121—129. Mit 3 Holzschn — 11) Fritsch, G., Bericht über die Fortsetzung der Untersuchungen an electrischen Fischen. Arch. f. Anat. und Physiol. Physiol. Abth. S. 74—78. Mit 1 Taf. — 12) Frommann, C., Ueber die Epidermis des Hühnchens in der letzten Woche der Bebrütung. Jenaische Zeitschr. f. Naturwiss. Bd. XVII. S. 941—950. (Die oberflächlichste Lage der Epidermis der Beine besteht aus kernlosen Zellen, die theils „Körnerzellen", theils „Netzzellen" genannt werden.) — 13) Fuchs, S., Zur Histogenese der menschlichen Grosshirnrinde. Sitzungsberichte d. k. Acad. der Wissensch. zu Wien. 1883. Bd. 88. Abth. III. S. 157—184. — 14) Gasser, E., Einige Entwicklungszustände der männlichen Sexualorgane beim Menschen. Sitzungsber. der Gesellschaft zur Beförderung der ges. Naturwissensch. zu Marburg. S. 91—111. (Untersuchung von 4 wöchentlichen Embryonen bis zum Neugeborenen. Die Bedeutung der Appendiculargebilde des Nebenhodens ist im einzelnen Falle erst durch specielle Untersuchung festzustellen. Das Ostium abdominale des Müller'schen Ganges lässt sich an solchen Gebilden mitunter nachweisen.) — 15) Goebel, O., Einiges über die Eintrittsstelle des Sehnerven und die Entwickelung des Auges. Inaug.-Diss. Berlin. 15. Dec. 1883. 8. 24 Ss. (Beim 5 cm langen Embryo von Torpedo ocellata und bei Kaulquappen geht die Bildung der eigentlichen Retina allein von dem eingestülpten Theil der primären Augenblase aus; die Spalte des N. opticus verwächst bei Torpedo vom distalen nach dem proximalen Ende hin) — 16) Hermann, F., Beitrag zur Entwickelung des Geschmacksorgans beim Kaninchen. Archiv für microscopische Anat. Bd. XXIV. H. 2. S. 216—229. Mit 1 Taf. — 17) Herms, E., Ueber die Bildungsweise der Ganglienzellen im Ursprungsgebiete des N. acusticofacialis bei Ammocoetes. Sitzungsber. d. math. phys. Klasse der k. bayer. Academ. d Wissensch. Abth. II. S. 333—354. Mit 2 Taf. — 18) Hoffmann, C. K., Ueber die Beziehung der ersten Kiemenspalte zu der Anlage der Tuba Eustachii und des Cavum tympani. Arch. f. microsc. Anat. Bd. XXIII. H. 4. S. 525 bis 536. Mit 1 Taf. — 19) Kölliker, A. von, Zur Entwickelung des Auges und des Geruchorgans menschlicher Embryonen. 8. Mit 4 Tafeln. Würzburg. Abdr. aus dem Sitzungsber. d. physical.-med. Gesellsch. zu Würzburg (s. Ber. f. 1883. S. 96). — 20) Derselbe, Ueber Zwitterbildungen bei Säugethieren. Ebendas. Sep.-Abdr. 4 Ss. (Die Urethralgänge von Skene und Kocks am Orificium uteri externum des Weibes sind in Zahl und Grösse variabel; es sind Drüsen, die mit den Gartner'schen Gängen nichts zu thun haben.) — 21) Derselbe, Zur Anatomie der Clitoris. Ebendas. No. 3. S. 35—36. (Beim menschlichen Embryo ist die Clitoris nach Untersuchungen von stud. Bender herzförmig, breiter als lang; beim Neugeborenen umgekehrt: 2,7 mm lang, 1,8 mm breit.) — 22) Königstein, L., Histologische Notizen. III. Mit 1 Taf. Die Entwickelung der Cilien und der Meibom'schen Drüsen. Archiv f. Ophthalmol. Bd. XXX. Abth. 1. S. 135—141. — 23) Derselbe, Ueber Wachsthum des embryonalen Auges. Ebendas. S. 141—144. — 24) Koganeï, Histiogenese der Retina. Arch. f. Anat. u. Physiol. Physiol. Abth. S. 172—173. — 25) Derselbe, Untersuchungen über die Histiogenese der Retina. Archiv f. microsc. Anat. Bd. XXIII. H. 3. S. 335—357. Mit 1 Taf. — 25a) Kraushaar, R., Entwickelung der Hypophysis und Epiphysis bei Nagethieren. Zeitschrift f. wissenschaftliche Zoologie. Bd. 41. Heft 1. S. 79—98. Mit 1 Taf. (Das Referat steht irrthümlich auf S. 103.) — 26) Leboucq, H., Recherches sur la morphologie du carpe chez les mammifères. Bull. de l'Académie roy. de Belgique. 1882. T. IV. — 28) Derselbe. Archives de Biologie. T. V. F. I. p. 34—102. Mit 3 Taf. (Die Hauptaxe der Hand läuft beim menschlichen Fötus durch die Ulna, den proximalen Theil des Os pisiforme, die Oss. intermedium und lunatum, carpi centrale proximale, carpi centrale distale, metacarpi primum und die Daumenphalangen.) — 29) Lockwood, C. B., The development of the great Omentum and transverse mesocolon. Journal of anat. and phys. Vol. XVIII. April. p. 257—264. Mit 6 Holzschn. — 30) Lustig, A., Beiträge zur Kenntniss der Entwickelung der Geschmacksknospen. Sitzungsber. d. k. Acad. der Wissensch zu Wien. Bd. 89. Abth. III. S. 309 bis 324. — 31) Marshall, A. Milnes, On certain abnormal conditions of the reproductive organs in the frog. Journal of anat. and physiolog. XVIII. P. II. p. 121—144. Mit 2 Taf. — 32) Meyer, H., Ueber die Entwickelung der menschlichen Eierstöcke. Mit 3 Tafeln und 9 Holzschnitten. Archiv f. Gynäcologie. Bd. XXIII Heft 2. S. 226—275. — 33) Nepper, P., Recherches sur la structure et la génèse de l'ivoire. Annales de la Societé de médecine de Gand. Mars. p. 75 bis 88. — 34) Onodi, A. D., Ueber die Entwickelung der Spinalganglien und der Nervenwurzeln. Internationale Monatsschrift f. Anat. u. Hist. Bd. I. H 3. S. 204—209. H. 4. S. 255—284. — 35) Palmén, J. A., Zur vergleichenden Anatomie der Ausführungsgänge der Sexualorgane bei den Insecten. Vorläufige Mittheilung. Morpholog. Jahrbuch. Bd. IX. H. 2. S. 169—176. — 36) Derselbe, Ueber paarige Ausführungsgänge der Geschlechtsorgane bei Insecten. Mit 5 Taf. Leipzig und Helsingfors. — 37) Paulicki, Ueber die Haut des Axolotls. Arch. f. microsc. Anat. Bd. XXIV. H. 2. S. 120—173. Mit 2 Taf. (Fortsetzung der Untersuchungen Carrières, s. oben, No. 7, beim erwachsenen, 14 cm langen, einjährigen Thier.) — 38) Pouchet, G. et L. Chabry, Contribution à l'ontodologie des Mammifères Journal de l'anatomie et de la physiol. No. 3. p. 149—192. Mit 3 Taf. — 39) Pozzi, De l'origine de l'hymen. Gazette des hôpit. 19 Févr. No. 21. p. 164—165. — 40) Derselbe, De la bride masculine du vestibule chez la femme et de l'origine du hymen. Gaz. méd. de Paris. 23 Févr. 55. ann. No 8. p. 85—91. Mit 2 Holzschn. — 41) Retterer, E, Contribution au développement du squelette des extremités des mammifères. Journal de l'anatomie et de la physiologie. XX. ann. No. 6. p 467 bis 614. — 42) Rieder, C., Ueber die Gartner'schen (Wolff'schen) Canäle beim menschlichen Weibe. Arch. f. path. Anat. Bd. 96. H. 1. S. 100—130. Mit 1 Taf.

— 43) Derselbe, Ueber die Gartner'schen Canäle beim menschlichen Weibe. Dissert. Basel. 8. Berlin. 35 Ss. Mit 1 Taf. Abdruck aus dem Archiv f. path. Anatomie. Bd. 96. — 44) Strahl, H., Das Leydig'sche Organ bei Eidechsen. Sitzungsber. der Gesellsch. zur Beförderung der ges. Naturwiss. zu Marburg. No. 3. S. 81—83. (Das Leydig'sche Organ ein abgeschnürter Theil des Conarium. — Bei Kaninchenembryonen mit 2—3 Somiten wird die hinter dem Primitivstreifen gelegene Stelle, wo Ectoderm und Entoderm einander berühren, zur Cloakenöffnung.) — 45) Swieoicki, H. von, Zur Entwickelung der Bartholin'schen Drüse. L. Gerlach's Beiträge zur Morphologie und Morphogenie. I. 1883. S. 99—103. Mit 1 Taf. — 46) Toldt, C., Ueber das Wachsthum des Unterkiefers. Prager Zeitschr. für Heilkunde. Bd. V. S. 1—14. Mit 1 Taf. (Die Linea obliqua des Unterkiefers ist nach Untersuchung von 3—6 monatlichen menschlichen Embryonen nichts anderes, als der ehemalige vordere Rand des Processus coronoideus, welcher im Laufe des Wachsthums in den Unterkieferkörper einbezogen wurde.) — 47) Tourneux, F. et Ch. Legay, Mémoire sur le développement de l'utérus et du vagin envisagé principalement chez le foetus humain. Journal de l'anat. et de la physiol. XX. ann. No. 4. p. 330—386. — 48) Vaulthier, J. L., Contribution à l'étude du développement du foie. Thèse inaug. Paris. 29. Juill. Mit 1 Taf. — 49) Vignal, W., La substance grise embryonnaire. Gazette des hôpitaux. 10. Juin. No. 67. p. 533. — 50) Derselbe, Formation et structure de la substance grise embryonnaire de la moelle épinière des vertebrés supérieures. Comptes rend. T. 98. No. 25. p. 1526 bis 1529. 24. Juin. — 51) Derselbe, Formation et développement des cellules nerveuses de la moelle épinière des Mammifères. Ibid. T. 99. No. 9. p. 420 bis 422. — 52) Derselbe, Développement des éléments de la moelle épinière des mammifères. Archiv. de physiol. III. Sér. T. IV. p. 177—237. Mit 3 Taf. — 53) Derselbe, Ibid. XVI. ann. No. 8. p. 364 bis 426. — 54) Weil, C., Ueber den Descensus testiculorum, nebst Bemerkungen über die Entwickelung der Scheidenhäute und des Scrotums. Prager Zeitschrift f. Heilkunde. Bd. V. No. 4 u. 5. S. 225—288. Mit 4 Taf. — 55) Weldon, W. F. R., On the Head Kidney of Bdellostoma, with a Suggestion as to the Origin of the Suprarenal Bodies. Quarterly Journ. of microsc. scienc. N. S. No. XCIV. p. 171—182. Mit 1 Taf. — 56) Wichmann, Ralf, Beiträge zur Kenntniss des Baues und der Entwickelung der Nierenorgane der Batrachier. Aus dem anatomischen Institut zu Bonn. Diss. Bonn. 4. 20 Ss. — 57) Wolff, W., Ueber die electrische Platte von Torpedo. Arch. f. Anat. u. Physiol. Physiol. Abth. S. 180—182. — 58) Zander, R., Die frühesten Stadien der Nagelentwickelung und ihre Beziehungen zu den Digitalnerven. Ebendas. Anat. Abth. S. 103—144. Mit 1 Taf. (S. a. Descendenztheorie, Hasse.)

Ajutolo (1) giebt die Beschreibung eines Falles von accessorischer Nebenniere bei einem männlichen reifen Neugeborenen.

Dieselbe sass am linken Samenstrang, nahe oberhalb des Annulus inguinalis internus, durch eine Art von Mesenterium an das Peritoneum des Samenstranges geheftet; sie war 12 mm lang, 6 mm breit, 4,5 mm dick und erhielt eine kleine Arterie aus der A. spermatica interna, sowie 1—2 kleine Venen aus dem Plexus pampiniformis. Auf dem Querschnitt zeigte sie Rindensubstanz und Marksubstanz, sowie eine Centralvene. Ajutolo giebt eine sorgfältige Literaturübersicht, worin er die Angabe von Kühn (1866) bestreitet, dass constant Mark- und Rindensubstanz in den accessorischen Nebennieren vorhanden sind.

Blaschko (2) hält die Papillenbildung auf der Cutis des menschlichen Fötus für secundär; das Primäre seien die Leisten der Epidermis und die Wucherung der letzteren in die Tiefe. Die Drüsenleiste, auf welcher die Schweissdrüsen ausmünden, erscheint schon im 4. Schwangerschaftsmonate, im 4.—5. die Drüsen selbst, im 6. Monat treten Falten auf, an denen die ganze Epidermis und zwar durchaus regelmässig längs der Drüsenleisten zwischen je zwei der letzteren eingefaltet ist. Im 7.—8. Monat entstehen Querleisten, die quer über jede Drüsenleiste verlaufen und die Papillen von einander sondern. (Bei Affen sind die Verhältnisse wie beim Menschen.) Wie man sieht, bezieht sich die Beschreibung auf die Epidermis, statt dass man bisher von der Cutis auszugehen pflegte. Die Ursache der Leistenbildung ist in der Wucherung der in ihrer Keimschicht oder dem Stratum mucosum activ sich ausdehnenden Epidermis zu suchen. Gefärbt wurde zugleich mit Haematoxylin und Pikrocarmin, wobei die Hornschicht hellgrün sich tingirt.

Bourne (3) bildete ein Ovarium masculinum an der linken Seite eines Frosches ab; an der rechten lag ein normales Ovarium. Linkerseits war distalwärts ein Hoden mit Samenkanälchen und ausgebildeten Spermatozoen vorhanden, der proximale Theil stellte ein Ovarium mit deutlichen Eifollikeln und Eiern dar. Eine scharfe Grenze war keineswegs zwischen beiden Abschnitten der Geschlechtsdrüse vorhanden. B. erinnert an die Heppner'schen Beschreibungen (1870) von lateralem Hermaphroditismus beim Menschen und wendet sich gegen Spengel's (1876) Darstellung, welcher das Bidder'sche Organ der Krötenmännchen als einen unentwickelten Theil der männlichen Geschlechtsdrüse deuten wollte (vergl. unten Marshall). B. fragt, wie dann aber das Vorhandensein desselben Organes beim Krötenweibchen zu erklären sei.

Bramann (4) führte unter Schwalbe's Leitung bei mehr als 40 menschlichen Fötus vom Anfang des dritten Monates an Untersuchungen über den Descensus testiculorum aus (den man mit Rücksicht auf die gewöhnliche Kindeslage im Uterus richtiger als einen Ascensus zu bezeichnen vorgeschlagen hat, Ref.). Br. sucht die letzte Ursache mit Cleland und Kölliker in Wachsthumsdifferenzen der über und unter dem Hoden gelegenen Theile für den Descensus bis zum Leistenringe (vergl. unten Weil). Das Gubernaculum ist zwar ein Leitband, aber es verkürzt sich in der ersten Zeit des Descensus thatsächlich gar nicht; auch kann es keinen Zug ausüben, weil es im Fundus des Hodensackes gar keine Insertion hat. Selbst eine Schrumpfung des Gubernaculum müsste auf die Lageverhältnisse des Hodens ohne Einfluss sein. Wohl aber scheint in einer Schrumpfung des im Innern des Leitbandes gelegenen Bindegewebes eine Ursache zu finden zu sein wobei die stärkere Entwickelung und Ausdehnung der Baucheingeweide unterstützend wirken mögen. Der M. cremaster (externus) entsteht aus der Musculatur des Gubernaculum von Fasern, die den Mm. abdominis obliquus internus und transversus angehören; ein M. cremaster internus kommt vom Tuberculum pubicum (Varietät). Der Processus vaginalis peritonei ist zwar schon als kleine Einsenkung im dritten Schwangerschaftsmonat vorhanden, entwickelt sich jedoch erst nach dem sechsten Monat mit dem beginnenden Descensus distalwärts vom äusseren Leistenringe; in seine Wandung gehen die Gewebe des Gubernaculum über. sobald das letztere sich umzustülpen beginnt.

Cadiat (5) studirte die Entwickelung der Geschlechtsorgane, namentlich des Uterus an Embryonen vom Menschen, Schaf, und Schwein; die ersteren waren aus dem 2.—4. Schwangerschaftsmonat. Die Prostata ist schon in der zehnten Woche wahrzunehmen, während Kölliker ihr Auftreten im dritten Monate constatirt hatte, sie entsteht ganz unabhängig vom System der Ductus ejaculatorii und des Uterus masculinus, sowie der umgebenden Muskellagen. Auch gehört sie zum Genital- nicht zum Harn-Apparat und findet ihr Homologon beim Weibe in dessen Urethraldrüsen. (glandes de l'urèthre et glandes de la muqueuse uréthrale). Die Hypospadie des Mannes repräsentirt ein Stehenbleiben auf einer embryonalen Entwickelungsstufe. indem der Harnröhre die untere Wand fehlt. Beim Weibe ist sie selten und zeigt sich als Fortbestehen des Sinus urogenitalis, homolog der männlichen Hypospadie, letztere entspricht dem Zustande des zweiten Schwangerschaftsmonates.

Die inneren Geschlechtsorgane sind immer den äusseren in der Entwickelungsgeschichte voraus. Die gemeinschaftliche Cloake beginnt beim Schafembryo von 8 mm Länge sich in eine Urogenitalcloake und den Anus zu sondern. Beim 10 mm langen Embryo existirt im Niveau der distalen Extremität noch eine gemeinsame Cloake, weiter proximalwärts beginnt die Trennung. Beim Embryo von 25 mm Länge sieht man den Urogenitalsinus sich in die Cloake einsenken; erst beim 6—7 cm langem Fötus ist die Trennung vollständig erfolgt. Die Harnröhre fährt fort sich in allen ihren Theilen auszubilden, mit dem Colliculus seminalis, der Prostata und auswendig; als Rest der primitiven Cloake bleibt nur noch die Oeffnung der ventralen Wand der Urethra. Ebenso wie beim männlichen verläuft die Trennung beim weiblichen Geschlecht. Nur sind die äusseren Geschlechtstheile ein wenig in der Entwickelung gegen die männlichen zurück so existirt noch in der Mitte des vierten Monates eine Communication der Harnröhre mit der Vagina an der ventralen Wandung der ersteren; erst mit dem 4. Monate vollzieht sich die Trennung.

Ferner erörterte Cadiat (6) ausführlich die Entwickelungsgeschichte der weiblichen Genitalien nach Untersuchungen an Schaf- und menschlichen Embryonen vom ersten Auftreten der Müller'schen Gänge an bis zur Geburt. unter Hinweisung auf meist allgemein bekannte vergleichende anatomische Thatsachen. Nur die Affen besitzen auch ein Hymen; bei der Katze, dem Hunde, dem Schwein und bei Wiederkäuern wird dasselbe durch eine sagittale Brücke repräsentirt, so dass das Vestibulum mit der Vagina durch zwei Oeffnungen communicirt. Das Vestibulum ist der Sinus urogenitalis, die Oeffnungen sind die Mündungen der Müller'schen Gänge. Bei drei menschlichen Embryonen waren Uterus und Vagina duplex vorhanden. Dass die Müller'schen Gänge beim Schaf am fünften Tage bereits nachweisbar seien, bestreitet Cadiat gegen Waldeyer und glaubt. dass eine Verwechselung mit dem Hühnchen vorliege. Ein Missverständniss liegt offenbar vor, es fragt sich nur, ob nicht die Schuld auf Cadiat's Seite zu suchen ist (Ref.). Hierfür spricht, dass die Differenzirung des Uterus und der Vagina von Kölliker nach Cadiat in den dritten Monat gesetzt wird, nach C. selbst aber bei einem menschlichen Fötus von $3^1/_2$ Monaten der Uterus schon gut entwickelt war und dies als Beweis angeführt wird, jener Termin sei zu spät gegriffen. Nun rechnet Kölliker selbstverständlich nach Mondsmonaten, Cadiat aber nicht, ohne von dieser Differenz eine Ahnung zu haben (vergl. unten Vignal, Nr. 50). Die jüngsten Stadien, welche C. untersucht hat, scheinen Schafembryonen von 2 cm und ein menschlicher von 2,5 cm Länge aus dem 3. Monate gewesen zu sein. Bei einem 4 monatlichen, 13 cm langen menschlichen Fötus waren die Papillen der Vagina stark entwickelt; bei einem 8 cm langen Embryo von $3^1/_2$ Monaten begannen sich Drüsen in der Cervix als blinde Einstülpungen zu bilden; bei einem solchen von 16 cm oder 5 Monaten waren diese traubenförmigen Drüsen deutlicher ausgebildet als die Uterindrüsen im Corpus uteri. Zahlreiche fragmentarische Zahlenangaben über Dimensionen des Uterus u. s. w. sind im Original enthalten.

Carrière (7) handelt von der Entwickelung der Epidermis und der Retina des Axolotls. Die Eigenschaft dieser Urodelenlarve ein Wasserleben zu führen, liess dass Auftreten einer Landthier-Epidermis nicht erwarten. C. verlässt die von Pfitzner (1880) eingeführte Bezeichnung der äussersten Zellenlage der Epidermis von Salamanderlarven als eines Stratum corneum larvale, weil bei älteren Axolotln entschiedene Verhornungen z. B. an den Fingerspitzen, dem Unterkieferrande u. s. w. vorhanden sind. Diese echte Hornschicht färbt sich in Pikrocarmin gelb, die erwähnten Zellen bei Salamandra maculosa sind der Schleimschicht zuzurechnen. Von Siredon wurden eben ausgeschlüpfte Larven, ferner solche von 2,2 cm, von 8 cm und von 15 cm (1 Jahr alte Thiere) untersucht. Die Zunge und der Gaumen der grösseren Exemplare besitzen Geschmacksknospen; dieselben zeigen Sinneszellen, welche die ganze Länge des Organes durchsetzen und Stützzellen zwischen den Sinneszellen. Die Kerne der letzteren liegen aber abweichender Weise mehr nach der äusseren Peripherie der Epidermis hin. Die Epidermis der Haut enthält Netzzellen, d. h. grosse Zellen mit schaumiger Structur des Protoplasma, sie werden mit einem Brotlaibe verglichen; ferner Nervenhügel mit unbeweglichen Härchen auf den centralen Sinneszellen und einer darauf gesetzten structurlosen. schon von F. E. Schulze gesehenen Röhre. Bandartige Streifen, deren jeder von einer Deckzelle entspringt, deuten an, dass sie als Cuticularbildung aufzufassen ist. In der Cutis selbst kommen röhrenartige Gebilde mit wandständigen Kernen und hellem Lumen auf dem Querschnitt vor; vielleicht können sie mit Stämmchen blasser Nerven verglichen werden, die bei Acerina cernua und Cottus gobio die Sinneshügel der Seitenorgane mit einander verbinden. — Gelegentlich wurden die Sinnesapparate der Haut auch bei Tinca fluviatilis, Cobitis fossilis, Proteus anguinus untersucht.

Vom Auge des 15 cm langen Axolotl giebt Carrière einen senkrechten Durchschnitt. Es sind Stäbchen. einfache und Doppelzapfen vorhanden. Die Untersuchung des Ref. (1876) über die Retina desselben Thieres dürfte unberücksichtigt geblieben sein.

Erwähnung verdient noch eine schöne mitotische Figur, Doppelstern, die bei einer 8 cm langen Larve angetroffen wurde.

Diesing (8) fand die Haare in der Kopfhaut (des Erwachsenen) zu Gruppen angeordnet, deren etwa 95 auf 1 qcm kommen, die Anzahl der Haare betrug auf dieser Fläche etwa 250. Die Haare besitzen theils je einen eigenen Haarbalgmuskel, theils vereinigen sich die von den Haarbälgen von zwei oder mehreren benachbarten Haaren herkommenden glatten Muskelbündel zu einem gemeinschaftlichen Bauche. Letzterer theilt sich gegen die eigentliche Cutis hin wiederum in mehrere 2—3—5 Bündel. Die Talgdrüsen liegen an derselben Seite der Haarbälge, woselbst sich die Mm. arrectores pili befinden; sie pressen jedenfalls das Drüsensecret aus. Das Vorkommen eigener glatter Muskelzüge der Kopfhaut bestreitet D. gegen Neumann (1868). Ueber die Haarbalgmuskeln der Wange und des Kinnes s. d. Original.

Fischel (10) bemerkt in einer historischen Uebersicht, dass Reste des Wolff'schen Ganges (Gartner'schen Canales) beim Menschen zwar im Lig. uteri latum, in der Muskelsubstanz des Uteruskörpers in der Höhe des Orificium internum, sowie unterhalb desselben, nicht aber in der Vaginalportion bisher gesehen worden seien (vergl. unten Rieder). F. fand nun bei einem todtgeborenen, ausgetragenen Mädchen neben dem Cervicalcanal linkerseits in der Muskelsubstanz der Vaginalportion eine feine. auf dem Querschnitt halbmondförmige Spalte. Der Gang bildete in der Mitte der Höhe der Vaginalportion nach oben umbiegend eine rückläufige, blind endigende Schlinge. Drüsenähnliche Schläuche mündeten in den von Cylinderepithel ausgekleideten Canal, den F. wohl mit Recht als ein Rudiment des Wolff'schen Ganges ansprechen zu können glaubt.

Fritsch (11) bemerkt in Betreff der Entwickelung der electrischen Organe bei Torpedo-Embryonen, dass sie phylogenetisch aus umgewandelten Muskeln herzuleiten sind. Es handelt sich dabei um die vorwiegend ventral entwickelte äussere Gruppe der besonderen Kiemen- und Kiefermuskeln. Vom Kieferzungenbeinbogen an sind fünf Visceralbögen betheiligt, nicht aber der letzte, der unbetheiligt bleibt; daher sind nur vier in den Zwischenräumen verlaufende electrische Nerven vorhanden. Die embryonalen Muskelanlagen werden in electrische Säulen durch einen Quellungsprocess der Muskelscheiden unter starker Kernvermehrung umgewandelt; Wolff (57) fand gegen 20 Kerne auf einem Haufen. Anfangs sind die Säulen noch schwach quer gestreift. Bemerkenswerth ist die spätere Zurückbildung des Protoplasma der Platte bei Erhaltung der Kerne; die übrigen Details sind im Original nachzusehen.

Fuchs (13) untersuchte menschliche Fötus, Neugeborene und Kinder bis zum achten Jahre auf das Auftreten markhaltiger Nervenfasern in der äussersten grauen Schicht der grauen Substanz der Grosshirnwindungen. Die Präparate waren nach Exner (1881) in 1 procentiger Ueberosmiumsäure gehärtet, die Schnitte mit Glycerin und dann mit Ammoniak behandelt, F. aber zog eine vollständige Durchtränkung mit Glycerin und dann allmälige Ammoniakeinwirkung vor. Er scheint anzunehmen, dass erst durch obige Methode diese Nervennetze erkannt worden seien. während sie doch vor langen Jahren an Chromsäure-Präparaten mit Natron von Kölliker dargestellt und damals jedem Histologen bekannt waren! Das erste Auftreten dieser doppeltcontourirten, varicösen Fasern nun sah F. mit Bestimmtheit beim Kinde zu Ende des fünften Lebensmonates. Die von Exner beim Neugeborenen in derselben Schicht gesehenen colossalen Ganglienzellen, die fast an die Purkinje'schen Zellen des Cerebellum erinnern, reihenweise angeordnet, nur weiter als letztere aus einander gerückt waren — konnte F. nicht finden, ebensowenig Theilungen der Fortsätze der bindegewebigen Spinnenzellen, welche Deiters, Eichhorst, Rindfleisch, Ganser beschrieben hatten, während Jastrowitz, Golgi solche gar nicht, Exner wie es scheint nur ausnahmsweise gesehen hatten. Die Spinnenzellen selbst aber sind im fünften Lebensmonat vollständig ausgebildet.

Hermann (16) verfolgte die Entwicklung der Geschmacksknospen in den Fimbriae linguae des Ref. (Papilla foliata) des Kaninchens. (vergl. u. Lustig.) Die erste Andeutung zeigte sich bei einem Fötus von 54 mm Körperlänge. Beim neugeborenen Thiere sind sie schwer zu finden, stehen vereinzelt und sind mehr spindelförmig, 0,03 mm lang, 0,01 mm breit. Beim erwachsenen Thiere betragen die Dimensionen 0,04 — 0,06 resp. 0.035 — 0,05 mm. Erst beim 6 Tage alten Kaninchen erreichen sie ihre definitive Anzahl und Gestaltung. Aehnlich verhalten sich die Papillae vallatae; doch ist zu bemerken, dass dieselben beim Fötus von 50 — 70 mm Länge auf ihrer freien Oberfläche Geschmacksknospen zeigen, die später verschwinden resp. nach Hoffmann und Hermann durch Wucherung des daselbst vorhandenen gewöhnlichen Epithels zu Grunde gehen.

Herms (17) studirte unter Kupffer's Leitung die Ganglienzellen im Ursprungsgebiet des N. acustico-facialis bei Ammocoetes. Ein Theil der Zellen in der Medulla oblongata geht nicht aus Körnern oder Nervenkörperchen, sondern unmittelbar aus wohlcharacterisirten Epithelzellen hervor. Dieselben vergrössern sich durch Wachsthum, erheben sich gegen den freien Raum des Ventrikels und nachdem sie eine gewisse Grösse erreicht haben, beginnt eine Dislocation, durch welche sie aus dem Niveau des Epithels in die graue Masse weiter lateralwärts versetzt werden.

Hoffmann (18) bestätigt im Gegensatz zu Anderen (s. oben Fol, S. 87) Kölliker's Bemerkung, dass die Tuba Eustachii oder der Canalis tubo-tympanicus aus der ersten Kiemenspalte hervorgeht. Die erste Anlage ist proximalwärts (nicht distalwärts, wie Kölliker angab), lateralwärts und dorsalwärts gerichtet. Auf Sagittalschnitten untersucht wurden Reptilien (Lacerta, Tropidonotus natrix), Vögel, (Larus, Sterna hirundo), Säugethiere (Kaninchen). Bei allen entwickeln sich die Tuba und Paukenhöhle aus einem Fortsatz der ersten Kiemenspalte. Derselbe ist homolog der Spritzlochkieme der Selachier und der embryonalen Spritzlochkieme der Teleostier, wie aus seiner übereinstimmenden Lage zu den Nn. trigeminus und acusticofacialis hervorgeht.

Königstein (22) untersuchte an menschlichen Embryonen von 8—9 cm Körperlänge, ferner an solchen vom Ende des 4.—5.—6. Monates die Entwickelung der Cilien und Meibom'schen Drüsen. Bei dem 8 cm langen Embryo beginnt die Einstülpung des Cylinderepithels des Lidrandes, die so entstehenden kleinen Gruben sind die ersten Anlagen der Cilien. Die erste Anlage der Meibom'schen Drüsen beginnt ebenso, aber etwas später als diejenige der Cilien, erst beim 9 cm langen Embryo. Am Ende des 6. Monates sind diese beiden Organe im Wesentlichen angelegt; die dazwischen liegenden Stadien. sowie die Entwickelung der Schweissdrüsen sind bekannt. Von Grefberg (Jahresber. f. 1883. S. 103) differirt der Verf. in Betreff der zeitlichen Verhältnisse der Entwickelung.

Derselbe (23) hat ferner Messungen einiger Durchmesser des fötalen Auges angestellt, jedoch an nicht frischen Augen. nachdem durch Injection von Wasser in die Augenkapsel (den Glaskörper? Ref.), so weit sich dies beurtheilen liess, die Augenhäute wieder in ihren natürlichen Spannungszustand gebracht waren. Der Verf. hält jedoch die Messungsresultate wenigstens für unter sich vergleichbar. Die Zahlen sind im Original nachzusehen. An manchen Augenpaaren differiren die erhaltenen Werthe etwas, ohne dass die aus dem Injectionsverfahren herrührenden Fehler dabei in Betracht kämen.

Koganeï (25) verfolgte unter Waldeyer's Leitung die Histiogenese der Retina, unter Benutzung von 1,5 proc. Salpetersäure, Einbettung und Microtomirung. Auf Untersuchungen am Hühnchen und Kaninchen gestützt, bestritt er die von Löwe (1883) wieder aufgenommene Anschauung Kupffer's (1868 — bei Hecht-Embryonen), wonach die Stäbchenzellen aus drei verschmelzenden Zellen resp. Zellenkernen entstehen sollen, nämlich dem Stäbchenkorn, der Anlage des Innengliedes und des Aussengliedes.

Am wichtigsten ist K.'s Entdeckung einer mit karyomitotischen Figuren ausgestatteten proliferirenden Zellenlage, unmittelbar glaskörperwärts von der späteren Membrana limitans externa, während die Ganglienzellen anfangs als rundliche Zellenkörper erscheinen und sich anscheinend gar nicht vermehren. Die Dicke der embryonalen Retina ist relativ sehr beträchtlich, sie resultirt aus vielfacher Uebereinanderlagerung sowohl der Stäbchen- und Zapfenkörner als der inneren Körner. Da beide Elemente sich wie es scheint später nicht mehr durch Kerntheilung vermehren, so muss man wohl mit berücksichtigen, dass der Bulbus des erwachsenen Thieres weit grösser ist, als derjenige des neugeborenen. Die Retina des letzteren wird gleichsam ausgedehnt.

Seine übrigen Resultate stellte K. selbst folgendermassen zusammen.

Der Bildungsprocess der Netzhaut erfolgt bei Vögeln und Säugethieren in derselben Art und Weise. — Die Production neuer Zellen geht in einer besonderen Schicht, der proliferirenden Zellenlage (s. oben) vor sich. Der rege Vermehrungsprocess dieser Zellen hört mit dem Auftreten der Zwischenkörnerschicht auf. womit die proliferirenden Zellen verschwinden und die Stäbchen zu erscheinen beginnen. — Schon im Stadium der primären Augenblase sind ausser den proliferirenden Zellen noch die spindelförmigen „Uranlagezellen" vorhanden; sie stellen das nächste. jedoch noch indifferente Bildungsmaterial für die einzelnen Retinaschichten dar. Sie ergänzen sich aus den proliferirenden Zellen. — Die Histiogenese der Retina beginnt mit der Trennung der indifferenten Uranlagezellen in die Elemente der Stützsubstanz und die nervösen Elemente und divergirt nach diesen beiden Richtungen. — Die Differenzirung der embryonalen Netzhaut beginnt an der distalen (Glaskörper-) Seite und schreitet proximalwärts (chorioidealwärts, Ref.) successive fort. ohne etwa eine Schicht zu überspringen. — Die Differenzirung jeder einzelnen Schicht beginnt immer in der Nähe des Augenblasenstieles und setzt sich von da nach der Peripherie fort. — Mit der Ausbildung der Zapfen und Stäbchen fällt der Beginn des Sehvermögens zusammen. — Die Eintheilung der Netzhaut in einen epithelialen und cerebralen Theil findet histiogenetisch in keinem Stadium eine Unterstützung.

Schliesslich ist noch hervorzuheben, dass K. eine Angabe des Ref. (1868) bestätigt, wonach schon das neugeborene Kaninchen Stäbchen und Zapfen besitzt, was seit M. Schultze durch so viele Jahre bestritten worden war. Die Stäbchen-Innenglieder ragen wie die Zähnchen einer feinen Säge über die Membrana limitans externa hervor.

Lockwood (29) stellte sich die Frage, ob das Mesocolon transversum aus zwei Blättern oder aus vier zusammengesetzt sei. Untersuchungen am menschlichen Fötus aus dem 3.—5. Schwangerschaftsmonate zeigten L. die alte vor-Haller'sche Darstellung sei richtig, wonach das Mesocolon nur zwei Blätter besitzt. Folglich tritt keine Verwachsung zwischen dem Mesocolon transversum und dem Omentum majus ein. Die Peritonealgrube zwischen beiden obliterirt durch Ausgleichung (unfolding) einer serösen Faltenbildung. Die allmälige Anfüllung des Colon mit Meconium scheint bei den Vorgängen eine Rolle zu spielen.

Lustig (30) untersuchte die Entwickelung der Geschmacksknospen beim Kaninchen (vergl. oben, S. 93, Hermann) und Menschen. Sie fehlen in den embryonalen Papillae vallatae und Fimbriae linguae (Papilla foliata) gänzlich, das Erscheinen ist erst innerhalb des ersten Lebenstages mit Sicherheit zu constatiren und erst am Beginn der dritten Woche gleichen die Geschmacksknospen denjenigen ausgewachsener Thiere. Anfangs fehlen die äusseren Zellen (Deckzellen) und es sind nur innere Zellen (Spindelzellen, sog. Stiftchenzellen) wohl ausgebildet. Zwischen der geistigen Entwicklung der Kaninchen und der Ausbildung der Geschmacksknospen glaubt L. einen Zusammenhang zu finden. — Bei menschlichen Fötus, die am Ende des 7. Schwangerschaftsmonates geboren waren, fand L. dagegen schon manche, wenn auch nicht alle Geschmacksknospen der Papillae fungiformes und vallatae ausgebildet. Die Zungen wurden in 1 proc. Ueberosmiumsäure untersucht.

Marshall (31) hatte fünf hermaphroditische Frösche (Rana temporaria) zur Verfügung, in welchen bei zwei die Müller'sche Gänge, obgleich erstere Männchen waren, sich auffallend entwickelt zeigten. Bei dem dritten fehlte der rechte Hoden, resp. war durch eine Fettzellenanhäufung repräsentirt, der linke Hoden war gross und der Müller'sche Gang sehr entwickelt; der vierte Frosch hatte links ein Ovarium, rechterseits eine hermaphroditische Drüse, die lateralwärts Samencanälchen, medianwärts Eier ententhielt. Ein fünfter Frosch kann als verkümmertes Männchen angesehen werden; er besass zwei grössere aus Fettzellen bestehende Convolute und zwei ebenso zusammengesetzte, ganz kleine Geschlechtsdrüsen; die Wolff'schen Gänge aber boten die für das Männchen characteristischen Ausweitungen an ihren distalen Enden.

Bekanntlich besitzt die männliche Kröte (M. untersuchte Bufo vulgaris) ein mit ausserordentlich characteristischen Eifollikeln ausgestattetes Ovarium masculinum, Bidder'sches Organ, am proximalen Ende des Hodens. M. tritt auf die Seite derjenigen Autoren, welche das Gebilde, wie zuerst v. Wittich, für einen rudimentären Eierstock halten. Bei den hermaphroditischen männlichen Fröschen war dieses Ovarium ganz besonders deutlich, sowohl in macroscopischer, als in microscopischer Beziehung ausgebildet. Die Eier enthielten sogar theilweise Pigment. Bei den Anuren ist die Tendenz zur Verkürzung des ganzen Rumpfes ausgesprochen: so mag es sich erklären, dass beim Krötenweibchen eine secundäre retrograde Veränderung des proximalen Endes des embryonalen Genitalwalles eintritt, aus dessen hinterem Ende die Geschlechtsdrüse hervorgeht. Secundär können auch die Fettzellen atrophiren, wodurch ein bindegewebiges Maschenwerk mit Hohlräumen zu Stande kommt. Dies ist nach Brock (1881) der Fall bei Muraeniden, wie Myrus und Conger, in Betreff des proximalen Theiles des Hodens; aber auch im Ovarium gehen bei den genannten Teleostiern daselbst viele Zellen fettige Degenerationen ein. Ereignet sich dasselbe bei Fröschen, während noch kein ausgesprochener männlicher Typus der Geschlechtsdrüse aufgetreten ist, so entstehen jene hermaphroditischen Formen. Das Vorhandensein eines Bidder'schen Organes von Spengel (1876) beim Krötenweibchen (vergl. oben Bourne) repräsentirt den ersten Schritt zu jener retrograden Metamorphose des proximalen Theiles des Ovarium. Indem M. dasselbe beim Männchen als ein wirkliches rudimentäres Ovarium anerkennt, ist er doch nicht der Ansicht, es könne hieraus ein echter (bilateraler, Ref.) Hermaphroditismus in Bezug auf die ursprüngliche Anlage von Hoden und Eierstock jederseits beim normalen Wirbelthier-, zunächst beim Anurenembryo abgeleitet werden. Niemals findet sich in den freilich spärlichen Fällen von Hermaphroditismus bei letzteren Thieren eine Entwickelung männlicher Organe im Körper eines Weibchens. Vielmehr sind es stets Männchen, deren accessorische oder wesentliche Geschlechtsorgane in gewissem Grade weiblichen Character darbieten. Letztere Erscheinung aber entspricht einer Degeneration der Geschlechtsdrüse, einer Wiederannahme des mehr primitiven weiblichen Typus. Denn das Spermatozoon sei offenbar mehr differenzirt als das Ovulum. Jedenfalls muss zwischen dem primitiven, geschlechtlich indifferenten Zustande der Organe und einem ursprünglich hermaphroditischen scharf unterschieden werden; für die Existenz des letzteren ist nach Marshall's Ansicht überhaupt noch kein sicherer Beweis beigebracht worden.

Meyer (32) fand dass beim menschlichen Fötus vom fünften Schwangerschaftsmonate an das linke Ovarium durchschnittlich kleiner ist als das rechte. Wenigstens betrug die Länge z. B. beim 20 wöchentlichen Fötus links 11,75, rechts 12,0 mm, beim ausgetragenen Kinde links 17,5, rechts 20,5 mm im Mittel. Vom siebenten Monate an wächst der Uterus rascher als die Eierstöcke. Was die Lage betrifft, so gelangen die letzteren abwärts steigend hinter und unter die Tuben — in Wahrheit wachsen aber nur die umgebenden Theile rascher — das rechte Ovarium liegt schon in der zehnten Woche etwas tiefer und dem Uterus näher als das linke. Microscopische Untersuchungen einer Anzahl von Ovarien aus den verschiedensten Stadien zeigten, dass die Follikelbildung vom Keimepithel aus vor sich geht; erst nach der Geburt verschwindet die letzte Spur der Eibildung an der Oberfläche, doch trifft man gelegentlich noch im zweiten und dritten Lebensjahre verspätete Ureier mit ihren Follikelzellen im Keimepithel. Die von Pflüger u. A. vertretene Theilung der Eizellen im späteren Leben und dadurch bedingte Vermehrung der Eifollikel glaubt H. Meyer vorläufig mit Rücksicht auf pathologische Vorkommnisse vertreten zu können. Die Pflüger'schen Eischläuche dagegen werden für secundäre, durch das Stromawachsthum bedingte Bildungen erklärt, die passender Eiketten oder Follikelketten genannt werden sollen. Die anscheinenden Einstülpungen von der Oberfläche her resultiren aus daselbst vorhandenen trichterförmigen Spalten, in welche das Keimepithel sich fortsetzt. H. Meyer schliesst sich ebenfalls Waldeyer an in Betreff der Herleitung der Follikelepithelien aus Keimzellen. Die successive Verkleinerung der Granulosazellen wäre dann muthmasslich auf Abgabe von Nährmaterial an das Ei zurückzuführen. — Mit den Nerven des Ovarium hat sich H. Meyer viel Mühe gegeben. Während für die übrigen Elemente 0,03 proc. Chromsäure und die gewöhnlichen Tinctionsmittel mit nachheriger Einbettung in Hollundermark benutzt wurden, zeigt sich für die Nerven 0,05 proc. Chromsäure und Zerzupfen in Glycerin mit Holzessig geeigneter. Es wurde einmal in der tieferen Parenchymzone eine marklose Nervenfaser mit spindelförmigen Anschwellungen beobachtet, die sich wiederholt dichotomisch theilte und schliesslich in ganz feine blasse Fibrillen auslief. Letztere endigten mitunter frei, zweimal in Kernen. H. Meyer betont, dass die Entwickelung der einzelnen Elemente des Eierstockes, Stroma, Follikel, Eier genetisch untrennbar mit einander verknüpft seien, so dass ihre Entwickelung als ein Ganzes erscheine.

Nepper (33) theilt den Zellen, welche das Dentin der Schneidezähne liefern, nach Untersuchungen an Nagern (Maus, Ratte) mit Hülfe von Ueberosmiumsäure, Boraxcarmin oder Paraffin-Einbettung, folgende Rollen zu. Die eine Art sind die Odontoblasten; sie nehmen eine cylindrische Form an, deponiren die Elfenbeinsubstanz an ihrem dem Kern entgegengesetzten Ende. Die Zellen der andern Art verschmälern sich ausserordentlich nach dem Dentin hin; sie werden durch (Druck der) Odontoblasten auf eine dünne Faser reducirt, ihr Kern begiebt sich nach der Zahnpulpe hin, schliesslich entsteht ein vielstrahliges Körperchen.

Palmén (35) fand bei Ephemeriden, dass die Ausführungsgänge der Sexualdrüsen paarig sind, bei den Larven wie bei den Imagines und zwar in beiden Geschlechtern; in der Regel sind dieselben bei den Insecten sonst unpaarig. Nach P. sind nun zwei morphologisch verschiedene Elemente dabei zu unterscheiden, nämlich a) ursprünglich innere paarige Gebilde: Testes mit den Vasa deferentia, Ovarien mit den Tuben und b) Integumentalgebilde. Bei weniger differenzirten Insectengruppen sind, wie bei niedrigeren Thierformen die Integumentalgebilde nur durch die beiden äusseren Geschlechtsmündungen repräsentirt; daher ist der ganze Geschlechtsapparat paarig vorhanden. Die paarigen Theile werden bei den höher differenzirten Formen secundär durch unpaarige verbunden, indem 1) ein gemeinschaftlicher Integumentalabschnitt: Ductus ejaculatorius, Vagina, sich einstülpt, oder 2) die inneren Gänge selbst anastomosiren resp. von der Mündung aus verschmelzen, oder 3) diese beiden Vorgänge zugleich stattfinden, oder endlich 4) werden dazu noch die überflüssig gewordenen paarigen Theile durch Rudimentärwerden des einen reducirt. Welcher von diesen Vorgängen auch zur Realisation kommt, jedenfalls können durch Ausstülpung der Wände verschiedene Nebenorgane sich zu verschiedenen Zwecken differenziren. Bei der Homologisirung dieser Organe muss ihre morphologische Herleitung aus dem einen oder anderen morphologischen Material mit in Betracht gezogen werden und keineswegs darf die Gleichartigkeit der Function allein den Ausschlag geben. Die Vergleichung dieser auf auf vergleichend-anatomischem Wege mit den von Nussbaum durch entwicklungsgeschichtliche Studien gewonnenen zeigte P., dass sie sich gegenseitig stützen. Es wird noch zu prüfen sein, ob alle unpaarigen Nebenapparate nur aus dem Hautepithel sich entwickeln und aus paarigen Anlagen entstehen, oder ob nicht dies sich in verschiedenen Gruppen wie wahrscheinlich verschieden verhält.

Pouchet und Chabry (38) entdeckten bei 28 bis 45 mm langen Kaninchenembryonen vor den grossen Schneidezähnen in beiden Kiefern noch zwei kleine rudimentäre Zähne, die später spurlos verschwinden. Dies sind die Milchzähne der grossen Schneidezähne. Hinter den letzteren findet im Oberkiefer sich der seit F. Cuvier (1821) bekannte Milchzahn und dann folgt der in derselben Alveole liegende, bleibende kleine Schneidezahn. Der Wechsel erfolgt nach Cuvier vor der Geburt, nach dem Ref. (Anat. des Kaninchens 1868, 2. Aufl. 1884) einige Tage nach der Geburt. Die Verff. haben drei Zähne wenigstens noch am Tage nach der Geburt gefunden. Sie scheinen geneigt, den bleibenden kleinen Schneidezahn im Oberkiefer als Eckzahn aufzufassen.

Ausser dem Kaninchen untersuchten Verff. eine grosse Reihe von Embryonen der verschiedensten Genera, unter Anderen einen länger als 50 Jahre in Alcohol conservirten Fötus vom Elephanten. Zu erwähnen sind: Schaf, Rind, Schwein, Pferd, Esel, Ratte, Eichhörnchen, Orycteropus capensis, Bradypus pallidus, Dasypus, Känguruh, Delphinus delphis, Phocaena globiceps, Balaenoptera Sibbaldii, Spinax acanthias. Beim Finnfisch verschmelzen die Zähne vielleicht mit der Knochensubstanz der Kiefer. Auf die zahlreichen sonstigen Details kann hier nicht eingegangen werden.

Pozzi (39 u. 40) glaubt, dass das Corpus cavernosum urethrae des Mannes nicht homolog (analog — der Verf.) den Labia minora sei. Er untersuchte einen Fall von fehlender Vagina eines Mädchens und einen männlichen Hypospadiaeus (40). Letzterer zeigte gleichsam in vergrössertem Maassstabe, ersterer ebenfalls besonders deutlich ein in der Norm bei Erwachsenen und bei kleinen Mädchen vorhandenes Verhältniss. Es verläuft nämlich ein bekanntlich schon von Albin erwähntes (Ref.) Frenulum, eine „bride masculine du vestibule“ von der Clitoris nach unten, umgiebt nach unten wie ein λ getheilt das Orificium externum urethrae und setzt sich in den Hymen fort, wenn dieser noch existirt. Dieses Frenulum ist 4—6 mm breit, mehr weisslich, mit geradlinigen Rändern und einer medianen Furche oder Fuge (rainure) versehen. Es ist nach P. der verkümmerte Rest des Corpus cavernosum der Urethra, der Hymen aber das

Homologon des Bulbus urethrae des Mannes (!), wofür die Beobachtung Henle's angeführt wird, dass der Hymen nicht selten cavernöses Bindegewebe. „En anatomie philosophique, rien n'est trompeur comme le scalpel" — sagt Pozzi.

Retterer (41) veröffentlichte eine ausgedehnte Untersuchungsreihe über die Entwickelung des knorpeligen und knöchernen Skeletes der Extremitäten, die sich fast über die ganze Säugethierreihe erstreckt. Dass dabei einzelne Lücken unvermeidlich sind, liegt auf der Hand; so ist ihm die Zusammensetzung des Hallux beim Kaninchen aus zwei Zehen unbekannt geblieben. Auf die Details kann hier nicht eingegangen werden; die Grundanschauung ist eine teleologische, z. B. könnten die neben den Hauptknochen des Metacarpus und Metatarsus beim Pferde gelegenen kleinen seitlichen Phalangen dazu dienen, die Blutgefässe zu schützen und dergl. — Sehr werthvoll sind die mehr der descriptiven Anatomie angehörenden Untersuchungen über den Verlauf der Vasa nutritia und über die Ossa sesamoidea.

Rieder (42) prüfte unter Leitung von Roth in Basel die Angaben von Kocks (1883) und Beigel (1878) über Persistenz der Wolff'schen oder Gartner'schen Canäle in der Uteruswandung beim Weibe (vergl. oben Kölliker, 20). Sie wurden von einem 18 cm langen Fötus bis zu einer 67-jährigen Frau in allen Lebensaltern angetroffen. Dieselben bleiben also bis ins hohe Lebensalter wahrscheinlich ganz unverändert bestehen, sie finden sich aber nicht constant, sondern nur ungefähr in jedem dritten Fall und zwar in $^1/_3$ der Fälle als ein mit besonderer Muscularis umgebener Schlauch, oder (in $^1/_6$ der Fälle) nur als ein solider Muskelstrang; häufiger rechterseits als linkerseits. Das Epithel ist zweischichtig, seltener einschichtig, seine Cylinderzellen haben durchschnittlich 0.016 mm Länge. Die Muskellage besteht wie das Vas deferens (Wolff'scher Gang) aus einer äusseren longitudinalen, mittleren circulären und inneren wiederum longitudinalen Schicht glatter Muskelfasern. Der Canal verläuft am Rande des unteren Theiles des Corpus uteri, innerhalb der Randgefässe; beim Uebergang in die Cervix medianwärts von den grossen Blutgefässen; durchbohrt öfters spiralig gewunden die Uterusmusculatur in der Richtung nach unten und innen, nähert sich im unteren Theile dem Cervicalcanal, gelangt dann in die Muscularis der Vagina und findet sich in der Mitte der lateralen Wand der Vagina, also weit von der Harnröhre. Bis unterhalb der Mitte der Länge der Harnröhre liess sich der Canal nie verfolgen. (Mithin haben die von Kocks beschriebenen Mündungen neben dem Orificium externum urethrae nichts mit dem Gartner'schen Canal zu thun, Ref.) In der Cervix ist der Canal häufig ausgebuchtet (vergl. oben Fischel), entsprechend dem Endstücke oder der Ampulle des Vas deferens oder der Vesicula seminalis; in seinem Verlaufe durch die Vaginalwand correspondirt er dem Ductus ejaculatorius. Im unteren Theile der Vagina fehlt der Canal vollständig, seine Atrophie ist auf das starke Wachsthum des Septum urethro-vaginale zurückzuführen. — Vielleicht können Vaginalcysten aus dem unteren Theile des Canales entstehen.

v. Swiecicki (45) untersuchte die Bartholin'sche Drüse beim weiblichen Fötus vom Anfange, resp. einen zweiten Fötus aus der Mitte des vierten Monates. Bei dem ersteren hatte seit kurzer Zeit die Ausstülpung des Epithels des Sinus urogenitalis begonnen, welche zur Bildung der Drüse führt; die Anlage der letzteren würde also zu einer Zeit geschehen, in welcher die Periode der geschlechtlichen Indifferenz zu Ende geht. Was die Methode betrifft, so wurde die ganze Beckenpartie in Ueberosmiumsäure gehärtet, 48 Stunden lang im Ganzen durch Einlegen in Alauncarmin gefärbt, dann in Eiweissmasse nach Calberla (1876) eingebettet und nachträglich noch mit Celloidin durchtränkt. Der Ausführungsgang der Drüse hat begonnen sich auszuhöhlen, er führt geschichtetes Plattenepithel, dessen unterste Lage cylindrische Zellen bilden; die Acini dagegen haben noch kein Lumen, wohl aber eine Membrana propria; ihre Epithelzellen sind klein, die peripherischen mehr cylindrisch, die centralen Zellen unregelmässig cubisch und polyëdrisch.

Tourneux et Legay (47) beschäftigten sich mit der Entwickelung des Uterus und der Vagina aus den Müller'schen Gängen beim menschlichen Fötus. Es werden successive abgehandelt: die Verschmelzung der unteren Enden der Müller'schen Gänge, Bildung des Canalis genitalis oder uterovaginalis, dann die Theilung des Genitalcanales in Uterus und Vagina und die secundäre Entwickelung dieser Organe am weiter ausgebildeten Fötus. Die Untersuchung erstreckt sich auf Fötus vom 3.—10. Schwangerschaftsmonate und ist mit ausgedehnten historischen Rückblicken ausgestattet. Der obere Theil des Sinus urogenitalis, welcher die Ureteren, die Müller'schen und Wolff'schen Gänge aufnimmt, beim Manne die Pars prostatica der Urethra, beim Weibe die ganze Urethra liefert, behält diesen Namen; der untere Abschnitt aber oder das Vestibulum vaginae soll beim weiblichen Fötus Canalis vestibularis genannt werden.

Die Verschmelzung der Müller'schen Gänge zum Canalis urogenitalis beginnt nach Studien, die beim Schwein, der Katze, der Spitzmaus, dem Kaninchen, dem Schafe angestellt wurden, im mittleren Theile der Länge dieser Gänge. Beim Kaninchen ist eine stärkere Annäherung der Gänge am unteren Ende derselben zwar vorhanden, die Verschmelzung beginnt aber doch, entgegen der Angabe von Langenbucher (1871) im oberen Theile der ersteren. Dagegen vollzieht sie sich beim Schaf zuerst an der Grenze zwischen mittlerem und unterem Dritttheil; beim Menschen d. h. bei einem 3,2—4 cm langen männlichen Fötus waren am oberen und mittleren Dritttheil eine lange verschmolzene Partie, weiter unten im Anfang des unteren Dritttheiles wiederum eine kürzere verschmolzene Stelle vorhanden, wie durch Querschnittsserien erwiesen werden konnte.

Die Theilung des Uterus in ein doppeltes Horn mit doppelter Vagina resultirt bei den Marsupialien aus einem Eindringen der Ureteren zwischen die Müller'schen und Wolff'schen Gänge beider Körperhälften. So zeigte es sich bei einem 32 mm langen Embryo von Didelphys virginiana.

Die Verschmelzung der unteren Enden der Müller'schen Gänge tritt beim Menschen erst gegen das Ende des vierten Monates ein. Der Grund liegt in einer spitzwinkligen Divergenz dieser Enden nach unten. Man kann annehmen, dass die unteren Enden der Wolff'schen Gänge sich an der Bildung des unteren Abschnittes der Vagina, oberhalb des Hymen betheiligen, wenigstens sollen daraus Fälle wie der von Pozzi (39) beschriebene zu erklären sein.

Der Hymen beginnt sich zu zeigen in der neunzehnten Schwangerschaftswoche (nach Dohrn), derselbe resultirt aus einer Biegung der Müller'schen Gänge bei ihrer Einmündung in das Vestibulum. Anfangs ist die Hervorragung sehr unbedeutend, sie bleibt stationär bis zum Anfang des fünften Monates (Kölliker), scheint selbst gegen das Ende des vierten Monates zu verstreichen (s'effacer complètement). Erst gegen das Ende des fünften Monates bei Fötus zwischen 16/23,5—19/28 cm Körperlänge tritt plötzlich die charakterisch hervorspringende, definitive Form auf, welche von einer beträchtlichen Erweiterung des Vaginalcanales bedingt wird. Letzterer füllt sich dabei mit Plattenepithelien, so dass beim 7,5/10,5 cm langen Fötus gar kein Lumen der Vagina existirt. Im Laufe des dritten Monates hat sich das Epithel des unteren Theiles der Müller'schen Gänge in das geschichtete Plattenepithel der Vagina umgewandelt. Das Orificium uteri externum resp. der Uterushals (Museau de tanche) verdankt seine Entstehung einer Wucherung des Plattenepithels an dieser Stelle, welche in Form einer abgeplatteten epithelialen Kuppel im Anfange des fünften Monates auftritt; es scheinen jedoch dabei erhebliche Modificationen vorzukommen.

Aus dem Resumé, welches Verff. von ihrer Arbeit geben, ist noch die Erklärung eines doppelt perforirten Hymen zu erwähnen, worin sich die Persistenz getrennter unterster Enden der Müller'schen Gänge verräth. Der Uterus bleibt bicornis bis zur Mitte des vierten Schwangerschaftsmonates. Die Querrunzeln der Vagina sind schon im Anfang des fünften Monates angelegt, die Plicae palmatae des Cervicalcanales erheben sich schon im Anfange des vierten Monates, die Furchen zwischen den letzteren bilden sich etwas später. Im letzten Schwangerschaftsmonat besitzt der Cervicalcanal einfache Schleimdrüsen, welche theils auf den Falten, theils in den Furchen ausmünden. Das Uterusepithel ist cilienlos während der ganzen intrauterinen Entwickelung und selbst noch nach der Geburt. Der Uterus selbst zeigt im letzten Schwangerschaftsmonat eine constante Anteflexion, eine Drehung um die Queraxe des Uterushalses nach vorn. Ueber die Dimensionen des Uterus und der Vagina vom dritten Schwangerschaftsmonat bis zum fünfjährigen Mädchen s. das Original. Der Werth der Arbeit liegt hauptsächlich in den genauen Zeit- resp. Grössenbestimmungen.

Vaulthier (48) untersuchte die Entwickelung der Leber an Schafembryonen von 8 mm Länge bis zur Geburt, auch an einem menschlichen Embryo von 6,5 mm Länge. Die Leber oder der Embryo selbst wurden in Kleinenberg'scher Pikrinschwefelsäure, dann in Alcohol gehärtet, mit Alauncarmin, Collodium und in Chloroform gelöstem Canadabalsam fixirt. Die Vermehrung der Leberzellen soll so geschehen, dass in einer feinkörnigen Grundsubstanz auf unbekannte Weise Kerne entstehen, um die sich dann diese Substanz zu Zellen differenzirt. Weder directe noch indirecte Kerntheilung war zu beobachten — letzteres ist kein Wunder, da der Verfasser offenbar nicht bedacht hat, dass auf Kernfiguren überlebende Gewebe zu untersuchen sind. Die kernhaltigen Rundzellen von Toldt und Zuckerkandl (1875), die nach Vaulthier schon Kölliker nicht finden konnte, wovon jedoch Kölliker (1879) nichts sagt (Ref.), werden für kernhaltige Blutzellen erklärt. Die Leberzellenschläuche boten (wie Toldt und Zuckerkandl es beschrieben haben, Ref.) mitunter ein spaltförmiges Lumen dar, so dass die Kerne der Leberzellen wie eine epitheliale Auskleidung erschienen. Uebrigens geht das Wachsthum resp. die Neubildung von Leberzellen hauptsächlich nahe an der Peritonealhülle vor sich. Die Resultate werden folgendermassen zusammengestellt. 1) Zwischen der dritten Woche und der Geburt giebt es beim Schaffötus keine Theilung der Leberzellenkerne. 2) Die Leberzelle differenzirt sich zwischen der dritten und elften Woche durch internucleare Segmentationen, wie es Robin für die Epithelien angegeben hatte. 3) Sie zeigt sich zuerst im Centrum der Leber, erstreckt sich rasch zur Peripherie und setzt sich hauptsächlich in den vorderen seitlichen und oberen Partien der Leber fort, kaum aber in den unteren und hinteren Abschnitten derselben. 4) Diese Verhältnisse scheinen beim Menschen dieselben zu sein wie beim Schafe. 5) Sehr früh findet sich Glycogen in den verschiedenen embryonalen Geweben (vergl. oben Entwickelung der Säuger, O. Meyer), dasselbe localisirt sich erst mehrere Wochen nach der Geburt in der Leber.

Vignal (52) hat im Laboratorium des Collège de France (Ranvier) gearbeitet. Um die Entwickelung des Säugethierrückenmarkes zu studiren wurden Schaffötus aus den Schlachthäusern von Paris, auch gelegentlich Fötus vom Menschen, Rind, Kaninchen, Haifisch (Acanthias vulgaris), sowie Hühnerembryonen benutzt.

Nach Härtung in 1procentiger Ueberosmiumsäure auf gleichviel Alcohol von 90°, dann in Alcohol von 80°, Tingirung in Pikrocarmin oder Hämatoxylin wurde das Rückenmark in Celloidin eingebettet und in Glycerin oder in Bergamottöl und Dammar- oder Canadabalsam untersucht. Es kam V. darauf an, das Celloidin nicht auszuziehen, um den Zusammenhang der Elementartheile zu erhalten. Das Rückenmark der Fötus vom Schaf etc. von mehr als 2,5 cm Körperlänge, entsprechend dem Beginn der zweiten Trächtigkeitshälfte, wurde 14 Tage lang in 2procentigem Kalibichromat, dann

1 Monat lang in 0,3procentiger Chromsäure, zuletzt in Alcohol gehärtet und ebenfalls durch Celloidin schnittfähig gemacht. Zum Studium von etwaigen Kerntheilungsfiguren benutzte V. eine von Henneguy componirte Mischung aus einem Volumentheil 1procentiger Ueberosmiumsäure, ebensoviel Essigsäure und 100 Theilen 1procentiger Pikrinsäure 10—20 Minuten lang, dann Pikrinschwefelsäure, Alcohol, Alauncarmin. Isolirt wurden die Elementartheile mit der Nadel oder mittels Maceration in Drittel-Alcohol; aufbewahrt mit Hülfe von 0,1procentiger Phenylsäure oder Leim und Glycerin zu gleichen Theilen mit Zusatz von arseniger Säure, um Pilze fern zu halten. In Betreff der Berechnung der Embryonen nach Schwangerschaftsmonaten hebt V. hervor, dass die französischen Autoren dabei nicht nach Mondsmonaten rechnen, was namentlich für die spätere Zeit einen erheblichen Unterschied bedingt.

Vignal (49 u. 50) hat nun in der grauen Substanz des embryonalen Rückenmarkes von Säugethieren niemals Kerntheilungsfiguren gesehen, wohl aber im Epithel des embryonalen Centralcanales. In frühen Stadien konnte V. eine Differenz von Bindegewebszellen der Neuroglia und Ganglienzellen nicht entdecken. Dagegen fand sich eine solche (52) bei Haifischembryonen von 6 cm Länge. Schon bei 12 mm Länge eines Schaffötus zeigt die graue Substanz des Rückenmarkes sternförmige Zellen, keineswegs nur freie Kerne. Renaut (1881) hatte als Exoplasma eine peripherische, mehr vertrocknete Partie des embryonalen Zellenprotoplasma beschrieben und dieselbe von Ausläufern der Ependymzellen abgeleitet. V. führt nach Untersuchung von 12 mm langen Schaffötus die Erscheinung jedoch auf zu lange Einwirkung concentrirter (1 proc.) Ueberosmiumsäure zurück. Ein Fötus von 25 mm entspricht einer achtwöchentlichen Schwangerschaftsdauer beim Menschen. Verästelte Protoplasmafortsätze, doch niemals Anastomosen stärkerer Zweige. sind schon bei Schaffötus von 45 mm zu erkennen, der Axencylinderfortsatz an solchen von 10 cm Länge, correspondirend der 14. Schwangerschaftswoche. Die mediale und laterale Gruppe von Ganglienzellen in der Vordersäule sondern sich schon beim 25 mm langen Schaffötus, diejenigen der Clarkeschen Säule (51) sind erst beim Fötus von 17 cm Länge, was einer viermonatlichen Schwangerschaftsdauer beim Menschen entspricht, zu erkennen.

In der zweiten Abtheilung seiner Arbeit schildert Vignal (53) die weitere Ausbildung der Ganglienzellen, Nervenfasern und der Neuroglia des Rückenmarkes beim menschlichen und Schaffötus. Letztere waren 17 resp. 24 cm lang, die menschlichen Fötus stammten aus dem 6.—7.—8. Monat der Schwangerschaft; auch das neugeborene Kind wurde verglichen.

V. kam zu folgenden Resultaten. Alle Bestandtheile des Rückenmarkes selbst stammen vom Ectoderm. Die Elemente der Vordersäulen gehen denjenigen der Hintersäulen in der Entwickelung voraus. Die Kerne der embryonalen Zellen sind theils klein, beim Schaf von 0,004—0,005 mm Durchmesser, theils grösser, 0,007—0,008 mm, die letzteren färben sich wenig mit Carmin oder Hämatoxylin und sehen granulirt aus. Dies hängt aber nicht etwa mit einer Zugehörigkeit zu Ganglienzellen oder Bindegewebszellen zusammen, sondern die grösseren Kerne wollen sich theilen. Erst im fünften Schwangerschaftmonat sind jene Zellensorten zu unterscheiden und dann verschwindet die Differenz im Verhalten der Zellenkerne gegen Tinctionsmittel. Karyomitotische Figuren konnte V. nicht finden, ebenso wenig achromatophile Spindeln u. dergl., welches negative Resultat zufolge der Untersuchungsmethode (s. oben) unvermeidlich eintreten musste, da Kerntheilungen kurze Zeit nach dem Tode ablaufen und dann nicht mehr zu finden sind. — Die Ganlienzellenfortsätze der Vordersäulen sehen im sechsten Monat längsgestreift aus, im siebenten bestehen die meisten deutlich aus Fibrillen.

In der weissen Substanz treten Myelinscheiden um die Axencylinder der Nervenfasern gegen den fünften Monat auf. — Zellen der weissen Substanz, welche sich den Nervenfasern anschmiegen, stammen aus der grauen Substanz; es sind ursprünglich gewöhnliche embryonale Zellen. Die Zellen scheinen eine Rolle bei der Bildung des Nervenmarkes zu spielen, ebenso bei den peripherischen Nervenfasern. Ihrer Bedeutung nach sollen sie mit den radialen Stützfasern der Retina, mit den Zellen der Schleimschicht der Epidermis und des Schleimgewebes der Zahnsäckchen übereinstimmen, insofern sie wie alle diese vom Ectoderm stammen.

Vignal (51) bestreitet schliesslich ausdrücklich, dass das Rückenmark sich nach Art einer Ganglienkette anlege, worin sich eine Aehnlichkeit mit dem Bauchstrang von Wirbellosen verrathen würde. Vielmehr sind nicht nur keine successiven Anschwellungen und Verdünnungen der embryonalen Medulla wahrzunehmen, sondern es sind auch die Ganglienzellen-Säulen durchaus ununterbrochen, die Zellen nicht etwa in Gruppen vereinigt, die der Länge des Rückenmarkes nach auf einander folgen.

Weil (54) hatte ca. 60 menschliche Embryonen von der sechsten Woche bis zum Neugeborenen zur Verfügung, um den Descensus testiculorum zu untersuchen (vgl. oben Bramann, S. 91). Es wurden Serienschnitte nach Einbettung in Celloidin vorgenommen. Im Gubernaculum findet ein degenerativer Process im fünften Schwangerschaftsmonate statt, der wesentlich das Schleimgewebe betrifft. Im vierten Monate besteht der proximale Theil aus solchen und enthält die Cauda der Epididymis; der mittlere Theil führt unregelmässig angeordnete Bündel quergestreifter Muskelfasern; der distale Theil besteht wiederum aus Schleimgewebe. Die treibende Kraft des Descensus ist im Druck der Bauchpresse, Wachsthum der Gedärme, hauptsächlich im Druck des Liquor peritonei zu suchen. Im siebenten Monat resp. bei Fötus von 38—39 cm Körperlänge finden sich im untersten distalen Theil des Gubernaculum Lücken im Schleimgewebe, sogar ein 1 mm langer centraler Canal. W. hebt noch hervor, dass man von Thierfötus keine Rückschlüsse auf den Menschen machen dürfe, widerlegt anderweitige Theorien über den Descensus, namentlich dabei von Gegenbaur abweichend, und betont, dass das Gubernaculum um die Zeit seiner höchsten Entwickelung nicht tiefer hinabreicht als bis zur Wurzel des Penis.

Die Hüllen des Hodens entstehen aus dem Gubernaculum; was die Entwickelung des Septum scroti betrifft, so wird dasselbe durch Einschiebung des Wurzelendes des Penis in Form eines ventralen Keiles zwischen die einander entgegenwachsenden Scrotalhälften gebildet. Der Keil verschmälert sich und persistirt als Septum und Raphe des Hodensackes.

Weldon (55) schildert die Vorniere von Bdellostoma Forsteri var. Hexatrema. Ihre gewundenen Kanälchen öffnen sich einerseits in das Pericardium, andererseits in den Ausführungsgang, am distalen Ende des letzteren findet sich Lymphdrüsengewebe und ein grosser Glomerulus; der Gang enthielt constant Blutgerinnsel. Es scheint sich also um einen Rest der embryonalen Niere zu handeln, der theilweise zu einer Lymphdrüse metamorphosirt ist und solche Reste glaubt W. in den Nebennieren aller Wirbelthiere wiederzufinden. Wenn sie bei Teleostiern zu fehlen scheinen, werden sie durch eine stark modificirte Vorniere vertreten; sie haften an der Nierenoberfläche, sind bei Amphibien in deren Substanz eingebettet, machten bei Reptilien den Eindruck metamorphosirten Nierengewebes und bieten bei Vögeln und Säugern allerdings wenig Spuren ihres phylogenetischen Ursprunges dar. Dafür zeigen sie bei Säugethierembryonen vielleicht segmental arrangirte Canälchen, jedenfalls dergleichen Zellenstränge und was die Reptilien nebst den Amphibien anlangt, so werden sie wenigstens wie die Niere von venösem, aus den hinteren Extremitäten zurückkehrendem Blute versehen. Schliesslich findet W. Analogien mit drüsigen, den Gefässen angelagerten Organen von Arthropoden, Echinodermen, Mollusken, Hirudineen, Chaetopoden u. s. w. Die scheinbar selbständige Entstehung der Nebennieren beim Vogel- und Säugethierembryo soll secundär erworben sein.

Wichmann (56) untersuchte die Wimpertrichter auf der Niere zunächst bei erwachsenen Individuen von Rana fusca, Bufo cinereus und calamita und Alytes obstetricans nach Injection von Carminpulver mit 0,5 proc. Kochsalzlösung in die Bauchhöhle. Die Thiere waren ätherisirt. Aus der Bauchhöhle von Froschlarven führen drei Peritonealcanäle den Harn in die Vorniere und deren Ausführungsgang, diese Canäle tragen Flimmerepithel, ebenso der erste Abschnitt der Vorniere. Im zweiten Abschnitt der letzteren sind Cylinderzellen mit Stäbchen vorhanden, wie sie Nussbaum auch in der definitiven Niere der Batrachier, Haie und in den Malpighi'schen Gefässen von Dytiscus und Acilius gefunden hat. Die Bildung der Wimpertrichter in der definitiven Niere der Anuren scheint so vor sich zu gehen, wie es Fürbringer für die Urodelen geschildert hatte. Der Trichter liegt stets cranialwärts vom Glomerulus. Die Anzahl der einzelnen Urnierenanlagen dürfte derjenigen der Somiten entsprechen, wenigstens hatte Braun die Coincidenz für Lacerta agilis nachgewiesen; bei den Anuren lässt sich der Beweis nicht so sicher führen. Die Entstehung der später zahlreicheren Glomeruli (über 200) in der bleibenden Niere wird wie die der ursprünglichen Urnierenanlagen vor sich gehen, jedenfalls konnte sich W. von einer secundären Theilung des Glomerulus und seiner Kapsel nach Braun nicht überzeugen.

Zander (58) hatte unter Schwalbe's Leitung die Vertheilung der Nn. digitales volares und plantares auf den Dorsalflächen der letzten Phalangen untersucht (worüber im anatomischen Bericht referirt wird). Als Resultat ergab sich, dass die betreffenden Hautabschnitte eine Lageveränderung von der volaren resp. plantaren Fläche auf die Dorsalfläche durchgemacht haben. Dies ergaben mit Sicherheit vergleichend-anatomische Beobachtungen von den Reptilien an aufwärts. Untersucht wurde nämlich die Nagelbildung oder Krallen- und Hufbildung sowohl beim menschlichen Fötus als bei Alligator lucius, Haliaeus carbo, Echidna hystrix, Ornithorhynchus paradoxus. Bei allen diesen Amnioten sitzt der Nagel endständig an der Phalangenspitze. Während dies bei einem Beutelthier, Macropus giganteus an den hinteren Extremitäten auch der Fall ist, liegen die Nägel an den vorderen Extremitäten auf der Dorsalseite der Phalangen. Sehr rein tritt solche Lagerung beim Kaninchen und den Carnivoren hervor, während die Hufe der Pferde, Rinder, Schafe endständige Bildungen zu sein scheinen. Jedenfalls wandert also phylogenetisch und beim menschlichen Fötus auch ontogenetisch der Nagel, oder Abschnitte desselben, von der centralen Seite dorsalwärts.

Beim 9—10 wöchentlichen Embryo von 58 mm ganzer Länge zeigten sich die von Henson (1877, als Urnägel beschriebenen, hügelförmigen Epidermisverdickungen endständig sitzend; die Finger wurden mit Alauncarmin im Ganzen gefärbt, die Schnitte mit Alcohol auf dem Objectglas festgeklebt und mit Xylol von Paraffin befreit. Der Winkel, welchen die Längsaxe des Nagelgrundes mit der Längsaxe der Nagelphalanx macht, nimmt von der fünften bis zur ersten Zehe, resp. vom fünften Finger bis zum Daumen continuirlich ab und zwar beim Fötus von der neunten bis zur achtzehnten Woche. Im Anfange beträgt jener Winkel etwa 70—52° an den Zehen, zuletzt 9 bis 8°; am Daumen steht der Nagel bereits parallel der Phalangenaxe. Hieraus folgt ohne Weiteres, um wie viel der Nagel dorsalwärts wandert.

Dass in der ventralen Einsenkung am freien, distalen Nagelrande ein Eponychium nach Unna, homolog dem Epitrichium (s. oben Entw. d. Vögel, Gardiner) sich vorfinde, bestreitet Z.: die Epidermiszellenmasse geht continuirlich in das Stratum corneum der Fingerspitze über.

VI. Entwickelungsgeschichte der wirbellosen Thiere.

1) Barrois, J., Sur le développement des Chelifer. Comptes rend. T. 99. No. 24. p. 1082—83. — 2) Beauregard, H., Sur le développement des Cerocoma Schreberi et Stenoria apicalis. Ibid. T. 99. No. 3. p. 148—151. — 3) Beneden, E van, La segmenta-

tion des Ascidiens dans ses rapports avec l'organisation de la larve. Bulletins de l'académie roy. des sciences de Belgique. 53me ann. 3me Sér. T. VII. No. 5. p. 431—444. Mit 1 Taf. (Karyomitotische Figuren in den Furchungszellen.) — 4) Derselbe et C. Julin, La segmentation chez les Ascidiens et ses rapports avec l'organisation de la larve. Archives de Biologie. T. V. F. I. p. 111—126. Mit 2 Taf. — 5) Dieselben, Le système nerveux central des Ascidiens adultes et ses rapports avec celui des larves urodèles. Ibid. T. V. F. II. p. 317—367. Mit 4 Taf. — 6) Bertkau, Ph., Ueber den Bau und die Function der sog. Leber bei den Spinnen. Archiv f. microsc. Anatomie. Bd. XXIII. H. 2. S. 214—245. Mit 1 Taf. — 7) Derselbe, Ueber den Verdauungsapparat der Spinnen. Ebendas. Bd. XXIV. H. 3. S. 398—450. Mit 2 Taf. — 8) Bourne, A. G., Priority of discovery of the Nephridia of Polynoina. Zool. Anz. VII. Jahrg. No. 178. S. 543 bis 545. — 9) Brock, J., Ueber die Entwickelung der Geschlechtsorgane der Pulmonaten. Nachrichten von der königl. Gesellsch. der Wissensch. zu Göttingen. No. 12. S. 499—504. (Keimdrüse und ausführende Geschlechtsorgane werden bei den Pulmonaten nicht getrennt angelegt; die Betheiligung einer ectodermalen Einstülpung bei der Bildung der äusseren Geschlechtsöffnung ist mit Sicherheit auszuschliessen.) — 10) Carpenter, H., Notes on Echinoderm Morphology. No. VIII. On some Points in the Anatomy of Larval Comatulae. Quarterly Journ. of microsc. scienc. N. S. No. XCIV. p. 319—327. — 11) Chabry, La segmentation des ascidies simples. Journ. de l'anat. et de la physiol. XX. ann. No. 4. p 388—392 — 12) Cholodkovsky, N., Ueber die Hoden der Lepidopteren. Zool. Anz. VII. Jahrg. No. 179. S. 564—568. (Verf. unterscheidet 4 Grundtypen: beim Embryo, der Raupe, Puppe und Imago) — 13) Derselbe, Sur les vaisseaux de Malpighi chez les Lepidoptères. Compt. rend. T. 98. No. 10 p. 631—633 — 14) Gaffron, E., Kurzer Bericht über fortgesetzte Peripatusstudien Zool. Anzeiger. VII. Jahrg. No. 170. S. 336—339. — 15) Hallez, P., Sur la spermatogénèse et sur les phénomènes de la fécondation chez les Ascaris megalocephala. Compt. rend. T. 98. No. 10 p. 695—697. (Im nächsten Bericht.) — 16) Hartlaub, Cl., Beobachtungen über die Entstehung der Sexualproducte bei Obelia Zoologischer Anzeiger. VII. Jahrgang. No. 162. S. 144—148. — 17) Haswell, A., A question of priority. Ebendas. VII. Jahrg. No. 168. S. 291. — 18) Jijima, Isao, Untersuchungen über den Bau und die Entwickelungsgeschichte der Süsswasser Dendrocoelen (Tricladen). Zeitschrift f. wissensch. Zoolog. Bd. XL. Heft 4. S. 359—464. Mit 4 Taf. u. 3 Holzschn. (II. Embryologie, S. 438—456.) — 19) Jourdain, S., Sur les organes segmentaires et le podocyste des embryons de Limaciens. Compt rend. T. XCVIII. No 5. p. 308—310. — 20) Derselbe, Sur le développement du tube digestif des Limaciens. Ibid. T. XCVIII. No. 25. p. 1553—6. — 21) Kennel, J., Entwickelungsgeschichte von Peripatus Edwardsii Blanch. und Peripatus torquatus. Spec. Thl. I Arbeiten aus dem zoologisch-zootomischen Institut in Würzburg von C. Semper. Bd. VII. H. 2. S. 95—229. Mit 7 Taf. — 22) Korschelt, E., Ueber die Bildung des Chorions und der Micropylen bei den Insecteneiern. Zool. Anz. VII. Jahrg. No. 172. S. 394—398 No. 173. S. 420—424. — 23) Künckel, J., Des mouvements du coeur chez les insectes pendant la métamorphose. Comptes rend. T. 99. No. 3. p. 151—153. — 24) Lankester, E. Ray, On Procalistes a Young Cephalopode with Pedunculate Eyes, taken by the Challenger-Expedition. Quarterly Journ. of microsc. sc. N. S. No. XCIV. p. 311—318. — 25) Metschnikoff, E., Embryologische Mittheilungen über Echinodermen. Zool. Anzeiger. VII. Jahrg. No. 158. S. 43—45. I. Ueber die Bildung der Wanderzellen des Mesoderms bei Sphaerechinus granularis. II Ueber das Nervensystem von Auricularia und Ophiurenlarven. III. Zur Kenntniss der Wassergefässanlage bei Asteriden und Echinoiden. Zool. Anz. No. 158 u. 159. S 43—45 und 62—65. — 26) Meuron, P. de, Sur les organes rénaux des embryons d'Helix. Compt. rend. T 98. No. 11. p. 693—695. — 27) Nusbaum, J., Zur Entwickelungsgeschichte der Hirudineen. Zool. Anz. VII Jahrg. No. 181. S. 609—615. (Clepsinenembryonen besitzen an der Dorsalfläche im proximalen Drittheil ihrer Länge ein aus Ectodermzellen bestehendes, noch nicht beschriebenes Organ. Dasselbe sondert Fäden ab, durch welche benachbarte Embryonen an einander haften, während sie sich an der Ventralfläche der Mutter festsaugen.) — 28) Derselbe, Bau, Entwickelung und morphologische Bedeutung der Leydig'schen Chorda der Lepidopteren. Ebendas. VIII. Jahrg No. 157. S 17 bis 21. No. 158. S. 48. Mit 2 Holzschnitten — 29) Patten, W., The Development of Phryganids, with a Preliminary Note on the Development of Blatta Germanica. Quarterly Journ. of Microsc. sc N. S. No. XCVI. Oct. p. 549—602. Mit 3 Taf — 30) Perrier, Edm., Sur le développement des Comatules. Compt. rend. T. 98. No. 7. p. 444—446. — 31) Raum, J., Beiträge zur Entwickelungsgeschichte der Cysticerken. 8. 1883. Dorpat. — 32) Schimkewitsch, W., Zur Entwickelungsgeschichte der Araneen. Zool. Anzeiger. VII. Jahrg. No. 174. S. 451—453. — 33) Schneider, A, Zoologische Beiträge. Bd. I H. 2. Ueber die Anlage der Geschlechtsorgane und die Metamorphose des Herzens bei den Insecten. — 34) Sedgwick, A., On the origin of metameric segmentation and some other morphological questions. Quarterly Journ. of microsc. sc. N. S. No. XCIII. Jan. p. 43—82. Mit 2 Tafeln. (Im Auszug bereits mitgetheilt in Proc. of the Cambridge Philos. society. Novbr 1883.) — 35) Selenka, E., Das Mesenchym der Echiniden. Zool. Anz. VII. Jahrg. No. 160. S 100—102. (Erwiderung an Metschnikoff [No. 25], der die Anlage des Mesenchyms in Form von zwei Urzellen, die Existenz von zwei Mesenchymstreifen, sowie die Umwandlung von Mesenchymzellen in die Schlundmusculatur der Larve geleugnet hatte.) — 36) Sladen, W. P., On the Homologies of the Primary Larval Plates in the Test of Brachiate Echinoderms. With pl. Quarterly Journ. of microscop. scienc. N. S. No. XCIII. p 24—42. — 37) Sollas, W. J., On the Development of Halisarca lobularis (O. Schmidt). Ibid. N. S. No. XCVI. Oct. p. 603—621. Mit 1 Taf. — 38) Urbanowicz, F., Zur Entwickelungsgeschichte der Cyclopiden. Vorläufige Mittheilung. Zoolog. Anz. VII. Jahrg. No 181. S. 615—619. (Die Copepoden stimmen mit Anneliden und Tracheaten in Hinsicht auf die Entstehung der Leibeshöhle überein.) — 39) Witlaczil, E, Entwickelungsgeschichte der Aphiden. Zeitschrift für wissensch. Zoologie. Bd. XL H 4. S. 559—696. Mit 7 Taf. — 40) Zacharias, O., Neue Untersuchungen über die Entwickelung der viviparen Aphiden. Zool. Anz. VII. Jahrg. No. 168 S. 292—299. — 41) Ziegler, H. Ernst, Ueber die Entwickelung von Cyclas cornea. Ebendas. VII. Jahrg. No. 180. S. 595—598.

Nach Barrois (1) entfernt sich die Entwickelungsweise von Chelifer weniger von derjenigen anderer Arachniden, als Metschnikoff angenommen zu haben scheint. Die von Letzterem entdeckte Larve hat fünf Extremitätenpaare, es fehlt nur die am meisten proximale; der Nahrungsdotter wird von grossen Ektodermzellen umgeben. Ein mächtiger musculöser Saugapparat am proximalen Ende der Larve mündet auf der Ventralseite, besitzt daselbst eigenthümliche Drüsen, hat aber nichts mit dem definitiven Munde zu thun. Diese Larve lebt gleichsam als

Parasit an der Bauchfläche ihrer Mutter. Indem das Nervensystem sich ausbildet, fällt der embryonale Saugapparat zugleich mit der Hülle vom Körper der ausschlüpfenden Larve.

Beauregard (2) wollte feststellen, bei welchem Wirth die Cantharidenlarven leben. Statt dessen erhielt er Pseudo-Chrysaliden von Cerocoma Schreberi aus den Honigzellen der Seidenbiene, Colletes signata oder vielleicht der Osmia tridentata und von Stenoria apicalis ebendaher, welche Lichtenstein auf dem Brustschild von Colletes fodiens gefunden hatte. Hiernach scheinen diese Parasiten in der Wahl ihrer Wirthe mehr indifferent zu sein.

Bertkau (6 u. 7) erklärt die Leber der Spinnen für einen Chylusmagen (Henking nannte sie bei Trombidium: Lebermagen). Derselbe sondert ein Secret ab, welches Fibrin und geronnene Eiweisskörper löst. Das Organ entsteht dadurch, dass der erweiterte Theil des Darmes im Anfang des Hinterleibes eine beträchtliche Anzahl kleinerer und grösserer Ausstülpungen bildet, die sich weiter und weiter verästeln und durch ein Zwischengewebe zu einer anatomischen Einheit verbunden werden. Das abnorme Wachsthum der Eierstöcke zur Zeit der Fortpflanzung findet auf Kosten der sog. Leber statt. (Genaueres s. im Orig.) Krystallinische Massen, die hier und in den Malpighi'schen Gefässen vorkommen, sind wahrscheinlich Guanin (Tyrosin? Ref.).

Chabry (11) verfolgte die Furchung der Ascidien bei einer anderen Art als der durch Éd. van Beneden et Julin (5) untersuchten Clavelina Rissoana. Bis zum Stadium von 16 Zellen befand er sich in Uebereinstimmung mit letzteren Beobachtern, dann wird das Stadium von 22 und 30 Zellen beschrieben, während jene direct zur Schilderung des Stadium von 32 Zellen übergehen. Die Untersuchung soll fortgesetzt werden, weshalb auf das Original verwiesen wird.

Cholodkovsky (13) erklärt es für einen interessanten Fall von periodischem Atavismus, dass nach seinen Untersuchungen die Raupe von Tinea bisselliella (wahrscheinlich Tinea pellionella Linn.; der Verf. übersetzt irrthümlich „Hummel" anstatt „Motte") wie die meisten Lepidopteren sechs Malpighi'sche Gefässe besitzt, während die Imago deren nur zwei darbietet. Muthmasslich hatten die Ahnen der Hexapoden ebenfalls nur zwei und die Tinea bisselliella (sowie Tinea rusticella) im erwachsenen Zustande würden, vom Raupenstadium aus gerechnet, regelmässig einen atavistischen Rückschlag zu erleiden haben.

Gaffron (14) hat Peripatus Edwardsii Blanch. aus Caracas untersucht.

Die Prostata von Moseley liefert kein Secret, sondern ist der proximale Theil des Hodens; in ihr entstehen die Keimzellen der Spermatozoen. Im Genitalsegmente fehlen bei beiden Geschlechtern die Segmentalorgane, sie sind wahrscheinlich zu Eileitern resp. Samenleitern umgewandelt. Das sich distalwärts anschliessende letzte Körpersegment hat wieder Segmentalorgane.

Nach Jijima (18) kann der erste getheilte Furchungskern oder erste Amphiaster schon im Ovarium von Dendrocoelum lacteum sich ausbilden. Ueber die späteren Entwicklungsstadien, auch von Dendrocoelum lactreum und Polycalis tenuis (nov. species des Verfassers) vgl. das Original. Hier ist nur zu bemerken, dass die Hoden und Ovarien nicht aus dem Darmcanal, wie Lang angenommen hatte, sondern aus den Dotterstöcken sich hervorbilden; wie diese letzteren sind die Hoden in ihrer frühesten Erscheinungsform verästelte Zellenstränge, von denselben schnüren sich kolbige Anschwellungen ab und liefern die einzelnen Hoden, wie namentlich bei Dendrocoelum lacteum zu sehen ist.

Jourdain (19) beschreibt von Limax-Embryonen zwei seitliche Verdickungen des Mesoderms als Plaques labiotentaculaires, und auf der Dorsalfläche eine Gibbosité prépalléale, letztere vor der Mantelplatte oder plaque palléale. Ausserdem eine paarige, schon von Gegenbaur erwähnte Vorniere, ein segmentales, aus einem gekrümmten Canälchen bestehendes Organ, an den unteren Seitentheilen der Gibbosité prépalléale gelegen. Der Canal ist von polygonalen flimmernden Epithelialzellen ausgekleidet und an beiden Enden offen. Diese Vorniere scheint bei allen Gastropoden vorzukommen. Die definitive Niere entsteht unabhängig von der ersteren. Am hinteren Theil des Embryo setzt sich die allgemeine Körperhöhle in einen contractilen Anhang, Podocyste, fort, dessen Länge bei Limax agrestis geringer ist als bei Arion rufus, bei letzterer Schnecke ist derselbe spiralig gekrümmt. Seine Contractionen bewegen die Flüssigkeit, welche die Leibeshöhle füllt. Zur Zeit des Ausschlüpfens aus dem Ei ist der Podocyste resorbirt. Seine Function scheint der Allantois der Vertebraten analog zu sein und mit der nutritiven sowie respiratorischen Endosmose in Beziehung zu stehen. Die Gibbosité prépalléale ist nicht contractil, die Bewegungen sind passive und veranlasst durch die Contractionen des Podocyste.

Jourdain (20) fand bei Limax maximus am Rectum eine umgebogene Ausstülpung, Rectalschlinge oder (bei Limax variegatus) daselbst eine Art von Coecum. Die sog. Leber bildet sich wie der Darm aus dem Entoderm und dem Mesoderm; sie enthält einen durch Wärme, Alcohol, Salpetersäure u. s. w. coagulirbaren Saft. Letzterer spielt anscheinend die Rolle eines secundären Nahrungsdotters, da seine Menge zunimmt mit der Abnahme des Albumins des Eies und auch den Nahrungscanal anfüllt. Die Leber aber ist nichts weiter als ein ausgebuchtetes Divertikel der Magenerweiterung, welche der Nahrungscanal besitzt und erfüllt die Rolle der chylificirenden drüsigen Anhänge bei den Wirbelthieren, sie ist eher eine Glande chylifique. Ueber die Homologisirung der Leber von Erlidina mit derjenigen der Gastropoden s. das Original.

Kennel (21) bedauert, dass durch die unten erwähnte Arbeit von Sedgwick (34) die schon von Balfour gemachte Mittheilung über den Blastoporus von Peripatus capensis und die darin enthaltenen Details „zur Basis ungeheuerlicher Speculationen wurden, deren Berechtigung auch dann noch zu beanstanden wäre, wenn sich als richtig erweisen sollte, dass der Blastoporus jenes Borstenwurmes zur Hälfte in den After, zur Hälfte in den Mund des definitiven Thieres sich umbildet," welcher Anschauungsweise Kennel entschieden entgegentritt. — Sedgwick's auf Grund seiner vorläufigen Kenntniss von Kennel's Resultaten erhobener Einwand, Letzterer habe andere

Arten untersucht, dürfte bei so fundamentalen Einrichtungen kaum Anerkennung finden (Ref.).

Korschelt (22) stellte bei einer ganzen Anzahl von Insecten Untersuchungen über die Bildung des Chorion an und bestätigte die Auffassung des letzteren nach Leuckart, Kölliker, Weismann, Leydig als einer cuticularen Abscheidung der Epithelzellen.

Seine Bildung geht in den sieben Hauptabtheilungen der Insecten nach dem nämlichen Typus vor sich und zeigt nur verschiedene Modificationen zufolge der besonderen Formen, welche das Chorion aufweist. Einer einmaligen Beobachtung von Meconema varians nach liegt in den Micropylcanälen der Eiröhren dieses Thieres ein protoplasmatischer Fortsatz einer Epithelialzelle, welcher den Canal nicht mehr ganz ausfüllte, aber dessen Form wiederholte. Dieser Fortsatz gehörte einer Zelle an, deren Kern constant tiefer gelegen war als die Schicht der übrigen Kerne; die betreffende Zelle muss sich also aus der Verbindung mit ihren Nachbarn mehr oder weniger lösen. Sie wird frühzeitig einen Fortsatz ausstrecken, der mit dem Dickerwerden des Chorion sich verlängert. Diese Vorgänge entsprechen ganz der durch Leydig von Timarchia und Harpyia bekannten Entstehung der Porencanäle der Eischale. Etwas Aehnliches zeigt Pulex irritans. Die chitinisirte Eischale entsteht mithin auf dieselbe Weise wie der Hautpanzer der Arthropoden, nämlich als cuticulare Ausscheidung einer zelligen Matrix; ihre Höhlen und Canäle werden eben so wie die Poren des Panzers durch protoplasmatische Fortsätze gebildet.

Kraushaar (s. oben S. 90 No. 25a) untersuchte unter Leitung von Selenka auf Schnittserien Embryonen von Cavia cobaya, Mus decumanus, sylvaticus und musculus, namentlich auf Sagittalschnitten.

Der Vorderlappen der Hypophyse entsteht aus der ectodermalen Bekleidung der primitiven Mundbucht, der Hinterlappen aus dem Zwischenhirnboden. Die Schädelbasis legt sich ventralwärts von der Hypophysentasche an: so gelangt der Vorderlappen in die Schädelhöhle. Der Hinterlappen ist genetisch ein Theil des Gehirnes, wird aber zu einem epithelialen Anhang desselben. — Die Epiphysis entsteht aus dem Processus pinealis der Decke des Zwischenhirnes und ist ein bindegewebiger Anhang des letzteren. Beide Organe verdanken ihre Entstehung mechanischen Ursachen.

Künckel (23) prüfte von Neuem die von Weismann (1863) aufgestellte Ansicht, wonach während des Puppenstadium der Musciden die Bewegungen des Rückengefässes in Folge einer Histiolyse der Muskelelemente aufhören sollten. Untersucht wurden Syrphiden: Volucella zonaria und Eristalis aeneus. Bis zum 11. Tage bei der ersteren, bis zum 8. Tage bei dem letzteren waren im Abdomen jene Pulsationen wahrnehmbar; die ganze Dauer des Puppenstadium ist 24—52, resp. bei Eristalis 14 Tage, je nach der Temperatur sich verlängernd oder verkürzend. Dann hören jene für einige Tage auf und erscheinen am 15. resp. 10. Tage wieder. Die Pause entspricht aber nicht dem Ende der Histiolyse oder dem Anfang der Histioneogenese der Organe überhaupt, sondern sie ist abhängig von histiologischen Veränderungen des Herzens selbst.

Metschnikoff (25) vertheidigt gegen H. Ludwig eine principiell paarige Bildung der Wassergefässanlage bei jungen Ophiurenplutei u. s. w.; er fand kein provisorisches Nervensystem bei Bipinnarien und Echinoidermenplutei, wohl aber bei Auricularia und Ophiurenplutei. Die Echinodermenlarven verhalten sich also in dieser Beziehung sehr verschieden. Auricularia, Pluteus parodoxus u. s. w. wurden mehrere, bis zu 24 Stunden mit 1 proc. Ueberosmiumsäure behandelt, Ganglienzellen, Nervenstränge und feine Nervenfasern nachgewiesen; solche stehen bei Auricularia vielleicht mit den die Nervenleiste deckenden Wimperzellen in Verbindung.

Nach Meuron (26) entsteht die von Gegenbaur entdeckte primitive Niere bei Helix vom Ectoderm, nicht vom Mesoderm, wie Rabl bei Wasserpulmonaten gefunden hatte. Doch mögen benachbarte grosse Mesodermzellen sich dabei mitbetheiligen. Gigantische Zellen wie bei den genannten Pulmonaten existiren hier aber nicht. Eine immer mit Flimmerzellen besetzte Oeffnung des Organes scheint vorhanden zu sein. Dagegen nimmt an der Bildung der bleibenden Niere nicht nur das Ectoderm, sondern auch das Mesoderm gleichzeitig Antheil; diese Niere communicirt nach aussen mit der Mantelhöhle, nach innen mit der derjenigen des Pericardium, welche Grobben für einen Rest des Coeloms hält. Meuron denkt an eine Höhlung im Mesoderm des zweiten Somiten, von welchen Helix nur zwei besitzt; die primitive Niere würde dem ersten Somiten (Körpersegment) angehören. Da bei Anneliden, z. B. Polygordius, die bleibende Niere mit einer im Mesoderm mehrerer Somiten sich bildenden Höhlung communicirt, so würde eine directe, lange vergeblich gesuchte Verwandtschaft zwischen Mollusken und Anneliden hieraus abzuleiten sein.

Die Leydig'sche Chorda sieht bei jungen 7 bis 8 tägigen Puppen von Bombyx mori nach Nusbaum (28) wie Knorpel aus, dessen Zellen sich, wie man sagte, endogen vermehren. In Wahrheit handelt es sich um gallertiges Bindegewebe, welches ein äusseres Neurilem um den Bauchstrang bildet: sie ist der Chorda der Vertebraten analog, nicht homolog. Man muss bei den Arthropoden überhaupt ein Entoskelet, entodermale Chorda oder inneres Neurilem des Bauchstranges und ein Mesoskelet, die Leydig'sche Chorda unterscheiden.

Patten (29) fand, dass die bekanntlich in Haufen zusammenliegenden Eier von Neophalax concinnus, eines zu den Phryganiden oder Köcherfliegen gehörigen Insectes einen auffallenden Moschusgeruch haben, der muthmasslich zum Schutz dient.

Die Eier wurden auf 75° erhitzt, in 96 proc. Alcohol gehärtet, mit Hämatoxylin, Safranin, Boraxcarmin u. s. w. gefärbt, in Paraffin von 58° Schmelzpunkt eingebettet und ein Ei in etwa 100 Schnitte von 0,0025 mm Dicke zerlegt, alsdann mittelst Terpenthin oder Benzol in Canadabalsam eingebettet.

Trotz lebhaft vor sich gehender Zellentheilung konnten karyomitotische Figuren mit Ausnahme von undeutlichen Knäuelformen nicht wahrgenommen werden, woran muthmasslich die langsame Abtödtung der Eier in allmälig erhitztem Wasser die Schuld trägt (Ref.). Merkwürdig ist ein Gastrulastadium, es erscheint nämlich eine longitudinale Furche des Primitivstreifens oder Keimbandes (germinal band); letzteres ist eine langgestreckte Verdickung der Ventralplatte, welche selbst aus cylindrischen Zellen besteht. Dieser Gastrulamund verschwindet später vom Vorderende nach hinten fortschreitend, so dass ein Stadium existirt, in welchem gar keine Furche vorhanden ist. Unmittelbar darauf bildet sich an derselben Stelle, nur ein wenig weiter nach vorn beginnend, die Medullarfurche aus. Auch ihre Einstülpung schreitet distalwärts fort, überholt die verschwindende Gastrulafurche am distalen Ende des Embryo und mit derselben in Communication tretend bildet sie einen Canalis neurentericus gerade wie bei Vögeln und den meroblastischen Eiern höherer Vertebraten. Das Herz ist anfangs ein solider Zellenstrang, wobei die Zellen nach und nach in eine continuirliche Masse verschmelzen; später wird es hohl, (was bei Blatta von vornherein der Fall ist). Die Anlage eines an der vorderen Fläche des Gehirns vom Ectoderm gebildeten keulenförmigen Gebildes wird von einem conischen scharf zugespitzten Apparat bedeckt, den Zaddach (1854) für ein behufs des Ausschlüpfens aus der Eischale gebildetes Organ hielt, während Patten ein einfaches Auge (Punktauge) oder Beides darin zu vermuthen vorzieht. Letzterer stellt seine Resultate ungefähr folgendermassen zusammen.

In den frühesten Entwicklungsstadien finden sich eine Menge Keimzellen im Dotter nebst einem unregelmässigen Protoplasmanetz. Alle Kerne um dieses Netzwerk wandern nach aussen und bilden an der Oberfläche des Eies ein Blastem, welches durch Abtrennung der Protoplasmamasse um die Kerne in distincte Zellen zu einem Blastoderm sich differenzirt; an einem Pole verdickt stellt letzteres daselbst die Ventralplatte dar. Durch Knospung der Zellen entstehen Dotterzellen, die in den Dotter einwandern und das Entoderm liefern; letzteres spaltet sich also vom Ectoderm ab. Auch das Mesoderm liefert nachher in derselben Weise Dotterzellen; ersteres stammt ganz und gar, letzteres theilweise von der erwähnten Gastrulafurche ab. Das Verschwinden der letzteren wurde bereits erwähnt, darauf folgt die Einstülpung der Medullarfurche (Neuralfurche); die in der Medianlinie liegenden Zellen liefern anscheinend gekreuzte Commissuren. Auch treten transversale Ectodermfalten zwischen den Somiten auf. Das Mesoderm trennt sich frühzeitig längs der Medianlinie ab, ein Paar lateraler Streifen bildend, welche bald sich in Segmente theilen; in jedem der letzteren entsteht ein unvollkommen begrenzter Hohlraum, die Körperhöhle. Das Mesoderm wächst unter den Dotter in der Rumpfgegend in abwechselnd continuirlichen und unterbrochenen Streifen. Durch die Oeffnungen in den letzteren gelangen einige Dotterzellen in die Körperhöhle. Tracheen bilden sich in allen Segmenten distalwärts vom Munde, ausgenommen die zwei oder drei am meisten distalen Segmente des Abdomen. Die Spinndrüsen und Speicheldrüsen entstehen durch Einstülpungen des Ectoderm, die Malpighi'schen Gefässe als sechs gesonderte Ausstülpungen. Der Anfangs solide Zellenstrang des Herzens entsteht in der Medianlinie des Rückens durch Verschmelzung der Kanten der lateralen Mesodermfalten und wird nachträglich hohl (s. oben).

Die Embryonen von Blatta germanica enthalten wie die der meisten oder aller Insecten zahlreiche anscheinende Fetttropfen, die aber kugelige Drusen von stark lichtbrechender, radiär gestreifter Substanz darstellen. Sie sind unlöslich in Benzol, Chloroform und Nelkenöl. Behandelt man einen ganzen Embryo mit Salpetersäure auf einem heissen Objectglase und nachher mit Ammoniak, so tritt eine Murexid-ähnliche Färbung auf. P. hält daher die krystallinischen Kugeln für Urate.

Schimkewitsch (32) ermittelte bei Spinnen (Epeira, Pholcus, Agelena und Lycosa) mit Hülfe der Schnittmethode, dass die zuerst flachen Zellen des primären Ectoderms rund und später polygonal werden, sie sammeln sich auf der ventralen Fläche des Eies, Zuerst unter dem Cumulus primitivus; später entsteht auf einem Bezirk desselben, welcher dem Primitivstreifen homologisirt werden kann, eine Mesodermschicht. Vor dem Cumulus befindet sich eine Einstülpung, die von Salensky beschrieben ist, und welche dem Blastoporus entspricht. Die Mesodermzellen bilden sich aus Ectoderm und Entoderm, wie Balfour gezeigt hat. Die weitere Entwickelung der Mesodermschicht, d. h. die Bildung der Urwirbel und der Leibeshöhle geht wie bei den höchsten Würmern vor sich Ueber die Details der Entstehung der Organe vergl das Original; von der Oberlippe ist zu bemerken, dass sie sich wie bei den Insecten aus zwei Stücken bildet, die von Kronenberg für Antennen gehalten worden sind; Ober- und Unterlippe wachsen zum Rostrum zusammen, welches man dem Rostrum der Pycnogoniden homologisiren kann.

Sedgwick (34) studirte die Entwickelung von segmentirten Tripoblastica (Anneliden, Arthropoden, Vertebraten), und einiger anscheinend nicht segmentirten Formen (Brachiopoden, Sagitta, Balanoglossus). Den Blastoporus von Lankester (sog. Rusconi'schen After) hält S. für homolog mit der Mundöffnung der Coelenteraten und diese wieder für homolog mit Mund und Anus der Anneliden, Arthropoden, Mollusken. Beiden Oeffnungen also gab der Blastoporus ihr Dasein: wie Lankester schon 1876 gezeigt hat, nimmt derselbe bei manchen Thieren eine längliche Form an, erstreckt sich als eine Spalte an der ganzen ventralen Oberfläche des Embryo, resp. der Gastrula (vergl. dagegen oben Kennel, auch unten Ziegler). Bei Peripatus capensis aber theilt sich, wie S. abbildet, der längliche Blastoporus in zwei Theile, von denen der eine zum Mund, der andere zum Anus wird; beide Oeffnungen sind von einem Nervenring umgeben. Es muss allerdings dem Blastoporus eine beträchtliche Differenzirung zugeschrieben werden, damit derselbe zum Munde einer Larve werden könne (vergl. unten Phylogenese). Ueber die specielle Entwickelung der einzelnen Systeme, der Excretionsorgane, Tracheen- und Kiemenspalten s. das Original. Letztere sind nach S. homolog mit den Nephridia, mit Poren, welche aus der Leibeshöhle nach aussen an der neuralen (= dorsalen beim Wirbelthier) Körperseite führen.

Sollas (37) constatirte bei einem Gallertschwamm Halisarca lobularis, eigenthümliche Unregelmässigkeiten sowohl während der ersten Dotterfurchungen, als nach Bildung der Blastula und Gastrula. Es findet nämlich eine unregelmässige Faltenbildung in das Innere der Blastula hinein statt: an denjenigen Stellen der Innenwand, wo sich vorher ein Haufen kleiner Morulazellen noch befand, während die meisten Zellen sich zu einer einfachen Lage der Wandschicht angeordnet haben. So wird über das Blastulastadium gleichsam weggeschlüpft, der Hohlraum bleibt unvollständig und getheilt. S. bringt dies mit den Hochfluthen und Meeresströmungen in Verbindung, welche das Meerwasser im britischen Canal bei der Roscoff-Station, woselbst er untersuchte, beunruhigen und dadurch die Entwickelung dieser Spongienlarven stören könnten. Denn im Mittelmeer fanden andere Beobachter diese Art von Blastulabildung keineswegs, aber dort können die Larven ungestört in relativ warmem Wasser schwimmen. Hierin will S. die Erklärung der Differenzen finden.

Was die Abstammungslehre anbetrifft, so würden die Protozoen zwei divergirende Stämme geliefert haben, den einen für die Spongien, den anderen für alle übrigen Metazoen. Ersterer soll als Parozoa bezeichnet werden und bei diesen, speciell bei Halisarca besteht der Hypoblast später aus birnförmigen, mit je einem Geisselfaden an ihrem spitzen Ende versehenen Zellen.

Nach Zacharias (40) liefern die Mandibeln und ersten Maxillen durch ihre Neubildung bei den viviparen Blattläusen die retortenförmigen Körper Metschnikoff's, welche die chitinösen Rüsselstilette oder Stechborsten ausscheiden. Hierdurch werden die Mundtheile der Apsiden in Homologie mit den entsprechenden Organen der anderen Insecten gebracht.

Ziegler (41) untersuchte von Neuem die Entwickelung von Cyclas cornea.

Die Furchung verläuft nach dem für die Lamellibranchier allgemein gültigen Schema. In einem späteren Stadium der Furchung findet man eine grosse Zelle, hinter derselben zwei kleinere Urmesodermzellen und über denselben eine haubenartig die Furchungshöhle umschliessende Decke von kleinen Zellen, welche die Urmesodermzellen umwachsen und in das Innere der Blastula drängen. Die grosse Zelle zerfällt in eine Anzahl cylindrischer Zellen, welche das Ectoderm darstellen und zur Bildung der Gastrula eingestülpt werden. Es entsteht dabei ein longitudinaler, schlitzförmiger Blastoporus, wo sich derselbe schliesst, ob vorn oder hinten, war nicht zu entscheiden. Die Ectodermzellen der Kopfblase sind von den früheren Autoren für Anlage des Fusses gehalten. Ueber die weitere Entwickelung s. das Original.

VII. Descendenzlehre.

1) Albrecht, P., Sur la Non-homologie des poumons des vertébrés pulmonés avec la vessie natatoire des Poissons. La Presse médic. Belge. 36. ann. No. 46. p. 361—362. — 2) Derselbe, Vessie natatoire et Poumons. Ibid. 37. ann. 1885. No. 2. p. 9—14. — 3) Beddard, M. A., Note on the presence of an allantoic (anterior abdominal) vein in Echidna. Zool. Anzeig. VII. Jahrg. No. 182. S. 653 bis 654. (Normal persistirende V. umbilicalis.) — 4) Boas, Bemerkungen über die Polydactylie des Pferdes. Gegenbaur's morphologisches Jahrbuch. Bd. X. H. 1. S. 182—184. — 5) Bourne, A. G., Contributions to the Anatomy of the Hirudinea. Quarterly Journal of microscop. science. N. S. No. XIV. p. 419—506. Mit 11 Taf. — 6) Camerano, L., Ricerche intorno alla distribuzione dei colori nel regno animale. Zoolog. Anzeiger. VII. Jahrg. No. 170. S. 341—343 (C. lenkt die Aufmerksamkeit nebenbei auf die Neotenie junger Thiere, s. o. Kollmann, Entw. der Fische und Amphibien.) — 7) Carlier, A. A., Anatomie philosophique. Les cinq vertèbres céphaliques. La 3. paire des membres chez l'homme et les autres vertébrés. Thése. Paris. 1883. — 8) Cholodkovsky, N., Contributions à l'anatomie et la morphologie des vaisseaux malpighiens des Lépidoptères. Compt rend. T. 99. No. 19. p. 816—819. — 9) Dahl, F, Beiträge zur Biologie der Spinnen. Zool. Anz. VII. Jahrg. No 180. S. 591—595. — 10) Cleland, J, Terminal Forms of Life. Journ. of anat. and physiol. Vol. XVIII. T. IV. p. 345—362. (Populärer Vortrag. Den Stammbaum des Thierreichs hat man sich nicht wie einen Baum mit unendlichem Wachsthum vorzustellen, sondern wie einen Tempel mit zahlreichen Thürmchen, die nicht erhöht werden können; der Mensch repräsentirt die centrale Domkuppel.) — 11) Darwin, Ch., On Instinct. Zoolog. Anzeiger. VII. Jahrg. No. 157. S. 22—24. — 12) Döderlein, L, Studien an japanischen Lithistiden Zeitschr. f. wissensch. Zool. Bd. XL. H. 1. S. 62—104. Mit 3 Taf. (Berücksichtigt die Verwandtschaft mit anderen Schwämmen.) — 13) Eimer, Th., Ueber die Zeichnung der Thiere. 2. Mitth. Zool. Anz. VII. Jahrg. No. 157, 158 u. 159. S. 13—16; S. 34 bis 38; S. 56—62. — 14) Goette, A., Abhandlungen zur Entwickelungsgeschichte der Thiere. Heft 2. Untersuchungen zur Entwickelungsgeschichte der Würmer. Vergleichender Theil. Hamburg und Leipzig. Mit 96 Holzschn. 214 Ss. (Verwandtschaftsbeziehungen der Würmer: Turbellarien, Nematoden, Gephyreen und Anneliden; Sagitta, Balanoglossus und die Echinodermenlarven; die Würmer und die Coelenteraten; die Würmer und die übrigen Bilateralien; Schlussbemerkungen.) Auch unter dem Titel: — 15) Derselbe, Untersuchungen zur Entwickelungsgeschichte der Würmer. Hamburg u. Leipzig. Mit 96 Holzschn. 214 Ss. — 16) Haacke, W., Meine Entdeckung des Eierlegens der Echidna hystrix. Zool. Anz. VII. Jahrg. No. 182. S 647—654. — 17) Hasse, C., Beiträge zur allgemeinen Stammesgeschichte der Wirbelthiere. 1883. Mit 3 Taf. IV und 20 Ss. Fol. Jena. — 18) Hudson, C. P., An Attempt to re-classify the Rotifers. Quarterly Journal of microsc. science. N. S. No. XCV. p. 335—356. — 19) Lankester, Ray E., A Contribution to the Knowledge of Rhabdopleura. Quart. Journal of microsc. sc. N. S. No. XCVI. p. 622—647. Mit 5 Taf. — 20) Möbius, A., Das Sterben der einzelligen und der vielzelligen Thiere. Biol. Centralbl. Bd. IV. No. 13. S. 389—392. (Die Protozoen sind nicht unsterblich, denn, wenn sie sich theilen, hört das Mutterindividuum auf zu leben) — 21) Rémy Saint-Loup, Sur la fonction pigmentaire des Hirudinées. Compt. rend. T. 98. No. 7. p. 441—444. — 22) Renson, G., Quelques mots de critique à propos d'un récent article de M. le Dr. Albrecht. La Presse médic. Belge. 36. ann. No. 50. p. 393—394. — 23) Sagemehl, Referat über Carlier's thèse (No. 7). Gegenbaur's morpholog. Jahrbuch. Bd. X. H. 1. S. 185 bis 192. — 24) Schlosser, M., Nachträge und Berichtigungen zu: Die Nager des europäischen Tertiärs, Palaeontographica, Bd. 31. Zool. Anzeiger. VII. Jahrg. No. 182. S. 639—647. (Stammbaum fossiler und recenter Nagethiere. Der kleine accessorische Incisivus hinter dem grossen Nagezahn, wie ihn die Leporiden besitzen, findet sich auch bei den Lagomorphen, bei Tillotherium, Polymastodon im Zwischenkiefer und bei Typotherium im Unterkiefer.) — 25) Sedgwick, A., On the origin of metameric segmentation and some other morphological questions Quarterly Journal of microscopical science. N. S. No. XCVII. Jan. pag. 43—82. Mit 2 Taf. (Im Auszuge mitgetheilt in Proc. of the Cambridge Philos. society. Novbr. 1883.) — 26) Simmermacher, G, Untersuchungen über Haftapparate von Tarsalgliedern von Insecten. Zeitschr. f. wissensch. Zool. Bd. XL. H. 4 S. 480—553. Mit 3 Taf. (Vergl. a. Histologie, Drüsen.) — 28) Smalian, C., Beiträge zur Anatomie der Amphisbaeniden. Diss. Göttingen. 76 Ss. 8. (Myologie etc. von Amphisbaena fuliginosa und Blanus cinereus. Die Kluft zwischen Sauriern und Schlangen wird nicht durch die Amphisbaeniden als Uebergangsform ausgefüllt.) — 28) Sollas, W. J., On the Development of Halisarca lobularis (O. Schmidt). Quarterly Journal of microsc. science. N. S. No. XCVI. Oct. p. 603—621. M. 1 Taf.

(Vergl. oben Entwickelung der Wirbellosen.) — 29) Weissmann, Ueber die Vererbung. Freiburger Rectoratsrede. Jena (Alle Abänderungen sind aus primären Keimesänderungen herzuleiten.)

Albrecht (1) kann nicht glauben, die Schwimmblase der meisten Fische sei der Lunge der Amnioten und Amphibien homolog, wie bisher allgemein angenommen worden ist. Denn erstere geht von der dorsalen Wandung des Nahrungscanales, die Lunge aber von der ventralen Oesophaguswand aus. Dagegen ist die Schwimmblase von Polypterus und einigen Gymnodonten der Lunge höherer Wirbelthiere homolog, weil sie wie diese an der Ventralseite entspringt. Ja, die Diodonten und Tetrodonten haben sogar zwei Schwimmblasen. eine dorsale und eine ventrale, die letztere will A. hier und auch bei Polypterus lieber Stimmblase (vessie oratoire) nennen. Beim Schwein findet sich, wie Gratia an A. mittheilte, ein retro-oesophagealer Blindsack, wie die erste Schwimmblase zwischen Wirbelsäule und Oesophagus gelegen, von Fingerweite und 5—6 cm Länge. Dies ist — abgesehen von Oesophagusdivertikeln beim Menschen — bisher die einzige Spur eines Schwimmblasenrudimentes bei höheren Vertebraten. Sein Auftreten ist als Atavismus aufzufassen. Das Coecum pharyngeum des Schweines, Pferdes, Esels, Rindes hat damit nichts zu thun und ist nichts weiter als die zwischen den Tubae Eustachii gelegene Partie des Schlundkopfes; ebensowenig entsteht jenes Divertikel aus der Rathke'schen Schlundtasche, deren Existenz A. bekanntlich ein für allemal bestreitet.

Renson (22) erhob gegen die Darstellung Albrecht's sogleich mehrere Einwendungen, die mehr auf Analogiegründe, als auf wirkliche Homologisirungen hinauszulaufen scheinen. Albrecht (2) erwiederte darauf mit einer ausführlicheren Darlegung der bisher existirenden Theorien und der Schwierigkeiten oder Widersprüche, zu welchen sie führen müssen. (Vergl. auch den nächstjährigen Bericht.)

Die überzählige Zehe, welche beim gewöhnlichen Pferde selten, nach H. v. Ihering's Schätzung (Kosmos, 1884 — Ref.) in Brasilien weit häufiger vorkommt, ist nach Boas (4) keineswegs immer atavistisch oder als Rückschlag auf Hipparion zu deuten; sicher sind in dieser Hinsicht nur zwei Fälle: die von Boas und Wood-Mason, wahrscheinlich auch die von Wehenkel und Ercolani. Gewöhnlich beruht die Polydactylie auf einer Missbildung, nämlich einer unvollständigen Verdoppelung des Fusses, wobei der überzählige Anhang ein verkümmertes Spiegelbild des betreffenden Fusses selbst darstellt.

Die phylogenetische Stellung der Hirudineen bespricht Bourne (5). Entweder gehören sie nach Lankester zu den Plathelminthen, nach P. J. van Beneden speciell zu den Trematoden. resp. nach C. Vogt und Lang zu den Tricladen, oder sie stehen nach Cuvier, Leydig, de Quatrefages etc. den Anneliden näher, speciell nach Hatschek und Balfour den Chaetopoden. B. erörtert ausführlich die verschiedenen Möglichkeiten und kommt zu der Annahme einer Stammesverwandtschaft mit den Tricladen, Trematoden und Cestoden, die theilweise degenerirte Formen sein könnten; schliesst sich somit an Leuckart und Lang an.

Carlier's (7) drittes Extremitätenpaar des Menschen ist — der Unterkiefer. Zu den ehemaligen drei Schädelwirbeln kommen zwei Gesichtswirbel; das Jacobson'sche Organ dient — dem Tastsinn. Weitere Proben aus dieser, wie es scheint von Sappey patronisirten Leistung s. bei Sagemehl (23). Hier soll nur noch im Allgemeinen bemerkt werden, dass der in allen Culturländern recipirte Unterschied von Analogie und Homologie der Carlier'schen Arbeit fremd geblieben ist.

Nach einer ausgedehnten Untersuchung kommt Cholodkovsky (8) zu dem Resultat, dass bei den Lepidopteren das Vorhandensein von sechs Malpighi'schen Gefässen als der häufigste, normale oder definitive Typus zu betrachten sei; derselbe wurde bei 21 Genera gefunden. Der embryonale oder atavistische Typus hat nur zwei Malpighi'sche Gefässe, so zeigt es sich, wie gesagt (s. oben S. 102, Wirbellose), bei Tineola biselliella, pellionella und Blastophana) rusticella Ein anomaler Typus ist es. wenn, wie bei Galleria cereana; jederseits ein stark verzweigter Gefässbaum auftritt. der an die Verhältnisse bei Scorpionen und einigen Crustaceen erinnert. Formen wie bei Tinea misella sind hierbei nicht berücksichtigt und die Existenz von vier Malpighi'schen Gefässen bei dieser Raupe zweifelhaft, weil man auch deren sechs herausrechnen kann. insofern zwei Aeste des gemeinschaftlichen Stammes sich sehr bald wieder dichotomisch theilen. — Die Macrolepidopteren. von denen 36 Genera untersucht wurden, haben ebenfalls sechs Malpighi'sche Gefässe; bei einigen Sphinx-Arten sind sie stark verzweigt.

Dahl (9) sucht die Entstehung secundärer Geschlechtsunterschiede mancher Spinnen unter der Annahme geschlechtlicher Zuchtwahl folgendermassen zu erklären.

Zur möglichst vollkommenen Ausnutzung aller vorhandenen Verhältnisse auf der Erde war nicht nur eine immer weiter gehende Arbeitstheilung in Bezug auf die Organe nöthig — eine Arbeitstheilung, die schliesslich bis zur Trennung der Geschlechter führte, sondern auch eine immer weiter gehende Spaltung in Arten. Bei der Spaltung einer Art in zwei oder mehrere neue muss bei jeder der neu entstehenden Formen ein Vortheil entweder auftreten oder doch sich weiter entwickeln, den die ursprüngliche Art nicht in gleichem Maasse besass. Ebenso müssen die Vortheile der entstehenden Arten verschieden sein. Nur so lässt sich eine Spaltung verstehen. Die neuen Formen lassen sich also alle recht wohl noch vollkommener denken, als sie sind. Die Mittelformen, welche die erhaltungsmässigen Eigenschaften der entstehenden Arten nicht besitzen, müssen zu Grunde gehen. Ihre Existenz ist also für immer unmöglich gemacht. Würde man im ganzen Stammbaum der lebenden Wesen die Spaltungen verfolgen können, so müsste man bei wiederholter Anwendung des gleichen Schlusses zu dem Resultate kommen, dass auch die Urorganismen jetzt nicht existenzfähig sind, dass also eine Urzeugung jetzt unmöglich ist. Ferner muss man annehmen, dass alle zusammen lebenden Thiere gleich vollkommen sind und keines im höchsten Grade vollkommen, mit anderen Worten, dass bei allen Thieren viele indifferente Aenderungen möglich sind, welche die Existenz nicht gefährden würden. Die Spaltung einer Art ist, wenn die neu entstehenden Arten zusammen an demselben Orte leben, nur dann möglich, wenn sich bei ihnen allmälig auch ein Wohlgefallen an dem Nahestehenden entwickelt. Es würden sich die Formen sonst immer wieder vermischen und die untergehenden immer in derselben Anzahl wieder auftreten. Jenes nothwendige Wohlgefallen an nahestehenden Merkmalen und die Thatsache, dass die Organe sich bei jedem Thier in indifferenter und sogar nachtheiliger Weise verändern können, genügen Dahl um Alles zu erklären.

Manche Thiere stellen sich todt, wenn sie sich in Gefahr glauben; sie bleiben nach Darwin (11) bewegungslos, nicht um den Tod nachzuahmen, den sie gar nicht kennen, sondern um unbemerkt zu bleiben.

Die Hauskatze ist nach Eimer (13) dieselbe Art wie die nubische Katze. Felis manicula. Ja, die wilde Katze, Felis catus, stammt entweder von der Hauskatze oder von der Nubierin ab, oder hat mit der letzteren einen gemeinschaftlichen Stammvater, vielleicht Felis javanensis minuta oder Felis viverrina.

Nach einer längeren Auseinandersetzung über die Methode entwickelungsgeschichtlicher Vergleiche verbreitet sich Goette (14) über die Verwandtschaftsbeziehungen der Würmer. Nach den ausführlich geschilderten Verschiedenheiten der Entoderm-Entwickelung ergiebt sich die Verwandtschaftsreihe: Acoela — Rhabdo-, Dendrocoela — Nemertinea — Nematodes. — Im Einzelnen werden abgehandelt: die Turbellarien, Nematoden, Gephyreen und Anneliden, die Blastula und die Gastrula, die Grundlagen der Bilateralsymmetrie, die Erzeugnisse des Ectoderms, das Entoderm (s. oben), die Larvenformen und der Stammbaum. Ein zweites Capitel beschäftigt sich mit der Entwickelung von Sagitta Balanoglossus und den Ecchinodermenlarven. das dritte mit den Würmern und den Coelenteraten, ein viertes mit den Würmern und den übrigen Bilateralien.

In den Schlussbemerkungen unterscheidet G. genau die von ihm sogenannten Homoidien und die Homologien. Das Merkmal der ersteren ist der Mangel einer Uebereinstimmung der gesammten vorhergehenden Entwickelung. Sie gründet sich nur auf die organologische Uebereinstimmung der Endformen, ohne welche sie nicht bestehen kann und muss von der Begründung der Stammesentwickelung (Phylogenie) ausgeschlossen werden. Von der ganzen Organologie steht die Histologie in der innigsten Beziehung zur Physiologie und unsere übrigens höchst mangelhaften Kenntnisse in der Physiologie der Thiere gründen sich zum grössten Theile auf Analogieschlüsse aus den histologischen Befunden. also auf Homoidien.

Ref. möchte dazu bemerken, dass man auf diesem Wege wohl zu Hypothesen gelangt, deren Erweis oder Widerlegung jedoch erst auf experimentellem Wege erbracht werden muss. Wenigstens wenn es sich um Dasjenige handelt, was man heutzutage als wirklich exacte Physiologie zu bezeichnen pflegt. Was die Einzelheiten anlangt, so glaubt G., dass die Echinodermenlarven von pleurogastrischen Bilateralien abstammen, ihre Bilateralsymmetrie sei metaphorische Larvenbildung; Sagitta zeigt eine unmittelbare genetische Uebereinstimmung nur mit den genannten Bilateralien. Deshalb brauchen aber die Echinodermen nicht von sagittaähnlichen Würmern sich abgezweigt zu haben. Vielmehr dürfte sich Sagitta weniger von der gemeinsamen bilateralen Stammform entfernt haben, als die Echinodermen und im Allgemeinen lässt sich nur sagen, dass die Chaetognathen und die Echinodermen zweierlei Endformen eines Stammbaumes von pleurogastrischen. den hypogastrischen coordinirten Bilateralien sind. So verschwindet denn die befremdliche Isolirung, welche Sagitta gegenüber den hypogastrischen Würmern zeigte. Vielleicht gelingt es durch die noch ausstehende Entwickelungsgeschichte der Balanoglossuslarve Tornaria den Nachweis zu führen, dass zu jenem Stamm pleurogastrischer Bilateralien auch die Enteropneusten gehören. Letztere wären dann den Echinodermen noch näher verwandt als die Chaetognathen.

Die Chordaten stimmen nach G. in ihrer Embryonalentwickelung so wesentlich überein, dass ihre Abkunft von einem gemeinsamen Stamme gesichert erscheint. Die Wurzeln dieses Stammes sind mit viel grösserer Wahrscheinlichkeit bei dendrocoelenartigen Würmern als bei irgend welchen anderen Bilateralien anzunehmen. Die Aehnlichkeit der pleurogastrischen Bilateralform der Chordaten und Chaetognathen, sowie diejenige der Mesodermbildung von Amphioxus und Sagitta sind vorderhand nur als Homoidien (s. oben) zu bezeichnen. Es stellt sich also die Cenogenie in gewissem Sinne als eine nicht länger haltbare Hypothese heraus. (Vergl. oben S. 74.)

Haacke (16) erhielt eine weibliche Echidna hystrix lebendig, welche in der Mammartasche ein Ei trug, das jedoch in Zersetzung übergegangen war. Dies bestätigt die Ansicht Owen's und die Behauptung der alten australischen Ansiedler vom Eierlegen der Schnabelthiere und wird geeignet sein, die Kluft zwischen den Säugern und den Oviparen zu überbrücken (vergl. oben Duval, Entw. der Vögel). Ornithorhynchus paradoxus ist ebenfalls ovovivipar (s. den nächsten Ber.). Unabhängig von Haacke hatte zu gleicher Zeit (29. Aug.) Caldwell zufolge einer Mittheilung Liversidge's Eier von Echidna und Platypus (Ornithorhynchus) beobachtet: sie sind meroblastisch (Der Naturforscher. 1885. No. 1. S. 7).

Hasse (17) untersuchte die Entwickelung der Wirbelsäule der Knorpelganoiden (Acipenser ruthenus, sturio) und Dipnoer (Protopterus annectens, Ceratodus). Die Chordascheide der ersteren, sowie der Cyclostomen ist chordalen Ursprunges und der sog. Cuticula chordae oder der Elastica interna der Amphibien und Amnioten homolog. Sie entsteht ihrem wesentlichen Bestandtheile, der Faserschicht nach, in derselben Weise wie das Dentin und hat abgesehen von der Verkalkung oder Verknöcherung auch denselben Bau. Die scelctogene Schicht wie die Bindesubstanz überhaupt entsteht nach Hasse zuerst durch Auswanderung von embryonalen Blutzellen aus der Aorta. Gegen Froriep (1883) wird bestritten, dass die Wirbelkörper nicht aus einer selbständigen Anlage hervorgehen, wie es bei den am meisten cranialwärts gelegenen Wirbeln bei höheren Amnioten den Anschein hat, sondern aus den Arcus. Die Elasmobranchier sind ursprünglich mit einer durch Ausbildung einer Elastica externa ausgezeichneten, selbständigen Wirbelkörperanlage versehen, während die Tectobranchier ursprünglich einer solchen selbständigen Wirbelkörperanlage entbehren. Jene Elastica kann, um die verschiedene Entstehungsweise zu präcisiren, als Elastica sceleti bezeichnet werden, die Elastica der Tectobranchier als Elastica chordae und die Elastica interna aut. als Cuticula chordae.

Derselbe fügte ferner der Charakteristik der Pisces aspondyli, nämlich der Marsipo-, Tecto- und Elasmobranchier Einiges auf den Bau der Wirbelsäule sich beziehendes hinzu. Die niedrigste Form repräsentiren auch in dieser Hinsicht Myxine und die Petromyzonten, bei denen sich von Entwickelung von Wirbelbestandtheilen kaum eine Spur findet. Bei den Knorpelganoiden und Dipnoern baut sich die Wirbelsäule wesentlich aus der Chorda und den Chordaderivaten auf, die wie gesagt aus dem Aortensystem hervorgehende skeletogene Schicht spielt nur eine secundäre Rolle, während das Umgekehrte bei den Elasmobranchiern der Fall ist. Letztere haben sich also von den Stammformen weiter entfernt, als die Dipnoer und Knorpelganoiden. Die letztgenannten Ganoiden bewahren den ursprünglichen chordalen Aufbau der Wirbelsäule am reinsten, sie nebst den Dipnoern stellen von den Elasmobranchiern verschiedene Entwickelungsreihen dar, die nicht aus einander hervorgegangen sind. Die Elasmobranchier besitzen nämlich ein skeletogenes Axenskelet; die gemeinschaftlichen Stammformen sind vielmehr in den Pisces aspondyli zu finden.

Paläozoische Vorgänger der Knorpelganoiden und Dipnoer nennt H. Tectobranchi polyspondyli. Bei diesen war das Skelet der hinteren Extremität demjenigen der vorderen analog, nicht aber homolog und unabhängig von dem Kiemenskelet selbständig in der Extremitätaxe entstanden. H. hält diesen Ausspruch in Betreff aller Wirbelthiere für gültig (womit die bisherigen zahlreichen Discussionen über die Homologien der beiden Extremitätenpaare beendigt sein würden, Ref.).

Nach Lankester (19) scheinen Rhabdopleura und Cephalodiscus degenerirte Lamellibranchier zu sein. Das Buccalschild der ersteren ist nicht dem ventralen Molluskenfuss homolog, wie L. früher glaubte, sondern vielleicht dem Mantel der Lamellibranchier.

Rémy (21) trennt die Function der Leber in die secretorische, welche bei Wirbelthieren von einem Darmdivertikel, das die ursprüngliche Anlage der Leber darstellt, geleistet wird und in die depositäre. Bei Wirbellosen (Hirudineen) speciell beim Blutegel giebt es eine Tunica villosa, die Zellen mit braungelben Körnchen enthält; dieselben nehmen assimilirbare Stoffe aus dem Nahrungscanal auf, gerade wie die Pfortader solche Substanzen zur Leber führt. Obgleich jene Zellen mit gelben Körnchen kein Secret liefern, wie solches die Galle darstellt, könne man sie in dem Sinne als Leber der Wirbellosen (Würmer) bezeichnen, dass denselben die Function eines der beiden Apparate zukommt, welche in der Wirbelthierleber durcheinander gewachsen sind.

Simmermacher (26) bestreitet, dass die Furchen auf den Flügeldecken der weiblichen Dyticiden eine geschlechtliche Bedeutung für das Festklammern des Männchens haben, vielmehr sind sie in der Rückbildung begriffene Erbstücke, in deren Ablegung das Männchen bereits vorangegangen ist. Hieran schliessen sich die Insecten an das von Eimer aufgestellte Gesetz der männlichen Präponderanz an, wonach das Männchen (der Amnioten) zuerst einen Fortschritt in der Neubildung erfährt, um sie allmälig zu vererben. Das weibliche Geschlecht ist conservativer und behält in der Regel mehr von den jugendlichen Zeichnungsarten der Behaarung.

Sedgwick (25) versucht die segmentirten Thierkörper, also den grössten Theil der Metazoen, auf ein aus zwei Lagen bestehendes, einer Gastrula, auch einem Coelenteraten gleichendes Thier als Vorfahr zurückzuführen; auf denselben Ahnherrn sind auch die Coelenteraten selbst zurückzuleiten. Der grösste Theil der Triploblastica, wenigstens Anneliden, Arthropoden, Mollusken, Vertebraten, ferner kleine Gruppen wie Brachiopoden, Balanoglossus, Sagitta sind nach einem gemeinschaftlichen Plan gebaut, der sich bei den Coelenteraten wiederfindet; bei letzteren sind die wichtigen Organsysteme wenigstens in rudimentärer Form vorhanden und alle diese Triploblastica nebst den Coelenteraten lassen sich auf einen gemeinschaftlichen Stammvater zurückführen, der wie gesagt nur diploblastisch war.

Die weitere Entwickelung gestaltet sich bei den Vertebraten (über die Invertebraten s. das Orig.) dahin, dass sich der Centralcanal der nervösen Centralorgane in bekannter Weise ausbildet. Derselbe mündet aber nach S. frei an seinen beiden Enden neben dem Munde und Anus und besitzt ursprünglich eine respiratorische Function. Niemals trennt sich die Anlage des Nervensystems von dem Epiblastgewebe, welches als Epithel des Centralcanales persistirt. Diese Thatsache soll für Speculationen über den Ursprung des Vertebratenstammes von grosser Bedeutung sein, da bei den Invertebraten eine Trennung durch Zwischenwucherung mesoblastischer Gewebe erfolgt. Dies würde zeigen, dass eine phylogenetische Abtrennung des Vertebratenstammes bereits eingetreten war, bevor sich dessen Nervensystem von der Epidermis gesondert hatte. Durch stärkeres Längenwachsthum des vor dem Munde gelegenen Abschnittes des Nervensystems wird der Mund an die ventrale Körperseite gedrängt, der Centralcanal biegt sich ventralwärts um in den Mund einzumünden und als Spuren dieser Einmündung sind das Infundibulum und die Hypophysis cerebri anzusehen. Anfangs aber, als der Mund eine Cilienbewaffnung besass, sendete diese das umgebende Wasser theils durch den Verdauungscanal, theils durch den Centralcanal des Nervensystems.

Wahrscheinlich entwickelte sich ein primitives Geruchsorgan aus dem Epiblast nahe an der vorderen Mündung des Centralcanales, über welche dieses Wasser dahinströmte.

Es ist noch hervorzuheben, dass wenn der ursprünglich spaltförmige Blastoporus länger persistirte, derselbe als eine Spalte erscheinen würde, die sich vom Munde des Embryo über dessen Kopf auf den Rücken und längs des letzteren bis zum Anus erstreckt haben würde, der ebenfalls an der Ventralseite liegt.

In Betreff des Mundes findet es S. kaum wahrscheinlich, dass ein Thier jemals seinen Mund verliere, um einen neuen zu erwerben. Auch was den Anus anlangt, glaubt S. bei Triton cristatus gesehen zu haben, dass der Blastoporus sich nicht schliesst, sondern als definitiver Anus persistirt. Wenigstens war kein Larvenstadium aufzufinden, welches keinen After gezeigt hätte. Die Beobachtung geschah an Flächenansichten der Eier, Durchschnitte sollten nachgeliefert werden (s. Entw. der Vögel und Reptilien, Johnson). Beim Amphioxus sind vierzehn Somitenpaare (Urwirbel) von Ausstülpungen des Hypoblastes abzuleiten, der Rest von hypoblastischem Gewebe; insofern bietet das Thier ein erstaunlich primitives Stadium in Hinsicht seiner Phylogenese dar. — Vergl. auch oben (Entw. der Wirbellosen) Kennel's Einwendungen.

Physiologische Chemie

bearbeitet von

Prof. Dr. E. SALKOWSKI in Berlin.*)

I. Lehrbücher. Allgemeines.

1) Wurtz, Traité de chimie biologique. 8. Paris. — 2) Drechsel, E., Electrolysen und Electrosynthesen. Journal f. pr. Chemie. N. F. XXIX. S. 229. — 3) Tappeiner, H., Anleitung zu chemisch-diagnostischen Untersuchungen am Krankenbett. München. 62 Ss. — 4) Hoppe-Seyler, F., Ueber die Entwickelung der physiologischen Chemie und ihre Bedeutung für die Medicin. Eröffnungsrede. Strassburg. 32 Ss. — 5) Penzoldt, F., Aeltere und neuere Harnproben. Jena. 26 Ss. — 6) Leube, W., Ueber die Bedeutung der Chemie in der Medicin. Berlin.

Im Verfolg seiner Untersuchungen über die electrolytische Wirkung der Wechselströme bestätigt Drechsel (2) zunächst die bereits von De la Rive gemachten, aber in Vergessenheit gerathenen Erfahrungen. An Electroden mit kleiner Oberfläche wird Gas entwickelt, an solchen mit grosser Oberfläche aber nicht, oder nur anfangs; die Oberfläche der Electroden bedeckt sich dabei mit fein vertheiltem Metall (Pt, Pd, Au, Ag, Cu, Pb). An beiden Electroden entwickelt sich Knallgas und wenn man 2 Drähte von verschiedenen Metallen als Electroden einander gegenüberstellt, so überzieht sich jeder nur mit Theilchen des eigenen Metalles.

Die Electrosynthese der Phenolätherschwefelsäure ist auf folgendem Wege geglückt. Eine gesättigte Lösung von Magnesiumbicarbonat und Magnesiumsulfat, zu gleichen Theilen gemischt und mit reinem Phenol gesättigt, wird je 30 Stunden lang unter Abkühlung mit Wechselströmen, wobei die Stromrichtung ca. 60 Mal in der Secunde wechselte, electrolysirt; die Flüssigkeit wurde alle 3—4 Tage durch frische ersetzt, so dass schliesslich 10—12 Ltr. electrolytischer Flüssigkeit erhalten wurden. In Folge der Anwesenheit von braunen amorphen Substanzen ist die Darstellung krystallisirter Producte aus der Flüssigkeit sehr erschwert; es muss bezüglich des hierbei befolgten sehr umständlichen Verfahrens auf das Orig. verwiesen werden. Mit Sicherheit liess sich nachweisen und durch die Elementaranalyse bestätigen: Diphenol (Schmelzpunkt 270°), reichlich Hydrochinon, nur wenig Brenzcatechin, Phenolätherschwefelsäure (das Baryumsalz, mit Salzsäure versetzt, liefert Schwefelsäure und Phenol, wurde von Essigsäure, selbst beim Kochen nicht zersetzt). Ausserdem konnten in den Reactionsflüssigkeiten nachgewiesen werden mit Sicherheit: Ameisensäure, Bernsteinsäure, Oxalsäure; mit Wahrscheinlichkeit: Normalvalerian- und Buttersäure, Malonsäure. Es spielen sich also unter dem Einfluss von abwechselnder Oxydation und Reduction, bewirkt durch Electrolyse mit Wechselströmungen, sowohl syn-

*) Unter Mitwirkung von Dr. J. Munk, Docent an der Universität.

thetische (Bildung von Diphenol- und gepaarten Schwefelsäuren), als auch analytische Processe ab (Entstehung von ein- und zweibasischen Säuren mit abnehmendem C-Gehalt). Verf. meint. dass das Phenol zunächst zu Hydrochinon und Brenzcatechin (Resorcin wurde nicht gefunden) oxydirt wird. von denen das letztere durch Aufnahme von H und O in Säuren der Ameisensäure- und Oxalsäurereihe übergeht. Daher findet sich neben relativ viel Hydrochinon nur wenig Brenzcatechin — Alle bisher bekannten Methoden. Diphenol, Hydrochinon, und Brenzcatechin aus Phenol zu bilden (Schmelzen mit Aetzkali, Einwirkung von Palladiumwasserstoff) haben das Gemeinsame, dass die Oxydation stets in Gegenwart sehr kräftiger Reductionsmittel stattfindet.

Schliesslich erinnert Verf. daran, dass auch der Thierkörper aus Phenol Aetherschwefelsäuren, Hydrochinon und Brenzcatechin bildet; da aber vom eingeführten Phenol ein Theil nicht in diesen Formen ausgeschieden werde, sondern verschwinde. so dürfte es geboten sein, den Phenolharn künftig auch auf die oben angeführten Säuren, namentlich Bernsteinsäure, zu untersuchen.

[Worm Müller og Jac G. Otto, Medecinsk-kemisk Practikum. Christiania. (Enthält eine Darstellung der für den Arzt wichtigsten, analytisch-chemischen Methoden.) **Christian Bohr.**]

II. Ueber einige Bestandtheile der Luft, der Nahrungsmittel und des Körpers. Gährungen.

1) Lehmann, K. B., Ueber den Einfluss des comprimirten Sauerstoffs auf die Lebensprocesse der Kaltblüter und auf einige Oxydationen. Dissertat. Zürich 1883 und Pflüger's Archiv. Bd. 33. S. 173. — 2) Filipoff, M., Zur therapeutischen Bedeutung von Sauerstoff und Ozon. Ebendas. Bd. 34. S. 335. — 3) Rosenthal, J., Ueber die Messung der Kohlensäure in der Zimmerluft. Sitzungsber. der phys.-med. Soc. zu Erlangen. S.-A. — 4) Löw, O., Ueber Silber reducirende thierische Organe. Pflüger's Arch. Bd. 34. S. 596. — 5) Michailow, W., Zur Frage über die Darstellung reinen Albumins. Ber. d. d. chem. Ges. Referatb. S. 175. (Referat von Jawein) — 6) Béchamp, Sur les matières albuminoides. Bull. de l'acad. de méd. No. 50. — 7) Reichert, T., The proximate proteid constitutions of the white of the egg. Philad. medic. Times. XIV. No. 430. (Nach R. ist der in Essigsäure unlösliche Antheil des Weissen vom Hühnerei ein Globulin. Ausserdem enthält dasselbe Pepton.) — 8) Derselbe, A new method of preparing egg-albumen. Med. News. Bd. 44. No. 24. — 9) Regeczy, E. v., Beiträge zur Lehre der Diffusion von Eiweisslösungen. Pflüger's Arch Bd. 34. S. 431. — 10) Heynsius, A., Ueber das Verhalten der Eiweissstoffe zu Salzen von Alkalien von alkalischen Erden. Ebendas. S. 330. — 11) Tarchanoff, J., Ueber die Verschiedenheiten des Eiereiweiss bei gefiedert geborenen Vögeln (Nestflüchter) und nackt geborenen (Nesthocker) und über die Verhältnisse zwischen dem Dotter und dem Eiereiweiss. Ebendas. Bd. 33. S. 303. — 12) Schulze, E., Untersuchungen über die Amidosäuren, welche bei der Zersetzung der Eiweissstoffe durch Salzsäure und durch Barytwasser entstehen. Zeitschr. f. physiol. Chem. Bd. 9. S. 63. — 13) Salkowski, E., Zur Kenntniss der Eiweissfäulniss: I. Ueber die Bildung des Indols und Scatols nach gemeinschaftlich mit H. Salkowski in Münster i./W. angestellten Versuchen. Ebendas. VIII. S. 417. — 14) Derselbe, Zur Kenntniss der Eiweissfäulniss: II. Die Scatolcarbonsäure nach gemeinschaftlich mit H. Salkowski in Münster i./W. angestellten Versuchen. Ebendas. IX. S. 8. — 15) Derselbe, Ueber das Verhalten der Scatolcarbonsäure im Organismus. Ebendas. S. 23. — 16) Mac Munn, On Myohaematin. Proceed of the phys. soc No. IV. p. 24. — 17) Michailow, Ueber die Abscheidung animalischer Farbstoffe aus Albumin. Ber. d. d. chem. Ges. XVII. Referatbl. S. 255. — 18) Krukenberg, C., Ueber das Cornein. Ebendas. XVII. S. 1848. — 19) Lewkowitsch, J., Notiz über das optische Drehungsvermögen des Leucin. Ebendas. S. 1439. (Leucin in wässeriger Lösung dreht links, nicht rechts wie salzsaures Leucin nach Mauthner.) — 20) Külz, E., Zur Kenntniss des Cystins. Zeitschr. f. Biol. XX. S. 1. — 21) Baumann, E., Ueber Cystin und Cysteïn. Zeitschr. f. physiol. Chem. VIII. S. 299. — 22) Rubner, M., Ueber die Wärmebindung beim Lösen von Harnstoff in Wasser. Zeitschr. f. Biol. XX. S. 414 — 23) Gautier, A., Synthèse de la xanthine. Bull. de l'acad. de méd No. 25. — 24) Krukenberg, F., Zur Characteristik neuer physiologisch und klinisch wichtiger Farbenreactionen. Würzb. phys.-med. Verhandl. N. F. XVIII. No. 9. — 25) Rubner, M., Ueber die Einwirkung von Bleiacetat auf Traubenzucker und Milchzucker. Zeitschr. f. Biol. XX. S. 397. — 26) Petri, Zum Verhalten der Aldehyde, des Traubenzuckers, der Peptone, der Eiweisskörper und des Acetons gegen Diazobenzolsulfosäure. Zeitschr. f. phys. Chem. VIII. S. 291. — 27) Meyer, F., Zur Fehling-schen Zuckerbestimmung. Ber. d. d. chem. Ges. Referatb. S. 241. — 28) Fischer, E., Verbindungen des Phenylhydrazins mit den Zuckerarten. Ebendas. XVIII. S. 579. — 29) Külz, R, Zur Darstellung und Kenntniss der Urochloralsäure, sowie der chlorhaltigen Spaltungsproducte der Urochloralsäure und Urobutylchloralsäure. Pflüger's Arch. XXXIII. S. 221. — 30) Paschkis, H, Ueber das Vorkommen des Phytosterins. Zeitschrift für physiol Chemie. VIII S. 356. — 31) Scheibler, C., Untersuchungen über die Glutaminsäure. Bericht d. deutschen chem. Ges. XVII. S 1725. — 32) Külz, R., Zur Kenntniss der linksdrehenden Oxybuttersäure. Arch. f. exp. Path. XVIII. S. 291. — 33) Tiemann, F, Einiges über den Abbau des salzsauren Glucosamin. Ber. der deutschen chem. Ges. XVII. S. 241. — 34) Baginsky, A, Ueber das Verhalten von Xanthin, Hypoxanthin und Guanin. Du Bois-Reymond's Archiv's. Physiol. Abth. S. 456. — 35) Derselbe, Ueber das Vorkommen von Xanthin, Guanin und Hypoxanthin Zeitschr. f. phys. Chemie. VIII. S. 393. — 36) Andeer, J., Ueber Resorcingelb. Centralbl. für die med. Wiss. (Völlig unverständlich. Ref.) — 37) Derselbe, Der Hauptsitz der aromatischen Verbindungen, speciell des Resorcins im Säugethierkörper. Ebendas. No. 51. (Völlig unverständlich. Ref.) — 38) Latschenberger, J., Der Nachweis und die Bestimmung des Ammoniak in thierischen Flüssigkeiten. Wiener acad. Sitzungsber. II. Abth. S. 568. — 39) Weyl, Th., Ueber die Nitrate des Thier- und Pflanzenkörpers. I Virch. Arch Bd. 96. S. 462. — 40) Kreussler, U. und O. Henzold, Ueber die alkalische Reaction des Glases als Fehlerquellen bei Analysen. Ber. d. deutsch. chem Ges. XVII. S. 34. — 41) Hoppe-Seyler, Ueber die Einwirkung von Sauerstoff auf die Lebensthätigkeit niederer Organismen. Zeitschrift für physiol. Chemie. VIII. S. 214 — 42) Nencki, M., Ueber das Eiweiss der Milzbrandbacillen. Ber. d. deutsch chem. Ges. XVII. S. 2605. — 43) Brieger, L., Zur Kenntniss der Fäulnissalkaloide. Ebendas. S. 515 u. 1137. — 43a) Marino-Zucco, Ueber Leichenalkaloide. Ebendas. S. 1043. — 44) Brieger, L., Ueber basische Producte (Ptomaine) aus menschlichen Leichen. Ebendas. S. 2741. — 45 Fitz, A., Ueber Spaltpilzgährungen. Ebendas. S. 1188. — 46) Marcano, V., Sur la fermentation peptonique. Compt.

rend. Bd. 99. No. 19. — 47) Vandevelde, G., Studien zur Chemie des Bacillus subtilis. Zeitschrift für physiologische Chem. VIII. S. 367. — 48) Paumés, Recherches sur la respiration de la levure. Journ. de l'anat. et de la physiol. p. 106. — 49) Schützenberger, Recherches sur la combustion respiratoire. Compt. rend. Bd. 98. No. 17. — 50) Meyer, V. und E Schulze, Ueber die Einwirkung von Hydroxylaminsalzen auf die Pflanzen. Bericht d. deutschen chem. Ges. XVII. S. 1554.

Zur Prüfung des von P. Bert aufgestellten Satzes, dass comprimirter Sauerstoff toxisch wirke, hat Lehmann (1) unter L Hermann's Leitung in umfassender Weise die Wirkung hoher Sauerstoffdrucke auf das Froschherz und auf ganze Frösche studirt. Bei den Versuchen bediente er sich der Hermann'schen Gaskammer, eines 7 cm hohen und $^1/_2$ cm dicken durch zwei Messingplatten abgeschlossenen Glascylinders, der durch Anschrauben an eine eiserne Flasche gefüllt wird, welche einen Vorrath von durch die Natterer'sche Gaspumpe auf 8—16 Atm. comprimirten Sauerstoff enthält. Die gewonnenen Ergebnisse lassen sich, im Anschluss an des Verfassers eigenes Resumé, dahin zusammenfassen: „Während ein ausgeschnittenes Froschherz wenigstens 24, meist 48—56 Stunden pulsirt, kommt in comprimirtem Sauerstoff (10—13 Atm.) der Stillstand nach 8—9 Stunden bei Zimmertemperatur, nach 12 Stunden bei Abkühlung auf 2—3° C. zu Stande: allein aus dem Apparat herausgenommen und an die Luft gebracht zeigt es noch Erregbarkeit auf Reize. Aehnlich verhalten sich die Herzen in reinem (sauerstofffreiem) Wasserstoff. nur dass ein 24stündiger Aufenthalt die Herzen tödtet, gleichviel ob abgekühlt oder nicht. Compression mit 10—12 Atm. Stickstoff. dem ca. 1 Atm. Sauerstoff beigemischt ist, schädigt in vielen Fällen das Froschherz kaum. Im comprimirten Sauerstoff von 10 bis 14 Atm. verhalten sich Frösche genau so, wie nach Aubert in reinem Stickstoff oder in stark verdünnter Luft; allmälig wird das Centralnervensystem ohne hervorstechende Erregungssymptome gelähmt. — Entgegen Bert wurde weder an Fröschen, noch an Mäusen eine der Lähmung vorangehende Steigerung der Erregbarkeit oder Krämpfe beobachtet; Mäuse sterben in comprimirtem Sauerstoff dyspnoetisch. Mit der Rückenmarkslähmung geht eine Dunkelfärbung der Haut Hand in Hand, im akmetischen Stadium pulsiren Blut- und Lymphherzen noch lebhaft, auch Muskeln und Nerven sind noch erregbar. Brüske Decompression nach längerer Compression mit Sauerstoff von 8—12 Atm. führt zu reichlicher Gasentwickelung in Blut und Geweben der Kaltblüter auch bei Anwendung eines Sauerstoffs, der nur 5 pCt. Stickstoff enthält. Die dabei auftretenden Krämpfe glaubt Verf. auf mechanische Reizung des Rückenmarkes durch die Gasentwickelung zurückführen zu dürfen; die frei gewordenen Gase bestehen zum grössten Theil aus Sauerstoff. Analog wie in O-freien Gasen verlängert auch in comprimirtem O Abkühlung das Leben der Frösche sehr beträchtlich. Noch nach 30stündigem Aufenthalt bei 12 Atm. findet vollständige Restitution statt. Da Gifte durch Abkühlung nicht günstig beeinflusst werden, ist comprimirter O nicht als Gift anzusehen, wie dies P. Bert vertritt. Die Thiere sterben vielmehr im comprimirten O bei stark herabgesetztem Stoffwechsel unter den Symptomen einer Erstickung.

Aus dem zweiten Abschnitt: „Ueber den Einfluss des comprimirten O auf einige Oxydationsprocesse mit besonderer Berücksichtigung des Phosphorleuchtens" ist zu erwähnen, dass leuchtende Organismen, Leuchtkäfer (Lampyris), leuchtendes Holz (das Mycelium von Agaricus melleus) und die Leuchtbacterien (des leuchtenden Fleisches) im comprimirten Sauerstoff stundenlang unverändert leuchten, schliesslich werden sie, wie alle Organismen. geschädigt. Dagegen zeigt der Phosphor im comprimirten O bis zu 14 Atm. keine Spur von Leuchten. Bezüglich der übrigen, das Phosphorleuchten betreffenden Ergebnisse sei auf das Original verwiesen.

Filipoff (2) gelangt durch Versuche an Menschen und Thieren über die therapeutische Wirkung eingeathmeten Sauerstoffs und verdünnten Ozons zu folgenden Sätzen: 1) Die Einathmung reinen Sauerstoffs verdient keinen Vorzug vor der Einathmung gewöhnlicher reiner Luft, wenigstens in Bezug auf Herzcontractionen, Athmung und Körpertemperatur (für Kranke mit Circulations- oder Respirationshindernissen möchte dieser Satz schwerlich Geltung haben. Ref.). 2) In Vergiftungsfällen mit Chloroform. Aethylalcohol, Schwefelwasserstoff, Kohlenoxyd ist von der Einathmung reinen Sauerstoffs kein grösserer Nutzen zu erwarten, als von der Einathmung reiner Luft. 3) Die Einathmung verdünnten Ozons kann nicht als einschläferndes Mittel betrachtet werden (entgegen Binz). 4) Die Einathmung von concentrirtem Ozon ruft in Uebereinstimmung mit der bisherigen Angabe starke Reizung der Schleimhäute hervor und ist daher für Mensch und Thier schädlich. 5) Die Aufnahme von Ozon durch die Respirationsorgane in das Blut ist (NB. nach Verf.! Ref.) als unbewiesen anzusehen (entgegen Binz).

Rosenthal (3) hat zur Messung der Kohsäure in der Zimmerluft einen Apparat construirt, welcher gestattet, die Volumverminderung der Luft nach Absorption der in ihr enthaltenen Kohlensäure direct abzulesen resp. die Druckverminderung, welche eintritt, wenn die Luft denselben Raum einnimmt, wie vor der Absorption. Der Apparat befindet sich am Ende des Versuches wieder in der Anfangsstellung, so dass man die Bestimmung leicht wiederholen kann.

Löw (4) hat seine Untersuchungen über die Reduction von Silbersalzen durch das lebende Protoplasma fortgesetzt. Ein Haupteinwand, der L. gegen seine Anschauungen gemacht ist, besteht darin, dass die Reduction bisher nur durch pflanzliches Protoplasma gelungen ist. L. vermuthete, dass hieran der Ammoniakgehalt der verwendeten Silberlösung Schuld sein könne, welcher das Protoplasma zu schnell zum Absterben bringt. L. wendete daher eine durch Schütteln von Silberoxyd mit 1 proc. Asparaginlösung erhaltene Lösung, die nahezu 0,5 pCt. Silber enthält, an. Die Lösung hält sich auch am Licht fast unverändert. Werden frische Nieren von Fröschen im Dunkeln in die Lösung eingelegt, so findet man nach 2 Stunden einen kohlschwarzen, ziemlich scharf abgegrenzten Wulst. Eine Reihe von Einflüssen, welche das Protoplasma zum Absterben bringt (Aether oder Chloroformdunst, heisse Wasserdämpfe, 0,1 proc. Schwefelsäure, Strychnin, Sublimat), hebt auch die Reagirfähigkeit der Nieren mit obiger Silberlösung auf. Reducirende Substanzen fanden sich in denselben Nieren nicht, das Verhalten zu den genannten Protoplasma-Giften spricht ausserdem dafür, dass die Reaction durch das Protoplasma bedingt wird. Auch die Hoden des Frosches reagiren in ähnlicher Weise. Dagegen waren Versuche mit den Nieren von Goldfisch und Maus, sowie verschiedenen Organen von Maus, Frosch, Goldfisch ohne Resultat.

Michailow (5) empfiehlt zur Darstellung von reinem Eieralbumin folgendes Verfahren.

Durch Mousselin filtrirtes Hühnereiweiss wird mit der 3fachen Menge gesättigter Lösung von Ammoniumsulfat versetzt, dann noch mit soviel gepulvertem Ammoniumsulfat, als sich auflöst. Dadurch werden sämmtliche Eiweisskörper gefällt und das Filtrat ist eiweissfrei. Der Niederschlag wird mit gesättigter Lösung von Ammoniumsulfat gewaschen, dann der Dialyse unterworfen. Das Globulin bleibt unlöslich, das Albumin löst sich dagegen auf: die Lösung wird filtrirt, das Filtrat, mit einigen Tropfen Ammoniak versetzt, wird nochmals durch Dialyse gereinigt; man erhält so eine wässrige Lösung von Albumin, die beim Kochen nicht mehr gerinnt.

Zur Darstellung am Hühnereiweiss schreibt Reichert (8) vor, das Weisse des Eies so wie Hoppe-Seyler angiebt, mit der Scheere zu zerkleinern und dann mit dem gleichen Volum Wasser zu mischen; statt des gewöhnlichen Wassers wendet R. jedoch mit Kohlensäure gesättigtes an. Dieses bewirkt nach R. einen flockigen Niederschlag in beträchtlicher Menge: Das Filtrat ist ganz klar und wird weder durch Essigsäure noch durch Kohlensäure getrübt. Mann kann es damit bei 40° eintrocknen oder vorher durch Dialyse von Salzen befreien.

Regeczy (9) hat seine Untersuchungen über die Diffusion von Eiweisslösungen fortgesetzt. Durch Diffusions-Versuche mit Thonzellen, Fliesspapier, thierische Membranen, Hühnereimembranen, Pergamentpapier, Schreibpapier, sowie ohne Scheidewand gelangte R. zu folgenden Resultaten: 1) Eiweiss diffundirt leichter gegen Salzlösung als gegen destillirtes Wasser, und zwar wird die Diffusion um so mehr befördert, je concentrirter die Salzlösung ist. 2) Aus dünneren Eiweisslösungen diffundirt Eiweiss sicherer, wie aus concentrirteren. 3) Ist die Eiweisslösung mit Salzen gemischt, so diffundirt das Eiweiss schwieriger gegen destillirtes Wasser, wie aus salzfreien Lösungen und zwar um so schwieriger, je grösser der Salzgehalt der Eiweisslösung. 4) Aus mit Salz gemischten Eiweisslösungen diffundirt in der Regel zuerst das Salz, Albumin fängt dann an, durchzutreten, wenn der Unterschied der specifischen Gewichte der Flüssigkeit auf beiden Seiten auf einen gewissen niedrigen Grad gesunken ist. Je dichter, resp. je dicker die trennende Membran ist, ein um so geringerer Unterschied der specifischen Gewichte genügt, um den Durchtritt von Eiweiss zu verhindern. 5) Gegen Salzlösungen diffundirt Eiweiss auch durch eine so dicke resp. dichte Membran, durch welche es gegen Wasser nicht hindurchgeht. 6) Der Druck befördert die Diffusion des Eiweiss, wenn er auf die Membran von der Seite der Eiweisslösung wirkt. Bezüglich der theoretischen Erörterungen über die Ursachen dieser Erscheinungen muss auf das Original verwiesen werden; ebenso lassen sich die Erklärungen, die Verf. von der Erscheinung giebt, dass zeitweise auch unter physiologischen Verhältnissen ohne Schädigung der Nierenepithelien Eiweiss in den Harn eintritt, welche auf den vom Verf. gemachten Beobachtungen basirt, nicht im Auszug wiedergeben.

Heynsius (10) hat das Verhalten der Eiweissstoffe zu Salzen von Alkalien und von alkalischen Erden untersucht. Starke und unabhängig davon Schäfer haben ziemlich gleichzeitig gefunden, dass nach Ausfällung des Globulins aus dem Blutserum durch Sättigen mit schwefelsaurer Magnesia das in der Flüssigkeit noch restirende Serumalbumin durch weitere Sättigung mit schwefelsaurem Natron niedergeschlagen wird. — Verf. hat nun die interessante Beobachtung gemacht, dass durch Sättigen mit neutralem schwefelsaurem Ammoniak sowohl aus Blutserum, wie aus Hühnereiweiss alle Eiweissstoffe vollständig niedergeschlagen werden. Die Reaction der Flüssigkeit ist durchaus ohne Einfluss; sowohl nach Zusatz von etwas Alkali, wie von Säure wird alles Eiweiss ausgefällt. Dasselbe ist der Fall bei den Eiweissstoffen der Milch. Aber nicht nur die echten Eiweissstoffe werden dadurch niedergeschlagen, auch Propepton (Hemialbumose) und Pepton werden durch Ammoniumsulfat vollständig und unverändert aus ihren Lösungen ausgeschieden. Ebenso wie Ammoniumsulfat wirkt übrigens saures schwefelsaures Natron; nach Abfiltrirung des durch letzteres erzeugten Niederschlages fand sich in der Flüssigkeit keine Spur Eiweiss mehr. Nach Entfernung des Salzes aus dem Niederschlage durch Dialyse fällt ein Theil des Eiweiss, das Globulin, aus, das Uebrige bleibt in Lösung. Zur Auffindung kleiner Mengen Propepton und Pepton kann das schwefelsaure Ammoniak practisch vielleicht von Bedeutung sein. — Für die theoretische Auffassung ergiebt sich aus dem Angeführten der Schluss, dass ein Eiweissstoff nur dann den Globulinen zuzuzählen ist, wenn er aus einer Lösung in Salzen nicht nur durch Sättigung mit dem Salze niedergeschlagen wird, sondern auch nach Entfernung des letzteren sich als in Wasser unlöslich erweist.

Tarchanoff (11) behandelt die Verschiedenheiten des Eiweiss bei befiedert geborenen Vögeln und bei nackt geborenen. Das Eiereiweiss von Eiern der Uferschwalbe zeigte sich bei einer zufälligen Beobachtung nach dem Kochen vollkommen durchsichtig wie Glas. Diese Beobachtung bildet den Ausgangspunkt der vorliegenden umfangreichen Untersuchung. Da das Eiweiss dieser Eier auch in frischem Zustand viel dünnflüssiger und wässriger, als das Hühnereiweiss ist, so untersuchte T. zunächst, ob die abweichende Eigenschaft desselben — T. nennt dieses Eiweiss „Tataeiweiss" — vielleicht auf dem grösseren Wassergehalte beruht. Allerdings ergab sich der Wassergehalt bei dem Tataeiweiss um etwa 2 pCt. höher, da man aber dem gewöhnlichen Eiweiss 5 bis 10 pCt. Wasser zusetzen kann, ohne dass es seine Eigenschaft, in undurchsichtiger Form zu gerinnen, einbüsst. so kann der Unterschied nicht hierauf beruhen. Dafür, dass tiefere Unterschiede vorliegen. sprechen auch verschiedene andere abweichende Eigenschaften. Das Tataeiweiss fluorescirt stärker, es gerinnt erst bei weit höherer Temperatur, es filtrirt und diffundirt viel leichter und wird in geronnenem Zustande vom künstlichen Magensaft acht bis zehnmal rascher als Hühnereiweiss verdaut und peptonisirt u. s. w. Ausser bei der Uferschwalbe fand T. das Tataeiweiss bei der Drossel, Gartenammer, Taube, Canarienvogel, Gimpel, Fink, Gartenrothschwänzchen, Sperling, Nachtigall, Rabe, Kornkrähe. Das optische Drehungsvermögen des Hühnereiweiss und Rabeneiweiss erwies sich identisch. Alle genannten Vögel sind Nesthocker; das Eiweiss einiger zur Gegenprobe untersuchten wildlebenden Nestflüchter zeigte das Verhalten des Hühnereiweiss. Die Taubeneier haben oft nach dem Kochen einen etwas opaken Anschein in Uebereinstimmung damit, dass die Tauben eine Mittelstellung zwischen Nestflüchter und Nesthocker einnehmen. Dasselbe ergab sich für den Kiebitz.

Nur ganz frische Eier zeigen das Tataeiweiss in ausgesprochener Weise, je älter das Ei ist und namentlich, je weiter es in der Entwicklung vorschreitet, desto mehr zeigen die betreffenden Eier das gewöhnliche Verhalten des Hühnereiweiss. Der Zusatz kleiner Mengen neutraler Salzlösungen hebt das characteristische Verhalten des Tataeiweiss auf, dagegen ändert vorsichtiger Zusatz von Essigsäure das Verhalten beim Sieden nur wenig. bei stärkerem Ansäuern und Kochen entsteht ein opakes weisses Gerinnsel; dasselbe geschieht, wenn das flüssige Tataeiweiss einige Zeit der CO_2 ausgesetzt wird. Auf Unterschiede in der Alkalescenz ist, wie eine genauere Untersuchung zeigte, das eigenthümliche Verhalten des Tataeiweiss nicht zu beziehen: 100 g trockene Eiweissubstanz enthielten u. A. KHO: beim Raben 5,3—5,0—4,5, beim Huhn 7,3—6,8—7,1,—7,5, die Alcalescenz ist vielmehr im Gegentheil bei dem Hühnereiweiss grösser, der Gehalt an Asche zeigt keine wesentlichen Differenzen. — Das aus Tataeiweiss dargestellte Natronalbuminat wird viel leichter vom Magensaft verdaut, wie aus Hühnereiweiss erhaltenes. Aus allen diesen Unterschieden schliesst T., dass das Tataeiweiss in der That ein vom Hühnereiweiss wesentlich verschiedener Körper ist, dessen abweichendes Verhalten nicht von irgend welchen Nebenumständen abhängt.

Bei der normalen Entwicklung geht das Tataeiweiss allmälig in gewöhnliches über, dasselbe geschieht auch bei der Digestion von Tataeiweiss mit Eidotter, bei der Brutwärme, dagegen nicht bei der Digestion des Eiweiss allein, die Mitwirkung des Dotters kann nicht entbehrt werden. Nach Ausschluss verschiedener anderer Möglichkeiten gelangt T. zu dem Schluss, dass es wahrscheinlich die bei der Bebrütung entstehende Glycerinphosphorsäure ist, welche, einer Muthmassung Pflüger's zu Folge, diese Umwandelung bewirkt. Die Untersuchung der Gewichtsverhältnisse des Eidotters und Eiweiss ergab, dass das Gewicht des Eidotters im Verhältniss zum Eiweiss in den Eiern der Nesthocker bedeutend geringer ist, wie in den Eiern der Nestflüchter. eine Ausnahme bildete nur ein Nesthocker, die Meise, bei der das Verhältniss des Gewichts 1 : 1,19 gefunden wurde; möglicherweise war die schon beginnende Entwickelung des Eies Schuld. Weiterhin ergab sich, dass der Dotter der Nesthocker 10—16 pCt. mehr Wasser enthält, wie der der Nestflüchter. In Beziehung auf die folgenden Abschnitte, welche namentlich eine kritische und experimentelle Untersuchung über den Vorgang der Bildung des Eies im Eileiter enthalten, muss auf das Orig. verwiesen werden.

Die von Schulze (12) früher gemachte Beobachtung, dass keimende Lupinen Phenylamidopropionsäure enthalten. macht es (ebenso wie das Auftreten von Phenylpropionsäure bei der Fäulniss von Eiweiss nach E. und H. Salkowski, Ref.) wahrscheinlich, dass diese Säure im Eiweiss präformirt und derjenige Bestandtheil desselben sei, welcher bei der Oxydation des Eiweiss Benzoësäure liefert. Sch. legte sich die Frage vor, ob diese Säure nicht auch bei der Zersetzung des Eiweiss durch Salzsäure und Barytwasser neben den schon bekannten Producten entstehe. Die untersuchten Eiweisskörper waren: das Eiweiss der Kürbissamen, das Conglutin (aus Lupinen), das Casein und der Leim.

I. Die Zersetzung des Kürbissamen-Eiweiss durch Salzsäure. Die Zersetzung geschah nach der von Hlasiwetz und Habermann angegebenen Vorschrift durch Kochen mit verdünnter Salzsäure unter Zusatz von Zinnchlorür. Das dabei neben den bekannten anderen Producten erhaltene Rohleucin lieferte bei der Oxydation Benzoësäure, namentlich war ein gewisser Antheil des Leucins hierdurch ausgezeichnet. Derselbe diente zur Isolirung der Amidophenylpropionsäure, welche schliesslich nach einem umständlichen Reinigungsverfahren (vergl. das Orig., Ref.) rein erhalten wurde. Dieselbe erwies sich als die von Erlenmeyer und Lipp synthetisch dargestellte Phenyl-α-Amidopropionsäure. Wie diese gab sie beim Erhitzen eine flüchtige Base von der Zusammensetzung $C_8H_{11}N$ (Phenylaethylamin, während sich im krystallinisch erstarrenden Rückstande Phenyllactimid (C_9H_9NO) vorfand. In einigen Punkten weicht die natürliche Säure allerdings von der synthetisch dargestellten ab; sie ist u. A. linksdrehend (specifische Drehung 35,3°), während dieses für die synthetische Säure nicht angegeben wird. — Homologe Leucine konnten nicht aufgefunden werden.

II. Zersetzung des Conglutins durch Salzsäure. Das Conglutin lieferte im Mittel 2,2 pCt. Tyrosin und 15,3 pCt. rohes Leucin, daneben 9 bis 13 pCt. Glutaminsäure und 1,5 pCt. Asparinsäure. — Das Tyrosin erwies sich, entsprechend den Angaben Mauthner's, linksdrehend. Die specifische Drehung betrug in salzsaurer Lösung im Maximum — 15,6° (sie nimmt ab mit steigender Concentration der Salzsäure). Für die Glutaminsäure erwies sich die Rechtsdrehung = 31,7 pCt. Phenylamidopropionsäure konnte zwar nicht in Substanz dargestellt werden, jedoch ergab sich ihre Anwesenheit im Roh-Leucin als sehr wahrscheinlich. (Ueber zahlreiche Einzelheiten s. das Orig. Ref.).

III. Zersetzung des Conglutins durch Barytwasser. Nach dem Vorgange Schützenberger's wurde die Erhitzung bei 150—160° vorgenommen (250 g Conglutin, 750 g krystallisirtes Barythydrat, 1000 g Wasser 4 Tage lang auf 150 bis 160° erhitzt), die alkalische Flüssigkeit durch Schwefelsäure vom gelösten Baryt befreit und eingedampft. Die Trennung der Producte war ähnlich wie in den Salzsäureversuchen. Es resultirten 2,4 pCt. Tyrosin, 14,2 pCt. Roh-Leucin und ansehnliche Mengen Glutaminsäure. Das Tyrosin und Leucin zeigten eine erheblich geringere Löslichkeit, wie die bei anderen Darstellungsweisen erhaltenen Präparate; ebenso war bemerkenswerther Weise sowohl das Leucin, wie die Glutaminsäure optisch inactiv. Phenylamidopropionsäure konnte nachgewiesen werden.

IV. Aus Casein und Leim gelang es nicht, Phenylamidopropionsäure darzustellen, indessen war die Gegenwart derselben unter den bei der Behandlung mit Salzsäure erhaltenen Zersetzungsproducten nach den Reactionen wahrscheinlich.

Ref. (13) berichtet über gemeinschaftlich mit H. Salkowski ausgeführte Versuche, in denen die Producte der Eiweissfäulniss einer genaueren Untersuchung, namentlich in quantitativer Beziehung, unterworfen und die Variationen berücksichtigt wurden, welche einerseits durch die Wahl des Eiweisskörpers — Blutfibrin, Eiweisskörper des Fleisches, Serumalbumin, Pancreaspepton —, andererseits durch die Zeitdauer Fäulniss bei demselben Eiweisskörper bedingt werden. (Auch dem Eiweiss nahestehende Substanzen sind in die Untersuchung hineingezogen, doch werden diese vorläufig nicht berücksichtigt.) Um vergleichbare Resultate zu erhalten, war es natürlich nothwendig, alle übrigen Bedingungen der Fäulniss möglichst gleichmässig zu halten, namentlich das Verhältniss zwischen Eiweiss und Wasser, den Grad der Alkalescenz, die Temperatur, die Berührung mit der Luft. Im Allgemeinen kam in jedem Versuch 2 Kilo feuchtes Eiweissmaterial = annähernd 400 g trocken, 8 Liter Leitungswasser, 200—240 ccm gesättigte Lösung von Natriumcarbonat, 2 g Kaliumphosphat (KH_2PO_4), 1 g Magnesiumsulfat zur Anwendung. Die Digestion geschah stets in einem zu $^3/_4$ von der Mischung gefüllten Kolben, welcher nur so lange, als sich Gase entwickelten, diesen Abzug gewährte, dann aber — nach einigen Tagen — ganz abgeschlossen wurde. Zur Impfung diente eine faulende Fleischmaceration, welche durch 24stündiges Hinstellen von gehacktem Fleisch mit alcalisirtem Wasser bei 40—42° bereitet war*).

Ref. beschreibt den bei der Verarbeitung der Fäuldestillate eingehaltenen Gang, bez. dessen auf das Original verwiesen werden muss; das isolirte Indol wurde direct gewogen. Im Destillat fanden sich ausser den schon bekannten Substanzen, ein schwefelhaltiger mercaptanartiger Körper und eine Substanz, deren wässerige Lösung sich mit salpetrigsäurefreier Salpetersäure in der Kälte purpurroth färbt, beide in sehr geringer Menge.

Nach einer Uebersicht über die einzelnen Versuche und die bei denselben erhaltenen Indolquantitäten erörtert Verf. in Abschnitt V. die Zusammensetzung des „Fäulnissindols“ und das Vorkommen von Skatol in demselben. Das Indol erwies sich in allen Fällen skatolhaltig (über die Methode der Untersuchung vergl. das Orig.); aber oft nur in Spuren oder sehr unbedeutend. Zu einem ansehnlichen Bruchtheil aus Skatol bestand das „Fäulnissindol“ nur bei der Verwendung von Fleisch, resp. der Eiweisskörper desselben. Doch bilden diese Fälle auch beim Fleisch die Minderzahl, in der Mehrzahl der Versuche handelte es sich ganz überwiegend um reines Indol. Da ein und dasselbe Material bald stark skatolhaltiges Indol liefert, bald fast skatolfreies, und die äusseren Bedingungen der Fäulniss keinen Unterschied erkennen lassen, so schliesst Ref., dass die Ursache hierfür eine microscopische, d. h. durch die Verschiedenheit der Fäulnissorganismen bedingt ist, dass in der Regel der „Indolpilz“ überwiegt, mitunter aber der „Skatolpilz“. Beide Substanzen würden nach dieser Anschauung aus einer gemeinsamen, im Eiweissmolecül präformirten Atomgruppe stammen. Dafür spricht auch, dass in den Fällen, in denen viel Skatol erhalten wurde, das Indol entsprechend zurücktrat. — Abgesehen von der Beimischung von Skatol erwies sich das Fäulnissindol, so wie es die Verf. zur Gewichtsbestimmung benutzten, als vollkommen rein: 3 Versuche ergaben darin 98,12—98,25—99,13 pCt. reines Indol (die Methode siehe im Orig.).

Was die Menge des erhaltenen Indols betrifft, so lieferte Blutfibrin 7,2—11,5 p. M. des Eiweiss (Trockengewicht), die Eiweisskörper des Fleisches 1,7—3,2 p. M., das Serumeiweiss 3,6—5,0 p. M., das Pancreaspepton 5,0—6,1 p. M. (wahrscheinlich etwas zu niedrig). Diese Quantitäten sind mit Ausnahme der für Serumalbumin erheblich grösser, als die früheren Autoren angaben; die Ursache davon ist wahrscheinlich, dass in den früheren Versuchen ein ansehnlicher Antheil des Indols durch Verdunstung verloren gegangen ist. Besonders bemerkenswerth ist

*) In allen Versuchen wurde das Trockengewicht des verwendeten Eiweiss, sowie der am Ende des Versuches ungelöste Rückstand bestimmt und dieser Werth den Berechnungen der procentischen Menge der Fäulnissproducte zu Grunde gelegt.

ferner, dass das Fibrin constant etwa 3 Mal soviel Indol liefert, wie die Eiweisskörper des Fleisches; es ist damit zum ersten Mal ein Unterschied in der chemischen Constitution verschiedener Eiweisskörper (im engeren Sinne) nachgewiesen.

Ueber die Art der Entstehung des Indols kommt Ref. durch Versuche, in denen in Zeiträumen von je 2 Tagen der Indolgehalt und andererseits die Menge des ungelösten Eiweiss und Pepton bestimmt wurde, zu der Ansicht, dass das Indol nicht sofort als solches aus dem Eiweiss abgespalten, sondern in Form einer complicirten zusammengesetzten Substanz, einer Zwischenstufe, die erst durch weitere Bacterienwirkung gespalten wird. Auch Baumann hat dahingehende Beobachtungen gemacht.

Abweichend von den früheren Angaben, welche ein ziemlich schnelles Abnehmen des Indols mit der Dauer der Fäulniss constatiren, war ein solcher Einfluss in den Versuchen der Verff. durchaus nicht zu constatiren, das Fibrin lieferte sogar bei 38 tägiger Dauer der Fäulniss die grösste Menge, nämlich 11,5 p. M. Auch diese Abweichung wird auf das Entweichen des Indols aus den in offenen Gefässen angestellten Versuchen der Autoren zurückgeführt. Eine fermentative Spaltung oder Oxydation des Indols ist in nicht bewegten Flüssigkeiten nicht nachweisbar.

In einer zweiten Abhandelung bespricht Ref. (14) die Scatolcarbonsäure. Neben Indol und Scatol liefert die Fäulniss des Eiweiss, wie Ref. und H. Salkowski früher gefunden haben, noch eine in diese Reihe gehörige Substanz, die Scatolcarbonsäure, $C_{10}H_9NO_2$, welche sich sehr leicht beim Erhitzen in Kohlensäure und Scatol spaltet. Diese Säure findet sich neben vielen anderen Producten in dem bei der Destillation von faulenden Mischungen bleibenden wässerigen Rückstande und ist aus diesem nur durch ein ziemlich complicirtes Verfahren rein zu erhalten, betreffs dessen Einzelheiten auf das Original verwiesen werden muss, welches auch das Schema für die Verarbeitung dieses Rückstandes zur Gewinnung der anderen Fäulnissproducte enthält. — Rein dargestellt, bildet die Säure Krystallblättchen, die sich leicht in Alcohol und Aether, sehr wenig in Wasser lösen. Die wässerige Lösung lässt sich ohne merkliche Zersetzung eindampfen, auch mit Salzsäure oder Alkali versetzt einkochen, dagegen tritt beim Eindampfen unreiner Lösungen theilweise Zersetzung ein unter Auftreten von Scatolgeruch und Bildung purpurrother Farbstoffe. — Zur Erkennung der Scatolcarbonsäure dient die Abspaltung von Scatol beim Erhitzen über 170° (im Orig. fälschlich 150°, Ref.) und eine sehr empfindliche Reaction mit Eisenchlorid + Salzsäure (s. unter 2, Ref.). Die Scatolcarbonsäure fand sich

in 5 Versuchen mit Fibrin von 4—38 Tagen Dauer.
in 6 „ „ Fleisch „ 7—70 „ „
in 2 „ „ Serumalbumin v. 29 „ „
in 2 „ „ Pancreaspepton von 7—12 Tagen Dauer.

In allen Fällen bis auf 3 ist die Säure in Substanz dargestellt, in den erwähnten 3 Fällen durch Abspaltung von Scatol; sie fehlte in keinem darauf untersuchten Fäulnissgemisch. Ihre Menge war am grössten in einem Fibrin-Fäulnissversuch von 26 Tagen Dauer, sie betrug hier 3,19 p. M. des angewendeten Eiweiss, in anderen Versuchen war die Menge geringer und zwar schien sie mit der Dauer der Fäulniss zuzunehmen; dementsprechend gelang es auch nicht, Scatolcarbonsäure durch Bacterienwirkung zu spalten — sie blieb bei 27 tägiger Digestion mit verschiedenen Fäulnissmischungen unverändert — sodass dieselbe schwerlich die Vorstufe des Scatols darstellt.

Die dritte Abhandlung des Ref. (15) beschäftigt sich zunächst mit einigen Reactionen der Scatolcarbonsäure: a) Versetzt man eine Lösung der Säure (1 : 1000) mit einigen Tropfen reiner Salpetersäure, dann mit wenigen Tropfen Kaliumnitrit (2 pCt.), so färbt sich die Lösung ziemlich schnell kirschroth, trübt sich dann unter Abscheidung eines rothen Farbstoffes. Die Reaction zeigt Aehnlichkeit mit der Indolreaction, jedoch ist der Farbstoff nicht salpetersaures Nitrosoindol, wie Ref. an dem verschiedenen Verhalten dieses Farbstoffes und des salpetersauren Nitrosoindol gegen Reductionsmittel erkannt hat. — b) Eine ähnliche Reaction erhält man mit Salzsäure + Chlorkalk. c) Bei weitem feiner ist die Reaction mit Eisenchlorid. Versetzt man eine Lösung von 1 : 10,000 mit einigen Tropfen Salzsäure, dann mit 2—3 Tropfen einer ganz dünnen Eisenchloridlösung (2 cbcm Liquor ferri sesq. auf 100 cbcm Wasser) und erhitzt, so färbt sich die Mischung noch vor dem Sieden intensiv violet. Die Reaction gelingt noch bei 1 : 100,000. — Nach dem Eingeben von Scatolcarbonsäure beim Kaninchen konnte die Säure aus dem Harn in Substanz dargestellt werden; gleichzeitig trat dabei eine, einige Tage dauernde Albuminurie auf. Durch Versuche mit kleinen Mengen der Säure überzeugte sich Ref., dass noch nach Einführung von 2,5 mg die Säure in dem 24 stündigen Harn durch Reactionen nachweisbar war, sie ist also ausserordentlich resistent, wiewohl ein gewisser Antheil oxydirt wird.

Nach MacMunn (16) enthält der Herzmuskel und einige andere Muskeln von Säugethieren, Vögeln, Reptilien, Amphibien, Fischen, auch manchen Invertebraten neben Hämoglobin einen specifischen Farbstoff „Myohämatin", dessen Spectrum theilweise mit dem des Hämoglobins zusammenfällt und aus diesem Grunde bisher übersehen sei. Der erste Absorptionsstreifen des Myohämatin liegt gerade an D, die beiden folgenden zwischen D und E, endlich zwei schwache Streifen mehr am Violet, der eine zwischen E und C, der andere zwischen C und F, nahe an F. Drückt man ein Stück Herzmuskel im Compressorium zu einer dünnen Schicht aus, so verschwindet das Spectrum des Hämoglobin, während das des Myohämatins bleibt.

Michailow (17) behandelt die Darstellung animalischer Farbstoffe aus Albumin.

Beim Zufügen von Schwefelsäure zu in Eisessig gelöstem Albumin entsteht nach Adamkiewicz eine grün fluorescirende Lösung. Setzt man zu dieser Lösung alsdann Ammoniumsulfat, so bildet sich ein aus Albumin und Farbstoff bestehender Niederschlag, ausdem man den Farbstoff mit Alcohol entziehen kann. Je nachdem man zu dem Alcohol ein Alkali oder eine Säure zusetzt, erhält man gelb oder rosa gefärbte grün fluorescirende Lösungen, welche die Gmelin'sche Reaction geben.

Krukenberg (18) hat das Cornein untersucht. Die Gerüstsubstanz der Gorgoniden und Antipathiden enthält eine dem Chitin nahestehende, von Valenciennes „Cornein“ genannte Substanz. K. hat dieselbe durch wiederholte Behandlung mit Pepsinsalzsäure, sowie Trypsin gereinigt und näher untersucht. Das Cornein erinnert bei einigen Reactionen an Eiweiss, beim Kochen mit concentrirter roher Salzsäure entsteht keine Roth- oder Violetfärbung, mit Millon'sches Reagens färbt es sich nur sehr schwach röthlich, beim Schmelzen mit Kali liefert es jedoch regelmässig ansehnliche Mengen von Indol. Weder durch Säuren noch durch Alkalien lässt sich aus demselben wie aus dem Chitin und dem Hyalin eine reducirend wirkende Substanz abspalten. Die Elementaranalyse ergab für Präparate verschiedenen Ursprunges übereinstimmend die Formel $C_{30}H_{44}N_9O_{13}$. Einen geringen Schwefelgehalt bezieht K. auf nicht zu beseitigende Verunreinigungen.

Die Analysen von sorgfältig gereinigtem Cystin führten Külz (20) zu Zahlen, welche besser auf die (natürlich zu verdoppelnde, Ref.) Formel $C_3H_6NSO_2$ passen, wie auf die bisher übliche $C_3H_7NSO_2$. In Ammoniak gelöstes Cystin zeigte ein specifisches Drehungsvermögen von 141—142° links, während dasselbe für in Salzsäure gelöstes Cystin nach Mauthner 205,8° beträgt.

Auf einem anderem Wege ist auch Baumann (21) zu dem Schluss gelangt, dass dem Cystin die Formel $C_6H_{12}N_2S_2O_4$ zukommt. Bringt man in die salzsaure Lösung des Cystins Zinnfolie, so löst sich dieselbe ohne alle Gasentwicklung und unter steter Abnahme der Linksdrehung, dabei geht das Cystin so gut wie quantitativ in einen neuen basischen Körper, „das Cystein“ an der Formel $C_3H_7NSN_2$ über. Man erhält dieses, wenn man aus der erwähnten salzsauren Lösung nach Beendigung der Reaction das Zinn durch Schwefelwasserstoff entfernt, vom Schwefelzinn abfiltrirt und eindampft: bei vorsichtigem Zusatz von Ammoniak scheidet sich nun ein feinkörniger krystallinischer Niederschlag von Cystein aus. Dasselbe ist in Wasser ziemlich leicht löslich, ebenso in Ammoniak, Essigsäure und den Mineralsäuren. In wässriger Lösung geht das Cystein allmälig unter Aufnahme von Sauerstoff in Cystin über, die Umwandlung erfolgt durch gelinde Oxydationsmittel, z. B. Eisenchlorid, in diesem Falle unter vorübergehender Blaufärbung. Das Cystein steht zu dem Cystin in demselben Verhältniss, wie die Mercaptane zu den Disulfiden. Das Drehungsvermögen des Cysteins ist sehr viel geringer wie das des Cystins. Erhitzt man das Cystin mit Jodwasserstoff über 140°, so tritt vollkommene Zersetzung ein: der Stickstoff tritt vollständig als Ammonik aus, in geringer Menge wird ein nach Mercaptan riechendes Oel und eine flüchtige, nicht schwefelhaltige Säure erhalten.

Harnstoff löst sich in Wasser bekanntlich unter einer nicht unbeträchtlichen Temperaturerniedrigung. Nach einer Reihe von Bestimmungen, die Rubner (22) mit dem Rechenberg'schen Calorimeter ausgeführt hat, bindet 1 g Harnstoff bei der Lösung 61,318 kleine Calorien. Bei der Abspaltung von Harnstoff aus dem Atomcomplex des Eiweisses wird natürlich gleichfalls eine gewisse Quantität Wärme zur Lösung gebraucht, und zwar bei Bildung von 35,3 g Harnstoff aus 100 g Eiweiss, 2177 kleine = 2,18 grosse Calorien, eine nach Verf. durchaus nicht ganz unbeträchtliche Grösse (die indessen den ca. 2000 Calorien gegenüber, welche der menschliche Körper in 24 Stunden bildet, doch nicht sehr ins Gewicht fällt, Ref.).

Gautier (23) kündigt eine Synthese des Xanthins an. Durch Erhitzen eines Gemisches von Cyanwasserstoffsäure (Blausäure) und Essigsäure im zugeschmolzenen Rohr auf 140—150° erhielt G. ein Gemisch von Xanthin und Methylxanthin erhalten. G. giebt für die Reaction folgende Gleichung:

$$11 CNH + 4 H_2O = \underset{\text{Xanthin}}{C_5H_4N_4O_2} + \underset{\text{Methylxanthin}}{C_6H_6N_4O_2} + 3 NH_3$$

Da die Cyanwasserstoffsäure selbst nach Berthelot beim Ueberspringen des electrischen Funken in einem Gemisch von Wasserstoff und Stickstoff zwischen Polen aus Kohle entsteht, so wäre damit das Xanthin selbst aus unorganischen Substanzen darstellbar.

Krukenberg (24) behandelt einige physiologisch und klinisch wichtigeren Farbenreactionen. Aus der, viele Einzelbeobachtungen enthaltenden, Abhandlung kann Ref. hier nur die ihm wichtig oder bemerkenswerth erscheinenden anführen. Die bekannte Reaction auf Indol mittels Fichtenspahn und Salzsäure stellt man nach Verf. so an, dass man die zu prüfende Flüssigkeit mit Salzsäure stark ansäuert, mit wenigen Tropfen verharzten Terpentinöls schüttelt, bis die bei Gegenwart von Indol allmälig eintretende Rothfärbung intensiver geworden ist, und den Farbstoff dann mit Aether (auch mit Alcohol, Chloroform, Essigäther) ausschüttelt; beim längeren Stehen nimmt die Rothfärbung des Aethers immer mehr zu; das Spectrum dieser Farbstofflösung zeigt ein breites Absorptionsband im Grün (am E und b). Beim Alkalisiren verschwindet die Purpurfärbung, um beim Ansäuern wiederzukehren. — Der bei der Trypsinverdauung aus Fibrin entstehende, mit Bromwasser violet werdende Farbstoff lässt sich mit Aether oder Chloroform ausschütteln, und zeigt in seinen Lösungen ein deutliches Absorptionsband im Gelb (um D). Neben diesem Körper fand sich noch ein zweites diffusibles Chromogen, das unzersetzt ins Destillat überging, welch' letzterem es durch Chloroform oder Aether entzogen werden konnte. Der in alkalischen Flüssigkeiten lösliche Farbstoff wurde beim Ansäuern in Flocken ausgefüllt. Mit Salpetersäure färbt es sich dunkelroth; das Spectrum der alkoholischen Lösung zeigt ein breites Absorptionsband im Gelb oder Grün (von D bis F). Beim Erhitzen wird dieser Farbstoff nur langsam angegriffen. Auch beim Faulen von Fibrin erhält man zwei wie es scheint, mit den vorgenannten völlig identische Farbstoffe. Beide Farbstoffe sind nach Verf. „voraussichtlich" Körper aus der Indigogruppe. Ein mit dem zuletzt geschilderten Farbstoff übereinstimmender Körper wurde (von Fr. Müller) in einem Typhusharn beobachtet, der sich bei Ausführung der Indicanreaction roth färbte und den Farbstoff an Aether abgab (Absorptionsband der ätherischen Lösung zwischen D und F). Bei Berührung mit der Luft sich allmälig stark röthende Fäcalmassen zeigten in der alcoholischen oder ätherischen Lösung nur einen, dem sauren Hydrobilirubin- (Urobilin-) Band entsprechend gelagerten Streifen (bei F); einen spectroscopisch ähnlichen, zinnoberrothen Farbstoff hat Verf. aus Liebig'schem Fleischextract gewonnen, in dem er indess nicht präformirt war. Ein anderer Harn eines Typhuskranken gab bei der Indicanreaction einen kirschrothen, sehr beständigen Farbstoff an Aether ab, der wahrscheinlich mit Plosz' Urorubin identisch ist; das Spectrum desselben zeigt ein breites Absorptionsband von D bis E und noch darüber hinaus. Der Harn zweier Icterischen lieferte bei der Indicanprobe eine purpurfarbige ätherische Lösung, deren Spectrum neben den beiden Indicanstreifen noch ein Band zwischen D und E besass. — Wässerige Salicylsäurelösungen gaben ein breites Band, das von D bis fast nach F reicht; das Absorptionsband von Phenollösungen ist äusserst schwach und erscheint nur in concentrirten Lösungen. Die Geuther'sche Aethyldiacetsäure giebt einen breiten Absorptionsstreifen zwischen D. und G. In einem diabetischen Harne wurde neben Acetessigsäure ein durch Eisenchlorid erzeugter rothbrauner Farbstoffkörper beobachtet, der nicht in Aether oder Chloroform überging und auf Salzsäurezusatz im Harn sofort verschwand, übrigens kein scharf umgrenztes Absorptionsband lieferte. Das Spectrum der Penzoldt'schen Traubenzucker-Aldehydreaction (Absorptionsband von D bis F) erwies sich als mit dem des in gleicher Weise behandelten diabetischen Harns übereinstimmend. Die Spectren der Murexidprobe auf Harnsäure zeigen einen Absorptionsstreif zwischen D und E resp. E und F. — Wässerige, durch Jod roth gefärbte Dextrinlösungen zeigen einen deutlichen Streifen zwischen D und E, der in dextrinfreien, wässerigen Jodstärkelösungen sich nicht findet. Es muss deshalb die Röthung, welche Dextrinlösungen durch Jod erfahren, auf einem anderen Körper beruhen, als auf Verunreinigungen von Brücke's Achroodextrin mit geringen Mengen von Granulose.

Rubner (25) lenkt die Aufmerksamkeit auf die Reactionen, welche der Traubenzucker und der Milchzucker mit gelöstem resp. gepulvertem Bleiacetat und Ammoniak zeigen. (Verf. hat diese Reactionen in den Handbüchern nicht gefunden, Ref. kennt sie aus Schwanert: „Hülfsbuch zur Ausführung chemischer Arbeiten, 3. Aufl. 1866. Soweit Ref. bekannt, sind die Reactionen hier in den Kliniken neben den gewöhnlichen im Gebrauch.) Verf. hat diese Reactionen eingehend untersucht, die für das Zustandekommen dieselben günstigsten Bedingungen ermittelt und namentlich auch die Unterscheidung von Traubenzucker und Milchzucker mit Hülfe derselben bearbeitet. Ref. muss sich auf die Anwendung dieser Reactionen zum Nachweis des Zuckers im Harn beschränken. Man verfährt am zweckmässigsten folgendermassen: 10 cbcm Harn werden mit etwa 3 g gepulverten Bleiacetat versetzt, gekocht, filtrirt, wieder erhitzt bis zum starken Kochen, dann Ammoniak eingeträufelt unter erneutem Erhitzen: bei Gegenwart von Traubenzucker entsteht ein rother Niederschlag, der bald in Gelb übergeht. Harne von etwa 1010 spec. Gewicht können unmittelbar zur Reaction benutzt werden, concentrirtere werden mit dem gleichen Volum Wasser verdünnt. Die Empfindlichkeit der Reaction geht bis 0,1 pCt., vielleicht noch etwas weiter.

Weit intensivere Farbenerscheinungen werden durch die Gegenwart von Milchzucker hervorgerufen. Das Verfahren ist ganz dasselbe: nach vorübergehender Gelbfärbung wird der Niederschlag rosenroth, später oft pulverig und kupferroth. Die Empfindlichkeit ist grösser, wie beim Traubenzucker und geht wenigstens bis 0.05 pCt. — Normaler Harn giebt ebenso behandelt nie einen schwefelgelben Niederschlag. R. hebt noch besonders hervor, dass es mittelst dieser Reaction möglich ist, den Milchzucker in dem Harn von Wöchnerinnen nachzuweisen. (Ref muss bekennen, dass er einen eigentlich durchgreifenden qualitativen Unterschied der Traubenzucker- und Milchzuckerreaction nicht hat auffinden können, also auch nicht recht einsieht, warum durch den positiven Eintritt der Reaction in diesem Fall gerade Milchzucker nachgewiesen sein soll.)

Petri (26) hat das Verhalten der Aldehyde, des Traubenzuckers, der Peptone, der Eiweisskörper und des Acetons gegen Diazobenzolsulfonsäure untersucht.

I. Die Traubenzucker-Aldehydreactionen. — Die Aldehyde der Fettreihe und der Traubenzucker geben, wie schon Penzoldt und Fischer angeben, in verdünnter Lauge gelöst, mit alkalischer Lösung der Diazobenzolsulfosäure versetzt, nach 10—20 Minuten Stehen eine schön fuchsinrothe Färbung, die sich, wenn die Verhältnisse richtig getroffen sind, tagelang unverändert hält. Die Lösungen zeigen, bei passender Verdünnung spectroscopisch untersucht, einen Absorptionsstreifen zwischen D und F und einen zweiten bei G. Zusatz von Mineralsäuren vernichtet die Reaction. Alkali ruft sie wieder hervor. II. Die neuen Pepton-Eiweissreactionen. Versetzt man eine concentrirte alkalische Peptonlösung mit einer frischbereiteten alkalischen Lösung von Diazobenzolsulfosäure, so entsteht eine tief braunrothe Färbung mit blutrothem Schüttelschaum. Serumeiweiss, käufliches Albumin, Eiereiweiss, Caseïn zeigen eine gelbe bis orangegelbe Färbung. Säuren heben die Färbung auf, beim Alkalisiren erscheint dieselbe wieder. — Lässt man auf die Reactionsmischung metallische Reductionsmittel — Natriumamalgam oder Zinkstaub — einwirken, so bildet sich allmälig eine intensive Fuchsinfärbung aus, die sich spectroscopisch, sowie in dem Verhalten zu Säuren in Nichts von der Aldehyd-Zuckerreaction unterscheidet. Wird bei der Reduction der Luftsauerstoff ausgeschlossen, so resultirt eine gelbe Flüssigkeit, welche schon beim Filtriren an der Luft sich fuchsinroth färbt. III. Die Acetonreaction. Aceton giebt in wässriger Lösung mit alkalischer Diazobenzolsulfosäure ebenfalls eine tiefrothe Reaction, der aber der bläuliche Schein fehlt.

Um zu bewirken, dass sich das Kupferoxydul bei der Fehling'schen Zuckerbestimmung schneller absetzt, fügt Meyer (27) der kochenden Flüssigkeit einige Tropfen Chlorzink zu: das sich ausscheidende Zinkoxydhydrat reisst dann nach Verf. das suspendirte Kupferoxydul mit nieder.

Das Phenylhydrazin, welches Fischer (28) als allgemeines Reagens auf Aldehyde und Ketone erkannt hat, bildet auch crystallisirte Verbindungen mit den verschiedenen Zuckerarten, von denen hier die mit Traubenzucker erwähnt sein mag. Erhitzt man 1 Th. Traubenzucker mit 2 Th. salzsaurem Phenylhydrazin, 3 Th. essigsaurem Natron und 20 Th. Wasser auf dem Wasserbad, so beginnt nach 10—15 Minuten die Abscheidung von feinen gelben Nadeln, deren Menge rasch zunimmt; nach $1^1/_2$ stündigem Erhitzen betrug die Menge des Niederschlages 85—90 pCt. des Traubenzuckers. Die Verbindung ist im Wasser fast unlöslich, wird dagegen von siedendem Alcohol ziemlich leicht aufgenommen. Die Verbindung besitzt die Formel $C_{18}H_{22}N_4O_4$ und schmilzt bei 204—205°. F. nennt dieselbe Phenylglucosazon. Die Bildung und Abscheidung des Niederschlages erfolgt noch in sehr verdünnten Lösungen und kann deshalb zum Nachweiss des Traubenzuckers benutzt werden. 0,1 g Traubenzucker in 50 g Wasser gelöst wurde mit 1 g salzsaurem Phenylhydrazin und 2 g essigsaurem Natron eine halbe Stunde auf dem Wasserbad erhitzt: die Lösung färbte sich intensiv gelb und schied beim Abkühlen einen beträchtlichen krystallinischen Niederschlag ab, der gewaschen und getrocknet bei 205° schmolz. Auch der Nachweis von 0,5 g Traubenzucker in 50 g Harn gelang auf diesem Wege, der Niederschlag war anfangs amorph, wurde jedoch crystallinisch, als er in Alcohol gelöst, die Lösung mit Wasser versetzt und dann gekocht wurde.

Die Abhandlung von Külz (29) zur Darstellung und Kenntniss der Urochloralsäure, sowie der chlorhaltigen Spaltungsproducte der Urochloralsäure und Urobutylchloralsäure giebt einige Nachträge zu den Angaben von E. Külz. — Die Reindarstellung der Urochloralsäure selbst gelang am besten durch Ausziehen der rohen Säure mit heissem Aether, die des urochloralsauren Natron durch Auskochen des Natriumsalzes mit Alcohol, aus dem sich beim Erkalten das Salz ausscheidet. Die Bildung von Trichloräthylalcohol als Spaltungsproduct beim Kochen von Urochloralsäure mit verdünnter Schwefelsäure nach v. Mering wird bestätigt, ebenso die des Trichlorbutylalcohol aus Urobutylchloralsäure. Schliesslich empfiehlt K., künftighin die Benennungen Trichloräthylglycuronsäue und Trichlorbutylglycuronsäure zu gebrauchen.

Aus dem „Fett" von Colchicumsamen gewann Paschkis auf dem gewöhnlichen Wege der Verseifung und Ausziehen der Seife mit Aether eine Substanz von dem Habitus des Cholesterins, welche mit dem aus Erbsen und Calabarbohnen erhaltenen „Phytosterin" übereinstimmte. Der Schmelzpunkt desselben lag bei 133°, die specifische Drehung $(\alpha)D$ betrug für die Chloroformlösung —32,7.

Scheibler (31) fand die Glutaminsäure selbst in wässriger Lösung rechtsdrehend $(\alpha)D$ 10,6°, ebenso in salzsaurer und salpetersaurer Lösung, glutaminsaure Salze dagegen linksdrehend.

Die aus diabetischem Harn ziemlich gleichzeitig von E. Külz und Minkowski dargestellte und von Külz als linksdrehend erkannte Oxybuttersäure (Pseudooxybuttersäure) hat R. Külz (32) näher auf das Zersetzungsproduct, die Crotonsäure, untersucht. Bei Destillation der rohen Säure mit 10 proc. Schwefelsäure ging zwischen 103 und 120° eine farblose Flüssigkeit über, die sehr schnell zu blättrigen Krystallen erstarrte. Letztere erwies sich nach ihren Eigenschaften, nach den Ergebnissen der Elementaranalyse und nach dem Schmelzpunkt (71,5°) als α-Crotonsäure; dieselbe ist optisch inactiv. Aus reinem oxybuttersaurem Natrium bereitete active Oxybuttersäure gab beim Erhitzen auf 120—130° im Oelbade oder beim Erhitzen mit Schwefelsäure auf über 103° ein Destillat, das krystallinisch erstarrte; die Krystalle zeigten alle Eigenschaften der α-Crotonsäure. Danach entsteht aus der activen Oxybuttersäure, ebenso wie aus der synthetischen β-Oxybuttersäure sicher α-Crotonsäure. Es dürfte demnach der activen Oxybuttersäure wohl die Constitution der β-Oxybuttersäure zukommen.

Durch Oxydation von salzsaurem Glucosamin mit Salpetersäure gelang es Tiemann (33), eine neue Säure von der Formel $C_6H_{10}O_8$ „Isozuckersäure" darzustellen. Dieselbe bildet weisse rhombische Krystalle, welche kein Krystallwasser enthalten, bei 185° schmelzen und, stärker erhitzt, sich zersetzen. Die Säure löst sich leicht in Wasser und Alcohol, schwierig in Aether. Von Salzen wurde das Calcium-, Baryum-, Kupfer- und Silbersalz in krystallisirter Form dargestellt. Erhitzt man die Isozuckersäure weit über ihren Schmelzpunkt, so spaltet sich Wasser und Kohlensäure ab und es bilden sich reichliche Mengen eines in glänzenden Blättchen auftretenden Sublimats. Dasselbe ist Brenzschleimsäure $C_5H_4O_3$. Durch diese Untersuchungen ist endgültig erwiesen, dass das aus dem Chitin stammende Glucosamin in nächster Beziehung zu den Kohlehydraten steht.

Im Thee und Theeextract konnte Baginsky (35) die Anwesenheit geringer Mengen von Xanthin und Hypoxanthin durch die Analyse der Silbersalze erweisen. Die quantitative Bestimmung von Guanin, Xanthin und Hypoxanthin (nach Kossel's Methode) in frischem und bei Sauerstoffabschluss gefaultem Rinderpankreas zeigte, dass alle drei Substanzen durch Fäulniss mehr oder weniger zerstört werden (in Uebereinstimmung mit G. Salomon, Ref.), am stärksten das Guanin, am geringsten das Hypoxanthin. Von 4,3 g einem Hunde eingegebenen Hypoxanthin wurde im Harn, abgesehen von einer sehr geringen Quantität Xanthin nichts entdeckt. Im Harn eines an acuter Nephritis leidenden Kindes fand Verf. einen in seinem chemischen Verhalten und seiner Zusammensetzung dem Guanin ähnlichen Körper zu ca. 0,19 pCt., in dem Harn eines anderen Kindes mit Scharlachnephritis erhebliche Mengen Xanthin. Der normale Kinderharn enthält nach Verf. 0,003—0,004 pCt Xanthin (durch Ausfällung mit Phosphorwolframsäure und Salzsäure bestimmt, welche Methode sich als hinlänglich sicher erwies). Bei acuter Nephritis nach Diphtherie und Scharlach nimmt der Gehalt um das 3- bis 9fache zu, im Maximum 0,028 pCt. In dem Maasse, als der Eiweissgehalt sich vermindert, nimmt auch der Xanthingehalt ab. Kleine Mengen Xanthin zeigten weder bei Fröschen noch bei Kaninchen irgendwelche schädlichen Wirkungen.

Latschenberger (38) behandelt den Nachweis und die Bestimmung des Ammoniak in thierischen Flüssigkeiten. Da die Schlösing'sche Methode der NH_3-Bestimmung meist etwas zu hohe, die Heintz'sche Methode der Fällung durch Platinchlorid zu niedrige Werthe giebt, ebenso auch die Modification der letzteren von Schmiedeberg, wie Salkowski und Ref. für concentrirten Hundeharn gefunden haben und Verf. bestätigt, und zwar um circa 10 pCt. niedrigere, so hat Verf. untersucht, ob nicht die durch Nessler's Reagens bewirkte Fällung beziehungsweise Braun- bis Gelbfärbung für den quantitativen und qualitativen Nachweis von Ammoniak sich verwerthbar machen lässt. Verf. verfährt dabei so — wie bei der bereits früher von ihm angegebenen Bestimmung der Chloride — dass er 20 ccm der zu untersuchenden Flüssigkeit mit dem gleichen Volumen Kupfersulfatlösung vermischt und mittelst Barytlösung genau neutralisirt; das gesammte Kupfer und Baryt befindet sich dann im Niederschlag; zu dem farblosen Filtrat wird Nessler's Reagens hinzugesetzt, das je nach dem NH_3-Gehalt einen Niederschlag oder Braun- bis Gelbfärbung giebt. Mittelst dieser Methode kann die Anwesenheit von Ammoniak im frischen Menschen- und Hundeharn, in der Kuhmilch, in Rinderblut und Rindergalle nachgewiesen werden. Für die quantitative Bestimmung von NH_3 aus dem durch Nessler'sches Reagens bewirkten Niederschlag erwies sich die Gegenwart des Quecksilbers als Hinderniss für die Austreibung des Ammoniaks aus ersterem mittelst Aetzalkalien; es musste zunächst das Quecksilber als Schwefelquecksilber entfernt werden. Die gleichzeitige Anwesenheit von Harnstoff neben NH_3 thut der Methode keinen Eintrag, da, wie Verf. sich überzeugte, bei tropfenweisem Zusatz des Reagens zunächst alles NH_3 ausgefällt wird, während der Harnstoff in Lösung bleibt und erst durch einen Ueberschuss des Reagens gefällt wird. Indess zeigten auch unter Anwendung der genannten Cautelen Doppelanalysen sowohl im Harn als im Blut, Milch etc. keine genügende Uebereinstimmung, wahrscheinlich deshalb, weil in den thierischen Flüssigkeiten Stoffe enthalten sind, aus denen NH_3 leichter als aus Harnstoff abgespalten werden kann. Verf. hat schliesslich nach dem Princip der Wanklyn'schen Methode zur colorimetrischen Bestimmung des Ammoniaks im Trinkwasser eine gleiche zur NH_3-Bestimmung in thierischen Flüssigkeiten erprobt und bewährt gefunden. Es wird dabei das nach Zusatz von Kupfer- und Barytlösung gewonnene farblose, klare Filtrat der zu prüfenden Flüssigkeit benutzt und die Färbung, welche ein bestimmtes Volumen desselben (nach entsprechender Verdünnung) mit cm Nessler's Reagens zeigt, verglichen mit der Färbung, die eine Salmiaklösung, welche 1 mg NH_3 in 100 cm enthält, auf Zusatz von 5 ccm Reagens darbietet; indem man in der Menge des Zusatzes der Salmiaklösung variirt, kommt man zu einer Versuchsprobe desselben, welche durch das Reagens die nämliche Färbung annimmt, wie die Probeflüssigkeit und berechnet aus dem bekannten Gehalt der Salmiaklösung an NH_3 den der Probeflüssigkeit. Das Genauere hierüber ist im Original einzusehen. Verf. hat gefunden, dass von dem Gesammt-N des Menschenharn $^1/_{18}$ sich in Form von NH_3 findet. Im Menschenharn wurden so 0,056, im Hundeharn 0,08, in der Kuhmilch 0,021, im Rinderblut 0,008, in Rindergalle 0,003 pCt. NH_3, als Mittel je 2 gut übereinstimmender Analysen gefunden.

Weyl (39) bespricht in seiner Abhandlung über die Nitrate des Thier- und Pflanzenkörpers zunächst nur den Nachweis der Salpetersäure. Derselbe lässt sich, wie W. gefunden hat, statt durch Reduction zu Nitrit und Nachweis dieses nach Schönbein oder durch Bildung von Stickoxyd durch Kochen mit Salzsäure und Eisenchlorür, leichter dadurch führe, dass man 200 ccm Harn mit $^1/_5$—$^1/_6$ seines Volumens concentrirter Schwefelsäure oder Salzsäure destillirt. Das Destillat enthält salpetrige Säure, welche aus der Salpetersäure entstanden ist, neben etwas Salpetersäure. Das Destillat zeigt alle bekannten Reactionen der salpetrigen Säure (mit Metaphenylendiamin, mit Pyrogallussäure + Schwefelsäure, mit Schwefelsäure + Sulfanilsäure + Naphthylaminchlorhydrat, mit angesäuertem Jodkaliumkleister, mit dem Reagens von Meldola.) Weiterhin wurde noch das Destillat mit übermangansaurem Kali oxydirt, mit Natronlauge neutralisirt und aus dem Rückstand durch Behandeln mit Salpetersäure + Eisenchlorür Stickoxyd in Freiheit gesetzt. — Hundeharn zeigte alle diese Reactionen nicht, wohl aber, wenn er mit sehr kleinen Mengen Salpeter angesetzt war. — Im menschlichen Harn fand sich bei der Destillation ausnahmslos Gehalt an Salpetersäure; ebenso in einigen darauf geprüften Gemüsen, im Liebig'schen Fleischextract, in einigen Erlanger und Berliner Bieren. — Bei diesem Nachweis der Salpetersäure resp. salpetriger Säure im Harn ist es auffallend, dass in das Harndestillat überhaupt salpetrige Säure übergeht, da nach der gewöhnlichen Angabe salpetrige Säure sofort zersetzend auf Harnstoff einwirkt und dabei selbst in Stickstoff übergeht. Verf. konnte sich dem gegenüber überzeugen, dass Harnstoff und salpetrige Säure in wässeriger Lösung sehr wohl neben einander bestehen können, auch bei kurzem Erwärmen, und dass auch in das Destillat salpetrige Säure übergeht.

Kreussler und Henzold (40) weisen darauf hin, dass das gewöhnlich gebrauchte Glas in hohem Grade der auflösenden Wirkung des heissen Wassers unterliegt: das in Kolben und Reagensgläsern gekochte Wasser nimmt sehr schnell alkalische Reaction an. Es können dadurch unter Umständen sehr bedeutende analytische Fehler bewirkt werden: so gab die Kjeldal'sche Methode der Stickstoffbestimmung dem Verf. stets zu hohe Resultate, das fehlerhafte Plus ist natürlich procentisch um so höher, je kleiner die verwendete Substanzmenge ist. Reines schwefelsaures Ammoniak ergab z. B. 21,76 pCt. Stickstoff statt 21,25. Am stärksten wird leichtflüssiges Thüringer Glas angegriffen, um wenigsten böhmisches Kaliglas, aus welchem daher bei Anwendung des Kjeldal'schen Verfahrens in Betracht kommende Theile des Apparates angefertigt sein sollten.

Hoppe-Seyler (41) behandelt die Einwirkung von Sauerstoff auf die Lebensthätigkeiten niederer Organismen. Durch weitere Versuche mit dem bereits früher erwähnten Schüttelapparat, welcher eine fortdauernde Zufuhr von Sauerstoff und Absorption der Kohlensäure, sowie eine theilweise Ueberführung des Ammoniak in Ammoniumsulfat durch zugesetztes Calciumsulfat gestattet, gelangte Verf. zu dem Resultat, dass bei steter Gegenwart von freiem indifferenten Sauerstoff, die einzigen bestimmt nachweisbaren Producte der Fäulniss eiweisshaltiger Flüssigkeiten Kohlensäure, Ammoniak und Wasser sind. Weder Wasserstoff, noch Sumpfgas sind nachweisbar, ebenso wenig Indol und Skatol. Leucin und Tyrosin werden, wenn überhaupt, nur vorübergehend gebildet. — Somit verhielten sich die Spaltpilze (und Hefearten), so lange sie bei gutem Sauerstoffzutritt leben, hinsichtlich ihres Lebens im Wesentlichen nicht anders, als alle übrigen Organismen: sie nehmen Sauerstoff auf und scheiden CO_2, H_2O und NH_3 oder dem Ammoniak nahestehende stickstoffreiche Stoffe aus. Bei Abwesenheit von Sauerstoff veranlassen sämmtliche Organismen Gährungserscheinungen; während aber Spaltpilze und Hefearten, zum Theil wenigstens, lange Zeit in diesem Zustande fortbestehen können, gehen die übrigen Organismen bei Sauerstoffmangel bald zu Grunde: die einen früher, die anderen später; die Pilze der Cellulosegährung vertragen Sauerstoffmangel sehr lange. Dass es Spaltpilze giebt, welche nur bei Abwesenheit von Sauerstoff leben können, ist nicht erwiesen. Die gewöhnlichen Spaltpilze vermehren sich bei reichlicher Sauerstoffzufuhr weit mehr, als bei ungenügender; dasselbe gilt auch für Bierhefe. Für letztere lässt sich dieses auch durch Gewichtsbestimmungen erweisen, während diesem Nachweise für Spaltpilze technische Schwierigkeiten entgegenstehen.

Nencki (42) hat die chemische Zusammensetzung von nach den Methoden der Reincultur in grösserem Maassstabe gezüchteten Milzbrandbacillen resp. deren Sporen untersucht. — Das früher von N. in Fäulnissbacterien aufgefundene Mycoprotein fand N. in den Milzbrandsporen nur spurweise, die Hauptmenge der Proteinsubstanzen der Anthraxsporen bildet ein eigenthümlicher Eiweissstoff, der in seinem chemischen Verhalten einerseits mit den Pflanzencasein, andererseits mit den thierischen Schleimstoffen Aehnlichkeit hat. Der Eiweisskörper ist in verdünnten Alkalien leicht löslich, dagegen in Wasser, Essigsäure, verdünnten Mineralsäuren ganz unlöslich. Ebenso wie das Mycoprotein fand N. auch das „Anthraxprotein" schwefelfrei. Lösliche giftige Substanzen fand N. in der Culturflüssigkeit nicht. N. beschreibt ausserdem eine neue Form von Culturröhrchen.

Die früheren Mittheilungen über Fäulnissalkaloide ergänzend, theilt Brieger (43) mit, dass die Giftwirkungen seines Alkaloids durch Atropin selbst auf der Höhe der Vergiftung aufgehoben werden können. In das Auge geträufelt bewirkt die Base eine Verengerung der Pupille. Die Formel $C_5 H_{11} N$, die B. früher gegeben, hält derselbe jetzt für keineswegs festgestellt, neigt sich vielmehr der Ansicht zu, dass die Base Trimithylvinylammoniumhydrat ist. $C_5 H_{11} NOH$. B. stützt diese Anschauung darauf, dass er in längerer Zeit aufbewahrtem künstlichen Neurin eine Base von dieser Zusammensetzung fand, welche ganz denselben Symptomencomplex hervorrief, wie seine Base. (Diese Base $C_5 H_{11} NOH$ wird von einigen Autoren Neurin genannt, welche der Base $C_5 H_{13} ONOH$ den Namen Cholin geben, andere Autoren brauchen beide Namen Cholin und Neurin nur für die Base $C_5 H_{14} NO_2$, welche relativ ungiftig ist. Ref.)

Marino-Zucco (43a) weist gegenüber diesen Angaben von Brieger darauf hin, dass er bereits im Augustheft der Gazetta chimica italiaca 1883 durch Analysen gezeigt habe, dass die sog. Ptomaine Selmi's nichts anderes als Neurin seien.

Brieger (43) fand den Platingehalt des Platindoppelsalzes der giftigen Fäulnissbase 33,45 und 33,5 pCt., während das Neurinplatinchlorid 33,96 verlangt. Damit ist die Vermuthung von B. bestätigt. Weiterhin theilt B. mit, dass auch die Ammoniumbase (das Cholin) nicht ganz ungiftig sei, nur bedarf es weit stärkerer Dosen, etwa das 20 fache. Gegen die Reclamation von Marino-Zucco wendet B. ein, dass er bereits früher als dieser die Vermuthung ausgesprochen habe, dass an den giftigen Wirkungen Neurin betheiligt sein möchte (freilich nicht durch Analysen belegt! Ref.; übrigens steht noch dahin, was Marino-Zucco unter „Neurin" versteht, anscheinend Cholin. also wesentlich Anderes. als B. Ref.).

Aus den inneren Organen von menschlichen Leichen, welche 24—48 Stunden im kühlen Kellerraum gelegen hatten, konnte Brieger (44) durch Ausziehen mit salzsäurehaltigen Wasser etc. Cholin (Trimithyloxäthylammoniumhydrat) in Form des Platin- und Goldsalzes darstellen. Bei fortschreitender Fäulniss scheinen sich auch giftige Producte zu bilden, so wurde einmal ein Auszug erhalten, der bei Kaninchen und Meerschweinchen subcutan eingespritzt, dem Muscarin ähnlich wirkte. Das Platindoppelsalz aus diesem Auszug enthielt 30,54 pCt. Platin, während Muscarin 30,41 pCt. verlangt, ob dieses in der That vorliegt, will B. durch weitere Untersuchungen ermitteln.

Fitz (45) beschreibt einen neuen Spaltpilz, welcher milchsauren Kalk in buttersauren, weinsauren Kalk in essigsauren überführt. — Die normale Form desselben ist kurz cylindrisch 0,7—1 Micromill. breit, 1,8—2,4 Micromill. lang, die Grössenverhältnisse sind jedoch ziemlich wechselnde, er verkleinert sich bei Culturen im Vacuum, erreicht eine grössere Längenausdehnung in sauren Flüssigkeiten. Die Grenze der Vermehrungsfähigkeit desselben liegt zwischen 46 u. 46.5° die Tödtungstemperatur zwischen 58—59°, da er im Gegensatz zu dem Pasteur'schen Buttersäureferment keine Dauersporen bildet. Von dem Spaltpilz werden in Gährung versetzt: Traubenzucker, Rohrzucker, Milchzucker, Mannit, milchsaurer, apfelsaurer, weinsaurer, citronensaurer Kalk, nicht: Erythrit, Dulcit, Quercit, schwierig und träge: Glycerin und glycerinsaurer Kalk. Der neue Spaltpilz fand sich in einer im Vacuum ausgeführten Cultur aus Kuhexcrementen in gelöstem milchsaurem Kalk.

Marcano (46) hat die interessante Beobachtung gemacht, dass mit Wasser übergossenes Fleisch bei Zusatz einiger Tropfen Aloësaft in der Brutwärme unter Entwicklung eines geruchlosen Gases in 36 Stunden zum grössten Theil in Lösung geht. Der Vorgang beruht auf der Entwicklung von Organismen, er tritt nicht ein, wenn man dem Wasser Chloroform zusetzt. Diese Eigenschaft kommt nicht allein der Aloë zu, ziemlich stark zeigt sie auch der Saft des Zuckerrohres, dagegen nur schwach der des Melonenbaumes (Papaya). Aus 100 g Fleisch erhielt M. 20 g rohes Pepton mit einem Stickstoffgehalt von 10 pCt.

Vandevelde (47) veröffentlicht Studien zur Chemie des Bacillus subtilis. I. 3 Kolben A., B., C. wurden mit Fleischextractlösung zur Hälfte gefüllt und sterilisirt, alsdann mit Bacillus subtilis geimpft. A. enthielt 5, B. 2.5, C. 10 g Fleischextract in 500 cbcm; A. wurde 14 Tage bei 36 °C. gehalten, B. 18 Tage, C. 23 Tage. dann die Quantität des gebildeten Ammoniak bestimmt. Es ergab sich in A. 0,108 NH_3, in B. 0,055, in C. 0,182; in 5 g Fleischextract seltst wurden 0 014 NH_3 gefunden. Aus diesem Versuche folgt also, dass die Menge des gebildeten Ammoniak der Quantität des Fleischextracts in der Lösung proportional ist; ein zweiter Versuch von längerer Dauer zeigte, dass das Ammoniak sich nach den ersten Tagen nur unbedeutend vermehrt. — Ebenso enthielten die Culturen auch mehr Fettsäuren, als die ursprünglichen Lösungen; im Gegensatz zum Ammoniak bilden sich diese aber hauptsächlich in der letzten Zeit. Als Material für die Ernährung des Bacillus ergaben sich: das Kreatin (resp. Kreatinin) und die Milchsäure, welche beide in den Culturen in sehr viel geringerer Menge vorhanden sind, als in der ursprünglichen Fleischextractlösung. Zur Bestimmung der Gewichtsmenge der Bacillen resp. ihrer unlöslichen Bestandtheile wurden Antheile der Culturen mit Essigsäure gekocht und filtrirt. Aufs Ganze berechnet ergaben sich für A. 0,27 g, B. 0,114, für C. 0,498 g. Die Menge der Bacillen ist also der Concentration der Nährlösung direct proportional.

II. Gährung des Glycerins durch Bacillus subtilis. Es gelang immer nur einen verhältnissmässig kleinen Theil des Glycerins zur Vergährung zu bringen. Als Producte wurden Buttersäure und Milchsäure neben Spuren von Bernsteinsäure constatirt; Alcohole fehlten, doch ist hieran vielleicht die geringe Menge des verwendeten Glycerins — wenige Gramme — Schuld. Die bei der Gährung entwickelten Gase bestanden anfangs aus 22,52 CO_2. 15,35 H_2O, 62,13 N, später trat der Wasserstoff mehr zurück und fehlte schliesslich vollständig, vermuthlich, weil er zu Reductionen verbraucht wird. Auf Grund von Erwägungen, die im Orig. verglichen werden müssen, gelangt Verf. zu dem Schluss, dass sich in der ersten Zeit der Gährung sicher 2 Mal mehr Wasserstoff wie Kohlensäure gebildet hat, entsprechend der von Hoppe-Seyler für die Umsetzung des Glycerins in Milchsäure aufgestellten Umsetzungsformel. Die Buttersäure geht secundär aus der Milchsäure hervor.

III. Gährung des Traubenzuckers durch Bacillus subtilis. Als Producte ergaben sich: Milchsäure, Buttersäure, Spuren von Bernsteinsäure, kleine Mengen von Alcoholen, die nicht genauer untersucht sind. Auf Oxalsäure wurde mit negativem Erfolge untersucht. In einem Falle fand sich eine beträchtliche Quantität Mannit, der als Reproductionsproduct aufzufassen ist — 5,1 g aus 10 g Traubenzucker; in einem anderen Falle wurde nicht darauf untersucht.

Paumès (48) beschäftigt sich mit der Respiration der Bierhefe. Schützenberger und Risler haben bereits gezeigt, dass die Bierhefe in arteriellem Blut oder Oxyhaemoglobinlösung suspendirt, dem Oxyhaemoglobin Sauerstoff entziehe, das arterielle Blut venös wird, gerade so, wie dieses die Zellen des lebenden Organismus bei einem Wirbelthier thun. Sie haben auch die Quantität des verbrauchten Sauerstoffs mit Hülfe von hydroschwefliger Säure ermittelt. P. brachte in luftfreiem Wasser suspendirte Hefe mit abgemessenen Quantitäten Sauerstoff in Berührung, schüttelte $^1/_2$ Stunde durch und bestimmte die Menge des restirenden Sauerstoffs mit Hülfe der Quecksilberpumpe, und zwar hatte P. hauptsächlich den Einfluss der Temperatur und des zugefügten Aethers auf den Sauerstoffverbrauch im Auge. Es ergab sich, dass der Sauerstoffverbrauch mit sinkender Temperatur abnimmt (Zahlen sind nicht angeführt). Aether bei Dosen von 1 bis 2 ccm auf 100 g abgepresster Hefe ohne Einfluss ist, in Dosen von 2 bis 6 g ihn vermindert und schliesslich aufhebt. Selbst diese grossen

Dosen tödteten die Zellen jedoch nicht, denn nach Entfernung des Aethers zeigte die Hefe ihre normale Respirationsfähigkeit und erregte normale Gährung.

Schützenberger (49) stellte Mischungen von Hefe mit Sauerstoff gesättigtem Wasser (1 g auf 1 l) her und setzte alsdann zu einer Reihe derartiger Proben verschiedene Substanzen hinzu. Nach 1 bis 3 Stunden bestimmte er die Menge des noch im Wasser vorhandenen Sauerstoffs. Die Quantität desselben im Verhältniss zu dem ursprünglich vorhandenen und im Verhältniss zu dem in der Mischung von Hefe und Wasser allein verbrauchten zeigt an, ob die betreffende Substanz den Verbrauch von Sauerstoff beschleunigt oder nicht. Behindert wurde nach diesen Versuchen der Sauerstoffverbrauch in erster Linie durch Invertzucker, dann durch Aethylalcohol, weniger durch Rohrzucker, Milchzucker, Mannit, Glycerin und die höheren Homologen des Aethylalcohol. Der Einfluss des Methylalcohol ist Null oder schwach oder selbst negativ, falls er unrein ist.

Meyer und Schulze (49) haben Versuche über das Verhalten von Pflanzen gegen Hydroxylaminsalze angestellt. Die Verff. gingen dabei von der Ueberzeugung aus, dass die Pflanze den Stickstoff in Form von Nitraten und Ammonsalzen aufnimmt, der Modus, nach welchem aus diesen die stickstoffhaltigen Verbindungen, wie das Eiweiss, hervorgehen, aber noch gänzlich unbekannt ist. Es ist nun denkbar, dass aus der Salpetersäure durch Oxydation, aus dem Ammoniak durch Reduction Hydroxylamin NH_2OH entsteht, welches sich durch seine grosse Reactionsfähigkeit mit organischen Substanzen auszeichnet. Der Versuch bestätigte die Voraussetzung zunächst nicht, das Hydroxylamin erwies sich vielmehr für Pflanzen als Gift, womit freilich die Hypothese nicht widerlegt ist, da auch Stoffwechselproducte des Thierkörpers, wenn sie demselben in grossen Mengen auf einmal zugeführt werden, auf diesen als Gift einwirken.

[Hammarsten, Olaf, Bidrag til kännedommen om mucinet och de mucinliknande ämnena. Upsala läkareförenings förhandl. Bd. 19. p. 381. (Da eine deutsche Uebersetzung obengenannter Arbeit über Mucin bald erscheint, wird sie vorläufig nicht hier referirt.)

Christian Bohr.

Swięcicki, O nieorganicznych składnikach prawidłowych odchodów połogowych. (Ueber die anorganischen Bestandtheile der normalen Lochien.) Gazeta lekarska. No. 18.

Die zahlreichen Untersuchungen des Verf. (die ausführliche Beschreibung der chemischen Methode giebt das Original) bewiesen, dass die Asche der normalen Lochien von anorganischen Salzen enthält: schwefelsaure, phosphorsaure und Chlorverbindungen des Calciums, Magnesiums, Kaliums, Natriums und Eisens. Die Bestimmung der Asche erwies im Durchschnitte 0,825 pCt. In frischen Lochien hat der Verf. immer etwas von Peptonen, niemals aber Ptomainen gefunden. Die Menge des gerinnungsfähigen Eiweisses schwankt zwischen 13,44 pCt. und 15,31 pCt

v. Kopff (Krakau).]

III. Blut, seröse Transsudate, Lymphe, Eiter.

1) Wooldridge, L., Ueber einen neuen Stoff des Blutplasmas. Du Bois-Reymond's Arch. Physiol. Abth. S. 313. — 2) Haykraft, J., Ueber die Einwirkung eines Secretes des officinellen Blutegels auf die Gerinnbarkeit des Blutes. Arch. f. exp. Path. XVIII. S. 209. — 3) Hammarsten, O., Ueber die Anwendbarkeit des Magnesiumsulfates zur Trennung von Serumalbumin und Globulin. Zeitschr. f. physiol. Chem. VIII. S. 467. — 4) Halliburton, Report on the proteids of serum. Brit. med. Journ. p. 176. — 5) Hoppe-Seyler, F., Ueber Seifen als Bestandtheile des Blutplasma und des Chylus. Zeitschr. f. physiol. Chem. VIII. S. 503. — 6) Rauschenbach, Ueber die Wechselwirkung zwischen Protoplasma und Blutplasma mit einem Anhang, betreffend die Blutplättchen von Bizzozero. Dissert. Dorpat 1883. — 7) Lawdowsky, M., Microscopische Untersuchung einiger Lebensvorgänge des Blutes. Virchow's Arch. Bd. 96. S. 60 und Bd. 97. S. 177. — 8) v. Mering, Ueber die Wirkung des Ferricyankalium auf Blut. Zeitschr. f. physiol. Chem. VIII. S. 186. — 9) Hayem, G., Expériences sur les substances toxiques et médicamenteuses qui altèrent l'hémoglobine etc. Compt. rend. Bd. 98. No. 9. — 10) Jäderholm, A., Studien über das Methämoglobin. Zeitschr. f. Biol. Bd 20. S. 419. — 11) Stein, St. v., Ein Beitrag zur Lehre von den Blutkrystallen. Virch. Arch. Bd. 97. S. 483 und Centralbl. f. d. med. W. No. 23. — 12) Nencki, M. und N. Sieber, Untersuchungen über den Blutfarbstoff. Ber. d. d. chem. G. und Arch. f. exp. Path. XVIII. S. 401. — 13) Thierry, M. de, Un nouvel appareil dit Hémaspectroscope. Bull. de l'acad. de méd. No. 49. (Der Apparat ist nach dem Typus eines Microscopes gebaut, der gläserne Tubus nimmt die spectroscopisch zu untersuchende Flüssigkeit auf.) — 14) Serge, Alferon, Nouvel appareil servant à compter exactement les globulins. Arch. de physiol. norm. et path. p. 269. (In Bezug auf die Beschreibung muss auf das Orig. verwiesen werden. Ref.) — 15) Hoppe-Seyler, G., Ueber die Wirkung des Phenylhydrazins auf den Organismus. Zeitschr. f. physiol. Chem. IX. S. 34. — 16) Seegen, J., Zucker im Blut, seine Quelle und seine Bedeutung. Pflüger's Arch. Bd. 34. S. 388. — 17) Brasol, L. v., Wie entledigt sich das Blut von einem Ueberschuss von Traubenzucker? Du Bois-Reymond's Arch. Physiol. Abth. S. 211. — 18) Gréhant und Quinquaud, Nouvelles recherches sur le lieu de formation de l'urée. Journ. de l'anatom. et de la phys. p. 317 und Compt. rend. Bd. 98. No. 21. — 19) Dogiel, J., Zur Physiologie der Lymphkörperchen. Du Bois-Reymond's Arch. Physiol. Abth. S. 373. — 20) Wooldrigde, L., On the origin of the Fibrin ferment. Proceed. of the Roy. Soc. No. 231.

Wooldrigde (1) beschreibt einen neuen Stoff des Blutplasmas. Aus dem Plasma von „Peptonblut" (kurze Zeit nach der Injection von Pepton entzogenes Blut. Ref.) scheidet sich nach Verf. bei Abkühlung auf 0° ein flockiger Niederschlag aus, der sich beim Erwärmen wieder löst. Derselbe erscheint mikroscopisch in Form rundlicher Kugelchen, ist von schleimiger Consistenz, quillt in 4 proc. Kochsalzlösung noch weiter auf, ohne sich indessen zu lösen, dagegen löst er sich in verdünnten Alkalien. In verdünnter Essigsäure schrumpft er und wird opak. Sehr bemerkenswerth ist die Beziehung dieser Substanz zur Gerinnung. Das Peptonplasma lässt sich durch CO_2 oder Verdünnung mit Wasser nur dann zur Gerinnung bringen, wenn diese Substanz noch darin vorhanden, je vollständiger sie entfernt war, um so schwieriger tritt die Gerinnung ein. Bringt man Peptonplasma durch CO_2 zur Gerinnung, so ist nun in dem Serum Fibrinferment nachweisbar, welches vorher nicht darin enthalten war, die fragliche Substanz muss somit entweder Fibrinferment bilden oder zur Bildung Veranlassung geben.

Die Untersuchungen von Haykraft (2) gehen von den Thatsachen aus, dass die nach einem Blutegelstich erfolgende Blutung sich oft nur schwer stillen lässt und dass das Blut im Magendarmcanal des Blutegels nicht coagulirt und auch nach der Herausnahme seine Gerinnbarkeit eingebüsst zu haben scheint. Verf. hat nun gefunden, dass der Blutegel in seinem Munde oder Schlunde eine Flüssigkeit secernirt, welche die Gerinnung des Blutes hemmt, so dass das Blut noch 24 Stunden flüssig bleibt. Die fragliche gerinnungswidrige Substanz ist in Wasser und Kochsalzlösung löslich, in Chloroform, Aether, Benzol und Alcohol unlöslich; dieselbe ist kein Ferment, denn auch noch bei Kochhitze dargestelltes Extract hält das Blut ebenso lange flüssig, als der Kaltwasserauszug. Die Substanz zerstört das Fibrinferment; die aus einem mit Blutegelextract behandelten Blutgerinnsel stammende Fermentlösung blieb auf Hydrocelenflüssigkeit absolut ohne Einwirkung, während von einer nur mit Kochsalz dargestellten Fibrinfermentlösung 5 Tropfen genügten, um 5 ccm Hydrocelenflüssigkeit binnen 10 Minuten zum Gerinnen zu bringen. Sonst irgend wahrnehmbare Veränderungen des Blutes bewirkt das Secret nicht. Beim Warmblüter (Hund und Kaninchen) hat Einführung des Secretes oder des Blutegelextractes in die Venen nur geringe Störungen (Steigerung der Temperatur und Athemfrequenz, Niedergeschlagenheit) zur Folge, von denen bald völlige Erholung eintritt. Die wirksame Substanz wird durch die Nieren wieder ausgeschieden, daher der danach entleerte Harn zugesetztes Blut mehr als 12 Stunden lang flüssig erhält. Auf das Blut von Crustaceen (Krebse) bleibt das Secret ohne Einfluss. Die Labgerinnung wird dadurch nicht modificirt, dagegen scheint es den Eintritt der Muskelstarre und die Gerinnung des Myosin, wenigstens bei Froschmuskeln etwas zu beschleunigen.

Zur Prüfung von Burckhard's Angabe, dass durch Magnesiumsulfat ausser dem Serumglobulin auch ein Theil des Serumalbumin ausgefällt werde, hat Hammarsten (3) ausgedehnte Untersuchungen vorgenommen. Gegen B. zeigt er zunächst, dass das Globulin aus dem Serum durch Dialyse, Durchleiten von CO_2 etc., nicht vollständig ausgefällt werden kann; der dabei in Lösung hinterbleibende Bestandtheil wird erst durch Eintragen von $MgSO_4$ niedergeschlagen; die Globulinnatur dieses Niederschlages liess sich in allen Fällen nachweisen. Dagegen wird vom typischen Serumalbumin weder bei neutraler, noch bei schwach alkalischer Reaction eine Spur mit ausgefällt, während alle anderen, im Serum oder in den Transsudaten enthaltenen coagulablen Eiweissstoffe dadurch vollständig ausgefällt werden. Das nach den älteren Methoden dargestellte Serumalbumin ist dagegen stets von nicht unerheblichen Antheilen von Globulin verunreinigt; wenn es sich darum handelt, das Serumalbumin vollständig von anderen Eiweissstoffen zu trennen und in reinem Zustande darzustellen, ist $MgSO_4$ das einzige bisher bekannte zuverlässige Mittel. Da das typische Serumalbumin seiner ganzen Menge nach aus dem Filtrate von der $MgSO_4$ Füllung durch Erhitzen coagulirt oder auch als Differenz zwischen der Gewichtsmenge des Gesammteiweisses und des $MgSO_4$-Niederschlages sich berechnen lässt, ist die Brauchbarkeit des $MgSO_4$ zur quantitativen Bestimmung des Serumglobulins nicht anzuzweifeln. Da man ferner zur Zeit in dem Blutserum und in den Transsudaten ausser dem Serumalbumin und ev. Spuren von Peptonen keine anderen Eiweissstoffe als die Globuline kennt und da man in dem $MgSO_4$-Niederschlage nichts anderes als Globuline gefunden hat, muss $MgSO_4$ auch als zuverlässiges Mittel zur quantitativen Bestimmung der Globuline betrachtet werden.

In einer Schlussbemerkung führt Verf. an, dass zur Ausfällung der Globuline $MgSO_4$ bereits vor ihm von Denis verwendet worden ist.

Halliburton (4) beschäftigt sich mit den Eiweisskörpern des Serums. Durch fractionirtes Erhitzen konnte Verf. beim Blutserum vom Hunde, Menschen, Affen, der Katze, dem Schwein und von Kaninchen das Serumalbumin in 3 Eiweissstoffe differenziren, welche zumeist bei ca. 73 resp. 77 und 84° C. coagulirten; beim Hundeserum entstand zuweilen schon bei 56° eine Coagulation. Das Blutserum von Ochs, Schaf und Pferd gab erst bei 79° und dann wieder bei 84° eine Coagulation. Hammarsten hatte gefunden, dass durch Sättigen des Blutserums mit Magnesiumsulfat das Globulin vom Albumin vollständig getrennt werden kann; Verf. findet, dass diese Wirkung auch dem Natriumnitrat, -carbonat und -acetat zukommt. Kaliumacetat und Calciumchlorid fällen aus dem Serum alle Eiweissstoffe aus. Durch doppelte Sättigung des Serums mit gewissen Salzen z. B. Magnesium- und Natriumsulphat oder Magnesiumsulphat und Natriumnitrat, oder Magnesiumsulphat und Alaun, oder endlich Natriumchlorid und Natriumsulphat wird aus dem Blutserum das Serumalbumin ausgefällt.

Gegen die wiederholt seitens des Leipziger physiologischen Instituts aufgestellte Behauptung, dass Blut, sowie Chylus Alkaliseifen fetter Säuren nicht enthielten, auch wegen des Vorhandenseins an Kalk- und Magnesiasalzen gar nicht enthalten können, wendet sich Hoppe-Seyler (5). Die Anwesenheit von Calcium- und Magnesiumverbindungen schliesst durchaus nicht die Anwesenheit von Alkaliseifen aus; sowohl Blutplasma, wie Chylus enthalten stets Natriumcarbonat, daher sie auch frei von Calcium- und Magnesiumseifen sein müssen. Zur Darstellung der Natriumseifen fällt man Blutserum resp. Chylus reichlich mit Alcohol, dampft das alcoholische Filtrat bei 55° zum Syrup ein, extrahirt letzteren gründlich mit Aether, giebt zum Rückstand absoluten Alcohol und verdunstet das Filtrat bei 55 °. Der in wenig warmem Wasser gelöste Rückstand erstarrt beim Erkalten zu gallertigem Seifenleim; bei reichlichem Zusatz von destillirtem Wasser trübt sich die Lösung und lässt allmälig seidenglänzende Plättchen von saurem stearinsauren Alkali ausfallen. Zusatz von Säure erzeugt Niederschlag, der beim Erwärmen in öligen Tropfen an der Oberfläche schwimmt. Bleizucker erzeugt pflasterartigen Niederschlag, aus dem sich ölsaures Blei mittelst Aether extrahiren lässt; in dem in Aether nicht löslichen Theil liess sich ein Gemenge von Palmitin- und Stearinsäure (Schmelzpunkt 55 °) nachweisen. Im Blute von Rind, Pferd, Hund fand Verf. 0,05—0,12 pCt. fette Säuren der Seifen, in einer chylösen Ascitesflüssigkeit vom Menschen 0,235 pCt., im Blutserum eines Pneumonikers 0,06 pCt. Seifen. — Zur Trennung der fetten Säuren von Neutralfetten hat Verf. übrigens nicht Kochen mit starker Sodalösung, sondern nur Erwärmen mit mässig verdünnter Lösung und nachheriges Verdunsten auf dem Wasserbade empfohlen.

v. Mering (8) beobachtete, dass frisches Blut mit concentrirter Lösung von Ferricyankalium versetzt, seine hellrothe Farbe behielt, während nach der gewöhnlichen Angabe, Ferricyankalium Hämoglobin sehr rasch in Methämoglobin überführt. Diese Umwandlung trat auch ein, als das Blut mit Wasser verdünnt wurde, dagegen nicht bei Verdünnen mit einer Lösung von schwefelsaurem Natron oder Kochsalz. Ebenso wie Wasserzusatz, wirkte Durchschütteln des Blutes mit Aether oder Chloroform oder Gefrierenlassen und Wiederaufthauen. Das Ferricyankalium wirkt also nur auf gelöstes Hämoglobin verändernd ein, nicht auf in den Blutkörperchen gebundenes.

Hayem (9) weist darauf hin, dass das Hämoglobin, so lange es in den intacten Blutkörperchen enthalten ist, eine weit grössere Resistenz gegen diejenigen Substanzen zeigt, welche es in Methämoglobin umwandeln, wie in freier Form. Diese Regel fand H. benutzt am Amylnitrit, dem Ferricyankalium und Natriumnitrit und zwar sowohl beim lebenden Thier, als auch bei Mischungen im Glase. (Die einschlägigen Angaben von Mering in Betreff des Ferricyankalium erwähnt H. nicht, Ref.).

Jäderholm (10) hat erneute Untersuchungen über das Methämoglobin angestellt. Er bediente sich diesesmal einer Lösung von krystallisirtem Methämoglobin, aus Hundeblut, das bisher aus dieser Blutart noch nicht erhalten ist. Zur Darstellung wurde geronnenes Hundeblut vom Serum befreit, der Blutkuchen zum Gefriern gebracht, sehr fein vertheilt, dann zuerst mit kaltem Wasser gewaschen, dann mit Wasser von 35 — 40° digerirt. Die Lösung von Oxyhämoglobin wurde mit Ferricyankalium geschüttelt und so lange Ferricyankalium zugesetzt, bis die spectroscopische Untersuchung die vollständige Umwandlung des Oxyhämoglobin in Methämoglobin ergab. Die Lösung nimmt dabei die Farbe von dunkelem Porter an. Nach vollendeter Umwandlung wurde die Lösung mit Alcohol vermischt und in eine Kältemischung gesetzt, in der sie im Laufe eines Tages krystallisirt. Die Methämoglobinkrystalle aus Hundeblut sind bedeutend schwerer löslich, als die Oxyhämoglobincrystalle. Angemessen verdünnte Lösungen zeigen einen starken Absorptionsstreifen in Roth, zwei schwächere Streifen zwischen D und E und einen vierten Streifen von b bis F. Sehr viel leichter löst sich das Methämoglobin in selbst ganz verdünnten Alkalien, aber diese Lösungen zeigen auch bei minimalem Gehalt an Alkali schon nicht mehr die Absorptionsstreifen des Methämoglobin selbst. In Betreff der Versuche über das Verhältniss des Methämoglobin zum Oxyhämoglobin muss auf das Orig. verwiesen werden.

Die in der Abhandlung von Stein (11) angegebene Methode zur Darstellung von Blutcrystallen bezieht sich lediglich auf microscopische Präparate: St. empfiehlt hierzu einen Tropfen Blut ringsum mit Canadabalsam umgeben auf dem Objectträger eintrocknen zu lassen und beschreibt die zum Gelingen erforderlichen Bedingungen eingehend, sowie die Formen der Krystalle aus verschiedenen Blutarten.

Nencki und Sieber (12) theilen Untersuchungen über den Blutfarbstoff mit. Zur Darstellung der Häminkrystalle im Grossen empfehlen die Verff. folgendes Verfahren: Die Blutkörperchen werden durch Vermischung des Blutes mit Kochsalzlösung in der üblichen Weise zur Senkung gebracht, der Brei etwa mit dem doppelten Volumen Alcohol gemischt, das Coagulum auf Fliesspapier getrocknet. Je 400 g des Pulvers werden mit 1600 cbcm reinen Amylalcohol erhitzt und sobald die Flüssigkeit siedet, mit 25 cbcm reiner Salzsäure versetzt, dann noch etwa 10 Minuten im Sieden erhalten. Aus der heiss filtrirten Lösung krystallisirt beim Erkalten das Hämin aus, das dann weiter durch Auswaschen mit Alcohol etc. gereinigt wird. Diese Krystalle erwiesen sich nun constant amylalcoholhaltig und entsprachen der Formel $(C_{32}H_{30}N_4Fe_3, HCl)_4C_5H_{12}O$. Der von Amylalcohol freien Verbindung würde somit die Formel $C_{32}H_{30}N_4FeO_3HCl$ zukommen, die von der Hoppe-Seyler'schen Formel $C_{34}H_{35}N_4FeO_5HCl$ (resp. $C_{68}H_{70}N_8Fe_2O_{10}$. 2 HCl), wie man sieht, etwas abweicht. Für das aus den Häminkrystallen dargestellte Hämatin geben die Verff. die Formel $C_{32}H_{32}N_4FeO_4$, es findet danach bei der Spaltung gleichzeitig Aufnahme von Wasser statt. Die Verff nennen daher die in den Häminkrystallen mit Salzsäure verbundene Substanz „Hämin", die Häminkrystalle selbst „salzsaures Hämin".

Für das aus dem Hämin durch concentrirte Schwefelsäure enstehende eisenfreie Hämatin — von Hoppe-Seyler als „Hämatoporphyrin" beschrieben — finden die Verff. die Formel $C_{32}H_{32}N_4O_5$ (Hoppe-Seyler $C_{68}H_{70}N_8O_{10}$), durch Behandlung von salzsaurem Hämin in alcoholischer Lösung mit Zinn und Salzsäure und Eindampfen der Lösung erhielten die Verff. einen braunrothen, nicht deutlich krystallinischen Farbstoff, dem die Formel $C_{32}H_{38}N_4O_5$ zukommt. Es ist danach „Hexahydrohaematoporphyrin". Entsprechend früheren, von Hoppe-Seyler gemachten, jedoch nicht durch Analysen belegten Angaben erhielten die Verff. als Nebenproduct eine Verbindung von den Eigenschaften des Urobilins, dessen theoretische Ableitung aus der neuen Hämatinformel sehr einfach ist:

$$C_{32}H_{30}N_4FeO_3 + 4\,H_2O + 2\,HCl$$
$$= C_{32}H_{40}N_4O_7 + FeCl_2.$$

Die sonstigen Versuche der Behandlung mit starken Agentien führten noch zu keinen abgeschlossenen Resultaten, hervorzuheben wäre nur, dass das Hämatin bei der Zersetzung mit verdünnten Säuren nicht Leucin und Tyrosin liefert, entgegen älteren positiven Angaben, denen wahrscheinlich ein stark mit Eiweiss verunreinigtes Hämin zu Grunde liegt.

Die Verff. weisen darauf hin, dass die neue Formel für den lange wahrscheinlichen Uebergang des Hämatins in Bilirubin einen einfachen Ausdruck gestattet:

$$C_{32}H_{32}N_4O_4Fe + 2\,H_2O - Fe = C_{32}H_{36}N_4O_6.$$

Haematin. Bilirubin.

Indessen ist nach den Verff. auch das Umgekehrte wohl möglich, dass nämlich das Bilirubin ein in seinem Aufbau in der Leberzelle unvollendetes Hämatin ist. Die Verschiedenheit der Hämoglobine verschiedener Thierarten ist nur dadurch zu erklären, dass das Hämatin sich mit verschiedenen Eiweisskörpern verbindet, vielleicht in derselben Weise wie mit Amylalcohol.

In einer Anmerkung erwähnen die Verff. noch, dass Amylalcohol aus mit Salzsäure angesäuertem Harn mit Leichtigkeit Urobilin aufnimmt, resp. die Leucoverbindung desselben, welche unter Sauerstoffaufnahme in Urobilin übergeht.

Sowohl das reine Phenylhydrazin als seine salzsaure Verbindung tödten nach Hoppe-Seyler (15) Kaninchen unter den Erscheinungen einer weitgehenden Blutzersetzung — braune Verfärbung des Blutfarbstoffs — mit consecutiver Haematurie. Subcutan genügen 0,05 g vom Magen aus 0,5 g salzsauren Phenylhydrazins, um ein mittelgrosses Kaninchen zu tödten. Die Wirkung des neutralen salzsauren Phenylhydrazins auf das Blut. die braune Verfärbung. tritt nur bei Anwesenheit von Sauerstoff im Blut auf und besteht in der Bildung eines charakteristischen, bisher nicht bekannten Farbstoffs, der einen scharfen dunklen Absorptionsstreifen hinter D im Gelb (und zwar etwas hinter dem an D näher liegenden Oxyhaemoglobinstreifen) zeigt, jedoch sehr leicht in eine andere nicht durch scharfe Absorption des Spectrums, sondern nur durch diffuse Verdunkelung von Grün und Blau gekennzeichnete Substanz übergeht. Das reine Phenylhydrazin wirkt vermöge seiner stark alcalischen Reaction anders, als das neutrale Salz, indem es aus Haemoglobin bei Ausschluss von Sauerstoff Haemochromogen (ein tief schwarzer Streifen fast in der Mitte zwischen D und E, ein weniger dunkler und nicht so scharfer Streifen bei E) bildet.

Seegen (26) gelangte durch umfangreiche Untersuchungen über den Zuckergehalt des Blutes an Hunden zu einer Reihe sehr bemerkenswerther Resultate. Im Blut gesunder Thiere fand er in Uebereinstimmung mit früheren Autoren stets Zucker und zwar ziemlich gleich viel im venösen und arteriellen Blut, nämlich 0,1—0,15 pCt., nur das Pfortaderblut enthält nahezu regelmässig weniger Zucker, wie das Carotisblut. Das Lebervenenblut ist constant reicher an Zucker, wie das in die Leber einströmende Blut: im Mittel von 13 Versuchen fand S. im Lebervenenblut 0,23 pCt. Zucker, dagegen im Pfortaderblut nur 0.119 pCt. Die Zuckermengen, welche von der Leber aus in den Kreislauf gelangen, müssen bei der bedeutenden Strömungsgeschwindigkeit des Blutes sehr beträchtliche sein. S. stellte hierüber Versuche an, indem er eine Canüle in die Pfortader einband und das in einer bestimmten Zeit ausfliessende Blut in graduirten Cylindern auffing; an jedem curarisirten Thier wurden mehrere Messungen ausgeführt. Aus diesen Versuchen berechnet sich die in 24 Stunden in die Leber strömende Blutmenge für 3 Hunde von 7—10—47 Kilo auf resp. 179—233—433 l. Wenn das Blut im Durchschnitt 0,1 pCt. Zucker in der Leber aufnimmt, so würden diese Thiere in 24 Stunden 179 bis 233—433 g Zucker ausgeführt und in die allgemeine Circulation gebracht haben. Als Quelle dieses Zuckers kommen wenigstens bei Fleischfressern nur die Eiweisskörper in Betracht und zwar so bedeutend, dass nach S. der allergrösste Theil des im verfütterten Fleisch enthaltenen Kohlenstoffs für die Zuckerbildung verwerthet wird. Dieser Zucker wird ohne Zweifel im gesammten Körper oxydirt; es erscheint ja auch von grossen Mengen gefütterten Traubenzuckers bei gesunden Thieren im Harn nichts wieder. Es lag nun nahe, die stetig zuckerbildende Function der Leber durch Ausschaltung derselben aus der Circulation zu erweisen: der Zuckergehalt des Carotisblutes muss danach, wie leicht ersichtlich, sinken, da der Zucker fortwährend verbraucht wird und neuer nicht nachströmt. An 3 Hunden wurde zuerst eine Probe Carotisblut entnommen, dann die Aorta und Vena cava unterbunden, künstliche Respiration eingeleitet, nach $^1/_2$—1 Stunde eine zweite Probe aus der Carotis genommen. In der That ergab sich ein Sinken des procentischen Zuckergehaltes auf die Hälfte, ja ein Drittel des ursprünglichen. — Bei seinen Versuchen machte S. noch die auffallende Beobachtung, dass die Unterbindung der Vena cava im Bauchraum den Zuckergehalt des Carotisblutes beträchtlich steigerte, die Ursache hiervon aufzufinden, gelang zunächst nicht.

Unter Leitung von Ludwig hat Brasol (17) durch Versuche an Hunden die Frage aufzuhellen gesucht, wie sich die Zusammensetzung des Blutes nach dem plötzlichen Hereinbrechen grosser (in das Venenblut eingeführter) Zuckermengen ändert und durch welchen Process sich das Blut seines Zuckerüberschusses entledigt. Bezüglich der in den Versuchen zur Anwendung gelangten Methoden sei auf das Original verwiesen. Die Entfernung des eingespritzten Zuckers durch die Niere anlangend, hat sich herausgestellt, das zwischen dem Quantum des ersteren und dem mit dem Harn ausgeschiedenen Antheil kein directer Zusammenhang besteht; überhaupt erweist sich die

Nierenthätigkeit mit Bezug auf Menge und Zeit der Zuckerausscheidung aus dem Blute sehr unregelmässig und von der Individualität des Thieres nicht allein abhängend. In maximo werden 33 pCt. des durch die Vene eingeflössten Zuckers mit dem Harn ausgeschieden. Meist wird bereits wenige ($2 \frac{1}{2}$—5) Stunden nach der Einführung der Harn zuckerfrei abgesondert. Anstatt dass nun nach der Zuckereinspritzung der Gehalt des Blutes (und des Serum) an Zucker zugenommen, haben die Analysen des Blutes und des Serum ergeben, dass schon 2 Minuten nach der vollendeten Injection beträchtlicher Mengen der Procentgehalt des Zuckers nur die Hälfte, ja nur $\frac{1}{4}$ von dem betrug, der in dem Gesammtblut hätte vorhanden sein müssen; 2 Stunden nach der Einführung des Zuckers war der Gehalt desselben im Blute fast auf die Norm herabgesunken. Unter dem Einfluss der Zuckereinspritzung ins Blut wird übrigens die Befähigung der Nieren, Zucker auszuscheiden erhöht, sodass sie bereits bei 0,1—0,07 pCt. Zucker im Blute diesen absondern. Ein Theil des Zuckers nach der Einspritzung vertheilt sich in den Gewebssäften, so konnte in den Muskeln $\frac{1}{4}$, in der Leber über 1 und in den Nieren $\frac{3}{4}$ pCt. Zucker gefunden werden. Den übrigen Theil hat die Analyse als Zucker nicht entdecken können; möglich, dass er sich in Glycogen oder Milchsäure verwandelt oder einer sonstigen chemischen Umwandlung unterliegt. Die Bestimmung des Hämoglobingehaltes im Blute vor und nach der Zuckereinflössung hat das bemerkenswerthe Ergebniss geliefert, dass fast unmittelbar, schon 6—8 Minuten nach dem Eintritt der Zuckerlösung die Hämoglobinmenge auf 57—50 pCt., einmal sogar auf 31 pCt. herabgesunken ist, was nur durch eine Vermehrung der Blutflüssigkeit auf das Doppelte bis Dreifache geschehen konnte. Die Verdünnung des Blutes, die somit ausser allem Verhältniss zum Quantum der eingespritzten Flüssigkeit steht, ist nach Verlauf von 2 Stunden wieder vollkommen ausgeglichen und alsdann der Hämoglobingehalt wieder zur Norm angestiegen. Weiter wurde durch die Bestimmung des Eiweissgehaltes im Serum vor und 2 Minuten nach der Zuckereinspritzung ermittelt, dass der Procentgehalt an Eiweiss im Serum annährend so abnimmt, wie der Hämoglobingehalt des Blutes, was unzweifelhaft dafür spricht, dass von der dem Blute zugewachsenen Flüssigkeit ein grosser Theil im Plasma verblieb. Anders verhält es sich 1—2—3 Stunden nach vollendeter Einspritzung; hier erwies sich der Eiweissprocentgehalt des Serum zur Norm wieder zurückgekehrt, währder Hämoglobingehalt nur in 3 Fällen sich zur Norm erhoben hatte, in 3 anderen Fällen noch 17—28 pCt. unter der ursprünglichen Grösse gefunden wurde. Daraus geht hervor, dass die Blutkörperchen von der verdünnenden Flüssigkeit einen reichlichen Antheil aufgenommen haben, aber die in ihr Inneres eingedrungene Lösung langsamer, als das Plasma, entlassen. Aus der Erfahrung, dass ungeachtet der Verstopfung des Ductus thoracicus (mittelst eines auf das Ende eines Catheters gebundenen dehnbaren Kautschukbeutelchens — der Catheter wird durch die V. jugul. sin. bis in die Anonyma geführt und durch Aufblähung des Beutelchens die Einmündung des Duct. thorac. verschlossen) sich 2—4 Stunden nach der Zuckereinspritzung die Eiweissprocente im Serum und der Hämoglobingehalt wiederherstellen, geht evident hervor, dass der Lymphstrom bei diesem Vorgange keine Rolle spielt.

Zwei von Bohr ausgeführte Versuche lehren, dass unmittelbar nach der Zuckereinspritzung der Blutdruck in der Carotis ansteigt und zwei Stunden danach, etwa zugleich mit der Rückkehr des Hämoglobingehalts zur Norm, gleichfalls zur ursprünglichen Höhe zurückkehrt. Da dieses Ansteigen des Blutdruckes nicht über diejenige absolute Grösse erfolgte, welche bei einem Hunde von gleichem Körpergewicht vor der Einspritzung beobachtet wurde, so ist es gestattet, die Drucksteigerung auf stärkere Spannung der gefüllten Capillaren, auf Steigerung der Elasticität der Gefässwandungen zurückzuführen. Die Verdünnung des Blutes nach Zuckereinspritzung in die Venen und das Vorhandensein von Zucker in den Geweben spricht zu Gunsten eines Diffusionsvorganges. Ob die Wiederherstellung des Gleichgewichts im Blute auf dieselbe Weise vor sich geht, steht dahin.

Gréhant und Quinquaud (18) haben den Harnstoffgehalt des Blutes verschiedener Gefässbezirke vergleichend untersucht, um daraus Aufschlüsse über den Ort der Harnstoffbildung zu erhalten. Sie benutzten zur quantitativen Bestimmung des Harnstoffs die von Gréhant angegebene Lösung von Quecksilber in Salpetersäure (1 g Quecksilber in 10 ccm Salpetersäure [Concentration nicht angegeben, Ref.] kalt gelöst), indem sie dieses Reagens auf den verdampften alcoholischen Auszug einer geringeren Quantität Blut einwirken liessen. Die durch Auspumpen gewonnenen Gase (Stickstoff und Kohlensäure und etwas Stickoxyd) wurden analysirt, aus der Quantität der Kohlensäure die des Harnstoffs berechnet. Die Versuche wurden an nüchternen und in Verdauung begriffenen Hunden angestellt. Constant fanden die Verff. das venöse Blut der Baucheingeweide reicher an Harnstoff wie das arterielle, ebenso auch den aus dem Ductus thoracicus aufgefangenen Chylus, dagegen war zwischen dem arteriellen und venösen Blut der Extremitäten ein Unterschied nicht zu constatiren. Beispielsweise enthielten 100 g

Blut aus der Pfortader	42,5 mg.	Carotis	36,8.
„ „ „ „	52 „	„	40
„ „ „ „	89 „	„	82

100 g Blut

aus der Arteria femor.	31,8 mg.	Vena femoralis	31
„ „ Carotis	51,5 „	„ jugul.	51,1
„ „ „	57,9 „	„ femor.	59

Der Schluss ergiebt sich von selbst.

Dogiel (19) hat die Formveränderungen studirt, welche die weissen Blutkörperchen des Frosches durch eine Reihe von Giften und häufig gebrauchte Reagentien erleiden. Die Methoden hierzu waren verschieden, entweder wurde der Frosch mit der betreffenden Substanz vergiftet oder das Blut direct damit gemischt. Die Formveränderungen selbst, die sehr mannigfach waren, sind nicht näher beschrieben, sondern durch Abbildungen erläutert, auf die hier verwiesen werden muss.

Wooldrigde (20) theilt interessante Beobachtungen über die Abstammung des Fibrinfermentes mit.

I. Wenn man Blut direct aus der Carotis in dem gleichen Volumen 10proc. Kochsalzlösung auffängt, und durch Centrifugiren alle körperlichen Elemente des Blutes entfernt, so gerinnt das so erhaltene gesalzene Plasma für sich nicht, wohl aber, wenn man es mit dem 5fachen Volumen Wasser verdünnt. Diese Erscheinung ist bisher so gedeutet, dass das Salzplasma zwar Gerinnungsferment enthalte, die Gegenwart von Salzen aber die Gerinnung des Fibrins verhindere. Dem entgegen gelang es W. aus dem verdünnten Plasma Fibrinferment auf dem gewöhnlichen Wege darzustellen, dagegen nicht aus dem unverdünnten. Dass das Salz in der That die Gerinnung nicht hindert, zeigt der Zusatz von Fibrinferment zu dem unverdünnten Salzplasma: es tritt dann Gerinnung ein.

II. Setzt man zu Peptonplasma (d. h. Plasma aus Blut nach Einspritzung von Pepton in die Venen), das für sich nicht gerinnt, Lecithin und leitet dann einen Kohlensäurestrom durch, so tritt in 10 Minuten Gerinnung ein. Aus solchem Plasma ist das Fibrinferment darstellbar, während es sich vorher nicht nachweisen lässt. Sowohl aus den Beobachtungen sub I., wie aus denen sub II. schliesst W., dass die gewöhnliche Anschauung, welche das Fibrinferment von zerfallenen weissen Blutzellen ableitet, nicht richtig ist.

[Engelsen, E., Undersögelser over Blodlegemernes Antal, Hämoglobinmengde og Störrelse. Afhandl. for Doktorgraden i Medicin. Kopenhagen.

Der Verf. untersucht in dieser Arbeit wesentlich das Verhältniss zwischen Zahl der Blutkörperchen und Homoglobinmenge bei Menschen sowohl im gesunden wie im krankhaften Zustande.

Der Hämoglobingehalt ist mittelst des Spectrophotometers von Glahn bestimmt; da die Constante des Apparats nicht genau bestimmt ist, drücken die vom Verf. gefundenen Zahlen indessen nicht den absoluten Werth des Hämoglobingehaltes aus, sind damit aber proportional. Die Blutkörperzählungen hat der Verf. mittelst des Thoma'schen Apparats ausgeführt; bei jeder Bestimmung wurden zwischen 2500 und 5000 einzelne Blutkörperchen gezählt.

Aus den vom Verf. bei neugeborenen Kindern angestellten Bestimmungen geht hervor, dass der vermehrte Gehalt des Blutes neugeborener Kinder an Hämoglobin wesentlich auf einer Vermehrung des Hämoglobingehaltes der einzelnen Blutkörperchen beruht, und nur im geringen Grade auf einer Vermehrung der Anzahl der Blutkörperchen. Der Verf. hat ferner eine bedeutende Vergrösserung des durchschnittlichen Diameters der Körperchen gefunden; wo der Verf. Gelegenheit hatte vergleichende Bestimmungen des Hämoglobingehaltes im Blute der Mutter und des neugeborenen Kindes anzustellen, fand er, dass die Hämoglobinmenge im Blute der ersteren 48,5 bis 74,8 pCt. des Hämoglobingehaltes im Blut des Kindes betrug. Was die pathologischen Zustände betrifft, findet der Verf. bei Carcinom (21 Fälle), dass die Hämoglobinmenge durchschnittlich zweimal mehr als die Anzahl der Blutkörperchen abgenommen hat im Vergleich mit den bei gesunden Menschen gefundenen Zahlen. Bei Phthisis pulmonum (20 Fälle) hat die Hämoglobinmenge 2,7 Mal mehr als die Anzahl der Blutkörperchen abgenommen.

Bei Rachitis (18 Fälle) ist die Anzahl der Körperchen ungefähr normal; die Hämoglobinmenge hat dagegen um 31,6 pCt. abgenommen. Bei Chlorosis (13 Fälle) endlich hat die Hämoglobinmenge 3,4 Mal mehr als die Anzahl der Blutkörperchen abgenommen.

Der Verf. hat ferner gefunden, dass beim Icterus (11 Fälle) der mittlere Diameter der Blutkörperchen vergrössert ist; versetzt man icterisches Serum mit normalem Blute, so kann man eine allmälige Vergrösserung der normalen Blutkörperchen beobachten. Zuletzt behandelt der Verf. den Einfluss der Blutentziehungen, indem er seine an Menschen erlangten Resultate durch Experimente an Hunden bestätigt. Bei diesen letzteren fand der Verf., dass bei Blutentziehungen die Hämoglobinmenge im Blute in weit stärkerem Verhältniss als die Anzahl der Körperchen abnimmt. Das Minimum der Hämoglobinmenge und der Körperchenanzahl tritt gleichzeitig ein; die grösste Differenz aber zwischen Anzahl und Hämoglobinmenge trifft mit dem Minimum zeitig nicht zusammen, sondern stellt sich erst später ein. Die Regeneration der Blutkörperchen ist am stärksten gleich nach dem Eintritt des Minimums; die Restitution des Hämoglobins geschieht dagegen ganz allmälig. Stets werden die Blutkörperchen nach Blutverlust kleiner, obschon nur in geringem Grade.

Christian Bohr.

Nencki, M., (Bern), Poszukiwania nad barwnikami krwi. (Ueber Blutfarbstoffe). Gazeta lekarska No. 35 bis 40. (Dasselbe hat der Verfasser auch deutsch veröffentlicht. v. Kopff (Krakau).]

IV. Milch.

1) Hammerbacher, F., Ueber den Einfluss des Pilocarpin und Atropin auf die Milchbidung. Pflüger's Arch. Bd. 33. S. 228. — 2) Biedert, Ph., Untersuchungen über die chemischen Unterschiede der Menschen- und Kuhmilch. 2. Aufl. gr. 8. Stuttgart. — 3) Duclaux, E., Sur les matières albuminoides du lait. Compt. rend. Bd. 98. No. 6. — 4) Derselbe, Sur la constitution du lait. Ibid. No. 7. — 5) Derselbe, Action de la presure sur le lait. Ibid. No. 8. — 6) Meigs, A., Proof, that human milk contains only about one per Cent of casein with remarks upon infant feeding. Med. and surg. Reporter. No. 7 und 8. — 7) Bert, P., Sur l'origine du sucr de lait. Compt. rend. Bd. 98. No 13. — 8) Hueppe, F., Ueber die Zersetzungen der Milch und die biologischen Grundlagen der Gährungsphysiologie. Deutsche med. Wochenschr. No. 48—50.

Die Versuche von Hammerbacher (1) über den Einfluss des Pilocarpin und Atropin auf die Milchbildung sind an einer Milchziege angestellt, welche fast während der ganzen Dauer der Lactation (vom 11. October bis 2. Februar) beobachtet wurde. Da sich in der Normalzeit vielfache Unregelmässigkeiten in der Milchsecretion bemerklich machten, zum Theil abhängig von wechselnder Futteraufnahme, so ist zur Bildung der Vergleichszahlen überall das Mittel aus einigen der Pilocarpinwirkung vorangehenden Tagen gezogen. Das Pilocarpin wurde in der Dosis von 0,15 Mittags unter die Haut gespritzt, kleinere Dosen waren ohne Wirkung. Es ergab sich zunächst, dass das Pilocarpin die Milchsecretion nicht vermehrt; die Nachmittagsmilch zeigte sich sogar an Menge erheblich vermindert. Die in den ersten 4 Stunden nach der Einspritzung des Pilocarpins gebildete Milch war auch ärmer an festen Bestandtheilen, wie die normale Milch. — Atropin (0,12—0,18 g Atropin sulfur. gleichfalls um die Mittagszeit eingespritzt) setzte die Milchmenge gleichfalls herab. Die in den ersten 4 Stunden nach der Einspritzung secernirte Milch zeichnete sich aber im Gegensatz zur Pilocarpin-Milch durch einen auffallend hohen Gehalt an Trockensubstanz aus. In der Trockensubstanz dieser Milch ist ausserdem das Fett in grösserer Menge vorhanden, als normal.

Duclaux (3) beschäftigt sich in einer Reihe interessanter Abhandlungen mit den Eiweisskörpern der Milch. Dem gewöhnlichen Sprachgebrauch zu Folge nennt man den durch Ansäuern der Milch oder auch durch Alkohol oder Lab entstehenden Niederschlag Casein, den im Filtrat durch Kochen desselben erhaltenen Albumin. Im Filtrat von diesem Niederschlag entsteht durch Zusatz von basischem Bleiacetat oder Millon'schem Reagens ein neuer Niederschlag, in welchem Millon und Comaille einen dritten Eiweisskörper, das „Lactoprotein" annehmen (das indessen ausser von französischen Autoren durchaus nicht allgemein angenommen ist und jedenfalls das Pepton einschliesst. Ref.). Dem entgegen befindet sich nach D. ein beträchtlicher Theil — $^4/_{10}$ — des Caseins überhaupt nicht in Lösung, sondern suspendirt, und scheidet sich beim Stehen der Milch aus. Der restirende grössere Theil des Caseins geht zwar durch Filtrirpapier, aber nicht durch poröse Thoncylinder hindurch, welche Albumin und Lactoprotein hindurchlassen. (Diese Beobachtung ist übrigens schon vor einer Reihe von Jahren von Zahn publicirt. Ref.) — Suspendirt man nun aber das rückständige Casein in Wasser, so giebt es beim Filtriren durch Thoncylinder aufs Neue eine wasserklare Flüssigkeit, welche Albumin und Lactoprotein enthält, ohne dass — bei reinlichem Arbeiten — dabei eine Mitwirkung von Organismen stattfindet. Je länger die Behandlung mit Wasser dauert, ein um so grösserer Theil des Caseins wandelt sich in diese Substanzen um. Bei dieser Sachlage hält es D. für unzweckmässig und nicht in der Natur der Sache begründet von Casein, Albumin und Lactoprotein zu sprechen, da das Casein in einer fortwährenden Umwandlung in diese Substanzen begriffen ist. Noch schneller löst sich natürlich das Casein in schwach sauren Flüssigkeiten zu Syntonin oder schwach alkalischen zu Alkalialbuminat.

In der zweiten Abhandlung unterscheidet Derselbe (4) das Casein der Milch a) als suspendirtes, b) als gequollenes oder colloidales, c) als gelöstes. Nur das letztere passirt durch sorgfältig ausgesuchte Thoncylinder bei vermindertem Luftdruck. Ausser diesem geht noch der Milchzucker, die löslichen Salze und ein Theil des Calciumphosphat durch die Wand des Cylinders. Bei Filtration einer Milchprobe erhielt D. in 1000 Thl. Milch

	suspendirt	gelöst
Fette	3,32	0
Milchzucker	0	4,98
Casein	3,31	0,84
Calciumphosphat	0,22	0,14
Lösliche Salze	0	0,39

In diesem Falle war der Gehalt an gelöstem Casein ein ungewöhnlich hoher, in der Regel betrug er nur zwischen 4 und 6 p. M. Der Gehalt an gelöstem Casein ändert sich beim Aufbewahren der Milch nicht. Beim Erhitzen des Milchfiltrates scheidet sich nach D. nur ein geringfügiges Coagulum aus, das sich allmälig wieder auflöst. Unter dem Einfluss bestimmter Organismen auf die Milch, welche ein eigenthümliches, von D. „Casease" genanntes Ferment bilden, geht ein mehr oder weniger grosser Theil des ungelösten Caseins in gelöstes über. So stieg in einer Milch der Gehalt hiervon von 0,61 pCt. in 8 Stunden auf 1,8 pCt.; in 24 Stunden auf 2.20 pCt. Denselben Einfluss hat nach D. auch das Pancreassecret.

Eine dritte Abhandlung desselben Autors (5) betrifft das Wesen der Labgerinnung. Mit Hülfe der Filtration durch Thoncylinder untersuchte D. vergleichend genuine Milch und die nach Eintritt der Labgerinnung von derselben Milch übrig gebliebene süsse Molke.

Es ergab sich:

	Milch		Molke	
	suspendirt	gelöst	suspendirt	gelöst
Fett	4,30	0	0,83	0
Milchzucker	0	5,37	0	5,73
Casein	3,53	0,37	0.46	0,36
Calciumphosphat.	0,23	0,17	0	0,17
Lösliche Salze	0	0,40	0	0,43

Die Quantität des gelösten Caseins ist demnach in der ganzen Milch und in der Molke dieselbe, ebenso die Quantität des gelösten phosphorsauren Kalks, der somit nicht mit dem Coagulum ausfällt. Bemerkenswerth ist ferner der Gehalt der Molke an colloidalem, nicht durch Thoncylinder filtrirbarem Casein. D. erinnert an die Analogie der Labgerinnung mit verschiedenen, selbst an unorganischen Substanzen beobachteten Erscheinungen des Ueberganges in eine colloidale Form, so die bekannte colloidale Form des Eisenoxyd. Ebenso, wie dort geringfügige und in ihrem Mechanismus durchaus unbekannte Einflüsse hinreichen, um sehr auffällige Veränderungen des äusseren Zustandes herbeizuführen, sei dieses auch bei der Milch der Fall. Die Labgerinnung rangirt damit in die Reihe dieser Probleme der Molecularmechanik, für welche eine Theorie heutzutage nicht gegeben werden kann.

Meigs (6) kommt auf einem sehr wunderlichen Wege zu dem Schluss, dass die Frauenmilch nur etwa 1 pCt. Casein enthalte. Die Summe von Casein + Zucker in der Kuhmilch sei nach M. von allen Untersuchern ziemlich gleich gefunden (in der vom Verf. angeführten Tabelle finden sich indessen Schwankungen von 7,4—9,1 pCt.; die Mehrzahl bewegt sich allerdings etwa um 8,5 pCt., Ref.). Da nun, so argumentirt M., kein Grund zu der Annahme bestehe, dass dieses Verhältniss bei Frauenmilch nicht Geltung habe, diese aber über 7 pCt. Zucker enthalte, so könne der Caseingehalt nicht mehr, wie etwas über 1 pCt. betragen. Directe Bestimmungen hat Verf. nicht gemacht. Biederts' Ansicht, dass das Casein der Frauenmilch chemisch von dem Casein der Kuhmilch differire, hält Verf. nicht für ausreichend begründet, auch das von B. für die Kinderernährung empfohlene Rahmgemenge lässt er nicht gelten, weil es zu wenig Zucker enthalte. M. schlägt vor, die Kuhmilch zur Anwendung beim Säugling zuerst soweit zu verdünnen, dass ihr Caseingehalt nur etwas über 1 pCt. beträgt, alsdann durch Zusatz von Milchzucker und Rahm den richtigen Zucker- und Fettgehalt herzustellen, und giebt Anweisungen zur Bereitung dieses Gemisches. Ein Theil des zugesetzten Wassers soll Kalkwasser sein, so dass 1/4 des ganzen Gemisches aus Kalkwasser besteht. Das Gemisch soll während der ganzen Säuglingsperiode — 9—11 Monate — in derselben Concentration gegeben werden. Die übliche abnehmende Verdünnung der Milch mit zunehmenden Alter verwirft Verf., weil die menschliche Milch nichts derart zeigt.

Bert (7) hat die Frage untersucht, ob der Zucker der Milch in den Milchdrüsen entsteht oder im Körper und durch die Milchdrüse lediglich ausgeschieden wird. — Zur Entscheidung dieser Frage hat B. früher in Verein mit Schützenberger die Milchdrüsen von Kühen und Schafen auf eine zuckerbildende Substanz untersucht und in der That mitunter, jedoch nicht constant, eine Substanz gefunden, welche bei Einwirkung von verdünnter Schwefelsäure Zucker liefert. Da die Menge derselben gering ist und kein Ferment des Körpers aus derselben Zucker bildet, kommt sie für die Bildung des Zuckers in der Milch wohl nicht in Betracht. B. exstirpirte nun bei zwei Schafen die Milchdrüsen und liess sie, nachdem die Heilung beendet, von Böcken belegen. Während der Gravidität war der Harn zuckerfrei, nachdem jedoch die Thiere geworfen, war der Harn in den nächsten drei Tagen zuckerhaltig (d. h. er reducirte Fehling-sche Lösung, Ref.) später verschwand der Zucker. Der Harn von 2 ganz ebenso gehaltenen normalen Thieren war dauernd zuckerfrei. B. schliesst demnach, dass der Zucker nicht in den Milchdrüsen entsteht, sondern im Körper, vielleicht in der Leber. B. wirft schliesslich die Frage auf, ob dieser Zucker vielleicht Traubenzucker und nicht Milchzucker war; in diesem Falle würde der Milchdrüse die Aufgabe zufallen, Traubenzucker in Milchzucker überzuführen: diese Frage ist noch nicht untersucht.

V. Gewebe und Organe.

1) Krukenberg, C., Die chemischen Bestandtheile des Knorpels. Zeitschr. f. Biol. Bd. 20. S. 305. — 2) Kossel, A., Ueber Guanin. Zeitschrift für physiol. Chem. VIII S. 404. — 3) Derselbe, Ueber einen peptonartigen Bestandtheil des Zellkerns. Ebendas. S. 511. — 4) Salomon, G., Chemische Untersuchung eines mit Guaninablagerungen durchsetzten Schinken. (Beschrieben im Archiv für pathologische Anatomie. Bd 35 u. 36.) Virch. Arch. Bd. 97. S. 360. — 5) Bunge, G., Analyse der unorganischen Bestandtheile des Muskels. Zeitschr. f. physiol. Chemie. IX. S. 60. — 6) Landwehr, H., Eine neue Methode zur Darstellung und quantitativen Bestimmung des Glycogens in thierischen Organen. Ebendas. VIII. S. 165. — 7) Röhmann, F., Ueber die Beziehungen des Ammoniaks zur Glycogenbildung in der Leber. Centralbl. f. klin. Med. No. 36. — 8) Tauber, A., Zur Frage nach der physiologischen Beziehung der Schilddrüse zur Milz Virch Arch. Bd. 96. S 29. — 9) Weyl und Apt, Ueber den Fettgehalt pathologischer Organe. Ebendas. Bd. 95 S. 351. — 10) Weyl, Th., Physiologische und chemische Studien am Torpedo. Du Bois-Reymond's Archiv. Phys. Abth. S. 316. — 11) Bunge, G., Ueber die Assimilation des Eisens. Zeitschrift f. phys. Chem. Bd. 9. S. 49.

Krukenberg (1) hat die Chondroitsäure Bödeckers (Chondroglycose) näher untersucht. Fein zerschnittener Knorpel wird kalt mit 5—10 proc. Natronlauge 2—3 Tage extrahirt, die colirte Flüssigkeit mit Salzsäure genau neutralisirt, das Filtrat mit Alcohol gefällt, der Niederschlag in wenig Wasser gelöst und die Salze daraus durch mehrtägige Dialyse möglichst vollständig entfernt. Es wurden so 4 Präparate dargestellt, die sich dadurch unterschieden, dass bei einem die Einengung nur bei 40° stattfand, bei den anderen bei 80°; No. 4 wurde frisch durch verdünnte Essigsäure aus seinen Lösungen ausgefüllt. Sämmtliche Präparate waren amorph, bildeten beim langsamen Abdampfen ihrer Lösungen Häute, lösten sich sehr leicht in Wasser, dem sie eine gummöse Beschaffenheit verliehen. Sie waren weder fällbar durch Natronlauge noch durch Säuren noch durch Metallsalze; nur Bleiessig, neutrale Eisensalze und Zinnchlorid schlugen sie unter Bildung von Metallverbindungen der Chondroitsäure nieder. Die verschiedenen Präparate zeigten beim Kochen bald mehr oder weniger starke Reduction der Fehling'schen resp. Knapp'schen Lösung, schwieriger aber von Mag. Bismuthi bei Natronzusatz. Die Säure zerlegte Erdalkalicarbonate unter CO_2-Entwicklung und erwies sich als schwer diffusibel und unvergährbar. Die Elementaranalyse der verschiedenen Präparate ergab (nach Abzug des Aschengehaltes) C 39—43 pCt., H 5,5—6,15 pCt., S 4,5—5,7 pCt., N 4,2—7,3 pCt., „wie es auch wohl nicht anders sein kann, da sich diese Substanzen in ihrem ganzen Verhalten als intermediäre, unbeständige Producte zwischen Eiweissstoffen und Kohlehydraten ausweisen". Die Analyse der Eisenverbindung führt zu der Formel $C_{28} H_{51} SN_3 O_{30} Fe_2$. Da in dem Wasserextract vom frischen Knorpel Chondroitsäure oder deren Salze nur in Spuren sich finden, so meint Verf., dass sie nicht als solche im Knorpel enthalten sind, sondern erst durch die Behandlung mit verdünnter Natronlauge abgespalten werden; das Chondrogen wäre ein mechanisches Gemenge von Collagen mit einem eiweissartigen Stoffe, Hyalogen. „Ueberall", schliesst Verf., „wo eine Selbstverflüssigung eiweissartiger Gewebsbestandtheile intra vitam, sei es unter physiologischen, sei es unter pathologischen Verhältnissen stattfindet, beruht dieselbe ausnahmslos auf einer Umwandlung eiweissartiger Stoffe (Hyalogene) in leicht lösliche, direct oder indirect reducirend wirkende Substanzen, in Hyaline, schliesslich auch wohl in reine Kohlehydrate".

Kossel (2) erhielt das früher von ihm unter den Spaltungsproducten des Nuclein aufgefundene Guanin jetzt auch direct aus thierischen Geweben bei Einwirkung verdünnter Säuren und zwar liess sich zeigen, dass die Quantität des Guanin in Beziehung steht zur Menge des Nuclein. Das normale an kernhaltigen Elementen arme Blut enthält kaum nachweisbare Mengen, das leukämische, an kernhaltigen Zellen reiche Blut viel Guanin, auf trocknes Blut bezogen 0.2 pCt. Im embryonalen Kaninchen-Muskel fand sich eine bedeutend grössere Quantität von Guanin (0,4 pCt. des trocknen Organs), als im Muskel des erwachsenen Thieres (0,02 pCt.). Einen hohen Guaningehalt zeigten Leber (0.2 pCt.), Milz 0,3 pCt. und Pancreas 0,2—0,75 pCt des Trockengewichtes. Schnellwachsende kernreiche Geschwülste, wie die Sarcome zeigten einen Guaningehalt von 0,2—0.28 pCt.

Löst man nach Kossel (3) die durch Senkung isolirten rothen Blutkörperchen des Vogelblutes (Gans) in Wasser bei Gegenwart von Aether, so bleibt eine lockere flockige Masse zurück, die durch Auswaschen von Blutfarbstoff befreit, hauptsächlich aus Zellkernen besteht. Beim Behandeln mit verdünnten Säuren geht ein Stoff in Lösung, der zur Gruppe der Albumosen (Kühne) gehört. Für diese durch Einwirkung der Säure gebildete Substanz schlägt K. den Namen Histon vor. Sie ist fällbar durch Essigsäure + Ferrocyankalium etc. entsprechend dem Verhalten der Hemialbumose. Das Histon giebt die Peptonreaction und bildet beim Erhitzen mit Wasser Leucin und Tyrosin. Durch Zusatz von wenig Ammoniak zu der neutralen salzfreien Lösung wird das Histon vollständig in eine unlösliche, den coagulirten Eiweissstoffen ähnliche Substanz umgewandelt. Die Analyse ergab für das Histon und das Umwandlungsproduct:

	C	H	N	S
Histon................	50,67	6,99	17,03	0,5
Umwandlungsproduct	52,31	7,09	18,28	—

Das Histon wird also beim Uebergang in den coagulirten Eiweisskörper reicher an C und N, ähnlich wie Verf. dieses früher bei Vergleichung der Producte der Pepsinverdauung mit den ursprünglichen Eiweisskörpern gefunden hat.

Salomon (4) hatte Gelegenheit, den Schinken, in welchem Virchow vor einer Reihe von Jahren Guanin aufgefunden hatte, einer nochmaligen chemischen Untersuchung zu unterwerfen.

S. konnte bestätigen, dass die noch vorhandenen Einlagerungen in den Gelenkflächen die Reaction des Guanins zeigten, zur Reindarstellung reichte die Quantität nicht aus. — Aus 150 g der Muskelsubstanz, die zum grössten Theil schon von Käfern zerfressen war, fand sich kein Guanin, dagegen Hypoxanthin, Xanthin und Harnsäure, welche letztere möglicherweise von Käfern herrührt.

Bunge (5) hat nach einer schon früher von ihm zur Analyse der Milch- und Blutasche benutzten Methode nunmehr die Fleischasche untersucht. Es fanden sich auf 1000 Th.:

	im fettfreien	fettreichen Rindfleich
K_2O	4,654	4,160
Na_2O..................	0,770	0,811
CaO	0,086	0,072
MgO..................	0,412	0,381
Fe_2O_3..................	0,057	—
P_2O_5..................	4,674	4.580
Cl..................	0,672	0,709

Berechnet man beim fettreichen Rindfleisch alle basischen Bestandtheile (K_2O, Na_2O, CaO. MgO) auf Natron, so ergiebt sich insgesammt 4,219 Na_2O. Nun hat Verf. darin an Gesammtschwefel gefunden: 2,211 S. entsprechend 5.527 SO_3, und diese Säuremenge würde genügen um 4.284 Na_2O zu sättigen; demnach reicht die Menge der Schwefelsäure, die aus der Spaltung und Oxydation der Muskelalbuminate hervorgehen kann, allein schon vollständig aus, alle basischen Bestandtheile des Muskels zu sättigen. An präformirter Schwefelsäure, im Wasserextract ohne Einäscherung bestimmt, fand sich nur 0,01 g auf 1000 Th.

Landwehr (6) beschreibt eine neue Methode zur Darstellung und quantitativen Bestimmung des Glycogens in thierischen Organen.

I. Zur Darstellung des Glycogens werden die vereinigten Leberauszüge zum Sieden erhitzt, mit einer kleinen Menge essigsauren Zinks versetzt und bis zur vollständigen Coagulation des Eiweiss im Sieden erhalten — hat man zum Auskochen der Leber dem Wasser Alkali zugesetzt, so muss dieses vorher neutralisirt werden — dann filtrirt, das Filtrat im Wasserbad erhitzt und mit concentrirter Eisenchloridlösung versetzt, alsdann unter Umrühren mit soviel Sodalösung, dass alles Eisen ausfällt. Eine Probe des Filtrates darf keine Jodreaction mehr zeigen, andernfalls muss noch weiter Eisenchlorid zugefügt werden. Der Niederschlag wird abfiltrirt, mit heissem Wasser gewaschen, dann in der Reibschaale in Salzsäure gelöst und die Lösung in die 3 fache Menge absoluten Alcohol gegossen. Statt den Niederschlag direct in Salzsäure zu lösen, kann man ihn auch in Essigsäure oder Weinsäure auf dem Wasserbad lösen, dann mit Salzsäure versetzen und mit Alcohol fällen. Das so gewonnene Glycogen ist stickstoff- und aschefrei, verhält sich genau so wie das nach Brücke'scher Methode dargestellte, zeigt jedoch weit geringere Opalescenz. Die specifische Drehung betrug 213,3°. Etwa vorhandenes Dextrin und Traubenzucker findet sich im Filtrat und Waschwasser.

II. Zur quantitativen Bestimmung empfiehlt sich am meisten die Wägung des nach obiger Methode rein dargestellten Glycogen. Der Eisenoxydniederschlag selbst lässt sich nicht direct benutzen, da bei der Fällung immer etwas überschüssiges Eisen vorhanden sein muss und der Niederschlag in jedem Fall freies Eisenoxydhydrat enthält. Auch die Bestimmung der Gewichtsdifferenz zwischen dem bei 120° getrockneten Niederschlag und dem beim Waschen zurückbleibenden Eisenoxyd ist kein ganz genauer Ausdruck des Glycogens, da das Eisenoxydhydrat bei 1—2 stündigem Trocknen bei 110—120° noch etwa 8 pCt. Wasser zurückhält. Durch Trocknen des Eisenoxydhydrates selbst bei verschiedenen Temperaturen erhielt L. die Hydrate: $(Fe_2O_3)_2 + 3H_2O$, $Fe_2O_3 + H_2O$, $(Fe_2O_3)_2 + H_2O$. Das letzte Hydrat verliert das Wasser erst beim Glühen. Für die quantitative Bestimmung des Glycogens nach der Methode des Veraschens ist es nöthig, dem siedenden Organauszug ausser dem Zinksalz gleich Anfangs auch etwas Chlorbaryum zuzusetzen, um die Phosphorsäure zu entfernen, die sonst den Eisenniederschlag verunreinigen würde. Der Ueberschuss von Zink und Baryum wird vor dem Eisenchloridzusatz durch etwas Soda entfernt. Die Controlbestimmungen ergeben ganz genügende Uebereinstimmung auch bei sehr wechselndem Zusatz von Eisenchlorid.

Röhmann (7) ist auf sehr merkwürdige Beziehungen des Ammoniaks zur Glycogenbildung in der Leber gestossen. Kaninchen, welche neben Kohlehydraten (Stärke, Zucker und Salze) Asparagin mit der Nahrung erhalten hatten, enthielten in der Leber 3 bis 11 Mal soviel Glycogen, wie nur mit Kohlehydraten gefütterte. Dieselbe Wirkung hatte kohlensaures Ammoniak in Mengen von 2 bis 4 g pro die. Kohlensaure Alkalien übten diesen Einfluss nicht aus. R. hebt hervor, dass nach diesen Versuchen ein Endproduct des Stoffwechsels an einer characteristischen Zellfunction, die Glycogenbildung, betheiligt ist, ein Verhältniss, das unsere Anschauungen über die Bedeutung der Endproducte wesentlich zu modificiren geeignet ist.

Tauber (8) fand unter 15 an verschiedenen Hausthieren ausgeführten Exstirpationen der Milz bei 10 keine Schilddrüse. T. gelangt hinsichtlich der Wirkung der Milzexstirpation zu folgenden Schlüssen: 1) die Exstirpation wird von Thieren mittleren Alters besser ertragen, wie von älteren; 2) in der ersten Zeit nach der Exstirpation kommen häufig Blutstockungen in der Leber, den Nieren und Lymphdrüsen vor; 3) die Entfernung der Milz hat keinen Einfluss auf die Verdauung; 4) nach Entfernung der Milz wird das Thier äusserst anämisch: die Zahl der weissen Blutkörperchen nimmt relativ und absolut zu, die Grösse und Anzahl der rothen Blutkügelchen nimmt ab; 5) ein Zusammenhang zwischen der Milz und der Schilddrüse existirt nicht.

Auf Grund einer Reihe eigener und fremder Beobachtungen finden Weyl und Apt (9) den Fettgehalt der normalen Leber schwankend zwischen 2,4 und 5,9 pCt., im Mittel 3,7 pCt. Für den Fettgehalt des Herzens ergeben sich 1,7 bis 2,4, im Mittel 2,2 pCt. Dem gegenüber betrug der Fettgehalt der Leber beim Fieber 17,8 — 8.6 — 15,1 — 14,2 — 7,6 — 8,7 pCt., der des Herzens 7,8 — 10.0 pCt.; es ist also der Fettgehalt beider Organe im Fieber unzweifelhaft vermehrt. Ebenso zeigte sich eine Steigerung auch in einigen Fällen, in denen man eine Beschränkung der Sauerstoffzufuhr annehmen kann. Der Fettgehalt des Herzens betrug bei Tuberculose 7,8 — 6,5 pCt., der der Leber 17,8 — 8,6 pCt.; der Fettgehalt bei Leucämie 15.1 pCt.

Die Mittheilung von Weyl (10) behandelt das Alcohol- und Wasserextract des gereizten und nicht gereizten electrischen Organs.

Vom lebenden Fisch wurde das Organ der rechten Seite durch einen Schnitt abgetrennt, von der Hautbedeckung befreit, zerkleinert, gewogen und mit der 10fachen Menge absoluten Alcohols übergossen; das Organ der anderen Seite wurde durch Unterbindung der Gefässe aus dem Kreislauf ausgeschaltet, durch Durchschneiden der Nerven dem Willen entzogen, und dann mit Hülfe eingesenkter kammförmiger Electroden meist über eine Stunde mit dem inducirten Strom gereizt. Die weitere Behandlung war wie bei dem nicht gereizten Organ. In beiden Fällen wurden die Gewebe erschöpfend mit Alcohol behandelt, der Auszug verdunstet, der Rückstand getrocknet und gewogen.

Seine Menge betrug zwischen 7,35 und 8,47 pCt. des frischen Organs; eine Beziehung zur Reizung oder Ruhe ergab sich nicht. — Der bei der Alcoholextraction gebliebene Gewebsrückstand diente zur Darstellung des Wasserextracts und der Asche desselben, in welch letzterer noch die Phosphorsäure bestimmt wurde. Bei vier derartigen Parallelbestimmungen schwankte die Menge des Wasserextractes von 1,31 pCt. des frischen Organs bis 1.97 pCt.; sie war beim gereizten Organ (mit einer Ausnahme) etwas höher, umgekehrt war die Aschenmenge etwas grösser beim nicht gereizten Organe. — Besonders bemerkenswerth verhält sich die Phosphorsäure: sie ist beim gereizten Organ constant höher.

Phosphorsäure in Procenten des frischen Organs:

	1.	2.	3.	4.
gereizt	0,118	0,107	0,093	0,137
nicht gereizt	0,106	0,068	0,071	0,125

Dieses spricht für eine Zersetzung des Lecithin oder Nuclein während der Thätigkeit und steht in Uebereinstimmung mit den Beobachtungen von W. und Zeitler am Muskel (vgl. d. Ber. f. 1882, S. 141).

Von der Beobachtung ausgehend, dass das im Eidotter enthaltene Eisen weder durch Alcohol, noch durch Aether extrahirbar ist, sowie dass es sich aus dem Rückstande durch salzsäurehaltigen Alcohol nicht extrahiren lässt, hat Bunge (11) die organische Eisenverbindung zu isoliren gesucht.

Der in Aether unglöste Rückstand des Dotters wird in Salzsäure (1 pro Mille) gelöst, das Filtrat mit künstlichem Magensafte bei gewöhnlicher Temperatur digerirt: bei Erwärmen der Mischung auf Körpertemperatur fällt allmälig ein Niederschlag aus, der fast sämmtliches Eisen enthält. Derselbe wird in wässrigem Ammoniak gelöst und mit Alcohol ausgefällt, mit Alcohol, Salzsäure, Aether gewaschen, dann fein pulverisirt und bei 110° getrocknet. (Genaueres s. im Orig.)

Aus 250 Eidottern wurden so 34 g der Eisenverbindung dargestellt. Dass das Präparat Eisen als organische Verbindung enthält, erschliesst Verf. einmal aus dem Umstande, dass der eisenhaltige Niederschlag sich aus salzsaurer Lösung abgeschieden hatte und an salzsäurehaltigen Alcohol keine Spur Eisen abgab, sowie daraus, dass die ammoniakalische Lösung mit Schwefelammon zunächst keine Farbenänderung zeigte. Das Präparat enthielt ausser dem Eisen auch Schwefel und Phosphor und gehört in die Gruppe der Nucleine. — Die Analyse des gelblichen Pulvers ergab im Mittel 42,01 C, 6,08 H, 14,73 N, 0,55 S, 5,19 P, 0,29 Fe, 31,05 O. Für diese Substanz, deren P-Gehalt bemerkenswerther Weise hoch ist, schlägt Verf. den Namen „Haematogen“ vor. Wie aus ihrer Zusammensetzung ersichtlich, steht die Substanz dem Nuclein, dessen P-Gehalt nur noch grösser und das bisher als eisenfrei sich erwiesen hat, ausserordentlich nahe. Auch in der Milch scheint nach Verf. ebenfalls das Eisen sich in einer dem Haematogen ähnlichen organischen Verbindung zu finden, ebenso in den Cerealien und Leguminosen. Verf. schliesst nun daraus, dass in unserer Nahrung sich keine anorganischen Eisenverbindungen finden, vielmehr das Eisen in Form complicirter organischer Verbindungen vorkommt, die durch den Lebensprocess der Pflanze erzeugt werden; aus diesen Verbindungen bildet sich das Haemoglobin. — Bezüglich der Ausführungen des Verf., in welcher Weise er sich die Beförderung der Blutbildung bei Chlorotischen durch anorganische Eisenpräparate vorstellt, ist das Original einzusehen.

VI. Verdauung und verdauende Secrete.

1) Florain, L., Recherche du sulfocyanure de potassium dans la salive humaine. Gaz med. de Paris. No 30. — 2) Schumburg, W., Ueber das Vorkommen des Labfermentes im Magen des Menschen. Dissertat. Berlin und Virchow's Arch Bd. 97. S. 260. — 3) Petrone, L., Contribuzione alla physiologia e patologia dello stomaco I. La digestione gastrica solto influenza di diversi fattori. Annal. di mediche. Septbr. p 273 — 4) Gaglio, G., Sull' autodigestione. Lo Sperimentale. Septbr. p. 261. — 5) Herzen, Observations physiologiques dans un cas de fistule gastrique. Rev. méd. de la Suisse Rom. No. 1. — 6) Lerèsche, W., Influence du sel de cuisine sur l'acidité du suc gastrique. Ibid. No. 10. — 7) Uffelmann, J., Ueber die Methoden des Nachweises freier Säuren im Mageninhalt. Zeitschr. f. klin Med VIII. S. 397. — 8) Smith, Meade, Die Resorption des Zuckers und des Eiweisses im Magen. Du Bois-Reymond's Arch. Phys Abth. S 481 und Boston Med. and Surg. Journ. No. 15. — 9) Richet, Ch., De la dialyse de l'acide du suc gastrique. Compt. rend. Bd. 98. No. 11. — 10) Girard, Etudes sur le rôle de la pepsine et de la pancréatine dans la digestion. Gaz. des Hôp. No. 132. — 11) Israel, B., Zur Kenntniss der Wismuthwirkung, insonderheit auf die Magenverdauung. Dissert. Berlin. — 12) Chandelon, Th., Beitrag zum Studium der Peptonisation. Bericht der deutschen chem. Ges. XVII. S. 2143. — 13) Lehmann, V, Die nächsten Verdauungsproducte der Eiweisskörper. Centralblatt f. Biol. IV. No. 13. (Zusammenstellung. Ref) — 14) Kühne, W. und R. Chittenden, Ueber Albumosen. Zeitschr. f. Biol. Bd. 20. S. 11. — 15) Jaworski, W., Experimentelle Ergebnisse über das Verhalten der Kohlensäure, des Sauerstoffs und des Ozons im menschlichen Magen. Ebenda. Bd. 20. S. 234. — 16) Hermann, L., Weitere Beiträge zur Lehre von der Resorption. Pflüger's Arch. Bd. 35 S. 506. — 17) Schäfer, F., Ueber Fettresorption im Dünndarm. Ebendas. Bd. 33 S. 513. — 18) Wiemer, O., Ueber den Mechanismus der Fettresorption. Ebendas. S. 515. — 19) Zawarykin, Th., Einige die Fettresorption im Dünndarm betreffende Bemerkungen. Ebendas. Bd. 35. S. 135. — 20) Ellenberger und V. Hofmeister, Ueber die Verdauungssäfte und die Verdauung des Pferdes. VI. Die Darmverdauung. VII. Der Darmsaft. Arch. für wissensch. und pract Thierheilk. X S. 328 u. 427. — 21) Lehmann, K. B., Notiz über die Resorption einiger Salze aus dem Darm. Pflüger's Arch. Bd. 33. S. 188. — 22) Derselbe, eine Thiry-Vella'sche Darmfistel an der Ziege. Ebendas. S. 180. — 23) Tappeiner, H., Untersuchungen über die Eiweissfäulniss im Darmcanal der Pflanzenfresser nach Versuchen von L. Böhm und O. Schwenk. Zeitschr. f. Biol. Bd. 20. S. 214 — 24) Derselbe, Untersuchungen über die Gährung der Cellulose, insbesondere über deren Lösung im Darmcanal Ebendas. Bd. 20. S. 52. — 25) Gaglio, G, Su di una modificazione della bile in rapporto con la digestione gastrica. Lo sperimentale. Juli. p. 22. — 26) Baldi, D., Sulla formazione dei componenti biliari e sulla funzione emuntoria de fegato. Ibid. August. p 153. — 27) Weiss, A, Ce que devient de la bile dans le canal digestif. Bull. de la société imp. des naturalistes de Moscou. S.-A. — 28) Müller, F., Ueber den normalen Koth des Fleischfressers. Zeitschr. f. Biol. Bd. 20. S. 327. — 29) Rieder, H., Bestimmung der Menge des im Koth befindlichen, nicht von der Nahrung herrührenden Stickstoffs. Ebendas. S. 378. — 30) Bodenhamer, The rectum considered as a receptacle for the gradual accumulation and retention of the excremental matter. The New-York med. Rec. No. 12. — 31) Forster, J., Beiträge zur Kenntniss der Kalkresorption im Thierkörper Arch. f. Hyg. II. S. 385. — 32) Pfeiffer, E. Ueber den Einfluss einiger Salze auf verschiedene künstliche Verdauungsvorgänge Mittheilungen der amtl. Lebensmitteluntersuchungsanstalt zu Wiesbaden. 1883/1884.

Florain (1) constatirte in dem Speichel verschiedener Personen das Vorhandensein der Reaction auf Schwefelcyankalium mit Eisenchlorid. Weiterhin dampfte F. den von hundert Kindern im Alter von 6 bis 14 Jahren gesammelten Speichel (5 l), im Wasserbade ein, zog mit Alcohol aus, verdunstete den Auszug und löste ihn wiederum in 30 ccm Wasser. Diese Lösung gab intensive Eisenchlorid-Reaction, mit Kupfersalzen Niederschlag von Kupfer-Sulfocyanat; concentrirte Schwefelsäure bewirkte zuerst Röthung, dann Ausfällung von Schwefel (nicht auch Persulfocyansäure? Ref.).

Schumburg (2) behandelt das Vorkommen des Labfermentes im Magen des Menschen. In Uebereinstimmung mit A. Baginsky fand Sch. Verdauungssalzsäure am Besten geeignet zur Extraction des Labfermentes aus Magenschleimhaut, ziemlich ebenso wirksam Thymol-haltiges Wasser, weit weniger Glycerin; Auszüge mit 0.5 proc. Sodalösung erwiesen sich unwirksam. Die salzsauren Auszüge, die für die in der Ueberschrift erwähnte Frage nunmehr ausschliesslich in Anwendung kamen, müssen vorsichtig neutralisirt werden, da ein Ueberschuss von kohlensaurem Alkali die Wirkung erheblich stören kann. In der Magenschleimhaut menschlicher Leichen (34 Fälle) fand sich häufig Labferment, fehlte jedoch auch oft, meistens bei heruntergekommenen, decrepiden Individuen oder bei schweren Dyskrasien, seltener bei kräftigen Personen. Ein besonderes Interesse hat die Frage nach dem Vorkommen des Labfermentes bei Neugeborenen. Unter 6 Fällen zeigten nur 2 einen reichlichen Fermentgehalt, so dass die Gerinnung in einigen Minuten erfolgte, in 2 Fällen waren mehrere Stunden zum Eintritt der Gerinnung erforderlich, in zwei Fällen trat eine solche überhaupt nicht ein. In allen diesen Fällen gelangte die Schleimhaut erst längere Zeit nach dem Tode zur Untersuchung. Vier weitere Fälle von Neugeborenen betrafen Kinder, die während der Geburt gestorben waren; die Magenschleimhaut wurde in diesen Fällen möglichst frühzeitig untersucht, nur in einem fand sich ein geringer Fermentgehalt, in den drei anderen überhaupt nicht

Weitere Versuche von Sch. betreffen die Frage, ob der Mageninhalt während des Lebens Labferment enthält. Ein reichlicher Gehalt fand sich in dem Mageninhalt des Kalbes unmittelbar nach dem Schlachten, sehr unbedeutende Mengen in der vom Hunde durch Auspumpen oder Erbrechen (nach Apomorphin) entleerten Flüssigkeit. Die durch Verschlucken von Schwämmen und Auspressen derselben erhaltene Flüssigkeit gab beim Menschen unter 10 Versuchen nur einmal ein positives Resultat. Gegen kohlensaures Alkali ist das Labferment, wie bereits erwähnt, sehr empfindlich. Eine wirksame Lösung von Labferment mit 1 proc. Natriumcarbonat versetzt und dann nach 15 Minuten wieder neutralisirt, erwies sich völlig unwirksam. Da man voraussetzen kann, dass das Zymogen des Labfermentes, wenn ein solches existirt, analog den bekannten Zymogenen gegen kohlensaure Alkalien weit resistenter ist, so benutzte Sch. dieses Verfahren, um die Schleimhaut des Kälbermagens auf ein etwaiges Zymogen zu untersuchen; ein solches war in dem Kälbermagen einige Stunden nach dem Tode nicht nachweisbar. — Als Ursache der Gerinnung der Milch im Magen des Menschen, speciell des Neugeborenen, betrachtet Sch. nach besonderen hierüber angestellten Versuchen die gleichzeitige Wirkung von Säure und Labferment.

Herzen (5) hat an einem Manne, welcher nach der Gastrotomie eine Magenfistel zurückbehielt, Beobachtungen angestellt. Der Magen im nüchternen Zustande enthielt regelmässig eine beträchtliche Quantität — etwa 200 bis 300 ccm einer wässrigen, gelblichen, oft sehrstark gelben, bisweilen grünlichen opalisirenden oder leicht trüben Flüssigkeit. Dieselbe war stets frei von Resten der früheren Nahrung, von saurer Reaction, trotzdem sich Gallenbestandtheile darin nachweisen liessen, sie wandelte in einigen damit angestellten Versuchen Stärke in Zucker um. Trypsin war nicht in derselben nachzuweisen, wie zu erwarten, da die Absonderung desselben erst einige Stunden nach der Mahlzeit beginnt, dagegen fand sich sowohl Pepsin als auch des Zymogen desselben, beide in geringer Menge. Nach Entleerung dieses „ersten Inhalts“ sammelte sich allmälig im Magen eine Flüssigkeit von durchaus anderer Beschaffenheit an: sie war durchaus farblos, dicklich und fadenziehend, wie frisches Hühnereiweiss; sie reagirte stets mehr oder weniger stark sauer, verdaute Fibrinflocken, namentlich nach der Mischung mit Verdauungssalzsäure, jedoch nicht besonders energisch. In Uebereinstimmung mit der Angabe von Schiff, dass gewisse Substanzen, namentlich Dextrin und Pepton die Absonderung des pepsinhaltigen Magensaftes ausserordentlich befördern, konnte H. constatiren, dass die Auflösung von Eiweissgerinnseln, die in einem weitmaschigen Seidenbeutel in den Magen eingeführt wurden, weit schneller erfolgte, wenn gleichzeitig ein halbes Liter Dextrinlösung in den Magen oder per Klysma eingeführt wurde.

Lerèsche (6) hat den von anderer Seite gegebenen Rath, die Acidität des Magensaftes durch Zufügung von Kochsalz zur Nahrung zu erhöhen, namentlich als Präventivmaassregel gegen die Cholera, an einem Manne mit Magenfistel geprüft, der in einer Reihe von Tagen 250 g Fleisch in der gewöhnlichen Zubereitung erhielt, in einer anderen Reihe unter Zufügung von 5—20 g Kochsalz. Die Acidität des 1, 2, 3, 4 und 5 Stunden nach der Mahlzeit durch die Fistel entnommenen Magensaftes wurde durch Titriren mit verdünnter Kalilauge bestimmt. Der Erfolg war der Voraussetzung durchaus entgegengesetzt. Die Zufügung von Kochsalz verminderte die Acidität anstatt sie zu erhöhen. Im Mittel aller Beobachtungen betrug die Acidität des Magensaftes an den salzfreien Tagen 3,14 p. M. HCl, an den Salztagen dagegen nur 1,26 p. M.

Uffelmann (7) bespricht die Methoden des Nachweises freier Säuren im Mageninhalt.

Für den Nachweis freier Milchsäure empfiehlt U. wiederholt eine frischbereitete Mischung von 10 ccm 4 proc. Carbolsäurelösung, 20 ccm destillirtem Wasser und einem Tropfen des officinellen Liquor ferri sesquichlor. Die amethystblaue Lösung wird durch Zusatz von $\frac{1}{2}$—$\frac{1}{2}$ Volumen einer verdünnten Milchsäure — bis zu 1 p. M. der Verdünnung — gelb. Salzsäure stört die Reaction etwas, starker Gehalt an Eiweiss oder Phosphaten stärker; in diesem Falle thut man gut, die filtrirte Magenflüssigkeit vorher mit Aether zu schütteln, der die Milchsäure leicht aufnimmt und die Reaction mit dem beim Verdunsten des Aethers bleibenden Rückstand anzustellen. — Ebenso sicher, unter Umständen noch sicherer, ist eine Mischung von 1 Tropfen Liquor ferri sesquichlor. auf 50 ccm destillirtes Wasser: die an sich fast farblose Flüssigkeit wird durch Milchsäure gelb. Die Reaction wird durch Pepton nicht, durch Eiweisskörper und Salze nur wenig gestört. — Für den Nachweis der Salzsäure findet U. von den verschiedenen empfohlenen Anilinfarbstoffen nur das Methylviolet allenfalls brauchbar, empfiehlt jedoch weit mehr verschiedene Pflanzenfarbstoffe, ganz besonders mit dem Farbstoff der Heidelbeeren getränktes Fliesspapier. Zur Herstellung desselben zerquetscht man frische oder bei mässiger Wärme langsam getrocknete Heidelbeeren (Blaubeeren, Vaccinium Myrtillus, Ref.) mit etwas Wasser, schüttelt mit Amylalcohol durch, welcher den Farbstoff aufnimmt und tränkt Fliesspapier durch Eintauchen in den Amylalcoholauszug. Nach dem Trocknen erscheint das Papier mehr oder weniger graublau und wird beim Eintauchen in verdünnte Salzsäure rosaroth. Die Farbe persistirt, auch wenn man das Papier alsdann mit Aether übergiesst und darin liegen lässt. Die Reaction ist sehr deutlich bei 1 p. M. Salzsäure, hinreichend deutlich noch bei 0,24 p. M., selbst bei Gegenwart von Pepton, Eiweiss und Salzen. Milchsäure wirkt erst bei einem Gehalt von 4—4,5 p. M. und die Rosafärbung des Papiers verschwindet ausserdem wieder beim Einlegen des Papiers in Aether. — Weiterhin bespricht Verf. noch den Nachweis der Essigsäure und Buttersäure und giebt eine genaue Anleitung, wie man in der Anwendung der Methoden am besten vorgeht.

Meade Smith (8) hat seine Versuche über die Resorption des Zuckers und des Eiweisses im Magen an Fröschen mit unterbundenem Pylorus angestellt. Eine Vorbedingung für die Ausführung derselben war die Untersuchung des Mageninhaltes nach Pylorusunterbindung ohne Nahrungszufuhr. Es ergab sich:

Zeit nach der Unterbindung.	Zusammensetzung des Inhaltes in Procenten.			Gewicht des Inhaltes in Milligramm.
	Wasser.	Organische Substanz.	Asche.	
24 Stunden	98,40	1,49	0,07	504
48 "	97,00	2,83	0,11	407
72 "	96,97	2,88	0,12	395
96 "	97,46	2,35	0,27	552
120 "	96,99	2,22	0,58	1040
144 "	97,75	2,22	0,10	311

Traubenzucker kam in fester Form und als Lösung von 16,8. 28.5 und 40,4 pCt. in Anwendung; es wurden abgewogene Mengen eingeführt, nach einer bestimmten Zeit die rückständige Zuckermenge bestimmt und damit die Menge des Resorbirten. Die Resorption des Zuckers erfolgt bei Einführung in fester Form anfangs schneller. wie aus Lösungen, und aus concentrirten Lösungen schneller, wie aus verdünnten, sie ist nach 24 Stunden bis auf wenige Procente, die in der Magenflüssigkeit verbleiben, beendet. Stets enthält der Magen nach der Resorption weit mehr Flüssigkeit, als in ihn eingeführt war. Zieht man von dem Trockenrückstand der Magenflüssigkeit den Zucker ab, so stimmt der Rest „zuckerfreier Rückstand" sehr nahe mit dem Rückstand der Flüssigkeit im Magen nach einfacher Unterbindung des Pylorus überein. — Zur Untersuchung der Eiweissresorption diente fettfreier Froschmuskel (mit 78 24 pCt. Wasser und 20,83 organischer Substanz), der in Quantitäten von je 200 bis 1000 mg einer grösseren Anzahl von Fröschen in den Magen gebracht wurde. Durch die genaue Feststellung der im Magen nach bestimmter Zeit noch vorhandenen organischen Substanz und Wasser (die Einzelheiten der Versuche siehe im Orig.), gelangt Verf. zu der Ansicht, dass die Resorption des Eiweiss im Magen mit grösserer Wahrscheinlichkeit als Diffusionsvorgang aufzufassen sei. Dafür spricht der späte Eintritt der Resorption, wahrscheinlich abhängig von der Umwandlung des Eiweiss im Pepton. der Uebertritt von Flüssigkeit in den Magen, der Bau des Epithels: die der Magenhöhle zugewendete Schicht besteht aus quellbarem Schleim, dem man schwerlich eine selbstständige Beweglichkeit zuschreiben kann.

Richet (9) unterwarf den schwach salzsauren Auszug vom Schweinemagen der Dialyse durch poröse Thoncylinder und überzeugte sich, dass von der Salzsäure fast nichts in das äussere Gefäss hindurchtrat, während mit Salzsäure angesäuertes Wasser leicht Salzsäure abgab. Diese Erscheinung war um so mehr ausgesprochen, je reicher der Auszug an Pepsin war. R. schliesst daraus, dass, wie schon Schiff meinte, die Salzsäure an Pepsin gebunden ist. (Dieses abweichende Verhalten der pepsinhaltigen Salzsäure würde sich den schon bekannten Unterschieden von saurem Magensaft und Salzsäure gleicher Concentration anschliessen Ref.). Mit Pepton und Leucin versetzte Salzsäure verhielt sich fast so, wie reine. (R. kann danach seine früher von Ewald bestrittene Hypothese, dass die Salzsäure des Magensaftes an Leucin gebunden sein, schwerlich aufrecht erhalten Ref.).

Girard (10) schreibt, Dufresne folgend, dem Trypsin eine wichtige Rolle bei der Peptonisirung der Eiweisskörper zu, gegen welche die mehr erweichende und vorbereitende Rolle des Magensaftes sehr zurücktrete. Aus diesem Grunde empfehle sich die Anwendung des Pancreatins bei der atonischen Verdauungsschwäche. nur müsse man die Zerstörung resp. Abschwächung des eingegebenen Pancreatins durch die Salzsäure des Magensaftes verhüten. G. glaubt dieses dadurch erreichen zu können, dass er das Pancreatin eine Viertelstunde nach Aufnahme der Nahrung giebt: alsdann habe sich die Salzsäure mit den organisch sauren Salzen der Nahrung zu Chlornatrium und freien organischen Säuren umgesetzt, welche letzteren in den schwachen Concentrationen überhaupt nicht auf Trypsin einwirken.

Israel (11) hat die Wirkung der Wismuthsalze auf die Magenverdauung in der Weise geprüft, dass er bestimmte Mengen von Eiweiss einmal durch künstlichen Magensaft allein verdauen liess und dann bei Gegenwart des salpetersauren oder basisch salpetersauren Wismuths. jedesmal 2 Stunden lang bei 38° C. Künstlicher Magensaft wurde durch Extraction der frischen Magenschleimhaut vom Schwein mittelst 0,1 proc. H Cl dargestellt; verdaut wurde eine Lösung von Hühnereiweiss. Jedesmal wurde vor der Digestion der Gehalt der Verdauungsmischung an Eiweiss durch Erhitzen, Sammeln des Präcipitats auf gewogenem Filter, Trocknen bei 120° und Wägen bestimmt (das Gewicht der Asche wurde in Abzug gebracht) und ebenso nach 2 stündiger Digestion der Gehalt der Mischung an noch unverdautem. nicht peptonisirtem Eiweiss. Jedes Verdauungsgemisch enthielt ursprünglich 0,19 g Eiweiss. Folgendes sind die Ergebnisse zweier Versuchsreihen. Es wurde verdaut in der

	I. Reihe	II. Reihe
Controlflüssigkeit	0,185 g	1,186 g
mit 0,1 Bism. subnitr	0,15 "	0,14 "
mit 0,05 Bism nitr.	0,18 "	0,18 "

Es wird also die Verdauung im Magen bei Gegenwart von Wismuthsalzen nicht günstig beeinflusst. Die Wirsamkeit der Wismuthsalze bei Dyspepsien und anderen Magenleiden ist daher in einer indirecten Beförderung der Magenverdauung zu suchen. — Der bei weitem grösste Theil der Abhandlung liefert ein historisch-kritische Darstellung der therapeutischen Wirkungen der Wismuthsalze.

Durch langdauernde Einwirkung von Wasserstoffsuperoxyd auf Eieralbumin wird dieses. wie Chandelon (12) gefunden hat, in ein Gemisch von Albuminat, Pepton und Propepton (= Hemialbumose, übergeführt. Die ausführlich beschriebene Trennung der beiden letzteren Substanzen geschah nach dem von dem Ref. hierfür angegebenen Verfahren (ohne dass indessen Verf. es nöthig findet, der Autorschaft Erwähnung zu thun, Ref.).

Kühne und Chittenden (14) setzen die Mittheilungen über Verdauungsproducte fort. Aus der bei der Digestion von Fibrin mit künstlichem Magensaft gewonnenen Verdauungsflüssigkeit haben Verff. nach Entfernung des Neutralisationspräcipitats ausser dem Pepton vier verschiedene Albuminosen isolirt. Diese sind Protalbumose, durch festes NaCl im Ueberschuss fällbar, in kaltem und heissem Wasser löslich; Heteroalbumose, durch NaCl-Ueberschuss fällbar, in kaltem und siedendem Wasser unlöslich, dagegen in verdünntem, wie in concentrirtem Salzwasser löslich; Dysalbumose, ebenfalls durch NaCl-Ueberschuss fällbar, aber in kaltem, wie in siedendem Wasser, wie in Salzwasser unlöslich, endlich Deuteroalbumose, durch NaCl-Ueberschuss nicht, wohl aber durch NaCl und Säuren fällbar, in reinem Wasser löslich. Ausser durch Verdauung von Fibrin durch Pepsin und Salzsäure wurden diese Körper auch zum Theil aus dem Witte-schen sogenannten Pepton (das Ref. schon zur Darstellung von Hemialbumose empfohlen hat), theils aus der Hemialbumose eines Harns von einem Osteomalacischen gewonnen. Bezüglich der Details der Darstellung der einzelnen Körper muss auf das Original verwiesen werden. Durch NaCl-Ueberschuss wurde die Prot-, Dys- und Heteroalbumose ausgefällt und aus den Filtraten die Deuteroalbumose durch Essigsäure abgeschieden. Aus der nur mit NaCl erzeugten Fällung wurde durch Auswaschen erst mit 5procentige NaCl-Lösung, dann mit Wasser die Dysalbumose als unlöslicher Rückstand erhalten, durch Dialysiren der salzhaltigen Lösung bis zum Verschwinden der Chlorreaction die Heteroalbumose als gummiartige Ausscheidung, worauf die Protalbumose allein in Lösung blieb. Die aus letzterer mit Alcohol gefällte und mit Alcohol und Aether ausgewaschene Protalbumose löst sich im Wasser reichlich. Die wässerige Lösung, schwach angesäuert, giebt bei Zusatz von reichlich NaCl in der Kälte massenhafte Fällung, die sich beim Sieden auflöst, um in der Kälte wiederzukehren; ähnlich verhält es sich bei Zusatz von Essigsäure + Ferrocyankalium; mit Natronlauge und Kupfervitriol entsteht schöne rothe Färbung (Peptonreaction). Präparate verschiedener Darstellung gaben 50,4 — 51,5 pCt. C, 6,7 — 6,85 pCt. H, 17 — 17.34 pCt. N, 0.94 — 1,17 pCt. S, das specifische Drehungsvermögen schwankte von — 71,4 bis — 79°.

Am nächsten der Protalbumose steht die Deuteroalbumose, nur dass sie erst in NaCl + Säure löslich ist; dasselbe ist auch hinsichtlich ihrer chemischen Zusammensetzung und des specifischen Drehungsvermögens der Fall, welches — 71,4 bis 73,8° beträgt.

In Wasser quillt die Heteroalbumose nur auf und kocht man nun, so coagulirt der Körper nach Art vieler ungelöster Eiweissstoffe, aber wie es scheint unter Schmelzung; in 1—5proc. NaCl-Lösung coagulirt sie ebenfalls in der Hitze, durch hinreichenden Salzüberschuss (3—5fache Menge NaCl-Lösung) wird die Lösung beim Erhitzen uncoagulabel, aber nur durch allmäligen Zusatz von Essigsäure mehr und mehr getrübt, weiterhin wieder klar. Die gekochte Heteroalbumose löst sich unter Quellung langsam, aber vollkommen in 0,1 — 0 2 proc. HCl, kaum merklich in $^{1}/_{4}$ bis 3 proc. Sodalösung; das in verdünnten Säuren gelöste Coagulat ist zum grossen Theil in genuine Heteroalbumose, zum anderen Theil in Dysalbumose zurückverwandelt. Wird eine nahezu gesättigte Auflösung von Heteroalbumose in 3—4 proc. NaCl-Lösung tropfenweise mit concentrirter HCl oder NaHO versetzt, so erhält man Lösungen, die nach Art der Albuminate durch Neutralisation gefällt werden. In alkalischer, neutraler oder sehr schwach saurer Lösung wird Heteroalbumose durch Sublimat nicht getrübt, auf Zusatz von Essigsäure erfolgt starke, erst in grossem Ueberschuss von Eisessig wieder lösliche Fällung: durch Eisessig gelöst, wird sie erst durch Ueberschuss von Sublimat gefällt. Die Heteroalbumose zeigt ein spec. Drehungsvermögen von nur — 68,65°.

Die Dysalbumose, in 1 proc. Sodalösung aufgelöst, ist nach dem Neutralisiren in NaCl löslich und lässt sich durch Dialyse mit allen Eigenschaften der Heteroalbumose wiedergewinnen; auch hinsichts der Reactionen steht sie letzterer am nächsten. — In den conservirten Albumosen aus dem Harn des Osteomalacischen war Prot-, Hetero- und Dysalbumose sicher nachzuweisen. Zwischen den Albuminen und Peptonen stehen die genannten Albumosen, deren Zusammensetzung auf einen stufenweisen Gang der hydrolytischen Spaltung deutet; sie sind sämmtlich als erste Hydrate zu betrachten. Auch aus dem Eiweiss, dem Myosin u. A. gelang es durch künstliche Verdauung mehrere Albumosen zu erzielen, die den beschriebenen sehr ähnlich sind. Aus der Heteroalbumose erhielten Verff. durch Trypsinverdauung unzersetzliches, nur peptonisirbares Antialbuminat. — Wegen mancher Einzelheiten, die sich im Auszuge nicht gut wiedergeben lassen, sei auf das Original verwiesen.

Im Verfolg seiner Beobachtung, wonach mit freier Kohlensäure gesättigte Salzlösungen den Magen in viel kürzerer Zeit verlassen, als diejenigen, welche keine freie CO_2 enthalten, hat Jaworski (15) sowohl den directen Einfluss der CO_2, als auch von reinem Sauerstoff und Ozon auf die Magenschleimhaut geprüft. Nach Auspumpung des Magens bei einem gesunden 30jährigen Menschen wurde das mittelst Wassers abgesperrte Versuchsgas durch den Druck des aus dem höher gestellten Gefässe in die Gasflasche nachfliessenden Wassers in den Magen per Sonde eingetrieben, so dass die Menge des eingeführten Gases gemessen werden konnte. Einige Zeit danach ward der Mageninhalt aspirirt, quantitativ und qualitiv untersucht und zwar durch Bestimmung des Trockenrückstandes, des Chlorgehalts, der Acidität und der Verdauungsintensität, die derselbe auf gekochtes Hühnereiweiss ausübte. Aus den vorerst noch wenig zahlreichen (6) Versuchen gelangt Verf. zu folgenden Ergebnissen, die nach dessen eigener Zusammenstellung mitgetheilt werden mögen: Kohlensäure, Sauerstoff und Ozon vermehren die Quantität des secernirten Magensaftes und zwar am stärksten das Ozon. Qualitativ sind die resp. Veränderungen verschieden: Sauerstoff bewirkte in einem Falle die Ausscheidung eines stark alkalischen Magensaftes, welcher vom Eiweiss nur etwas auflöste, aber nicht verdaute Ozon bewirkte eine bald schwache, bald stärkere Abnahme der Alkalität des Magensaftes. Kohlensäure vermehrte in 2 Fällen die Acidität des Magensaftes erheblich, im dritten Falle gar nicht; der stark saure Magensaft erwies sich in hohem Grade fäulnisswidrig. Nur der unter dem Einfluss von CO_2 secernirte Magensaft war stark peptonisirend; sonst wurde ein neutraler bis alkalischer Saft gewonnen, der das Eiweiss zwar löste, aber nicht peptonisirte. Nach Maassgabe des geringen Chlorgehalts, ist der unter dem Einflusse der Gase secernirte Magensaft als verdünnter zu erachten und zwar entsprechend dem Anwachsen der Secretionsgrösse.

Infolge eines Widerspruches von Schiffer gegen die von Hermann (16) aufgestellte Lehre über den Grund der Unwirksamkeit des Curare vom Magen aus haben dessen Schüler Frick und v. Meyer die Versuche wiederholt. Es hat sich auch hier gezeigt, dass bei jungen kleinen Kaninchen Einführung von 0.04 — 0.05 g Curare in den Magen ohne Wirkung bleibt, da die Ausscheidung des Giftes durch die Nieren Hand in Hand geht mit der Resorption desselben vom Magen, so dass niemals die Menge des Curare im Blut die Dosis toxica erreicht. Sobald aber die Nieren unterbunden sind, führen die nämlichen, sonst unwirksamen Dosen schon nach $^3/_4$ Stunden zu Vergiftungserscheinungen und nach $1^1/_2$—$2^1/_2$ Stunden zu Lähmung der Skelet-Athemmuskeln und damit zum Tod unter Verlust der indirecten und Erhaltung der directen Erregbarkeit; dasselbe konnte bei einem kleinen Hunde nach 0.1 g Curare beobachtet werden. Dass die blosse Nierenunterbindung nicht an sich die angegebenen Folgen hat, wurde constatirt. — Der von Goltz und Lautenbach behauptete Einfluss des Nervensystems auf die Resorption lässt sich, nach Vf. durch folgenden einfachen Versuch zeigen. Zweien möglichst grossen Fröschen, deren einem der rechte Plexus ischiad. durchschnitten ist, legt man auf das in schräg aufsteigender gestreckter Lage schwebend erhaltene rechte Bein, das mit den übrigen Körpertheilen nicht in Berührung kommt, einen mit 1 procentiger Strychninlösung benetzten Fliesspapierstreifen; man sieht dann bei dem unversehrten Frosch die ersten Vergiftungserscheinungen (Reflexkrämpfe) stets $^1/_2$—1 Stunde früher auftreten als bei dem Frosch mit dem entnervten Bein. Entfernt man mit dem Beginn der Vergiftung das Strychninpapier, wäscht das Bein sorgfältig ab und bewahrt das Thier in einem feuchten Raume, so findet man beim normalen Frosch bereits am zweiten Tage den Reflexkrampf verschwunden, beim verletzten noch bestehen. Der spätere Eintritt der Erholung deutet darauf, dass grössere Mengen von Strychnin dem Blute einverleibt sind, offenbar in Folge längeren Contacts des Beines mit der Giftlösung. Das gelähmte Bein muss, um den gleichen vergiftenden Strychningehalt des Gesammtblutes hervorzubringen mehr Strychnin aufnehmen, als das normale. — Demnach dürfte das Eindringen der Giftlösung in die Haut zwar unabhängig vom Nervensystem sich vollziehen, die Weiterbeförderung des Giftes in den allgemeinen Kreislauf vom Nervensystem in gewissem Grade beeinflusst werden.

Zur Prüfung der Frage, wie sich die Aufsaugung der Salze auf die Blut- und Lymphgefässe des Darms vertheilt, ist Lehmann (21) wie folgt verfahren:

Nach 24—48stündigem Hungern erhielten Kaninchen Olivenöl durch die Schlundsonde eingeführt, Hunde und Katzen Milch resp. Fleisch; mehrere Stunden danach wurde aus der eröffneten Bauchhöhle eine Dünndarmschlinge von 6 — 10 cm Länge hervorgezogen, an dem einen Ende verschlossen und in das andere Ende eine Messingcanüle mit Hahn fest eingebunden; mittelst letzterer wurden 2—4 ccm der 5 proc. Salzlösung: Jodkalium, Rhodanammon, Nitroprussidnatrium, Schwefelammon in den Darm eingespritzt; durch Berieseln der Darmschlinge mit auf Körpertemperatur erwärmter $^3/_4$ proc. Kochsalzlösung wurde die Functionsfähigkeit der Darmschlinge möglichst zu erhalten gesucht. 2 bis 3 Minuten nach der Injection wurde damit begonnen, mittelst capillar ausgezogener kleiner Glaspipetten aus einem angeschnittenen Blut- oder Lymphgefässe tropfenweise Flüssigkeit zu entnehmen, deren Prüfung auf das gesuchte Salz sofort vorgenommen wurde (bezüglich der Nachweismethoden ist das Orig. zu vergleichen).

Es ergab sich, dass Jodkalium und Rhodanammon sowohl durch das Blut, wie durch die Lymphgefässe resorbirt werden und zwar ungefähr gleichzeitig.

Ellenberger und V. Hofmeister (20) haben ihre Untersuchungen über die Verdauungssäfte und die Verdauung des Pferdes fortgesetzt. Pferde wurden entweder mit Hafer oder mit Hafer und Häcksel oder mit Hafer, Häcksel und Heu gefüttert; sobald Antheile vom Versuchsfutter im Koth auftraten, wurden die Thiere, meist 10—12 Stunden nach der letzten Fütterung getödtet, der Inhalt des Magens, des Dünndarms, des Blinddarmes und des Grimmdarmes gesondert auf die gelösten und ungelösten Antheile des verfütterten Eiweiss, der Kohlehydrate, der Aschenbestandtheile und der Cellulose untersucht (über die Methoden und die Berechnung der erhaltenen Resultate, gegen deren Grundlagen, wie Vff. selbst sich nicht verhehlen Einwendungen erhoben werden können, vergl. das Original). In der Norm reagirt der Mageninhalt durchweg sauer, der Säuregrad steigt allmälig von 0.08 auf 0.2 pCt. und darüber an. Der Inhalt des Duodenum und häufig auch des Anfangstheils vom Jejunum reagirt noch sauer, der des übrigen Jejunum und Ileum alkalisch, der des Colon alkalisch bis neutral bis schwachsauer. Beim Pferde verweilen die Nahrungsmittel 3—4 Tage und selten auch noch länger im Verdauungsschlauche. Ein Theil des Futters geht aus dem verhältnissmässig kleinen Magen sehr rasch heraus, ein anderer verweilt darin länger und wird in sehr umfangreicher Weise verdaut, das Eiweiss zu 49 — 66, die Kohlehydrate zu 23 — 41 pCt. Ein Theil des Futters durchläuft den Dünndarm sehr schnell, so dass schon 12 Stunden nach der Einführung Antheile davon im Blinddarm zu finden sind, in welch' letzterem das Futter 42 Stunden und darüber stagnirt. Der Gesammtinhalt des Magens betrug 1½—3, der des Dünndarms 4—5½, des Blinddarms 6½—11, des Grimmdarms 24 — 27 kg. An Peptonen fanden sich im Magen 0,5—0,9, im Dünndarm 0,14—0,32 und im Cöcum 0,05—0,1 pCt.; in der 3. — 6. Stunde der Verdauung trifft man im Magen bis zu 1,5 pCt. an Peptonen an. Die Dünndarmverdauung ist als sehr beträchtlich zu erachten: man findet im Dünndarm nur noch 23 bis 52 pCt. unverdautes Eiweiss und 38 — 59 pCt. unverdaute Kohlehydrate; im Blinddarm wurden 8 bis 39 pCt. Eiweisskörper und 15 — 24 pCt. Kohlehydrate mehr verdaut, als im Dünndarm. — Bezüglich der Cellulosenverdauung schliessen Vff., dass, da weder der künstliche Magensaft, noch die natürliche Magenflüssigkeit, weder das Pankreas-, noch das Darmschleimhautextract oder die natürliche Dünndarmflüssigkeit in 24 — 36 Stunden Cellulose zu lösen vermögen, andererseits aber die Futtermittel nur 12 bis 36 Stunden im Magen und Dünndarm verweilen, die Lösung der Cellulose beim Pferde nicht im Magen oder im Dünndarm stattfindet; vielmehr sei dieselbe mit höchster Wahrscheinlichkeit in den Dickdarm zu verlegen, in welchem der Inhalt 72 Stunden stagnirt. — Bei der Unmöglichkeit, am Pferde eine Darmfistel anzulegen, mussten die Vff. sich darauf beschränken, aus frischer oder getrockneter Darmschleimhaut Glycerin- und Carbolwasserextracte anzufertigen; sie betonen, dass man trockne Darmschleimhaut nicht innerhalb 24 Stunden extrahiren kann, dass es vielmehr dazu mehrerer bis 8 Tage bedarf und dass ferner die frische Schleimhaut in Arbeit genommen werden muss, weil die beim Pferde so schnell eintretende Fäulniss die Fermente direct zerstört. Regelmässig wurden die Extracte der einzelnen Darmabschnitte (Duodenum, Jejunum, Ileum, Cöcum, Colon, Rectum) gesondert auf ihre chemische Wirksamkeit untersucht. — Die von Frick an den Darmschleimhautextracten verschiedener Herbivoren (u. A. auch des Pferdes) gemachte Beobachtung, dass dieselben auf Eiweissstoffe wirkungslos sind, konnten Vff. für die Extracte der 6 Darmregionen des Pferdes vollständig bestätigen; weder wurden Fibrinflocken, noch Eiweisswürfel gelöst, auch trat kein Pepton auf. Dagegen fanden sie die Extracte diastatisch wirksam und zwar am stärksten in der Regel die des Duodenum und Cöcum, doch ist die diastatische Wirksamkeit, die von Vff. von 4 bis zu 18 Stunden quantitativ verfolgt ist, jedenfalls von keiner erheblichen Intensität, da als frühester Termin der Constatirung von Zucker bei Digestion der Extracte mit Stärkekleister 4 Stunden angegeben werden. Eine fettspaltende Wirksamkeit der Extracte liess sich nicht nachweisen.

Mit Unterstützung von L. Hermann hat Lehmann (22) an der Ziege eine Thiry'sche Darmfistel mit der von Vella (vgl. d. Ber. f. 1882. S. 155) angegebenen Verbesserung — beide Enden des isolirten Darmstückes nach aussen zu führen — mit Glück angelegt. Das aus der Continuität ausgeschnittene Dünndarmstück hatte 40 Ctm. Länge. Vom 13. Tage ab wurde Darmsaft aufgefangen, der übrigens nur auf Reizung (Einführung eines Glasstabes) abgeschieden wurde; meist wurde so pro Stunde ca. 1,6 Grm eines fast klaren, nur leicht opalisirenden Secretes von gelblicher Farbe, stark alkalischer Reaction und schwach salzigem Geschmack erhalten; spec. Gewicht 1017—1021. In dem Maasse, als sich die Schleimhaut aus der Fistel hervorwulstete, nahm die Secretionsgrösse bis auf das Doppelte und Dreifache zu. Das Secret enthielt 3,6—4,7 pCt feste Bestandtheile und darunter 0,76 — 0,83 pCt. Asche; von organischen Stoffen fanden sich darin Mucin und Albumin (kein Pepton), in der Asche reichlich Chloride und Phosphate, nur in Spuren Sulphate, keine Carbonate, auch kein Calcium. Das Secret zeigte selbst bei längerer Digestion im Brütofen weder Einwirkung auf Stärke, noch auf Fibrin, mochte auch der Darmsaft mit Soda alkalisch oder mit Salzsäure schwach angesäuert sein; nicht einmal eine deutliche Rohrzuckerinvertirung war zu beobachten. Es stimmt dies überein mit den Ergebnissen der unter Munk's Leitung von Frick (vgl. d. Ber. f. 1883, S. 149) ausgeführten Untersuchung, in welcher die sorgfältig bereiteten Extracte von Pferd, Schaf, Schwein und Kaninchen sich ohne Einwirkung auf Stärke und auf Fibrin erwiesen haben. Auch der aus der abgeschabten Dünndarmschleimhaut der getödteten Ziege hergestellte und alkalisch gemachte Extract löste Fibrin nicht auf. — Bezüglich mancher Einzelheiten, die Operationsmethode und den Obductionsbefund anlangend, muss auf das Original verwiesen werden.

Nach Versuchen von Böhm und Schwenk berichtet Tappeiner (23) über Untersuchungen, betreffend die Eiweissfäulniss im Darmkanale der Pflanzenfresser. Aus dem Inhalte eines jeden Darmabschnittes des Pferdes und des Rindes konnte Phenol erhalten, aus dem Pansen und dem Dickdarm nach Fällung mit Bromwasser Tribromphenol in wägbarer Menge. Scatol fand sich im Pansen des Rindes und im Colon des Pferdes, Indol im Dünndarm des Pferdes und Rindes, im Blinddarm des Pferdes, im Blinddarm und Colon des Rindes. Dass alle diese Körper aus der aromatischen Gruppe ihren Ursprung der Fäulniss des Eiweiss verdanken, kann nicht zweifelhaft sein. T. versucht annähernd den Eiweissverlust zu berechnen, welcher die Fäulniss im Darm möglicher Weise stattfindet und gelangt für das Rind zu 10 pCt. des eingeführten Eiweiss.

Beim Pferde beginnt die Eiweissfäulniss sehr früh; schon im Magen lassen sich Spuren von Phenol nachweisen, entsprechend der anatomischen Gliederung des Magens, dessen „Schlundpartien" eigentlich nichts Anderes, als eine Erweiterung der Speiseröhre ist und nichts mit der Secretion des Magensaftes zu thun hat. Bedeutendere Dimensionen nimmt die Eiweissfäulniss im Dickdarm an; sie ist hier entschieden grösser, als im gesammten Verdauungsschlauch des Rindes. Dem entspricht auch, dass die Phenolausscheidung beim

Pferde nach J. Munk viel höher ist, als beim Rind. Es findet also ein noch grösserer Verlust an Nahrungseiweiss statt.

In Betreff der hieran angeschlossenen Discussion über das verschiedene Verhalten eingeführten Phenols bei Hunden und Pferden muss auf das Orig. verwiesen werden; es sei nur erwähnt, das T. die stärkere Oxydation des Phenols bei Pferden nicht mit J. Munk auf eine stärkere Oxydationskraft des Organismus bezieht, sondern auf die langsamere Resorption des Phenols bei Pferden.

Derselbe (24) veröffentlicht nunmehr ausführlich seine Untersuchungen über die Gährung der Cellulose, insbesondere über deren Lösung im Darmcanale.

I. Verdauungsversuche mit Darminhalt. Abgewogene Mengen des Inhaltes vom Pansen, Dünndarm und Dickdarm mit Heu gefütterter Rinder wurden zur Beobachtung der Nachgährung in Flaschen gebracht, die über dem Brei stehende Luft durch CO_2 verdrängt. Ein Theil der Flaschen blieb ohne weitere Behandlung, ein Theil wurde aufgekocht, um alle fermentativen Zersetzungen auszuschliessen, ein dritter endlich wurde mit antiseptischen Mitteln versetzt, um festzustellen, ob eine etwa beobachtete Auflösung von Cellulose von geformten oder ungeformten Fermenten abhängt. In allen Einzelversuchen wurde die Quantität der Cellulose (Rohfaser) bestimmt. Die Digestion geschah bei Lufttemperatur.

Im Dünndarminhalt war eine Abnahme der Cellulose, also Lösung derselben nicht zu constatiren, im Dickdarminhalt eine Abnahme von im Maximum 6 pCt., im Pansen eine Abnahme von im Maximum 36 pCt.

Die Lösung beruht auf der Thätigkeit von Organismen, in den Controllversuchen fand Lösung nicht oder nur in minimalem Umfang statt.

II. Ueber die Frage, aus welchen Substanzen die Darmgase entwickelt werden. — Durch grobporiges Papier filtrirter Panseninhalt lieferte bei der Digestion mit Fibrin, Hühnereiweiss, Stärkemehl nur geringe Mengen von Gas; essigsaurer Kalk wurde nicht davon angegriffen. Da von Fett als Quelle der Darmgase nicht die Rede sein kann, so geht daraus mit Wahrscheinlichkeit hervor, dass die Quelle der Gase des Darms die Cellulose ist, doch hatten directe Versuche mit Cellulose und filtrirtem Panseninhalt zunächst kein positives Resultat, wenigstens nicht in Beziehung auf die Bildung von Sumpfgas.

III. Experimentelle Erzeugung der Cellulose-Sumpfgasgährung — Mit 1 proc. neutralisirter Fleichextractlösung und Cellulose (Bruns'sche Watte oder Papierbrei, sog. Ganzzeug) beschickte Flaschen wurde durch mehrstündiges Erhitzen bei 110 bis 120° sterilisirt, dann mit etwas Panseninhalt geimpft, so dass ein wenig Luft miteingeschlossen war. Nach 3—8 Tagen trat regelmässig starke Gasentwickelung ein, welche wochenlang dauerte. Das entwickelte Gas bestand nur aus Kohlensäure und Sumpfgas, abgesehen von den ersten Antheilen, welche noch Stickstoff enthielten und relativ weniger CO_2, weil die Flüssigkeit sich zunächst mit CO_2 sättigte. Das Verhältniss von $CH_4:CO_2$ betrug in den einzelnen Versuchen 1:7,2; 1:3,4; 1:3,0. Die Cellulose löste sich sichtlich auf unter Bildung grosser Mengen von flüchtigen fetten Säuren, wahrscheinlich Essigsäure und Buttersäure. Ausser diesen und kleinen Mengen von Aldehyd, der bisher als Gährungsproduct noch nicht beobachtet, waren keine anderen Producte zu finden. In einem quantitativen Versuch nahmen 38,2 pCt. der Cellulose die Form von CO_2 und CH_4 an.

IV. Die bei der Nachgährung des Panseninhaltes entwickelten Gase stimmen mit den bei der Cellulosegährung sich bildenden überein. Ebenso fanden sich im Wesentlichen dieselben nichtgasförmigen Gährungsproducte, nämlich: Spuren von Ameisensäure, kleine Mengen von Aldehyd (durch Silberreaction, Jodoformbildung, Reaction mit Diazobenzolsulfosäure erkannt), grosse Mengen von Essigsäure, Normalbuttersäure und eine Säure von der Zusammensetzung der Buttersäure, aber characterischen, sowohl von der Normal- wie Isobuttersäure abweichenden Eigenschaften. Von diesen Producten waren die Ameisensäure, Propionsäure und Normalbuttersäure bei der künstlichen Cellulosegährung nicht erhalten. Zur Untersuchung diente ausschliesslich der Panseninhalt von mit Heu gefütterten Rindern.

V. Es war nun noch nachzuweisen, dass diese Substanzen nicht im Heu präformirt waren; die Untersuchung ergab in der That kleine Mengen von Säuren, jedoch so wenig — ca. 0,5 g auf 500 g Heu, dass die im Panseninhalt gefundenen Säuren nur zum kleinsten Theil hierauf zurückzuführen sind, zum bei weitem grössten Theil aus dem Heu stammen. Ihre Abstammung aus der Cellulose desselben ist nach allen anderen Beobachtungen sehr wahrscheinlich. (Wenn T. meint, dass ihre Menge die Entstehung aus dem Eiweiss ausschliesst, so kann Ref. dem allerdings nicht beistimmen; T. unterschätzt wohl die Quantität der aus dem Eiweiss möglicherweise entstehenden Säure erheblich.)

VI. Die Vergleichung der im Blinddarm und Grimmdarm des Pferdes stattfindenden Gährung ergab gleichfalls vollständige Uebereinstimmung mit der Cellulosesumpfgasgährung. Das Verhältniss zwischen CO_2 und CH_4 betrug bei der Gährung von Coecuminhalt im Beginn 6,5:1, bei der Papiergährung im Anfang 7,2:1; bei der Gährung des Coloninhaltes 3:1, bei der Papiergährung am Ende 3,4:1. Ebenso fanden sich im Inhalt des Coecum und Colon des Pferdes neben Aldehyd grosse Mengen flüchtiger Säuren und zwar vorwiegend Essigsäure und jene Säure von der Zusammensetzung der Buttersäure.

VII. Auch die im Dickdarm der Wiederkäuer stattfindende Gährung konnte mit der Cellulosegährung identificirt werden. Die früher beobachtete Abweichung, dass bei der Nachgährung des Dickdarminhaltes sich nur wenig Säure bildet, klärte sich dahin auf, dass diese Gährung überhaupt nur sehr schwach verläuft, wenn man den Dickdarminhalt von nur mit Heu gefütterten Rindern verwendet; als hierzu Dickdarminhalt noch Körnerfütterung genommen wurde, fanden sich reichliche Mengen von Essigsäure etc. Auch konnte im frischen Dickdarminhalt Aldehyd nachgewiesen werden.

VIII. Auf Grund von einigen Versuchen, in denen die Eiweissfäulniss ohne wesentliche Bildung von Sumpfgas verlief, und den vorliegenden Angaben über die Menge des von Wiederkäuern gebildeten Sumpfgases kommt T. zu dem Schluss, dass die Cellulose-Sumpfgasgährung der einzige Vorgang ist, durch den im Darm des Wiederkäuers Cellulose aufgelöst oder vielmehr zersetzt wird. Welchen Werth die nichtgasförmigen Producte, die fetten Säuren für die Ernährung haben, ist noch nicht zu sagen, in jedem Fall aber nützt die Lösung der Cellulose durch Aufschliessung der Nahrungsmittel.

IX. u. XI. Bei einer gewissen Zusammensetzung der Nährlösung, so u. A. bei Verwendung von alkalisirter Fleichextractlösung löst sich die Cellulose unter ausschliesslicher Entwickelung von CO_2 und H_2, ohne alle Bildung von CH_4: Cellulose-Wasserstoffgährung. Die nichtgasförmigen Producte derselben scheinen fast ganz dieselben sein. Die Uebereinstimmung der gasförmigen Producte bei dieser Cellulose-Wasserstoffgährung und der im Magen des Pferdes stattfindenden Gährung, sowie auch der im Mageninhalt befindlichen Säuren, zeigt nach Verf., dass die im Magen des Pferdes stattfindende Gährung die Cellulose-Wasserstoffgährung ist.

Weiss (27) beschäftigt sich mit dem Schicksal der Galle im Darmcanal. Die Angabe von Schiff, dass Hunde mit Gallenfistel nach Einführung von Glycocholsäure diese ihnen sonst fehlende Säure in der Galle ausscheiden — eine Beobachtung, auf welche sich die Anschauung stützt, dass die Galle im Darmcanal resorbirt und aufs Neue verwendet wird — hat Socoloff nicht bestätigen können. W. hat diese Frage aufs Neue aufgenommen, indem er Hunden 3 Tage hintereinander je 5—9 g glycocholsaures Natron in Gelatinekapseln in den Magen einführte, dann die Thiere tödtete und die Blasengalle untersuchte. Es ergab sich, dass 25—30 pCt. der in dieser vorhandenen Gallensäure einer nicht schwefelhaltigen Säure angehörten. Dieselbe konnte nur Glycocholsäure oder Cholsäure (Cholalsäure) sein. Letztere schliesst Verf. aus theoretischen Erwägungen und darum aus, weil von verabreichter Cholsäure nur 2 bis 13 pCt. in der Galle wieder erscheine. Die Angabe Schiff's bestätigte sich also entgegen dem von Socoloff erhaltenen Resultat. Es fragte sich nun, was aus der eingegebenen Cholsäure wird. Verf. ist der Ansicht, dass sie beim Hunde sich mit Taurin verbindet und als Taurocholsäure in der Galle erscheint; er stützt dieselbe auf die Beobachtung, dass die Quantität der Galle in der Blase nach Eingeben von Cholsäure viel grösser ist, wie gewöhnlich, sowie ferner auf Versuche, in denen gleichzeitig mit der Cholsäure einerseits Glycocoll, andererseits Taurin verabreicht wurde: im ersten Fall enthielt die Galle (wohl die Gallensäure? Ref.) 13 pCt. Glycocholsäure, im letzteren nur 2 pCt. (Von den Verhältnissen der Taurocholsäure in letzterem Falle ist nichts angegeben. Ref.) Nebenher machte W. auch die auffällige Beobachtung, dass die Quantität des Gallenfarbstoffes nach Einführung von cholsaurem Natron merklich zunahm, während die Salze der anderen Gallensäuren diesen Effect nicht hatten.

Die umfangreiche Abhandlung (50 Ss.) von Müller (28) über den normalen Koth des Fleischfressers lässt eine annähernd genaue Wiedergabe der Details nicht zu; Ref. muss sich auf eine kurze Inhaltsangabe und Hervorhebung einiger besonders bemerkenswerther Punkte beschränken. M. handelt nach einander ab: Meconium, Hunger-, Fleisch-, Fett-, Stärke- und Brodkoth.

1) Das Meconium enthält ausser den geformten Bestandtheilen — besonders Cylinderepithel — Fett, Fettsäuren, Cholesterin, noch unbekannte wachsartige Körper, Gallenfarbstoff und zwar Bilirubin und Biliverdin und eine nicht unbeträchtliche, jedoch in Menge und Zusammensetzung etwas wechselnde Asche. Der gewöhnliche Farbstoff der Fäces des Erwachsenen, das Hydrobilirubin, fehlt, da im Darm des Fötus Gährungsprocesse, welche seine Entstehung bedingen, nicht vorkommen. — 2) Bei längerem Hungern sondern Hunde einen schwarzen, pechartigen Koth ab, der grosse Aehnlichkeit mit dem Meconium hat. Die Menge desselben schwankt für 100 kg Thier von 6—32 g pro Tag im trocknen Zustande. Die Zusammensetzung ist ähnlich der des Meconium. — 3) Fleischkoth. Die Verdauung von Muskelfleisch ist bei Hunden eine ausserordentlich vollständige; während sich beim Menschen bei Fleischnahrung stets Muskelfasern in den Fäces nachweisen lassen, ist dieses bei Hunden nur dann der Fall, wenn durch übertrieben grosse Quantitäten Fleisch Diarrhöen entstanden sind. Die Grenze der Aufnahmefähigkeit ist natürlich von verschiedenen Bedingungen abhängig. Die Quantität der Fäces ist bei Fleischnahrung nur unbedentend höher, wie bei Hunger und sie nimmt nicht proportional der vermehrten Fleischnahrung zu. Daraus ist zu schliessen, dass auch die „Fleischfäces" zum grossen Theil aus Resten der Verdauungssäfte, Mucin, zerfallenen Epithelien, Gallenbestandtheilen u. s. w. bestehen. 15—25 pCt. des Trockengewichtes der Fleischfäces erweisen sich in Aether löslich. Das in Aether Lösliche bestand aus freien Fettsäuren, Neutralfett, Cholesterin und Seifen. — Die Asche des Fleischkothes ist sehr bedeutend; sie beträgt 20—34,27 pCt. des Trockengewichts. — Verf. theilt eine Reihe ausführlicher Aschenanalysen mit, sowie Beobachtungen von E. Voit, aus denen hervorgeht, dass der Kalk beim Hunde vorzugsweise durch den Darm den Körper verlässt, nicht durch den Harn, in Uebereinstimmung mit den Angaben von Forster (und Perl, Ref.). Hieran schliessen sich Angaben über Fütterung mit Leim, Sehnen, Knochen. — 4) Fettkoth. Die Resorption des Fettes im Darmcanal des Hundes ist eine sehr gute und in Folge dessen der Fettgehalt der Fäces bei Fütterung mit Fleisch- und Fett ein sehr geringer; erst bei 300—350 g Fett pro Tag ist die Grenze der leichten Aufnahme erreicht,

Sehr viel früher tritt diese Grenze, wie Voit früher ausführlich erörtert hat. ein bei Hunden mit Gallenfisteln; auch von relativ unbeträchtlichen Mengen dargereichten Fettes entgeht dann ein grosser Bruchtheil der Resorption; es erhellt daraus die grosse Wichtigkeit der Galle für die Resorption der Fette. — M. geht dann näher auf die Zusammensetzung des in den Fäces enthaltenen „Fettes" ein und schliesst sich den Angaben von J. Munk und Röhmann an, dass dieses Fett sowohl in der Norm, wie auch beim Bestehen einer Gallenfistel aus freien Fettsäuren und Seifen besteht. Die Annahme Voits, dass das Fett grösstentheils als solches zur Resorption gelangt. erklärt M. danach als nicht bewiesen, aber auch nicht widerlegt. — 5) Der Zuckerkoth. Die Mengen sind gering und betragen bei Fütterung mit Fleisch und Zucker etwa ebensoviel, wie bei Fütterung mit Fleisch allein. Sehr häufig treten bei Zuckerfütterung Diarrhöen auf. besonders bei Milchzucker. Zucker findet sich in den Fäces nur selten und dann in geringer Menge. — Auch das Stärkemehl als solches oder zusammen mit Fleisch gegeben, wird im Darmcanal des Hundes sehr gut ausgenützt; erst bei sehr grossen Mengen tritt unveränderte Stärke in Klümpchen und daneben Traubenzucker auf. Wesentlich anders wirkt die Darreichung von Stärkemehl im Brod. Bei Fütterung mit Brod beträgt die Quantität der Fäces etwa 20 pCt. von der des Brodes (beides auf Trockengewicht bezogen). Bei sehr grossen Quantitäten Brod steigt die Menge des nicht Resorbirten noch weiter an. Die Beigabe von Fleisch oder Fleischextract ändert daran nichts. Die Vergleichung der Elementaranalyse des Brodes und des Brodkothes zeigt, dass derselbe nahezu unverändertes Brod ist. während der Fleischkoth sich nach seiner Elementarzusammensetzung als etwas ganz anders darstellt, wie ein Rest der Nahrung. Beim Gallenfistelhund ist nach Voit die Ausnützung von Stärke und Brod nicht wesentlich schlechter, wie beim normalen Thier.

Zur Bestimmung der Menge des im Koth befindlichen, nicht von der Nahrung herrührenden Stickstoffes fütterte Rieder (29) einen kleinen Hund von 7 Kilo, der in einer neuntägigen Hungerreihe 0.094 g Stickstoff pro Tag durch die Faeces ausgeschieden hatte, 7 Tage lang mit 70 g stickstofffreiem Stärkemehl und 6,4 g Fett pro Tag Das Thier schied dabei 0.11 g Stickstoff täglich durch die Faeces aus. In einer zweiten Reihe von viertägiger Dauer wurde bei Fütterung mit 140 g Stärke 0.22 N in den Faeces entleert. Daraus geht hervor, dass die Stickstoffausscheidung seitens des Darms bei erhöhter Thätigkeit desselben ansteigt. — Gleiche Versuche wurden auch beim Menschen und zwar bei 2 Individuen von 70 resp. 74 Kilo Körpergewicht mit stickstofffreier Kost angestellt (Gebäck aus Stärkemehl, Zucker, Schmalz und einer Mischung von Kaliumbitartrat und Natriumbicarbonat); dabei wurde ausgeschieden pro Tag:

Versuch	durch den Harn	durch die Fäces
1.	9.30 N	0,54 N
2.	9,50 „	0,87 „
3.	7,10 „	0,78 „

Im Mittel betrug die N-Ausscheidung durch die Faeces 0,73 g = 8 pCt. der Gesammt-N-Ausscheidung. Bei Ernährung mit Eiern oder Fleisch fand Rubner früher 0,6—1,2 g Stickstoff in den Faeces. Dieser Stickstoff rührt sicher grösstentheils vom Darm her.

Forster (31) berichtet über Untersuchungen über die Resorption von Kalksalzen, welche auf seine Veranlassung und unter seiner Leitung von Bijl ausgeführt sind. Die Versuchsanordnung war zunächst die, dass Hunde nach 60 stündigem Hunger eine Nahrung von bekannten Kalkgehalt erhielten. häufig unter Zusatz von gefälltem phosphorsaurem Kalk und dann nach 1—4 $^1/_2$ Stunden durch Verbluten getödtet wurden: durch umgelegte Schlingen wurden Magen, Duodenum, oberer und unterer Theil des Dünndarms — weiter gelangte in dieser Zeit die Nahrung nicht — isolirt, dann in Schalen entleert, der Inhalt getrocknet, das Gewicht und nach dem Veraschen der Kalkgehalt festgestellt. Es ergab sich nach 11 solchen Versuchen, dass 19—87 pCt. des Kalks verschwunden waren, bei kleinen Dosen Kalk natürlich mehr, bei grossen weniger (nur einmal waren nur 4 pCt. resorbirt). In Beziehung auf die Vertheilung dieser Quantität auf die verschiedenen Abschnitte des Darms vergl. d. Orig. — Von dem in den unteren Abschnitten des Dünndarms sich vorfindenden Kalk ist sicher ein Theil nicht als der Resorption entgangen, sondern als bereits resorbirt und auf der Darmschleimhaut wieder ausgeschieden zu betrachten. Es werden also beträchtliche Mengen von Calciumsalzen im Darm resorbirt. Die Quantität des Resorbirten hängt von verschiedenen Umständen ab, von der Beschaffenheit der Nahrungsmittel (aus Brod wird Kalk besser resorbirt. als aus Milch), von der Menge des verfütterten Kalks, von der Zeit des Verweilens der Nahrungsmittel in dem hauptsächlich Kalk resorbirenden Magen.

Pfeiffer (32) hat den Einfluss der Salze auf Verdauungsvorgänge untersucht.

I. Verdauung von Fibrin durch Pepsin. — Die Verdauung verläuft am besten ohne Salzzusatz. alle untersuchten Salze hemmten und zwar in folgender Reihenfolge, von dem am wenigsten störendes angefangen.

a) bei 0,24 pCt: $MgSO_4$, Na_2CO_3, Na_2SO_4. $NaCl$.
b) bei 0 5 pCt: $MgSO_4$, Na_2SO_4, Na_2CO_3. $NaCl$.
c) bei 1,0 pCt.: Na_2SO_4. $MgSO_4$, $NaCl$. Na_2CO_3
d) bei 2 pCt.: $MgSO_4$, Na_2SO_4, $NaCl$, Na_2CO_3.
e) bei 4 pCt.: $MgSO_4$. Na_2SO_4, $NaCl$.

Da von einer verdauenden Wirkung bei Zusatz grösserer Quantitäten von kohlensaurem Natron nicht mehr gut die Rede sein kann, so übt von allen Salzen Chlornatrium die störendste Wirkung aus. (Diese Wirkung ist übrigens auch schon von Al. Schmidt angegeben. Ref.) — In allen Fällen ist die Verdauung beurtheilt nach dem Gewicht des ungelöst gebliebenen Restes von Fibrin.

II. Verdauung von Fibrin durch Pankreas. — Als Verdauungsflüssigkeit diente Glycerinauszug von Pankreas. Von den untersuchten Salzen zeigte eines beschleunigende Wirkung, nämlich das kohlensaure Natron, wie Heidenhain bereits angegeben hat. Die Befunde über die Concentrationsgrade, in denen diese Wirkung eintritt, sind jedoch von denen Heidenhain's abweichend. Nach P. wirkt eine Concentration von 0,24 pCt. noch nicht, von 0,5 pCt. beschleunigend, 1 und 2 pCt. verzögernd. Chlornatrium fand P. nicht, wie Heidenhain beschleunigend, sondern verzögernd. Ebenso hemmten auch Magnesiumsulfat und Natriumsulfat.

III. Umwandlung der Stärke durch Speichel, Auszug von Speicheldrüsen und Pankreas. — Betreffs der Anordnung der Versuche muss auf das Orig. verwiesen werden. Als Maassstab für die Beurtheilung dient der Nichteintritt der Jodreaction. Alle Versuche sind mit gekochter Stärke ausgeführt. — Im Gegensatz zum Pepsin- und Pancreasverdauung wird die Saccharificirung der Stärke durch Chlornatrium ausserordentlich beschleunigt (Concentration der Chlornatriumlösung bis 2 pCt.). Kohlensaures Natron verzögert dagegen die Saccharificirung ganz erheblich, anscheinend bis zur völligen Aufhebung bei starker Concentration. Auch Magnesiumsulfat und Natriumsulfat wirken störend.

IV. Die Emulgirung von Fett durch Galle wurde durch 1 procentige Lösung von Kochsalz oder schwefelsaures Natron beinträchtigt.

V. Einfluss der Salze auf die Diffusion von Peptonlösung durch Pergamentpapier. Zusatz von $^1/_2$ bis 1 pCt Chlornatrium oder Natriumsulfat beförderte den Uebertritt des Peptons und zwar Chlornatrium stärker als Natriumsulphat.

[Lindberger, Walter, Om Gallans betydelse för förruttnelsen i tunntarmen. Upsala läkareförenings förhandl Bd. 19 p. 467.

Der Verf. hat die bei Thierversuchen wahrscheinlich gemachte Ansicht, dass Anwesenheit von Galle die Verwesung des Dünndarminhalts hemmt, näher geprüft.

Die Versuche sind mit Wasserauszügen von Pancreas angestellt; diese Auszüge wurden theils mit kohlensaurem Natron schwach alkalisch, theils mit verschiedenen Säuren (Salzsäure, Essigsäure, Milchsäure) schwach sauer gemacht und dann theils ohne weitere Zusätze, theils nach Zugabe von etwa 0,5 pCt. schleimfreier eingetrockneter Ochsengalle bei einer Temperatur von 40° C. hingestellt; der Grad der Verwesung wurde geschätzt sowohl nach dem Geruche, wie auch nach dem Resultat der microscopischen Prüfung auf Bacterien. Mehrere Untersuchungsreihen, stets von Controlversuchen begleitet, wurden angestellt. Es zeigte sich, dass, während die alkalisch gemachten Pancreasauszüge schnell verfaulten, die Anwesenheit freier Säuren selbst in geringer Menge hemmend auf den Eintritt der Verwesung wirkte, am erfolgreichsten zeigte sich in dieser Hinsicht die Anwendung von Salzsäure und Essigsäure (schon bei einem Gehalte von 0,01 pCt.), weniger kräftig wirkte die Milchsäure.

Als ein besonders ausgezeichnetes Mittel das Verfaulen zu hemmen, wurde indessen die Galle bei Anwesenheit freier Säuren erkannt, selbst wenn die Menge der freien Gallensäuren nur 0,005 pCt betrug. Diese Eigenschaft der Galle scheint, da der Inhalt des Duodenum bekanntlich in der Regel schwach sauer reagirt, von nicht geringer Wichtigkeit bei dem natürlichen Verdauungsprocess zu sein. **Christian Bohr.**

Kramsztyk, O zawartości tłuszczu w kale noworodków i o wessaniu tłuszczu w ich kanale pokarmowym. (Ueber den Fettgehalt im Kothe der Säuglinge und über die Fettresorption in deren Darmcanale.) Pamiętnik Tow. lek. Warszawskiego. z. 1—2.

Die bisherigen Errungenschaften auf dem Gebiete der Verdauungsphysiologie bei Säuglingen sind nicht zahlreich. Besonders die Frage über die Resorption und Verdauung der Fette im Darmcanale der Säuglinge ist bis jetzt sehr dunkel. Einige betreffende Arbeiten sind sehr unvollkommen und einander widersprechend. Der Gegenstand ist aber von nicht geringer Wichtigkeit in der Paediatrie, besonders nach der neuen Arbeit Biedert's über Fettdiarrhoe. Aus diesem Grunde beschäftigte sich der Verf mit dieser Frage.

Er untersuchte mit grosser Sorgfalt 7 Kinder, von denen 6 mit Muttermilch, 1 mit Kuhmilch genährt wurden. Je einige Tage bestimmte der Verf. die Fettmengen in der Milch und in den Fäces des Kindes. In dieser Hinsicht sind die Untersuchungen des Verf. vollständiger als die letzten von Uffelmann und anderen Autoren, welche die Fette nur in den Entleerungen bestimmten. Indem wir über die Methode der Untersuchung und andere Einzelheiten auf das Original verweisen, beschränken wir uns hier nur auf die Anführung der Ergebnisse dieser interessanten und ausführlichen Arbeit. Die Menge des Fettes in den Fäces des Säuglinges ist verschieden und sie schwankt sogar bei demselben Individuum in breiten Grenzen. Im Durchschnitt berechnet der Verf. diese Menge auf 25 bis 35 pCt. (sammt den Fettsäuren). Sie ist in den ersten Monaten des Lebens grösser als in den späteren. Die Bestimmung des Fettes in der Milch erwies, dass die Menge desselben in der Mutter- resp. Kuhmilch und in den Fäces von einander nicht abhängig ist. Auf Grund der Untersuchung behauptet der Verf., dass von der Menge des Fettes, welche man mit der Nahrung in den Darmcanal einführt, in den ersten Monaten des Lebens 95 pCt, in den folgenden 97 bis 98 pCt. und mehr resorbirt werden. Der Verf. sah keinen Unterschied darin, ob das Kind mit Mutter- oder Kuhmilch genährt wurde. Der Darmcanal des Säuglings besitzt demnach die Fähigkeit, eine sehr grosse Menge des eingeführten Fettes zu resorbiren. **v. Kopff** (Krakau).]

VII. Harn.

1) Hamburger, H., Titration des Harnstoffs mittels Bromlauge. Zeitschr. f. Biologie Bd. 20. S. 286 und Dissert. Utrecht. — 2) Greene, W., A new apparatus for the estimation of urea in urine by the hypobromite method. Philad med. Times p. 277. — 3) Braun, H., Ueber einige Fehlerquellen bei der Titration des Harnstoffs mit Mercurinitrat. Pflüger's Arch. Bd. 35. S. 277. — 4) Bohland, K., Beiträge zur quantitativen Bestimmung des Stickstoffs im Harn. Ebendas. S 199. — 5) Pflüger, E. und K. Bohland, Eine einfache Methode zur Bestimmung des Stickstoffs im Harn. Ebendas. S. 454. — 6) Pfeiffer, Th., Ueber die titrimetrische Bestimmung des Harnstoffs. Zeitschr. f. Biol. Bd. 20 S. 540. — 7) Camerer, W., Zur Bestimmung des Stickstoffs im Urin und Koth des Menschen. Ebendas. Bd. 20 S. 255. — 8) Petri und Th. Lehmann, Die Bestimmung des Gesammtstickstoffs im Harn. Zeitschr. f. physiol. Chemie. VIII. S. 200. — 9) Waddell, L., The urea elimination under the use of potassium fluorids in health Journ. of anat. and phys. Bd. 18. p. 145 — 10) Esbach, G., Urate de soude. Bull. gén. de thérap. p. 107. — 11) Politis, G., Ueber das Verhältniss der Phosphorsäure zum Stickstoff

im Harn bei Fütterung mit Gehirnsubstanz. Zeitschr. f. Biol Bd. 20. S. 193. — 12) Mairet, A, Recherches sur l'elimination de l'acide phosphorique. 4 Paris. — 13) Derselbe, Recherches sur le rôle biologique de l'acide phosphorique. Compt. rend. Bd. 99. p 243. — 14) Derselbe, De l'influence du travail intellectual sur l'élimination de l'acide phosphorique par les urines Ibid. Bd. 99. No. 6. — 15) v. Mering, Die Bestimmung der Chloride im Hundeharn. Zeitschrift für physiol. Chemie VIII S 229. — 16) Lehmann, Th., Zur Bestimmung der Alkalien im Harn. Ebendas. VIII. S. 508 — 17) Worm-Müller, Die Ausscheidung des Zuckers im Harn des gesunden Menschen nach Genuss von Kohlehydraten. Pflüger's Arch. Bd. 34. S. 576. — 18) Derselbe, Robert's Methode und die quantitative Bestimmung von kleinen Mengen Traubenzucker im Harn. Ebendas. Bd 33 S 211 — 19) Nylander, E., Ueber alkalische Wismuthlösung als Reagens auf Traubenzucker im Harn. Zeitschrift für physiol. Chemie. VIII S. 175. — 20) Penzoldt, Modificationen einiger Harnproben. Bericht d. Erlanger phys.-med. Soc. Sep.-A — 21) Salomon, G, Ueber die chemische Zusammensetzung des Schweineharns. Archiv für Anatomie und Physiologie. Physiol. Abth S. 175 und Virch. Arch. Bd. 95. S 527. — 22) Derselbe, Ueber das Paraxanthin, einen neuen Bestandtheil des normalen menschlichen Harns Zeitschrift f. klinische Medicin. VII. Suppl. S. 63. — 23) Salkowski, E., Ueber das Vorkommen der Phenacetursäure im Pferdeharn. Bericht d. deutschen chem. Gesellsch. XVII. S. 3010. — 24) Gaglio, G, Sulla formazione dell' acido ossalico nell organismo animale. Arch. per le scienze med. Vol. VII. No 26. — 25) Quincke, H., Ueber einige Bedingungen der alkalischen Reaction des Harns. Zeitschr. f. klin. Med. VII. Suppl. S. 23. — 26) Ott, A., Zur quantitativen Bestimmung der Eiweisskörper im Harn. Prager medic Wochenschrift. No. 16 — 27) Veale, H., Note on Esbachs method for estimation of albumen in urine. Brit. med. Journ. p. 898. — 28) Coignard, De l'albuminurie physiologique. Union méd. No. 7. — 29) Oliver, G., Quantitative estimation of albumen. Practitioner. p. 9. — 30) Le Nobel, N. Ueber einige neue chemische Eigenschaften des Acetons und verwandter Substanzen und deren Benutzung zur Lösung der Acetonuriefrage. Arch. f. exp. Path. XVIII. S. 6. — 31) Jacksch, R. von, Weitere Beobachtungen über Acetonurie. Zeitschrift f. klin. Med. VIII. S 115. — 32) Minkowski, O, Oxybuttersäure im diabetischen Harn. Centralblatt für d. med. Wissensch. No. 15. — 33) Derselbe, Ueber das Vorkommen von Oxybuttersäure im Harn bei Diabetes mellitus. Arch. f. exp. Path. XVIII. S. 35. — 34) Derselbe, Nachtrag etc. Ebendas. S. 147. — 35) Külz, E., Ueber eine neue linksdrehende Säure (Pseudooxybuttersäure). Ein Beitrag zur Kenntniss der Zuckerruhr. Zeitschr. f. Biol. Bd. 20. S. 165. — 36) Otto, J., Das Vorkommen grosser Mengen von Indoxyl- und Scatoxylschwefelsäure im Harn bei Diabetes mellitus. Pflüger's Arch. Bd. 33. S. 607. — 37) Maguire, R, The darkening in colour of certain urines on exposition to the air. Brit. med. Journ. No 243 — 38) Le Nobel, Ueber eine neue Terpenreaction. Centralblatt für die medic. Wissenschaften. No. 2. — 39) Lepine, R. und Guérin, Sur la presence d'alcaloides toxiques dans l'urine Revue de méd. p. 767. — 40) Garnin, L., Calcule urinaire de xanthine. Arch. de phys. norm. et path. p. 174 — 41) Brieger, L., Neues Verfahren zur Darstellung der Aetherschwefelsäure aus dem Urin. Zeitschr. f physiol. Chem. VIII. S. 311. — 42) Külz, E., Ueber Wirkung und Schicksal des Trichloraethyls und Trichlorbutylalcohols im Organismus. Zeitschrift für Biologie. Bd. 20. S. 157. — 43) Salomon, W., Ueber die Vertheilung der Ammoniaksalze im thierischen Organismus und über den Ort der Harnstoffbildung. Virch. Arch. Bd. 97. S. 149. — 44 Harnack, E., Ueber die Methoden der quantitativen Jodbestimmung im Harn. Zeitschrift für phys. Chem. VIII. S. 158. — 45) Baumann, E., Zur Frage der Jodbestimmung im Harn. Ebendas. S 282 — 46) Salkowski, E, Ueber die Bildung von Harnstoff aus Sarkosin. Ebendas. S. 149. — 47) Coppola, F., Umwandlung der Fluorbenzoësäure im Organismus. Ber. d deutschen chem Ges. Referat-Band. S. 115 — 48) Baumann, E., Ueber die Bildung der Mercaptursäuren im Organismus und ihre Erkennung im Harn Zeitschr. f. phys. Chem. VIII. S. 190. — 49) Binet, P., Etude sur le sueur et la salive. Thèse. Paris 93 pp. — 50) Worm-Müller, Die Bestimmung des Traubenzuckers im Harn mittels des Soleil-Ventzkeschen Polarisationsapparates und die linksdrehenden Substanzen Pflüger's Arch. Bd 35. S. 76. — 51) Ludwig, E., Eine Methode zur quantitativen Bestimmung der Harnsäure. Wiener med. Jahrb. S. 597.

Hamburger (1) behandelt die **Titration des Harnstoffs mittelst Bromlauge.** Quinquaud hat eine Methode der Harnstofftitration mittelst Bromlauge vorgeschlagen: eine ca. 3proc. Bromlauge soll den Harnstoff (im Verhältniss von 3 Mol. $NaBrO$ zu 1 Mol. CON_2H_4), unter Entbindung des gesammten N in Gasform zersetzen; man fügt zu der zu bestimmenden Harnstofflösung Bromlauge im Ueberschuss hinzu und bestimmt das Uebermass, die Menge der unzersetzten Lauge dadurch, dass man eine Lösung von arsenigsaurem Natron hinzufügt und den Ueberschuss der letzteren mit einer auf dieselbe gestellten und ihr äquivalenten Lösung von Jod in Jodkalium, unter Anwendung von Stärkekleister als Indicator, zurücktitrirt. Durch mannigfach variirte Prüfungen hat nun Verf. gefunden, dass nicht nur die 3proc., sondern jede beliebige Bromlauge zur Titration tauglich ist; wegen der diesbezüglichen analytischen Belege ist das Original einzusehen. Er fasst seine Erfahrungen in folgenden Vorschriften für die Titration zusammen: 30 g festes NaHO in 1 Liter Wasser gelöst, mit 20 ccm Brom versetzt, durch Asbest filtrirt. 38,4 g arsenigsaures Natron in 1 Liter Wasser aufgelöst und auf 1 Liter verdünnt. Zunächst bestimmt man das Verhältniss zwischen der Arsenik- und Jodlösung mittelst Stärkekleisters als Indicator, misst 10 ccm Bromlauge ab, lässt dazu 1—3 ccm Arseniklösung fliessen, leitet $\frac{1}{4}$ Stunde lang CO_2 durch und titrirt das überschüssige arsenigsaure Natron mit Jodlösung zurück. Sodann bestimmt man das Verhältniss zwischen der unbekannten Bromlauge und einer Harnstofflösung von bekannter Concentration, indem man letzterer vorsichtig soviel Bromlauge zusetzt, bis die Flüssigkeit eine gelbe Farbe angenommen hat, dann noch 1—3 ccm Bromlauge hinzufügt und den Ueberschuss der letzteren, wie angeführt, zurücktitrirt. Hat man auf diesem Wege festgestellt, wie viel Harnstoff 1 ccm Bromlauge entspricht, so findet man weiter den unbekannten Harnstoffgehalt im Harn, indem man zu 10—20 ccm Harn unter Umschütteln Bromlauge hinzufügt, weiter arsenigsaures Natrium hinzusetzt, bis die Flüssigkeit heller gelb wird und im Jodkaliumstärkepapier nicht mehr gebläut wird und dann noch 3 ccm hinzugiebt. Nach Durchleiten von CO_2 bestimmt man, nach Zusatz von etwa 20 ccm Na_2CO_3-Lösung und einigen Tropfen Stärkekleister, den Ueberschuss an arsenigsaurem Natron mittelst Jodlösung. Die Bromlauge hält sich auffallend gut; nach 3 Wochen hatte sich der Titer nur um ½ pCt. geändert; in einem geschwärzten Gefäss aufbewahrt, behielt auch die Jodlösung wochenlang ihren Titer bei.

Greene (2) beschreibt (mit Abbildung) einen einfachen Apparat zur Bestimmung des Harnstoffs nach Hüfner, der den Vorzug grosser Einfachheit zu haben scheint, ohne Abbildung jedoch nicht verständlich wäre, vergl. daher das Orig.

Eine grössere Zahl von Abhandlungen beschäftigt sich mit den Methoden der Harnstoffbestimmung, namentlich sind in Pflüger's Laboratorium Vergleiche der verschiedenen Methoden der Liebig'schen Titrirung und der directen Stickstoffbestimmung angestellt.

Braun (3) hat die Ergebnisse der stetigen Harnstofftitration nach Pflüger, wobei die erforderliche Menge Quecksilberlösung in einem Strahl zugesetzt und die ganze Mischung vor der Prüfung auf den Index genau neutralisirt wird, mit dem alten Liebig'schen Verfahren verglichen, wobei die Neutralisation der Harnstoffmischung ganz unterbleibt. Für reine Harnstofflösungen, welche weniger als 2 pCt. Harnstoff enthalten, beträgt der Maximalfehler bei Anwendung der Liebig'schen Correctur nur 1,2 pCt., bei stärker concentrirten Lösungen bis zu 4¼ pCt. Auf Grund seiner Versuche giebt Verf. folgende Correctur bei stärkeren als 2proc. Harnstofflösungen an: für jeden Cubikcentimeter Quecksilberlösung, den man auf 10 ccm Harnstofflösung mehr verbraucht als 20 ccm, ist zur Anzahl der verbrauchten Cubikcentimeter Quecksilberlösung 0,1 ccm hinzuzuaddiren, um richtige Werthe zu erhalten. — Gegenüber den Ausführungen von Gruber betont Verf. die Nothwendigkeit der Anwendung einer neutralen Quecksilberlösung, indem er durch Versuche zeigt, dass die in der Quecksilberlösung überschüssig enthaltene Salpetersäure bei einiger Dauer der Einwirkung den Index bedeutend früher erscheinen lässt, also den Harnstoffgehalt zu niedrig ergiebt; ja schon die bei der Titration mit neutraler Quecksilberlösung frei werdende und nicht neutralisirte Säure einen analogen Einfluss hat, daher man sofort neutralisiren und auf den Index prüfen muss. Die Resultate der Versuche des Verf. stimmen übrigens durchaus mit denen älterer Versuche von Nowak überein. — Zum Schluss finden sich einige Beobachtungen und Angaben über die bei der Titration mit saurer Quecksilberlösung in Harnstofflösungen verschiedener Concentration sich bildenden Niederschläge.

Bohland (4) vergleicht die Ergebnisse der mit Pflüger's Modification ausgeführten Harnstofftitration mit denen der directen N-Bestimmung nach Dumas und Will-Varrentrapp. Zur Verbrennung nach Dumas empfiehlt er ein Gemenge von 2 Thl. gepulvertes Kupferoxyd mit 1 Thl. doppelt chromsaures Kali; der Harn wurde in Hofmeister'schen Schälchen mit Gyps gemischt und nach Zusatz von Oxal- oder Salzsäure (zur Bindung etwa entstehenden Ammoniaks) unter der Luftpumpe eingetrocknet. Die vergleichende Prüfung wurde auf Menschenharn, der bei gemischter Kost ausgeschieden wurde, sowie auf Hundeharn nach Fleisch- und gemischter Nahrung und endlich beim Hungern ausgedehnt. Die Belege für 63 solcher vergleichenden Analysen sind ausführlich (auf 62 Ss.) niedergelegt. Die Resultate dieser Untersuchungen sind folgende: Beim Menschenharn (gemischte Kost) wurde durch Titration ausnahmslos mehr Stickstoff gefunden, und zwar 2—11 pCt. mehr als bei der directen N-Bestimmung; die nach Dumas gewonnenen Werthe weichen nur ausserordentlich wenig ab von den nach Will-Varrentrapp erhaltenen. Bei Fleischnahrung gab die Titration zuweilen mit der Verbrennung übereinstimmende Resultate, zuweilen um 0,5 bis 4,5 pCt. höhere Werthe. Die annähernde resp. völlige Uebereinstimmung zwischen Titration und directer N Bestimmung trat aber nur dann ein, wenn das Fleisch schon längere Zeit gefüttert worden war; an den späteren Fleischtagen betrug das Plus der Titration nur noch ½—2 pCt. Auch bei einem aus Fleisch und Fett gemischten Futter fand sich nur 0.8—2.9 pCt. mehr bei der Titration als bei der directen N-Bestimmung. Anders verhält es sich aber bei gemischter Kost, die zugleich Kohlehydrate enthält; hier fanden sich bei der Titration grössere Unterschiede, die nur selten weniger als 5 pCt. betrugen und sich häufig bis auf 9. ja 11 pCt. erhoben, also so grosse Fehlerwerthe wie beim Menschenharn unter ähnlichen Bedingungen. Bei einem aus Fleisch und Stärke gemischten Futter ergab die Titration um 7—8 pCt. höhere Werthe als die directe N-Bestimmung. Beim Hungerharn wiederum verhielt es sich, vom ersten Hungertage abgesehen, ähnlich wie beim Fleischharn, wie zu erwarten war, da ja der Hund nunmehr von seinem eigenen Fleische zehrte; nur der erste bezw. die ersten Hungertage standen noch unter dem Einfluss der voraufgegangenen Fütterung dergestalt, dass nach vorheriger gemischter Kost hier die Abweichung grösser war (9 pCt. mehr), als nach vorgängiger Fleischkost (4.5 pCt. mehr). Bei Hundeharn, der reich an Kynurensäure war, wurde nach Will-Varrentrapp wie schon Gruber angegeben hat, zu niedrige Werthe gefunden, weshalb weiterhin nur noch die Methode nach Dumas zur Anwendung kam. Aus seinen Untersuchungen zieht nun Verf. den Schluss, dass bei gemischter Kost die N-Bestimmung im Harn durch die Harnstofftitration niemals erlaubt ist. Selbst bei reiner Fleischnahrung event. unter Beigabe von Fett sind die durch Titration erhaltenen Resultate nicht genau; zum mindesten muss vor Beginn des eigentlichen Versuches das Fleisch schon längere Zeit gefüttert werden. Da endlich die Titration in den ersten Hungertagen ebenfalls zu hohe Werthe liefert, so ist von ihrer Anwendung zur Untersuchung des Hungerharns abzurathen. (Diese Einschränkung dürfte indess nur für den ersten Hungertag nach Fleischkost bezw. für die ersten Hungertage nach gemischter Kost zutreffen, nicht aber für eine auf längere Zeit sich erstreckende Hungerperiode; wenigstens bietet das vom Verf. gelieferte, in dieser Hinsicht zu spärliche Material dafür keine Unterlage. Ref.)

Pflüger und Bohland (5) haben sich durch zahlreiche (26) Doppelbestimmungen des Stickstoffs im Harn einerseits nach der unzweifelhaft sichersten Methode von Dumas, andererseits nach Kjeldahl (vgl.

d. Ber. f. 1883, S. 132) überzeugt, dass die letztere Methode der ersteren sehr naheliegende Werthe giebt (vgl. auch Petri u. Lehmann unter No. 7). Sie haben ferner festgestellt, dass für den Harn die von Kjeldahl vorgeschriebene Oxydation mit Kaliumpermanganat unnöthig ist. — Nach der von den Verff. genau gegebenen Vorschrift hat man nur nöthig, 5 ccm Harn mit 10 ccm englischer und 10 ccm. rauchender Schwefelsäure so lange zu erhitzen, bis die anfangs schwarz gewordene Flüssigkeit hellgelb geworden ist, was etwa 25—30 Minuten dauert und dann das Ammoniak abzudestilliren. Die durch die Dumas'sche Methode ermittelte N-Menge gleich 100 gesetzt, betrug die Differenz zwischen 0,1 und 1.5 pCt. und 1.1 pCt., doch stehen diese höheren Differenzen ganz vereinzelt. (Im Princip kommt diese Methode auf das schon vor langen Jahren von Heintz und Ragsky empfohlene Verfahren hinaus. Hoppe-Seyler's Handbuch, 4. Aufl. S. 322. Ref.)

Pfeiffer (6) behandelt die titrimetrische Bestimmung des Harnstoffs. Vor einer Reihe von Jahren hat Rautenberg zunächst für den Harn von Pflanzenfressern eine modificirte Liebig'sche Methode zur Bestimmung des Harnstoffs angegeben, deren Eigenthümlichkeiten hauptsächlich folgende sind: 1) 15 ccm des zu titrirenden Harnfiltrates werden mit Salpetersäure schwach angesäuert und so lange Quecksilberlösung zugesetzt, bis eine bleibende Trübung entsteht, die Anzahl der verbrauchten ccm notirt. 2) In anderen 15 ccm wird der Harnstoff wie gewöhnlich bestimmt, dabei jedoch die Flüssigkeit durch successiven Zusatz von kohlensaurem Kalk oder, wie P. empfiehlt, durch einmaligen Zusatz einer grösseren Menge desselben stets neutral gehalten. Die Endreaction wird durch Eintragen eines Tropfens der Mischung in mit Wasser aufgeschwemmtes Natriumbicarbonat angestellt. Bei der Berechnung des Harnstoffs wird von der Anzahl der sub 2 verbrauchten ccm, die sub 1 verbrauchte als Correction für Kochsalz in Abzug gebracht.

Habel und Fernholtz haben die Zulässigkeit dieser Correction bestritten, da sie fanden, dass in den Versuchen von Rautenberg bei Anwendung von Kochsalzlösungen von bestimmtem Gehalt 21,98 bis 22,78 pCt. mehr Quecksiberlösung verbraucht ist, als das Chlornatrium zur Umsetzung in Quecksilberchlorid verlangt. H. und F. nehmen dabei an, dass die von Rautenberg benutzte Quecksilberlösung die von Liebig angegebene Concentration hatte. P. zeigt nun zunächst, dass die Quecksilberlösung, von der bei dem Rautenberg'schen Verfahren 1 ccm 0,01 Harnstoff entspricht, sehr viel schwächer ist, dass sie im Durchschnitt nicht 71,5 g Quecksilber enthält, sondern nur 60,186 g. Dadurch reducirt sich das von H. und F. urgirte fehlerhafte Plus schon sehr beträchtlich. Der noch bleibende Rest ist wohl darauf zu beziehen, dass die Mischung freie Salpetersäure enthält, welche lösend auf die als Indicator dienende Harnstoffquecksilberverbindung einwirkt. Durch Versuche an Mischungen von Chlornatrium und Harnstoff zeigt der Vf., dass das Rautenberg'sche Verfahren vollständig richtige Resultate giebt, sogar zur quantitativen Bestimmung des Chlornatrium dienen kann. Dasselbe gilt auch für den Harn von Pflanzenfressern, dagegen zeigte es sich unanwendbar für Menschenharn: hier waren die Resultate sehr unregelmässig und widerspruchsvoll; für diesen Harn empfiehlt P. die vorgängige Ausfällung der Chloride durch einen geringen Ueberschuss von Silbernitrat, Auffüllen zum runden Volumen, wie dieses auch Ref. schon gethan, nur wendet P., damit der Harn nicht unnöthig verdünnt wird, hierzu eine concentrirte — 10 proc. — Silbernitratlösung an, was Ref. als Verbesserung anerkennen muss. (Ob man zuerst mit Barytmischung fällt, dann mit Silbernitrat — 100 Barytfiltrat, dann Silbernitrat, aufgefüllt auf 150 ccm, filtrirt — [Pfeiffer], oder umgekehrt [Ref.] ist wohl gleichgültig. Ref.)

Was nun die eigentliche Harnstoffbestimmung betrifft, so lieferte die Rautenberg'sche Methode dem Verf. sehr befriedigende Resultate. Der Titer der Quecksilberlösung wurde empirisch durch Titriren mit 2 proc. Harnstofflösung festgestellt. Bei der Ausführung modificirte P. das Verfahren dahin, dass beide Bestimmungen in einer Quantität des Harnbarytfiltrates angenommen wurden, indem diese zuerst mit Salpetersäure schwach angesäuert, dann mit Ueberschuss von Calciumcarbonat neutralisirt wurde. (Dass nur eine Quantität erforderlich sei, hat Ref. gelegentlich auch schon erwähnt.) Bezüglich der angewendeten Correctur für die Verdünnung vergl. das Orig.

Camerer (7) empfiehlt die Verbrennung des Harns mit Natronkalk in der Röhre zu machen.

Der Urin wird in einem kleinen Glasgefässchen abgewogen (5—7 g), dieses dann mit einem Paraffindeckel gut geschlossen und in die Verbrennungsröhre eingeschoben, nachdem diese mit einer 8 cm langen Schicht Natronkalk gefüllt ist. Nach völliger Füllung der Röhre und Ansetzen der Absorptionsapparate wird das Paraffin durch gelindes Erwärmen zum Schmelzen gebracht. Der Harn vertheilt sich dann in dem Natronkalk.

Die Beleganalysen mit Harnstoff, sowie Doppelbestimmungen an demselben Harn zeigen gute Uebereinstimmung. Aehnlich verfährt C. auch beim Koth. Es wurden dabei etwas höhere Zahlen erhalten, wie beim Trocknen des Kothes und N-Bestimmung im Rückstand.

Die Stickstoffbestimmung im Harn nach Hüfner. Aus zahlreichen Doppelanalysen leitet C. ab, dass diese Methode bei Zugrundelegung der Hüfner'schen Formel 10,9 pCt. weniger N liefert, als die Verbrennung mit Natronkalk.

Petri und Lehmann (8) haben das Verfahren von Kjeldahl für den Harn geprüft und finden diese Methode mit folgenden, von ihnen angegebenen Modificationen sehr handlich und zugleich genügend scharf.

5 ccm (bei solchen mit spec. Gewicht unter 1020, 10 ccm) Harn werden mit 10 ccm starker Schwefelsäure (reine Schwefelsäure mit rauchender zu gleichen Theilen gemischt) in einem 200 ccm fassenden Kolben zuerst vorsichtig, dann, wenn das Harnwasser verjagt, stärker erhitzt und im Sieden erhalten; nach einer Stunde,

wenn die Mischung wieder durchsichtig und fast farblos geworden ist, wird (nach Entfernung des Brenners) vorsichtig und in kleinen Portionen mit im Ganzen wenigen Centigrammen Kaliumpermanganatpulver oxydirt und der mit Kautschukkappe verschlossene Kolben erkalten gelassen. Dann wird der erkaltete Inhalt in einen Erlenmeyer'schen Kolben gegeben, mit 60 ccm 30 proc. Natronlauge versetzt und zuerst über freiem Feuer, dann, wenn das Stossen beginnt, unter Zuhilfenahme des Dampfstromes 15—20 Min. lang abdestillirt, bis 100—150 ccm übergegangen sind und das Destillat in 10—20 ccm Normalsäure aufgefangen.

Die so ausgeführten Stickstoffbestimmungen weichen von den nach Dumas resp. Will-Varrentrapp erhaltenen Werthen, wie eine Reihe von Beleganalysen zeigen, sowohl für Substanzen mit bekanntem N-Gehalt als für normalen und pathologischen Harn (Eiweiss-, Zuckerharn) nur sehr wenig ab; über die Hundertstel Procente geht die Differenz, bald positiv, bald negativ, nicht hinaus.

Waddell (9) hat Versuche über die Harnstoffausscheidung unter dem Einfluss von Fluorkalium an sich selbst angestellt. Bei möglichst gleichbleibender Diät schwankte die Harnstoffausscheidung des Verf.'s im Lauf von 6 Tagen zwischen 274 und 305 Grains p. d., an den 5 folgenden Tagen, an welchen Fluorkalium eingenommen wurde — und zwar 3—12 Grains täglich — zwischen 300 und 367 Grains. An dem darauf folgenden Tage stand die Harnstoffausscheidung mit 350 Grains noch unter dem Einfluss des Fluorkalium, dann sank sie etwas unter die Norm. Ausser an sich selbst, hat Verf. noch an 2 Aerzten von 25 resp. 26 Jahren Versuche angestellt. Im Mittel von je 6 Tagen betrug die Harnstoffausscheidung:

	I.	II.	III.
a) Vorher.	297 grs.	251 .	189
b) Während d. Gebrauchs v. Fluorkalium. . . .	339 „	300	255

An den Tagen nach dem Gebrauch des Mittels zeigte sich nur eine unbedeutende Verminderung gegenüber der Norm, so dass man auf eine vermehrte Bildung von Harnstoff unter dem Einfluss des Fluorkalium schliessen kann, nicht nur auf vermehrte Ausscheidung. In zwei anderen Fällen wurde Fluorwasserstoffsäure gegeben — 1 bis 2 Drachmen einer $^1/_2$ procentigen Lösung — der Erfolg war „im Allgemeinen ähnlich" dem oben angegebenen.

Esbach (10) hat die Frage nach der Natur der in concentrirtem Harn beim Abkühlen entstehenden amorphen Niederschläge aufgenommen, die man allgemein (aber, wie Ref. zugeben muss, ohne ausreichende Begründung) als saures harnsaures Natron anzusehen pflegt. E. ist zu der Ueberzeugung gekommen, dass dieselben gar nicht harnsaures Natron sind, sondern Harnsäure in amorpher Form. Die hauptsächlichsten Argumente, auf die sich E. stützt, sind folgende: 1) Das Präcipitat mit Wasser gewaschen und zwischen Fliesspapier abgedrückt, reagirt sauer, wenn man eine Probe davon auf Lacmuspapier bringt und mit einem Tropfen Wasser anfeuchtet. 2) Bringt man das Präcipitat mit Wasser auf einen Objectträger und beobachtet es längere Zeit, so sieht man, wie die amorphen Niederschläge sich allmälig in characteristische Krystalle umwandeln (für beweisend kann Ref. indessen beide Beobachtungen nicht ansehen). Diese Umwandlung erfolgt allerdings schneller bei Zusatz von Säuren, so wie dies bei saurem harnsaurem Natron der Fall ist, nach E. ist dieses Verhalten aber nicht genügend für die Annahme von Natronsalz, da auch sonst verschiedene Einflüsse den Uebergang aus primär amorphen Substanzen in krystallinische Form beschleunigen. — Weiterhin erörtert E die Schwierigkeiten, welche sich dem anscheinend einfachsten Wege zur Untersuchung dieser Sedimente, nämlich die Einäscherung und Untersuchung des etwa bleibenden Rückstandes, entgegenstellen. Die Ursache für die Ausscheidung der Harnsäure in primär amorpher Form aus dem Harn findet E. in der Gegenwart von Schleim.

Bekanntlich leitet Zülzer und nach ihm Edlefsen u. A. aus einer Erhöhung der Ausscheidung der Phosphorsäure im Verhältniss zum Stickstoff eine vermehrte Zersetzung von Gehirnsubstanz ab. Voit stellt die Möglichkeit dieses Rückschlusses aus verschiedenen Gründen in Abrede. Politis (11) hat nun im Laboratorium von Voit den Einfluss vermehrter Zersetzung von Gehirnsubstanz auf dieses Verhältniss aufs Neue untersucht. Zum ersten Versuch diente ein Hund von 10 Kilo, welcher mit 500 g Fleisch gefüttert war; an drei Tagen erhielt das Thier je 50 g Ochsengehirn — etwa entsprechend der Hälfte des Gehirns des Hundes, während eine dem Stickstoffgehalt des Gehirns gleichkommende Quantität Fleisch = 27 g in Fortfall kam. In Harn und Koth wurde Stickstoff und Phosphorsäure bestimmt. Im Durchschnitt von 5 Normaltagen betrug das Verhältniss von Phosphorsäure zu Stickstoff 1 : 6,7, genau ebensoviel im Durchschnitt von 3 Hirnfütterungstagen. Sieht man von einer kleinen Steigerung der N-Ausscheidung an den Hirntagen ab, so wird das Verhältniss 1 : 6,3, eine Schwankung, welche noch durchaus in die Fehlergrenzen fällt. — Der zweite Versuch an einem Hunde von 22 Kilo umfasste fünf Tage, von denen der erste und letzte Hungertage sind, am 2., 3. und 4. Tage erhielt das Thier je 518,8 g von Gefässen und Hüllen befreites Rinderhirn. Die Gehirne wurden jedesmal analysirt. Am 2. und 3. Versuchstage wurde von 9 Uhr Vormittags bis 9 Uhr Abends der Harn alle 3 Stunden durch Catheterisiren entleert, sodann noch von 9 Uhr Abends bis 9 Uhr Vormittags, am 4. Tage 2 mal in 24 Stunden. Von dem im Gehirn enthaltenen Stickstoff erschienen 13 bis 14 pCt in den Darmentleerungen wieder, die sicher zum grössten Theil dem Aetherextract des Gehirns, d. h. dem Lecithin angehören. Dass dasselbe nur schwer resorbirt wird, geht daraus hervor, dass die Phosphorsäureausscheidung am zweiten Gehirnfütterungstage (3. Versuchstag) höher ist, wie am ersten. Setzt man die am 1. und 2. Gehirnfütterungstage (2. und 3. Versuchstag) im Ganzen durch den Harn ausgeschiedene Quantität Stickstoff = 100, so beträgt die Ausscheidung in den einzelnen Tagesperioden (von denen die 4 ersten 3 Stunden umfassen, die 5. 12 Stunden):

		2. Tag.	3 Tag.
Periode I . .	(3. Stunde)	11.6	11,3
„ II . .	(3. „)	22,3	18,6
„ III . .	(3. „)	20,4	17,5
„ IV . .	(3. „)	13.6	14,6
„ V . .	(12. „)	31,9	37,7

Sehr ähnlich sind die Zahlen, die Feder nach Fütterung mit Fleisch resp. Fleisch und Speck erhielt: Die Resorption der Eiweisskörper des Gehirns erfolgt also in demselben zeitlichen Verlauf, wie beim Fleisch. Ganz anders dagegen verhält sich die Ausscheidung der Phosphorsäure. Bei der Fleischfütterung wird die Phosphorsäure schnell ausgeschieden, bei der Gehirnfütterung vertheilt sie sich fast gleichmässig auf die ganzen 24 Stunden und ist nur in den ersten drei Stunden gering, offenbar, weil in dieser Zeit noch wenig Lecithin zur Resorption gelangt. Dementsprechend zeigt das Verhältniss zwischen Phosphorsäure und Stickstoff in den einzelnen Tagesperioden sehr geringe Schwankungen. Wenn also bei der Resorption und Zersetzung eines phosphorreichen Gewebes keine Tagesschwankungen in dem Verhältniss zwischen Phosphorsäure und Stickstoff eintreten, kann man nach P. auch die von Feder bei Fleischfütterung constatirten Tagesschwankungen dieses Verhältnisses nicht auf eine stärkere oder geringere Betheiligung phosphorreicher Gewebe am Stoffwechsel beziehen, sondern allein auf die Resorption und Ausscheidung der im Fleisch enthaltenen phosphorsauren Salze.

Mairet (13) hat umfangreiche Untersuchungen über die Ausscheidung der Phosphorsäure beim Gesunden und Kranken angestellt unter Berücksichtigung der gleichzeitigen Stickstoffausscheidung. Danach vermindert sich die Ausscheidung der Phosphorsäure, sowohl der an Alkalien, als an Erden gebundenen, im Schlaf ebenso, wie die Stickstoffausscheidung, sie vermehrt sich im wachen Zustand: Phosphorsäure und Stickstoff gehen einander parallel. — Der Einfluss der Muskelarbeit ist verschieden und abhängig von dem Ernährungszustand. Je reichlicher die Ernährung ist, um so weniger wird die Phosphorsäureausscheidung durch die Muskelarbeit beeinflusst und bei einer gewissen Reichlichkeit der Nahrung überhaupt nicht. Ein und dasselbe Individium schied bei vegetabilischer Nahrung aus:

	Stickstoff	Phosphorsäure
Ruhe	19,3	2,03
Arbeit	24,68	2,37
	bei gemischter Nahrung	
Ruhe	21,17	2,11
Arbeit	22,55	2,27

Bei rein animalischer Kost modificirte die Muskelarbeit Stickstoff und Phosphorsäure nicht. Die Vermehrung der Phosphorsäure bleibt auch aus, wenn die Muskelarbeit nicht intensiv genug ist und sie betrifft in jedem Falle nur die an Basen gebundene Phosphorsäure. Das Plus an Phosphorsäure stammt nach M. nachweislich aus der Muskelsubstanz: bei nüchternen Hunden, die 2 Stunden gelaufen waren, enthielt das Blut der Art. femoralis 0,494 p. M. Phosphorsäure, das der Vena femoralis 0,551.

Derselbe (14) kommt zu dem Resultat, dass geistige Arbeit die Stickstoffausscheidung und die Ausscheidung der mit Alkali verbundenen Phosphorsäure herabsetzt.

Es wurde aus ein und demselben Individuum ausgeschieden:

	Gemischte Kost.		Vegetabil. Kost		Knappe Kost.	
	Ruhe.	Geistige Arbeit.	Ruhe.	Geistige Arbeit.	Ruhe.	Geistige Arbeit.
Stickstoff . .	24,54	22,00	10,82	8.54	12.13	10,71
Phosphorsäure.	1,65	1,53	1,16	1,10	1,13	0,99

Dagegen nimmt nach M. bei der geistigen Arbeit die Ausscheidung der an Erden gebundenen Phosphorsäure zu und zwar ist die Steigerung um so beträchtlicher, je geringer die Ernährung.

v. Mering (15) erhielt bei der Bestimmung der Chloride im Hundeharn nach der vom Ref. angegebenen Form der Volhard'schen Methode öfters gute Resultate, öfters aber auch zu hohe im Vergleich mit der Bestimmung nach dem Schmelzen mit Soda, Salpeter. Dagegen wurden stets richtige Werthe erhalten, wenn der Harn vorher etwa eine Stunde auf dem Wasserbad mit Zinkstaub und verdünnter Säure behandelt wurde (in Uebereinstimmung mit Gruber, s. Ber. f. 1883, S. 158). Chlorate lassen sich nach M. neben Chloriden im Harn leicht bestimmen. Durch Erwärmendes Harns mit Zinkstaub und verdünnter Säure, Titriren, erhält man die Gesammtsumme von Chloraten und Chloriden, ausgedrückt als Chloride. Die präformirten Chloride werden folgendermassen bestimmt: Der Harn wird nach dem Ansäuern mit Salpetersäure mit Silberlösung gefällt, der Niederschlag mit Zinkstaub und Essigsäure behandelt, das Filtrat enthielt die Chloride. Die Differenz ist auf die Chlorate zu beziehen.

Th. Lehmann (16) hat das umständliche und, wie L.'s Beleganalysen zeigen, nicht fehlerfreie Verfahren von Neubauer zur Bestimmung der Alkalien im Harn, wie folgt, modificirt.

50 ccm (100 ccm bei spec. Gewicht unter 1020) Harn werden unter Zusatz von 3—4 g Ammoniumsulfat eingedampft und verascht (bei überschüssigem Ammoniumsulfat ist nach des Verf. Controlbestimmung selbst bei starkem Erhitzen ein Verlust an Alkalien nicht zu befürchten). Die Asche wird in heisser verdünnter Salz-

säure gelöst, filtrirt, mit Barytwasser ausgefällt und mit dem Filtrat nach Neubauer weiter verfahren. Da das zur Trennung von KaCl von NaCl verwendete käufliche Platinchlorid stets freie Säure enthält, welche auf das Kaliumplatinchlorid lösend wirkt, so verdampft Verf. die mit Platinchlorid versetzte Lösung der Alkalichloride zur Trockene; der Rückstand wird mit Wasser versetzt, zum Syrup verdampft, 96 procentiger Alcohol hinzugefügt und dann sofort nach dem Absetzen des Niederschlages filtrirt. Nach seinem Verfahren erhält Verf. etwas höhere Werthe als bei Neubauer's Methode.

Bemerkenswerthe Resultate hat Worm-Müller (17) bei seinen Versuchen über die Ausscheidung des Zuckers im Harne des gesunden Menschen nach Genuss von Kohlehydraten erhalten. 1. Amylum. Nach dem Genuss von 250 g Stärke war im Harn zu keiner Zeit Zucker nachweisbar, auch nach dem Kochen mit verdünnter Schwefelsäure erwies sich der Harn zuckerfrei; ebenso negativ war der Befund nach dem Essen von Weissbrod. 2. Von grossen Mengen Rohrzucker gingen nachweisbare Quantitäten in den Harn über: von 250 g, auf einmal genossen, 1,81 g, von 100 g 0,85, von 50 g ca. 0,1 g. Zur Bestimmung des Zuckers diente die Polarisation. Traubenzucker und Fruchtzucker waren nicht in dem Harn nachweisbar, die Ausscheidung des Rohrzuckers war stets vor Ablauf von 24 Stunden beendet. 3. Milchzucker. Von 200 g Milchzucker wurden 1,68 g im Harn ausgeschieden, von 100 g 0,32 g. Die Ausscheidung dauert länger, wie beim Rohrzucker, was wohl in der geringeren Löslichkeit des Milchzuckers und langsameren Resorption seine Erklärung findet. Danach ist es nach M. wohl möglich, dass der Harn nach dem Genuss grösserer Mengen Milch oder Molken Milchzucker enthalten kann. Ist die Menge desselben irgend erheblich, wie in dem Harn von Wöchnerinnen beim Absetzen des Kindes, so behält der Harn seine reducirenden Eigenschaften auch nach dem Gähren mit Hefe und es lässt sich dieses Verhalten zur Erkennung des Milchzuckers verwerthen. 4. Traubenzucker. Nach der Aufnahme von 50 g Traubenzucker gab der $3\frac{1}{2}$ Stunden später entleerte Harn deutliche Zuckerreaction. Durch Titriren bestimmte M. 0,22 pCt. Der Uebergang ist nicht constant, blieb einmal auch nach Aufnahme von 100 g aus; ein anderes Mal trat erst nach 6 Stunden Traubenzucker auf. Aehnlich sind die Resultate mit Honig, einem Gemisch von Traubenzucker und Fruchtzucker. Auf Grund dieser Versuche ist es nach M. 1) möglich, dass auch im Harn von Gesunden zeitweilig Zucker erscheint und 2) nicht zulässig, aus dem Auftreten von Zucker nach reichlichem Genuss desselben einen Rückschluss auf bestehenden Diabetes zu machen.

Kleine Mengen von Zucker im Harn (unter 0,5 pCt.) lassen sich nach demselben (18) durch Polarisation nicht sicher bestimmen, weil sie den Fehlergrenzen zu nahe liegen. Die Bestimmung mit der Knapp'schen Flüssigkeit — alkalische Lösung von Quecksilbercyanid — ist ausführbar, liefert aber zu hohe Werthe wegen der stets im Harn vorhandenen reducirenden Substanzen, welche 0,05—0,4 pCt. Traubenzucker aequivalent sein können, dagegen giebt, nach M., diese Methode sichere Werthe, wenn man den Harn vor und nach der Gährung mit Hefe titrirt. Die Differenz zwischen beiden Bestimmungen entspricht dem Traubenzuckergehalt mit einer Genauigkeit bis zu 0,05 pCt. — Spuren von reducirender Substanz, etwa entsprechend 0,01—0,02 pCt. Traubenzucker, werden auch in normalem Harn durch Gährung zerstört. In Lösungen von Traubenzucker in Harn, welche enthielten:

pCt.	pCt.	pCt.	pCt.	pCt.	pCt.
2,0	1,0	0,5	0,25	0,125	0,0625

wurden so gefunden:

pCt.	pCt.	pCt.	pCt.	pCt.	pCt.
1,91	1,015	0,494	0,248	0,113	0,074

Die Roberts'sche, später von Manasseïn u. A. empfohlene Methode, den Zucker nach der Differenz des spec. Gewichtes vor und nach der Gährung zu bestimmen, ergab richtige Werthe bis zu 04,—0,5 pCt. (jedoch nur unter Anwendung eines Piknometers); darunter wird die Bestimmung unsicher.

Bekanntlich verdient die Wismuthprobe im Princip vor der Trommer'schen den Vorzug, da weder Harnsäure noch Kreatinin Wismuthoxyd reducirt. Da indess jeder normale Harn, mit Wismuthsubnitrat und Natronlauge längere Zeit erhitzt, sich schwärzt, so hat Ref. empfohlen, die Wismuthprobe mit Natriumcarbonat anzustellen, das man im Harn bis zur Sättigung auflöst; allerdings erleidet dadurch wiederum die Schärfe der Probe Abbruch, indem dann Zuckermengen von 0,1—0,2 pCt. keine Schwärzung mehr geben. Nach dem Vorgange Almen's hat Nylander (19) (unter Hammarsten's Leitung) die Empfindlichkeit und Brauchbarkeit einer alkalischen Wismuthlösung für den Zuckernachweis im Harn geprüft. Das Reagens enthielt neben wechselnden Mengen von Natriumhydroxyd 2 pCt. Bismuth subnitr. und 4 pCt. Seignettesalz. Die grösste Empfindlichkeit wird nach Verf.'s Versuchen erreicht, wenn das Reagens 8 pCt. Natriumhydroxyd enthält und zu 1 Vol. Harn $\frac{1}{10}$ Vol. der Reagenslösung gegeben wird; hier liess sich $\frac{1}{4}$ p. M. Zucker im Harn nachweisen; mit steigendem Gehalt von Natriumchlorid nimmt die Empfindlichkeit ab. (Da die Natronlauge der Ph. G. 15 pCt. Natriumhydroxyd enthält, so wäre das Reagens etwa so zusammenzusetzen: 2 Grm. Bismuth subnitr., 4 Grm. Natr. kal. tart., 50 g Liq. Natr. caust. und 50 g Aq. dest. Ref.)

Durch Untersuchung von mehr als 100 Harnen ist, bei Einhaltung der oben gegebenen Vorschrift, die Zuverlässigkeit der Probe erwiesen; bei positiver Wismuthprobe konnte auch durch Worm-Müller's Modification der Trommer'schen Methode sowie durch die Gährungsprobe das Vorhandensein von Zucker dargethan werden. Die gleichzeitige Gegenwart von Eiweiss neben $\frac{1}{10}$ pCt. Zucker stört erst dann den Nachweis mit der Wismuthprobe, wenn das Eiweiss zu ca. $\frac{1}{3}$ pCt vorkommt; $\frac{1}{5}$ pCt. Eiweiss giebt noch eine gute und $\frac{1}{10}$ pCt. Eiweiss eine sehr schöne Reaction, auch wenn daneben nur $\frac{1}{10}$ pCt. Zucker sich findet. Die Reagenslösung ist übrigens nach des

Verf.'s Beobachtungen mindestens ein halbes Jahr lang haltbar.

An einer grossen Zahl von diabetischen Harnen hat Worm-Müller (50) seit einer Reihe von Jahren den Zucker vergleichend polarimetrisch und durch Titriren bestimmt, nachdem er sich vorher überzeugt hatte, dass bei normalem, Traubenzucker enthaltenden. Harn beide Bestimmungen bis auf +0.1. selten 0,2 pCt. übereinstimmen. Im Mittel ergab die Titrirung bei 212 diabetischen Harnen von wenigstens 0.5 pCt. Zuckergehalt 0,35 pCt. mehr, wie die Polarisation. Sieht man von einer Anzahl von Fällen ab, in denen die Titrirung bedeutend mehr ergab, so sinkt der Durchschnittswerth des Plus auf 0,25 pCt., das ist ungefähr soviel, als dem Gehalt des normalen Harns an reducirenden Substanzen, welche nicht Zucker sind, entspricht. Wo die Abweichung grösser ist, kann hieran die Gegenwart linksdrehender Substanzen Schuld sein und es ergiebt sich hieraus die auch von Külz ausgesprochene Regel, der Vorsicht halber jedenfalls die Polarisation auch nach dem Vergähren des Harns zu bestimmen. Für geringe Zuckergehalte von +0,2 bis —0,2 pCt. verwirft Verf. die Polarisation ganz.

Im zweiten Theil geht M. näher auf die Ursachen bedeutender Differenzen zwischen der optischen und chemischen Methode ein, nachdem er vorher die Literaturangaben über das Vorkommen von Levulose, einer linksdrehenden Zuckerart im Harn von Diabetikern, einer genauen kritischen Besprechung unterworfen hat. M. kommt dabei zu dem Resultat, dass stringente Beweise für die Gegenwart von Levulose nicht vorliegen. Aus einem Harn, welcher die erwähnte Differenz in hohem Grade zeigte, konnte Verf. durch Alcoholextraction u. s. w. eine Lösung herstellen, welche nach dem Resultat des Titrirens 1,1 pCt. Zucker enthielt, dagegen links drehte entsprechend 2,6 pCt.; nach dem Gähren stieg die Drehung auf —3,3 pCt., während die chemische Bestimmung nichts mehr ergab. Aus diesen und ähnlichen Fällen zieht M. den Schluss, dass Levulose nicht vorlag, sondern eine nicht reducirende, linksdrehende Substanz neben Traubenzucker. Diese Substanz ist inzwischen von Külz und Minkowski als Pseudoxybuttersäure (oder Acetonsäure) erkannt (siehe weiter unten 33, 34, 35).

Penzoldt (20) weist darauf hin, dass die explosiven Eigenschaften der von ihm für die Zuckerreaction empfohlenen Diazobenzolsulfosäure nicht hervortreten, wenn man die Säure unter Chloroform aufbewahrt. (Auch in dem Falle von Explosion, der den Ref. zum Anrathen von Vorsicht beim Gebrauch der Säure veranlasst hat, war dieselbe mit Chloroform angefeuchtet. Anfeuchtung genügt also nicht; die Explosion erfolgte bei Herausnahme einer Probe mit einem Taschenmesser. Ref.) — Zum Nachweis von Gallenfarbstoff empfiehlt P. den Harn zu filtriren, das Filter zu trocknen und mit einigen Cubikcentimetern concentrirter Essigsäure zu begiessen; die Säure lässt man dann in ein etwas breites Glas ablaufen; bei Gegenwart von Gallenfarbstoff färbt sich die Essigsäure allmälig grün und auch auf dem Filter zeigen sich grüne Ränder. — Zur Unterscheidung des Rheum- und Santoninfarbstoffes im Harn schüttelt man, nach P., eine Probe des Harns mit Aether: bei Rheumgebrauch erscheint der Aether danach schwach gelblich, bei Santonin farblos. Giesst man den Aether ab und setzt Kalihydrat hinzu, so tritt nach Rheumgebrauch an der Berührungsstelle sofort rothe Färbung auf, die beim Umschütteln in die Kalilauge übergeht, während der Aetherauszug des Santoninharns farblos bleibt.

Die bisher im Schweineharn vermisste Harnsäure fand Salomon (21) in einer grösseren durch Ausstreichen der Blasen von 60 Schweinen gewonnenen Quantität Urin. Der Urin war blutfrei, klar, von dunkelgelber Farbe und deutlich saurer Reaction, 1021 specifischem Gewicht. Aus $5^1/_2$ l Urin wurden 0,65 g eines gut krystallisirten, aschefreien, fast weissen Präparates erhalten, dass sich durch Murexidprobe und Elementar-Analyse als Harnsäure auswies. Neben der Harnsäure fanden sich Xanthinkörper, und zwar einerseits Xanthin, andererseits ein Xanthinkörper, der nach seinen Reactionen dem Guanin sehr nahe stand, beim Erhitzen auf Platinblech jedoch nicht den isonitrilartigen Geruch gab, welcher nach S.'s Erfahrungen dem Guanin zukommt. Das Verhältniss zwischen Harnsäure und Harnstoff ergab sich in einer zweiten Harnquantität = 1:150.

In einem Nachtrage erwähnt S. eine Notiz von Meissl und Stohmer, nach welcher diese Autoren in dem Harn eines zu Stoffwechselversuchen dienenden Schweins „Spuren von Harnsäure" qualitativ nachweisen konnten.

Derselbe, (22) giebt eine ausführliche Beschreibung der Darstellung und Eigenschaften des Paraxanthin, welche durch die inzwichen gemachten Beobachtungen wesentlich erweitert ist. S. hat mit dem Namen Paraxanthin bekanntlich einen neuen von ihm im Harn aufgefundenen Xanthinkörper bezeichnet, der sich von allen anderen Xanthinkörpern durch das Auftreten in macroscopischen Krystallen unterscheidet. Er theilt mit denselben die Fällbarkeit mit Silberlösung, welche auch der Darstellung zu Grunde liegt, über deren Einzelheiten auf das Orig. verwiesen werden muss. Bezüglich der Eigenschaften des Paraxanthin kann zum Theil auf das frühere Referat verwiesen werden; nachzutragen wäre hauptsächlich Folgendes: Während das Paraxanthin in seinen Löslichkeitsverhältnissen, der Reaction mit Salpetersäure und Natron, der Weidel'schen Reaction, dem Verhalten zu Fällungsmitteln theils dem Xanthin, theils dem Hypoxanthin, theils dem Guanin gleicht, unterscheidet es sich von allen durch die mangelnde Fällbarkeit mit Sublimat und Mercurinitrat, sowie durch sein Verhalten zu Natronlauge. Die Fällbarkeit der anderen Xanthinkörper durch Quecksilberchlorid ist ein gutes Mittel, Reste anhängender Xanthinkörper zu erkennen, resp. zu beseitigen. — Lässt man einen Tropfen Natronlauge in eine Paraxanthinlösung einfliessen, so scheidet sich, je nach der Concentration, sofort oder nach einigen Minuten die Natronverbindung des Paraxanthins krystallinisch aus. Diese Natronreaction ist auch sehr geeignet zur Auffindung des Paraxanthins in unreinen, noch andere Xanthinkörper enthaltenden Lösungen. Die Elementaranalyse führte zu der Formel $C_7H_8N_4O_2$. Dieselbe stimmt überein mit der des Theobromin und einem von E. Fischer in neuester Zeit dargestellten Harnsäurederivat, dem Dioxydimethylpurin, das Fischer selbst als verschieden vom Paraxanthin bezeichnet. Von der Verschiedenheit des Paraxanthins vom Theobromin konnte sich S. gleichfalls überzeugen.

Es war nun noch die Frage zu entscheiden, ob das Paraxanthin in der That als solches im Harn präformirt ist oder vielleicht, so unwahrscheinlich dieses auch an sich ist, aus den Xanthinkörpern oder anderen noch unbekannten Substanzen durch Einwirkung der bei der Darstellung angewendeten Salpetersäure hervorgehe. Zu dem Zweck wurde aus 650 l Harn Paraxanthin unter Vermeidung von Salpetersäure und Entfernung der übrigen Xanthinkörper durch Sublimat dargestellt und die Identität der erhaltenen Substanz durch von Arzruni ausgeführte Krystallmessungen bestätigt. — Die Abhandlung enthält eine durch photographische Abbildungen erläuterte Beschreibung der Krystallformen, sowie die Ergebnisse der von Arzruni ausgeführten Winkelmessungen (s. d. Ber. f. 1883, S. 155).

Ref. (23) hat in den salzsauren Mutterlaugen, welche bei der Darstellung der Hippursäure aus Pferdeharn resultiren, eine der Hippursäure nahestehende Säure, die Phenaceturnsäure gefunden. Die Säure geht beim Schütteln der salzsauren Lösung (nach Abscheidung der Hippursäure) mit Aether in diesen über und kann aus der Aetherlösung sehr leicht erhalten werden. Die Säure erwies sich als identisch mit der Säure, welche Ref. früher in Gemeinschaft mit H. Salkowski in dem nach Fütterung von Phenylessigsäure entleerten Harn gefunden hatte. Die Quantität dieser Säure ist nicht unerheblich, aus 5 Liter Pferdeharn erhält man etwa 4 g. Das Vorkommen der Säure zeigt, dass sich im Darmcanal des Pferdeharns durch Eiweissfäulniss Phenylessigsäure bildet. Steht dieses fest, so liegt keinerlei Grund vor, von der gleichzeitigen Entstehung von Hydrozimmtsäure durch Fäulniss im Darmcanal abzusehen, welche im Körper in Hippursäure übergeht. Damit ist die Abstammung der Hippursäure von Eiweissfäulniss bewiesen.

Quincke (25) erörtert einige Bedingungen der alkalischen Reaction des Harns. Q. weist zunächst darauf hin, dass der Harn ganz ebenso, wie nach Aufnahme kohlensaurer Alkalien auch durch Resorption alkalischer Transsudate alkalisch werden könne; so sah Q. den Harn bei der Resorption von Oedem und Ascites im Verlauf von Nephritis, Herzkrankheiten oder anderen Erkrankungen alkalische Reaction annehmen. Auch experimentell gelang es bei Hunden durch Einspritzung von Transsudaten in die Bauchhöhle alkalische Reaction des Harns herbeizuführen. Ebenso wirkt die Einspritzung von Blut unter die Haut oder in die Bauchhöhle; dementsprechend beobachtete Q. auch bei starker Blutung in den Intestinaltractus alkalischen Harn. In dieselbe Categorie gehört auch die von Panum, Landois, Ponfick bei Infusionen fremden Blutes neben Haemoglobinurie und die von Rosenbach bei spontaner Haemoglobinurie beobachtete alkalische Reaction des Harns. Während der Bildung seröser Transsudate beim Menschen muss das darin aufgespeicherte Alkali dem Gesammtvorrath des Körpers entnommen sein; man darf danach annehmen, dass dadurch eine vermehrte Säureausscheidung durch den Harn zu Stande kommt, welche ihrerseits die Ausscheidung von Harnsäure befördert. Q. führt einen Fall von Insufficienz der Mitralis mit beginnendem Hydrops an, bei dem der Harn trotz regelmässiger Verabreichung beträchtlicher Mengen von Kali bitartaricum resp. Natron aceticum sauer blieb.

Ebenso kann alkalische Reaction die Folge von Verlust sauren Magensaftes sein, wie dieses Q. schon früher ausgeführt hat. Nur der Verlust von Salzsäure im Magensaft hat diese Wirkung, der Verlust organischer Säuren natürlich nicht, man kann also auch aus der Beschaffenheit des Harns bei Entleerung des Mageninhaltes Rückschlüsse auf die Natur der Säure machen. Bekanntlich wird auch nach der Mittagsmahlzeit der Harn häufig alkalisch, Q. erörtert die Gründe, warum dieses nicht regelmässig der Fall ist.

Abgesehen von den Mahlzeiten zeigt der Säuregrad des Harns auch sonst noch Schwankungen im Laufe des Tages; nach Q. fällt das Säureminimum im Allgemeinen auf den Vormittag und ist der Harn in den Morgen- und Vormittagsstunden garnicht selten alkalisch und durch phosphorsauren Kalk getrübt. Wahrscheinlich findet auch in anderen Organen, nicht nur im Verdauungsapparat, eine zeitweilige Säure- oder Alkaliaufspeicherung statt und es erklärt sich so der vielfache Wechsel der Reaction des Harns. Besonders disponirt zu zeitweilig alkalischer Beschaffenheit des Harns sah Q. erregbare nervöse Individuen.

Endlich hat Q. noch constatirt, dass der in den ersten Morgenstunden vor Aufnahme von Nahrung secernirte reichliche und relativ dünnere Harn eine Tendenz zur Abnahme der Acidität resp. Auftreten alkalischer Reaction zeigt. Im Anschluss daran hat Q. den Grad der Alkalescenz einiger Transsudate bestimmt. Derselbe wechselte von 61—265 mg Na_2O für 100 ccm Flüssigkeit.

Zur Bestimmung des im Eiweissharn enthaltenen Globulins hat Hammarsten empfohlen, den Harn mit Magnesiumsulfat zu sättigen, wodurch das Globulin vollständig ausgefällt wird. Bei der sauren Reaction des Harns liegt jedoch die Gefahr nahe, dass dabei gleichzeitig Albumin mitgefällt wird. In der That überzeugte sich Ott (26), dass aus reinen Serumalbuminlösungen, welche mit wechselnden Mengen von neutralem und saurem Natrium- oder Kaliumphosphat versetzt waren, beim Sättigen mit Magnesiumsulfat alles Albumin zur Ausscheidung gelangte, wenn sie nur saures Phosphat enthielten; bei geringerem Gehalt wenigstens ein Theil. Wenn jedoch die Hälfte des gesammten Phosphorsäuregehaltes als neutrales Salz vorhanden war, fiel beim Sättigen mit Magnesiumsulfat kein Albumin mehr aus. O. empfiehlt darauf hin, den Harn so weit zu neutralisiren, bis er amphotere Reaction zeigt; damit wird die Gefahr gleichzeitiger Albuminausfällung vermieden. Die Angaben über Globulingehalt des Harns, bei denen die Reaction des Harns nicht berücksichtigt ist, können demnach nicht als beweisend angesehen werden.

Veale (27) giebt specielle Vorschriften für die Schätzung der Menge des Albumins im Harn nach der Höhe des durch Pikrinsäure bewirkten Niederschlages nach Esbach. Die von V. benutzte Lösung enthält 1 g Pikrinsäure und 2 g Citronensäure auf 100 Wasser. Der Harn wird, falls er nicht deutlich sauer reagirt, mit Essigsäure angesäuert. Im Mittel gaben 10 Bestimmungen nach dieser Methode und durch Wägung 4,06 p. M. Die Einzelbestimmungen stimmten annähernd mit einander überein.

Coignard (28) hat den 24 Stunden hindurch gesammelten Urin von 480 Personen, darunter Kinder, Frauen und Greise untersucht und bei 235 derselben bald häufig, bald selten Albumin gefunden, und zwar 87 Mal mehr als 0,1 g; in 98 Fällen fand sich gleichzeitig Zucker (!? Ref.). Als Reagens auf Eiweiss benutzte C. dabei Jodquecksilberkalium + Essigsäure, zur Controle aber auch die Kochprobe und Zusatz von Salpetersäure. C. hält indessen diese Albuminurie nicht für physiologisch, sondern bedingt durch vorübergehende Störungen, worüber das Orig. zu vergleichen.

Oliver (29) empfiehlt zur Schätzung der Eiweissmenge die Trübung zu benutzen, welche in eiweisshaltigem Harn durch verschiedene Reagenspapiere, vor Allem durch Kaliumquecksilberjodidpapier erzeugt wird. Man vergleicht die Intensität der Trübung mit der in einer $^1/_{10}$ proc. Lösung von Serumalbumin hervorgerufenen. Die Vergleichung wird erleichtert durch ein hinter die Flüssigkeit gehaltenes Papier mit Strichen. Da die Serumalbuminlösung nicht jederzeit zur Hand ist, ist es zweckmässig, sie durch ein opakes Glas zu ersetzen, das ein für allemal hinsichtlich seiner Durchsichtigkeit mit Hülfe der $^1/_{10}$ proc. Serumalbuminlösung geprüft ist oder durch eine mit Ammon versetzte Alaunlösung.

Nobel (30) macht zunächst auf einige nicht genügend beachtete Angaben von Gunning über das Verhalten des Acetons aufmerksam: 1) dass Aceton mit Jodtinctur (wohl alcoholische? Ref.) und Ammoniak Jodoform giebt, während Alcohol dieses nicht thut, 2) dass Aceton frischgefälltes Quecksilberoxyd löst, das sich im Filtrat leicht nachweisen lässt, sowie fernerhin darauf, dass Aceton mit Nitroprussidnatrium und Natronlauge rothe Färbung giebt, die beim Zusatz von Essigsäure violet wird (diese Reaction ist von Legal bereits beschrieben. S. d. Ber. 1883 S. 160. Ref.). Ueber die Reactionen von Aceton, Acetessigäther etc. giebt N. folgende Tabelle:

	Aceton	Acetessigäther	Aldehyd	Kreatinin
Nitroprussidnatrium + KHO	rubinroth.	rubinroth.	rubinroth, dann gelb.	rubinroth, rasch gelb werdend.
Nitroprussidnatrium + KHO + Säuren	violet	stärkere Färbung.	keine Veränderung.	keine Veränderung.
Nitroprussidnatrium + Ammoniak	allmälig rosaviolet.	rubinroth.	0	0

N. ist der Ansicht, dass es die diesen Körpern angehörende Gruppe $CO\text{-}CH_3$ ist, welche die Reaction bewirkt. — In 15 l normalem Harn von einem Individuum, das wochenlang keine alcoholischen Getränke zu sich genommen hatte, fand N. nur Spuren von Aceton (mit Jod-Jodammonium), dagegen gab das Destillat des Harns, nachdem kein Aceton mehr nachweisbar war, noch die gewöhnliche Jodoformreaction. Der Harn Fiebernder enthielt häufig, aber nicht immer Aceton, der Harn in fünf Fällen von Magencarcinom oft und viel. Die Ausscheidungsverhältnisse des Acetons beim Diabetes fand N. ausserordentlich oft wechselnd und unabhängig vom Zuckergehalt und der Stärke der Eisenchloridreaction. Betreffs der Erörterungen über das Coma diabeticum muss auf das Original verwiesen werden.

Eine genaue Vergleichung der zahlreichen zum Nachweis des Acetons vorgeschlagenen Proben an wässrigen Lösungen von reinem Aceton führt Jacksch (31) zu dem Resultat, dass die Lieben'sche Reaction — gelber, krystallinischer Niederschlag bei Zusatz von Jod-Jodkalium und Natronlauge — von allen die empfindlichste ist: sie lässt 0.01 mg Aceton in 1 cm Flüssigkeit sofort erkennen, versagt aber auch bei 10 fach, ja 100 fach kleineren Mengen nicht, nur erfolgt die Jodoform-Ausscheidung sehr langsam. Ihr zunächst steht die Probe von Gunning — Jodoformbildung bei Zusatz von Jodtinctur und Ammoniak — und von Reynold's (Auflösung von frischgefälltem Quecksilberoxyd), mittelst deren 0.01 mg Aceton nachgewiesen werden kann, weit weniger empfindlich sind die Nitroprussidnatriumproben von Legal und Le Nobel und noch unempfindlicher die Penzoldsche (Bildung von Indigo aus Orthonitrobenzaldehyd nach Bayer und Drewsen), die bei 1,6 mg Aceton ihre Grenze findet. Die Lieben'sche Reaction giebt allerdings auch der Alcohol, aber nur bei verhältnissmässig so grosser Concentration, dass dieser Umstand wenig in Betracht kommt.

In 64 Harnproben von den verschiedensten Krankheiten ergab das Destillat aus 300 bis 600 ccm Harn constant, mit Ausnahme weniger Fälle, die Lieben'sche Jodoformreaction, auch die anderen Proben fielen häufig positiv aus. Dabei zeigte sich die auffallende

Erscheinung, dass die Nitroprussidprobe, namentlich in der Modification von Le Nobel (Nitroprussidnatrium, dann Ammoniak, dann Essigsäure) oft eine im Verhältniss zur geringen Ausscheidung von Jodoform viel zu starke war. Wie Verf. gefunden hat, giebt auch das Paracresol, das sich in Spuren in den Harndestillaten vorfindet, die Le Nobel'sche Reaction, diese ist somit für sich allein nicht beweisend. Die Legal'sche Probe ist bei directer Anstellung am Harn nicht mit diesem Fehler behaftet. Was den Acetongehalt des Harns in den untersuchten Fällen betrifft, so zeigte sich die Menge abhängig vom Fieber. Um zu entscheiden, ob das Aceton in den Harndestillaten von Zersetzung etwa vorhandener Acetessigsäure herrühre oder präformirt sei, wählte J. Harne, die keine Eisenchloridreaction gaben, also keine Acetessigsäure enthielten, dagegen bei der Destillation Aceton lieferten. Durch Ausschütteln von genuinem, alkalisirten und angesäuerten Harn mit gereinigtem Aether und Schütteln des Aetherauszuges mit Wasser überzeugte sich J., dass das Aceton im Harn präformirt ist. — Bezüglich der ausführlichen Kritik der dem Verf gegen den Nachweis des Acetons gemachten Einwendungen muss auf das Original verwiesen werden. Die Untersuchung des Blutes Fiebernder und der Exspirationsluft führte J. zu dem Resultat, dass beide eine flüchtige, die Acetonreaction gebende Substanz enthalten, welche mit Wahrscheinlichkeit als Aceton anzusehen ist. Bezüglich einer ähnlichen im Erbrochenen und in den Faeces in einer grossen Zahl von Untersuchungen vorgefundenen Substanz spricht sich Verf. mit weit grösserer Reserve aus.

Nach dem von Stadelmann zur Darstellung der Crotonsäure aus dem diabetischen Harn angewendeten Verfahren, hielt es Minkowski (33) für möglich, dass diese Säure nicht primär im diabetischen Harn vorhanden, sondern erst bei der Behandlung aus einer anderen Säure hervorgeht. Als solche ergab sich eine Säure von der Zusammenstellung der Oxybuttersäure. Zur Darstellung der Säure aus diabetischem Harn — erst der 6. Fall, den M. untersuchte, enthielt die Säure in grösseren Mengen — empfiehlt er schliesslich folgendes Verfahren.

Der alcoholische Harnextract wird verdampft, mit Schwefelsäure angesäuert, mit Aether wiederholt ausgeschüttelt, der Aether abdestillirt, der Rückstand mit Wasser aufgenommen und nach einiger Zeit filtrirt, das Filtrat mit Thierkohle möglichst entfärbt, mit Natronlauge genau neutralisirt und auf dem Wasserbad zum dicken Syrup eingedämpft. Versetzt man diesen Syrup mit einigen Tropfen einer möglichst concentrirten Lösung von Silbernitrat, so erstarrt derselbe bei Gegenwart von Oxysäurebuttersäure zu einem Brei haarfeiner, dicht verfilzter Crystalle.

Die zu den Untersuchungen dienende Säure hat M. auf einem etwas anderen Wege dargestellt. Die Analysen des Zinksalzes, Natronsalzes und Silbersalzes führten mit aller Bestimmtheit zu der Formel $C_4H_8O_3$. Die Eigenschaften der Säure stimmen mit der von Wislicenus und Markownikoff dargestellten β Oxybuttersäure (Acetonsäure) von der Formel $CH_3 - CH(OH) - CH_2 - COOH$ überein. Von dieser Säure ist es bekannt, dass sie bei der Destillation mit Schwefelsäure unter Wasserabspaltung β-Crotonsäure liefert, wodurch der Befund von Stadelmann vollständig erklärt wird. Ein weiterer Beweis für die angenommene Constitution der Säure liegt in ihrem Verhalten zu Oxydationsmitteln. Wislicenus hat seine β-Oxybuttersäure durch Behandlung aus Acetessigsäure mit Natriumamalgam erhalten, M. vermuthete, dass umgekehrt die β-Oxybuttersäure bei der Oxydation Acetessigsäure oder, da diese sehr zersetzlich ist, direct Aceton und CO_2 liefern müsse In der That erhielt M. beim Destilliren seiner Säure mit chromsaurem Kali und Schwefelsäure im Destillat reichlich Aceton. Weiterhin erörtert M. die Beziehung der Oxybuttersäure zum Coma diabeticum. Wie Stadelmann ist M. der Ansicht, dass eine Anzahl von derartigen Fällen auf einer Entziehung von Alkali durch die entstandene Oxybuttersäure beruht. Auf Grund dieser Anschauung wurde in einem Falle von Coma diabeticum, in dem die Urinuntersuchung grosse Quantitäten von Oxybuttersäure ergeben hatte, Natron carbonicum in Dosen von 20 g mehrmals theils innerlich, theils per clysma angewendet. Der tödtliche Ausgang konnte allerdings nicht verhindert werden, jedoch trat vorübergehend Besserung ein und der Urin behielt trotz der grossen Menge des angegebenen Alkali saure Reaction, was für einen sehr bedeutenden Mangel an Alkali im Körper spricht.

In dem Nachtrag (34) erörtert M. das Verhältniss der von Külz (siehe 35) in diabetischem Harn aufgefundenen Paraoxybuttersäure zu der von ihm entdeckten. M. constatirt nachträglich, dass auch seine Säure Linksdrehung zeigt, die für die freie Säure 20,6° beträgt, für das Natriumsalz 15°. Damit ist die Identität beider Säuren erwiesen. Was das Verhältniss der Säure zu der bisher bekannten Oxybuttersäure betrifft, von denen nach Külz keine mit der aus dem diabetischen Harn erhaltenen übereinstimmt, so überzeugte sich M.; dass die künstlich aus Acetessigäther durch Reduction mit Natriumamalgam erhaltene β-Oxybuttersäure mit der aus dem diabetischen Harn dargestellten übereinstimmt, bis auf den einen Punkt, dass sie optisch inactiv ist. Es liegt hier also nach M. ein ähnlicher Fall vor, wie bei der Milchsäure. Statt „Pseudooxybuttersäure" schlägt M. vor: Paraoxybuttersäure oder „Acetonsäure".

Unabhängig von Minkowski hat E. Külz (35) dieselbe Säure im diabetischen Harn gefunden. In einigen diabetischen Harnen fand K. nach dem vollständigen Vergähren des Traubenzucker deutliche Linksdrehung; die active Substanz war weder durch Bleizucker, noch durch Bleiessig, noch endlich durch Bleiessig und Ammoniak fällbar, es konnte sich also auch nicht um die von Haas (Centralbl. 1876, S. 149) im normalen Menschenharn beobachtete linksdrehende Substanz handeln (nach Verf.'s Erfahrungen dreht der normale Harn von Kälbern, Kühen, Pferden und Schweinen stärker nach links als der Menschenharn).

Zur Isolirung der linksdrehenden Substanz wurden

ein Mal 40, ein anderes Mal 70 Liter diabetischen Harns verwandt. Nach Vergährung des Zuckers und nach starker Concentration wurde mit Bleizucker, Bleiessig und Bleiessig + Ammoniak ausgefällt, das Filtrat entbleit, eingedampft, mit wenig starkem Alcohol aufgenommen und mit absolutem Alcohol reichlich versetzt; aus dem alcoholischen Filtrat schied die fünffache Menge von Aether den grössten Theil der linksdrehenden Substanz aus. Oder es wurde nach der Vergährung des Zuckers die saure Flüssigkeit zum Syrup eingeengt, aus dem die active Substanz durch grosse Mengen von Aether ausgeschüttelt wurde.

Die so gewonnene Säure wurde möglichst gereinigt (vergl. das Original) und dann in das Barytsalz übergeführt und aus diesem das Na-, K-, Cu-, Zn- und Ag-Salz dargestellt; das Silbersalz krystallisirte besonders schön in theils sternförmig, theils garbenartig gruppirten Nadeln; seine Analyse führte zu der Formel $C_4H_7AgO_3$, seine specifische Drehung ergab sich zu — 8,6° —. Die aus dem Silbersalz durch Schwefelwasserstoff abgeschiedene Säure hat sich bisher nur als farbloser Syrup gewinnen lassen; die Analyse der Säure stimmte zu der Formel Oxybuttersäure $C_4H_8O_3$, die Säure gab mit Eisenchlorid keine Farbenreaction und war mit Wasserdämpfen nicht flüchtig; da ihre Eigenschaften zu keiner der vier bekannten Oxybuttersäuren stimmen, schlägt Verf. vor, seine Säure Pseudooxybuttersäure zu nennen.

Eine genauere Prüfung der Harne von im Ganzen 52 Diabetikern, die sich stets auf mehrere Tage, in manchen Fällen sogar auf Wochen und Monate erstreckte und deren Resultate sich tabellarisch zusammengestellt finden, hat nun ergeben, dass die durch die Pseudooxybuttersäure bedingte Linksdrehung in allen jenen schweren Fällen der schweren Form des Diabetes beobachtet wurde, deren Harn gleichzeitig die durch Acetessigsäure bedingte burgunderrothe Färbung mit Eisenchlorid lieferte, so dass dem Auftreten der Säure diagnostisches und prognostisches Interesse zukommen dürfte. Prognostisch auch, insofern man den Verlust in Anschlag bringen muss, den der Organismus durch die Ausfuhr der Säure ausser dem Zucker erfährt; diesen Verlust berechnet Verf. für einen Fall annäherungsweise auf über 200 g für die 24 stündige Harnmenge. — Das Vorkommen der linksdrehenden Oxybuttersäure erklärt zugleich, weshalb die polarimetrische Bestimmung des Zuckers bisweilen niedriger ausfällt, als die titrimetrische.

Otto (36) fand in dem Harn eines auf ausschliessliche animalische Diät neben ein wenig Gemüse und Glutenbrod gesetzten Diabetikers an 9 auf einander folgenden Tagen 0.1617 bis abnehmend 0.0768 g Indigo (aus Indican); auch die Phenolmenge war anfangs erheblich, nahm dann ab. Das Verhältniss der gepaarten Schwefelsäure zur präformirten betrug 1 : 8,8 — 10.6, der Zuckergehalt zwischen 1.5 und 2.8 pCt. Zur Zeit dieser hohen Indicanausscheidung, welche nachher wieder abnahm, war leichte Diarrhoe vorhanden Aus 10 l Harn konnte indoxylschwefelsaures Kali dargestellt werden. Bezüglich der von O. discutirten Frage, ob in diesem Falle neben Indoxylschwefelsäure vielleicht auch Indoxylglycuronsäure vorhanden war, vergl. das Orig. — In einem anderen Falle von Diabetes gab der Harn bei Anstellung der Indicanprobe starke rothviolete Färbung, welche nach Brieger auf Scatoxylschwefelsäure zu beziehen ist. In der That gelang es O. aus 11 l Harn ungefähr 0.8 g scatoxylschwefelsaures Kali darzustellen und durch Bestimmung des Stickstoffs und der Schwefelsäure, sowie durch Vergleich mit den von Brieger angegebenen Eigenschaften zu identificiren. — Weiterhin erörtert O. die Frage, ob in dem Harn noch andere scatolbildende Substanzen vorhanden waren, namentlich die von E. und H. Salkowski als Fäulnissproduct aufgefundene Scatolcarbonsäure, die zu kleine Harnmenge gestattete jedoch keine sichere Entscheidung.

Maguire (37) bespricht im Anschluss an einen von ihm beobachteten Fall von Dunkelwerden des Urins an der Luft die Ursachen, welche dieser Erscheinung zu Grunde liegen können. In seinem Fall glaubt M. als Ursache die Gegenwart von Protocatechusäure annehmen zu müssen, die jedoch nicht aus dem Urin dargestellt ist. Auch die Reactionen, welche M. zu dieser Annahme bestimmen, sind alle am Harn direct angestellt und als beweisend nicht anzusehen. Ganz besonders stützt sich M. darauf, dass der Harn dasselbe Verhalten zeigte, wie ein von Smith beschriebener, aus welchem die Säure in Substanz dargestellt ist. Den Ursprung der Säure sucht M. in den aromatischen Producten der Pankreasverdauung (? Ref.)

Le Nobel (38) erhielt die von Quincke angegebene Reaction des nach Gebrauch von Copaivabalsam entleerten Urins mit Salzsäure (Violetfärbung), die nach ihm durch Oxydationsmittel befördert wird, auch mit dem aus dem Balsam dargestellten Terpen, auf welches daher N. auch die Reaction des Harns bezieht.

Zur Ermittelung giftiger Basen in normalen und pathologischen Urinen versetzten Lépine und Guérin den Urin mit Natronlauge und schüttelten mit Aether. Der Aetherauszug wurde verdunstet und der Rückstand in Wasser und ein wenig Salzsäure aufgenommen, die Flüssigkeit Fröschen injicirt. Die Verff. bestätigen die Angabe von Bouchard, dass diese Extracte giftige Wirkungen haben und constatiren ausserdem eine grössere Giftigkeit der aus pathologischen Urinen gewonnenen Extracte. Das Extract aus Typhusharn unterscheidet sich in seiner Wirkung auch qualitativ von dem aus Pneumonieharn.

Brieger (41) publicirt ein neues Verfahren zur Darstellung der Aetherschwefelsäuren aus dem Urin.

Der Harn wird mit Bleiacetat, das Filtrat mit Bleiessig gefällt, das Filtrat hiervon entbleit, von Schwefelblei abfiltrirt, das Filtrat zum Syrup eingedampft. Beim Stehen dieses Syrup im Vacuum crystallisiren Blättchen aus, die sich, wiederholt aus heissem absolutem Alcohol umcrystallisirt, als ätherschwefelsaures Kali, und zwar vorwiegend als paracresolschwefelsaures Kali erweisen.

Külz (42) behandelt Wirkung und Schicksal des

Trichloräthyl- und Trichlorbutyl-Alcohols im Organismus. Die nach Einführung von Chloral und Butylchloral im Harn auftretende, linksdrehende Urochloralsäure resp. Urobutylchloralsäure lässt sich durch Mineralsäuren nach v. Mering, sowie nach Verf. in rechtsdrehende Glycuronsäure und Trichloräthylalcohol resp. Trichlorbutylalcohol spalten. Nun hatte Verf. schon erwiesen, dass weder nach Chloroform, noch nach Trichloressigsäure im Harn Urochloralsäure auftritt, wohl aber geschieht dies, wie Verf. nunmehr findet, nach Einführung von Trichloräthylalcohol. — Demnach kann die schlafmachende Wirkung des Chlorals und Chloralhydrats nicht auf einer Abspaltung von Chloroform beruhen Nach Einverleibung von 1 g Trichloräthylalcohol per os schliefen Kaninchen von 1,26 resp. 1,4 kg Körpergewicht innerhalb 3—8 Minuten ein und erwachten erst wieder nach 8 Stunden; 0 4 g Trichlorbutylalcohol bewirkte in wenigen Minuten einen Schlaf von 1¼stündiger Dauer. nach 1 g der Substanz währte der Schlaf 3½ Stunde; im Harn liess sich darnach Trichloräthyl- resp. Trichlorbutylglycuronsäure nachweisen. — Nach 3 g Urochloralsäure oder dessen Natriumsalz schliefen Kaninchen von 1.15 — 1.2 kg Körpergewicht, allerdings erst nach Verlauf von 1¼—1½ Stunden, ein und wachten erst nach 6 — 8 — 10 — 26 Stunden wieder auf; die Urochloralsäure, wie das Natriumsalz erschienen zum grössten Theil im Harn wieder. 0,5 g Chloralhydrat führte schon innerhalb 5 Minuten zu einem Schlaf von 2stündiger Dauer. — Auch die Urobutylchloralsäure bewirkte zu 0,8 g beim jungen Kaninchen von ca. 0 3 kg Gewicht erst nach 1¾ Stunden völligen Schlaf. der nach 4½ Stunden zum Tode führte. — 1.7 g Trichlorbutylglycuronsäure hatte nach 2 Stunden Schlaf und nach 11 Stunden ebenfalls den Tod des Thieres zur Folge.

W. Salomon (43) hat über die Vertheilung der Ammoniaksalze im thierischen Organismus und den Ort der Harnstoffbildung gearbeitet. Bekanntlich hat v. Schröder durch Durchstömungsversuche an der ausgeschnittenen Leber des Hundes nachgewiesen, dass dieselbe im Stande sei, Ammonsalze in Harnstoff überzuführen. S. hat vor dem Erscheinen der Arbeit von v. Schröder Versuche über den Ort der Harnstoffbildung in etwas anderer Richtung angestellt. — Er bestimmte zunächst den normalen Ammongehalt des Blutes und verschiedener Organe unter Anwendung der Schlösing'schen Methode auf die völlig eiweissfreien Extracte. Zur Entfernung des Eiweiss diente meistens die vom Ref. angegebenen Fällung mit Kochsalz + Essigsäure in der Kälte, nur mitunter. wenn das Verfahren nicht gelang, die Coagulation in der Hitze. Es wurde so Ammoniak gefunden in

100 ccm Blut 2,2—4,9 mg (7 Proben von Hund, Kaninchen, Rind);
100 g Leber 7,0—11,8 mg (2 Proben von Kaninchen);
100 g Muskeln 61,—12,4 mg (4 Proben von Hund und Kaninchen).

Es wurde nun zunächst die Exstirpation der Nieren an Kaninchen vorgenommen, denselben alsdann NH_3 (250—500 mg) in Form von Chlorammonium oder Ammon. citricum zugeführt und nach etwa 24 Stunden wiederum der Ammongehalt in den Organen bestimmt.

Es fand sich NH_3 in

100 ccm Blut 5,7 mg (1 Fall);
100 g Leber 8,5—25,3 mg (4 Fälle);
100 g Muskeln 4,6—14,3 mg (4 Fälle).

Der Ammongehalt ist also kaum höher, jedenfalls (mit Ausnahme eines Falles) im Verhältniss zu der angeführten Menge doch nur sehr unbedeutend erhöht. Mithin ist im Körper ohne Mitwirkung der Nieren Ammoniak in Harnstoff übergegangen. — S. wendete sich nun zu Durchströmungsversuchen, nachdem vorher festgestellt war, dass die Anordnung des Versuches, das Durchleiten von Luft u. s. w. keinen wesentlichen Verlust an NH_3 bedinge, vielmehr das zugesetzte Ammoniak bis auf 9 pCt. wiedergefunden werden konnte. — Ein Durchströmungsversuch an den Hinterextremitäten eines Hundes ergab keine ganz eindeutigen Resultate. — In 3 Durchströmungsversuchen, die mit der Leber nach dem Vorgang v. Schröder's angestellt wurden, konnte Verf. sich von der Zunahme des Harnstoffgehaltes in dem mit Ammoniumcarbonat versetzten Blute in Folge der Durchströmung überzeugen. Zwei dieser Versuche sind mit Hammelblut an Hammellebern angestellt, so dass der von v. Sch. aufgestellte Satz über den Ort der Harnstoffbildungen aus Ammonsalzen also auch für den Pflanzenfresser gilt. — In einem Durchströmungsversuch an den Hinterextremitäten eines Hundes konnte das Ausbleiben der Harnstoffbildung constatirt werden; es fand sich jedoch eine auffällige, bisher noch unaufgeklärte Abnahme des Ammoniaks.

Die in einem Harn enthaltene Gesammtmenge von Jod (incl. etwa vorhandenen organisch gebundenen Jods) lässt sich, wie Harnack (44) zeigt, leicht bestimmen durch Veraschen des Harns unter Zusatz von Natriumcarbonat, Fällung des Jods in der Lösung durch Palladiumchlorür, Wägung des ausgeschiedenen Palladiumjodürs nach dem Trocknen bei 100°. Auf den Harn selbst lässt sich diese Methode nicht anwenden, trotzdem normaler Harn durch Palladiumchlorür nicht gefällt wird, sie liefert vielmehr stets zu hohe Resultate, vermuthlich weil das Palladiumjodür organische Substanzen mitreisst. Die Fällung als Jodsilber und Trennung von dem gleichzeitig gefällten Chlorsilber durch Digestion mit Ammoniak lieferte H gleichfalls zu hohe Resultate, die Destillation des Harns mit Schwefelsäure und Bestimmung des Jods im Destillat erscheint H. zu umständlich. Die Fällung des Jods durch Palladiumchlorür lässt sich dagegen anwenden und liefert gute Resultate, wenn man den erhaltenen Niederschlag von Palladiumjodür unter Zusatz von Natriumcarbonat glüht und in dem Auszug das Jod nochmals mit Paladiumchlorür fällt.

Baumann (45) vertheidigt die von Zeller angewendeten Methoden der Jodbestimmung. Zeller erhielt bei Controllbestimmungen mit der

Hilger'schen Methode (Titrirung des Jodkalium im Harn durch Palladiumchlorür) beim Menschenharn sehr genaue Resultate; beim Hundeharn konnte sie nicht angewendet werden, weil Palladiumchlorür in angesäuertem Hundeharn einen Niederschlag von Schwefelpalladium giebt; Hundeharn wurde daher nach Kersting mit Schwefelsäure destillirt und der im Harn enthaltene Jodwasserstoff durch Palladiumchlorür bestimmt. Dass die Wägung des aus dem jodhaltigen Harn durch Palladiumchlorür erhaltenen Niederschlages zu hohe Resultate giebt, ist erklärlich und kann, wie B. hervorhebt, nichts gegen die Brauchbarkeit Palladiumchlorürs zu volumetrischen Bestimmungen aussagen. Weiterhin beschreibt B. das von Zeller in einem Falle angewendete Verfahren der Bestimmung des Jod als Jodsilber näher und führt einige Control-Analysen an, in denen nachträglich der Gehalt des gewogenen Jodsilbers an beigemischtem Chlorsilber bestimmt wurde. Die Bestimmungen ergaben vollständig befriedigende Resultate. Das wiedersprechende Resultat von H., nach welchem der Jodgehalt bei Weitem zu hoch ausfiel, erklärt B. durch das von H. angewendete abweichende Verfahren, bei welchem das Chlorsilber ungenügend vom Ammoniak aufgenommen wurde.

Ref. (46) lässt die Ausführungen Schiffer's (vgl. d. Ber. f. 1883, S. 163) hinsichtlich des Verhaltens des Sarkosins im Thierkörper nicht gelten, vor Allem, weil in den Versuchen von Schiffer nicht festgestellt ist, wieviel von dem eingegebenen Sarkosin wirklich resorbirt ist. S. bleibt dabei, dass ein wechselnder, mitunter (beim Kaninchen) ansehnlicher Theil des Sarkosins in Harnstoff übergeht.

Nach Coppola (47) gehen die drei Fluorbenzoësäuren im Organismus leicht und vollständig in die entsprechenden Hippursäuren über. Die Metafluorbenzoësäure schmilzt bei 152°, die Parasäure bei 161°, die Orthosäure bei 121°. Alle krystallisiren in Nadeln, sind in Alcohol, Aether, Eisessig, heissem Wasser leicht löslich.

Baumann (48) hat früher schon in Gemeinschaft mit Preusse angegeben, dass die nach Fütterung mit Chlor- oder Brombenzol im Harn auftretende Chlor- resp. Bromphenylmercaptursäure ursprünglich nicht als solche im Harn enthalten ist, sondern in Form einer stark links drehenden sehr zersetzlichen Verbindung, welche beim Versetzen mit Säuren die Mercaptursäure liefert. Aus grösseren Mengen von, nach Eingeben von Chlorbenzol entleertem, Harn konnte B. das Kaliumsalz dieser Säure in ziemlich reiner Form gewinnen, die freie Säure ist jedoch nicht existenzfähig, sondern wird durch Mineralsäuren sofort in Mercaptursäure und eine schwach linksdrehende, in Wasser und Alcohol leicht lösliche Säure zerlegt, welche letztere Fehling'sche Lösung reducirt und wahrscheinlich eine linksdrehende Glykuronsäure darstellt. — Zur Erkennung der Mercaptursäure überhaupt wendet B. folgendes Verfahren an:

Der Harn wird mit Bleiacetat gefällt, das Filtrat durch Schwefelwasserstoff entbleit, das vom Schwefelwasserstoff befreite Filtrat mit starker Natronlauge und einigen Tropfen Fehling'scher Lösung 10 Minuten lang gekocht, dann mit Salzsäure angesäuert; enthält der Harn Mercaptursäure, so entsteht eine käsig-flockige, gelbe Fällung der Kupferverbindung des betreffenden Mercaptans.

Durch diese Reaction wurde festgestellt, dass nur die Halogenderivate des Benzols und Naphthalins wesentliche Mengen von Mercaptursäure im Organismus bilden. — Benzonitril giebt keine Spur von Mercaptursäure, sondern Aetherschwefelsäuren der Nitrile von Salicylsäure und Paraoxybenzoësäure, die Giacosa vermuthet, aber nicht hatte nachweisen können. Bildung von Benzoësäure aus Benzonitril findet im Organismus nicht statt.

Aus der These von Binet (49) über die Ausscheidung des Schweisses und Speichels möchte Folgendes hervorzuheben sein. Den Gallenfarbstoff sah B. bei Icterischen niemals in den Schweiss übergehen, auch Zucker geht bei Diabetikern nur dann in Speichel und Schweiss über, wenn seine Menge sehr gross ist. Albumin wurde nie im Schweiss gefunden, die normal im Speichel vorhandene Quantität — 0,08 bis 12 p. M. — nahm bei Nephritis nicht zu. Nach Einführung von Benzoësäure konnte B. Hippursäure im Schweiss auffinden; ebenso den Uebergang anderer Arzneistoffe constatiren, wie Brom, Jod, Salicylsäure, Arsenik, Quecksilber.

Ludwig (51) hat die vom Ref. angegebene Methode der Harnsäurebestimmung in folgender Weise modificirt:

Aus 100 ccm Harn wird durch gleichzeitigen Zusatz von Magnesiamixtur und ammoniacalischer Silberlösung die Harnsäure als Magnesium-Silbersalz und die Phosphorsäure als Tripelphosphat gefällt, der Niederschlag der Harnsäureverbindung durch Erwärmen mit einer Schwefelkaliumlösung zersetzt, von Schwefelsilber und Tripelphosphat abfiltrirt, und aus dem, harnsaures Kalium enthaltenden, Filtrat durch Einengen nach Zusatz von Salzsäure die Harnsäure krystallinisch ausgefällt, letztere auf einem Glaswollfilter gesammelt, durch Schwefelkohlenstoff von beigemengtem Schwefel befreit, getrocknet und gewogen. Bei sorgfältigem Arbeiten erhält man so bis auf 2 pCt. richtige Resultate, die übrigens auch gut mit denen der Bestimmung nach Salkowski's Methode übereinstimmen: die Differenz der Werthe zwischen beiden liegt immer erst in der dritten Decimale. Manche Harne, insbesondere Fieberharne, geben nach Zerlegung des Niederschlages durch Schwefelkalium ein trübes, braungefärbtes Filtrat; Verf. empfiehlt, dasselbe mit Salzsäure schwach anzusäuern, zur Trockne abzudampfen und den Rückstand mit heissem Wasser und so viel Kalilauge tropfenweise zu versetzen, bis die Harnsäure gelöst ist, dann vom Schwefelsilber abzufiltriren und aus dem Filtrat, wie oben, die Harnsäure abzuscheiden. Eiweissharne sind vorher vom Eiweiss zu befreien, am besten nach Zusatz von concentrirter Salzlösung und Essigsäure durch Erhitzen und das Filtrat so zu behandeln, wie oben für genuinen Harn angegeben; es fällt dann die Bestimmung der Harnsäure im eiweisshaltigen Harn ebenso genau aus, wie im eiweissfreien. — Beiläufig hat Verf. beobachtet, dass nach dem Ansäuern des Harns mit Salzsäure die Ausscheidung der Harnsäure nicht nach 24 Stunden beendet ist, sondern in geringer Grösse noch einige Tage (bis zum 6. Tage) andauert.

[Natvig, R. und Jac G. Otto, Om Brugbarheden af Esbach's Metode til kvantitative Urinstofbestemmelser. Norsk. Magaz. for Lägevidenskab. R. 3. Bd. 14. p. 303.

Die Verff. haben das Esbach'sche Urometer zur approximativen Bestimmung des Harnstoffs auf seine Genauigkeit geprüft, indem sie erstens Versuche mit verschiedenen bekannten Verdünnungen eines normalen Harnes angestellt haben; hierbei zeigte sich, dass man mit dem Urometer innerhalb weiter Grenzen (0,2 bis 4 pCt. Harnstoffgehalt) relativ richtige Werthe der Harnstoffmenge mit grosser Genauigkeit bestimmen kann. Um die absoluten Angaben des Apparates zu controliren, haben die Verff. zweitens eine Reihe Bestimmungen in verschiedenen normalen Harnen ausgeführt, indem zu gleicher Zeit jedesmal der Harnstoff mittelst der älteren Liebig'schen Methode bestimmt wurde; hierbei stellte sich in 10 Fällen heraus, dass die Esbach'sche Methode sehr brauchbar war, indem sie überall zwar geringere Zahlen als die Liebig'sche Methode lieferte, dies Deficit aber einerseits nicht gross (im Mittel ungefähr eine Differenz von 0,09 pCt) zweitens überall ziemlich constant war.

Auch bei Versuchen mit pathologischem Harne haben die Verff. die Methode sehr brauchbar gefunden; natürlich wurde beim eiweisshaltigen Harne das Eiweiss vor dem Versuche entfernt. **Christian Bohr.**

1) Pisek, O nowym odczynniku bialka i cukru w moczu. (Ueber ein neues Reagens auf Eiweiss und Zucker im Harne) Przegląd lekarski No. 11. — 2) Pacanowski, Kwas diabensolsulfunowy jako odczynnik na peptony w moczu. (Diabenzolsulfosäure als Reagens auf Peptone im Harne.) Gazeta lekarska. No. 19.

Pisek (1) hat mehrere Versuche mit einem neuen von Oliver und Geissler entdeckten und von Baas sehr empfohlenen Reagens auf Eiweiss und Zucker im Harne angestellt. (Auf Eiweiss benutzt man als Reagens Papierstreifen, die in eine Lösung von Citronensäure und Quecksilberjodid in Jodkalium getaucht wird; — auf Zucker tränkt man auf dieselbe Weise zwei Streifen Fliesspapier mit Indigoblau und Bicarbonas. sodae) Der Verf. ist der Meinung, dass die Probe auf Eiweiss sehr bequem und zuverlässig ist, die Probe auf Zucker aber nicht so empfindlich, wie sie Baas gefunden hat.

Petri veröffentlichte vor nicht langer Zeit, dass die Diabenzolsulfosäure ein äusserst empfindliches Reagens auf Pepton ist, weil sie mit demselben nach Zugabe von einigen Tropfen Natronkali oder Ammoniaklauge eine characteristische gelbe oder dunkelbraunrothe Färbung giebt. Pacanowski (2) hat mehrere Untersuchungen in dieser Richtung angestellt und hat sich überzeugt, dass man diese Reaction keinesfalls zum Aufsuchen der Peptone im Harne, wie es Petri will, anwenden kann, weil die Diabenzolsulfosäure neben Ammoniak schon in ganz normalem, keine Peptone enthaltenden Harne eine braunrothe Färbung giebt, welche sich im Wesentlichen gar nicht von einer solchen, durch Pepton verursachten, unterscheidet. Nach des Verf. Meinung beruht dieser Fehler darauf, dass Petri nur mit reinen Peptonen, nicht aber mit peptonhaltigen Harnen experimentirte.

v. Kopff (Krakau)]

VIII. Stoffwechsel und Respiration.

1) Lukjanow, S., Ueber die Aufnahme von Sauerstoff bei erhöhtem Procentgehalt desselben in der Luft. Zeitschr. f. physiol. Chem. VIII. S 315 und Arch. f. Anat. u. Physiol. Physiol. Abth. S. 308. — 2) Kempner, G., Neue Versuche über den Einfluss des Sauerstoffgehaltes der Einathmungsluft auf die Oxydationsprocesse im thierischen Organismus. Ebendas. S. 396. — 3) Tacke, B., Ueber die Bedeutung der brennbaren Gase im thierischen Organismus Dissert. Berlin. — 4) Rubner, M., Ueber den Einfluss der Extractivstoffe des Fleisches auf die Wärmebildung. Zeitschr. f. Biol. Bd. 20 S. 265. — 5) Simanowsky, N. und C. Schoumoff, Ueber den Einfluss des Alcohols und des Morphiums auf die thierische Oxydation. Pflüger's Arch. Bd 33. S. 251. — 6) Zuntz, N., Ueber die Benutzung curarisirter Thiere zu Stoffwechseluntersuchungen. Arch. f. Anat. u. Physiol. Physiol Abth. S. 380. — 7) Klug, T., Ueber die Hautathmung des Frosches. Ebendas S. 183. — 8) Butte, L., Recherches sur les variations de l'exhalation pulmonaire de l'acide carbonique. Thèse. Paris. 86 pp. — 9) Tuczek, Mittheilung von Stoffwechseluntersuchungen bei abstinirenden Geisteskranken. Arch. f. Psych. XV. S. 784. — 10) North, W., Abstract of a report on the influence of bodily labour upon the discharge of nitrogen. Brit. med. Journ. II. S. 112. — 11) Camerer, W., Der Stoffwechsel von Kindern im Alter von 5 bis 15 Jahren. Zeitschr. f. Biol. Bd. 20 S. 566. — 12) Voit, O., Ueber die Ursachen der Fettablagerung im Thierkörper. München. 1883. — 13) Munk, J., Zur Lehre von der Resorption, Bildung und Ablagerung der Fette im Thierkörper. Virchow's Arch Bd 95 S. 409. — 14) Chaniewski, St, Ueber Fettbildung aus Kohlehydraten im Thierorganismus. Zeitschr. f Biol. Bd. 20. S. 179. — 15) Weiske, H. und B. Schulze, Versuche über das Verhalten verschiedener Amidkörper im thierischen Organismus. Ebendas. Bd. 20 S. 277. — 16) Voit, C. v., Ueber die Bedeutung des Asparagins als Nahrungsstoff. Sitzungsb der bair. Acad. d. W. 1883. S 401. — 17) Munk, J., Nachtrag zu meiner Mittheilung über den Einfluss des Asparagins auf den Eiweissumsatz. Virch. Arch. Bd. 98. S. 364. (Reclamation gegen die Annahme von Weiske, dass M. keine Versuche mit Kohlehydratefütterung angestellt habe.) — 18) Pavy, F., On the physiology of the carbo-hydrates in the animal system Lancet. I. No. 1—5. — 19) Dastre, A. und Bourquelot, De l'assimilation du maltose. Comp rend. Bd. 98 No. 26. — 20) Auerbach, A, Ueber die Säurewirkung der Fleischnahrung. Virchow's Arch Bd. 98. S. 512 und Arch. f. Anat u. Physiol. Physiol. Abth S. 570. — 21) Oertel, Ueber Ernährung mit Hühnereiern. München. 1883. — 22) Ohlmüller W, Zusammensetzung der Kost siebenbürgischer Feldarbeiter. Zeitschr. f. Biol. Bd. 20. S. 393.

Lukjanow (1) hat unter Leitung von Herter Untersuchungen über die Aufnahme von Sauerstoff bei erhöhtem Procentgehalt desselben in der Luft angestellt. Nach Regnault und Reiset soll die Sauerstoff-Aufnahme bei Säugethieren und Vögeln von dem Sauerstoffgehalt der Luft, wenigstens bei Steigerung bis auf das 5fache des normalen Gehaltes ganz unabhängig sein. Dagegen giebt P. Bert an, dass bei Erhöhung des Sauerstoffgehaltes in der Athemluft die Sauerstoffaufnahme zunächst zunimmt (Maximum bei 40 bis 60 pCt), dann aber allmälig wieder abnimmt. Zur Entscheidung dieser principiellen Frage hat L. (unter Herter's Leitung) Versuche an Ratten, Meerschweinchen, Hunden, Katzen, Tauben und Kanarienvögeln angestellt. Die Versuchsthiere athmeten in einem nach dem Princip von Regnault und Reiset gebauten Respirationsapparat (vergl. das Orig.), bald normale oder etwas sauerstoffreichere Luft (21—30 pCt. O), bald ein sauerstoffreiches Gemenge (60—90 pCt O). Stets fanden die zur Vergleichung dienenden Versuche mit normaler Luft an demselben

Tage, zumeist in directem Anschluss an die Einathmung sauerstoffreicherer Luft statt, sodass der ganze Versuch 5 bis 8 Stunden dauerte; meistens hungerten die Thiere am Versuchstage. Das allgemeine Verhalten der Thiere, die Körpertemperatur und die Athmung liessen keinen Einfluss der erhöhten Sauerstoffspannung erkennen.

Aus den erhaltenen tabellarisch zusammengestellten Zahlenwerthen für die Sauerstoffaufnahme bei den Versuchen — 60 an der Zahl — geht hervor, dass dem Sauerstoffgehalt der Luft ein dominirender Einfluss auf den Sauerstoffverbrauch im Thiere nicht zukommt. Im Mittel von allen an Säugern angestellten Versuchen wurde pro Kilo Thier Sauerstoff verbraucht in 1 Stunde:

Luft von 21 bis 30 pCt. O (46 Versuche): 1478 ccm.
Luft von höherem O-Gehalt (40 Versuche): 1519 ccm.

Es berechnet sich hieraus eine Steigung von 2,8 pCt. Auf diese kann aber umsoweniger Werth gelegt werden, als die Einzelversuche für sauerstoffärmere Luft grössere procentische Schwankungen im Sauerstoffverbrauch zeigten, als die angegebene. Demnach nähern sich die Resultate denen von Regnault und Reiset: die Vermehrung des Sauerstoffgehaltes führt nicht nothwendig zu einer Vermehrung des Sauerstoffverbrauches. Aus 3 bei 60 proc. O-Gehalt der Einathmungsluft angestellten Versuchen ergiebt sich sogar, entgegen den Angaben P. Bert's eine Abnahme des Sauerstoffverbrauches um 5,5 pCt. gegenüber dem in atmosphärischer Luft.

Herabsetzung der Blutmenge durch einen „mässigen" Aderlass (das Verhältniss zum Körpergewicht ist nicht angegeben. Ref.), hatte bei 3 Versuchen (Ratte und Hund), eine wie es scheint, bald vorübergehende Steigerung der Sauerstoffaufnahme um 5 bis 9 pCt. zur Folge, sowohl wenn die Thiere in beiden Versuchsperioden in gewöhnlicher Luft, als auch wenn sie in 80—90 pCt. sauerstoffhaltiger athmeten und zwar war die Steigerung in der sauerstoffreichen Luft nicht grösser, wie in der sauerstoffärmeren, normalen. Künstliche Erzeugung von septischem Fieber durch subcutane Einspritzung von fauligem Fleischinfus (8 Versuche an Ratte, Katze und Hund) hatte Steigerung des Sauerstoffverbrauches zur Folge, indessen war ein Einfluss in der oben angegebenen Richtung gleichfalls nicht zu constatiren.

Kempner (2) hat seine Untersuchungen über den Einfluss des Sauerstoffgehaltes der Einathmungsluft auf die Oxydationsprocesse im thierischen Organismus fortgesetzt. K. hatte früher gefunden, dass schon eine mässige Verarmung der Inspirationsluft an O eine Herabsetzung des O-Verbrauches zur Folge hat. Um nun dem allenfalls möglichen Einwand, dass die grössere oder geringere Lebhaftigkeit in den Bewegungen der Versuchsthiere in normaler und O-ärmerer Luft die Ursache der Differenzen des O-Verbrauches in den früheren Versuchen abgiebt, zu begegnen, hat Verf. eine dritte Versuchsreihe unter Anwendung einer neuen Methode ausgeführt, wobei die Selbstthätigkeit bei der Athmung ebenso vollkommen, wie jede Muskelaction ausgeschlossen war, d. h. an künstlich ventilirten und curarisirten Thieren. Zur Unterhaltung der künstlichen Respiration diente der Apparat von Lehmann, der den natürlichen Gang der Athmung nachahmt, und bei dem die Zahl und Grösse der künstlichen Ventilationen sich aufs Vollkommenste reguliren lässt. Im Uebrigen hat Verf. den von Zuntz beschriebenen Apparat zur Untersuchung des Gaswechsels benutzt; den Beweis der Brauchbarkeit curarisirter Thiere zu Stoffwechselversuchen hat Zuntz (s. weiter unten 6) erbracht. Kaninchen, welche seit 24 Stunden hungerten, wurden tracheotomirt und während des Versuches in ein Wasserbad von ca. 38° C. versenkt, curarisirt und künstlich, 30 mal pro Minute, ventilirt. Sobald beim Athmen atmosphärischer Luft eine ziemliche Constanz des O-Verbrauches sich eingestellt hatte, wurde dem Thiere eine O ärmere Luft zugeführt und nun der O-Verbrauch controlirt, dann das Thier wieder mit atmosphärischer Luft in Verbindung gesetzt u. s. f. Der O Gehalt der Athmungsluft wurde an einer Probe nach der Hempel'schen Methode bestimmt, die CO_2 in den Exspirationsventilen durch Kalilauge absorbirt. Aus den 5 Versuchsreihen sei das Ergebniss einer (No. 5) angeführt:

Athmungsluft pCt. O	O-Verbrauch pro Minute ccm	CO_2-Ausscheidung pro Minute ccm
25,2	19,87	17,7
18,7	18,36	15,27
22,8	20,61	16,65
15,3	16,49	—
21,2	22,90	16,09
14,8	15,8	13,91

Es lässt also zwischen 20 und 30 pCt. O-Gehalt der Inspirationsluft der O-Verbrauch eine Abhängigkeit vom Partiardruck des Sauerstoffs nicht erkennen. Derselbe ergiebt sich auch für höhere Steigerungen des O-Gehaltes der Athemluft aus den Versuchen von Lukjanow. Sobald aber der O-Gehalt auch nur um wenige Procente unter die Norm sinkt, sinkt auch der O-Verbrauch, und dieses Verhalten ist schon bei einem O-Gehalt der Inspirationsluft von 18 pCt. unverkennbar deutlich ausgeprägt. Bei Athmung O armer Luft steigt, mag auch im Einzelnen keine Proportionalität zwischen O-Gehalt der Athemluft und O-Verbrauch bestehen, niemals der O-Verbrauch auf die Höhe, die er ceteris paribus bei Athmung normaler Luft erreicht. Durch eine Ueberschlagsrechnung des im Körper eines Kaninchens (Blut + Gewebsflüssigkeiten) überhaupt befindlichen O, der höchstens 15 ccm beträgt, leitet Verf. ab, dass der ganze O-Vorrath des Körpers nicht in Betracht kommt gegenüber der beobachteten Herabsetzung des O-Verbrauchs; man ist daher zu der Annahme genöthigt, dass die Oxydationsprocesse im Körper thatsächlich herabgesetzt werden. In gleicher Weise wie der O-Verbrauch wird auch die CO_2 Ausscheidung durch den O-Gehalt der Athmungsluft beeinflusst, nur in geringerem Masse wie der O-Verbrauch. Bezüglich der Hypothesen, die das Sinken des O-Verbrauchs und der CO_2-Ausscheidung bei Herabsetzung des O-Gehalts der Inspirationsluft erklären dürften, muss auf das Original verwiesen werden, ebenso bezüglich der Uebertragung der gewonnenen Resultate für das Verständniss der Bergkrankheit und auf die Verhältnisse des O-Verbrauchs bei Krankheiten des Respirations- und Circulationsapparates. Die Versuchsprotocolle finden sich in ausführlichen Tabellen niedergelegt.

Unter Leitung von Zuntz hat Tacke (3) Versuche über die Ausscheidung von Wasserstoff und Grubengas (CH_4) an Kaninchen angestellt.

Die Versuchsanordnung war derart, dass die in Wasser versenkten tracheotomirten Kaninchen in einem geschlossenen Raume athmeten, in welchen nach dem Regnault-Reiset'schen Princip Sauerstoff nach Maassgabe des Verbrauches nachströmte, während andererseits die Kohlensäure durch mit Kalilauge gefüllte Ventile entfernt wurde: etwa gebildetes H oder CH_4 muss sich dabei, wie leicht ersichtlich, in dem Raume bei längerer Dauer des Versuches anhäufen und ist auch bei geringer Production durch die Analyse der Luft des Raumes am Ende des Versuches unschwer zu erkennen. Der Sauerstoff wurde, um jede Verunreinigung mit Stickstoff auszuschliessen, nicht im Gasometer aufbewahrt, sondern während des Versuches selbst frisch dargestellt.

Ein eigenthümlicher, selbstthätiger Mechanismus sorgte dafür, dass die Entwickelung von Sauerstoff sich nach der Grösse des Verbrauches richtete. Ausser der Athmungsluft wurde auch die Entleerung von H und CH_4 durch die Darmgase berücksichtigt. Zu dem Zweck war über die Analöffnung ein mit Wasser gefüllter Trichter gestülpt, welcher mit einem Eudiometer communicirte; kleine Verluste liessen sich dabei nicht vermeiden, jedoch fand in vielen Versuchen eine Ausscheidung von Gasen durch den Darm überhaupt nicht statt, in anderen, in denen sie eintrat, war sie äusserst gering. Die Gasanalysen sind nach den von Geppert angegebenen vereinfachten Methoden ausgeführt.

Die Mittelwerthe der erhaltenen Resultate sind (mit Auslassung der Versuchsdauer, die von 1 Stunde 42 Minuten bis 10 Stunden 5 Minuten variirte) in der folgenden Tabelle zusammengestellt, wobei zu bemerken, dass in einzelnen Fällen eine theilweise Wiederabsorption des secernirten Wasserstoffs beobachtet wurde.

No.	Gewicht des Thieres in Gramm.	Nahrung.	H ausgeschieden per Kilo und Stunde. ccm	CH_4 ausgeschieden per Kilo und Stunde. ccm
I.	1880	Cellulosereiches Futter.	2,142	—
II.	1650	Roggenkleie.	—1,049	1,690
III.	1940	Gras.	1) 0,439 2) 0,663	—
IV.	1940	Gras.	1) 1,980 2) 2,390 3) —2,200	1) 2,730 2) 2,550 3) 3,240
V.	1698	Kohl und Gras	3,900	3,610
VI.	1320	Hungertbier Magnesia sulf.	3,475	1,214

Beim Kaninchen treten also regelmässig brennbare Gase in die Exspirationsluft über, die Entleerung durch den Darm ist nicht regelmässig und in jedem Falle geringer, wie durch die Lungen. Die Quelle dieser Gase sind natürlich Gährungsvorgänge im Darmcanal, die sich auch durch längeres Hungern und starkes Abführen nicht unterdrücken liessen. Die Frage, ob einmal gebildete Gase im Körper verbrannt werden können, lässt T. noch offen, ist jedoch der Ansicht, dass diese Verbrennung jedenfalls eine sehr beschränkte ist.

Bei seinen Versuchen über die Verbrennungswärme des Fleisches hatte Rubner (4) angenommen, dass die Extractivstoffe desselben sich an der Wärmebildung nicht betheiligen, sondern vielmehr, ohne wesentliche Veränderungen erlitten zu haben, in den Harn übergehen. R. hat diese Voraussetzung nunmehr durch einen Versuch geprüft, indem er einem hungernden Hunde an zwei aufeinander folgenden Tagen je 37.2 g trockenes Fleischextract gelöst in 500 ccm Wasser (etwa entsprechend 1 k Fleisch) gab und an diesen Tagen, sowie an dem vorausgehenden und dem nachfolgenden Tage die durch die Respiration ausgeschiedene CO_2 bestimmte. Im Mittel wird beim Hunger 264,24 g CO_2 in 24 Stunden ausgeschieden, bei Fütterung mit Fleischextract 263.84: Der Gesammtstoffwechsel des Thieres hat also durch die Zuführung von Fleischextract keine Aenderung erlitten. Der bei der Fleischextractfütterung entleerte Harn zeigt beim Abdampfen deutlich den Geruch nach Fleischextract, was bei Hungerharn oder Fleischharn nicht der Fall ist. Weiterhin hat R. die Verhältnisse der Stickstoff-, Phosphorsäure- und Schwefelausscheidung durch den Harn bei Fütterung mit Fleischextract genauer verfolgt, auch diese Beobachtungen, hinsichtlich deren Einzelheiten auf das Orig. verwiesen werden muss, sprechen dafür, dass die Bestandtheile des Fleischextracts im Wesentlichen unverändert den Körper verlassen, wie dieses Voit bereits lange für das Kreatin dargethan hat. Dasselbe Resultat ergab sich, als mit der Lösung des Fleischextracts einerseits, dem bei Fleischextractfütterung entleerten Harn andererseits die Erhitzung mit alkalischer Chlorbaryumlösung nach Bunsen vorgenommen und dabei gleichzeitig in der vom Ref. angegebenen Weise die, beim Erhitzen eintretende, Abnahme der Alkalescenz der Flüssigkeit bestimmt wurde. Die Abnahme stellte sich als sehr beträchtlich heraus und ziemlich übereinstimmend beim Fleischextract selbst und Harn nach Fleischextract, während der Hungerharn nur eine unbedeutende Abnahme zeigte.

Die Versuche von Simanowsky und Schoumoff (6) über den Einfluss des Alcohols und des Morphiums auf die thierische Oxydation schliessen sich an die von Nencki und Sieber an und sind gleichfalls mit Benzol in Nencki's Laboratorium ausgeführt. Nach Einspritzung von 1 g Benzol unter die Haut schied ein Kaninchen von 2580 g Körpergewicht im Laufe von 3 Tagen 0,2831 resp. in einem zweiten Versuch 0,2483 g Phenol aus. Diese Menge des entstandenen Phenols wurde erheblich geringer, wenn ausser dem Benzol noch Alcohol gegeben wurde: sie betrug nach Verabreichung von 0,3 g Alcohol pro Kilo Körpergewicht 0,1649 g, nach 3,1 pro Kilo 0,1256 g, dagegen stieg die gebildete Phenolmenge nach Einspritzung von 0.02 Morph. hydroch. auf 0,309. Ein Versuch an einem zweiten Kaninchen hatte bezüglich des Alcohols dasselbe Resultat, die Morphiuminjection beeinflusste die Oxydation des Benzols nicht erheblich. Ein Hund schied normal 0,1595 Phenol nach 1 g Benzol aus. als er 2 g Alcohol pro Kilo Körpergewicht erhalten, nur 0.0772 g. Dasselbe Resultat hatte ein zweiter. in annäherndem Stickstoffgleichgewicht ausgeführter Versuch. durch welchen gleichzeitig gezeigt wurde. dass ein wesentlicher Einfluss des Alcohols auf die Harnstoffausscheidung nicht besteht. — Ein Mann im Alter von 27 Jahren schied nach dem Einnehmen von 2,0 g Benzol im Laufe von 3 Tagen 0,8205 g Phenol aus, als er gleichzeitig 150 g absoluten Alcohol eingenommen — 2 g pro Kilo Körpergewicht — dagegen nur 0.3301, die Menge des für die Oxydation des Benzols disponiblen atomistischen Sauerstoffs war also um das 2.6fache vermindert. Derselbe Effect — eine bedeutende Verringerung der Oxydation des eingeführten Benzols — wurde auch an einem Kaninchen erreicht durch eine 9stündige Compression der Trachea. Der Harn enthielt nach Einspritzen von 1 g Benzol nur 0.0765 g Phenol, während das Thier vorher daraus 0,284 resp. 0,248 g Phenol gebildet hatte.

Da die Grösse des Sauerstoffverbrauches und der CO_2-Bildung durch die Thätigkeit der Muskeln in hervorragendster Weise beeinflusst wird, willkürliche Bewegungen der Versuchsthiere also alle Versuche über diese Grösse ausserordentlich compliciren, bemühte sich Zuntz (6) ein Verfahren zu finden, um die Thiere völlig zu immobilisiren. Z. empfiehlt hierzu die Anwendung des Curare und zeigt, dass es bei Verwendung bestimmter Curaresorten, bestimmter nicht zu hoher Dosen und subcutaner Application gelingt. jede Schädigung der Circulationsverhältnisse zu vermeiden. Die entgegenstehenden Angaben der Autoren führt Verf. auf die Verwendung ungeeigneter Curaresorten zurück, von denen einige eine starke Wirkung auf das Circulationssystem entfalten. Dass die Gewebe selbst in ihrem Stoffwechsel nicht gestört werden, schliesst Z. per analogiam aus dem Verhalten der curarisirten Muskeln. deren Zuckungscurve von der normalen nicht verschieden ist. Weiterhin stützt sich Z. auf die Untersuchung von Colasanti und Pflüger an curarisirten Thieren. Es bleibt nur der Einwand, dass Curare Diabetes erzeugen soll. Dem gegenüber fand Z. in dem Harn curarisirter und regelmässig ventilirter Kaninchen keinen Zucker; derselbe trat auf, als in einem Falle die Ventilation gestört wurde. — Im Anschluss daran beschreibt Z. den bei derartigen Versuchen von ihm angewendeten Respirationsapparat, sowie die Modificationen, welche erforderlich sind, wenn es sich um Zuführung von Gemischen von willkürlich gewähltem Sauerstoffgehalt handelte. Die Beschreibung ist durch eine Abbildung erläutert (vergl. das Orig. Ref.).

Um die durch die Lungen und die Haut des Frosches ausgeathmete Kohlensäure gesondert zu gleicher Zeit zu bestimmen, hat Klug (7) einen eigenen Respirationsapparat construirt, der im Wesentlichen aus einer äusseren und einer inneren Glocke besteht, die in entsprechenden, mit Quecksilber gefüllten Rinnen eines Tischchens stehen In jeden Glockenraum führt eine tief hinabreichende Glasröhre Luft ein, die durch Kali und Barytwasser von CO_2 befreit ist, je ein nahe der Eintrittsstelle endendes Röhrchen führt die Luft heraus, deren CO_2 durch mit abgemessenen Mengen Barytwasser gefüllte Kölbchen streicht; das Hindurchsaugen der Luft durch den Apparat besorgen zwei Aspiratoren. Die Innenglocke ist oben mit einer Kautschuckkappe verschliessbar, durch deren centrale Oeffnung der Kopf des Frosches hindurch gesteckt wird, so dass, während die Luft des inneren Cylinders den Körper und die Extremitäten umspült, der Kopf in den äusseren Glockenraum taucht. Jeder Versuch dauerte 3 Stunden.

Für Winterfrösche hat sich nun durch mehrere Versuche herausgestellt. dass die Haut die Kohlensäureausscheidung fast ausschliesslich besorgt. Es verhielt sich die durch die Lungen incl. Kopfhaut ausgeschiedene. zu der durch die Körperhaut ausgeschiedenen CO_2 wie 1:3. Wurde nach der von K. angegebenen Methode die Lungenathmung durch Durchschneidung beider Nn. vagi gänzlich ausgeschaltet. so betrug nun die durch die Kopfhaut allein ausgeschiedene CO_2 reichlich $^2/_3$ der durch die Kopfhaut + Lungen exhalirten, so dass nur knapp $^1/_3$ für die Lungenathmung erübrigt. Umschloss die Kautschuckmembran den Kopf unmittelbar über den Augen so dass nur ein kleiner Theil der Kopfhaut in den äusseren Glockenraum hineinragte, so verhielt sich CO_2 der Kopfhaut + Lungen: CO_2 der übrigen Haut wie 1:4,4. nach Durchschneidung der Vagi aber CO_2 der Kopfhaut: CO_2 der übrigen Haut wie 1:4,46 so dass die Ausschaltung der Lungen nur einen minimalen Unterschied der exhalirten CO_2 zur Folge hatte. Es ändert also eine geringe Veränderung der Grösse der respirirenden Hautfläche die Menge der ausgeschiedenen CO_2 in viel erheblicherer Weise, als die Ausschaltung beider Lungen. Im Winter dürfte wohl die Haut des Frosches den Gaswechsel beinahe allein bestreiten. im Sommer dagegen bei guter Ernährung und reichlicher Bewegung wird wohl auch der Lungengaswechsel ein lebhafterer sein. Doch wird bei dem Mangel eines Zwerchfelles und Brustkorbes die so beschränkte Erweiterung der Lungen kaum im Stande sein. den für die Erhaltung des Lebens nothwendigen Luftwechsel zu sichern.

Butte (8) hat an Hunden eine grosse Zahl von Versuchen angestellt über die Ausscheidung der Kohlensäure unter der Wirkung verschiedener Arzneimittel und pathologischer Störungen. Er acceptirte dabei die Methode von Gréhant und Quinquaud, bei welcher die Thiere mit Hülfe einer über die Schnauze gezogenen Kautschuckkappe die Luft einathmen, die sich in einem 50 l enthaltenden Kautschucksack befindet und in einen anderen leeren Kautschucksack ausathmen. Eingeschaltete Müller'sche Ventile regeln die Richtung des Stroms. Die auf diesem Wege erhaltenen Resultate sind kurz resümirt folgende: 1) Der Alcohol, die Quecksilberpräparate, die Arsenpräparate, das schwefelsaure Chinin vermindern in verschiedenem Grade die Ausscheidung der Kohlensäure durch die Lungen. Ebenso wirkt die experimentell erzeugte trockne Pleuritis. Die Durchschneidung eines Vagus ist ohne Einfluss, nach Durchschneidung beider Vagi beobachtet man eine Verminderung, welche zur Alteration der Lungen in Beziehung zu stehen scheint.

Die Injection von Wasser in die Venen erzeugt eine einige Tage anhaltende Vermehrung der Kohlensäureausscheidung. Unter dem Einfluss einer über reichlichen Ernährung mit Hülfe von Fleischpulver beobachtet man eine Zunahme der Kohlensäure, welche zu der Quantität der eingeführten Nahrung in Beziehung steht.

Kalte Bäder bewirken im physiologischen Zustand eine Vermehrung der Kohlensäure, welche jedoch zwei Stunden nach dem Bade nicht mehr zu constatiren ist. — Betreffs der Zahlen und sonstigen Einzelheiten muss auf das Original verwiesen werden.

Der Mittheilung von Tuczek (9) über den Stoffwechsel bei abstinirenden Geisteskranken liegen Untersuchungen an zwei weiblichen Geisteskranken zu Grunde. In Fall I. handelte es sich um eine bei der Aufnahme 65 Kilo schwere, mit starkem Fettpolster versehene, 32jährige Kranke, welche 21 Tage lang die Nahrungsaufnahme völlig verweigerte, nur ab und zu etwas Wasser trank. Die Untersuchungen des Harns betreffen den 15.—21. Hungertag. Die Harnmenge betrug im Mittel 266 ccm gegenüber einer Wasseraufnahme von 175 ccm, das specifische Gewicht 1022. Der Harn war sauer, frei von Eiweiss, Zucker und Indican, gab dagegen alle Reactionen des Acetons. Für die Hauptbestandtheile wurden folgende Zahlen pro Tag erhalten:

a) zur Zeit der Carenz		b) später bei normaler Ernährung
Feste Bestandtheile	13,4	50
Harnstoff	9,14	27
Schwefelsäure	0,22	0,975
Phosphorsäure	0,71	2,14
Chlor	0,261	6,0
Verhältniss P_2O_5 : N	1 : 6	1 : 6
Verhältniss SO_3 : N	1 : 19	1 : 13

Aus der Harnstoffmenge berechnet sich ein täglicher Verlust von 125 g Muskelfleisch.

In den ersten der Carenzzeit folgenden Tagen ist trotz reichlicher Flüssigkeitsaufnahme (über 2000 ccm) die Harnmenge gering: im Mittel 400 ccm, das spec. Gewicht abnehmend 1022—1016; die Ausscheidung von Harnstoff, Schwefelsäure und Phosphorsäure hebt sich nur langsam, dagegen geht die Ausscheidung des Chlors vom ersten Tage der Nahrungsaufnahme an schnell in die Höhe. Das Aceton verschwand am 3. Tage der Nahrungsaufnahme, das Indican erschien vom 5. Tage an wieder.

Im zweiten Falle — 38jährige Kranke mit einem Körpergewicht von 54 Kilo bei der Aufnahme — wurden im Mittel bei einer 16tägigen, fast absoluten Carenzzeit ausgeschieden:

	Feste Bestandtheile	Harnstoff	Schwefelsäure	Phosphorsäure	Chlor
a) zur Zeit der Carenz	20,2	9,2	0,26	1,00	2,00
b) bei normaler Ernährung	49,5	22,5	0,637	1,69	6,225

Die höheren Zahlen für Phosphorsäure und Chlor in diesem Fall erklären sich aus dem Genuss von Bouillon.

Für die Zeit vom 9.—18. April, in der die Nahrungsaufnahme ausserordentlich gering war, sind die Zahlen für Harnstoff 9,5 g, Schwefelsäure 0,236 g, Phosphorsäure 0,82 g, fast genau dieselben wie in Fall I., ebenso das Verhältniss P_2O_5 : N = 1 : 5,4 sehr naheliegend, das Verhältniss SO_3 : N dasselbe, nämlich 1 : 19. Sehr bemerkenswerth verhält sich das Körpergewicht, das nur in diesem Falle festgestellt werden konnte. In den ersten 16 Tagen der Abstinenz fällt dasselbe von 59,5 auf 50 Kilo, steigt dann aber in weiteren 11 Tagen bis 55 Kilo. Die Gewichtszunahme kann nur auf Aufspeicherung von Wasser beruhen. Andererseits sinkt in der Periode der Nahrungsaufnahme das Körpergewicht von 54 Kilo auf 52,5 Kilo, der Körper verlor also Wasser.

North (10) hat Versuche über den Einfluss der Arbeit auf die Stickstoffausscheidung an sich selbst ausgeführt, indem er sich dabei einer Nahrung bediente, welche einerseits erlaubte, die gewohnte Diät fortzusetzen, andererseits eine sehr genaue Bestimmung des Stickstoffs gestattete. Sie bestand aus Fleischmehl, gewöhnlichem Mehl, getrocknetem Gemüse, getrockneten Kartoffeln und condensirter Milch. Mit Recht hebt N. als Vorzüge dieser Materialien hervor, dass sie stets in ganz gleichmässiger Beschaffenheit und in beliebiger Menge zu haben sind und eine Stickstoffbestimmung ohne weitere Vorbereitung ermöglichen. (Fett erwähnt N. nicht unter den Nahrungsbestandtheilen, vermuthlich nur, weil es nicht N-haltig ist. Ref.) Ausser dem Stickstoff wurde auch die Phosphorsäure der Nahrung bestimmt, ebenso Stickstoff in Harn und Fäces, Phosphorsäure in Harn und Fäces, Schwefelsäure im Harn. Es wurden im Ganzen drei Versuchsreihen von längerer Dauer ausgeführt, betreffs deren Einzelheiten auf das Orig. verwiesen werden muss. Die Arbeit bestand in Zurücklegen von je 30—47 englische Meilen an einem Arbeitstag unter Belastung mit einem Gewicht von etwa 27 Pfund. Es mögen die erhaltenen Zahlen des zweiten Versuches in abgekürzter Form hier Platz finden. Im Mittel des ganzen Versuches wurde täglich

	Stickstoff	Phosphorsäure
Eingeführt	17,64	3,87
Ausgeführt ...	16,74	3,92
Differenz	— 0,90	+ 0,05

Die Vertheilung auf Ruhetage und Arbeitstage war folgende: Es wurde täglich ausgeschieden

	Stickstoff	Phosphorsäure	Schwefelsäure
Ruhe	15,22	3,59	2,74
Arbeit	17,95	4,19	2,97
Differenz	+ 2,73	+ 0,60	0,23

Es ergab sich also eine nicht ganz unerhebliche Steigung der Ausscheidung von Stickstoff, Phosphorsäure und Schwefelsäure bei der Arbeit. In demselben Sinne lauten auch die Ergebnisse der anderen Versuche. In dem dritten Versuche, an dem 47 englische Meilen an einem Tage zurückgelegt wurden, sind die Differenzen noch viel erheblicher; sie betragen für N. Phosphorsäure und Schwefelsäure 5,04 resp. 1,56, resp. 0,68 pro Tag. An der Steigerung des Eiweisszerfalles durch forcirte Arbeit in diesen Versuchen kann somit kein Zweifel sein.

Camerer (11) hat aufs Neue Stoffwechsel-Untersuchungen an seinen Kindern ausgeführt, die nunmehr zur Zeit der Versuche im Alter von 15, 12½, 9, 7 und 5 Jahren standen. Doch wurde diesmal auf die Analyse der Nahrung ganz verzichtet, nur die Menge bestimmt, die Ausscheidungen durch Harn und Koth dagegen genau untersucht. Jeder Versuch umfasst 6 Gruppen von je 4 Tagen. Es ist unmöglich, das umfangreiche Zahlenmaterial hier anzuführen, ebenso muss bezüglich der Einzelheiten in Nahrungsaufnahme, Art der Ernährung, Wachsthumverhältnisse, Körpergewichte auf das Orig. verwiesen werden. Bemerkenswerth sind die aus sämmtlichen Versuchstagen ermittelten relativen Werthe. Es wurden ausgeschieden auf 1 kg Körpergewicht in Grammen auf 24 Stunden:

	No. 1	No. 2	No. 3	No. 4	No. 5
Harn	26,7	34,3	36,7	38,3	45,5
Perspiratio insensibilis	19,2	18,7	26,7	31,3	31,9
Harnstoff im Harn	0,50	0,54	0,69	0,74	0,76
Harnstickstoff	0,26	0,29	0,37	0,39	0,4

Es betrug ferner die 24stündige Nahrungszufuhr:
1695 — 1775 — 1686 — 1364 — 1340 g,
die tägliche N-Ausscheidung durch den Koth:
1,27 — 1,12 — 1,93 — 0,9 — 1,21 g

Unter der zulässigen, übrigens durch frühere Versuche des Verf. bestätigten Annahme, dass die im Harn und Koth ausgeschiedene N-Menge auch in der Nahrung enthalten sei, berechnet sich die tägliche Gesammtmenge des Nahrungseiweiss zu
66—66—70—51—48 g
und die Ausnutzung des Eiweiss im Darm zu
89—91.4—84,7—90—85.9 pCt.,
also nicht erheblich anders, wie in früheren Versuchsreihen. Durch Schätzung und Berechnung der in der Nahrung enthaltenen Fette und Kohlehydrate findet Verf. ferner, dass für die 3 älteren Kinder die Zufuhr von stickstoffhaltigen und stickstofffreien Stoffen (Kohlehydrate mittelst des Factors $\frac{10}{17}$ in Fett umgerechnet) genau in gleichem Verhältniss abgenommen, für die 2 jüngeren die Zufuhr des Eiweiss in etwas stärkerem Verhältniss abgenommen hat. Aus seinen früheren und den neueren Versuchsreihen kann Verf die Angabe von Sophie Hasse, dass bei Kindern gleichen Alters die relative Nahrungseiweissmenge (pro Kilogramm Körpergewicht) fast absolut gleich gross sei, nicht bestätigen, dieselben schwanken vielmehr ganz erheblich, wie auch nicht anders zu erwarten, da ja das Verhältniss zwischen Eiweiss und Fett in den verschiedenen Körpern voraussichtlich ein ziemlich verschiedenes ist.

Im Anschluss an seine früheren Versuche beschäftigt sich J. Munk (13) mit dem Nachweise, dass bei Fütterung mit grösseren Mengen Fettsäuren nicht diese, sondern Fett im Körper angesetzt wird. Vorher stellte M. einen Fütterungsversuch mit Rüböl an, um sich zu überzeugen, ob es in der That, entsprechend den Angaben Lebedeff's, möglich ist, ein abnormes Fett zum Ansatz zu bringen. Der zum Versuche dienende Hund erhielt, nachdem er durch zwölftägigen Hunger 34.5 pCt. seines Körpergewichtes ein gebüsst hatte, 17 Tage hindurch täglich 300 g Fleisch und 130 g Rüböl, also im Ganzen 2260 g Rüböl neben 5250 g Fleisch. Sein Körpergewicht stieg dabei von 11.54 Kilo auf 13,03 Kilo, also um 13 pCt. Durch Ausschmelzen des Fettgewebes aus dem Panniculus adiposus, der Bauchhöhle und der Brusthöhle, wurden 1.42 Kilo eines bei Zimmertemperatur flüssigen Fettes erhalten. Auch die Muskeln und die Leber erwiesen sich nach der microscopischen und chemischen Untersuchung sehr fettreich; der Fettgehalt des ganzen Körpers betrug rund 2 Kilo. Das Fett, das sich schon äusserlich durch seine flüssige Beschaffenheit bei Zimmertemperatur als durchaus verschieden vom gewöhnlichen Hundefett darstellte, enthielt 82,4 pCt. Oelsäure und 12.5 pCt. feste Fettsäure, normales Hundefett ergab im Mittel 65,8 pCt. Oelsäure und 25,8 pCt. feste Säuren. — Von besonderem Werthe für den Nachweis, dass sich Rüböl im Körper abgelagert hatte, musste der Nachweis des dem Rüböl eigenthümlichen Fettes, des Erucin resp. der Erucasäure sein. Radziejewski hat diesen Nachweis schon versucht, jedoch ohne beweisendes Resultat, M. gelang die Isolirung einer Säure, welche in ihren Eigenschaften mit der Erucasäure übereinstimmte, allerdings um 4 bis 5° höher schmolz, als diese, also noch eine gewisse Quantität Palmitinsäure und Stearinsäure enthält, deren völlige Abscheidung nicht gelang.

Zu dem Versuche über die Ablagerung von Fett nach Fütterung mit Fettsäuren, wählte M. die aus Hammeltalg dargestellten Fettsäuren, weil nach Fütterung mit diesen ein von dem gewöhnlichen Hundefett abweichendes Fett im Körper zu erwarten, der Versuch also um so beweisender war. In einem Vorversuche überzeugte sich M. von der Resorbirbarkeit dieses Fettes und der Fettsäuren. Von 100 g gefüttertem Hammelfett erschienen 10 g im Koth wieder, von den aus 100 g Hammeltalg dargestellten Fettsäuren ca. 12 g. Die Zusammensetzung der im Koth enthaltenen Fettsubstanzen war folgende:

	nach Hammeltalg	nach Fettsäure
Neutralfett	1,003 g	0,971 g
Freie Fettsäuren	1,887 „	2,519 „
Seifen	7,020 „	8,388 „

Bei Verfütterung grösserer Mengen von Fettsäuren steigt der procentische Verlust. Wie vorauszusehen ergab ein Stoffwechselversuch in Uebereinstimmung mit den früheren Versuchen des Verf. über die stoffliche Wirkung der Fettsäuren aus Schweineschmalz, dass auch die Fettsäuren des Hammeltalges den Hammeltalg selbst, sowie das Schweinefett in ihrer Einwirkung auf den Eiweisszerfall nahezu zu ersetzen im Stande sind. Ein Hund von 31,3 Kilo Körpergewicht, der mit 600 g Fleisch und 100 g Schweinefett nahezu im Stickstoffgleichgewicht war, erhielt in Perioden von sechs resp. fünf Tagen an Stelle des Schweinefettes Hammeltalg resp. die Fettsäuren desselben. Die tägliche Stickstoffausscheidung durch Harn und Fäces betrug im Mittel bei:

Fütterung mit Schweinefett	20,06 g,
„ „ Hammeltalg	19,91 „
„ „ Hammeltalgfettsäure	20,44 „

Zu dem Hauptversuch diente ein Hund von ca. 17 Kilo Anfangsgewicht, der nach zwei Wochen fortgesetzter Fütterung mit reinem Fleisch und daran sich schliessenden 19 Hungertagen etwa 36 pCt. seines Körpergewichts eingebüsst hatte. Nachdem derselbe in 14 Tagen 3200 g Fleisch und 2858 g Fettsäure aus Hammeltalg aufgenommen hatte, wurde er durch Verbluten getödtet. Das Thier zeigte einen sehr entwickelten Pannic. adiposus von weisser Farbe und fester Consistenz. Durch Ausschmelzen wurden 1100 g eines weissen Fettes gewonnen, das die grösste Aehnlichkeit mit Hammelfett darbot. Dasselbe begann bei 40° zu schmelzen, wurde bei 46° ganz flüssig bei 39° wieder fest. Dasselbe enthielt ein wenig über 1 pCt. freier Fettsäure. Die Untersuchung auf die Zusammensetzung ergab 28,8 pCt. Oelsäure, 66,3 pCt. feste Fettsäure, während normales Hundefett 65,8 pCt. Oelsäure und 28,8 pCt. feste Fettsäure enthält. Aus der Zusammensetzung des Hammelfettes, sowie aus dem Schmelzpunkt von Gemischen von Hammelfett und Hundefett leitet Verf. ab, dass das vorliegende Fett etwa aus 8 Theilen Hammelfett und 1 Theil Hundefett bestand. — Die Leber bestand zu ein Drittel ihres Trockengewichts aus Fett. — Damit ist die Möglichkeit einer umfangreichen Synthese von Fett aus Fettsäuren und Glycerin, welches letztere der Körper liefert, bewiesen. Den Ort dieser Synthese verlegt M. mit Wahrscheinlichkeit in die Lymphzellen der Darmschleimhaut. Hinsichtlich der Frage, inwieweit dieser Vorgang für die Norm in Betracht kommt, d. h. inwieweit man eine Spaltung des Neutralfettes der Nahrung anzunehmen hat, spricht sich M. auf Grund der von ihm aufgefundenen Thatsache, dass die Zusammensetzung der im Koth enthaltenen Fettsubstanzen aus Fett, Fettsäuren, Seifen nahezu dieselbe ist, mag nun Fett oder Fettsäure gefüttert sein, sowie der weiteren Beobachtung, dass bei Verdauung von Neutralfett 12 pCt. des Fettes im Dünndarminhalt aus Fettsäuren besteht dahin aus, dass ein beträchtlicher Theil des Nahrungsfettes im Darm in Fettsäuren und Glycerin gespalten wird. Der Schluss der Abhandlung ist der Widerlegung der dem Verf. von Lebedeff gegen seine früheren Versuche gemachten Einwürfe gewidmet (vergl. hierüber das Orig. Ref.).

Chaniewski (14) kommt auf die Frage der Bildung von Fett aus Kohlehydraten zurück. Die Versuche von Soxhlet an Schweinen und von B. Schulze an Gänsen schienen Verf. die Frage der Fettbildung nicht endgiltig zu erledigen, Ch. hat daher in Petershof, der Versuchsfarm des Rigaer Polytechnicum, mit Unterstützung von v. Knieriem, Mästversuche an Gänsen ausgeführt. Die Gänse von ziemlich gleichem Körperzustande und Lebendgewicht: I. wog 3374, II. 3263, III. 3671 g, befanden sich in Zwangsställen, die sowohl das Füttern, wie das verlustfreie Aufsammeln der Excremente gestatteten. Während der 28 tägigen Verfütterung erhielten die Thiere Gerste, ca. 100 g pro Tag, wobei sie sich im Beharrungszustande erhielten; an den 4 letzten Tagen wurde die Gerste durch Reis, mit welchem dem Versuchsplan gemäss die Mast erzielt werden sollte, ersetzt, um den vielleicht ungünstigen Einfluss des Futterwechsels controliren zu können. Dann wurde Thier I. zur Controle geschlachtet, um dessen Gesammtkörpergehalt an Proteïn und Fett festzustellen, II. und III. zunächst durch 3 Tage nur mit Reis (ca. 230 g pro Tag) gefüttert, und da bei der reinen Reisfütterung die Thiere den Appetit verloren, weiterhin dem Reis Gerste zugemengt. Nach 18 tägiger Mast wurde Thier II. bei einem Lebendgewicht von 3816 g nach 26 tägiger Mast Thier III. bei einem Gewicht von 4471 g geschlachtet. Das Verhältniss der N-haltigen zu den N-freien Nährstoffen war in der Gerste 1:5,1, im Reis 1:10,3. — Bezüglich des Verfahrens, den Gesammtstickstoff und das Gesammtfett der Schlachtthiere zu bestimmen, sowie der Analyse der Excremente sei auf das Orig. verwiesen. Es enthielt:

	Trockensubstanz	Protein	Fett
Gans I	bei 32,48 pCt.	673,2 g	215,9 g
„ II	„ 36,38 „	711,44 „	488,9 „
„ III	„ 41,21 „	725,2 „	890,1 „

In Procenten des Lebendgewichtes berechnet hatte Gans I. 6.7 pCt. Fett und (den N-Gehalt des Proteïn zu 16 pCt. angesetzt) 3,34 pCt. N. Denselben Procentgehalt wie vor der Mast in den Thieren angenommen, berechnen sich als angesetzt bei

Gans II	4,02 g N	und	269 g	Fett
„ III	3,6 „ „	„	640,2 „	„

Während der Mast hatte in Reis und Gerste verzehrt

	Fett	Proteïn	N
Gans II	34,4 g	302,81 g	= 48,45 g
„ III	62,27 „	537,40 „	= 85,93 „

In den Excrementen fanden sich in Harnsäure und sonstigen Stoffwechselproducten (ausser dem in der Harnsäure und im Aetherextract gefundenen N. wurde der übrige N der Excremente als unverdauter Antheil angesehen) bei II. 17 53 g N = 109.56 g Proteïn, bei III. 32,48 g N = 203 g Proteïn. Diese Mengen umgesetzten Proteïns könnten, unter der Annahme, dass sich aus dem Eiweiss 51 pCt. Fett in maximo bilden (Henneberg), höchstens 54,93 resp. 104,84 g Fett liefern. Verdaut hatte von Nahrungsfett II. 20,44, III. 31,67 g Fett. Rechnet man von dem Gesammtfettansatz die aus Nahrungsfett und aus dem Nahrungseiweiss gebildeten Fettquantitäten ab, so bleibt für Thier II. ein Plus von 193,63 g, für Thier III. ein Plus von 503,68 g Fett, für welches nur die Kohlehydrate des Futters als Quelle donkbar sind. Demnach wären von dem angesetzten Fett bei Thier II. 71,7 pCt., bei Thier III. sogar 78.6 pCt. als aus Kohlehydraten gebildet anzusehen. Controlthier I. hatte einen Wassergehalt von 67,5, II. von 63,6, III. von 58,8 pCt., was für die bekannte Thatsache der Abnahme des Körpers an Wasser beim Fettwerden einen neuen Beleg liefert.

In einer zweiten Versuchsreihe wurden 2 Gänse (I. Lebendgewicht 3381 g, II. 3706 g) je 5 Tage hungern gelassen, wobei I. 14 pCt., II. sogar 18,2 pCt. an Gewicht verlor. Dann wurde I. zur Controle geschlachtet, II. 16 Tage lang mit im Ganzen 1290 g Gerste und 2820 g Reis gemästet, wobei sie 390 g an Gewicht gewann. Es enthielt nun

	Trockensubstanz	Proteïn	Fett
Gans I	bei 29,79 pCt.	16,09 pCt.	3,25 pCt.
„ II	„ 39,93 „	14,43 „	16 „

Demnach ergaben sich als Masteffect bei II. eine Zunahme von 5,38 g Proteïn und 445,24 g Fett. Verfüttert waren 45,85 g N., in den Excrementen umgesetzt gefunden: in Form von Harnsäure etc. 16,01 g N; den 16 g N entsprechen 100 g Proteïn, die höchstens 51,4 g Fett liefern konnten, dazu das verdaute Nahrungsfett mit 8,68 g, giebt zusammen 60 g Fett als disponibel aus dem Nahrungsfett und dem verdauten Eiweiss. Es bleiben also noch 385 g gleich 86,7 pCt. des neugebildeten Fettes zu Gunsten der Kohlehydrate. In der Fettbildung bei Gänsen ist die Hauptrolle den Kohlehydraten zuzuschreiben. Ein Futter mit dem Nahrstoffverhältniss 1:6,5 — 7,5 ist bereits als genügendes Mastfutter anzusehen. Auch bei dieser gemästeten Gans war der Wassergehalt des Körpers von 70 auf 60 pCt. gesunken. Bemerkenswerth ist endlich auch die relativ kolossale Fettablagerung direct nach dem denkbar schlechtesten Ernährungszustande.

Weiske und Schulze (15) haben im Anschluss an ihre früheren Versuche mit Asparagin, welche eine mehr oder minder erhebliche Ersparniss von Eiweiss unter dem Einfluss von Asparagin ergaben, jetzt Fütterungsversuche mit nahestehenden Amidoderivaten angestellt, nämlich mit Amidobernsteinsäure = Asparaginsäure und mit Bernsteinsäureamid. Als Versuchsthiere dienten, wie in den letzten Asparaginversuchen, Gänse, die Versuchsanordnung ist die bekannte: Die Thiere erhalten Futter, das erfahrungsgemäss hinreicht, von genau bekanntem Stickstoffgehalt, dazu in Perioden von einzelnen Tagen die Beigabe, deren Wirkung geprüft werden soll. Die Entleerungen werden sorgfältig gesammelt, ihr Stickstoffgehalt ermittelt: erweist sich der Stickstoffgehalt geringer, als der der Nahrung resp. als der der Nahrung + dem Stickstoff der Beigabe, so gilt das Deficit als im Körper in Form von Fleisch angesetzt resp. unter dem Einfluss von den gefütterten Substanzen erspart. In Anwendung kamen beträchtliche Mengen, nämlich 70 g Asparaginsäure in 3 Tagen und 32,5 g Bernsteinsäureamid. Im vorliegenden Fall schloss sich daran noch eine Fütterungsperiode unter Beigabe von Fleischmehl mit ebensoviel Stickstoff, als den erwähnten heterogenen Substanzen entspricht. Das Resultat war folgendes: in den drei Normalperioden fand sich regelmässig etwas mehr Stickstoff, als mit der Nahrung eingenommen war, nämlich 0,157 — 0,157 — 0,126 g pro Tag. es wurde also noch etwas Fleisch vom Körper zersetzt; auch bei der Asparaginsäure fand sich etwas mehr. nämlich 0,081 g, so dass von einer ersparenden Wirkung nicht die Rede sein kann; bei der Bernsteinsäureamidfütterung fehlte N in den Entleerungen und zwar 0,126 g pro Tag, was auf eine geringe ersparende Wirkung hindeutet. Sehr viel grösser war die Ersparniss durch Fleischmehl, hier fehlten 0,930 g N pro Tag.

Ziemlich gleichzeitig mit J. Munk (s. d. Ber. f. 1883. S. 170) ist v. Voit (16) auf anderem Wege zu demselben Resultat über die Bedeutung des Asparagins gelangt. Nach seinen Erfahrungen sind weisse Ratten zu länger dauernden Fütterungsreihen, bei denen die Wirkung eines dem täglichen Futter zugesetzten Stoffes ermittelt werden soll, vorzüglich geeignet; aus dem dauernden Gleichbleiben oder Fallen des Körpergewichtes, sowie aus dem früher oder später eintretenden Tode lässt sich entscheiden, ob ein Futtergemisch alle zur Erhaltung des Körpers nöthigen Nahrungsstoffe einschliesst. — Unter v. V.'s Leitung hat G. Politis die Versuche mit 4 Futtergemischen durchgeführt, welche folgende Zusammensetzung hatten:

	I.	II.	III.	IV.
Fett	36,6	30,9	29,3	25,4
Stärkemehl	36,6	30,9	29,3	25,4
Fleischextract	26,8	22,7	21,3	18,5
Asparagin	—	15,5	—	13,4
Fleischmehl	—	—	19,8	17,2

Hungernde Ratten gingen nach 7—8 Tagen zu Grunde; giebt man ihnen nur Fleischextract, so verenden sie ebenfalls nach 8 Tagen unter Verlust von $\frac{1}{4}$ ihres Körpergewichts. Mit N-freiem Futter (Gemisch I) geben sie erst zwischen 32—63 Tagen, unter Verlust von 46—54 pCt. ihres Körpergewichts zu Grunde. Giebt man einer Ratte, die durch Gemisch I in 18 Tagen 26 pCt. ihres Gewichtes eingebüsst, die eiweisshaltige Mischung III, so erlangt sie nach und nach (in 67 Tagen) ihr früheres Körpergewicht wieder, obwohl sie von Gemisch III nicht mehr verzehrt hat, als von Gemisch I. Fügt man zu N-freiem Futter noch Asparagin (Gemisch II) hinzu, so verenden die Thiere nach 40—50 Tagen unter Einbusse von 43—50 pCt. ihres Körpergewichts; eins dieser Thiere zeigte nach 18 Tagen eine Gewichtsabnahme von 28 pCt., während eine mit Gemisch I gefütterte nach 18 Tagen ziemlich ebensoviel, 26 pCt. an Gewicht verlor. Ratten, welche mit Mischung IV an Gewicht zugenommen hatten, nahmen bei weiterer Fütterung mit Gemisch I oder II an Gewicht ab und verendeten in ca. 40 Tagen. Würde das Asparagin eine in Betracht kommende eiweisssparende Wirkung ausüben, dann hätten die mit Mischung II gefütterten Thiere länger am Leben bleiben müssen, als bei Fütterung mit I. Dass das Asparagin den Thieren keine Schädlichkeit bringt, geht daraus hervor, das mit Mischung IV eine Ratte sich während 47 Tagen auf ihrem Gewicht erhalten hat.

Pavy (18) hat gefunden, dass Traubenzucker bei Digestion mit Streifen der fein zerschnittenen Magen- oder Darmschleimhaut vom frisch getödteten Kaninchen (bei Brutwärme) in einen Körper von geringerem Reductionsvermögen übergeht. Die Zuckerbestimmung mittelst der von ihm angegebenen ammoniakalischen Kupferlösung ergab nach der Digestion bei der Titrirung nur 58—64 pCt. des vorher gefundenen Gehaltes; wurde alsdann die digerirte Flüssigkeit mit 2 proc. Schwefelsäure am aufsteigenden Kühler gekocht, nach dem Erkalten neutralisirt und nunmehr titrirt, so fand sich der ursprüngliche Gehalt wieder, also ist zu schliessen, dass der Traubenzucker bei der Digestion in eine Substanz von geringerem Reductionsvermögen übergeht, welch' letztere durch Behandlung mit Schwefelsäure wieder in Traubenzucker rückverwandelt wird. — Wurden vor der Digestion die zu verwendenden Magen- oder Darmstücke gekocht, so änderte sich das Reductionsvermögen der Lösung nicht; somit ist die Wirkung auf ein dem Magen und Darm anhaftendes Ferment zurückzuführen. Da das Reductionsvermögen der Maltose nur 66 pCt. von demjenigen des Traubenzuckers beträgt und nach Kochen mit Schwefelsäure auf 100 pCt. ansteigt, indem nun die Maltose in Glucose verwandelt ist, so hält sich Verf. berechtigt, anzunehmen, dass die bei der Digestion gebildete Substanz in der Hauptsache Maltose ist. Dieselbe Umwandlung trat auch ein, wenn Traubenzuckerlösung, in die Magen- oder Darmhöhle eingeschlossen, der Brutwärme ausgesetzt ward. Wurde dann der Magen oder Darm in Wasser versenkt, so fand sich, dass nach einer halben Stunde in letzteres nur wenig unveränderte Glucose diffundirt war; nach 24 Stunden dagegen enthielt die Aussenflüssigkeit einen Körper von einem Reductionsvermögen von nur 53 bis 55 pCt. und der Inhalt des Magens resp. Darms besass nur ein Reductionsvermögen von 59—67 pCt., verglichen mit der ursprünglich in den Magen eingebrachten Flüssigkeit. Mund- und Bauchspeichel dagegen verändern, wie schon bekannt, den Traubenzucker nicht.

Nach Cl. Bernard wird der in reinem Zustande Kupferoxyd nicht reducirende Rohrzucker von Mund- und Bauchspeichel nicht verändert; nur der Dünndarm enthält ein Ferment, welches Rohrzucker in Invertzucker überführt.

Verf. findet nun, dass auch die Magenschleimhaut vom Schwein, Pferd, Hund und von der Katze ein solches invertirendes Ferment enthält; eine Rohrzuckerlösung, von der 5 ccm einen Gehalt, entsprechend $\frac{1}{4}$ g Traubenzucker, hatte, zeigten bei Digestion mit Magenschleimhaut nach 2 Stunden, auf je 5 ccm berechnet, 0,02 g Traubenzucker (durch Titriren bestimmt); also war etwa der zwölfte Theil des vorhandenen Rohrzuckers invertirt worden. Sehr viel grösser (3—7 Mal stärker) erwies sich das invertirende Vermögen der Darmschleimhaut; letztere hatte schon nach 2 Stunden in maximo 68 pCt. des Rohrzuckers in Invertzucker umgewandelt. — Wurde eine reichliche Portion Darmschleimhaut zum Versuche verwandt, so war schon nach einer Stunde der gesammte Rohrzucker in Invertzucker übergeführt. Die Untersuchung des Blutes der Pfortader von Kaninchen und Hunden, welche vorher 24 Stunden gehungert resp. nur Fleisch erhalten hatten, ergab, eine halbe Stunde nach der Einführung von 28—40 g Rohrzucker, 0,05 resp. 0,1 pCt. Invertzucker bei directer Titrirung des Alcohol-Extractes und mehr als die doppelte Menge, nachdem das Alcohol-Extract mit Schwefelsäure gekocht war; da Verf. sich überzeugte, dass beim Kochen mit Citronensäure das Reductionsvermögen nicht zunahm, wie es hätte der Fall sein müssen, wenn neben dem Invertzucker noch Rohrzucker vorhanden war, so glaubt er schliessen zu dürfen, dass die Zunahme des Reductionsvermögens beim Kochen mit Schwefelsäure auf neben der Glucose vorhandene Maltose zu deuten ist. Anders liegen die Verhältnisse bei den Wiederkäuern; das stärkste Invertirungsvermögen kommt dem Vormagen zu, und zwar in der Reihenfolge: Pansen, Psalter (Blättermagen), Haube (Netzmagen); der eigentliche Labmagen invertirt kaum; sehr schwach der Dünndarm. Endlich hat Verf. beobachtet, dass, während das Ferment, welches nach seinen Erfahrungen Traubenzucker in Maltose verwandelt, zumeist in den tieferen Schichten der Magen- und Darmschleimhaut sich findet, das den Rohrzucker invertirende Ferment ziemlich gleichmässig durch die ganze Darmschleimhaut vertheilt ist.

Dastre und Bourquelot (19) beschäftigen sich mit der Frage nach dem Schicksal und dem Verhalten der Maltose im Organismus. Dasselbe ist von Interesse in Anbetracht des Umstandes, dass ein ansehnlicher Theil des Amylum der Nahrung durch die Verdauungssäfte in Maltose übergeführt wird. Die Autoren suchen die Frage dadurch zu lösen, dass sie verdünnte und angewärmte Lösungen von 4 g Maltose in die Blutbahn (Arterie oder Vene) oder unter die Haut spritzten und die Quantität der unverändert im Harn erscheinenden Maltose bestimmten. Nach Einspritzung von Maltose allein beim Hund erschienen 22,4 resp. 24,2 pCt. der Maltose wieder, etwas mehr, als gleiche Gewichtsmengen Maltose und Traubenzucker in die Venen eingespritzt wurde, nämlich 31.5 pCt., während von Traubenzucker sich 9,7 pCt. im Harn wiederfanden. Bei einer Reihe von Einspritzungen, in denen ein Gemisch gleicher Theile Rohrzucker und Maltose zur Anwendung kamen, wurden von der Maltose 8,5—31,5 pCt. im Harn wiedergefunden, vom Rohrzucker 30—72 pCt.

Auerbach (20) behandelt die Säurewirkung der Fleischnahrung. Die Säurewirkung bezw. die Alkalientziehung seitens der Fleischnahrung ist dadurch sicher gestellt, dass bei derselben die Ammoniakausscheidung durch den Harn des Menschen und des Hundes grösser ist als bei vegetabilischer Nahrung (Coranda). Es fragte sich nun, ob ausser der aus dem Schwefel des Eiweiss stammenden Schwefelsäure auch die, hauptsächlich aus phosphorsauren Alkalien bestehenden Salze des Fleisches wie eine Säure wirken, d. h. den Körper des Menschen und der Carnivoren Ammoniak entziehen. Entgegen Liebig hatte E. Salkowski hervorgehoben, dass die Asche des Fleisches neutral bis alkalisch reagirt, dass daher die phosphorsauren Salze noch unter Bildung saurer Phosphate zur Bindung der aus dem Eiweissschwefel stammenden Schwefelsäure beitragen könnten. Dabei war jedoch vorausgesetzt, dass die dabei aus den Fleischsalzen sich bildenden sauren phosphorsauren Salze nicht selbst wie eine Säure wirken. Verf. hat nun letztere Annahme im Laboratorium des Ref. experimentell geprüft. Die erste Versuchsreihe wurde an einer bei Fleisch- und Fettkost auf Körpergleichgewicht und gleichmässige Stickstoffausscheidung gebrachten Hündin von 31 kg angestellt. Im Harn wurde täglich der Gesammt-N nach Schneider-Seegen und die NH_3-Ausscheidung nach Schmiedeberg bestimmt. Die N-Ausscheidung blieb während der Vorperiode, während der Salzfütterungs- und Nachperiode nahezu constant. Die NH_3-Ausscheidung betrug während der 4tägigen Vorperiode 0,863 g pro die. Als an den nächsten 5 Tagen der Hund im Ganzen 34 g saures phosphorsaures Kali erhielt, schied er steigende Mengen NH_3, im Mittel pro Tag 1,293 g aus, also 50 pCt. mehr als in der Vorperiode und weiterhin in den 3 auf die Salzfütterung folgenden Tagen im Mittel täglich 1,546 g NH_3 aus; insgesammt betrug die Mehrausscheidung an NH_3 4,193 g. 34 g KH_2PO_4 erfordern zur Bildung eines Salzes von der Zusammensetzung KNH_4HPO_4 4,24 g NH_3, also ziemlich genau so viel als die Mehrausscheidung betragen hat. — In einer zweiten Versuchsreihe schied die Hündin in der Vorperiode im Mittel 0.808 g NH_3 (nach Schlösing bestimmt) aus. Nun erhielt sie an 3 Tagen je 8 g KH_2PO_4, die sehr schlecht vertragen wurden und Diarrhöen bewirkten, so dass bereits nach dem auf die Salzfütterung folgenden Tage der Versuch abgebrochen werden musste. An diesen 4 Tagen wurden insgesammt 4,623 g oder im Mittel pro Tag 1,156 g NH_3 ausgeschieden, also 43 pCt. NH_3 mehr als an den Normaltagen der Vorperiode. Die Versuche ergeben somit, dass durch Fütterung mit sauren phosphorsauren Salzen ebenso, wie durch Mineralsäuren dem Organismus des Fleischfressers Ammoniak in erheblicher Weise entzogen wird. Die Salze des Fleisches tragen demnach nichts dazu bei, die aus dem Fleisch bezw. Eiweiss anderweitig entstehenden Säuren (Schwefelsäure, Harnsäure, Hippursäure) zu neutralisiren, üben demnach nicht eine Compensation der Säurewirkung aus, wie dies bei der Pflanzennahrung mit ihrer mehr oder weniger stark alkalischen Asche der Fall ist.

Ohlmüller (22) hat die Zusammensetzung der Kost siebenbürgischer Feldarbeiter untersucht, welche während der Erntezeit sehr angestrengt zu arbeiten hatten. Die Nahrung bestand nur aus Maismehl, Saubohnen (Fisolen), Salz und Wasser; weder Fleisch noch Käse, noch Wein wurden verzehrt. Im Ganzen verbrauchten 15 Mann in 23 Tagen 450 kg Mais, 70 kg Bohnen, 12 kg Salz, somit kamen auf einen Mann täglich 1304 g Mais, 124 g Bohnen, 35 g Salz, entsprechend 181,9 g Eiweiss, 93,3 g Fett, 967,7 g Kohlehydrate. Nach den von anderer Seite vorliegenden Angaben über die Ausnutzung kann man annehmen, dass aus dieser grossen Nahrungsmenge 153 g Eiweiss, 76 g Fett und 936 g Kohlehydrate resorbirt werden. Man sieht hieraus einerseits, dass die von Voit angenommenen Zahlen für einen mittleren Arbeiter (118 Eiweiss, 56 Fett, 500 Kohlehydrate) nicht zu hoch gegriffen sind und andererseits, dass auch ein sehr bedeutendes Bedürfniss an Nährstoffen durch eine reine vegetabilische Nahrung befriedigt werden kann.

Physiologie.

ERSTER THEIL.

Allgemeine Physiologie, allgemeine Muskel- und Nerven-Physiologie, Physiologie der Athmung, des Kreislaufs und der thierischen Wärme

bearbeitet von

Dr. J. GAD in Berlin.

I. Allgemeine Physiologie und Lehre von der Resorption, Secretion, von dem Blut und der Lymphe, von den speciellen Bewegungen.

1) Landois, L., Lehrbuch der Physiologie des Menschen. 4. Aufl 1. u. 2. Abth. Wien — 2) Grünhagen, A., Lehrbuch der Physiologie. 7. Aufl. 1. bis 3. Lief. Leipzig. — 3) Foster and Langley, A Course of Elementary Practical Physiology. 5. ed. London. — 4) Robertson, J. M'Gr, The elements of physiological physics. With 219 Engr. London. — 5) Yeo, G. F., A Manual of Physiology. London. — 6) Onodi u. Flesch, Leitfaden zu Vivisectionen am Hunde. 1. Th. Hals, mit 8 Taf. Stuttgart. — 7) Carnoy, T. B.; Biologie cellulaire. Lierre. 1888 — 8) Krukenberg, C. Fr. W., Vergleichend-physiologische Vorträge. III. Heidelberg. — 9) Bowditch, H. P., The Harvard physiological laboratory. Science. No. 80. — 10) Engelmann, Th. W, Untersuchungen über die quantitativen Beziehungen zwischen Absorption des Lichtes und Assimilation der Pflanzen. Botan. Zeit. No. 6 u. 7. — 11) Stahl, E., Zur Biologie der Myxomyceten. Ebendas. No 10—12. — 12) Pflüger, E., Ueber die Einwirkung der Schwerkraft und anderer Bedingungen auf die Richtung der Zelltheilung. Pflüger's Arch. XXXIV. S. 607. — 13) Grützner, P., Physiologische Untersuchungen über die Zeugung. Deutsche med. Wochenschr. No. 30. — 14) Lehmann, K. B., Ueber den Einfluss des comprimirten Sauerstoffs auf die Lebensprocesse der Kaltblüter und einige Oxydationsvorgänge. Pflüger's Arch. XXXIII. S. 178 — 15) Herter, E. und S. Lukjanow, Ueber die Aufnahme des Sauerstoffs bei erhöhtem Procentgehalt desselben in der Luft. Du Bois-Reymond's Arch. S. 308. Fortschritte der Medicin. No. 8. Zeitschr. f. physiol. Chemie. VIII. S. 313. — 16) Zuntz, N, Ueber die Benutzung curarisirter Thiere zu Stoffwechseluntersuchungen. Du Bois-Reymond's Arch. S 380. — 17) Kempner, G., Neue Versuche über den Einfluss des Sauerstoffgehaltes der Einathmungsluft auf den Ablauf der Oxydationsprocesse im thierischen Organismus. Ebendas. S. 396. — 18) Frédéricq, L., Influence des variations de la composition centésimale de l'air sur l'intensité des échanges respiratoires. Compt. rend. XCIX. p. 1124. Livre jubilaire de la Soc. de Méd. de Gand. — 19) Miescher-Rüsch, F., Ueber den jetzigen Stand unserer Kenntnisse von den Wirkungen der verdünnten Luft. Corresp.-Bl. f. Schweizer Aerzte. S. 165. — 20) Gresswell, A., Report on some organic phenomena in their relation to changes of environment observed during a voyage round the world in a sailing ship. The Brit. Med. Journ. p. 164. — 21) Regnard, P., Recherches expérimentales sur l'influence des très hautes pressions sur les organismes vivants. Compt. rend. 98. p. 745. — 22) Dareste, C., Recherches sur l'incubation des oeufs de poule dans l'air confiné et sur le rôle de la ventilation dans l'évolution embryonnaire. Ibid. 98. p. 924. — 23) Du Bois-Reymod, E., Untersuchungen über thierische Electricität. Schluss. Berlin. — 24) Derselbe, Lebende Zitterrochen in Berlin. Sitzber. der K. Acad. d. Wiss. zu Berlin. XIV. — 25) Fritsch, G., Bericht über eine Reise zur Untersuchung der in den Museen Englands und Hollands vorhandenen Torpedineen. Du Bois-Reymond's Archiv. S. 70. — 26) Derselbe, Bericht über die Fortsetzung der Untersuchungen an electrischen Fischen. Ebendas. S. 74. — 27) Wolf, W., Ueber die electrische Platte von Torpedo. Ebendas. S 180. — 28) Weyl, Th., Physiologische und chemische Studien an Torpedo. Ebendas. S. 316. — 29) Hermann, L. und Gendre, Ueber eine electro-motorische Eigenschaft des bebrüteten Hühnereies. Pflüger's Arch. XXXV. S. 34. — 30) Gendre, A. v., Ueber den Einfluss der Temperatur auf einige thierisch-electrische Erscheinungen; Ebendas. XXXIV. S 422. — 31) Kuhe, F, Ueber den Einfluss der Wärme und Kälte auf verschiedene irritable Gewebe warm- und kaltblütiger Thiere. Diss. inaug. Bern. — 32) Beek, J. C. van, Sur la filtration des liquides

à travers les membranes fibreuses Arch. Néerl. des sc. nat. p. 241. — 33) Regéczy, N. v., Beiträge zur Lehre der Diffusion von Eiweisslösungen. Pflüger's Arch. XXXIV. S. 431. — 34) Runeberg, J. W., Zur Filtrationsfrage. Ebendas XXXV. S. 54. — 35) Jager, S. de, Widerlegung der Folgerungen, welche Hasse in seiner Abhandlung über die Ursachen der Bewegung der Ernährungsflüssigkeiten gezogen hat. Ebendas. XXXIV. S. 286. — 36) Lehmann, K. B., Notiz über die Resorption einiger Salze aus dem Darme. Ebendas. XXXIII. S. 188. — 37) Frick, A und E. v. Meyer, Weitere Beiträge zur Lehre von der Resorption (mitgetheilt von L. Hermann). Ebendas. XXXIV. S. 506. — 38) Smith, Meade, R, Die Resorption des Zuckers und des Eiweisses im Magen. Du Bois Reymond's Arch. S 481. — 39) Weiss, A., Ce que devient la bile dans le canal digestif. Bullet. de la Soc. Imp. des naturalistes de Moscou. — 40) Frédérique, L, Fonction nouvelle de la salive. Livre jubilaire de la Soc. de Méd. de Gand. — 41) Wiemer, O., Ueber den Mechanismus der Fettresorption. Pflüger's Arch XXXIII. S. 515. Diss. inaug. Bonn. — 42) Schäfer, E. A, Ueber die Fettresorption im Dünndarm. Ebendas. XXXIII. S. 513. — 43) Zawarykin, Th., Einige die Fettresorption im Dünndarme betreffende Bemerkungen. Ebendas. XXXV. S. 145. — 44) Eimer, Th, Neue und alte Mittheilungen über Fettresorption im Dünndarm und im Dickdarm. Biol. Centralbl. IV. S. 580 — 45) Brand, E., Die Chylusresorption in der Dünndarmschleimhaut. Ebendas. S. 609. — 46) Lehmann, K. B., Eine Thiry-Vella'sche Darmfistel an der Ziege. Pflüger's Arch. XXXIII. S. 180 — 47) Brasol, L. v., Wie entledigt sich das Blut von einem Ueberschuss an Traubenzucker? Du Bois-Reymond's Arch. S. 211. — 48) Hammerbacher, F., Ueber den Einfluss des Pilocarpin und Atropin auf die Milchbildung. Pflüger's Arch. XXXIII. S. 228. — 49) Bernstein, J., Ueber den Einfluss der Salze auf die Lösung der rothen Blutkörperchen durch verschiedene Agentien. Tagebl. d. 57. Vers. deutscher Naturf. und Aerzte zu Magdeburg. S 96. — 50) Becker, F., Ueber den Einfluss, welchen verschiedene Salze auf die rothen Blutkörperchen ausüben. Diss. inaug. Halle a/S. — 51) Cohnstein, J. und N. Zuntz, Untersuchungen über das Blut, den Kreislauf und die Athmung beim Säugethier-Fötus. Pflüger's Arch. XXXIV. S. 173. — 52) Cohnstein, J., Blutveränderung während der Schwangerschaft. Ebendas. S. 233. — 53) Frédéricq, L., Composition saline du sang et des tissus des animaux marins. Livre jubilaire de la Soc. de Méd de Gand. — 54) Tizzoni, G, Sulla splenectomia nel coniglio. Arch. per le scienze med. VIII p. 255 — 55) Mosler, Ueber die Folgen der Milzexstirpation. Deutsche med. Wochenschr. S. 337. — 56) Foa, P., Contribuzione allo studio della fisiopathologia della milza. Sperimentale. 1883. T. LII F. 9. Centralblatt für clinische Medicin. No. 17. — 57) Meuli, J., Zur Function der Schilddrüse. Eine experimentell-physiologische Studie. Pflüger's Arch. XXXIII. S 378. — 58) Stöhr, Ph., Ueber Mandeln und Balgdrüsen Virchow's Arch. XCVII. S. 211. — 59) Dogiel, J., Zur Physiologie der Lymphkörperchen. Du Bois-Reymond's Arch. S. 373. — 60) Kronecker, H., Die Schluckbewegung. Vortrag, gehalten in der Gesellschaft für Heilkunde. Berlin. Sept. — 61) Luchsinger, B, Zur Theorie des Wiederkauens. Pflüger's Arch. XXXIV. S. 295. — 62) Exner, S., Zur Mechanik der peristaltischen Bewegung. Ebendas. S. 310. — 63) Oser, L., Ueber die Innervation des Pylorus. Oest. med. Jahrb. S. 385. Med. Centralbl. S. 449 — 64) Russo Giliberti, A., L'innervazione motrice dello stomaco. Archivio per le scienze mediche. Vol. VII. p. 291. — 65) Bumm, E., Untersuchungen über die electrische Reizbarkeit des Uterus bei Schwangeren, Kreissenden und Wöchnerinnen. Arch. f. Gynäcol. XXIV. S. 1. — 66) Jastreboff, N. W., Ueber die Contraction der Vagina bei Kaninchen. Du Bois-Reymond's Archiv. S. 90. — 67) Derselbe, Ueber fortschreitende Bewegungen in der Kaninchen-Vagina. Ebendas. S. 572. — 68) Kronecker und Jacub, Ueber die rhythmischen Bewegungen des Kaninchen-Uterus. Ebendas. S. 170. — 69) Martius, Methode zur absoluten Frequenzbestimmung der Flimmerbewegung auf stroboscopischem Wege. Ebendas. S. 456. — 70) Dönhoff, Ueber die Entstehung der Bienenzellen nach Müllenhoff und Darwin. Ebendas. S. 153. — 71) Dewitz, H., Ueber die Fortbewegung der Thiere an senkrechten, glatten Flächen vermittelst eines Secretes. Pflüger's Arch. XXXIII. S. 440. — 72) Müllenhoff, K., Die Grösse der Flugflächen. Ebendas. XXXV. S. 407. — 73) Blix, M., Jakttagelser och reflexionen öfver faglarnes flygt. Föredrag hållet på Upsala Läkareföreningens högtidsdag. 17 Sept. — 74) Chabry, L., Sur l'équilibre des poissons. Journ. de l'anatomie. p. 140. — 75) Marey, Études sur la marche de l'homme au moyen de l'odographe. Compt. rend. 99. p. 732. — 76) Derselbe, Analyse cinématique de la marche. Ibid. Tome 98. p. 1218. — 77) Derselbe, Sur la physiologie de la locomotion (Discussion). Bullet de l'Acad. de méd. 2. Série. T. XIII. p. 1590. — 78) Giraud-Teulon, Étude rétrospective de la théorie mécanique du vol de l'oiseau. Ibid. p. 1539. — 79) Derselbe, Sur la locomotion aérienne physiologique. Ibid. p. 1641. — 80) Derselbe, Physiologie de la locomotion. Suite de l'étude du mécanisme du saut. Ibid. p. 69. — 81) Virchow, H., Zur Frage der Schlangenmenschen. Sitzber. der physic.-med. Gesellsch. zu Würzburg. S. 1.

Die Symptome, welche Lehmann (14) an Kaltblütern oder deren überlebenden Herzen bei **stark vermehrtem Partiärdruck des Sauerstoffs** 10—14 A.) beobachtete, sind dieselben, wie sie relativer Sauerstoffmangel hervorruft; von einer eigentlichen Giftwirkung (P. Bert) ist nichts zu bemerken. Gegen die Annahme einer solchen spricht namentlich, dass Abkühlung, welche auf Giftwirkungen ja geringen Einfluss zu haben pflegt, das Leben der Frösche in comprimirtem Sauerstoff sehr beträchtlich verlängert. analog wie in sauerstofffreien Gasen (Pflüger, Aubert). Das Verhalten von ganzen unversehrten Fröschen in comprimirtem Sauerstoff von 10—14 A. stimmt bis in die Details mit demjenigen, wie es Aubert für Frösche in reinem Stickstoff und in stark durch die Luftpumpe verdünnter Luft geschildert hat. Es tritt nach einer Periode normalen Verhaltens eine successive Lähmung des centralen Nervensystems ein, meist ohne dass erhöhte Reflexerregbarkeit und Krämpfe der Lähmung vorangehen. (Letzteres gilt auch für die Mäuse, welche bei sehr vertiefter und verlangsamter Respiration dyspnoisch sterben.) Die Erregbarkeit der motorischen Nerven, welche das Functioniren des Centralnervensystems überdauert, hört meist gleichzeitig mit den spontanen Herzpulsen auf. Die Lymphherzen, welche ebenfalls noch lange nach vollkommener Rückenmarkslähmung pulsiren, können dann ohne Störung der Pulsation durch Schnitt vom Rückenmark getrennt werden, was für ihre Automatie spricht. Das gelähmte Herz verharrt bis zur Starre in Diastole. Zuletzt schwindet die directe Muskelerregbarkeit. — Dass die **Leuchtkörper der leuchtenden Organismen** nichts mit Phosphor zu thun haben, beweist

Verf. dadurch, dass er zeigt, wie dieselben (Lampyris, Leuchtholz, Leuchtbacterien) auch in stark comprimirtem Sauerstoff zunächst stundenlang weiter leuchten, und erst später, wie alle Organismen, durch den hohen Sauerstoffdruck geschädigt werden. Ueber das Nichtleuchten des Phosphors in comprimirtem Sauerstoff hat Verf. eigene Versuche angestellt, welche die älteren Theorien dieser merkwürdigen Erscheinung als unhaltbar erweisen, ohne zu gestatten, eine neue an deren Stelle zu setzen. Das Wichtigste in dieser Beziehung dürfte sein, dass Phosphor in 10 A. Sauerstoff angezündet, lebhaft brennt, dass aber bei demselben Sauerstoffdruck Phosphor in Stücken auf 35°, Phosphoröl auf 45° erwärmt werden kann, ohne zu leuchten. Dass Olivenöl, welches Phosphor theils gelöst, theils in Emulsion enthält unter den genannten Bedingungen auch nicht beim Schütteln leuchtet, spricht gegen die Thénard-Meissner'sche Theorie, nach welcher sich Phosphor in reinem Sauerstoff mit einer Oxydschicht überziehe, die ihn vor weiterer Oxydation schütze, denn beim Schütteln werden immer neue reine Phosphorflächen dem Sauerstoff dargeboten. Dass comprimirter Sauerstoff nicht allgemein ein trägeres Oxydationsmittel sei, geht daraus hervor, dass reducirter Indigo, Ferrosulphat, alkalische Pyrogallusslösung und Cyanin darin rascher oder ebenso rasch als in Luft oxydirt werden.

Herter (15) hat aus dem Widerspruch, welcher zwischen den die volle Einflusslosigkeit mässig gesteigerten Sauerstoffdrucks auf die thierischen Oxydationsprocesse ergebenden Versuchsresultaten Regnault's und Reiset's einerseits und denjenigen P. Bert's andererseits besteht, durch welche Letzterer ein Optimum des Sauerstoffdruckes bei etwa 40 pCt. einer Atmosphäre wahrscheinlich zu machen glaubte, Veranlassung genommen, die Frage nach der Abhängigkeit der thierischen Oxydation von mässig gesteigertem Sauerstoffdruck von Neuem untersuchen zu lassen. Die unter seiner Leitung von Lukjanow, wesentlich nach Regnault-Reiset's Methode mit der Modification, dass sich die zu vergleichenden Versuchsperioden unmittelbar an einander anschlossen, ausgeführten Untersuchungen ergaben, dass das Mittel der bei 60 pCt. aufgenommenen Sauerstoffmengen nur 94,8 pCt. des Mittels für die Controlversuche in atmosphärischer Luft betrugen. Das Mittel sämmtlicher Bestimmungen für erhöhte Sauerstoffspannung (bis 90 pCt.) lag bei den verschiedenen Versuchsthieren theils über, theils unter dem Mittel für normale Luft. „Diesen Differenzen ist ein principieller Werth nicht beizulegen, denn sie stellten Grössen derselben Ordnung dar, wie die bei Athmung in atmosphärischer Luft auftretenden Schwankungen des Sauerstoffverbrauchs" (von — 4 bis + 17 pCt.). Die Versuchsthiere waren Ratten, Meerschweinchen, Hunde, Katzen, Kanarienvögel, Tauben.

Zuntz (16) führt den Nachweis, dass bei Benutzung des in seinem Laboratorium verwendeten Curare und bei künstlicher Ventilation der damit immobilisirten Thiere unter Abwechselung von Saug- und Druckwirkungen (Lehmann's Apparat, vorjähr. Ber. S. 193) weder Circulationsstörung, noch abnorme Harnbeschaffenheit (Zucker, Eiweiss) auftritt und er beschreibt einen Apparat, welcher gestattet, curarisirte Versuchsthiere mit Luft von verschiedenem Sauerstoffgehalt zu ventiliren unter Controle des hierbei eintretenden Sauerstoffverbrauchs.

Kempner (17) hat mit der von Zuntz gerechtfertigten Methode die Abhängigkeit, die er schon früher bei nicht immobilisirten Thieren zwischen mässig verringertem Partiärdruck des Sauerstoffs und Sauerstoffverbrauch gefunden hatte (Jahresber. f. 1882, S. 207) auch nach Ausschluss aller Muskelbewegungen, die seine früheren Resultate hätten trüben können, bestätigt gefunden. Abgesehen davon, dass curarisirte Kaninchen Sauerstoffmangel weit schlechter ertragen als nicht curarisirte, zeigte sich, ehe diese deletäre Wirkung überhand nahm, ein gesetzmässiges Fallen und Steigen des Sauerstoffverbrauchs mit Fallen und Steigen des Sauerstoffgehaltes in der zur Ventilation benutzten Luft, selbst wenn letzteres in engen Grenzen um den Normalgehalt stattfand (zwischen 22 und 18 pCt.). Mit der Herabsetzung der Sauerstoffaufnahme scheint eine solche der Kohlensäureausscheidung Hand in Hand zu gehen. Unter Verwerfung einer von Hoppe-Seyler ausgesprochenen Vermuthung (Jahresber. f. 1880, S. 182) nimmt Verf. an, dass die Spannungsausgleichung zwischen Plasma und Lungenluft auch bei Sauerstoffarmuth der letzteren immer noch vollkommen sein wird, dass aber bei Herabsetzung der Sauerstoffspannung im Plasma die vollständige Sättigung der Blutkörperchen nicht mehr eintrete. Die letzterer Annahme widersprechenden Versuchsresultate Worm-Müller's hält er mit Zuntz nicht für einwandfrei. Eine Herabsetzung des Sauerstoffgehaltes des Blutes kann auf den Sauerstoffverbrauch in den Geweben dadurch von Einfluss sein, dass das Blut auf dem Wege durch die Orte intensivster Oxydation an Sauerstoff erschöpft wird, ehe der Weg vollendet ist, oder dadurch, dass gewisse Oxydationen überhaupt erst bei einer gewissen Höhe der Sauerstoffspannung eintreten.

Frédéricq (18) findet, dass beim Athmen in einer Luft von 5 — 6 pCt. CO_2 die Menge des absorbirten O zunimmt. Erst bei toxischen Gaben nimmt sie ab.

du Bois-Reymond (24) ist durch das Entgegenkommen des Directors des Berliner Aquariums Herrn Otto Hermes in die glückliche Lage versetzt, in den gemässigten Jahreszeiten frische lebenskräftige Zitterrochen zur Verfügung zu haben, die nach Gutdünken dem Experiment geopfert werden können. Zunächst wurde das Schema der Stromvertheilung beim Schlage, wie es von Colladon in seinen Grundzügen richtig entworfen worden war, in theoretisch vorausgesagter Weise experimentell dahin ergänzt, dass zwischen dem medialen Rande des Organs und der Medianlinie des Körpers Ströme am Rücken des Thieres in der Richtung vom Organrand zur Mittellinie, am Bauche umgekehrt verlaufen. Diese

Ströme nehmen nothwendig den Weg durch Hirn und Rückenmark des Thieres und da sie auf der kürzesten Bahn zwischen den wirksamsten Theilen beider Organe verlaufen so giebt es am Zitterrochen keine stärkeren Ströme. Diese Erkenntniss ist im Hinblick auf das Problem von der Immunität der Zitterfische gegen ihren eigenen Schlag von besonderem Werth. Merkwürdig ist ferner, dass eine genauere Construction der Stromlinien, unter Berücksichtigung der Neigung der Säulenaxen gegen die Rücken- und Bauchfläche, ergiebt, dass die Gegend über der Mitte des Fisches scheinbar von dichteren Stromcurven entblösst ist und so „fortificatorisch gesprochen, zu einem todten Winkel wird", während doch bei der Lieblingsstellung des Fisches, wenn er in den Boden eingewühlt ruht, seine Bauchfläche keines, seine Rückenfläche aber gerade des grössten Schutzes bedürftig erscheint. Zum Nachweis des Organstroms (Strom des ruhenden Organs) wurde ein grosser kräftiger Zitterroche verwandt, dem durch einen einzigen Schlag auf ein entsprechend aufgesetztes Locheisen die Lobi electrici ausgestanzt waren. Der Fisch zuckte noch ziemlich viel, schlug aber nicht mehr. Mit grosser Regelmässigkeit gab sich an diesem Thier ein Strom im Sinne des Schlages zu erkennen. Er war am stärksten, wenn die höchsten Säulen, am medialen Rande des Organs, zwischen den ableitenden Bäuschen sich befanden und ward schwächer in dem Maass wie die Bäusche dem dünneren seitlichen Rande des Organs sich näherten. Auch zwischen den Organen in der Medianebene und am Rande der Körperscheibe, wo kein Organ mehr liegt, war er in vorauszusehender Richtung vorhanden. Die electromotorische Oberfläche des nicht schlagenden Fisches unterscheidet sich von der des schlagenden, abgesehen von den kleineren Potentialunterschieden, wahrscheinlich nur durch die den Schlag begleitende Induction. Das Resultat dieser Versuche wurde bestätigt und erweitert durch Prüfung der Ströme, welche von zweckmässig geschnittenen Organstreifen abgeleitet werden konnten. Diese Art, den Organstrom zu beobachten, hat den Vortheil, dass der Verdacht auf einen electromotorischen Unterschied der pigmentirten Rücken- und pigmentlosen Bauchhaut fortfällt. An Präparaten von noch einigermassen frischen Organen hatte der Organstrom stets die Richtung des Schlages. Leicht war zu zeigen, dass eine säulenartige Anordnung electromotorischer Kräfte ihn erzeugte, denn er erschien in demselben Sinne, gleichviel wo die ableitenden Thonspitzen aufgesetzt wurden und seine Stärke wuchs mit deren Abstand. Aus der Messung der electromotorischen Kraft des Organstromes und aus dem Vergleich derselben mit der von Sachs beim Zitteraal gefundenen ergiebt sich mit Wahrscheinlichkeit, dass die electromotorischen Elemente beider Fische von ungefähr gleicher Kraft sind, und dass der Potentialunterschied der electrischen Platten mit ihrer Dicke wächst. Sehr überraschende Resultate haben die Polarisationsversuche an Organstreifen ergeben. Leitet man durch einen solchen einen Kettenstrom, so ist dessen Intensität in noch höherem Grade, als es sich schon früher beim Zitterwels gezeigt hatte, von der Richtung, in der er den Streifen durchsetzt, abhängig. Gelegentlich erschien der dem Schlage gleichgerichtete (der „homodrome") Strom von 30 Grove über doppelt so stark wie der heterodrome. Ob diese Irreciprocität, welche an den Lebenszustand des Organs gebunden ist, nur vom Ueberwiegen der relativ (in Bezug auf die Richtung des Kettenstroms) positiven Polarisation des homodromen Stromes herrührt, oder ob sie ausser auf dieser auch auf Irreciprocität der Leitung beruht, hat sich noch nicht ermitteln lassen. Was übrigens die Polarisationserscheinungen anlangt, die nach Oeffnen des Kettenstromes hervortreten, so geht aus ihnen hervor, dass es sich bei ihnen erstens nur um eine in beiden Richtungen gleich starke relativ negative Polarisation handelt, welche, da sie einfach mit Stromdichte und -Dauer bis zu einer gewissen Grenze wächst, als gewöhnliche innere Polarisation bezeichnet werden könnte, wenn ihre Vernichtung durch Siedhitze nicht einiges Bedenken erregte, und zweitens nur eine in höherem Grade vom Lebenszustande abhängige relativ positive Polarisation, welche vielleicht ausschliesslich, jedenfalls in weit höherem Grade durch den homodromen Strom erzeugt wird. Die electromotorische Kraft des Längsquerschnittstromes der electrischen Nerven des Zitterrochen fand sich zweimal kleiner als die der Froschnerven, doch zeigt bei ersterem ganz regelmässig der peripherische Querschnitt eine grössere Negativität gegen den Aequator als der centrale. Der negativen Schwankung ging jedesmal ein positiver Vorschlag voraus, gelegentlich folgte ihr auch ein solcher Nachschlag. Die Bedeutung dieser positiven Zucke des Magnetspiegels sowie einiger Unregelmässigkeiten, welche die Electrotonusversuche am Nerven ergaben, ist noch nicht aufgeklärt.

Fritsch's (26) Untersuchung über die Entwickelung des electrischen Organs von Torpedo bestätigt dessen phylogenetische Herleitung aus umgewandelten Muskeln in der von Babuchin angedeuteten Weise. Die Anlage der Musculatur von fünf Visceralbögen (ventral gelegene besondere Kiefer- und Kiemenmuskeln) liefert das Material für die electrischen Organe, wobei der Kiefer-Zungenbeinbogen als der erste zählt, während der letzte Kiemenbogen an der Bildung unbetheiligt ist. Da die zu den Bögen gehörigen Nerven stets in den Bogenzwischenräumen verlaufen, zeigt der Embryo (wie der erwachsene Fisch) nur 4 electrische Nerven. Der Process der Umbildung embryonaler Muskelanlagen in electrische Säulen erscheint macroscopisch als ein Schwellungsvorgang an den äusseren unteren Winkeln der Bögen, microscopisch als ein Quellungsprocess der Muskelscheiden bei starker Kernvermehrung der embryonalen Muskelelemente. Die Vermehrung der Säulenzahl findet an der Peripherie statt, so lange die Säulen noch längsfaserig sind, mit länglichen Kernen ohne eine Spur von Plattenbildung und der Faserinhalt schwache Querstreifen zeigt, ähnlich wie in den gleichzeitigen Muskelelementen (Stadium rajiforme). Sobald die Säulenanbildung an der Peripherie erschöpft ist, beginnt die Plattenbildung innerhalb der Säulen. Characteristisch für die Einleitung dieses Processes ist die Häufigkeit der Kerntheilungsfiguren, wobei die ursprünglich längliche Figur des Kernes an den Tochterkernen in eine runde übergeht. Die gebildeten Kerne ordnen sich reihenweise neben einander in querer Richtung zur Säulenaxe an. während der zugehörige Zellkörper unter Vermehrung des Protoplasmas ihnen in gleicher Richtung folgt und dicke kuchenförmige Körper (Babuchin's „Plattenbildner") darstellt, als die erste Anlage der electrischen Platten. Am Protoplasma findet später wesentliche Rückbildung statt, während die Kerne erhalten bleiben. Je weiter die Nucleation vorschreitet, um so stärker wird der Säulendurchmesser und es ist bemerkenswerth, dass die prismatischen Fächer für die Säulen bereits angelegt werden, lange bevor die Säulen im Stande sind, diese Fächer auszufüllen. Die Raumerfüllung übernimmt in dieser Zeit unreifes, stark gequollenes Bindegewebe. Die definitive prismatische Gestaltung der Säulen resp. der electrischen Platten entsteht also nicht durch das Aneinanderdrängen der wachsenden Platten, sondern durch das Aneinanderdrängen der gequollenen Perimysien. Die Beobachtungen über die Entwickelung der electrischen Organe schliessen die Annahme, es finde an dem ausgebildeten Thier noch eine Vermehrung der Säulen statt, fast mit Sicherheit aus.

Wolf (27) erklärt die von den Autoren beschriebenen verschiedenen Zeichnungen der unteren Fläche der electrischen Platte von Torpedo für Gerinnungserscheinungen einer dort gelegenen halbflüssigen, feinkörnigen nucleinreichen Substanz. „Die Quadrate und Rhomben entstehen sehr leicht aus der ursprünglich gleichmässig vertheilten Masse, während die baumförmigen Verästelungen erst durch gröbere Eingriffe hervorgerufen werden können und durch Zerreissung der Glieder des Netzes entstehen. Man findet häufig die verschiedenen Uebergänge von der normalen gleichmässig punctirten Platte bis schliesslich zu den baumförmigen Verästelungen."

Weyl (28) hat den Gehalt des alcoholischen und wässerigen Extractes gereizter und nicht gereizter electrischer Organe von Torpedo an fester Substanz untersucht. Die alcoholischen Extracte ergaben kein constantes Resultat, wofür ein Grund in unvollkommener Ausschaltung des Kreislaufs durch alleinige Unterbindung der Aeste aus den Kiemenvenen (Hyrtl) gesucht wird. Der Gehalt an fester Substanz und speciell auch an Salzen ist im wässerigen Extract des gereizten Organs grösser als in dem des geruhten, ausserdem findet sich im gereizten Organ, ganz analog wie beim Muskel. mehr in Wasser lösliche („anorganische") Phosphorsäure. Wahrscheinlich stammt die bei der Thätigkeit des Organs neugebildete anorganische Phosphorsäure aus dem Nuclein oder Lecithin des Organs, welches an beiden Stoffen reich ist.

Hermann und Gendre (29) constatirten an bebrüteten Hühnereiern electrische Positivität des Embryo gegen den Dotter. Die electromotorische Kraft des von Dotter und Embryo abgeleiteten Stromes kann bis $^1/_{100}$ Daniell betragen, sie ist mindestens bis zur 80. Stunde in Zunahme begriffen und nimmt dann wieder ab. Die Versuche erstreckten sich vor der Hand nur bis zum 8. Brütungstage.

Gendre (30) findet, dass der normale, in der Froschhaut von aussen nach innen gerichtete Strom durch Abkühlung des abgeleiteten Froschhautstückes im Oelbade abnimmt. Bei einer Temperatur der Haut etwas unter 0° ist die Stromkraft Null. bei noch weiter getriebener Abkühlung kehrt sich die Stromrichtung um. An ungleich temperirten Stücken der äusseren Haut flimmernder Rachenschleimhaut und Magenschleimhaut des Frosches zeigte sich bei Ableitung von der Aussenfläche die wärmere Stelle negativ gegen die kältere, bei Ableitung von der Innenfläche war. gleiche Temperaturdifferenz vorausgesetzt, der Strom schwächer und umgekehrt. An gekochten Hautstücken oder befeuchteten Fliesspapierstücken liessen sich unter analogen Bedingungen Thermoströme beobachten, die aber weit schwächer und in ihrer Richtung unabhängig von der Lage der Ableitungspunkte aussen oder innen waren. Um den Einfluss der Kälte auf den Electrotonus des Froschischiadicus, unabhäng von der durch die Kälte herabgesetzten Verringerung der Leitungsfähigkeit, zu prüfen, wurde der polarisirende Strom unter Controle einer Bussole trotz abnehmender Temperatur, auf gleicher Intensität erhalten und in Bezug auf den abgeleiteten electrotonischen Strom wurde die Stromkraft bestimmt. Bei einer Temperatur von — 3° — bis 6° wurde diese Stromkraft Null, um bei allmäliger Wiedererwärmung fast die frühere Stärke wieder zu erreichen.

Beek (32) bestätigt durch eigene Beobachtungen die Versuchsresultate Runeberg's, aus denen Heidenhain geschlossen hatte, dass, wenn Eiweisslösungen durch thierische Membranen filtrirt werden, mit wachsendem Druck zwar der Procentgehalt des Filtrats an Eiweiss abnimmt, die absolute Menge des in der Zeiteinheit durchgehenden Eiweisses aber wächst. Ferner bestätigt er in Uebereinstimmung mit Runeberg die Beobachtung Eckhardt's dass die Filtrationsgeschwindigkeit von Salzlösungen durch Pergamentpapier bei constantem Druck mit der Zeit abnimmt, und dass eine Art Erholung der Membran durch zeitweilige Aufhebung des Druckes eintritt, eine Erholung, welche um so ausgiebiger ist, je kürzere Zeit der Druck und je länger die Entspannung bestanden hatte. Er sieht die scheinbare Ermüdung und Erholung der Membran als den Ausdruck von Aenderungen in der Elasticität ihrer Fasern an. Speciell entwickelt er die Vorstellung, dass der Binnendruck der Porencanäle der Membran in der Richtung der Flüssigkeitsbewegung schnell abnehmen muss, so dass die äusseren Theile dieser Canäle durch den auf der Oberfläche der Membran lastenden Druck in dem Maasse stärker verengt werden müssen, in dem die elastischen Kräfte der Fibern der Membran allmälig nachlassen. Es würde sich also bei der Ermüdung und Erholung der Membran um elastische Nachwirkungen handeln. Um dieser Vorstellung Halt zu geben, zeigt Verf., dass die Erholung auch eintritt, wenn der Druck auf der Innenseite des Filters nicht unterbrochen, sondern wenn demselben zeitweilig ein gleich starker Druck auf der Aussenseite entgegengesetzt wird. welcher den Binnendruck in den äusseren Theilen der Canäle erhöhen muss, und dadurch zu ihrer Ausweitung beitragen kann.

Regéczy kommt durch eigene Versuche dazu, ältere zu wenig beachtete Angaben Graham's, Wittich's und Brücke's über Eiweissdiffusion zu bestätigen resp. erheblich zu erweitern und folgende wichtige Sätze aufzustellen: 1) „Das Eiweiss diffundirt leichter gegen Salzlösung als gegen destillirtes Wasser. 2) Die Diffusion des Eiweisses wird durch die auf der anderen Seite der Membran sich befindende Salzlösung um so mehr befördert, je concentrirter die Salzlösung ist. 3) Aus dünneren Eiweisslösungen beginnt die Diffusion der Eiweissmoleküle in kürzerer Zeit als aus einer dichteren Lösung. 4) Wenn Salze zu den Eiweisslösungen gemischt werden, verzögert sich die Diffusion des Eiweisses gegen das auf der anderen Seite der Membran sich befindende destillirte Wasser in grösserem Maassstabe. 5) Je grösser der Salzgehalt der Albuminlösungen im Verhältniss zu dem Salzgehalt der an der entgegengesetzten Seite der Membran sich befindenden Flüssigkeit ist. um so langsamer geht die Diffusion des Eiweisses von Statten. 6) Aus mit Salz vermengten Albuminlösungen diffundirt in der Regel zuerst das Salz. Das Durchtreten der Albuminmoleküle fängt dann an, wenn der Unterschied des specifischen Gewichtes der an beiden Seiten der Membran sich befindenden Flüssigkeiten auf einen gewissen niederen Grad gesunken ist. 7) Je dichter, beziehungsweise je dicker die separirende Membran ist, ein um so geringerer Unterschied des spec. Gewichtes genügt, um den Durchgang der Eiweissmoleküle zu verhindern; wenn nämlich das Salz der Eiweisslösung beigemischt, also das specifische Gewicht der Albuminlösung grösser ist. 8) Eiweiss diffundirt gegen Salzlösung auch durch eine so dichte resp. dicke separirende Fläche, durch die es gegen destillirtes Wasser nicht durchgeht.“ Alle diese Erfahrungen werden unter den gemeinschaftlichen Gesichtspunkt gebracht, dass der Durchtritt der Eiweissmoleküle immer leichter von Statten gehen wird je geringer der Strom von Wassermolekülen zur Eiweisslösung hin ist, und sie werden benutzt, um eine plausibele Vorstellung von den Bedingungen für das Auftreten von Eiweiss im Harn bei intacten Nieren zu geben. Eiweiss wird aus dem Blut um so leichter in die Harncanälchen diffundiren, je ärmer an Salz und Eiweiss das Blut ist und je salzreicher der Inhalt der Harncanälchen ist. Der Salzgehalt der letzteren wird durch Diffusion gegen das Blut um so höher steigen. je langsamer die Filtration an den Glomerulis vor sich geht (kleiner Blutdruck. wenig Wasseraufnahme, profuse Transspiration bei angestrengter Körperarbeit etc.), je längere Zeit somit das Secret in den Canälchen der Niere verweilt.

Lehmann (36) injicirte in Darmschlingen von Hunden, Katzen und Kaninchen, welche mit den erforderlichen Cautelen freigelegt und dann abgebunden waren, Jodkalium- oder Rhodanammonicum-haltige Flüssigkeit und stellte durch Untersuchungen kleiner Proben, die in kurzen Intervallen aus den Mesenterialvenen und Chylusgefässen des Darmstücks entnommen wurden, fest, dass die Salze ungefähr gleich schnell im Inhalt der Blut- und Lymphgefässe erschienen (einige Minuten nach der Einverleibung in den Darm).

Hermann (37) theilt zwei Versuchsreihen seiner Schüler Frick und Meyer mit, durch deren erste die, inzwischen einmal von Schoffer angezweifelte Angabe H.'s bestätigt wird, nach welcher Unterbindung der Nieren das Curare vom Magen aus wirksam macht und deren zweite darauf gerichtet ist, einen einfachen, leicht anzustellenden Versuch von regelmässigem Erfolge zu erproben. der eine Abhängigkeit der Resorption vom Nervensystem überhaupt festzustellen geeignet wäre. Der Versuch besteht darin, dass zwei Vergleichsfröschen, deren einem der Plexus ischiadicus im Becken ohne Blutung einseitig durchschnitten ist, und welche so gelagert sind, dass das operirte Bein des einen und das gleichnamige des anderen Frosches in schräg aufsteigender gestreckter Lage schwebend erhalten werden unter Vermeidung jeglicher Berührung mit anderen Körpertheilen, diese Beine in gleichgrosse, gleichmässig mit 1 pCt. Strychninlösung imprägnirte Fliesspapierstreifen (6 auf 2 cm) eingeschlagen werden. Der operirte Frosch verfällt stets später als der andere in Streckkrämpfe, auch wenn die Durchschneidung des Plexus mehrere Tage vor dem Experiment Statt gefunden hatte. Wird aber jedes Thier, sobald es den ersten Streckkrampf gezeigt hat, aus der Strychninhülle befreit und sorgfältig abgewaschen, so halten die Strychninkrämpfe bei dem operirten Thier länger an. Letzteres hat also in der längeren Zeit bis zur ersten Giftwirkung im Ganzen mehr Strychnin durch Diffusion in den Lymphsack des Beines aufgenommen und verzögert war sicher nur der Uebergang des Strychnins von hier aus in das Blut.

Meade Smith (38) constatirte zunächst, dass während der Magen hungernder Frösche für gewöhnlich bis auf einen geringen schleimigen Ueberzug seiner Oberfläche leer gefunden wird, der Magen von hungernden Fröschen, an denen der Pylorus unterbunden worden war. eine zähflüssige trübe Flüssigkeit von saurer Reaction mit einem Gehalt von etwa 2,3 pCt. organischer Stoffe enthält. Wurde nun in den Magen von Fröschen, denen der Pylorus abgebunden worden war, Traubenzucker in Substanz oder Lösung gebracht, so wurde von demselben eine beträchtliche Menge resorbirt, um so mehr je concentrirter der Mageninhalt an Zucker zu Anfang war. Der Magen enthielt, je länger die Resorption von Zucker gedauert hatte, um so mehr ausgeschiedene Flüssigkeit, deren Procentgehalt an zuckerfreiem festem Rückstand höher war als bei fastenden Fröschen mit unterbundenem Pylorus. Wurden Fleischstücke in den Magen mit unterbundenem Pylorus gebracht, von denen auf Grund von Vorversuchen anzunehmen war, dass sie vom Magen mit durchgängigem Pylorus leicht und schnell bewältigt worden wären, so nahm ihre Auflösung, wenn sie überhaupt vollständig erfolgte, lange Zeit in Anspruch; der Flüssigkeitsinhalt des Magens nahm mit der Zeit zu und der Gehalt dieser Flüssigkeit an organischer Substanz war bald grösser bald kleiner als die Menge organischer Substanz, die als Fleisch eingeführt worden war. Nimmt man aber an, dass die Flüssigkeit mit demselben Gehalt an organischer Substanz ausgeschieden worden war, wie im Magen fastender Frösche nach unterbundenem Pylorus, so ergiebt sich in allen Fällen nicht unbeträchtliche Resorption peptonisirten Eiweisses.

Weiss (39) fand in der Gallenblase von Hunden, die nach tagelanger Fütterung mit glycocollsaurem Natron getödtet worden waren, eine für die Galle des Hundes abnorme Säure in beträchtlicher Quantität, die ihrer Reaction nach etweder als Glycocollsäure oder als Cholalsäure anzusprechen war. Da sie nach der Fütterung von Glycocoll gar nicht, nach solcher von Cholalsäure nur in geringer Menge auftrat, wird geschlossen, dass es Glycocholsäure gewesen ist, die einfach resorbirt und mit der Galle wieder ausgeschieden worden war. (Für Schiff gegen Sokoloff). Wurde in Vergleichsversuchen einerseits Glycocholl, andererseits Taurin zugleich mit cholalsaurem Natron einverleibt, so erschien die abnorme Säure in ersterem Fall in grösserer Menge. Hieraus wird geschlossen, dass „bei dieser Art der Experimente die Galle der Hunde wirklich Glycochollsäure und nicht Cholalsäure enthielt, da im entgegengesetzten Fall die Menge dieser letzteren Säure bei den letzten Versuchen hätte gleich sein müssen Nach Allem, was gesagt wurde, haben wir das Recht zu schliessen, dass nicht nur die frische Galle, sondern auch die im Darm zersetzte von Neuem von letzterem resorbirt wird, dass sie in das Blut und die Leber zurückgelangt, wo sie einer neuen Reconstitution unterliegt, indem sie sich mit dem Glycocholl und dem Taurin verbindet und dass sie dann von Neuem vom Organismus ausgenutzt wird." (Schiff.)

Frédéricq (40) spricht die Vermuthung aus, dass die Zähne sich ihren Kalkgehalt durch den Diffusionsverkehr mit dem Speichel bewahren und er verspricht diese Ansicht durch die Mittheilung von Versuchen zu stützen, in denen er ausgezogene Zähne abwechselnd mit verdünnten Säuren und mit Speichel oder Kalklösungen behandelte.

Wiemer (41) hat Dünndarmschlingen von Fröschen, die zum Theil mit Fett, zum Theil gar nicht oder mit Fleischstückchen gefüttert waren, nach Behandlung mit Ueberosmiumsäure, in Alcohol gehärtet und in feine Schnitte zerlegt, welche dann mit Hämatoxylinlösung gefärbt und in Glycerin untersucht wurden. Die Angaben Stöhr's und Zawarykin's über Verbreitung und Anordnung der Lymphzellen im subepithelialen Gewebe und zwischen den Epithelzellen konnte er durchaus bestätigen. Auf die Häufigkeit des Vorkommens der Lymphzellen zwischen den Epithelzellen hatte es keinen Einfluss, ob Fett gefüttert war oder nicht. Was die Vertheilung des Fettes nach Fettfütterung auf die verschiedenen zelligen Elemente anlangt, so behauptet W. auf das Bestimmteste, sich davon überzeugt zu haben, dass die Mehrzahl der Lymphzellen gar kein freies Fett enthielt, dass bei anderen die Fettkügelchen eine Zone um den Kern herum bildeten, während bei noch anderen allerdings das ganze Protoplasma von dem fein vertheilten Fett imprägnirt war, dass aber im Ganzen das Fett in den Lymphzellen sehr spärlich vorhanden sei im Gegensatz zu der massenhaften Aufnahme, wie sie in den Epithelzellen zu beobachten sei Er bezeichnet deshalb das Eintreten von Fetttheilchen in die lymphoiden Zellen als ein mehr zufälliges und für den Act der Fettresorption unwesentliches Moment.

Zawarykin (43) macht Wiemer den Vorwurf, bei der Nachuntersuchung seiner Angaben sich nicht auch seiner Methode bedient zu haben, namentlich müsse die von W. angewandte Färbung mit dem dunklen Hämatoxylin statt seiner hellen Picrocarminfärbung, sowie die Untersuchung in Glycerin, statt in Canadabalsam nach Aufhellung mit Nelkenöl, die Erkennung der Details sehr erschwert haben und die Resultate unsicher machen. Z. hält auf Grund von Nachuntersuchungen, die mit seiner Methode einer seiner Schüler (Matschinsky) angestellt hat, ganz bestimmt aufrecht, dass bei dem in Fettverdauung begriffenen Frosch die Cylinderepithelzellen des Dünndarms ganz frei von Fett seien, während man im Cylinderepithel eine enorme Masse der mit Fett beladenen Lymphzellen sehe.

Lehmann (46) gelang es, aus einer Thiry-Vella'schen Darmfistel, die er einer Ziege angelegt hatte, tagelang ziemlich reinen Darmsaft in genügender Quantität für die Analyse und für Verdauungsversuche aufzufangen.

Anfangs wurde die Secretion in Seitenlage des Thieres mit einem geknöpften Glasstab angeregt, später wurde der Verband in aufrechter Stellung des Thieres abgenommen, wobei der sich ausbildende Schleimhautprolaps den Reiz von selbst setzte. Bei Reizung mit dem Glasstab und bei kleinem Prolaps flossen in der Stunde etwa $1^1/_2$ g ab, bei grösserem Prolaps mehr (2—3 g). Die prolabirte Schleimhautpartie zeigte keine abnorme Röthung oder sonstige pathologische Erscheinungen, so dass ihr Secret als normal betrachtet werden kann. Der Darmsaft war leicht opalescirend, gelblich, stark alkalisch, von schwach salzigem Geschmack, ohne Geruch. Das specifische Gewicht war im Mittel 1,0187. Bei einer bezüglichen Bestimmung ergab sich der Gehalt an festen Bestandtheilen zu 3,6 pCt., bei einer anderen zu 4,6 pCt. mit 0,76 pCt. Asche, bei einer dritten zu 4,7 pCt. mit 0,83 pCt. Asche. In den festen Bestandtheilen ist Mucin und Albumin, kein Pepton. Im Saft und in der Asche wurden Carbonate vermisst, Salzsäure und Phosphorsäure war in der Asche reichlich vorhanden, Schwefelsäure nur in Spuren. Calcium wurde vermisst.

Alle mit dem Darmsaft angestellten Verdauungsversuche gaben negatives Resultat sowohl in Bezug auf saccharificirende und invertirende als auch in Bezug auf tryptische Wirkung. Ebensowenig liess sich Einwirkung auf Cellulose nachweisen. Obgleich sich mit Wasserdurchspritzung die Durchgängigkeit der 40 cm langen Darmschlinge nachweisen liess, wurden feste Körper der verschiedensten Form, Grösse und Substanz, wenn sie 3—4 cm tief in die eine oder andere Fistelöffnung eingeschoben worden waren, stets wieder nach einigen Minuten aus derselben Oeffnung ausgestossen.

Brasol (47) verfolgte das Schicksal des Traubenzuckers, welcher Hunden oder Kaninchen in die Jugularvene eingespritzt wird. Mit dem Harn wird überhaupt nur etwa $^1/_3$ des eingespritzten Zuckers als solcher entleert. Die Geschwindigkeit, mit der dies geschieht, ist sehr verschieden, bald ist die Hauptmenge schon nach $^1/_4$ Stunde ausgeschieden, bald erst viel später. Ebenso variabel ist die Zeit, innerhalb welcher der Harn frei von Zucker wird, welche oft 24 Stunden beträgt. Zwei Minuten nach Einspritzung beträchtlicher Quantitäten Zucker ins Blut ist ein bedeutendes Quantum desselben bereits aus dem Blute verschwunden. Zwei Stunden nach der Einspritzung ist der Procentgehalt des Zuckers im Blut wieder normal. Wenn dann trotzdem die Zuckerausscheidung durch die Nieren noch fortdauert, so muss man annehmen, dass unter dem Einfluss der Zuckereinspritzung die Befähigung der Nieren, Zucker auszuscheiden, erhöht worden ist. so dass sie nicht erst bei 0,3 pCt. (Claude-Bernard) sondern schon bei 0,1—0,07 pCt. zur Geltung kommt. Der Zucker, insofern er durch die Nieren noch nicht ausgeschieden ist, findet sich nur zum Theil im Blut und in den Gewebssäften (Kaninchen) als solcher, einen gewissen Theil hat die Analyse als Zucker nicht entdecken können, vielleicht, dass er sich in Glycogen oder Milchsäure verwandelt. oder eine sonstige chemische Metamorphose durchmacht. Aus der Verfolgung der Färbekraft des Blutes ergiebt sich. dass zwei Minuten nach Einspritzen des Zuckers das Blut in einem Maasse verdünnt ist, welches ausser allem Verhältniss zu dem Quantum der eingespritzten Flüssigkeit steht. Diese Verdünnung des Blutes ist nach 2 Stunden wieder ausgeglichen. Da die Verhältnisszahl des procentischen Zuckergehaltes im Gesammtblut und im Serum nach der Einspritzung sich der Einheit nähert, so müssen auch die Blutkörperchen Zucker aufnehmen, und da der Eiweissgehalt des Serums sich nicht in dem Maass verringert. wie es sein müsste, wenn die nach der Herabsetzung der Färbekraft zu erwartende Wassermenge zur Verdünnung des Serums verwendet würde, so müssen die Blutkörperchen mit dem Zucker auch Wasser aufnehmen. Die Blutkörperchen behalten sogar die eingedrungene Flüssigkeit länger als das Plasma. Das absolute Quantum des Eiweisses im Serum vor und nach der Zuckereinspritzung ins Blut bleibt unverändert. War der Blutdruck schon vor der Einspritzung hoch, so wurde er auch während der Zeit starker Vermehrung der intravasculären Flüssigkeitsmenge nur wenig gesteigert. In höherem Maass fand dies Statt, wenn der Blutdruck vor der Einspritzung niedrig gewesen war, doch ging er nie über die Höhe eines normalen Druckes hinaus. Da ausserdem zur Zeit des erhöhten Blutdruckes reichliche Blutung aus angeschnittenen kaum sichtbaren Hautgefässen erfolgte, so erscheint die Annahme nicht nur überflüssig sondern auch ausgeschlossen, dass die Erhöhung des Blutdruckes ausser auf erhöhter Inanspruchnahme der Elasticität der Gefässwandungen auf Erhöhung der vasoconstrictorischen Thätigkeit beruht habe.

Hammerbacher (48) hat einer Milchziege, deren monatelang regelmässig abgemolkene Milch jedesmal gemessen und in gewissen Intervallen auch analysirt wurde, wiederholt Pilocarpin und Atropin in Gaben, die vorübergehende Allgemeinerscheinungen hervorriefen, injicirt. (0,15—0,18 Pilocarp. muriat.. 0,12—0.18 Atrop sulf. in wässriger Lösung subcutan.) Beide Alcaloide schienen in den angewandten Dosen für eine Melkperiode und darüber hinaus, die Milchmenge zu verringern. Die Milch der ersten Melkung nach Pilocarpin-Injection war wasserreicher, diejenige nach Atropin-Injection wasserärmer und fettreicher als ohne vorhergegangene Injection. Den Resultaten haftet, wegen der Grösse der Schwankungen der Milchmengen auch ohne Injection, einige Unsicherheit an, welche von Vf. gebührend hervorgehoben wird und ihn veranlasst, zur Wiederholung der Versuche aufzufordern. Pilocarpin war in Speichel oder Milch nicht nachzuweisen.

Bernstein (49) hat zwei seiner Schüler veranlasst, die Beobachtung Rollett's über die Erhöhung der Widerstandsfähigkeit der rothen Blutscheiben gegen electrische Entladungen durch dem Blute beigemischte Salze weiter zu verfolgen. Scharffenorth (Diss. inaug., Halle) ermittelte den Wirkungsgrad verschiedener Salze in dem angedeuteten Sinne und entwarf eine Liste, in der K_2SO_4 mit Erhöhung der Widerstandsfähigkeit um das 10fache obenan. NaCl mit halb so starker Wirkung in der Mitte und KJ mit ein Viertel der Wirkung unten an steht. Becker (50) dehnte die Untersuchung auf den Einfluss der Salze anderen physicalischen und den chemischen Lösungsmitteln gegenüber aus. Was die lösende Wirkung der Wärme betrifft, so zeigte sich, dass sie an frischem Kaninchenblut sich bei 59° C. am sichersten erwies. Sowohl ClNa als auch K_2SO_4 (2 pCt.), dem Blut zugesetzt, erhöhten die Resistenz der Blutkörperchen gegen die Wärme sehr deutlich. das letztere scheinbar stärker wie das erstere. Wird gefrorenes Blut auf —15° C. abgekühlt, so gewährt Salzzusatz gar keinen Schutz gegen die Lösung der Blutkörperchen beim Wiederaufthauen wohl aber, wenn das Blut nur geringeren Kältegraden für nicht zu lange Zeit ausgesetzt wird, und zwar wirkt auch hierbei K_2SO_4 scheinbar am stärksten schützend. ClNa ($^1/_2$ bis 1—2 pCt.) und Na_2CO_3 weniger aber deutlich. Von chemischen Lösungsmitteln wurden Galle und eine Mischung von 4 Vol. Alcohol mit 1 Vol. Aether in den Kreis der Untersuchung gezogen und es zeigte sich, dass alle angewandten Salze, von denen erwiesen ist, dass sie die Widerstandsfähigkeit gegen die physicalischen Lösungsmittel erhöhen, chemischen Lösungsmitteln gegenüber sich umgekehrt verhalten und zwar derart, dass die Mittel, welche ersteren Agentien gegenüber den grössten Schutz gewähren, die Wirkung der letzteren am wenigsten unterstützen.

Cohnstein und Zuntz (51) haben ihre umfassenden Untersuchungen über das Blut, die Athmung und den Kreislauf beim Säugethier-Fötus am Meerschweinchen, Kaninchen, Hund und Schaf angestellt. Was zunächst die Zahl der rothen Blutkörperchen in der Raumeinheit Blut betrifft, so zeigen die Verf., dass dieselbe in den frühen Stadien der Entwicklung sehr gering ist, (bei dem 1,4 cm langen Kaninchenfötus etwa $^1/_{100}$, bei dem 5,2 cm langen etwa $^1/_5$ von der Zahl für das Mutterthier). Die Zunahme der rothen Blutkörperchen während des Fötallebens ist eine ganz allmälige und das Blut des reifen ungeborenen Fötus steht in dieser Beziehung dem mütterlichen Blut noch etwas nach. Im Blut neugeborener Kaninchen erreicht dann in den ersten 5 Lebensstunden die Blutkörperchenzahl diejenige des mütterlichen Blutes, um sie in der 5.—18. Lebensstunde zu überschreiten. Bei 6—10 Tage alten Kaninchen findet dann wieder eine Abnahme der Blutkörperchenzahl statt. Bei Früchten, welche geathmet haben, ist die Menge rother Blutkörperchen grösser als bei Früchten, welche nicht respirirt haben und bei spät abgenabelten Früchten ist das Blut concentrirter als bei früh abgenabelten. Der Hämoglobingehalt des fötalen Blutes wächst bei der Entwicklung in etwas geringerem Verhältniss als die Blutkörperchenzahl, woraus hervorgeht, dass die einzelnen Blutkörperchen in den früheren Entwickelungsstadien mehr Hämoglobin enthalten (sie sind grösser). Das Verhältniss der Blutmenge zum Körpergewicht ist beim Fötus incl. Placenta anfangs am grössten (beinahe $^1/_4$), um allmälig abzunehmen, beim Fötus excl. Placenta anfangs am kleinsten (ca. $^1/_{30}$), um allmälig zuzunehmen. Die Hauptmenge des Blutes ist also anfangs in der Placenta, später im Fötus und bei dem Neugeborenen, welches abgenabelt wurde, nachdem es schon respirirt hatte, ist der Blutgehalt der Placenta besonders klein. Bei den ersten Athemzügen wird Blut aus der Placenta in den Thorax des Neugeborenen aspirirt, dann wird die vermehrte Wasserabgabe des extrauterinen Lebens, welche in der für die ersten Lebensstunden characteristischen rapiden Vermehrung der Blutkörperchenzahl ihren Ausdruck findet, bestritten werden können, ohne dass die Blutmenge zu sehr unter diejenige des Fötus vor der Geburt herabgedrückt wird. Für Studien über die Kreislaufsverhältnisse des Fötus erwies sich das Schaf als besonders geeignet. Bei demselben existiren 2 Nabel-Arterien und 2 Venen, welche vor der Insertion in die Cotyledonen reichliche Anastomosen mit einander bilden, so das je eins dieser Gefässe für den Versuch disponibel ist, ohne dass dadurch die Circulationsverhältnisse beeinträchtigt werden. Die Pulsfrequenz fand sich bei Schafföten von 1200—1500 g zu 114 bis 210 p. M., bei reifen Föten zu 77—125 (das erwachsene Schaf hat 60—80). Blutverlust setzte beim Fötus die Pulsfrequenz vorübergehend herab. Der Arteriendruck scheint mit zunehmender Reife des Fötus zu wachsen, er erreichte in der Nabelarterie eines 1535 g schweren Fötus in maximo einige 40 mm Hg, bei einer reifen Frucht 100—110 mm. Aderlässe bewirkten momentanes Absinken des Druckes, der sich aber in relativ kurzer Zeit nachher wieder fast auf das frühere Niveau erhob. Es besteht demnach schon beim Fötus die Fähigkeit, welche wir vom erwachsenen Thier längst kennen, nach Blutverlusten den Mitteldruck im Arteriensystem auf normaler Höhe zu erhalten. Ebenso characteristisch wie der niedrige arterielle ist beim Fötus der hohe venöse Druck (16—18, ja bis 30 mm Hg) und die dem geringen Gefälle entsprechende geringe Stromgeschwindigkeit, welche in der Umbilical-Arterie sehr viel langsamer ist, als in den Gefässen ähnlichen Kalibers bei erwachsenen Thieren, etwa in der Carotis mittelgrosser Hunde. Bei den Versuchen, den Sauerstoffgehalt des fötalen Blutes zu bestimmen, stellte sich eine sehr starke O-Zehrung als Eigenthümlichkeit des fötalen Blutes heraus (Reichthum dieses Blutes an lebenden Zellen). Der O-Gehalt des Blutes aus der Nabelvene bleibt jedenfalls beträchtlich hinter dem Gehalt zurück, welcher der Sättigung des Hämoglobin entsprechen würde. In Bezug auf O-Bindung ist das fötale Hämoglobin mit dem erwachsener Thiere identisch. Der CO_2-Gehalt war auffallend gleich im fötalen und mütterlichen Blute. Der O-Verbrauch per Kilo und Stunde wird beim Fötus auf etwa 4 mal geringer geschätzt als bei seiner Mutter.

Cohnstein (52) constatirte durch Blut-Untersuchungen an trächtigen und nichtträchtigen Schafen in Uebereinstimmung mit älteren Autoren, dass die Blutkörperchenzahl in der Schwangerschaft allerdings abnimmt. Da er aber fand, dass sich der Hämoglobingehalt des Blutes umgekehrt verhält, so schloss er, dass die Blutkörperchen bei trächtigen Schafen grösser sein müssten, als bei nichtträchtigen. In der That fand er denn auch, dass sich die Mittelwerthe der Grösse, wie 4,9 (bei nichtträchtigen) zu 6,3 (bei trächtigen Schafen) verhielten.

Frédéricq (53) zeigt, dass der Salzgehalt des Blutes wirbelloser Wasserthiere in hohem Grade von dem Salzgehalt des Mediums abhängig ist, in dem sie leben. Nicht nur, dass das Blut wirbelloser Süsswasserthiere einen viel geringeren Salzgehalt hat, als das Blut wirbelloser Meerthiere und dass der Salzgehalt des Blutes der letzteren (sogar bei derselben Art) je nach dem Salzgehalt des Meeres, in dem sie leben, höher oder niedriger gefunden wird, sondern auch innerhalb kurzer Zeiten kann man den Salzgehalt des Blutes von Crustaceen des Meeres variiren, wenn man den Salzgehalt des Wassers variirt, in dem sie leben. Dagegen haben die Muskeln der wirbellosen Seethiere keinen wesentlich anderen Salzgehalt als die Muskeln wirbelloser

Süsswasserthiere und das Blut wird ebensowenig wie der Muskel bei Seefischen salzreicher gefunden als bei Süsswasserfischen.

Tizzoni (54) giebt eine Methode der Splenectomie beim Kaninchen, vom Rücken her, an, die ihm sehr gute Resultate gegeben hat. Die so operirten Thiere, ob jung oder alt, zeigten keinerlei Störung ihrer Entwickelung oder irgend einer Function und sie erzeugten ebenso kräftige Junge wie normale Thiere. Es zeigte sich bei ihnen nicht (wie nach früheren Angaben des Verf. bei Hunden) eine secundäre Entwickelung von Milzgewebe im grossen Netz, auch hatte die Milzexstirpation weder Einfluss auf die Glandula thyreoidea, noch auf die Glandula thymus, noch auch bei erwachsenen Thieren auf das Knochenmark, nur bei jungen, noch wachsenden Thieren wies letzteres nach der Milzexstirpation Zeichen gesteigerter blutbildender Thätigkeit auf.

Mosler (55) und Foa (56) halten den Befund von milzähnlichen Knötchen im grossen Netz von Hunden nach Milzexstirpationen für zufällig und betrachten ihn nicht, wie Tizzoni, als nothwendig an die Milzexstirpation geknüpft. M. characterisirt diese Knötchen, welche er gelegentlich auch in exquisiter Weise zu beobachten Gelegenheit hatte, als telangiectatisch-hämorrhagische Lymphome und spricht ihrer Structur jede wesentliche Uebereinstimmung mit der des Milzgewebes ab. Demselben Autor ist es bei seinen 30 Milzexstirpationen, die er an Hunden ausführte, aufgefallen, dass die Thiere, wenn sie die Operation scheinbar gut überstanden hatten, weniger widerstandsfähig gegen schädliche Einflüsse, namentlich gegen Kälte, waren und besonders zu Lungenentzündung disponirt waren. M. konnte einen unmittelbaren Einfluss der Milz auf Neubildung der weissen und rothen Blutkörperchen, aber keinen Einfluss auf Magen- und Pancreasverdauung nachweisen (vergl. Mosler, Die Pathologie und Therapie der Leukämie. Berlin).

Meuli (57) constatirte durch zahlreiche Messungen Anschwellen seines Halsumfanges bei horizontaler und noch mehr bei kopfabwärts geneigter Körperlage und indem er dasselbe hauptsächlich auf Anschwellen der Thyroidea bezieht, erkennt er darin eine Stütze für die Lehre Liebermeister's, nach welcher die Function der Schilddrüse in der Betheiligung an der Regulation der intracraniellen Circulationsverhältnisse bestehen soll.

Luchsinger (61) demonstrirt an der Ziege, dass alle einzelnen Acte eines einmaligen Cyclus der Rumination in regelmässiger Reihenfolge reflectorisch durch eine einmalige Reizung der Pansenwand ausgelöst werden können, auch wenn kein Bissen regurgitirt wird, der im Maule einen neuen Reiz (für Kaubewegungen, Speichelsecretion etc.) setzt.

Exner (62) zieht einige Nutzanwendungen aus den früher von ihm (Wiener Sitzber. LXXI.) entwickelten Principien, welche für die Beurtheilung der Wirkung von Längs- und Ringmuskeln frei beweglicher Rohre (Gefässe, Darm) Geltung haben. Wenn im gefüllten Darme typische peristaltische Wellen ablaufen, so hat man den Eindruck, dass ein contrahirter Ring, indem er sich bewegt, ein Quantum Darminhalt vor sich herschiebt; dieser Darminhalt bauche dann den Darm vor der contrahirten Stelle etwas aus. Es ist bisher nicht gelungen, zu ermitteln, ob diese Erweiterung wirklich eine passive ist oder ob sie activ durch Contraction der Längsmuskeln zu Stande kommt. Macht man aber die Annahme, dass eine solche peristaltische Welle darauf beruhe, dass sich erst die Längsfasern, dann die Ringfasern contrahiren und beide Contractionen so ablaufen, dass die der Längsfasern immer um etwas voraus sei, so gelangt man durch die fernere Annahme gelegentlicher Störungen im zeitlichen Ablauf und in den Intensitätsverhältnissen dieser Vorgänge zu einem Verständniss vom Mechanismus der Intussusceptionen. Eine zweite Nutzanwendung besteht in einer Kritik der Arbeit von Fellner (vorj. Ber. S. 182), in welcher Kritik E. zeigt, dass weder Fellner ein Kriterium dafür besessen habe, ob eine Verlängerung des Darmrohrs auf einem Nachlassen der Längsmuskeln oder auf einer Contraction der Ringmuskeln beruht habe, noch dass ihm selbst ein solches Kriterium bekannt sei.

In Bezug auf die Abhängigkeit der Rohrcapacität von der Contraction der einzelnen Muskelschichten entwickelt E. folgende 2 Sätze: „Die Capacität eines cylindrischen Rohrs wird durch Contraction seiner Längsmuskeln nicht geändert", und: „Die Capacität eines cylindrischen Rohres ändert sich umgekehrt, wie die dritte Potenz des Radius der Ringmuskelfasern, aus denen es gebildet ist". Bei den zu diesen Resultaten führenden und den früheren Betrachtungen hatte E. immer angenommen, dass bei der Contraction der Längsfasern ihre Volumconstanz durch gleichmässige Verdickung in allen zur Längsachse senkrechten Richtungen gewahrt werde, wie es in den landläufigen Experimenten an isolirten willkürlichen Muskeln beobachtet wird. Es wäre aber nicht undenkbar, dass aus Gründen einer besonderen inneren Structur der contractilen Substanz der in Betracht kommenden Gebilde oder wegen der Eigenthümlichkeit der äusseren Widerstände und der Plasticität der Muskelsubstanz eine Verkürzung in zwei Dimensionen zu Gunsten einer dritten geschähe. Würde diese dritte Dimension die gegen die Axe des Rohrs radiär stehende sein, dann würde das Resultat aller Betrachtungen sich ändern, speciell würde dann auch Contraction der Längsfasern nicht zu Vergrösserung des Umfanges des Rohrlumens, sie würde ausser zur Verkürzung des Rohrs nur noch zur Verdickung seiner Wandung führen. Um für Beurtheilung dieser Verhältnisse einen Anhalt zu gewinnen, legte E. auf eine ruhende, anscheinend erschlaffte Darmschlinge eines frisch geöffneten Hundes, etwa 1 cm in der Richtung der Queraxe des Darmes von einander entfernt, zwei kleine Schnitzelchen Staniol, deren Abstand gemessen wurde. Machte er dann oberhalb und unterhalb der Staniolstückchen je einen raschen Scheerenschnitt, der das Darmrohr etwa in einem Dritttheil seiner Peripherie durchtrennte, und der, um möglichst wenig Ringfasern zu reizen, parallel diesen geführt war, so beobachtete er häufig eine beträchtliche Zunahme der Entfernung beider Marken. Bleibt die Entfernung gleich, oder verringert sie sich, was auch vorkommt, so ist diese Wirkung auf Rechnung der überwiegenden Contraction von Ringmuskeln zu setzen. Das Auseinanderweichen der Marken kann aber füglich nur der Contraction von Längsmuskeln zugeschrieben werden, und es beweist dann, dass die Darmmuskeln sich bei ihrer Verkürzung nicht nur in der radiären Richtung des Darmquerschnitts, sondern auch in der tangentialen verdicken, dass sie sich also so verhalten, wie von vornherein angenommen worden war. Nur in dem Fall, dass sich die Längs- und Ringmuskeln mit grosser und gleicher Intensität contrahiren, wird jede Ringfaser an ihrer Verdickung in der Längsrichtung des Rohrs durch die Längsfaserschicht verhindert werden, ebenso jede Längsfaser an ihrer Verdickung in tangentialer Richtung durch die Ringfaserschicht, und es werden nur Verdickungen in radiärer Richtung des Rohrs übrig bleiben. In der That wird auch ein quadratisch begrenztes Stück Darmwand, herausgeschnitten, in Längs-, wie Querrichtung des Darms kürzer bei Zunahme der Wandstärke.

Oser (63) hat die Verengerungen und Erweiterungen des Pylorusringes bei Hunden durch Vermittelung einer in denselben eingeführten federnden Zange graphisch dargestellt. Sowohl bei durchschnittenen Vagis und Splanchnicis, als auch bei unversehrten Nerven zeigt die Weite des Pylorus Aenderungen von unregelmässiger Aufeinanderfolge, welche durch Reizung der Splanchnici in der Brusthöhle unterdrückt werden kann. Reizung der Vagi am Halse ruft eine Verengerung des Pylorus hervor, die durch gleichzeitige Reizung der Splanchnici nicht unterdrückt, wohl aber verringert wird. Die Pyloruscontraction auf Vagusreizung ist um so stärker und um so andauernder, je stärker der Reiz. Nach Aufhören dieser gleichzeitigen Reizung der Vagi und Splanchnici entwickelt sich die Splanchnicuspause, während deren Maximum (absolute Ruhe), Vagusreizung keinen oder nur sehr geringen Effect hat. Nach Ablauf der Splanchnicuspause kommt die Vagusreizung wieder zur vollen Geltung.

Giliberti (64) band in den Magen von Kaninchen vom Duodenum aus eine Canüle, spülte denselben aus und füllte ihn mit warmem Wasser, dessen Volumschwankungen er mittelst des Mosso'schen Plethysmographen aufschreiben liess. Waren beide Vagi am Halse durchschnitten, so rief Reizung ihrer peripherischen und ihrer centralen Stümpfe Volumverminderung hervor, in demselben Sinne, aber schwächer, namentlich schwächer als peripherische Reizung beider Vagi, wirkte Reizung des Halssympathicus. Centrale Vagusreizung hatte noch Effect nach Durchschneidung beider Sympathici am Halse, aber nicht mehr, wenn ausserdem das Rückenmark zwischen 2. und 3. Brustwirbel durchschnitten war. Nach Durchtrennung beider Vagi am Halse nahm das Volum des Magens etwas zu.

Martius (69) hat die Schwierigkeiten, welche sich der stroboscopischen Beobachtung der Flimmerbewegung an der Rachenschleimhaut des Frosches entgegenstellen, soweit überwunden, dass er zuverlässige Frequenzbestimmungen ausführen konnte. Als höchste Frequenz, welche der normalen möglichst nahe liegen dürfte, erhielt er 16—17 Schwingungen in der Secunde.

Müllenhoff (72) ordnet die Flugthiere nach (dem Logarithmus) ihrer „Segelgrösse" $\sigma = \frac{F^{1/2}}{P^{1/3}}$, in welchem Ausdruck F die Flugfläche, d. h. die ganze von den Flügeln und dem Körper dem Wind dargebotene Fläche, P das Gewicht des Thieres bedeuten und er findet, dass bei dieser Classification, welche der in der Schiffstechnik gebräuchlichen ähnlich ist, die Thiere mit gleichem Flugtypus zusammenzustehen kommen, und dass der Werth log. σ gleichmässig mit dem aus dem Flugtypus zu erkennen Segelvermögen der Thiere zunimmt. Obenan mit einem Werth von log. $\sigma = 0,8$ stehen die Vögel mit dem Flugtypus der Geier, bei denen das Gleiten und Kreisen die ausgedehnteste Verwendung findet, und bei denen es nur einer geringen Windstärke bedarf, um sie selbst ohne Flügelschlag in der Luft zu erhalten, unten an die fliegenden Insecten (exlc. Tagfalter) und die Flatterer unter den Vögeln (Wachteltypus) mit log. $\sigma = 0,26 - 0,5$, bei denen an ein Schweben oder Segeln nicht zu denken ist, welche vielmehr zu Boden fallen, wenn die sehr raschen Flügelschläge aufhören. Die Characteristik der dazwischen stehenden Typen selbst zu lesen, wird jedem naturwissenschaftlich interessirten Arzte besonderen Genuss bereiten. Aus dem Umstande, dass Thieren von dem verschiedensten Gewicht, sofern sie nur dieselbe Flugmethode befolgen, annähernd derselbe Werth von $\sigma = \frac{F^{1/2}}{P^{1/3}}$ zukommt, geht hervor, dass Thiere von verschiedenem Gewicht und gleicher Flugmethode geometrisch ähnlich sind (Satz 1). Stellt man sich die zwischen P und n (Zahl der Flügelschläge in der Secunde nach Marey) bestehenden Zahlenverhältnisse graphisch dar, so kommt man zu dem zweiten Satz, dass $n\,P^{1/3} = \text{const.}$, aus welchem in Verbindung mit dem ersten folgt, dass $nl = \text{const.}$ (l = Flügellänge). Der Satz $nl = \text{const.}$ bedeutet aber, dass die Flügelenden der Flugthiere sich mit (annähernd) gleicher Geschwindigkeit bewegen (9,4 M. in der Sec.).

Chabry (74) wog verschiedene Fische mit Schwimmblase, ohne sie zu verletzen, in demselben Wasser, in dem sie schon seit längerer Zeit lebten. Er schloss sie in enganliegende, die Kiemenbewegungen nicht hindernde, metallene Reusen ein, welche er mit Draht an den Wagebalken anhängte und konnte sie so in verschiedenen Tiefen, und zwar in denselben, in denen sie schon seit einiger Zeit lebten, wiegen. Er fand die Vertreter der meisten Arten, so lange sie gesund waren, etwas schwerer als das von ihnen verdrängte Wasser. Dies traf zu bis zu 4 m Tiefe. Die Gasspannung in der Schwimmblase fand er manometrisch bei einem Fisch an der Oberfläche 5—10 cm Wasser. Um die Stellung zu untersuchen, in welcher die Fische bei Ausschluss der Körper- und Flossenbewegungen im Gleichgewicht sind, brachte sie Verf. in enganschliessende Netze, in denen sie nach einigen Versuchen, sich zu befreien, bewegungslos verharren, ohne Schaden zu nehmen. Die nach der vorigen Methode schwerer als Wasser gefundenen Arten, sanken nach Aufhören der Bewegungen zu Boden und umgekehrt. Die Resultate beider Methoden bestätigen sich also gegenseitig. Jeder Fischart kommt ein characteristisches „Gleichgewicht der Stellung“ zu, welches eintritt, sobald der Fisch bewegungslos flottirt. Die Stellung, in der dieses Gleichgewicht vorhanden ist, ist bei den einen Arten horizontal, Bauch nach oben, bei anderen horizontal. Rücken nach oben (oder auch die eine Seite nach oben), bei noch anderen vertical, es ist immer diejenige Stellung, in welcher der Schwerpunkt des ganzen Körpers senkrecht unter den Schwerpunkt der dem Wasser dargebotenen Widerstandsfläche zu liegen kommt. Je grösser die Gewichtsdifferenz zwischen dem Fisch und dem von ihm verdrängten Wasser und je grösser der Abstand der beiden genannten Schwerpunkte, um so grösser ist die Stabilität des „Gleichgewichts der Stellung“, je mehr muss der Fisch also die ihm zu Gebote stehenden Mittel anwenden, wenn er Stellungen einnehmen will, die von der Gleichgewichtsstellung abweichen. Diese Mittel sind: Flossenbewegungen, Körperkrümmungen, Aenderungen im Füllungsgrade und im Spannungsgrade sowie in der räumlichen Vertheilung der Schwimmblasenluft. Das „Gleichgewicht der Stellung“ ist bei den verschiedenen Fischarten nicht nur der Stellung, sondern auch dem Grade der Stabilität nach sehr verschieden. Bei einigen genügt schon eine ganz kleine Verringerung der Convexität der Rückenkrümmung, um die Gleichgewichtsstellung aus der Bauchlage in die Rückenlage überzuführen.

Marey (75) hat unter Anwendung seines Odographen auf dem ihm zur Verfügung stehenden, reichlich mit electrischen Signal-Apparaten verschiedenster Art ausgestatteten Laufraum die Abhängigkeit der Schrittlänge und der Progressionsgeschwindigkeit von der Schnelligkeit der Schrittfolge untersucht. Bis zu 77 Schritten in der Minute nahm, dem Weber'schen Gesetz entsprechend, die Schrittlänge mit der Schrittzahl zu (am stärksten zwi: 65 und 77 Schritten in der Minute). Wuchs die Schrittzahl darüber hinaus, so nahm die Schrittlänge wieder ab. Das Maximum der Progressionsgeschwindigkeit lag bei 67 Schritten in der Minute.

Derselbe (76) analysirt in lehrreicher Weise eine Serie von successiven Momentan-Photographien, die er von einem schnell gehenden Menschen gewonnen hat. (Dunkler Anzug, glänzende Stäbe längs der Gliedaxen.)

Virchow (81) vertritt, indem er sich ein glückliches Aperçu Rieger's zu eigen macht, die Ansicht, dass die abnorme Beweglichkeit der sog. Schlangen- oder Kautschukmenschen auf der von ihnen durch Uebung erworbenen Fähigkeit beruhe, die unwillkürliche Mitbewegung (Brücke) oder den Reflextonus der zu der intendirten Bewegung antagonistischen Muskelgruppen zu unterdrücken.

[1) Berner, H., Om Kjönsdannelsens Aarsager; en biologisk Studie. Christiania. (Enthält theoretische Betrachtungen über die Ursachen der Geschlechtsbildung.) — 2) Runeberg, J. W., Om filtration af ägghvitelösningar genom djuriska membraner. Finske läkare sällsk. handl. Bd 24. p. 93.

Runeberg (2) berichtet über eine Reihe Filtrationsversuche, welche er mit Eiweisslösungen und frischen thierischen Membranen angestellt hat; er kommt hierbei zu dem Resultat, dass bei frischen thierischen Membranen die Permeabilität nach und nach unter dem Einflusse von niedrigem Drucke steigt, während sie bei der Anwendung höheren Druckes sinkt. Der Druck muss längere Zeit (mehrere Stunden) einwirken, damit Veränderungen in der Permeabilität sich entwickeln sollen; bei jedem besonderen Drucke stellt sich nach und nach ein ziemlich constantes Verhältniss ein. **Christian Bohr**

Swięcicki (Posen), O unerwieniu pojedynczych odcinków pochwy u królika. (Ueber die Innervation der einzelnen Abschnitte der Scheide bei Kaninchen.) Gazeta lekarska. N. 23. (Dasselbe hat der Verf. später auch in der Zeitschr. f. Geb. u. Gynäk. deutsch veröffentlicht. **v. Kopff** (Krakau).]

II. Allgemeine Muskel- und Nerven-Physiologie.

1) Du Bois-Reymond, E., Auszug aus dem Protocoll der fünften Plenarsitzung des internationalen Congresses der Electriker zu Paris. Du Bois-Reymond's Arch. S. 63. — 2) Derselbe, Ueber secundär-electromotorische Erscheinungen an Muskeln, Nerven und electrischen Organen. Ebendas. S. 1. (s. vorj. Ber.) — 3) Hering, E., Ueber positive Nachschwankung des Nervenstromes nach electrischer Reizung. Wiener Sitz.-Ber. Bd. 89. Abth. III. S. 137. — 4) Derselbe, Ueber Schwankungen des Nervenstromes in Folge unipolarer Reizung beim Tetanisiren. Ebendas. S. 219 — 5) Hermann, L., Ueber sogenannte secundär-electromotorische Erscheinungen an Muskeln und Nerven. Pflüger's Arch XXXIII. S. 103. (s. vorj. Ber.) — 6) Derselbe, Untersuchung zur Lehre von der electrischen Muskel- und Nervenreizung. Ebendas. XXXV. S. 1. — 7) Gendre, A. v., Ueber das Verhalten eines dem Muskel zugeleiteten Stromes während des Tetanus. Ebendas. S. 49. — 8) v. Kries, Ueber die Abhängigkeit der Erregungsvorgänge von dem zeitlichen Verlaufe der zur Reizung dienenden Electricitäts-Bewegungen. Du Bois-Reymond's Arch. S. 337. — 9) Fuhr, A., Einmalige lineare Stromschwankung als Nervenreiz. Pflüger's Arch. XXXV. S. 510. — 10) Grünhagen, A., Ueber ächte Interferenz- und Summationsvorgänge nervöser Thätigkeitszustände. Ebendas. S. 301. — 11) Halperson, Clara, Beiträge zur electrischen Erregbarkeit der Nervenfasern. Diss. inaug. Bern. — 12) Wedenskii, N., Wie rasch ermüdet der Nerv? Centralbl. f. d. med. Wiss. S. 65. — 13) Grünhagen, A., Ueber das Verhältniss zwischen Reizdauer, Reizgrösse und latenter Reizperiode nach einem neuen Versuchsverfahren. Pflüger's Arch. XXXIII. S. 296. — 14) Buch, M., Ueber die Tagesschwankungen der Muskelkraft des Menschen. Berl. klin. Wochenschr. S. 436. — 15) Gaglio, G., Sulle alterazioni istologiche e funzionali dei muscoli durante l'inanizione. Archivio per le scienze mediche. Vol. VII. p. 301. — 16) Manasseïn, M., Ueber die Flüssigkeitsaufnahme und Abgabe im Muskelgewebe unter dem Einfluss von verschiedenen Bedingungen. Biolog. Centralbl S. 757. — 17) Gendre, L v., Ueber den Einfluss des Nervensystems auf die Todtenstarre. Pflüger's Arch. XXXV. S. 33. — 18) Rollett, A., Zur Kenntniss des Zuckungsverlaufes quergestreifter Muskeln. Wiener Sitzungsber. Bd. 89. Abth III. S. 346. — 19) Pick, A., Zur Lehre von den Wirkungen der mechanischen Muskelreizung. Prager med. Wochenschr. S. 123 — 20) Wedenskii, N., Die telephonischen Erscheinungen am Herzen bei Vagusreizung. Centralbl. f. d. medic. Wiss. S. 1.

— 21) Biedermann, W., Ueber das Herz von Helix pomatia, ein Beitrag zur vergleichenden Physiologie der Muskeln. Wiener Sitzungsber. Bd. 89. Abth. III. S. 19. — 22) Varigny, H. de, Sur la période d'excitation latente des muscles des invertébrés. Compt. rend. XCIX. p. 334. — 23) Mayer, S., Zur Histologie des quergestreiften Muskels. Biol. Centralbl. IV. S. 129. — 24) Grützner, P, Zur Anatomie und Physiologie der quergestreiften Muskeln. Recueil zoolog. Suisse. I. p 656. — 25) Mays, K., Histophysiologische Untersuchungen über die Verbreitung der Nerven in den Muskeln. Zeitschr. f. Biologie. XX. S. 449. — 26) Kühne, W. und B. v. Syckel, Ueber Nervenendigung in den Muskeln. Verh. d. naturhist.-med. Ver. zu Heidelberg. N. F. III. S. 238. — 27) Kühne, W, Ueber Form, Structur und Entwicklung der motorischen Nervenendigung. Ebendas. S. 277. — 28) Flesch, M. Zur Kenntniss der Nervenendigungen in den quergestreiften Muskeln des Menschen. Mitth. d. Naturf.-Ges zu Bern. 1885. S 1. — 29) Floël, O., Die Wirkung der Kalium- und Natriumsalze auf die glatte Musculatur verschiedener Thiere. Pflüger's Arch. XXXV. S. 157. — 30) Bongers, P., Ueber die lähmende Wirkung des Strychnins. Du Bois-Reymond's Arch. S. 331. — 31) Preyer, W., Das Doppelinductorium. Sitzungsber. d. Jenaischen Ges. S. 95. — 32) Bloch, A. M., Expériences nouvelles sur la vitesse du courant nerveux sensitif chez l'homme. Journ. de l'anat. et de la physiol. p. 284.

Hering (3 u. 4) weist durch theoretische Betrachtungen und durch Versuche den grossen Einfluss nach, den auf das Resultat der meisten bisherigen Versuche über die negative Schwankung des Nervenstromes im electrischen Tetanus, unipolare Wirkungen gehabt haben müssen. Die Gefahr dieser Fehlerquelle ist darum hier so gross, weil es nicht nur schwer ist, den Bussolkreis von der Erde zu isoliren (namentlich in der feuchten Kammer), sondern auch weil der Bussolkreis selbst electrischer Ladung fähig ist, ein Moment, welches bei wachsender Spannung auszuschliessen, überhaupt nicht gelingen dürfte. Beide hervorgehobenen Momente können veranlassen, dass, wenn die Spannung an der dem ableitenden Bogen zunächst gelegenen (unteren) Reiz-Electrode einen, im Verhältniss zur Leitungsgüte der Reizstrecke erheblichen Betrag erreicht, Electricitätsbewegungen durch den Nerven zwischen Reiz- und Bussolstrecke und durch die obere ableitende Electrode eintreten, welche nicht nur unbeabsichtigte Steigerung der Nervenerregung, sondern auch solche bleibende Aenderungen der Nerven an der oberen ableitenden Electrode im Gefolge haben, welche in demselben Sinne wie die ächte negative Schwankung auf die Bussole wirken. Wenn nachweislich unipolare Wirkung in erheblichem Maasse vorhanden war, zeigte sich die negative Schwankung in wesentlich anderer Form, als wenn sie sicher ausgeschlossen werden konnte. Bei der „unipolaren Schwankung" war die Stromabnahme viel beträchtlicher und sie hinterliess eine dauernde Schwächung des Nervenstromes. Nur bei Stromstärken und unter Bedingungen, welche mit Sicherheit unipolare Wirkungen erwarten liessen, sah H. bei der Schwankung Umkehrung der Richtung des Nervenstromes, sonst betrug die negative Schwankung nur einen Bruchtheil der Intensität des Ruhestroms. Der ganz reinen, von unipolarer Wirkung freien, negativen Schwankung sieht nun aber H. im Allgemeinen eine positive Schwankung folgen, welche nach Schluss der Reizung eintritt und sich daher unmittelbar an die negative Schwankung anschliesst. Die positive Nachschwankung ist am stärksten unmittelbar nach Schluss der Reizung und klingt schnell ab, sie scheint stets kleiner zu sein als die negative Schwankung, sie wächst wie diese — innerhalb der durch die Versuchsbedingungen gesteckten Grenze — mit der Reizstärke und ausserdem insoweit mit der Reizdauer, als die Ermüdung noch nicht störend eingreift, von welcher die positive Schwankung sehr bald betroffen wird, während an der negativen Schwankung — bei Ausschluss unipolarer Wirkungen — kaum eine solche wahrzunehmen ist. Es genügt übrigens, den Nerven nur während eines Bruchtheiles einer Secunde zu tetanisiren um schon positive Nachschwankung zu erhalten. War die positive Schwankung an sich gross, so können Minuten vergehen, ehe sie völlig verklungen ist. Meist berechnet sich ihre Dauer nur nach Secunden. Abwechselnd gerichtete gleichwerthige Ströme erzeugt H. dadurch, dass er entweder eine secundäre Spirale vor einer, von constantem Strom durchflossenen primären rotiren lässt, oder dass er die primäre Spirale durch einen einzigen offenen Kupferring ersetzt, der aussen und innen mit secundären Windungen umgeben ist, oder dass er abwechselnd gerichtete Stromstösse einer constanten Batterie anwendet.

Hermann (6) hat durch Rheotomversuche am Kernleiter-Modell ein Phänomen verfolgt, welches einige Aehnlichkeit mit dem Ablauf der Erregungswelle am Nerven hat. Leitet man einer gewissen Strecke des Modells („Reizstrecke") momentane Stromstösse eines constanten Stromes zu, und ebenso momentan von einer anderen Strecke des Modells (Bussolstrecke) zu einer Bussole ab, derart, dass das zeitliche Intervall zwischen jedesmaligem Schluss des „Reizcontactes" und des Bussolkreises nach und nach verlängert wird, so erhält man zuerst Bussolausschläge, welche einen dem „Reizstrom" gleichgerichteten Strom im Modell anzeigen. Diese Ausschläge werden mit Vergrösserung des zeitlichen Intervalls grösser, erreichen ein Maximum, nehmen ab und kehren dann ihr Zeichen um. Die sämmtlichen Phasen des Phänomens werden zeitlich umsomehr hinausgeschoben, je mehr man die abgeleitete Strecke von der Reizstrecke entfernt. Es giebt Bedingungen, unter denen das Maximum, ja auch solche, unter denen der Beginn der positiven Phase nach Oeffnung des Reizcontactes fällt. Mit Vergrösserung des räumlichen Intervalls zwischen der „Reizstrecke" und der Bussolstrecke nehmen beide Phasen, zuerst und schneller die negative ab, um in einiger Entfernung ganz zu verschwinden. Ein dem Kernleiter zugeführter momentaner Strom hat also einen wellenförmig sich fortpflanzenden galvanischen Vorgang zur Folge. Was den Zeichenwechsel zwischen den Hauptphasen dieses Vorganges anlangt, so hat sich die verlockende Annahme nicht bestätigt, „dass derselbe, ähnlich wie der Zeichenwechsel des doppelsinnigen Actionsstromes der Muskeln und Nerven, davon herrühre, dass diejenige wellenförmig vorrückende Veränderung, welche, an der ersten Electrode angelangt, die erste Phase machte, an der zweiten anlangend und gleichzeitig an der ersten erloschen oder stark vermindert eine entgegengesetzte Phase hervorbrächte.“ Leitet man nämlich den Vorgang derartig, dass der polarisirende Strom dauernd geschlossen bleibt und dass eine rheotomische Unterbrechung in der Continuität des Platindrahtes des Modells zwischen durchflossener und abgeleiteter Strecke ausgeführt wird, so bleibt die zweite Phase aus, während an der ersten sich Nichts ändert. Dies beweist, dass die zweite Phase lediglich von Vorgängen in der intrapolaren Strecke herrührt, welche mit den Oeffnungen des polarisirenden Stromes zusammenhängen. Eine genauere Analyse hat denn auch ergeben, dass die zweite Phase von dem Oeffnungsgegenstrom des Kernleiters herrührt, „sie ist nichts anderes als der vergleichsweise beharrende Zustand, in welchem der Kernleiter durch die Polarisation in Folge der rasch wiederholten Momentanschliessungen des polarisirenden Stromes geräth. Die erste Phase aber ist die auf diesen Zustand sich superponirende wellenförmig ablaufende Wirkung jeder einzelnen Momentanschliessung.“ Die Fortpflanzungsgeschwindigkeit der Welle, welche die erste Phase hervorbringt, hat sich zu 20—65 m per Secunde ergeben. Das ganze Phänomen ist nur mit Momentanschluss des constanten Stroms, nicht aber mit Inductionsschlägen zu erzeugen.

Kries (8) und Fuhr (9) haben ziemlich gleichzeitig, letzterer auf Anregung und unter Leitung Fick's, einen Apparat construirt, der gestattet, eine einmalige lineare Stromesschwankung zu erzeugen, derart, dass der Strom von beliebiger Höhe (incl. 0) mit abstufbarer Steilheit zu einer anderen Höhe (mit oder ohne Durchgang durch 0) ansteigt oder abfällt, auf welcher Höhe er dann verharrt. Beiden Constructionen liegt das Princip des du Bois'schen Schwankungs-Rheochords zu Grunde, dessen geradlinig ausgespannter Platindraht durch eine kreisförmige, in einem kleinen Theil des Umfangs durch nichtleitende Masse unterbrochene, mit Zinksulfatlösung gefüllte Rinne, und dessen mit Quecksilber gefüllte Contactbüchse aus Platin durch eine in die Rinne tauchende, an drehbarer senkrechter Axe vermittelst eines horizontalen Armes befestigte amalgamirte Zinkschneide ersetzt ist. K. lässt den die Zinkschneide tragenden Arm durch eine Feder losschiessen (daher der Name Federrheonom), F. lässt diesen Arm durch ein in constanter Umdrehungsgeschwindigkeit erhaltenes Schwungrad für eine Umdrehung oder für einen Bruchtheil derselben mitnehmen. Die Schwankungsbreite der Stromintensität, sowie die Schwankungsdauer (also auch die Steilheit der Schwankung) lassen sich durch Aenderung der gegenseitigen Stellung der festen Electroden an der Rinne (zwei für den Kettenstrom, eine für den Nervenkreis), sowie durch Aenderung der Anfangs- und Endstellung der beweglichen Electrode (zweite Electrode des Nervenkreises), ferner durch Aenderung des Potentialunterschiedes an den Ketteneleotroden, schliesslich auch durch Aenderung der Geschwindigkeit der beweglichen Electrode variiren. K. stellte zunächst an weder vergifteten, noch mit Kochsalzlösung ausgespülten Wasserfröschen, denen das Centralnervensystem zerstört, deren einer Ischiadicus undurchschnitten in der Mitte des Oberschenkels mit unpolarisirbaren Reizelectroden armirt und deren zugehörige Achillessehne mit einem Schreibhebel verbunden war, Versuche nach folgendem Plan an. Es wurde die Intensität des Stromes aufgesucht, bei dessen momentanem Schluss (von freier Hand mit gewöhnlichem Quecksilberschlüssel) eben Zuckung eintrat (i_m = Intensität des „Momentanreizes“, als Maass dieser Intensität diente die Grösse des Widerstandes in einer Nebenleitung zum Kettenkreise), dann wurde bei einer bestimmten Anstiegsdauer des beim Spiele des Federrheonoms von 0 ansteigenden Stromes (bestimmte Entfernung der Bussolelectroden an der Rinne) diejenige Intensität aufgesucht, bis zu welcher der Strom ansteigen musste, damit jetzt eine minimale Zuckung erfolgte (i_z = Intensität des „Zeitreizes“). Letztere Intensität ist grösser wie erstere, d. h. der Quotient $\frac{i_z}{i_m}$ = „Reizdivisor“ ist grösser wie 1. Diese Zahl wurde nun für verschiedene Grössen der Anstiegsdauer bestimmt. Sie ist ein Maass für die Ueberlegenheit der Empfindlichkeit des Präparates gegen Momentanreize über seine Empfindlichkeit gegen Zeitreize. Diese Ueberlegenheit ist wesentlich abhängig von der Steilheit der Stromschwankung und zwar derart, dass sie bei Abnahme der Steilheit von ihrem erreichbaren Maximum (bei Momentanschluss) bis zu verhältnissmässig schon recht geringen Werthen (d. h. bis zu den grössten, welche das Rhenonom gestattet) nur sehr wenig steigt, dann aber immer schneller, um bei einer gewissen, noch nicht sehr viel geringeren Steilheit plötzlich unendlich zu werden; es ist dies diejenige Steilheit, bei der es eben gelingt, den Strom in den Nerven „einzuschleichen“. Dass der Schwellenwerth der Stromintensität sich innerhalb einer beträchtlichen Breite der grösseren Steilheitswerthe so wenig ändert, berechtigt zu der Annahme, dass hier ausser der Steilheit noch ein anderer Factor von Einfluss auf den Schwellenwerth sein muss, ein Factor, der selbst zunimmt, während die Steilheit abnimmt. Dieser Factor kann füglich nur die während des Stromanstieges den Nerven durchfliessende Electricitätsmenge sein, welche ja die Erregbarkeit am Reizort (an der Cathode) electrotonisch erhöhen muss. Trägt man diesem Factor, welcher in den Breiten grösserer Steilheiten thatsächlich zur Geltung zu kommen scheint, soviel Rechnung, wie ja jede aprioristische Betrachtung thun musste, so kann es nur Wunder nehmen, dass von seinem Einfluss in den Breiten geringerer Steilheit, d. h. grösserer Ansteigedauer, bei absteigender Stromrichtung so wenig oder nichts zu merken zu sein scheint. (Auf das Eingreifen electrotonischer Wirkungen weist übrigens auch der Umstand hin, dass bei aufsteigender Stromwirkung der Reizdivisor grösser gefunden wurde, als bei absteigender.) Lässt man bei einer bestimmten Steilheit des Stromanstieges die Stromintensität über ihren Schwellenwerth wachsen, so erhält man, ebenso wie bei Momemtanreizen, innerhalb einer gewissen Reihe der Intensitäten eine Steigerung der Zuckungshöhe, bis diese bei einer gewissen Intensität ihr Maximum erreicht. Da nicht nur die untere Grenze dieser Breite mit abnehmender Steilheit höher rückt, sondern da die Breite selbst beträchtlich zunimmt, und da während des ganzen Antheils der Anstiegsdauer, innerhalb dessen die Stromintensität diese Breite durchmisst, die Erregung im Nerven wachsen muss, so hat man ein Mittel in der Hand, die Zeit der Erregungszunahme im Nerven zu variiren. Eine constante Verlängerung der Zuckungsdauer hat sich durch Vergrösserung dieser Zeit nicht erzielen lassen, wohl aber, höchst wahrscheinlich, eine Verlängerung der Dauer der negativen Schwankung des Muskelstromes. Wegen der Grösse der besprochenen Breite bei Zeitreizen empfehlen sich letztere da, wo es sich um grosse Feinheit in der Abstufung der Erregungsgrösse handelt. — Der Unterschied in der Empfindlichkeit für Momentan- und Zeitreize wird stark vermindert durch Abkühlung des Nerven, wenig oder gar nicht durch Abkühlung des Muskels gar nicht durch Ermüdung oder durch Aenderung in der Länge der Reizstrecke. Am gesunden Menschen erwies er sich bei Nerven- und Muskelreizung von derselben Grössenordnung wie am normalen Froschpräparat, zeigte sich aber Null bei Prüfung eines Muskels am Menschen, der Entartungsreaction zeigte, und am curarisirten Froschmuskel

Fuhr (9) arbeitete am isolirten Nerv-Muskelpräparat, dessen Ischiadicus in der Mitte des Oberschenkels durchschnitten war und dort gereizt wurde. Liess er den Strom im Nerven mit verschiedener Steilheit ansteigen, so fand er, dass die Zuckung bei steilerem Anstieg früher eintrat als bei flacherem, und zwar war die im Moment des Zuckungsanfanges erreichte Stromintensität in beiden Fällen annähernd gleich, d. h. bei flachem Anstieg nicht wesentlich höher als bei steilem. Hieraus geht hervor, dass der Schwellenwerth der Stromintensität nicht nur durch die Steilheit des Anstieges, sondern auch durch die Electricitätsmenge bedingt wird, die den Nerven durchflossen hat. (Die Deutung, welche Verf. selbst den in Betracht kommenden Versuchsresultaten giebt, enthält innere Widersprüche. Ref.) F. constatirte ferner, dass, wenn die eine Electrode einem frischen Querschnitt des Nerven, die andere einem nicht sehr entfernten Längsschnittpunkte anliegt, die Zuckung ceteris paribus durch absteigenden Strom früher ausgelöst wird, als durch aufsteigenden Strom. Die Zeitdifferenz ist erheblich grösser, als dem Aufenthalt der Erregungsleitung in der Reizstrecke entsprechen würde; sie zeigt also eine Differenz im Schwellenwerth der Stromintensität an, welche bei gleicher Steilheit zu Gunsten der durch den Nervenstrom katelectrotonisirten Reizstelle vorhanden ist. Im Gegensatz zu Angaben Fleischl's konnte F. mit aller Sicherheit constatiren, dass auch zur Zeit abnehmender Stromintensität Erregung im Nerven entstehen kann, und im Gegensatz zu den theoretischen Auffassungen Grützner's und Tigerstedt's von der Natur der Oeffnungszuckungen, dass zur Zeit der Entstehung dieser Erregung der Nerv auch wirklich von einem Strom im Sinne des abnehmenden Kettenstromes durchflossen ist. Es ist also sicher gestellt, dass auch abnehmender Anelectrotonus mit Erregung des Nerven verbunden sein kann. (Vgl. vorjähr. Ber. S. 187.)

Halperson (11), eine Schülerin Grützner's, suchte nach einer anatomischen Grundlage, für die auch von ihr constatirte Thatsache der höheren Erregbarkeit (und Polarisirbarkeit) der motorischen und sensiblen Fasern in den oberen Partien des Froschischiadicus. Es ergab sich bei dieser Untersuchung, dass in den unteren Abschnitten des Nerven die Ranvier'schen Schnürringe näher an einander stehen als in den oberen und dass dort relativ mehr indifferentes Zwischengewebe vorhanden ist.

Wedenski (12) giebt einen sehr schönen Versuch zur Demonstration der Unermüdbarkeit des Nerven an. Er wendet im Princip ein schon von Bernstein für diesen Zweck benutztes Verfahren an, d. h. er tetanisirt den Nerven dauernd, während er die Erregung und Ermüdung des Muskels durch einen zwischen gelegten Anelectrotonus verhindert, welcher letztere nur von Zeit zu Zeit zur Constatirung der andauernden Erregung des Nerven unterbrochen wird. Da er nun gefunden hat, dass die Leitungsunterbrechung im Nerven, nachdem sie einmal durch starken Strom erzeugt ist, durch Ströme unterhalten werden kann, welche so schwach sind, dass sie keine schädliche Nachwirkung hinterlassen, so gelingt es ihm, zu zeigen, dass Stunden lang (6 Stunden) fortgesetztes Tetanisiren den Nerven noch nicht ermüdet.

Buch (14) prüfte längere Zeit hindurch täglich zu bestimmten Tagesstunden den Druck, den er mit der Hand an einem Dynamometer auszuüben im Stande war. Dieser Druck war am geringsten beim Verlassen des Bettes und zwar nach gutem, ausgiebigem (9stündigem Schlaf), zeigte sich sehr bedeutend gehoben nach Einnehmen des Morgenthees, nahm bei angestrengter fünfstündiger Thätigkeit bis zum Mittagessen immer noch zu, letzteres steigerte ihn auch noch merklich, dann trat bei fortgesetzter Thätigkeit Abnahme ein, doch erwies sich die nach angegebenem Maass gemessene Muskelkraft am Abend beim Schlafengehen noch beträchtlich höher als sie des Morgens beim Aufstehen gewesen war. Verf. weist auf Uebereinstimmung seiner Beobachtungsresultate mit denen hin, die in einer Inaugural-Dissertation von M. Powarnin (St. Petersburg 1883: Ueber den Einfluss des Schlafes auf die Muskelkraft des Menschen) mitgetheilt worden sind.

Gaglio (15) untersuchte die Veränderungen, welche der Froschmuskel durch Aushungern erleidet. Die Empfindlichkeit gegen den faradischen Strom (indirecte Reizung), nimmt ab, ebenso die

Zuckungshöhe; die Dauer des Latenzstadiums und der Wiederausdehnung des Muskels nach der Zuckung nimmt zu. Bei Ermüdungsversuchen tritt die Erschöpfung am ausgehungerten Muskel nicht früher ein als am normalen. Das herausgeschnittene Herz ausgehungerter Frösche schlägt länger als das normaler. Die Frösche starben, wenn sie 56 pCt. ihres Körpergewichts verloren hatten; ihre Muskeln hatten dann 85 pCt. an Gewicht eingebüsst. Die degenerirten Fasern in den Muskeln des Skelets und des Herzens zeigten Kernwucherung und körnigen Zerfall. Die Granula bestanden nicht aus Fett, wahrscheinlich aus Eiweiss.

Manasseïn (16) constatirte, dass todter und ermüdeter Froschmuskel leichter Wasser aufnimmt und abgiebt, als lebender und geruhter.

Gendre (17) konnte an Fröschen sehr deutlich nachweisen, wie die Todtenstarre durch den Einfluss des Nervensystems beschleunigt wird. Durch Strychnin und Curare wird der postmortale Einfluss des Nervensystems auf die Todesstarre aufgehoben. Am Menschen wurde in einem Fall von paralytischem Blödsinn auf syphilitischer Grundlage, der zwei Tage vor dem Tode zu halbseitiger Körperlähmung geführt hatte, Verspätung der Todtenstarre an der gelähmten Seite beobachtet.

Wedenski (20) leitete den entblössten Herzventrikel eines Hundes durch zwei eingestossene Nadeln zu zwei für das binauriculare Hören angeordneten Siemen'schen Telephonen ab und hörte dann bei jeder Herzsystole ein kurzes, characteristisches, dem ersten Herzton ähnliches Geräusch. Reizte er den Vagus mit so abgemessenen Strömen, dass die Schlagfolge nur verzögert wurde, so beobachtete er am Telephon eine Reihe von kurzen, mit den Herzperioden zusammenfallenden Tönen, deren Höhe der Reizfrequenz entsprach. Wurde die Reizung verstärkt, so dass das Herz stillstand, so war während der Ruhe nichts wahrzunehmen. Nach Atropin-Injection, folglich nach der Lähmung der hemmenden Vagusfasern brachte die Reizung bei jedem Grade der Stärke den periodisch eintretenden Ton rein hervor. Diese künstlichen Herztöne bleiben aus, wenn das Thier so stark mit Curare vergiftet ist, dass Reizung des Vagus keinen Herzstillstand mehr bewirkt, man hört dann nur die unveränderten natürlichen Geräusche. W. zieht aus der Summe dieser Beobachtungen den Schluss, dass einigen Vagusfasern eine Art motorischer Wirkung auf das Herz zuzuschreiben sei, welche sich bei gleichmässig anhaltender Reizung nur periodisch äussern kann.

Biedermann (21) findet den Thätigkeitszustand des sehr dünnwandigen und, wie er in Uebereinstimmung mit Förster fand, ganglienlosen Herzens der Weinbergschnecke in hohem Maasse von dem Spannungsgrade dieser Wand abhängig, sei es dass die Spannung durch Zug am Gewebe oder durch Erhöhung des intracardialen Flüssigkeitsdruckes hervorgebracht wird. Leer und vor Zerrung bewahrt erscheint das herausgeschnittene Herz dauernd in Diastole zu verharren, geringe Zerrung der Wand oder Füllung des Herzens mit Flüssigkeit unter sehr geringem Druck löst regelmässige Pulsationen aus, deren Frequenz mit wachsender Temperatur steigt. Plötzliche Drucksteigerung versetzt das Herz in lange anhaltende Systole, nach deren Lösung die regelmässige Schlagfolge sich wiederherstellt. Der „cardiotonische" Zustand ist bei mässig erwärmtem Herzen besonders leicht hervorzurufen. Er wird gelöst durch vorsichtige circumscripte mechanische Reizung und durch den constanten Strom. Bei Stromschluss geht die Lösung nach merklichem Latenzstadium von der Anode aus und pflanzt sich von hier aus peristaltisch auf das übrige Herz fort, wenn der Strom hinreichende Stärke besitzt, oder bleibt bei geringerer Stromstärke auf die Umgebung der Anode beschränkt. Bei mässigem Grade des „cardiotonischen" Zustandes tritt an der Kathode bei Stromschluss, ohne merkliche Latenz, Steigerung des Tonus ein. Bei Stromöffnung vertauschen die Electroden die Rolle. Einzelne Inductionsschläge sind wirkungslos. Schliessungsschläge von tetanisirender Frequenz geben starke hemmende Wirkung, aber die Erschlaffung des vorher contrahirten Ventrikels ist in keinem dieser Fälle eine peristaltische, sondern sie beginnt an allen Punkten des Herzens merklich gleichzeitig. Die Anodenschliessungs- und die Kathodenöffnungserschlaffung lässt sich auch am schlagenden Froschherzen demonstriren, wo sie sich dadurch documentirt, dass die Umgebung der betreffenden Electrode bei jeder Systole des übrigen Herzens erschlafft bleibt oder früher in Diastole verfällt, als entferntere Partien. In den Fällen, in denen die einmalige kurzdauernde Schliessung eines genügend starken Stromes eine einmalige, maximale Zusammenziehung des ruhenden, diastolisch erschlafften Froschventrikels auslöst, lässt sich zeigen, dass dieselbe von der Kathode ausgeht. B.'s schöne Versuche am Schneckenherz haben es evident gemacht, dass der electrische Strom, welcher bei directer Einwirkung den erschlafften, ruhenden Muskel nach bekannten Gesetzen zur Contraction anregt, eine schon bestehende Erregung in nicht minder gesetzmässiger Weise zu hemmen und so eine Erschlaffung des contrahirten Muskels herbeizuführen vermag.

Kühne (26 u. 27) ist in der Lage, auf Grund seiner unermüdlich fortgesetzten umfassenden Untersuchungen über die Endigungen der motorischen Nerven in den Muskeln, bestimmtere Aussagen über die Natur der Plattensohle (vergl. diesen Bericht pro 1882. S. 198) und deren Substanz zu formuliren. „Wir haben uns die Muskelsubstanz aus zwei wesentlichen Bestandtheilen errichtet vorzustellen, nämlich aus einer in der Querstreifung gegebenen Rhabdia und aus einer die Kerne und das zugehörige feinkörnige Protoplasma begreifenden Sarcoglia. Diese Theile scheinen so vollkommen in einander verwoben zu sein, dass selbst in die geregelte Streifung eingereihte Schichten, wie z. B. die Nebenscheiben, der Glia angehören könnten." Die Plattensohle stellt, wo sie ausgebildet ist, eine besondere Anhäufung der Glia dar, welche als wesentlich der Muskelsubstanz angehörig betrachtet wird, und welche auch, wo sie nicht zu einer Sohle angehäuft ist, die Erregungsvermittelung zwischen der im „Endgeweih“ (hypolemnale Endverästelung des Axencylinders mit periaxialem Stroma) repräsentirten Endigung der specifisch nervösen Substanzen mit der Rhabdia vermittelt. „Die Innervationsfrage hat nicht die Erregung der Rhabdia durch die Glia, sondern die der letzteren durch das Geweih ins Auge zu fassen. Die andere Frage geht die Lehre von der Muskelirritabilität an und wird zunächst ausgedehnt werden müssen auf die der Contractilität der Glia, die in den Nervenhügeln und wo sie sonst in Haufen ungeordnet auftritt, vermuthlich der amöboiden Bewegung nicht entbehrt.“ Die Glia ist übereinstimmend mit dem Muskelbildungsmaterial. Als einfachste Form der Nervenendigung (im Endgeweih) wird diejenige eines Hakens bezeichnet, der aus einem kurzen und einem langen Bogen besteht. Beide Bögen gehen von der Eintrittsstelle der markhaltigen Nervenfaser aus, wie die Bügel eines Uhrhakens mit Selbstverschluss von dessen Handgriffe. Die stets unsymmetrisch liegende Lücke der Haken ist von verschiedener Grösse, oft aber nur scheinbar sehr gering, weil die Bügelenden wie an einem nach der Fläche verbogenen Haken nicht in einer Ebene, sondern der eine in der Wölbung, der andere in der Basis des Nervenhügels liegen. Demselben Umstande ist es zuzuschreiben, dass statt der Haken nicht selten vollkommene Ringe oder geschlossene Kränze zu sehen sind.“ Dass der Schluss dieser Ringe stets nur scheinbar ist, liess sich sehr wahrscheinlich machen, dass aber die scheinbaren Anastomosen ganzer Geweihäste stets durch Ueberkreuzung einzelner in verschiedenen Ebenen gelegener vorgetäuscht würden, konnte noch nicht erwiesen werden. Kühne, welcher sich der Anschauung von der fibrillären Structur des Axencylinders zugewandt hat, meint, dass der Axialbaum, wie er in den Geweihen der Goldpräparate auftritt, bezüglich seiner Sonderung, Lage, Form und Ausdehnung als ein Kunstproduct anzusehen sei, aber hervorgegangen aus einem geformt präexistirenden Antheile des Axencylinders, den Fibrillen, von denen anzunehmen sei, dass sie im Leben das Stroma gleichmässiger durchzögen.

Flesch (28) bespricht, unter Mittheilung der betreffenden Zeichnungen, Bilder, die er von motorischen Nervenendigungen in dem ganz frischen Musc. tensor tympani eines Hingerichteten, nach Goldbehandlung, gewonnen hat. Die Befunde, welche den Beweis der Giltigkeit des Kühneschen Schemas auch für den Menschen enthalten, sind darum noch von besonderem Interesse, weil sie den Verf. schon vor Jahren (Sitzungsber. d. physik.-med. Ges. zu Würzburg, 8. Mai 1880) veranlasst haben, den „Zusammenhang der Nerven- mit der Muskel-Faser durch den Uebergang der Endplatte in die protoplasmatische Randschicht (Plattensohle) und deren Zusammenhang mit den interstitiellen Körnchenreihen, beziehungsweise dem die Muskelkerne umgebenden Protoplasmarest vermittelt“ anzusehen.

Flöel (29), der die Wirkungsweise der Kalium- und Natriumsalze bei ihrer Application auf die äussere Darmwand an verschiedenen Thierarten durchgeprüft hat, konnte für das Kaninchen alle Angaben Nothnagel's (vergl. Bericht pro 1882. S. 190) bestätigen. Bei anderen Thieren ergaben namentlich die Natronsalze andere Erscheinungen als beim Kaninchen, doch widersprach keine Beobachtung der Auffassung N.'s, nach welcher die Darmmuskulatur durch die Kaliumsalze direct, durch die Natriumsalze aber auch unter Vermittelung der Nerven der Darmwand erregt würde. Die beobachteten Verschiedenheiten in der Natriumwirkung scheinen auf solche in der Anordnung der Darmnerven bei den verschiedenen Thierarten hinzuweisen.

Berger (30) kann die Versuchsresultate guter älterer Autoren bestätigen, aus denen hervorgeht, dass Strychnin die Nerven-Endigungen im Muskel lähmt und zwar nicht indirect durch Erschöpfung, sondern unmittelbar durch directe Einwirkung vom Blute aus.

Bloch (32) bestimmte die Zeiten, um welche Berührungen der Haut Geräuschen vorangehen mussten, damit sie gleichzeitig wahrgenommen werden (vergl. vorj. Ber. S. 215). Diese Zeiten waren grösser bei Berührungen an dem Finger, als bei Berührungen an der Nase und aus der gefundenen Differenz wird die Fortpflanzungsgeschwindigkeit der Erregung in sensiblen Nerven zu 141 m in der Secunde berechnet.

[Blix, Magnus, Ny automatisk strömbrytare för variabel rytm. Upsala läkareförenings förhandl. Bd. 19. p. 421.

Der Verf. beschreibt einen neuen zeitmessenden Apparat, wodurch es möglich ist, Stromunterbrechungen mit regelmässigen innerhalb weiter Grenzen variablen Intervallen zu erzielen.

Das Princip des Apparates besteht darin, dass ein um eine verticale Achse mit sehr geringer Friction rotirendes kleines Schwungrad, welches in seiner Peripherie mit einem hervorragenden Stiftchen versehen ist, vermittelst einer gegen diesen Stift anschlagenden kleinen Feder, in Bewegung gesetzt wird. Nachdem das Rad einen beliebigen Bruchtheil eines ganzen Umlaufes durchlaufen hat, stösst der Stift gegen eine andere Feder, und das Rad wird dadurch zurückgeschleudert. Mittlerweile ist die erstgenannte Feder durch den Anker eines Electromagneten, dessen Strom durch die Bewegung des Rades automatisch geschlossen wird, gespannt worden. Wenn der Stift des Rades auf dem Rückwege jetzt die Feder erreicht, wird durch eine Stromunterbrechung der Anker des Electromagneten losgelassen. Die Feder schnappt dann wieder gegen den Stift des Rades, welches somit einen Stoss bekommt und auf diese Weise zwischen den 2 Federn immer hin und her oscillirt. Nach Verlauf einiger Secunden werden die Oscillationen des Rades und damit auch die Stromunterbrechungen ganz regelmässig. Verändert man die Federspannung und die vom Stift des Rades jedesmal durchlaufene Strecke, so lässt sich das Intervall der Stromunterbrechungen leicht variiren, z. B. von einer Secunde bis auf $^1/_{10}$ Secunde. Aus der die Abhandlung begleitenden Tafel wird die nähere Einrichtung des Apparates verständlich sein.

Christian Bohr.]

III. Physiologie der Athmung.

1) Kochs, W., Ueber eine neue Bestimmungsweise der Grösse der Residualluft beim lebenden Menschen Zeitschr. f. klin. Med. VII. S. 487. — 2) Lehmann, K. B., Beitrag zur Kenntniss der Entwickelung des Donders'schen Druckes nebst Untersuchungen über die Grösse der Minimalluft. Pflüger's Arch. XXXIII. S. 198. — 3) Bernstein, J., Weiteres über die Entstehung der Aspiration des Thorax nach der Geburt. Ebendas. XXXIV. S. 21. — 4) Hermann, L., Noch einmal das Verhalten des kindlichen Brustkastens bei der Geburt. Ebendas. XXXV. S. 26. — 5) Anrep, R. v. und N. Cybulski, Ein Beitrag zur Physiologie der Nervi phrenici. Ebendas. XXXIII. S. 243. — 6) Fano, G., Sui movimenti respiratori del Champsa lucius. Lo Sperimentale. p. 233. — 7) Delsaux, E., Sur la respiration des chauves-souris pendant leur sommeil hibernal. Bullet. de l'Acad. roy de Belg. VIII. No. 7. — 8) Bongers, P., Beobachtungen über die Athmung des Igels während des Winterschlafes. Du Bois-Reymond's Arch. S. 325. — 9) Knoll, Ph., Beiträge zur Lehre von der Athmungsinnervation. 4. Mittheilg. Wien. (Siehe vorj. Ber.) — 10) Murri, A., Considerazioni sul mecanismo della funzione centrale del respiro. Riv clin. p. 385. — 11) Richet, Ch., De l'influence de la chaleur sur la respiration et de la dyspnée thermique. Compt. rend 99 p. 279. — 12) Falk, F., Ueber Beziehung der Hautnerven zur Athmung. Du Bois-Reymond's Arch. S. 455. — 13) Heinemann, C., Ueber nicht der Lungenrespiration dienende „sogenannte oscillatorische" Kehlbewegungen bei Amphibien, Reptilien und Vögeln. Pflüger's Arch. XXXIV. S. 275.

Kochs (1) hat nach einer von Pflüger ersonnenen, schon in diesen Berichten (pro 1882, S. 203) besprochenen Methode, an der noch einige unwesentliche Modificationen angebracht worden sind, Messungen des Residualluftraumes beim Menschen ausgeführt, welche Werthe von etwa 500 ccm ergeben haben. Die Bemühungen des Ref. um Bestimmung dieser Grösse, welche beträchtlich höhere Werthe ergeben haben (Ber. pro 1881, S. 194) sind im Bonner physiologischen Laboratorium ganz unbeachtet geblieben.

Lehmann (2) bestimmte an einigen Kinderleichen und an den Leichen junger Thiere verschiedenen Alters den Druck, den ein mit der Trachea verbundenes Wassermanometer bei Eröffnung des Thorax anzeigt. Er fand diesen (Donders'schen) Druck bei einem im 9. Monat geborenen Knaben, der 25 Stunden kräftig geathmet hatte, zu 3—4 mm, bei einem Knaben mit intacten Lungen, der am 4. Tage nach der Geburt gestorben war, zu 20 mm, bei einem 3 Wochen alten, lungengesunden Knaben zu 16 mm. Wurde an anderen Kinderleichen die Lunge vor der Untersuchung unter starkem Druck mehrmals ausgeweitet (Bernstein), so zeigte der Donders'sche Druck auch keine höheren Werthe. Bei jungen, bis zu 30 Tage alten Ziegen fand L. den Donders'schen Druck höchstens etwa halb so gross wie am ausgewachsenen Thiere.

Bernstein (3) fand für den Donders'schen Druck bei jungen Ziegen abselut höhere Werthe wie Lehmann und diese Werthe waren nicht wesentlich verschieden bei Thieren, die erst mehrere Stunden und solchen, die schon mehrere Tage alt waren. Bei allen untersuchten Zicklein (das jüngste war 2 Stunden alt) retrahirte sich die Lunge nach Entfernung des Manometers kräftig und es entstand ein beträchtlicher Raum zwischen Lunge und Thoraxwand. B. schliesst hieraus, im Anschluss an frühere Argumentationen (Bericht pro 1882, S. 204), dass bei den untersuchten Thieren die Aspiration des Thorax in Folge der ersten kräftigen Athembewegung unmittelbar nach der Geburt entsteht. Bei einem am 8. Lebenstage gestorbenen Knaben bestimmte B. den Donders'schen Druck zu 26 mm Wasser. Bei Eröffnung der Pleura bildete sich ein deutliches Cavum zwischen Lunge und Thoraxwand (obgleich die Lunge noch nicht collabiren konnte), nach Entfernung des Manometerrohres aus der Trachea trat dann auch ein deutliches Zusammensinken der Lunge ein. B. und Hermann (4) deuten dieselbe Beobachtung jeder in seinem Sinne.

Anrep und Zybulski (5) haben ziemlich gleichzeitig mit Schreiber (vorj. Ber. S. 194) und unabhängig von diesem, Beobachtungen über die Wirkungen centraler Phrenicusreizung angestellt. Durch Schmerzäusserungen bei starker Reizung documentirte sich die Sensibilität. Auch der Athmung gegenüber war der Erfolg wesentlich dem der Reizung sensibler Nerven gleich, Athembeschleunigung bei schwachen, Verlangsamung bis zu Stillstand in Exspiration bei starken Reizen. Der Einfluss auf die Circulation bestand in Hervorrufung oder Verstärkung der Traube-Hering'schen Wellen. Diese Wirkung trat unter den verschiedensten Bedingungen ein, bei hohem und niederem Blutdruck, bei schnellem und langsamem Herzschlag, vor und nach Eröffnung von Brust- und Bauchhöhle, bei ausgiebiger und spärlicher künstlicher Lungenventilation, vor und nach Durchschneidung der Vagi und aller zum Herzen gehenden Nerven in der Brusthöhle. Einzige Bedingung für das Zustandekommen des Phänomens ist Intactheit des vasomotorischen Centrums im verlängerten Mark. Sind die Vagi erhalten, so ist der Herzschlag im aufsteigenden Theil der Welle beschleunigt, im absteigenden verlangsamt. Nach Vagotomie fällt dies fort. Auch durch centrale Reizung anderer sensibler Nerven lassen sich gelegentlich, doch weit weniger sicher als vom Phrenicus aus, Traube-Hering'sche Wellen hervorrufen. Der Nervus phrenicus scheint also in einem speciellen Verhältnisse zum vasomotorischen und zu dem die Herzthätigkeit hemmenden Centrum zu stehen.

Fano (6), der Gelegenheit hatte, an einem Alligator (Champsa lucius) zu experimentiren, führt den Nachweis, dass die periodische Athmung, welche P. Bert als diesem Thier typisch zukommend bezeichnet hatte, an den Kälteschlaf desselben gebunden ist. In Wasser von 20° zeigte F.'s Thier bei grosser allgemeiner Stumpfheit ausgesprochene periodische Athmung, in Wasser von 40° wurde das Thier munter und athmete in regelmässigem Rhythmus. Jeder Einathmung ging eine Schluckbewegung voraus.

Delsaux (7) fand die Respiration winterschlafender Fledermäuse so sehr herabgesetzt, dass er, wenn er sie in ihren Höhlen mit möglichster Vermeidung aller Störungen beobachtete, während ganzer Minuten überhaupt keine Athembewegung zu sehen bekam. Ins Laboratorium gebracht, athmeten sie periodisch, und zwar war die Länge der Pause abhängig von der Temperatur. Durch starke Abkühlung konnte die Athmung für 30 Minuten unterdrückt werden, ohne das Thier zu schädigen. Gegen das Vacuum verhielten sich die schlafenden Fledermäuse sehr indifferent, in eine CO_2-Atmosphäre gebracht, erwachten sie schnell. CO_2 scheint als Reiz auf die Flügelhaut zu wirken. Die CO_2-Production der schlafenden Thiere sinkt und steigt mit der Temperatur. Beim Erwachen, welches bekanntlich von sehr schneller jäher Steigerung der Körpertemperatur begleitet ist, wurde in einem Falle eine CO_2-Production beobachtet, die 8400 ccm pro Kilo und Stunde entsprechen würde.

Bongers (8) sah auch den winterschlafenden Igel periodisch athmen mit Pausen bis zu 30 Minuten, die durch Erwärmung des Thieres abgekürzt werden konnten. Sensible Reize riefen in der Pause je eine Athemgruppe hervor, wenn sie nicht zu bald nach einer spontanen Gruppe applicirt worden waren. Die Pausen, welche auf die durch Reizung ausgelösten Gruppen folgen, sind abnorm lang.

IV. Physiologie der thierischen Wärme.

1) Fick, A., Myothermische Fragen und Versuche. Verh. d. physik.-med. Ges. zu Würzburg. XVIII. No. 12. — 2) Derselbe, Mechanische Untersuchung der Wärmestarre des Muskels. Ebendas. XIX. S. 1. — 3) Smith, Meade R., Die Wärme des erregten Säugethiermuskels. du Bois-Reymond's Arch. S. 261. — 4) Geigel, R., Wärmeregulation und Kleidung. Arch. f. Hygiene. II. S. 318. — 5) Rumpf, Th., Untersuchungen über die Wärmeregulation in der Narcose und im Schlaf. Pflüger's Arch. XXXIII. S 538. — 6) Richet, Ch., De l'influence des lésions du cerveau sur la température. Compt. rend. 98. p. 827.

Fick (1) hat die Möglichkeit, die er sich geschaffen (vergl. Bericht f. 1882, S. 199), in jedem beliebigen Moment eines Zuckungsverlaufs vom isometrischen zum isotonischen Regime überzugehen, benutzt, um die von ihm aufgeworfene Frage experimentell zu prüfen, ob im Muskel schon im Beginn der einzelnen Zuckung diejenige potentielle mechanische Energie durch chemische Arbeit erzeugt wird, welche dann ohne Weiteres für mechanische Leistungen verwandt werden kann, oder ob die, die mechanischen Leistungen compensirenden chemischen Processe nothwendig zur Zeit dieser Leistungen selbst stattfinden müssen. Von der Intensität der bei einem Erregungsvorgang im Muskel abgelaufenen chemischen Processe giebt die Temperaturerhöhung desselben Rechenschaft, wenn man dafür sorgt, dass am Ende des Vorganges von dem Muskel keine Arbeit nach aussen geleistet ist, dass er also bei isotonischem Zuckungsverlauf durch das fallende Gewicht wieder gedehnt wird. Wurde nun diese Temperaturerhöhung gemessen einmal bei isometrischem Zuckungsverlauf und dann bei Freigebung des unteren Muskelendes auf der Höhe der isometrischen Zuckung, also im Beginn der wieder abnehmenden Spannung, so erwies sich die Wärmebildung in letzterem Falle regelmässig höher. Hieraus folgt: „Bei einer einfachen Zuckung, welche anfangs isometrisch verläuft, wird nicht in diesem ersten Stadium ein Vorrath mechanischer potentieller Energie erzeugt, welcher im zweiten Stadium ohne weitere chemische Processe zu mechanischer Leistung verwendbar wäre, vielmehr löst die Zusammenziehung auf der Höhe der Spannung neue chemische Processe aus, deren Betrag noch grösser ist, als der Betrag der chemischen Processe, welche höchst wahrscheinlich auch dann im zweiten Stadium der Zuckung stattfinden, wenn die ganze Zuckung isometrisch verläuft." Analoge Parallelversuche mit Tetanus, bei denen das eine Mal der ganze Erregungsvorgang isometrisch verlief, und das andere Mal das Muskelende nach eben beendetem Reiz im beginnenden Stadium der Wiedererschlaffung zur Arbeitsleistung durch Wurfbewegung freigegeben wurde, ergaben ebenfalls grössere Wärmebildung im letzteren Falle. Der innere Mechanismus der Muskelsubstanz scheint eher dem einer elektrodynamischen Maschine vergleichbar zu sein, bei welcher auch der Verbrauch an Brennmaterial von der Art der ihr gestatteten Arbeitsleistung abhängt, als dem eines Apparates, im welchem durch Explosionen elastische Körper gespannt werden, die dann durch ihre rein mechanischen Kräfte Arbeit leisten. Die früher schon constatirte Thatsache, dass bei isometrischem Regime Steigerung der Reizfrequenz nicht, wie bei isotonischem Regime, zu einem Maximum der Wärmebildung unterhalb der tetanischen Frequenz führt, sondern dass die Wärmebildung bei isometrischem Regime continuirlich mit Steigerung der Reizfrequenz wächst, wird durch neue Versuche belegt, in denen darauf geachtet ist, dass bei den geringeren Reizfrequenzen auch wirklich Erschlaffung uud Wiederspannung am Spannungszeichner zum Ausdruck kamen.

Derselbe (2) prüft mit analogen experimentellen Hülfsmitteln die Frage, ob bei der Wärmeerstarrung des Muskels die Arbeit chemischer Kräfte einen Vorrath von mechanischer potentieller Energie — elastischer Spannung — erzeugt, welcher noch einige Zeit nach Ablauf der chemischen Processe zu beliebiger Verwendung verfügbar bleibt. Dieselbe Muskelmasse wird zunächst mit verschiedenen Reizintensitäten isometrisch tetanisirt, und jedes Mal wird, bei andauerndem Reiz, das isometrische Regime durch das isotonische ersetzt. Dann wird diese Muskelmasse, während sie am Spannungsmesser wirkt, wärmestarr gemacht und, nachdem die Spannung das Maximum erreicht hat und anzunehmen ist, dass die chemischen Processe der Erstarrung abgelaufen sind, wird dem Muskel gestattet, Arbeit zu leisten. Diese Arbeitsleistung berechnet sich aus der isotonischen Curve und wird verglichen mit derjenigen, welche in demjenigen Tetanusversuch geleistet wurde, bei dem die gleiche Spannung, wie bei der Erstarrung, erzielt worden war.

Es zeigt sich, dass der bei der Wärmeerstarrung verfügbar werdende Vorrath von potentieller Energie klein ist, gegen den Betrag von Energie, welcher als mechanische Arbeitsleistung bei der vergleichbaren Tetanisirung, namentlich aber bei einer maximalen Tetanisirung entwickelt wird. Es ist dies um so bemerkenswerther, als der Betrag der chemischen Processe bei der Wärmeerstarrung wahrscheinlich viel bedeutender ist, als bei einer kurz andauernden maximalen Tetanisirung. Da die chemischen Processe im Muskel bei der Reizung denen, welche beim Erstarren durch Wärme stattfinden, wahrscheinlich sehr ähnlich sind, so lässt sich vermuthen, dass in der bei der Zuckung und beim Tetanus geleisteten Arbeit doch auch ein Summand enthalten ist, der von einem noch vor der wirklichen Zusammenziehung angehäuften Vorrath mechanischer potentieller Energie geleistet wird. Dieser Summand ist aber vermuthlich sehr klein.

Meade Smith (3) untersuchte den Einfluss, den die Blutdurchströmung auf die Wärmebildung und die Contraction des tetanisirten Säugethiermuskels ausübt. Die zeitweise Absperrung des Blutstromes von den Oberschenkelmuskeln des Hundes, welche als Versuchsobject dienten, besorgte er durch Ausweiten eines von der Art. axill. sin. aus in die Aorta descendens eingeführten Sonden-Tampons (vergl. unten S. 187). Nach Absperrung der Bauchaorta sank die Temperatur im Blute des freigebliebenen oberen Stromgebietes und stieg das Thermometer in der ruhenden des Blutstromes beraubten Muskelmasse. Die Wärmebildung und Verkürzung wuchs in dem des Blutstroms seit Kurzem beraubten Muskel beim Tetanus anfangs ebenso energisch, wie in dem normal blutdurchspülten, doch erreichten beide Reizwirkungen in letzterem höhere Werthe und waren von grösserer Ausdauer. Die Blutdurchströmung schien von grösserem Einfluss zu sein auf die Grösse und Ausdauer der Wärmebildung als auf die der Verkürzung. In der Ruhe erholte sich der blutdurchströmte Muskel besser, als der des Blutstromes beraubte, doch trat diese Erholung weniger sicher in Bezug auf die wärmebildende als in Bezug auf die gestaltändernde Kraft ein.

Geigel (4) benutzte, auf Kunkel's Rath, die leicht zu bestimmende Geschwindigkeit, mit der sich die Luft in der doppelten Wand eines Blechrohrs ausdehnt, in welches man den Arm, ohne es direct zu berühren, einmal nackt und dann bekleidet, steckt, um die Abhängigkeit der Wärmeabgabe des Armes von der Bekleidung zu untersuchen. Er fand, bei gewöhnlicher Zimmertemperatur, dass in den ersten 50 Minuten nach Entkleiden resp. warm (in Wolle) Einkleiden des Arms die Wärmeabgabe vermehrt resp. vermindert ist, dass aber dann in beiden Fällen die Wärmeabgabe auf das gewöhnliche Maass zurückgeht. Das Gefühl der Kälte oder Wärme trat erst ein, wenn die Thätigkeit der wärmeregulirenden Factoren schon gewirkt hatte, d. h. wenn die Wärmeabgabe wieder normal geworden war. Durch Bekleiden des Körpers mit schlechten Wärmeleitern wird auf die Dauer keine Wärmeersparniss erzielt. Dasselbe ist von Nutzen dadurch, dass es dem Organismus die Arbeit und schädliche Nebenwirkung der Wärmeregulirung erspart. (Contraction der Hautgefässe, Blutleere der Haut, Congestion zu inneren Organen.)

Rumpf (5) macht es durch umfassende Untersuchungen sehr wahrscheinlich, dass die temperaturherabsetzende Wirkung der Narcotica auf einer Einschränkung der Stoffwechselvorgänge, namentlich der Muskeln beruhe, welche nicht durch directe Einwirkung auf die wärmebildenden Gewebe selbst sondern durch Beeinträchtigung der denselben vom Centralnervensystem zufliessenden Erregungen zu Stande kommt. Es ist allerdings möglich die Oxydationsprocesse herabzusetzen ohne eintretenden Schlaf, der wachende Zustand setzt sich aber dieser Herabsetzung kräftig entgegen und sie tritt erst in hervorragender Weise ein, wenn die Narcose von Schlaf begleitet ist. Selbst im narcotischen Schlaf halten zugeführte Reize die Temperaturherabsetzung auf. Die deletäre Wirkung, welche der narcotische Schlaf in kalter Umgebung hat, kommt wesentlich auch dadurch zu Stande, dass die Herabsetzung der Körpertemperatur selbst wieder einschränkend auf die Oxydationsvorgänge in den Geweben wirkt.

V. Physiologie des Kreislaufs.

1) Luchsinger, B., Zur Architectur der Semilunarklappen. Pflüger's Arch. XXXIV. S. 291. — 2) Novi, J., Sulla circolazione coronaria del cuore. Rivista clin. di Bologna. p. 321. — 3) Tigerstedt, R., Ueber die Bedeutung der Vorhöfe für die Rhythmik der Ventrikel des Säugethierherzens. du Bois-Reymond's Arch. S. 497. — 4) Langendorff, O., Studien über Rhythmik und Automatie des Froschherzens. Ebendas. Suppl.-B. S. 1. — 5) Kaempffer, L., Ueber die Wirkung der Vaguserregung auf das Froschherz. Diss. inaug. Halle. — 6) Glause, Amalie, Zur Kenntniss der Hemmungsmechanismen des Herzens. Diss. inaug. Bern. — 7) Weinzweig, E., Ueber das Verhalten des mit Muscarin vergifteten Herzens gegen seine Nerven. du Bois-Reymond's Arch. S. 527. — 8) Gaskell, On the action of the sympathetic nerves upon the heart of the Frog. Proc. of the physiol. soc. No. III. — 9) Gompertz, C., Ueber Herz und Blutkreislauf bei nackten Amphibien. du Bois-Reymond's Archiv. S. 242. — 10) Heinemann, C., Historisches und Critisches über Sinusreizung, diastolischen Stillstand nach mechanischer Reizung und Strychninwirkung am Froschherzen. Pflüger's Arch. XXXIV. S. 279. — 11) Tarchanoff, J. R., Ueber die willkürliche Acceleration der Herzschläge beim Menschen. Ebendas. XXXV. S. 109 u. 198. — 12) Barr, J., Report on the causes and mechanism of the cardiac impulse. The Brit. med. Journ. p. 149. — 13) Jones, Wharton T., Dilatation of the calibre of small arteries. The Lancet. p. 864. — 14) Anrep, B. von, und N. Cybulski, Zur Physiologie der gefässerweiternden und gefässverengernden Nerven. St. Petersb. med. Wochenschrift. S. 215. — 15) Karline, B., Contribution à l'étude des vasomoteurs. Thèse. Paris. — 16) Dastre et Morat, Influence du sang asphyxique sur l'appareil nerveux de la circulation. Arch. de physiol. norm. et path. 3. Série. III. p. 1. — 17) Dieselben, Rech. expér. sur le système nerveux vaso-moteur. Paris. — 18) Buch, M., Beitrag zur Kenntniss der Hautgefässnerven des Menschen. Centralbl. f. Nervenheilk. S. 49. — 19) Gré-

hant et Quinquaud, Sur les effets de l'insufflation des poumons par l'air comprimé. Comptes rendus. XCIX. p. 806 — 20) Peyrani, C., Einwirkung des Physostigmins (Eserins) auf den Blutdruck. Biolog. Centralbl. S. 760. — 21) Markwald, M., Ueber die Wirkungen von Ergotin, Ergotinin und Sclerotinsäure auf Blutdruck, Uterusbewegungen und Blutungen. du Bois-Reymonds Arch. S 434. — 22) Jastreboff, Ueber den Einfluss operativer Eingriffe in der Bauchhöhle auf den Blutdruck. Ebendas. S. 573. — 23) Kronecker und v. Kiruff, Ueber arterielle Blutungen. Ebendas. S. 156. — 24) Jager, S. de, Quelle est l'influence de la respiration abdominelle sur la pression sanguine artérielle. Arch. Néerland. d. sciences exactes et naturelles. XIX. p. 1 (s. vor. Ber.). — 25) Hermann, L., Zur Bestimmung der Umlaufszeit des Blutes. Pflüger's Archiv. XXXIII. S. 162 — 26) Howell, W. H., and Donaldson, The maximum volume of blood shut out by the left ventricle in a single beat etc. Transact. of the med. faculty of Maryland. p. 223. — 27) Smith, Meade, A new method for determining the amount of blood thrown into the arterial system by each ventricular systole, and for estimating the time required for the circulation of the blood. Philadelphia Medical Times. XIV. p. 304. — 28) Derselbe, The time required by the blood for making one complete circuit of the body. Amer. Journ. of art. and science. p. 439. — 29) Spéhl, E., De la répartition du sang circulant dans l'économie. Journ. de Méd. de Bruxelles. p. 21. — 30) Setschenoff, J. M., Zur Frage vom Blutkreislauf in den Nieren. Wratsch. 1883. No. 8. (Russisch.) Centralbl. f. d. med. Wiss. 33.

Luchsinger (1) macht auf ein System feiner concentrischer Kreisbögen aufmerksam, welche man auf den durch Wasserdruck gespannten Semilunarklappen der herausgeschnittenen Aorta kleiner Säugethiere (Kaninchen. Katze) parallel dem Klappenrand verlaufen sieht. Er hält sie für den Ausdruck localer Verdickungen des Gewebes und für einen Hinweis darauf, dass die Klappen in Richtung dieser Linien am stärksten in Anspruch genommen würden. In der zu den Kreisbögen senkrechten Richtung gewinne jede Klappe Halt durch den Gegendruck der benachbarten Klappen.

Tigerstedt (3) hat in Ludwig's Laboratorium eine Methode ausgebildet, um die nervösen Verbindungen zwischen den Vorhöfen und Ventrikeln des Säugethierherzens ganz oder theilweise aufzuheben, ohne schwere Blutungen zu setzen und ohne den Durchtritt des Blutes aus den Vorhöfen in die Ventrikel zu hindern. Er sticht, unter gewissen Cautelen gegen Blutungen einen mit einem ovalen Fenster versehenen Stab („Atriotom") von links nach rechts durch beide Vorhöfe nahe der Atrioventriculargrenze, derart, dass das Blut beider Vorhöfe, deren Scheidewand nun natürlich weit geöffnet ist durch das Fenster des Stabes in die Ventrikel gelangen kann, selbst nachdem Schienen, welche die Vorhöfe von aussen umgreifen, auf die Kanten des Stabes aufgeschraubt sind. Schon durch die feste Einklemmung der Vorhofwand zwischen Stab und Schienen wird jede Nervenleitung augehoben sein, um aber ganz sicher zu gehen, wird die eingeklemmte Wand am Grunde von Schlitzen, welche in den Schienen angebracht sind, auf dem Stabe durchschnitten. Die so jeder nervösen Verbindung mit den Vorhöfen beraubten Ventrikel schlagen kräftig und regelmässig mit etwas verringerter und allmälig abnehmender Frequenz weiter, ohne durch electrische Reizung der Halsvagi beeinflusst zu werden. Der Blutdruck nimmt meist nicht unerheblich ab in Folge der Operation, bewahrt aber lange Zeit hindurch noch ansehnliche Werthe. Durch Athemsuspension wird er beträchtlich gesteigert, doch bleibt hierbei, wie nach Vagotomie am Halse, die sonst damit verbundene Herabsetzung der Pulsfrequenz aus. Die Athemschwankungen des Blutdruckes sind, wegen Eröffnung der Vorhofsscheidewand, geschwunden. Directe electrische Reizung der Kammern hat denselben Erfolg wie am unversehrten Herzen. wenn sie vorsichtig ausgeführt war, können sich die Ventrikel von dem „Delirium cordis" wieder erholen und dann in regelmässigem Rhythmus weiterschlagen. Die Durchstossung des Vorhofswandungen allein und der Scheidewand ist von geringem Einfluss auf die Pulsfrequenz und hebt die Vaguswirkung nicht auf. Durch Modificationen in der Form der Schienen lassen sich beliebige Partien der Vorhofwände von der Abklemmung ausschliessen. So wird es gelingen, die Nervenverbindungen zwischen Atrien und Ventrikel zu localisiren. Versuche nach dieser Richtung hin haben zunächst nur ergeben, dass vorn und hinten in der Mitte der Vorhofswand keine bedeutenden Nervenverbindungen zu verlaufen scheinen.

Langendorff (4) bestreitet, dass „für eine Automatie des ganglienlosen Herzmuskels" durch die Versuche von Merunowicz und seiner Nachfolger etwas bewiesen sei. Er findet nämlich, dass die mit reinem oder albuminhaltigem Salzwasser gefüllte Herzspitze nicht schlägt, wenn man den intracardialen Druck vorsichtig regelt, dass sie aber durch Steigerung des Füllungsdruckes zum Schlagen gebracht werde. Da aber auch in seinen Versuchen die Herzspitze unter dem Einflusse der Säugethierblutspeisung ohne Mitwirkung mechanischer Reize pulsirte, so nimmt er an, dass das fremde Blut als chemischer Reiz auf den Herzmuskel des Frosches einwirke. Was die Deutung des Erfolges des ersten Theiles des Stannius'schen Versuches anlangt, so vertritt L. die Ansicht Heidenhain's, dass es sich hierbei um Reizung hemmender Apparate handele. Er giebt einige Experimente an, deren Erfolg er in diesem Sinne verwendet. Was die periodisch aussetzende Schlagweise des Herzens betrifft, so hält sie L. für bedingt durch Anhäufung von Erstickungsstoffen, da es ihm, wie Rossbach, gelingt, den periodisch aussetzenden Ventrikel durch Ausspülung mit indifferenter Kochsalzlösung in regelmässigen Rhythmus zu versetzen und da er beobachtet, dass das ganze unverletzte Herz eines erstickenden Frosches in gewissen Stadien der Erstickung in periodisch aussetzendem Rythmus pulsiren kann. Im Allgemeinen sieht L. den periodisch aussetzenden Rhythmus überhaupt als eine Folge von Veränderungen an, die der den Erregungsentladungen entgegenstehende Widerstand erfährt. Lässt er aus einem Gasometer Luft durch eine mit Wasser gefüllte Vorlage streichen, so steigen Gasblasen in gleichen Zeitabständen auf, ersetzt er das Wasser durch Quecksilber, so erhält er Gruppen gleich häufiger Gasblasen, die durch Pausen getrennt sind.

Kämpffer (5) gewann unter Bernstein's Leitung von dem leergehenden Froschherzen Pulscurven, indem er sich eines, an schwach belastetem Schreibhebel wirkenden, Präparates bediente, das nur aus Herz und Vagus bestand. Er fand, wie Heidenhain, schwache Vagusreizung von Pulsverkleinerung ohne Aenderung der Frequenz gefolgt, bei starker Vagusreizung sah er, wie Coats, die Pulsverlangsamung resp. den Herzstillstand von Zunahme der diastolischen Erschlaffung begleitet, welche sich oft auch in die Nachwirkungsperiode ausdehnte. Die Pulse der letzteren waren nur selten vergrössert, meist, wie Coats und Heidenhain es als Regel fanden, von gleicher Höhe wie vor der Reizung, gelegentlich auch kleiner. Waren die Pulse in der Nachwirkungsdauer vergrössert, so waren sie nicht immer auch beschleunigt (gegen Löwit) und waren sie beschleunigt, so waren sie nicht immer auch vergrössert (gegen Heidenhain). Es kann dabei diastolische Hebung oder Senkung oder keins von beiden beobachtet werden. Nach Nicotinstillstand sah K. mehrmals spontane Pulsbeschleunigung eintreten. Die Pulse des mit Atropin vergifteten Herzens werden durch Vagusreizung in sehr ausgesprochener Weise beschleunigt und vergrössert. Die Wirkung der Vagusreizung auf die Vorhöfe ist qualitativ derjenigen auf die Ventrikel gleich, doch tritt sie schon bei schwächeren Reizen ein, namentlich was die Verkleinerung ohne Frequenzänderung betrifft, und die diastolische Erschlaffung war stärker. An Präparaten, welche nur aus Herz, Vagus, Wirbelsäule mit Medulla und Bauch-Bruststrang des Sympathicus bestanden, erhielt K. bei schwacher Reizung des Sympathicusstranges (also reflectorisch) Verkleinerung der Pulse ohne Verlangsamung, meist mit diastolischer Senkung. Bei stärkeren Reizen kam es zu Pulsverkleinerung mit Pausenverlängerung, bei noch stärkerer zum Herzstillstand. Auch in allen diesen Fällen trat diastolische Senkung ein, welche übrigens bei ganz schwacher Reizung gelegentlich den einzigen Erfolg darstellte. In der Nachwirkungsperiode fand ein treppenförmiges Steigen der Pulse theils nur bis, theils über die ursprüngliche Pulshöhe Statt, meist ohne diastolische Hebung. In einem Fall waren die vergrösserten Pulse der Nachwirkungsdauer zugleich beschleunigt. Während der Sympathicusreizung wurde nie Beschleunigung oder Vergrösserung der Pulse beobachtet. Durch seine Versuche mit directer Vagusreizung hat Verf. also in Uebereinstimmung mit vielen Vorgängern, die Existenz von excitomotorischen neben hemmenden Fasern im Vagus constatirt. Bei reflectorischer Erregung des Vagus vom Bauchstrang des Sympathicus aus, werden anscheinend nur hemmende Fasern in Thätigkeit gesetzt, doch müssen diese Versuche, wie Verf. hervorhebt, noch weiter ausgedehnt werden.

Glause (6), eine Schülerin Luchsinger's, constatirte an mehreren Stoffen, die ihrer chemischen Constitution nach, wie das Muscarin, als Trimetylammoniumbasen aufzufassen sind — unter anderen am Neurin und Taurobetain — ausserdem am Jod und Chlor-Haloid des Tetrametylammoniums, muscarinartige Wirkung auf das Herz. Die von Schmiedeberg geltend gemachte Ausnahme von Luchsinger's Regel der gleichartigen Wirkung aller Trimethylammoniumbasen, welche in dem Verhalten seines Hexyltrimethylammonium gegeben sein sollte, wird auf Grund von Versuchen Berlinerblaus entkräftet, durch welche es wahrscheinlich gemacht ist, dass S., der die Elementaranalyse seines Körpers unterlassen hat, es nur mit Trimethylammin zu thun gehabt habe. Da durch alle untersuchten muscarinartigen Stoffe nicht nur das Froschherz, sondern auch das, nach Foster's und Biedermann's — von Dogiel allerdings bestrittenen — Angabe ganglienlose Herz von Helix pomatia in so völlige Lähmung versetzt werden konnte, dass es auf die stärksten electrischen und mechanischen Reize so lange in Ruhe verblieb, bis durch Aufträufeln einer genügenden Menge Atropin (oder auch Tetraäthylammoniumjodid) wieder gute, stundenlang dauernde Schlagfolge erzeugt wurde, so wird geschlossen, dass die Muscarine den Herzmuskel selbst lähmen und dass das Atropin in ächtem Antagonismus der Giftwirkung die durch das Muscarin im Herzmuskel gesetzte Veränderung wieder rückgängig mache. Das Tropidin Ladenburg's, welches ein substituirtes Pyridin ist, entwickelt atropinartige Wirkung, das Pyridin nicht. Durch Versuchsreihen mit Coffein und Veratrin, von welchen eine Erhöhung des Stoffwechsels und der Erregbarkeit des Muskels bekannt ist, werden diese Stoffe dem Atropin in seiner antagonistischen Wirkung gegen die Muscarine zur Seite gestellt, während andererseits gezeigt wird dass die notorisch muskellähmenden Gifte Chloral, Nat. oxal. und Kali acet., von denen eine erregende Wirkung auf Hemmungsapparate nie behauptet ist, sich zum Herzen analog den Muscarinen verhalten. Wurden diese Substanzen dem das Herz speisenden Blut zugefügt, so trat ebenso Erhöhung der Vaguswirkung ein, wie dies von Ludwig und Luchsinger früher für Erwärmung des Herzens bis in die Nähe der Wärmelähmung erwiesen war. Als Hauptresultat ist die auch von Gaskell vertretene Auffassung zu betrachten, dass der Herzmuskel selber durch die Gruppe der Muscarine ebenso wie durch andere muskellähmende Gifte (Chloral, Nat. oxal., Kali acet.) und Einwirkungen (hohe Temperatur) unerregbar wird, dass aber seine Erregbarkeit durch Atropin, Tropidin und Tetraäthyljodid ebenso wie durch andere, die Erregbarkeit der Skeletmuskeln erhöhende Gifte (Coffein, Veratrin), gesteigert wird. Lähmung des Hemmungsapparates wird nicht durch Atropin, Erregung desselben nicht durch Muscarin erreicht, wohl aber wird derselbe durch Nicotin gelähmt und zwar weit vollständiger als A. B. Meyer und Schmiedeberg meinten, denn selbst bei Ausschluss der Erstickung wurde in den Versuchen G.'s nicht nur die Wirkung der Vagusreizung, sondern auch die der Sinusreizung durch Beimischung von Nicotin zu dem das Herz speisenden Blut aufgehoben.

Weinzweig (7) nahm unter Basch's Leitung bei Hunden, die schwach curarisirt waren, Blutdruck-Curven auf und controlirte mit Hilfe derselben die Wirkung mässiger Muscaringaben auf das Herz und die Wirksamkeit der Herznerven auf das letztere in den verschiedenen Stadien der Muscarin-Wirkung. Als solche Stadien werden unterschieden: 1) dasjenige des Herzstillstandes, 2) der Pulsverlangsamung, 3) der Arhythmie, 4) der Wiederkehr. Im Stadium der Verlangsamung hatten selbst starke Reizungen der Vagi nicht den geringsten Einfluss auf die Frequenz der Herzschläge. Die Reizung der Vagi fing aber wieder an zu wirken, sobald die zwei letzteren Stadien erschienen. Durch Acceleransreizung scheint das erste Stadium wesentlich verkürzt werden zu können. Die Reizung des Accelerans scheint gewissermassen entgiftend zu wirken, denn sind während derselben die Herzschläge wiedergekehrt, so tritt auch nach Unterbrechung derselben nicht wieder Stillstand ein. In dem Stadium der Verlangsamung und zu einer Zeit, wo die vorgenommene Vagusreizung sich wirkungslos erwies, war die Reizung des Accelerans (wenigstens bei nicht zu starken Vergiftungsgraden) von ausgeprägtem Erfolg begleitet. Dieser Erfolg bestand entweder nur in Beschleunigung oder in dieser und Vergrösserung des Pulses. Nach vorangegangener Acceleranswirkung war auch die Vaguswirkung stets vorhanden.

Gaskell (8) giebt eine Beschreibung des Verlaufes der sympathischen Herznervenfasern beim Frosch. Reizung derselben hatte stets bewegungsverstärkende Wirkung. Als Nachwirkung intracranieller Vagusreizung sah er stets langdauernden diastolischen Stillstand und dann zuerst kleine langsame Pulse. Während einer Phase dieser Nachwirkung ausgeübte Sympathicus-Reizung stellte den Herzschlag in ursprünglicher oder darüber hinausgelegener Stärke und Frequenz sofort wieder her.

Tarchanoff (11) kam durch Untersuchung eines Patienten mit hochgradiger Erhöhung der Erregbarkeit des vasomotorischen Systems, welcher seine Pulsfrequenz auf Verlangen erhöhen konnte, zu der Ueberzeugung, „dass diese Acceleration kein Nebenresultat von Vorstellungen und Ideen, kein Resultat beliebiger Muskelbewegungen oder veränderten Blutdruckes, sondern wahrscheinlich Folge der Willenseinwirkung auf die regulatorischen nervösen Herzcentra und Nervenbahnen des Herzens sei."

Anrep und Cybulski (14) konnten durch plethysmographische Versuche am Penis und an der Zunge curarisirter Hunde die Angabe Nikaljski's nicht bestätigen, nach welcher Atropin die Reizung gefässerweiternder Nerven unwirksam machen soll. Die Ausflussgeschwindigkeit des Blutes aus der Vena dorsalis penis konnten sie durch Reizung der N. erigentes nur steigern, wenn der Blutdruck eine gewisse Höhe besass. Nach Durchschneidung des Rückenmarks unterhalb der Medulla oblongata war die Reizung der N. erigentes erfolglos, hatte aber sofort wieder Effect, wenn durch electrische Reizung des abgetrennten Rückenmarks der Blutdruck gesteigert wurde. Einzelne Inductionsschläge erwiesen sich bei Anwendung der plethysmographischen Methode von gleichem Effect auf gefässerweiternde (N. erigentes, N. linguales) und gefässverengernde Nerven (N. hypoglossus). Ein Unterschied im zeitlichen Verlauf der durch beide Nervenarten hervorgerufenen Wirkung konnte auch nicht beobachtet werden.

Howell und Donaldson (26) haben nach einer, unter Martin's Leitung ausgebildeten Methode, das von allen übrigen Organen getrennte Hundeherz in schlagfähigem Zustand erhalten und an demselben direct die Blutmenge gemessen, die unter verschiedenen Bedingungen bei der einzelnen Systole von dem linken Herzen aus der abgeschnittenen Aorta entleert wurde. Sie steigerten die Blutmenge und den Druck, unter dem diese dem rechten Herzen zugeführt wurde und erhielten, etwa bei 60 cm Druck defibrinirten Kalbsblutes (46 mm Hg) im Zuflussrohr, das Maximum der durch die einzelne Systole geförderten Blutmenge. Das Maximum betrug 0,00117 des Körpergewichtes, wenn die mittlere Pulszahl 180 in der Minute betrug und 0,0014 bei der normalen Pulszahl von 120. Aenderung des Druckes im Ausflussrohr hatte in den Grenzen von 58 — 147 mm Hg keinen Einfluss auf die ausgeworfene Blutmenge. Die Arbeitsleistung des Herzens nimmt also mit der Grösse des Druckes den es zu überwinden hat, erheblich zu. Durch Abkühlung gelang es, die Pulszahl bedeutend z. B. von 228 auf 77 Schläge in der Minute herabzusetzen. Wiedererwärmung erhöhte dann wieder die Frequenz, wenn auch nicht bis zu dem ursprünglichen Werth, so doch in dem angegebenen Beispiel auf 140 Schläge in der Minute. Mit Abnahme der Pulszahl wuchs die durch die einzelne Systole geförderte Blutmenge erheblich, doch blieb die in der Minute fortbewegte Blutmenge bei grösserer Frequenz immer grösser als bei kleinerer Frequenz.

Meade Smith (27) schlug, behufs Abschätzung der mit jeder Systole aus der linken Herzkammer ausgeworfenen Blutmenge, unter Ludwig's Leitung folgendes Verfahren ein.

Der gesammte Blutstrom aus der Aorta von lebenden Hunden wurde zeitweise, durch Vermittelung einer entsprechend modificirten Stromuhr, der rechten Vena jugularis externa zugeleitet. Es wurde dies so erreicht, dass die Stromuhr durch eine Canüle mit der Vena jug. durch eine andere mit der Arteria axillaris dextra verbunden wurde. Alle anderen aus dem Aortenbogen entspringenden Arterien waren dauernd oder zeitweise durch Ligatur verschlossen. In die absteigende Aorta war von der linken Axillararterie aus ein am Ende einer biegsamen Sonde befestigtes Kautschuckbeutelchen eingeführt, durch dessen Entfaltung die Aorta vollkommen tamponirt werden konnte. Davon dass dies geschehen, legte der Stand eines mit der Art. cruralis verbundenen Manometers Zeugniss ab. Der Druck, unter dem das Blut zwischen Herz und Stromuhr stand, sowie die Pulsfrequenz wurde durch ein, mittelst T-Canüle mit der linken Carotis verbundenes, Fick'sches Federmanometer registrirt. In den Versuchspausen waren beide Carotiden und die Aorta descendens offen. Während der Ausführung der umfangreichen Operationen wurden die Thiere unter Narcose gehalten, die Messungen selbst wurden ausgeführt, nachdem sie erwacht waren. Die zur Vermeidung der Blutgerinnung gemachten Pepton-Injectionen hatten nebenbei auch den Erfolg, die erwachten Thiere genügend ruhig zu halten.

Die Blutmenge, welche während der Dauer eines Versuches die Stromuhr passirte, dividirt durch die Zahl der in dieser Zeit erfolgten Herzschläge ist die mittlere Menge des bei jedem dieser Schläge aus dem linken Ventrikel ausgeworfenen Blutes. Diese war in merklicher Weise abhängig von der Pulsfrequenz und zwar nahm sie beim Wachsen letzterer ab. Auch war sie geringer während künstlicher Respiration als während spontaner. An dem Herzen des unmittelbar nach dem Versuch getödteten Thieres wurde jedesmal die Capacität des bei minimalem intracardialen Druck gefüllten linken Ventrikels bestimmt. Diese war meist beträchtlich grösser als die mittlere Auswurfsmenge. Ueber die während der Versuche beobachteten Druckgrössen zwischen Herz und Stromuhr und über die Widerstände der Stromuhr bei bestimmten Stromintensitäten sind leider keine Angaben gemacht, so dass das Material zur Beurtheilung der Versuche als in wesentlichen Punkten unvollkommen bezeichnet werden muss. Es ist dies umsomehr zu bedauern, als die Technik der Versuche volle Bewunderung verdient.

Derselbe (28) hat nach Hering's Methode bei Hunden und Kaninchen die Zeit bestimmt, innerhalb welcher von einer in die eine Vena jugularis geworfenen Beimengung zum Blut die ersten Anzeichen in dem aus der anderen Vena jugularis fliessenden Blut zu erkennen sind. Er wandte ausser der von Hering gebrauchten Blutlaugensalzlösung, von der er meint, dass sie durch Diffusion dem Blutstrom vorauseilend zu kleine Werthe für die zu einmaliger Vollendung des Kreislaufs erforderliche Zeit geben müsse, Taubenblut an, dessen Erscheinen er an dem Auftreten der characteristischen Blutkörperchen in den aufgefangefangenen Blutproben erkannte. In vergleichenden Versuchen erhielt er hierbei in der That stets grössere Zeitwerthe, als wenn er die Blutlaugensalzlösung anwandte. Noch grössere Werthe erhielt er, wenn er von einer Carminaufschwemmung in Wasser, die längere Zeit gestanden hatte, die obersten Schichten zur Einspritzung verwandte. Es liess sich dies erwarten, da die in diesen Schichten angesammelten Carminpartikelchen leichter als die rothen Blutkörperchen sein und deshalb in dem langsameren Wandstrom bewegt werden dürften. Verf. ist deshalb der Meinung, dass die wahre mittlere Zeit, welche ein Blutheilchen braucht, um auf dem kürzesten normalen Wege von der einen Jugularis in die andere zu gelangen, zwischen den Zeiten liegen dürfte, welche in den Blutstrom geworfene Blutkörperchen der Taube und welche feinste Zinnoberpartikelchen brauchen. Die meisten Versuche sind mit Taubenblut angestellt worden und aus diesen Versuchen sind Mittelzahlen berechnet, welche also nach Ansicht des Verf. die untere Grenze der zu einem Umlauf erforderlichen Zeit darstellen. Diese Zahlen sind bei Hunden von durchschnittlich 9,5 k Körpergewicht 17,5″ und bei Kaninchen 11″ (gegen 15,2″ resp. 6,9″ Vierordt, Blutlaugensalz). Wurde beim Hunde durch Vagusreizung die Pulsfrequenz auf weniger als die Hälfte reducirt, so nahm die zu einem Umlauf auf kürzester Bahn erforderliche Zeit nicht wesentlich ab. Jeder einzelne der selteneren Herzschläge muss also eine erheblich grössere Menge Blut fördern als jeder einzelne der häufigeren.

Spéhl (29) unterband in einem Zuge die zu- und abführenden Gefässe der Lunge des Kaninchens auf der Höhe der In- oder Exspiration bei spontaner Athmung, unter Atmosphärendruck und in einer Höhe von 750 m über dem Meeresspiegel, oder bei Einathmung comprimirter Luft und bestimmte in den einzelnen Fällen das Verhältniss des Blutgehaltes der Lungen zur Gesammtblutmenge des Thieres. Die gewonnenen Verhältnisszahlen waren in der Höhe des Meeresspiegels und 750 m höher gleich und zwar bei Abschnürung der Lunge in Inspiration im Mittel 1 : 12, bei Abschnürung in Exspiration 1 : 16. Die Lunge eines Thieres war unter 6 cm Hg-Druck aufgeblasen und dann abgeschnürt worden. Dieselbe enthielt an Blut nur $^1/_{60}$ der gesammten Blutmenge des Thieres. Nach analoger Methode wurde der Blutgehalt des Schädelinhalts bei Schlaf und Wachen sowie des Muskels bei Ruhe und Strychnin-Tetanus mit der Gesammtblutmenge verglichen. Im Schlaf betrug der Blutgehalt des Schädelinhalts $^1/_8$, im Wachen $^1/_{12}$, in der Ruhe betrug der Blutgehalt des, wesentlich aus Muskelmassen bestehenden, hinteren Drittels des Thieres $^1/_{10}$, im Strychnin-Tetanus $^1/_7$ der Gesammtblutmenge.

[Sandborg, C., Lidt om Hjärlelydene. Norsk Magaz. for Lägevid. R. 3. Bd. 13. p. 223.

Der Verf. theilt eine im Jahre 1880—1881 angestellte Reihe von Experimenten mit, wodurch es ihm gelungen ist, den continuirlichen Strom, das Klappenspiel und die characteristischen Herztöne im ausgeschnittenen Ochsenherzen hervorzubringen mittelst eigens dazu construirter Apparate. Bei diesen Experimenten fand der Verf., dass sowohl der 1. wie der 2. Herzton durch Vibrationen in den semilunaren Klappen entstehen, während die Atrio-Ventricularklappen als aphone Membranen sich zeigten.

Es gelang ferner dem Verf. bei seinen Experimenten sowohl diastolisches wie systolisches Blasen hervorzubringen; diese Geräusche entstehen nach der Ansicht des Verf. nicht allein bei Fehlern in den Semilunarklappen, sondern auch bei Fehlern in den Atrio-Ventricularklappen. **Christian Bohr.**]

Physiologie.

ZWEITER THEIL.

Physiologie der Sinne, Stimme und Sprache und des Centralnervensystems

bearbeitet von

Dr. J. GAD in Berlin.

I. Physiologie der Sinne, Stimme und Sprache.

1) Schoen, W., Beiträge zur Dioptrik des Auges. Fol. Leipzig. — 2) Hoffmann, A., Ueber Beziehungen der Refraction zu den Muskelverhältnissen des Auges. gr. 8. Wiesbaden. — 3) Schöler, Bestimmung des physikalischen Baues des Auges. Archiv f. Ophthalm. XXX. 3. S. 301. — 4) Matthiessen, L., Ueber den physikalisch-optischen Bau des Auges von Felis leo fem. Pflüger's Archiv. XXXV. S. 68. — 5) Ehrnrooth, M., Zur Frage über die Lage der Gesichtslinie und die Centrirung der brechenden Flächen im Auge. Ebendas. XXXV. S. 390. — 6) Luchsinger, B., Zur Innervation der Iris des Kaninchens. Ebendas. XXXIV. S. 294. — 7) Mayer, S., und A. Pribram, Studien über die Pupille. Prager Zeitschr. f Heilk. V. S. 15. — 8) Grünhagen, A., und R. Cohn, Ueber den Ursprung der pupillendilatirenden Nerven. Centralbl. für Augenheilkunde. S. 165. — 9) Scarpari, S., Raporti fra la motilita iridale e la presenza o mancanza degli acidi biliari nelle orine. Annali universali di medicina e chirurgia. Vol 267. Fasc. 801. p. 193. — 10) Engelmann, Th. W., Ueber Bewegungen der Zapfen und Pigmentzellen der Netzhaut unter dem Einflusse des Lichts und des Nervensystems. Pflüger's Arch. XXXV. S. 498. — 11) Charpentier, A., La perception des différences successives de l'éclairage. Compt. rend. 99. p. 87. — 12) Nuel, J. P., De la vision entoptique de la fovea centralis et de l'unité physiologique de la rétine. Ann. d'oculist. XCI p. 95. — 13) Vintschgau, M. v., und A. Lustig, Zeitmessende Beobachtungen über die Wahrnehmung des sich entwickelnden positiven Nachbildes eines electrischen Funkens. Pflüger's Arch. XXXIII. S. 494. — 14) Fleischl, E. v., Zur Physiologie der Retina. Wiener med. Wochenschr. No 10 u. 11 (s. vorj. Ber.). — 15) Exner, S., Die mangelhafte Erregbarkeit der Netzhaut für Licht von abnormer Einfallsrichtung. Repertorium d. Physik. S. 232 (s. vorj. Ber.). — 16) Hodges, S., On some peculiarities connected with retinal images. Brain. VII. p. 77. — 17) Kries, J. v., Bemerkungen zu der Arbeit von Aubert: „Die Helligkeit des Schwarz und Weiss". Pflüger's Arch. S. 249. — 18) Donders, F. C., Farbengleichungen. du Bois-Reymond's Arch. S. 497. — 19) Szilaggi, E. v., Ueber Bestimmung der Einwirkungsenergie der Pigmentfarben. Centralblatt f. d. med. Wiss. S. 289. — 20) Charpentier, A., Nouvelles séries d'expériences sur la perception différentielle des couleurs. Compt. rend. Tome 98. p. 1290. — Parinaud, H., De l'intensité lumineuse des couleurs spectrales; influence de l'adaptation rétinienne. Ibidem. XCIX. p. 937. — 22) Charpentier, A., Sur l'inertie de l'appareil rétinien et ses variations suivant la couleur excitatrice. Ibidem. p. 1031. — 23) Chevreul, Sur la vision dans ses rapports avec les contrastes des couleurs. Ibidem. Tome 98. p. 1309. — 24) Burnett, S. M., Theories of colour-perception. — 25) Hilbert, R., Beiträge zur Kenntniss der Farbenblindheit. Pflüger's Archiv. XXXIII. S. 293. — 26) Exner, S., Ueber den Sitz der Nachbilder im Centralnervensystem. Protocoll der chem.-physikal. Ges. zu Wien. März. — 27) Graber, V., Grundlinien zur Erforschung des Helligkeits- und Farbensinnes der Thiere. Mit 4 Abbildungen. gr. 8. Leipzig. — 28) Budde, E., Ueber metakinetische Scheinbewegungen und über die Wahrnehmung der Bewegung. du Bois-Reymond's Archiv. S. 127. — 29) Le Roux, F. P., De la dislocation mécanique des images persistantes. Compt. rend. 99. p. 606. — 30) Prompt, De l'accommodation de perspective. Arch. de physiol. norm. et path. 3. Série. III. p. 455. — 31) Schultén, W. v., Experimentelle Untersuchungen über die Circulationsverhältnisse des Auges. II. Arch. f. Ophth. XXX. 4. S. 61. — 32) Lucae, Zur Lehre und Behandlung der subjectiven Gehörsempfindungen. du Bois-Reymond's Arch. S. 301. — 33) Fuchs, Fr., Zwei neue Telephone. Sitzungsber. der Niederrhein. Ges f. Natur- und Heilkunde zu Bonn. 21. Juli. — 34) Aronsohn, Ed., Beiträge zur Physiologie des Geruchs. du Bois-Reymond's Arch. S. 163. — 35) Derselbe, Ueber electrische Geruchsempfindung. Ebendas. S. 460. — 36) Exner, S., Bemerkung über die Bedeutung der

feuchten Schnauze der mit feinem Geruchssinne ausgestatteten Säuger. Zeitschr. f. wiss. Zool. S. 557. — 37) Drasch, O., Histologische und physiologische Studien über das Geschmackorgan. Lexicon-8. Wien. Sitzungsber. d. Wiener Acad. d. Wiss. — 38) Lehmann, K. B., Ein Beitrag zur Lehre vom Geschmacksinn. Pflüger's Arch. XXXIII. S. 194. — 39) Richet, Ch., De l'action comparée de quelques métaux sur les nerfs du goût. Compt. rend. de la Soc. de Biol. — 40) Schmey, Ueber Modificationen der Tastempfindung. du Bois-Reymond's Arch. S. 309. — 41) Keller, F., Untersuchungen über den Tastsinn der Haut. Diss. inaugur. Bonn. — 42) Kremer, F., Ueber die Einwirkung der Narcotica auf den Raumsinn der Haut. Pflüger's Arch. XXXIII. S. 271. Diss. inaug. Bonn. — 43) Graeber, R., Untersuchungen über den Einfluss galvanischer Ströme auf den Tastsinn der Haut. Diss. inaug. Bonn. — 44) Kesseler, J., Untersuchungen über den Temperatursinn. Diss. inaug. Bonn. — 45) Voys, A. M. de, Untersuchungen über die faradocutane Sensibilität. Diss. inaug. Bonn. — 46) Blix, M., Experimentelle Beiträge zur Lösung der Frage über die specifische Energie der Hautnerven. Zeitschr für Biol. XX. S. 141 (s. vorj. Ber. S. 214). — 47) Mendelssohn, M., Sur la réaction électrique des nerfs sensitifs de la peau chez les ataxiques. Compt. rend. 98. p 533. — 48) Rosenbach, O., Ueber die unter physiologischen Verhältnissen zu beobachtende Verlangsamung der Leitung von Schmerzempfindungen bei Anwendung von thermischen Reizen. Deutsche medic. Wochenschr. No. 22. S. 338. — 49) Jacobi, R, Die Collateral-Innervation der Haut. Arch. f. Psychiatrie. XV. S. 151 u. 506. — 50) Rosenthal, J, Die specifischen Energien der Nerven. Biol. Centralbl. S. 55, 116, 154. — 51) Bloch, A. M., Expériences sur la vitesse relative des transmissions visuelles, auditives et tactiles Journ. de l'anat. et de la physiol. norm. et path. XX. p. 1. — 52) Tigerstedt, R. und J. Bergquist, J., Zur Methodik der Apperceptionsversuche. Zeitschr. f. Biol. XX. S. 135. — 53) Koschlakoff, J., Die künstliche Reproduction- und graphische Darstellung der Stimme und ihrer Anomalien. Pflüger's Arch. XXXIV. S. 38. — 54) Exner, S., Die Innervation des Kehlkopfes. Sitzungsber. d. k. Academ. d. Wiss. zu Wien. LXXXIX. Abth. III. S. 63. Lex.-8. Wien. — 55) Krause, H., Zur Kenntniss der Stimmbandcontractionen. du Bois-Reymond's Arch. S. 566.

Schöler (3) schlägt ein Verfahren zur Bestimmung der optischen Constanten am accommodationslosen und am accommodirten Auge vor, von dessen practischer Durchführbarkeit er sich überzeugt hat und das er, wegen Beschränktheit der eigenen Zeit, anderen Forschern zur Durcharbeitung und Benutzung empfiehlt. Die Grundzüge der Methode sind folgende:

Mit Hilfe einer planparallelen Glasplatte, welche um eine senkrechte Achse drehbar ist, wird der Winkel zwischen Gesichtslinie und optischer Achse des Auges, sowie der Abstand des ersten Knotenpunktes vom Hornhautscheitel bestimmt. Der Beobachter visirt über den Drehpunkt am Rande der Platte hinweg nach einem auf der Mitte der Cornea des beobachteten Auges erzeugten Reflexbildchen und stellt die Platte so, dass der durch die Platte gesehene Theil des Bildchens die geradlinige Fortsetzung des über den Rand gesehenen Theiles ausmacht, dann steht die Platte senkrecht zur optischen Achse. Der Beobachtete dreht dann die Platte soviel, dass der durch die Platte und über ihren Rand hinweg gesehene Theil einer geraden Linie, welche ihm auch schon bei der Einstellung der Platte durch den Beobachter als Fixationsobject gedient hatte, zusammenfällt. Der Winkel zwischen beiden Plattenstellungen ist gleich dem gesuchten Winkel. Da nun ferner die Entfernung des Punktes am Plattenrande, über welchen hinweg der Beobachtete bei der ersten Plattenstellung die Fixirlinie sah, von dem Drehpunkt der Platte leicht bestimmt werden kann, so sind in dem rechtwinkligen Dreieck, dessen rechter Winkel am Drehpunkt der Platte, dessen einer spitze Winkel im ersten Knotenpunkt liegt, die Winkel und eine Cathete bekannt, so dass die andere Cathete, deren Länge sich aus den Entfernungen der Drehachse vom Hornhautscheitel und des Hornhautscheitels vom Knotenpunkt zusammensetzt, berechnet werden kann. Der erste Theil der Cathetenlänge wird direct gemessen. Zur Einstellung des Reflexbildes in die Hornhautmitte, welche das Verfahren voraussetzt, kann dieselbe Glasplatte benutzt werden. Denn wenn bei gleichem Drehungswinkel derselben die paralactische Verschiebung des Hornhautreflexes, resp. eines ihn deckenden axial zur Plattendrehung aufgehängten Fadens eine derartige ist, dass derselbe successiv auf die ihm gegenüber liegenden Hornhautränder verschoben wird, so liegt der Reflex auf der Hornhautmitte.

Das Verfahren zur Bestimmung der hinteren Brennweite besteht darin, dass eine halbirte Sammellinse derart vor das Auge gebracht wird, dass der Abstand des zweiten Knotenpunktes der Linse vom ersten Knotenpunkt des Auges gleich der Knotenbrennweite der Linse ist. Jetzt richtet man es so ein, dass zwei Fadenpaare, von denen das Nähere durch die Linse hindurch, das Entferntere über den abgeschnittenen Rand derselben hinweg gleichzeitig deutlich gesehen wird, scheinbar gleiche Fadenabstände haben. Dann gilt, wie S. unter Benutzung der Helmholtz'schen Formeln entwickelt:

$$G^x = g^x - f'\left(\frac{a^x}{a}\right),$$

in welcher Gleichung G^x den Abstand des hinteren Brennpunktes des Auges von dem Knotenpunkte des Auges bedeutet, während sich die andere Seite der Gleichung aus bekannten oder direct messbaren Grössen zusammensetzt, nämlich: g^x = Abstand des entfernteren Fadenpaares vom ersten Knotenpunkt des Auges, f' = Brennweite der Glaslinse, a und a^x = Fadenabstände des näheren und entfernteren Fadenpaares.

Ohne weitere Messungen oder Voraussetzungen lässt sich dann auch die vordere Hauptbrennweite des accommodationslosen Auges und aus den beiden Brennweiten der Totalbrechungs-Index berechnen. Bestimmt man in einer Entfernung, bei welcher das Auge als accommodationslos zu betrachten ist, die Objectgrösse, welche dem blinden Fleck entspricht, so liegen alle Daten zur Berechnung der Grösse des Sehnerveneintritts vor. Ist dann für das accommodirte Auge die Lage des ersten Knotenpunktes mittelst Glasplatte bestimmt und ferner die Objectgrösse gemessen, welche in dem jetzt gewählten Objectabstande dem blinden Fleck entspricht, so lassen sich, unter der Voraussetzung, dass sich der Totalbrechungs-Index bei der Accommodation nicht ändert, die Brennweiten für das accommodirte Auge berechnen.

Mathiessen (4) hat Gelegenheit gehabt, die beiden Augen einer frischgetödteten $5\frac{1}{2}$ Jahr alten Löwin zu untersuchen. Er hat alle messbaren Grössen an denselben vollständig und wie es scheint, unter Bedingungen bestimmt, die der Norm sehr nahe kommen. Als auf einen Punkt von besonderem Interesse, der aus den vorliegenden und zusammengestellten älteren Messungen an Raubthieraugen hervorgeht, macht Verf. darauf aufmerksam, dass bei den Augen der Raubthiere fast regelmässig der Krümmungsmittelpunkt der Hornhaut im Linsencentrum liegt, die Krystalllinse nahezu gleichseitig ist und eine verhältnissmässig tiefe Lage im Augapfel hat.

Ehrenroth (5), der unter Hermann's Leitung arbeitete, führt eine Rechnung durch, betreffend den scheinbaren Ort der 3 Reflexbilder für ein centrirtes Auge und für zur Augenaxe symmetrische Stellung von Licht und beobachtendem Auge. Die Rechnung ergiebt, unter Zugrundelegung des Listing-schen schematischen Auges, dass das vordere Linsenbild unter allen Umständen dem Hornhautbildchen näher liegen muss, als dem hinteren Linsenbildchen und dass diese Abweichung von der Aequidistanz durch Accommodation für die Nähe vergrössert wird. Um die Bilder äquidistant zu erhalten, muss die Symmetrieaxe nicht in der Mitte zwischen Licht und Auge stehen, sondern von dieser mittleren Lage gegen das Licht hin um einen gewissen Winkel (δ) abweichen. Da die Gesichtslinie nasalwärts von der Augenaxe abweicht, so addirt sich bei nasalem Licht der Winkel δ zu dem Winkel zwischen Augenaxe und Gesichtslinie (α). Das nach der Helmholtz'schen Methode bestimmte α muss also auch ohne jeden Centrirungsmangel des Auges bei nasalem Licht grösser sein als bei temporalem. Bezeichnet man mit α_n den gefundenen Werth bei nasalem und mit α_t den bei temporalem Licht, so ist $\alpha = 1/2\ (\alpha_n + \alpha_t)$ und $\delta = 1/2\ (\alpha_n - \alpha_t)$. Aus den eigenen Messungen des Verf. ergab sich nun (in Uebereinstimmung mit Knapp), dass α bei nasalem Licht in der That immer grösser war als bei temporalem, dass die Centrirungs-Anomalien also kleiner sein müssen, als nach den Untersuchungen von Helmholtz zu erwarten sein würde. Die erreichte Genauigkeit der Messungen gestattete nicht, aus der Abweichung des aus den Messungen resultirenden δ-Werthes von dem berechneten, auf den Grad der Centrirungs-Anomalie zu schliessen, doch documentirte sich in E.'s Messungen das Bestehen solcher Anomalien dadurch, dass nach Einstellung auf Aequidistanz, bei gleichem Incidenzwinkel, die 3 Spiegelbildchen näher aneinander gerückt sind, wenn das Licht von der nasalen, als wenn es von der temporalen Seite kommt. Bei der Accommodation ist dieser Unterschied in der Distanz der 3 Bildchen von beiden Seiten noch augenfälliger. Die Grösse dieser Differenz ist individuell sehr verschieden.

Luchsinger (6) macht darauf aufmerksam, dass beim Kaninchen, anders wie beim Menschen, unter der Bedingung ungleicher Belichtung beider Augen die Pupille des beleuchteten Auges enger ist wie die des beschatteten und er bringt die unilaterale Innervation der Iris des Kaninchens in Zusammenhang mit der fast völligen Trennung des Gesichtsfeldes der beiden Augen dieses Thieres.

Mayer und Pribram (7) sahen bei Kaninchen in Folge von Hirnarterienklemmung deutliche Pupillenerweiterung auch noch nach Durchschneidung des Sympathicus oberhalb des Gangl. cerv. supr. eintreten, und zwar schwächer auf der operirten als auf der nicht operirten Seite. Dass nach Sympathicusdurchschneidung überhaupt noch Pupillenerweiterung eintritt, wird auf Lähmung des Oculomotoriuscentrums bezogen, dass sie auf der operirten Seite schwächer ist wird als Beweis dafür betrachtet, dass das pupillenerweiternde Centrum unterhalb der durch die Arterienklemmung geschädigten Partien im Rückenmark liege. In einigen Versuchen trat sehr starke Pupillenverengerung ein, wenn nach länger bestehender Hirnarterienklemmung der Blutstrom nach dem Gehirn wieder freigegeben wurde. Da zur Zeit des Eintritts dieser Myosis kein anderes Symptom wiederkehrenden Lebens in den des Blutstromes beraubt gewesenen Centralorganen zu erkennen war, wird sie auf directe Reizung des Irisgewebes bezogen.

Grünhagen und Cohn (8) constatiren, dass beim Kussmaul-Tenner'schen Versuch die durch Atropin maximal dilatirte Pupille während der Körperkrämpfe noch stärker dilatirt wird. Nach Schwinden der epileptiformen Krämpfe sind bekanntlich bei unterhaltener künstlicher Respiration durch centrale Cruralisreizung kräftige Reflexbewegungen auszulösen, diese sind aber nicht von reflectorischer Pupillenerweiterung begleitet. Verff. schliessen hieraus, dass es kein ciliospinales, sondern nur ciliocerebrale (pupillenerweiternde) Centren gebe.

Engelmann (10) hat die für die Physiologie der Retina bedeutungsvolle Entdeckung eines seiner Schüler, v. Genderen Stort, dass sich die Zapfeninnenglieder unter der Einwirkung von Licht verkürzen und im Dunkeln verlängern, gemeinschaftlich mit demselben weiter verfolgt. Wo das Innenglied ein sogenanntes Opticusellipsoid enthält, ändert dies seine Form nicht, oder doch verhältnissmässig wenig. Dasselbe gilt von den Aussengliedern der Zapfen wie auch von den Stäbchen. Nur der in seinem optischen und chemischen Verhalten mehr an Protoplasma erinnernde Theil des Zapfeninnengliedes, von der Limitans externa an bis an das Aussenglied scheint activ beweglich zu sein. Er bleibt dabei immer in Continuität mit dem zugehörigen Zellkörper der äusseren Körnerschicht. Seine Verkürzung ist von Verdickung, seine Streckung von Verdünnung begleitet. Die neuerkannte Eigenschaft der Zapfeninnenglieder scheint allen Thierclassen zuzukommen (auch für den Menschen ist sie schon constatirt), doch ist der absolute und relative Betrag der Längenänderung bei den Zapfen der verschiedenen untersuchten Thiere verschieden. Derselbe kann auch bei verschiedenen Formen vom Zapfen desselben Auges sehr bedeutend differiren. In vielen Fällen handelt es sich um sehr grobe Veränderungen (Abramis brama 50 μ und 5 μ). Die Gesschwindigkeit der Bewegung ist derart, dass bei Dunkelfröschen schon mehrere Minuten nach Einwirkung hellen diffusen Tageslichtes die vorher maximal gestreckten Zapfen nahezu maximal contrahirt sein können. Bei directer Insolation des Thieres ist noch weniger Zeit hierzu nöthig. Die Streckung nach plötzlicher Verdunkelung scheint im Allgemeinen langsamer als die Verkürzung zu verlaufen. Es scheint, dass zwar alle Theile des Spectrums bei genügender Dauer und Stärke der Einwirkung die photomechanische Reaction der Zapfen wie auch des Pigments, hervorrufen können, dass aber ebensowie die Pigmentzellen, so auch die Zapfen stärker auf die brechbareren Strahlen reagiren. Da diejenigen Strahlen, welche von den farbigen Kugeln absorbirt werden bei Zapfen, in denen die farbigen Kugeln an der Grenze von Aussen- und Innenglied liegen, stark wirken, bei Zapfen aber, wo sie (wie im sogenannten rothen Felde der Tauben-Netzhaut) auch durch das Innenglied zerstreut liegen, nahezu wirkungslos sind, so wird geschlossen, dass der Ort der primären Reizung in den Innenglieder selbst liegt. Aus den vorliegenden Untersuchungen hat sich nun auch eine höchst bemerkenswerthe Abhängigkeit nicht nur der neuentdeckten Zapfenbewegungen, sondern auch der schon länger bekannten Bewegungen der Pigmentzellen von dem Nervensystem ergeben. Bei Belichtung nur eines Auges treten nämlich, so lange das Hirn in seiner Verbindung mit den Augen erhalten ist, die photomechanischen Reactionen der Pigmentzellen und Zapfen stets in beiden Augen gleichzeitig und gleich stark auf, während die photochemische Bleichung der Aussenglieder der Stäbchen sich nur im belichteten Auge zeigt. Die Nn. optici functioniren also nicht nur als centripetalleitende, lichtempfindliche, sondern auch centrifugal als motorische Nerven für Zapfen und Pigmentzellen der Netzhaut. Die Abhängigkeit der Zapfen und Pigmentzellen der Netzhaut erstreckt sich aber viel weiter als auf die Association zwischen beiden Augen. Auch ausschliessliche Beleuchtung der Körperhaut wirkt reflectorisch auf die genannten Gebilde, am stärksten wie es scheint auf die Pigmentzellen. Diese Differenz ist darum von Wichtigkeit, weil daraus die Unabhängigkeit der Zapfenbewegungen von den Pigmentbewegungen hervorgeht. In Strychnintetanus versetzte Dunkelfrösche, im Dunkeln getödtet, zeigten völlig entwickelte Lichtstellung der Zapfen wie des Pigmentes. Gleichen Erfolg hatte Tetanisiren der Augen von Dunkelfröschee. Curare verhinderte die Reaction nicht, rief sie andererseits aber auch nicht hervor.

Nuel (12) hat sich durch besondere Uebung eine grosse Schärfe in der Wahrnehmung und Beurtheilung derjenigen Details angeeignet, welche die entoptischen Liniensysteme der Fovea centralis bei oscillirender Bewegung heller Spalte vor dem sonst verdunkelten Auge erkennen lassen. Er schätzt in dem gefässlosen Gebiet seiner Netzhaut von etwa einem halben Millimeter Durchmesser 100 helle, durch dunkle Zwischenräume getrennte Linien. Die dunklen Linien hält er, beiläufig bemerkt, für Schatten von Zapfenreihen. Da die dunklen Linien gezackt erscheinen, N. also breitere und schmalere Partien an ihnen unterscheiden kann, schätzt er die Anzahl der Punkte, welche er im Durchmesser seines gefässlosen Netzhautgebiets unterscheiden kann, auf 500, eine Zahl, welche drei bis vier Mal so gross als die diesem Durchmesser entsprechende Zapfenzahl ist. N. folgert hieraus, dass die Grenze der Sehschärfe für äussere Objecte durch die, von der Beugung der Lichtstrahlen am Pupillarrand bedingte Verschlechterung der Bildgüte und dass das Sehelement nicht im Zapfen, sondern in der Zapfenfaser Max Schultze's gegeben sei.

Vintschgau und Lustig (13) bestimmten folgende Zeiten: a) die Zeit, welche vergeht vom Moment des Ueberspringens eines electrischen Funkens bis zum Signalisiren seines primären Lichteindrucks zu 0,136 Secunden, b) die Zeit, welche vergeht, von demselben Anfangsmoment bis zum Signalisiren des Auftauchens des positiven Nachbildes des Funkens zu 0,344 Secunden. c) die Zeit, welche vergeht vom Signalisiren des primären Lichteindrucks bis zum Signalisiren des Auftauchens des positiven Nachbildes zu 0,272 Sec. Den Werth b—a oder den Werth c, welche übrigens annähernd gleich sind, sehen die Verff. an, als entsprechend der Zeitsumme, welche erforderlich ist 1) zum Abklingen der Netzhauterregung, 2) zur Entwickelung des Nachbildes bis zum Grade eben wahrnehmbarer Deutlichkeit, 3) zur Erkennung des soweit entwickelten Nachbildes. Dass c etwas grösser (um 0,064 S.), als b—a gefunden wurde, wird darauf zurückgeführt, dass bei der Methode des zweimaligen Signalisirens die Aufmerksamkeit von einem Object (primärer Lichteindruck) einem zweiten (Auftauchen des Nachbildes) zugewandt werden musste.

Hodges (16) hatte die Sonne durch ein Telescop beobachtet und sah, nach Wendung des Blickes in eine dunkle Zimmerecke ein im Intervall von mehreren Secunden an- und abschwellendes Nachbild. Sofort schaute er mit beiden unbewaffneten Augen in die Sonne und als er darauf wieder ins Dunkle sah, erschien ausser dem ersten intermittirenden Nachbild ein im Centrum desselben gelegenes weit kleineres von constanter Intensität. Die Farbe des positiven Nachbildes, welches H. von sonnenbeschienener weisser Fläche erhält, ist abhängig von der Expositionsdauer, 10 Secunden: blau, 15 Secunden: grün, 25 Secunden: gelb. Das gelbe Nachbild geht bei seinem Abblassen durch orange, roth, carmoisin und violet in blau über.

Donders (18) liess von einer grossen Beobachterzahl durch Mischung von Spectral-Roth (λ 0,6705 μ, Lithium) und Spectral-Grün (λ 0,535 μ, Thallium) eine Mischung herstellen, welche ihnen dem Spectralgelb (λ 0.589, Natrium) gleich erschien. Er fand in Uebereinstimmung mit Lord Rayleigh, dass in Bezug auf das erforderliche Verhältniss Li: Tl zwei Categorieen von Beobachtern zu unterscheiden sind Bei der ersten Categorie, welcher die bei Weitem grösste Anzahl der Beobachter angehörte, schwankte dies Verhältniss zwischen 2.34 und 2,89; bei der zweiten Categorie von 0,5 bis 1. Der ersten Categorie gehörten fast alle Farben-Normalen an — bis auf einen normal Farbensichtigen, der der zweiten Categorie angehörte, — aber auch Personen mit schwachem Farbensinn gehören zur ersten Categorie. Der Farbensinn der der zweiten Categorie Angehörigen zeigte der Regel nach — bis auf jene eine Ausnahme — auch sonst Abnormitäten. Da bei directer Einstellung verschiedener Farben auf gleiche Helligkeit, zur Intensitäts-Gleichheit mit 10 Na von Personen der Categorie 1) 2,14 mal soviel Li als Th. von der Categorie 2) 2,79 mal soviel Li als Th. gefordert wurde, so kann der Unterschied beider Categorien nicht auf der Verschiedenheit des Intensitätsverhältnisses Tl : Li beruhen, und es lässt sich die Erklärung schwerlich in etwas Anderem suchen als in einer relativ geringen Entwickelung der grünen Valenz in Tl, verglichen mit derjenigen der rothen im Li." Auf dem Farbenkreis gaben die Personen der zweiten Categorie den nämlichen Streifen als gelb an, wie die der ersten, auch wählten sie im Spectrum, mit Ausnahme einer einzigen Person, die in Tl ihr Gelb suchte, ihr Gelb in der Nähe von D, doch war die Fähigkeit zur Erkennung feiner Farbenunterschiede bei Allen in der warmen Zone des Spectrums mehr oder weniger herabgesetzt. Auch bei Normalsichtigen schwankte übrigens, ausser im Fall grosser Uebung, der Ort des Spectrums, welcher als „rein Gelb" bezeichnet wurde, sehr erheblich. Das Resultat der genauen Untersuchung der beiden Augen eines Beobachters (Dr. Sulzer), welche innerhalb der Breite normalen Farbensinnes Unterschiede im Farbensinn aufwiesen, fasst D. folgendermassen zusammen: „Das für das rechte Auge etwas früher als für das linke beginnende Spectrum erreicht bei der Lithiumlinie für das rechte Auge eine beinah doppelt so grosse Intensität wie für das linke Auge. Die Intensitäten werden ungefähr gleich bei der Natriumlinie, wo sie zugleich ihr Maximum erreichen; von hier fallen die Intensitäten für das linke Auge rascher als für das rechte bis zum Blaugrün, wo nach einer Zone von gleicher Intensität das linke Auge die Farben etwas lichtstärker empfindet. Das umgekehrte Verhältniss hat für die Saturationen statt. Einem kleinen Unterschied zu Gunsten des rechten Auges im warmen Theile des Spectrums steht eine von Blaugrün rasch zunehmende und in der Umgebung der Strontiumlinie das Doppelte der Saturation des linken Auges erreichende Saturation für das rechte Auge gegenüber. Das Ueberraschendste ist aber wohl der Unterschied im Ton, der das reine Gelb des rechten Auges von λ 0,589 dem linken Auge orange erscheinen lässt, während das reine Gelb des linken Auges bei λ 0,577 liegt. Das Verhalten des Tones in der warmen Seite des Spectrums des linken Auges, relativ zum Spectrum des rechten, lässt sich kurz so characterisiren, dass für das linke Auge die warme Seite des Spectrums nach der kalten Seite hin verschoben ist, wobei die grösste Verschiebung bei der Na-Linie liegt. Das individuelle Spectrum des linken Auges zeigt bei der Vergleichung von gemischten Farben mit Spectralfarben in Bezug auf die erforderlichen Quantitäten der Componenten, ein dem schwachen Farbensinn diametral entgegengesetztes Verhalten, ein Verhältniss, das sich auch in der Empfindlichkeit für Unterschiede von Grün und Gelb bestätigt findet. Hatte Sulzer für sein rechtes Auge die Na-Gleichung eingestellt, schloss er dann den Li-Spalt und brachte den einfachen Vergleichsspalt auf Tl, mit gleicher Intensität als der Tl-Spalt, so erschienen beide Felder natürlich in der Farbe des Tl mit gleicher Helligkeit. Wurde nun der Li-Spalt wieder geöffnet, so war der erste Eindruck (für Sulzer's rechtes Auge) der, dass die Mischung röther und heller war als das Tl, aber nach einigen Secunden verschwand das Roth und sank die Helligkeit auf und selbst unter die von Tl. Auch für D. wurde beim Oeffnen des Li-Spaltes die Farbe röthlich, um dann schnell dem Na-Gelb Platz zu machen, das nun gleichwohl sehr bestimmt lichtstärker war und blieb als das Tl, weniger lichtstark jedoch als der Summe der Lichtstärke Tl + Li entsprochen haben würde. „Sehr überraschend ist die Schnelligkeit, womit das Ueberwiegende der hinzutretenden Farbe verschwindet und dabei zugleich die Intensität des Gemisches abnimmt. Der Vorgang verdient ein näheres Studium." Ganz allgemein hat sich ergeben, dass, wenn Spectral-Roth und -Grün einander neutralisiren, bei Normal-Farbensichtigen die Intensität des resultirenden Eindrucks ansehnlich geringer ist als die Summe der Intensitäten beider Componenten. Bei Roth- und Grünblinden fand sich die resultirende Intensität gleich der Summe der Intensitäten beider Componenten.

Szilagyi (19) bestimmte das „aequivalente Grau" für eine Reihe von Pigmentfarben (Purpur, Orange, Gelb, Gelbgrün, Grün, Blaugrün, Blau, Violet) dadurch, dass er das Grau durch das Grössenverhältniss schwarzer und weisser Sectoren auf dem centralen Theil einer rotirenden Maxwell'schen Scheibe, deren Peripherie durch die Pigmentfarbe eingenommen war, dahin abstimmte, dass ein dunkler Streif (am Rande eines grauen Grundes), der optisch auf beide Theile der Scheibe projectirt wurde, bei allmäliger Verdunkelung gleichzeitig vom grauen und farbigen Theil der Scheibe sich abzuheben aufhörte. Das „aequivalente Grau" ist ein Maass der „physiologischen Energie" des Pigmentes. Bestimmte S. dann die Helligkeit des Grau, welches durch Mischung aus mehreren dieser Pigmente auf der Peripherie der drehenden Scheibe erzeugt wurde, so fand er sie stets merklich gleich derjenigen, welche sich aus einer Berechnung ergab, bei welcher vorausgesetzt war, dass sich die physiologische Energie der einzelnen Pigmente positiv summirt. „Wenn man ein Quadrat von 10 bis 12 mm Breite irgend eines Pigmentes auf den aequivalenten grauen Grund aufträgt und daneben gleichgrosse Quadrate derselben Farbe, aber von dunklerer und hellerer Nuance, und diese Tafel aus 5—6 m Entfernung betrachtet, so erscheint das aequivalente Pigmentquadrat der Reihe wie an den Ecken abgerundet, mit unbestimmten Contouren, in nicht gut zu erkennender Form, während sowohl die helleren, wie die dunkleren Quadrate noch gut scharf viereckig erscheinen. Die Erscheinung zeigt sich sowohl an Quadraten, deren Pigment die bekannte Tonänderung für die Entfernung eingeht, als auch bei solchen, die ihren Ton nicht ändern: die formverändernden Quadrate behalten die Farbigkeit." Bei verschiedenen Individuen sind für dieselben Pigmente nicht dieselben Helligkeiten des Grau aequivalent.

Charpentier (20) hatte früher (vorj. Bericht, S. 211) als gesetzmässig erkannt, dass die Wahrnehmung von Helligkeitsunterschieden um so leichter ist, je geringer die Brechbarkeit der farbigen Strahlen ist. Als Einheit der Intensität jeder Lichtart hatte er die Menge des farbigen Lichtes angenommen, welche erforderlich war, um eben einen nicht farbigen Lichteindruck zu erzeugen. Indem er nun als Einheit der Intensität die zum Farbigwerden, resp. die zur Erkennung discreter Punkte erforderliche Lichtmenge annimmt, kommt er zur Erkenntniss, dass für eine „gleichfarbige Intensität" und für eine „gleiche Seh-Intensität" (intensité visuelle) die Wahrnehmung von Helligkeitsdifferenzen für alle Farben dieselbe ist.

Parinaud (2) nahm als Maass der Empfindlichkeit für verschiedenfarbiges Licht diejenige Menge des farbigen Lichtes, welche erforderlich war, um eben einen unfarbigen Lichteindruck zu erzeugen, und fand, dass die so gemessene Empfindlichkeit beim Ausruhen des Auges im Dunkeln für die brechbareren Strahlen mehr zunimmt, als für die weniger brechbaren. Die Zunahme der Ueberlegenheit geht nur bis zum Blau, zwischen Blau und Violet ist der Unterschied gering. Da der Unterschied in der Macula überhaupt fehlt, wird die unfarbige Lichtwahrnehmung zu dem Stäbchen-Roth in Beziehung gesetzt.

Charpentier (22) bestätigt die Angabe Parinaud's für den Fall, dass man als Ausdruck der Lichtempfindlichkeit bei dem im Hellen gehaltenen Auge das wahrnehmbare Minimum für den bei anwachsendem Licht eben auftauchenden Lichteindruck, bei dem im Dunkeln gehaltenen dagegen als Maass der Lichtempfindlichkeit die Stärke des bei abnehmendem Licht eben verschwindenden Lichtes wählt. Wenn er dagegen als Maass für die Lichtempfindlichkeit in beiden Fällen die letztere Grösse nahm, so fand er die erholende Wirkung der Dunkelheit auf die Lichtempfindlichkeit unabhängig von der Farbe des zur Prüfung gewählten Lichtes.

Aronsohn (34 u. 35) constatirte zunächst an sich selbst, dass auf Körpertemperatur erwärmte physiologische Kochsalzlösung der Nasenschleimhaut incl. Regio olfactoria gegenüber ganz indifferent ist und er benutzte sie, um durch Beimengung riechender Substanzen zu der mit der Nasendouche einzuführenden Lösung, den Weber'schen Satz zu prüfen, demzufolge duftende Flüssigkeiten, direct mit der Nasenschleimhaut in Berührung gebracht, keine Geruchswahrnehmung veranlassen sollten. Der eingeführten Kochsalzlösung in passender Menge beigefügtes Nelkenöl, Campher, Eau de Cologne, Cumarin, Vanilin wurden vom Verf. und von acht anderen Beobachtern gerochen. Cumarin schon bei einer Verdünnung von 1:100000, Nelkenöl 1:10000 u. s. w. Das Temperatur-Optimum für die einzuführende Flüssigkeit schien bei 44° C. zu liegen. Das Geruchsvermögen von Goldfischen wurde daran erkannt, dass sie ihrer Lieblingsspeise (Ameiseneiern) aus einigen Millimeter Entfernung auswichen, wenn diese mit Nelkenöl parfümirt waren. **Weber's Satz ist also nicht richtig und es ist jedes Bedenken geschwunden, Bidder's Erklärung anzunehmen, dass die Geruchsperception durch Endosmose vermittelt wird.** Wurde die in die Nase eingebrachte indifferente Flüssigkeit zur Zuführung des electrischen Stromes benutzt, so nahm A. (zwei anderen Beobachtern ist es zunächst nicht gelungen) einen characteristischen Geruch wahr bei Kathodenschliessung (Kathode in der die Nase füllenden Flüssigkeit, Anode auf der Stirn) und bei Anodenöffnung nicht zu schwachen constanten Stromes. Im Einzelnen stimmt das Verhalten des Olfactorius gegen den constanten Strom vollkommen mit dem des Acusticus überein. Die Qualität des electrischen Geruchs war ein für allemal dieselbe, unabhängig von der Stromrichtung, sie ist mit keiner bekannten Geruchsqualität zu vergleichen. Der electrische Geruch konnte bis zu dem auf den Versuchstag folgenden Tage auch ohne neue Application von Electricität durch starke Inspiration, durch Injection der indifferenten Kochsalzlösung, durch Riechen an anderen Riechstoffen wieder hervorgerufen werden. Inductionsschläge erzeugten nur Kribbeln oder Schmerz, aber keine Geruchsempfindung.

Drasch (37) machte durch eine zweckentsprechende Operation (Spaltung des Unterkiefers, Loslösen der Zunge beiderseits von der Schleimhaut des Bodens der Mundhöhle, Hervorziehen der Zunge) die Pap. foliatae des Kaninchens der directen Inspection zugänglich. Sie erscheinen stets als bläulich gefärbte, etwas geschwellte, elliptische Körper, von welchen an der hinteren und inneren Seite gegen den Zungengrund hin jederseits ein starkes Gefässbündel abgeht. Die Papillenfurchen lassen sich ganz deutlich erkennen und sind mit Flüssigkeit erfüllt. Wurde der N. glossopharyngeus der einen Seite präparirt, durchschnitten und an seinem peripherischen Stumpf electrisch gereizt, so wurde die zugehörige Papille hellroth, turgescirte und wurde fast augenblicklich von einer aus ihren Spalten tretenden Flüssigkeit überströmt. Das Secret war ein so reichliches, dass es mit Glasröhrchen gesammelt werden konnte. Dasselbe war wasserklar und reagirte sehr stark alkalisch. Unter dem Mikroskop untersucht, zeigte dasselbe ausser einigen Blutkörperchen und Epithelzellen keine geformten Bestandtheile. Nach der Reizung hatte die Papille wieder ihr ursprüngliches Aussehen. Man kann mit der Reizung sehr lange fortfahren und erhält immer Secret. Die Papille der anderen Seite wurde mechanisch, electrisch und chemisch gereizt, mechanisch mit keinem, electrisch mit schwachem Erfolg. Wurde die Papille dagegen mit einer Spur Essigsäure betupft oder wurde ein Körnchen Kochsalz auf dieselbe gelegt, so wurde sie sofort roth und gleichzeitig quoll reichliches Secret aus den Papillarspalten hervor. Kurze Zeit darauf wurde die Papille wieder blau und die Secretion ward sistirt. Ob die secretorischen Fasern für die Zungendrüsen, welche Verf. durch diese interessanten Versuche im Stamm des Glossopharyngeus nachgewiesen hat, aus seinem eigenen Kern stammen, oder ob sie ihm von anderen mit ihm anastomosirenden Nerven (Trigeminus, Facialis, Vagus, Sympathicus) beigemischt werden, lässt er unentschieden, ebenso die centripetale Bahn für die reflectorische Anregung der Secretion. Dem nach aussen gerichteten Secretstrom, welchen Verf. zu sehen bekommen hat, schreibt er die schnelle Entfernung der einmal zur Geschmackswahrnehmung gelangten Substanzen zu, welche ja erforderlich ist, damit schnell darauf ein anderer Geschmack empfunden werden könne. Der Verf. meint, dass dem Secretstrom entgegen und mit demselben alternirend ein nach dem Grunde der Papillarspalten gerichteter Strom durch Vermittlung der Geschmacksknospen zu Stande komme, welche er zu den Lymphgefässen in nähere Beziehung bringt. Besondere „Sinneszellen" in den Geschmacksknospen zu statuiren, sieht sich Verf. nicht veranlasst. Er sah die Fasern des Glossopharyngeus in solchen endigen, die Zahl der Terminaläste des Glossopharyngeus ist weit grösser als die Zahl der als „Sinneszellen aufgefassten Zellen, die Zellen der Geschmacksknospen erschienen dem Verf. nicht von so grosser Persistenz wie es für Sinneszellen anzunehmen sein würde und die Degeneration der Geschmacksknospen nach Durchschneidung des Glossopharyngeus erklärt sich aus dem Fortfall des Secretstromes, durch den allein das Stagniren der abgestossenen Epithelien in den Capillarspalten mit seinen schädlichen Folgen hintangehalten werden kann.

Lehmann (38) hatte Gelegenheit, einen intelligenten Mann zu untersuchen, der durch Fractur an der Schädelbasis rechts eine Lähmung des Glossopharyngeus bei Intactheit des Trigeminus acquirirt hatte. Am Rande, in der Mitte und in der Gegend der Pap. circumvallatae fehlte auf der rechten Seite der Geschmack ganz vollkommen. Die Sensibilität der beiden Zungenhälften war dabei auf das Feinste erhalten. Zucker in Substanz und starke Chininlösung wurden an den des Geschmacks beraubten Partien gar nicht empfunden. Es giebt also bittere und süsse Substanzen, die in den stärksten Concentrationen keinen Tasteindruck hervorrufen. Säuren und Salze bewirkten auf beiden Seiten brennende Empfindungen und auf der schmeckenden Seite daneben den characteristischen Geschmack. Auch bei den Adstringentien Tannin und Kupfersulphat trat zu dem Stechen und Zusammenziehen, welches beiden Seiten gemeinschaftlich war, auf der gesunden Seite noch ein eigenthümlicher Geschmack hinzu. Tannin schmeckte (ebenso wie Magnesiumsulphat) vorn mehr sauer, hinten mehr bitter. Ein kleiner Theil der Zungenspitze zeigte rechts Reaction gegen alle Geschmäcke, etwa so stark wie Seite und Grund der gesunden Hälfte, also schwächer als die entsprechende Gegend links.

Richet (39) bestimmte für verschiedene Salze und Säuren die kleinste Menge, welche dem Liter Wasser zugefügt werden musste, um eben Geschmackswahrnehmung zu erzeugen. Diese Menge war bei den verschiedenen Salzen sehr verschieden, stand aber in keinem Verhältniss zur Giftigkeit der Substanzen. Am leichtesten werden Kupfersalze geschmeckt (0,001 pro l), am schwersten Zinksalze (0,045). In der Mitte der Reihe stehen nebeneinander Sublimat (0,010) und Kochsalz (0,012). Schwefelsäure, Salpetersäure, Salzsäure, Essigsäure werden, mit sehr geringen Unterschieden, geschmeckt, wenn von jeder derselben soviel im Liter Wasser ist, um etwa 5 cg CaO zu sättigen.

Schmey (40) sah die Feinheit des Raumsinnes, gemessen mit Sieveking's Aesthesiometer, an seinem Arm abnehmen, wenn er den Arm durch Heben von Gewichten ermüdete, oder wenn er den N. ulnaris mit den Fingern drückte, oder wenn er Aether auf die Haut goss, zunehmen nicht nur im Gesicht, sondern auch am Arm nach Einathmen von Amylnitrit.

Keller (41), Kremer (42) und Graeber (43), Schüler Rumpf's bedienten sich zur Nachprüfung der in Bezug auf den Raumsinn oder die Feinheit der Tastempfindung bekannten Thatsachen des Hering'schen Aesthesiometers (ein Satz cylindrischer, mit Draht verschiedener Stärke umwundener Stäbe, deren eben nicht mehr als glatt empfundene Ordnungsnummer als Maass gilt) und constatirten die practische Brauchbarkeit desselben. Hervorzuheben ist der Befund Keller's, dass die Tastfähigkeit der Haut von der Temperatur des berührten Gegenstandes derart abhängt, dass sie am grössten ist, wenn Haut und Tastobject dieselbe Temperatur besitzen, ferner der Befund Kremer's, dass Coffein den Raumsinn, Kesseler's (44), dass dasselbe Mittel den Temperatursinn und de Voys (45), dass Paraldehyd und Coffein die faradocutane Sensibilität verschärfen. Graeber (43) konnte mit Hering's Aesthesiometer zeigen, dass die Abhängigkeit des Tastsinnes der Haut vom galvanischen Strom den Pflüger'schen Gesetzen des Electrotonus unterworfen ist.

Koschlakoff (53) stellte sich einen künstlichen Kehlkopf her, an dem er den Stimmbändern verschiedenen Spannungsgrad ertheilen, die Weite der Stimmritze variiren, die Breite des schwingenden Theils der Stimmbänder verschieden gross machen und Knotenlinien auf den Stimmbändern erzeugen konnte. Er studirte mit Hilfe desselben, indem er die erzeugten Klänge unmittelbar mit dem Ohr und ausserdem unter Zugrundelegung graphischer Darstellungen der Stimmbandschwingungen analysirte, die verschiedenen Formen und Bedingungen der Heiserkeit. Wenn der künstliche Larynx einen einfachen reinen Ton erzeugt, so kommt es beim Vibriren zu einer Berührung der Stimmbänder nicht. Man kann in die Ritze vorsichtig eine dünne Nadel einführen, ohne den Timbre der Stimme irgendwie zu verändern. Wenn man aber mit der Nadel den Rand des einen oder anderen Stimmbandes berührt, so verändert sich der Timbre momentan, der Ton wird heiser oder verschwindet mitunter ganz und gar. Wenn die Stimmbänder beim Vibriren sich gegenseitig nicht berühren, so zeichnet sich der dabei erzeugte Ton durch weichen Timbre aus. Verengert man die Stimmritze, so wird der Ton zunächst heller, tönender und metallischer, beim weiteren Verengern aber scharf und unangenehm. Jetzt ist man nicht mehr im Stande, die Nadel in die Ritze einzuführen, ohne die Schwingungen der Stimmbänder zu beeinflussen. Wenn die Ritze derart verengert wird, dass die Stimmbändert sich an irgend einem Punkt gegenseitig berühren, so entsteht der erste Grad der Heiserkeit, ein Doppelton: zu dem Grundton gesellt sich die untere Octave. Fährt man nun fort, die Stimmritze zu verengern, so erhält man einen Dreiklang; den zwei ersten Tönen mischt sich die Quinte des Grundtones bei. Durch stärkeres oder schwächeres Anblasen kann man aus diesen zusammengesetzten Klängen diesen oder jenen einfachen Ton erzeugen oder wenigstens dominirend machen. Werden die Stimmbänder einander noch mehr genähert, so erhält man die Quinte mit dem Grundton oder die Quinte allein. Auch durch übermässige Erweiterung der Stimmritze kann man Heiserkeit erzeugen. Die durch Verengerung der Stimmritze herbeigeführte Heiserkeit besteht immer (bei den höchsten Graden oder bei Ungleichmässigkeit der Verengerung) in harmonischer Polyphonie. Ihr Zustandekommen wird dadurch erklärt, dass ähnlich wie beim Falsett, die Stimmbänder nicht nur am äussersten Rande, sondern in ihrer ganzen Breite schwingen und zwar mit Knotenlinien parallel dem Rande der Stimmritze. Die Richtigkeit dieser Auffassung wird durch Experimente erhärtet, bei denen derartige Knotenlinien durch ausgespannte Fäden, welche parallel dem Rande auf die Stimmbänder drückten, erzeugt wurden. Die echte disharmonische Heiserkeit entsteht, wenn die Stimmbänder so schwingen, dass Knotenlinien senkrecht zum Rande sich bilden. Sie kann experimentell erzeugt werden dadurch, dass die Bänder einander bedeutend genähert werden, so dass sich ihre Ränder gegenseitig, am besten, wenn sie sich ungleichmässig berühren, oder dadurch, dass man an den Stimmbändern Unebenheiten oder Hervorwölbungen anbringt. Eine andere Entstehungsart der Polyphonie ist denkbar, bei welcher sich beide Stimmbänder nicht gleichmässig spannen, so dass ihre Schwingungszahlen ungleich werden und jedes der Stimmbänder einen besonderen Ton hervorbringt. An künstlichen Stimmbändern gelang es nur sehr schwer, auf diese Art einen Doppelton zu erhalten.

Exner (54) hat durch Reizversuche an Thieren gefunden, dass der Kehlkopf ausser von den beiden längst bekannten oberen und unteren noch durch einen dritten Kehlkopfnerven versorgt wird. Er ist bei Hunden und Kaninchen ein wohl ausgebildeter, aus dem Ram. pharyngeus vagi stammender Nerv, der im Kehlkopf keine andere Function zu haben scheint, als gemeinschaftlich mit dem N. laryngeus sup. den M. cricothyreoideus motorisch zu innerviren. Beim Menschen findet sich dieser N. laryngeus med. in einer etwas anderen Gestalt, indem im Gegensatze zu den genannten Thieren hier der Ram. pharyngeus vagi mit anderen Nerven den Plexus pharyngeus und laryngeus bildet. Aus diesem geht ein Zweig in den M. cricothyreoideus, der mit jenem Grade von Sicherheit als Analogon des bei Thieren gefundenen Nerven aufgefasst werden kann, welcher ohne Reizversuche überhaupt erreichbar ist. Ausser diesem fand E. beim Menschen noch jederseits ein von hinten her in den Larynx eintretendes accessorisches Nervchen, dessen Bedeutung nicht vollkommen klar ist und das wahrscheinlich mannigfaltigen Variationen unterliegt. Reizversuche, Degenerationsversuche und die anatomische Verfolgung der Nerven (durch grobe Präparation und auf Schnittserien) haben ergeben:

Der M. cricothyreoideus wird beim Kaninchen durch den Ram. internus und externus des N. laryngeus sup., sowie durch den N. laryngeus med. innervirt, beim Hunde durch den Ram. extern. des oberen und durch den mittleren Kehlkopfnerven, beim Menschen ebenso wie beim Hunde; wenigstens konnte ein Ast des Ram. int. zum Muskel nicht verfolgt werden. Die medialen Antheile des Muskels bekommen ausserdem Fasern vom Ram. ext der gegenüberliegenden Seite. Diese passiren in der Gegend des Ligamentum conicum die Medianebene. Der M. thyreo-arytaenoideus ext. wird gewöhnlich ausschliesslich vom Nerv. laryng. inf. innervirt, bisweilen betheiligt sich in grösseren oder geringeren Strecken desselben auch der N. laryngeus sup. durch seinen Ram. ext. an der Innervation. Der M. thyreo-arytaenoideus int. einer Seite wird ungefähr in gleichem Maasse von den oberen Kehlkopfnerven beider Seiten versorgt, ausserdem noch, insbesondere in seinen äusseren Partien, vom unteren Kehlkopfnerven derselben Seite, vielleicht auch noch bisweilen vom unteren Kehlkopfnerven der anderen Seite. Die Fasern des oberen Kehlkopfnerven passiren die Mittellinie in der Schleimhaut der Stimmritze oder im M. interarytaenoideus. Der M. crico-arytaenoideus lat. bezieht seine motorischen Nerven in wechselnder Menge aus dem oberen und dem Ram. ext. des unteren Kehlkopfnerven; vielleicht ist in gewissen Fällen auch noch ein Nerv der gegenüberliegenden Seite betheiligt. Der M. crico-arytaenoideus post. erhält Nerven von seinem Seitenrande, seiner vorderen und seiner hinteren Fläche. Die beiden ersteren, an Bedeutung weit überwiegend, gehören dem Nerv. laryngeus inf., letztere dem superior an. In jenen Fällen, in denen noch ein dritter Nerv mit ihnen in Beziehung tritt, ist es der Nerv. laryng sup. der anderen Seite, dessen Faserbündel unter der Pharynxschleimhaut, welche die Rückenwand des Larynx bedeckt, die Medianebene überschreiten und von hinten her in den Muskel eintreten. Der M. interarytaenoideus (beide M. obliqui und der M. transversus) erhält seine Innervation von beiden oberen und beiden unteren Kehlkopfnerven. Die Nerven einer Seite betheiligen sich in näherungsweise gleichem Maasse an der rechten wie an der linken Hälfte dieses Muskelcomplexes. Auch ist die Bedeutung des oberen Paares der Kehlkopfnerven ungefähr ebenso gross wie die der beiden unteren Kehlkopfnerven für die Innervation des Muskels. Wenn ein Nervenpaar überwiegt, so ist es das obere. In den M. aryepiglotticus, sowie in den M. thyreoepiglotticus konnte je ein Ast des N. laryng. sup. verfolgt werden; dass auch Aeste des N. laryng. inf. zu diesen Muskeln treten, wurde nicht beobachtet. Die Oesophagusschleimhaut an der Rückenwand des Larynx wird sensorisch durch Aeste des N. laryngeus sup. und solche des Ram. communicans versorgt; die Schleimhaut der Larynxhöhle in ihrem obersten Antheile durch Aeste des N. laryngeus sup., in der Gegend der Stimmritze hinten durch die Ram. perforantes, welche zum Theile dem oberen, zum Theile dem unteren Kehlkopfnerven angehören, vorne wahrscheinlich sowohl durch Aeste des Ram. ext. n. laryngei sup. als durch solche des N. recurrens; der unterste Theil der Larynxhöhle wird hinten hauptsächlich durch Aeste des N. laryng. inf., vorne durch Aeste des N. laryng. med., welche das Ligam. conicum durchbohren, versorgt. Die Zweige der oberen Kehlkopfnerven beider Seiten, sowie die Zweige der oberen und unteren Kehlkopfnerven einer Seite stehen in der Schleimhaut miteinander in anastomotischen Verbindungen. Von allgemein physiologischem Interesse ist der Befund, dass häufig ein Muskel nach Durchschneidung eines Nerven, dessen Reizung ihn zur Contraction bringt, nicht, und zwar in keiner einzigen seiner Fasern sichtlich degenerirt, dass er aber nach Durchschneidung eines zweiten Nerven, dessen Reizung ihn ebenfalls zur Contraction bringt, wohl degenerirte Fasern in bedeutender Zahl aufweist. Verf. hält es hiernach für wahrscheinlich, dass am Kehlkopf des Säugethieres — anders als es Ref. für die Hinterextremität des Frosches nachgewiesen hat (diese Berichte pro 1880, S. 203) — jede Faser des doppelt innervirten Muskels Nervenendigungen besitze, die dem ersten und solche, die dem zweiten Nerven angehören, so dass bei Reizung jedes der beiden Nerven für sich allein alle Fasern des Muskels in Contraction gerathen.

Krause (55) erhielt bei electrischer Reizung des Recurrens, Laryngeus superior oder Vagus folgende Resultate: Auf Reizung des peripheren Endes des Recurrens erfolgt Adduction des gleichseitigen Stimmbandes und zwar derart, dass es sich an das gegenüberliegende, das letztere mag in welcher Stellung immer sich befinden, dicht anlegt. Befindet sich z. B. das gegenüberliegende Stimmband in Inspirationsstellung, so geht das gereizte über die Mittellinie hinaus, um sich an das erstere anzulegen. Der Aryknorpel der nicht gereizten Seite aber macht deutlich mit der gereizten Seite eine Bewegung zur Mitte, ohne dass jedoch sein Stimmband daran theilnimmt. Reizung des Laryng. sup. mit Erhaltung seines äusseren Astes ergiebt festen Glottisverschluss, gleichzeitig sphincterartige Verengerung des Aditus laryng. Reizung des centralen Stumpfes des am Halse durchschnittenen Vagus giebt Inspirationsstellung des gegenüberliegenden Stimmbandes. Eine dauernde Reizung des Recurrens oder des Vagus mit einem der electrischen Reizung entsprechenden, aber lange (2 bis 5 Tage) andauernden Erfolge, ist es dem Verf. gelungen dadurch herzuführen, dass er einen der genannten Nerven in der Continuität gemeinschaftlich mit einem Stückchen Kork in eine lose angezogene Schlinge eines Kautschukfadens oder einer Darmsaite brachte. An dem Nerven zeigten sich während der Dauer der Wirkung, welche sich als Stillstellung der Stimmbänder, bei Operation am Recurrens in Medianstellung, bei Operation am Vagus in Inspirationsstellung manifestirte, alle Symptome hochgradiger Neuritis. Der entzündliche Zustand des Nerven war mit Erhöhung seiner Erregbarkeit verbunden, wie aus electrischen Reizversuchen hervorging. Um die beschriebene dauernde Wirkung hervorzubringen, genügte aber die Entzündung allein nicht, es musste auch der dauernde Druck durch den Kork hinzukommen. In Fällen, wo der Kork sich aus der Schlinge verschoben hatte, fehlte die Wirkung. Verf. benutzt seine Beobachtungen zur Erklärung der, zuerst von Gerhardt als Krankheit beschriebenen, dauernden Glottisverengerung, indem er dieselbe im Gegensatz zu früheren Autoren auf eine dauernde Contractur zurückzuführen sucht.

[1) Holmgren, Fritiof, Om Hering's färgtheori. Upsala läkareförenings förhandl. Bd 19. p. 245. — 2) Derselbe, Undersökningar til förklaring af hudfärgens anmärkta förändring efter öfvervintring i polartrakterna, ulförda under den senaste svenska Spetzbergsexpeditionen af dess läkare R. Gyllencreutz. Ibidem. p. 190. — 3) Johannson, J. E., Undersökning af färgsinnet i blinda fläckens närmaste omgifning. Ibidem. Bd. 19. p. 491. — 4) Blix, Magnus, Ett enkelt förfarengssätt at bestämma muskelsinnets skärpa. Ibidem Bd. 19. p 123.

In diesem Vortrage, welcher ausführlicher publicirt wird, behandelt Holmgren (1) kritisch die Farbentheorie von Hering, indem er eine Reihe Facta anführte, welche nach der Meinung des Verf. für die Young-Helmholtz'sche und gegen die Hering-sche Theorie sprachen.

In erster Linie wurden hierbei 2 Fälle einseitiger Farbenblindheit detaillirt beschrieben, welche ein neues Argument gegen die Theorie von Hering erboten Der eine Fall war eine Frau, welche mit dem farbenblinden Auge nicht roth, mit demselben Auge aber wohl grün empfinden konnte. Der andere Fall war ein Mann, welcher umgekehrt mit dem farbenblinden Auge nicht grün, wohl aber roth empfand. Keiner dieser Fälle verdiente daher den Namen Roth-Grünblindheit nach der Theorie von Hering, konnte aber nach der Theorie von Young-Helmholtz wohl characterisirt werden, der erste als Rothblindheit, der zweite als Grünblindheit.

Auf Veranlassung Desselben (2) hat Dr. Gyllencreutz, welcher als Arzt bei der letzten schwedischen Spitzbergenexperation fungirte, die Frage nach dem Einfluss der Polarnacht auf die Hautfarbe näher studirt. Von früheren Expeditionen war die Beobachtung gemacht, dass die Mitglieder der Expedition, nachdem sie für die ganze Dauer einer Polarnacht dem Einflusse des Sonnenlichts entzogen gewesen, beim Wiedererscheinen der Sonne eine grüngelbliche Gesichtsfarbe angenommen hatten. Dies Phänomen konnte entweder subjectiver Natur, auf einer Veränderung des Farbensinnes bei den Theilnehmern der Expedition beruhend sein, oder es konnte durch eine Veränderung des Blutfarbstoffes oder Pigments der Haut hervorgerufen sein.

Um diese Fragen näher zu erörtern, wurde erstens versucht, eine systematische Reihe von Untersuchungen des Farbensinnes der an der Expedition Betheiligten zu verschiedener Zeit auszuführen. Die Schwierigkeiten hierbei waren aber unter den speciellen Verhältnissen so gross, dass das auf diese Weise erzielte negative Resultat nicht als absolut sicher angesehen werden konnte. Ferner wurden sowohl vor, als während und nach der Polarnacht Blutuntersuchungen gemacht, indem eine Schicht Blut bestimmter Dicke unter übrigens gleichen Verhältnissen spectroscopisch untersucht wurde; dies geschah ziemlich häufig und das Blut sämmtlicher Theilnehmer der Expedition wurde in dieser

Weise geprüft. Es wurde hierbei die Breite der Oxyhämoglobinbänder, sowie ihre Lage im Spectrum bestimmt, und endlich in einigen Fällen die Lichtstärke verschiedener Spectren, so weit es nach Schätzung geschehen konnte, festgestellt. Aus den Untersuchungen ging hervor, dass die Veränderungen im Blutspectrum sehr geringfügig waren; die Absorptionsbänder waren in den Monaten, wo die Sonne sich nicht über dem Horizonte zeigte, eher etwas breiter und kräftiger, als sie vor Eintritt der Finsterniss und nach Wiedererscheinen der Sonne gefunden wurden; hierfür konnte vielleicht die veränderte Lebensweise während der Polarnacht als Erklärung herbeigezogen werden.

Die Hauptfrage, ob die Hautfarbenänderungen subjectiver oder objectiver Natur waren, wurde indessen sicher gelöst, indem ein Theilnehmer der Expedition freiwillig sich einem verlängerten Aufenthalt im Dunkeln unterzog, so dass er einen ganzen Monat, nachdem die Sonne wieder erschienen war, nicht dem Lichte ausgesetzt wurde. Unterdessen waren die übrigen Mitglieder der Expedition, was Hautfarbe und Sinneswahrnehmungen betrifft, normal geworden. Es zeigte sich jetzt deutlich, dass das Phänomen objectiver Natur war, indem der Mann, welcher länger als die anderen im Dunkeln gelebt hatte, die Gesichtsfarbe der übrigen Theilnehmer als normal bezeichnete, wogegen die übrigen sämmtlich die Gesichtsfarbe eben genannten Mannes als gelbgrünlich angaben.

Auf Veranlassung von Holmgren hat Johannson (3) eine Untersuchung über den Farbensinn in der Nähe des blinden Fleckes gemacht.

Vermittelst des Förster'schen Perimeters wurde zuerst die Lage des blinden Fleckes im rechten Auge des Verf. bestimmt, und dann eine Fixationsmarke so auf dem Perimeter angebracht, dass der blinde Fleck sich im Centrum des Perimeters befand. Demnächst wurden vom Centrum des Perimeters aus gefärbte (purpurne und grüne) Quadrate verschiedener Grösse nach den verschiedenen Meridianen verschoben. Hierbei wurde erst das Auftreten des Quadrates vom blinden Fleck und weiter die Farbenänderungen desselben in den verschiedenen Stellungen beobachtet. Der Verf. fand nun, dass die nächste Umgebung des blinden Fleckes von einer Zone eingenommen wird, wo totale Farbenblindheit herrscht. Ausserhalb dieses Bezirkes findet sich eine Zone der Rothblindheit, so dass hier nur gelb und blau empfunden wird. Die Grenzen der Zonen sind nicht scharf und richten sich etwas nach der Grösse des farbigen Objectes, so dass auf einer Stelle, wo ein kleineres purpurfarbenes Object blau erscheint, ein grösseres Object derselben Farbe mit seiner wirklichen Farbe wahrgenommen wird.

Blix (4) schlägt als einfaches Mittel zur Bestimmung der Schärfe des Muskelsinnes folgende Methode vor:

Der Patient wird in einer bequemen festen Stellung angebracht; in der Hand hält er einen Bleistift, und vor ihm befindet sich in dem Abstand einer Armlänge eine mit weissem Papier bekleidete Tafel; durch Heben des Armes wird nun einmal bei geöffneten Augen ein Punkt auf der Tafel mit dem Bleistift markirt; demnächst wird es versucht, denselben Punkt mit zugebundenen Augen zu markiren. Der Versuch wird auf diese Weise mehrmals wiederholt, um in den verschiedenen Fällen die Uebung einigermassen eliminiren zu können. Der mittlere Abstand der mit zugebundenen Augen markirten Punkte vom ursprünglich mit offenem Auge markirten Punkt dient als Maass für die Schärfe des Muskelsinnes. Am Schluss theilt der Verf. einige nach dieser Methode gemachte Bestimmungen mit.

Christian Bohr.]

II. Physiologie des Centralnervensystems.

1) Meynert, Th., Von der Ernährung des Gehirnes. Wiener Med. Blätter. No. 5, 6, 7. — 2) Luys, J., De la locomobilité ou des changements de position du cerveau dans les différentes attitudes du corps. Bull. de l'Acad. de Méd. p. 433. — 3) Gley, E., L'excitabilité de l'écorce du cerveau. Gaz méd. de Paris p. 339. — 4) Mendel, E., Ueber paralytischen Blödsinn bei Hunden. Sitzungsber. d. Berl. Acad. d. Wiss. XX. — 5) Heimann, C., Ueber die Wirkung des Druckes anf die Grosshirnrinde. Du Bois-Reymond's Arch. S. 579. — 6) Danillo, S., Darf die Grosshirnrinde der hinteren Partie als Ursprungsstätte eines epileptischen Anfalles betrachtet werden? Ebendas. S. 79. (S. vor. Ber.) — 7) Munk, H, Ueber cerebrale Epilepsie. Ebendas. S. 169. — 8) Schiff, M., Ein neuer Versuch an der erregbaren Zone der Hirnrinde. Pflüger's Arch. XXXIII. S. 264. — 9) Bechterew, W., Wie sind die Erscheinungen zu verstehen, die nach Zerstörung der motorischen Rindenfelder auftreten? Ebendas. XXXV. S. 137. — 10) Goltz, F., Ueber die Verrichtungen des Grosshirns. Ebendas. XXXIV. S. 451. — 11) Fritsch, G., Herrn Prof. Goltz's Feldzug gegen die Grosshirnlocalisation nach Berlin. Berl. klin. Wochenschr. S. 299. — 12) Goltz, Ueber Localisation der Functionen des Grosshirns. Ebendas. S 303. — 13) Axenfeld, Contribuzione alla fisiologia della corteccia del cervello Lo Sperimentale. p. 616. — 14) Varigny, H. C. de, Recherches expérim. sur l'excitabilité électrique des circonvolutions cérébrales etc. 8. Paris. — 15) Beaunis, H., Rech. expérim. sur les conditions de l'activité cérébrale et sur la physiol. des nerfs. Av. 19 pls. et 59 fig. 8. Paris. — 16) Luciani, L. Ueber die sensorischen Functionen der Grosshirnrinde. Brain. July. p. 145. — 17) Loeb, J, Die Sehstörungen nach Verletzung der Grosshirnrinde. Nach Versuchen an Hunden. Pflüger's Arch. XXXIV. S. 67. — 18) Starr, M. A., The visual area in the brain determined by a study of hemianopsia. Amer. Journ. of med. science p. 67. — 19) Munk, H., Ueber die centralen Organe für das Sehen und das Hören bei den Wirbelthieren. Sitzungsber. d. Berl. Acad. d. Wiss. XXIV — 20) Christiani, A., Zur Kenntniss der Functionen des Grosshirns beim Kaninchen Ebendas. XXVIII — 21) Munk, H, Zur Kenntniss der Functionen des Grosshirns beim Kaninchen. Ebendas. XXX. — 22) Christiani, A, Zur Physiologie des Gehirns. Du Bois-Reymond's Archiv. S. 465. — 23) Munk, H., Ueber Grosshirn-Exstirpation beim Kaninchen. Ebendas S. 470. — 24) Cronigneau, G., Etude clinique et expérimentale sur la vision mentale. Thèse. Paris — 25) Zenner, P., Cerebral localization — the centres for vision. The New-York Med. Record. p. 146, 232 u. 458. — 26) Rüdinger, Ein Beitrag zur Anatomie des Sprachcentrums. Beitr. z. Biol. Th. L. W. v. Bischoff gewidmet. Stuttgart. 1882. S. 135. Centrabl f. d. med. Wiss. S. 49. — 27) Krause, H., Ueber die Beziehungen der Grosshirnrinde zu Kehlkopf und Rachen. Du Bois Reymond's Arch. S. 203. (S. vor. Ber.) — 28) Moeli, Ueber Degeneration in der Grosshirnrinde nach Durchschneidung der Capsula interna. Ebendas. S. 182. — 29) Spitzka, E. C., The anatomy of the lemniscus. With remarks on centripetal conducting tracts in the brain. The New-York med. record. p. 393. — 30) Bechterew, W., Ueber die Function der Vierhügel. Pflüger's Arch. XXXIII. S. 413. — 31) Luchsinger, B, Zur Lage der Gleichgewichtscentren. Ebend. XXXIV. S. 289. — 32) Luciani, L., Linee generali della fisiologia del cervelletto. Rivista speriment X. 1. — 33) Bechterew, W., Ueber die Verbindung der sogenannten peripheren Gleichgewichtsorgane mit dem Kleinhirn. Versuche mit Durchschneidung der Kleinhirnstiele. Pflüger's Arch. XXXIV. S. 362. — 34) Derselbe, Ueber die Bemerkungen von V. Hensen zu meinem

Aufsatz „Ueber den Verlauf der die Pupille verengenden Nervenfasern im Gehirn". Ebendas. XXXIII. S. 280. — 35) Balighian, J., Beiträge zur Lehre von der Kreuzung der motorischen Innervationswege im Cerebrospinalsystem. Diss inaug. Giessen. (1878?) — 36) Bérillon, E., De l'indépendance fonctionelle des deux hémisphères cérébraux. Thèse. Paris. — 37) Traube-Mengarini, M., Experimentelle Beiträge zur Physiologie des Fischgehirnes. Du Bois-Reymond's Arch. S. 553. — 38) Levillain, F., Essai critique sur les progrès réalisées par la physiologie expérimentale et la méthode anatomo-clinique dans l'étude des fonctions du cerveau. Thèse. Paris. — 39) Grosnier de Varigny, H., Recherches expérimentales sur l'excitabilité électrique des circonvolutions cérébrales et sur la période d'excitation latente du cerveau. Thèse. Paris. — 40) Thompson, D. G., A system of Psychologie. 2 vols. 8. London. — 41) Wahle, R., Gehirn und Bewusstsein. Physiol.-psychol. Studie. 8. Wien. — 42) Langwieser, K., Zur physiologischen Erklärung des Bewusstseins. Zeitschr. f. Psychiatrie. XLI. S. 1. — 43) Rosenthal, J., Ueber Reflexe. Biol. Centralbl. S. 247. — 44) Goltz, Erwiderung hierauf. Ebendas. S. 313. — 45) Gad, J., Ueber Centren und Leitungsbahnen im Rückenmarke des Frosches. Du Bois-Reymond's Arch. S. 304. Verh. d. physic.-med. Ges. zu Würzburg XVIII. No. 8. Würzburg. — 46) Singer, J., Zur Kenntniss der motorischen Functionen des Lendenmarks der Taube. Wiener Sitzungsber. Bd. 89. Abth. III. S. 167. — 47) Tarchanoff, J., Ueber automatische Bewegungen bei enthaupteten Enten. Pflüger's Arch. XXXIII. S. 619 — 48) Forgue et Lannegrâce, Distribution des racines dans les muscles des membres. Compt. rend. XCVIII. p. 685. — 49) Couty, Sur la distinction de deux classes de mouvements. Ibid. XCVIII. p. 687. — 50) Beaunis, Note sur les phénomènes d'arrêt. Gaz méd. de Paris. p. 159.

Luys (2) sah nach Eröffnung des Schädels die Lageveränderung menschlicher Leichen von beträchtlichen Lageveränderungen des Gehirns begleitet. Durch Vertretung der Ansicht, dass beim lebenden Menschen Aenderungen der Körperhaltung und Lage mit Verschiebungen des Hirns von ähnlicher Grösse verbunden seien, ruft er eine sehr lebhafte Debatte hervor, an der sich Colin, Béclard, Sappey, Marc Sée und viele Andere betheiligen.

Mendel (4) ist es gelungen, beim Hunde paralytischen Blödsinn experimentell zu erzeugen. „Hunde, die auf einer Tischplatte so befestigt waren, dass ihr Kopf an der Peripherie des Tisches sich befand, gingen, wenn die Tischplatte in genügend schnelle und lange genug fortgesetzte Rotation versetzt wurde, während der Drehung zu Grunde (in 25—30 Minuten bei 120—130 Umdrehungen in der Minute). Die Section zeigte hochgradige Hyperämie der Schädelknochen, der Hirnhäute und der grauen Hirnrinde, Blutleere und Oedem der weissen Substanz. Ausserdem fanden sich in den Häuten, wie in der Hirnrinde zahlreiche punktförmige Blutungen, die besonders in der Gegend des Sulcus cruciatus ausgeprägt waren. Wenn man aber die Hunde bei geringerer Geschwindigkeit (100—110 Mal in der Minute) nur wenige (4—6 Minuten) drehte, so sah man beim Aufhören des Drehens nur die oft beobachteten und beschriebenen Schwindelerscheinungen. Wiederholte man diese Drehungen täglich, und zwar 3—4 Mal mit kurzen Pausen, dann sah man gegen den 12.—14. Tag zuerst Verlust des Muskelgefühls einer hinteren Extremität, dem bald dann derselbe Zustand in der anderen folgte. Waren diese Erscheinungen deutlich ausgeprägt, so wurden die Drehungen nicht mehr wiederholt und die Thiere bei guter Fütterung sich selbst überlassen. Im Laufe der nächsten Wochen stellten sich nun ein: Zunahme der Erscheinungen an den hinteren Extremitäten, Auftreten derselben an den vorderen Extremitäten, erschwertes Gehen (Hahnentritt, Lahmsein), schliesslich vollständige Unfähigkeit, sich zu bewegen, Facialisparesen, Paresen der Rumpfmusculatur, Veränderungen des Bellens, erschwertes Urinlassen. Gleichzeitig nahm die meist schon in der zweiten Woche deutliche Apathie stetig zu und wurde allmälig zum theilnahmslosen Blödsinn. Das Körpergewicht pflegte dabei sehr rasch zu sinken, während der Appetit ungestört erschien. Der Tod erfolgte unter den Erscheinungen allgemeiner Lähmung. Vergleicht man das geschilderte Krankheitsbild, das bei Hunden sonst nicht beobachtet wird, mit den beim Menschen vorkommenden Krankheiten, so kann nur die progressive Paralyse der Irren in Frage kommen, mit der es sowohl in Bezug auf den progredienten Verlauf, wie in Bezug auf die Verbindung des Blödsinns mit den allgemein verbreiteten paralytischen Symptomen übereinstimmt. Diese Uebereinstimmung wird aber ausserdem gestützt durch die Sectionsresultate. Dieselben ergaben bisher regelmässig: Verwachsung des Schädels mit der Dura, dieser mit der Pia und der Hirnrinde im Bereich des Sulcus cruciatus, Trübung der Pia, besonders längs der Gefässfurchen, Eingesunkensein der den Sulcus cruc. umgebenden Windungen, wie des Lobus anterior, Hydrocephalus internus. Microscopisch zeigten sich partielle Verwachsungen der Hirnrinde mit der Pia, Kernvermehrung, Wucherung der Gliazellen mit Neubildung von Gefässen, stellenweise Veränderungen der Ganglienzellen. Die hochgradigsten Veränderungen fanden sich in den den Sulc. cruc. und die Fissura Sylvii umgebenden Windungen, in ähnlicher Weise wie beim Menschen und entsprechend der Localisation der Symptome. Die übrigen Organe, auch das Rückenmark, boten nichts wesentlich Abnormes.

Schiff (8) hält einer gegentheiligen, von Bechterew (Neurol. Centralbl. No. 18) ausgesprochenen Auffassung gegenüber daran fest, dass alle sog. Ausfallserscheinungen nach Verletzung der erregbaren Hirntheile sich auf die Sphäre der Empfindung beschränken und er bringt Beobachtungen bei, welche, selbst wenn eine contralaterale Lähmung bestände, doch nicht ohne die Annahme einer tactilen Anaesthesie erklärt werden können. An Individuen einer gewissen Hundeart lassen sich bei intactem Hirn gekreuzte und ungekreuzte Reflexe leicht und sicher hervorrufen, bei schwacher Reizung an den Zehen eines Fusses Zuckungen in den Extremitäten der ungleichnamigen Seite, bei stärkerer Reizung auch in den gleichnamigen Beinen. Einem Thiere bei dem das Vorhandensein dieser Reflexe constatirt worden war, wurde der rechte Sulcus cruciatus blossgelegt und die ganze vor ihm gelegene Windung des Gyrus sigmoides und die hinter letzterem befindliche Hirnsubstanz noch in einer Breite von etwa 5 mm entfernt. In den der Heilung folgenden 2 Monaten war von den linken Zehen aus gar keine Reaction, weder rechts noch links zu erzielen, von den rechten Zehen aus die Reaction ganz wie vor der Operation, also in jedem Fall Zucken in den linken (der Hirnverletzung contralateralen) Füssen, manchmal — und viel häufiger als vor der Operation — begleitet von Zuckungen in den Füssen der rechten Seite.

Goltz (10) stellte sich zur Aufgabe, diejenigen Ausfallserscheinungen festzustellen, welche Hunde nach möglichst vollständiger einseitiger und doppelseitiger Entfernung entweder des Stirnhirns oder der Hinterhauptslappen zeigen. Als Ausfallserscheinungen fasst er das geringste Maass von Störungen auf, welches sich zu irgend einer Zeit und in irgend einem Falle nach einer bestimmten Hirnverletzung beobachten lässt. Von sonstigen Erscheinungen wird angenommen, dass sie auf Nebenwirkungen beruhen. Die Gegenüberstellung der wichtigsten Merkmale, durch welche sich die Thiere mit verstümmeltem Vorderhirn von den hinten operirten unterscheiden, muss ich mit des Verfassers eigenen Worten geben, wobei ich mir jedoch erlauben will, dem übrigen Text entnommene erläuternde Bemerkungen in Parenthese einzufügen: „1. Der vorn operirte Hund bewahrt an allen Punkten seines Körpers Empfindung. Es lässt sich beweisen, dass er unter gewissen Umständen sogar feine Tastreize empfindet.“ (Zu diesen Umständen gehört die hochgradige argwöhnische Aufmerksamkeit gieriger Hunde beim Fressen. Auch Hyperästhesie — welche vom Grade der Aufmerksamkeit unabhängig war — beobachtete G. einige Mal, und zwar gleichseitige bei einseitiger Operation, als Folgen der Exstirpation von Stirnhirn, doch setzt er dieselbe auf Rechnung von Nebenwirkungen.) „Der vorn operirte Hund tastet dagegen schlecht. Er tritt mit den Füssen in's Leere.“ (Er bemerkt nicht, wenn er in kaltes Wasser patscht und er kann auch, wenn kein besonderer Grund für Steigerung der Aufmerksamkeit vorliegt, derbe Berührungen der gekreuzten Körperhälfte unbeachtet lassen.) „Kein Muskel seines Körpers ist gelähmt.“ (Auch nicht die Muskeln der Wirbelsäule, welche willkürlich stark gekrümmt werden kann, welche aber auch, was beachtenswerth ist, dauernd nach der verletzten Seite concav verkrümmt zu sein scheint [vergl. S. 490], wo diese Verkrümmung zur Erklärung der bei Operationen vorn stärker als bei Operationen hinten bestehenden Vorliebe zur Wendung nach der operirten Seite hin und des Vorbeispringens am Ziel nach dieser Seite hin, herangezogen wird.) „Er vermag alle seine Muskeln willkürlich zu bewegen, allein seine Bewegungen sind plump und unbeholfen. Besonders ungeschickt benimmt er sich bei Aufnahme der Nahrung. Er versteht es nicht, einen Knochen mit den Vorderpfoten gehörig festzuhalten. Er scheut sich nicht, von einer Höhe herabzuspringen wenn auch der Sprung unbeholfen ausgeführt wird. Er zeigt regelmässig eine Steigerung seiner Reflexerregbarkeit.“ (Dieselbe beruht zum grossen Theil darauf, dass er die Fähigkeit verloren hat, die Reflexe willkürlich zu hemmen, welche die Centren im Kopfmark (Medulla oblongata) und Rückenmark haben. Es geht dies aus der Gewaltsamkeit hervor, mit welcher sich die Reflexe vollziehen und aus dem Umstand dass auch sonstige Bewegungshemmungen ungeschickt erfolgen. Wirft man z. B. dem Thiere in einiger Entfernung einen Knochen zu, so läuft es mit grosser Energie auf den Knochen zu, versteht es aber nicht, im richtigen Moment den Lauf zu hemmen und den Kopf zu senken, es schiesst über das Ziel hinaus.) „Sehr häufig ändert sich sein Character in dem Sinne, dass er reizbarer und rauflustig wird.“ (Er versteht im Verkehr mit anderen Hunden nicht nur weniger Spass, sondern er greift auch ohne jeden scheinbaren Grund in bösartiger Weise und unbekümmert um das Kräfteverhältniss an.) „Regelmässig giebt er Proben einer allgemeinen Aufgeregtheit. Er ist ungeduldig, ungeberdig, läuft gern ruhelos umher. Seine Sinneswahrnehmungen sind nicht hochgradig geschwächt. Die Intelligenz ist stets in mässigem Grade herabgesetzt. 2. Der hinten operirte Hund hat ungestörte Tastempfindung und scheint auch gut zu tasten. Er tritt nicht ins Leere. Er vermag nicht bloss alle Muskeln seines Körpers willkürlich zu bewegen, sondern diese Bewegungen erfolgen auch annähernd mit demselben Geschick wie bei normalen Thieren. Er zeigt keine bemerkenswerthen Störungen beim Fressen, versteht es, Knochen mit den Pfoten festzuhalten. Er scheut sich, von einer auch nur geringen Höhe herabzuspringen. Seine Reflexerregbarkeit ist nicht gesteigert. War er vor der Operation gewaltthätig, so wird er nach Wegnahme der Hinterhauptslappen gutmüthigen Characters. Er ist frei von jeder Aufgeregtheit. In Haltung und Bewegung erscheint er ruhig, bedächtig und gelassen. Er leidet an einer hochgradigen allgemeinen Wahrnehmungsschwäche. Seine Intelligenz ist tief gesunken.“ Was die Sehstörungen anlangt, so wird nach Exstirpation des einen Hinterhauptlappens die Wahrnehmung aller Dinge vernachlässigt, die sich auf dem gleichnamigen Abschnitt der beiden Netzhäute abbilden. Das Stück der Netzhaut, dessen Bilder hierbei noch sicher wahrgenommen werden, findet G. grösser als es Munk angiebt und dasselbe enthält nach ihm mindestens noch einen Theil der Stelle des deutlichsten Sehens. Ein Hund, dem beide Hinterhauptslappen bis auf einen kleinen vorderen Rest fehlten, erschien bei oberflächlicher Beobachtung blind. Seine Gesichtswahrnehmungen, welche durch besondere Hilfsmittel nachgewiesen werden konnten, beschränkten sich nicht auf Gegenstände, die auf der oberen Netzhautparthie abgebildet wurden. Der Hund vermied auf den Boden gelegte weisse Papierstreifen, er sah sie, aber erkannte sie nicht als nur scheinbare Bewegungshindernisse und lernte auch nicht, sie als solche zu erkennen. Dieselbe Unfähigkeit, aus Sinneseindrücken eine Norm für zweckmässiges Handeln zu entnehmen, bestand für alle übrigen Sinnesgebiete. Was den allgemeinen Ernährungszustand der beiden Categorieen von operirten Hunden betrifft, so hat G. als Regel gefunden, dass die vorn operirten Hunde meistens die Neigung haben. mager zu werden und zu bleiben. die Thiere mit Verlust der Hinterlappen dagegen fett werden. Es liegt dies zum Theil an dem Unterschied im Temperament und an der Verschiedenheit in der Geschicklichkeit bei der Nahrungsaufnahme, zum Theil aber auch daran. dass die operirten Hunde zu einem Eczem neigen. das bei den vorn operirten schwerer in Schranken zu halten ist.

Luciani (16) giebt eine Uebersicht der Resultate seiner fortgesetzten Untersuchungen über die sensorischen Functionen der Grosshirnrinde. Bleibende Sehstörungen beobachtete er bei Hund und Affe nur nach Rindenexstirpationen im Gebiete des Occipitallappens. vorübergehende auch nach solchen in den nächst angrenzenden Gebieten des Temporallappens, im ganzen Parietal und im daranstossenden Theil des Frontallappens, gelegentlich auch nach völliger oder theilweiser Zerstörung des Cornu ammonis. Munk's Angabe von der bilateralen gleichnamigen Hemiopie welche als Folge totaler Rindenexstirpation eines Occipitallappens auftritt, bestätigt L., mehr ins Einzelne konnte er aber Beziehungen bestimmter Partieen der Retina zu bestimmten Rindengebieten nicht auffinden. Nach ihm ist an die Hirnrinde nur die Gesichtswahrnehmung. nicht auch die Gesichtsempfindung geknüpft, welche durch tiefer gelegene Centren vermittelt werden soll. Er erhielt nämlich nach totaler Occipital Exstirpation nie dauernde Rindenblindheit, sondern nur dauernde Seelenblindheit. d. h. die Thiere lernten Gegenstände, selbst kleine, wieder sehen. so dass sie nach ihnen griffen oder im Lauf ihnen auswichen, sie lernten aber nicht wieder, sie erkennen. unterscheiden und zweckmässig verwenden. Der wesentlichste Theil der Hörsphäre liegt auch nach L. im Temporallappen, von hier strahlt sie aber in den ganzen Parietallappen und allerseits bis an den Occipitallappen. ferner in das Cornu ammonis und in den Gyrus hippocampi aus. Den Stirnlappen lässt sie frei. Bleibend war auch nach doppelseitiger Temporal-Exstirpation nur Seelentaubheit Der centrale Punkt der Riechsphäre scheint im Gyrus hippocampi und Cornu ammonis zu liegen, von hier strahlt sie in die Gegend vor der Sylvischen Grube und in den Scheitellappen aus, den Stirn-, Hinterhaupts- und Schläfenlappen lässt sie frei.. Im Gebiet des Gehörs- und Geruchsinnes findet partielle Kreuzung der Fasern statt. Die Schmecksphäre scheint in naher Beziehung zur Riechsphäre zu stehen. Rinden-Exstirpationen im Gebiete der sogenannten motorischen Sphäre haben Tastsinnstörungen zur Folge und zwar nur gekreuzte. Durch umschriebene Exstirpation einer Stelle. deren Reizung Bewegungen einer Extremität auslöst, werden Empfindungsstörungen hervorgerufen, welche an derselben Extremität zwar am meisten ausgesprochen sind. welche aber auch anderwärts nicht ganz fehlen. Allen Sinnessphären gemeinschaftlich ist der Theil des Scheitellappens. welcher sich mit der Zone F. Munk's deckt. Exstirpation dieser Stelle muss, weil sie alle Sinne in Mitleidenschaft zieht, tiefe psychische Störungen im Thier hervorrufen. So erklärt L. die Temperament-Aenderung, welche Goltz am Hunde nach Parietal-Exstirpation fand und die er selbst bestätigen kann.

Loeb (17), ein Schüler von Goltz. characterisirt die Sehstörungen, welche er bei Hunden nach Rindenexstirpationen im Gebiet des Hinterhauptlappens zu sehen bekam, dahin, dass die Thiere mit dem geschädigten Theil des Gesichtsfeldes Objecte sowohl sehen als auch erkennen konnten. dass aber der Gesichtseindruck. damit er beachtet und verwerthet wurde, irgend etwas besonders Auffallendes an sich haben musste. Bei den schwereren Schädigungen traten tiefere psychische Störungen ein, so dass Hirnsehschwäche (Goltz; Seelenblindheit, Munk) die Amblyopie complicirte. von welcher L. zugiebt, dass sie sich gelegentlich zu Anopsie steigern könne. er selbst habe dies jedoch nie beobachtet. Das Auftreten der Hirnsehschwäche sah L. nicht an die Exstirpation der Stelle A_1 von Munk gebunden, ja er giebt an, dass er diese Stelle, sowie auch andere circumscripte Partien der Rinde des Occipitallappens exstirpirt habe, ohne überhaupt Sehstörungen danach auftreten zu sehen. Wenn nach partiellen oder totalen (einseitigen) Exstirpationen im genannten Gebiet Sehstörungen eintraten. so bestanden sie, gleichviel an welcher Stelle des Hinterhauptlappens der Eingriff erfolgt war. stets in homonymer lateraler Hemiamblyopie, die der Seite des lädirten Hemisphäre gegenüberlag" d. h. das Thier vernachlässigte Objecte, welche sich auf seiner nicht operirten Seite befanden. dabei konnte es fixiren und sah am besten mit der Stelle des deutlichsten Sehens. Die nach erstmaligen Exstirpationen von kleinem Umfang eingetretenen Sehstörungen bildeten sich bald zurück. Mit jeder neuen Exstirpation wurde die Störung schwerer und von grösserer Dauer. Die Schwere und Dauer der Störung war grösser, wenn bei derselben Ausdehnung des exstirpirten Gebietes die Exstirpation in mehreren, als wenn sie in einer Sitzung erfolgt war, War die Sehstörung nach erstmaliger circumscripter Rindenexstirpation, bei der die weisse Substanz durch Wegnahme der Rinde freigelegt worden war, zurückgegangen, wurde dann der Schädel von Neuem eröffnet und die Hirnnarbe oberflächlich zerstört, so kehrte die Sehstörung in schwererer Form wieder. Nach einseitiger Rindenexstirpation im Gebiete des Occipitallappens trat häufig Bevorzugung der Wendung nach der operirten Seite ein. Diese Bewegungsstörung stand in keinerlei ursächlicher Beziehung zu den Erscheinungen der Hemiamblyopie, denn das Eine wurde ohne das Andere beobachtet. Nach Zerstörung des Gyrus angularis trat in 6 Fällen von 7 homonyme laterale Hemiamblyopie ein. In Anbetracht der mannigfachen Abweichungen, welche die Resultate des Verfassers von denen anderer Autoren zeigen. ist es vielleicht nicht überflüssig hervorzuheben, dass er die meisten seiner Beobachtungen an Hunden angestellt hat, welche schon seit längerer Zeit auf dem einen Auge erblindet gewesen waren.

Munk (19) nahm aus dem Umstande, dass Christiani neuerdings (Sitzungsber. der Berl. Akademie d. Wiss. 1881. S. 224) für das Sehen des gehirnlosen Kaninchens eingetreten war, Veranlassung, die einschlägigen Verhältnisse bei der genannten Thierart genau zu studiren, da es ihm höchst unwahrscheinlich war, dass das Kaninchen in beregter Beziehung dem Frosch näher stehen solle als die Taube. M. beschreibt genau seine Methode der Exstirpation des Grosshirns bei Kaninchen, unter deren Anwendung es ihm gelungen ist die grosshirnlosen Thiere bis zu 50 Stunden am Leben zu erhalten. In dem Befinden derselben nach der Operation sind drei Stadien zu unterscheiden, das der Depression, das der Ruhe und das der Excitation (Laufstadium), welches letztere, auf der in den stehen gebliebenen, hinter dem Grosshirn gelegenen, Hirntheilen fortschreitenden Entzündung beruhend, zum Tode führt. Im ersten Theil des letzten Stadiums, machen die Thiere, scheinbar spontan, mässige Progressivbewegungen und bei diesen kommt es vor, dass sie, wenn sie in die Mitte des Zimmers gesetzt sind, nicht an die Wand und dort befindliche Gegenstände gerathen, sondern absatzweise mehr oder weniger regelmässige Kreise inmitten des Zimmers beschreiben, immer wieder in ungefähr derselben Weise, und dabei, wenn nur spärliche Objecte in der Nähe sich befinden, zumal von so geringer Breite wie Tischfüsse, wiederholt an den Objecten vorüberkommen, ohne dass sie ihr Weg in Berührung mit den Objecten bringt. So hat auch M. Kaninchen die Füsse eines inmitten des Zimmers befindlichen Tisches, die einen Male alle vier Füsse, die anderen Male nur zwei Füsse wiederholt umkreisen sehen, ohne anzustossen; so hat er ein Kaninchen zu Anfang des Laufstadiums zwei Stunden lang rings um eine ansehnliche Kiste herumlaufen sehen, in $1/_2$—$1^1/_2$ Fuss Entfernung von ihr, ohne je die Kiste zu berühren und dergl. mehr. Derartige Beobachtungen können nach Ansicht M.'s Christiani zu der Meinung verleitet haben, dass die Thiere Hindernissen auswichen. In dem Ruhestadium, welches allein in Betracht kommen kann, machen die grosshirnlosen Kaninchen überhaupt spontan keine Bewegungen und veranlasst man sie zu solchen, so stossen sie an alle Hindernisse auf ihrem Wege an, gehen geradezu in die Objecte hinein, streben an der glatten Zimmerwand in die Höhe, fallen vom Tisch u. dgl. m. Nichts sichtbares vor ihren Augen in Ruhe oder in Bewegung, selbst nicht der Wechsel der tiefsten Finsterniss mit dem grellsten Licht, führt die mindeste andere Reaction herbei — und dies gilt für alle Stadien —, als dass die Weite der Pupille sich ändert.

Christiani (20) giebt nun ebenfalls eine genaue Beschreibung seines Operationsverfahrens und macht Munk gegenüber geltend, dass er als gelungene Fälle nur die ansehen könne, in denen die Thiere ohne ein Erschöpfungsstadium zu zeigen, sogleich nach der Operation normal sitzen und laufen. („Vollständige Erhaltung der Coordination für Stand und Locomotion", „Abwesenheit aller Zwangsbewegungen").

Munk (21) sieht den wesentlichsten Unterschied in den beiden Operationsverfahren darin, dass bei dem seinigen der trennende Schnitt mit dem scharfen Messer etwas vor den Thalamis opticis geführt wird, während Christiani bei der stumpfen Abtrennung mit dem Scalpellstiel die Thalami selbst streift. Durch letzteren Umstand müsse das Eintreffen der das Excitationsstadium mit seinen Laufbewegungen bedingenden Entzündung bei den massgebenden Centren des Hirnstammes beschleunigt werden und aus dem Fehlen des Erschöpfungsstadiums und der kurzen Lebensdauer bei C.'s Thieren gehe hervor, dass derselbe nur Gelegenheit gehabt habe im Beginn des Laufstadiums seine Beobachtungen zu machen.

Rüdinger (26) stützt die Lehre von dem Sitz des Sprachcentrums in dem lateralen Gebiete des Stirnlappens durch den Nachweis, dass die Affen und Microcephalen nur ein kleines Rudiment einer dritten Stirnwindung haben, dass dieselbe bei den Taubstummen zwar nicht rudimentär, aber doch sehr einfach bleibt und dass bei hervorragenden Rhetorikern eine ungewöhnliche Entfaltung dieses Hirngebietes vorhanden ist.

Bechterew (30) hat sich bemüht, bei Fröschen, Tauben und Hunden möglichst reine Exstirpationen der Vier-, resp. Zweihügel auszuführen. Ueber den anatomischen Befund post mortem liegen aber leider keine Angaben vor. In den Fällen, in denen Verf. meint, die Exstirpation rein und vollständig ausgeführt zu haben, sah er bei allen untersuchten Thierarten nur Sehstörungen auftreten, keine Aenderungen in Weite und Beweglichkeit der Pupillen, keine nicht durch die Sehstörung an sich erklärlichen Anomalien in Stellung und Bewegung der Augäpfel, keine Störungen des Körpergleichgewichts und der Bewegungssphäre, keine Beschränkung in der Aeusserung von Gemüthsbewegungen. Die Sehstörungen bestanden bei Hunden 1) nach einseitiger Zerstörung eines vorderen Vierhügels in halbseitiger Beschränkung des Gesichtsfeldes an beiden Augen an der dem zerstörten Vierhügel gegenüberliegenden Seite, 2) nach Zerstörung eines hinteren Vierhügels in halbseitiger Einschränkung des äusseren Gesichtsfeldes am contralateralen Auge, 3) nach gleichzeitiger Zerstörung des vorderen und hinteren Vierhügels an einer Seite in denselben Erscheinungen wie nach Zerstörung des gleichnamigen vorderen Vierhügels allein, 4) nach vollständiger Zerstörung beider vorderen Vierhügel in vollständiger Erblindung. 5) nach Läsion der inneren Portionen beider vorderen Vierhügel im Ausfall des inneren Gesichtsfeldabschnittes an beiden Augen. 6) nach Durchschneidung des Brachium anterius in halbseitiger Gesichtsfeldbeschränkung an der contralateralen Seite beider Augen. Hiernach würde jeder vordere Vierhügel die Endigungsstätte derjenigen Fasern bieten, die vom äusseren Netzhautabschnitt des entsprechenden Auges kommen, jeder hintere — der vom inneren Netzhautabschnitt des contralateralen Auges heranziehenden und alle zur Sehfunction in directer Beziehung stehenden Fasern eines Tractus optic. würden durch das Brach. ant. streichen.

Luchsinger (31) konnte bei Fröschen auch noch nach Entfernung des Mittelhirns recht deutliche Bestrebungen wahrnehmen, das Körpergleichgewicht zu erhalten.

Luciani (32) ist es gelungen, eine Hündin, der er — nach Ausweis der Obduction — das ganze Kleinhirn (bis auf die Flocculi) unter vollkommener Schonung des übrigen Hirns exstirpirt hatte, 8 Monate nach der Operation am Leben zu erhalten. Nach 6 Wochen war die Wunde verheilt und um diese Zeit verloren sich auch die Symptome von Coordinationsstörung vollkommen, welche auf Reizung der Pedunculi zu beziehen waren. Darauf war die Hündin 4 Monate lang verhältnissmässig gesund. Die Abweichungen von der Norm, welche sie jetzt zeigte, können wohl mit Recht auf den Verlust des Kleinhirns bezogen werden. „Sie bestanden in der ganz characteristischen Weise, in der sich die allgemeinen willkürlichen Bewegungen vollzogen. Die Muskelbewegungen entbehrten der normalen Festigkeit und des normalen Flusses, welcher Mangel sich durch beständige klonische Bewegungen, namentlich des Kopfes und der Extremitäten zu erkennen gab, sowie durch beständiges Schwanken der Wirbelsäule beim Gehen. Die Bewegungen entbehrten ausserdem der normalen Abmessung und Energie. Es zeigte sich dies in der Art, wie das Thier sich erhob und wie es die Glieder setzte, ferner in plötzlichem Nachlassen des Muskeltonus, wovon meistens das Hinstürzen abhing, endlich im leichten Ermüden des Thieres welches das Thier veranlasste fast den ganzen Tag über liegen zu bleiben." Diese Erscheinungen fasst L. unter dem Namen der „cerebellaren Ataxie" zusammen, welche er als eine „allgemeine Unordnung der Bewegungen" definirt, „die aber nicht schwer genug ist, um die Ausführung der verschiedenen Willkürbewegungen zu verhindern, wie es bei der Incoordination geschieht." Da der Tastsinn des Thieres nicht nachweislich gelitten hatte und da die Coordinationsstörungen in auffallender Weise beim Schwimmen abnahmen, also dann wenn das Thier geringeren Kraftaufwandes zur Erhaltung des Gleichgewichtes bedurfte, so schliesst Verf. dass „die cerebellare Ataxie durch unvollkommenen Tonus und durch den Mangel an Energie bedingt sei, mit welcher das motorische Nervensystem über die Muskeln des animalen Lebens verfügt." Als „Asthenie" bezeichnet also L. die wesentliche Folge der Unterdrückung der Kleinhirnfunctionen. In den letzten Monaten entwickelte sich eine eitrige Otitis und eine catarrhalische Conjunctivitis, welche jedoch als ausreichende ursächliche Momente für den mehr und mehr überhand nehmenden Marasmus nicht angesehen werden konnten, woraus L. schliesst, dass „der Einfluss des Kleinhirns sich nicht auf die Functionen des animalen Lebens beschränkt, sondern sich auch auf die Functionen des vegetativen Lebens ausdehnt."

Bechterew (33) sah einseitige Durchschneidung der hinteren Kleinhirnstiele, ebenso wie einseitige Zerstörung der halbcirkelförmigen Canäle oder einer Olive, oder eines Acusticus oder tiefe Zerstörung im hinteren äusseren Gebiet der Kleinhirnhemisphäre von Rollbewegungen des Thieres nach der operirten Seite hin gefolgt, während nach einseitiger Durchschneidung der, vom Höhlengrau des dritten Ventrikels, unter dem Aquaeductus Sylvii, in der obersten Etage der Hirnschenkel zum Kleinhirn ziehenden Fasern, ebenso wie nach einseitiger Zerstörung dieses Höhlengraus oder nach tiefer Läsion der vorderen äusseren Region einer Kleinhirnhemisphäre Rollung nach der gesunden Seite eintrat. In den Versuchen mit Durchschneidung eines vorderen Kleinhirnstiels wurden gar keine Rollbewegungen beobachtet. An diesen Thieren stellten sich auch keine deutlichen Störungen des Körpergleichgewichts ein, doch fast immer kamen Kreisbewegungen mit seitlicher Ablenkung der Augen vor. Falls die Durchschneidung des Kleinhirnschenkels zwischen dem Kleinhirn und den Vierhügeln ausgeführt war, so geschah die Drehung des Thieres stets in der Richtung der operirten Seite; hingegen hatte Verletzung des äusseren Abschnittes der oberen Hirnschenkeletage zwischen Sehhügel und vorderer Vierhügelerhebung Drehung des Thieres nach der gesunden Seite zur Folge. Die Ablenkung der Augen entsprach immer der Richtung der Drehung und wurde von mehr oder weniger heftigem Nystagmus begleitet. Beiderseitige Durchschneidung der hinteren Kleinhirnstiele oder beiderseitige Durchtrennung der oberen Etage der Hirnschenkel mittels eines tiefen, in der Höhe der Vierhügel angelegten Schnittes (Zerstörung der vorderen Kleinhirnstiele zugleich mit den von dem Höhlengrau des dritten Ventrikels stammenden Faserzügen) war nicht von Zwangsbewegungen der Thiere begleitet. Das auffallendste Symptom, das an den Thieren nach derartigen Operationen zur Beobachtung gelangte, bestand in Gleichgewichtsstörung und zwar in vollkommenem Verlust der Fähigkeit zu gehen und zu stehen, dabei blieb die Fähigkeit der Thiere, mit ihren Gliedern einzelne Bewegungen auszuführen, erhalten.

Balighian (35) arbeitete unter Eckhard's Leitung. Er legte beim Kaninchen quere einseitige Durchtrennungen im hinteren Theil der Med. obl. und im oberen der Med. spin. an und beobachtete danach den Erfolg electrischer Reizung im Gebiet der motorischen Sphäre des Grosshirns. Er konnte so zeigen, dass die Nervenwege, auf welchen sich die Erregungen fortpflanzen, durch welche die Muskelzuckungen erzeugt werden, welche man bei einseitiger Reizung des Gehirns in der vorderen Extremität der entgegengesetzten Seite des Kaninchens erhält, nicht an einer beschränkten Stelle auf die andere Seite durch die Sagittalebene treten, sondern auf eine grössere Strecke vertheilt sind. Diese beginnt jedenfalls schon oberhalb des Tuberculum acusticum, also höchst wahrscheinlich schon in der Brücke, und erstreckt sich von da an abwärts bis zum unteren Ende des Calamus scriptorius. Es wurde keine Andeutung gefunden, dass das untere Ende tiefer als der Atlas läge.

Traube-Mengarini (37) stellte unter Christiani's Leitung Untersuchungen über die Functionen des Fischgehirns an. Sie kommt zu dem Resultat, dass nicht die gesammten, sogenannten Lobi optici zu der Aequilibration und Locomotion eine besondere Beziehung haben, sondern nur eine an ihrer Basis befindliche circumscripte Stelle. Vor und hinter derselben befinden sich zwei in Beziehung zur Respiration stehende Stellen. Electrische Reizung der vorderen dieser „Centren" beschleunigt die Athmung; electrische Reizung der anderen hemmt sie; die electrische Reizung der mittleren Stelle bewirkt tetanische Krämpfe. Zerstörung aller drei Stellen durch einen Längsschnitt in der Medianlinie bedingt Athemhemmung und Aufhebung der Aequilibration und der coordinirten Bewegungen. Zerstörung der mittleren Stelle allein bewirkt während der Zerstörung Tetanus, dem dauernde Aufhebung sowohl der Aequilibrations- als auch Locomotionsfähigkeit, sowie ein Farbenwechsel des Thieres und zwar Verdunkelung der Haut folgt. Ein Einstich dicht vor dieser mittleren Stelle beschleunigt die Athmung, ein Einstich dicht hinter derselben hemmt die Athmung; beide Stiche heben bei Erhaltung der Locomotionsfähigkeit nur die Aequilibration auf.

Gad (45) hat, um zunächst eine sichere Grundlage für weitere Versuche am Rückenmark zu gewinnen, die Frage nach der Existenz directer (d. h. durch keine Einschaltung zelliger Elemente complicirter) Leitungsbahnen zwischen Hirn resp. Med. obl. und vorderen Rückenmarkswurzeln einer erneuten kritischen und experimentellen Untersuchung unterzogen. Beim Frosch schliesst er die Annahme solcher Bahnen dadurch aus, dass er den obersten Theil des von der Med. obl. abgetrennten Brustmarkes mit einzelnen Inductionsschlägen reizt und die Zeit misst, welche vom Reizmoment bis zur beginnenden Bewegung der ihrer Knochen beraubten Hinterextremitäten vergeht. Die Knochen wurden entfernt, um alle Muskeln in gleichem Sinne wirkend zu machen. Da diese Zeit die der Reizung des Lumbalplexus entsprechende Zeit stets um das Mehrfache derjenigen Zeit übertraf, welche zur Erregungsleitung in Bahnen von der Natur markhaltiger Nervenfasern und von der Länge des Rückenmark erforderlich ist, so schliesst er, dass alle motorische Bahnen, welche aus dem Hirn ins Rückenmarks treten, nur durch Vermittelung von Schaltapparaten mit den motorischen Wurzeln zusammenhängen. Bei Katzen und Kaninchen überzeugt er sich von der gleichen relativen Selbständigkeit des Rückenmarks durch den Stenson'schen Versuch (Rückenmarks-Anämie), welchen er, um ihn beweiskräftig zu machen, bei Unterhaltung künstlicher Athmung ausführt. Auch wenn er mittelst letzterer die Schädigung der höher gelegenen Centren durch dyspnoisches Blut ausschloss, sah er als regelmässigen Erfolg der Unterbrechung der Circulation im Rückenmark (hohe Aortenunterbindung) stets innerhalb weniger Minuten Aufhören aller willkürlichen, reflectorischen und automatischen Bewegungen in allen vom Rückenmark abhängigen Theilen auftreten. Die Beachtung der zeitlichen Aufeinanderfolge der Ausfallserscheinungen berechtigte ausserdem zu dem Schluss, dass die Schnelligkeit, mit der eine Leitungsbahn durch Anämie geschädigt wird, weniger von ihrer Länge, als von der präsumptiven Zahl der die Leitung complicirenden Schaltstücke abhängt. Was die Reflexbögen des Rückenmarks betrifft, so weist G. die Existenz kurzer Reflexbögen im Lumbalmark des Frosches nach, d. h. solcher Reflexbögen, deren centripetaler und centrifugaler Theil im Plexus lumbalis, deren reflectorischer Schaltapparat im Lumbalmark enthalten ist. Dieser Nachweis hat, namentlich der Angabe Engelhard's gegenüber, dass im Lumbalmark des Frosches die Bedingungen für das Zustandekommen von Reflexen nicht enthalten seien, principiellen Werth. Er wird dadurch geführt, dass Fröschen, denen das Rückenmark von der 6. bis zur 8. Wurzel (incl. der von weiter oben zu den Hinterextremitäten gehenden Nerven) exstirpirt ist, Zeit zur Erholung gelassen wird. Einige Zeit nach der Operation sind an den Hinterextremitäten dieser Thiere stets Reflexe, oft der Intensität nach gesteigerte, nachzuweisen, die aber in ihrem Bewegungs-Character von den Reflexen normaler oder einfach decapitirter Thiere abweichen. Es handelt sich wesentlich um reflectorische Streckungen. Der gewöhnlichste Reflex des normalen oder decapitirten Thieres, das Anziehen der Beine in sprungbereite Stellung, kommt also nicht durch Vermittelung der kurzen Reflexbögen, wenigstens nicht durch ihre alleinige Vermittelung zu Stande. Die Existenz der so postulirten langen Reflexbögen, deren centripetaler und centrifugaler Theil im Lumbalplexus und deren reflectirende und coordinirende Schaltstücke im oberen Brustmark gelegen sind, wird durch locale Strychninisirung des oberen Brustmarkes zur Anschauung gebracht. In einem gewissen Stadium der auf den genannten Rückenmarkstheil beschränkten Strychninvergiftung sind nämlich durch Reizung der Haut der Hinterextremitäten reflectorische Beugekrämpfe in letzteren auszulösen. Die unter der Strychninwirkung reflectorisch erregbaren werdenden, die Beugemuskeln der Hinterextremitäten coordinirenden Schaltstücke im oberen Dorsalmark des Frosches sind nicht als partielle erste Projection der Beugemuskeln aufzufassen (etwa wie der Abducenskern die erste centrale Projection des Rect. ext. derselben Seite und eines Theiles des Rect. int. der gegenüberliegenden Seite darstellt), sonst dürfte nicht die oben nachgewiesene Verzögerung des Ablaufs der Erregungswelle im Rückenmark bestehen. Diese Schaltapparate sind wahrscheinlich überhaupt keine grossen Ganglienzellen der Vorderhörner, denn G. macht es durch eine kritische Beleuchtung der von Birge und Gaule ausgeführten vergleichenden Zählungen dieser Zellen und der vorderen Wurzelfasern beim Frosch wahrscheinlich. dass nicht einmal soviel grosse Ganglienzellen der Vorderhörner existiren, dass auf jede vordere Wurzelfaser eine eigene letztinstanzliche in der Nähe des Wurzelaustritts gelegene Ganglienzelle entfiele, geschweige denn, dass grosse Ganglienzellen der Vorderhörner übrig blieben, denen man höherinstanzliche coordinirende Functionen zuschreiben könne. G. sieht sich deshalb zu der Annahme gedrängt, dass es ausser der Bewegungscoordination durch räumliche Zusammenordnung letztinstanzlicher motorischer Ganglienzellen, wie sie in den Nervenkernen der Augenmuskeln bekanntermassen realisirt ist, im Interesse der Bewegungscoordination functionelle Combinationen räumlich getrennter motorischer Ganglienzellen durch die Vermittelung kleiner Ganglienzellen gebe, welche ihrerseits in grösserer oder kleinerer Entfernung von den durch sie combinirten motorischen Ganglienzellen liegen, aber sofern sie einer bestimmten Combination dienen, mit einander räumlich zusammengeordnet sind.

Singer (46) beschreibt sehr regelmässige, im Sinne der Schreitbewegungen rhythmisch alternirende Bewegungen der Beine von Tauben, welche die Trennung des Lumbalmarkes vom Dorsalmarke längere Zeit überleben. Diese Bewegungen können durch leichte Reizung an den Zehen des gewöhnlich auf dem Rücken liegenden Thieres ausgelöst und dann scheinbar spontan lange fortgesetzt werden. Ebenso regelmässige Bewegungen treten bei passiven Lageänderungen am Bürzel der in angegebener Weise operirten Tauben auf.

Tarchanoff (47) sah Enten, denen er das Lumbalmark abgetrennt oder das Halsmark zwischen 4. und 5. Halswirbel durchschnitten hatte, normal schwimmen. Die in letzterer Weise operirten Thiere (bei denen künstliche Athmung unterhalten wurde) machten auch ausserhalb des Wassers, wenn ihre Beine in der Luft waren, scheinbar spontan längere Reihen lebhafter Schwimmbewegungen, die durch Ruhepausen unterbrochen waren. Auch sonstige geläufige coordinirte, gewissen Zwecken dienende Bewegungen des Halses, der Flügel, des Bürzels traten ein, insofern meistens unzweckmässig, als es an einem vernünftigen Anlass fehlte, aber auch zweckmässige Reflexe wurden beobachtet, nur durften die Füsse nicht den festen Boden berühren, denn dann wurde Stehen, Gehen und jede zweckmässige Bewegung durch tetanische Muskelcontractionen wie im Strychnintetanus gehindert.

Forque und Lannegrâce (48) fanden in Uebereinstimmung mit vielen Vorgängern bei Hunden und Affen jeden vom Brachial- oder Lumbalplexus abhängigen Muskel von mehreren motorischen Wurzeln aus innervirt werden. Sie fanden aber die Nervenfasern verschiedener Muskeln in derselben Wurzel nicht so zusammengefasst, dass bei Reizung der einzelnen Wurzeln Bewegungen entstanden wären, die geläufigen zweckmässigen Bewegungen ähnlich gesehen hätten. Uebrigens erschien ihnen die Vertheilung der zu den einzelnen Muskeln gehörigen Nervenfasern auf die einzelnen Wurzeln sehr constant und sie sahen nach Durchschneidung einer einzelnen Wurzel in partiel von derselben innervirten Muskeln degenerirte Muskelfasern durch den ganzen Querschnitt der Muskeln mit intacten Muskelfasern gemischt.

Beaunis (50) verband die eine Achillessehne eines auf ein Brett aufgespannten Frosches mit dem Zeichenhebel eines Myographions und constatirte ein Sinken der Zeichenspitze als ersten reflectorischen Erfolg electrischer Hautreize, die er auf die Pfote des anderen Schenkels einwirken liess. Der Frosch war nicht decapitirt. B. bezieht das Sinken der Zeichenspitze auf eine Verlängerung des Gastrocnemius, d. h. auf ein reflectorisches Nachlassen seines centralen Tonus.

[Mendelssohn, M. (Paris), O bezpośredniej pobudliwości pęczków przednich rdzenia pacierzowego. (Untersuchungen über die Erregbarkeit der vorderen Rückenmarksstränge). Gazeta lekarska No. 49.

Im Eingang berichtet der Verfasser über den jetzigen Stand dieser verwickelten Frage. Da die Untersuchungen bis jetzt sehr widersprechende Ergebnisse gaben, nahm sie der Verfasser von Neuem auf und glaubte auf folgende Art den bisherigen Einwänden zu begegnen: 1) Die Möglichkeit der Ausstrahlung des electrischen Stromes von den vorderen Rückenmarkstheilen auf die vorderen Wurzeln untersuchte der Verfasser mittelst eines Telephons, welches sich als ein weit empfindlicheres Reagens auf den electrischen Strom, als der bis jetzt gebrauchte, galvanoscopische, nervomusculäre Froschapparat erwies. 2) Die Frage ob die musculäre Zuckung, welche bei der Reizung der vorderen Stränge entsteht, ein Ergebniss der Erregung der letzteren ist, oder ob sie in Folge der Ausstrahlung des Stromes auf die hinteren Stränge entsteht, d. h. ob sie eine Reflexbewegung ist, sucht der Verfasser durch Messung der Zeit, welche zwischen dem Momente der Reizung der vorderen oder hinteren Stränge, bis zur Erscheinung der Bewegung in der untersuchten Extremität verläuft, zu entscheiden.

Bezüglich der näheren Beschreibung dieser Procedur, sowie des Untersuchungsvorganges, verweisen wir auf das Original.

Auf Grund dieser Untersuchung kommt der Verfasser zuletzt zu dem Schlusse, dass die Reizung der vorderen Stränge die unmittelbare Zuckung der Muskeln hervorzurufen im Stande ist, ohne Rücksicht auf jede mögliche Ausstrahlung des reizenden Stromes, dass also die unmittelbare Erregbarkeit der vorderen Stränge existirt und keinem Zweifel unterliegt. Diese Thatsache wird darum vom practischen Standpunkte wichtig, weil sie die Möglichkeit der Wirkung des electrischen Stromes auf das Rückenmark selbst beweist und dadurch die therapeutische Anwendung desselben bei Rückenmarkskrankheiten vollkommen rechtfertigt. v. Kopff (Krakau).]

ZWEITE ABTHEILUNG.

Allgemeine Medicin.

Allgemeine Pathologie

bearbeitet von

Prof. Dr. MARCHAND in Marburg.

I. Allgemeines; Aetiologie.

1) Dumas, A., Quelques exemples d'association de diathèses. Montpellier medical, Mai. (Allgemeine Betrachtungen und Beobachtungen des Zusammen-Vorkommens von Tuberculose, Krebs, Rheumatismus etc.) — 2) Hallopeau, H., Traité élémentaire de pathologie générale, compr. la pathogénie et la physiologie patholog. Av. 126 fig. In.-8. Paris. — 3) Pick, A., Notiz zur Lehre von der Heredität. Prager med. Woch. No. 50. (Vater ausschweifend, Mutter geisteskrank, von den 6 Kindern 5 theils ausschweifend, theils epileptisch, geistesgestört, zwei Söhne tabisch, die Enkel theilweise blödsinnig, epileptisch, choreatisch und geistesgestört.) — 4) Poucel, De l'influence de la congestion chronique du foie dans la génèse des maladies. Marseille 1883. 121 pp. (Das ganze Buch ist eine auf humoralpathologischem Boden entwickelte Anwendung des Stahl'schen Satzes „Vena portae, porta malorum". Die moderne Medicin begeht nach Ansicht des Verf. den Irrthum, dass sie die Wirkungen der Krankheit für die Ursache hält und sie verkennt die Einheit des Organismus.) — 5) Sauton, J., De l'hérédité morbide et de ses manifestations vésaniques dans la paralysie générale. Paris. (Vorwiegend von psychiatrischem Interesse.)

[Lund, Om Sygdommenes Aarsager. Ugeskrift for Lägar R. 4. B. 10. p. 107 und 145. (Theoretische Betrachtungen über die Genese der Krankheiten.)
F. Levison (Kopenhagen).]

II. Allgemeine Diagnostik, Untersuchungsmethoden.

1) Audhoui, V., Sur le clapotage stomacal. Comptes rendus T. 98. No. 26. (Entgegen der Annahme von Chomel, dass das Plätschergeräusch immer ein Zeichen einer gestörten Magenverdauung ist, zeigt A., dass dies Geräusch bei Gesunden ebenso wie bei Kranken unmittelbar nach der Einführung von Getränken in den leeren Magen zu beobachten ist.) — 2) v. Basch, Zur Terminologie des Pulses und Technik des Pulsfühlens. Wiener med. Wochenschr. No. 26. (Bei der Digitaluntersuchung des Pulses orientire man sich erstens über den Umfang der Arterien, zweitens über die Grösse des Pulses, drittens über die Unterdrückbarkeit desselben. Bei Bestimmung der Grösse sollen die Finger, wie die Pelotte des Sphygmographen, leicht aufliegen, bei der Bestimmung der Unterdrückbarkeit soll der Finger wie die Pelotte des Sphygmomanometers einen Druck ausüben. Der Grad der Unterdrückbarkeit ist übrigens nicht gleichbedeutend mit der Spannung der Arterien, denn sie hängt nicht blos von dem Blutdruck, sondern auch von der Beschaffenheit der Arterienwand ab.) — 3) Bianchi, A., L'ascoltatione stetoscopica delle percussione. Riv. Clin. di Bologna. 10. (B. bedient sich zur gleichzeitigen Auscultation und Percussion eines Stethoscops, welches aus einem kleinen glockenförmigen Basalstücke mit kurzer Röhre besteht, von welcher ein Gummischlauch zum Ohr des Untersuchers führt. Als Hauptvortheil seiner Methode führt Verf. die möglichst genaue Bestimmung der Organgrenzen, die Ausdehnung pleuritischer Exsudate etc. an, da die Resonanz beim Percutiren bei gleichzeitiger Auscultation eine solche Abgrenzung sehr viel leichter gestattet.) — 4) Bullar, J. F., On the percussion of the lungs and chest. St. Bartholom. Hosp. Rep. XIX. — 5) Donath, J., Ueber die Grenzen des Temperatursinns im gesunden und kranken Zustande. Archiv f. Psychiatrie XV. S. 695. — 6) Eulenburg, A., Ein neues Verfahren zur Temperatursinnsmessung. Centralbl. f. d. med. Wiss. No. 32. — 7) Gerhardt, C., Lehrbuch der Percussion und Auscultation der Brust und des Unterleibes. 4. Aufl. Mit 40 Holzschn. gr. 8. Tübingen. — 8) Glax, J., Beiträge zur Lehre vom Percussionsschall. Mittheilun-

gen des Steyermärk. ärztl. Vereins. 1883. (G. will die Skoda'sche Terminologie der Percussions-Erscheinungen wieder zu Ehren bringen, indem er sich gegen Guttmann und Lewinski wendet. Nur Römer's Unterscheidung jedes Schalles in tympanitisch und nicht tympanitisch will er neben den Bezeichnungen voll und leer, hell und dumpf — hoch und tief gelten lassen.) — 9) Haupt, Die Schallwahrnehmung bei der Auscultation. Münch. ärztliches Int.-Bl. No. 36. (H. sucht folgende Sätze zu beweisen: 1) Beim Auscultiren mit angelegtem Ohr geht der Schall nicht auf den Gehörgang, sondern auf den Schädel über (Knochenleitung) 2) Beim Stethoscop geht der Schall nur durch die Wandungen der Röhren. 3) Die Resonanz des Stethoscops besteht nur im freien Zustande, nicht beim Aufsetzen. 4) Das practisch brauchbare richtige Instrument ist das „Hörholz".) — 10) Huntress, L., The pitch of the percussion sound. Bost. med. and surg. Journ. 14. Aug. — 11) Krukenberg, W., Zur Characteristik einiger physiologisch und klinisch wichtiger Farben-Reactionen. Verhandl. der phys. med Gesellsch. zu Würzburg. Bd. 18. No. 9. — 12) Lévy, E., Auscultation de l'épigastre. Thèse. Paris. 46 pp. — 13) Lewinski, L., Ueber den gedämpften Percussionsschall. Zeitschr. für klin. Medicin. Bd. VII. S. 632. — 14) Meltzer, S. J., Zu den Schluckgeräuschen. Berl. klin. Wochenschr. No. 29. 30. — 15) Musser, J. H., A modification of the sphygmograph, being a change in the base of the instrument. of Pond. Philad. medic and surgical reporter. May. (Verschmälerung der Basis, mit Aushöhlung zur genauen Adaption an die Radialarterien.) — 16) Peyer, A., Die Microscopie am Krankenbette. Mit 79 Taf. in Farbendr. 8. Basel. — 17) Ralfe, C. H., Clinical chemistry, an account of the analysis of blood, urine, morbid products etc With 16 engr. London. — 18) Sénac, H., Diagnostic de la diathèse congestive. 8 Paris. — 19) Spillmann, P, Manuel de diagnostic médical. Av. fig. 18. Paris. — 20) Stein, Th., Electrischer Registrir-Apparat für die Krankenthermometrie. Wiener med. Presse 2, 3. (Der nur für streng wissenschaftliche Untersuchungen bestimmte Apparat soll aus einer kleinen, aus zusammengelötheten Neusilber- und Eisenstäben zusammengesetzten thermoelectrischen Säule bestehen, welche in den Mastdarm abgeschoben wird und Temperaturschwankungen bis zu $^1/_{40}$° auf ein empfindliches Galvanometer überträgt, dessen Schwankungen vermittelst eines beleuchteten Spiegels auf einem sich abwickelnden lichtempfindlichen Papierstreifen in Gestalt einer Curve fixirt werden.) — 21) Thompson, R, De l'examen de la poitrine dans l'état sain et dans l'état morbide. Trad. par de Fonmartin. Av fig. 12. Paris. — 22) Zenker, W, Ueber die Schlinggeräusche. Berl. klin. Wochenschr. 3.

Zenker (22) beruft sich gegenüber den Untersuchungen von Kronecker, Meltzer u. A. auf die von ihm bereits 1869 gemachten Mittheilungen über die Schlinggeräusche (s. d. Ber. f. 1869, II. S. 11), welche der Vergessenheit anheimgefallen zu sein schienen. Er hatte bereits auf die Nothwendigkeit hingewiesen, diese Geräusche für die Diagnose der Dysphagie zu verwerthen, hatte dieselben genau beschrieben, und einen Versuch ihrer Erklärung gegeben, der im Wesentlichen mit der Auffassung Fränkel's übereinstimmt (s. d. B. f. 1883, S. 232). Z. unterschied ein im Rachen hervorgebrachtes Geräusch, welches continuirlich in das beim Schlingen im Oesophagus enstehende übergeht. Letzteres hört man längs der Brustwirbelsäule bis zum 9. Wirbel. Daran schliesst sich ein nicht immer wahrnehmbares kurzes Geräusch mit dem Character des raschen Ausgiessens oder Ausspritzens, welches den Eintritt der Flüssigkeit in die Magenhöhle — etwa 1 Secunde nach dem Beginn des Schluckactes — bezeichnet. Das letzte Schlinggeräusch — das Cardialgeräusch — hort man am oberen Theil des linken Rippenrandes im Mittel 7 Secunden nach dem Momente des Abschluckens als continuirliches Gurgeln, ähnlich demjenigem, welches beim Ausspritzen von Wasser aus dem Mund bei zugekniffenen Lippen entsteht. Die Masse des Verschluckten gelangt nicht mit einem Male in den Magen, sondern allmälig; zum Schlusse kommt die mit dem Bissen verschluckte Gasmenge, welche mit ihrem Gurgelgeräusch den ganzen Schlingact beschliesst. In Bezug auf die practische Verwerthung der Schlinggeräusche hat Z. bereits damals auf die Abänderung des ersten Geräusches bei Beeinträchtigung des Schluckapparates, z. B. bei Apoplectischen, ferner auf die Entstehung des polternden, fast metallisch klingenden Cardialgeräusches bei schweren Lähmungen, bei Rückenmarksleidenden und Paralytikern hingewiesen; die letztere Erscheinung ist weniger wahrscheinlich auf eine Erschlaffung der Sphincterenmusculatur, als vielmehr auf Beeinträchtigung der Motilität des Schluckapparates, in Folge deren mehr Gas als normal verschluckt wird, zurückzuführen.

Im Anschluss an seine früheren Untersuchungen (s. d. Ber. f. 1883, I. S. 181) macht auch Meltzer (14) weitere Mittheilungen über die Schluckgeräusche. Das zweite oder „Durchpressgeräusch" hört man am deutlichsten im Winkel zwischen linkem Rippenbogen und Proc. xiphoideus. Bei leerem Magen fehlt das Geräusch fast niemals, je voller der Magen, desto leiser wird das Geräusch, um endlich ganz zu verschwinden. An dem gefüllten Theile des Magens wird dasselbe nicht gehört. M. macht ausserdem noch auf ein 15—20 Minuten nach dem Verschlucken auftretendes und continuirlich wiederkehrendes Geräusch in der Lebergegend aufmerksam, welches er als Pylorusgeräusch bezeichnet. Von Interesse ist ferner, dass man nach dem „Aufstossen" regelmässig das zweite Schluckgeräusch hört. Das von Kronecker und Meltzer als erstes, oder Durchspritzgeräusch bezeichnete Schallphänomen fand M. jedesmal bei Phthisikern, welche beim Husten leicht erbrechen, und bei Individuen mit alter Lues. Es klingt, als wenn die ganze Flüssigkeit unbehindert in den Magen gespritzt würde. Das zweite Geräusch fehlt dann meistens. M. fand ferner, dass das Durchspritzgeräusch in Fällen, wo es bestand, durch Atropin 12—36 Stunden zum Verschwinden gebracht wurde, was sich nur durch eine Lähmung der Cardia erklären lassen würde.

M. wendet sich sodann gegen einige Ausstellungen, welche namentlich von Ewald an seiner Deutung der Schluckgeräusche gemacht wurden; bezüglich der im Vorstehenden angeführten Reclamation von Zenker erwähnt M., dass nicht dieser, sondern Natanson zuerst die Schluckgeräusche am Magen auscultirt habe (Ber. f. 1864. II. 139), auch hält er gegenüber der Zenker'schen Auffassung des zweiten Geräuschs die seinige aufrecht.

Lévy (12) unterscheidet am Epigastrium propagirte und local entstandene Geräusche. Erstere sind die Herztöne und das Gargouillement; letztere Uteringeräusche, Aortengeräusche, das Plätschergeräusch (Clapotage stomacal), welches sowohl physiologisch, als pathologisch vorkommen kann (s. Audhoui). Das Geräusch ist nach der Einführung von Getränken noch 1—2 Stunden lang zu hören, länger noch bei Mischung von Flüssigkeit und festen Theilen, wobei es dumpfer ist. Unter pathologischen Verhältnissen, besonders bei Dilatation, ist das Geräusch intensiver, anhaltend und nach abwärts bis unter den Nabel verbreitet. Das Oesophagus-Spritzgeräusch (Bruit de jet oesophagéen), dessen erste Entdeckung Verf. Audhoui zuschreibt, hört man nach L. am besten am Rande der 6. linken Rippe. Verzögerung und Abschwächung dieses Geräusches kommt bei Oesophagus-Stenose vor.

Um zu entscheiden, ob die Resonanz der Lungen (ausserhalb des Körpers) den Vesikeln oder den Bronchien ihre Entstehung verdanke, füllte Bullar (4) die Bronchien einer Schaflunge mit Gelatine; die Resonanz bei der Percussion blieb dieselbe; bei Füllung mit Wasser, welches an vielen Stellen bis an die Oberfläche vordrang, waren diese Stellen gedämpft, der Rest tönend. Um dem Einwurf zu begegnen, dass hier vielleicht doch noch einige Bronchien lufthaltig geblieben sein könnten, stellte B. eine künstliche Lunge ohne Bronchien dar, indem er Gelatine während der Erstarrung in feinen Schaum schlug, dessen Bläschen die Grösse der Lungenbläschen hatten. Auch diese Masse gab einen tönenden Schall, ziemlich gleich dem der Lunge. Es ist daher wohl sicher, dass die Lungen-Vesikeln in der That die Resonanz bedingen. Die Höhe des Percussionsschalles der Lunge hängt sowohl von dem Umfang des Lungenstückes als von der in demselben enthaltenen Luftmenge ab. Daher ist auch der Schallunterschied einer collabirten und einer ausgedehnten Lunge nicht bloss von der Spannung abhängig, sondern auch ganz besonders vom Luftquantum. Der Einfluss der ersteren ist thatsächlich nur geringfügig. Um den Einfluss der Brustwand auf die Entstehung des Lungenschalles zu bestimmen, machte B. künstlichen Pneumothorax durch Eröffnung der Brustwand; der Schall änderte sich dadurch wenig; wurde aber Luft gewaltsam eingeblasen, so wurde der Schall höher, ebenso wenn Wasser und Luft zugleich injicirt wurde. Je grösser die Wassermenge im Verhältniss zur Luft, desto höher war auch der Schall im oberen Theile. (Eine Unterscheidung von tympanitischem und nicht tympanitischem Schall wird von B. nicht gemacht.)

Nach Huntress (10) ist auf die Höhe des Percussionsschalles bisher zu wenig Werth gelegt worden. Die Frage, auf welcher Seite des Thorax der Schall normalweise höher sei, ist verschieden beantwortet worden. H. fand in 200 Fällen (170 männl. und 37 weibl. Personen im Alter von 10—40 Jahren) 72 mal kein Unterschied, 71 mal rechts etwas höheren Schall, 26 mal links; 23 mal merklich höheren Schall rechts, 8 mal links. — Der tympanitische Schall ist keineswegs immer höher als der gewöhnliche Lungenschall, wie von Flint behauptet wird, während Loomis das Umgekehrte angiebt. Bei ganz geschlossenen Hohlräumen steht die Höhe des tympanitischen Schalles in geradem Verhältnisse zur Spannung der elastischen Wände und im umgekehrten zum Umfang des Hohlraumes.

Lewinski (13) spricht sich für Beibehaltung der Skoda'schen Unterscheidung des vollen und leeren Schalles, als practisch und wissenschaftlich aus. Auch die Ausdrücke „gedämpft" und „hell" will er beibehalten, obwohl sie keine einheitliche Schallqualität ausdrücken. Der gedämpfte Schall ist gegenüber dem hellen characterisirt durch Kürzer-, Leerer- und endlich Leiserwerden des Schalles. Demnach kann man die Mannigfaltigkeit des Percussionsschalles unterscheiden 1) nach seiner Höhe (hoch — tief); 2) nach seiner Intensität (laut — leise) 3) nach seiner Dauer und Fülle (Eigenschaften der Klangfarbe) [voll — leer]; 4) je nachdem er mehr geräuschartig oder mehr klangartig ist (nicht tympanitisch — tympanitisch, metallisch).

Das von Eulenburg (16) angegebene „Thermaesthesiometer" besteht im Wesentlichen aus zwei in einem Abstand von 2 Ctm. von einander an einem Stativ befestigten Thermometern mit flach scheibenförmigem (oder spiraligem) Quecksilbergefäss, von denen das eine analog wie in der im Nachfolgenden beschriebenen Vorrichtung vermittelst eines umwickelten Platindrahtes durch den electrischen Strom erwärmt wird. Durch eine Nebenschliessung kann ein beliebig zu verstärkender Widerstand eingeschaltet werden, wodurch die Erwärmung des Thermometers plötzlicher oder langsamer erfolgt. Man ist dadurch in der Lage, bei grösster Feinheit des Temperatursinnes die Prüfung desselben durch allmälig sich steigernde Wärmedifferenz der beiden anfangs gleich temperirten Objecte ausführen zu können.

Donath (5) benutzte zu seinen Untersuchungen über die Grenzen des Temperatursinnes besonders eingerichtete Thermometer.

An dem „Kälteschmerzmesser" (Karyalgimeter) besteht das Quecksilbergefäss aus einer in der Ebene gewundenen Spirale von 21 mm Durchmesser, welche durch den Aetherspray bis auf — 18° abgekühlt werden kann; die Haut in der Umgebung wird bei der Untersuchung durch aufgelegten Flanell geschützt. Das Gefäss des „Wärmeschmerzmessers" (Thermalgimeter) hat die Gestalt eines halbirten Ellipsoids, dessen flache Seite auf die Haut aufgelegt wird. Dasselbe ist mit einem Platindraht umwickelt, welcher mit zwei hintereinander geschalteten Bunsen'schen Elementen in Verbindung steht, wodurch die Temperatur in kurzer Zeit zum Steigen gebracht wird.

Es zeigte sich im Laufe der Untersuchung, dass der Wärmeschmerz stets schnell und präcis als solcher empfunden wird, während der Uebergang der Kälte- zur Schmerzempfindung mehr allmälig stattfindet. Dass die durch Hitze oder Kälte hervorgebrachte Schmerzempfindung ihrem Wesen nach identisch ist, dürfte zweifellos sein; fraglich aber erscheint, ob das Eintreten der Schmerzempfindung bei Hitze- oder

Kältewirkung auch gleichzeitig die Grenze der Temperaturempfindung ist. Aus den Versuchen des Verf. geht hervor, dass dies nur scheinbar der Fall ist, dass thatsächlich die Grenzen des Temperatursinns weiter auseinander liegen. Es können nämlich Individuen mit herabgesetzter Schmerzempfindung noch weit höhere resp. niedrigere Temperaturen als Wärme oder Kälte empfinden, als dies bei normalen Individuen der Fall ist. Es ist schon aus diesen Gründen wahrscheinlich. dass für die Temperaturempfindung eigene, bisher wohl unbekannte Vorrichtungen bestehen müssen. Es ist bekannt, dass directe Einwirkung auf die Nerven keine Temperaturempfindung hervorruft.

Von den Hauptresultaten des Verf. seien hier nur folgende hervorgehoben: Der Kälteschmerz variirt bei Gesunden nach den verschiedenen Hautstellen zwischen — 11,4 und + 2,8 ° C.; besonders empfindlich ist die Bauch- und Ellenbogenhaut, wenig empfindlich die Pulpa der Finger; die linke Seite scheint etwas empfindlicher zu sein, als die rechte; die Differenz bei verschiedenen Individuen ist eine sehr beträchtliche (—1.5—22,5 ° C.). Der Wärmeschmerz variirt nach den verschiedenen Hautstellen zwischen + 36,2 und 52 6 ° C., die absolute Differenz schwankt bei verschiedenen Individuen zwischen 2,0 und 31.0 °. Der Abstand zwischen der oberen und unteren Grenze des Temperatursinnes beträgt für die verschiedenen Punkte der Haut 35.1—64,0. Bei 5 Tabikern trat der Wärmeschmerz erst bei einer höheren Temperatur auf, die Schmerzempfindung war also herabgesetzt, bei 2 Tabikern dagegen erhöht. Die Wärmeschmerzempfindung kann bei Tabes an den verschiedenen Hautstellen ausserordentlich verschieden sein. (Eine Kranke empfand Schmerz auf der linken Sohle erst bei 105 °). Auch der Kälteschmerz trat gewöhnlich erst bei einer tieferen Temperatur auf, nicht selten gar nicht. Die stärkste Herabsetzung der Kälte- und der Wärmeschmerzempfindlichkeit findet sich im Allgemeinen an den unteren Extremitäten sodann am Rumpfe, seltener an den oberen.

Sicher ist der durch Kälte und Wärme hervorgerufene Schmerz eine viel gröbere Empfindung, als die Temperatur-Wahrnehmung.

Krukenberg (11) macht auf die Wichtigkeit der characteristischen spectroscopischen Absorptionsstreifen der meisten Farbstoffe aufmerksam, welche bei Farben-Reactionen in Betracht kommen. Verf. bespricht 1. besonders die Kreatininproben (bei Essigsäurezusatz zu der gelb gewordenen Flüssigkeit bei der Weyl'schen Probe entsteht Berlinerblau, sicherer bei Zusatz von Eisenchlorid); 2. die Indolreaction (Modification der gebräuchlichen Probe); 3. die durch Brom oder Salpetersäure sich röthenden Producte bei der Trypsinverdauung; 4. Farben-Reactionen des Harns, und zwar Indican-Reaction, die durch Eisenchlorid bewirkten Röthungen pathologischer Urine, die Ehrlich'sche Harnprobe und die Penzold'sche Traubenzucker-Reaction; 5. die Furfurol-Reaction und Murexidprobe; 6. die Spectren wässeriger Jodstärke und Joddextrinlösungen.

Auf die sehr zahlreichen Einzelheiten des Aufsatzes kann hier nicht näher eingegangen werden.

III. Pathologie der Ernährung und des Stoffwechsels.

1) Tschernoff, W., Ueber Absorbirung des Fettes durch Erwachsene und Kinder während fieberhafter und fieberfreier Erkrankungen. Virchow's Archiv. 98. S. 231. — 2) Tuczek, F., Mittheilung von Stoffwechseluntersuchungen bei abstinirenden Geisteskranken Archiv f. Psychiatrie. Bd. XV. S. 3.

Tschernoff (1) stellte sich die Beantwortung der Frage, ob und in welchen Quantitäten Fett von Fieberkranken assimilirt wird, zur Aufgabe. Zunächst machte er an zwei Hunden mit Fettnahrung (Milch und Brod) eine Reihe Versuche. um festzustellen, welchen Einfluss die Menge des eingeführten Fettes auf die Resorption desselben habe. Bei 6. resp. 10 g Fett in der täglichen Nahrung fanden sich in den Faeces 14,9 resp. 8.87 pCt. Fett. Es waren also 85,1 resp 91,13 pCt. resorbirt. Bei 10 g Fett in der täglichen Nahrung wurden 1.4 g = 7.0 pCt. ausgeschieden, also 93 pCt. resorbirt; bei 32 g Fett wurden 1,704 ausgeschieden (5.3 pCt.). also 94,7 resorbirt. Es geht daraus hervor, dass bei vermehrter Fettzufuhr auch relativ mehr Fett resorbirt wird. dass aber auch der Fettgehalt der Faeces steigt. Um den Einfluss des Wassers auf die Fettresorption zu bestimmen. erhielt ein Hund ausser der gewöhnlichen Nahrung noch 2—400 g Wasser, doch stellte sich dabei kein merklicher Einfluss auf den Fettgehalt der Faeces heraus. Dasselbe war im Wesentlichen der Fall in zwei Versuchen mit Hinzufügung von 100—150 g Aqua calcis resp. 10—15 g Natr. bicarbonicum. Weder Alkalien noch alkalische Erden scheinen demnach einen Einfluss auf die Resorption des Fettes zu haben.

Verf. berichtet sodann über 15 Versuche an fiebernden Menschen, darunter 3 an Säuglingen; daran schliessen sich noch 7 Versuche an Kranken mit Typhus abdominalis. (Auf die Methode. deren sich Verf. zur Bestimmung des Fettes, des Cholesterin und der Cholsäure bediente, kann hier nicht näher eingegangen werden; die Extraction der Faeces, welche durch Blaubeersuppe abgegrenzt wurden, geschah mit dem Soxhlet'schen Apparat.)

Der mittlere Procentgehalt der Faeces an Fett aus den 12 ersten Versuchen an Erwachsenen betrug während des fieberhaften Zustandes 28.2, ausserhalb desselben 13,5 pCt, bei Säuglingen dagegen 58,1, resp. 32,9 pCt., doch rühren diese hohen Zahlen nicht daher, dass der Säugling relativ weniger Fett aus der Nahrung resorbirt, sondern dass seine Faeces wenig feste Stoffe überhaupt enthalten. Der gesunde Organismus, sowohl des Erwachsenen als des Kindes. nimmt aus der Nahrung 90—94—95 pCt. auf, im Fieber dagegen im Mittel um 7,2 pCt. weniger. Auf die Menge des aufzusaugenden Fettes übt sowohl die Masse des aufgenommenen, als die Individualität. der temporäre Zustand, wahrscheinlich auch die Beimischung von Kohlenhydraten und Eiweissstoffen einen Einfluss aus. Da sich die Resorptionsfähigkeit von Fieberkranken von der Gesunden nur wenig unterscheidet, so ist auch die Besorgniss, durch Fettnahrung fiebernden Kranken zu schaden, nicht begründet

Was den Typhus abdominalis betrifft, so fand Hoesslin, dass in dieser Krankheit etwas weniger Fett aus der Milchnahrung aufgenommen wurde (89,3 bis 93,2 pCt) als nach Versuchen Rubner's im gesunden Zustande (92,9—95 5). T. fand dagegen in seinen Versuchen, dass beim Typhus eher etwas mehr Fett resorbirt wurde, als sonst, und er führt die entgegenstehende Angabe auf fehlerhafte Fettbestimmung zurück. Er selbst fand in seinen Versuchen während des fieberhaften Zustandes durchschnittlich 7 bis 12 pCt. des Fettes in den Fäces, im fieberlosen dagegen bis zu 7 pCt. mehr. Da er weder dem reichlicher abgesonderten Pancreassaft, noch der Galle diese vermehrte Resorption des Fettes zuschreiben zu können glaubt, und die Ansicht theilt, dass das Fett in fein vertheiltem Zustande resorbirt und — nach Sawarykin — von den Lymphkörperchen in den Darmzotten aufgenommen und weiter befördert wird, so scheint dem Verf. die Anhäufung von Lymphzellen in der Darmwand beim Typhus von Bedeutung für die vermehrte Fettaufnahme zu sein. Mit grosser Wahrscheinlichkeit geschieht die Resorption des Fettes in Form einer besonderen chemischen Verbindung der Fettsäuren mit den Gallensäuren, eine Ansicht, welche Verf. ausführlicher begründet.

Tuczek (2) war in der Lage, in zwei Fällen von länger dauernder Abstinenz bei Geisteskranken fortdauernde Reihen von quantitativen Harnuntersuchungen zu machen, wobei Harnstoff, Schwefelsäure, Phosphorsäure und Chlor bestimmt wurden (durch Titrirmethoden). Ausserdem wurde der Harn stets auf Eiweiss, Zucker, Indican und Aceton untersucht. Die Indicanreaction fehlte stets, wenn kein Eiweiss aufgenommen war, sie trat regelmässig auf, wenn Eiweiss-haltige Substanzen selbst in sehr geringer Menge genossen waren; ferner ist das Auftreten von Aceton bemerkenswerth, welches sich bereits durch den obstartigen Geruch der Exspirationsluft verräth. Der Harn gab in diesen Fällen nicht allein die Acetonreactionen (nach Legal und Penzoldt), ausserdem aber auch die rothe Eisenchloridreaction. T. ist der Ansicht, dass das Auftreten des Aceton, resp. seiner Vorstufen hier, so wie auch in anderen Zuständen stets die Folge der Inanition ist.

In dem ersten der beiden Fälle (Fräulein von 37 Jahren, Verrücktheit mit 23tägiger absoluter Abstinenz) war der Ernährungszustand ein guter, die täglich aufgenommene Eiweissmenge bis zum Beginn der Hungerperiode ca. 140 g. Die Harnuntersuchung konnte erst am 15 Hungertage begonnen werden. Die mittlere Harnmenge der letzten 7 Tage war 266 ccm bei 1022 specif. Gewicht bei einer Wasseraufnahme von 175 ccm. Die Summe der festen Bestandtheile betrug (berechnet) 13,4 g (bei normaler Ernährung später 50 g), die tägliche Harnstoffmenge 9,14 (27), die der Schwefelsäure 0,222 (0,975), Phosphorsäure 0,710 (2,14), Chlor 0,261 g (6,0). Aus der Harnstoffmenge wurde ein täglicher Verlust von 125 g. Fleisch berechnet. In den ersten der Carenzzeit folgenden Tagen betrug die Harnmenge trotz reichlicher Flüssigkeitsaufnahme (1000 ccm) nur 400 ccm mit geringem Gehalt an festen Bestandtheilen (17 g); Harnstoff, Schwefelsäure und Phosphorsäure vermehrten sich langsam; Chlor dagegen vom ersten Tage sehr schnell, was augenscheinlich auf eine schnelle Deckung des vorhandenen Bedürfnisses deutet. Das Aceton verschwand am 3. Tage nach der Nahrungsaufnahme, das Indican erschien am 5. Tage. Etwa 3 Wochen später war das normale Verhalten wieder erreicht.

Im zweiten Falle (Frau von 38 Jahren, Verrücktheit, unvollständige Abstinenz von 28tägiger Dauer) betrug das Körpergewicht anfangs 135, sank aber nach kurzer vollständiger Abstinenzperiode auf 116. Während einer 4wöchentlichen Periode wurde ausser Wasser fast gar nichts genossen, nur zeitweise Bier, eine Apfelsine, später wieder eiweisshaltige Nahrung in geringen Mengen. Während dieser Periode betrug der tägliche Harnstoffgehalt im Durchschnitt wieder 9.2 g, die festen Bestandtheile im Mittel 20,2 g (Minimum 9,0). Aceton war nur in der Zeit der vollständigsten Hungerperiode vorhanden; die durchschnittliche Menge der Schwefelsäure betrug 0,206, die der Phosphorsäure 1,0 g. Von Interesse ist, dass das Körpergewicht, nachdem es in der ersten Zeit der Abstinenz bis auf 106 gefallen war, in der späteren Zeit auf 110 Pfd. stieg, obgleich der Körper täglich an Organeiweiss einbüsste; die Gewichtszunahme konnte somit nur durch die reichlichere Wasseraufnahme erklärt werden.

IV. Schädliche Producte des Stoffwechsels.

Fäulniss-Alkaloide.

1) Coppola, Fr, Sugli alcaloidi della putrefazione. Arch. per le sc. med. VIII. 4. (C. ist der Ansicht, dass die sog Fäulnissalkaloide als solche nicht durch die Fäulnissprocesse entstehen, sondern dass die gebräuchlichen Extractionsmethoden [mit Schwefelsäure] an sich hinreichen, um dieselben zu erzeugen. Ihm selbst gelang es nicht, aus fauligem Blut nach 15, 30 und 50 Tagen durch Ausschütteln mit Benzin und mit Chloroform und Aufnahme des Rückstandes des so erhaltenen Extractes mit angesäuertem Wasser irgend ein Alkaloid zu erhalten.) — 2) Lépine et Guérin, Sur la présence d'alcaloides toxiques dans l'urine et dans certains liquides pathologiques. Lyon méd. No 42. — 3) Lépine, R et D. Mollière, Septicémie intestinale d'origine spéciale Ibid. No. 24. — 4) Litten, M., Ueber einen eigenartigen Symptomencomplex in Folge von Selbstinfection bei dyspeptischen Zuständen (Coma dyspepticum). Zeitschr. f. klin. Medicin Bd. VII Suppl. S. 81. — 5) Offinger, H., Die Ptomaine oder Cadaver-Alcaloide. gr. 8. Wiesbaden. — 6) Riess, L., Ueber das Vorkommen eines dem sogenannten Coma diabeticum gleichen Symptomencomplexes ohne Diabetes. Zeitschr. f. klin. Medicin. Bd. VII. Suppl. S. 34. — 7) Schuchardt, P., Untersuchungen über Leichenalcaloide. Archiv f. exper. Pathol. und Pharmac. Bd. XVIII. S. 296. — 8) Zahn, W., Beitrag zur Physiologie und Pathologie des Blutes. Virchow's Archiv. Bd. 95. S. 391.

Riess (6) hat seit dem Jahre 1880 in 17 verschiedenen Krankheitsfällen, welche mit Diabetes nichts zu thun hatten, einen dem Kussmaul'schen Coma ähnlichen Symptomencomplex beobachtet, welcher durch eigenthümliche, tiefe Dyspnoe verrathende Respirationsstörung, das „grosse Athmen", characterisirt ist. In einer Reihe von (4) Fällen, welche unter diesen Erscheinungen tödtlich endeten, war Magen-Carcinom vorhanden, in der Mehrzahl (8) schwere Anämie (z. Th. perniciöse Anämie), in einigen Fällen auch Nierenschrumpfung, einmal Amyloid. Die Temperatur war stets (mit einer Ausnahme, welche durch Complication erklärt war) niedrig, selbst subnormal, der Puls schwach und frequent. Die Fälle schliessen sich an die von Jaksch und Senator mitgetheilten an (s. den Ber. f. 1883. I.. S. 234), doch war die von ersterem beobachtete Eisenchlorid-Reaction, welche an eine Intoxication mit einer Aceton-verwandten Substanz denken liess, nur in zwei Fällen spurweise ausgesprochen. Urämie glaubt R. auch in den Fällen von Nierenleiden ausschliessen zu müssen, wenn er auch in einem eine Complication mit derselben annimmt. Für das Wesentliche hält R. die tiefe Ernährungsstörung des Blutes, und zwar die Verarmung an rothen Blutkörperchen, welche Hirn-Anämie, Reizung des Athem-Centrums hervorruft; von Wichtigkeit dürfte das schnelle Eintreten dieses Zustandes sein. Gegen die von Senator ausgesprochene Annahme eines toxischen Zustandes macht R. geltend, dass für einen solchen doch in den meisten Fällen, besonders von Anämie, kein rechter Grund vorliege. Auf der anderen Seite müsse das analoge Coma bei Diabetes auf eine solche Intoxication des Organismus mit bestimmten Schädlichkeiten zurückgeführt werden. Schliesslich schlägt R., als am wenigsten präjudicirend, den schon von Kussmaul angewandten Namen „dyspnoisches Coma“ für den in Rede stehenden Symptomen-Complex vor.

Auch Litten (4) beobachtete einen dem Kussmaul'schen Symptomen-Complex ähnlichen Zustand in einer Reihe von Fällen ohne Diabetes, zuerst im Jahre 1879 bei einer 30jährigen Frau mit Scarlatina, welche allerdings Albuminurie hatte und unter zunehmenden Oedemen starb; dennoch war nach Ansicht des Verf. der durch Coma und Dyspnoe characterisirte Anfall nicht urämischer Natur. Derselbe hielt drei Tage an, während gleichzeitig ein obstartiger Geruch der Athemluft und des Urins der Kranken auffiel, welcher ganz an den Geruch bei Acetonämie erinnerte. Der Urin gab in der That die characteristische Rothfärbung mit Eisenchlorid; mit dem Aufhören des Anfalls verlor sich auch diese Eigenschaft des Urins. L. hat einen ähnlichen Symptomen-Complex im Laufe von zwei Jahren fünfmal beobachtet. Im Anfang handelte es sich stets um dyspeptische Erscheinungen, welche nach einigen Tagen stärker wurden; es bestand theils Diarrhöe, theils Verstopfung, ausserdem Frösteln, leichte Temperatursteigerung, ferner traten nervöse Erscheinungen auf, Stirnkopfschmerz, Schlaflosigkeit, Verdriesslichkeit, bis zu hypochondrischer Stimmung. Nach einigen Tagen trat dann der eigenthümliche aromatische Geruch der Athmungsluft auf, gleichzeitig ein Zustand von Schlafsucht, welcher Tag und Nacht anhielt, aber sich nicht bis zu eigentlichem Coma steigerte. Die Kranken waren meist durch lautes Anrufen zu erwecken. Während der Dauer des Zustandes nahmen sie weder Speisen noch Getränke zu sich. Eine Veränderung des Athmungstypus konnte in keinem der Fälle beobachtet werden. Der Harn, dessen Menge vermindert war, gab mit Eisenchlorid eine sehr intensive Rothfärbung, welche sich genau so verhielt, wie bei Diabetes. Mit dem Verschwinden dieses Symptoms begann die Reconvalescenz. — Wiewohl nun der von L. beschriebene Zustand nicht ganz mit dem von Kussmaul geschilderten übereinstimmt, namentlich sich durch das Fehlen der Dyspnoe von letzterem unterscheidet, ist L. dennoch der Ansicht, dass beide in dieselbe Kategorie gehören, da auch der comatöse Zustand bei Diabetes keineswegs immer in der gleichen Vollständigkeit ausgebildet und in einer grossen Reihe von Fällen nicht mit Dyspnoe verbunden sei. Nach der Ansicht von L. handelt es sich jedenfalls um eine autochthone, im Organismus selbst entstandene Vergiftung. Das Auftreten der toxischen Substanz wird untrüglich durch die Rothfärbung des Urins characterisirt. Welcher Art jene Substanz aber ist, lässt Verf. zweifelhaft. Jedenfalls tritt die Rothfärbung des Urins mit Eisenchlorid auch ohne Diabetes in verschiedenen Fällen ein, ohne dass es zur Ausbildung toxischer Erscheinungen kommt; die erstere wurde von L. im Ganzen 25mal beobachtet, und zwar 14mal bei Krankheiten des Digestions- und chylopoetischen Apparates, 7mal bei acuten Exanthemen (5mal bei Scarlatina, 2mal bei Morbilli), 4mal bei anderweitigen Affectionen. Die Entstehung der toxischen Substanz ist Verf. geneigt auf die Eiweissverdauung zurückzuführen, deren Producte (Phenol, Indol, aromatische Oxysäuren) bei der Aufnahme in das Blut Benommenheit, Apathie, Muskelschwäche etc. hervorrufen. Ein ähnlicher Symptomen-Complex soll nach Stefano auch durch Resorption von Schwefelwasserstoff bedingt werden können, welcher durch eine besondere Zersetzung des Darminhaltes entsteht.

Lépine und Mollière (3) erzählen folgenden Fall:

Ein kräftiger Mann, welcher seit einem halben Jahre in Folge einer Bruch-Operation und partiellen Darmresection einen Anus praeternaturalis am Anfang des Colon ascendens besass, erkrankte plötzlich unter den Erscheinungen einer Atropin-Vergiftung, mit starker Hautröthe, Delirium, Trockenheit des Pharynx, maximaler Erweiterung und Reactionslosigkeit der Pupillen, ohne Temperaturerhöhung. Der Nachweis, dass dem Kranken Atropin beigebracht worden war, konnte indess nicht geführt werden, und daher nahm L. das Vorhandensein einer Autointoxication durch ein Ptomain an. Der Kranke starb nach 2 Tagen; die Section ergab einen ganz negativen Befund; in dem sehr verengten Colon fanden sich etwa 20 g eingedickter Fäcalien von besonders üblem Geruch, welche der Verf. als Ursache der Intoxication ansieht (?!).

Lépine und Guérin (2) stellten nach Bouchard's Vorgang aus dem durch Natronlauge alkalisch gemachten Urin bei verschiedenen Krankheiten Aetherextracte dar, deren toxische Wirkung an Fröschen geprüft wurde. Die Menge des injicirten Rückstandes entsprach in den einzelnen Fällen einem Urinquantum von 100—800 ccm. Nach der Injection des Extractes aus dem Urin von drei Fällen von Typhus abdominalis trat nach einigen Stunden unter starker Steigerung der Reflexerregbarkeit der Tod ein; das Herz wurde in der Diastole gefunden. Der Urin von sechs Pneumoniefällen hatte ähnliche Wirkung, doch in verschiedenem Grade, je nach der Schwere des Falles; das Herz befand sich im Zustande der Contraction. Der Urin bei Diabetes enthielt keine, der bei

Icterus wenig Alkaloide. — Seröse Transsudate von der Leiche und vom Lebenden hatten bei derselben Behandlung keine Wirkung.

Thiere, an welchen der Stenson'sche Versuch gemacht worden ist, sterben in der Regel im Laufe desselben Tages, besonders schnell, wenn die Unterbindung der Aorta bereits nach 4 — 5 Stunden wieder gelöst wurde. Die nach Aufhebung der Compression auftretenden Krankheitserscheinungen, Beschleunigung des Athems, Schwäche der Herzaction steigern sich nach Wiederherstellung der Circulation beträchtlich; die Temperatur sinkt; das Thier reagirt allmälig immer weniger, und so tritt der Tod ein. Zahn (8) vermuthete, dass es sich um die Folge des Eintrittes einer deletären Substanz aus den abgestorbenen unteren Extremitäten in den Kreislauf handele, und suchte diese Substanz wo möglich im Blute nachzuweisen, zu welchem Zwecke er sich der ursprünglich von Danilewsky angewandten Azoreaction bediente. Zur Controle prüfte er das Blut verschiedener Theile des Gefässsystems normaler Thiere mit Hülfe der Azoreaction, durch welche bei Gegenwart von Oxy- oder Amidoderivaten des Benzolkerns in dem Extract eine orangerothe Färbung entsteht. Bei dem gleichen Thiere gab das Blut der Carotiden keine, venöses Blut der V. jugularis selten, schwache, solches aus dem rechten Herzen etwas häufiger schwache, und endlich Mesenterialvenenblut immer sehr deutliche Azoreaction. Die Substanzen, welche die Reaction geben, müssen demnach in der Leber zerstört, oder ausgeschieden werden. Bei den Thieren, welche nach Ausführung des Stenson'schen Versuches gestorben waren, zeigte sich nun, dass die Extracte aus dem Blute die stärkste Reaction gaben, wenn die Thiere bald nach Lösung der Ligatur getödtet waren, und zwar war dieselbe am intensivsten im Extract des Blutes des rechten Herzens. Die Reaction fehlte aber auch in einzelnen Fällen. Der Nachweis, dass es sich wirklich um toxisch wirkende Substanzen handelte, konnte nicht erbracht werden.

Schuchardt (7) befolgte bei der chemischen Isolirung der Fäulnissalkaloide aus gefaultem Muskelfleisch die von Selmi angegebene Methode. Nachdem vorläufig das Vorhandensein giftiger Körper in dem Rückstande des Aetherextractes constatirt worden war, wurde 1) Ausfällung der wässerigen salzsauren Lösung mit Sublimat, 2) Behandlung der salzsauren Lösung mit Thierkohle zur Isolirung angewandt. Auf ersterem Wege wurde eine giftig wirkende krystallinische Substanz erhalten, welche bei Fröschen und Säugethieren mehr oder weniger vollständige Paralyse der willkürlichen Bewegungen hervorrief; es zeigte sich jedoch, dass ein grosser Theil der wirksamen Substanz durch Sublimat nicht ausgefällt wurde. Auch durch Behandlung mit Phosphorwolframsäure war nur ein kleiner Theil des giftigen Ptomains zu erhalten. Durch Schütteln mit Thierkohle wurde die Substanz den wässerigen Lösungen zwar fast vollkommen entzogen, aber von jener nur sehr schwer an Alcohol abgegeben. Es zeigte sich bei der weiteren Untersuchung, dass auch nach der Extraction mit Aether noch wirksame Substanzen zurückgeblieben waren, deren Isolirung sodann theils durch Fällung mit Baryt und weitere Behandlung mit Jodkalium-Jodquecksilber, theils durch Extraction mit Chloroform versucht wurde. Namentlich durch letztere wurde eine stark giftig wirkende Substanz erhalten, welche bei Fröschen und Säugethieren schwere Lähmungserscheinungen und den Tod in geringen Dosen (0,05 bis 0,1) hervorrief. Unverkennbar wirkte der Chloroformauszug intensiver als der ätherische, zeigte auch qualitative Verschiedenheiten. Es wurde daher nochmals ein Quantum von ca. 12 k gefaultes Muskelfleisch nach der Alcoholbehandlung mit Chloroform extrahirt, und dadurch eine Substanz erhalten, welche unter Lähmungserscheinungen, Speichelfluss, Diarrhoe und Tenesmus den Tod herbeiführte, es gelang jedoch nicht, die wirksame Substanz durch Platinfällung darzustellen. Die schön ausgebildeten Crystalle, welche nach Zersetzung der Platinverbindung erhalten wurden, erwiesen sich als unwirksam.

V. Allgemeine Veränderungen der Gewebe.

Regeneration.

1) Arnaud, K., De l'asphyxie des tissus ou Endasphyxie. Montpellier médical Mai—Sept. — 2) Corona, Augusta, Sulla rcgenerazione parziale del fegato. Annali univ. di medic Vol. 267. 803. — 3) Gaglio, G., Influenza dell'inanizione sulla struttura del fegato e dello stomaco Arch. per le sc. med Vol. VIII. No. 8. — 4) Paschutin, V., Ueber Kohlehydratentartung der Gewebe. Centralbl. f. d med. Wissensch. No. 40. — 5) Roth, M., Ueber Metastasen von Fett, Kalk und Kohlenstaub Corrrespondenzblatt f schweizer Aerzte. XIV. — 6) Samuel, S., Ueber die Störungen des Gewebswachsthums. Centralblatt f. med. Wissensch. No. 21. (Vorläufige Mittheilung über Regenerations-Versuche an den Schwungfedern der Tauben; Verminderung des Blutzuflusses vermag den Anfang der Regeneration um viele Wochen zu verzögern, während die einmal eingetretene Regeneration dadurch erst nach einiger Zeit gestört wird. Die Regeneration der Epidermoidalgebilde ist der bilateralen Symmetrie unterworfen.) — 7) Virchow, R., Ueber Metaplasie. Virchow's Archiv. Bd. 97. S. 410.

Virchow's (7) Vortrag auf dem internationalen Congress behandelt die Metaplasie, die „Veränderung des Gewebscharacters bei Persistenz der Zellen", indem er dieselbe den Vorgängen der Ernährung und und Bildung gegenüberstellt. Das Wesen der Metaplasie ist organische Veränderung der Theile, also Erzeugung neuer Gewebsformen aus alten; dazu gehört nach der Vorstellung Virchow's die Bildung des Knochengewebes aus Knorpel, die Bildung des Markgewebes aus Knochen, aus Knorpel, indem die Knorpelzellen sich in Knochenkörperchen, resp. in Markzellen umwandeln; auch die Umwandlung des Markes selbst in rothes, gelbes und gallertiges, ist ein typisches Beispiel der Metaplasie. Die Markbildung auf Kosten des Knochengewebes, sowohl unter normalen, als unter pathologischen Verhältnissen, in den verschiedenen Formen der Osteomalacie ist ein metaplastischer Vorgang. Die Umwandlung des Fettgewebes in Schleimgewebe gehört ebenfalls dahin. Eine besonders grosse Bedeutung vindicirt Virchow dem Vorgang der Metaplasie im Bereiche der Geschwülste, wo derselbe, nicht bloss innerhalb der Gewebe der Bindesubstanzen in besonders reichem Maasse vorkommt; auch dissimiläre Gewebe, solche von differentem Typus können auf metaplastischem Gewebe entstehen. Wenn auch Virchow die von Manchen behauptete Entstehung bindegewebiger Elemente aus Epithelien, oder von Epithelien aus farblosen Blutkörperchen nicht für bewiesen erachtet. so hält er dennoch an seiner ursprünglichen Ansicht fest, dass Epithelzellen aus Bindegewebe hervorgehen können, wie er das für die Zellen der Perlgeschwulst und die des Gallertkrebses im Fettgewebe des Netzes gezeigt hat.

Roth (5) berichtet über einen Fall von sehr ausgedehnten Kalkmetastasen, deren Quelle in einer durch Eiterung an der linken Hand (im Anschluss an eine Abquetschung von 4 Fingern) bedingten Knochenresorption zu suchen war. Derselbe war besonders ausgezeichnet durch das Auftreten der Ve[illegible]kung in der Herzmusculatur.

„In der Musculatur des linken Ventrikels zahlreiche scharf markirte, opake, gelbliche Punkte und Streifen bis zu 1 mm Länge; dieselben ragen über die etwas vertrocknete Schnittfläche hervor und fühlen sich rauh an. Sie sind am zahlreichsten in der äusseren compacten Schicht. Im Fleisch des rechten Ventrikels finden sie sich spärlich. In den Vorhöfen sind solche Flecken nur vereinzelt vorhanden — bei microscopischer Untersuchung ist die Querstreifung der Muskelfasern meist gut erhalten; viele Fasern enthalten bräunliches Pigment, kleine Gruppen sind bald stark, bald schwach fettig degenerirt. Die eigenthümlichen Punkte und Streifen entsprechen zuweilen 5—10 oder mehr verkalkten Muskelfasern. Dieselben erscheinen glänzend, homogen, öfters mit elliptischen oder eckigen, in der Grösse dem Nucleus entsprechenden Ausschnitten; zuweilen sind sie mit Sprüngen versehen, oder solche lassen sich durch Druck auf das Druckglas erzeugen." Ausserdem fanden sich polypöse Wucherungen in der Schleimhaut der Pars pylorica des Magens; das Zwischengewebe zwischen den Drüsenschläuchen zeigte ebenfalls Verkalkungen; die sehr vergrösserte linke Niere liess ausser beginnender Verfettung der Kanälchen vielfach verkalkte Glomeruli, Kalkconcremente in den Kanälchen und Verkalkungen der Zwischensubstanz erkennen.

Sodann theilt Derselbe zwei Fälle von tödtlicher Fettembolie mit, beide nach Fracturen.

1. Schrägbruch der Tibia; sehr ausgedehnte Fettembolie der Lungen, der Glomeruli der Nieren, der Capillaren des Herzmuskels, der Hirnrinde, Medulla oblongata, Rückenmark, Retina, Chorioidea, Milz, Leber 2. Splitterbruch des rechten Oberschenkels und der linken Tibia, sowie der rechten Fibula. Sehr ausgedehnte Fettembolie der Lungen, des Herzfleisches, der grauen Substanz des Gehirns, der Nieren, Schilddrüse, Milz, Leber, Mesenterialdrüsen, Kehlkopfmuskeln. Intra vitam war das Fett im Harn constatirt.

Ausserdem hat Verf. noch in 13 Fällen verschieschiedener Knochenbrüche Fettembolie, wenn auch meist geringeren Grades nachgewiesen, ferner fand er geringfügige Fettembolie der Lungen ohne Verletzungen in 10 unter 36 Fällen, und zwar meist bei Infectionskrankheiten, im höhern Alter auch bei Herzfehlern. und zwar jedesmal bei rother, bräunlichrother oder schwarzrother Färbung des Knochenmarks. Verf. weist endlich auf das Vorkommen von Fettembolie bei Verletzung fetthaltiger Weichtheile, besonders des Unterhautfettgewebes hin.

Eine dritte, erst neuerdings bekannt gewordene. wenngleich sehr häufig vorkommende Form der Metastasen ist die von Kohlenstaub (anthracotische Metastase). auf welche Weigert von Neuem die Aufmerksamkeit hingelenkt hat. R. konnte in einem Monat 11 Fälle dieser Art untersuchen; der gewöhnliche Vorgang ist der, dass verödete schwarz pigmentirte Bronchialdrüsen in die Lungengefässe hinein perforiren, und das Kohlenpigment sich auf diese Weise durch die Circulation verbreitet, und in der Milz. der Leber. den Portaldrüsen u. s. w. ablagert. Verf. führt ein characteristisches Beispiel dieser Art an.

Gaglio (3) stellte histologische Untersuchungen über die Wirkung der Inanition auf Leber und Magen von Fröschen, nach 1—1½ jährigem Hungern an. Er fand in ersterer Atrophie und Schwund der der Leberzellen, Wucherung des interstitiellen Bindegewebes und der Adventitia der Gefässe, besonders der Vena portae, Neubildung von Leberzellengängen und Gallenkanälchen, Blutcongestion, Austritt von Blutkörperchen aus den Gefässen, und reichliche Pigmentbildung. Besonders wichtig scheint dem Verf. die Thatsache, dass die Neubildung von Leberzellengängen, welche sich in Gallengänge umwandeln, der einfachen Atrophie der Leber folgt, ebenso wie der cirrhotischen. An der Magenschleimhaut fand G. eine beträchtliche Verkleinerung der drüsigen Elemente, Schwund der Zellen und Vermehrung des interstitiellen Bindegewebes, wodurch stellenweise die Drüsen ganz vollständig zum Schwund gebracht waren.

Nach einer ausführlichen Wiedergabe der Untersuchungen von Coluzzi und Tizzoni über die Regeneration der Leber, berichtet Corona (2) über seine eigenen an Hunden angestellten Versuche. Von 5 Thieren, welchen Stücke der Leber von 5.10 und 19 g Gewicht exstirpirt worden waren, blieben drei am Leben. Dieselben wurden am 17., 26. und 43. Tage getödtet. In allen drei Fällen wurde die Wundfläche mit den umgebenden Theilen, besonders dem Epiploon verwachsen gefunden. Bei Schnitten durch die in Vernarbung befindliche Wundfläche und das angrenzende Parenchym zeigten sich in allen Fällen deutliche und ansehnliche Proliferationserscheinungen des gesunden Leberparenchyms. welches sich in Form unregelmässig gestalteter Haufen von sehr verschieden grossen und vielkernigen Zellen, sodann aber in Form von Leberzellengängen mit Lumen in das junge Bindegewebe hinein erstreckte. Verf. ist demnach zu dem Schlusse berechtigt, dass eine wirkliche partielle Regeneration des Leberparenchyms von den Leberzellen aus stattfindet (oder wie er sich ausdrückt, dass die Leberzellen auf den mechanischen Reiz mit lebhaften Proliferationserscheinungen antworten).

Paschutin (4) hat schon früher die Ansicht ausgesprochen. dass es eine besondere Glycogen-Zuckerdegeneration der Gewebe giebt, welche in ihrer allerschwersten Form im Diabetes auftritt. Er parallelisirt diese Entartung der Fettdegeneration; in beiden Fällen handele es sich um stickstofffreie Producte des Eiweisszerfalles, welche in der Oxydation zurückgeblieben sind. Da P. nicht in der Lage war, hinreichend frische Organe von Diabetikern zu untersuchen, beschränkte er sich darauf, bei Thieren den Gehalt verschiedener Gewebe an Kohlehydraten im normalen Zustande und bei verschiedenen künstlich hervorgerufenen Ernährungsstörungen zu prüfen. Er begnügte sich, das Glycogen nach der Methode von Brücke darzustellen, und durch die Farbenreaction mit Jod oder auch durch Umwandlung in eine Kupferoxyd reducirende Substanz durch Kochen mit Schwefelsäure zu prüfen. In vielen Fällen geschah das Auskochen der Organe mit einem Zusatz von kohlensaurem Natron. Genauere quantitative Bestimmungen führte P. nicht aus, sondern bediente sich dazu nur der colorimetrischen Methode von Goldstein. In den frischen Früchten von Kühen fand P., abgesehen von den übrigen Geweben, reichlichen Glycogengehalt in dem Skelet, wo Cl. Bernard dasselbe vermisste; er konnte sich sogar überzeugen, dass das embryonale Skelet zu den an Glycogen reichsten Geweben zählt. Bei erwachsenen Thieren (Hunden) fand P. Glycogen (nach vorausgegangener Fleischfütterung) immer in der Leber und in den Muskeln, fast immer in den Lungen, den Samendrüsen und der Haut, einige Male in der Milz und in den Nieren, niemals im Gehirn. In den Knochen wurden stets nur Spuren, in den Knorpeln dagegen reichliche Mengen Glykogen gefunden, vielleicht ebensoviel, als in den Muskeln. P. untersuchte sodann den Glycogengehalt der Gewebe von Hunden, bei welchen auf verschiedene Weise, durch Injection von Terpentin, Crotonöl unter die Haut, in das Gehirn etc., Entzündungen hervorgerufen worden waren. In allen entzündeten Geweben wurde ein viel bedeutenderer Gehalt an Glycogen aufgefunden; in frischem pleuritischen Exsudat war ziemlich viel Glycogen enthalten, dagegen im Eiter eines subcutanen Abscesses nach Terpentin-Injection gar nichts. — Verf. betrachtet die Anhäufung von Glycogen in solchen Fällen als eine bestimmte Form der Atrophie oder Degeneration. Die von Frerichs und Ehrlich ausgesprochene Ansicht, dass die „glycogene Entartung" bei Diabetes nur eine Infiltration darstelle und keine wesentliche Bedeutung habe, vermag P. nicht zu theilen.

Arnaud (1) bezeichnet als Endasphyxie, im Gegensatz zur „Lungenasphyxie" denjenigen Zustand der Gewebe, in welchem dieselben entweder in Folge eines Ueberschusses an Kohlensäure, oder eines Mangels an Sauerstoff den normalen Gaswechsel unvollkommen oder gar nicht ausführen können. Zum Zustandekommen dieser Endasphyxie der Gewebe ist stets eine Alteration des normalen Gasgehaltes des Blutes in den Capillaren nothwendig; es sind also alle diejenigen Fälle ausgeschlossen, in welchen die Alteration der Gewebe das Primäre ist. Die Veränderungen der Gewebe beim Fieber oder der Hyperthermie, bei der Erfrierung und bei der Einwirkung der Anästhetica sind daher nach Ansicht des Verf. von der Endasphyxie zu trennen. Asphyxie ist die Folge der Unterdrückung des normalen Gaswechsels im Blute durch Veränderung der Inspirationsluft, oder durch mechanische Behinderung; wenn nun einerseits die Asphyxie die Endasphyxie stets zur Folge haben muss, so kann andererseits die letztere, die „eigentliche Endasphyxie" auch ohne erstere sich entwickeln in Fällen, wo die primäre Veränderung im Blute oder im Gefässsystem liegt. Sauerstoffmangel kann eintreten bei genügender Zufuhr von Sauerstoff in das Blut, wenn derselbe im Blute selbst verzehrt wird, z. B. durch parasitäre Organismen, oder bei mangelhafter Aufnahme in das Blut, bei Verminderung oder Alteration der rothen Blutkörperchen, Aufhebung der Circulation. Endasphyxie durch Anhäufung der Kohlensäure kann nur in wenigen Fällen angenommen werden; gleichzeitig wird es sich dabei stets um Mangel des Sauerstoffs handeln. Verf. unterscheidet dann ferner eine plötzliche, eine acute und eine chronische Endasphyxie. Bei der plötzlichen Endasphyxie lassen sich zwei Stadien unterscheiden, das erste beginnt mit den ersten Zeichen der inspiratorischen Erregung, das zweite mit der Depression, welche in Stillstand des Herzens übergeht; die acute und chronische Endasphyxie lassen ein Stadium der Erregung und eins der Depression unterscheiden, welches letztere in die Agonie endet.

VI. Entzündung.

1) Horwath, A., Sur l'histoire de la découverte de la migration des globules blancs du sang. Compt. rend. T. 99. No. 26. — 2) Klemensiewicz, R., Karyokinese in den fixen Hornhautzellen bei Entzündung. Centralbl. für die med. Wissenschaften No. 11. — 3) Metschnikoff, Eine neue Entzündungstheorie. (Entzündung und intracelluläre Verdauung.) Allgem. Wiener med. Zeitung. No. 27, 29. — 4) Derselbe, Ueber eine neue Sprosspilzkrankheit der Daphnien. Beitrag zur Lehre über den Kampf der Phagocyten gegen Krankheitserreger. Virchow's Archiv. Bd. 96. S. 177. — 5) Derselbe, Ueber die Beziehung der Phagocyten zu Milzbrandbacillen. Ebendas. Bd. 97. S. 502. — 6) Ortmann, Paul, Experimentelle Untersuchungen über centrale Keratitis. Dissertation. Königsberg. — 7) Straus, J., Revue de Chirurgie. No. 2. Bulletins de la soc. de Biologie. 1883. p. 651. — 8) Jones, Wharton T., Alleged emigration of white blood-corpuscles from the interior of small vessels by boring through their walls. Lancet. 11. Oct.

Horwath (1) macht darauf aufmerksam, dass die Auswanderung der farblosen Blutkörperchen schon lange vor Waller und Cohnheim durch Dutrochet im Jahre 1824 beschrieben sei. Die Beobachtungen des letzteren, welche in dessen „Recherches anatomiques et physiologiques" mitgetheilt sind, wurden am Schwanz der Kaulquappe der Geburtshelferkröte angestellt. Dutrochet schilderte, wie bei der Betrachtung des in den Gefässen circulirenden Blutes einzelne Blutkörperchen das Gefäss verlassen und sich langsam in dem durchscheinenden Gewebe in der Umgebung bewegen, von dessen Granulationen sie dann nicht mehr zu unterscheiden sind. D. hält es nicht für zweifelhaft, dass die letzteren nichts anderes sind, als solche fixirten Blutkörperchen; es werde hierdurch die Rolle, welche diese bei der Ernährung spielen, aufgeklärt; es seien herumirrende Zellen, welche schliesslich fixirt und dadurch den Geweben der Organe zugefügt werden. Der Weg, durch welchen der Austritt geschieht, sei nicht leicht zu bestimmen; möglicherweise besitzen die Gefässe seitliche Oeffnungen, oder die Blutkörperchen gelangten in kleine Gefässchen, in welchen sie stecken bleiben.

Jones (8) wendet sich gegen die, seiner Meinung nach irrige Behauptung von der Auswanderung der farblosen Blutkörperchen in der Entzündung. Die vermeintlichen Blutkörperchen seien lediglich die Kerne der Capillarwand, welche er bereits 1850 in der characteristischen Form beschrieben und abgebildet habe. Die Formveränderungen, welche die weissen Blutkörperchen ausserhalb des Gefässes erleiden, hat J. ebenfalls zuerst beschrieben (1846), innerhalb der Gefässe zeigen sie indess solche nicht, und sie senden auch keine Fortsätze durch die Gefässwand. Alle Versuche des Verf.'s, sich bei Fachmännern von der Auswanderung der farblosen Blutkörperchen zu überzeugen, blieben erfolglos.

Ortmann (6) hat in seiner fleissigen unter Leitung Neumann's gearbeiteten Dissertation Untersuchungen über den Entzündungsprocess an der Cornea von Kaninchen und Ratten in Folge von Impfung mit septischen Stoffen mitgetheilt. Als solche wurde mit Vorliebe peritonitisches Exsudat von Puerperen benutzt; die Impfungen wurden in gewöhnlicher Weise durch Einstich ausgeführt. In den meisten Fällen trat ausser der bekannten Bacterien-Wucherung in den Spalträumen der Cornea von der Impfung aus eine entzündliche Infiltration auf, welche in einer Anhäufung von Rundzellen in den Spalträumen bei gleichzeitiger heftiger Conjunctivitis bestand. Veränderungen der Hornhautkörnchen, abgesehen von den Erscheinungen des Zerfalls in der nächsten Umgebung des Infiltrates, waren nicht vorhanden. Zuweilen blieb jedoch das entzündliche Infiltrat in der Umgebung der Sternfigur der gewucherten Bacterien ganz aus, und zwar führt Verf. dies Ausbleiben auf eine frühzeitig stattgehabte Regeneration des Epithels an der Impfstelle zurück, durch welche nun Einwanderung von Seiten der Conjunctiva her nicht stattfinden konnte. Es schlossen sich dann die Erscheinungen eines Zerfalls der Cornea-Körperchen unmittelbar an die Bacterien-Vegetation an; Rundzellen waren da zwischen gar nicht vorhanden, dagegen liess sich vom Cornealrande her eine fortschreitende Infiltration mit solchen wahrnehmen. Um den Nachweis zu führen, dass in der That die Einwanderung der Rundzellen, welche die Infiltration der Impfstelle bildeten, von dem Conjunctivalsack aus stattfinde, setzte Verf. das eine von beiden inficirten Augen des Kaninchens einer continuirlichen Berieselung mit Kochsalzlösung aus, wodurch das Eintreten einer eiterigen Conjunctivitis ebenso wie des Infiltrates verhindert wurde, während sich die sternförmige Bacterien-Vegetation entwickelte. Von einer activen Betheiligung der Cornea-Körperchen bei der Eiterbildung konnte also nicht die Rede sein.

Klemensiewicz (2) fand, in Uebereinstimmung mit Homèn, jedoch unabhängig von ihm, in der entzündeten Frosch-Cornea nach Aetzung mit Argent. nitr. zahlreiche Hornhautzellen mit zweifellosen karyokinetischen Figuren, besonders an der dem Scleralrande zugekehrten Seite des Eiterringes um den Aetzbezirk. An den Wanderzellen fehlten die Korntheilungsfiguren durchaus. Verf. hält es für zweifellos, dass die durch indirecte Theilung vermehrten Corneazellen ausschliesslich zum Ersatz des zerstörten Gewebes bestimmt sind, während die Wanderzellen nebst dem Plasma nur als „Material" zum Restitutionsprocess dienen.

Metschnikoff (3) studirte bei niederen wirbellosen Thieren Vorgänge, welche er als Analoga der Entzündung höherer Thiere betrachtet. Er benutzte besonders die durchsichtigen Seesternlarven (Bipinnaria asterigera) und Weichthiere mit nicht abgeschlossenem Gefässsystem (Phylliroë), sodann Anneliden (Terebella), und endlich auch, zum Vergleich, Tritonenlarven. Bei den Bipinnarien ist der Raum zwischen Darmkanal und Cutis durch eine glashelle Gallerte mit Fibrillen und beweglichen sternförmigen Zellen, also einem wahren Schleimgewebe erfüllt. Wird in diese Gallerte ein Dorn, oder ein dünnes Glasröhrchen eingestochen, so häufen sich um diese Fremdkörper zahlreiche bewegliche Zellen an; ist der Fremdkörper mit körnigem Farbstoff, Carmin und dergl. beladen, so nehmen die Zellen diese Farbstoffe in sich auf; sie können ferner mit einander verschmelzen, vielkernige Plasmodien, Riesenzellen bilden, Erscheinungen, welche also ganz analog der typischen Entzündungsform der höheren Thiere sich verhalten, abgesehen von der fehlenden Betheiligung des Gefässsystems.

Zwischen den weissen Blutkörperchen und den Bindegewebszellen der Wirbellosen ohne geschlossenes Gefässsystem besteht kein wesentlicher Unterschied: die Gewebszellen, welche vom Blutstrom fortgerissen werden, erscheinen als farblose Blutkörperchen — in der Ruhe strecken sie ihre Pseudopodien aus und werden wieder zu Bindegewebszellen. Wegen ihrer Fähigkeit Fremdkörper zu verzehren, nennt M. diese Zellen Phagocyten.

Ganz in derselben Weise verhalten sich die beweglichen Zellen der Körperräume der Anneliden. Aber auch am Schwanze der Tritonenlarven und der Kaulquappen konnte sich Verf. von der activen Rolle der Phagocyten überzeugen; an den ersteren sah er, dass sich zweifellos die sternförmigen Bindegewebszellen an der Entzündungs-Reaction betheiligten, indem sie ihre Fortsätze einzogen und die fremden Körper verzehrten, während die Rolle der ausgewanderten farblosen Blutkörperchen ganz unbedeutend war. Bei der Kaulquappe war die Auswanderung sehr viel erheblicher, doch betheiligten sich auch hier die Bindegewebszellen an der Entzündung. Uebrigens sah M. entgegen Cohnheim, dass auch bei vollkommener Stase ein Austritt von farblosen Blutkörperchen, also ein activer Vorgang stattfindet. Verf. nimmt nun an, dass zwischen den Phagocyten des Bindegewebes und den Endothelzellen der Gefässwand ein bestimmter organischer Zusammenhang besteht, und dass auch die letzteren, entsprechend den Beobachtungen von Stricker, contractil sind. Während Cohnheim der Ansicht war, dass chemische Veränderungen von der Stelle der Einwirkung eines Trauma oder eines andern Entzündungserregers sich den benachbarten Gefässwandungen mittheilen (z. B. am Rande der Cornea) und auf diese Weise eine Läsion der letzteren mit nachfolgendem Austritt der farblosen Blutkörperchen veranlassen, ist nach M. eine Formveränderung der sternförmigen Zellen der Cornea und eine Contraction der Endothelzellen anzunehmen. M. betrachtet als Bestätigung seiner Theorie u. A. das Verhalten der Gefässe, in welchen Entzündungserreger, welche die Wandung von innen her reizen, circuliren, wie z. B. die Spirillen bei Recurrens. In diesem Falle verlassen die Leucocyten die Gefässe nicht, sondern wenden sich gegen die Entzündungserreger in den Gefässen selbst. Indem der Verf. das Wesen des Entzündungsprocesses als eine besondere Art der intercellulären Verdauung ansieht, ist er der Meinung, dass diese Lehre dem Geiste der Virchow'schen Cellularpathologie vollkommen entspricht, da sie der Lebensthätigkeit der Zellen den ersten Platz einräumt.

In den beiden oben citirten Arbeiten (4, 5) theilt **Metschnikoff** seine Untersuchungen über das gegenseitige Verhalten der „Phagocyten" zu Mikroparasiten mit, als besonderen Fall der intracellulären Verdauung, welche unter Umständen zur Vernichtung der parasitären Krankheitsursache führt. Dadurch werden die Phagocyten zu den Trägern der Heilkräfte der Natur. Bei der vom Verf. zuerst beobachteten Sprosspilzerkrankung der Daphnien werden die Parasiten durch die beweglichen Zellen aufgenommen und getödtet, wenn ihre Zahl nicht bereits zu gross ist. Als Object seiner Untersuchungen bei den höheren Thieren wählte M. die Milzbrand-Infection beim Frosch. Bekanntlich hatte bereits Koch nachgewiesen, dass beim Frosch diese Infection erfolglos bleibt und dass man die Milzbrandbacillen, oft in Form langer spiraliger Fäden in Rundzellen — zweifellos Leucocyten — antrifft. Nach M. handelt es sich auch hier um ein Aufgenommenwerden der ersteren seitens der letzteren, ebenso wie er auch der Ansicht ist, dass die übrigen Mikroparasiten, die Bacillen der Mäuse-Septicämie, die der Tuberculose von Leucocyten, resp. von Riesenzellen gefressen werden Bei der Milzbrand-Infection der Säugethiere, der Meerschweinchen und Kaninchen, scheint dies indess nicht stattzufinden; M. fand aber, dass das abgeschwächte Milzbrandgift sich in dieser Beziehung anders verhält, als das vollkommen virulente, indem die Bacillen des ersteren den Leucocyten nicht mehr Widerstand leisten können. Die Folgerungen, welche M. aus diesem Umstand mit Bezug auf die Immunität durch Impfung zieht, sowie die Details seiner Untersuchungen in parasitologischer Hinsicht sind ausserhalb des Bereiches dieses Referates.

(Wenn der Verf. die von ihm bei niederen Thieren nachgewiesenen, zweifellos sehr interessanten Vorgänge der „intercellulären Verdauung" als Grundlage seiner „neuen Entzündungstheorie" bezeichnet, so sei dem Ref. die Bemerkung gestattet, dass von Seiten mehrerer Pathologen eine ganz ähnliche Auffassung schon seit Jahren vertreten wird. Ref. hat ausdrücklich den reinen Entzündungsvorgang, die Auswanderung der farblosen Blutkörperchen als zweckmässige Einrichtung in dem von M. angegebenen Sinne bezeichnet. Wie weit die Wanderzellen des Blutes und des Bindegewebes der höheren Thiere sich mit den Gewebszellen der wirbellosen decken und wie weit eine Schlussfolgerung von dem Verhalten der letzteren auf die ersteren berechtigt ist, ist noch nicht entschieden.

Zur Entscheidung der Frage, ob Eiterung stets durch Microorganismen oder auch ohne Mitwirkung solcher, z. B. durch stark wirkende, chemische Agentien, Terpentin, Crotonöl u. dergl. hervorgebracht werde, eine Frage, welche bekanntlich durch die Versuche von Uskoff, Orthmann, Councilman in letzterem Sinne entschieden worden war, stellte Straus (7) von Neuem 46 Versuche an Kaninchen, Meerschweinchen, Ratten an, welchen Terpentin, Mischungen von Mandelöl und Crotonöl, heisses Wasser, Quecksilber, ferner feste Körper, Zeug, Hollundermark, Kork u. dgl. unter die Haut gebracht wurde. Die Methode, deren sich St. bediente, um ein Eindringen von Keimen zu verhüten, bestand darin, dass zunächst die Haut des Thieres in grösserer Ausdehnung rasirt, und dann eine Stelle mit dem Paquelin'schen Thermocauter tief gebrannt wurde: durch den entstandenen Schorf wurde sodann mit sorgfältig desinficirtem Messer ein Einstich gemacht und durch diesen vermittelst eines ausgezogenen Glasröhrchens die Flüssigkeit eingeblasen. Sodann wurde die Stichöffnung wiederum durch den Thermocauter verschlossen. Mit Terpentin wurden 18 Versuche gemacht; die eingebrachte Menge betrug ca. 2 g; die Thiere wurden nach 3—20 Tagen getödtet. In 13 Fällen fand St. keine Eiterung, aber eine mehr oder weniger vorgeschrittene Lösung des Gewebes; am häufigsten fand sich etwas trübe, nach Terpentin riechende Flüssigkeit, eine Emulsion von Terpentintröpfchen mit Leucocyten, welche solche Tröpfchen aufgenommen hatten. Dieser Zustand konnte noch nach 15—20 Tagen constatirt werden, wobei der Terpentingeruch immer noch wahrnehmbar war. Das Gewebe hatte in diesen Fällen ein macerirtes Aussehen, erwies sich aber sowohl frisch, als gehärtet als ganz frei von Eiterung und frei von Microorganismen, welche sich auch bei Uebertragung auf Pasteur'sche Kalbsbrühe nicht entwickelten. In 5 Fällen wurde dagegen dicker, gelber Eiter gefunden, der nach Terpentin roch; und in allen diesen Fällen wurden durch Gentianaviolet- oder Methylenblaufärbung sehr zahlreiche Micrococcen gefunden, welche denn auch nach der Uebertragung auf Bouillon sehr lebhaft wucherten.

Die Injection von $1/2$ ccm Ol. crotonis und Mandelöl wurde in 5 Versuchen, und zwar in 4 Fällen ohne das Eintreten von Eiterung gemacht. Das Gewebe war an der Injectionsstelle mit einer Fettemulsion infiltrirt. In dem einen Falle, in welchem Eiterung eintrat, waren durch Färbung Micrococcen und kurze Bacillen nachweisbar.

Einführung von 10 g metall. Quecksilber unter die Haut von 5 Meerschweinchen hatten keine Eiterung zur Folge. Ebenso bewirkten sorgfältig desinficirte Stücke von Zeug, Hollundermark, Kork, sowie Stücke von weissem Phosphor niemals Eiterung. Es trat eine Abkapselung durch eine feste dünne Membran ein; in den Hohlräumen des Hollundermarkes fanden sich zahlreiche eingewanderte Leukocyten; an der Peripherie epitheloide Zellen, andere Zellen von Spindelform u. s. w. Str. unterscheidet demnach phlogogene und pyogene Substanzen; die letzteren sind aber stets durch Bacterien repräsentirt.

VII. Infection. Bacterien.

1) Bouley, H., La nature vivante de la contagion. Contagiosité de la tuberculose. 8. Paris. — 2) Certes, A., De l'action des hautes pressions sur les phénomènes de la putréfaction et sur la vitalité des microorganismes d'eau douce et d'eau de mer. Compt rend T. 99. No. 8. — 3) Colin, G, Recherches expérimentales sur la conservation temporaire des virus dans l'organisme des animaux où ils sont sans action Ibidem. T. 99. No. 18. (Hauptresultate ohne nähere Angaben: Virulente Substanzen können ihre volle Wirkung längere Zeit, 1—2 Wochen. bewahren, wenn sie Thieren beigebracht werden, welchen sie selbst unschädlich sind; auf andere empfindliche Thiere übertragen, können sie dann ihre Wirkung ungeschwächt entfalten. Unter Umständen können die Zwischenträger durch das Virus in ganz heterogener Weise afficirt werden, und dennoch als passive Vermittler der Infection wirken) — 4) Dowdeswell, G F, Report on experimental investigations on the intimate nature of the contagium in certain acute infection diseases. Brit. med. Journ. July 19. — 5) Flügge, C., Sind die von Zopf in seinem Handbuch über die Spaltpilze gelehrten Anschauungen vereinbar mit den Ergebnissen der neueren Forschungen über Infectionskrankheiten? Deutsche med. Wochenschrift. No. 46. (Es handelt sich um die Streitfrage der Specificität und Nichtspecificität der Bacterienformen, resp. um die Constanz oder Inconstanz derselben. Fl. spricht sich gegen den von Zopf eingenommenen Standpunkt aus, wonach Uebergangsformen zwischen Coccen, Stäbchen und anderen Formen innerhalb derselben Art vorkommen) — 6) Frank, E, Ueber das Verhalten von Infectionsstoffen gegenüber den Verdauungssäften. Ebendas. No. 20. — 7) Gasparini, L., Contributo allo studio dei virus. Parallelo fra il virus tifoso ed il difterico. Gazzetta medico ital. lomb No. 23 (Verf. sucht diesen vermeintlichen Parallelismus sowohl durch ätiologische oder symptomatologische und anatomische Thatsachen, als auch durch die günstige Wirkung der gleichartigen Behandlung zu begründen) — 8) Klein, E., Micro-Organisms and Disease. With 108 Engr. 12. London. — 9) Klepetar, Meine Ansichten über die Infectionskrankheiten und namentlich über die noch räthselhafte Immunität. Allgemeine Wiener med. Zeitung. No. 27, 28. (Ganz willkürliche Annahme, dass die Mikroorganismen sich in bestimmten Drüsen ansiedeln, welche ihnen die nothwendigen Nahrungsstoffe liefern, und dann durch die Eindringlinge zerstört und für später unbrauchbar werden.) — 10) Neelsen, F., Wie lassen sich die klinischen Begriffe „Sephthaemie" und „Pyämie" den neueren Erscheinungen der Pathologie adaptiren? Arch. f. klin. Chir. XXX. 4. — 11) Perroncito, E., Trasmissione del carbonchio col mezzo delle vie digerenti. Arch. per le science med. VII. No. 21. — 12) Schütz, J, Zur Lehre der acuten Infectionskrankheiten. Prager med. Wochenschrift. IX. 27. (Unterscheidung allgemeiner und localer Infectionskrankheiten; zu letzteren will S. auch Diphtheritis und Cholera rechnen.)

Dowdeswell (4) berichtet über Versuche. welche er seit einer Reihe von Jahren über Davaine's Septicaemie bei Kaninchen und Pasteur's Septicaemie bei Meerschweinchen angestellt hat. Die erstere wurde in der Weise hervorgerufen, dass einige Tropfen (in der Regel fünf) faules Rinderblut (am besten vom 5. bis 10. Tage besonders im Sommer; nach längerer Dauer der Fäulniss verlor sich die Wirksamkeit) unter die Rückenhaut eines Kaninchens eingespritzt wurden. Trat die Infection ein. was meist der Fall war so erfolgte der Tod unter characteristischen Symptomen nach etwa 40 Stunden. Besondere Organveränderungen waren nicht vorhanden; die Fäulniss trat sehr schnell nach dem Tode ein. Ein Tropfen des frischen Blutes hatte den Tod eines zweiten Kaninchens zur Folge; ein Tropfen Blut des letzteren hatte in einer Verdünnung auf das 10 bis 100 bis 1000 bis 10000 und 100000fache noch tödtliche Wirkung innerhalb 24—27 Stunden. So wurde die Infection bis zur 6. Generation fortgesetzt; von dieser wurde ein Tropfen Blut bis auf das 100 Millionenfache verdünnt; eine tödtliche Infection trat noch mit einem Tropfen der 10 millionenfachen Verdünnung ein. während ein Tropfen der 100 millionenfachen Verdünnung nur einen Abscess hervorrief; in anderen Fällen trat auch bei der 100 millionenfachen Verdünnung tödtliche Infection ein. darüber hinaus war der Erfolg unsicher. Es findet indess weder eine Zunahme der Infectiosität mit den Generationen statt, wie Davaine annahm. nach einer Abkürzung der Incubationsdauer, wie Coze und Feltz glaubten.

Das Blut enthielt in allen Fällen in grossen Mengen kleine meist zu zweien zusammenhängende kurze Stäbchen.

Pasteur's Septicaemie bei Meerschweinchen wurde durch Injection einiger Tropfen faulen Blutes. oder auch verdünnten Ammoniaks in die Bauchhöhle erhalten. Von der serösen Flüssigkeit aus der Bauchhöhle oder den Bauchdecken (welche zahlreiche Bacillen enthielt). wurden eine kleine Quantität (0.05 bis 0,022 ccm) in die Bauchhöhle eines zweiten Thieres eingespritzt, worauf der Tod eintrat, während bereits der zehnte Theil dieser Menge unwirksam war. Die Infectiosität ist demnach bei dieser Form sehr viel geringer, als bei jener. Der Bacillus, welcher sich in der Oedemflüssigkeit findet. ähnelt dem Milzbrand- und Heubacillus und ist identisch mit dem Koch'schen Bacillus des malignen Oedems. Derselbe bildet bereits in den Geweben des lebenden Körpers zahlreiche Sporen. was der Bacillus anthracis bekanntlich nicht thut.

Dowdeswell untersuchte ferner die Frage nach dem etwaigen Vorkommen der Keime jener beiden Bacterienformen im Körper der gesunden lebenden Thiere. zunächst mit Rücksicht auf die Behauptung Rosenberger's. dass nach der Injection der sorgfältig sterilisirten Extracte septicämischen Blutes in dem Blute der Thiere wieder dieselben Bacterienformen auftreten sollen, dass es sich also um eine Entwickelung der vorhandenen Keime auf Grund der septischen Vergiftung handeln müsse. D. stellte den Versuch in verschiedener Weise an. indem er zuerst das Blut eines septisch gestorbenen Meerschweinchens nach Verdünnung und Zusatz von 1 pCt. Kali carb. in luftleeren Glasröhren auffing. diese dann in Salzlösung kochte und nach Abschmelzung der Spitzen noch eine Stunde auf 140° erhitzte. Die Infection von 1 ccm dieser Flüssigkeit war erfolglos.

Mehrere Versuche derselben Art wurden mit dem Septicaemieblut der Kaninchen angestellt. in zwei Fällen ohne inficirende Wirkung; in einem dritten Falle dagegen, in welchem das Blut im Glasrohr auf 120 ° erhitzt worden war, trat der Tod an Septicaemie dennoch ein. Es wurden daher die Versuche nochmals in der Weise wiederholt, dass das Blut in Glaspipetten mit ausgezogener Spitze aufgefangen wurde, welche sodann 6 Stunden hindurch auf 100 °, dann noch eine Stunde lang auf 130 ° erhitzt wurden. Die Injection von 0,6 resp. 1,1 ccm von dem so behandelten Blute hatte keinen Erfolg mehr; die Thiere blieben gesund und es erschienen auch keine Micro-Organismen in ihrem Blute.

Sodann stellte Verf. einige Versuche mit Papaiin (Papayotin) an, mit Rücksicht auf die bekannte Behauptung Rossbach's, dass nach der Injection dieser Substanz im Blute der lebenden Thiere massenhafte Microorganismen auftreten. Zunächst betont Verf. mit Recht, dass das Papayotin keine reine Substanz ist, sondern in der Wärme in gelöstem Zustande sehr bald Bacillen in grosser Anzahl entwickelt. Ein Cubikcentimeter einer 10 proc. Lösung, welche mit antiseptischen Cautelen bereitetet war, wurde einem Kaninchen in die V. jugularis injicirt; nach 50 Minuten trat der Tod ein; es fanden sich aber im Blut, weder durch Färbung, noch durch Probeimpfung auf Nährflüssigkeiten, Mikroorganismen. Ein zweiter Versuch hatte denselben Erfolg. (Verf. constatirte eine starke Vermehrung der Blutplättchen.)

Dowdeswell tödtete endlich ein Kaninchen und ein Meerschweinchen durch Erstickung und legte die getödteten Thiere in den Brutkasten. Nach 24 Stunden war starke Auftreibung durch Gas und vorgeschrittene Fäulniss eingetreten. Im Blut des Herzens und der anderen Organe des Kaninchens befanden sich lediglich nicht besonders zahlreiche Bacillen, ähnlich denen des malignen Oedems, keine Spur des Davaine-schen Organismus. Auch beim Meerschweinchen fand sich derselbe Bacillus. Bemerkenswerth ist die Abwesenheit von Bacterium Termo, welches in faulendem Blut in der Wärme sonst sofort auftritt.

Verf. berichtet schliesslich über die Ergebnisse seiner Culturen der beiden fraglichen Bacterienformen (doch ohne Anwendung fester Nährböden); bemerkenswerth ist die Beobachtung, dass die Bacillen der Pasteur'schen Septicaemie in luftleeren Glasröhren mit Nährflüssigkeit lebhaft Sporen bildeten. — Während er den Organismus der Davaine'schen Septicaemie zweifellos für die Ursache der letzteren hält, ist ihm dies bei der Pasteur'schen Septicaemie zweifelhaft, da die infectiöse Wirkung des Serum bei Anwendung von weniger als 0,01 ccm ausblieb, obwohl eine Unmasse von Bacillen in diesem Quantum Flüssigkeit vorhanden sein mussten. Er ist geneigt, hier der toxischen Wirkung eine gewisse Rolle zuzuschreiben.

Neelsen (10) ist der Ansicht, dass die sog. Sephthaemie des Menschen keine reine „Mykose" ist, wie z. B. die Pasteur'sche (richtiger Davaine's) Septicaemie des Kaninchens, sondern dass sie eine Combination verschiedener Processe darstellt, der Entzündung am Orte der Infection, der Allgemeininfection durch Wucherung von Microorganismen und der Vergiftung durch Fäulnissprodukte. Die letztere, die putride Intoxication, ist am genauesten bekannt, wenn auch die einzelnen dieselbe hervorrufenden Stoffe noch nicht hinreichend erforscht sind. Die Wucherung der Microorganismen im Blute, welche in der Regel den acuten Mycosen der Thiere gleichgestellt wird, unterscheidet sich doch wesentlich insofern von den letzteren, als man beim Menschen im Leben thatsächlich nur sehr spärliche Microorganismen vorfindet. Dass sie vorhanden sind, davon kann man sich an frischen Organ- (besonders Lungen-) stücken durch mehrstündige Aufbewahrung bei Körpertemperatur überzeugen; jeder der spärlich vorhandenen Keime liefert denn die bekannten intracapillaren Wucherungen. Metastatische Herde, Entzündungserscheinungen an der primären Infectionsstelle brauchen nicht vorhanden zu sein, obwohl sie selten fehlen. Bei der geringen Zahl der Microorganismen ist anzunehmen, dass die tödtliche Allgemeininfection durch ein lösliches von jenen abgesondertes Gift eintritt, noch ehe eine stärkere Wucherung jener zu Stande kommen kann („Toxische Mykosen"). Die Giftstoffe selbst, welche den einzelnen Formen zukommen, sind noch darzustellen. Die Zahl der Entzündung und Eiterung erregenden Microorganismen ist eine sehr grosse; dieselben können je nach den anatomischen Verhältnissen in sehr verschiedener Weise zur Wirkung kommen; für die Formen der metastasirenden Eiterungen, also die eigentliche Pyämie postulirt der Verf. aber specifische Erreger. Allerdings können auch andere pyogene Organismen Metastasenbildung bedingen (Sephthämie mit lymphatischen oder phlebitischen Metastasen), die wahre Pyämie ist aber auch eine specifische Krankheit sui generis, welche zu ihrer Entwicklung einer Verwundung oder einer schon bestehenden Eiterung nicht bedarf, aber auch als Complication zu allen Formen der Wundinfectionskrankheiten hinzutreten kann.

Frank (6) beschäftigte sich ebenso wie Falk (s. d. Ber. f. 1883. I., 236) mit der wichtigen Frage, wie sich Infectionsstoffe gegenüber den Verdauungssäften verhalten. Erstens stellte er einen wässerigen Aufguss tuberculöser Menschenlunge her, welcher eine grosse Menge Tuberkelbacillen enthielt. Dieser Aufguss wurde in verschiedenen Portionen mit Pepsin 1 : 1000, Pepsin (1 : 2000) und Salzsäure (0,05—01 pCt.), mit Salzsäure allein und mit 0,3 pCt. Galle versetzt, sodann 1—6 Stunden im Brutkasten aufbewahrt und Kaninchen in Mengen von 5—8 ccm in die Bauchhöhle injicirt. Alle Thiere, welche nicht an intercurrenten Erkrankungen starben, zeigten nach 6 Wochen ohne Unterschied ausgebildete Tuberculose. Dasselbe Resultat ergab eine zweite Versuchsreihe mit etwas stärker concentrirter Salzsäure (circa 0,3 pCt.). Die Infectionsfähigkeit der Flüssigkeit wurde also durch die Verdauungssäfte nicht aufgehoben. Zweitens wurde frisches Blut oder Milzsubstanz vom Milzbrand (3—4 Tropfen Blut mit 10 ccm Wasser) in der gleichen Weise behandelt. Das mit Pepsin versetzte Material tödtete die Versuchsthiere binnen 24 Stunden, die Galle enthaltende Flüssigkeit erst nach 2½ bis 4½ Tagen; dagegen blieb die mit Salzsäure oder mit Pepsin und Salzsäure behandelte Flüssigkeit wirkungslos. In einer zweiten Versuchsreihe war das mit 0.12 pCt. Salzsäure versetzte Milzbrandmaterial nach einer Stunde noch virulent, nach 6 Stunden dagegen wirkungslos; Zusatz von 1,5 : 1000 Pepsin und 0,06 pCt. Salzsäure reichte hin, um die Infectiosität in einer Stunde aufzuheben,

Perroncito (11) kommt auf Grund einer Reihe von Experimenten an Meerschweinchen und weissen Mäusen zu dem Schluss, dass 1. Milzbrandinfection durch die Verdauungswege leichter vermittelst der Sporen als der Bacillen hervorgebracht wird; 2. dass einzelne der letzteren vielleicht den Magen passiren können und sodann an Darmstellen, welche des Epithels beraubt sind, eindringen; 3. dass der sogenannte spontane Milzbrand hauptsächlich durch die Verdauungswege, und zwar durch Vermittelung von Sporen, entsteht; 4. dass auch die Sporen, um die Infection hervorzurufen, dss Epithels beraubte Stellen der Darmschleimhaut treffen müssen.

Certes (2) untersuchte das Verhalten der Fäulnissprocesse unter Anwendung eines sehr hohen Druckes, indem er Vegetabilien mit Meerwasser in dem Apparat von Cailletet längere Zeit unter 350 bis 500 Atmosphären conservirte. Es zeigte sich, dass Fäulniss und Entwickelung von Microorganismen unter diesem Druck (bei gewöhnlicher Temperatur) ebenfalls von Statten geht. Die Dauer eines Versuches, in welchem es zur vollständigen Zersetzung der benutzten Vegetabilien kam, betrug 42 Tage. Die erhaltene Flüssigkeit unterschied sich allerdings in gewisser Weise von der Controlsubstanz, in welcher die Zersetzung bei gewöhnlichem Druck stattgefunden hatte. Sie reagirte sauer, während die letztere alkalisch war, sie war geruchlos, während diese ekelerregend roch. Die sehr zahlreichen Microben der beiden Infuse waren unter einander verschieden. Höher stehende Organismen, wie Infusorien, selbst Räderthierchen, blieben 24—72 Stunden unter dem angegebenen Drucke am Leben; ihr Absterben hing vermuthlich mit dem Sauerstoffmangel zusammen, wenigstens konnten in einer Infusion mit reichlicher Luft Infusorien noch nach 21 Tagen bei 350 Atmosphären lebend gefunden werden. Von Interesse ist, dass Milzbrandblut nach 24 stündiger Einwirkung von 600 Atmosphärendruck seine Virulenz noch vollständig besass.

Tuberculose.

1) Arloing, S., Nouvelles experiences comparatives sur l'inoculabilité de la scrofule et de la tuberculose de l'homme au lapins et au cobaye. Compt. rend. T. 99. No. 16. Lyon méd. No. 44. — 2) Benda, C., Untersuchungen über Miliartuberculose. Berl. klin. Wochenschr. No. 12. — 3) Chauffard, A. et A. Gombault, Etude expérimentale sur la virulence tuberculeuse de certains épanchements de la plèvre et du péritoine. Gaz. hebd. No. 35. — 4) Verchère, F., Des portes d'entrée de la tuberculose. Thèse de Paris. 126 pp. — 5) Wargunin, W., Ueber die bei Hunden durch Inhalation der Sputa phthisischer Individuen und anderer organischer Substanzen erzeugten Lungenerkrankungen. Virchow's Archiv. Bd. 96. S. 366.

Wargunin (5) hat noch vor dem Bekanntwerden der Koch'schen Entdeckungen eine Anzahl Versuche über die Wirkung inhalirter zerstäubter Substanzen auf die Lungen von Hunden angestellt.

Die Thiere wurden in geräumigen Holzkästen der mit dem Dampfpulverisator zerstäubten Flüssigkeit ausgesetzt. Der Apparat befand sich ausserhalb des Kastens, um die Temperatur in demselben nicht zu sehr zu steigern. Die zu zerstäubende Flüssigkeit wurde mit verschiedenen Substanzen präparirt, mit Sputum von Schwindsüchtigen, dem eines Emphysematikers, mit Schweizerkäse und mit Weizenmehl. Die Hunde, welche nach einer gewissen Zahl von Einathmungen (20 und mehr, in einigen Versuchen weniger) längere Zeit zurückgestellt wurden, blieben bis zur Tödtung auf dem Lande in guter Luft und Pflege. Die Versuche zerfallen in drei Kategorien; die ersten elf wurden mit dem Sputum von Phthisikern ausgeführt.

Der Sectionsbefund war bei allen Thieren, welche nach 40—78 Tagen getödtet wurden, ohne Ausnahme der nämliche: die Lungen zeigten macroscopisch das Bild der acuten Miliartuberculose: äusserst zahlreiche blassgraue Knötchen, welche mit einem emphysematösen Hof umgeben waren: die übrigen Organe waren normal. Nur bei zwei Thieren, welche erst am 111. resp. am 207. Tage getödtet wurden, fanden sich die Knötchen nicht. Verf. ist der Ansicht, dass diese Thiere bereits geheilt waren.

Gegenüber diesen Versuchsresultaten war es auffallend, dass auch die Inhalationen zerstäubter, sorgfältig durch 3 maliges Aufkochen und Zusatz von 2 proc. Carbolsäure desinficirter Sputa von Phthisikern bei einem der drei benutzten Versuchsthiere genau dieselbe Wirkung hervorbrachten; dieser Hund war am 24. Tage nach Beginn des Versuches getödtet, die beiden übrigen bereits am 18. resp. 20 Tage. Verf. hält die Kürze der Zeit in diesen beiden Fällen für die Ursache des negativen Befundes. Die Möglichkeit wäre allerdings auch vorhanden, dass bei dem einen Versuche die Desinfection der Sputa nicht hinreichend gewirkt hätte. In der 3. Versuchsreihe wurden zur Inhalation die oben erwähnten Substanzen benutzt, wobei sorgfältig auf eine Befreiung von gröberen Partikeln durch Filtration geachtet wurde. Bei einem Thier, welches zerstäubtes Sputum eines Emphysematikers mit Bronchialcatarrh (ohne Sectionsbefund) einathmete, fanden sich nach 64 Tagen genau dieselben Knötchen in den Lungen, bei zwei Thieren, welche Käse-Emulsion erhielten, ebenfalls, während sie bei einem dritten fehlten. Von zwei Thieren, welche Weizenmehl mit kaltem Wasser verrührt, inhalirten, hatte das eine bei der Section mohnkorn- bis hanfkorngrosse Knötchen in der Lunge, das andere, welches erst nach 150 Tagen getödtet wurde, war normal. Bei der microscopischen Untersuchung erwiesen sich die Knötchen in allen Fällen von sehr übereinstimmendem Bau, und zwar als Gruppen von infiltrirten Alveolen, in deren Mitte häufig ein gefüllter Bronchus vorhanden war. Die Füllungsmasse der Alveolen wird durch gequollenes und desquamirtes Epithel gebildet, während die Wandung der Alveolen sich durch Wucherung ihrer zelligen Elemente verdickt; in der Mitte des Knötchens entsteht endlich ein compactes Gewebe, in welchem die Grenzen der Alveolen nicht mehr deutlich erkennbar sind. Die Erkrankung beginnt in den Bronchialwandungen, und schreitet von hier auf die Alveolen fort. Der Verf. hält diesen Befund nicht für beweisend für das Vorhandensein von Tuberculose, weil das wichtigste dabei fehle — der Tuberkel selbst. Damit stimmt auch der klinische Verlauf und der Ausgang der Erkrankung überein.

In keinem Falle, auch nicht in der ersten Versuchsreihe, zeigte sich ein zerstörender Process, der das Allgemeinbefinden der Thiere schädigte; es handelt sich daher nicht um Tuberculose, sondern um eine lobuläre Bronchopneumonie, welche als Folge der mechanischen Reizung durch die fein vertheilten Fremdkörper aufzufassen ist.

Auch eine nachträglich vorgenommene Untersuchung der Lungenknötchen von drei Hunden auf Bacillen war ohne Erfolg. Verf. gesteht, dass er durch die Koch'sche Entdeckung sehr überrascht gewesen ist, da die Resultate seiner Forschungen im diametralen Gegensatz zu derselben stehen. (In der Beurtheilung des anatomischen Befundes legt der Verf. nach Ansicht des Ref. zu grossen Werth auf die histologischen Charactere des „miliaren Tuberkels"; wenn man aus der menschlichen Miliartuberculose der Lunge alles das wegstreichen wollte, was diesem letzteren Begriff nicht entspricht, so würde wohl nicht die Hälfte der Fälle übrig bleiben. Auch das relativ gutartige klinische Verhalten der Thiere dürfte keineswegs gegen die Auffassung der Erkrankung als Tuberculose sprechen; es ist wohl möglich, dass diese Affection beim Hunde milder zu verlaufen pflegt. Dass auch durch locale Wirkung gutartiger feinzertheilter Fremdkörper ganz ähnliche Knötchen hervorgebracht werden können, ist wohl unbestreitbar; möglich, dass die Tuberkelbacillen bei Hunden bei der Inhalation überhaupt keine specifische Wirkung entfalten, dass also die Knötchen thatsächlich nur auf die gleichzeitig mitinhalirten Fremdkörperchen zurückzuführen sind. Dann würde der Hund sich eben nicht zur Entscheidung der Frage eignen, ob eine Infection durch Inhalation möglich ist, oder nicht.)

Benda (2) hat auf Schnitten in Blutgerinnseln mehrerer Venen in der Umgebung eines grossen käsigen Nierenheerdes, und ferner in den Glomerulusschlingen im Innern derartiger Heerde Bacillenhaufen gefunden, welche also auf ein embolisches Eindringen schliessen lassen. (Seitdem sind bekanntlich von mehreren Seiten auch Befunde von Bacillen im circulirenden Blute bei acuter Miliartuberculose gefunden.) Die Folgerungen, welche B. aus seinen immerhin interessanten Befunden ableitet, denen er den Character einer besonderen Neuheit zu vindiciren scheint, können auf diesen wohl kaum Anspruch machen. Der Name „Bacillaemie", welchen B. für die acute Miliartuberculose vorschlägt, würde nach Ansicht des Ref. keine Verbesserung sein, da er ebenso gut auch auf den Milzbrand und viele andere Krankheiten passen würde.

Chauffard und Gombault (3) prüften die Infectiosität frischer Punktionsflüssigkeiten der Pleura, indem sie dieselben mit allen Vorsichtsmassregeln Meerschweinchen in die Bauchhöhle spritzten. In 23 Versuchen, welche mit 21 verschiedenen Flüssigkeiten angestellt wurden, waren 4 ohne Resultat, da die Thiere zu schnell starben, 9 waren negativ, d. h. ohne Spur von tuberculöser Erkrankung bei der Untersuchung nach 3—4 Monaten, in 10 Fällen bestand dagegen eine ausgebreitete Tuberculose der Unterleibsorgane. In allen positiven Fällen wurden auch Bacillen in den erkrankten Theilen der Versuchsthiere gefunden. Die Flüssigkeiten, deren Einimpfung positive Resultate ergaben, stammten auch von Individuen mit positiv oder als wahrscheinlich nachgewiesener Tuberculose, während diese in den übrigen Fällen wenig wahrscheinlich, oder mit Sicherheit auszuschliessen war. Die Flüssigkeiten waren entweder serös, oder sero-fibrinös, oder eiterig.

Verchère (4) liefert eine ausführliche Darstellung der verschiedenen Möglichkeiten der tuberculösen Infection mit zahlreichen casuistischen Belegen, welche theilweise auf eigner Beobachtung beruhen. Er hält eine directe Uebertragung der Bacillen durch cutane Impfung (Leichentuberkel, mit mehreren Beispielen) durch Einathmung, von Seiten der Genitalien und des Darmes für erwiesen, ausserdem aber ein Eindringen von Sporen aus der Luft in die Hautdrüsen, die Mammae, in oberflächliche scrophulöse Hautaffectionen und in die Luftwege. Besonderes Gewicht legt er auf die frühzeitige Erkrankung der Drüsen, von einer jener Eingangspforten aus. Der Infectionsstoff kann hier, ebenso wie in den primären Affecten lange Zeit localisirt bleiben und zwar entweder in Gestalt von Sporen oder in der ausgebildeten Form; von hier aus kann eine allgemeine Verbreitung des Virus und zwar dann in Gestalt von Bacillen stattfinden. — Eine häufige Gelegenheitsursache einer solchen Generalisation sind Traumen, durch welche namentlich Gelenkaffectionen, kalte Abscesse etc., oft lange Zeit nach der ersten Infection gelegentlich herbeigefürt werden.

Arloing (1) nimmt auf Grund einer Anzahl von Impfversuchen eine gewisse Verschiedenheit zwischen dem scrophulösen und dem tuberculösen Gift an; entweder handelt es sich um differente aber verwandte Schädlichkeiten oder um eine einzige, deren Wirksamkeit jedoch in der Scrophulose in abgeschwächter Form vorliegt. Kaninchen und Meerschweinchen verhalten sich gegen das scrophulöse Virus verschieden, während beide in gleicher Weise durch ächte Tuberculose (der Lungen und der serösen Häute) inficirt werden. Zehn Kaninchen, welchen zwei Tropfen des Saftes aus scrophulösen Drüsen unter die Haut injicirt wurden, blieben ganz frei von Tuberculose, während zehn Meerschweinchen bei der gleichen Behandlung allgemeine Tuberculose darboten. Dasselbe war der Fall bei der peritonealen Impfung. Nach Impfung mit fungösen Gelenkgranulationen erkrankten beide gleichmässig; in einem Falle, wo nach der Infection mit scheinbar scrophulösen Drüsen die Kaninchen ebenfalls tuberculös wurden, erwies sich das Material nachträglich als tuberculös, indem die Trägerin der Drüsen an acuter Tuberculose noch wenigen Wochen starb.

VIII. Fieber, Körperwärme.

1) Tait, Lawson, Two instances of remarkable elevation of temperature. Lancet. July. — 2) Moore, Withers, On the production of heat in fever. Brit. med. Journ. Febr. 9. (In einem Falle von schwerer perni-

ciöser Anämie, welche auch dadurch bemerkenswerth war, dass Arsenik in kleinen Dosen schnelle Heilung brachte, sucht Verf. vergeblich nach einer Erklärung für das ziemlich hohe Fieber, welches zeitweise bis auf 41° stieg. Dem enormen Zerfall von rothen Blutkörperchen stand ein niedriges specifisches Gewicht und geringer Harnstoffgehalt des Urins gegenüber, während M. eine erhebliche Steigerung der N-Ausscheidung erwartete.) — 3) Musser, J. H., On paroxysmal fever — not malarial. Philad. med. and surg. report. Vol. 50. No. 25. (Mittheilung mehrerer Fälle, welche die nicht neue Behauptung beweisen sollen, dass irreguläre Fieberparoxysmen bei verschiedenen Krankheiten vorkommen, welche mit Malaria nichts zu thun haben.) — 4) Naunyn, B., Kritisches und Experimentelles zur Lehre vom Fieber und von der Kaltwasserbehandlung. Archiv f. experim. Pathol. XVIII. S. 49. — 5) Reinhard, C., Zur Casuistik der niedrigsten subnormalen Körpertemperaturen beim Menschen, nebst einigen Bemerkungen über Wärmeregulirung. Berliner klin. Wochenschr. No. 34. — 6) Voit und Simanowsky, Ueber den Einfluss künstlich erhöhter Körpertemperatur auf die Eiweisszersetzung. Sitzungsber. der math.-phys. Cl. der Academie zu München. S. 226. — 7) Wetzel, Alois, Ueber den Blutdruck im Fieber. Zeitschr. f. klin. Medicin. Bd. V. S. 322. — 8) White, W. Hale, The theory of a heat centre from a clinical point of view. Guy's Hosp. Rep. XXVII.

Naunyn (4) unterzieht in seiner umfangreichen Arbeit über Fieber und Kaltwasserbehandlung zunächst die Wirkungen der Temperatursteigerung auf den Körper einer eingehenden Betrachtung. Mit Bezug auf die einfache Ueberhitzung des Körpers durch Erhöhung der Aussentemperatur kam N. in seinen Versuchen an Thieren zu etwas anderen Resultaten, als frühere Beobachter (mit Ausnahme von Rosenthal). Es gelang ihm, Kaninchen bei einer Steigerung der äusseren Temperatur auf 35—40° C, wobei die Eigenwärme auf 41,5—42. selbst 43° C. stieg, bis zu 13 Tagen am Leben zu erhalten, ohne dass Krankheitserscheinungen auftraten (länger wurde der Versuch nicht fortgesetzt). Indess war dies nur bei Anwendung gewisser Vorsichtsmassregeln (feuchtes Futter, gute Ventilation) möglich; andernfalls starben die Thiere leicht. Häufig trat aber auch bei kräftigen Thieren der Tod frühzeitig ein, nachdem die Temperatur schnell auf 43—45° gestiegen war. N. nimmt an, dass die Ursache des Todes in solchen Fällen Wärmestarre der Muskeln ist. Am meisten analog mit der künstlichen Ueberhitzung sind die Verhältnisse beim Hitzschlag; indess treten hier in vielen Fällen Krankheitserscheinungen schon bei verhältnissmässig geringer Erhöhung der Eigenwärme auf; möglich. dass hierbei die Wasserentziehung, vielleicht auch „die Säuerung der Organe" eine Rolle spielt. Auch die agonalen Temperatursteigerungen nehmen eine besondere Stellung ein und sind jedenfalls nicht auf gleiche Stufe mit den gewöhnlichen fieberhaften Erhöhungen der Temperatur zu setzen.

Bei den fieberhaften Erkrankungen, bei welchen im Allgemeinen die Temperatur als Massstab für die Schwere der Krankheit angesehen werden kann, wenn auch nicht ganz sicher, ist demnach die Ueberhitzung nicht ohne Weiteres für die Gefahren, welche die Krankheit mit sich bringt, verantwortlich zu machen, wie namentlich die Erfahrungen bei Febris recurrens zeigen. Auch beim Typhus abdominalis verlaufen anhaltende hohe Temperatursteigerungen nicht selten ohne erhebliche Functionsstörungen, während andererseits schwere, letal endende Fälle nicht selten nur mässige Temperaturen zeigen. Das Hauptgewicht ist offenbar auf den Grad der Infection zu legen. Auch beim Typhus exanthematicus ist oft in schweren Fällen die Temperatur nicht besonders hoch. Bei der Pneumonie sieht N. im Gegensatz zu Jürgensen die Hauptgefahr nicht in der Temperatursteigerung; er glaubt vielmehr in schweren, tödtlich endenden Fällen eine schnell zu Stande kommende Infection durch Resorption des infectiösen Alveolen-Inhaltes annehmen zu müssen.

Was die Steigerung des Stoffwechsels im Fieber betrifft, so hat zwar N. u. A. eine Vermehrung der Harnstoffausscheidung bei der Ueberhitzung bis zu 50° constatirt, doch ist er selbst der Ansicht, dass der Ueberhitzung als solcher nur ein geringer Bruchtheil der Gesammtsteigerung des Stoffwechsels zur Last zu legen ist.

Zweifellos deckt sich der Begriff des Fiebers nicht einfach mit der Temperatursteigerung, wenn auch diese als das wichtigste Symptom des Fiebers zu betrachten ist; oder es müsste, was vielleicht zweckmässiger wäre, der Begriff des Fiebers wesentlich eingeschränkt und lediglich auf diejenigen Erscheinungen reducirt werden, welche nachweislich von der Temperatursteigerung als solcher abhängen (Dyspnoe. Steigerung der Pulsfrequenz).

Von den Störungen des Stoffwechsels, welche auf das Fieber in diesem Sinne zu beziehen sind, ist allein die Kohlensäure-Verarmung des venösen Blutes, welche auf eine verminderte Alkalescenz hindeutet, erwiesen. Bei der Verminderung der rothen Blutkörperchen in fieberhaften Krankheiten spielen jedenfalls noch andere Momente mit, als das Fieber allein.

Unter den Störungen der Secretion ist es hauptsächlich die Steigerung der Harnstoffausscheidung, welche auf das Fieber zurückgeführt wird, am allerklarsten in Gestalt der epikritischen Harnstoffvermehrung (in einem von N. mitgetheilten Falle betrug die Menge des täglich ausgeschiedenen Harnstoffs nach dem Temperaturabfall [bei exanthematischem Typhus] bis zu 90 g, vorher 15 g). Hierbei können indess verschiedene Momente in Betracht kommen, namentlich eine Zurückhaltung des Harnstoffes während der fieberhaften Periode, doch konnte sich N. von einer Harnstoffanhäufung in den Organen fieberhafter Kranker nicht überzeugen. Andererseits ist eine nachträgliche Harnstoffbildung aus den während des Fiebers zerfallenen Eiweisskörpern denkbar. Unregelmässigkeiten der Ausscheidung hängen ferner von der Verschiedenheit der Nahrungsaufnahme, der Wasserausscheidung ab. Eine Anhäufung giftig wirkender Substanzen als Folge der zersetzten Krankheitsproducte, namentlich von kohlensaurem Ammoniak im Blute fieberhafter Kranker konnte N. in einer früher angestellten Versuchsreihe nicht nachweisen. Was die Entstehung von Circulationsstörungen im Fieber anlangt, so ist vorläufig nicht sicher bekannt, ob und wie das Fieber Herzschwäche macht, was bekanntlich vielfach angenommen wird. Die Gefahr der Wärmestarre des Herzens tritt erst ein, wenn die Temperatur, z. B. in Folge künstlicher Ueberhitzung, 43° übersteigt. Bezüglich des Verhaltens der Gefässe ist nur die Erweiterung der kleinen Gefässe an der Peripherie des Körpers bekannt; die Vertheilung der Blutmasse ist im Fieber abweichend von dem normalen Verhalten. Aus den vorstehenden Erörterungen geht bereits zur Genüge hervor, dass die günstige Wirkung der Kaltwasserbehandlung der Hauptsache nach nicht auf der Verminderung der Ueberhitzung beruht. Das gilt allein für die Fälle von Hitzschlag und analoger perniciöser Temperatursteigerung, wo die Abkühlung eben das Haupterforderniss ist. Als directe Folge der Temperatur-Herabsetzung bei fieberhaften Kranken ist mit Wahrscheinlichkeit nur die Verminderung des Körperconsums und die Vermehrung der Diurese zu betrachten. Die günstige Wirkung auf das Sensorium und auf das Verhalten der Circulation ist der Hauptsache nach der Kältewirkung auf die Gefässe und dem Hautreiz zuzuschreiben. Diesen Anschauungen entsprechen die Regeln, welche N. zum Schlusse über die Ausführung der Kaltwasserbehandlung besonders beim Typhus hinzufügt. Dieselben können hier nicht weiter besprochen werden.

Während eine Reihe Beobachter bei künstlicher Erhöhung der Temperatur durch Dampfbäder und warme Vollbäder eine mehr oder weniger erhebliche Harnstoffvermehrung constatirt haben (Bartels, Naunyn, Schleich), was auf einen gesteigerten Eiweisszerfall hindeutete, und daher auch die Erhöhung der Temperatur im Fieber als die Ursache eines solchen erscheinen liess, konnte Koch in Amsterdam weder an sich, noch an Kaninchen das Gleiche beobachten. Simanowsky (6) stellte daher auf Veranlassung Voit's denselben Versuch an einem Hunde an, dessen Stickstoffausscheidung sich nach mehreren Hungertagen auf derselben Höhe gehalten hatte. Der Hund wurde sodann an zwei auf einander folgenden Tagen in Wasser von 40,5° C. etwa 1½ Stunden gebadet, wobei die Körpertemperatur auf 41° stieg; danach wurde die Beoachtung noch 1—2 Tage fortgesetzt. Es wurden zwei derartige Versuchsreihen angestellt, sodann noch eine dritte ohne Bäder. Während der beiden ersteren ergab sich eine Abweichung von der letzten Reihe. Auch die Menge der ausgeschiedenen Kohlensäure zeigte sich nach dem Baden gegenüber den übrigen Hungertagen nicht vermehrt. Es hat also die künstliche Erhöhung der Temperatur keine Wirkung auf die Eiweisszersetzung, und es muss demnach auch der erhöhte Eiweisszerfall beim Fieber in der That von einer Veränderung der Zellen und der Bedingungen der Zersetzung in denselben durch den Fieberprocess herrühren.

Auf Veranlassung und unter Leitung Riegel's untersuchte Wetzel (7) das Verhalten des Blutdruckes im Fieber mit Hülfe des Sphygmomanometer von v. Basch und des Sphygmographen. Die Beobachtungen mit Hülfe des letzteren allein hatten bisher immer stets für eine Herabsetzung der arteriellen Spannung im Fieber gesprochen, während die Untersuchungen mit dem Sphygmomanometer keine constanten Resultate geliefert hatten. Offenbar ist es nun von Wichtigkeit, bei Bestimmung des Blutdruckes auch den fieberfreien Zustand zu berücksichtigen, sodann die Dauer der fieberhaften Erkrankung, denn diese muss einen grossen Einfluss auf die Herzkraft und somit auch auf den Blutdruck haben. Ausserdem kommen aber noch viele Factoren, abgesehen von der Temperatur-Erhöhung, in Betracht. Es wurden daher die Blutdruckbestimmungen ebenso wie die sphygmographischen Aufnahmen bei allen (20) untersuchten Kranken täglich zweimal während der ganzen Dauer der fieberhaften Krankheit gemacht. Die mitgetheilten durch zahlreiche Sphygmogramme illustrirten Beobachtungen beweisen, dass gleichzeitig mit der Erhöhung der Temperatur sowohl eine Herabsetzung des manometrisch bestimmten Blutdruckes, als eine Verminderung der arteriellen Spannung (nach der Beschaffenheit der Pulscurve) eintritt. Mit der Temperatur-Erniedrigung nimmt sowohl der Druck, als die Pulsspannung wieder zu. Länger dauerndes Fieber z. B. bei Pneumonie) wirkt herabsetzend auf den Blutdruck, so dass derselbe unter Umständen nach der Defervescenz niedriger sein kann, als Anfangs während des Fiebers; nach einer kurz vorübergehenden Temperatur-Erhöhung tritt jedoch die Drucksteigerung sehr bald wieder ein. Im Wesentlichen ergab sich eine Uebereinstimmung der manometrischen und der sphygmographischen Resultate. Die abweichenden Resultate, welche Zadek mit dem Sphygmomanometer erhielt, erklären sich zum grossen Theil durch mangelhafte Berücksichtigung der oben angedeuteten Verhältnisse, durch welche der Blutdruck, abgesehen von der Temperatur, beeinflusst wird.

Withe (8) hat 19 Fälle nervöser Affectionen zusammengestellt, in welchen eine directe Läsion des Temperatur-Centrums anzunehmen ist. Die Erkrankungen, bei welchen eine Erhöhung der Temperatur (ohne entzündliche Veranlassung) zu constatiren war, waren folgende: 1. Tumoren des Rückenmarks, Cervicaltheil (2 Fälle). 2. Tumoren des Gehirns, besonders des Pons und seiner Umgebung. 3. Hämorrhagie des Gehirns (in einem Fall von Hämorrhagie im Thalamus opticus betrug die Erhöhung der Temperatur 41,3°). 4. Embolie (Fall von Embolie der Arteria basilaris mit schnell eintretendem Tode; unmittelbar vorher 42,9° Temp.). 5. Unbestimmte Degeneration des Gehirns (kleiner Erweichungsheerd an der Spitze beider Streifenhügel). 6. Inselförmige Sclerose. 7. Locomotorische Ataxie. 8. Dunkle Nervenaffection ohne Befund bei der Autopsie. 9. Hysterische Hyperpyrexie. 10. Geisteskrankheit. 11. Verletzungen der Wirbelsäule. 12. Solche des Gehirns. — W. glaubt annehmen zu dürfen, dass ein Wärmecentrum ungefähr in der Mitte der Gehirnoberfläche, in der Umgebung der Centralfurche seinen Sitz hat, und dass das Centrum der einen Seite die wärmebildenden Organe der anderen Seite beherrscht; in Folge der Wärmevertheilung durch das Blut wird indess eine einseitige Wirkung nicht immer deutlich. Wahrscheinlich sei jedes Centrum zusammengesetzt, so dass ein Theil für den Arm, einer für das Bein bestimmt sei. Möglicher Weise existiren bestimmte Ganglienzellen für die wärmebildende Function eines jeden Muskels oder anderer wärmebildender Gewebe. Verf. stellt sich vor, dass von diesen Centren beständig eine hemmende Wirkung ausgeht, die durch Fasern vermittelt wird, welche durch die grossen Ganglien und die Hirnschenkel hindurch treten, um sich unterhalb des Pons zu kreuzen. Durch diese Annahme lässt sich nach Ansicht des Verf. die Erhöhung der Temperatur in allen obigen Fällen erklären.

Gegenüber einer Erhöhung der Temperatur sind die Fälle von Nervenaffectionen in Betracht zu ziehen, in welchen eine Erniederung der Temperatur beobachtet wird. Wenn dies auch viel seltener der Fall ist, so kommt doch etwas Derartiges bei Gehirntumoren, bei Hämorrhagien, degenerativen Veränderungen, Geisteskrankheit und Rückgratsverletzung vor. Verf. glaubt zur Erklärung dieser Fälle die vasomotorischen Centren heranziehen zu müssen. Ausgedehnte Lähmung der Vasomotoren bewirkt Herabsetzung der Temperatur; ausserdem können aber noch andere Umstände eine Temperatur-Erniedrigung zur Folge haben, Herabsetzung der gesammten vitalen Functionen, vielleicht auch Reizung des Wärme-Hemmungscentrums. Die verschiedenen Erkrankungen können demnach eine verschiedene Art der Wirkung haben. Verf. bezieht sich des Weiteren auf die Versuche von Wood über das Verhalten der Temperatur bei Durchschneidungen des Markes und Gehirns, auf die Untersuchungen von Heidenhain und Anderen.

In den beiden von Reinhard (5) mitgetheilten Beobachtungen von abnorm niedriger Körpertemperatur handelt es sich um zwei Fälle von allgemeiner progressiver Paralyse, in welchen nach mehrmonatlicher anhaltender tobsüchtiger Erregung plötzlich Collaps mit enormer Temperatursenkung bis 22,6° C. resp. 22,5° im Rectum eintrat, der das einemal unaufhaltsam innerhalb von 4½ Stunden zum Tode führte, im anderen Falle noch eine vorübergehende Erholung zu Stande kommen liess. Der Tod trat hier zwei Tage später an doppelseitiger Pneumonie ein, nachdem die Temperatur den Abend vorher bis auf 39,5° C. gestiegen war. Während des Collapses bestand totale Bewusst- und Empfindungslosigkeit und starke Verlangsamung der Respiration; die Muskeln waren rigide, die Haut- und Sehnenreflexe erloschen. Verf. ist der Ansicht, dass die tiefe Temperatursenkung in diesen Fällen mit der directe Ausdruck einer Lähmung resp. enormen Erschöpfung des Centralorgans ist, in Folge deren der Organismus nicht mehr im Stande ist, seine Eigenwärme constant zu erhalten.

Lawson Tait (1) berichtet über zwei Fälle von abnorm hoher Temperatursteigerung. Bei einer Ovariotomirten stieg die Temperatur am Tage nach der Operation von 39,6° C. (103,3 F.) des Morgens auf 40,9 Mittags und 43,9 (111,0 F.) Abends ohne jede Störung des subjectiven Befindens, die Heilung erfolgte schnell. Die Temperaturbeobachtung wurde genau controlirt. In dem zweiten Fall stammten die Angaben von der Patientin, einer an Perimetritis und chronischer Oophritis leidenden Krankenpflegerin. Die Temperatur soll hier während der acuten Erkrankung, die durch eine innere Verletzung beim Heben entstanden war, in einem 14tägigen Zeitraum mehrmals auf 43,3 bis 43,9° C. (110—111 F.) gestiegen sein. T. hält die Angaben für zuverlässig.

[Bull, Typus inversus ved Tuberkulose. Norsk. Magazin for Lägevid. R. 3. B. 13. Forh. P. 55 (B. hat die von Brünnicke gemachte Erfahrung, dass Typus febrilis inversus der Körpertemperatur häufig ein Symptom der acuten Entwickelung von miliaren Tuberkeln sei, in einigen Fällen bestätigen können.

F. Levison (Kopenhagen).]

IX. Pathologie des Nervensystems und der Muskeln.

1) Colanéri, Fr., Des secousses musculaires. Thèse. Paris. 96 pp. — 2) Couty, Guimaraes et Niobey, De l'action des lésions du bulbe rachidien sur les échanges nutritifs. Compt. rend. T. 99. No. 8. — 3) Drozda, Ueber Depressionszustände des Gehirns. Anzeigen der Gesellsch. d. Aerzte zu Wien. No. 26. (Als das Wesen der Narcose betrachtet D. einen allmälig an Intensität zunehmenden reflectorischen Gefässkrampf des Gehirns, welcher zu Gehirn-Anämie führt. Als Vermittler des Reflexes bezeichnet D. die sensibeln Nerven der Lungen, den Olfactorius und Trigeminus. S. d. Ber. f. 1880. I S. 494. — 4) Ehrlich und Brieger, Ueber die Ausschaltung des Lendenmarkgrau. Zeitschr. f. klin Medicin. VII. Suppl. S. 155 — 5) Lailler, A., Sur l'élimination de l'acide phosphorique par l'urine, dans l'aliénation mentale et l'épilepsie. Comt. rend. T. 99. No. 14. (Im Delirium acutum und der acuten Manie findet stark vermehrte Ausscheidung von Phosphorsäure und Harnstoff statt, in der Manie mit Excitation leichte Vermehrung der Phosphorsäure, in der acuten Melancholie starke Steigerung des Harnstoffes. Bei der Paralyse wechselt die Ausscheidung der Phosphorsäure und des Harnstoffes je nach dem Krankheitszustand. Bei der Epilepsie ist die Ausscheidung der ersteren während des Anfalls und unmittelbar nachher erheblich vermehrt, bei häufig wiederkehrenden Anfällen auch die des Harnstoffes. cfr. Mairet.) — 6) Le Gros Clark, Some Remarks on nervous exhaustion and on vasomotor action. Journ. of anat. and physiol. April. (Allgemeine Betrachtungen und Hypothesen über die Beziehungen der Vasomotoren zur Thätigkeit des Gehirns) — 7) Lépine, Eyemont et Aubert, Sur la proportion de phosphore incomplètement oxydé contenue dans l'urine, spécialement dans quelques états nerveux. Compt. rend. T. 98. No. 4. — 8) Mairet, A., Recherches sur les modifications dans la nutrition du systeme nerveux produites par la manie, la lypémanie et l'épilepsie. Ibid. T. 99. No 7.

Um zu prüfen, welche Veränderungen das Absterben der motorischen Ganglienzellen zellen in den von ihnen versorgten Gebieten hervorrufe, bedienten sich Ehrlich und Brieger (4) des Stenson'schen Versuches, durch welchen sie, bei einstündiger Dauer der Unterbindung eine Necrose der grauen Substanz des Lendenmarkes erhielten. Bei nicht hinreichend langer Dauer der Absperrung der Circulation traten Reizsymptome hervor, klonische Zuckungen der hinteren Extremitäten, welche auf die Lähmung folgten, während andernfalls vollständige, sensible und motorische Lähmung der Hinterextremitäten, der Blase und des Mastdarms eintrat. Bei sorgfältiger Pflege konnten die Thiere noch bis 6 1/2 Woche erhalten werden. Von Interesse war, dass bereits nach einer Dauer von 4 Tagen starke Dilatation und Hypertrophie der Harnblase gefunden wurde, welch' letztere die Verff. auf die andauernde Ueberdehnung der Musculatur zurückführen. Die graue Substanz des Rückenmarkes war weicher und breiiger als normal. (Nach Injection von Alizarinblaunatriumsulfit, welches im Blut in Allizarinblau übergeführt wird, tritt die abgestorbene graue Substauz in intensiv blauer Farbe hervor, während dieselbe im übrigen Rückenmark rosenroth gefärbt ist). Nach längerer Dauer des Versuches (12—15 Tagen) treten an Stelle der Lähmung Beugecontracturen, welche zu totaler Fixation des Gelenkes führen, sodann allmälig zunehmende Atrophie und bindegewebige Entartung der Muskeln — die electrische Erregbarkeit der Nerven blieb in den ersten Tagen völlig erhalten; nach 3 bis 4 Tagen wurde der Nerv unerregbar, während die gelähmten Muskeln erregbar blieben. Die Nerven verhielten sich, als wenn sie durchschnitten worden wären; es verläuft also die centrale, durch Anämie bedingte Lähmung ebenso wie die periphere. Die microscopische Untersuchung des Rückenmarkes mit der Weigert'schen Färbung zeigte schon in den ersten Tagen eine fast vollständige Degeneration der Fasern der grauen Substanz mit Ausnahme der Einstrahlung der hinteren Wurzel; von der zweiten Woche ab waren auch Veränderungen der weissen Substanz nachweisbar; die graue Substanz war durch ein zellenreiches Bindegewebe mit zahlreichen Körnchenkugeln ersetzt. Nach 6 1/2 Wochen war die graue Substanz sehr stark verschmälert, sclerosirt. Auch die weisse Substanz zeigte ausgedehnte Strangdegeneration; die motorischen Wurzeln waren vollkommen bindegewebig entartet, die sensiblen erhalten; der Ischiadicus zeigte dementsprechend theils normale, theils degenerirte Fasern. Die gute Erhaltung der Hinterstränge des R. M. weist darauf hin, dass ihr trophisches Centrum nicht oberhalb, sondern unterhalb der Läsion liegen muss, was von Wichtigkeit für die Entstehungsweise der Tabes sein dürfte.

Colanéri (1) betrachtet in seiner unter Leitung Charcot's verfassten These die „Muskelzuckung" in ihrer Bedeutung als Symptom verschiedener Nervenaffectionen. Vielfach figurirt dieselbe, nach Ansicht des Verf. mit Unrecht, als selbständige Erkrankung, und zwar unter verschiedenen Bezeichnungen (Chorea electrica, Dubini'sche Krankheit, Electrolepsie, Paramyoclonus etc.). Characteristisch für die Muskelzuckung im Gegensatz zum Zittern und ähnlichen uncoordinirten Bewegungen ist das plötzliche Ansteigen, und der mehr oder weniger plötzliche Abfall der myographischen Curve, wie der Verf. an einer grösseren Anzahl von Beispielen erläutert. Die Muskelzuckung tritt entweder für sich, vereinzelt auf als Zeichen eines besonderen Reizzustandes des Nervensystems, so z. B. bei körperlicher oder geistiger Erschöpfung im wachen Zustande oder im Schlaf, oder aber als ein Symptom anderer motorischer Störungen, bei Hysterie, als Vorläufer des epileptischen Anfalles etc. Je häufiger wiederholt, und je anhaltender die Zuckungen sind, desto ungünstiger ist die Prognose. Jedenfalls ist aber kein Bedürfniss vorhanden, aus dem einfachen Symptome besondere Krankheitsformen zu machen. Eine grössere Anzahl Krankengeschichten, meist aus der Salpêtrière, sind zur Erläuterung beigefügt.

Die Untersuchungen von Couty, Guimaraes und Niobey (2) hatten die Folgen der Verletzung des verlängerten Markes zum Gegenstande, wie sie durch die Bernard'sche Operation hervorgebracht werden. Bei einer Reihe von Hunden, bei welchen das verlängerte Mark nur oberflächlich gestreift war, traten nur leichte motorische Störungen, Lähmungserscheinungen, Zittern auf, keine auffallende Aenderung der Temperatur und Zusammensetzung des Blutes. Bei 14 Hunden mit tieferen aber verschiedenartigen Markverletzungen traten neben schwereren sensiblen und motorischen Störungen folgende Erscheinungen auf: 1) Verminderung des arteriellen Druckes, zuweilen nach vorübergehender Steigerung. 2) Beträchtliche Vermehrung des Zuckers im arteriellen und venösen Blute, nach 1 bis 2 Stunden. 3) Verminderung des Sauerstoffes und besonders der Kohlensäure, in derselben Zeit oder etwas vorher. Alle drei Erscheinungen traten zwar gemeinschaftlich auf, doch ohne ein constantes relatives Verhältniss untereinander. Einzelne Hunde wurden comatös, andere bekamen Convulsionen, bei den meisten trat eine starke und anhaltende Verminderung der Rectumtemperatur, bei anderen eine Steigerung ein; in den meisten Fällen war auch der Harnstoffgehalt des Blutes vermehrt. Es geht jedenfalls aus den Versuchen hervor, dass das verlängerte Mark gleichzeitig auf verschiedene Ernährungsvorgänge einwirkt.

Mairet (8) fand in der Manie im Stadium der Erregung die Ausscheidung von Stickstoff und Phosphorsäure vermehrt, im Depressionsstadium vermindert, woraus er auf eine Steigerung der Stoffwechselvorgänge im Nervensystem und in der Gesammt-Ernährung im ersten Stadium, auf eine Verminderung im zweiten schliesst. Bei der acuten Melancholie, besonders mit starker Beängstigung sind die Erdphosphate vermehrt, die phosphorsauren Alkalien und der Stickstoff vermindert, woraus auf eine Steigerung der Ernährungsvorgänge des Gehirns, auf eine Verminderung des allgemeinen Stoffwechsels zu schliessen ist. In der Epilepsie wird in der Zeit zwischen den Anfällen weder die Stickstoff-, noch die Phosphorsäureausscheidung verändert, im Anfall werden beide vermehrt, und zwar ist die Vermehrung der Erdphosphate relativ stärker, als die der phosphorsauren Alkalien. Die erstere findet auch im einfachen epileptischen Schwindel statt; sie deutet also zweifellos auf den gesteigerten Zerfall im Nervensystem, während die Vermehrung des Stickstoffes und der phosphorsauren Alkalien auf gesteigerte Muskelthätigkeit zurückzuführen ist.

Lépine, Eyemont und Aubert (7) suchen nachzuweisen, dass in gewissen Fällen von Nervenerkrankungen die Ausscheidung des Phosphors sich abweichend verhalte von der normalen. Unter normalen Verhältnissen kommen nach Zuelzer auf 100 Th. Stickstoff in der 24stündigen Harnmenge weniger als 10 Theile Phosphorsäure im Zustande der Phosphate. Die Menge des unvollkommen oxydirten Phosphors beträgt dagegen nach Verff. nicht viel mehr als 1 pCt. der gesammten Phosphormenge. In einem Fall von Apoplexia sang. betrug die erstere, bei ziemlich gleichbleibender Menge der Phosphate, 4,7:100 (unmittelbar nach dem Anfall), bei einem Epileptischen ebenfalls nach dem Anfall 2,2:100, bei einer Hystero-Epileptischen 1,8 pCt., bei Delirium tremens 1,3 pCt. Eine ähnliche Steigerung des unvollkommen oxydirten Phosphors hatten die Verff. früher bei Fettleber nachgewiesen; auch bei perniciöser Anämie, bei gewissen Fällen von Icterus, bei Typhus, Pneumonie, kommt Aehnliches vor.

[Adamkiewicz, A., (Krakau). O ucisku mózgu. (Ueber Hirndruck). Gazeta lekarska No. 7. (Dasselbe hat der Verf. auch in deutscher Sprache veröffentlicht).
v. Kopff (Krakau).]

X. Pathologie der Circulation.

1) Broadbent, W., H., On the causes and consequences of undue arterial tension. Brit. med. Journ. 25. Aug. — 2) Flückiger, M., Vorkommen von Trommelschlägel-förmigen Fingerphalangen ohne chronische Veränderungen an den Lungen oder am Herzen. Wiener med. Wochenschr. No. 49. — (Kurze Mittheilung eines Falles von allgemeiner starker Cyanose bei einer 37jährigen Frau, welche angeblich seit 5 Jahren bestand. 3 Monate vor dem Tode Entleerung von $4^1/_2$ Liter Blut per os. Bei der Section wurden alte syphilitische Knochenveränderungen, Lebercirrhose und starke Ausdehnung sämmtlicher Venen des Unterleibes und des Oesophagus gefunden, aus welchen letzteren die Blutung wahrscheinlich herrührte. Ausserdem starke Erweiterung der übrigen Körper- und der Lungenvenen ohne nachweisbare Ursache. Grosser Blutreichthum.) — 3) Gärtner, G., Ueber die Contractionen der Blutgefässe unter dem Einfluss erhöhter Temperatur. Oesterr. medic. Jahrb. Heft 1. — 4) Giovanni, Achille de, Alterazioni della vena cava ascendente complicanti la cirrosi epatica primitiva e la cirrosi cardiaca. Rivista clin di Bol. Agosto. (Ausserordentlich weitläufige Mittheilung einiger Fälle von Cirrhosis hepatis, welche mit Oedemen einhergehen; für die Ursache der letzteren erklärt Verf. eine Affection der Vena cava ascendens in ihrem oberen Theil, bestehend in Röthung, Verdickung der Wand und Erweiterung, besonders im oberen Theile, welche Verf. als Folge eines entzündlichen Zustandes auffasst) — 5) Longuet, R., Le pouls lent bulbaire. L'union méd. No. 130. (Referat über eine These von Blondeau, von Truffet und einige andere Arbeiten über Verlangsamung des Pulses in Folge von Affection der Medulla oblongata mit syncoptischen Anfällen und häufig plötzlichem Tod.) — 6) Morelli, N., Su alcuni particolari poco noti relativi ai rumori anemici del collo. Rivista clin. di Bologna. Gennaio. — 7) Park, Rowel, De l'embolie graisseuse. Trad. par Deniau. New York med. Journ. 16. Aug. Union méd. No. 173. (Als Ursachen der Fettembolie führt P. an: 1. Alle Knochenverletzungen, besonders Fracturen; 2. Zerreissungen der Weichtheile, besonders des Fettgewebes; 3. operative Verletzungen (Resection); 4. Periostitis und Osteomyelitis; 5. Rupturen von Fettlebern; 6. gewisse pathologische Zustände, wie Fettdegeneration von Venenthromben, Icterus gravis, Diabetes. Der Artikel enthält nur Bekanntes.) — 8) Thoma, R., Ueber einige senile Veränderungen des menschlichen Körpers und ihre Beziehungen zur Schrumpfniere und Herzhypertrophie. Leipzig. 28 Ss. — 9) Tripier, R., Contribution à l'étude du pouls veineux. Lyon médical. No. 42.

Thoma (8) bespricht in einer Antrittsrede die senile Atrophie des Gefässsystems und die sich daraus ergebenden Störungen für die Circulation. Findet einfache Atrophie der Arterien statt, während das Herz kräftig bleibt, so ist die Folge Erweiterung und Schlängelung der ersteren. Als Compensation entwickelt sich eine allmälig zunehmende Verdickung der Intima, analog der nach Amputation auftretenden (sog. compensatorische Endarteriitis); daran schliesst sich compensatorische Hypertrophie des Herzens um die Widerstände in den Arterien zu überwinden. Bezüglich der Capillaren findet Th. bei Durchströmungsversuchen eine beträchtlich erhöhte Durchlässigkeit bei senilen Individuen mit bindegewebiger Verdickung der Intima der Arterien, und er erblickt in dieser gesteigerten Durchlässigkeit der Capillaren eine Erhöhung der Widerstände für den Blutstrom. Die Verdickung der Arterienintima kann demnach eine Folge der gesteigerten Durchlässigkeit der Capillaren sein. Die letztere ist aber nicht gleichmässig über alle Theile des Gefässsystems verbreitet, sondern am stärksten in der Haut und im Unterhautgewebe, besonders der Unterextremität, in den serösen Häuten, und in den Gefässknäueln der Nieren. Daran schliesst sich in der letzteren Bindegewebsverdickung der grösseren Gefässe, und Bindegewebsneubildung und Schrumpfung im Parenchym.

Als Ursache einer abnormen arteriellen Spannung bezeichnet Broadbent (1) 1) Nierenerkrankungen mit Ausnahme der acuten eitrigen Pyelonephritis, vielleicht auch Tuberculose und Amyloid. 2) Gicht. 3) Bleivergiftung. 4) Schwangerschaft, 5) Anämie, besonders bei Chlorose, 6) Emphysem, chronische Bronchitis, zuweilen auch Phthise, 7) Angeborene Anlage in gewissen Fällen, 8) Constipation. Als Folgen erhöhten arteriellen Spannung betrachtet Verf.: 1) Hypertrophie des Herzens, 2) Herzklopfen und unregelmässige Herzaction, Gefühl von Oppression, 3) Erkrankung der Klappen, selbst Ruptur derselben an der Aorta, 4) Erweiterung und Verdünnung der Aorta, selbst Aneurysmenbildung, 5) Verdickung und Schlängelung der kleinen Arterien, Verkalkung der Wand, 6) Blutungen, besonders des Gehirns, 7) Allmälig eintretende Regeneration und Schwäche des Herzmuskels mit ihren Folgen, 8) Convulsionen (bei Urämie), 9) Andere mehr oder weniger bedeutende Symptome, Schlaflosigkeit, Kurzathmigkeit, Depression etc.

Gärtner (3) hat im Stricker'schen Laboratorium die Beobachtung gemacht, dass die Blutgefässe des Froschmesenteriums unter dem Einfluss der strahlenden Wärme sich contrahiren, am auffälligsten die grösseren Arterien und Venen, aber auch die kleinen Gefässe und selbst Capillaren. Die Contraction konnte sich bis zum Verschwinden des Lumens steigern. Die Erscheinung trat bei der Demonstration des Kreislaufes mit Hülfe des electrischen Projectionsmicroscopes hervor und konnte durch stärkere Annäherung der Lichtquelle an das durch Wasserkühlung und Berieselung mit Gaule'scher Flüssigkeit möglichst sorgfältig geschützte Mesenterium beliebig hervorgerufen werden.

Morelli (6) konnte in 4 von 6 Fällen von Anämie sich bestimmt überzeugen, dass die Halsvenengeräusche nicht in der V. jugularis interna sondern in der externa entstehen. Sie verschwanden, wenn beim vorsichtigen Anlegen des Stethoscopes die V. jugul. ext. oberhalb comprimirt wurde. Das Geräusch entstand augenscheinlich in letzterer Vene, indem dieselbe durch die leichte Spannung der Haut in der Nachbarschaft beim Aufsetzen des Instrumentes leicht comprimirt wurde. Ein Geräusch in der V. jugularis interna wurde dagegen hörbar, wenn das Stethoscop in dem Dreieck zwischen den beiden Portionen des M. sternocleidomastoideus angesetzt wurde. Die Venengeräusche am Halse verbreiten sich auffallend wenig in die Umgebung, dasselbe, was Heiden für die anämischen Geräusche am Herzen behauptet

Tripier (9) brachte an der Leiche das Phänomen des Jugularvenenpulses hervor, indem er nach Freilegung der Halsvenen durch einen Trocart Wasser in das rechte Herz einfliessen liess, und sodann bei halbsitzender Stellung der Leiche einen Druck auf Vena cava, Herzohr oder rechten Ventrikel ausübte. Die Pulsation wird undeutlich oder hört ganz auf, wenn die Spannung der Vene zu gross oder zu klein ist. Aus demselben Grunde kann auch im Leben der Venenpuls verschwinden und wiederauftreten, je nach den Spannungsverhältnissen. Ein schwacher Venenpuls, der im Liegen noch bemerkbar ist, kann im Sitzen verschwinden. Umgekehrt kann der Puls bei starker Ausdehnung der Venen in horizontaler Lage fehlen, während er bei verminderter Ausdehnung im Sitzen wieder zum Vorschein kommt. Auf dieselbe Weise erklärt T. dass der Venenpuls auch bei Insufficienz der Tricuspidalis fehlen kann, wenn die Venen sehr stark ausgedehnt sind. Eine besondere Insufficienz der Venenklappen als Ursache des Venenpulses existirt nach T. nicht. Man kann vielmehr in allen Fällen (an der Leiche) Wasser in die Vene vom Herzen aus eindringen lassen. Auch eine Unterscheidung von wahrem und falschem Venenpuls lässt Verf. nicht zu.

Transsudation.

1) Fleischer, R., Ueber Oedem. Sitzungsber. d. physik. medic. Societät zu Erlangen. No. 1. Juli. — 2) Klemensiewicz, R., Fundamentalversuche über Transsudation. Ein Beitrag zur Pathologie des Blut- und Lymphstromes Mit 8 Abbildungen und 6 Tafeln. Lex.-8. Graz. — 3) Landerer, A., Die Gewebsspannung in ihrem Einflusse auf die örtliche Blut- und Lymphbewegung Leipzig. 108 Ss. — 4) Runeberg, J. W., Klinische Studien über Transsudationsprocesse im Organismus. Deutsches Archiv für klin. Medicin. Bd XXXV. S. 266.

Klemensiewicz (2) stellte sich die Aufgabe, den Transsudationsvorgang im Gebiete der Capillargefässe mit Hülfe schematischer Strömungsapparate darzustellen.

Das Capillargebiet ist ersetzt durch einen Schlauch von überall gleicher Weite mit durchlässigen Wandungen (aus einem in Alkohol conservirten Kinderdarm hergestellt). Beide Enden stehen mit einem Zufluss- und einem Abflussrohr in Verbindung. Ersteres wird durch eine Vorrichtung mit möglichst constantem Druck gespeist. Der Schlauch selbst ist in einem weiten Glasrohr eingeschlossen, welches gewissermassen den perivasculären Lymphraum darstellt; sowohl an diesem, als an dem Strömungsrohr sind Piezometer angebracht, welche den Druck innerhalb beider Röhren anzeigen.

Auf eine genauere Schilderung der Versuche kann ohne Abbildungen nicht eingegangen werden. Ref. muss sich daher begnügen, die Hauptsätze, welche Verf. aus seinen „Fundamentalversuchen" ableitet, wiederzugeben: 1. In einem Strömungsrohre von obengenannter Form herrscht ein constanter Flüssigkeitsstrom dann, wenn bei gleichbleibender Triebkraft die transsudirende Flüssigkeit frei abfliessen kann. 2. Kann diese Flüssigkeit nicht frei abfliessen, sondern sammelt sie sich um das Strömungsrohr unter hohem Drucke an, so wird der Flüssigkeitsstrom in diesem behindert oder auch ganz unterbrochen. 3. Kann das Transsudat abfliessen, aber nicht in ausreichendem Maasse, so sammelt sich wieder Transsudat um das Strömungsrohr unter hohem Drucke an und bringt ebenfalls eine Behinderung des Stromlaufs zu Stande. 4. Die Ursachen dieser Erscheinungen sind die Durchlässigkeit und Nachgiebigkeit eines Theiles des Strömungsrohres.

Landerer (3) untersucht in seiner Arbeit über die Gewebsspannung zunächst die normalen Wechselbeziehungen zwischen dieser und dem Blutdruck in den Capillaren. Es ist einleuchtend, dass die Gewebe vermöge ihrer elastischen Eigenschaften und der Spannung der Gewebsflüssigkeit auf die Circulation des die Gewebe durchströmenden Blutes einwirken müssen. Beim Gehirn z. B. wird der Blutdruck in den Capillaren zum grossen Theil von der umgebenden Cerebrospinalflüssigkeit getragen. Wenn der Druck innerhalb der Capillaren des Gehirns annähernd auf 300 mm angenommen werden kann und die Spannung des Liquor cerebrospinalis auf 200 mm, so wird also nur $^1/_3$ des Blutdrucks von der Capillarwand selbst getragen, während sich $^2/_3$ auf die Umgebung fortpflanzen. Umgekehrt müssen daher die umgebenden Gewebe, respective Flüssigkeiten eine Einwirkung auf den Blutstrom in den Capillaren ausüben. Analoge Verhältnisse sind auch in anderen Körpertheilen vorhanden.

Was die Spannung der Gewebe selbst anlangt, welche dem Blutdruck einen gewissen Widerstand entgegensetzt, so ist dieselbe natürlich sehr verschieden; der Grad derselben lässt sich annähernd bestimmen, indem man eine Flüssigkeit aus einer graduirten Bürette durch eine Einstichscanüle in das Gewebe einfliessen lässt. Bei einem kräftigen Manne fand L. auf diese Weise in dem Unterhautzellgewebe des Oberschenkels bei aufrechter Stellung 550—600 mm Druck, etwa $^3/_4$ des muthmasslichen Capillardruckes (wenn man mit v. Kries diesen Druck in derselben Höhe unter dem Scheitel auf 730 mm veranschlagt). Bei Kaninchen fand sich an verschiedenen Stellen des Körpers im Unterhautzellgewebe ein Druck von 15—30—60 mm Wasser; in der Haut selbst beim Hund 140 mm, in der Leber (bei Kaninchen) 12—15—40 mm, in der Niere 240, in der Achillessehne 700. (Dabei handelt es sich doch wohl nicht um die Spannung allein, sondern zum Theil um den directen Widerstand, den feste Theile dem Ausfliessen entgegensetzen. Ref.) Für die Bewegung der Parenchymsäfte müssen die Druckunterschiede in den einzelnen Geweben von grosser Wichtigkeit sein. Ebenso muss aber auch andererseits diese Spannung die Blutströmung beeinflussen. Um die elastischen Eigenschaften der Gewebe zu bestimmen, prüfte Verf. nach der von Braune geübten Methode verschiedene Gewebe auf ihre Elasticität und Festigkeit, wobei er zu dem Schluss kam, dass die Gewebe eine vollkommene, zum Theil ziemlich hohe Elasticität besitzen. Das die Capillaren umschliessende Gewebe besitzt daher für diese die gleiche Bedeutung wie die Media für die Arterien. Die Verhältnisse sind aber verschieden je nach dem Elasticitäts-Coefficienten der Gewebe, und je nachdem die Capillaren unmittelbar von festen Geweben umschlossen sind, oder von Flüssigkeit. In letzterem Falle bedingt die Erhöhung der Spannung eine schnellere Durchströmung der Flüssigkeit, was von Wichtigkeit für das Zustandekommen der Resorption ist. Was den Einfluss auf Lymphbildung und Lymphbewegung anlangt, so konnte L. constatiren, dass bei ödematösen Geweben stets eine beträchtliche Dehnbarkeit und Unvollkommenheit der Elasticität vorhanden ist. Verf. betrachtet diese in Verbindung mit der Gefässwand-Alteration als Ursache des Oedems. Der Verlust an Elasticität der Gewebe kann aber ihrerseits wieder Folge einer zu starken oder zu anhaltenden Dehnung sein, also beispielsweise in Folge einer anhaltenden Druckerhöhung in den Gefässen, z. B. bei Stauung.

Der Verf. geht sodann über zu den Veränderungen der physikalischen Beschaffenheit der Gewebe bei der Entzündung; durch die Entzündungserreger wird eine primäre Schädigung der Gewebselemente und der Gefässwände hervorgerufen, durch welche die Festigkeit und die Elasticität verringert und unvollkommen wird. „Diese physikalischen Alterationen der Gewebe und Gefässwände sind im Stande, gerade diejenigen Aenderungen der örtlichen Circulation und Lymphbewegung zu veranlassen, welche wir bei der Entzündung beobachten." Um diese Veränderungen nachzuweisen, prüfte Verf. die Wirkung der als Entzündungserreger bekannten Agentien (Fäulniss, chemische Wirkung, Hitze) auf die Gewebe, und fand dabei wesentlich abweichende Resultate, unvollkommene Elasticität, stärkere Dehnbarkeit. (Verf. übersieht dabei, dass derartige Versuche ohne Werth für die Entscheidung der Frage sind, da es sich um todte Gewebe handelt. Ref.). Die Untersuchung entzündeter Theile mit Belastung ergab starke Dehnbarkeit und unvollkommene Elasticität (Haut, entzündetes Unterhautgewebe). Versuche über die Spannung der Gewebssäfte bei der Entzündung ergaben (z. B. nach Injection von Terpentin in das Unterhautgewebe) die doppelte Spannung als in der Norm; der hohe Druck in entzündlichen Transsudaten ist bereits durch Quincke erwiesen. Verf. sucht sodann den Einfluss der veränderten Elasticitätsverhältnisse der Gewebe auf die Circulation bei der Entzündung nachzuweisen: die Verminderung des Maasses der Elasticität wirkt als Beschleunigung der örtlichen Circulation (entzündliche Hyperämie, Steigerung des Lymphstromes). Verf. betrachtet dies als die einfache physikalische Erklärung der bisher unverständlichen Entzündungs-Hyperämien. Auch die Erweiterung der Capillaren ist Folge der Verminderung der Elasticität der umgebenden Gewebe; somit auch das leichte Eintreten der Stase. Verf. betrachtet also im Grossen und Ganzen die Entzündung als eine Störung des elastischen Gleichgewichtes der im Körper circulirenden Flüssigkeiten. Auch in gefässlosen Theilen soll unter Einwirkung des Entzündungserregers eine verminderte Spannung des Gewebes gesetzt, und damit das vermehrte Zuströmen von Flüssigkeit und weissen Blutzellen eingeleitet werden. Schliesslich geht Verf. noch auf die Ausgänge der Entzündung, auf die traumatische Entzündung und auf die Wundheilung ein, welche er sich ebenfalls von denselben physikalischen Bedingungen abhängig denkt.

Die bekannten Versuche von Cohnheim und Lichtheim haben ergeben, dass Thiere die Injection sehr grosser Mengen Kochsalzlösung vertragen, ohne ödematös zu werden. Um dem Einwand zu begegnen, dass hier die intacten Nieren die Flüssigkeit schnell wieder entfernten, und dass bei behinderter Urinausscheidung dennoch Oedeme zu Stande kommmen könnten, wiederholte Fleischer (1) den selben Versuch nach Unterbindung der Ureteren, ohne dass der Blutdruck stieg, oder Anasarca eintrat. Auch der Zusatz von Harnstoff zur Kochsalzlösung änderte an dem Effect nichts.

Einem Hunde von 25 Pfund Gewicht wurden erst 1500 ccm. Kochsalzlösung eingespritzt, sodann 1 l Salzlösung und 10 g Harnstoff. Während der Infusion sank der Blutdruck allmälig etwas; nach $^1/_2$ l traten vorübergehende Krämpfe auf, nach 900 ccm starkes Sinken des Blutdruckes und Tod unter Erstickungskrämpfen. Es fand sich viel Flüssigkeit im Magen und Darm, starker Ascites, kein Oedem, ebenso in dem zweiten Experiment. Bei einem dritten Hund von 30 Pfund wurden erst 1 l Kochsalzlösung mit 30 g Harnstoff nach vorheriger Unterbindung der Ureteren eingespritzt, dann noch $1^1/_2$ l Kochsalzlösung, wobei der Blutdruck sich um 20 mm erhöhte. Im Uebrigen derselbe Erfolg.

Im Anschluss an seine frühere Arbeit (cf. d. Ber. 1880. S. 244) bespricht Runeberg (4) den Gehalt pathologischer Transsudate an festen Bestandtheilen mit Abzug des Albumins und an Chloriden. Im Allgemeinen gilt bekanntlich die Annahme, dass die Salze und Extractivstoffe der Transsudate mit denen des Blutes ziemlich übereinstimmen, es fehlt indess an hinreichend genauen Analysen. Die festen Stoffe bestimmte R. durch Verdunstung bei 110—120 ° C.; die Chlormenge wurde durch Titriren des Filtrats nach Ausfällung des Albumens festgestellt. Meist wurden 5—10 ccm Flüssigkeit benutzt. Im Ganzen wurden 164 verschiedene Transsudate und Exsudate untersucht (145 vom Lebenden, 19 von der Leiche). Sämmtliche bei Lebzeiten entnommene Transsudate zeigten eine grosse Uebereinstimmung hinsichtlich der Summe der festen Bestandtheile nach Abzug des Albumin; bei den entzündlichen war dieselbe etwas grösser als bei den nicht entzündlichen. Das Mittel für die Letzteren (aus 84 Fällen) betrug 1,08 pCt; die Abweichung von diesem Mittel war so gering, dass sie nur in 7 Fällen mehr als 0,1 pCt. betrug, in einem Falle 0,3 pCt., während in den übrigen Fällen nur eine Differenz von 0,05—0,1 pCt. stattfand (im Mittel in allen 84 Fällen 0,05 pCt.). Bei den entzündlichen Transsudaten (61 Fälle) betrug das Mittel der festen Bestandtheile, nach Abzug des Albumin, 1,18 pCt.; die mittlere Differenz betrug hier 0,07 pCt. (in 46 Fällen war die Abweichung von dem Mittel ± 0,1 pCt., in 14 Fällen 0,1—0,2 pCt., in einem Falle 0.27 pCt.). Der Albumingehalt schwankte dagegen von 2,40 bis 6,90 pCt. Frühere Analysen haben bereits ergeben, dass der Salzgehalt in allen Transsudaten ziemlich der gleiche ist, dass also die Differenz der festen Bestandtheile auf dem verschiedenen Gehalt an Extractivstoffen beruhen muss. (Der mittlere Salzgehalt beträgt nach Méhu auf Grund von 310 Bestimmungen 0,83 pCt.) Die Schwankungen des Albumingehaltes üben an sich keinen Einfluss auf den Gehalt an sonstigen festen Stoffen, auch scheint der letztere unabhängig zu sein von der Beschaffenheit der Gefässwände. Auffallend ist, dass der Gehalt an festen Stoffen bei den von der Leiche stammenden Transsudaten stets etwas höher war, als beim Lebenden (im Durchschnitt 1,44 pCt.), und zwar allem Anschein nach lediglich in Folge der Zunahme der Extractivstoffe.

Der Gehalt der Transsudate an Chloriden ist sehr geringen Schwankungen unterworfen; das Mittel aus 85 Fällen betrug 0,67 pCt. (Min. 0,54, Max. 0,80); in der Mehrzahl (fast 90 pCt.) war der Chloridgehalt zwischen 0,62 und 0,73 pCt. Die entzündlichen Transsudate zeigen im Durchschnitt einen etwas geringeren Gehalt als die nicht entzündlichen (0.65 pCt.). Bei demselben Individuum war der Chloridgehalt in allen Transsudaten aus verschiedenen Körperhöhlen, dem Unterhautgewebe, meist auch aus Vesicatorblasen, der gleiche. In den letzten Lebenszeiten der Kranken zeigt der Chloridgehalt oft eine geringe Abnahme.

Den Gehalt des Blutserums an festen Bestandtheilen fand R. in 7 Untersuchungen etwas höher als den der Transsudate; die Summe der festen Bestandtheile nach Abzug des Eiweiss betrug im Durchschnitt 1,22 pCt., der Gehalt an Chloriden war im Mittel 0,63 pCt. (0,58—0,66). Der Chloridgehalt der Transsudate war (in den 2 untersuchten Fällen) etwas höher als der des Serums bei demselben Individuum.

Schliesslich giebt R. eine zweckmässige Methode für die Berechnung des Gehaltes an Eiweiss aus dem specifischen Gewicht an, welche im Wesentlichen mit der von Reuss angegebenen übereinstimmt. Für nicht entzündliche Transsudate lautet die Formel: $E = \frac{3}{8}(S - 1000) - 2,73$, wobei S das specifische Gewicht bedeutet; für die entzündlichen: $E = \frac{3}{8}(S - 1000) - 2,88$. Sodann fügt R. eine mit Hülfe dieser Formeln berechnete Tabelle für die spec. Gewichte von 1008—1027 bei.

Lymphe.

Köhnlein, B., Ueber den Inhalt eines Lymphangioma cavernosum. Zeitschr. f. physiol Chemie. Bd. VIII. S. 148. (Die 90 ccm betragende Flüssigkeit eines Lymphangioma cavernosum aus der Fossa supraclavicularis eines 22 jähr. Mädchens war hellgelb, klar, von 1015 sp. G., enthielt 4,698 pCt. feste Bestandtheile; 3,67 pCt. Eiweiss, 0,08 Cholesterin, 0,01 Lecithin, 0,30 Fette und Seifen, 0,02 Wasserextractstoffe, 0,62 Asche.)

Uebergang fremdartiger Stoffe von der Mutter auf den Fötus.

Robolski, A., Ueber den Uebergang fremdartiger Stoffe von der Mutter auf den Foetus. Diss. Halle.

Robolski stellte eine Anzahl Versuche über die Uebergangsfähigkeit des Quecksilbers von der Mutter auf den Foetus an, welche zu dem Resultat führten, dass sowohl nach Injection von Sublimat, Hydrargyrum cyanatum und peptonisatum Quecksilber im Foetus nachgewiesen werden konnte, als nach Inunction von grauer Salbe. Die 6 Versuche der ersteren Art wurden an trächtigen Kaninchen angestellt, welchen 0,04—0,2 des Präparates in kleinen Dosen beigebracht waren (in einem Versuch mit zweifelhaftem Erfolg nur 0,007), das Quecksilber wurde in dem foetalen Körper in der Weise nachgewiesen, dass nach vollständiger Zerstörung der organischen Substanzen durch Salzsäure und chlorsaures Kali die zurückgebliebene Lösung der Electrolyse in einfacher Weise ausgesetzt wurde. Die Versuche mit Unguent. cinereum wurden an 2 gesunden (nur mit Scabies behafteten) Schwangern angestellt, welchen in längeren Zwischenräumen 15. resp. 22 g eingerieben wurden. Es konnte hier nur das zuerst (vor dem ersten Trinken) abgegangene Meconium und der Urin der Kinder benutzt werden; in beiden Fällen wurde darin deutlich Quecksilber nachgewiesen. Der hierdurch bestätigte Uebertritt desselben in den foetalen Kreislauf dürfte vielleicht für die Therapie der hereditären Lues von Bedeutung sein. In 2 Fällen, welche von Schwarz beobachtet wurden, soll durch Quecksilbergebrauch während der Schwangerschaft nach früherem habituellem Absterben der Früchte ein guter Erfolg erzielt worden sein. In der Einleitung zu seinen eigenen Versuchen theilt R. eine sorgfältige Zusammenstellung der bisherigen Beobachtungen über den Gegenstand mit.

XI. Pathologie des Blutes.

1) Afanassiew, M., Ueber den dritten Formbestandtheil des Blutes im normalen und pathologischen Zustande und über die Beziehung desselben zur Regeneration des Blutes. Deutsche Zeitschr. f. klin. Med. Bd. XXXV. S. 215. — 2) Einhorn, Max, Ueber das Verhalten der Lymphocyten zu den weissen Blutkörperchen. Dissert. Berlin. (E kommt auf Grund einer Anzahl Blutzählungen an gefärbten Blutpräparaten [nach Ehrlich] zu dem Schluss, dass im normalen Blute die „Lymphocyten" etwa den vierten Theil der gesammten Leukocyten bilden; in vielen pathologischen Fällen ist die relative Menge der ersteren bedeutend herabgesetzt, d. h. dieselben haben an der Vermehrung der Leukocyten nicht theilgenommen.) — 3) Hénocque, A., Nouveau procédé d'examen spectroscopique du sang et des diverses substances colorées au moyen de la lumière réfléchie par la porcellaine. Gaz. des Hôpitaux. No. 25. (Bei directer spectroscopischer Beobachtung von Blutflecken auf einer gut beleuchteten weissen Grundlage sollen die Absorptionsstreifen ebenso, unter Umständen sogar besser zu erkennen sein, als bei der Untersuchung der Flüssigkeiten bei durchfallendem Licht; so lässt sich z. B. das Auftreten des Methämoglobin unter Einwirkung des Natriumnitrit durch Untersuchung eines Tropfens Blut des Versuchsthieres, welche in Zwischenräumen von wenigen Minuten wiederholt wird,

genau constatiren.) — 4) Kupffer, F., Analyse septisch inficirten Hundeblutes. Dissert. Dorpat. 64 Ss. — 5) Löwit, M., Beiträge zur Lehre von der Blutgerinnung. Sitzungsber der Wiener Acad. Bd. 89. S. 3. — 6) Maragliano, E., Neue Methode zur Bestimmung der Respirations-Capacität des Blutes zu klinischen Untersuchungen geeignet. Centralbl. f. d. med. Wiss. No. 50. — 7) Siegel, F., Ueber Methode und practische Verwerthung der Blutkörperchenzählung. Allgem. Wiener medic. Zeitung. No. 11, 12, 16, 24 — 8) Siegel, F. und C. Maydl, Ueber Zählung der Blutkörperchen nach Blutungen. Oesterr. med. Jahrbücher. Heft 2/3.

Siegel (7) berichtet über eine Anzahl Blutzählungen bei normalen und kranken Individuen.

Die Zahl der rothen Blutkörperchen fand er ziemlich übereinstimmend mit Anderen, zu 5,590,000 bei Männern, 5,093,000 bei Weibern. Bei Schwangeren fand er durchschnittlich eine Verminderung der Zahl der rothen Blutkörperchen um 23 pCt.; bei einigen war die Zahl normal, bei schlecht genährten sank sie sogar um 40 pCt. Aehnlich während der Lactation. In einem Falle von Anaemia perniciosa fand S., 14 Tage vor dem Tode, 1,020,000. Unter 32 Mädchen im Alter von 15—22 Jahren mit mehr oder weniger ausgesprochener Chlorose constatirte S. in 5 Fällen eine mässige, in 5 Fällen keine Verminderung, in den übrigen 22 Fällen eine deutliche Herabsetzung der Zahl der rothen Blutkörperchen (1,960,000—3,690,000). Als constant muss bei der Chlorose dagegen die verminderte Färbekraft des Blutes bezeichnet werden. Der Grad der Oligocythämie stand übrigens zu der Intensität der Erkrankung in ziemlich directem Verhältniss. In Folge der Eisenbehandlung sah Verf. fast stets in ziemlich kurzer Zeit eine erhebliche Vermehrung der rothen Blutkörperchen.

Die Versuche von Siegel und Maydl (8) um den Ersatz der Blutkörperchen nach Blutverlusten durch Zählung festzustellen, zerfallen in drei Gruppen, 1) einfache Blutentziehungen, 2) solche mit nachfolgender Kochsalzinfusion, 3) solche mit nachgeschickter Bluttransfusion. Nach Blutverlusten von $^2/_3$ der ganzen Blutmenge betrug das Minimum der Blutkörperchenzahl 3,280—3,600 M., nach Blutverlusten von $^1/_2$ der Blutmenge nur 4,711—4,000 M. Im ersteren Falle wurde das Minimum am 7.—9. Tage erreicht, in letzterem bereits am 4. Tage. Die normale Blutkörperchenzahl wurde nach Verlust von $^2/_3$ der Blutmenge nach 30 Tagen constatirt. Zahl der Blutkörperchen und Körpergewicht halten gleichen Schritt.

Nach Blutverlusten mit nachfolgender Kochsalzinfusion trat das Minimum der Blutkörperchenzahl am 4.—11. Tage ein. der vollständige Ersatz der ursprünglichen Zahl am 30. Tage. Die raschere Verdünnung des Blutes durch die Kochsalzinfusion scheint ziemlich ohne Einfluss zu sein; auch bei wiederholten Blutentziehungen war aus den Kochsalzinfusionen kein Vortheil zu ersehen. Nach Bluttransfusionen im Anschluss an die Blutentziehung trat (selbstverständlich) beträchtliche Vermehrung der Blutkörperchenzahl ein (es wurde annähernd soviel Blut transfundirt, als entzogen worden war); es schloss sich daran eine continuirliche Zunahme der rothen Blutkörperchen, so dass die Zahl derselben sehr bald die Norm wieder erreichte. Die Verff. sind daher der Ansicht, dass die fremden Blutkörperchen (gleichartigen defibrinirten Blutes) nicht bloss die Regeneration des Blutes unterstützen, sondern dass sie selbst weiterleben. Die Verff. haben ferner gleichzeitig mit der Blutkörperchenzahl das Körpergewicht bestimmt, und stellen die Ergebnisse mit den Gewichtsbestimmungen bei Inanition von Worm-Müller und Panum zusammen; die Abnahme des Körpergewichtes bei Blutungen, gleichviel mit und ohne Ersatz, verläuft danach ziemlich gleichmässig. Das Minimum wurde in 7 bis 8 Tagen erreicht; der Hauptantheil des Gewichtsverlustes kommt aber wohl auf Rechnung der Inanition.

Affanassiew (1) machte sich das Studium der Regenerationsvorgänge des Blutes bei Kranken zur Aufgabe, und zwar mit besonderer Berücksichtigung der Blutplättchen. Als Zusatzflüssigkeit bediente er sich einer 0,6 proc. Kochsalzlösung mit 0,6 pCt. Pepton und 1 pM. Methylviolet, da diese Flüssigkeit sowohl die rothen Blutkörperchen als die Blutplättchen unverändert erhält und die Gerinnung verhindert; die Kerne der weissen und der kernhaltigen rothen Blutkörperchen, sowie die Blutplättchen färben sich violet. Zählungen wurden mit Hülfe des Thoma-Zeiss'schen Apparates vorgenommen. Die Blutplättchen des normalen Blutes beschreibt A. übereinstimmend mit Bizzozero und Andern, und macht darauf aufmerksam, dass dieselben aus zwei Substanzen, einer körnigen und einer hyalinen bestehen, von denen die erstere sich nach einiger Zeit zu retrahiren pflegt, so dass sie einen halbmondförmigen Raum einnimmt. Die Zahl derselben fand A. im Durchschnitt zu 2—300 000 im cmm.

Der Verf. untersuchte das Blut von 16 Kranken in verschiedenen Zeiträumen, und zwar mehrere Fälle von Typhus, Anämie, Sumpfcachexie, Erysipel. Icterus gravis, Pneumonie, wobei sich sehr beträchtliche Differenzen in der Zahl der Blutplättchen herausstellten; gleichzeitig wurde auch die Zahl der rothen und weissen Blutkörperchen, sowie die der Micro- und Poikilocyten, und der kernhaltigen rothen Blutkörperchen festgestellt. Bei verschiedenen Kranken, besonders bei chronischer Anämie nach Blutverlusten war die Zahl der Micro- und Poikilocyten sehr beträchtlich, besonders in der Zeit der Regeneration des Blutes; in Krankheitszuständen mit hohem Fieber (Typhus, Erysipel etc.) nimmt die Zahl der Blutplättchen beträchtlich ab, nicht dagegen bei Pneumonie und Tuberculose. Während des Fiebers beim Typhus sind die Blutplättchen klein und leicht veränderlich, in der Periode der Regeneration dagegen grösser. Bei der Leukämie ist ihre Menge beträchtlich. Bestimmte Schlüsse vermag Verf. aus den erhaltenen Zahlenverhältnissen auf die Beziehungen der verschiedenen Elemente zu einander nicht zu ziehen. Weitere Untersuchungen machte Verf. sodann an 3 Hunden, von denen dem einen mehrfache Blutentziehungen, den anderen Injectionen von Pyrogallussäure gemacht wurden. Stets zeigte sich gleichzeitig mit der Abnahme der rothen Blutkörperchen eine Zunahme der weissen Blutkörperchen, der Blutplättchen und der Microcyten, auch kernhaltige Blutkörperchen und Poicilocyten treten auf. Am meisten wächst die Zahl der weissen Blutkörperchen, zur Zeit der Regeneration des Blutes treten besonders zahlreiche grosse Blutplättchen auf, ausserdem zahlreiche Microcyten; zur Zeit der stärksten Anämie ist die Zahl der kernhaltigen rothen Blutkörperchen am grössten. Demnach glaubt Verf. neben den letzteren auch den Blutplättchen eine active Rolle bei der Blutregeneration zuschreiben zu dürfen. Er nimmt an, dass diese sich allmälig in kernhaltige rothe Blutzellen umwandeln, und zwar hauptsächlich im Knochenmark; dabei soll die körnige Substanz des vergrösserten Blutplättchens den Kern des rothen Blutkörperchens liefern. Umgekehrt sollen die Blutplättchen von den Kernen der letzteren herstammen. Ausser jenem Entstehungsmodus der rothen Blutkörperchen sollen Microcyten auch durch eine Art Knospung der rothen Blutkörperchen sich bilden, drittens kann eine wirkliche Theilung der kernhaltigen Zellen vorkommen.

Löwit (5) suchte die Frage, ob die „Blutplättchen" wirklich zum Zustandekommen der Gerinnung unbedingt erforderlich sind, oder nicht, zunächst an der Kaninchenlymphe zu lösen. In dieser langsam gerinnenden Flüssigkeit, welche ziemlich reichlich aus dem Vas afferens des Pancreas Aselli erhalten werden kann, sind Blutplättchen nicht vorhanden. Der Vorgang der Gerinnung lässt sich bequem unter dem Microscop beobachten. Eine zellenreiche Lymphe gerinnt schnell, eine zellenarme langsam; einen Zerfall der Lymphkörperchen konnte L. jedoch weder vor, noch während der Gerinnung beobachten. Dem entsprechend lieferten auch die vor- und nachher vorgenommenen Zählungen derselben ganz übereinstimmende Resultate. Das feine zwischen den Lymphkörperchen sich bildende Netz von Fibrinfäden verhält sich ganz wie bei der Blutgerinnung, nur mit dem Unterschied, dass die durch die Blutplättchen bedingten Knotenpunkte fehlen. L. macht aber auf das Austreten kleiner hyaliner Tröpfchen aus den Lymphkörperchen vor dem Eintritt der Gerinnung aufmerksam, welches vielleicht auf gewisse für diesen Vorgang wichtige Veränderungen der Zellen hindeutet. L suchte nun die Lymphe frei von Lymphzellen zu erhalten, und zwar benutzte er dazu Filtration durch Glaswolle, wobei indess stets Gerinnung eintrat. In der Absicht, diese durch Zusatz gerinnungshemmender Salzlösungen zu verhindern, fand er die merkwürdige Thatsache, dass diese Lösungen (z. B. Chlornatrium 0,6 pCt, Magnesia sulfur.) das Eintreten der Lymphgerinnung beschleunigen, und zwar um so mehr, je stärker die Concentration der Salzlösung ist. Wasser, und besonders Kohlensäure haltiges Wasser verzögert dagegen die Gerinnung ganz merklich (bis zu $^1/_2$—2 Stunden).

Bei dem Zusatz von Kohlensäure-haltigem Wasser quellen die Zellen der Lymphe anfangs nur auf, bei längerer Einwirkung tritt jedoch eine Lösung ein; ist die letztere noch nicht erfolgt und sind die Lymphzellen durch Filtration entfernt worden, so ist das Lymphplasma spontan nicht gerinnungsfähig; waren die Lymphzellen aber bereits gelöst gewesen, so gerinnt das Plasma, wenn auch sehr verspätet, nach Zusatz von Salzlösungen. Verf. konnte sich auch überzeugen, dass in ersterem Falle die filtrirte Lymphe in Hydrocele- und Ascitesflüssigkeit keine Gerinnung hervorbrachte, während eine solche im anderen Falle (nach Lösung der Zellen eintrat. Es musste hier also das Ferment in Lösung vorhanden sein. Mithin kommt Verf. zu dem Schlusse, dass in der Lymphe die Lymphzellen die Hauptrolle bei der Gerinnung spielen.

L. suchte nun auch dieselbe Methode auf das Blut anzuwenden, und es gelang auch zuweilen, ein Plättchen- und Leukocyten-freies Blut zu erhalten, welches bei Wasserzusatz nicht mehr gerann, wohl aber bei Zusatz einer Fermentlösung. In den meisten Fällen war in dem Filtrate, welches weder Blutplättchen, noch Leukocyten enthielt, schon bei einfachem Wasserzusatz Gerinnung zu erzielen, und zwar, wie Verf. annimmt, in Folge der bereits stattgehabten Lösung der weissen Blutkörperchen. Er konnte sich denn auch thatsächlich von dem Vorhandensein von Resten der in Lösung begriffenen Leukocyten in dem Filtrat überzeugen, und ist daher der Ansicht, dass es sich bei dem sog. „Zerfall" der Leukocyten in der That um eine wirkliche Auflösung handelt, durch welche die Fibringeneratoren frei werden. Verf. versuchte nun noch auf andere Weise ein fermentfreies Plasma zu erhalten, und es gelang ihm dies dadurch, dass er Blut aus der Carotis von Hunden und Kaninchen in 28 proc. $MgSO_4$ im Verhältniss von 3:4 auffing; dieses Salzblut, in welchem massenhaft Blutplättchen, aber auch farblose Blutkörperchen vorhanden sind, gerinnt bei 6—8 facher Verdünnung mit Wasser zu einer festen Gallerte. Wird das Salzblut bei kühler Temperatur aufgestellt, so senken sich die körperlichen Elemente, und es gelingt, mit der Pipette von der Oberfläche der Flüssigkeit ein ganz reines Plasma abzuheben, welches bei Wasserzusatz nicht gerinnt, wohl aber bei Hinzufügung von Fermentlösung. Sobald noch weisse Blutkörperchen und Blutplättchen in dem Plasma vorhanden sind, tritt nach Wasserzusatz Gerinnung auf. In den später abgehobenen Proben (nach 2—4 Stunden) pflegt dies ebenfalls der Fall zu sein. Erforderlich war zum Gelingen eine niedere Temperatur (0 bis — 2°). Hundeblut ergab dieselben Resultate, wie Kaninchenblut; die Gerinnung des Salzplasma blieb aus, wenn dasselbe frei von Leukocyten war, gleichviel ob Blutplättchen vorhanden waren oder fehlten. L. kann auf Grund seiner Versuche den Blutplättchen ein coagulatives Vermögen nicht zuerkennen, sondern hält an der Ansicht von Al. Schmidt fest, dass dasselbe an die weissen Blutkörperchen gebunden ist.

Die von Maragliano (6) angegebene Methode gestattet, an kleinen Quantitäten (ca. 4 ccm) Blut, welche dem Kranken ohne Schaden aus einer Armvene entnommen werden können, die Respirations-Capacität zu bestimmen. Der Apparat besteht aus zwei Büretten, welche durch einen Schlauch mit einander verbunden und mit Quecksilber gefüllt werden. Die eine derselben, welche durch einen Hahn abgeschlossen ist, wird theilweise mit Sauerstoff gefüllt, und in diese die Blutprobe eingebracht. M. erhielt auf diese Weise hinreichend genaue Resultate; im Allgemeinen fand er (in mehr als 100 Versuchen), dass 1 ccm venöses Blut $^{8}/_{10}$ — 1 ccm Sauerstoff absorbirt, dass aber diese Menge je nach der Individualität und je nach den Krankheitsprocessen wechselt.

XII. Schilddrüse.

1) Kaufmann, C., Die Schilddrüsen-Exstirpation beim Hunde und ihre Folgen. Arch. f. experim. Path. XVIII. S. 260. — 2) Sanquirico, C. e Canalis, Sulla exstirpazione del corpo tiroide. Arch. per le sc. med. vol. VIII. No. 10. — 3) Schiff, Bericht über eine Versuchsreihe betreffend die Exstirpation der Schilddrüse. Archiv f experim. Pathol. XVIII. S. 25.

Die Versuche über Exstirpation der Schilddrüse, über welche Schiff (3) berichtet, sind theilweise bereits in den Jahren 1856—57 angestellt, in neuerer Zeit aber wiederholt und vervollständigt worden. Bereits damals hatte S. eine Anzahl Thiere nach der Operation ohne ersichtlichen Grund verloren. Die Thiere wurden am 3. oder 4. Tage nach völligem Wohlbefinden traurig, sie schliefen viel und der Tod trat unbemerkt in diesem Zustande ein. Später hatte sich S. überzeugen können, dass weder die Freilegung der Schilddrüse, noch die Durchschneidung der Recurrentes in ihrer Nähe, noch die Wegnahme der Nervenästchen, welche sowohl vom Recurrens als vom Laryngeus sup. in die Drüse eintreten, eine erhebliche Wirkung hervorbrachten. In einer weiteren in Genf unternommenen Versuchsreihe fand S., dass Hunde nach der Totalexstirpation ausnahmslos vom 4. bis 27. Tage starben, meist zwischen dem 6. und 9. Tage, einmal schon am 3. Tage. und zwar unter spastischen und fibrillären Contractionen verschiedener Muskeln. Von den Allgemeinerscheinungen war auch hier wieder die Somnolenz besonders hervortretend, die Hunde wurden melancholisch, die meisten schliefen anhaltend, und waren nur schwer zu erwecken, frassen aber mit grossem Appetit. Eine Katze hörte nach der Operation auf zu spielen, verhielt sich ganz ruhig, ausser wenn sie Fleisch erhielt. Dann trat vorübergehend Parese des einen Vorderbeines auf; eines Tages war das Thier todt.

Vielfach beobachtete S. fibrilläre Muskelzuckungen, die an den Schenkeln begannen, dann auf die Schultern übergingen. endlich auf die Zunge, und schliesslich auf alle Körpermuskeln. Zuweilen traten zuckende Contractionen der Glieder auf, auch Starre, wobei die Temperatur beträchtlich stieg. Es konnte sich daraus ein wirklicher Tetanus ausbilden. Nach solchen Anfällen waren die Thiere sehr niedergeschlagen. Durch lange dauernde Aethernarcose oder Curaresiren mit künstlicher Respiration konnte S. die Anfälle abwenden.

Ferner beobachtet S. ziemlich häufig die von ihm sogenannte „cardiale Respiration", rasche diaphragmatische Contractionen, welche durch jede Herzcontraction hervorgerufen werden. Auch der Schlingact war bei vielen Thieren vor dem Tode behindert. Einige Thiere schienen von einem starken Kitzelgefühl der Haut befallen zu sein; das Tastgefühl war vor dem Tode meist abgeschwächt. Die reizbare Zone des Gehirns reagirte schliesslich nicht mehr selbst auf die stärksten galvanischen und electrischen Reize, welche höchstens noch ungeordnete Convulsionen derselben Seite hervorriefen. Bei einem Thier trat Amaurose auf, zugleich aber starke Gehörhyperästhesie. — Der Blutdruck war unmittelbar vor dem Tode sehr herabgesetzt, ob in Folge der Erschöpfung, ist zweifelhaft. Der Herabsetzung des Blutdruckes liegt aber eine Erschlaffung der Gefässe, nicht Abnahme der Herzkraft, zu Grunde, denn das Herz ertrug während mehr als 20 Minuten einen normalen und sogar übernormalen Druck durch Compression der Aorta. Einmal beobachtet S. Stillstehen des Körperwachsthums bei einer jungen Katze, und ferner zweimal Oedeme, welche er einer Reizung der Gefässdilatatoren zuschrieb.

Diese mannigfaltigen Symptome lassen die Hypothese auftauchen, dass der Schilddrüse Beziehungen zur Ernährung des Centralnervensystems innewohnen; doch ergiebt sich aus anderen Versuchen, dass jedenfalls die Schilddrüse nicht allein diese Function besitzt, sondern dass sie von anderen Organen unter Umständen ersetzt werden kann, denn unter gewissen Bedingungen können Hunde und Ratten ohne Schilddrüse unbegrenzt lange leben.

Diese Resultate Schiff's, ebenso wie die von Zesas erhaltenen, stehen in gewissem Widerspruch zu den Erfahrungen über die Strumectomie beim Menschen. Kaufmann (1) suchte daher, bei seiner Wiederholung derselben, die Operation und den Wundverlauf den Verhältnissen beim Menschen möglichst gleich zu gestalten, wobei allerdings die anatomischen Verschiedenheiten, besonders die ganz fehlende Beziehung der Drüse zur Trachea beim Hunde, zu berücksichtigen sind. Bei Ratten, wo zwei seitliche und ein mittlerer Lappen am oberen Theil der Trachea vorhanden sind, gelang K. die Exstirpation ohne jede Störung (ein operirtes Thier starb nach 4 Wochen ohne nachweisbare Todesursache). Nachdem sich K. überzeugt hatte, dass beim Hunde die Exstirpation der ganzen (aus zwei getrennten Lappen bestehenden) Schilddrüse durch den Medianschnitt nicht günstig ist, indem auch bei sorgfältiger Antisepsis Eiterretentionen nicht zu vermeiden sind, und auch bei offener Wundbehandlung langdauernde Eiterung eintrat, unternahm er bei 4 jungen Hunden desselben Wurfes die Exstirpation des einen Lappens und sodann, nach Heilung der Wunde, auch die des zweiten. Die Drüsenlappen wurden aus ihrer Capsel herausgeschält, wodurch Nervenverletzungen ganz vermieden wurden, welche sowohl bei der Operation, als auch nachträglich bei der Desinfection oder durch die eintretende Eiterung leicht statthaben können. Die Heilung der Wunden erfolgte leicht und rasch, in 10—12 Tagen. Alle Thiere überstanden die Operation vollkommen gut, erkrankten aber an Staupe, woran der eine starb.

Die 3 übrigen waren 1—2 Monate nach der Exstirpation noch vollkommen munter.

Sanquirico und Canalis (2) machten die Exstirpation der Schilddrüse an 13 Hunden, und zwar 7 mal vollständig in einer Sitzung, in 2 Fällen wurden beide Lappen in Zwischenräumen von 6 bis 20 Tagen herausgenommen, in 4 Fällen wurde ein Stückchen zurückgelassen. In allen Fällen, in welchen die Heilung nach Totalexstirpation ohne Störung eintrat, erfolgte dennoch der Tod nach 4—16 Tagen, und zwar unter ziemlich gleichen Symptomen: Taumelnder Gang, Nahrungsverweigerung, erschwertes Schlucken, Dyspnoë und geräuschvolles Athmen, Schlafsucht, unterbrochen durch plötzliches Geheul und Sprünge, wie vor Schmerzen. Daran schlossen sich Muskelzittern, allgemeine und partielle klonische Krämpfe, einmal wirklicher Trismus und Tetanus. Wenn auch nicht alle diese Symptome in allen Fällen gleichmässig ausgebildet waren, so traten sie doch mehr oder weniger übereinstimmend hervor. In drei Fällen wurde eine deutliche Herabsetzung der Temperatur beobachtet. Künstliche Ernährung konnte den übeln Ausgang nicht aufhalten. Der Sectionsbefund ergab ziemlich übereinstimmend ausgesprochene Anämie und Oedem des Gehirns, starke Füllung der Gefässe des Mesenterium, Schwellung der Leber, einmal punktförmige Hämorrhagien des Darmes. Die Exstirpation eines Lappens der Schilddrüse allein wurde ohne Störung ertragen; 2 Thiere, bei welchen nur ein Drittel des einen Lappen zurückgelassen war, starben ebenfalls, zwei andere mit der gleichen Verletzung, welche einen Monat vorher entmilzt waren, blieben völlig gesund.

Die Verff. kommen auf Grund ihrer Versuche zu dem Resultat, dass die Totalexstirpation der Schilddrüse (gleichviel ob die Thiere entmilzt waren oder nicht) nothwendig den Tod zur Folge hat, dass dagegen entmilzte Thiere die unvollständige Thyreoidectomie ertragen können. Eine functionelle Beziehung zwischen Milz und Thyreoidea besteht indess nicht, ebenso wenig eine Beziehung der letzteren zur Blutbildung.

XIII. Pathologie der Respiration.

1) Dietrich, J., Die Wirkung comprimirter und verdünnter Luft auf den Blutdruck. Archiv. f. experim. Pathol. XVIII. S. 242. — 2) Fano, G., Sulla respirazione periodica e sulla causa del ritmo respiratorio. Lo Sperimentale Febr. (F. vertheidigt seine Ansicht von der automatischen Thätigkeit des Respirationscentrums gegen die Einwendungen von Murri [s. d. Ber. f. 1883. I. S. 251]) — 3) Gréhant et Quinquaud, Sur les effets de l'insufflation des poumons par l'air comprimé. Compt. rend. T. 99. No 19. — 4) Kaufmann, E., Ueber einige künstlich ausgelöste Erscheinungen bei Cheyne-Stokes'schem Athmungsphänomene. Prager medic. Wochenschrift. No. 35, 36 — 5) Major, G. W., Buccal Breathing. Its causes, serious consequences, prevention and cure. The New-York medic. Record. Nov. 22. — 6) Oser, L., Beitrag zur Cheyne-Stokes'schen Respiration. Wiener medic. Blätter. No. 47. (Bei einer 76jährigen Frau mit Insufficienz der Aorten- und Mitralklappen, nebst leichter Insufficienz des Ostium sinistr. war Cheyne-Stokes'sche Respiration vorhanden, welche jedoch zweimal mehrere Tage hindurch aufhörte. Die Pulsfrequenz war ebenso typisch wie die Athmung, während der Athemruhe beschleunigt, während der tiefen dyspnoischen Respirationen langsam. Während der Zeit der normalen Respiration konnte der Cheyne-Stokes'sche Athemtypus durch Compression der Carotiden willkürlich hervorgerufen werden. Im Gehirn fanden sich nur Altersveränderungen.) — 7) Patella, Vincenzo, Delle spirali di Curschmann nell, espettorato degli asmatici e dei pneumonici. Annali univ. di med. Marzo. — 8) Peiper, E., Ueber die Resorption durch die Lungen. Zeitschr. f. klin. Medic. Bd. VIII. S. 293. — 9) Saint-Martin, L. de, Recherches sur l'intensité des phénomènes chimiques de la respiration dans les atmosphères suroxygénées. Compt. rend. T. 98. No 4.

Dietrich (1) stellte bereits 1881 in Gemeinschaft mit Schreiber Untersuchungen über das Verhalten des Blutdrucks bei der Einathmung von comprimirter und verdünnter Luft an. Sie benutzten den Marey'schen Sphygmographen, mit welchem bei der normalen Athmung ein Ansteigen des Blutdruckes während der Inspiration, ein Sinken während der Exspiration constatirt werden kann. Bei der Inspiration comprimirter Luft zeigt die Pulscurve eine Veränderung im Sinne einer Erniedrigung des Blutdrucks, eine Verminderung der Leistung des Herzens, bei der Exspiration in comprimirte Luft ein rapides Herabgehen des Blutdrucks, Schwächung der Herzthätigkeit (entgegen Waldenburg's Annahme.) Bei der Inspiration verdünnter Luft weist die Pulscurve auf eine geringe Steigerung des Blutdrucks mit Ausnahme des ersten Anfanges und der Mitte der Einathmung hin, bei der Exspiration in verdünnte Luft auf ein geringes Absinken im Anfange und Wiederansteigen gegen Ende der Exspiration. Bei der Einathmung bei geschlossener Mund- und Nasenöffnung (Müller'scher Versuch) tritt ziemlich die gleiche Veränderung wie bei der Einathmung verdünnter Luft ein, anfangs starke Druckerniedrigung, dann zunehmende Steigerung. Bei dem Valsalva'schen Versuche tritt zwar eine bedeutende Erhebung der Basallinie, aber nicht die für die Drucksteigerung charakteristische Veränderung der Einzelpulse ein, eine Erscheinung, welche bereits von Schreiber mit Recht auf die plötzliche Behinderung der arteriellen und venösen Circulation durch Luftdrucksteigerung im Thorax erklärt wurde.

Auch Gréhant und Quinquaud (3) untersuchten das Verhalten des Blutdruckes bei Lufteinblasung in die Lungen von Thieren. Die Lufteinblasung geschah vermittelst eines Gasometers bei beliebig wechselndem Druck, während gleichzeitig die Blutdruckcurve der Carotis, in einigen Fällen auch noch die des rechten Ventrikels (mit Hülfe einer durch die Vena jugularis eingeführten Röhre) aufgeschrieben wurde. Es zeigte sich, was G. bereits 1870 festgestellt hatte, dass bei der Einblasung der arterielle Druck sofort sinkt, während der Druck im rechten Ventrikel steigt. Bei einem Hunde mit einem mittleren arteriellen Druck von 12 cm Hg sank dieser bei Lufteinblasung (unter 35 mm Hg) sofort um 7 cm und stieg nach dem Aufhören der Einblasung auf 14 cm. Eine Einblasung unter einem Drucke von 1 cm Hg setzte den arteriellen Druck schon um 4 cm herab, eine Einblasung unter 8—10 cm um 8—9 cm. Hält die Einblasung unter diesem Drucke an, so stirbt das Thier in wenigen Minuten und es zeigt sich, dass Luft in grosser Menge in das linke Herz eingedrungen ist. Schon bei einem Druck von 65 mm Hg tritt Luft nach 3 Minuten ins Herz über; bei einem Kaninchen schon bei 37 mm. Das subpleurale Emphysem welches die Verf. bei diesem Versuch beobachteten, beweist, dass eine Zerreissung von Lungenbläschen und Gefässen stattfindet. Die Verff. machen auf diese Gefahr des Lufteinblasens bei Neugeborenen aufmerksam. (Diese Thatsache ist schon lange, seit Bichat, Leroy-d'Etiolles u. A. bekannt; Ref. konnte dieselbe bestätigen. vgl. dessen Arbeit über Emphysem, Prager Vierteljahrsschr. Bd. 131, vgl. auch die Versuche von Ewald und Kobert, Ber. f. 1883. I. 193, welche eine „Undichtigkeit" der Lungen als Ursache des Luftübertrittes annahmen. Ref.)

Die Versuche Peiper's (8) über die Resorptionsthätigkeit der Lungen wurden in der Weise angestellt, dass Hunden und Kaninchen verschiedene Flüssigkeiten in die Trachea (durch Einstich oder Tracheotomie) eingegossen wurden. Destillirtes Wasser konnte in relativ bedeutender Menge infundirt werden, ohne dass Dyspnoe auftrat (einem grossen Kaninchen innerhalb einer Stunde ca. 60 ccm, einem Hunde 250 ccm). Kleine Dosen Strychnin riefen bereits $1\frac{1}{2}$ Minuten nach der Injection in die Lungen deutliche Steigerung der Reflexerregbarkeit hervor, die gleichen Dosen subcutan erst nach 10 Minuten. Bei stärkerer Dosis trat die Wirkung von Seiten der Lungen schon nach 15—20 Sec. ein. Eine ähnlich beschleunigte Wirkung zeigte sich nach Injection von Curare und von Kali nitricum. und zwar trat die Wirkung am schnellsten ein bei senkrechter Stellung des Thieres (mit dem Kopf nach oben). Zur Bestimmung der Schnelligkeit der Resorption durch den Nachweis der injicirten Substanzen im Urin benutzte Verf. Salicylsäure, welche (nach Anwendung von ca. 0,15 Acid. salicyl.) bereits eine Minute später im Urin erschien, deutlicher nach 5 Minuten. Hämoglobinlösung liess erst nach 40 Minuten sich schwach im Urin nachweisen, Hühnereiweis nach $\frac{3}{4}$ Stunden, sehr deutlich nach einer Stunde, Rindergalle nach $\frac{3}{4}$ Stunden. Nach der Injection von 5 ccm Milch konnten schon nach Verlauf einer Minute, reichlicher nach 2—4 Minuten, Milchkügelchen im Blute gefunden werden. Doppelseitige Durchschneidung des N. vagus. des Sympathicus und des Phrenicus rief keinen bemerkbaren Unterschied hervor. ebenso Fieber und Asphyxie, während bei pneumonischer Infiltration (Vagus-Pneumonie) die Wirkung injicirter Gifte schneller eintrat, möglicherweise jedoch nur wegen der mangelnden Widerstandsfähigkeit der Thiere.

Während Lavoisier und Séguin, später Regnault und Reiset angaben, dass eine Steigerung des Sauerstoffgehaltes der Inspirationsluft keine Veränderung der Respirations-Producte zur Folge hat, hatte P. Bert auf Grund einiger Versuche behauptet, dass die Verbrennungsprocesse in einer Atmosphäre mit vermehrtem Sauerstoffgehalt anfangs gesteigert verlaufen, und sodann abnehmen St.-Martin (9) nahm diesen Gegenstand von Neuem auf, indem er elf Versuche an Meerschweinchen, fünf an Ratten anstellte, theils bei normalem, theils bei vermehrtem Sauerstoffgehalt (40—75 pCt.). Auf Grund dieser Versuche gelangte Verf. zu dem Schlusse, dass die chemischen Processe der Respiration keine merkbare Aenderung durch die Vermehrung des Sauerstoffgehaltes der Atmosphäre erleiden.

Das Athmen mit offenem Munde ist nach Major (5) mit grossen Uebelständen verknüpft, abgesehen von der localen Einwirkung der Luft und des Staubes auf Mund und Athemwege. Als solche führt M. an: Allgemeine Schwäche, schlechte Ernährung, Deformität des Thorax mit Prominenz des Sternum In schweren Fällen gesellt sich dazu ein Ausdruck des Stumpfsinns, selbst Gedächtnissschwäche, welche indess vielleicht mehr von dem gesteigerten intranasalen Druck abhängt. Häufig kommt es zu Verlust der oberen Schneidezähne und damit zu Störungen der Digestion, wie Verf. glaubt, in Folge der austrocknenden Wirkung der Luft und starken Zersetzung von Speiseresten. Als häufigste Ursache des Mundathmens führt Verf., abgesehen von der Gewohnheit, die verschiedenen Arten der Verengerung der Nasenhöhle durch Deviation des Septum narium an; knorpelige oder knöcherne Vorsprünge, Tumoren, Oedem des Septum, besonders am hinteren Rande, Hypertrophie der Schleimhaut der Muscheln, Schwellung der Pharynxtonsille, adenomatöse Wucherungen des Pharynx, Fibroid desselben und endlich Schwellung der Mandeln. In therapeutischer Beziehung tritt M. besonders für den Thermocauter ein.

Patella (7) theilt eine Reihe Beobachtungen von Affectionen des Respirations-Apparates mit, bei welchen sich im Sputum die sogenannten Curschmann'schen Spiralen in mehr oder weniger grosser Zahl fanden.

Nur zwei dieser Fälle betrafen eigentliches Asthma (1 Asthma nervosum mit Convulsionen, 1 Asthma bronchiale); fünf waren lobäre Pneumonien, zwei Fälle Herzfehler mit asthmatischen Anfällen. Die Spiralen fanden sich in mehr oder weniger grosser Anzahl und in verschiedenen Stadien der Ausbildung. Dieselben bestehen, bei starker Vergrösserung betrachtet, aus einem Convolut feiner Fasern, welche durch spindelförmige Zwischenräume von einander getrennt sind. Meist enthalten sie eine heller durchscheinende homogene Axe, während die Streifung nur in dem peripherischen Theil ihren Sitz hat. Bei längerem Aufenthalt in den kleinen Bronchien machen die Spiralen indess Degenerationsprocesse durch, wodurch sie allmälig in eine gleichmässige hyaline Masse umgewandelt werden, welche am meisten dem Schleim verwandt zu sein scheint P. leitet dieselben her von einer Proliferation des Epithels, welches abgestossen und durch den Krampf der kleinen Bronchien in die spiraligen Formen gepresst wird. Die Charcot'schen Krystalle, welche Verf. in einem seiner Asthmafälle in grosser Anzahl beobachtete, sollen ebenfalls aus einer Degeneration der Spiralen, und zwar zunächst aus dem hyalinen Centrum hervorgehen, welches die Krystalle fast ausschliesslich einnahmen. Die sehr umständliche Beschreibung der Spiralen kann hier nicht wiedergegeben werden.

Bei einem tuberculösen Individuum, bei welchem sich nach dem vorübergehenden Gebrauch von Chloral und Morphium kurze Zeit vor dem Tode Cheyne-Stokes'sches Phänomen eingestellt hatte, beobachtete Kaufmann (4) folgende Erscheinungen. Während der Athempause verfiel der Pat. in Schlaf; leichte Hautreize bewirkten vorübergehend deutliche Erweiterung der Pupille und Oeffnen der Augenlider; Berührung der Haut mit einer kalten Metallplatte, Schlag mit der flachen Hand, Kitzeln der Fusssohlen rief in der Pause anfangs kurze, dann tiefe gedehnte Athemzüge hervor. Durch Ansprache konnte der Eintritt der Athempause aufgehalten oder dieselbe abgekürzt werden. Der Verf. ist der Ansicht, dass man zur Erklärung dieser Erscheinungen eine eine Zeit lang anhaltende Steigerung der Erregbarkeit der Athemnerven durch die künstliche Reizung von aussen annehmen müsse (cfr. Murri, Bericht für 1883, I., S. 251).

XIV. Pathologie der Verdauung.

1) Quetsch, C., Ueber die Resorptionsfähigkeit der menschlichen Magenschleimhaut im normalen und pathologischen Zustande. Berl. klin. Wochenschrift. No. 23. — 2) Schütz, E., Ueber den Pepsingehalt des Magensaftes bei normalen und pathologischen Zuständen. Prager Zeitschrift für Heilkunde. Heft 6.

Die Versuche, welche Quetsch (1) unter Riegel's Leitung über die Resorptionsfähigkeit der Magenschleimhaut angestellt hat, wurden zunächst am nüchternen Magen, sodann auch nach vorheriger Ausspülung und in verschiedenen Stadien der Verdauung vorgenommen. Mit Recht weist Q. darauf hin, dass die Versuche, um mit einander verglichen werden zu können, unter gleichartigen Bedingungen geschehen müssen. Die Versuche wurden mit Jodkali ausgeführt. Die Zeit, nach welcher bei Gesunden die Jodreaction im Harn auftrat, war bei Gesunden im Mittel $13^1/_2$ Min. (9—18 Min.). Von Magenaffectionen wurden besonders chronische Magencatarrhe mit Dilatation, Fälle von Ulcus und von Carcinoma ventriculi benutzt, und zwar wurden die Versuche hier in verschiedener Weise modificirt. Im nüchternen und unausgespülten Zustande des Magens war die Resorptionszeit im Allgemeinen ziemlich beträchtlich verspätet (24—32 Min., nur in 2 Fällen von Ulcus 10 und 12 Min.). Nach der Ausspülung im nüchternen Zustande war die Resorptionszeit in einigen Fällen weniger, sofort nach der Nahrungsaufnahme dagegen stets beträchtlich verlangsamt (42—50). Zwei bis drei Stunden nach dem Frühstück war die Resorptionszeit wiederum etwas kürzer (12—36 Min.); war der Magen vorher ausgespült worden, so betrug die Zeit der Resorption unmittelbar nach dem Frühstück etwas weniger als ohne vorhergegangene Ausspülung, doch ist die Differenz wenig constant. — Um medicamentös schnelle Resorption zu erzielen, ist es zweckmässig, das Medicament nicht unmittelbar nach der Mahlzeit zu geben.

Die Methode der Pepsinbestimmung, welche Schütz (2) in seinen Untersuchungen über den Pepsingehalt des Magensaftes anwandte, „beruht auf der Thatsache, dass sich unter bestimmten Verhältnissen die gebildeten Peptonmengen genau proportional wie die Quadratwurzeln aus den relativen Pepsinmengen verhalten". Diejenige Pepsinmenge, welche unter bestimmten Versuchsbedingungen 1 g Pepton bildet, bezeichnet Verf. als Pepsineinheit.

Zur Gewinnung des zu untersuchenden Magensaftes bediente sich Schütz einer Nélaton'schen Sonde mit feinen siebförmigen Oeffnungen anstatt der Fenster, durch welche der Magensaft unter sehr geringem, durch Manometer controlirten Druck (1 cm Hg) aspirirt wurde. Die Proben wurden Morgens in nüchternem Zustande entnommen, um jede Beimischung von Speiseresten u. s. w. zu vermeiden. Ein vorheriges Ausspülen des Magens erwies sich als unzweckmässig. Magensaft, welcher durch starke Beimischung von Galle verunreinigt war, wurde zur Untersuchung des Pepsingehaltes nicht verwerthet; Verunreinigung durch verschluckten Speichel wurde bei den Versuchen möglichst vermieden durch Abfliessenlassen des bei der Sondirung abgesonderten Speichels nach aussen. In der Regel wurden 5—10 ccm zur Untersuchung entnommen; es wurden indess zu jedem einzelnen Verdauungsversuch nur 0,25 Magensaft verwerthet; der Gehalt der Versuchsflüssigkeit an Salzsäure betrug stets 0,20 pCt. Die Bestimmung der Peptonmenge geschah polarimetrisch.

Schütz machte auf diese Weise bei 10 gesunden Personen 15 Bestimmungen, und fand als Mittel 0,76 Einheiten (Min. 0,41, Max. 1,17). Bei demselben Individuum war die Pepsinmenge an verschiedenen Tagen nur geringen Schwankungen unterworfen; die Reaction des Saftes war stets „stark sauer" (einmal „sauer").

An Kranken wurden 87 Untersuchungen vorgenommen; die Zahl der Personen betrug 81. Darunter befanden sich 25 Fälle von selbständigen Magenkrankheiten (mit 42 Untersuchungen) und 26 Fälle von secundären Magenbeschwerden mit 45 Untersuchungen. Unter den ersteren waren drei Fälle von Magencarcinom und andere mehr oder weniger schwere und langdauernde Magenaffectionen mit dyspeptischen Symptomen. Schwere und Dauer der Erkrankung ging mit einem entsprechend geringen Gehalt des Magensaftes an Pepsin einher. In 4 von den 13 schweren Fällen fand sich gar kein Pepsin, in den übrigen sehr wenig (höchstens 0.05 Einheiten); auch in den Fällen von Magencarcinom fand sich fast gar kein Pepsingehalt, doch ist die Untersuchung hier vielleicht der veränderten mechanischen Verhältnisse wegen nicht ganz massgebend. Die leichteren Fälle unterschieden sich nicht von dem Verhalten Gesunder, so auch einzelne Fälle acuter Magenerkrankungen. Die Reaction des Saftes war in den Fällen mit fehlendem oder geringem Pesingehalt nur ausnahmsweise stark sauer, meist schwach sauer oder sogar alkalisch, bei höherem Pepsingehalt nur einmal alkalisch.

Unter den secundären Magenerkrankungen fanden sich 11 Fälle sogenannter „nervöser Dyspepsie", worunter Verf. im Allgemeinen dyspeptische Zustände als Folge krankhafter Beschaffenheit des Nervensystems versteht. Nur bei 5 dieser Fälle war der Pepsingehalt ziemlich erheblich geringer als normal (0,24—0,31 Pepsineinheiten), doch bei Weitem nicht so gering, als bei den schweren Fällen der ersten Gruppe. Die Reaction war stets stark sauer. In 6 Fällen von Anämie und 2 Fällen von Chlorose war der Pepsingehalt nicht verringert (0,41—1,04), die Reaction stark sauer. Unter 5 Fällen von Lungen-

Tuberculose mit schweren Magensymptomen war nur in einem Falle der Pepsingehalt sehr gering (0,015). die Reaction schwach alcalisch; in einem Fall von Tabes mit „Magenkrisen" fand sich nach einem solchen Anfall kein Pepsin, ebenso fehlte dasselbe bei einer Phosphorvergiftung am 9. Tage, war aber bald darauf wieder nachweisbar.

Speichel.

1) Brancaccio, Fr., Alcuni considerazioni sulle ricerche dell' albumina nella saliva e nella bile degli albuminurici di Matilde Dessales. Rivista clin. di Bologna. Dec. (B. verwahrt sich gegen die Schlussfolgerungen von D., welche die Untersuchungen B.'s nicht berücksichtigt hat.) — 2) Dessales, Matilde, Dell' albumina nella saliva e nella bile degli albuminurici. Ibidem. Juigno.

Die Auffassung Semmola's von der hämatogenen Entstehung der chronischen Nephritis, für welche er das Auftreten von Eiweiss in andern Secreten, als im Urin, besonders im Schweiss, im Speichel und in der Galle bei jener Krankheit von grosser Bedeutung ansah, veranlassten Dessales (2), Speichel und Galle von Nephritikern einer genauen Untersuchung auf Eiweiss zu unterziehen. Verf. benutzte im Ganzen 17 Fälle, darunter 12 mit verschiedenen Formen von Nephritis, besonders Schrumpfniere; der Speichel enthielt meist keine Spuren von Eiweiss, nur zuweilen und inconstant gab er eine schwache Trübung mit Ferrocyancalium. In einem Fall von Paralysis agitans mit Salivation fand sich dagegen (ohne dass Nephritis vorhanden war) reichlich Eiweiss, während dasselbe in einem zweiten analogen Falle fehlte. Die in 3 Fällen von Nephritis chron. untersuchte Galle enthielt kein Eiweiss. Bei diesen Befunden kam Verf. auf den Gedanken, ob vielleicht die ganz entgegengesetzten Resultate Semmola's auf der Einwirkung von Pilocarpin auf die Speicheldrüsen beruhen könne; in der That konnte die Verf. in einem Falle von chronischer Nephritis, und bei zwei Gesunden, in deren Speichel keine Spur Eiweiss nachzuweisen war, nach Injection von 0,01 Pilocarpin das Auftreten von reichlichem Eiweissgehalt im Speichel constatiren.

Pancreas.

Arnozan et Vaillard, Contribution à l'étude du pancréas du lapin. Lésions provoquées par la ligature du canal de Wirsung. Arch. de Physiologie. No. 3.

Arnozan und Vaillard schicken der Mittheilung ihrer Untersuchungen über die Folgen der Unterbindung des Ductus pancreaticus eine genaue Schilderung des normalen anatomischen und histologischen Baues des Pancreas beim Kaninchen voraus, welche sich im Ganzen an die von Heidenhain gegebene anschliesst.

Die Verff. nehmen besondere intercelluläre Gänge in den Acini an, welche sie durch Injection dargestellt haben; sie sprechen ausserdem von besonderen Verbindungsgängen zwischen den Acini und den eigentlichen Ausführungsgängen; das platte Epithel jener Gänge soll sich noch eine Strecke weit in den eigentlichen Acinus hinein fortsetzen, und auf diese Weise die eigentlichen Drüsenzellen des letzteren von innen her auskleiden, weswegen die Verff. diese Gebilde als „centro-acinöse Zellen" bezeichnen. Sie machen ferner auf eine Erscheinung aufmerksam, welche sie als „Selbstverdauung" des Pancreas bezeichnen. Wenn sie nämlich Schnitte des Organs in Wasser sich selbst überliessen, so fanden sie am folgenden Tage nicht selten die sämmtlichen Drüsenzellen zerstört. Das war nicht bloss an ganz frischen Präparaten der Fall, sondern auch, wenn die Schnitte vorher mit Alcohol behandelt gewesen und erst nachher in Wasser gekommen waren, während Müller'sche Flüssigkeit und Osmiumsäure jene Zerstörung verhinderten, vermuthlich durch Zerstörung des Fermentes.

Die Unterbindung des Ductus pancreaticus. welche die Verf. nach eigener Methode ausführten, wurde in den meisten Fällen gut ertragen; die Thiere frassen wie Gesunde, nach Verlauf einiger Tage sogar besonders reichlich. aber sie wurden dabei mager. Waren die ersten 5—6 Tage überstanden, so blieb das Leben ungefährdet erhalten, selbst bis über ein Jahr.

Die anatomische Untersuchung ergab, dass die Unterbindung des Ausführungsganges allmälig zu einer vollständigen bindegewebigen Umwandelung des Pancreas führte. Die erste Folge ist eine enorme Erweiterung der Gänge, welche sich bis in die feinen Verzweigungen fortsetzt. Vielfach stossen sich die Epithelzellen ab, welche zugleich mit eingedickten colloiden Massen eine Verstopfung der Gänge herbeiführen. Gleichzeitig verändern sich auch die Drüsenzellen, welche bereits nach 24 Stunden durchscheinend werden; nach einigen Tagen quellen die Körner auf und theilen sich in 2, 3 Kerne, welche die Zelle ausfüllen. Vom 7. bis 9. Tage sind die Pancreaszellen nirgends mehr erkennbar, sie sind durch freie Kerne und kleine runde und spindelförmige Zellen ersetzt, welche schliesslich ein junges Bindegewebe liefern. Die Verff. leiten dieses von den freien Kernen der Drüsenzellen her. Aehnliches soll auch an den abgestossenen Zellen der Ausführungsgänge der Fall sein. Gleichzeitig nimmt das interstitielle Bindegewebe zu, welches sich mit runden Zellen infiltrirt, und allmälig zur Stenosirung führt.

Die Veränderungen des Pancreas nach der Ligatur schliessen sich demnach am meisten an die der Leber (nach Charcot und Gombault) an, während bei andern Drüsen (Speicheldrüsen, Nieren) nach dem gleichen Eingriff, abgesehen von der Dilatation der Gänge, keine oder nur geringfügige Schrumpfung eintreten soll.

XV. Pathologie der Haut. Schweiss-Secretion.

1) Balzer, F. et T. Barthélemy, Contribution à l'étude des sueurs colorées. Annales de Dermatol. 2. Sér. vol. V. No. 6. — 2) Brieger, Ueber Erytheme, insbesondere bei Infectionskrankheiten. Char.-Ann. IX. S. 115. — 3) Czempin, A., Die Theorie über den Einfluss des Nervensystems bei Entstehung der Hautkrankheiten. Dissert. Berlin. (Sorgfältige Zusammenstellung unter Leitung von Behrend.) — 4) Dechambre, A., Observation de chromidrose. Gazette hebdom. No. 15. — 5) Schwimmer, E., Die Beziehung des Nervensystems zu den Hautkrankheiten. Wiener med. Presse. No. 40. (Nichts Neues.)

Brieger (13) sucht den Beweis zu führen, dass die bei verschiedenen Infectionskrankheiten, besonders im Puerperalfieber zuweilen auftretenden Scarlatinaähnlichen Erytheme auf einer besonderen Mischinfection beruhen, welche zu der Haupterkrankung hinzukommt. Die vielfach acceptirte Auffassung, dass es sich um wahre Scarlatina im Wochenbett handelt, kann schon aus dem Grunde nicht richtig sein, da erstens die Mund- und Rachenaffection bei dem puerperalen Erythem fehlt, und ausserdem die Entwickelung der Hautröthe eine vom ächten Scharlach abweichende ist. Dieselbe beginnt in Gestalt einzelner rother Flecke häufig an den Oberextremitäten, welche später confluiren und auf die benachbarten Körpertheile übergehen. Eine eigentliche Desquamation fehlt nicht selten; in dem einen der von Brieger beobachteten Fällen bildete sich aus dem Erythem ein Pemphigus-artiger Ausschlag aus. In der Flüssigkeit der Blasen gelang es, zwei verschiedene Bacillenformen nachzuweisen, während in den übrigen Fällen parasitäre Wesen als Ursache der Erkrankung nicht zu finden waren. Dennoch vermuthet B., dass das Exanthem durch solche Krankheitserreger auf embolischem Wege zu Stande kommt. Als Beispiel einer derartigen wahrscheinlich embolischen Hauterkrankung führt er eine von Leopold bereits mitgetheilte Beobachtung an (S. d. Bericht f. 1883. I. S. 241). B. sah das Erythem in fünf Fällen, von welchen aber nur zwei bei puerperaler Septicopyämie, drei bei Typhus abdominalis, und zwar ebenfalls bei weiblichen Individuen vorkamen. Es kann also das Erythem nicht als Eigenthümlichkeit der puerperalen Infection betrachtet werden.

Fall 1. Frau von 29 Jahren, am dritten Tage nach der Entbindung erkrankt an eiteriger Parametritis und metastatischer Pyämie, Panophthalmitis; gleichzeitig mit letzterer trat am 16. Tage eine Schwellung und Röthung in der Gegend des l. Ellenbogengelenkes auf; Eruption von Pemphigusblasen an beiden Ellenbogen, am l. Unterschenkel und an anderen Stellen des Körpers. Neben dem Pemphigus trat ein aus carminrothen Flecken bestehendes Exanthem auf, welches sich vom linken Arm auf Brust und Bauch, dann über den ganzen Körper verbreitete; nach 6tägigem Bestand trat eine eigenthümliche Desquamation ein — Fall 2. Mädchen von 17 Jahren, zwei Tage nach der Entbindung erkrankt (Parametritis und Peritonitis); am 3. Tage treten an Brust, Bauch, Oberschenkeln unregelmässige rosarothe Flecke auf, die später zu einer gleichmässigen Scharlachröthe zusammenfliessen. Nach einigen Tagen verblasst das Exanthem, ohne Desquamation — Fall 3. Frau von 32 Jahren, Gravida, Typhus am 7. Tage. Fleckiges Erythem an den Streckseiten der Vorderarme und Handrücken, welches nach 2 Tagen verschwindet; nach der inzwischen erfolgten Geburt eines Kindes intermittirende Fieberanfälle; nach 3 Wochen plötzlich auftretende Scharlachröthe an den Oberarmen, welche sich über den ganzen Körper verbreitet, und nach 24 Stunden verblasst. — Fall 4 u. 5. Mädchen von 22 und 19 Jahren, Typhus. Hellrothes Erythem, welches an den Armen beginnt und sich über den ganzen Körper verbreitet, um nach 2 Tagen zu verschwinden.

Balzer und Barthélemy (1) berichten über einen Fall von rothem Schweiss in den Achselhöhlen eines Mannes von 34 Jahren, welcher stets stark geschwitzt hatte, aber erst in der Reconvalescenz nach einem Typhus das Auftreten der rothen Färbung, welche in den Hemden über handgrosse Flecke derselben Farbe hervorbrachte, bemerkte. Die sonst dunkelbraunen Haare zeigen in den Achselhöhlen eine dunkelröthliche Farbe, zugleich waren sie rauh, brüchig und glanzlos, von etwas unregelmässigem Durchmesser, etwas höckerig, und zwar durch eine röthlich gefärbte Masse, welche sie umgab. Alle angewandten Mittel, Waschungen mit Natronseife, Eau de Cologne, Borax, Thymol, Carbolsäure blieben erfolglos, nur Aether hatte eine vorübergehende Besserung zur Folge. Die gleichen Veränderungen beobachteten die Verff. noch an mehreren Individuen, welche mit röthlichem oder gelblichem Schweisse behaftet waren. Sie fanden, übereinstimmend mit Eberth und Babes, dass der röthliche Ueberzug der Haare durch Micrococcenmassen gebildet ist, welche in Form einer Zoogloea am Haar haften, und zwar besonders an kleinen Rauhigkeiten oder Defecten des Oberhäutchens. Dieselben finden sich übrigens auch an der Oberfläche der Epidermis, untermischt mit anderen Bacterienformen. Die Verf. haben sich überzeugt, dass ein ähnlicher Parasitismus an den Haaren sehr verbreitet ist, besonders bei stark schwitzenden Personen, aber es handelt sich meist um farblose Zoogloeamassen, welche die Haare einhüllen und auch an der Oberfläche der Haut haften.

Die von Dechambre (4) mitgetheilte, bereits ältere Beobachtung von blauem Schweiss betraf eine junge Frau, bei welcher am 4. Tage nach einer Entbindung blaue und blaugrüne Flecke um den Hals herum, dann am Rücken, auf der Brust, allmälig auch am Bauch und in den Weichen auftraten. Eine Abfärbung von Seiten der Wäsche wurde mit Sicherheit ausgeschlossen. Am stärksten wurde die Färbung nach reichlichem Schwitzen. Die mit dem Schweiss abgestreiften Epitheltrümmer liessen allerlei blaue und bräunliche Körnchen, auch blaue „Krystalle" erkennen Personne, Vidau, der Chemiker Schützenberger und Hénocqe untersuchten die Substanz, kamen aber zu keinem bestimmten Resultat, indem die einen sich für Gallenfarbstoff, andere dagegen aussprachen. — (Einen Umstand scheinen die Untersucher dabei gar nicht berücksichtigt zu haben; D. erwähnt selbst, dass die Kranke gleichzeitig mit dem Auftreten des „blauen Schweisses" bemerkte, dass eine silberne Kette auf der Haut — vermuthlich des Halses — braun geworden war. Da die blaue Färbung vom Halse ausging, so liegt es wohl nahe, anzunehmen, dass es sich um eine Kupferverbindung gehandelt habe, welche sich mit dem Schweiss allmälig nach abwärts ausbreitete. Ref.) — Die Färbung verlor sich nach einiger Zeit von selbst.

XVI. Pathologie der Harnsecretion.

1. Allgemeines; Semiologie des Harns.

1) Baas, J. H., Ueber zwei neue Methoden des Nachweises von Eiweiss und Zucker im Harn. Wiener med. Presse. No. 4. (Papierstreifen mit Citronensäure, resp. mit Kalium-Quecksilber getränkt zur Eiweissprobe, Streifen mit Indigolösung resp. mit Natr. bicarbon. zur Zuckerprobe; bei Gegenwart von Zucker wird die Indigolösung beim Kochen mit Natron entfärbt.) — 2) Dohrendorff, E., Die diagnostische und prognostische Bedeutung der Diazoreaction. Diss. Göttingen. — 3) Ehrlich, P., Ueber die Sulfodiazobenzol-Reaction. Deutsche med. Wochenschr. No. 27. (E. wendet sich nochmal gegen die Einwürfe, welche namentlich von Petri und Penzoldt gegen seine Harnreaction erhoben

worden sind, und giebt noch einige Anweisungen für die Ausführung derselben.) — 4) Geffrier, P., Les troubles de la miction dans les maladies du système nerveux. Thèse. Paris. 185 pp. (G. betrachtet nach sehr ausführlicher anatomisch-physiologischer Einleitung zunächst die motorischen Störungen der Urinentleerung, die vollständige und unvollständige Retention, die Incontinenz, sodann die sensibelen Störungen, die sog. Anästhesien der Blase und der Ureteren, die Hyperästhesie und Cystitis. Sodann stellt er die bei der Tabes, der Paraplegie, Hemiplegie, multiplen Sclerose und Commotion des Gehirns und Rückenmarks vorkommenden Arten der Störung der Harnentleerung zusammen unter Beifügung sehr zahlreicher Krankengeschichten.) — 5) Hoffmann, J., Zur Semiologie des Harns. Diss. Berlin. — 6) Penzoldt, F., Aeltere und neuere Harnproben und ihr practischer Werth. Jena. 26 Ss. — 7) Petri, Diazobenzolsulfosäure als Reagens in der klinischen Chemie. Zeitschr. f. klin. Medic. Bd. VII. S. 500. — 8) Puhlmann, O., Die chemisch-microscopische Untersuchung des Harns auf seine krankhaften Veränderungen. 3. Aufl. 8. Berlin. 1885. — 9) Quincke, H., Ueber einige Bedingungen der alkalischen Reaction des Harns. Zeitschr. f. klin. Med. Bd. VII. Suppl. S. 22. — 10) Robin, A., Etude urologique faite à propos d'un cas d'acholie pigmentaire observé par Hanot. Gaz. méd. No. 10. — 11) Derselbe, De la phosphaturie. Gaz. des Hôp. No. 25. (A. Phosphaturie mit Polyurie bei beginnender Tuberculose; abwechselnd mit Diabetes; essentielle Phosphaturie; Phosphaturie bei Magenaffectionen, besonders Pyrosis. B. Phosphaturie ohne Polyurie, besonders bei chronischen Nervenaffectionen und bei Meningitis.) — 12) Derselbe, L'urée et le cancer. Gaz. méd. de Paris. No. 33. (Gegenüber der Behauptung von Rommelaere, dass die Verminderung der Harnstoffausscheidung ein characteristisches Symptom für das Vorhandensein einer malignen, krebsigen Geschwulst sei, zeigt R., dass der Harnstoffgehalt bei Krebskranken ebenso wie bei anderen Individuen von der Nahrungsaufnahme abhängig sei, und dass selbst bei Magencarcinomen die täglichen Harnstoffmengen bis zu 26 g betragen können. Der Krebs als solcher hat keinen Einfluss auf die Harnstoffbildung.) — 13) Rommelaere, W., De la mensuration de la nutrition organique. Journal de médic. de Bruxelles. Mars, avril, juillet. — 14) Simoncelli, A., L'urologia. Raccoglitore med. März, April, Juli. Forts. (cf. Bericht f. 1883. I. S. 255.) — 15) Spiethoff, H., Ueber Ehrlich's Diazoreaction. Diss. Berlin.

Als Ursachen für eine alkalische Reaction des Harns führt Quincke (9) an: 1) Resorption alkalischer Transsudate aus Unterhautzellgewebe und serösen Höhlen; besonders häufig tritt die alkalische Reaction bei schneller Resorption ein, ferner Resorption von Blut, welches entweder eingespritzt, oder extravasirt war; dahin gehört auch die alkalische Reaction des Harns bei Hämoglobinurie. Zweitens kann Säureverlust an einer anderen Körperstelle dieselbe Wirkung haben, z. B. bei Entfernung der Salzsäure des Magens durch anhaltendes Erbrechen. 3) Auch unter anscheinend normalen Verhältnissen kommt es vor, dass der Harn, besonders in den Morgen- und Vormittagsstunden alkalisch, resp. amphoter reagirt. Nicht selten erscheint dabei die Menge der Phosphate vermehrt, vielleicht nur in Folge der Alkalescenz, so z. B. bei Hirn- und Rückenmarksleiden. 4) Die Steigerung der Harnsecretion, die in den ersten Morgenstunden (unabhängig von Getränkzufuhr) stattfindet, geht meistens auch mit einer grösseren Alkalescenz Hand in Hand, was vielleicht mit der vermehrten Lymphbildung im wachen Zustande zusammenhängt; gleichzeitig mit reichlicherem Wasser strömen dann auch mehr Alkalisalze der Blutmasse zu. Anhangsweise stellt Q. einige Angaben über den Alkaligehalt seröser Transsudate zusammen, aus denen hervorgeht, dass im Allgemeinen der Alkalescenzgrad mit dem specifischen Gewicht zuzunehmen scheint.

Hoffmann (5) stellte unter Leitung Zuelzer's eine Reihe von Harnuntersuchungen an mit besonderer Berücksichtigung des Volumens, der Menge der festen Bestandtheile, der Farbe und des Säuregehaltes des Harns, sowie der Gruppirung des Stickstoffes und der Phosphorsäure. Den 24stündigen Säuregrad des Harns bestimmte H. gleich 1,74 g Salzsäure; die Acidität des Harnes ist herabgesetzt zu Zeiten, in denen die Secretion des Magensaftes gesteigert ist, ferner in Zuständen, bei welchen reichliche Schweissabsonderung vorausgegangen ist; sie ist dagegen vermehrt nach starker Muskelthätigkeit. Nach jeder Mahlzeit folgt zunächst Erhöhung, dann Herabsetzung des Säuregehaltes; gesteigertes oder herabgesetztes „Zerfallen" des Nervengewebes lässt sich aus dem Verhältniss der Phosphorsäure zum Stickstoff erkennen. Bei Depressionszuständen (Schlaf, Chloroform) ist die Phosphorsäure des Harns relativ vermehrt, bei Excitationszuständen vermindert.

Petri (7) theilt im Anschluss an seine frühere Arbeit (s. d. Ber. f. 1883. S. 256) weitere Beobachtungen über die Ehrlich'sche Reaction mit, wobei er sich zunächst ausführlich über die Technik derselben äussert. Bei der Beurtheilung der Farbenreaction kommt nach P. der Gehalt des Reagens an Diazobenzolsulfosäure in Betracht, ferner der Concentrationsgrad des Harns, ein eventueller Gehalt an Traubenzucker und an Pepton. In der bisher von Ehrlich angewandten Form sind die Resultate viel zu unsicher. Speciell für Diagnose und Prognose der Lungenschwindsucht hat die Reaction keinen Werth, da sie sowohl bei leichten als bei schweren Fällen vorkommt; bei geringem Harnvolum und hohem specifischem Gewicht tritt dieselbe öfter intensiv auf. Dagegen fand P., dass die Diazobenzolsulfosäure ein recht empfindliches Reagens auf Pepton ist.

Beim Vermischen einer mit Mineralsäure versetzten Lösung der ersteren mit einer wässerigen Peptonlösung entsteht eine gelbe bis dunkelbraunrothe Färbung; am schönsten erscheint dieselbe bei Zusatz einer frischen Lösung der reinen Säure in 5 procent. Natronlauge zu der Peptonlösung. Der Schaum ist intensiv gelb bis tief blutroth. Der Farbstoff ist ungemein intensiv. In reiner Lösung tritt bei 0,1 pCt. Pepton noch mit grosser Sicherheit starke Gelbfärbung der Lösung auf, selbst bei nur 0,03 pCt. der Diazosäure.

Spiethoff (15) untersuchte auf Ehrlich's Veranlassung nochmals das Verhalten des normalen Urins gegen Sulfodiazobenzol in verschiedener Concentration. 67 normale Urine gaben, auch mit stärkeren Mischungen des Reagens, nie die wahre durch Schaumfarbe und grünen Niederschlag charakterisirte Reaction. 18 Fälle von verschiedenen fieberhaften Erkrankungen, welche die rothe Reaction zeigten, lieferten auch den grünen Niederschlag, doch wird derselbe bei Anwendung stärkerer Lösungen zuweilen undeutlich. Verf. untersuchte ferner das Verhalten der Reaction bei Gegenwart von Aethyldiacetat, welches bei gewisser Concentration des Reagens Roth-, bei Zusatz von Salzsäure Violetfärbung hervorruft.

Schliesslich theilt S. Beobachtungen über die Reaction in 17 Fällen von Typhus abdominalis und zweien von Typhus exanthematicus mit. welche sämmtlich die Reaction zeigten, und zwar im Allgemeinen entsprechend dem Verlauf, so dass der Reaction hier eine diagnostische und prognostische Bedeutung zukommt.

Auch Dohrendorff (2) beschäftigte sich in der Klinik Ebstein's mit demselben Gegenstande; nach ihm ist das Auftreten der Grünfärbung des Niederschlages nach der Rothfärbung des Urins nicht hinreichend präcis. Er vermisste die Reaction in 60 Fällen von fieberlosen Erkrankungen fast stets; nur in drei Fällen trat eine schwache Reaction ein. Bei vorgeschrittener Phthise fand D. dieselbe constant, ebenso auch in 9 Fällen von Typhus, so dass er im Ganzen die Angaben Ehrlich's bestätigen kann, ohne jedoch der Reaction die grosse Bedeutung in dessen Sinne zuzuschreiben.

Robin (10) untersuchte den Urin in einem von Hanot beobachteten Falle von aufgehobener Gallensecretion der Leber, bei welchem sich jedoch aus der Menge des ausgeschiedenen Schwefels entnehmen liess, dass eine Bildung von Taurjn und verwandten Körpern stattgefunden haben musste. Hanot bezeichnete daher den Zustand als „Acholie pigmentaire", von der Annahme ausgehend, dass entweder totale Acholie oder Mangel der Gallensäurebildung — oder endlich Mangel der Gallenpigmentbildung vorkommen könne. Andernfalls müsste man annehmen, dass bei Unterdrückung der Leberfunction die Bildung von Taurin auch anderweitig im Organismus stattfinden könne.

Der Urin enthielt in der Tagesmenge von 3000 ccm 82 g feste Stoffe, 21 g Harnstoff, 17 g Chloride, 2,25 Phosphorsäure, 2,28 Schwefelsäure in Sulfaten, 0,227 gepaarte Schwefelsäure, 0,441 leicht und 1,503 schwer oxydirbaren Schwefel (Gesammtmenge der Schwefelsäure 4,454), Kali 2,69. Die Menge des unvollständig oxydirten Schwefels (welcher nach Lépine und Zuelzer aus einem Zerfall des Taurin herzuleiten ist) beträgt demnach 1,944 (0,441 + 1,503), d. h. 43,6 pCt. des Gesammtschwefels, während diese Menge beim normalen Individuum nach Lépine 10—12, höchstens 20 pCt. beträgt.

Rommelaere (13) behandelt im Anschluss an seine früheren Mittheilungen über Ausscheidung von Stickstoff und Chlor (cfr. Bericht für 1883. I. S. 233) die Phosphaturie unter normalen und unter pathologischen Verhältnissen. Die durchschnittliche Menge der täglich unter normalen Verhältnissen ausgeschiedenen Phosphorsäure beträgt 2,50 g. Eine Vermehrung dieser Menge kann unter physiologischen Verhältnissen vorkommen bei reichlicher Zufuhr von Phosphor durch die Nahrung, besonders reichlicher Fleischnahrung, gleichzeitig mit Vermehrung des Harnstoffs und der Chloride: unter pathologischen Verhältnissen bei mangelhafter Assimilation der Phosphate. Diese kann erstens die Folge von Innervationsstörungen der zelligen Elemente, zweitens die Folge von Digestionsstörungen sein. Sie bewirkt eine histologische und functionelle Insufficienz des Nerven- und des Knochensystems, indem sie bezüglich des ersteren eine allmälig zunehmende Schwächung der Nerventhätigkeit, bezüglich des letzteren Brüchigkeit der Knochen und Production von Tumoren derselben hervorbringt (!). (Als Beleg für die letztere Behauptung führt R. den Fall eines 61 jährigen Mannes an, welcher vor 12 Jahren in Folge eines Falles einen Theil seiner Zähne verloren hatte, und in Folge dessen nur unvollkommen kauen konnte. Nach Ablauf dieser Zeit trat Spontanfractur einer Rippe, vermuthlich durch eine Geschwulstbildung, ein, sodann entwickelten sich Sarcome am Kiefer und am Scheitelbein. Der Kiefertumor verjauchte und musste theilweise exstirpirt werden, worauf der Tod bald eintrat.)

Der Hyperphosphaturie steht die physiologische und pathologische Hypo-Phosphaturie gegenüber, erstere abhängig von mangelhafter Zufuhr phosphorhaltiger Nahrung, letztere unabhängig von der Diät, z. B. bei Magengeschwüren im Beginn der Vernarbung, welche durch Verminderung der Phosphorausscheidung eingeleitet wird (!).

[Budde, Om approximative Bestemmelser af Aggehoide og Sukkeri Urinen ved kliniske Undersögelser. Ugeskrift for Läger. 4 R. IX. B. p. 345, 375 u. 401.

Verf. empfiehlt in der gewöhnlichen klinischen Untersuchung der Kranken häufiger quantitative Bestimmungen des Albumens und des Zuckers im Harne zu machen. Dies kann nur erreicht werden, wenn approximative Methoden in Anwendung gebracht werden. Für das Albumen ist besonders das Esbach'sche Albuminimeter und die Brandberg'sche Methode, die auf der Heller'schen Salpetersäureprobe fusst, zu empfehlen.

Die quantitative approximative Bestimmung der Zuckermenge geschieht am besten durch die Gährungsmethode; bei dieser wird das specifische Gewicht des Harns vor und nach Abschluss der Gährung bestimmt und daraus die Zuckermenge berechnet. Während die Verff., die sich bisher mit diesen Untersuchungen beschäftigt haben, die Zuckermenge durch Multiplication mit einer constanten Zahl finden wollen, zeigt Verf., dass diese Zahl — der Multiplicator — variiren muss, je nachdem der Harn ausser dem Zucker wenige oder viele feste Bestandtheile enthält.

Verf. hat eine grosse Reihe von Versuchen gemacht und durch diese und durch mathematische Aufstellungen, rücksichtlich welcher auf das Original verwiesen werden muss, kommt er zu dem Resultat, dass die Grösse, womit der Unterschied des specifischen Gewichts des Harns vor und nach der Gährung multiplicirt werden soll, um die Zuckermenge in dieser Weise zu bestimmen, so festgesetzt werden muss:

= 300, wenn der Unterschied des specifischen Gewichts kleiner als 0,010 ist,
= 245, wenn dieser Unterschied zwischen 0,010 und 0,020 ist,
= 220, wenn der Unterschied 0,020 oder grösser ist.

F. Levison (Kopenhagen).]

2. Cylinderbildung.

Knoll, Ph., Zur Lehre von der Beschaffenheit und Entstehung der Harncylinder. Prager Vierteljahrsschr. f. Heilk. No. 4. u. 5.

Knoll unterscheidet homogene Harncylinder und cylindrische Conglomerate. Die ersteren, welche die bekannten Verschiedenheiten je nach dem Lichtbrechungsvermögen erkennen lassen, verhalten sich auch verschieden gegenüber Farbstoffen; am intensivsten färben sich die glänzenden, stärker lichtbrechenden, während die blassen oft ganz ungefärbt bleiben. Bei Anwendung von Gentianaviolet erhielt K. in einem Falle auch intensive rothe Färbung der Cylinder, also ein Verhalten, welches für Amyloidreaction erklärt werden könnte (doch zeigte die Niere selbst in einem solchen Falle keine Reaction). Die homogenen Cylinder bestehen weder aus einem der bekannten im Harn nachgewiesenen Eiweisskörper, noch aus einer der bekannten Proteinverbindungen; die verschiedenen Arten der homogenen Cylinder verhalten sich dem destillirten Wasser und verdünnten Säuren gegenüber verschieden. Während die schwach lichtbrechenden in diesen Medien beträchtlich aufquellen, bleiben die stärker glänzenden unverändert; in Wasser von 70—80° C. lösen sich die ersteren auf, die letzteren nicht. Uebrigens kommt an einem Cylinder zuweilen eine Verschmelzung beider Arten vor.

Die cylindrischen Conglomerate können entweder aus Epithelien und deren Derivaten hervorgehen, oder aus Leucocyten, oder aus rothen Blutkörperchen. Die mosaikartigen Zellencylinder können durch Verschmelzung der Zellen in grobkörnige, selbst in homogene, stellenweise körnige Cylinder übergehen; auch glänzende homogene Cylinder können aus einer Verschmelzung homogen gewordener Zellen entstehen; sodann können derartige Cylinder aus kernlosen Schollen und Kugeln hervorgehen, welche sich in manchen Fällen sowohl in den Zellen der Harnkanälchen, als nach dem Zerfall derselben in dem Lumen der Kanälchen auffinden lassen. K. muss daher die von Key u. A. angenommene Möglichkeit zugeben, dass die Bildung von Cylindern auf secretorischer Thätigkeit der Epithelien beruhen kann. (Ref. erlaubt sich, den Verf. auf die Arbeit von Lebedeff zu verweisen, in welcher gerade dieser Modus der Entstehung von Cylindern sehr eingehend erörtert ist. (Virchow's Archiv, Bd. 91). K. beschreibt sodann Cylinder, welche aus Leucocyten bestehen und verschiedene Umwandlungen erleiden. (Das Vorkommen solcher Cylinder soll nicht bezweifelt werden; aus den Abbildungen geht jedoch die Leucocytennatur der die Cylinder zusammensetzenden Zellen keineswegs deutlich hervor, da die characteristischen Kernformen durchweg fehlen; Ref. ist der Ansicht, dass umgewandelte Epithelien vielfach mit Leucocyten verwechselt werden. Was die vom Verf. citirten Angaben von Langhans über die Entstehung homogener, gelbroth gefärbter Cylinder durch Verschmelzung von rothen Blutkörperchen betrifft, so handelte es sich in jenem Falle nicht um eigentliche Blutcylinder, sondern um Hämoglobinurie.)

3. Hämoglobinurie.

1) Goetze, L., Beitrag zur Lehre von der paroxysmalen Hämoglobinurie. Berl. kl. Wochenschr. No. 45. — 2) Kast, A., Ueber paroxysmale Hämoglobinurie durch Gehen. Deutsche med. Wochenschr. No. 52. — 3) Rosenbach, O., Zur Lehre von der paroxysmalen Hämoglobinurie. Berliner klin. Wochenschr. No. 47 (Prioritätsanspruch in Betreff der Erzeugung von Hämoglobinurie durch Kälte und Hinweis auf die Eiweissausscheidung, welche zuweilen dem Anfall vorausgeht, als Ausdruck einer geringen Zerstörung von rothen Blutkörperchen.) — 4) Zeni, G., Sulla patogenesi dell' emoglobinuria al freddo. Il Morgagni. Aprile, Agosto (Beschäftigt sich fast ausschliesslich mit einer sehr ausführlichen Kritik einer Theorie der Hämoglobinurie, welche Conti und Silvestrini auf Grund zweier Fälle und zahlreicher, allem Anscheine nach wenig zweckmässiger und erfolgreicher Versuche aufgestellt haben) — Vgl auch Maisel. XVI. 4.

Der von Goetze (1) mitgetheilte Fall von paroxysmaler Hämoglobinurie betraf ein 9jähriges Mädchen mit mehrfachen Spuren hereditärer Lues (Auftreibung der Tibia und der Vorderarmknochen, Verkrüppelung der Zähne, doppelseitige alte Keratitis. Drüsenschwellungen etc.), bei welchem die Anfälle in sehr characteristischer Weise mit Frösteln, kurzem Schweiss, geringem Fieber begannen und mit der Entleerung von fast tintenschwarzem Urin endeten.

Das Blut zeigte während des Anfalles geringe Vermehrung der farblosen Zellen, fehlende Geldrollenanordnung und gequollene Gestalt der rothen Blutkörperchen, von denen viele stark verändert, spindel- und halbmondförmig erschienen. Die Zahl der rothen Blutkörperchen war nach dem Anfall stark vermindert, 1,800,000, zwischen den Anfällen 2½ Millionen; das Serum hellroth Die Anfälle wurden durch die geringste Abkühlung, schon durch Entfernung des Bettes vom geheizten Ofen, hervorgerufen. Zuweilen trat Hämoglobinurie ohne die Prodrome auf, in anderen Fällen blieb die erstere nach den prämonitorischen Zeichen aus. Eine antisyphilitische Behandlung führte in diesem Falle vollkommene Heilung, unter wesentlicher Verbesserung des Allgemeinbefindens und der localen Symptome herbei; es gelang nunmehr auch nicht mehr, durch starke Abkühlung der Hände, Füsse, Unterschenkel einen Anfall zu provociren. — Zweifellos ist also hier die Hämoglobinurie mit der Syphilis in Verbindung zu bringen.

Kast (2) berichtet über einen kräftigen jungen Mann von 19 Jahren, welcher plötzlich nach einem ½stündigen Wege bei guter Witterung von Hämoglobinurie befallen wurde.

Seitdem trat diese Erscheinung täglich in derselben Weise am Morgen, nachdem sich der Kranke zu seiner Arbeit begeben hatte, auf, um gegen Abend nachzulassen; die Färbung des Urins war um so dunkler, je länger und schneller der Pat. gegangen war. Während einer 5tägigen Bettruhe hörte die Hämoglobinurie auf, um danach unverändert wiederzukehren. Sie liess sich durch einen 15 Minuten lang anhaltenden Gang in beschleunigtem Tempo mit Sicherheit hervorrufen; nachher trat leichter Eiweissgehalt auf. Muskelanstrengungen anderer Art, z. B. Holzsägen, Freiübungen u. s. w. riefen selbst nach mehrstündiger Dauer die Erscheinung nicht hervor, ebensowenig kräftige Massage, oder starke Abkühlung durch Aufenthalt im Freien und durch kaltes Bad (13° R.), andererseits auch nicht durch starkes Schwitzen. Eine Rothfärbung des Blutserum während des Anfalls wurde nicht constatirt (2 Versuche), auch keine morphologische Veränderung der Blutelemente. Die Hämoglobinurie verlor sich allmälig bei kräftiger Ernährung und Eisengebrauch. Auf eine Erklärung des Entstehungsmodus der Affection verzichtet Verf.; das Einzige ist, einen specifisch wirkenden Stoff anzunehmen, welcher sich bei der starken Muskelthätigkeit bildet.

4. Albuminurie. Peptonurie.

1) Discussion on albuminuria, its pathology and clinical significance. Glasgow Pathol. and clin. society. Glasgow med. Journ. Vol. XXI. No. 5. (Middleton, über Albuminurie im Fieber und im gesunden Zustande; Steven, über A. als Zeichen einer Degeneration der Nierengefässe; Cleland, über die Physiologie der Nieren mit Rücksicht auf A.; Perry, über das klinische Verhalten der A.; Olliver, über den Nachweis kleiner Eiweissmengen; Henderson, über Prognose der A. und Ursache der intermittirenden Albuminurie) — 2) Falkenheim, H, Ueber regelmässig intermittirende Albuminurie. Deutsches Archiv f. klin. Med. Bd. 35. S. 446. — 3) Grocco, P., Di una nuova causa d'errore nella ricerca dell' albumina nelle urine. Gaz. med. ital. lomb. 5. 6. — 4) Derselbe, P., Di nuovo sulla Peptonuria. Annali univ. di med. Agosto. — 5) Harris, V., On the precipitants of albuminous substances in the urine. St. Bartholom. Hosp. Rep. XIX. (Besprechung der verschiedenen zum Nachweis des Albumen im Urin gebräuchlichen Methoden.) — 6) Jaksch, Rudolf v., Ueber Propeptonurie. Zeitsch. f. klin. Med. Bd. VIII. S. 216. — 7) Johnson, G., Remarks on tests for albumen in the urine, new and old. Brit. med. Times. 11. October. (J. hebt hervor, dass im normalen Urin stets etwas Mucin enthalten sei, dass also eine geringe Trübung, welche bei Zusatz von Pikrinsäure, wolframsaurem Natron, Kaliumquecksilberjodid zum Urin bei gesunden Individuen entstehe, nicht nothwendig auf Albumin schliessen lässt. Das letztgenannte Reagens giebt indess bei den meisten Urinen noch eine geringe Trübung auch nach der Entfernung des Mucins. J. empfiehlt als das beste Reagens auf Eiweiss wiederholt die Pikrinsäure.) — 8) Derselbe, The true value of picric acid as a test for albumen and sugar in the urine. Lancet. Dec. (Trübungen, welche Ac. picr. mit Pepton, einigen vegetabilischen Alkaloiden, z. B. denen der Chinarinde, mit Schleim und Uraten giebt, unterscheiden sich durch ihre Löslichkeit beim Erhitzen von der Eiweisstrübung.) — 9) Lapponi, Guis., Dell' acido picrico come reattivo dell' albumina. Rivista clin. di Bologna. Marzo. (Erklärt die Pikrinsäure für ein vorzügliches Reagens zum Nachweis des Eiweiss, da sie viel empfindlicher ist als Acid. nitric. und Hitze, und mit anderen Substanzen im Urin keine Fällung giebt.) — 10) v. Laschkewitsch, Albuminuria nervosa. Wiener med. Wochenschrift. No. 35. (Bei einem Manne von 23 Jahren entwickelte sich vor 8 Monaten Taubsein des rechten Armes, welches sich allmälig auf die ganze rechte Hälfte des Körpers ausbreitete; bald darauf entwickelte sich Hydrops in derselben Reihenfolge, dann auch allmälig am linken Bein. Gleichzeitig fehlte der Schweiss, besonders rechts, und wurde auch durch Jaborandi fast gar nicht hervorgerufen. Der Harn war vermehrt und enthielt reichlich Eiweiss, ohne Formbestandtheile; das Herz war normal. Verf. nimmt hier eine nervöse Ursache der Albuminurie an, analog der nach Durchschneidung des Rückenmarks und bei Verletzung des Bodens des 4. Ventrikels oberhalb des Zuckerstiches auftretenden.) — 11) Maisel, Alexander, Ueber Albuminurie nach Injection von Gummilösungen. Dissert. Jena, 1882. — 12) Maixner, E., Ueber eine neue Form der Peptonurie. Zeitschrift f. klin. Med. Bd. VIII. S. 234. — 13) Millard, H. B., Albumin and its nomenclature and tests, and the significance of albuminuria. The New-York Med. Record. Vol. 25. No. 708. (M. giebt neben dem Tanret'schen Reagens und dem Wolframnatron dem Acid. phenic. mit Ac. acet. und Kalilauge den Vorzug wegen besonderer Schärfe.) — 14) Noury, Ch. E., De la peptonurie. Thèse. Paris. 73 pp. (Sorgfältige Zusammenstellung der Methoden des Nachweises der P. und des klinischen Vorkommens, hauptsächlich auf Grund der Arbeiten von v. Jaksch und Maixner, aber ohne eigene Beobachtungen.) — 15) Rendall, Stanley M., Study of a form of albuminuria. Edinb. med. Journal. Nov. Dec. (Siehe den Bericht f. 1883. I. S. 258.) — 16) Rosenbach, O., Ueber regulatorische Albuminurie nebst Bemerkungen über amyloide Degeneration. Zeitschrift für klinische Med VIII. S. 86. — 17) Saundby, R, A contribution to the discussion on albuminuria. Glasgow med. Journ. June. (Macht aufmerksam auf die vorübergehende Albuminurie ohne Nierenerkrankung; für letztere sei das Vorhandensein reichlicher Cylinder allein massgebend. Die Kochprobe mit Ansäuerung mit Ac. acet. hält S noch immer für die beste.) — 18) Thayer, C. C., Hepatic albuminuria. New-York medical Report. August. (Auf Grund von zwei Fällen von vorübergehender Albuminurie bei chronischen Verdauungsstörungen, welche auf Leberaffectionen hindeuteten, nimmt T. eine Beziehung zwischen letzteren und der Eiweissabsonderung ohne Nierenerkrankung an.)

Rosenbach (16) sucht in längerer Ausführung eine Entstehung der Albuminurie ohne Nierenaffection darzuthun; das Wesentliche bei der Eiweissausscheidung ist nicht die Beschaffenheit der absondernden Membranen, auch nicht der Blutdruck oder die Strömungsgeschwindigkeit, sondern vielmehr die Zusammensetzung des Blutes, welches eine überflüssige Menge „locker gebundenen Eiweisses“ enthält, das nun ebenso wie andere Stoffe, Harnstoff, Zucker etc. durch regulatorische Thätigkeit der Nieren ausgeschieden wird. Gewisse Formen der Albuminurie sind also wohl eine Krankheit des Stoffwechsels, aber nicht eine Krankheit der Nieren, und R. möchte dieselben daher als regulatorische Albuminurien (Bamberger's hämatogene A.) bezeichnen. R. rechnet dazu alle diejenigen Fälle, in denen nur ungeformtes Albumin (aber auch hyaline Cylinder) ausgeschieden wird, also Eiweissausscheidung bei der Hämoglobinurie, bei Icterus, bei Diarrhoe, bei Diabetes, beim Fieber, bei der Peptonurie, bei Eiterresorption, sowie die Albuminurie bei gesunden Individuen. Auch die Eiweissausscheidung bei der amyloiden Degeneration möchte R. als Ausdruck eines grösseren Zerfalles von Eiweiss im Körper durch eine zu geringe Bindung desselben im Blute betrachten, und zwar sieht er als Ursache derselben das Zugrundegehen einer grossen Anzahl von weissen Blutkörperchen an, so dass die übrig bleibenden nicht im Stande sind, das bei der Verdauung producirte Pepton zu binden; dazu kommt die Resorption von Pepton aus Eiterherden. Ja es liegt nahe unter diesen Umständen „das Pepton als diejenige Eiweisssubstanz anzusprechen, welche bei der amyloiden Entartung in die Gefässe deponirt wird“.

Grocco (3) macht auf folgende Punkte bei der Eiweissuntersuchung aufmerksam.

Wenn man bei geringem Eiweissgehalt den Urin in der Hitze mit Mineralsäure versetzt, so löst sich ein Theil des Albumin bekanntlich; fügt man nun zur Neutralisation der Säure etwas Alkali hinzu, so kann es der Fall sein, dass der Niederschlag viel stärker wird, indem auch die Phosphate gefällt werden.

Man kann dadurch in die Lage kommen, eine geringfügige Albuminurie für eine starke Phosphaturie zu halten. Es ist daher zweckmässig, dem Urin ausser der Säure eine gewisse Menge gesättigter Kochsalzlösung oder schwefelsaures Natron zuzusetzen, um die Lösung der schwachen Eiweissspuren zu verhüten.

Icterischer Urin kann in der Hitze und mit Essigsäure eine ziemlich beträchtliche Trübung geben, welche sowohl mit einem Alkali, als im Ueberschuss der zugesetzten Säure löslich ist, ohne dass man auf das Vorhandensein von Eiweiss schliessen darf. Derselbe Urin giebt in der Kälte eine Trübung mit Acidum nitricum, welche im Ueberschuss der Säure verschwindet, aber beim Erhitzen bis zum Kochen bestehen bleibt. Gr. konnte sich überzeugen, dass der Niederschlag, welcher sich am Boden des Glases absetzt und Albumen vortäuschen kann, aus nichts anderem als Biliverdin besteht.

Bei einem Manne mit sehr starker Milzschwellung und Vergrösserung der Leber, bei welchem Cirrhosis hepatis angenommen wurde, beobachtete Falkenheim (2) eine regelmässig intermittirende Albuminurie, und zwar stellte sich heraus, dass der Eiweissgehalt des Urins damit zusammenhing, dass der Pat. die Bettlage innehielt. Es ergab sich, dass bei rechter Seiten- und Rückenlage Eiweiss nur spurweise im Urin auftrat, gar nicht bei Bauchlagen, reichlich dagegen bei linker Seitenlage. Es war daher zu vermuthen, dass die Albuminurie durch Compression der Vena renalis durch den Milztumor zu Stande kam. Verf. versuchte in diesem Fall von muthmasslich reiner Stauungsalbuminurie das Verhältniss des Serumalbumin und Globulin zu bestimmen, fand aber in vier Versuchen ausserordentlich welchselnde Werthe, aus welchen sich keine Schlüsse ziehen lassen.

Grocco (4) hat im Anschluss an eine frühere Arbeit (siehe d. Ber. f. 1883 I. S. 259) den Urin von 331 Kranken und 20 Gesunden auf das Vorhandensein von Pepton untersucht, bei den Gesunden und bei 198 Kranken mit negativem, bei 133 Kranken aber mit positivem Erfolg. Unter den letzteren sind besonders die Fälle von Malaria (Wechselfieber zur Zeit der Anfälle und Sumpfcachexie) stark vertreten, sodann Typhus im Fieber und in der Reconvalescenz, Nephritis (besonders acute), Pneumonie, exsudative, besonders eiterige Pleuritis, acuter Gelenkrheumatismus, Meningitis, Scorbut, Purpura haemorrhagica, Septicaemie, Phosphorvergiftung, Phlegmone und eiterige Gelenkentzündung, complicirte Fractur. Die Befunde G.'s stehen in mancher Beziehung in Widerspruch mit denen von Maixner, v. Jaksch und Anderen, namentlich in Bezug auf das Vorhandensein von Peptonurie bei Wechselfieber, wo v. Jaksch kein Pepton fand, und bei Albuminurie, wo nach Poehl bei saurer Reaction stets Pepton vorhanden sein sollte. Die Peptonurie ist nach G. in ihrem Auftreten unabhängig von der Albuminurie. In normalen Verhältnissen kommt dieselbe nie vor, ist also stets ein Symptom von Krankheit, und zwar kommt sie, wie aus obigem hervorgeht, sowohl bei allgemeinen, als bei localen Erkrankungen vor. Die letzteren sind hauptsächlich entzündlicher, und zwar besonders eiteriger Natur; bei chronisch entzündlichen Erkrankungen fehlt die Peptonurie nicht selten; dagegen findet sie sich bei einigen Neubildungen mit rapider Entwickelung.

Was die Entstehungsweise der Peptonurie anlangt, so nimmt Verf. bei den localen Processen als wahrscheinlich an, dass das Pepton aus dem Entzündungsherd ins Blut übergeht, und von diesem in den Urin. Bei den allgemeinen Krankheiten ist die Herkunft unklar.

G. bediente sich zum Nachweis des Peptons nach Beseitigung der etwaigen übrigen Albuminate der Ausfällung durch Phosphorwolframsäure. Er macht auf einige Fehlerquellen bei Anwendung der Kupfer-Reaction aufmerksam, u. A. das Vorhandensein von rothen pflanzlichen Farbstoffen im Urin. Zu deren Beseitigung versetzte er den Urin mit neutralem Bleiacetat, dessen Ueberschuss durch Natr. bicarb. entfernt wurde.

In 12 Fällen von Magen-Carcinom, deren Harn Maixner (12) untersuchte, fand sich Pepton im Urin, wenn auch nicht bei jeder Untersuchung, und nicht immer reichlich. Zum Nachweis bediente er sich der Hoffmeister'schen Methode. In der Geschwulstbildung selbst glaubt Verf. nicht die Quelle des Peptons zu suchen, denn andere Fälle umfangreicher Geschwulstbildungen, u. A. auch zwei von malignem Lymphom zeigten das Symptom nicht. Auch den Zerfall der Geschwulstmasse im Magen unter dem Einfluss der Verdauung sieht er nicht als die Ursache der Peptonbildung und Ausscheidung an, sondern nimmt vielmehr an, dass das im Magen vorhandene Pepton durch die der Schleimhaut beraubten Flächen unverändert resorbirt und daher auch ausgeschieden wird, während die normale Schleimhaut das gebildete Pepton (nach Hoffmeister) bereits selbst wieder umwandelt. Daher war die Reaction auch besonders stark bei Stauung des Mageninhaltes in Folge von Stenose des Pylorus. Auch beim Typhus abdominalis, wo allerdings Pepton im Urin nicht in allen Fällen vorkommt, glaubt M. die gleiche Erklärung annehmen zu können.

v. Jaksch (6) beobachtete bei einem 16jährigen Phthisiker, welcher an eitriger Peritonitis starb, 14 Tage hindurch einen Urin, welcher beim Kochen eine leichte Trübung gab, die mit Salpetersäure sofort schwand, nach längerem Stehen aber wieder auftrat und einen flockigen Niederschlag gab. Mit Essigsäure und Ferrocyankalium trat keine Trübung ein, meist aber bei derselben Behandlung des stark verdünnten Urins. Mit Kochsalz lieferte der Harn einen Niederschlag, der sich beim Erwärmen mit Essigsäure löste, beim Erkalten wieder auftrat. Verf. nimmt demnach das Vorhandensein von Propepton oder Hemialbumose an.

Die Nieren des Pat. zeigten geringe interstitielle Zellinfiltration und hochgradige parenchymatöse Degeneration.

Maisel (11) prüfte in seiner unter v. Wittich in Königsberg angefertigten Arbeit die Angaben Grützner's, dass nach Injection von 2 procent. Gummilösung in das Blut Albuminurie eintritt. M. stellte zunächst fest, dass Gummilösung (2 proc.) die rothen Blutkörperchen auflöst, und zwar nur, wenn dieselbe mit destillirtem Wasser bereitet ist, während die Lösung mit $^1/_2$ pCt. Kochsalz die rothen Blutkörperchen unverändert lässt. Es zeigte ferner, dass durch die Mischung des Blutes mit Gummilösung, ebenso wie mit anderen Substanzen, welche die Blutkörperchen lösen (chlors. Kali, Harnstoff, Galle), die Filtrationsfähigkeit des Blutes zunimmt. Bei zwei Hunden, welchen circa 1,2 pCt. des Körpergewichtes der Gummilösung in die V. jugularis injicirt wurde, trat starke Hämoglobinurie auf, ebenso auch bei Kaninchen; ähnlich auch nach Injection von Dextrinlösung. Während der Injection der Gummilösung beobachtete Verf ein Sinken des Blutdruckes von 80 auf 30—40 mm Hg, danach wieder Rückkehr zur früheren Höhe, während Grützner eine Steigerung des Druckes behauptete.

5. Harnstoff. Urämie.

1) Fleischer, R., Ueber Urämie. Erlanger physikalisch-med. Sitzungsber. 11. Febr. — 2) Gréhant et Quinquaud, L'urée est un poison; mesure de la dose toxique dans le sang. Compt. rend. T. 99. No. 8. Journal de l'anatomie. No. 5. — 3) Quinquaud, Ch., Note sur la retention d'urine. Gaz. des Hôp. No. 98. — 4) Saundby, R., Remarkable case of renal coma. Medical Times. 1. November.

Gréhant und Quinquaud (2) suchten die tödtliche Dosis des Harnstoffs für verschiedene Thiere zu bestimmen, sowie den Harnstoffgehalt des Blutes, welcher dieser tödtlichen Dosis entsprach. Sie bezeichneten diese als „Dose toxique".

Bei Fröschen hatte die Injection einer Harnstoffmenge von $1/30$ des Körpergewichtes den Tod nach tetanischen Convulsionen zur Folge; die Krampferscheinungen traten auch nach geringen Dosen bereits auf ($1/50$—$1/70$). Meerschweinchen starben nach wiederholten clonischen und tonischen Krämpfen in Folge der Injection von $1/50$ des Körpergewichts an Harnstoff. Bei Kaninchen betrug die tödtliche Dosis $1/100$, bei einer Taube $1/25$, bei Hunden $1/100$ des Körpergewichts. Dies entsprach einem Harnstoffgehalt des Blutes von $1/181$ bei Kaninchen, von $1/153$, $1/203$, $1/194$ bei Hunden. Im Durchschnitt enthielt das Blut bei letzteren 0,6, die Leber 0,58, die Milz 0,66 pCt. Harnstoff, während bei Menschen, welche urämisch zu Grunde gegangen waren, der Harnstoffgehalt des Blutes nur 0,2—0,4 pCt. betrug. Um die Schnelligkeit der Ausscheidung des Harnstoffes zu bestimmen, wurden 3 Hunden nach der Injection einer gewissen Harnstoffmenge in bestimmten Zeiträumen Blutproben aus der Vena saphena und aus dem rechten Herzen entnommen. Dabei zeigte sich, dass der Harnstoffgehalt in verschiedener Zeit, in 2—4 Stunden, sich etwa auf die Hälfte verminderte.

Die Verff. überzeugten sich ferner, dass der Harnstoff nicht direct auf die Muskelfaser wirkt und die Kraft der Muskel-Contraction nicht vermindert. Bei vergifteten Thieren waren die Muskel-Contractionen nach Durchschneidung und electrischer Reizung des Ischiadicus ebenso kräftig und ergiebig, wie bei gesunden Thieren. Die Messung wurde mittelst Dynamometers, der mit dem Tendo Achillis in Verbindung stand, ausgeführt.

Zur Ergänzung der vorstehenden Versuche dienen die Angaben von Quinquaud (3) über die Folgen der Harnstoff-Retention:

Hunde, welchen die Harnröhre unterbunden war, starben am 4. Tage an urämischen Symptomen, ausnahmsweise schon am 3. Tage an Ruptur der Blase. Die Anhäufung von Harnstoff im Blut beginnt vom 2. oder 3. Tage nach der Unterbindung, während sie nach Unterbindung der Ureteren sofort eintritt. Der Harnstoffgehalt stieg von 0,016—0,025 pCt. auf 0,189 pCt. Zugleich sank der arterielle Druck (von 14,6 auf 5 cm am 4. Tage, wohl kurz vor dem Tode). Die CO_2-Ausathmung nahm vom 3. Tage constant ab. Beim Menschen beobachtete A. bei Verschluss der Harnröhre dieselben Erscheinungen; in einem Falle, wo die Retention des Urins 8 Tage bestand, stieg der Harnstoff des Blutes von 0,015 auf 0,032 pCt. Die Kohlensäureausscheidung sank von 1,6 g (in 7 Min.) auf 0,37. — Eine schlechte Prognose scheint erst durch einen Harnstoffgehalt des Blutes von 0,067 pCt. bedingt zu sein.

Während Fleischer (1) bei Kaninchen durch Injection von Harnstoff in den Magen das characteristische Bild der Urämie hervorrufen konnte (gleich Gallois), gelang dies bei Hunden nicht, obwohl hier je nach der Grösse 20, 40—80 g Harnstoff bei Fleischnahrung und Wasserentziehung beigebracht wurden. Die Diurese wurde sehr gesteigert, so dass schliesslich der Tod durch Wasserverlust herbeigeführt werden konnte, jedoch nie unter den Symptomen der Urämie. Es kann also die Anhäufung des Harnstoffes allein jedenfalls nicht die Ursache der letzteren sein, sondern es müssen noch andere Harnbestandtheile mit in Betracht kommen.

Saundby's (4) Fall von Coma bei schwerer Nierenentartung betraf ein Mädchen von 20 Jahren, welches 14 Tage vorher mit heftigen Schmerzen im linken Hypochondrium erkrankt war. In dieser Gegend war eine resistente Masse fühlbar; der Urin enthielt Eiweiss und etwas Eiter. Wenige Tage nach ihrer Aufnahme bekam sie einen Anfall von Convulsionen, welcher in einen halb comatösen Zustand überging. Die Respiration war tief und seufzend, 24 in der Minute. Als nach 10stündiger Dauer der Tod einzutreten drohte, wurde eine intravenöse Injection von 24 Unzen einer Sol. Natr. sulf. gemacht, worauf das Bewusstsein wiederkehrte und der Puls fühlbar wurde. Indess trat vier Stunden später der Tod ein, nachdem durch den Catheter noch etwas alkalischer faulig riechender eitriger Urin entleert worden war, welcher mit Eisenchlorid eine tief braune, durch Erhitzen nicht verschwindende Farbe annahm. Bei der Section fand sich die rechte Niere im Zustande hochgradiger Hydronephrose, in ihrem Becken ein erbsengrosser Stein; die linke Niere vollständig cystisch entartet, ohne Spur von Nierensubstanz, in ihrem Becken ein bohnengrosser Stein, in einem der Säcke noch ein zweiter kleinerer. — Verf. legt besonderen Werth auf die Aehnlichkeit des comatösen Zustandes (welcher doch zweifellos durch den Zustand der Nieren bedingt war) mit dem Kussmaul'schen Coma, dagegen von dem gewöhnlichen Bilde der Urämie wesentlich abwich. Zucker war indess in dem Urin nicht vorhanden, und die braune Eisenchloridreaction konnte nicht von Acetessigsäure herrühren, da sie beim Erhitzen nicht verschwand.

6. Diabetes; Acetonurie.

1) Albertoni, P., Die Wirkungen und die Verwandlungen einiger Stoffe im Organismus in Beziehung zur Pathogenese der Acetonämie und des Diabetes. Arch. f. experim. Pathol. XVIII. S. 218. — 2) Gennes, P. de, L'acetonémie. Thèse. Paris. — 3) Jaksch, R. v., Weitere Beobachtungen über Acetonurie. Zeitschr. f. klin. Med. Bd. VIII. S. 115. — 4) Derselbe, Eine Bemerkung über die Acetonurie. Deutsches Archiv f. klin. Med. Bd. 34. S. 455. (Erwiderung gegen die Einwürfe von Penzoldt.) — 5) Johnson, The various modes of testing for sugar in the urine. Brit. med. Journ. Jan. (Nichts Neues.) — 6) Külz, E., Ueber eine neue linksdrehende Säure (Pseudooxybuttersäure),

ein Beitrag zur Kenntniss der Zuckerruhr. Zeitschrift für Biologie. XX. S. 165. — 7) Derselbe, Zur Prioritätsfrage bezüglich der Oxybuttersäure im diabetischen Harne. Archiv f. experim. Pathol. XVIII. S. 290. — 8) Külz, R., Zur Kenntniss der linksdrehenden Oxybuttersäure. Ebendas. Bd. XVIII. S. 291. — 9) Minkowski, O., Ueber das Vorkommen von Oxybuttersäure im Harn bei Diabetes mellitus. Ein Beitrag zur Lehre vom Coma diabeticum. Med. Centralbl. No. 15. Arch. f. experim. Pathol. XVIII. S. 35. — 10) Derselbe, Nachtrag über Oxybuttersäure im diabetischen Harne. Arch. f. exp. Pathol. XVIII. S. 147. — 11) Le Nobel, Ueber einige neue chemische Eigenschaften des Acetons und verwandter Substanzen und deren Benutzung zur Lösung der Acetonuriefrage. Ebendas. XVIII. S. 6. — 12) Derselbe, Ueber die jodoformbildenden Körper in der Exspirationsluft der Diabetiker. Centralbl. f. d. med. Wiss. No. 24. (Bei zwei Diabetikern gelang der Nachweis von Aceton einmal durch die Gunning'sche Jodoformreaction mit Jodammonium und Ammoniak in dem Wasser, in welches ½ Stunde lang ausgeathmet worden war, im anderen Falle im Destillat sowohl durch seine Reaction als durch Zusatz von Quecksilberjodid und Schwefelammonium und durch Nitroprussidnatrium-Ammoniak. Uebrigens bemerkt Verf., dass es sich auch um Acetessigsäure handeln könne.) — 13) Nylander, E., Ueber alkalische Wismuthlösung als Reagens auf Traubenzucker im Harne. Zeitschr. f. physiol. Chemie. Bd. VIII. S. 175. — 14) Otto, J. H., Das Vorkommen grosser Mengen von Indoxyl- und Scatoxylschwefelsäure im Harne bei Diabetes mellitus. Archiv f. Physiologie. Bd. XXXIII. S. 607. — 15) Pavy, F. W., On the quantitative determination of sugar for clinical purposes by the ammoniated cupric test. The Lancet. March 1. — 16) Rosenbach, O., Ueber den Nachweis kleiner Zuckermengen im Urin. Bresl. ärztl. Zeitschr. No. 19. (Bei sehr geringen Zuckermengen ist die Trommer'sche Probe nicht hinreichend sicher. R. empfiehlt daher in solchen Fällen etwas Urin mit einem Tropfen Weinsäure und einem Stückchen Presshefe einige Stunden an einem warmen Ort im Reagensglas aufzustellen, und dann die Trommer'sche Probe zu wiederholen; fällt sie jetzt schwächer oder ganz negativ aus, so war jedenfalls Zucker in dem Urin vorhanden.) — 17) Seegen, J., Fall von Levulose im diabetischen Harn. Centralbl. f. d. med. Wiss. No. 43. — 18) Worm-Müller, Die Bestimmung des Traubenzuckers im Harne mittelst des Soleil-Ventzke'schen Polarimeters und die linksdrehenden Substanzen. Arch. f. d. ges. Physiol. Bd. XXXV. S. 76. Vgl. auch Tuczeck III. 2.

Nylander (13) fand bei einer Prüfung der von Almén modificirten Wismuthprobe (Bism. subnitr. 2,0, Sal. Seignette 4,0, Sol. Kali hydr. 100), dass die Concentration der zugesetzten Kali- oder Natronlauge nicht gleichgültig sei.

Bei Zusatz von Natronlauge von 3—17 pCt. NaO zeigte sich, dass eine 8 proc. Lösung und ein Verhältniss des Reagens zu der Versuchsflüssigkeit von 1 : 10 am günstigsten war. Es konnte damit ein Gehalt von 0,04 pCt. Zucker im Harn nachgewiesen werden. Bei Anwendung stärkerer Natronlauge, oder bei reichlicherem Reagenszusatz zum Urin ergab sich eine schwärzliche Färbung des Phosphatniederschlages auch ohne Anwesenheit von Zucker, jedenfalls durch Zersetzung eines Gewebebestandtheils durch das Alkali. In Betreff der nachtheiligen Einwirkung des Eiweissgehaltes fand N., dass erst bei grossem Eiweissgehalt (1—2 pCt.) die Niederschläge so dunkel wurden, dass eine Verwechselung möglich war, während ein geringer Eiweissgehalt (0,5 pCt.) nur eine schwach rothbraune Farbe des Niederschlages liefert. Andererseits konnte der Nachweis des vorhandenen Zuckers durch das gleichzeitige Vorhandensein von verhältnissmässig viel Eiweiss verhindert, oder gestört werden. Es ist also stets zweckmässig, das Letztere vorher zu entfernen.

Pavy (15) giebt eine ausführliche Darstellung seiner Kupferammoniakmethode zum Nachweis des Zuckers.

Die Zusammensetzung der von ihm angewandten Lösung ist folgende:

Cupr. sulf.	4,158	g
Kali natr. tartar.	20,400	-
Kali caust.	20,400	-
Liquor ammon. (Sp.-G. 0,880)	300	ccm

Mit Aq. dest. auf 1 Liter gebracht.

(Das weinsteinsaure Kalinatron wird mit dem Kali in Wasser gelöst, das Cupr. sulf. für sich ebenfalls; nach Vermischung und Abkühlung wird Ammoniak zugesetzt.) Die Lösung erhält sich in luftdicht verschlossenen Flaschen ohne Veränderung. (Zum Gebrauch eignen sich am besten Glasröhren mit ausgezogenen und zugeschmolzenen Spitzen von je 10 ccm Inhalt). Zur Ausführung der Probe sind erforderlich: Eine Bürette mit Zehnteltheilung, eine Flasche von ca. 150 ccm Inhalt, eine Mensur zu 100 ccm und eine Kochflasche von gleichem Gehalt. Zur genauen Regulirung des Tropfenausflusses aus der Bürette bedient sich P. an Stelle des gewöhnlichen Quetschhahns eines besonderen Schraubencompressorium. — Zur sicheren Ausführung der Probe ist starke Verdünnung des zuckerhaltigen Urins, bei mässigem Zuckergehalt auf das Zwanzigfache, bei starkem Zuckergehalt auf das Vierzigfache erforderlich. Nach Füllung der Bürette mit dem verdünnten Urin werden 10 ccm der Kupferlösung mit 10 ccm Wasser in die an dem Ausflussrohr der Bürette hängende Flasche gebracht, und zum Kochen erhitzt. Darauf lässt man den Inhalt der Bürette tropfenweise abfliessen, bis vollständige Entfärbung der Kupferlösung eingetreten ist. Um 10 ccm der letzteren zu entfärben, sind 0,05 g Zucker erforderlich. Das Einfliessen des Urins darf weder zu schnell, noch zu langsam geschehen. Zur bequemen Berechnung fügt P. eine Tabelle hinzu.

Worm-Müller (18) suchte auf Grund einer grossen Reihe von Zuckerbestimmungen an diabetischen Urinen die Ursache aufzufinden, warum so häufig die Resultate der auf optischem und auf chemischem Wege gemachten Zuckerbestimmungen von einander abweichen.

Er bediente sich zur Polarisation des Soleil-Ventzke'schen Apparates, welcher bei der Controle mit wässrigen und urinösen Traubenzuckerlösungen Werthe ergab, die nur um 0,1 bis höchstens 0,2 pCt. von dem wirklichen Zuckergehalt abwichen. Bei der Untersuchung von 212 diabetischen, Harnen mit 05—8,0 pCt. Zucker erhielt Verf. im Mittel 0,35 pCt. weniger Traubenzucker mit dem Polarisator, als durch Titrirung. Bei 17 Harnen gaben beide Methoden dasselbe Resultat, bei 15 gab die Polarisation einen höheren Werth, indess betrug die Differenz im Mittel nur 0,19 pCt., eine Abweichung, welche der Verf. noch auf Rechnung der Unvollkommenheit der Methode und der Beobachtungsfehler setzen möchte. Bei den übrigen 180 Bestimmungen ergab die Polarisation im Durchschnitt 0,43 pCt. weniger Zucker als die Titrirung, allerdings müssen von den durch letztere erhaltenen Werthen noch durchschnittlich 0,2 pCt. abgezogen werden, da die Titrirung nicht nach Vergährung des Zuckers controlirt wurde, und jene Grösse (0,2 pCt., genauer 0,05—0,4) im Durchschnitt auf Rechnung der übrigen reducirenden Substanzen zu setzen ist. Bei 13 Harnen war die Abweichung nach dieser Richtung viel bedeutender, nämlich 1,0—2,4, bei 15 Harnen 0,7—0,9 pCt., und zwar gehörten alle diese Harne mit Ausnahme eines einzigen der schweren Form des Diabetes an. Es muss daher in solchen Fällen die Bestimmung des Zuckers durch Titrirung als sicherer angesehen werden. Was die Bestimmung durch Polarisation anlangt, so muss auch diese, wie Verf. im Einverständniss mit Külz anerkennt, vor und nach der Behandlung mit Hefe vorgenommen werden; er führt ferner den Nachweis, dass bei einem Zuckergehalt von 0,3—0,4 pCt. die Polarisation mit dem Soleil-Ventzke zur quantitativen Bestimmung nicht geeignet ist, selbst wenn man jene Vorsicht gebraucht; für geringere Mengen, d. h. bei Polarisationsbestimmungen von + 2 bis — 2 pCt. im diabetischen Harn hat die Methode weder qualitativen noch quantitativen Werth, da hier noch der Fehler der dunklen Farbe, welcher sich nicht ganz beseitigen lässt, in Betracht kommt.

Der Verf. geht sodann näher auf die auffallenden Abweichungen der Polarisationsbestimmungen von den chemischen ein, welche von Ventzke, von Zimmer und Crapek auf das Vorhandensein von Fruchtzucker im Urin zurückgeführt wurden. Worm-Müller hat selbst zweimal schwache, aber deutliche Linksdrehung in zuckerhaltigem diabetischem Harn beobachtet, abgesehen von den Fällen, in welchen die Titrirung viel höhere Werthe ergab, als die Polarisation. Er fand, dass Uebergänge zwischen kleinen und grösseren Abweichungen in dieser Beziehung sehr schnell erfolgen können, so z. B. schon zwischen Tag- und Nachtharn. In einem seiner Fälle mit linksdrehendem Urin konnte sich W.-M. bestimmt überzeugen, dass die fragliche Substanz nicht Levulose war, und er sieht es als sicher an, dass Levulose im Harn von Diabetikern überhaupt nicht auftritt. Welcher Art die Substanz in Wahrheit sei, musste Verf. unentschieden lassen, wenn er auch aus der Reaction des Urins vermuthete, dass sie eine Säure sei. Zur Isolirung derselben war er noch nicht gediehen, als durch Külz das Vorhandensein einer linksdrehenden Säure im Urin erwiesen wurde.

Seegen (17) theilt dagegen einen Fall mit, in welchem der Harn der 46jährigen Patientin, welche seit 3 Jahren an Diabetes litt, nach links drehte: Eiweisskörper waren nicht vorhanden. Da die Linksdrehung nach Vergährung des Harns vollständig schwand, so konnte es sich nur um Levulose handeln. Traubenzucker war garnicht vorhanden. Die Gährung ergab aus der nach Ablauf der ersten Tage entwickelten Kohlensäure einen Zuckergehalt, welcher mit dem durch Titrirung gefundenen nahezu übereinstimmte; doch entwickelte sich noch nachträglich etwas Kohlensäure, deren Herkunft sich nicht sicher bestimmen liess. Die specifische Drehung wurde bei 18 bis 19° zu — 93 bis — 96 bestimmt, Zahlen, welche mit der von Tuchschmidt für Levulose angegebenen ziemlich übereinstimmten (91.1). Gleiche Resultate wurden an einer Probe desselben Harnes durch Mauthner im Ludwig'schen Laboratorium erhalten. Von besonderem Interesse ist, dass die Ausscheidung der Levulose durch Einfuhr von Amylaceen gesteigert, ja geradezu veranlasst wurde; der Morgenharn war zuckerfrei; nach der Mahlzeit (mit Brod) trat Levulose auf, deren Menge bei gesteigerter Aufnahme von Amylaceen beträchtlich zunahm, und schon zwei Tage nach Einschränkung der letzteren auf ein Minimum sank; die Levulose musste also, wie Traubenzucker bei anderen Diabetikern leichter Form auf Kosten der Amylaceen entstanden sein. — Eine Reindarstellung der fraglichen Substanz wurde nicht vorgenommen.

Külz (6) fand im Harne einiger an der sogenannten schweren Form des Diabetes leidenden Individuen eine linksdrehende Substanz, welche mit keinem der bis jetzt im Harn aufgefundenen linksdrehenden Körper identisch sein konnte, auch nicht mit dem von Haas im normalen menschlichen Harn nachgewiesenen, da ersterer weder durch Bleizucker, noch durch Bleiessig oder durch Bleiessig und Ammoniak fällbar war. Aus circa 110 l Harn wurde nach Vergährung des Zuckers die linksdrehende Substanz durch Aether aufgenommen und aus dem Rückstande nach Beseitigung des Harnstoffes die Baryumverbindung der linksdrehenden Säure dargestellt. Hieraus wurde sodann das gut krystallisirende Silbersalz gewonnen, welches zur Analyse benutzt wurde. Diese führte zu der Formel $C_4 H_7 AgO_3$. Das Drehungsvermögen des Silbersalzes wurde zu —8,637 (Traubenzucker = 53,1) bestimmt. Aus dem Silbersalz wurde durch Zerlegung mit Schwefelwasserstoff die reine Säure in Gestalt eines farblosen Syrups dargestellt, dessen Analyse die Formel der Oxybuttersäure ($C_4 H_8 O_3$) ergab. Da indessen die Eigenschaften zu keiner der vier bekannten Oxybuttersäuren stimmten, schlug K. vorläufig den Namen Pseudooxybuttersäure vor. K. hat nicht weniger als 52 Fälle von Diabetes auf das Vorhandensein der Säure geprüft. Es stellte sich dabei heraus, dass in einer Reihe von Fällen (8) eine linksdrehende Substanz vorhanden war, welche durch Bleiessig und Ammoniak gefällt wurde, also nicht Oxybuttersäure sein konnte, während diese in allen jenen schweren Fällen der schweren Form beobachtet wurde, deren Harn gleichzeitig die durch Acetessigsäure bedingte Eisenchlorid-Reaction gab, und zwar nur in solchen (14 Fällen); daraus ergiebt sich auch die prognostische Wichtigkeit des Nachweises der Säure.

Auch Minkowski (9) erhielt bei der Fortführung der Arbeit Stadelmann's (s. d. Ber. f. 1883, I. S. 265), aus dem besonders ammoniakreichen Harn eines 17jährigen Diabetikers nach der Methode Stadelmann's das krystallisirte Zinksalz einer Säure, welche er als übereinstimmend mit der Oxybuttersäure erkannte. Er vermuthete, dass es sich um β-Oxybuttersäure handle, und konnte diese Vermuthung durch die Darstellung des leicht krystallisirbaren Natrium- und Silbersalzes bestätigen. Bei der Zerlegung mit Schwefelsäure entsteht aus der β-Oxybuttersäure die β-Crotonsäure, welche Stadelmann erhalten hatte. Durch Behandlung mit oxydirenden Agentien liefert dieselbe Aceton, welches M. durch Destillation seiner Säure mit Kaliumchromat und Schwefelsäure nachweisen konnte. Es ist demnach sehr wahrscheinlich, dass jene als Vorstufe des Acetons im Organismus zu betrachten ist. Die freie Oxybuttersäure giebt mit Eisenchlorid keine Rothfärbung;

die Acetessigsäure, welche bekanntlich diese Reaction giebt, kann aber aus der ersteren stammen, da diese bei Oxydation zunächst Acetessigsäure liefern muss.

Die Frage, welche Beziehung die Oxybuttersäure zum Coma diabeticum hat, ist noch nicht zu entscheiden. Merkwürdig ist, dass auch der Kranke M.'s am Coma starb; dennoch liegt kein Grund vor, eine specifisch toxische Wirkung jener Säure anzunehmen. Es bleiben nach M. nur noch zwei Möglichkeiten. Entweder entstehen aus der Säure andere toxisch wirkende Substanzen, oder es macht sich die allgemeine Wirkung des Säureüberschusses, resp. der Alkaliverarmung im Organismus geltend. Die von Stadelmann mit Rücksicht auf die letztere Möglichkeit empfohlene Einführung grosser Dosen kohlensauren Natrons bewährte sich in dem vorliegenden Falle nicht, wenn auch eine vorübergehende Besserung danach eintrat, und das Coma nachliess. Indessen starb der Patient schon am folgenden Tage; der Urin blieb stark sauer.

Nach dem Bekanntwerden der Külz'schen Untersuchungen constatirte Minkowski (10), dass auch die von ihm dargestellte Säure stark linksdrehend war. Er bestimmte die specifische Drehung der freien Säure, welche durch Zerlegung des reinen Silbersalzes durch Schwefelwasserstoff gewonnen war, zu —20,6° (bei 53,1 für Traubenzucker), das Drehungsvermögen des Silbersalzes zu —10,1°. Dagegen überzeugte sich M., dass die aus Acetessigäther durch Reduction mit Natriumamalgam dargestellte β-Oxybuttersäure optisch inactiv ist, dass also eine vollständige Identität beider Säuren nicht besteht.

R. Külz (8) wendet sich gegen die Angabe Minkowski's, dass aus der β-Oxybuttersäure die β-Crotonsäure entstehen soll, da vielmehr nach Wislicenus aus der synthetisch dargestellten β-Säure die α-Crotonsäure sich bildet. In der That erhielt er durch Destillation der von E. Külz gefundenen linksdrehenden Säure aus diabetischem Harn mit Schwefelsäure, ebenso wie durch Behandlung der reinen Säure die α-Crotonsäure. Erst dadurch ist somit erwiesen, dass der linksdrehenden Säure im Urin thatsächlich die Constitution der β-Oxybuttersäure zukommt.

Otto (14) fand im Harne eines Diabetikers von 19 Jahren, dessen Zuckergehalt durch passende Diät von 8,8 pCt. (bei 7000 ccm) auf 1,5 pCt. (bei 1500 ccm) herabgegangen war, nach einer intercurrenten leichten Diarrhöe eine überaus grosse Indicanmenge, welche allmälig abnahm (0,1617 g bis auf 0,0768 g pro Tag), daneben reichlich Phenol, welches ebenfalls, und zwar unabhängig von der Indigo- und Zuckermenge, sich verringerte. Verf. konnte nachweisen, dass ein grosser Theil des indigobildenden Stoffes Indoxylschwefelsäure war, dass aber auch andere indigobildende Substanzen in Betracht kamen. In dem Harn eines zweiten Diabetikers, dessen Krankheit nach Verlauf mehrerer Jahre allmälig aus der leichten Form in die schwere übergegangen war, traten plötzlich sehr bedeutende Mengen Scatolchromogen auf, und zwar ebenfalls nach einer heftigen Diarrhöe in Folge einer Erkältung. (Der Harn gab mit Salpetersäure eine intensiv rothe, bei Zusatz von Chloreisen und bei Jaffé's Indicanprobe eine rothviolette Färbung.) Ausserdem war starke Phenolreaction vorhanden. Aus dem alcoholischen Extract des Rückstandes konnte Verf. eine ziemlich reichliche Menge Scatoxylschwefelsäure darstellen, welche bisher im menschlichen Harn noch nicht gefunden worden ist.

Albertoni (1) stellte in Schmiedeberg's Laboratorium, sodann in Genua, Untersuchungen über das Verhalten des Acetons im Organismus an, um die noch immer vielfach sich wiedersprechenden Angaben über diesen Gegenstand aufzuklären. Besonderen Werth legt Verf. zunächst auf die Reinheit des Acetons, welches in Gegenwart von Säure destillirt sein muss, um von anderweitigen Beimischungen befreit zu sein. Beim Menschen bewirken 10—20 ccm per os keine abnorme Erscheinung, höchstens vorübergehende Betäubung. Bei Hunden bleibt das Aceton, in einem Verhältniss von 1,0 auf 1 kg Körpergewicht (per os) ebenfalls ohne Wirkung; erst 4 0 auf 1 kg bringen einen rauschartigen Zustand hervor, oft auch Reitbahnbewegungen, Delirien, zuweilen grosse Mattigkeit, ferner Herabsetzung der Sensibilität, Hitze der Haut, grössere Pulsfrequenz, während die Respiration regelmässig bleibt. Die tödtliche Gabe des Aceton beträgt erst 8,0 auf 1 kg. Bei directer Injection in das Blut ist die Wirkung intensiver. — Bei Kaninchen bringen 4 g Aceton noch keine Vergiftungserscheinungen hervor. Im Ganzen wirkt das Aceton durchaus ähnlich wie Aethylalcohol, ist aber weniger giftig als dieser. Zuweilen kann man nach der Vergiftung starke Röthung, Schwellung, auch Desquamation des Epithels und Blutung der Magen- und Darmschleimhaut vorfinden, ein Zustand, welcher aber an sich nicht charakteristisch für die Aceton-Intoxication ist, sondern sich bekanntlich auch bei vielen anderen Giften findet. — Um den Ursprung und die Verwandlungen des Acetons im Organismus zu prüfen, gab A. Kaninchen 100 g Traubenzucker, erhielt jedoch im Harn nicht die Lieben'sche Reaction, ebensowenig nach Dextrin; grosse Gaben verschiedener Alcohole hatten bei Hunden ebenfalls keine Acetonurie zur Folge. Dagegen gelang der Nachweis von Aceton im Urin nach der Einführung von 15 bis 18 ccm reinen Isopropylalcohols (welcher auch bei der Oxydation mit Chromsäure Aceton liefert). Zur Trennung des Acetons von dem etwa unzersetzt gebliebenen Isopropylalcohol bediente sich A. einer von Schmiedeberg angegebenen Methode (Zusatz von doppelt schwefligsaurem Natron, Fällung mit Weingeist; der Niederschlag nach Auswaschung mit Aether durch kohlensaures Natron zersetzt, destillirt; das Destillat mit der Lieben'schen Reaction, später auch mit der Legal'schen Probe geprüft). Entgegen der Angabe von v. Frerichs, dass im Körper des Menschen und des Hundes grosse Mengen von Aceton zersetzt werden, konnte A. feststellen, dass dies nicht der Fall sei, sondern dass auch nach geringen Gaben (6—8 g beim Menschen) der Urin noch deutlich die Lieben'sche Reaction giebt. Verf. ist der Ansicht, dass die von v. Frerichs angewandte Destillation mit Schwefelsäure das Aceton zerstörte. Bekanntlich wird übrigens ein grosser Theil des Aceton auch durch die Lungen ausgeschieden. Demnach kommt Verf. zu dem Schluss, dass Vergiftungen durch Aceton (Acetonämie) vorkommen können, dass aber hierzu bedeutende Mengen dieses Stoffes im Körper gebildet werden müssen; es kann dadurch der Tod im comatösen Zustande herbeigeführt werden, doch stimmen die Erscheinungen des diabetischen Coma nur in wenigen Fällen mit dem durch Aceton herbeigeführten überein.

Auch die noch immer sehr zweifelhafte Rolle des Acetessigäthers und der Acetessigsäure bei dem Zustandekommen des Coma diabeticum veranlasste A. zur Prüfung. Die erstgenannte Substanz brachte bei Kaninchen eiweiss- und bluthaltigen Urin, bei Hunden Albuminurie, sonst aber keine Wirkung hervor. Die Acetessigsäure hatte bei Hunden in grösserer Gabe (10 g) ebenfalls Albuminurie zur Folge, was vielleicht von Wichtigkeit mit Bezug auf die bei Diabetes nicht selten vorkommende Eiweissausscheidung ist. Während nach Frerichs die Acetessigsäure bei Hunden im Harn nicht mehr nachweisbar ist, sondern an Stelle derselben Aceton sich findet, gelang A. der interessante Nachweiss, dass der Uebergang der Acetessigsäure in den Harn von der Reaction des Nierenparenchyms resp. des Harns abhängt. Bei Kaninchen findet sich die Säure im Harn wieder, und ebenso bei Hunden, nach Einführung von doppeltkohlensaurem Natron. In saurem Harn geht die Acetessigsäure in Aceton über.

Die β-Oxybuttersäure, welche A. ebenfalls prüfte, brachte keine besondere Wirkung hervor, und lieferte auch keine Acetessigsäure im Harn. 6 g Oxyisobuttersäure tödteten Kaninchen unter Depressionserscheinungen. (Die Untersuchungen von Külz und Minkowski waren dem Verf. noch unbekannt.) Die von Stadelmann aus dem diabetischen Harn erhaltene Crotonsäure (welche giebt Verf. nicht an) hatte keine Wirkung bei Kaninchen, während Crotonaldehyd in geringer Dosis Kaninchen und Meerschweinchen tödtete, und zwar unter Erscheinungen, welche an den Kussmaul'schen Symptomencomplex erinnerten. Die Annahme einer Säureintoxication als Ursache des Coma (cf. Stadelmann) hält A. nicht für undenkbar, doch hält er die vermehrte Ammoniakausscheidung wahrscheinlicher für eine der Säurebildung parallele, nicht durch sie bedingte Erscheinung.

Le Nobel (11) untersuchte eine grosse Anzahl von Urinen auf ihren Acetongehalt, und zwar bediente er sich verschiedener Reactionen, von deren Schärfe er sich überzeugte, 1) der Gunning'schen Jodoformreaction (mit Jodtinctur und Ammoniak); 2) der ebenfalls von Gunning (und Reynold) benutzten Eigenschaft des Aceton. frisch gefälltes Quecksilberoxyd in Gegenwart von Alkali zu lösen. Sodann fand N. unabhängig von Legal, dass das Weyl'sche Creatininreagens (Nitroprussidnatrium mit Kali oder Natron) mit Aceton eine rubinrothe Farbe giebt, welche allmälig in eine strohgelbe übergeht. Er konnte durch dies Reagens noch 1/2 mg Aceton auf 50 — 100 ccm Wasser nachweisen. Im normalen Harn gelang der Nachweis des Aceton nur bei der Destillation grösserer Harnmengen (15 l) mit Hülfe der Jodoformreaction. Nachdem in dem Destillat Aceton durch die Quecksilberprobe nicht mehr nachweisbar war, erhielt N. dennoch die Lieben'sche Jodoformreaction; es muss also im Harn noch ein anderer Körper vorhanden gewesen sein, von welchem dieselbe herrührte. Bei Verwendung geringerer Urinmengen konnte N. kein Aceton im normalen Harn nachweisen, wohl aber in seinem eigenen, nach mässigem Alcoholgenuss. Bei fieberhaften Processen fand N. häufig, jedoch nicht immer Acetonausscheidung, unabhängig von der Höhe des Fiebers; auch hier gab das Destillat bei Abwesenheit des Aceton deutlich die Lieben'sche Jodoformreaction (mit Jod und Kalilauge). In 5 Fällen von Carcinoma ventric. fand er oft und viel Aceton im Harn, auch gab derselbe die Eisenchloridreaction; bei sehr vielen anderen Krankheiten wurde das Aceton meist vermisst. Beim Diabetes fand N. ein sehr wechselndes Verhalten, an einem Tage deutlichen Acetongehalt, am andern Tage keine Spur; der Gehalt an Aceton steht in keinem Zusammenhang mit der Eisenchloridreaction, und ist ebensowenig von dem Zuckergehalt abhängig als von der Schwere des Krankheitsverlaufes. Häufig enthält der diabetische Harn, welchen die Eisenchloridreaction giebt, Eiweiss. Toxische Wirkungen schreibt Verf. dem Aceton nicht zu. — Was die Eisenchloridreaction anlangt, so ist dieselbe nicht jedesmal von Acetessigsäure abhängig; auch essig-, ameisen- und schwefelcyanwasserstoffsaure Verbindungen geben dieselbe Färbung mit Eisenchlorid, welche mit 10 proc. SO_4H_2 verschwindet und nach Neutralisation wieder zurückkehrt; durch Kochen verliert sich die Farbe nicht; jedenfalls ist es unrichtig, aus dem Eintreten einer rothbraunen Färbung mit Eisenchlorid auf die Gegenwart von Aceton zu schliessen.

v. Jaksch (3) hat die verschiedenen zum Nachweis des Aceton im Harn angegebenen Methoden in Bezug auf ihre Empfindlichkeit mit einander verglichen, und kommt zu dem Resultat, dass die Lieben'sche Probe die empfindlichste ist, daran schliessen sich die von Gunning und von Reynold; weniger empfindlich sind die von Legal und le Nobel, und endlich am wenigsten die von Penzoldt (s. d. Ber. f. 1883. S. 264). Die Lieben'sche Probe hat den Nachtheil, mit Alcohol eine gleiche Reaction zu geben, doch ist dieselbe sehr viel weniger empfindlich; die Legal'sche Probe ist die einzige, welche sich auf den Harn direct anwenden lässt (bei Verdünnung auch die von le Nobel). Verf. untersuchte ferner den Harn von 64 verschiedenen Krankheitsfällen mit Hülfe der verschiedenen Reactionen, wobei sich herausstellte, dass in allen Fällen, in welchen die Lieben'sche Reaction intensiv ausfiel, auch die übrigen Reactionen dasselbe Resultat ergaben; die erstere zeichnete sich nur durch grössere Empfindlichkeit aus; sodann zeigte sich aber, dass die Nitroprussidprobe, besonders in der le Nobel'schen Modification, häufig viel intensivere Reactionen ergab, und zwar erklärt sich dies dadurch, dass diese nicht ausschliesslich von Aceton, sondern auch von Paracresol, dem normalen Phenol des Harns herrührt; es ist also auch diese Reaction nicht ganz sicher für Aceton.

Was das Verhältniss des Acetons zur Acetessigsäure anlangt, so ist v. J. der Ansicht, dass man aus acetessigsäurehaltigem Harn nur dann Aceton erhält, wenn sich die Säure zersetzt hat, dass sich aber das Aceton bei Acetonurie wahrscheinlich als solches im Harn vorfindet, während von anderer Seite bekanntlich angenommen wird, dass dasselbe in Form einer leicht zersetzlichen Verbindung vorhanden ist. Wenn aber v. J. acetonhaltigen Harn frisch auffing und auf Eis aufbewahrte, um eine Zersetzung einer etwaigen Verbindung zu verhindern, so gab der ätherische Auszug sowohl des reinen Harns, als nach dem Schütteln mit Schwefelsäure oder mit Kali, stets die Aceton-Reaction, woraus v. J. folgert, dass das Aceton weder in Form einer Säure noch einer Basis im Harn enthalten war. (Er hält seine Ansicht in einer ausführlichen Auseinandersetzung, besonders gegenüber Penzoldt und le Nobel. aufrecht, auf welche hier nicht näher eingegangen werden kann.) Sodann beschäftigt sich der Verf. mit dem Nachweis des Acetons im Blut und in den Exhalationen, im Mageninhalt und in den Excrementen. Im Blute fiebernder Kranker konnte Verf. in dem Destillat eine Substanz nachweisen, welche die sämmtlichen Aceton-Reactionen gab, und in Aether überging. Das Destillat von normalem Blut gab allerdings auch eine schwache Jodoform-Reaction; dieselbe fehlte aber in dem ätherischen Auszug. In der Exhalationsluft fiebernder Kranker und Diabetiker gelang es ebenfalls durch die Lieben'sche und Reynold'sche Probe Aceton nachzuweisen, doch war die erhaltene Menge zu genaueren Versuchen nicht ausreichend. In dem Destillat des Mageninhaltes von verschiedenen Krankheitsfällen gelang es mehr oder weniger deutlich eine Substanz nachzuweisen, welche die Aceton-Reactionen gab, ohne dass sich darauf wohl weitere Schlüsse gründen lassen. Auch aus den Faeces von 27 verschiedenen Kranken konnte Verf. Destillate erhalten, welche meist die Lieben'schen und zum Theil auch andere Aceton-Reactionen gaben, ohne dass auch hier als erwiesen betrachtet werden kann, dass es sich wirklich um Aceton handelte.

De Gennes (2) sucht, auf Anregung von Lecorché, entgegen der neuerdings im Allgemeinen zur Geltung gekommenen Annahme, den Nachweis zu führen, dass die Acetonurie die wahre Ursache des Coma diabeticum sei. Zur Unterstützung dieser Ansicht werden zahlreiche Krankengeschichten mitgetheilt, in welchen das Auftreten des Acetons mit dem Eintritt des comatösen Zustandes zusammenfiel. Zum Nachweis der Acetonämie diente in der Regel nur der Geruch oder die Eisenchlorid-Reaction des Urins. Ferner theilt Verf. die Ergebnisse einer Reihe von Thierexperimenten mit, in welchen es gelang, durch Inhalation oder durch subcutane Injection verhältnissmässig grosser Acetonmengen bei Meerschweinchen, Kaninchen und einem Hunde einen dem diabetischen Coma ähnlichen Zustand hervorzurufen, der meist zum Tode führte. Besonders hebt Verf. die nach der Einführung des Aceton eintretende Unruhe, Somnolenz, schwankenden Gang, Temperatur-Erniedrigung, besonders aber die langsamen tiefen Inspirationen hervor. Zur Inhalation wurden beim Meerschweinchen 30 ccm, zur Injection 40 bis 120 gtt, beim Hunde zu verschiedenen Malen 8, 16, 30 ccm ohne Erfolg, endlich 120 ccm Aceton mit tödtlichem Effect injicirt. (Aus Obigem ist ersichtlich, dass Verf. auf die verschiedenen, in Betracht kommenden Substanzen überhaupt nicht eingeht. Ref.).

Pflanzliche und thierische Parasiten

bearbeitet von

Dr. GRAWITZ in Berlin.

A. Pflanzliche Parasiten.

I. Spaltpilze.

1. Allgemeiner Theil.

1) Brieger, Ueber giftige Producte der Fäulnissbacterien. Berl. klin. Wochenschr., No. 14. Ztschr. f. physiol. Chemie. IX. 1. — 2) Bizzozero, J., Ueber die Microphyten der normalen Oberhaut des Menschen. Virchow's Arch. Bd. 89. S. 441. (Erwähnt eine grössere Zahl unschädlicher Schmarotzer, Leptothrix, Bacterien des Fussschweisses, der Kopfhaut etc. — 3) Cazeneuve, M. P., Observations critiques sur l'emploi des filtres de platre pour vérifier les liquides à ferments. Lyon médical. No. 30. — 4) Hauser, Vorkommen von Microorganismen im lebenden Gewebe des normalen thierischen Organismus. Centralbl. f. d. med. Wissensch. No. 21. — 5) Heidenreich, Sur la stérilisation des liquides au moyen de la marmite de Papin. Compt. rend. Tom. 98. No. 16. — 6) Marpmann, G, Die Verbreitung von Spaltpilzen durch Fliegen. Arch. für Hygiene. II. 360. (In Culturen, welche von den Leibern todter Fliegen auf Gelatineplatten angelegt wurden, entwickelten sich zahlreiche Bacterien- und Schimmelvegetationen. Wenn die Fliegen von Culturen des Monas prodigiosum oder Bacillus foetidus gefressen hatten, so fanden sich in den Culturen diese Pilze wieder, ein Beweis, dass sie durch die Wirkung der Verdauungssäfte der Fliegen nicht zerstört worden sind.) — 7) Miller. W. D., Zur Kenntniss der Bacterien in der Mundhöhle. Deutsche med. Wochenschr. No. 48. — 8) Pictet, R. u. E. Yung, De l'action du froid sur les microbes. Compt. rend. Tom. 98. No. 12. — 9) Wilson, A., A case of chyluria caused by bacilli, with cultivation experiments. The Britisch med. Journ. Dec. 6. (Verf. sterilisirte Gläser mit Mohrrübeninfus und impfte in dieselben kleinste Mengen von chylusartigem Harn. Die Gläser blieben bei 53° F. 40 Stunden lang klar, als sie dann der Blutwärme ausgesetzt wurden, trübten sie sich und enthielten Stäbchen- und Kugelbacterien. Die Versuche machte Verf. bereits 1879.) — 10) Bareggi, C., Sui microbi specifici del vajuolo, del vaccino e della varicella. Gazetta med. ital. Lomb. No. 46. (Culturverfahren ohne besondere Resultate.) — 11) Plaut, H., Färbungsmethoden zum Nachweis der fäulnisserregenden pathogenen Microorganismen. Leipzig. (Die Zusammenstellung von Plaut giebt ausserordentlich kurze Notizen über die Färbung verschiedener Organismen, welche für Anfänger kaum ausreichend sein dürften, aber mit grosser Gewissenhaftigkeit die kleinste Modification einer Färbung als besondere Methode mit Namen- und Literaturangabe anführen.) — 12) Wigand, A., Entstehung und Fermentwirkung der Bacterien. Marburg. (Verf. vertritt den Standpunkt der Generatio aequivoca der Bacterien, jedoch lässt er die Fäulnissbacterien nicht in einer mit organischen Substanzen versetzten Flüssigkeit spontan entstehen, sondern nur aus dem Zerfall organisirter Substanz, Blut, Fleisch, Erbsen, Weizenkörner, Pflanzenblätter hervorgehen. Die Milchsäurebacterien entstehen durch Zerfall der „Milchzellen" die Diastaseorganismen aus Stärkekörnern etc.)

Obgleich schon frühere Versuche dargethan haben, dass manche Microorganismen hohe Kältegrade ohne Nachtheil ertragen können, so ist es doch erstaunlich, bis zu welchem Grade diese Widerstandsfähigkeit manchen Bacterien innewohnt. Pictet und Yung (8) stellten eine Kältemischung her, welche 80 Stunden lang zwischen — 70° und 76° C. schwankte, und steigerten nachher die Kälte noch weitere 20 Stunden auf — 130° C., während eine Anzahl Reagensgläser mit Pilzculturen von dieser Mischung umgeben war. Nachdem langsam das Ganze aufgethaut war, ergab die Untersuchung der Gläser Folgendes: Der Milzbrandbacillus (die Cultur enthielt nur Sporen) war nicht im geringsten verändert, ebenso virulent wie vorher. Milzbrandbacillen im Blute waren vollständig zerstört. Bacterien des „symptomatischen Milzbrandes" blieben unverändert. Bacillus subtilis und Bacillus ulna (Cohn) wurden nicht angegriffen. Ein rother und ein weisser Coccus war zum Theil zerstört, nur die Hälfte der Culturen ging an. Bierhefe hatte ihr Aussehen behalten, eignete sich aber nicht mehr dazu, Brodteig gehen zu machen. Vaccine wurde ganz unwirksam.

Heidenreich (5) hat zahlreiche Versuche mit dem Papin'schen Kochtopf angestellt in Bezug auf dessen Verwendung zur Sterilisation von Bacterien-Culturflüssigkeiten und bezeichnet als Haupterforderniss, um den Ballons mit Nährflüssigkeit, welche man in den Kochtopf bringt, dieselbe Temperatur zu verleihen, wie sie der Kochtopf hat, dass man den letzteren luftleer mache. Unter dieser Bedingung wird nach dem Verf. ein Ballon von 1 l Inhalt in 10 Minuten, ein gleicher von 200 ccm in 2 Minuten mit Sicherheit auf die Temperatur der Umgebung (120 °) gebracht.

Brieger (1) berichtet über Versuche, welche er unternommen hat, um die Abscheidungsproducte, welche besonders Fäulnissbacterien bei ihrer Entwicklung hervorrufen, darzustellen und zu untersuchen. Die Darstellung des Peptotoxin, aus peptonisirtem Eiweiss, sowie des Neuridin, und einer höchst giftigen Vinylbase aus faulendem Fleisch ist wesentlich für den Chemiker interessant. Diese letztere Base bewirkt, in minimalen Mengen subcutan eingespritzt, starken Speichelfluss. hierzu gesellen sich Dyspnoe, tonische und klonische Krämpfe, welche zum Tode führen. Atropin ist ein sicheres Gegengift. Die Untersuchungen, die Verf. über die Abscheidungsprodukte pathogener Organismen angestellt hat, sind noch nicht abgeschlossen.

Ueber die Pneumonie-Coccen hat B. Analysen an Massen-Culturen auf Gelatine angestellt und nach 4 Wochen langem Wachsthum folgende chemische Zusammensetzung gefunden:

Wassergehalt 82,20 pCt, Trockensubstanz 15,80, Fettgehalt der Trockensubstanz 1,74, Aschengehalt der entfetteten bei 110° getrockneten Substanz a) 30,02, b) 30,25, Stickstoffgehalt der entfetteten, wasserfrei und aschefrei berechnet a) 9,50, b) 10,0.

Es ergab sich also nichts, was den bösartigen Character der Coccen erklären könnte.

Aus Traubenzuckerlösungen wurde vorzugsweise Essigsäure, daneben Ameisensäure und Aethylalcohol abgespalten.

Zur Entscheidung der so oft aufgeworfenen, und in verschiedenem Sinne beantworteten Frage, ob in normalen Geweben gesunder Menschen und Thiere Bacterien vorhanden sind, brachte Hauser (4) von frisch getödteten Thieren grössere Gewebsstücke aus Herz, Milz, Leber, Niere etc. mit ausgeglühten Instrumenten in sterilisirte Gefässe, ohne sonstige Cautelen anzuwenden. Nach den bisherigen Untersuchungen blieben 72 pCt. dieser Objecte von jeder Entwickelung von Microorganismen frei.

Die Versuche sind noch nicht abgeschlossen.

Die Zweifel, welche von Lewis an der Echtheit der Kommabacillen der Cholera erhoben worden sind, werden durch Miller (7) dadurch beseitigt, dass er den Nachweis führt, dass die im Munde vorkommenden gekrümmten Bacillen oder Spirillen von den Cholerapilzen durchaus verschieden sind. Ein gekrümmter Pilz, der sehr gewöhnlich im Munde Gesunder vorkommt, lässt sich bis jetzt überhaupt nicht cultiviren, ein anderer. welcher im Zahnfleisch bei Catarrhen der Mundhöhle angetroffen wird, ist leicht zu cultiviren, er verflüssigt Gelatine, ist aber durch Grösse und Aussehen von dem Cholerabacillus leicht zu unterscheiden. (Er hat in Gelatineculturen weit mehr Aehnlichkeit mit den Spirillen und Kommapilzen von Finkler und Prior. Ref.)

Gegen den von Pasteur angewandten Apparat (Gypsfilter) um Bacterien von gelösten Fermenten zu trennen, wendet sich eine Kritik von Cazeneuve (3), in welcher nachgewiesen wird, dass durch den Gypsfilter ausser Bacterien auch eine ganze Anzahl chemischer Substanzen, Diastase, Amygdalin etc. zurückgehalten werden, während bei längerem Gebrauch Substanzen hindurchgehen, welche nicht durchgelassen werden sollten.

1) Poulsen, V. A., Vore usynlige Fjender. 194 pp. Kjöbenhavn. (Eine populäre Darstellung der Naturgeschichte der Schizomyceten.) — 2) Almquist, E. Metoder att odla och färga bakterier; reseanteckningar. Hygiea. 1883. p. 226. (Verf. referirt die Methoden, die von Pasteur und Koch zur Reincultur von Bacterien angewendet werden, und giebt eine Uebersicht über die gebräuchlichsten Verfahren zum Färben der Bacterien in Schnitten und Trockenpräparaten.) — 3) Rasmussen, Anker F., Om Dyrkning af Mikroorganismer fra Spyt af sunde Mennesker. Afhandl. for Doktorgr. i Med. Kjöbh. 1883.

Rasmussen (3) hat vielfache Untersuchungen der Microorganismen im Sputum angestellt.

Er giebt eine Darstellung der Methoden, die er zur Reincultur angewendet hat, und erwähnt den Einfluss, den die äusseren Bedingungen und namentlich die verschiedenen Nährsubstrate auf die Microorganismen mit Rücksicht auf ihre Form und Farbe ausüben. Dann folgt die Beschreibung der im Sputum aufgefundenen Microorganismen nebst zahlreichen Beobachtungen über ihre Entwickelung und physiologischen und biologischen Verhältnisse. Namentlich ist die Entwickelungsgeschichte der Leptothrix buccalis Gegenstand specieller Untersuchungen gewesen, die das Resultat gebracht haben, dass bei Cultur in Nährlösungen die Fäden in einzelne Glieder zerfallen, die wie Cocci, Bacteria und Bacilli geformt sind. Schliesslich hat Verf. einige Versuche angestellt über die Anwesenheit von Microorganismen im Speichel, ehe er in die Mundhöhle gelangt. Er hat flambirte Capillarröhren in den Ductus Stenonianus und Whartonianus eingeführt und den dadurch erhaltenen Speichel in sterilisirte Nährlösung gebracht: er hat 25 Versuche gemacht, in 21 war das Secret bacterienfrei Er glaubt nicht, dass die Bacterien mit der Respirationsluft fortbewegt werden, weil er sich seine Reinculturen dadurch bereitet hat, dass er mittelst eines Capillarrohres die Flüssigkeit aus einem Kolben gesogen und sie in einen anderen mit dem Munde geblasen hat. Borch.

Hoyer (Warschau), O mikroskopowém badaniu grzybków chorobotwórczych. (Ueber die microscopische Untersuchung der pathogenetischen Pilze.) Gazeta lekarska. No. 4 bis 6.

Auf Grund einjähriger Studien über die verschiedenen Untersuchungsmethoden auf niedrige parasitäre Pilze des menschlichen Organismus, beschreibt der Verf. in systematischer Ordnung eine Art und Weise der Untersuchung, welche er für practische Aerzte als die bequemste und zuverlässigste betrachtet. Es kann hier diese ganze gründliche Arbeit nicht wiedergegeben werden. Wir beschränken uns also nur auf die Anführung ihrer wichtigsten Punkte, in denen der Verf. von den allgemeinen Regeln abweicht. Zur Conservirung der Dauerpräparate benutzt der Verf. den Lackfirniss und Gummiarten, welche Terpentinöl enthalten (z. B. Damara), weil letzteres die Eigenschaft besitzt, Anilinfarben, welche gewöhnlich sehr rasch erblassen, dauerhaft zu machen. Der Verf. ist ferner der Meinung, dass es nicht vortheilhaft ist, die Auflösung der Anilinfarben für jeden Fall frisch zuzurichten; besser ist es und auch bequemer, eine grössere Portion der Auflösung sich zu bereiten und zum Gebrauch aufzubewahren. Nur Vesuvin, das sich leicht in alcoholischer Auflösung verändert, ist besser für den jedesmaligen Bedarf aufzulösen. Der Verf. ertheilt den Rath, niemals zu starke Auflösungen zu benutzen, weil durch dieselben die Bacterien undeutlich werden. Zur Entfärbung der Schnitte benutzt der Verf. oft die Picrinsäure, nach Heidenreich, zu seiner vollständigen Befriedigung. Die besten Resultate jedoch erhielt der Verf., indem er die dünnen Schnitte mit Gentianaviolet oder Methylviolet färbte und dann sie zuerst in schwachen und nachher in starken Alcohol, zu welchem er einige Tropfen der alcoholischen Lösung von Magdalafarben hinzugesetzt hatte, eintauchte und so lange darin liegen liess, bis sie sich rosaroth färbten. Die Dauerpräparate der Leprabacterien erhielt der Verf., indem er die vorher mit Fuchsinauflösung in Anilinwasser gefärbten Schnitte nicht mit Säuren entfärbte, sondern sogleich in eine starke alcoholische Auflösung von Methylgrün eintauchte und dann aufklärte. Die doppelte Färbung des Blutes erhielt der Verf. durch Eintrocknung des Blutes auf dem Gläschen, durch Färbung desselben mit einer wässerigen Auflösung von Methylviolet, durch Bespülen mit Wasser, durch Eintauchen in eine saure Auflösung von Fuchsin, durch neues Bespülen mit Wasser, und zuletzt durch Eintrocknung und Untersuchung in Terpenthinöl. v. Kopff (Krakau)]

2. Specieller Theil.

Tuberculose.

1) Baumgarten, Ueber ein neues Reinculturverfahren der Tuberkelbacillen. Centralbl für die med. Wiss. No. 22. — 2) Biedert, Die Tuberculose des Darms und des lymphatischen Apparats. Jahrb. für Kinderheilk. XXI S. 158. — 3) Colin, G., Sur la transmission de la tuberculose aux grands ruminants. Compt. rend. Tom. 99. No. 24. — 4) Creighton, Ch., Dr. Koch's Method of cultivating the Micro-Organisms in Tubercle. Sep.-Abdr. London. Decbr. — 5) Hartzell, A ready method for the detection of the bacillus tuberculosis. Philad. med. times. 26. Jan. (Verf. empfiehlt eine neue Methode zur Färbung der Tuberkel-Bacillen, welche schnell und sicher ausführbar ist. Das Deckglas mit dem angetrockneten Sputum wird 3—5 Minuten in eine Lösung von wässriger Carbolsäure und alcoholischem Fuchsin gebracht, dann in gesättigter Oxalsäure-Lösung entfärbt und nach Trocknung ohne Weiteres eingelackt. Die Bacillen erscheinen schön roth. Die Mengenverhältnisse der Lösungen sind in den Hieroglyphen der Unzenrechnung ausgedrückt.) — 6) Holländer, George, Experimentelle Versuche über die Unschädlichmachung tuberculöser Sputa. Inaug.-Diss. Halle. — 7) Lustig, A., Ueber Tuberkelbacillen im Blute bei an allgemeiner acuter Miliartuberculose Erkrankten. Wiener med. Wochenschr. No. 48. (Bei mehrmals wiederholter Untersuchung des Blutes bei einer Patientin, welche hohes Fieber hatte und die Symptome der Miliartuberculose darbot, fand L. Bacillen im Blut) — 8) Malassez et Vignal, Sur le microorganisme de la tuberculose zoogloéique. Arch. de physiol. norm. et pathol. No. 6. — 9) Mazzotti, L., Un caso di tisi primitiva dell' intestino e secondaria dei pulmoni in un adulto. Bologna. Mgr. (Fälle wie derjenige, der den Gegenstand dieser Monographie bildet, könnte Verf. in jedem Jahrgange der Sectionsprotocolle des Berliner pathologischen Instituts in befriedigender Menge finden.) — 10) Samter, Mischinfection von Tuberkelbacillen und Pneumoniecoccen. Berl. klin. Wochenschr. No. 25. — 11) Sormani, Guiseppe, Digestione artificiale, riscaldamento e cottura del bacillo tubercolare. Conservazione del medesimo nell' acqua e nelle biancherie. Annali univ. di aud. Agosto. — 12) Weigert, C., Die Verbreitungswege des Tuberkelgifts nach dessen Eintritt in den Organismus. Jahrb f. Kinderheilk. XXI. S. 146. — 13) Weichselbaum, Ueber Tuberkelbacillen im Blute bei allgemeiner acuter Miliartuberculose. Anz. d. Ges. Wiener Aerzte No. 19.

Der von Weigert (12) auf der Naturforscherversammlung zu Freiburg gehaltene Vortrag erörtert die Verbreitung der Tuberkelbacillen innerhalb des Organismus, ohne auf die Frage nach dem Hineingelangen derselben in die Gewebe einzugehen. W. bespricht zuerst die Verbreitung auf mechanischem Wege durch Hustenstösse, Aspiration, Verschlucken etc; dann die Uebertragung per contiguitatem, von einem schon bestehenden Herde aus in die Umgebung, wobei der chronisch entzündlichen Wucherungen und Schwielenbildungen Erwähnung geschieht, durch welche das Fortschreiten oft wesentlich gehemmt wird. Ferner die Ausbreitung der Bacillen durch die Lymphgefässe, wobei besonders die Rolle der Lymphdrüsen und ihr häufiges Erkranken im Kindesalter zu ihrem Verhalten bei Erwachsenen in Gegensatz gestellt wird. Den Schluss bildet die Verbreitung der Bacillen durch die Blutbahn. In einem Theil der Fälle führt der Lymphstrom dem Blute die Spaltpilze zu, in einem andern bilden sich Herde von Bacillen innerhalb von Gefässwandungen, und diese brechen dann in das Lumen durch und werden, wenn das Gefäss nicht etwa vorher durch Thrombose oder Obliteration verschlossen war, der allgemeinen Circulation überliefert. Die Intensität der Giftwirkung ist dabei immer dieselbe, nur von der Menge der Bacillen hängt es ab, ob die nachfolgende Tuberculose sehr acut oder langsam oder in einzelnen Schüben verläuft.

Weichselbaum (13) hat, ausgehend von der Ansicht Weigert's, dass jede allgemeine acute Miliartuberculose von einer Tuberculose der Venen oder des Ductus thoracicus ausgehe, das Blut bei drei derartigen Kranken untersucht und reichlich Tuberkelbacillen gefunden. Auch in einzelnen Miliartuberkeln fand er constant die Bacillen.

Samter (10) beobachtete in einem Falle bei einem 65jährigen Manne, der bereits längere Zeit an einem latenten Bronchialcatarrh gelitten, in dem pneumonischen Auswurf das Zusammensein von Pneumoniecoccen und reichlichen Tuberkelbacillen.

Die Autopsie ergab in der linken Lunge ältere tuberculöse Herde, in der rechten pneumonische Anschoppung und zugleich zahlreiche frische Miliartuberkel, so dass nach der Ansicht des Verf. die Pneumonie einen günstigen Boden für die Entwicklung der Tuberkelbacillen geschaffen hatte.

Im zweiten Falle bestand Pneumonie beider Lungenspitzen im Anschluss an mehrmalige Hämoptoe und sub finem vitae trat eine phlegmonöse Parotitis hinzu. Die Autopsie ergab auch hier neben pneumonischer Hepatisation Cavernen und Miliartuberkel.

Verf. hat mehrfach dergleichen Mischinfectionen in früheren Jahren gesehen, macht jedoch darauf aufmerksam, dass man erst heutzutage durch die exacte Bacterien-Untersuchung dergleichen Fälle schon intra vitam diagnosticiren kann.

Ein von Biedert (2) auf der Naturforscherversammlung zu Freiburg gehaltener Vortrag kommt zu dem Resultat, dass im Kindesalter die Tubercule des Verdauungsapparates ungleich seltener ist, als diejenige der Lungen, Bronchialdrüsen, kurz des Respirationsapparates. Durch künstliche Fütterung wurde nur in einem kleinen Theil ein Erfolg erzielt, welcher nothwendig als Bacillenresorption vom Darm aus gedeutet werden müsste, bei vielen war es mindestens zweifelhaft oder geradezu wahrscheinlich, dass die Tuberculose durch Inhalation entstanden sei. Auch der Milch tuberculöser Kühe schreibt B. keine Infectionsfähigkeit zu. Die überaus zahlreichen Beläge aus der Literatur s. im Original.

Zur Reincultur der Tuberkelbacillen bedient sich Baumgarten (1) der von Generation zu Generation fortgesetzten Impfung in die vordere Augenkammer von Kaninchen. Da die ursprünglich mitgeimpften Gewebsstückchen, sowie etwa anhaftende Bacterien in der vordern Augenkammer resorbirt werden, so bleibt schliesslich eine Reincultur übrig, welcher nur einzelne farblose Blutkörperchen anhaften.

Creighton (4) vermisst in dem Culturverfahren der Tuberkelbacillen auf Blutserum den stricten Beweis, dass die Beimischung käsiger Substanz bei den Uebertragungen der „Schüppchen" gänzlich ausgeschlossen sei, und meint, dass Koch nichts gethan habe, als die Klebs'sche fractionirte Züchtung auf die Tuberkelbacillen anzuwenden. Ob der Kritik eigene Erfahrungen zu Grunde liegen, geht aus der Abhandlung nicht hervor.

Eine Untersuchung von Sormani (11) beschäftigt sich mit der Widerstandsfähigkeit der Tuberkelbacillen sowohl vom Gesichtspunkte der Uebertragbarkeit der Tuberculose als auch in mehr hygienischer Hinsicht. Während man bisher die Impfbarkeit der Tuberculose vom Magen und Darm her durch directe Fütterungen erprobt hat, stellt S. künstliche Verdauungsversuche mit bacillenhaltigem Sputum an, und findet, dass bei dreistündiger Verdauung (mit dem Saft eines Schweinemagens, dem Salzsäure zugesetzt ist) die Bacillen weder ihre Form, noch ihre Färbbarkeit, noch ihre Lebensfähigkeit einbüssen. Währte die Verdauung ein oder mehrere Tage, so fand S. die Bacillen schlecht gefärbt oder garnicht, die Injectionen von einer Pravazschen Spritze tödteten die Thiere in wenig Tagen an Septichämie. S. erklärt daraus die verschiedenen Erfolge bei Fütterungen mit tuberculösen Substanzen so, dass die Experimente positiven Erfolg geben, wenn die Magenverdauung unvollständig ist, dass dagegen bei starker Einwirkung des Magensaftes die Bacillen sammt den Geweben verdaut werden.

Eine zweite Versuchsreihe ist der Frage nach der Widerstandsfähigkeit der Bacillen gegen hohe Temperaturen gewidmet. S. erwärmte Sputa von phthisischen Personen in sterilisirter Milch oder Lösungen von kohlensaurem Natron, und fand, dass eine Temperatur bis 70 ° C. zehn Minuten, eine solche von 80 ° bis 100 ° C. nur einige bis 1/2 Minute vertragen wurde, ohne die Lebensfähigkeit, welche durch Impfung geprüft wurde, zu zerstören. Ein Aufkochen von drei Minuten und länger, sowie eine einstündige Erwärmung von 60 ° — 65 ° C. tödtete die Bacillen sicher. Da letztere Temperatur beim Kochen von Fleisch selbst im Innern dicker Stücke erreicht wird, wenn sie lange genug gekocht werden, so hält S. den Genuss solchen Fleisches, in welchem Tuberkel enthalten sind, für hinreichend gefahrlos.

3. Bacillenhaltige Sputa wurden in destillirtem Wasser aufgehoben und konnten noch nach einem Jahre nachgewiesen werden. Ihre Lebensfähigkeit scheint dabei allerdings zu Grunde gegangen zu sein, da nach Eindickung der Flüssigkeit im Vacuum die Infection mit dem Rückstande keinen Erfolg hatte. Da S. diese Versuche nur an 2 Thieren angestellt hat, so ist die Frage nicht ganz entschieden.

4. Da es wünschenswerth ist, zu wissen, wie lange sich in der Wäsche, namentlich in den Taschentüchern phthisischer Personen die Bacillen lebensfähig erhalten, so unterzog S. auch diesen Punkt einer experimentellen Prüfung. Er bestrich mit Sputum, welches sehr reichlich Bacillen enthielt, ein Stück Leinewand, um das Sputum bei gewöhnlicher Temperatur trocknen und wochenlang liegen zu lassen. Als er nach 25 Tagen ein Stückchen der Leinewand einem Versuchsthier unter die Haut brachte, erhielt er Tuberculose, während nach zwei und mehr Monaten die Bacillen abgestorben waren.

Die schon im vorigen Jahresbericht besprochene Abhandlung über eine eigenthümliche, durch Zooglöen bedingte Tuberculose, von Malassez und Vignal (8) hat von denselben Verff. eine Fortsetzung erfahren, in welcher zwar mancherlei Einzelheiten angegeben werden, das Räthselhafte der Sache aber durchaus nicht klargestellt wird. Es ist den Verff. nunmehr gelungen mit einer Lösung von Methylenblau in Anilinwasser die Spaltpilze zu färben, und durch Auswaschen der Präparate in einer Mischung von 2 Theilen einer 2 proc. Natr. carbon.-Lösung und 1 Theil absolutem Alcohol die Schnitte soweit zu entfärben, dass eine nur schwache Tinction der Kerne übrigbleibt, welche eine scharfe Unterscheidung der Bacterien vom Gewebe möglich macht. Es zeigen sich dabei stark gefärbte einzelne und zu zweien oder kurzen Reihen angeordnete Coccen kleinster Grösse, dann lange Ketten schwächer gefärbter aber bei Weitem grösserer Coccen und endlich ganz ungefärbte Massen von Zooglöa. Keine dieser verschiedenen Formen, welche einer Entwickelungsreihe anzugehören scheinen, ist identisch mit dem Tubercelbacillus Koch's, aus keiner der Formen geht eine Stäbchenform hervor, sie färben sich nicht mit alcalischer Gentianalösung. Die Verff. sind daher ausser Stande, eine befriedigende Erklärung dafür zu geben, dass sich bei einer Impfung der Zooglöa-Tuberculose bei einem der Versuchsthiere eine Zooglöa-Tuberculose, bei dem andern eine Bacillen-Tuberculose entwickelt hatte, wie sie in der früheren Mittheilung berichtet haben, und nahmen daher an, dass in dem Impfmaterial Keime sowohl ihrer Coccen als der echten Bacillen vorhanden gewesen seien. Culturversuche der Zooglöa, welche wohl allein geeignet wären, die Frage zu entscheiden, liegen bisher nicht vor.

Colin (3) verfolgte den Gang der Infection mit Tuberkelsubstanz bei Rindern, bei welchen bekanntlich die Vegetation der Bacillen die grossen, vielfach verkalkten Perlknoten hervorruft. Er impfte ein Stückchen Gewebe, welches Tuberkel enthielt, einem jungen Rinde unter die Haut der Flanke; es entstand sehr schnell eine Anschwellung, welche nach 2 Wochen aufbrach und ein Geschwür mit käsigem Grunde hinterliess; darauf folgte eine Schwellung der Lymphdrüsen im Verlauf der benachbarten Lymphgefässstränge. — Hier kann nach einmaliger Impfung der ganze Process Halt machen, das Geschwür kann offen bleiben oder sich schliessen, die Tuberkel seiner Wand und der Lymphdrüsen verkreiden, alle innern Organe gesund bleiben.

In andern Fällen, namentlich bei jungen Thieren nimmt der Process seinen gewöhnlichen Fortgang durch die Lymphe ins Blut, womit Generalisation der Tuberkel, Abmagerung nach 2—3 monatlicher Dauer und das Bild der ausgesprochenen Phthise auftritt.

Bei Einspritzungen von Sputa setzt Holländer (6) desinficirende Flüssigkeiten zu, wie Sublimat, Carbolsäure u. s. w. Er macht die Einspritzungen den Versuchsthieren, Kaninchen, theils in die Trachea, theils in das Peritoneum und kommt zu dem Resultat, dass geringe Zusätze die Entwickelung der Tuberculose nicht verhindern können. Ein Zusatz von 0.1 pCt. Sublimat genügte bei Impfungen in die Trachea, um das Sputum unschädlich zu machen, bei Impfungen in die Peritonalhöhle erwies er sich als zu gering, da trotz dieser Desinficirung Tuberculose erzeugt wurde.

[Wolfram, A., Die diagnostische Bedeutung der Tub.-Bacillen. Przeglad lek. 1884. No. 34—35. Polnisch. Aus der med. Klinik des Prof. D. Korczynski in Krakau.

In allen Fällen, wo die Bacillen im Sputum, im Urin, Stuhl, Exsudaten und Abscessen vorgefunden wurden, bestand ausnahmslos ein tuberculöser Process, welcher durch den weiteren Verlauf und oftmals durch die Section bestätigt wurde. In einigen Fällen, wo die auscultatorischen und percussorischen Erscheinungen in den Lungenspitzen kaum bemerkbar waren, und wo mit Ausnahme eines unbedeutenden Hüstelns sonst keine anderen Symptome der tub. Lungenaffection vorhanden waren, wurde die Diagnose der Lungentuberculose nur durch das Auffinden der Bacillen im Sputum ermöglicht. In zwei Fällen von Lungentuberculose im Verlauf des Diabetes mellitus waren zahlreiche Bacillen im Sputum, und die Diagnose des tub. Processes wurde durch die Section bestätigt; in einem dritten Falle fehlten die Bacillen im Auswurf constant, und dementsprechend fand man bei der Section eine Cirrhose beider Lungenspitzen ohne Spuren von Tuberkeln. Bei Verdickungen der Lungen im Verlauf des Diabetes mellitus hat also die Anwesenheit der Bacillen im Auswurf dieselbe semiotische Bedeutung wie in den Lungenaffectionen ohne Diabetes.

In allen acut verlaufenden Fällen von Phtisis pulm. tuberculosa fand man die Bacillen im Auswurf ohne Ausnahme, obwohl in den frühen Stadien der Krankheit erst eine wiederholte Untersuchung ein präcises Resultat ergab. Sie erschienen im Auswurf viel früher als die elastischen Fasern, was die diagnostische Bedeutung derselben bedeutend erhöht. In allen Fällen von hämoptoischem Sputum fand man die Bacillen schon bei der ersten Untersuchung sogar in den streng initialen Stadien der Krankheit.

In chronisch verlaufenden Fällen konnten die Bacillen trotz täglich vorgenommener Untersuchung manchmal erst nach einer längeren Zeit (in einem Falle erst nach 10 Wochen) vorgefunden werden.

Das von Balmer und Fränkel angegebene Verhältniss zwischen der Menge der Bacillen und der Höhe des Fiebers bestätigt sich zwar in vielen Fällen, es kommen aber sehr oft Fälle vor, wo die Menge der Bacillen ungewöhnlich reichlich ist, trotz des unbedeutenden oder ganz fehlenden Fiebers. In prognostischer Hinsicht scheint nur eine ständig abnehmende oder ständig sich vergrössernde Menge der Bacillen im Auswurf eine Bedeutung zu haben.

In pleuritischen Exsudaten waren die Bacillen in der durch Probepunctur gewonnenen Flüssigkeit nur dann zu finden, wenn das Exsudat mit einer Caverne oder einem durchbrochenen tub. Herde communicirte. Dagegen konnte die tuberculöse Natur der Exsudate durch das Auffinden der Bacillen im Auswurf schon zu einer Zeit erkannt werden, wo noch gar keine objectiven Zeichen einer Lungentuberbulose vorhanden waren. Bei Tuberculosis miliaris acuta war der Befund im Auswurf immer negativ.

Einem positiven Befund in den Stuhlgängen entsprach ohne Ausnahme die durch die Section constatirte Anwesenheit tuberculöser Darmgeschwüre. In einigen Fällen konnte die Diagnose einer Darmtuberculose nur durch das Auffinden der Bacillen in den Stuhlgängen gestellt werden, es waren dies nämlich Fälle, wo weder Symptome einer Lungeninfiltration bestanden, noch Bacillen im Sputum vorhanden waren. Ein negativer Befund in den Stuhlgängen schliesst aber eine Darmtuberculose nicht aus.

Korczynski (Krakau).]

Cholera asiatica.

1) Koch, R., Conferenz zur Erörterung der Cholerafrage. Berl. klin. Wochenschr. No. 31 ff. — 2) Nicati et Rietsch, Odeur et effets toxiques des produits de la fermentation produite par les bacilles en virgule. Compt. rend. 99. No. 21. — 3) Trevisan, Vittore, A proposito del bacillo del cholera Koch o Pacini? Intorno al modo di agire del Bacillo nel corpore umano. Gazeta med. Italiana-Lomb.

Es ist das Verdienst der deutschen Choleracommission, welche 1883 unter Leitung von Rob. Koch (1) nach Aegypten und später nach Indien ging, die eigentliche Ursache der asiatischen Cholera entdeckt zu haben. Das „Choleragift", durch welches die Ansteckung vermittelt wird, ist ein Spaltpilz von gekrümmter Form, welchen K. als Kommabacillus bezeichnet hat. Obwohl eine grössere Arbeit über die Beobachtungen der Choleracommission bisher noch nicht erschienen ist, so ist doch von den Vorträgen K.'s so schnell die Kunde in aller Herren Länder gedrungen, dass bereits eine kleine Literatur über den Kommabacillus erschienen ist, über welche wir hier nicht berichten können, ohne wenigstens einige wesentliche Thatsachen und Erfahrungen des Entdeckers selbst voranzuschicken. Der Kommabacillus ist ein Stäbchen, kaum halb so lang als die Tuberkelbacillen, leicht gekrümmt und mit einer Eigenbewegung ausgestattet, welche in einer grösseren Colonie dem Tanzen eines Mückenschwarms vergleichbar ist. In gefärbten Präparaten sind keine Geisselfäden zu erkennen. Lässt man die Bacillen in einem Tropfen Bouillon am Deckglase hängend wachsen, so beobachtet man lange Spirillen, deren Krümmungen denen der einzelnen Kommastückchen entsprechen; auch auf Plattenculturen und in Reagensgläsern, namentlich bei Alcoholzusatz, entstehen lange Spirillen.

Diese bei ca. 600facher Vergrösserung gut erkennbaren Formen sind zwar recht characteristisch, sie genügen aber nicht ganz, um die Pilze der Cholera von anderen ähnlichen Formen zu unterscheiden. Hierzu ist weiter erforderlich diejenigen Figuren zu kennen, welche eine Reincultur der Kommabacillen in einem mit Nährgelatine versehenen Reagensglase bildet und auch die Beobachtung mit blossem Auge und mit schwacher Vergrösserung von solchen Colonien, welche auf einer Glasplatte in dünner Gelatineschicht sich entwickeln. Nimmt man die genannten Merkmale, welche sich in typischer Weise immer wiederholen, wo die rein gezüchteten Kommabacillen der asiatischen Cholera vegetiren, so gelingt es leicht, diese Spaltpilze von allen anderen sonst vorkommenden bekannten Bacterien mit Sicherheit zu unterscheiden.

Es sei gleich hier erwähnt, dass von Prior und Finkler auf der Naturforscherversammlung zu Magdeburg Culturen von Kommabacillen vorgestellt wurden, welche aus Darminhalt von Cholera nostras-Fällen herrührten und von den Autoren in späteren Berichten für identisch mit den K.'schen Bacillen erklärt wurden. Die Aehnlichkeit gefärbter Bacillen bei starker Vergrösserung ist bei beiden in der That nicht gering, obwohl nicht absolut; allein die Culturen im Reagensglase und auf Gelatineplatten sind so ausserordentlich von denen des K.'schen Bacillus oder Vibrio abweichend, dass man Reinculturen beider füglich nicht mit einander verwechseln kann.

Während also nach K.'s Erfahrung die von ihm gefundenen Kommabacillen nirgends als zufällige Ansiedler vorkommen, so fand er sie andererseits regelmässig im Darminhalt Cholerakranker und im Inhalt oder der Darmwand bei Choleraleichen. Die Beobachtung wurde auch von anderen Untersuchern bestätigt, so dass in den Cholerafällen in Aegypten, in Calcutta, in Toulon, Paris und Neapel mit völliger Uebereinstimmung dieselben Kommapilze gefunden worden sind.

Die Ansiedlung der Vibrionen geschieht im Darm, dessen Epithel in Massen abgestossen wird unter reichlicher wässriger Abscheidung von den Darmgefässen her; höchstens dringen die Spaltpilze bis in die Darmwand selbst vor, aber niemals konnten sie im Blute oder in den Geweben irgend eines entfernteren Organes nachgewiesen werden.

Das Interesse concentrirte sich demnach auf die Veränderungen im Darm selbst. Es kamen Fälle vor, in denen der untere Abschnitt des Dünndarms, und zwar am intensivsten unmittelbar oberhalb der Ileo-Cöcalklappe und nach oben zu abnehmend dunkelbraun gefärbt, die Schleimhaut mit oberflächlichen Hämorrhagien durchsetzt war. In manchen Fällen war die Schleimhaut sogar oberflächlich necrotisirt und mit diphtherischen Auflagerungen versehen. Dem entsprechend war auch der Darminhalt keine reiswasserähnliche, farblose, sondern eine blutig jauchige, stinkende Flüssigkeit. Andere Fälle zeigten weniger intensive Röthung und vielfach nur eine auf die Ränder der Follikel und Peyer'schen Haufen begrenzte Röthung, welche nach K. am meisten characteristisch für den Choleraprocess ist

Auch in solchen Fällen, welche ohne starke Diarrhöen sehr schnell mit dem Tode endeten, fanden sich Kommabacillen in solchen Mengen, dass zuweilen alle anderen Bacterien verdrängt waren und geradezu Reinculturen in den „Schleimflocken“ des Darminhalts vorlagen.

Da im Blute niemals die Bacillen selbst gefunden wurden, so nimmt K. an, dass durch ihre Vegetation im Darm ein Giftstoff gebildet wird, welcher resorbirt wird und alsdann die schweren Krankheitserscheinungen auslöst.

Das Hineingelangen der lebenden Bacillen in den Darm setzt voraus, dass die Pilze im Magen nicht durch den für sie schädlichen Magensaft abgetödtet werden; wahrscheinlich muss demnach entweder der Import ein sehr massenhafter sein, so dass nicht jedes Theilchen von dem Magensaft durchtränkt wird, oder der Magen muss zuvor in einem catarrhalischem Zustande sich befinden, in welchem er einen weniger wirksamen Magensaft producirt. Bei Meerschweinchen gelingt es nur dann, künstlich durch die Kommabacillen einen der Cholera ähnlichen Process hervorzurufen, wenn dieselben entweder direct ins Duodenum, oder noch sicherer, wenn sie mit Opium und reichlicher alkalischer Flüssigkeit in den Magen eingebracht werden.

In Indien liess sich die Ansteckung direct nachweisen, da die Bacillen sich in dem schmutzigen, an organischen Stoffen reichen Trinkwasser der indischen Ortschaften und Calcuttas selbst vorfanden. Die eigentliche Brutstelle für den Kommapilz ist das heisse, fortwährenden Ueberschwemmungen ausgesetzte Gangesdelta.

Da der Kommabacillus keine Dauersporen bildet, so ist er viel weniger widerstandsfähig als z. B. der Milzbrandpilz, namentlich wird er durch Eintrocknung leicht getödtet. Gegen Alcohol, Jod, Eisensulphat und Sublimat erwiesen sich die Pilze wenigstens nicht in dem Grade empfindlich, dass man diese Mittel zu ihrer Tödtung im Darme eines lebenden Menschen mit Erfolg anwenden könnte.

Trevisan (3) nimmt den Ruhm, den Kommabacillus der Cholera entdeckt und in seinem Wesen als Ursache des Krankeitsprocesses gewürdigt zu haben, für seinen Landsmann Pacini, langjährigen Professor an der Universität Florenz, in Anspruch. Er citirt eine Reihe von Arbeiten Pacini's über diesen Gegenstand, und führt aus der einen „Osservazioni microscopiche e deduzioni patologiche sul cholera asiatico, nella gazetta medica italiana. Toscana 1854, pag. 397 e 405" eine längere Stelle wörtlich an, aus welcher hervorgeht, dass Pacini bei dem Zerzupfen kleiner Schleimflöckchen des Cholerastuhles oder Darminhalts überrascht war, zu sehen, dass diese Flöckchen sich bei starker Vergrösserung in Schwärme von Milliarden beweglicher Vibrionen auflösten, welche mit einer Beweglichkeit, ungleich schneller als die Brown'sche Molecularbewegung durch das Gesichtsfeld tanzten. Pacini giebt die Länge der Vibrionen auf 0,002 Länge und 0,0005 Dicke an, und bemerkt, dass sie ihrer Kleinheit wegen leicht übersehen werden könnten.

Es ist gewiss anzuerkennen, dass sich der Patriotismus T.'s herbeilässt, den nationalen Ruhm zu gleichen Theilen auf Italien und Deutschland zu halbiren, denn wenn es ihm Ernst wäre mit dem Anfangssatz seiner Publication „Koch, sagt man in Italien, schmückt sich mit fremden Federn", so gebührte ja wohl das ganze Verdienst Pacini, und es ist nur zu bedauern, dass T. nicht lange vor der Rückkehr der deutschen Choleracommission aus Pacini's Werken die Frage erledigt hat. Dass von den zahlreichen „Cholerapilzen" der älteren Periode auch eine oder die andere Darstellung auf den echten Commabacillus passt, ist nicht zu verwundern, zu einer Theilung des Verdienstes berechtigt es den Autor aber doch wohl nicht.

In den Culturen der Commabacillen entsteht, wie übrigens bei den meisten Bacterien, welche die Gelatine verflüssigen, ein eigenthümlicher Geruch, welcher darauf hinweist, dass in dem Nährboden chemische Zersetzungen stattfinden. Nicati & Rietsch (2) versuchten nun, die entstandenen chemischen Substanzen frei von den Commabacillen zu erhalten, und auf ihre Wirkungen zu prüfen. Sie filtrirten deshalb die verflüssigte Gelatine oder Bouillon durch einen Pasteur'schen Gypsfilter und injicirten die Flüssigkeit Thieren subcutan oder ins Blut. Eine Versuchsreihe verlief ohne nennenswerthe Reaction. Bei einer zweiten boten die Hunde Lähmungserscheinungen und Störungen der Respiration dar, dabei Durchfall und Erbrechen; die Flüssigkeit war direct ins Blut injicirt worden. Sofern die Einspritzung unter die Haut gemacht wurde, blieb sie erfolglos; ebenso negativ fielen die intravenösen und subcutanen Intoxitationsversuche aus, welche mit dem Filtrate frischer Culturen angestellt wurden.

Milzbrand.

1) Marpmann, Zur Aetiologie des Milzbrandes. Archiv f. Hygiene. II. S. 335. — 2) Osol, Das Anthraxvirus. Centralbl. der med. Wissenschaften. No. 23. — 3) Prazmowski, Milzbrand- und Heubacterien. Histol. Centralbl. IV. No. 13. — 4) Wosnessenski, Influence de l'oxygène sous pression augmentée sur la culture du bacillus anthracis. Compt. rend. Tom. 98. No. 5.

Prazmowski (3) unterzieht die bekannten Arbeiten Buchner's, wonach eine Umzüchtung des Bacillus anthracis in den Bacillus subtilis (Cohn) und vice versa möglich ist, einer Kritik. Auch die Einwände, welche Koch seiner Zeit gegen diese Versuche gemacht hat, werden eingehend besprochen. Verf. behauptet nicht a priori, dass es unmöglich sei, überhaupt Variationen der physiologischen Wirkungen der Spaltpilze herbeizuführen, indess wendet er speciell gegen die Arbeit von Buchner ein, dass die beiden genannten Pilze nicht, wie gewöhnlich behauptet, morphologisch vollkommen übereinstimmen, sondern giebt auf Grund eigener Beobachtung an, dass sich besonders gewisse Unterschiede in der Auskeimung und in der Eigenbewegung dieser beiden Bacterien-Arten constatiren lassen, welche eine morphologische Uebereinstimmung beider ausschliessen. Siehe auch S. 258 u. 259 dieses Referates.

Wosnessenski (4) hat frühere Versuche von P. Bert über die Einwirkung comprimirten Sauerstoffs auf den Anthraxbacillus nachgeprüft. Bei einer Temperatur von 35° hindert Sauerstoff mit geringem Atmosphärendruck das Wachsthum des Pilzes nicht, dagegen bei einem Druck von 13—15 Atmosphären und darüber tödtet er denselben, jedoch lässt er, falls sich Sporen gebildet haben, dieselben entwickelungsfähig. Bei einer Temperatur von 42—43° und 4—6 Atmosphärendruck bleiben Culturen in dicken Kolben lebensfähig, in dünnen Gläsern werden sie dagegen unschädlich. Ferner hat Verf. beobachtet, dass Culturen, welche 24 Stunden unter vermehrtem Druck bei 42—43° gestanden haben, nach Erhitzung auf 47—48° alle Giftigkeit verlieren, sobald sie unter normalem Drucke stehen, dass sie dagegen bei dieser Temperatur unter 20 Atmosphärendruck gebracht, lebensfähig bleiben.

Marpmann (1) stellte zahlreiche Versuche an, welche ergaben, dass Milzbrandbacillen in Gartenerde, Sand etc. wachsen können, sofern der Boden mit Harn oder anderen Stickstoff- und salzhaltigen Flüssigkeiten gedüngt wird. Eine Reduction der Nitrate findet durch das Wachsthum der Bacillen nicht statt.

Osol (2) hat zum Beweise, dass bei dem Anthrax die Bacillen nicht das Primäre seien, sondern durch einen specifischen Giftstoff erst secundär hervorgerufen würden, folgende Versuche angestellt. Er versetzte milzbrandiges Blut (wie lange nach dem Tode, ist nicht gesagt. Ref.) mit gleichen Theilen Wasser, kochte und filtrirte diese Mischung mehrmals und injicirte sie sodann Pferden etc. Die Thiere starben an ausgesprochenem Milzbrand mit zahlreichen Bacillen und auch in Nährlösungen wuchsen dieselben. Gleichzeitig kochte er unverdünntes Anthraxblut und injicirte dasselbe, jedoch ohne positiven Erfolg. Hieraus schliesst Verf., dass im Milzbrandblute ein in Wasser löslicher, specifischer Giftstoff enthalten ist, welcher die schon im normalen Körper vorhandenen indifferenten Microorganismen (!) in die typischen Anthraxbacillen umwandelt.

[Nencki, M. (Bern), O chemicznym skladzie laseczników karbunkulowych. (Ueber die chemische Zusammensetzung der Anthraxbacterien.) Gazeta lekarska. No. 34. (Dasselbe hat der Verf. später auch deutsch veröffentlicht.) v. Kopff (Krakau)]

Actinomycose.

1) Chiari, H., Ueber primäre Darmactinomycose des Menschen. Prager med. Wochenschrift. No. 10. — 2) Israel, Oscar, Demonstration von Actinomyces-Präparaten. Prager med. Wochenschrift. No. 23. — 3) Derselbe, Demonstration von Actinomyces im Schweinefleisch. Ebendas. No 12. — 4) Longuet, R., L'Actinomycose. L'Union méd. No. 35. (Zusammenstellung der bisher mitgetheilten Fälle, darunter seine in Frankreich gemachten Beobachtungen.) — 5) Müller, E., Ein Fall von geheilter Actinomycose. Bruns' klin. Mittheilungen. I. 489 und Med. Corr.-Bl. LIV. No. 24. (Betrifft einen sonst gesunden und kräftigen Studenten, bei welchem eine harte Anschwellung vom Warzenfortsatz zum Zungenbein und vom Kieferwinkel zum hinteren Rande des Kopfnickers bestand, die ursprünglich für eine Periostitis alveolaris des Weisheitszahnes gehalten wurde; bei mehrfachen Incisionen entleerten sich in bräunlicher Flüssigkeit Actinomycesdrusen, einer der Abscesse wurde ausgekratzt, worauf völlige Heilung erfolgte.) — 6) Treves, W. K., On a case of actinomycosis. Lancet. 19 Jan. — 7) Wolff, Actinomycose. Breslauer ärztl. Zeitschrift. No. 23.

Israel (2) demonstrirt Präparate von einem Fall von Actinomycose, welche eine 31jähr. Frau betrifft.

Dieselbe war an multiplen Abscessen und Geschwüren in der Charité behandelt worden und erweckte anfänglich den Verdacht auf Rotz, ohne dass es jedoch gelungen wäre, intra vitam Pilze in dem Eiter nachzuweisen. Bei der Section fanden sich in den massenhaften Abscessen, welche sich an den Armen, der Brust, dem Rücken und den unteren Extremitäten sowohl im subcutanen und intermusculären Bindegewebe, wie in den Muskeln selbst, sowie im Periost und an Knochen befanden, reichliche gelbliche Actinomyces-Körnchen vor. Die Organe der Brust enthalten keine Pilze, dagegen weisen die Organe des Unterleibes zahlreiche Destructionen durch dieselben auf, besonders Nieren und Milz. Der Darm enthält neben einer gewöhnlichen Diphtherie zahlreiche Actinomyces-Körnchen, auch finden sich dieselben im Gehirn vor.

Es ist Oscar Israel (3) gelungen, Actinomyces auf künstlichem Nährboden zu cultiviren und hat J. dabei die Entdeckung gemacht, dass die jungen Elemente dieses Pilzes eine ausserordentliche Empfindlichkeit gegen äussere Einflüsse, besonders Reagentien z. B. gewöhnliches Wasser, besitzen. Die Pilze quellen zu phantastischen Figuren auf und sind so nicht mehr mit Sicherheit zu recognosciren. J. macht zugleich darauf aufmerksam, dass es bei der Fleischbeschauung auf dem Central-Viehhof in Berlin gelungen ist, gewisse Kalkconcremente im Schweinemuskel, über deren Natur man sich früher nicht klar war, als actinomycotische Herde zu erkennen.

In einem Falle von Actinomykose, welchen Chiari (1) mittheilt, ist die Aufnahme der parasitischen Pilze zweifellos vom Darm aus erfolgt; wie Verf. vermuthet, hat der geisteskranke Patient, der sehr unreinlich war, die Keime mit der Nahrung verschluckt, ein Herd der primären Ansiedelung im Munde hat sich nicht auffinden lassen.

Die Leiche des 34jährigen Schmiedegesellen Sc., welcher seit 2 Jahren an progressiver Paralyse gelitten hatte, war sehr abgemagert, ausgedehnter Decubitus am Kreuzbein, chronische Tuberculose der Lungen, einige tuberculöse Geschwüre im unteren Ileum, Tuberculose der Mesenterialdrüsen, Atrophie des Gehirns. Das Coecum normal; im Dickdarm enthielt die Schleimhaut weissliche Auflagerungen von 1 qcm Flächeninhalt, die bis 5 mm dick waren, im Centrum hügelig erhoben, mit Sprüngen versehen eine grosse Zahl gelber, gelbbrauner und grünbrauner Körnchen erkennen liessen. Beim Abheben dieser Auflagerungen blieb ein Substanzverlust zurück mit hyperämischem Grunde; die Masse selbst fühlte sich erdig an, bröckelte zwischen den Fingern entzwei, die Körnchen bestanden aus den bekannten Fäden und Keulen des Actinomyces.

Ein von Wolff (7) der Breslauer medicinischen Gesellschaft vorgelegter Fall von Actinomycose war klinisch unter den Symptomen einer einfachen Pleuritis verlaufen; erst gegen Ende des Lebens waren Knochen und umgebende Gewebe von der Pilzinvasion betroffen. Bei der Section fand sich eine Fistel 3 Finger unter der Spina scap., aus welcher sich blutige Flüssigkeit ausdrücken lässt. Die Muskulatur der Umgebung mit stecknadelkopfgrossen gelben Knötchen durchsetzt, Caries actinomycotica des 10. Brustwirbels und der Rippen. Actinomycotische Abscesse in Leber und Zwerchfell. Amyloid der Milz.

Ein Fall von Actinomycosis, den Treves (6) mittheilt, soll der erste sein, welcher bisher in England beobachtet worden ist.

Er betrifft einen 45 Jahre alten Ziegelbrenner, welcher wegen Anschwellungen am Kieferwinkel und der Cervicaldrüsen in das Spital für Scrophulöse aufgenommen wurde. Es bildeten sich an der linken Seite des Halses und der Brust zahlreiche Knoten, welche aufbrachen und eine dünne Flüssigkeit entleerten, welcher reichliche Actinomyceskörner beigemischt waren. Da sich der Kranke operativer Behandlung widersetzte, so nahm der Process ungehinderten Fortgang.

[Bang, B., Aktinomykosen eller Straalesvampsygdommen. Hospitals. Tidende. R. III. Bd. 1. p 673, 697 og 721. (Verf. giebt eine Darstellung der genannten Krankheit nach eigenen Beobachtungen an Thieren. Er referirt einen Fall [Kuh], wo spontane Heilung eingetreten war.) Berch.]

Pyämie und Wundinfectionen.

1) Beltzow, A., Zur Frage der Microorganismen bei Pyämie. Centralblatt für die med. Wissenschaften. No. 22. (B. fand 15—20 Stunden nach dem Tode in den Organen pyämisch Gestorbener Coccencolonien, verschiedene Bacillen, Leptothrix etc.). — 2) Chauveau, Septicémie gangreneuse. Publ. de l'acad. de méd. No. 34. — 3) Cheyne, W., Report on micrococci in relation to wounds abscesses, and septic processes. The British med. Journ. p. 553, 599, 645. — 4) Nepveu, Bactériens dans la sérosité péritoneale à la suite d'obstruction intestinale. Compt rend. de la soc. de biologie. 1883. (In der Peritonealflüssigkeit einer Pat., welche an einer seit 8 Tagen bestehenden Darmverstopfung litt, fanden sich beim Anlegen eines Anus praeternaturalis microscopisch Micrococcen isolirt und in Kettenform. Nähere Beschreibung fehlt.) — 5) Rosenbach, Jul., Vorläufige Mittheilung über die die acute Osteomyelitis beim Menschen erzeugenden

Microorganismen. Centralblatt f. Chirurgie. No. 5. — 6) Derselbe, Microorganismen bei den Wund-Infectionskrankheiten des Menschen. Wiesbaden. 122 Ss. 5 Taf.

Das Werk Rosenbachs (6) ist die Frucht langjähriger mit den besten Methoden ausgeführter streng wissenschaftlicher Arbeit. In einer grossen Zahl von Krankeitsfällen, in welchen Eiterungen beobachtet wurden, acute und chronische Abscesse, Phlegmonen, Osteomyelitis, Sepsis und Pyaemie hat R. neben einer kurzen characterisirenden Notiz des klinischen Befundes genaue Angaben über die jedesmal vorgefundenen Microorganismen gemacht, welche durch sehr schöne Abbildungen erläutert sind. Die verschiedenen wichtigen Organismen, welche Eiterungen erzeugen, sind in ausführlicher Angabe ihrer morphologischen und chemischen Eigenschaften dargestellt, es sind 1) der Staphylococcus pyogenes aureus, 2) der microscopisch diesem gleiche Staph. allus, 3) Staphylococcus tennis, 4) Streptococcus pyogenes. 5) Streptococcus erysipel. Es kann eine Wiedergabe des an Thatsachen auf jeder Seite reichen Werkes unmöglich mit Erfolg in Kürze versucht werden, es muss deshalb hier genügen, die Aufmerksamkeit auf das Studium dieser besten Quelle über die Wundinfectionen des Menschen gelenkt zu haben.

Die Versuchsreihen, welche Cheyne (3) über die biologischen krankmachenden Wirkungen der Micrococcen angestellt hat, enthalten soviel Detailangaben über die Technik, Holzschnitte von Photogrammen und Apparaten, dass sich ein Referat auf die kurze Wiedergabe der Resultate beschränken muss:

Es giebt in aseptisch behandelten Wunden verschiedene Arten von Micrococcen, welche sich in ihrer Wirkung auf Thiere merklich von einander unterscheiden. Die bei den Versuchen C.'s geprüften Arten wuchsen am besten, wenn für Zutritt freien Sauerstoffs gesorgt war: ohne diesen wuchsen sie nur langsam. Das Innere von Eiern war ein ungünstiger Nährboden. Auf die pathogenen Eigenschaften hatte die Anwesenheit oder das Fehlen von Sauerstoff keinen Einfluss. Die Wirkung der Coccen auf Menschen und Kaninchen war so wenig übereinstimmend, dass manche in Wunden ganz unschädlichen Coccen, sich bei Impfung auf Kaninchen höchst virulent erwiesen. Offenbar ist die Nierenfunction für die Eliminirung der Organismen von grösster Wichtigkeit. Manche Bacterien, welche sich im Blute nicht vermehren, wachsen im Nierenparenchym sehr rapide, und rufen daselbst zuweilen Pyelonephritis hervor. Wenn man Spaltpilze von schwach pathogener Wirkung injicirt, so bedarf es grosser Mengen, um einen positiven Effect zu erzielen. In jedem frischen Abscess kommen Micrococcen vor, und sind wohl auch die Ursache der Eiterung, dagegen giebt es auch Eiterungen ohne Coccenwirkung rein durch chemische Reizmittel, z. B. Crotonöl hervorgebracht; alsdann siedeln sich secundär Coccen im Entzündungsherde an. C. lässt also eine „aseptische Eiterung" zu. Die Micrococcen des Erysipels wachsen in den Lymphspalten; diejenigen der Pyämie bilden Colonien im Blut und Embolien; diejenigen der Septichaemie wachsen nur örtlich und wirken durch Bildung schädlicher Ptomaine, oder, wenn sie im Blute vorkommen, so machen sie keine Embolien, es sind auch nicht immer Coccen, sondern auch Stäbchen. Eine Umwandlung harmloser Coccen in schädliche und umgekehrt kommt nicht vor.

Chauveau (2) theilt in einer Note der Académie de médecine seine Erfahrungen mit, welche er durch zahlreiche Versuche in Bezug auf die Septicémie gangreneuse gewonnen hat. Das Agens dieser Krankheit ist nach Ch. vollkommen identisch mit dem von Pasteur als vibrion septique benannten Spaltpilze. Derselbe gedeiht nach diesen Forschern nur unter Ausschluss der Luft und es ist dem Verf. erst gelungen Culturen dieses Pilzes zu erhalten, nachdem er im luftleeren Raume cultivirte. Verf. hat eine grosse Anzahl vergleichender Versuche über die Infectiosität dieses Pilzes angestellt und zwar entnahm er das Material in der Regel aus einer grangränösen Blase vom lebenden Menschen und impfte dasselbe mittelst Stich unter die Haut der verschiedensten Thiere: Meerschweinchen, Schafe, Pferde etc. Ganz geringe Dosen, wie ein fünftel Tropfen beim Meerschweinchen und 3—4 Tropfen beim Pferde genügten ausnahmslos, um die Thiere in 2 bis höchstens 4 Tagen zu tödten. Die Autopsie ergab in allen Fällen ein blutiges Oedem an der Impfstelle, welches sich in die Muskelinterstitien hinein erstreckte und trübe seröse Flüssigkeiten im Peritoneum, Pericard und Pleura, welche microscopisch den vibrion septique in grossen Massen aufwiesen. Dieser Befund blieb auch nach den mannigfachsten Infectionen von Thier zu Thier derselbe. Diese Microben wurden in ihrer Wirksamkeit erheblich abgeschwächt, sobald sie in die Blutbahn injicirt wurden, und somit in directen Contact mit dem Sauerstoff des Blutes kamen. Bei derartigen intravenösen Infectionen musste die Dosis bei allen Thieren erheblich verstärkt werden, um tödtlich zu wirken. Schliesslich theilt Verf. mit, dass alle Thiere, welche eine einmalige Infection nach intravenöser Einspritzung überwunden hatten, sich als vollkommen refractär gegen spätere subcutane Infectionen erwiesen, denen gleichzeitig inficirte Controllthiere, welche vorher nicht erkrankt waren, stets erlagen.

Rosenbach (5) giebt im Anschluss an eine vorläufige Mittheilung des Reichs-Gesundheitsamtes, welche den gleichen Gegenstand betrifft, folgende Mittheilungen über die Entstehung der Osteomyelitis. Verschiedenartige Gährungspilze, in die Blutbahn von Kaninchen und Hunden eingespritzt, welchen eine Knochenfractur beigebracht war, riefen gleichmässig an der Bruchstelle acute Osteomyelitis hervor, brachten jedoch ohne Knochenbruch keine Krankheits-Symptome hervor. Verf. cultivirte darauf osteomyelitischen Eiter unter allen Cautelen und erhielt in Reincultur einen, Anfangs weissgelblichen, später orangegelben Pilz, welcher sich als kleinste Micrococcenart erwies, die in grossen Conglomeraten Kügelchen bildet. Infectionsversuche mit diesen Coccen hatten bei reichlicher Menge den Tod des Thieres ohne Osteomyelitis zur Folge und verliefen in kleinen Mengen resultatlos. Diesen selben Coccus hat R. bei Osteomyelitis fast stets, jedoch auch bei Empyem, Furunkel, Pyämie und Sepsis gefunden. R. glaubt, dass dieser Coccus, mit welchem im Gesundheitsamt bei gebrochenen oder gequetschten Knochen stets Osteomyelitis erzeugt worden ist, der gewöhnliche Eiterpilz ist, den er Staphylococcus pyogenes aureus genannt hat.

Pneumonie.

1) Dunn, Th. D., Some studies on the micrococcus of the pleuro-pneumonia of cattle. Philadelphia med. Times. 27. Dec. — 2) Klein, E., Ein Beitrag zur Kenntniss des Pneumococcus. Centralblatt f. med. Wissensch. No. 30 (Hält die Pneumonie-Coccen nicht für die Ursache der Pneumonie, da er durch Impfung derselben immer nur Septichämie bei Thieren erzielte. Als Widerlegung ist der Beitrag zu knapp gehalten.) — 3) Ziel, Ueber den Nachweis von Pneumonie-Coccen im Septum. Ebendas. No. 7. (Verf. recapitulirt die von Friedländer, Günther u. A. gegebenen Merkmale zur Diagnosticirung der Pneumonie-Coccen ohne wesentliches Neue.)

Die Micrococcen der Pleuropneumonie der Rinder (Lungenseuche) sind von Dunn (1) in Philadelphia cultivirt worden, allein sein Verfahren bietet wenig Garantie für die Richtigkeit seiner Resultate, da er einmal nur in flüssiger Bouillon bei Bruttemperatur gezüchtet hat, da er zweitens in seinen Culturen Coccen und Stäbchen durcheinander erzielt hat, und da er endlich versäumt hat, durch Uebertragung seiner Coccen die Lungenseuche wieder hervorzubringen. Ungleich wichtiger ist dagegen seine Beobachtung, dass die Lungenseuche durch Bodenwasser übertragen wurde: In einer Herde war die Lungenseuche ausgebrochen, die kranken Rinder wurden geschlachtet, das Blut floss in Strömen in den Boden, in welchem alsdann die Cadaver oberflächlich verscharrt wurden. Sehr bald darauf trat in einer benachbarten Heerde, deren Tränke von dem durchseuchten Boden ihr Wasser erhielt, die Seuche auf.

Diphtherie.

1) Babes, V., Observations sur quelques lésions infectieuses des muqueuses et de la peau. Journal de l'anat. et de la physiol. No. 1. — 2) Cornil et Berlioz, Note sur l'empoisonnement des poules par les bacilles du jequirity. Bull. de l'acad. de méd. No. 5. (Die Verff. haben mit Infectionen von Jequirity Bacillen unter die Haut von Hühnern dieselben Symptome hervorgerufen, wie sie Pasteur mit Injection seiner Hühner-Cholera-Bacillen hervorgebracht hat. Sonst nichts Bemerkenswerthes.) — 3) Klein, Ein Beitrag zur Aetiologie der Jequirity-Ophthalmie. Centralblatt f. med. Wissenschaften. No. 8 u. 11. — 4) Seifert, Ueber Geflügeldiphtheritis. Sitzungsbericht der Würzburger physiol.-med. Gesellschaft. N. 4 u. 5.

Babes (1) theilt seine Beobachtungen über Diphtherie, Milzbrand, Rotz, Typhus, Gangrän etc. mit. Die in Budapest in den letzten Jahren vorgekommenen tödtlichen Diphtheriefälle beginnen gewöhnlich mit heftiger Entzündung der Rachenschleimhaut an welcher sich zunächst ein gelblicher fest anhaftender Belag bildet, in seltenen Fällen schreitet der Process hier zu Geschwürsbildung oder zu Gangrän weiter, auch Glottisödem ist selten, doch in der Regel findet sich zugleich croupöse Laryngitis, und dieser Process setzt sich sehr häufig in die Trachea und in die grossen Bronchien fort, während die kleinen Bronchien der Sitz eitriger Entzündung sind und mehr oder minder ausgebreitete Lungenantheile acuter Bronchopneumonie aufweisen. In manchen Fällen fanden sich ganz unbedeutende locale Erscheinungen, bloss mässige Schwellung der Rachenschleimhaut und die Kinder gingen an septischen Erscheinungen zu Grunde. In seltenen Fällen griff der croupöse Process auf den Oesophagus und einmal von hier auf den Magen über, der contrahirt, in seiner Schleimhaut stark geröthet und geschwollen, und mit gelben fibrinösen, lose haftenden Massen erfüllt war. Gewöhnlich wurden in den oberflächlichen Schleimhautschichten keine irgendwie characteristischen Bacterien gefunden. Der Schorf beherbergt Massen kleiner Coccen. Anders gestaltet sich der Befund in Fällen secundärer Diphtherie nach Scarlatina, Morbillen, Variola, Typhus etc. Hier findet man in der Regel grosse Massen von Bacterien an der Oberfläche, ferner als diffuse Einlagerung in der Schleimhaut oder in deren Gefässen. Es handelt sich in der Regel um eine bestimmte Micrococcenform.

In einigen Fällen von oberflächlicher Verschorfung mit Membranbildung der Rachenschleimhaut ohne oder mit unbedeutendem Fieber oder sonstigen Nebenerscheinungen, welche aber hochgradig contagiösen Character hatten, wurde hingegen die Gegenwart einer grossen Menge einer eigenthümlichen Bacillenform (3 μ zu 0,6 μ) mit zugespitzten Enden und mehreren hellen Stellen constatirt; in einem Falle bestand der Schorf fast bloss aus diesen Bacillen, welche auf Kaninchen überimpft ähnliche Processe hervorbrachten. Ausserdem wurden spontan Fälle von localer Verschorfung der Tonsillenschleimhaut in Form glatter weisser Plaques beobachtet, welche mit Hinterlassung bedeutender Substanzverluste abgestossen wurden. Das Allgemeinbefinden war wenig gestört. Auch an der Zunge werden ähnliche local bleibende Processe gefunden.

Als eigenthümlichen Befund bei Diphtherie mit ungemein verdickter verschorfter Schleimhaut erwähnt B. das Auftreten mehrerer Millimeter breiter Lagen von Hyalinsubstanz in der Tiefe der Schleimhaut, über welcher dann eine Schichte von Kettencoccen lagert.

Milzbrand. — Im Sommer 1880 kamen in Budapest über 12 Fälle von Milzbrand beim Menschen zur Section, welche B. Anlass zum Studium namentlich der Mycosis intestinalis gaben. Dieselben bildeten den Gegenstand eines im Winter 1880 im Orvosi egylet gehaltenen Vortrages. Zunächst beschäftigte B. die Frage nach der Constanz der Form einestheils des Milzbrandbacillus, anderntheils des Heubacillus, und fanden sich hier derartige künstlich darstellbare Variationen der Form dieser beiden Organismen, dass in Folge dessen den viel betonten Formunterschieden zwischen denselben nur sehr beschränkte Bedeutung zuzulegen ist. Auf ungünstigem Nährboden gezüchtet, „geschwächt“, bilden die Anthraxbacillen dünne Fäden, kurze abgerundete Stäbchen, ja selbst coccenähnliche Gebilde ohne abgestorben zu sein. Auch im geschwächten Impfmilzbrand findet man oft zum grössten Theil ganz dünne blasse Fäden. Im Heuinfus konnte B. drei wesentlich verschiedene Formen von Bacillen rein züchten, welche dem Bac. anthracis mehr oder weniger ähnelten. Namentlich im Anthrax intestinalis, doch auch bei protrahirt verlaufender Pustula maligna, kann man verschiedene Formen der Anthraxbacillen beobachten, welche aber auf Thiere verimpft frischen Anthrax erzeugten. In den mitgetheilten Fällen von Intestinalmycose, welche in diagnostischer und namentlich auch in forensischer Hinsicht Interesse bieten, fanden sich manchmal äusserlich Ecchymosen, frühe Fäulniss Hämorrhagien und hämorrhagische Entzündung verschiedener grosser seröser Häute. Der Magen, der Darm, oder beide waren der Sitz von Schorfen oder Geschwüren. Die Schleimhaut des Magens ist gewöhnlich stark geschwollen, geröthet und ecchymosirt.

Die Ecchymosen sind auf erhabenem Grunde und spielen ins Gelbliche oder sie sind schmutzig-braunroth. Ausserdem erscheinen nach mehrtägigem Einlegen in Müller'sche Flüssigkeit an der Oberfläche der Schleimhaut fahlgelbe erhabene Punkte. Der Krankheitsverlauf und das macroscopische Bild ähnelte oft dem einer acuten Vergiftung. Genaue Untersuchung der erwähnten Ecchymosen und gelblichen Stellen erweisen aber, dass dieselben zum grössten Theile aus Anthraxbacillen bestehen. Im Beginn sind bloss die Labdrüsen von Bacillen erfüllt, während die Umgebung heftig entzündet ist, während später eine erhabene, flach keilförmige Colonie von Anthraxbabillen und Fäden an Stelle der Schleimhaut getreten ist. An deren Oberfläche zerfallen die Bacillen zu Körnern. In der Umgebung der Colonie besteht Hämorrhagie, heftige Entzündung und Oedem. In den Anthraxgeschwüren und Schorfen des Darms gelingt es oft nicht mehr Anthraxbacillen nachzuweisen, dieselben sind gewöhnlich verblasst, verbreitert, nur die Axe wird in Form eines dünnen Stäbchens besser gefärbt, während der verblasste Theil eine Art Capsel um dasselbe bildet. Ausserdem beschreibt Verf. zwei Fälle von Mycosis intestinalis, welche wohl nicht durch Milzbrandbacillen verursacht waren. So einen Fall, in welchem runde grosse Coccen in zahlreichen, den Anthraxgeschwüren analogen Darmgeschwüren als eine, das Zwischengewebe verbreiternde und ersetzende dichte Zoogloea vorhanden waren.

In einem anderen Falle war die Vaginalschleimhaut der Sitz eines einem Milzbrandcarbunkel ganz ähnlichen grossen Geschwüres, zugleich waren eitrige Oophoritis, Hämorrhagien des Peritoneums und im Darm in grosser Ausbreitung ebenfalls den Anthraxgeschwüren analoge Schorfe und Substanzverluste vorhanden. Alle diese Herde waren von ausgebreitetem blutigem Oedeme umgeben. Hier fanden sich in grosser Menge den Anthraxbacillen ähnliche Stäbchen und Fäden, in den Abscessen des Ovariums noch Gruppen von Micrococcen. Die auf Kaninchen überimpfte Oedemflüssigkeit rief Abscesse und ausgebreitetes Oedem hervor. Die Thiere starben nach etwa 8 Tagen. Es handelt sich hier wohl um eine Mischinfection von Eitercoccen und Bacillen des malignen Oedems.

Rauschbrand. B. beschreibt die Veränderungen des Gewebes, die Form und den Sitz der Bacillen bei dieser wenig untersuchten Krankheit.

Rotz. B. hatte vor den bekannten Untersuchungen über den Rotzbacillus schon im Januar 1881 denselben im Orvosegylet zu Budapest demonstrirt und im März 1882 im Orvosi tetilap beschrieben. Er fand denselben beim Menschen in der zerfallenden Wandung der Rotzabscesse namentlich der Nase, der Muskeln und des Knochenmarkes.

Dieselben sind als vereinzelnte sehr dünne, zugespitzte oft mit endständigen Sporen versehene 2 μ lange Stäbchen beschrieben. B. zog keine besonderen Schlüsse aus diesem Befunde, der in einer Abbildung wiedergegeben ist. Typhus. B fand fast immer in frischen Fällen die von Eberth beschriebenen Bacillen, und macht bei dieser Gelegenheit auf das secundäre Eindringen verschiedener anderer Bacterien während der Schorfbildung aufmerksam. Bei jeder Schorfbildung findet ein Eindringen namentlich runder Bacterien in derselben statt und kommt diesen Bacterien wahrscheinlich eine wesentliche Rolle im eliminatorischen Processe zu, wofür namentlich die topographischen Verhältnisse der Bacterien bei diesen Processen sprechen.

Klein (3) wendet sich gegen die von Sattler behauptete Annahme, dass die Jequirity-Ophthalmie auf der Gegenwart eines Bacillus resp. dessen Sporen beruhe. Er impfte mehrfach gleichzeitig mit derselben Jequirity-Infusion verschiedene Kaninchen auf die Conjunctiva und in mehrere Eprouvetten mit geeigneter Peptonlösung. Der Erfolg war constant der, dass die Thiere an der typischen Ophthalmie erkrankten, und die Nährlösungen völlig frei von Pilzen blieben. Auch der Eiter der Jequirity-Ophthalmie zeigte microscopisch und bei Culturversuchen keine Microorganismen. Verff. schliesst daraus, dass das active Princip der Jequirity-Ophthalmie nicht an Microorganismen gebunden ist, sondern eine Art Ferment ist, und dass die Bacillen erst secundär zu den Jequirity-Infusionen hinzutreten. In der zweiten Mittheilung bringt Verf. einige weitere Beweise gegen die bacilläre Natur der Jequirity-Ophthalmie. Er zeigt, dass Sattler zu seinen Versuchen Jequirity-Infusionen nach tagelangem Stehen benutzt hat, sodass sich inzwischen reichlich Bacillen entwickeln konnten, während auch ganz frische Infusionen, noch dazu stark verdünnt, die typische Ophthalmie hervorrufen. Ausserdem zeigt er, dass gerade solche Lösungen, welche von Bacillen wimmeln, am wenigsten sicher die Ophthalmie erzeugen.

Seifert (4) giebt zunächst eine Beschreibung des klinischen Bildes der Geflügeldiphtheritis, einer Erkrankung besonders der Tauben und Hühner, auf welche man erst in neuerer Zeit aufmerksam geworden ist. Eingeschleppt wird die Krankheit, nach des Verf. Erfahrungen, häufig durch italienische Hühner und sie befällt, analog wie beim Menschen, hauptsächlich jüngere Individuen. Auch die klinischen wie anatomischen Krankheitserscheinungen ähneln sehr der Diphtheritis beim Menschen, die Thiere erkranken mit allgemeinem Unwohlsein, es bilden sich Beläge und Schorfe im hintern Abschnitte der Maulhöhle, welche sich auf Larynx, Nase und Augen fortsetzen können, die Respiration und das Schlingen wird gehindert und die ganze Krankheit endet durchschnittlich in 6 Tagen bei jungen Thieren meist letal. Verf. hat in den diphtheritischen Belägen Coccen und kurze Stäbchen gemischt gefunden und die Coccen rein zu cultiviren versucht. Es ist ihm dies zwar nicht völlig gelungen, indessen hat er doch durch subcutane Einspritzungen seines Materials, welches zum grössten Theil aus Coccen bestand, Diphtheritis erzeugt, während eine locale Application der Pilze in die Mundhöhle kein positives Resultat hatte.

Verruga peruana.

Izquierdo, V., Spaltpilze bei der „Verruga peruana". Virch. Arch. Bd. 99. S. 411. (Verf. fand in Präparaten von Verruga peruana, welche ihm von Luna nach Santiago [Chile] zugeschickt waren, die Gefässe der erkrankten und gewucherten Hautstellen mit Bacillen vollgepfropft. Die frischen Stellen enthielten auch Coccen.)

Typhus.

[Almqvist, E., Forsök alt betrakta tyfoidfiberns uppträdende och utbredningssät från botanisk Synpunkt. Hygiea. S. 375. (Verf. hat mehrmals im Blute von Typhuskranken massenhafte Bacterien gefunden, die, frisch im Blute untersucht, als kurze Stäbchen und Fädchen erschienen, welche schwache Bewegungen zeigten. Im gefärbten Trockenpräparate fand er zahlreiche kurze Stäbchen und Fädchen, die alle Uebergänge zu Diplococci und Cocci darboten. — Er erwähnt eine kleine Typhusepidemie, die er als Milchepidemie auffasst.) **Berch.**

Lepra.

Hansen, G. A., Om de seneste Undersögelser af Baciller i Spedalskhed. Norsk Magaz. for Lægevid. R. 3. Bd. 13. p. 256. (Verf. hat immer Bacterien in leprösen Producten gefunden, nur nicht bei der glatten Form. Versuche, die Lepra auf Thiere [Kaninchen, Katzen, Affen] zu übertragen, waren bisher erfolglos). **Berch.**]

II. Schimmelpilze.

Schubert, P., Zur Casuistik der Aspergillusmykosen. Deutsch. Arch. f. klin. Med. XXXVI. S. 162.

Die Mittheilung von Schubert bezieht sich auf eine Aspergillusvegetation in der Nase bei einer 75 jährigen decrepiden Frau. Die Pilzmassen füllten den ganzen Nasenrachenraum, wurden aber entfernt, und durch Ausspülen mittelst der Nasendouche an fernerem Wachsen gehindert.

An diesen Fall anknüpfend giebt S. eine Darstellung der Aspergillusmycosen, in welcher namentlich die botanischen Bezeichnungen und Eintheilungen berücksichtigt werden; im vorliegenden Falle bestand die Ansiedelung in der Nasenhöhle aus Mycelien und Fruchtträgern von Asp. fumigatus, wie de Bary bestätigte. Versuche, den Pilz zu cultiviren, gelangen nicht, da ein Brütofen nicht zur Verfügung stand. Die Abhandlung ist zur Orientirung über das Gebiet der Schimmelvegetationen in Geweben bei Thieren und Menschen sehr empfehlenswerth.

B. Thierische Parasiten.

Allgemeine Werke und Abhandlungen.

1) Brass, A., Die thierischen Parasiten des Menschen. Mit 6 Taf. gr. 8. Kassel. — 2) F. Laulanié, Pathologie générale. Sur quelques affections parasitaires du poumon et leur rapport avec la tuberculose. Arch. de physiol. norm. et path. No. 8.

Laulanié (2) studirte die feinere Histologie solcher Entzündungsknoten in dem Lungengewebe, welche den Tuberkeln sehr ähnlich sehen, aber durch andere irritirende Körper als die Tuberkelbacillen hervorgerufen werden. Der erste Abschnitt behandelt die Knötchen, welche durch die Larven oder Eier von Strongylus vasorum bei Hunden hervorgerufen werden; man findet fast regelmässig Riesenzellen, welche die Eier enthalten, in der Mitte und um diese herum endotheliale Wucherungen, so dass die Knoten den verschiedenen Formen wirklicher Tuberkeln völlig gleichartig sind. Solche Würmer, welche ihren Sitz nicht in den kleinsten Arterien haben, sondern in die Alveolen eindringen, wie Ollulanus tricuspis bei Katzen und Pseudalius ovis bronchialis, bewirken keine Knötchen, sondern pneumonische Infiltration. Bei der Mycosis aspergillina kommt, wie bei der wahren Tuberculose, beides vor. Die entzündlichen Veränderungen der Lungen, soweit sie durch Parasiten bedingt sind, hängen in ihrer Form von der Energie des Reizes oder Irritabilität des Gewebes ab, in welchem der Reiz steckt.

I. Infusoria.

Stockvis, Paramecium in sputa. Weekbl. van h. Nederl. Tijdschrift voor Genesk. No. 1.

Stockvis fand im Auswurf ein lebendes und mehrere abgestorbene Exemplare von Paramecium (Balantidium Ehrenb.) und veröffentlicht diesen Befund, weil das Paramecium bisher nur im Darm, besonders bei diarrhoischen und typhösen Zuständen gefunden ist. Der Auswurf, in welchem er das Paramecium fand, hatte einen unangenehmen Geruch, kaffeebraune Farbe und enthielt elastische Fasern. Der betreffende Kranke bot nur in der rechten Axillarlinie eine circumscripte Stelle mit Rasselgeräuschen dar, erholte sich, nachdem er längere Zeit mit unregelmässigen Temperatursteigerungen gehustet hatte, wieder völlig und wies gegen Ende seiner Krankheit kein Paramecium mehr im Auswurf auf. St. glaubt, dass dasselbe aus einem circumscripten Lungenabscess stammte.

II. Würmer.

1. Bandwürmer.

1) Gueterbock, Ueber Echinococcus subphrenicus mit Durchbruch in Lungen und Darmcanal. Deutsche Zeitschrift für Chirurgie. XX. S. 82. (Der Primärsitz des Echinococcus war wahrscheinlich die Leber; nach mehrfacher Operation erfolgte völlige Heilung.) — 2) Heusner, L., Ueber einige Fälle von Echinococcus. Aus dem städtischen Krankenhause zu Barmen. Deutsche med. Wochenschrift. No. 49. (Drei complicirte, aber mit bestem Erfolg operirte Fälle von Echinococcus der Leber, Lunge, linken Niere) — 3) Leidy, J., Occurrence of a rare human tapeworm (Taenia flavopunctata). Amer. Journ. of med. sc. April. (Verf. erhielt ca. ein Dutzend Fragmente eines Bandwurms zugeschickt, welche von einem 3jährigen Kinde stammten, das in Philadelphia geboren war. Die Stücke gehörten 3 Bandwürmern an, ein Kopf war nicht darunter, es wechselten grössere Glieder, welche Eier enthielten und braun aussahen, mit kleineren weissen sterilen Gliedern; sie glichen am meisten der seltenen und bisher nur bei einzelnen Kindern in Amerika gefundenen T. flavopunctata.) — 4) Otto, G., Ein Fall von Echinococcus der Brusthöhle. St. Petersburger med. Wochenschrift. No. 11.

Otto (4) berichtet über eine Echinococcus-Geschwulst, welche sich zwischen Pleura costalis und hinterer Thoraxwand, also ausserhalb des Pleuraraumes, entwickelt hatte. Dieselbe hatte die Pleura von der Thoraxwand abgetrennt, die Rippen nahe am inneren Schulterblattrande zum Schwunde gebracht und war so nach aussen unter die Rückenmusculatur getreten, wo sie für ein Lipom gehalten wurde. Die Geschwulst wurde theilweise exstirpirt, die Wundhöhle drainirt und nach langwieriger Eiterung Heilung erzielt.

2. Rundwürmer.

Trichinosis.

1) Brouardel, Sur l'importation en France des viandes de porc salées d'Amérique et le diagnostic différentiel de la trichinose et de la fièvre typhoïde. Séance de l'acad. de méd Bull. de l'Acad. de méd. No. 5. — 2) Grancher, Discussion sur la trichinose. Ibidem. No. 12. — 3) Otto, H., Die Trichinenkrankheit und ihre Heilung. 8. Magdeburg. — 4) Wagner, E., Die Trichinen-Epidemie in Emersleben, Nienhagen und Deesdorf. Herbst 1880. Mit 5 Fig. u. Tafeln. 8. Halberstadt.

Die Pariser Academie bespricht in einer längeren Discussion im Anschlusse an die Epidemie von Trichinose in Emersleben die Stellung, welche man französischerseits gegen die Gefahren des Schweinefleisch-Importes aus den benachbarten Ländern zu nehmen habe.

Zuerst giebt Grancher (2), welcher im Verein mit Brouardel die erwähnte Epidemie studirt hat, eine detaillirte Beschreibung der Symptome, des Verlaufs, auch die Befunde von 2 Autopsien, welche nichts wesentlich Neues enthalten. Bouley empfiehlt der Academie, den bereits im Jahre 1882 gefassten Beschluss beizubehalten, dass eine microscopische Untersuchung des importirten Schweinefleisches nicht nöthig sei, da die culinarischen Gewohnheiten in Frankreich gegen eine Infection durch rohes Schweinefleisch schützten. Es sollten gegen mögliche Gefahren durch Genuss rohen Schweinefleisches nur gedruckte Instructionen in den Communen vertheilt werden.

Hiergegen wendet sich in sehr lebhafter Weise Chatin, der die „culinarischen Gewohnheiten" nicht als feststehend und beweiskräftig ansieht. Er macht auf die verschiedenen Gewohnheiten, das Fleisch ganz, halb oder gar nicht durchgebraten zu essen, aufmerksam, ferner auf rohen Schinken und schliesslich auf die Verschleppung des trichinösen Fleisches von den Schweinen auf Ratten und umgekehrt, wobei die Bevölkerung sehr leicht gefährdet werden könne. Chatin schlägt die Bildung einer Commission zur speciellen Bearbeitung dieser Frage vor, welche demgemäss aus Brouardel, Chatin, Colin u. A. zusammengesetzt wird.

Im Namen der unter Brouardel's (1) Vorsitz tagenden Commission zur Entscheidung der Frage des Schweinefleisch-Importes nach Frankreich, referirt Proust Folgendes. Zunächst verliest derselbe einen Brief des Handelsministers an den Präsidenten der Akademie, worin derselbe über die diagnostische und hygienische Seite der Trichinenfrage Aufklärung erbittet. Was die diagnostische Seite betrifft, so entwickelt der Ref. in einem sehr eingehenden Bericht die Symptome der Trichinose und schliesst, dass diese, heutzutage so genau studirte und gekannte Krankheit nicht mehr mit typhösem Fieber verwechselt werden könne, wie es wohl im Anfang ihres Auftretens geschehen ist; denn die Trichinose bietet ein durchaus selbständiges und characteristisches Krankheitsbild dar.

Was die hygienische Seite betrifft, so handelt es sich für die Akademie darum, zu entscheiden, ob gesalzenes Schweinefleisch ohne Gefahr importirt werden darf, oder nicht. Der Import in Frankreich beträgt jetzt pro anno 40 Millionen Kilogramme. Einen noch grösseren Import davon hat England und einen fast gleichen Belgien, jedoch ist in diesen beiden Ländern nach vorliegenden Berichten von Autoritäten fast noch niemals ein Fall von Trichinose beobachtet worden und ebenso wenig ist dies bisher in Frankreich, abgesehen von vereinzelten Erkrankungen, der Fall gewesen. Der auffällige Gegensatz dieser Immunität zu den verschiedenen Epidemien, welche in Deutschland, z. B. in Düsseldorf, Rostock und Bremen nach dem Genuss von gesalzenem amerikanischen Schweinefleisch constatirt sind, ist in der Commission berücksichtigt, aber nicht völlig aufgeklärt worden. Eine grosse Rolle spielten hierbei, nach der Ansicht der Commission, die verschiedenen culinarischen Gewohnheiten. Die Commission hat sich daher mit 5 gegen 1 Stimme für den ungehinderten Import des gesalzenen Schweinefleisches nach Frankreich entschieden. Nachdem der Ref. sodann kurz über den Nutzen einer microscopischen Untersuchung, die indessen bei dem massenhaften Import zu schwierig sein würde, referirt hat, beleuchtet er kurz den Vorzug des Einsalzens und Kochens, welches die Trichinen sicher tödtet, und giebt schliesslich folgendes Schlussurtheil der Commission ab. 1. Eine Trichinen-Epidemie verhält sich absolut verschieden von Typhus. 2. Da bisher kein Fall von Trichinose in Frankreich und England in Folge des Genusses von gesalzenem amerikanischen Schweinefleisch beobachtet ist, so ist der Import desselben zu gestatten. 3. Ein Einvernehmen mit den exportirenden Ländern in Bezug auf Garantie der Unschädlichkeit des Schweinefleisches wäre wünschenswerth. 4. Vorschriften, welche das Kochen des Schweinefleisches anempfehlen, sind so viel wie möglich, besonders auch an die Verkäufer derartigen Fleisches, zu vertheilen. 5. Wissenschaftliche Experimente über die Natur der Trichine und den Grund der Immunität Frankreichs werden anempfohlen.

Die Discussion über dieses Referat ist in dieser Nummer der Zeitschrift noch nicht beendigt.

Ascaris. Anguillola.

1) Grassi e Calandruccio, L'anguillolo (Rhabdonema). Gaz. med. Italiana-Lombardia. No. 47. — 2) Kelly, The Occurrence of the Ascaris mystax (Rudolphi) in the human bady. Amer. Journ. of med. Soc. Octbr.

Kelly (2) beschreibt einen Fall von Ascaris mystax, bei welchem die Würmer von einer Frau ausgebrochen und dem Verf. zugeschickt waren.

Die Ascariden, welche in einem Knäuel aufgerollt waren, machten anfänglich den Eindruck junger Spulwürmer, erwiesen sich jedoch bei genauer Besichtigung als Ascaris mystax. Dieser Fall ist, wie Verf. angiebt, der neunte, bei welchem Ascaris mystax im menschlichen Körper beobachtet ist; die beiden ersten Fälle wurden 1824 und 1839 in Irland beobachtet und dann erst 1863 wieder ein neuer Fall gesehen.

Die im vorigen Jahresbericht erwähnte Discussion über die Anguillola wird von Grassi und Calandruccio (1), welche Untersuchungen und Culturen der Larven angestellt haben, fortgesetzt. Danach ist die Anguillola intestinalis der Rinder eine besondere Species, weshalb die Verff. sie Rhabdonema longus nennen; sie unterscheidet sich von Rhabdonema strongyloides durch ihre Grösse im Parasitenzustande, und ihre kleinere Gestalt im freien Zustande; sie erzeugt Eier, während Rhabdonema strongyloides Eier und lebende Brut hervorbringt. Anguillola intestinalis der Rinder stammt in der grossen Mehlzahl der Fälle direct von der Larve ab, welche sich in dem Organismus des Wirthes umbildet, während nur sehr selten, und wie die Verff. meinen, in nicht ganz zu verbürgenden Fällen die Larve einen freien Zustand durchmacht, wie beim Menschen. Die eine Art lebt also in der Regel eine Periode lang ausserhalb des Darms (A. hominis), die andere ist in der Regel parasitisch (A. pecorum); aber ausnahmsweise kann die erste ganz als Parasit, die letzte halb im parasitären, halb im freien Zustande sich entwickeln.

Es giebt nach G. und C. unter den Nematoden viele, welche ihr ganzes Leben hindurch als Parasiten leben; es giebt solche, welche eine Zeit lang im freien Zustande zubringen; es giebt drittens solche, die niemals als Parasiten, sondern stets im Freien leben. Wahrscheinlich stammen die freien von den Parasiten phyllogenetisch ab, und es scheint, dass die Anguillola intestinalis gerade auf dieser Uebergangsstufe vom parasitischen zum frei lebenden Wurm angekommen ist.

Anchylostomum duodenale.

1) Firket, Un cas d'anémie mortelle par anchylostomasie intestinale. Ann. de la Soc. med. chir. de Liège. No. 12. — 2) Derselbe, Sur la présence en Belgique de l'Anchylostome duodénal. Bull. de l'Acad. roy. Belg. VIII. No. 12. — 3) Leichtenstern, O., Ueber das Vorkommen von Anchylostomum duodenale bei den Ziegelarbeitern in der Umgebung Kölns. Cbl. f. klin. Med. No. 12. — 4) Polatti, P., Caso di anchilostomiasi in un bambino. Gazetta med. Ital. Lomb. No. 26.

Ueber die Häufigkeit, mit welcher in der Kölner Gegend die durch Anchylostomum duodenale bedingte Ziegelbrenner-Anämie auftritt, giebt eine kurze Mittheilung Leichenstern's (3) Aufschluss, in welcher eine ausführliche Bearbeitung dieser Krankheit in Aussicht gestellt wird. Seit dem 1. Juli 1879 behandelte L. im Kölner Bürgerhospital 27 Fälle von Ziegelbrenner-Anämie. Nachdem Menche das Wesen dieser Krankheit festgestellt hatte, wurden 15 Fälle auf Anchylostomumeier untersucht, bei 11 Fällen wurden sie gefunden, und nur da vermisst, wo die Patienten das Ziegelfeld bereits seit längerer Zeit verlassen hatten. L. hält daher das Vorkommen der Würmer für eine constante Ursache dieser Ziegelbrenner-Anämie, welche demnach dasselbe ist, wie die egyptische oder tropische Chlorose oder diejenige der Tunnel-Bergwerk-Arbeiter. Die Krankheit lässt sich in der Kölner Gegend bis 1872 zurück nachweisen, und kommt auf vielen, ja vielleicht auf allen Ziegeleien daselbst vor. Von der Gesammtzahl der Arbeiter erkrankt nur ein kleiner Bruchtheil und zwar nicht die eigentlichen Brenner, sondern die mit dem Kneten und Formen des Lehms beschäftigten Arbeiter.

Woher die Anchylostomen ursprünglich importirt sind, lässt sich nicht nachweisen; sie auf eingewanderte Italiener zurückzuführen, sieht L. keinen Grund, indessen weist er, wie Firket auf die Gefahr hin, welche für Belgien darin liegt, dass häufig Wallonen in der Kölner Gegend in den Ziegeleien arbeiten, welche die Parasiten später in ihre Heimath einschleppen.

Da das Anchylostomum sich nicht im Darm vermehrt, so heilt die Anämie spontan durch Aussterben der Würmer. Gegen Filix mas und Thymol sind letztere zuweilen ungemein widerstandsfähig.

Die erste Mittheilung von Firket (1) enthält folgenden Fall:

Der betreffende Kranke hatte sich das Anchylostomum als Ziegelbrenner in der Nähe von Köln zugezogen, wo gleichzeitig eine grosse Menge italienischer Arbeiter beschäftigt war, bei denen dieser Parasit sich nachweislich häufig findet. Durch Darm- und Nasenblutungen hatte der Pat. grosse Blutverluste und das Blut wies ausserdem eine so starke Vermehrung der weissen Blutkörperchen auf, dass es den Eindruck von Leucämie machte. Die Autopsie ergab die Anwesenheit einer enormen Anzahl von Anchylostomum. Verf macht auf die Untersuchung der Stühle in derartigen Fällen aufmerksam, da man in denselben leicht die Eier vom Anchylostomum auffinden kann, welche sich von denen anderer Eingeweidewürmer sicher unterscheiden lassen.

Anschliessend an diesen Fall von tödtlicher Anämie, welcher durch massenhafte Ansiedelung von Anchylostomum duodenale bedingt war, erörtert Firket (2) die Einschleppung dieser Parasiten nach Belgien und kommt zu dem Schluss, dass dieselbe durch die italienischen Arbeiter erfolge.

Der Fall betraf einen Ziegler, und gerade diese verkehren theils in der Umgebung Lüttichs direct mit italienischen Arbeitern, oder sie kommen mit solchen in Berührung, welche bei Köln und Bonn bei Bauarbeiten beschäftigt sind. — Schriftlich theilt Verf. einen zweiten Fall mit von einem 55jährigen Kohlengrubenarbeiter, der an sehr vorgeschrittener Anämie gestorben war, aber nur ein einziges Exemplar von Anchylostomum duodenale mit abgestorbenen Eiern beherbergte; F. vermuthet, dass dieser eine Wurm der Rest einer früher zahlreichen Colonie gewesen sei, bei dem Alter und der dürftigen Nahrung habe sich der Kranke von den Folgen der Invasion nicht erholt.

Bei einem 2jähr. Knaben, dessen Eltern in Brasilien eingewandert waren, fand Polatti (4) im Hospital zu Monza in den diarrhoischen Stühlen massenhafte Eier von Anchylostomum duodenale, ferner eine Anzahl von Peitschenwürmern (Trichocephalus dispar) und Eier von Ascaris lumbricoides. Mehrmalige Dosen von Extr. filicis und Abführmittel führten zur vollständigen Heilung.

Filaria.

Manson, The Filaria sanguinis hominis. British medic. Journ. 26. April. (Kurzes Referat über die Arbeiten von Manson über Filaria sanguinis hominis, Haemoptysis endemica und Tinea imbricata ohne Details.)

III. Insecten.

1) Blyckaerts, Observations curieuses de fièvre pédiculaire. Presse méd. Belge. No. 15. — 2) Trouessart, Sur les Acariens qui vivent dans le tuyeau des plumes des oiseaux. Compt. rend. 99. No. 25.

Blyckaerts (1) berichtet über 2 Fälle von Läusefieber, welche beide Male plötzlich, und zwar das erste Mal ohne nachweisbaren Grund, das zweite Mal bei starker psychischer Aufregung nach körperlicher Anstrengung auftraten. Die Patienten, welche vor dem Fieberanfalls nicht Abnormes erkennen liessen, zeigten sich nach der Eruption des Fiebers plötzlich von massenhaften Läusen bedeckt, welche über den Körper der Pat. rannten. Im ersten Falle beseitigte eine einmalige Reinigung das Fieber, im zweiten Falle kehrte es mehrmals wieder, jedesmal mit — so zu sagen — einer Eruption von Läusen (!). Verf. glaubt, dass dies plötzliche Hervorbrechen der Läuse durch massenhafte Einlagerungen von Eiern in den Schweissdrüsen bewirkt wird, welche durch plötzliche Alteration der Drüsensecretion zur Reife gebracht werden.

Trouessart (2) hat die von Heller 1879 zum ersten Male beschriebenen Milben in den Federkielen von Vögeln genauer untersucht. Diese Milben, zur Gattung der Sarcoptiden gehörig, sind vom Verf. bei den verschiedenartigsten in- und ausländischen Vögeln gefunden worden und gehören zumeist der von Nörner als Syringophilus bipectinatus benannten Familie an. Verf. beobachtete, dass diese Milben, welche man häufig massenhaft in den Federkielen antrifft, zur Zeit der Mauserung oder in der Kälte aus dem Federkiele auswandern und in das Unterhautgewebe eindringen.

Pathologische Anatomie, Teratologie und Onkologie

bearbeitet von

Prof. Dr. J. ORTH*) in Göttingen und Docent Dr. P. GRAWITZ in Berlin.

A. Pathologische Anatomie.

I. Allgemeine Werke und Abhandlungen.

1) Cornil, Leçons professées pendant le premier semestre de l'année 1883—84. Paris. (Behandelt besonders die schizomycotischen Affectionen der Haut und die mycotischen Lungenentzündungen.) — 2) Friedländer, C., Microscopische Technik zum Gebrauch bei medicin. u. path.-anat. Unters. 2. Aufl. Mit 1 Taf. gr. 8. Berlin. — 3) Laennec, Introduction et premier chapitre du traité inédit d'anatomie pathologique de Laennec Av. 2 portr. de l'auteur. 18. Paris. — 4) Oeller, J. N., Zur pathologischen Anatomie der Bleilähmung. Mit 1 Taf 8. München 1883. — 5) Transactions of the pathological Society of London. 1883. (Werden im nächstjährigen Bericht Berücksichtigung finden.) — 6) Ziegler, E., Lehrbuch der allgemeinen und speciellen pathologischen Anatomie und Pathogenese. 3. Aufl. 1.—4. Lief. 8. Jena.

II. Allgemeine pathologische Anatomie.

1) Behrens, F., Ueber das Vorkommen von Mastzellen im pathologischen Bindegewebe. Diss. Halle. — 2) Brigidi, Contributo alla conoscenza della degenerazione ialina La Sperimentale, Dicembre. p. 589. — 3) Colucci, V., Di un tumore elefantiaco in un bue e della neoformazione e riproduzione epiteliale. Mem. dell' Accad. delle Sc. dell' Istit. di Bologna. Ser. IV. T. V. (S. Ber. des nächsten Jahres.) — 4) Korniłowicz, Note sur la coloration des corps granuleux. Le progrès méd. No. 29. p. 578. (Die Körnchenzellen des Gehirns und Rückenmarkes lassen sich in folgender Weise färben und conserviren: Stücke in Müller'scher Flüssigkeit gehärteter Theile werden mit dem Gefriermicrotom geschnitten, die Schnitte bleiben einige Tage in M. Fl. liegen, kommen dann 10 Min. in eine aus 10 g Aq dest. und 30 Tropfen einer Methylviolettlösung bestehende Farbe. Die Methylviolettlösung wird folgendermassen bereitet: Methylviol. 30,0 g, kochendes dest. Wasser 210,0 g, dazu nach dem Erkalten: Absol. Alcohol 30,0 g, Glycerin 10,0 g, Schwefeläther 0,05 ccm. Dann werden die Schnitte gewaschen und in Ranvier'sches Picrocarmin 30 Minuten eingelegt; erneute Waschung, Einbettung in Glycerin. Die Körnchenzellen sind blau, die übrigen Theile roth.) — 5) Krauss, E., Beiträge zur Riesenzellenbildung in epithelialen Geweben. Virch. Arch. Bd. 95. p. 249. — 6) Petrone, A, Sul processo rigeneratore nel polmone, nel fegato e nel rene. Il Morgagni. p. 39. (Ist noch nicht vollständig erschienen.) — 7) Roth, M., Ueber Metastasen von Kalk, Fett und Kohlenstaub. Correspondenzblatt für Schweizer Aerzte. No. 10. — 8) Weyl, Th. und L. Apt, Ueber den Fettgehalt pathologischer Organe. Virch. Arch. Bd. 95. p. 351. — 9) Zahn, F. W., Ueber das Schicksal der in den Organismus implantirten Gewebe. Ebend. Bd. 95. S. 369.

Behrens (1) constatirt auf Grund einer grösseren Reihe von Untersuchungen, dass die Menge der im pathologischen Bindegewebe vorkommenden Mastzellen abhängig ist von dem Alter und dem Zellreichthum des Gewebes. In frischem Granulationsgewebe finden sie sich nur in geringer Zahl; in etwas älterem, schon in fibrillärer Umwandlung begriffenen Bindegewebe treten sie in reichlicher Menge auf, während sie wiederum in alten Narben und zellarmem Fasergewebe nur ganz spärlich vorhanden sind. Bei den Geschwülsten wird diese Regel insofern eingehalten, als in dem Stroma des Carcinoms und in dem Bindegewebe der Fibromyome viele Mastzellen zu finden sind, bei den Sarcomen und sarcomatösen Mischgeschwülsten ihre Menge variirt mit der Quantität eines mässig in der Entwicklung fortgeschrittenen Bindegewebes. In zellreichen sehr rasch wuchernden Sarcomen mit nur minimalem Zwischengewebe fehlen die Mastzellen fast vollständig.

Brigidi (2) giebt eine Uebersicht über die historische Entwicklung der Lehre von der hyalinen Degeneration und darauf über die häufigsten For-

*) Bei der Abfassung des Berichtes bin ich durch meine Assistenten, die Herren Dr. Poten und Dr. Nasse in ausgiebigster Weise unterstützt worden. Orth.

men des Vorkommens derselben. Er rechnet die hyaline Substanz den Albuminoiden zu. Sie entsteht aus localen Ursachen, und zwar aus Ernährungsstörungen in Folge von entzündlichen Vorgängen. Die hyaline Masse kann sich noch weiter verändern, sie kann resorbirt werden und kann verkalken.

Krauss (5) hat in 10 von 70 untersuchten Epitheliomen Riesenzellen gefunden und hält dieselben für Abkömmlinge der Epithelzellen. Wahrscheinlich sei ein Theil der Riesenzellen durch Confluenz von Epithelzellen und ein Theil durch Kernvermehrung entstanden. In einem Falle fand K. eigenthümlich glänzende Fäden, die er für von einer früheren Operation herstammende Catgutfäden hält. Um dieselben herum hatten sich Riesenzellen gebildet. Ferner beschreibt K. ein im Uebergang zum Atherom begriffenes Talgdrüsenadenom, in welchem sich durch Confluenz der Zellen und Aneinanderrücken der Kerne Riesenzellen gebildet hatten. Im Anschluss an diese eigenen Beobachtungen referirt K. dann die in der Literatur beschriebenen Fälle von Talgdrüsenadenom und die Beobachtungen über das Vorkommen epithelialer Riesenzellen in verschiedenen Organen.

Dass Resorption des Knochenmarkfettes auch ohne traumatische Läsion zu Fettembolie der Lunge führen kann, fand Roth (7) durch Untersuchung von 36 Leichen (Scharlach, Typhus, Puerperalfieber etc.) bestätigt, indem sich 10 Mal neben mehr oder weniger ausgedehnter lymphoider Veränderung des Markes des Oberschenkels Fett in den Gefässen der Lunge nachweisen liess — Zum Capitel der Kohlenstaubmetastasen theilt R. zwei Beobachtungen mit.

Der erste Fall betrifft einen sonst gesunden Mann (Heizer), welcher eine in die Luftwege perforirte schiefrig gefärbte Lymphdrüse ausbustete; im zweiten war das in der Milz gefundene Kohlenpigment ebenfalls auf den Durchbruch einer pigmentirten Lymphdrüse zurückzuführen, da man stark kohlenhaltige Bronchialdrüsen und in einem Ast der Vena pulm. eine strahlige, schiefrig gefärbte Narbe vorfand.

Weyl und Apt (8) haben in einer Reihe von Fällen den Fettgehalt (incl. Cholestearin, Lecithin und vielleicht noch anderer, bisher nicht isolirter Stoffe) bestimmt und dabei gefunden, dass die normale Leber etwa 3.7 pCt. (des Gewichtes des frischen Organes) Fett besitzt, das normale Herz 2,2 pCt. Bei fieberhaften Krankheiten findet in diesen Organen eine Vermehrung des Fettgehaltes statt, desgleichen bei Beschränkung der Sauerstoffzufuhr, z. B. bei chronischer Tuberculose, Leukämie etc.

Zahn (9) giebt einen eingehenderen und ergänzenden Bericht über seine schon früher mitgetheilten Transplantationsversuche. In Betreff der Implantation von Knochen und Knorpel fügt er seinen früheren Resultaten nichts wesentliches hinzu. Das fötale Bindegewebe, welches mit dem Knorpel oder Knochen implantirt wurde, zeigte niemals Spuren von regressiver Metamorphose, vermehrte sich sogar und schien sich dem specifischen Gewebe des Organes zu substituiren. Es verlor dabei seinen embryonalen Charakter und wandelte sich in fibrilläres Bindegewebe um. Fötaler Muskel blieb lange erhalten, zeigte aber niemals Wucherung, sondern wurde zuletzt stets resorbirt ohne Spuren zu hinterlassen. Bei Implantationen von anderen fötalen und von pathologischen Geweben ergaben sich negative Resultate. Im Ganzen resultirt aus den Versuchen, dass durch die Implantation von fötalen Geweben keine wirklichen Geschwülste entstehen. Wohl bleiben einige der implantirten Gewebe am Leben, gingen sogar mit ihrer Umgebung eine innigere Verbindung ein und vermehrten sich, aber die darin stattfindenden Wucherungsvorgänge waren keine atypischen im strengen Sinne des Wortes, sie dauerten nur eine Weile, standen dann still, und das eingebrachte wie das von diesem neugebildete Gewebe ging eine regressive Metamorphose ein und verschwand, oder aber es verlor seinen embryonalen Charakter und wandelte sich in fertiges bleibendes Gewebe um. Als positives Resultat ergab sich, dass fötale Gewebe in einem fremden Organismus wenigstens eine Zeit lang sich fortentwickeln können, dass diese Entwickelung dort am stärksten ist, wo die Ernährungsbedingungen am günstigsten und die dem Wachsthum entgegenstehenden Widerstände am geringsten sind, endlich, dass fötale Gewebe verschiedener Thierspecies einander und wahrscheinlich auch pathologischen Geweben gleichwerthig sind.

III. Specielle pathologische Anatomie.

a. Vermischte Abhandlungen.

1) Baumgarten, Pathologisch-anatomische Mittheilungen. Virch. Arch. Bd. 97. S. 1. — 2) Schulz, R., Pathologisch-anatomische Mittheilungen. Ebendas. Bd. 95. 1) Embryonale Abschnürung von Epithel. (2 kleine aus der Achselhöhle eines halbjährigen Kindes exstirpirte Geschwülstchen, bestehend aus Epidermis und minimalem bindegewebigen Grundstock ohne Drüsen.) 2) Sarcomatöse Degeneration einer Flexorensehne. (Sarcomatöse Degeneration von Granulationsmassen nach der Operation eines narbig verkrümmten Fingers.)

Baumgarten (1) giebt eine Reihe interessanter casuistischer Mittheilungen.

1) Ein Fall von einfachem Ovarialcystom mit Metastasen. Etwa 14 Tage nach der Exstirpation eines einfachen Myxoidcystoms des Ovariums, nachdem die Wunde ganz geschlossen war, wurde Flüssigkeitsansammlung im Bauche constatirt. Nachdem 2 mal durch Punction grosse Quantitäten viscider, Epithelfetzen enthaltender Flüssigkeit entleert waren, starb Patientin 4 Wochen nach der Operation. Es fanden sich unter dem Peritoneum parietale und in den Verwachsungen des Netzes mit der Bauchwand sehr zahlreiche kleine Colloidcysten, die alle mit einschichtigem, nicht Flimmern tragendem Epithel ausgekleidet waren.

2) Bei einem 14jährigen Mädchen wurde ein innerhalb 2 Jahren gewachsenes Ovarialcystom, bestehend aus 2 Cysten, exstirpirt. Bei der Operation zeigt sich das Bauchfell an vielen Stellen mit kleinen gelblich weissen Knötchen besetzt. Die gleichen Knötchen fanden sich an der mit einschichtigem Cylinderepithel bedeckten Innenfläche der Cysten und erwiesen sich microscopisch als typische epithelioide Tuberkel mit Riesenzellen. Tuberkelbacillen wurden nicht nachge-

wiesen. Trotzdem hält B. die tuberculöse Natur für erwiesen. Die Patientin wurde merkwürdiger Weise trotz der Tuberculose des Peritoneums geheilt und befand sich nach einem halben Jahre ganz wohl.

3) 2 Fälle von Abschnürung des Ovariums.

4) Ein Fall, bei welchem sich neben ausgedehnten sonstigen syphilitischen Veränderungen vieler Organe miliare Gummigeschwülste der Milz vorfanden, welche eine wenig feste, mehr bröckelige Consistenz besassen, im Centrum sogar durchweg puriform erweicht waren. Nirgends liessen sich auch nur Spuren von Tuberkeln nachweisen. Im Anschluss an diesen Fall bespricht B. die anatomisch-histologische Differentialdiagnose zwischen Gummata und Tuberkeln. Es giebt nach B.'s Ansicht ein ächtes käsiges Syphiloma, das allein durch Syphilis, ohne jede Mitbetheiligung der Tuberculose erzeugt wird. Dagegen hält B., abweichend von seinen früheren Anschauungen, diejenigen käsigen Granulationsgeschwülste der Syphilitiker, in welchen Riesenzellen und Riesenzelltuberkel vorkommen, nicht für reine Gummata, sondern für Mischformen von Tuberculose und Syphilis. Ferner macht B. noch auf ein Kriterium zur histologischen Differenzirung syphilitischer und tuberculöser Käsemassen aufmerksam, nämlich die Erscheinung des zeitweiligen Erhaltenbleibens mit intacten Blutkörperchen erfüllter Gefässe innerhalb der käsig necrobiosirenden Gewebszone der Syphilome.

5) Ein Fall von congenitaler Miliarsyphilis der Milz.

6) Ein Fall von congenitaler Darmsyphilis bei einem neugeborenen, von einer syphilitischen Mutter stammenden, mit verbreiteten syphilitischen Organveränderungen behafteten Kinde, der sich besonders dadurch von den bisher beschriebenen Fällen auszeichnet, dass es sich um eine fast continuirliche syphilitische Erkrankung des gesammten Darmrohres handelte, die in einer gummösen Entartung der Submucosa und Mucosa bestand. Die Muscularis und Serosa waren verhältnissmässig wenig betheiligt. Umschriebene Granulationsherde waren nur in geringer Anzahl vorhanden.

7) Ein glücklich verlaufener Fall von Verschluckung einer grossen geknöpften Nadel.

b. Blut und blutbereitende Organe.

1) Afanassiew, M., Ueber die pathologisch-anatomischen Veränderungen in den Nieren und in der Leber bei einigen mit Haemoglobinurie oder Icterus verbundenen Vergiftungen. Virch. Arch. Bd. 98. S. 460. — 2) Arnold, J., Ueber Kern- und Zelltheilung bei acuter Hyperplasie der Lymphdrüsen und der Milz. Ebend. Bd. 95. S. 46. — 3) Ehrlich, Zur Kenntniss des acuten Milztumors. Charité-Annalen. S. 107. — 4) Griffini, L., Contribuzione allo studio dello sviluppo dei nodi di milza nell' omento. Arch. per le sc. med. VII. No. 23. p. 349. — 5) Grohé, M., Ueber das Verhalten des Knochenmarkes in verschiedenen Krankheiten. Berl. klin. Wochenschr. No. 15. S. 227. — 6) Mosler, Ueber die Folgen der Milzexstirpation. Deutsche med. Wochenschr. No. 22. — 7) Stöhr, P., Ueber Tonsillen bei Pyopneumothorax. Sitzungsber. d. phys.-med. Gesellschaft in Würzburg.

Im Anschluss an seine frühere Arbeit über Icterus und Hämoglobinurie hat Afanassiew (1) weitere Intoxicationsversuche mit Toluylendiamin, Glycerin und Pyrogallussäure angestellt und dabei zunächst folgende Unterschiede in der Wirkung der 3 Stoffe gefunden. A) Das Glycerin zieht aus den rothen Blutkörperchen das Hämoglobin aus und löst dasselbe im Blutplasma. Dabei finden sich fast keine geformten Elemente des Zerfalles der rothen Blutkörperchen im Blute, nur einige sog. „Schatten". In Folge dessen wird sehr bald nach der Vergiftung gelöstes Hämoglobin durch die Nieren ausgeschieden und es kommt daher Hämoglobinurie aber kein Icterus vor. B) Bei schwacher Toluylendiaminvergiftung bemerkt man an den rothen Blutkörperchen Abschnürung von farbigen Körnchen, wobei die Blutkörperchen in verschiedenem Grade der Entfärbung erscheinen. Diese farbigen Körnchen und die stark veränderten Blutkörperchen gehen nachher hauptsächlich in die Leber, die Milz, das Knochenmark und nur zum Theil in die Nieren. Es findet sich kein gelöstes Hämoglobin im Blutserum. Es tritt daher auch nur Icterus ein. Bei stärkerer Vergiftung findet man im Blute ausser den obigen Veränderungen gelöstes Hämoglobin und zahlreiche „Schatten" und es tritt, bei Hunden wenigstens, gleichzeitig Icterus und Hämoglobinurie ein. C) Die Pyrogallussäure steht in ihrer Wirkung auf das Blut zwischen den beiden anderen Giften. Man beobachtet hauptsächlich Hämoglobinurie und nur sehr schwachen Icterus.

Bei allen drei Vergiftungen fanden sich entzündliche Veränderungen in den Nieren, Glomerulonephritis, fettige Degeneration und Coagulationsnecrose der Epithelien der gewundenen Harncanälchen und zellige Infiltration, besonders an der Eintrittsstelle der Gefässe in die Glomeruluskapseln. Die Veränderungen sind bei Glycerinvergiftung am wenigsten, bei Tholuylendiaminvergiftung am stärksten vorhanden. In der Leber fand sich bei Glycerinvergiftung nur eine (nicht starke) Fettdegeneration der Leberzellen, bei Vergiftung mit Pyrogallussäure und besonders mit Toluylendiamin Fettdegeneration und Coagulationsnecrose der Leberzellen und kleinzellige Infiltration.

Die Thatsache, dass man Zerfallsproducte der rothen Blutkörperchen, Abschnürung farbiger Körnchen, die in Plasma schwimmen und auch in den Harn übergehen, finden kann, ohne dass Hämoglobinurie vorhanden ist, erklärt sich nach A.'s Ansicht dadurch, dass die Körnchen und Tropfen im Plasma und im Harn kein Hämoglobin sind, sondern durch Umwandlung desselben entstehen und sich von demselben chemisch und spectroscopisch unterscheiden. Werden diese Körnchen bald in verschiedene Organe gebracht und zu anderen Zwecken benutzt, z. B. in der Leber zur Bildung von Galle, so erscheint kein gelöstes Hämoglobin im Plasma oder im Harn. Nur wenn die Körnchen lange im Blut verweilen oder zu zahlreich waren, verlieren sie ihren Farbstoff, der gelöst in den Harn übergeht.

In Betreff des Ortes der Ausscheidung der abnormen Blutbestandtheile giebt A. an, dass das gelöste Hämoglobin und gelöste Gallenfarbstoffe durch die Glomeruli ausgeschieden werden, während die geformten Bestandtheile ausschliesslich durch die gewundenen Harncanälchen ausgeschieden werden. Von den letzteren wird auch Gallenfarbstoff in Körnchen ausgeschieden. Bei starkem hämohepatogenen Icterus fanden sich in den Nieren aus Körnchen und Tropfen bestehende Gallenfarbstoffcylinder und bei mit Hämoglobinurie verbundenem Icterus ausserdem noch Hämoglobincylinder und Cylinder, die aus Zerfallsproducten der rothen Blutkörperchen bestehen.

Um zu bestimmen, was von obigen Veränderungen der directen Wirkung der Gifte und was dem Zerfall des Blutes zuzuschreiben sei, machte A. dann noch Transfusionen mit erwärmtem Blut und fand, dass bei Einspritzung des auf 56—57 ° C. erwärmten Blutes die Thiere leicht Hämoglobinurie bekamen, während bei Einspritzung des bis 53 ° erwärmten Blutes nur Gallenfarbstoff oder Gallenfarbstoff und Hämoglobin im Harne auftrat. In den Nieren fanden sich dieselben entzündlichen Veränderungen wie bei den Vergiftungen, in der Leber dieselben Veränderungen wie bei Pyrogallussäurevergiftung, aber nur wenn im Harn sowohl Hämoglobin wie Gallenfarbstoff vorhanden war. A. bezeichnet die Veränderungen daher als Glomerulonephritis hämoglobinurica oder Nephritis interstitialis haemoglobinurica und als Hepatitis interstitialis ex ictero haemohepatogeno.

Mosler (5) theilt unter Hinweis auf seine Monographie „Die Pathologie und Therapie der Milz" einen schon dort erwähnten Fall von Milzexstirpation ausführlicher mit, bei welchem sich 10 Monate nach der Operation zahlreiche dunkele Knötchen im Netz fanden, welche den von Foa als milzartige Bildungen aufgefassten entsprechen sollen. Dieselben hatten aber keinen milzartigen Bau, sondern waren als telangiectatisch hämorrhagische Lymphome zu bezeichnen. Ausserdem fand sich in dem Fall Hyperplasie der retroperitonealen Lymphdrüsen und der Peyer'schen Drüsen. In einem anderen Falle fehlten 11 Monate nach der Exstirpation jene Knötchen und die Lymphdrüsen waren nicht verändert. M. fasst die Schlussfolgerungen aus seinen 30 Milzexstirpationen nochmals zusammen: 1) Die Milz ist zum Leben der Thiere nicht durchaus erforderlich. 2) Nach Exstirpation sowie nach künstlich erzeugter Atrophie der Milz wird ihre Function von den übrigen Organen übernommen. Eine wichtige Rolle scheint hierbei das Knochenmark zu haben. In ihm finden sich längere Zeit nach Milzexstirpation auffallende Veränderungen, ähnlich denen bei Leukämie. Hyperplasie der Lymphdrüsen wird nicht beobachtet. Die vicariirende Thätigkeit dieser lymphatischen Organe, welche von vielen äusseren Einflüssen abhängig zu sein scheint, ist bei entmilzten Thieren nicht immer eine vollständige, da besonders in den ersten Monaten nach Exstirpation oder künstlich erzeugter Atrophie eine veränderte Beschaffenheit des Blutes gefunden wird. Daraus ist ein unmittelbarer Einfluss der Milz bei der Blutbereitung zu schliessen und zwar bei Neubildung der weissen wie der rothen Blutkörperchen. 3) Auf Magen- und Pancreas-Verdauung übt die Milzexstirpation keinen Einfluss aus; die neben der chemischen Analyse als Beweis dafür angenommene Gefrässigkeit der Thiere existirt nicht als constantes Symptom.

Griffini (4) theilt eine Anzahl Beobachtungen mit, welche unsere Kenntnisse über die Neubildung von Milzknötchen in dem Omentum und Lig. gastro-splenicum bei Hunden dahin vervollständigen, dass nicht bei jeder interstitiellen (indurativen) Splenitis solche Knötchen sich entwickeln, dass andere Milzaffectionen, selbst wenn sie nicht unerhebliche Zerstörung des Parenchyms bewirken, keine Veranlassung zur Bildung jener Knötchen geben, dass dieselben aber auch bei bestehender Hyperplasie der Hauptmilz sich entwickeln können und zwar sowohl solche, welche jenen gleichen, die bei indurativer Splenitis entstehen, wie solche (mit Follikeln) wie sie sich nach Totalexstirpation der Milz bilden. Es kann also erhöhte formative Thätigkeit der Hauptmilz auch gewissermassen nach dem Omentum ausstrahlen und hier Neubildung von Milzknötchen bedingen. Dadurch erklärt sich der wechselnde Erfolg partieller Milzexstirpationen; nicht die verminderte Milzthätigkeit ist die Ursache für die Knotenbildung im Omentum, denn sie ist immer vermindert, sondern die Knoten entstehen nur dann, wenn eine erhöhte formative (regenerative) Thätigkeit in der Hauptmilz eintritt.

Ehrlich (3) fand mit Hülfe einer neuen Färbemischung, dass bei acuter Milzschwellung (es wurden besonders Milzen von septischen Erkrankungen und Phosphorvergiftungen verwandt) der Milzsaft gleichförmig von Körnchen durchsetzt ist, die den Körnchen in den neutrophilen, polynucleären Leukocyten entsprechen und von ihnen herrühren. E. schliesst daraus, dass bei Krankheiten, durch welche ein Zerfall der corpusculären Elemente des Blutes bedingt wird, die Trümmer nicht nur der rothen, sondern auch der weissen Blutkörperchen in der Milz angehäuft werden, und dass diesem Vorgange eine Rolle bei der Erklärung der acuten Milzschwellung zuerkannt werden müsse. Für die Physiologie der Milz zieht E. daraus den Schluss, dass die Milz gewissermassen eine Leichenstätte darstellt, an der alles fixirt und zum Theil wieder resorbirt wird, was physiologisch im Blute zu Grunde geht.

Arnold (2) theilt unter Hinweisung auf seine Arbeit über Kerne und Kerntheilung im Knochenmark seine Beobachtungen mit über Kern- und Zelltheilung bei acuter Hyperplasie der Lymphdrüsen und der Milz. In betreff der Einzelheiten muss auf das Original verwiesen werden. Erwähnt sei nur, dass A. bei acuter Hyperplasie im Gewebe der Organe eine beträchtlich grössere Anzahl von Kernen und Zellen im Zustande der Theilung gefunden hat, als im normalen Zustande vorhanden sind. Er schliesst daraus, dass eine sehr lebhafte Neubildung von Zellen an Ort und Stelle statt hat. Ausserdem hat A. eine Vermehrung der in Theilung begriffenen Zellen und Kerne in den sinuösen Gefässräumen gefunden und auffallend viel in Theilung begriffene Zellen gesehen, die mit einem Theile ihres Leibes in dem Gewebe, mit dem anderen in der Blutbahn sich befanden. Ob diese Befunde so zu deuten sind, dass eine Auswanderung aus dem Gewebe in die Blutbahn oder aus der letzteren in das Gewebe stattfindet, will A. nicht entscheiden.

Stöhr (7) fand, dass die normaler Weise lebhaft

stattfindende Durchwanderung von Leucocyten durch das Epithel der Tonsillen und Zungenbalgdrüsen bei starken Eiterungen, bezw. Pyopneumothorax vermindert werde oder sistire und dass zugleich die genannten drüsigen Organe atrophiren. Da er annimmt, dass die auswandernden Leucocyten aus den Blutgefässen der Lymphfollikel ausgetretene weisse Blutkörperchen sind, so erklärt er sich die verminderte Durchwanderung durch die Annahme, dass eben durch den massenhaften Verbrauch von weissen Blutzellen an der eiternden Stelle für die Tonsillen kein Material mehr übrig bleibe.

Grohé (5) hat den früher in Aussicht gestellten 2. Theil seiner Mittheilungen über das Verhalten des Knochenmarkes in verschiedenen Krankheiten (Ber. 1881, I. S. 262) nunmehr geliefert. Derselbe bringt hauptsächlich statistische Mittheilungen. Verf. kommt zu dem Schlussresultat, „dass in dem Knochenmark ein Mauserungsprocess des Blutes stattfindet, denn sein wichtigster Bestandtheil, die rothen Blutkörperchen erleiden daselbst ihren Untergang und erfahren ihre Neubildung. Wenn dieselben decrepid geworden sind, werden sie von den Markzellen aufgenommen und entstehen so die blutkörperhaltigen Zellen. In denselben findet dann die Umwandelung in Pigment statt, welches dann wieder zum Aufbau der jungen rothen, kernlosen Blutkörperchen verwendet wird, die analog der embryonalen Blutbildung aus den kernhaltigen Blutkörperchen hervorgehen."

c. Circulationsorgane.

1) Graser, E., Zur pathologischen Anatomie des Herzens. Archiv für klinische Medicin. Bd. 35. S. 598. (1) Myomalacia cordis bei Thrombose einer Coronararterie. 2) Einheilung einer Nadel im rechten Herzen) — 2) Rindfleisch, E., Ueber klammerartige Verbindungen zwischen Aorta und Pulmonalarterie (Vincula aortae). Virch. Arch. Bd. 96. S. 302. — 3) Thoma, R., Ueber die Abhängigkeit der Bindegewebsneubildung in der Arterienintima von den mechanischen Bedingungen des Blutumlaufes. Zweite Mittheilung. Das Verhalten der Arterien in Amputationsstümpfen. Ebend. Bd. 95. S. 294.

Im Anschluss an seine frühere Mittheilung über „die Rückwirkung des Verschlusses der Nabelarterien und des arteriösen Ganges auf die Aortenwand" beschreibt Thoma (3) die Structurveränderungen der Arterienwand bei den Arterien in Amputationsstümpfen und bei Arterien nach Unterbindung in der Continuität und kommt dabei zu folgenden Resultaten: Die Umgestaltungsprocesse der Arterienwandungen in Amputationsstümpfen haben zur regelmässigen Folge eine hochgradige Verengerung des Gefässlumens, die meist sehr weit nach oben reicht. Durch sie wird das Missverhältniss zwischen der Weite des Gefässlumens einerseits und der Weite der noch vorhandenen Verzweigungen andererseits mehr oder weniger vollständig ausgeglichen. Die Veränderung ist in der Mehrzahl der Fälle durch eine compensatorische Endarteriitis bedingt. Das Bindegewebe derselben besitzt eine weitgehende Aehnlichkeit mit den zahlreichen Bindegewebsschichten, welche sich in der absteigenden Aorta mehrere Monate nach der Geburt entwickeln. Ausserdem wirkt bei der Verengerung des Gefässlumens eine concentrische Atrophie der Media mit, d. h. eine mit Verringerung des inneren Durchmessers des Ringes der Muscularis oder, wie Th. es kurz bezeichnet, mit Verkürzung der Media einhergehende Atrophie. An manchen Stellen findet sich auch eine einfache Atrophie der Media, d. h. eine erhebliche Verdünnung der Membran, welche nicht von einer Verkleinerung ihres inneren Umfanges begleitet ist. Beide Veränderungen sind als Inactivitätsatrophie der entspannten Muscularis aufzufassen. Daher erklärt es sich, dass in der Nähe der Ligaturstellen, wo das Gefässlumen ganz mit Bindegewebe ausgefüllt ist, die Muskelhaut meist ganz hyalin degenerirt. Die Verkürzung der Media ist wahrscheinlich auf eine musculäre Contraction zurückzuführen, welche in den ersten Tagen oder Wochen eintritt.

Diese beiden Hauptmomente, Verkürzung der Media und Endarteriitis, welche die Verengerung des Lumens verursachen, bringen ein nicht nur im Allgemeinen verengtes sondern zugleich auch ein gleichmässig gestaltetes Gefässlumen hervor. Sie wirken zunächst gleichmässig zusammen, können aber auch vicariirend für einander eintreten. In einem Falle z. B. war die Verkleinerung des Gefässdurchmessers hauptsächlich durch Verkürzung der Media bedingt, bei anderen Fällen war dieselbe in ganzen Strecken ausschliesslich durch die compensatorische Endarteriitis besorgt. Bei Unterbindungen in der Continuität finden ganz analoge Veränderungen der Arterienwand statt, nur die räumliche Ausdehnung ist verschieden.

Aus diesen Resultaten folgert Th., dass nach der Amputation und nach der Unterbindung von Arterien wahrscheinlich zunächst früher oder später eine tonische Contraction der Musculatur derjenigen Stämme erfolgt, deren Stromgebiet erheblich verkleinert wurde. Ist die Contraction ausreichend um die normale Stromgeschwindigkeit des Blutes wiederherzustellen, so schliesst der Process mit einer Atrophie der Media ab, die durch die Abnahme herbeigeführt wird, welche die Spannung der Gefässwand bei Verengerung des Lumens erleidet. Ist die Contraction dagegen nicht genügend, so erfolgt eine compensatorische Endarteriitis.

Diese Folgerungen und die Resultate einer früheren Arbeit führen Th. nun zu den allgemeinen Behauptungen, dass der Verschluss einer Arterie, gleichviel ob er zu dem regelmässigen Ablaufe der physiologischen Vorgänge gehört oder durch willkürliche Eingriffe herbeigeführt wird, eine Umbildung der Gefässlichtung zur Folge hat. Diese ist in allen wesentlichen Punkten abhängig von der Verlangsamung des Blutstromes, welche der Gefässverschluss herbeiführt. Sie ist aber unabhängig von kleineren positiven oder negativen Aenderungen des Seitendruckes des Blutes.

Rindfleisch (2) beschreibt als Vinculae Aortae Falten und strahlenartige Verdickungen des Pericardiums zwischen Aorta und Pulmonalarterie und bespricht ihre Entstehungsursachen und ihre Beziehungen zu dem sog. leichten Atherom oder Virchow's fettiger Usur des Aortenanfanges und zu dem Aneurysma dissecans aortae.

[Homén, E. A., Ett fall af thrombosis sinus transversi durae matris. Finska läkaresällsk. band. Bd. 24. p. 176.

Verf. fand in der Leiche eines Mannes, welcher mehrere Jahre an Otorrhoe und Kopfschmerz gelitten hatte, einen Thrombus im Sinus transversus dexter. Der Thrombus war in seiner Peripherie organisirt, im Innern erweicht. Pia mater cerebri zeigte Eiterinfiltration die Gefässe entlang. Die Hüllen des Rückenmarks waren injicirt, der Arachnoidealraum mit Eiter gefüllt. Pars petrosa dextr. zeigte auf dem Durchschnitt gelbliche Punkte. Berch.]

d. Respirationsorgane.

1) Delafield, F., Studies in Pathological Anatomy. Vol. 2. Part I, Broncho-Pneumonia. With 12 Photographic Plates. 8. New-York. — 2) Hanot et Gilbert, De l'état des vaisseaux dans les parois des bronches dilatées. Arch. de phys. norm. et pathol. No. 6. p. 153.

In der Wandung ectatischer Bronchien findet man neben degenerativen und progressiven Veränderungen insbesondere eine mächtige Entwicklung des capillären Gefässsystems, mit welcher sich Hanot und Gilbert (2) besonders beschäftigt haben. Die Capillaren zeigen mächtige aneurysmatische Erweiterungen aller Art, dringen bis dicht unter das Epithelium vor, dasselbe vor sich hertreibend, ja sie ragen selbst frei in das Bronchiallumen hinein. Die Verff. sehen darin die Ursache nicht bloss für die bei den mit Bronchiectasien behafteten Kranken durch Resorption pathogener Substanzen aus dem Bronchiallumen entstehenden intercurrenten Anfälle, sondern auch für einen Theil der bei Bronchiectasien entstehenden Lungenblutungen, von welchen ein anderer Theil auf gleichzeitig bestehende Lungentuberculose, ein dritter auf einen begleitenden Herzfehler zurückzubeziehen ist.

[Ekekrantz, W., Fall af lingtumör. Hygiea 1883. Sv. läkaresällsk. förh. p. 177.

Verf. fand in der Leiche eines Mannes, der an Nephritis gestorben war, eine gänseeigrosse Geschwulst, die mittelst eines 3 cm breiten Stieles von der Innenfläche der rechten Lunge ihren Ursprung nahm. Sie hatte eine fibröse Hülle, der Dura mater ähnlich, und enthielt nur Luft und ein feines Netz fibröser Fäden. Verf. meint, dass die Geschwulst dadurch entstanden sei, dass in einem Theile der rechten Lunge Atrophie des Lungengewebes eingetreten und die Pleura verdickt worden sei. Berch.]

e. Digestionsorgane.

1) Ackermann, Ueber Cirrhose der Leber. Referat aus der Naturforscher-Versammlung. Wiener medic. Blätter. No. 42. S. 1325. — 2) Asch, E., Ueber die Ablagerung von Fett und Pigment in den Sternzellen der Leber. Dissert. Bonn. — 3) Beck, H., Congenital luetische Erkrankung der Gallenblase und der grossen Gallengänge. Prager med. Wochenschrift. No. 26. (Schwielige Verdickungen und miliare Gummata an Gallenblase, Gallengängen und Ductus pancreaticus nebst Atrophie des Pancreas bei sonstigen unzweifelhaft syphilitischen Organveränderungen.) — 4) Derselbe, Zur Kenntniss der Tuberculose des Oesophagus. Ebendas. No. 35. — 5) Chiari, H., Ueber eine seltene Form von Oesophagusdivertikel. Ebendas. No. 2. (Tractionsdivertikel, durch den Zug der mit dem Oesophagus verwachsenen Schilddrüse erzeugt.) — 6) Derselbe, Zur Casuistik der Leberrupturen. Ebendas. No. 18. — 7) Derselbe, Zur Lehre der durch die Einwirkung des Magensaftes bewirkten Veränderungen in der Oesophaguswand. Ebendas. No. 28. (Grosses peptisches Geschwür im unteren Theil der Speiseröhre.) — 8) Israel, O., Ueber eine seltene Form von Ringgeschwüren des Dünndarms. Charité-Annalen. S. 707. — 9) Kelsch und Kiener, Etude anatomo-pathologique des abscès dysentériques du foie. Arch de physiol. norm. et pathol. No. 5. (Genauere anatomische Beschreibung mehrerer Fälle von Leberabscessen bei Dysenterie.) — 10) Marcy, A., and J. P. C. Griffith, On muscular hypertrophy of the stomach. Americ. Journ. of med. Sc. July. — 11) Poncelet, M., Cancer de l'estomac, ayant envahi le foie, le duodenum et la paroi abdominale. Presse méd. Belge. No. 20. (Uebergreifen des Carcinoms auf die Bauchwand und Complication mit Herzfehler.) — 12) Sabourin, Le foie des tuberculeux, un cas d'atrophie rouge avec évolution nodulaire graisseuse du foie chez un tuberculeux. Arch. de phys. norm. et path. No. 5. p. 47. — 13) Sasaki, M., Ueber Veränderungen in den nervösen Apparaten der Darmwand bei perniciöser Anämie und allgemeiner Atrophie. Virch. Arch. 96. S. 287. — 14) Simmonds, M., Die knotige Hyperplasie und das Adenom der Leber. Arch. f. klin. Med. Bd. 34. S. 388.

Beck (4) theilt 2 Beobachtungen von Tuberculose des Oesophagus mit, welche geeignet sind, die Genese dieser seltenen Affection zu erläutern.

Im ersten Falle waren neben relativ geringfügigen phthisischen Veränderungen der Lungen die Bronchial- und Mediastinaldrüsen verkäst. Ein im Ganzen längliches Packet von käsigen Lymphdrüsen zwischen Trachea und Oesophagus gelegen, stiess an den Grund eines in letzterem befindlichen Geschwüres von annähernd spindelförmiger Gestalt, in dessen Rändern und nächster Umgebung zahlreiche Tuberkelknötchen und -Geschwürchen sichtbar waren. Während in diesem Falle die Ulceration durch den peripherisch fortschreitenden käsig-tuberculösen Zerfall der mit der Oesophaguswand verwachsenen Lymphdrüsen entstanden zu denken ist, liegt in dem zweiten Falle ein successives Uebergreifen tuberculöser Geschwürsbildung vom Kehlkopf auf das Cavum naso-pharyngeale und weiter abwärts auf die Speiseröhre vor. Die genannten Theile waren von einer grossen Ulceration eingenommen, die von der hinteren Wand des Pharynx und Oesophagus gemessen, 10 cm lang war und in letzteren $6^1/_2$ cm unterhalb der Incisur. interarytaen. sich erstreckte. Ausser zahlreichen Tuberkeln im Grunde und den Rändern des Geschwürs zeigte sich nach unten zu in einer Ausdehnung von 4 cm eine grosse Anzahl feiner Knötchen unter dem normal erhaltenen Epithel, welche trotz der bestehenden allgemeinen Organtuberculose anscheinend doch durch directes Fortschreiten der Tuberkelbildung entstanden waren. Die microscopische Untersuchung bestätigte in beiden Fällen die tuberculöse Natur der Affection durch den Nachweis von typisch gebauten Tuberkeln und der Koch'schen Bacillen.

Marcy und Griffith (10) beschreiben den Magen eines 46jährigen Mannes, welcher sehr beträchtlich verengt war bei gleichzeitiger Verdickung seiner Wand. Die Mucosa war unverändert, aber Submucosa und Muscularis beträchtlich verdickt durch Bindegewebs- und Muskelneubildung (letztere auch in der Submucosa). Eine in der Mitte des Magens vorhandene besonders starke, durch strahlige Narben bedingte Verengerung lässt den Verf. vermuthen, dass der Process von Magengeschwüren ausgegangen sei. Lumina und Wanddicke der Blutgefässe in der Submucosa waren grösser als normal.

Sasaki (13) hat eine Reihe von Därmen (etwa 50) auf Veränderungen der nervösen Apparate untersucht. Darunter waren 2 Fälle von perniciöser Anämie, bei welchen sich über den ganzen Darm verbreitete hochgradige degenerative Processe des Nervenapparates fanden. Bei anderen allgemein atrophischen Processen, wie Krebscachexie, Phthisis pulmonum und bei durch Altersveränderungen atrophischen Därmen fanden sich nie so hochgradige allgemein verbreitete Degenerationsprocesse des Nervenapparates. Ferner war bei nicht diffus und nicht über grössere Partien sich erstreckenden Affectionen des Darmes auch die Veränderung des nervösen Apparates nur an die Stelle der localen Darmaffection gebunden. Es ist daher nach Ansicht S.'s wahrscheinlich, dass die gastrointestinale Form der sog. perniciösen Anämie sich aus einer anatomisch nachweisbaren Darmatrophie ableiten lässt, die wahrscheinlich neurotischen Ursprungs ist. Die entsprechende Veränderung der nervösen Apparate des Darmes gehört zu den parenchymatösen Degenerationen.

Israel (8) beschreibt einen Fall, bei dem sich im Dünndarm 5 grosse annuläre Geschwüre und ein rundliches fanden, deren Aetiologie unklar blieb. I. hegt jedoch den Verdacht, dass dieselben syphilitischer Natur seien.

Asch's (2) Untersuchungen über die Kupferschen Sternzellen in der Leber haben ergeben, dass sich bei perniciöser Anämie ausser in den Leberzellen selbst, auch in den Sternzellen und zwar in diesen zuerst und vorwiegend Blutpigment anhäuft. Die Fähigkeit dieser Zellen, corpusculäre Elemente aufzunehmen, bestätigt ferner der Verf. durch Beobachtungen von Carminkörnchen in ihnen nach Injection des Farbstoffes ins Blut und von Fettkörnchen in Fällen fettiger Degeneration und Infiltration der Leber.

Ein von Chiari (6) mitgetheilter Fall von traumatischer Ruptur der Leber ist dadurch ausgezeichnet, dass trotz ausgedehnter Zerstörung fast des ganzen rechten Lappens der Patient, bei welchem sich eine serös-fibrinöse, aber nicht eiterige Peritonitis vorfand, erst acht Tage nach dem Unfall und zwar an Lungenödem zu Grunde ging, während die Leberverletzung selbst anscheinend schon zur Reparation sich anschickte. — Der zweite Fall bietet ätiologisches Interesse: Die von zahlreichen weichen Krebsknoten durchsetzte Leber zeigte eine grosse strahlige Ruptur, ohne dass während des Lebens der Patientin ein Trauma eingewirkt hätte. Dass auch die Manipulationen bei der Section oder dem Transport der Leiche die Verletzung nicht gemacht, war daraus ersichtlich, dass die Risse z. Th. mit fibrinösem Exsudat verklebt und in der Bauchhöhle grössere Mengen serös-hämorrhagischer Flüssigkeit angesammelt waren. Durch Druck auf die Leber liessen sich leicht weitere ähnliche Einrisse erzeugen, und es ist somit wahrscheinlich, dass die Ruptur des äusserst brüchigen Organs intra vitam durch ganz geringfügige Einwirkung, durch Umdrehen der Kranken, vielleicht selbst durch Palpation oder Percussion hervorgerufen worden sei.

Ackermann (1) behauptet in seinem auf der Naturforscherversammlung in Magdeburg gehaltenen Vortrage, dass die Lebercirrhose mit einer unter dem Einfluss giftiger Substanzen (Alcohol, Phosphor, gewisser Microorganismen) auftretenden Necrose der Leberzellen beginne, in welchen dabei constant Fettablagerung vorhanden zu sein scheine. Erst secundär als Heilungsvorgang entstehe unter Neubildung arterieller Capillaren und von Gallengängen von dem interlobulären Gewebe aus die Bindegewebsneubildung. Die Gallengangsneubildung ist die Ursache, dass der Gallenabfluss aus den restirenden Leberzellen in die interlobulären Gallengänge gesichert bleibt, was die Seltenheit des allgemeinen Icterus bei Cirrhose erklärt. Das Gesammtvolum der Leber nimmt ab, weil die neugebildete Bindegewebsmasse weniger voluminös ist, als die zu Grunde gegangenen Zellenmassen; nur im Beginn der Erkrankung kommt das umgekehrte vor: Lebervergrösserung, welche als die eigentliche 'cirrhotische Hypertrophie anzusehen ist, während die sog. hypertrophische Cirrhose mit Cirrhose garnichts zu thun hat, sondern eine inter- und intralobuläre Bindegewebshyperplasie darstellt, welche aus den alten normalen Gefässen hervorgeht, nicht im Anschluss an neu sich bildende Gefässe erfolgt (kein Ascites). Die Leberzellen atrophiren hier nicht nach einer voraufgegangenen Degeneration, sondern unter dem Druck des neoplastischen Bindegewebes.

Auch in der Leber werden wie in der Lunge durch das tuberculöse Gift nicht nur Tuberkel, sondern auch Veränderungen anderer Art erzeugt. Eine besondere Form derselben, die Hepatitis parenchymatosa mit Degeneration der Leberzellen (gelbe und rothe Atrophie) und Icterus will Sabourin nächstens genauer besprechen. Vorläufig theilt er (12) einen Fall mit, wobei einem Tuberculösen innerhalb einer roth atrophischen Leber knotige Fettinfiltration entstanden war.

Die Leber erschien granulirt, aber es fehlte jede Spur von Cirrhose; die bis erbsengrossen ockergelben Knoten, welche in dem rothen, rothbraunen atrophischen Parenchym hervortraten, bestanden aus fettig infiltrirtem Gewebe, welches sich stets um die Pfortaderäste gruppirte und das übrige Parenchym nach den Centralvenen hin verschoben hatte. An geeigneten Längsschnitten der Pfortader hatten die fettigen Massen eine lappige, drüsenartige Anordnung. Dabei bestanden entzündliche Veränderungen an dem interlobulären Bindegewebe und an der Pfortader, sowie besonders an den Lebervenen, wo zahlreiche kleine Zweige obliterirt waren.

Unter den Fällen von knotiger Hyperplasie und Adenom der Leber, welche Simmonds (14) beobachtet hat, befand sich ein Fall, bei dem sich solitäre knotige Hyperplasie als zufälliger Sectionsbefund ergab und 7 Fälle von multipler knotiger Hyperplasie. In den letzteren war stets eine weitgehende Degeneration des Leberparenchyms und zum Theil Vermehrung des interstitiellen Bindegewebes vorhanden. Ferner beschreibt S. einen Fall von multiplem Adenom, das mit ausgeprägter Lebercirrhose verbunden war. Unter sorgfältiger Berücksichtigung der Literatur gelangt S. sodann zu folgenden Schlusssätzen: 1) Die solitäre knotige Hyperplasie der Leber ist ein abgekapselter, bindegewebsreicher, aus hypertrophischem Lebergewebe bestehender Tumor, der als Nebenbefund in sonst normalen Lebern angetroffen wird und vielleicht als congenitale Bildung aufzufassen ist. 2) Die multiplen knotigen Hyperplasien sind meist kleinere, nicht abgekapselte, aus hyperplastischem Lebergewebe bestehende Knoten, die nur bei ausgedehnter Degeneration des Leberparenchyms sich finden und als compensatorische Bildungen aufzufassen sind. 3) Die multiplen Adenome sind drüsenähnlich gebaute, sich abkapselnde Tumoren, deren Zellen von Leberzellen abstammen. Den Anstoss zu der Umbildung giebt die begleitende interstitielle Hepatitis. Die Adenome verursachen keine Metastasen, gehen aber bisweilen in Carcinom über. 4) Die solitären Adenome finden sich in sonst normalen Lebern.

[Hansen, Klaus, Hypertrofisk interstitiel Hepatit (hypertrofisk Lefvercirrhose). Med. Revue. p. 66.

Verf. referirt einen Fall von Leberhypertrophie, welchen er als eine seltenere Form der interstitiellen Hepatitis betrachtet. Das Krankheitsbild: Diarrhoe, bedeutende Hypertrophie der Leber und der Milz mit Abwesenheit von Icterus, Ascites und Anasarca ähnelt der Form der Lebercirrhose, die namentlich von französischen Untersuchern als insuläre oder monolobuläre Cirrhose beschrieben worden ist. Berch.]

f. Urogenitalorgane.

1) Ackermann, Der weisse Infarct der Placenta. Virchow's Archiv. Bd. 96. — 2) Bostroem, Ueber die compensatorische Hypertrophie der Nieren. Beitr. zur pathol. Anat. d. Nieren. I. 4 Tafeln. S. 46. — 3) Brissaud, E., Anatomie pathologique de la maladie kystique des mamelles. Arch. de physiol norm. et pathol. No 1. p. 98. — 4) Fischel, W., Beiträge zur pathologischen Histologie der weiblichen Genitalien. Archiv f. Gynäcologie. Bd XXIV. S. 119. — 5) Fortlage, H., Ueber die compensatorische Hypertrophie der Glomeruli bei Nephritis interstitialis. Dissert. Bonn. — 6) Fränkel, A., Ueber einen Fall von Nierencyste. Charité-Annalen. S 179. (Klinische Beschreibung des Falles. Keine Autopsie. Die Cyste entwickelte sich innerhalb 10 Jahren nach einem Trauma.) — 7) Fürst, C., Knochenneubildung in der Wand einer Ovarialcyste. Virch. Arch. Bd 97. S. 131. — 8) Golgi, Neoformazione dell' epitelio dei canalicoli oriniferi nella malattia di Bright Arch. per le sc med. VIII No. 5. p. 105. — 9) Pisenti, G., Sulla cicatrizzazione delle ferite del rene e sulla rigenerazione parziale di quest' organo. Ibidem. No. 12. p. 233. — 10) Zahn, F. W., Ueber einen Fall von Ulcus rotundum simplex vaginae. Virch. Arch. Bd. 95. S. 388. (Ein dem Ulcus rotundum ventriculi analoges Geschwür bei einer 76jährigen Frau, das Z. für die Folge einer localen Kreislaufstörung hält, da ausser Sclerose der Art. uterina und Obliteration der zu dem Geschwür führenden Arterie sich keine Ursache auffinden liess.) — 11) Zeller, A., Plattenepithel im Uterus (Psoriasis uterina). Zeitschrift für Geburtshülfe und Gynäcologie. Bd. XI. (In 63 Fällen von chronischer Endometritis beobachtete Verf., dass das Epithel des Uterus sich in ein plattes umwandelte und häufig auch verhornte. An der Leiche constatirte er 3 Mal Plattenepithelien im Uterus.)

Bostroem (2) theilt mit, dass in den Nieren junger Kaninchen und Katzen, denen sehr bald nach der Geburt die linke Niere exstirpirt worden war und bei welchen die compensatorische Hypertrophie der andern Niere nach 27—36 Tagen untersucht wurde, die Zahl der Glomeruli an senkrechten Durchschnitten durch die ganze Niere vollständig übereinstimmte mit derjenigen in der ganz gleich conservirten und geschnittenen exstirpirten normalen Niere. In hypertrophischen menschlichen Nieren (bei völligem Defect der einen) schwankten die Durchmesser der Glomeruli zwischen 200 und 400 μ, diejenigen der gewundenen Harncanälchen zwischen 50 und 150 μ.

Fortlage (5) bestätigt die von Köster und Ribbert beschriebene Hypertrophie der nicht geschrumpften Theile in interstitiell-entzündlichen Nieren. Nach seinen Messungen zeigen sich diejenigen Partien, welche ein normales Aussehen haben, in allen ihren einzelnen Theilen wesentlich vergrössert. In Bezug auf die gewundenen Canälchen und ihre Epithelien stimmen die Angaben des Verf. mit denen anderer Untersucher überein und was die Glomeruli anlangt, so konnte er abweichend von Köster und Ribbert auch für sie eine beträchtliche Zunahme ihres Durchmessers constatiren, der im Mittel bei normalen Nieren auf 185 μ, in den untersuchten Fällen von Schrumpfnieren auf 305 μ angegeben wird.

In Fortsetzung seiner Studien über Neubildungsvorgänge an dem Epithel der Harncanälchen hat Golgi (8) gefunden, dass in Bright'schen Nieren indirecte Kerntheilungen und also Zellenproliferationen an den Epithelien der Harncanälchen vorkommen, welche nicht durch die Entzündung direct hervorgerufen werden und deshalb nicht bei frischen Erkrankungen gefunden werden, sondern als reparatorische Vorgänge zum Ersatz der durch die Entzündung zu Grunde gegangenen Epithelzellen anzusehen sind.

Diesem gegenüber erscheinen die Resultate, welche Pisenti (9) betreffs der nach Verwundungen der Nieren eintretenden regenerativen Vorgänge erhalten hat, höchst auffällig und einer weiteren Bestätigung dringend bedürftig. Derselbe fand nämlich, dass Schnittwunden zwar wesentlich durch eine theils aus der Kapsel theils aus dem intercanaliculären Gewebe hervorgehende bindegewebige Narbe heilen, dass aber zuweilen secundär in diesem Bindegewebe, und zwar in dem aus dem intertubulären Gewebe hervorgegangenen, tubuläre und glomeruläre Neubildungen statthaben. Diese gehen aber nicht, wie zu erwarten wäre, von dem umgebenden Nierenparenchym aus, dessen Epithelzellen keinerlei proliferative Veränderungen darboten, sondern entstehen durch Differenzirung aus dem Bindegewebe selbst. Es bilden sich zunächst solide, mit stark sich färbenden Kernen versehene, Zellenreihen zwischen den Bindegewebsfasern, welche dann durch eine Degeneration ihrer centralen Abschnitte hohl werden und so zu Canälchen sich umbilden. Die Entwickelung der Glomeruli beginnt mit der Bildung eines rundzelligen Knötchens, in welches eine aus den intertubulären Capillaren oder auch grösseren Gefässen hervorgehende Capillarschlinge eindringt, welche durch fortgesetzte

Krümmung in den Glomerulus sich umwandelt; zuletzt bildet sich eine Bowman'sche Kapsel durch eine Zerreissung des den Glomerulus umgebenden maschigen Bindegewebes. Die Ausbildung dieser regenerativen Vorgänge wird gestört, wenn sich in den Rändern der Wunde aus Glomeruluskapseln oder Harncanälchen Retentionscystchen in grösserer Menge entwickeln.

Fürst (7) zieht aus dem Befunde bei einer Ovarialcyste, die in ihrer Wand und den Adhäsionen Kalkplatten zeigte, die zum Theil Knochengewebe enthielten, Schlüsse über die Beziehungen von Verkalkung, Verknöcherung durch directe Umwandlung und Umbildung von Knochengewebe. Die verhältnissmässig am ungünstigsten vascularisirten Gewebspartien fallen der Coagulationsnecrose anheim und verkalken, während bei einigermassen günstigen Circulationsverhältnissen die Zellen erhalten bleiben und die directe Umwandlung in Knochengewebe eingeleitet wird. Endlich sind andere Gewebspartien noch so weit ernährt, dass eine Vermehrung der Zellen mit Neubildung von homogener Intercellularsubstanz noch fortbesteht, bis auch hier die Ernährung so unvollkommen wird, dass Aufnahme von Kalksalzen und Differenzirung der Zellen zu Knochenzellen eintritt.

Fischel (4) beschreibt einen Fall, wo sich bei einem neugeborenen Kinde Reste des linken Wolff'schen Ganges in die Vaginalportion des Uterus hinein erstreckten, während bis jetzt unterhalb des Vaginalansatzes in der Vaginalportion Rudimente dieses Ganges noch nicht gesehen seien.

Der Gang stieg bei dem vorliegenden Fall in der Vaginalportion und der Höhe der Uterushöhle in die Tiefe, bog in der Mitte der Portio nach aussen und oben um und verlief kleiner werdend dicht an der vaginalen Oberfläche der Portio nach oben, um noch vor Erreichung des Scheidengewölbes zu endigen. Andere Abnormitäten fanden sich an den Genitalien nicht. F. macht darauf aufmerksam, dass sich aus diesem Befunde vielleicht die Entstehung mancher Cysten und Carcinome der Portio vaginalis erklären liesse.

Die als weisse Infarcte zu bezeichnenden derben weisslichen Herde der Placenta sind nach Ackermann (1) mit den anämischen Infarcten der Niere auf eine Stufe zustellen. Auch in der Placenta ist der Verschluss der Arterien Ursache für die Bildung der Infarcte, die microscopisch aus den oft hyalin entarteten Placentarzotten und einer zwischen ihnen eingelagerten, von allen Seiten sie umschliessenden, fast homogenen Masse, einem hyalinen Fibrin, bestehen. Letzteres entsteht wahrscheinlich durch Coagulation des in den intervillösen Räumen circulirenden Blutes in Folge des Absterbens der Zottenepithelien, während der Verschluss der Arterien auf eine fibröse Periarteriitis zurückzuführen ist, die in multipler Weise über die ganze Placenta verbreitet, in Gestalt breiter bindegewebiger Ringe oder Scheiden um die Gefässe herum sich darstellt. Irgend eine Beziehung der weissen Infarcte zu hämorrhagischen Herden weist A. zurück, desgl. einen ätiologischen Zusammenhang mit der Syphilis.

Brissaud (3) beschreibt unter dem Namen intraacinöse kystische Epitheliome doppelseitige multiple Cysten der Mamma von wechselnder Grösse, welche aus einer excessiven Wucherung der Drüsenbläschen hervorgehen sollen.

g. Knochen.

1) Chiari, Ueber praesternale Knochenbildung. Prager Zeitschr. für Heilkunde. No. 5. S. 133. (Zwei Fälle von praesternaler Knochenbildung, die nach Ansicht des Verfassers auf entzündlichem Wege entstanden und keine Ossa suprastrernalia, sondern parosteale Osteome sind.) — 2) Hankel, Ein Fall von einseitiger Gesichtshypertrophie. Berl. klin. Wochenschr. No. 35. S. 560. (Rechtsseitig; Beginn des abnormen Wachsthums der Knochen im 12. Lebensjahre, Sistirung im 29. Der Mann hatte nie Syphilis, keine Verletzung, keine Eiterung, keine Schmerzen.) — 3) Sutton, J. B., Observations on richets etc. in wild animals. Journal of anat. July. — 4) Mierzejewsky und Erlitzky, Atrophie progressive unilatérale de la face. L'Union méd. No. 135. (Um die bei einer epileptischen Frau im Gebiet des linken Nerv. maxill. infer. aufgetretene Gesichtsatrophie zu erklären, machen die Verf. die gewagte Hypothese einer circumscripten Circulationsstörung in der Gegend des motorischen Kernes des Trigeminus, welche allein die trophischen Nervenzellen, nicht aber die motorischen oder sensitiven Theile geschädigt habe.) — 5) Pfeifer, Fr., Beitrag zur Kenntniss der Sternaltumoren. Dissert. Halle. — 6) Sticker, G., Beschreibung eines Schädels mit veralteter traumatischer Unterkieferverrenkung. Diss. Bonn. (Der Verf. unternimmt es, in ausführlicher Weise die Asymmetrien der Gesichts- und Schädelhälften durch den abnormen Zug zu erläutern, welchen die Kiefermuskeln in Folge der veränderten Gelenkstellung auf ihre Insertionen ausüben mussten.)

Gestützt auf ein grosses, im Londoner zoologischen Garten gewonnenes Material hat Sutton (3) die Rachitis der Thiere einer eingehenden Untersuchung unterzogen und gefunden, dass dieselbe eine ausserordentlich verbreitete Krankheit vieler Vierfüssler ist. Die häufigste Form tritt, wie beim Menschen, in früher Jugend auf und zeigt auch dieselben Symptome, wie die Rachitis der Kinder: Craniotabes, Rosenkranz, Hühnerbrust, Verkrümmungen und Infractionen der Knochen, Auftreibungen der Epiphysen nebst den characteristischen Veränderungen der Knochen-Knorpellinien u. A. mehr. Ausserdem sind, besonders bei Affen, Lähmungen der hinteren Extremitäten in Folge Druckes der weichen Wirbelsäule auf das Lendenmark und die austretenden Nervenstämme eine fast regelmässige Erscheinung. In höherem Grade noch stellen sich diese Lähmungen bei der in der Pubertätsperiode der Thiere sich entwickelnden Rachitis ein, bedingt durch Compression des Rückenmarks in Folge von Verdickungen der Wirbelkörper an ihren epiphysären Grenzen. Weitere Erscheinungen dieser Pubertätsrachitis sind starke Verdickungen der knöchernen Schädeldecke und mangelhafte Dentition, indess die als Rickets of maturity beschriebene und vorwiegend mit Erweichung und Rarefaction des Knochensystems einhergehende Krankheitsform mehr der menschlichen Osteomalacie gleicht und wie diese besonders das weibliche Geschlecht befällt.

Die Zusammenstellung und Besprechung einer Anzahl von Tumoren des Sternum, darunter zwei selbstbeobachtete Fälle, giebt Pfeifer (5) in seiner Dissertation. Unter 9 primären Geschwülsten fanden sich in grösster Zahl (7) die Carcinome vertreten, welche sich durch ihr rasches Wachsthum und ihre Neigung zu Metastasenbildung auszeichnen, während die seltneren Enchondrome sich nur langsam zu entwickeln pflegen. Von sonstigen Neubildungen am Sternum ist noch ein Gummiknoten erwähnt, der während des Lebens für einen echten Tumor genommen und mit Erfolg operirt wurde.

[Heiberg, H., Tuberkulose udgående fra forskellige Organsystemer. Norsk Magaz. for Lägevidensk. R. 3. Bd. 13. Forh. 1883. p. 103. (Verf. demonstrirte vier Präparate von primärer Tuberculose im Kniegelenk, Epididymis, Pleura und in den weiblichen Genitalorganen.) Borch.]

h. Muskeln.

1) Babinski, Des modifications que présentent les muscles à la suite de la section des nerfs qui s'y rendent. Comptes rend. T. 98. No. 1. — 2) Cantani, A, Un caso di vera ipertrofia muscolare. Il Morgagni, Aprile. p. 209. (Athletischer Mann, mit angeblich erblicher Muskelhypertrophie, rechts etwas mehr wie links; eine vorhandene Hyperästhesie und erhöhte Reizbarkeit beweist das Pathologische des Zustandes.) — 3) Kohts, O., Ein Fall von Myositis ossificans progressiva. Jahrb. für Kinderheilkunde. Bd. 21. (Klinische Beschreibung des Falles; keine Autopsie.)

Nach Babinski (1) bestehen die Veränderungen, welche die Muskeln nach der Durchschneidung der zu ihnen ziehenden Nerven aufweisen, im Wesentlichen in einer Zunahme des nicht differenzirten (nicht quergestreiften) Protoplasmas, das in den Primitivfasern bald peripherisch an der Innenfläche des Sarcolemms, bald im Centrum der Fasern liegt. B. bezeichnet dies gewissermassen als Rückkehr zum Embryonalzustand.

i. Nervensystem.

1) Babinski, J., Sur les lésions des tubes nerveux de la moelle épinière dans la sclerose en plaques. Comptes rend. Tom 98. No. 23. — 2) Chiari, H, Ueber einen Fall von Luftansammlung in den Ventrikeln des menschlichen Gehirns. Prager Zeitschriff für Heilkde. Bd. V. S. 383. — 3) Langerhans, R., Vier Fälle von cystoider Degeneration der Arachnoides. Berlin. Dissertation. — 4) Pitres, A., Sur la distribution topographique des dégénérescances secondaires, consécutives aux lésions destructives des hemisphères cérébraux chez l'homme et chez quelques animaux. Compt. rend. T. 99. No. 2.

Chiari (2) fand bei einer Frau, welche eine Zeit lang an fortwährendem Abgang von Flüssigkeit aus der Nase gelitten und wenige Tage vor ihrem Tode einen apoplectiformen Anfall bekommen hatte, die Hirnventrikel stark ausgedehnt, in ihnen aber ausser einer geringen Menge getrübten Serums nur Luft. Den linken Stirnlappen nahm eine gänseeigrosse Höhle, gleichfalls nur Luft enthaltend, ein, welche nach unten zu durch eine feine Oeffnung mit einer Siebbeinzelle, nach innen zu mit dem linken Seitenventrikel durch ein etwas grösseres Loch in Verbindung stand. Zur Erklärung dieses merkwürdigen Befundes nimmt Ch. an, dass sich im linken Stirnlappen ein Abscess aus unbekannter Ursache entwickelt habe, dessen Inhalt nach Perforation der Hirnhäute und der dünnen Decke des Siebbeins sich allmälig durch die Nase entleerte, indem zugleich die äussere Luft in entgegengesetzter Richtung einströmte. Durch Berstung der Scheidewand zwischen Abscesshöhle und linkem Seitenventrikel wurde dann der erwähnte Schlaganfall hervorgerufen und das Eindringen der Luft auch in die benachbarten Hirnhöhlen ermöglicht.

Langerhans (3) stellt 4 Fälle von Cystenbildung in der Arachnoidea zusammen, welche während des Lebens ohne erkennbare Symptome geblieben war. Die Veränderungen, welche die Gehirnsubstanz durch die mit klarem, wässrigem Inhalt gefüllten Blasen erlitten hatte, bestanden vorwiegend in einfacher Verdrängung der betreffenden Hirntheile. Im ersten Falle, der mit Endarteriitis der basalen Arterien combinirt war, wurde ausserdem eine körnige Pigmentablagerung in der Corticalis einer deprimirten Partie nachgewiesen, woraus der Verf. auf eine früher vorhandene rothe Erweichung als Ursache der Cystenbildung schliessen zu dürfen glaubt, und in Fall 3 fanden sich sclerotisch-atrophische Veränderungen in der Umgebung der taubeneigrossen Blase. In den beiden übrigen Fällen führt L. die Entstehung der Cysten auf congenitale Anlage zurück.

Nach Babinsky's (1) Ansicht verlieren die Nervenfasern in den Herden der disseminirten Sclerose zuerst die Markscheide, während die Axencylinder noch längere Zeit erhalten bleiben, und zwar ist der Verlust des Markes nicht durch mechanische Ursachen, sondern durch die Wucherung der Neurogliazellen und ausgewanderte weisse Blutkörperchen bedingt, welche das Mark in sich aufnehmen.

Pitres (4) hat experimentell durch Abtragung der motorischen Gehirncentren absteigende Degeneration hervorgerufen und folgende Resultate erhalten. 1) Bei Katzen und Hunden sind von der Gehirnrinde bis zu den vorderen Pyramidensträngen des Bulbus die Veränderungen den beim Menschen beobachteten analog. Im Rückenmark sind die degenerirten Stränge sehr viel dünner als beim Menschen. Also sind relativ wenige directe cortico-medulläre Fasern vorhanden. 2) Bei Kaninchen und Meerschweinchen lässt sich eine Degeneration nur bis zum verlängerten Marke nachweisen. Also endigen alle von der Gehirnrinde kommenden motorischen Fasern in den grauen Kernen der Medulla oblongata. 3) Bei Tauben und Hühnern ist nach Abtragung einer Hirnhemisphäre gar keine absteigende Degeneration zu finden. Also sind die Gehirnlappen nicht durch distincte Bahnen mit den tiefer liegenden Theilen verbunden.

[Homén, E. A., Den sekundära degenerationen i förlängde. Märgen och i ryggmärgen. Finska läkaresellsk. forhandl. Bd. 24. p. 110. Med 1 tafla.

Verf. liefert eine histologische Untersuchung von 8 Fällen von secundärer Degeneration. In einem Falle, wo ein drei Jahre alter Erweichungsherd in der Varolsbrücke lag, fand H. absteigende Degeneration der Schleifenschicht bis zum untersten Theil der Medulla oblongata. Zugleich wurde eine Verschmälerung des Vorderhornes und eine Degeneration der motorischen Wurzeln der kranken Seite aufgefunden, ohne merkbare Veränderung der Ganglienzellen im Vorderhorne. Verf. hebt ausserdem hervor, dass die Axencylinder zuerst ergriffen werden, später die Markscheiden und dass schon drei Wochen nach einer Verletzung des Gehirns eine Degeneration der Medulla mit Vermehrung der Kerne sich nachweisen lässt. Berch.]

k. Haut.

1) Balzer, F., Recherches sur les caractères anatomiques du Xanthélasma Arch. de physiol. norm. et path. No. 5. — 2) Hoggan, George, On multiple lymphatic naevi of the skin and their relation to some kindred diseases of the lymphatics. Journ. of anatom. and physiol. April. p. 304.

Hoggan (2) beschreibt einen Fall von Naevus lymphaticus bei dem sich eine enorme Vermehrung der Lymphgefässe ohne Veränderung der Gefässwände und des umgebenden Gewebes vorfand. Hoggan glaubt, dass Elephantiasis Arabum und vielleicht auch Macroglossia in gleicher Weise beginnen und erst später dabei varicöse Erweiterung der Lymphgefässe eintrete.

Indem Balzer (1) seine früher ausgesprochene Ansicht, dass sich bei Xanthelasma von Micrococcen angefüllte Zellen in der Haut finden, zurücknimmt, beschreibt er den Befund bei einem neuen von ihm untersuchten Fall von Xanthom. Er kommt auf Grund verschiedener microchemischer Reactionen zu dem Resultate, dass die vermeintlichen Micrococcen Zerfallsproducte elastischer Fasern seien, die wie andere moleculäre Körper von Zellen aufgenommen werden. In den Veränderungen des elastischen Gewebes, dessen Fasern zunächst hypertrophiren, dann Querrisse bekommen und endlich in grössere und kleinere körnige Fragmente zerfallen, sieht B. einen Vorgang, der dem Xanthelasma als wesentlich zukommt, während das Auftreten der „Xanthelasmazellen" variabel ist und selbst ganz fehlen kann. Ausser in der Haut wurden in dem untersuchten Falle auch am Endocard verschiedene Xanthelasmaflecken constatirt.

l. Schilddrüse.

1) Mackenzie, St., On the weight of the thyroid body in persons dying from various causes. Med. chir. transact. No. 67. (Gewichtstabelle ohne Schlussfolgerungen.) — 2) Wölfler, Ant., Ueber die Entwickelung und den Bau des Kropfes. Mit 19 lith. Taf. 8. Berlin 1883. (Separatabdruck aus dem Archiv f. klin. Chir., wurde schon im vorigen Bericht berücksichtigt.)

Teratologie und Foetalkrankheiten.

I. Allgemeines. Doppelbildungen.

1) Albrecht, P., Un cas intéressant de tératologie (Célosomien pleurosome). La Presse méd. Belge. No. 49. — 2) Krauss, F., Ein Fall von Sternothoracopagus tetrabrachius. Breslauer ärztliche Zeitschrift. No. 7 — 3) Luther, O., Ursache der Entstehung der Missbildungen. Dissert. Halle. (Uebersicht über die geschichtliche Entwickelung der Teratologie und Besprechung der experimentellen Untersuchungsmethoden.) — 4) Schuchardt, K., Ein behaarter Rachenpolyp (parasitäre Doppelmissbildung). Centralbl. f. Chirurgie. No. 41. — 5) Withers, O., Case of abnormal development of a foetus. British medic. journal. Oktober.

Schuchardt (4) beschreibt bei einem 5 monatlichen Kind einen von der Schleimhaut der hinteren Rachenwand ausgehenden polypösen Tumor.

An der Oberfläche von Epidermis mit Drüsen und Wollhaaren überzogen, besteht derselbe im Inneren der Hauptmasse nach aus Fettgewebe, welches nur durch einen dünnen längsverlaufenden Zug glatter Musculatur unterbrochen wird. Sch. fasst diesen Polypen nicht als ein Neoplasma auf, sondern sieht in ihm eine auf niedriger Stufe stehen gebliebene Doppelmissbildung, einen sehr verkümmerten Epignathus.

II. Kopf und Hals.

1) Albrecht, P., Ueber die morphologische Bedeutung der Kiefer-, Lippen- und Gesichtsspalten. Arch. f. klin. Chirurgie. Bd. 31. (Verf. nimmt auf Grund bes vergleichend anatomischer Untersuchungen an, dass der Zwischenkiefer jederseits aus 2 Stücken besteht, und erklärt die Hasenscharte für einen Spalt zwischen diesen als Endognathion und Exognathion bezeichneten Theilen.) — 2) De la Croix, Ein Fall von ausgebreiteter Porencephalie an der medialen Fläche der rechten Grosshirnhemisphäre. Virch. Arch. Bd. 97. S. 307. — 3) Dittrich, P., Ueber eine seltene Form von Entwickelungsanomalie im Bereiche des Zungenbeins. Prager Zeitschrift f. Heilk. V. — 4) Döderlein, A., Ein Fall von Cranioarachischisis. Dissert. München. (Gablige Spaltung des Rückenmarks.) — 5) Jacobs, W., Ein Fall von Nabelschnurbruch und Spaltbildung des Gesichts. Dissert. Marburg. — 6) Lachi, P., Un caso di mancanza del setto lucido consociato a porencefalia. Riv. clin. di Bologna. Febr. p. 152. (Mangel des Septum pellucidum und Porencephalie der linken Seite werden auf eine Entwickelungshemmung im Gewölbe und in der linken Hemisphärenblase zurückgeführt.) — 7) Lomer, R., Ueber ein eigenthümliches Verhalten der Nebennieren bei Hemicephalen. Virchow's Arch. Bd 98. S. 366. (Unter 17 Fällen von Hemicephalie fehlten 7 mal die Nebennieren vollkommen, 5 mal waren sie „ganz atrophisch, absolut rudimentär", 5 mal wogen sie zusammen nicht mehr wie 1/2 g. Gewicht der Kinder: 660—2574 g.) — 8) Plath, Hyperplasie der Plexus choroidei laterales bei Hydrocephalus internus congenitus. Jahrbuch f. Kinderheilkunde. XXI. S. 419. (Der Plexus verdickt sich beiderseits am Anfange des Hinterhorns zu einer wallnussgrossen Geschwulst, die eine reine Hyperplasie darstellt. P. ist geneigt, die Hyperplasie für die Entstehungsursache des Hydrocephalus zu halten.) — 9) Rex, H., Ein Beitrag zur Kenntniss der congenitalen Form des ossären Caput obstipum. Prager Zeitschrift f. Heilk. V. — 10) Virchow, Vorstellung der microcephalen Becker aus Offenbach. Berl. klin. Wochenschr. No 43. S. 691. (Proportionales Wachsthum des Körpers, nur minimales, aber doch nachweisbares des Schädels, kleiner Fortschritt in der geistigen Entwickelung. V. betont bei dieser Gelegenheit, dass nicht jeder zu kleine Kopf als ein microcephaler bezeichnet werden dürfe, sondern dass solche, welche im Uebrigen keinen von dem ihrer Mitbürger

abweichenden Typus bieten, unzweifelhaft mit der Microcephalie nichts zu thun haben und deshalb besser als Nanocephali bezeichnet werden.)

De la Croix (2) beschreibt als zufälligen Befund bei einem an Basilarmeningitis verstorbenen 17 jährigen Mädchen einen Defect des rechten Gehirns, der den grössten Theil des Bogenwulstes, den gesammten Vorzwickel und einen grossen Theil der medialen Fläche der ersten Stirnwindung und an der Convexität einen Theil des oberen rechten Scheitelläppchens betraf. Nach unten wurde der Defect in den beiden hinteren Dritttheilen von dem stark verdünnten Balken begrenzt, während er sich vorn direct in den Seitenventrikel senkte. De la Cr. nimmt an, dass der Defect in der letzten Zeit des Fötallebens oder im Beginn des Extrauterinlebens entstanden sei und sich allmälig vergrössert habe. Vielleicht sei er durch Anämie bedingt (im Verlaufe des Endastes der Art. corpor. callosi). Als Folgezustände des Defectes waren vorhanden: Erweiterung der Seitenventrikel, auffällige Erweiterung der Schädelhöhle und Verdünnung des Schädeldaches an der Stelle, wo die porencephalische Lücke an die Oberfläche des Gehirns trat, geringe Verkürzung der beiden linken Extremitäten, weder motorische noch intellectuelle Störungen bei Lebzeiten der Patientin (ausser einer geringen Vergesslichkeit). In Betreff der Localisation der Gehirnfunctionen schliesst de la Croix aus dem Falle, dass an dem motorischen Rindengebiet an der medialen Fläche der Hemisphären und speciell dem Lobulus paracentralis nur die Uebergangswindung der beiden Centralwindungen mitbetheiligt ist.

Rex (9) fand bei einem mit nach rechts geneigtem Schiefhals geborenen Kinde eine Verwachsung der unteren Halswirbel zu einem knorpligen Gerüst, in welchem die einzelnen Wirbelkörper durch 8 verschieden grosse und unregelmässig gestaltete Knochenkerne angedeutet waren, denen 4 unförmliche und mehrfach mit einander verschmolzene Bogen entsprachen. Der Atlas allein war als ausgebildeter Wirbel noch zu erkennen, jedoch fehlte ihm die rechte Bogenhälfte, so dass der Rand des For. occip. magn. rechterseits auf das Knorpelgerüst aufstiess und mit diesem membranös verbunden war. Der Brustwirbel waren 9 an der Zahl, von denen der letzte dadurch, dass er sich keilförmig zwischen seine Nachbaren einschob, eine linksconvexe Krümmung der ganzen Rückenwirbelsäule bedingte. Auch die Rippen zeigten sowohl in ihrer Zahl, als auch in Bezug auf ihre Verbindung mit Brustbein und Wirbelsäule mannigfache Abnormitäten.

Einer Zusammenstellung der bisher beobachteten angeborenen und erworbenen Veränderungen des Zungenbeins fügt Dittrich (3) zwei Fälle eigener Beobachtung hinzu, in denen einerseits die Grösse des Knochens eine übermässige, andererseits seine Lage in sofern eine abnorme war, als er mit seinem Körper den Schildknorpel grösstentheils überdeckte. Die Verbindung mit diesem geschah in dem einen Falle durch eine kleine Gelenkfläche, in dem zweiten fand sich zwischen Os hyoideum und Schildknorpel nur lockeres Bindegewebe. D. ist geneigt, als Ursache der ungewöhnlichen Lagerung des Zungenbeins eine zu starke Beugung des Kopfes während einer frühen Fötalperiode anzunehmen.

III Rumpf und Extremitäten.

1) Bergmann, E. v., Zur Diagnose der angeborenen Sacralgeschwülste. Berliner klin. Wochenschrift. No. 48. — 2) Cappi, E, Caso di perobrachia e microdactilia. Annali univ. di med. p. 49. (Defect des linken Vorderarmes, von welchem nur ein 9 cm langes, conisches, die Stümpfe der Ulna und des 1 cm längeren Radius enthaltendes Stück vorhanden ist, welches in eine knorpelige Masse endet, an welcher fünf ungleichmässig entwickelte, den Fingern entsprechende Höckerchen sitzen.) — 3) Demme, Ueber Spina bifida. Wiener medic Blätter. No. 26 und 27. (Statistische Arbeit mit besonderer Berücksichtigung der klinischdiagnostischen und therapeutischen Verhältnisse.) — 4) Hoeven, L. van der, Over phocomele. Weekblad van het Nederlandsk Tijdschrift voor Geneeskunde. No. 2. — 5) Lachaud, E., Recherches sur les tumeurs congénitales de la region sacro-coccygienne. Thèse de Paris. 1883. — 6) Muir, J, Note of a curious instance of abnormal development of adventitious fingers and toes, as illustrating the influence of heredity in five consecutive generations. Glasgow medic. Journal. Juny. — 7) Percival, Caso die torace imbutiforme; Trichterbrust (Ebstein). Riv. clin. di Bologna Maggio. p. 401. — 8) Pott, R., Ein Beitrag zu den symmetrischen Missbildungen der Finger und Zehen. Jahrbuch f. Kinderheilk. XXI. S. 392. — 9) Ribbert, Aetiologie der Trichterbrust. Berliner klin. Wochenschr. No. 42. S. 677. — 10) Seitz, C., Eine seltene Missbildung des Thorax. Virch. Arch. Bd. 98. S. 335. (Angeborener Defect von Knochen und Muskelpartien der linken Thoraxhälfte mit Lungenhernie.) — 11) Virchow, R., Schwanzbildung beim Menschen. Berl. klin. Wochenschr. No. 47.

Lachaud (5) hat eine grosse Zahl von Fällen von Geschwülsten der Steissbein-Kreuzbeingegend zusammengestellt, von denen er zwei selbst beobachtet hat. Beide wurden operirt. Bei dem ersten. anscheinend einem Falle von Sarcom mit Cystenbildung, blieb der Ausgang zweifelhaft, bei dem zweiten, einem multiloculären Cystom trat Heilung ein. Auf Grund dieser Tabelle und einer Besprechung der bis jetzt aufgestellten Theorien und der anatomischen Verhältnisse gelangt L. zu folgenden Schlüssen: 1) Dass die congenitalen Tumoren der Sacrococcygealgegend einzutheilen sind in 4 Classen: a) Foetale Einschliessungen. b) Spina bifida sacralis. c) Schwanzbildungen. d) Neoplasmen; 2) dass die fötale Einschliessung nicht das Resultat der Einschliessung eines Fötus in einen anderen ist. sondern durch die abnorme Entwickelung eines Keimblattes oder eines Theiles eines Keimblattes hervorgerufen sein muss; 3) dass es eine Spina bifida sacralis giebt. dass dagegen die Existenz einer Spina bifida des Steissbeins bis jetzt nicht bewiesen ist; 4) dass die Luschka'sche Steissdrüse nicht allein der Ausgangspunkt der Neoplasmen sein kann, und dass man, da in Folge der Schwierigkeit diese Drüse zu finden. verschiedene Autoren die Existenz derselben geleugnet haben, nicht behaupten kann, dass die Hypertrophie dieses Organes der Ursprung dieser Tumoren sein könne; 5) dass man keine Entstehungsursache weder ausserhalb des Fötus noch bei demselben findet.

Die im Gebiet des Kreuz- und Steissbeins vorkommenden Geschwülste theilt Bergmann (1) in zwei Gruppen, je nachdem sie mit dem Rückenmarkscanal in näherer Beziehung stehen oder nicht. In die erste Gruppe fallen die Vorstülpungen der Dura mater aus dem Hiatus sacralis, die theils als einfache Meningocelen sich darbieten, theils von Neubildungen umgeben werden, unter welchen cavernöse Lymphangiome und Teratome in erster Linie zu nennen sind. In diesen Fällen sitzen die Geschwülste, was für die Diagnose am Lebenden von Wichtigkeit ist, stets an der hinteren Fläche des Kreuz-Steissbeines in der Medianlinie auf, während die vom Rückgratscanal unabhängigen Tumoren in ihrem Sitz wechseln und besonders auch vor dem Kreuzbein zwischen ihm und dem Mastdarm sich einschieben können. Es kommen unter diesen wieder Lymphangiome vor, des Weiteren Lipome, einfache und zusammengesetzte Dermoide, Cystosarcome und unzweifelhafte subcutane Parasitenbildungen.

Die hin und wieder beim Menschen zur Beobachtung kommenden Schwanzbildungen theilt Virchow (11) nach ihrer inneren Structur in verschiedene Categorien. Als completen Schwanz bezeichnet er einen Körperanhang, welcher eine wirkliche Verlängerung der Wirbelsäule darstellt, so wie sie bei Thieren und auch beim Menschen in früher Embryonalzeit existirt; enthält der Schwanz zwar keine knöcherne Axe, jedoch einen fibrösen Strang, welcher aus einer ursprünglich vertebralen Anlage hervorgegangen ist, so wird das Gebilde als unvollkommener Schwanz, Cauda imperfecta, benannt. Diesen beiden Arten der wahren Schwänze stehen gegenüber die nur schwanzähnlichen Hautanfänge, welche mit der Wirbelsäule gar keinen Zusammenhang haben. Sie können ebenso wie in der Steissgegend auch an beliebigen anderen Körperstellen auftreten; ihre Entstehung ist auf Amnionanheftungen zurückzuführen. — Als an Schwanzbildung erinnernd erwähnt V. ausserdem umschriebene stark behaarte Hautstellen in der Steissgegend, unter denen in zwei Fällen eine verborgene Spina bifida gefunden wurde.

Ribbert (9) fand bei einem nur wenige Tage nach der Geburt verstorbenen männlichen Kind eine ausgeprägte Trichterbrust, für welche weder Rachitis, noch Mediastinitis noch ein Trauma verantwortlich zu machen war. Dagegen passte das Kinn ganz genau in die dem unteren Ende des Sternum entsprechende Grube des Trichters hinein, so dass Raumbeengung im Uterus (Zuckerkandl) als die Ursache anzusehen ist, wofür auch spricht je eine Längsrinne an den Thoraxseiten, in welche die Oberarme hineingepresst waren und eine beträchtliche Uebereinanderschiebung der platten Schädelknochen mit fester Anlöthung der übereinandergeschobenen Abschnitte. Ueber die Menge des Fruchtwassers war nichts bekannt.

Dagegen kommt Percival (7) zu dem Resultat, dass die Trichterbrust bei dem von ihm untersuchten 40jährigen, etwas scoliotischen Manne nur nach dem Vorgange Ebstein's durch ein ungenügendes Wachsthum des Sternums (Länge 15 cm) erklärt werden könne.

Van der Hoeven (4) beschreibt einen Fall von rechtsseitiger Phocomele.

Ausser dem Humerus fehlte der Nervus radialis. Der Radius war mit dem Processus coracoides durch feste Bänder verbunden, ohne dass eine Gelenkverbindung bestand. Die graue Substanz der Theile des Halsmarkes, von welchem der Plexus brachialis abgeht, war rechts atrophisch, während die weisse Substanz unverändert war.

Pott (8) theilt 2 Beobachtungen von symmetrischen Missbildungen der Finger und Zehen mit.

Die eine betrifft eine Familie, in der sich durch 3 Generationen eine symmetrische Missbildung oder Doppelbildung der Daumen vererbt hat, die andere eine Familie, in der von gesunden Eltern 2 wohlgebildete und 2 mit hochgradiger, fast völlig symmetrischer Defectbildung der Hände und Füsse behaftete Kinder abstammen. In Betreff der Entstehungsweise der Missbildungen ist P. der Ansicht, dass bei symmetrischen Missbildungen der Extremitäten, besonders bei vererbten, die Ursache derselben nicht in äusseren Veranlassungen, wie amniotischen Verwachsungen, sondern in einer Vorbildung im Keime zu suchen sei.

IV. Circulationsorgane.

1) Cordell, E., Congenital anomaly of the foetal heart, consisting of the absence of one of the segments of the mitral valve, in which a systolic murmur was heard before birth. Transactions of the med.-chir. Faculty of Maryland. (Es fehlte das hintere Segel der Mitralis; im Uebrigen waren keine Missbildungen vorhanden) — 2) Ferraro, P., Sopra alcune anomalie congenite del cuore. Il Morgagni. p. 49. (1. Defect der äusseren fibrösen Schicht des parietalen Pericardiums. 2 Mehrere cystenartige Bildungen am Epicard, hervorgegangen nach Verf.'s Meinung aus einer durch excessives Wachsthum erzeugten Faltenbildung und nachträglicher ödematöser Schwellung des subserösen Gewebes; eine neben den Cysten vorhandene eine Art Divertikel bildende Falte stellt ein Vorstadium dar. 3. Multiple Fensterung der Aorten- und Pulmonalsegel, wobei einzelne Lücken auch in den centralen Abschnitten der Segel sich befanden; von einem alten Manne. 4. Grosse netzförmig aus fibrösen Fäden bestehende Membran im rechten Vorhof: abnorme Valvula Eustachii; abnormer Sehnenfaden im rechten Vorhof. 5. Grosse Oeffnung im Sept. atriorum; im rechten Vorhof zahlreiche netzförmig verbundene sehnige Fädchen, welche von der hinteren Wand ausgehen. 6. Persistenz des provisorischen Septum atriorum; abnorme Valvula Eustachii.) — 3) Marchand, Anat Beschreibung einiger Missbildungen. Ahlfeld, Berichte und Arbeiten 1881—1882. S. 254. (I. Partieller Situs inversus der Bauchorgane, Defect im hinteren Theil des Sept. ventr., vollständiger Defect des Sept. atr., Isthmus des Arcus aortae, doppelte Vena cava superior, Mangel der Vena cava inf. und Ersatz derselben durch die Vena azygos [weibl. Kind, Magen und Milz liegen rechts unterhalb der Leber, Milz abnorm gelappt, unregelmässiger Verlauf des Dickdarms; die Ursache dieser Störung wird in einer Störung in der Entwicklung der Dottervenen [frühzeitiges Zugrundegehen des Endstückes der rechten] vermuthet] II. Transposition der Aorta und Arteria pulmonalis, ohne Septum-Defect [männl. Kind] III. Verlauf des Arcus aortae über den rechten Bronchus und Vereinigung desselben mit dem Ductus Botalli [5. linken Aortenbogen] hinter dem Oesophagus. Rechtslage der Aorta descendens. Hypertro-

phie und Dilatation des Herzens [männl. Kind. Ursache der Störung: Obliteration des 4. linken Aortenbogens].)

V. Digestionsorgane.

1) Cray, W., Case of malformation in a male child, in wich the rectum ended in the membranous portion of the urethra, and the faeces were passed through the penis. Edinb. med. journ. March. p. 800. (Mit Zeichnung.) — 2) Demme, Ueber congenitale Darmstricturen. Wien. med. Blätt. No. 17. S. 517. (Incomplete Atresie an der Grenze von Duodenum und Jejunum, sowie Jejunum und Ileum, hier eine halbmondförmige Schleimhautklappe, ausserdem an beiden Stellen in der Ausdehnung von 3—5 cm der Darm derber, strangartig, mit bleistiftdickem Lumen. Das Kind hatte beinahe 4 Monate gelebt.) — 3) Fitz, R. H., Persistent omphalo-mesenteric remains; their importance in the causation of intestinal duplication, cyst-formation and obstruction. Amer. Journal of med. sc. July — 4) Lannelongue, Sur une variété rare de mal-formation congénitale de la région ano-rectale. Bulletin de la société de méd.

Lannelongue (4) berichtet über ein neugeborenes Kind, welches trotz normaler Afterbildung die Symptome von Darmverschluss zeigte, sodass ein künstlicher Anus angelegt werden musste. Bei der Section fand sich 3½ cm und 11—12 cm oberhalb des Afters je ein vollständiger Verschluss des Darms durch anscheinend nur aus Schleimhaut bestehende Scheidewände, zwischen denen ein zwar stark collabirtes, aber aus allen erforderlichen Theilen zusammengesetztes Rectum lag. Bei einem anderen Kinde gelang es L. von dem artificiellen Anus aus ein oberes Hinderniss mit der Sonde zu durchstossen, eine untere Klappe von aussen her einzuschneiden und so die natürliche Passage für den Darminhalt wieder herzustellen.

Fitz (3) stellt aus der Literatur eine Reihe von Verdoppelungen eines Darmabschnittes zusammen, deren Entstehung er durch die Annahme, dass das untere Ende eines Meckel'schen Divertikels mit dem Darme verwachse und in denselben perforire, zu erklären sucht. Ferner führt er Beispiele abdominaler Cysten an, welche aus der Erweiterung von Darmdivertikeln entstanden sind und weist schliesslich auf die Bedeutung hin, welche die Meckel'schen Divertikel resp. die persistirenden omphalomesenterischen Gefässe bei dem Zustandekommen von Darmeinklemmung gewinnen können.

[Fürst, Carl M., Fall af hernie retroperinäalis vid embryonalt hänningsläge af Tarnarna. Med et träsnitt. Nord. med. arkiv. Bd. XVI. Nr. 15.

Dieser Fall wurde 1881 auf dem Anatomiesaale beobachtet. Der Leichnam wurde im Wasser angetroffen, Anamnese fehlt deshalb. Bei Oeffnung des Cavum peritonei wurde das ganze Cavum nach links gefunden, das Coecum erschien in der Mittellinie perpendiculär gerichtet. Nur wenige Dünndarmschlingen waren rechts unten sichtbar; etwa ⅘ des Dünndarms lagen in einer Peritonealtasche, welche die Regio lumbalis dextr. und einen Theil der Reg. hypogastr. dextr. und umbilicalis einnahm, und deren Capacität zwei Fäuste betrug. Die Mündung war begrenzt von der hinteren Bauchwand und von dem freien Rande des Sackes. Der Magen hat seine natürliche Form und Lage; das Duodenum hat einen zickzackförmigen Verlauf nach rechts mit drei parallelen Windungen; dann wird es vom freien Rande des Peritonealsackes gekreuzt und bei der Flexura duodeno-jejunalis tritt der Darm in den Sack hinein. Der Dickdarm hat nur bis an die Flexura coli sin. ein Mesenterium; Colon adscendens steigt in der Mittellinie perpendiculär aufwärts, dann ein wenig horizontal, bildet eine grosse Bucht nach unten, geht dann wieder nach oben und bildet die Flexura coli sin. Die übrigen Eingeweide waren normal. Verf. betrachtet nach den Untersuchungen von Treitz die abnorme Lagerung der Eingeweide als das Resultat einer Bildungshemmung, namentlich einer Anomalie des Musc. suspensorius duodeni, welche die Zickzackform des Duodenum bewirkt. Die abnorme Lagerung des Duodenum hat ferner bewirkt, dass der Blinddarm, der im dritten Fötalmonat sehr hoch belegen ist, nicht nach rechts hat passiren können. Das laterale Peritonealblatt des Mesocolon hat durch das Wachsthum der Bauchwände einen starken Zug auf den unteren fixirten Theil des Duodenum ausgeübt. Hierdurch ist eine Peritonealfalte gebildet, die nach der Geburt den Bruch veranlasst hat, wenn die Gedärme mit Gas und Nahrungsmittel gefüllt wurden. Die Wahrscheinlichkeit einer Einklemmung ist aber sehr gering gewesen, weil die Bruchpforte sehr gross war und nur zwei Darmschlingen einschloss.

Berch.]

VI. Urogenitalorgane.

1) Bostroem, Ueber einige practisch-wichtige und seltene Missbildungen der Nieren, Ureteren und Harnblase. Beitr. z. pathol. Anat. der Nieren. I. S. 1. — 2) Chiari, H., Ueber einen seltenen Ovarialbefund (Ovarium bipartitum dextrum, Hernia ovarica sinistra bei einem 18jährigen Mädchen mit Spina bifida lumbosacralis. Prager med. Wochenschrift. No. 50. — 3) Derselbe, Zur Kenntniss der accessorischen Nebennieren beim Menschen. Zeitschrift f. Heilkunde. Bd. V. — 4) Coen, E., Descrizione anatomica di un feto senza reni e senza utero con altre anomalie. Annal. univ. di med. Gennajo. p. 52. (Ovarien und Tuben vorhanden; am rechten Auge Defect des Tarsus mit den Meibom'schen Drüsen, der entsprechenden Conjunctiva, Ectasie der Cornea, rudimentäre Iris, völliger Defect der Linse, geringe Atrophie der Choroidea und Iris, am linken Auge dieselbe Störung an den Lidern, Defect der Cornea, der Iris und Linse, unvollständige Entwickelung der Chorioidea, Retina und des Nervus opticus; Zusammenstellung von 32 Fällen mit Defect der Nieren.) — 5) Dyhrenfurth, Ein Fall von rudimentärer Bildung der weiblichen Genitalien. Centralblatt f. Gynäcologie. No. 25. — 6) Gast, P., Beitrag zur Lehre von der Bauch-Blasen-Genitalspalte und vom Hermaphroditismus verus. Berlin. Dissertation. — 7) Henry, Description d'un foetus monstrueuse, présentant une atrésie des voies urinaires et de l'intestin transformés en cloaques et l'absence d'organes génitaux. Journ. de l'anat. et de la physiol. No. 3. (Ausser den im Titel genannten Veränderungen fehlte die rechte Niere und der rechte Ureter. Der Dünndarm war partiell obliterirt. Fehlen des Anus, Entwicklungshemmung des Beckens.) — 8) v. Kölliker, Ueber Zwitterbildung bei Säugethieren. Sitzungsbericht der Würzb. phys.-med. Gesellschaft. No. 6. (Zwitterbildung bei einem Schwein: Hoden, Prostata, verkümmerte Cowper'sche Drüsen, Uterus, vorwiegend weibliche Formation der äusseren Genitalien) — 9) Lassing, H., A case of hermaphroditism. Philad. med. surg. Reporter. Novemb. (Gut gebildete grosse Labien mit Clitoris, erectiler imperforirter Penis, blindsackförmige Vagina, Uterus durch einen Canal mit der Urethra in Verbindung.) — 10) Roth, M., Der angeborene Defect des Praeputium. Corresp.-Blatt f. schw. Aerzte. No. 18. — 11) Péan, Hermaphroditisme masculin complexe. Arrêt de développement des organes genitaux mâles. Gaz. d. Hôpitaux. No. 14. — 12) Zinsser, H., Zur Casuistik des Hermaphroditismus. Dissert. Giessen. (Zusammenstellung von 22 Fällen aus der Literatur.)

Die von Gast (6) beschriebene Missgeburt hat dadurch ein ganz besonderes Interesse, dass sie einen der nicht eben häufigen Fälle von Bauchblasen-Genitalspalte in Combination mit wahrem Hermaphroditismus darstellt.

Während in der Spaltung und Ectopie der Blase, dem Vorhandensein eines Anus praeternaturalis neben Atresia ani u. A. keine wesentliche Abweichung von den bisher bekannten Fällen vorliegt, ist die Ausbildung der äusseren Genitalien bemerkenswerth, da ein zwar rudimentärer, aber doch deutlich formirter und von einer Harnröhre durchsetzter Penis vorhanden war, der beiderseits von einem länglichen Hautwulst begrenzt wurde. Von inneren Geschlechtstheilen fand sich rechterseits ein solider Uterus mit einem scheidenartigen Fortsatz und einer deutlich erkennbaren Tube, links ein Uterus mit Eileiter und Ovarium, letzteres Follikel und Ovula enthaltend, und ausserdem ein auch microscopisch als Hode agnoscirter rundlicher Körper, mit einem als Gubernaculum Hunteri aufzufassenden Strang, der sich in den linksseitigen Scrotalwulst hinein erstreckte. Von sonstigen Veränderungen des nahezu ausgetragenen Foetus seien noch ein rechtsseitiger Defect im Zwerchfell und eine Spina bifida im Bereich der Lenden- und Kreuzbeinwirbel erwähnt.

Dyhrenfurth (5) untersuchte ein seit seinem 16. Jahre regelmäsig menstruirtes Mädchen mit imperforirtem Hymen. Das Menstrualblut, in welchem sich Plattenepithelien, aber keine Cylinderzellen fanden, ergoss sich aus der Harnröhre. Die Digitaluntersuchung liess keine Verbindung der Blase oder der Urethra mit dem Uterus erkennen, welcher die Grösse einer Kirsche hatte und nach vorn in eine bandartige Verlängerung auslief, während von einer Vagina und von Ovarien Nichts zu constatiren war. D. lässt es unentschieden ob die Menstruation als eine vicariirende Blasenblutung aufzufassen sei, oder das Blut doch aus dem Uterus durch eine nicht aufzufindende Communication mit den Harnwegen abfliesse.

Für die Frage, ob erworbene Defecte und Deformitäten des menschlichen Körpers übertragen werden können, ist das Verhalten des Praeputiums bei Völkern, welche die Beschneidung üben, von grösster Wichtigkeit, da hier ein über Jahrtausende sich erstreckendes Experiment beim Menschen selbst vorliegt. Roth (10) hat nun festzustellen gesucht, wie häufig angeborene Defecte des Praeputiums überhaupt und wie häufig sie bei Völkern, welche die Beschneidung üben, vorkommen, zu welchem Zwecke er ältere wie neuere Mittheilungen über diese Punkte zusammengesucht hat. Er kommt zu folgenden Schlussfolgerungen: Der congenitale Defect des Praeputiums fand sich im Alterthume und findet sich noch heutzutage sowohl bei beschneidenden als nicht beschneidenden Völkern. Die Bedingungen, unter welchen derselbe zu Stande kommt, sind verschieden: er tritt auf als örtliche Entwicklungsstörung eines an sich variablen Theiles (der häufigste Fall); er kommt in Familien vor, in welchen Missbildungen des Praeputiums hereditär sind (nur einmal in einer Christenfamilie beobachtet); es findet sich mangelhafte Entwicklung des Praeputiums neben ausgedehnten Missbildungen des Genitalapparates und des übrigen Körpers. Bis jetzt liegt kein Beweis einer vererbten Wirkung der Circumcision vor.

Bostroem (1) theilt mehrere selbst beobachtete Fälle practisch wichtiger und seltener Missbildungen mit und bespricht dieselben unter Berücksichtigung der Literatur.

1) 23 Wochen altes Mädchen, beiderseitige totale Spaltung der Ureteren, embryonaler Verschluss des einen mit cystenartiger Vorstülpung der Harnblasenschleimhaut an der Verschlussstelle, Verlegung der Urethralmündung durch diese Vorstülpung und Compression der übrigen Ureterenmündungen. Doppelseitige Hydronephrose und starke Dilatation der Harnblase mit Muscularhypertrophie derselben.

2) Beutelförmige Vorstülpung des blinden Endes des rechten Ureters in die Harnblase.

3) Embryonaler Verschluss des linken Ureters mit blasenförmiger Vorstülpung des blinden Endes in die Harnblase. Verlegung der Urethralöffnung durch die Vorstülpung. Hochgradige Dilatation und starke Muscularhypertrophie der Harnblase. Starke sackartige Dilatation des linken Ureters. Anomale Lagerung, embryonal kleinere Anlage und totale Verödung der linken Niere. Anomalie der Gefässe dieser Niere. Ausgedehnte Hydronephrose der rechten Niere.

Es geht aus der Erörterung der mitgetheilten Fälle hervor, „dass es, bei blind endigenden Ureteren, wenn ihr Endpunkt oder eine längere Strecke ihres Harnblasenendes bis unmittelbar unter die Harnblasenschleimhaut reicht, zu Vorstülpungen der letzteren in die Harnblase kommt und zwar selbstverständlich als Folge des gesteigerten Secretions- und Binnendruckes in dem betreffenden Ureter; dass diese Vorstülpungen eine sehr bedeutende Canalisationsstörung veranlassen müssen, wenn die ursprünglich projectirte Mündung des blind endigenden Ureters bis an die Harnblasenmündung herunterrückt, wodurch eine Verlegung der letzteren eintreten muss, dass aber ferner solche Einstülpungen an der normalen Ureterenmündung zwar bedeutendere Grössen erreichen, aber im besten Falle nur raumbeengend, nicht aber die Urinentleerung beeinflussend wirken können, daher eine geringere pathologische Bedeutung haben. Ferner ergiebt sich aus diesen Beobachtungen, dass solche Anomalien einer Operationsmöglichkeit, besonders bei weiblichen Individuen, sehr wohl unterliegen."

4) Defect der linken Niere. Vorstülpung einer Blase in die Harnblase, die mit dem Ureter der linken Seite und der linksseitigen dilatirten Samenblase communicirt. Starke Hypertrophie der rechten Niere ohne Hydronephrose.

Einige andere Fälle werden noch in kürzerer Weise und als Einschaltungen angeführt: 1) Totale Spaltung der Ureteren der rechten Seite, Hydronephrose des oberen Nierentheiles und Ausmündung des oberen Ureters am Colliculus seminalis. 2) Hufeisenniere mit 3 Ureteren; Mündung zweier Ureteren auf der linken Seite der Harnblase. Dilatation des Ureters und des Nierenbeckens des Zwischenstückes. 3) Verdoppelte, übereinander gelagerte Harnblasen. Mündung der Ureteren in die obere Abtheilung. Sackartige Dilatation der Ureteren. Doppelseitige Cystennieren. Verschluss der Urethra. Ein anderer Fall war diesem sehr ähnlich.

Anschliessend an die Beobachtungen Marchand's über accessorische Nebennieren erwähnt Chiari (3), auch bei Erwachsenen, und zwar beiderlei Geschlechts, abgesprengte Nebennierenstücke zwischen

Nieren und Geschlechtsdrüsen resp. in der Nähe der letzteren gefunden zu haben und fügt die Beschreibung eines carcinomatösen Tumors hinzu, dessen Entstehung, schon wegen seines Sitzes im Bindegewebe unterhalb der Niere, mit Wahrscheinlichkeit von einer verirrten Nebenniere abzuleiten ist, für welche Annahme übrigens auch die microscopische Untersuchung gewisse Anhaltspunkte bot.

VII. Situs viscerum inversus.

1) Guttmann, P, Ein Fall von totalem Situs viscerum inversus. Deutsche medicin. Wochenschrift. S. 229. — 2) Stefanini, Due casi di totale inversione dei visceri. Annal. univ. di med. p. 479. (Ein Mann und eine Frau; der erstere Fall ist dadurch interessant, dass gleichzeitig eine angeborene Pulmonalstenose und eine mangelhafte Entwicklung des Körpers vorhanden war)

ORTH.

C. Onkologie.

I. Allgemeine Werke und Abhandlungen.

1) Vindevogel, Etudes et observations sur les tumeurs. 8. Bruxelles Av photogr. — 2) Grawitz, P., Ueber die Entstehung krankhafter Geschwülste. Deutsche med. Wochenschr. No. 13 u. 14 — 3) Kaufmann, E., Ueber Encatarrhaphie von Epithel. Experimenteller Beitrag zur Lehre von der Entstehung der Geschwülste. Virchow's Arch. 97. S. 236 und Inaug.-Diss. Bonn. — 4) Schuchardt, B., Zur Casuistik und Statistik der Neubildungen in der männlichen Brust. Langenbeck's Arch. XXXI. S. 1—84. (Eine überaus fleissige und anscheinend vollständige Statistik dieses Capitels von den ältesten Autoren bis zur Gegenwart)

Eine experimentelle Untersuchung über das Verhalten transplantirter Epithelien, welche Kaufmann (3) im pathologischen Institut zu Bonn angestellt hat, geht von dem Gedanken aus, die transplantirten häutigen Gewebsstücke im Zusammenhange mit ihrer bindegewebigen und Gefässe tragenden Unterlage zu belassen. K. operirte deshalb an cutanen Theilen, welche weder Haare noch Drüsen enthalten, nämlich an Hahnenkämmen und rothen Hautlappen von Hühnern, derart, dass ein schmales Stück Haut durch einen ovalen Schnitt von seiner Nachbarschaft losgetrennt wurde, worauf die Umgebung etwas frei präparirt, über dem ovalen Stückchen zusammengezogen und durch Nähte vereinigt ward, so dass das ruhig auf seinem Mutterboden sitzende Stückchen versenkt wurde. Der Erfolg wurde bis zum 210. Tage verfolgt; es bildeten sich in den geglückten Fällen aus dem Hautstückchen kleine, sehr langsam wachsende und später stationär werdende Balggeschwülste. Viel mehr Gewicht als auf diesen Erfolg legt K. auf einen unerwarteten Nebenbefund, darin bestehend, dass in dem narbigen Gewebe um den versenkten Hautlappen kleine progressiv wachsende Knötchen sich entwickelten, welche wesentlich aus Riesenzellen bestanden und anscheinend aus Gefässendothelien hervorgingen.

Grawitz (2) hat sich bemüht, in gedrängter Kürze die verschiedenen Theorien über die Entstehung der Geschwülste zusammenzustellen und namentlich durch Auszüge aus der Literatur und eigene Beobachtungen hervorzuheben, was bisher an Thatsachen bekannt ist, die Cohnheim'sche Theorie zu begründen. Er kommt bei Erörterung der „natürlichen Gewebstransplantation", wie sie bei Versprengung fötaler Keime vorliegen, zu dem Resultat, dass Gewebe, welches im Wachsthum begriffen ist, gleichviel ob intra- oder extrauterin, sobald es auf einen fremden Mutterboden abgesprengt wird, dort 1) entweder seine Entwicklung durchmacht, als wenn es an normaler Stelle läge (Nebenmilzen, Nebenleber, accessorische Nebennieren etc.), oder 2) sofort weiterwuchert und eine congenitale Geschwulst bildet (Sacraltumoren, Hoden-, Nieren - Inclusionsgeschwülste), oder 3) sich in seinem Typus entwickelt, dann aber stationär bleibt und erst später auf Grund besonderer Reizungen oder erblicher Disposition zu energischer Wucherung erwacht und eine Geschwulst bildet (Naevi, Tumoren der Kiemenbogen, Dermoide, Nebennierensarcome innerhalb der Nieren etc.). Für gewisse Fälle multipler Tumoren nimmt Ref. das Gesetz der compensatorischen Hyperplasie in Anspruch (Leberadenome, manche multiple Lipome und Knochenmarkgeschwülste).

II. Angeborene Geschwülste, Teratome.

1) Clutton, H., Congenital papilloma in line of branchial fissure. Transact. of the path. soc p. 381. — 2) Colley-Davies, N, Congenital fibro-sarcomatous tumour of back. Ibid. (Naevus der Rückenhaut, den Verf. mit cystischen Mammatumoren vergleicht.) — 3) Lawson, G., Congenital tumour of the orbit, complete exophthalmos in a child two days old. Removal of eye. Ibid. p. 379. — 4) Müller, E., Ein Fall von angeborner Macromelie und Macrochilie (Lymphangioma cystoides). Med. Corresp.-Bl. 64. No. 24. (Ein aus zahlreichen runden Cystchen bestehendes Lymphangiom, welches die ganze Dicke der Wange bei einem zweimonatlichen Mädchen einnahm, wurde exstirpirt, worauf Heilung mit tiefer Narbenbildung folgte; ein ebenfalls diffus sich ausbreitendes Lymphangioma cysticum, dessen Cysten nicht communicirten, wurde mit Cauterisation behandelt) — 5) Pannwitz, Ueber congenitale Sacraltumoren Inaug.-Diss. Berlin. — 6) Pollosson, M, Anomalies de développement et tumeurs. Lyon médical No. 35 und 36.

Pollosson (6) liefert Beiträge für den Nachweis der Geschwulstentwicklung aus fötalen Anomalien. Der erste Fall, welchen er beschreibt, ist ein sog. tiefes Atherom des Halses, welches mit dem Zungenbein verwachsen war und exstirpirt wurde. Man hat diese Dermoide bekanntlich schon lange für Reste der Kiemenbogen angesehen, P. macht diesen

Ursprung in seinem Falle dadurch noch besonders wahrscheinlich, dass die 33j. Patientin, bei welcher sich das Dermoid in ca. 18 Monaten entwickelt hatte, schon seit ihrer Geburt eine Anomalie des Kieferastes derselben Seite darbot, derart, dass der Alveolarfortsatz des Unterkiefers eine weitere Krümmung hatte, als derjenige des Oberkiefers, so dass die Zähne über die des letzteren hinausgriffen. Von einer Atrophie der Zunge, welche ebenfalls an der Seite vorlag, an welcher sich das Atherom entwickelt hatte, ist es zweifelhaft, ob sie nicht mit der Operation zusammenhängt.

Der zweite Abschnitt führt 2 Fälle an, in welchen bei Personen mit angeborenen Störungen des Knochenwachsthums Enchondrome beobachtet wurden. Mit der Angabe, dass Virchow die Entstehung von Enchondromen aus anomalen Knorpelinseln niemals gesehen, sondern nur vermuthet habe, ist P. im Irrthum, man sieht dergleichen centrale Enchondrome nicht selten, und Virchow hat grössere cystische Chondrome mehrfach beschrieben.

Im 3. Falle handelt es sich um die Coincidenz einer angeborenen halbseitigen Elephantiasis und Hydrocele mit einer später sich entwickelnden allgemeinen Lymphosarcomatose, welcher der ca. 20jährige Patient erlag. Ein Zusammenhang beider Leiden, welcher für die Theorie beweiskräftig wäre, lässt sich nicht nachweisen.

Bei einem neugeborenen Knaben fand Lawson (3) das rechte Auge stark vorgetrieben durch einen Tumor, welcher seinen Sitz in dem Fettgewebe der Orbita hatte. Das Auge wurde herausgenommen, ohne dass ein Zwischenfall eintrat. 3 Monate später starb das Kind plötzlich unter Krämpfen. Die Section ergab einen Tumor, welcher vom Keilbeinkörper aus sich gegen die Orbita und gegen das Gehirn vorgeschoben hatte; an der Schädelbasis bestand frische Arachnitis.

Die Geschwulst erwies sich beim Durchschnitt aus verschiedenartigen Geweben zusammengesetzt. Sie enthielt zahlreiche Cysten verschiedener Grösse, welche von Plattenepithel ausgekleidet und mit colloidem Inhalt erfüllt waren, mehre Inseln von hyaliner Knorpelsubstanz, mitunter von mehrfacher Lage von Spindelzellen eingeschlossen, die Hauptmasse bildete zellenreiches unreifes Bindegewebe. Den Ausgang der Bildung vermuthet L. in Störungen bei der Entwicklung des Keilbeins und der Hypophysis.

Eine angeborene papilläre Geschwulst, welche Clutton (1) beobachtete, war gleich nach der Geburt nur als unbedeutende warzige Erhabenheit am Halse bemerkt worden; der Träger hatte sich von seinem 20. bis 26. Lebensjahre in Ceylon aufgehalten, wo sich in langsamem Wachsthum eine umfängliche Neubildung entwickelt hatte, welche vom rechten Gehörgang schräg ab- und niederwärts zur Mitte des Halses reichte. Die Oberfläche ist papillär, es scheint unzweifelhaft, dass dem Gewächs eine Bildungsstörung im Bereiche des 3. Kiemenbogens zu Grunde liegt.

Pannwitz (5) giebt im Anschluss an 4 Fälle von congenitalen Sacralgeschwülsten, welche in letzter Zeit auf der v. Bergmann'schen Klinik operirt waren, eine Uebersicht über das Eintheilungsprincip der specifischen Sacraltumoren, von welchen Sarcome und sonstige accidentelle Geschwülste dieser Gegend auszuschliessen sind. Die eigentlichen congenitalen Sacralgeschwülste sind entweder: subcutane Parasiten, Hydrorhachissäcke oder Dermoide. Verf. bespricht sodann eingehend die Aetiologie, Symptomatologie und Therapie dieser Geschwülste, welch' letztere häufig schon während der Geburt durch das Hinderniss, welches die Geschwulst beim Durchtritt durch das Becken bildet, erforderlich ist.

III. Fibrome, Myxome, Lipome, Gliome.

1) Braubach, M., Ein Fall von Lipombildung der Rückenmarkshäute. Aus der medicinischen Abtheilung des Cölner Bürgerhospitals. Arch. f. Psychiatrie. XV. S. 489. (Grosses Lipom, welches Paraplegie der Unterextremität verursacht hatte. Es reichte vom oberen Halstheil, 3 cm unterhalb des Calamus scriptorius bis zum Austritt des 5. Brustnervenpaares, die Medulla wurde stark comprimirt.) — 2) Freemann, H., On recurrent fibromata of the neck, and their relation to the branchial arches. British med. J. June. (Recidivirendes Sarcom vom Halse, dessen Ursprung F. in Resten der Kiemenbögen vermuthet.) — 3) Jüngst, C., Ein intracanaliculäres Myxom der Mamma mit hyaliner Degeneration. Virchow's Arch. Bd. 95. S. 195. (Eine sehr eingehende Beschreibung eines intracanaliculären Myxoms der Mamma, welches sich von den gewöhnlichen Tumoren dieser Art durch eine hyaline, oder der hyalinen wenigstens sehr nahestehende Degeneration der Gefässwände auszeichnet) — 4) Küster, E., Demonstration zweier Fälle von multiplen Geschwülsten. Berl. klin. Wochenschr. No. 16. — 5) Lemcke, R., Ueber Fibrome des präperitonealen Bindegewebes. Inaug. Diss. Berlin. — 6) Lockwood, C. B., A connective-tissue tumour of the scalp. containing cartilagelike bodies. Transact. of the path. Soc. Lond. p. 340 (Hinter dem rechten Ohr eines 11jähr. Mädchen fand sich ein knorpelharter Tumor, der für einen Nävus gehalten wurde; er bestand aus Gewebe, welches in Lamellen angeordnet war und Zellen und verdickte Gefässwände enthielt.) — 7) Rénaut, J., Note sur le gliome neuroformatif et l'équivalence nerveuse de la névroglie. Gaz. méd. No. 52

In einem Vortrage in der Berl. med. Gesellschaft stellte Küster (4) mehrere Fälle von multiplen Fibromen vor, welche in der Abbildung durch anschauliche Holzschnitte dargestellt sind.

Der erste liess eine Abhängigkeit der nach einander am Arm aufschiessenden kleinen Tumoren von dem Nervenverlauf erkennen. Der zweite erscheint als grössere weiche Sacralgeschwulst bei gleichzeitiger Eruption zahlreicher kleinerer Fibromknoten am Oberschenkel. Im dritten Fall beobachtete K. bei einem 31jährigen Mann sehr zahlreiche Lipome im Unterhautfettgewebe verschiedener Körpergegenden. Ein vierter Fall ist ausgezeichnet durch eine mehr diffuse monströse Fettbildung am Kinn und Nacken, welche durch eine — nicht bekannt gewordene — Cur geheilt worden ist. Der fünfte Fall war durch Elephantiasis complicirt.

Lemcke (5) beschreibt genauer 5 Fälle von Fibrom-Bildungen im präperitonealen Bindegewebe, also in den Bauchdecken, welche theilweise von der Facia transversalis ausgehend, besonders in einem Falle ausgedehnte Verwachsungen mit dem Peritoneum aufwiesen. Vier Fälle verliefen nach Exstirpation des Tumors rasch und glücklich. Sodann giebt Verf. eine Uebersicht über die bisherigen Veröffentlichungen betreffs derartiger Tumoren, welche nicht sehr häufig sind. Die Exstirpation ist für gewöhnlich nicht erheblich schwierig, die Prognose günstig.

IV. Sarcome.

1) Beck, H., Beiträge zur Geschwulstlehre. Prager Zeitschrift für Heilkunde. Heft 6. — 2) Durham, A. E., Two cases of ossification in tumours not connected with bone. Transact. of the path. soc. London. p. 378. — 3) Eve, F. S., Pedunculated adeno-fibro-sarcoma of groin. Ibidem. p. 338. (Bei einer 46jährigen Köchin hatte sich nach einem Stoss in die Hüftbeuge ein Abscess gebildet, 8 Jahre später entstand an derselben Stelle ein 5 Zoll langer, 3½ Zoll dicker Polyp, mit langen drüsigen Zapfen. E. hält dieselben für hypertrophische Drüsen der Haut) — 4) Fasce, L., Melanotisches papilläres Endotheliom der Arachnoides. Virchow's Archiv. Bd. 97. S. 172. — 5) Jessett, Fr. B., Case of medullary sarcoma of the skull in a child. Transact. of the pathol. soc. London. p. 363. — 6) Kawka, Ueber Melanosarcom. Dissertation. Berlin. — 7) Kesteven, H, A case of multiple cerebral tumour. Transaction etc. (Melanotische Sarcome nach Exstirpation eines schwarzen Tumors von der Zehe.) — 8) Legg, J. Wickham, Multiple melanotic sarcomata beginning in the choroid, followed by pigmentation of the skin of the face and hands. Ibidem. p. 367. — 9) Pick, E., Primäres Sarcom des Dünndarms. Prager med. Wochenschrift. No. 10. — 10) Sainsburg, H., Primary spindle-celled sarcoma of the mesentery. Transaction of the pathol. soc. p. 343. (Kindskopfgrosses Spindelzellensarcom, welches im Mesenterium 1½ Fuss oberhalb der Ileo-Coecalklappe bei einem 30jährigen Manne gewachsen war. Im Innern bestand eine Erweichung, welche mit dem Darmlumen im Zusammenhang getreten war und Koth enthielt. Eine Ruptur hatte den Tod durch Peritonitis plötzlich herbeigeführt.) — 11) Sansom, Ch., A case of mixed sarcoma, originating in the periosteum of the clavicle. Lancet. p. 563. (Rundzellensarcom mit Metastasen in der Niere.) — 12) Silcock, A. Quarry, Malignant lymphoma of mesentery. Transact. of the pathol. soc London. 348. (Grosses Lymphosarcom im Mesenterium eines 2jährigen Kindes.) — 13) Treves, Fr., A case of supposed actinomycosis Ibidem. p. 356. — 14) Trost, Ein Fall von Endothelioma intravasculare melanoticum. Inaug.-Dissertation. Halle. — 15) Windle, B. C. A., Primary sarcoma of the kidney. Journal of anat. and physiol. XVIII. T. II. (Verf. beschreibt zunächst 3 Fälle von Sarcom der Niere und giebt darauf eine statistische Zusammenstellung von Nierentumoren aus der gesammten Literatur. Er stellt tabellarisch 8 Spindelzellen- und 12 Rundzellensarcome zusammen, ferner 11 Geschwülste mit gestreiften Muskelfasern [Myoma striocellulare], letztere sämmtlich bei Kindern. Ausserdem noch 7 Geschwülste der Niere, bei welchen die Diagnose unsicher geblieben ist.)

In mehr als einer Hinsicht bemerkenswerth sind 2 Fälle von ossificirenden Sarcomen, welche von Durham (2) publicirt sind.

Der erste Fall berichtet von einem 73jährigen Mann, welcher sich als Knabe von 12 Jahren eine umfängliche Verbrennung der Haut in der Regio iliaca bis zur Mittellinie zugezogen hatte; in dieser Narbe war in dem hohen Alter des Mannes ein Sarcom entstanden, welches neben knorpel- und zellenreichen Stellen ausgebildetes Knochengewebe enthielt.

Im zweiten Falle fand D. in einem Mammatumor einer 27jährigen Frau ausser Sarcomgewebe zwischen den Milchgängen verstreute Knorpelinseln und wohl entwickelte Knochenbälkchen.

Der Fall von Sarcom des rechten Scheitelbeins bei einem 1¾ Jahre alten Kinde, über den Jessett (5) berichtet, ist deshalb von besonderem Interesse, weil der Vater des Kindes sowie die Schwester des Vaters sehr zahlreiche Lipomknoten in der Haut des ganzen Körpers trugen, während die Grossmutter väterlicherseits an einem grossen Tumor am Hinterkopf gestorben sein sollte. Der Knoten in dem Schädelknochen des Kindes war ein Sarcom, welches sich zur Hälfte nach innen und zur Hälfte nach aussen vom Knochen entwickelt hatte.

Ein primäres Sarcom des Dünndarmes, welches Pick (9) beschreibt, fand sich bei einem 35j., an alter constitutioneller Syphilis leidenden Manne, welcher im Prager Krankenhause unter den Symptomen einer Darmstrictur zu Grunde gegangen war.

An der Grenze zwischen Jejunum und Ileum war die Darmwand im Bereiche einer 15 cm langen Strecke in ihrer ganzen Circumferenz von einer grauweisslichen, von Hämorrhagien durchsetzten Geschwulstmasse durchwuchert, welche das Darmlumen einengte und besonders in der Schleimhaut fortgeschritten und auch in grösserem Umfange ulcerirt war. Die Mesenterialdrüsen waren ebenfalls sarcomatös entartet, und in Leber und Nieren fanden sich metastatische Knötchen. Der histologische Bau entsprach dem der Lymphosarcome.

Bei der Section einer phthisischen Frau fand Fasce (4) eine sehr merkwürdige melanotische Wucherung der Arachnoides.

An einigen Stellen der Arachnoides löste sich die Endothelschicht mit grösster Leichtigkeit von dem darunter gelegenen Bindegewebe. An der oberen und vorderen Arachnoidealfläche der linken Hemisphäre bedeckte dieser Endothelüberzug die tuberculösen Neubildungen und zeigte an einer Stelle zwei warzenförmige Vorsprünge, so lang und vorspringend, dass sie die Gestalt von Handschuhfingern darbieten, der eine von ihnen hat eine Länge von 5 mm, der andere misst 7 mm. Ihrer Oberfläche entsprossen andere secundäre kegelförmige Wärzchen, welche schwarz pigmentirt und an ihrem feinem Ende leicht umgebogen sind. Die Grundfläche der stärker entwickelten conischen Auswüchse erreicht einen Durchmesser von 0,10 mm, eine Höhe von 0,15 mm; bei den jüngeren misst die Basis der einzelnen Kegel 0,04 mm und ebenso ist die Höhe geringer in demselben Verhältniss wie der basale Durchmesser.

Trost (14) beschreibt eine Geschwulst, welche sich bei einem 5 Monate alten Kinde angeblich durch Fallen auf das Gesicht am linken Oberkiefer gebildet hatte.

Die Geschwulst zeigte nach ihrer Exstirpation microscopisch ein interessantes Verhalten, indem es sich nämlich um ein grosszelliges Rundzellensarcom handelte, von dessen Capillarendothelien aus sich gleichzeitig ein Endotheliom entwickelt hatte, dessen Zellen zum grossen Theil mit Pigment erfüllt waren. Diese pigmentirten Zellen fanden sich ausschliesslich in strangförmiger Anordnung im Lumen der Capillaren, ausserhalb derselben nirgends Verf. hat in der ganzen Literatur der letzten 30 Jahre nur einen analogen Fall beschrieben gefunden, bei welchem es sich um eine ähnliche Geschwulst in der Leber handelte.

Kawka (6) beschreibt einen Fall von Melanosarcom, in welchem dasselbe seinen Ausgang von einem Muttermal genommen hatte und sich metastatisch über alle Theile des Körpers verbreitet hatte.

Die Haut des ganzen Körpers, auch die Conjunctivalschleimhaut, das Peritoneum, Leber, Milz, Nieren, Hirnhäute und Gehirn wiesen bei der Section massenhafte Eruptionen von melanosarcomatösen Knoten resp. Knötchen auf. Verf. giebt im Anschluss hieran eine Zusammenstellung der verschiedenen Theorien über die Bildung des Pigmentes, dessen Bedeutung und über das Auftreten desselben im Urin. Auch die häufige Entstehung derartiger Geschwülste aus vulnerirten Muttermälern wird berücksichtigt.

Der Fall von Legg (8) betrifft einen 59 Jahre alten Schuhmacher, welchem 2 Jahre vorher das linke Auge wegen eines melanotischen Sarcoms der Choroides enucleirt worden war.

Inzwischen hatte sich eine eigenthümliche blauschwarze Pigmentirung im Gesicht, Hals und an den Händen eingestellt, welche durchaus der Färbung nach chronischem Gebrauche von Argentum nitr. glich, aber nicht auf einen solchen zurückgeführt werden konnte Bei der Obduction zeigten sich grosse schwarze Geschwülste in der Leber, ein Knoten in der Niere, die Nebennieren waren intact. Im Hilus der Leber lagen verdickte und zum Theil dunkle, zum Theil käsige Lymphdrüsen. Die Untersuchung der dunkelen Hautstellen ergab in den tieferen Schichten des Rete Malpighii eine braunschwarze Färbung analog derjenigen der Sarcome, die Farbe war diffus und nicht in einzelnen Körnchen enthalten.

Ein Fall von Lymphosarcom in der Publication von Beck (1) bot nicht geringe Schwierigkeiten betreffs der Frage nach dem Primärsitz und Ausgangspunkt der Tumoren.

Es lagen Lymphosarcome der Cervicaldrüsen vor, grosse ulcerirende Sarcome des Ileum und Coecum, ein Tumor des Magens, einer der Milz, eine sarcomatöse Entartung der Mesenterialdrüsen und je ein Knoten in jeder Lunge. B. hält den exulcerirten Tumor des Blinddarms für den Primärtumor.

Der letzte Fall ist ebenfalls ein Rundzellensarkom vom Bau des lymphadenoiden Gewebes, welcher von einer Dünndarmschlinge seinen Ausgang genommen hat und dieselbe in eine derbe markig infiltrirte Röhre umgewandelt hat. In Leber und einer Niere je ein metastatischer Knoten.

Während nachweislich die Fälle von Actinomycosis in früherer Zeit, ehe man die Natur des Leidens kannte, vielfach für Fälle von Geschwulstbildungen gehalten wurden, so ist es Treves (13) umgekehrt begegnet, dass er einen Fall von grosszelligem bösartigen Sarkom für einen solchen von Actinomycose gehalten hat. Angeblich in Folge einer Kopfrose hatte sich bei einem 46jähr. Manne am Kieferwinkel eine Anschwellung entwickelt, welche aufbrach; in der Umgebung hinter dem Ohr und am Halse entstanden zahlreiche neue Knoten, welche gleichfalls exulcerirten; dasselbe geschah mit den Lymphdrüsen der Achselhöhle. Die Operation der Knoten am Halse verlief gut, die Wunde heilte ohne Störung. Bei der Entfernung der Tumoren aus der Achselhöhle ereignete sich eine tödtliche Nachblutung. Actinomyces wurde nicht gefunden; die Untersuchung ergab ein grosszelliges Sarkom.

[1) Winge, E., Sarkoma medullare abdominis hos et 8-aarigt Barn. Norsk. Magaz. for Lägevidensk. R. 3. Bd. 13. Forhandl. 1883. p. 69. (Ein 8jähriges Kind erkrankte 6 Monate vor dem Tode an Schmerzen in der Bauchgegend, Erbrechen, Durst. Später erschien eine Geschwulst im Hypogastrium mit schnellem Wachsthum. — Die Section ergab ein kleinzelliges retroperitoneales Sarcom. Die rechte Niere und die Leber waren von medullären Knoten durchsetzt.) — 2) Leegaard, Chr., Sarkoma pulmonis. Meddelelse fra Rigshosp. med. afd. A. Ibid. R. 3. Bd. 13. p. 367. — 3) Warfvinge och Wallis, Fall af tumor i mediastinum. Hygiea. 1883. Sv. läkaresällsk. forhandl. p. 78. — 4) Gade, F. G., Bidrag til kundskaben om klorom (Chlorosarkoma, cancer vert, metastaserende periostealt Sarcom). Nord. med. arkiv. Bd. XVI. No. 19.

Leegaard (2) beschreibt einen Fall von Sarkom der linken Lunge. Die Lunge war ganz luftleer (die linke Pleurahöhle enthielt mehr als zwei Liter röthliche Flüssigkeit); sowohl an der Oberfläche als im Innern der Lunge finden sich zahlreiche rundliche Knoten von medullärer Beschaffenheit. Bronchus sin. ist mit vielen Knoten besetzt, welche, der Verzweigung des Bronchus folgend, in die Lunge eindringen, indem die Knoten mehr und mehr confluiren und eine diffuse medulläre Infiltration der Bronchialschleimhaut darstellen. Diese Infiltration erstreckt sich auch in das peribronchiale Gewebe und das benachbarte Lungenparenchym. Die Geschwulstmasse besteht aus kleinen runden Zellen fast ohne Intercellularsubstanz. Zahlreiche haselnussgrosse Knoten wurden in der Leber, ein kleiner Knoten in der linken Niere gefunden.

Warfvinge und Wallis (3). Pat. hatte an Husten und Kurzathmigkeit gelitten; später schloss sich hieran Dämpfung des Percussionsschalles über dem Brustbeine, und ödematöse Anschwellung der oberen Extremitäten und der linken Hälfte des Gesichtes. — Die Section zeigte eine mannskopfgrosse Geschwulst in dem Mediastinum. Sie wucherte in die Pleuren und das Pericardium hinein, ebenso in die Vena anonyma sin., welche durch Geschwulstmasse vollständig obturirt war. Der histologische Bau der Geschwulst war der eines Rundzellensarcoms. Keine Metastasen.

Gade (4). Pat., 5 Jahre altes Mädchen, war etwa zwei Monate krank gewesen. Anfangs erschien eine Anschwellung der linken Wange und zahnschmerzähnliche Empfindungen; später Ohrschmerz, Taubheit, Otorrhoe, Exophthalmus; der Tod erfolgte unter mittelstarken febrilen Symptomen (Temp. 38,8, P 160). Das Sectionsresultat war: Ablagerung von zahlreichen festen, grünlich-gelben Geschwülsten, namentlich am Perioste des Schädels und Gesichtes, des Brustbeines, der Rippen, der Wirbelsäule, aber auch in anderen Organen: Haut, Orbita, Chorioidea, Ohr; Leber, Niere, Darmkanal, Lig. latum, Knochenmark. G. versuchte, den Farbstoff zu isoliren: durch zweiwöchentliche Maceration in Chloroform bildete sich an der Oberfläche eine dunkelgrüne ölige Flüssigkeit, die auf Filtrirpapier gelbgrünliche durchscheinende Flecken bildete, die nach 4 Monaten ihre Farbe unverändert conservirt hatten. Weder Blut noch Gallenfarbstoff liess sich in der Flüssigkeit nachweisen. Nur 9 andere Fälle sind in der Literatur veröffentlicht. Verf. macht auf die grosse Uebereinstimmung sämmtlicher Fälle sowohl mit Rücksicht auf die Localisation der Geschwülste, als auf den klinischen Verlauf aufmerksam. Borch.]

V. Keloide.

1) Jacobson, A., Beiträge zur Lehre vom Keloid. Langenbeck's Arch. XXX. S. 39. (Bei einer 22jährigen Frau bestanden mehrere Narben am Handrücken, der Vola manus und in der Haut über beiden Schulterblättern, von „scrophulösen Leiden" aus der Kindheit her datirend J. beschreibt die Hautnarben an der Schulter als Keloide, das eine als Spindelzellensarcom. Trotz der Weitschweifigkeit ist die Darstellung wenig präcise und überzeugend) — 2) Morris, H., Keloid tumour o the front of the leg (true keloid of Alibert). Transact. of the path. Soc. London. p. 336.

Am Unterschenkel eines 42jährigen Mannes war vor 15 Jahren eine weiche Warze entfernt worden, welche man als Nävus bezeichnet hatte. Morris (2) fand an derselben Stelle einen derben ovalen Tumor, flach über das Niveau der Haut erhaben, von rosiger Farbe, welchen er entfernte. Derselbe bestand aus sehr derben fibrösen Fasern und glich auch äusserlich durchaus den Präparaten Alibert's von Keloiden.

VI. Adenome, Kystome, Dermoide.

1) Butlin, Henry T., On cysts and cystic tumours of the breast. The Lancet. 26. April (Verf. beschreibt 2 Fälle von Cysten der Brustdrüse, welche für Carcinome gehalten waren.) — 2) Grawitz, P., Die Entstehung von Nierentumoren aus Nebennierengewebe. Langenbeck's Arch. XXX. S. 824 — 3) Hobson, J. M, Secondary nodules in the peritoneum in a case of ovarian tumour. (Grosse Ovariencyste mit einzelnen disseminirten Knoten auf dem Peritoneum. Die letzteren enthielten kleinste, von regelmässigen Epithelien ausgekleidete Cysten. Im Rectum hatte früher ein langer gestielter Polyp gesessen; im Sectionsbericht ist die Beschaffenheit des Rectums nicht erwähnt, wie überhaupt derselbe viele Lücken enthält) — 4) Krönlein, U., Ueber Struma intrathoracica retrotrachealis. Ztschr f. Chir. XX. S. 93. (Ein 63jähriger Mann, welcher schon von Kindheit her an Engbrüstigkeit, Asthma und später sich steigernder Athemnoth gelitten, erstickte an einer grossen Gallertstruma, welche sich unter dem Manubrium sterni entwickelt hatte.) — 5) Marchand, F., Beiträge zur Kenntniss der Dermoid-Geschwülste. Ber. der Oberh. Ges. für Natur- u. Heilk. XXII. — 6) Pawlowski, A., Zur Lehre von den Adenomen der Leber. St. Petersb. med. Wochenschr. No. 8. (Verf. beschreibt einen Fall von Adenom der Leber, welches sich aus dem Epithel der Gallengänge entwickelt haben soll.)

Marchand (5) berichtet über eine grosse Dermoidgeschwulst, welche er bei der Section einer 27 Jahre alten Frau, welche an Pneumonie zu Grunde gegangen war, im vordern Mediastinum gefunden hat.

Die Geschwulst war mit dem Oberlappen der rechten Lunge so fest verwachsen, dass sie fast aus dem Lungengewebe hervorgegangen zu sein schien. Im Innern enthielt sie einen fettigen, schmierigen, mit kleinen blonden Haaren untermischten Brei: die Wand war an ihrer Innenfläche vielfach verkalkt. Bei genauer Präparation konnte M. feststellen, dass von der Cyste an deren Aussenfläche zwei zungenförmige Fortsätze abgingen, welche sich an der Vorderfläche der Luftröhre nach aufwärts bis nahe an den Rand der Schilddrüse erstreckten. Das Aussehen und die Consistenz dieser Gebilde glich gewöhnlichem Fettgewebe, die Lage entsprach indess genau der Thymus, und auch microscopisch fanden sich die geschichteten (epidermoidalen) Körper der Thymus. Es ist hiermit die Entstehung der Dermoidcysten auf Störungen in der Entwicklung der Thymus zurückgeführt, und demnach sehr wahrscheinlich, dass die häutige Innenfläche als Derivat des 3. Kiemenbogens anzusehen ist.

Der zweite Fall betrifft ein zwar ausserordentlich kleines, aber darum nicht minder bemerkenswerthes Dermoid. Dasselbe fand sich im Lig. latum eines nicht völlig ausgetragenen Mädchens, dicht unterhalb des Eierstocks, aber deutlich von diesem getrennt. Das Knötchen war nur von der Grösse eines Stecknadelknopfes, hatte aussen eine bindegewebige Hülle, innen eine glänzende Hornmasse, welche aus einem Lager deutlicher Epidermiszellen hervorgegangen waren. An einer Stelle war eine Art Hilus, vermuthlich die Stelle, an welcher der kleine Knoten vom Mutterboden abgeschnürt war. Wo dieser Mutterboden aber zu suchen ist, darüber giebt der Fall keinen Aufschluss, nur so viel geht aus ihm hervor, dass derartige Dermoide ganz getrennt und unabhängig von dem Ovarium und seinem Keimgewebe entstehen können.

In einem Vortrage im XIII. Chirurgencongress demonstrirte Grawitz (2) an einer grösseren Zahl von Präparatrn das Hervorgehen von zellenreichen Geschwülsten der Nieren aus versprengten Partikeln von Nebennierensubstanz. Ref. betont 1) die Häufigkeit, mit welcher solche abgesprengten Gewebsinseln in den Nieren beobachtet werden, welche dem ebenfalls nicht seltenen Vorkommen kleiner Geschwülste völlig entspricht. 2) den Sitz der Knötchen, wobei sich ergiebt, dass sowohl abgesprengte Keime als auch Tumoren zuweilen in den Spalt zwischen 2 Renculi gerathen, und nach eingetretener Verschmelzung der letzteren tief in die Columna Bertini zu liegen kommen. 3) die Unmöglichkeit, die sogenannten Adenome von einer Wucherung der Harncanälchen abzuleiten, deren Epithelien sehr verschieden von den Zellen der kleinen Geschwülste sind. 4) die Uebereinstimmung im Bau der Strumen mit solchen einfachen oder sarcomatösen Neubildungen, welche unzweifelhaft ihren Sitz in den Nebennieren haben.

[Alfin, E., Adeno-papilloma ventriculi. Upsala läkarefor förhandl. Bd. 19. p. 177. Med 1 tafla (Zwei petiolate Geschwülste, deren Oberfläche mit grossen flachen Papillen besetzt war. Diese waren gebildet von einem zellreichen Gewebe mit verschieden geformten Drüsen, deren Epithel theils polymorph, theils cylindrisch war) **Berch.**]

VII. Carcinome.

1) Beck, H., Zur Kenntniss des primären Bronchialkrebses. Prager Ztschr. f. Heilk. Heft 6. — 2) Derselbe, Beiträge zur Geschwulstlehre. Ebend. — 3) Bindemann, Ein Fall von Magenkrebs. Diss. Berlin. — 4) Bede, Ueber das primäre Blasencarcinom. Arch. f. Gynaekol. XXIV. S. 71. — 5) Erbse, Ueber die Entwicklung secundärer Carcinome durch Implantation. Inaug.-Diss. Halle. — 6) Guermonprez, Fr., Squirrhe atrophique à évolution rapide, sa propagation par le tissu cellulaire et par les vaisseaux lympathiques; sa généralisation sous la forme encéphaloide. Gazette des hôp. No. 118 (Nur klinisch beobachtet) — 7) Derselbe, Squirrhe atrophique à évolution rapide. Ibid. Oct. u. Nov. — 8) Hulke, W.. Multiple tumours in the foot apparently connected with the sweat glands. Transact of the Path. Soc. London. p. 335. — 9) Kolisko, A., Zur Kenntniss des Carcinoma psammosum ovarii. Oest. med. Jahrb. Heft 2 u. 3. — 10) Kraske, P., Ueber die Entstehung secundärer Krebsgeschwülste durch Impfung. Centr.-Bl. für Chirurg. No. 48. (Verf. berichtet über zwei Fälle von Mastdarmkrebs mit secundären, wahrscheinlich implantirten Geschwulstknoten.) — 11) Larmoyez, Marc., Cancer encéphaloide primitiv du testicule. — Cancer secondaire des ganglions lombaires. Le Progrès méd. p 323. — 12) Lediard, H. A., Two cases of epitholioma of the foot from injury. Transact. of the med. soc. London. p. 377. (Zwei Parallelfälle, in welchen sich 23 Jahre nach einer Knochenverletzung der Ferse in der Wunde eine krebsige Neubildung entwickelt hat.) — 13) Moore, Norman, New growths in

the mediastinum. Ibid. p. 372. (Carcinom von den Bronchien, vielleicht auch vom Oesophagus ausgehend und Lymphosarcoma thymicum.) — 14) Savory, W. S., The Bradshaw Lecture on the Pathology of Cancer. The British Med. Journ. Dec. 12. (Theoretische Betrachtungen über die Benennung der Geschwülste.) — 15) Paquet et G. Herrmann, Sur un cas d'épithélioma de la glande de Cowper. Journ. de l'anat et de la physiol. No. 6. (Die Verff. beschreiben sehr eingehend einen Fall von Epitheliom [Cylindrom] der Cowper-schen Drüse.) — 16) Sharkey, J., A case of disseminated cystic squamous epithelioma. (Angeblich ein Cancroid mit Erweichung der zahlreichen Knoten in Haut, Leber, Diaphragma etc. Primärsitz unbekannt.) — 17) Simmonds, M., Ueber Gallertkrebs der Brustdrüse. Deutsche Ztschr. f. Chir. XX S. 74. (Drei Fälle von Gallertkrebs der weiblichen Brust; S. hält mit Virchow, Klebs u. A. die Gallerte für ein Abscheidungsproduct der Krebszellen.)

Nach einer Zusammenstellung der in der Literatur bekannten Fälle von primärem Blasenkrebs theilt Bode (4) die neuen Fälle dieser Art aus Leipzig und Dresden mit.

1) 54jähriger anämischer Gärtner litt seit ca. fünf Monaten an Schmerz in der Harnröhre und Hämaturie, der Strahl beim Harnlassen wurde zuweilen durch linsengrosse Bröckel, welche sich in die Harnröhre einklemmten, unterbrochen. Incontinenz und alkalische Gährung des Harns; Tod unter allgemeiner Schwäche. Bei der Section findet sich ein grosses Krebsgeschwür im Fundus, in der Umgebung einzelne erbsengrosse Knoten. Linke Niere intact, rechts eitrige Pyelonephritis; Krebsmetastasen in Leber und Lunge. Prostata, Samenbläschen, Hoden normal.

2) Frau T., 56 Jahre alt, verspürte seit ca. 3 Jahren Blut im Urin, klagte über häufigen Harndrang und krampfartige Schmerzen in der Blase. Vom Scheidengewölbe aus liess sich ein Tumor fühlen, welcher der Blase angehörte. Nach Dilatation der Urethra wurden nahe dem Beginn der Urethra aus der Harnblasenwand weiche Geschwulstmassen ausgekratzt (Winckel). Die starke Blutung durch Tamponade von der Vagina aus gestillt, ein Einriss in die Urethra genäht. Die Operation wurde nach 4 Wochen wiederholt, die Krebswucherung griff indessen rapide auf die Urethra über, 8 Tage später erfolgte der Tod. Die ganze Innenfläche der Blase bis auf wenige Stellen des Fundus war mit schwammigen Krebsmassen bedeckt, ein markiger, dicker Knoten an der vorderen Wand. Metastasen in Pleuren, Lungen, Herzbeutel, Leber. Der Uterus, Ovarien, Vagina und Tuben intact.

3) 67jährige Wittwe bemerkte vor 10 Jahren Blut im Urin, seit einem Jahre bestand reichlicher Abgang von Blut, lästiger Harndrang, allgemeine Entkräftung. Im Harn Blut und Gewebsfetzen, mit dem Catheter war ein Tumor in der Blase zu constatiren. Die Section ergab einen Zottenkrebs im Fundus der Blase, von der Grösse einer Apfelsine. Die Nachbarschaft war auch in diesem Falle ganz unbetheiligt, auch waren keine Metastasen vorhanden.

Larmoyez (11) beschreibt eine Hodengeschwulst bei einem kleinen Knaben, welche colossale Metastasen in der Bauchhöhle gemacht hatte. Leider ist keine microscopische Untersuchung mitgetheilt, welche über den Bau der Geschwulst Aufschluss gäbe und der Name Cancer anscheinend nur in dem Sinne einer bösartigen Neubildung überhaupt gebraucht worden. Durch diese in der französischen Literatur so häufige Ungenauigkeit wird eine spätere Statistik ungemein erschwert.

Erbse (5) giebt zunächst eine Uebersicht über die verschiedenen Implantationsversuche, welche bisher von mehreren Forschern mit krebsigen Gewebstheilen gemacht sind und weist auf die Unsicherheit des Erfolges bei diesen Versuchen hin.

Er theilt sodann einen Fall mit, bei welchem ein primäres Oesophagus-Carcinom in die Trachea durchgebrochen war und krebsige Partikelchen offenbar aspirirt waren. Es liessen sich bei der Section zahlreiche Wucherungen krebsiger Massen in den unteren Partien der Lunge nachweisen, und zwar gingen dieselben von den kleinsten Bronchien resp. Alveolen aus, so dass in diesem Falle eine Implantation krebsiger Massen auf Schleimhäute direct erwiesen war.

Zwei Fälle von primärem Krebs der Lunge werden von Beck (1) auf Wucherung von Schleimdrüsen in der Wand grösserer Bronchien zurückgeführt.

In dem 2 Falle bestand ausser zahlreichen Metastasen eine gleichzeitige krebsige Pleuritis, also eine Complication, die man häufiger bei Lungenkrebs beobachtet und die von manchen Untersuchern als der Ausgang der Krebsbildung (Endothelkrebs) angesehen worden ist. Ein absolut sicherer Beweis für den Primärsitz lässt sich natürlich bei grossen Tumoren nicht führen, deshalb sind die Abbildungen B.'s für den fernstehenden Beurtheiler auch nicht sonderlich überzeugend, doch lässt sich nicht leugnen, dass manche Umstände seine Annahme wahrscheinlich machen.

Der erste Fall von Beck (2) ist ein Oesophaguskrebs, welcher die Trachea perforirt und durch Lungengangrän den Tod herbeigeführt hatte. Im Magen fand sich ein metastatischer Knoten, den B. durch Aufnahme von Krebszellen in die Magendrüsen entstanden sein lässt. — Einen zweiten Fall von Dissemination beobachtete B. ebenfalls am Oesophagus, wo ein Carcinom, welches im oberen Theile der Speiseröhre sass, ein zweites Cancroid ca. 5 cm weiter abwärts erzeugt hatte; beide waren durch eine Strecke ganz intacten Gewebes von einander getrennt.

Bindemann (3) beschreibt einen Magen, dessen Schleimhaut durch chronische, catarrhalische Zustände in ihrer Totalität stark proliferirt war und welche in der Nähe des Pylorus dicht neben einander eine papilläre Wucherung der Schleimhaut und ein junges Carcinom aufwies. Die erstere erwies sich microscopisch als aus lauter gewucherten Drüsen bestehend, während das zweite characteristischen carcinomatösen Bau darbot mit beginnender Ulceration an der Oberfläche. Beide Neubildungen sind nach des Verf.'s Ansicht durch denselben Reiz, nämlich den chronischen Catarrh, hervorgerufen und sprechen gegen die Cohnheim'sche Theorie der Geschwulstentwickelung aus versprengten, embryonalen Keimen, da sich nichts dergleichen gefunden hat, während die Virchow'sche Ansicht, dass ein chronischer Reiz das Haupterforderniss zur Geschwulstbildung sei, hierdurch bestätigt wird. Abbildungen erläutern die Beschreibung.

Für die krebsigen oder als papilläre Kystome bezeichneten Eierstocksgeschwülste, welche bekanntlich vielfach geschichtete Sandkörner enthalten, wünscht Kolisko (9) den Zusatz Carcinoma psammosum einzuführen, um schon durch den Namen ihre einheitliche Natur zu kennzeichnen. K. beschreibt 6 Fälle von Geschwülsten der Beckenorgane, von welchen einige bestimmt dem Ovarium angehören, während bei anderen der Sitz zweifelhaft ist. welche aber allesammt Kalkkörner enthalten. Die letzteren gehen aus Epithelien hervor, welche geschichtet liegen und mit Kalksalzen infiltrirt werden, dadurch stehen sie im „wesentlichen Gegensatz" zu den Sandkörnern der Psammome, welche aus Verkalkung geschichteter Endothelien und Gefässe hervorgehen.

[Heiberg, H., Cancer penis. Norsk Magaz. f. Lägevidensk. R. 3. Bd. 13. Förh. 1883. p. 107.

Ein Fall von Cancer penis, wo das ganze Organ nebst der Prostata diffus infiltrirt war. Es fanden sich ebenfalls krebsig infiltrirte Inguinaldrüsen und mehrfache Knoten in den Lungen; diese Metastasen sind wahrscheinlich durch die Venen der Corpp. cavernosa vermittelt. Berch]

GRAWITZ.

Allgemeine Therapie

bearbeitet von

Prof. Dr. C. A. EWALD in Berlin.

Allgemeines.

1) Handbuch der allgemeinen Therapie. Herausgegeben von H. v. Ziemssen. IV. Band, Therapie der Kreislaufsstörungen. — 2) Mader, Kühlapparate aus Gummischläuchen. Wiener med. Blätter. VII. Jahrg. No. 8. 21. Febr. — 3) Juhl, V., Untersuchungen über das Absorptionsvermögen der menschlichen Haut für zerstäubte Flüssigkeiten. Deutsch. Arch. f. klin. Med. Bd. 35. Heft 5. S. 514.

Der vierte Band von Ziemssen's Allgem. Therapie (1) enthält die Therapie der Kreislaufsstörungen, Kraftabnahme des Herzmuskels, ungenügende Compensation bei Herzfehlern, Fettherz und Fettsucht, Veränderungen im Lungenkreislauf etc. von J. Oertel. Von diesem Werk, welches im Wesentlichen die Behandlung der genannten Krankheiten durch eine rationelle Diätetik, speciell Beschränkung der Flüssigkeitszufuhr anstrebt und durch Experimente und Analyse pathologischer Beobachtungen begründet, ist die 1. Auflage bereits im Buchhandel vergriffen und vor kurzem (Mai 1885) eine zweite durch neue Untersuchungen vermehrte Auflage erschienen. Wir behalten uns demnach vor im nächsten Jahresbericht eingehend auf das Epoche machende Werk zurückzukommen.

Mader (2) beschreibt ein neues und einfaches Verfahren mit Hülfe dünner in Spiralen auf einen Leinwandstreifen aufgenähter Gummischläuche, welche ein zu- und ein abführendes Ende haben, Kühlapparate nach Art der von Leiter aus gebogenen Metallröhren gefertigten herzustellen. Durch das zuführende Schlauchende kann aus einem Reservoir, der Wasserleitung o. ä. ein andauernder Strom beliebig temperirten Wassers durch das System geleitet werden. Die Vortheile desselben liegen darin, dass der Apparat von Jedermann leicht herzustellen, der Preis sehr gering und seine Dauerhaftigkeit eine grosse ist.

Mit Hülfe einer besonderen Vorrichtung sucht Juhl (3) die Frage der Absorptionsfähigkeit der Haut definitiv zu entscheiden.

Die Versuchsperson befand sich in einem Zimmer vor einer Thür gelagert, in deren Füllung 2 Löcher zum Durchstecken der Beine angebracht waren, so dass Unterschenkel und Füsse sich in einem Nebenraum befanden. Alle Fugen der Thüre und die für die Beine gelassenen Löcher sind mit Gummi gedichtet und besondere Controlversuche zeigten, dass absolut keine Luftcommunication zwischen beiden Räumen stattfand. Die anzuwendenden Substanzen wurden theils in Wasser, theils in Alcohol gelöst, mittelst Spray auf die Haut der Unterschenkel und Füsse aufgeblasen und der Urin innerhalb der nächsten 6 Stunden untersucht.

Es zeigte sich, dass Ferrocyankalium, Tannin, Salicylsäure und salicylsaures Natron, Jodkalium und Jodtinctur in Lösungen von 3 und 2 pCt. resorbirt werden. Von der Jodtinctur wurden 50 g mit Alcohol und Wasser zu gleichen Theilen bis auf 1 l verdünnt. Schwächere Lösungen wie die genannten ergaben zweifelhafte Resultate. Die alcoholischen Lösungen wurden leichter resorbirt als die wässrigen. Die Versuche sind, wie man sieht, mit allen Cautelen angestellt und als durchaus beweisend anzusehen.

Specielle Methodik.

Antipyrese und Antizymose.

1) Quincke, Ueber Abkühlung mittelst Wasserkissen. Deutsche med. Wochenschr. No. 18. S. 273.

— 2) Preyer, Ein neues Verfahren zur Herabsetzung der Körpertemperatur. Berl. klin. Wochenschr. No. 18. — 3) Dumontpallier, Contribution à l'étude de la réfrigération du corps humain dans les maladies hyperthermiques et en particulier dans la fièvre typhoïde. Comptes rend. Tom. 96. No. 9. — 4) Haddon, Antipyretic treatment. Edinb. med. Journ. April. (H. ist zu der Ueberzeugung gekommen, dass die Höhe der Temperatur beim Typhus das Gefahr drohende Moment nicht ist. Er plaidirt für einmalige oder seltenere kalte Uebergiessungen [vielleicht würden auch heisse Uebergiessungen denselben Effect haben] bei drohendem Coma oder Collaps, spricht sich aber gegen die rigorose Kaltwasserbehandlung aus.) — 5) Pick, Ueber die Anwendung des Chinin in Form von Suppositorien. Deutsche med. Wochenschr. No. 18. S 277. (Empfehlung der genannten Form der Chinindarreichung mit Anführung einiger Krankengeschichten.) — 6) Mayer, G., Ueber individualisirende Antipyrese. Ebend. No. 30. S. 469. — 7) Coester, Ein Beitrag zur Abortivbehandlung der Infectionskrankheiten, in specie zu Behandlung der Diphtherie. Berl. klin. Wochenschr. No. 16. S. 251. (Empfehlung von möglichst frühzeitigen Calomelgaben zu 0,2—0,6 g innerhalb 1—2 Stunden in 2 Portionen gegeben bei der Diphtherie, die anscheinend einen überraschenden Erfolg auf die Coupirung resp. den milderen Verlauf der Krankheit im Vergleich zu Parallelfällen hatten.)

Quincke (1) giebt eine Notiz über die Abkühlung Fieberkranker mit Hülfe grosser Wasserkissen, die mit Wasser von 7—13° C. gefüllt werden. Es werden dadurch Temperaturerniederungen je nach Umständen und Lagerung von einigen Zehnteln bis zu 2° C. erzielt. Ein Vorzug gegenüber anderen Methoden der Wärmeentziehung liegt in der geringen Störung der Bewegung der Kranken und der Bequemlichkeit der Bedienung.

Gleichfalls zur Temperaturherabsetzung Fiebernder empfiehlt Preyer (2) (siehe übrigens auch Flashar, Berl. klin. Wochenschr. No. 13. 1884. zur Verwendung des Sprühapparates) die Anwendung des Spray's zur Herabsetzung der Körpertemperatur, indem dadurch eine rapide Abkühlung durch Wasserverdunstung auf grosser Hautoberfläche erzeugt wird. P. operirte an Kaninchen und erzielte Temperaturerniederungen in Zeit von 5—10 Minuten mit kleinen Quantitäten Wasser von 6—7° C. um über 1° C.

Dumontpallier (3) giebt einen Bericht über die mit seinem der Academie im Jahre 1880 eingereichten Appareil réfrigérateur erzielten Resultate. Er kann mit demselben die Temperatur vorübergehend etwa 1—1½ Stunden lang um 1—1,2° herabsetzen. Wenn diese Procedur wiederholt alle drei bis vier Stunden angewandt und die Durchschnittstemperatur des Tages genommen wird, so stellt sie sich um mehrere zehntel Grade niedriger als die Anfangstemperatur (durch Curven illustrirt). Für die Praxis genügt es, den Apparat Morgens und Abends, d. h. zu den Zeiten des physiologischen und pathologischen Temperaturansteigens wirken zu lassen. Die Ausscheidung der Harnsecrete (Harnstoff, Phosphorsäure, Eiweiss) ging dem Temperaturabfall parallel. (Die Beschreibung des von D. angewendeten Kühlapparates, sowie eine anderweitige Notiz über damit erzielte Resultate siehe Jahresber. 1880. S. 312 und 1884. S. 316).

Mayer (6) giebt eine ausführliche Beschreibung der von ihm in den letzten Jahren im Louisenhospital zu Aachen geübten Behandlungsmethode des Typhus, von dem allerdings nur 50 Fälle in den Jahren 1879 bis 1883 incl. zur Beobachtung kamen. Die Behandlung bestand in der Combination von kalten Bädern mit antifebrilen resp. antipyretischen Mitteln und regelmässiger Darreichung von Salzsäurelösungen und bietet in dieser Hinsicht nichts Besonderes. M. steht nicht an aus diesen wenigen Fällen eine Mortalitätsziffer zu berechnen, die sich auf 4 pCt. und mit Hinzurechnung der in der Privatpraxis behandelten Fälle auf 2 pCt. stellen würde. Den Schwerpunkt seiner Mittheilung legt M. auf den nachdrücklichen Hinweis bei jeder Antipyrese, besonders aber bei der Bäderbehandlung der Typhen nicht schablonenhaft zu verfahren, sondern sich in Bezug auf Temperatur der Bäder, Häufigkeit ihrer Anwendung und Dauer des einzelnen Bades nach der Individualität des Kranken zu richten. Mit allmälig abgeschreckten Bädern von einer Anfangstemperatur von 25—26° R. ist gewissermassen tastend vorzugehen und niedrig. bis zu 14° R., temperirte Bäder haben nach Bedarf mit wärmeren abzuwechseln. Die Bemerkungen über die Administration anderer Antipyretica (Chinin, salicylsaures Natron, Kairin, Resorcin etc.) bieten nichts neues.

[1) Lochmann, Om den antipyretiske og experimentelle Terapi. Norsk Magazin for Lägevid. R. 3. B. 13. p. 422. — 2) Bull, Ogsä om den antipyretiske og experimentelle Terapi. Ibid. R. 3. B. 13. p 439.
F. Levison (Kopenhagen).]

Vasculäre Blut-Transfusion und Kochsalz-Infusion.

1) Maydl, Ueber den Werth der Kochsalzinfusion und Bluttransfusion beim Verblutungstode. Oest. med. Jahrb. Heft 1. — 2) Roussel, J., De la transfusion directe du sang vivant. Progrès médic. 21. 22. 24. 25. 26. 30. 41. 42. — 3) Bompar et Dulac, Observation de transfusion du sang chez un brightique atteint d'hémorrhagies graves multiples; arret de la perte sanguine. Gazette hebdom de méd. et de chir. 29. Febr. No. 9. (Eine der Ueberschrift entsprechende Krankengeschichte ohne Besonderheiten.) — 4) Afanassiew, M., Sur une méthode nouvelle du transfusion du sang Comptes rend. XCVIII. No. 21. — 5) Hayem, De la transfusion du sang considerée comme moyen hémostatique. Gazette hebdom. de médec. et de chir. No. 5 — 6) Dieulafoy, Étude sur la transfusion du sang dans la maladie de Bright. ibid. No. 3. — 7) Kronecker, Ueber Kochsalzwasser-Infusion. Deutsche med. Wochenschr. No. 32. S. 507. (In diesem in dem Verein für innere Medicin gehaltenen Vortrag demonstrirt K. die Infusion mit Kochsalzlösung aus einer Mariotte'schen Flasche unter gleichzeitiger Besprechung seiner bereits anderweitig publicirten physiologischen Erfahrungen über die Kochsalzinfusion. Wir wollen übrigens auf einen offenbaren Druckfehler hinweisen, indem es überall stat 0,7 0,07 heissen muss.) — 8) Roux, Sur l'injection intravasculaire d'eau salée remplaçant la transfusion. Revue medicale de la Suisse Romande. No. 5. — 9) Riegner, Ueber den heutigen Stand der Transfusionsfrage, insbesondere die Infusion von Kochsalzlösung. Breslauer ärztliche Zeitschrift No. 15. (Beschreibung dreier Fälle, bei wel-

eben die Kochsalzinfusion mit Erfolg ausgeführt wurde. Eins und zwei wurden geheilt entlassen, drei erholte sich in den ersten Wochen zusehends, starb aber später an bereits früher bestandener amyloider Degeneration der Nieren.) — 10) Bull, William T., On the intravenous injection of saline solutions as a substitute for transfusion of Blood. The Medical Record. January 5. — 11) Fux, Ein Beitrag zur Kochsalztransfusion als Prophylacticum. Wien. med. Wochenschr. No. 31. S. 941. (Transfusion bei einem nach einer Operation hochgradig anämischen jungen Manne von 21 Jahren. 250 g Kochsalzlösung 6 pro mille. Schnelle Besserung und schliesslich Heilung.) — 12) Bouveret, Appareil pour la transfusion du sang, permettant en mêmes temps l'injection intra-veineuse d'une solution saline. Lyon medical. No. 26. — 13) Luton, De la transfusion hypodermique. Arch. génér. de méd. Decembre. (Kritiklose und abstruse Abhandlung über hypodermatische Injectionen mit verdünnten Salzlösungen nebst Anführung einiger angeblichen Heilresultate.)

Maydl (1) bringt eine lange, sorgfältige und mit vielen — 53 — Versuchen belegte Abhandlung, in welcher er die Leistungsfähigkeit der Kochsalzinfusion gegenüber der Bluttransfusion erörtert. Da man bisher unterlassen hatte, bei den „lebensrettenden" Kochsalzinfusionen die Vorfrage zu entscheiden, ob die der Infusion voraufgegangenen Blutverluste tödtlich waren oder nicht, ob also in der That die Infusion lebensrettend gewesen war, so stellte M. zuerst 17 Versuche an, durch welche die Grenze des möglichen Blutverlustes bestimmt werden sollte. Dabei zeigte sich, dass ein tödtlicher Aderlass innerhalb ziemlich weiter Grenzen schwanken kann, aber nie unter $^2/_3$ der Blutmenge oder 5.12 des Körpergewichtes herabging. Im Mittel beträgt die Menge der aus den Gefässen eines Hundes entleerbaren Blutmenge 6,11 pCt. (die Blutmenge eines Hundes beträgt nach Heidenhain 7,42 pCt., nach Welker 7.7 pCt. des K. G.), ein Werth, welcher viel höher liegt, als ähnliche von Cohnheim und Worm-Müller gefundene. Dabei ist zu bemerken, dass M. diese hohen Zahlen ohne jede künstliche Nachhilfe, wie Massage oder Durchschneidung des Halsmarkes erhielt. Die grösste Quantität Blut kann man, wie vergleichende Versuche lehrten, bei Blutungen aus einem Gefäss in mehreren Absätzen oder durch successive Eröffnung mehrerer grösserer Gefässe erzielen. Der Blutverlust, bei welchem der Fortbestand des Lebens in der Regel ohne jede Nachhilfe ertragen wird, beträgt, wie weitere 11 Versuche in Uebereinstimmung mit einer Reihe früherer lehrten, die Hälfte der gesammten Blutmenge. Die Entleerung von $^2/_3$ des Gesammtblutes begrenzt das Bereich der zulässigen Blutverluste, und es hängt nun nur von zufälligen unberechenbaren Verschiedenheiten der Versuchsthiere ab, ob der Blutverlust tödtlich ist oder noch eben vertragen wird. Jedenfalls zieht er im letzteren Fall ein längeres Kranksein nach sich, das sich in mannigfachen Erscheinungen äussert. Letzterer Verlauf trat in etwa der Hälfte der Fälle ein. Es geht also aus den bisher berichteten Versuchen anderer Autoren, sowie aus denen von M. hervor, dass nach einem die Hälfte der Blutmenge betragenden Blutverlust die Thiere in überwiegender Mehrheit ohne jede Nachhilfe überleben (nur 2 Mal traten bereits bei 4,6 pCt. und 4,0 pCt. die Zeichen des Verblutungstodes auf), und deshalb erscheint die Kochsalzinfusion hierbei überflüssig.

Bei Entleerung von ca. $^2/_3$ der Blutmenge ist aber der Nachweis der lebensrettenden Eigenschaft der Kochsalzinfusion nicht möglich, weil, wie angegeben, die Hälfte der Thiere ohne jede Rettungsmassregel überlebt. Aus diesen Gründen spricht M. den Versuchen von Kronecker, Sander, Schwarz und von Ott jede Beweiskraft ab. Um der Kochsalzinfusion das Prädicat lebensrettend beizulegen, müsste sie eben in solchen Fällen geprüft werden, in welchen der Eintritt des Verblutungstodes unzweifelhaft gewesen wäre.

Nach einer Kritik früherer Versuche, welche wesentlich auf den eben genannten Einwurf hinausläuft, berichtet M. über eigene Experimente, in welchen die Hämorrhagie aus den Gefässen (Carotis und Cruralis) bis zum Eintritt aller Phänomene des Verblutungstodes, der Sistirung der Blutung, der Herzaction, der Athmung, der Augen- und Sehnenreflexe getrieben war. Erst dann wurde die Kochsalzinfusion in die Jugularis externa bei ca. 80 mm Quecksilber ausgeführt. Von 10 derart behandelten Thieren überlebte nur ein einziges. Alle übrigen, worunter 2 mit einem Blutverlust von weniger als 3,5 pCt K. G. gingen zu Grunde, sechs auf dem Operationstisch, die übrigen in den nächsten Stunden.

Die Blutungen aus der Cruralis erwiesen sich als besonders ungünstig.

Die Leistungsfähigkeit der Kochsalzinfusion ist also bei tödtlichen Blutverlusten, ohne Rücksicht, welche Höhe dieselben erreichen quoad vitam conservandam gleich Null, und ausnahmslos gleich Null, sobald die Blutung $^2/_3$ der Gesammtblutmenge überschreitet. Ebenso wenn die Thiere bald nach einem ersten Aderlass einem zweiten unterzogen werden, wofern sich nur auch bei absolut geringem Blutlass die Zeichen des Verblutungstodes einstellen, und dies ist besonders der Fall, wenn die Thiere aus den Crurales bluteten. Nur eine Leistung kommt der Kochsalzinfusion zu, nämlich die, den Verblutungstod hinauszuschieben. Obgleich die Thiere sämmtlich auf dem Operationtisch scheinbar todt waren, so wurden doch 3 von ihnen durch Infusion auf eine mehr oder minder lange Zeit belebt, die anderen zeigten wenigstens eine kurz vorübergehende Erholung, indem sich Puls, Athmung und Reflexe auf kurze Zeit wieder herstellten. Praktisch möchte sich daraus vielleicht ergeben, dass man diese Eigenschaft da verwenden könnte, wo eine Bluttransfusion momentan nicht zu bewerkstelligen ist, nach kurzer Zeit aber vorgenommen werden könnte, also z. B. auf dem Schlachtfelde. Resumirend sagt M., dass einer gut geleiteteten Kochsalzinfusion keine besondere Schädlichkeit beigemessen werden könne, ihr Nutzen aber innerhalb der eben genannten Grenzen liegt.

Verf. geht nun zu einer eingehenden Kritik der bisherigen für die Bluttransfusion wichtigen Arbeiten über, indem er besonders die bekannten Versuche von Armin Koehler und die Golz-Schwarz'sche

Theorie von dem Missverhältniss zwischen Lumen und Inhalt der Gefässe bestreitet, die ersteren als nicht massgebend ansieht, für die zweite allerdings den Factor der relativen Gefässleere anerkennt, aber nicht als einziges und wesentliches Moment gelten lässt. Es kommt bei der Bluttransfusion, wie Verfasser durch 8 diesbezügliche Versuche nachzuweisen versucht, für die Ueberwindung des eigentlichen Verblutungstodes auch der Ersatz der verloren gegangenen Blutbestandtheile, Eiweiss, Blutkörperchen, Salzlösungen etc. in Betracht. Von den 8 transfundirten Thieren überlebten 3 dauernd, trotz eines zwischen 5,6 und 6,4 pCt. schwankenden Blutverlustes. Eins starb 2½ Tage später, eins am nächsten Morgen. Da einzelne dieser Thiere schon früher operirt und in Folge dessen geschwächt waren, so ergiebt sich daraus ein nicht zu verkennender Unterschied in der Wirkung der Kochsalzinfusion und Bluttransfusion zu Gunsten der letzteren. Nebenbei schliesst Verf., übrigens mit Bezug auf die geringe Zahl der Versuche unter aller Reserve, dass die Menge des transfundirten Blutes nicht über eine gewisse, etwa 3,5 pCt. des Körpergewichtes betragende Höhe steigen dürfe. Wenigstens waren die mit höheren Procentsätzen transfundirten Fälle die ungünstig verlaufenen.

Ein weiteres Capitel beschäftigt sich mit kymographischen Aufnahmen des Blutdruckes bei der Entblutung und mit den Veränderungen, welche derselbe bei Einbringung von Kochsalzlösung oder Blut in das entleerte oder das normal gefüllte System erleidet (6 Versuche). Mit Eintritt der Blutung aus der Arterie sinkt der Druck in der Aorta in einem der Grösse des Blutverlustes entsprechenden Maasse, aber die Unterbrechung der Blutung genügt, um den Druck wiederum auf eine Höhe ansteigen zu lassen, die weit über der das Leben bedrohenden Grenze liegt. Erst ein Blutlass von 2 Drittheilen der Gesammtmenge setzte den Druck unter das zum Leben nothwendige Minimum herab. Regelmässig hört die Athmung früher auf als der Puls bezw. der Herzschlag. Auch nach minutenlangem Ausbleiben wurde Wiedereintritt der Athmung beobachtet, während das Wiedererscheinen des Pulses an den Beginn der In- oder Transfusion gebunden war. In 5 Versuchen wurde der Druck in der Pulmonalarterie und in der Carotis gleichzeitig gemessen. Bei normaler Blutmenge stieg der Druck durch Infusion bis zu den höchsten überhaupt beobachteten Werthen nämlich 225 mm, nach Eingiessung von 400 ccm und einem Anfangsdruck von 145. Bei noch höher getriebener Einfüllung findet unter Austritt von Plasma in die Gewebe ein Abfall des Druckes statt. Der Pulmonaldruck hob sich bis zu dem eben genannten Druckabfall (z. B. in dem angezogenen Versuch von 6 auf 52), um dann ebenfalls abzusinken. Während der In- oder Transfusion steigt der Aortendruck ziemlich prompt an, um nach Aufhören derselben auf einem niedrigen Stande stehen zu bleiben. Das bereits stillstehende Herz lässt innerhalb einer kleinen Zahl von Minuten sich zur Contraction vorübergehend oder dauernd wieder anregen.

Das letzte „directe Beobachtungen“ überschriebene Capitel bringt Beobachtungen über die Beeinflussung der Herzbewegung und der Respiration durch einfache Infusion bei normaler Blutmenge, bei Verblutung mit folgender In- oder Transfusion, über die auftretenden Krämpfe. Mit wachsender Menge der eingegossenen Flüssigkeit stellt sich ein anfangs kurzer, später länger dauernder diastolischer Stillstand ein und es hängt nun von der Energie des Herzmuskels ab, ob derselbe den ihm entgegenstehenden Druck zu überwinden vermag oder nicht (siehe das Genauere im Original). Andere Versuche haben ergeben, dass das Herz noch schlagen kann, ohne dass aus der Carotis ein Tropfen Blut ausfliesst. Die Respiration wird mit steigernder Infusion schwerer und unregelmässig, nähert sich aber conform mit dem Wiederbeginn der Herzaction der Norm. Der Stillstand der Schreibfeder des Kymographions ist kein Beweis für den Stillstand des Herzens, also auch kein Beweis, dass die Belebung des Kreislaufes nicht mehr möglich ist; erst der dauernde, durch directe Inspection beobachtete Stillstand des Herzens schliesst die Wiederbelebung aus. Es folgen noch eine Reihe Details über einen kurz vor dem Tode nach Art des Cheyne-Stokes'schen Phänomens verlaufenen Athmungstypus, über die Krämpfe bei der Verblutung, die man wiederholt an einem Thiere erzeugen kann, über das Verhalten des peripheren Pulses, welcher durch die Verblutung anfangs klein und frequenter, späterer seltener wird und manchmal den deutlichen Typus der Vagusreizung zeigt.

Resumirend hebt Verf. noch einmal hervor, dass für die Lebensrettung des Thieres Alles ankommt auf den Kräftezustand des Herzens. Die Transfusion oder Infusion darf also nur bei kräftigen Herzen in nicht zu grossen Mengen und bei geringem Druck vorgenommen werden.

Die Arbeit beruht auf einem grossen Materiale, bringt eine Fülle von nicht wiederzugebenden Details und eine scharfe Kritik der wichtigsten bisher auf diesem Felde angestellten Versuche und ist trotz des abscheulichen Deutsch, in dem sie geschrieben, als eine wesentliche Bereicherung der Literatur anzusehen.

Während sich Maydl das Studium der Transfusionsfrage experimentell angelegen sein lässt, giebt Roussel (2) vom practischen Standpunkte eine ausführliche Darlegung der für die Ausführung der Transfusion nothwendigen Bedingungen, lässt die bisher gebräuchlichen Instrumente, von deren Mehrzahl kleine Abbildungen beigefügt werden, Revue passiren, und beschreibt schliesslich einen neuen von ihm angegebenen Apparat.

Die Anforderungen, welche R. stellt, lassen sich kurz in Folgendem zusammenfassen. Das Blut muss aus der Vene des Spenders unmittelbar in die des Empfängers übergeführt werden und dabei eine bestimmte rhythmische Schnelligkeit und genau messbare Menge besitzen. Die Temperatur des Blutes darf sich während der Operation nicht ändern und die Spannung seiner Gase nicht verringert werden. An der Menge der Blutkörperchen und ihrer Vitalität dürfen keine Veränderungen statthaben, die flüssigen Proteinbestandtheile dürfen sich weder durch Berührung mit Metall, noch durch Glas verändern, es darf sich kein Fibrinferment bilden und keine Luft weder in dem System des Apparates sein, noch dem Blute sonstwie beigemischt werden. Die artielle Transfusion, sowohl die arterio-venöse, wie auch die venös-arterielle, oder die von Arterie zu Arterie werden verworfen. Erstere, weil das Blut doch nur im Moment, wo es das Gefäss verlässt, arteriell ist, dann aber sofort venöse Beschaffenheit annimmt. Die Transfusion in die Arterie des Empfängers führt zu Embolien in den Capillaren desselben mit consecutiven Phlegmonen und Gelenkvereiterungen. Die Transfusion von Arterie zu Arterie bringt, statt das Verfahren zu vereinfachen, nur neue Schwierigkeiten mit sich. In Consequenz der oben angegebenen Postulate wird auch die Transfusion mit defibrinirtem Blute, sei es rein oder in Verbindung mit anderen Flüssigkeiten verworfen. Die genauere kritische Beschreibung der bisher gebräuchlichen Apparate ist im Original einzusehen

Der Apparat von R. beruht auf dem Princip, einen venösen Aderlass ohne Zutritt von Luft innerhalb eines mit unschädlicher Flüssigkeit gefüllten Schlauchsystems vorzunehmen, durch welches das Blut dem Empfängor zugeleitet wird. Die Menge des transfundirten Blutes wird durch einen eingeschobenen Kautschukballon gemessen, der zur Erzielung des rhythmischen Blutströmens mit entsprechenden Ventilen versehen ist. Derselbe fasst nicht mehr wie 10 ccm. Alle Verbindungen und die in die Vene des Empfängers einzusetzende Canüle sind von Kautschuk resp. Hartgummi. Mit Hülfe eines besonderen dem Aderlassschnepper nachgebildeten Instruments wird die Vene des Spenders unter Luftabschluss eröffnet. Die genauen Details müssen im Original eingesehen werden. R rühmt diesem Apparat nach, dass seine Handhabung eine relativ einfache, von einer Person zu bewerkstelligende sei. Er hat bereits eine Reihe von Transfusionen damit ausgeführt und hebt zum Beweise, dass die auf diese Weise ausgeführte Transfusion in der That im physiologischen Sinne wirkt, hervor, dass weder Blut- noch Eiweissharn, noch schwere Syncopen nach der Operation auftraten.

Afanassiew (4) hat mit Rücksicht auf die Versuche von Schmidt-Mülheim, nach welchen Blut, dem eine gewisse Quantität Pepton-Lösung zugesetzt wird, während mehr oder weniger langer Zeit flüssig bleibt, versucht, besagtes Verhalten für die Zwecke der Transfusion nutzbar zu machen. Er überzeugte sich durch Vorversuche davon, dass die intravenöse Injection grösserer Peptonmengen (0,3 bis 0,6 pro Kilogramm Thier) ohne Vergiftungssymptome verläuft, und das peptonisirte Blut ohne in seinen morphologischen und physiologischen Eigenschaften verändert zu sein, nur das Vermögen zu coaguliren bis zu 24 Stunden und selbst länger verloren hat. Auch wenn man das Blut aus der Arterie oder Vene direct in eine auf 40° erwärmte Peptonlösung bestimmter Concentration ohne Zutritt der Luft einfliessen lässt, bleibt es mehr oder weniger lange flüssig. Mit solchem Blut, welches etwa $1\frac{1}{8}$—$1\frac{1}{2}$ Pepton auf Hundert enthielt, hat A. die Transfusion bei Hunden ausgeführt, welche vorher starke Blutverluste — nicht wenige rals $\frac{2}{3}$ des Gesammtblutes — erlitten hatten. Nach der Operation befanden sich die Thiere verhältnissmässig wohl. Nur wenn die Transfusion zu schnell ausgeführt wurde, trat Würgen und Erbrechen ein. Das zu wiederholten Malen in den folgenden Tagen untersuchte Blut erwies sich ohne Veränderung. Das Pepton muss neutral und rein sein. A. rühmt seiner Methode nach, dass man mit ihr bedeutend grössere Blutquantitäten als mit dem gewöhnlichen Verfahren, transfundiren könne, indem man direct das Blut des Blutspenders in die Peptonlösung und aus dieser wieder in die Gefässe des Empfängers leiten könne. Genauere microscopische und chemische Studien über das Verhalten des Gesammtblutes nach der Transfusion sind nicht angestellt.

In einer sehr aphoristisch gehaltenen kurzen Mittheilung giebt Hayem (5) die Hauptresultate einer in der Revue scientifique, 3. Juli 1883 unter dem Titel: La formation des concrétions sanguines intravasculaires veröffentlichten Arbeit. Es ist im Wesentlichen der durch Armin Köhler erbrachte Beweis von der gerinnungsbildenden Eigenschaft des Blutserums, demH. das merkwürdige Vermögen zuschreibt, dass bei Injection einiger Cubikcentimeter Serum in ein Gefäss nur in einem „Ségment vasculaire" Gerinnung eintritt, während die Gesammtcirculation vollständig intact bleibt. Dadurch sei es möglich, die Transfusion als hämostatisches Mittel bei schweren Hämorrhagien und vielleicht bei Aneurysmen zu verwenden. Es muss Blutserum der gleichen Species verwandt werden. Andersartiges Serum ruft einen der Purpura hämorrhagica ähnlichen Zustand hervor. — Genauere Angaben fehlen. Vielleicht dürfte das „Ségment vasculaire" mit den Cohnheim'schen Endarterien identisch sein.

In gewissem Sinne eine Bestätigung des Vorstehenden giebt Dieulafoy (6) durch Relation einer Krankengeschichte von nicht zu stillender Epistaxis, die den Kranken, einen Hämophilen, durch 20 tägiges Andauern in einem Zustand äusserster Anämie versetzt hatte. Unmittelbar nach Transfusion von 120 g Blut — nicht Serum — stand die Blutung, die vorher allen Mitteln getrotzt hatte. In Kürze wird ein anderer Fall mit gleichem Erfolg der Transfusion bei einem Hämophilen nach einer Zahnextraction angeführt. D. bezieht diese hämostatische Wirkung auf eine besondere noch unbekannte Eigenschaft, welche das eingeführte frische Blut dem vorhandenen mittheilt und glaubt deshalb die Transfusion auch bei der Uraemie, dem Diabetes resp. der Acetonämie, bei gichtischen und rheumatischen Anfällen geeignet. Drei Fälle von Morbus Brightii, in welchen z. Th. wiederholte Transfusionen mit jedesmaliger vorübergehender Besserung und Aufhören der urämischen Symptome ausgeführt wurden, sollen zur Stütze dieser Anschauung dienen. Die transfundirte Blutmenge schwankte zwischen 100 und 125 g. Directe Nachtheile davon wurden nicht beobachtet.

In ganz neuem Lichte müssen nach den oben referirten Untersuchungen von Maydl (1) die Ergebnisse der Kochsalztransfusionen erscheinen. Roux (8) giebt 14 grösstentheils auf der Klinik von Kocher in Bern beobachtete Krankengeschichten, in welchen Infusionen mit 500 bis 800 ccm Salzwasser nach Schwarz gemacht wurden.

Es handelte sich um 3 Fälle acuter Anämie, von

denen 2 mit tertiärer Syphilis und chronischer Anämie complicirt waren, eine Jodoformvergiftung, eine Septicaemie, 5 Fälle von Collaps nach Darmperforation, 4 Fälle, bei welchen hochgradige Schwächezustände in Folge complicirter Krankheitserscheinungen bestanden, ein Fall ausgedehnter Verbrennung und endlich eine Resection des Magens, bei welcher eine prophylactische Injection gemacht wurde. Abgesehen von den beiden letzten Fällen, welche sich nicht gut verwerthen lassen, weil der Tod unmittelbar nach der Operation aus Ursachen eintrat, die durch die Transfusion nicht zu beheben waren und abgesehen von einem anderen, in welchem die Injection bei einer Moribunden gemacht wurde, ergab sich in allen anderen, dass sich der Puls besserte, die Herzaction regelmässig wurde und ein überraschender Effect auf das Sensorium und das Allgemeinbefinden eintrat. Es sind fünf unzweifelhafte Heilungen zu verzeichnen. Bei den anderen Fällen erfolgte entschiedene Besserung, wenn sie auch später an den ursächlichen Leiden (Septicämie, cystische Degeneration der Nieren und Dermperforation) zu Grunde gingen. R. empfiehlt am meisten die centrale Injection in eine Arterie. In Bezug auf die Technik der Operation bringt er nichts Neues bei.

Bull (10) vermehrt die bereits von Hacker (Wiener med. Wochenschr. 1883. No. 37) zusammengestellten Fälle intravenöser Salzwasserinjection um 7 andere, welche von ihm und den Doctoren Halstedt, Jersey und Wilkie herrühren. Aus denselben ist hervorzuheben, dass die Injection in das periphere Ende der Radialarterie einmal zu Gangrän der Hand führte, und später mit Erfolg durch die Injection in das centrale Ende der Arterie ersetzt wurde. Im Mittel dauerte die Injection 15 Minuten. Unter den im Ganzen angeführten 19 Fällen trat 13 Mal Heilung ein, einmal merkliche Erholung, aber Tod nach 12 Stunden, und 5 Mal der Tod, jedesmal aus Ursachen, welche durch die Transfusion der Natur der Sache nach nicht beeinflusst werden konnten. Für die geeignetste Indication hält B. den Collaps nach grossen Blutverlusten. Man solle zuerst hypodermatisch Stimulantien injiciren, Wärme appliciren und eine Art Autotransfusion machen, indem man die Extremitäten bandagirt und die Füsse hoch legt. Wenn dies nach 20 Minuten keine merkliche Besserung bewirkt, möge man ohne Weiteres zu Eingiessung schreiten; bei Gasvergiftungen sind ausgiebige Venaesectionen vorzunehmen und das entzogene Blut unmittelbar darauf durch Salzwasser zu ersetzen.

Einen Compromiss zwischen Blut- und Salzwasser-Transfusion sucht Bouveret (12) anzubahnen und beschreibt einen Apparat, der es ermöglichen soll, in einem Zuge entweder Blut oder Salzwasserlösungen zu transfundiren, so dass man erst eine gewisse Quantität Wasser zur Aufbesserung des Gefässlumens einlaufen lassen, und demselben durch eine Hahndrehung lebendes resp. defibrinirtes Blut folgen lassen kann. Letzteres wird dem Blutspender mittelst Aderlass entnommen, mit einer Glasspritze aufgesaugt und durch ein Rohr, welches in die Salzwasserleitung eingeschaltet ist, eingespritzt. Der Apparat ist noch nicht beim Lebenden benutzt.

[J. Hjort, Bloettransfusion med dödeligt Udfald. Norsk Magazin f. L. Forh. p 12 (Einem Pat. mit Hämorrhagie aus einer septisch stinkenden Nase musste, obwohl Septicämie zugegen war, Blut transfundirt werden; es wurden 50 ccm frisches, defibrinirtes Blut eingeführt. Unruhe; Tod am nächsten Morgen unter zunehmender Unruhe und Somnolenz. Verf. will lieber die Salzinfusion machen.)

Oscar Bloch (Kopenhagen).]

Peritoneale Infusion.

1) Hayem, G., De la transfusion péritonéale. Compt. rend. Tome 98. No. 12. — 2) Liegl, Ueber peritoneale Transfusion. Aerztl. Intelligenzbl. München. No. 4. 22. Jan. (Eine historische, übrigens unvollständige Uebersicht dessen, was bisher experimentell und practisch bekannt gegeben ist und Mittheilung einer Krankengeschichte von puerperaler Blutung und Infusion von 175 ccm defibrinirten und filtrirten Blutes [etwa 2,33 p. M] mit reactionslosem Verlauf und Heilung.) — 3) Marcus, Die peritoneale Transfusion. Wiener medic. Presse No. 16. (Referat über die von Hayem [1] angestellten Versuche, welche M. zum Theil wiederholt und bestätigt hat.)

Das Gebiet der Bluteingiessung in die serösen Höhlen, speciell das Peritoneum ist verhältnissmässig wenig bearbeitet worden. Hayem (1) hat die bekannten Versuche von Ponfick wiederholt und insoweit bestätigt, als er ebenfalls die prompte Resorption und Unschädlichkeit bei Infusionen gleichartigen Blutes in die Bauchhöhle beobachtete. Dagegen erwies sich ihm die Infusion andersartigen Blutes weniger schädlich, wie s. Z. von Ponfick angegeben, obgleich auch hier, soweit man aus dem dürftigen Bericht sehen kann, eine Auflösung der infundirten Blutkörperchen statt hatte. Die Blutkörperchen von Hund und Ziege sind an Grösse so different, dass sie sich leicht unterscheiden lassen, auch lösen sich die des Hundes nur langsam in dem Blute der Ziege auf. Wenn H. nun einer Ziege eine Infusion mit Hundeblut machte, so konnte er jedesmal einige Stunden nach der Operation im Blut, im Ductus thoracicus, in den Blutgefässen des Peritoneums sowie in den Lymphdrüsen der Abdominalhöhle zahlreiche Blutkörperchen des Hundes nachweisen. Er fand sie ebenso in den Interstitien des Gewebes der Serosa und entweder intact oder zerbröckelt in den fixen Bindegewebszellen. H. schliesst also, dass das eingegossene Blut als physiologisches Individuum resorbirt wird, und dass die peritoneale Infusion einer sehr langsam gemachten Transfusion in die Gefässe gleichwerthig ist.

Blutentziehungen.

Borlée, De la rehabilitation de la saignée et des émissions sanguines dans les congestions et les inflammations; danger de leur abandon; de leur principales indications. Bull. de l'Acad. roy. de Belgique. No. 4. (Enthält nichts Neues oder Erwähnenswerthes.)

Herz; Circulation.

Dujardin-Beaumetz, Des nouvelles medications cardiaques. Bull. gén. de thérap. 15. août.

Dujardin-Beaumetz bespricht die Wirkung der Convallaria majalis, des Caffeïns und des Nitroglycerins ohne irgend welche neue Erfahrungen beizubringen.

Aerotherapie (pneumatische und Inhalationstherapie).

1) Liebig, G. v., Veränderung der Pulscurven in der pneumatischen Kammer. Deutsch. med. Wochenschrift. No. 19. — 2) Lesoha, J., Beobachtungen und Versuche zur Anwendung comprimirter und verdünnter Athmungsluft. Inaug.-Diss. Bonn. — 3) Suchorsky, Zur Lehre von der Wirkung verdichteter Luft auf die Respiration. Centralbl. für die med. Wissensch. No. 25. — 4) Hassall, On the principles of the construction of chambers for inhalation in diseases of the lungs. The British medic. Journ. 12. Jan. — 5) Haro, Note sur un nouveau genre d'inhalations employé à l'ospital d'Amélie-les-Bains. Bull. gén. de thérap. 15. Mai. — 6) Destrée, Contribution expérimentale à l'étude de l'action de certains médicaments sur la muqueuse respiratoire. La Presse médicale Belge. No. 6. (Eine Wiederholung der bekannten Rossbach'schen Versuche, ohne besondere neue Ergebnisse.)

Mit der Einwirkung des erhöhten Luftdrucks auf den Puls beschäftigt sich Liebig (1), welcher die bekannten Versuche von Vivenots (Abnahme der Pulzfrequenz und Ansteigen des Druckes bei einem Ueberdruck von 32 cm Quecksilberhöhe) einer erneuten Prüfung unterzog. L. erhielt hierbei mit dem Sommerbrodt'schen Pulshebel ähnliche Resultate, wie er sie früher für den Puls des normalen Menschen (Dubois Reymond's Archiv 1882 u. 83) gefunden hatte, nämlich einen Wechsel in der Elasticität resp. dem Tonus der Gefässe je nach den Umständen des körperlichen Befindens der Versuchsperson. Die Ausdehnung oder Zusammenziehung der Arterien und der darauf beruhende Formenwechsel der Pulscurve wird durch die Druckhöhe der pneumatischen Kammer in keiner Weise beeinflusst und eine Stauung im arteriellen System tritt nicht auf. Dies ist auch verständlich, wenn man bedenkt, dass der Druck auf alle Theile des Gefässsystems in gleicher Weise einwirkt. Es tritt eben nur eine relative Verschiebung ein. Nach der Ausathmung eines tiefen Athemzuges wurde eine grössere Höhe der Druckcurven im ansteigenden Druck als in dem gewöhnlichen und dem bleibend erhöhten Drucke gefunden.

Als Ursachen dieser Erscheinung, die sowohl auf einer geringen Verstärkung des Herzstosses, wie einer geringen Vermehrung der Pulswelle und endlich auf einer Verengerung der Abflusswege beruhen kann, sieht L. den letzteren Umstand an. Dagegen ziehen sich die Arterien durch den einfachen Druck in der pneumatischen Kammer nicht zusammen, und dies berechtigt die Methode auch bei leichteren compensirten Klappenfehlern und schwachen Herzen ohne Bedenken anzuwenden, wenn sie im Uebrigen indicirt ist.

Die Dissertation von Lescha (2) hat 2 Krankengeschichten zur Grundlage, von denen die eine die bekannte Wirkung der comprimirten Luft nach der Operation eines Empyems auf die Ausdehnung des Thorax betrifft, die andere die Folgezustände der consequenten Einathmung verdünnter Luft an einem Fall von Kehlkopfstenose illustriren soll. Hier entwickelte sich eine exquisite Trichterbrust. Diese nur kurz erwähnten Krankenbeobachtungen fügt Verfasser in eine kleine Abhandlung über die Wirkungsweise der verdichteten und verdünnten Luft ein, welche er durch eine Reihe von Bestimmungen mit den verbesserten Basch'schen Sphygmomanometer belegt. Entgegen Waldenburg und im Einklang mit dem meisten anderen Autoren constatirt L., dass die Einathmung comprimirter Luft zuerst ein Stinken des Blutdruckes zu Stande bringt mit darauf folgender Steigerung nach dem Aufhöhren der Einathmung. Dies ist sowohl bei normalen Menschen, wie auch bei Lungen- und Herzkranken (Emphysem- und Aorten-Stenose) der Fall.

Die Wirkung der verdünnten Luft ist bis zu einem gewissen Grade der Verdünnnng die umgekehrte. Wird letzterer überschritten, so tritt entweder gar keine Veränderung des Blutdruckes ein, oder ein Absinken des Letzteren. Zur Erklärung der beobachteten Wirkungen bringt L. keine neue Thatsachen bei, hält aber mit Lenzmann, Finkler und Oertmann dafür, dass nicht nur mechanische Verhältnisse, sondern auch eine Betheiligung des Nervensystems durch Reiz der interpulmonalen Vagusfasern von Belang ist. Den chemischen Vorgängen (Bindung des Sauerstoffs, Dissociation der Kohlensäure) kommt, wenn überhaupt nur eine ganz untergeordnete Rolle zu.

Suchorsky (3) giebt seine Resultate, von denen nicht einmal gesagt ist, ob sie an Menschen oder Thieren gewonnen sind, in Form von Thesen, aus welchen wir herausheben, dass der Procentgehalt der ausgeathmeten Luft an Kohlensäure bei erhöhtem Luftdruck fast derselbe wie bei gewöhnlichem athmosphärischen Luftdruck ist. Die Sauerstoffaufnahme ist relativ vergrössert, der Coëfficient $\frac{CO_2}{O}$ vermindert sich. Die therapeutische Wirkung verdichteter Luft lässt sich ausschliesslich auf die mechanische Wirkung auf den Organismus — Compression der Capillarnetze der äusseren Körperfläche und des Respirationsorganes, Vermehrung des Blutzuflusses zu den Bauchorganen — und die Vermehrung des O-Partialdrucks zurückführen. Da letztere bekanntlich die directe Oxydation und die Ernährung des Körpers nicht fördert, so liegt der Nutzen der Einathmung verdichteter Luft nur in der Kräfteersparniss, wo in Krankheitsfällen der nöthige respiratorische Gasaustausch mehr oder weniger erschwert und mit bedeutenden Muskelanstrengungen verbunden ist.

Hassall (4) bespricht eine Inhalationskammer, in welcher die Patienten nicht aus einem Apparat athmen sollen, sondern die gesammte mit dem entsprechenden Medicament geschwängerte Luft des Raumes zur Verfügung haben. Durch entsprechende Versuche, in welchen Lösungen oder feste Substanzen zum Verdampfen aufgestellt waren, überzeugte sich H., dass ein überraschend grosser Procentsatz verdampfte. So wurden z. B. verschiedene gleich grosse Stücken rauhes Leinenzeug mit einer Lösung von je 5 g Carbolsäure auf 100 Wasser getränkt, und nach einer gewissen Zeit der Carbolgehalt bestimmt (wie?). Nach 4 Stunden waren darin nur noch 2,8 g enthalten, nach 8 Stunden 1,8, nach 16 0,49, nach 20 0,2. Aehnliche Resultate ergab ein Versuch mit Creosot, welches in fester und gelöster Form applicirt wurde. Von 1,25 g festen Creosots fanden sich nach 4 Stunden 0,91 g, von der wässrigen Lösung 0,41 und von der alcoholischen 0,39 Eine alcoholische Lösung Thymol (5 zu 80) ergab nach 4 Stunden 3,44 g, nach 50 Stunden 1,70 g. H. glaubt, diese Zahlen noch wesentlich herabsetzen, also eine grössere Verflüchtigung erzielen zu können, wenn höhere Temperaturen angewendet werden. Für eine heisse Lösung von Thymol traf dies in so hohem Maasse zu, dass von 40 g in Wasser von 72° C., welche auf einem grösseren Becken ausgegossen waren, nach 12 Stunden nichts zurückgeblieben war. Practisch angewendet scheint H. seine Methode noch nicht zu haben.

Ebenfalls mit einer „Verbesserung" der üblichen Inhalationsapparate beschäftigt sich Haro (5) und beschreibt einen neuen Inhalationsapparat, dessen Princip darin besteht, dass durch ein Gebläse in den zur Erzeugung der Wasserdämpfe bestimmten Kessel ein andauernder Luftstrom getrieben wird. In dem Wasser werden die betreffenden Medicamente gelöst und der entweichende Wasserdampf direct eingeathmet. Das Einblasen von Luft bezweckt die Dämpfe abzukühlen und direct respirabel zu machen. Besondere Vorzüge können wir in dieser neuen „Erfindung" nicht sehen.

Gasaufblähung des Magens und Dickdarms.

Runeberg, Ueber künstliche Aufblähung des Magens und Dickdarms durch Einpumpen von Luft. Deutsch. Arch. f. klin. Medic. Bd. XXXIV. S. 460. (Empfehlung, den Magen oder Dickdarm mit Hülfe einer eingeführten, mit einem Spray-Gebläse armirten Sonde aufzublähen. Fall von cystischem Tumor i. abdom., der sich durch Aufblähung des Colons als unter demselben gelagert, also als Hydronephrosis nachweisen liess.)

Ernährung, Diät.

1) Hoffmann, F. A., Betrachtungen über absolute Milchdiät. Zeitschr. für klin. Medic. Supplement zu Band VII. S. 8. — 2) Ebstein, Fett- oder Kohlenhydrate? Zur Abwehr in der Frage die Fettleibigkeit und ihre Behandlung. Wiesbaden. — 3) Albrecht, Sur un nouveau mode d'alimentation des fébricitants. Journ. de Med. de Bruxelles. Febr. — 4) Kadner, Das Schroth'sche Heilverfahren. Berl. klin. Wochenschr. No. 9.

Hoffmann (1) unterzieht die Verwendung der Milchdiät bei Magenkranken einerseits und cachectischen, durch langdauernde Krankheiten heruntergekommenen Individuen andererseits einer genaueren Analyse. Für die erste Kategorie ist die Milchdiät im Allgemeinen nicht empfehlenswerth und die Verdaulichkeit derselben nur eine scheinbare, weil sich einmal die Art der Gerinnung — ob klumpig oder fein — nicht mit Sicherheit bestimmen lässt, weil sie zweitens überall da, wo der Magen zu abnormen Gährungsprocessen neigt, denselben Vorschub leistet. Anders steht es um die zweite Gruppe, wo die Milch a priori als ein durchaus rationelles Nahrungsmittel angesehen werden muss. Es fragt sich nur, ob sich ein Mensch bei absoluter Milchdiät, d. h. bei Enthaltung jeder anderen flüssigen oder festen Nahrung wirklich ernähren und nicht nur im Stickstoffgleichgewicht bleiben, sondern auch ansetzen kann. Dies scheint allerdings ausserordentlich schwierig zu sein, weil die dazu benöthigte Milchmenge das Aufnahmevermögen der meisten Menschen übersteigt. H. führt 2 interessante Versuchsreihen aus der russischen Literatur an, die eine von Laptschinsky, die andere von Slatkowsky, welche beide zeigen, dass, um eine Person auf Stickstoffgleichgewicht zu erhalten, eine tägliche Milchzufuhr von etwas über 3 l nothwendig ist. Dies bezieht sich aber auf Personen, welche keine körperlichen und geistigen Anstrengungen haben, wogegen sich die unter gleichen Verhältnissen nothwendige Milchmenge für einen Arbeiter auf etwa 4,6 l berechnen würde, eine Quantität, die Niemand ohne Magenbeschwerden zu sich nehmen kann. H. selbst stellte an einer gesunden Person 2 Versuchsreihen an, die eine im Sommer, die andere im Winter. Im ersten Fall wurden nur 56,18 Stickstoff in 3 Tagen ausgegeben. im 2. Fall dagegen 64,17 bei etwa gleicher Milchaufnahme. Dies entspricht also der bekannten Thatsache. dass der Stickstoffverbrauch im wärmeren Klima bedeutend geringer ist als im kälteren. Dagegen zeigte sich, dass, sobald die Milchaufnahme nur wenig unter 3 l hinabging, die Verluste für den arbeitenden gesunden Mann so erheblich wurden, dass innerhalb einer Woche der Experimentator für die Gesundheit desselben besorgt werden konnte. Für die Praxis ergiebt sich daraus, dass man mit ausschliesslicher Milchdiät nur dann einen Kranken kräftigen kann, wenn er wenig Bewegung und wenig Wärmeverlust hat. Dagegen ist die Milchdiät offenbar jeder Fettbildung höchst ungünstig, weil sie nur gerade soviel Stickstoff zuführt. wie nothwendig ist, an Kohlenhydraten und Fett aber ein gewisses Deficit mit sich bringt; sie würde also besonders da zu empfehlen sein, wo es sich darum handelt der Fettbildung im Körper entgegen zu wirken.

Mit der letztberührten Frage, nähmlich der Diät der Fettleibigen beschäftigt sich Ebstein (2) und wendet sich in der vorliegenden Abhandlung gegen die ihm von Voit in seiner Arbeit über die Ursachen der Fettablagerung im Thierkörper (s. d. J. 1883, S. 233) gemachten Einwendungen gegen seine bekannte Cur der Fettleibigkeit. Er deducirt aus dem Wortlaut der Voit'schen Schrift die Anerkennung, dass nicht nur seine (nämlich E.'s) Methode practische Erfolge habe, sondern dass sie auch in so fern rationell sei, als theoretisch bei ihr Fett zu Verlust kommen müsse. Dagegen sei die von Voit vorgeschlagene Modification der Bantingcur durch Vermehrung der Kohlenhydrate, wie sich E. an eigener Person überzeugen konnte, practisch nicht durchführbar. Die Kohlenhydrate machen zu leicht Dyspepsien und sättigen überdies nicht in der Weise wie das Fett. wodurch die Ebstein'sche Methode besonders relativ so leicht durchführbar wird. Des weiteren glaubt E. die ihm von Voit gemachten Einwendungen darauf zurückführen zu können, dass V. seine Auseinandersetzungen nicht genau wiedergegeben habe. Gleicherweise wird die Kritik, welche Oertel in seiner Therapie der Kreislaufsstörungen gegeben hat, zurückgewiesen. Wenn Oertel behaupte, dass ein grosser Theil Menschen gegen Fett sehr empfindlich sei und mit vollständiger Appetitlosigkeit und mehr oder weniger hartnäckigen dyspeptischen Beschwerden darauf reagire, so sei dies für seine Patienten nicht richtig. Die Ebstein'sche Methode beseitige im Gegentheil derartige Zufälle statt sie hervorzurufen; sie mindere das Durstgefühl und setze in der That den Fettansatz herunter.

Albrecht (3) empfiehlt nach einer längeren historischen Einleitung über die Ernährung der Fieberkranken, Fiebernde, besonders Typhöse mit Peptonpräparaten, vornehmlich dem löslichen Sanders'schen Fleischpepton und peptonisirter Milch, zu ernähren.

Kadner (4) giebt eine Beschreibung der von ihm in seiner Heilanstalt angewandten modificirten Schroth'schen Cur. Nach einer etwa 8tägigen Vorcur, in welcher der Patient auf 600—800 ccm Wein gesetzt wird, beginnt die eigentliche Cur mit Entziehung aller Fleischspeisen. Nur Breie von enthülsten Leguminosen wie Graupen, Reis, Grütze, Hirse etc. und trockene Semmel werden gereicht. Das Getränk wird in gewissen Zeitabständen für mehrere Tage auf höchstens 400 g Wein, event. mit Wasser oder Haferschleim verdünnt, beschränkt, aber zwischendurch wieder reichliche Weinmengen, bis zu 1 l verabfolgt. Diese Ernährungsweise dauert 4 Wochen und wird event. allmälig wieder in die gewöhnliche Lebensweise zurückgeleitet, oder bei mangelndem Erfolg, wiederholt. Nachts werden nasse Einwickelungen gemacht. Der Schwerpunkt liegt in der Getränkentziehung und mit Jürgens sieht K. den Vortheil der Methode in der willkürlichen vom Arzt hervorzurufenden Concentration des Blutserums und der Wahrscheinlichkeit, dass damit eine Um- und Neubildung des Organismus verbunden sei.

Die Durchführung der Cur erfordert eine strenge Individualisirung entsprechend den Reactionserscheinungen von Seiten des Kranken und die Flüssigkeitsentziehung darf immer nur relativ eine grösstmögliche sein. Die Nahrung schon an sich ungenügend, wird durch die Anfangs auftretenden Appetitstörungen noch ungenügender. Es findet eine Consumption der im Körper aufgestapelten Stoffe statt. Dadurch wird das Nahrungsbedürfniss erhöht und eine grössere Verarbeitung und Ausnutzung der reizlosen Nahrungsmittel erzielt, die wiederum eine stärkere Flüssigkeitsentziehung ermöglichen. Der als Getränk verabfolgte Wein wird besonders wegen seiner stimulirenden Eigenschaft auf das Herz gewählt. In den Einwickelungen, die den Kranken während des dritten Theiles der ganzen Curzeit mit einer warmen mit Wasserdampf gesättigten Atmosphäre umgeben, sieht K. eine Art Mittel durch Herabsetzung der Wärmeabgabe von der Haut, die Consumption zu verlangsamen. Sie dienen ebenfalls als Adjuvans der Cur.

Die Methode ist natürlich nicht bei Krankheitszuständen mit starker Consumption anwendbar, wohl aber bei solchen chronischen exsudativen Leiden, wo eine Eindickung des Blutserums und damit eine Beschleunigung und Steigerung der Diffusionsvorgänge geboten ist.

Zwei Krankengeschichten der Wunderlich'schen Klinik dienen zur Illustration des Gesagten. Die erste betrifft einen Patienten „mit chronischen Entzündungen zahlreicher Gelenke ohne Knochendifformitäten". Bei seiner Aufnahme konnte er nur wenige Schritte gehen, sich auch der Hände nur wenig bedienen. Er war nach 3 Curperioden geheilt und ist jetzt Dienstmann.

Der zweite Fall betraf einen Kranken mit Periostitis der Tibia und Iritis, welche lang dauernder specifischer Behandlung getrotzt hatten. Auch hier war Heilung erfolgt.

Bei einem Fall von Morb. Brightii (den K. übrigens nicht für die richtige Indication hält) war lange und gewissenhaft gebrauchte Cur erfolglos.

Kinesiotherapie (Massage).

1) Heiligenthal, Die Anstalt für mechanische Heilgymnastik im Friedrichsbade in Baden-Baden. Baden-Baden. — 2) Reibmayr, Die Activbewegungen im Anschluss an die Massage gr. 8. Wien — 3) Derselbe, Die Massage und ihre Verwerthung in den verschiedenen Disciplinen der pract. Medicin. 2. Aufl. gr. 8. Wien. — 4) Derselbe, Die Technik der Massage. Mit 126 Holzschn. gr. 8 Wien. (Beschreibung der Handgriffe der Massage, ihrer Indicationen, Anleitung zur Zimmergymnastik ohne Beibringung neuer Thatsachen oder Erfahrungen, aber was letzteres Buch betrifft, mit recht mittelmässigen Holzschnitten.) — 5) Schreiber, Practische Anleitung zur Behandlung durch Massage und methodische Muskelübung. Mit 117 Holzschnitten. Wien 1883. — 6) Zabludowski, Ueber Massage. Verhandlungen des internat. medicin. Congresses zu Kopenhagen, aus den Sectionssitzungen für Chirurgie. Wien med. Presse No. 41. (Resumé über die Erfahrungen, welche Z. theils auf der v. Bergmann'schen Klinik, theils in der Privatpraxis gesammelt hat, ohne Beibringung neuer Thatsachen, wenigstens wird man die Angabe, dass Z. die Massage bei frischen Knochenbrüchen verwirft, kaum als eine solche ansehen wollen.) — 7) Werner, Die Massage. Ihre Technik, Anwendung und Wirkung. Populäre Darstellung mit (einigen wenigen Ref.) Holzschnitten. Berlin. 51 Ss. 8.

Heiligenthal (1) beschreibt in einer mit vielen Abbildungen ausgestatteten Broschüre die verschiedenen in der Anstalt für mechanische Heilgymnastik im Grossherzoglichen Friedrichsbad zu Baden-Baden aufgestellten Apparate zur Ausübung der mechanischen Gymnastik, welche nach den Angaben des Erfinders Dr. Zander in Stockholm angefertigt sind. Bekanntlich beruht diese Methode darauf, dass sogenannte duplicirte oder Widerstandsbewegungen ausgeführt werden, bei welchen der Patient eine Bewegung ausführt, der von anderer Seite (Gymnast oder Maschine) ein gleichmässiger Widerstand entgegengesetzt wird, mit der Maassgabe, dass die Bewegung dadurch nicht vollkommen gehindert, sondern nur ein grösseres Kraftmaass für dieselben erforderlich gemacht wird. Diese Widerstände lassen sich entweder durch einen Menschen oder in vollkommenerer, d. h. gleichmässigerer und genauer abzustufenderer Weise durch Maschinen bewirken. Diese sind entweder so eingerichtet, dass der Uebende resp. Patient durch active Bewegungen bestimmte Muskelgruppen in Function setzen und ein ganz bestimmtes Kraftmaass aufwenden muss, um einen Apparat in Bewegung zu bringen und dessen Widerstand zu überwinden oder sie haben einen bestimmten Gang, dem der Patient folgen muss. Für die passiven Bewegungen werden die Apparate durch Dampfkraft getrieben, so dass der Uebende nur den Bewegungen des Apparates zu folgen hat. Unter den Indicationen, welche H. aufzählt, dürfte, abgesehen von dem gewöhnlichen Falle der Gymnastik als diätatischem und hygienischem Mittel und ihrer Verwendung bei Congestivzuständen, nervösen Leiden, gichtischen und chronisch rheumatischen Zuständen ganz besonders die Anwendung bei Herzkrankheiten und deren Folgen interessiren. Hier sollen regelmässige schwache aber vielseitige Muskelübungen in den möglichen Fällen Heilung, in anderen wenigstens bedeutende Linderung herbeiführen. H. beruft sich als Gewährsmann auf Prof. Rossander in Stockholm, der besonders die fettige Entartung des Herzmuskels und die Stauungserscheinungen beeinflusst gesehen hat. Durch die betreffenden Muskelübungen, welche vor allem das kranke Herz nicht aufregen dürfen, sollen die Blutgefässe entspannt und erweitert, die Musculatur blutreicher und die peripherische Circulation befördert und beschleunigt werden. Dadurch wird die Arbeit des Herzens vermindert und weniger anstrengend. Die eingehende Beschreibung der Apparate siehe im Original.

Schreiber (5) giebt in übersichtlicher Anordnung des Materials eine gute Darstellung der Grundsätze und Ziele der Massage und eine klare Anleitung zu ihrer Ausübung. Hervorzuheben ist, dass S. selbst bei fieberhaften Zuständen, z. B. bei dem acuten fieberhaften Muskelrheumatismus, die Massage für indicirt hält. Die mechanischen Vornahmen werden in „stabile" und „fortschreitende" unterschieden, den activen und passiven Bewegungen eine hervorragende Stelle in dem ganzen therapeutischen Apparat zugewiesen. Aus dem Inhaltsverzeichniss seien folgende Capitel genannt: „Kann man Massage ohne Lehrer erlernen?" „Lässt sich die menschliche Hand durch Apparate ersetzen?" Massage bei Opium-, Chloroform- und Chloralhydrat-Vergiftungen. „Was muss der practische Arzt dem Specialisten überlassen?" Am Schluss ein ausführliches Verzeichniss der bisher erschienenen Literatur.

[Ausländer, Massage als Heilungsmethode. Medycyna. No. 51—52.

Verf. schreibt der Massage eine unmittelbare und eine mittelbare Wirkung zu. Die erste beruht auf directem Hineinpressen des Exsudates in die Lymphgefässe und Beschleunigung des venösen Kreislaufes, die zweite besteht in dem durch reflectorische Erweiterung der Gefässe bedingten vermehrten Blutzuflusse, wodurch die Exsudate erweicht und verflüssigt werden. Ferner beschreibt Verf. die einzelnen Arten der Massage als Streichen, Kneten, Walken, Schlagen etc. und erläutert dieselben durch entsprechende Illustrationen. Die kurze Abhandlung bringt übrigens nur Bekanntes.

Schramm (Krakau).]

Geschichte der Medicin und der Krankheiten

bearbeitet von

Prof. Dr. PUSCHMANN in Wien.

I. Encyclopädien, Medicin. Wörterbücher, Bibliographie.

1) Dictionnaire nouveau de médecine et de chirurgie pratiques, réd. par Jaccoud. T. 36. 37. Paris. — 2) Dictionnaire usuel des sciences médicales par A. Dechambre, M. Duval, L Lereboullet. Paris. — 3) Dujardin-Beaumetz, Dictionnaire de thérapeutique, de matière médicale, de pharmacologie, de toxicologie et des eaux minérales. Paris. 4. — 4) Decaisne et X. Gorecki, Dictionnaire élémentaire de médecine. 2 ed. Paris. — 5) Roosa, A vest-pocket medical lexicon: a dictionary of the words, terms, and symbols of medical science. New-York. — 6) Index medicus, a monthly classified record of the current medical literature of the world, comp. of Billings and R. Fletscher. New-York. Vol. VI. — 7) Zur medicinischen Bibliographie. Petzholdt's Anz. für Bibliographie und Bibliothekswissenschaft. H. 11. (Dieser Artikel enthält einen Hinweis auf die Reichhaltigkeit und Wichtigkeit des Index-Catalogue of the library of the Surgeon. General's Office U. S.) — 8) Dureau, A., De la bibliographie médicale; les bibliothèques médicales; necessité des catalogues imprimés. — 9) Catalogus bibliothecae Guyotianae instituti surdomutorum Groningani. Pars spec. de surdomutis, balbis, caecis, mente imbecillis. Cur. A. W. Alings Groningae 1883. 8. 252 pp. — 10) Catalogue général des livres anciens et modernes, français et étrangers, de médecine, de chirurgie, de pharmacie, de l'art vétérinaire et des sciences qui s'y rapportent. Paris. 8. 447 pp. — 11) Jatros, Die internationale medicinische Sammelforschung. Die Nation, her. von Th. Barth. Jahrg. 1. No. 50. — 12) Andreucci, Dei manoscritti di Fr. Redi, M. Malpighi, L. Bellini e Ant. Cocchi, nelle Marucelliana e Bibliotheca medica fiorentina: illustrazione storico-biografica. Bologna. 70 pp. — 13) Stillson, H, Pronunciation of medical terms. Louisville Med. News. p. 33.

II. Geschichte der Medicin im Allgemeinen und in einzelnen Ländern, Geschichte des ärztlichen Standes, einzelner Universitäten, medicinischer Schulen und Institute, Krankenhäuser und medicinischer Gesellschaften.

1) Haeser, H., Grundriss der Geschichte der Medicin. Jena. 8. 418 Ss.

In dem grossen, dreibändigen Lehrbuch der Geschichte der Medicin, welches der Verf. vor wenigen Jahren zum Abschluss gebracht hat, hat er ein monumentales Werk geschaffen, das als ein Markstein in der medicinischen Historiographie erscheint; im vorliegenden Grundriss der Geschichte der Medicin liefert er ein Schulbuch, welches den Bedürfnissen der jungen Aerzte und Studirenden entspricht. Er hat sich damit ein grosses Verdienst erworben; denn es fehlte an einem guten Compendium über diesen Gegenstand. Haeser hat diese Lücke ausgefüllt und die Aufgabe, die er sich stellte, in mustergültiger Weise gelöst: er giebt in gedrängter Kürze eine Schilderung der wesentlichen Thatsachen und Fortschritte, welche die Entwickelung der Heilkunde herbeigeführt oder beeinflusst haben. Sein Buch zeichnet sich durch die Reichhaltigkeit des Inhalts aus und bleibt dabei fern von jener Dürftigkeit des Stils, die man bei Schriften dieser Art nicht selten findet. Es ist nach demselben Plane wie das Lehrbuch des Verf. angelegt und bearbeitet und pflegt gleich jenem die Beziehungen, welche sich zwischen der Heilkunde und der allgemeinen Culturgeschichte darbieten. Die Einleitung bilden einige kurze Mittheilungen über die Medicin der alten Aegypter, der Israeliten, Indier, Perser und der ostasiatischen Völker; hierauf folgt die Geschichte der Heilkunde bei den Griechen und Römern, welche durch die Bemerkungen, die sich bei Homer finden, eröffnet wird, sich mit den äusseren Verhältnissen des ärztlichen Standes beschäftigt, dabei den Asklepiaden und ihren Schulen eine ausführlichere Betrachtung widmet, dann nach dem Inhalt des Hippokratischen Sammelwerks den Zustand des ärztlichen Wissens und Könnens jener Zeit schildert, die Bedeutung der darauf folgenden Naturphilosophie, besonders für die Entwickelung der Medicin, auseinandersetzt, die Bearbeitung der Heilkunde in Alexandria und die hervorragendsten Leistungen der Alexandriner beschreibt, die Verpflanzung der Medicin nach Rom und die Fortschritte, die sie dort erlebte, erörtert und den Inhalt der wichtigsten literarischen Producte jener Periode, nämlich der Schriften des Soranus, Caelius Aurelianus, Celsus Plinius, Dioskorides, Galen u. A. angiebt. Damit endet der erste Theil (S. 1—70). der zweite (S. 73—153) enthält die Geschichte der Medicin im Mittelalter. Der Verf. erläutert den Einfluss des Christenthums auf die Heilkunde, besonders den dadurch begünstigten Aufschwung der Armen- und Krankenpflege, zählt die medicinische Literatur der byzantinischen Periode auf. liefert dann eine summarische Uebersicht der practischen Leistungen der Aerzte des Alterthums und der byzantinischen Zeit und schliesst daran die Schilderung der äusseren Verhältnisse des ärztlichen Standes bei den Römern und Byzantinern. Der folgende Abschnitt ist der arabischen Heilkunde gewidmet. Die Geschichte der Medicin im Abendlande beginnt mit den Anfängen der Medicin bei den Germanen und einigen Nachrichten über die Aerzte und die ärztlichen Studien während der ersten Jahrhunderte des Mittelalters, geht dann auf die Gründung der ältesten Universitäten ein und schildert die Pflege, welche die Medicin an denselben erfuhr, characterisirt bei dieser Gelegenheit die Salernitanische Schule und beschäftigt sich endlich mit der scholastischen Periode und den Vorboten der Wiedergeburt des geistigen Lebens, die sich auf unserem Gebiete zunächst in der Erneuerung der anatomischen Studien und dem Aufschwung der Chirurgie geltend machte. Am Schluss dieses Abschnittes wirft der Verf. einen Blick auf die äusseren Verhältnisse des ärztlichen Standes im Mittelalter und gedenkt dabei des medicinischen Unterrichtswesens, der Hospitäler und der Ordensgemeinschaften, welche die Krankenpflege zu ihrer Aufgabe machten. Der dritte Theil (S. 157—401), welcher die Geschichte der Neuzeit umfasst. wird durch den Hinweis auf die mächtigen culturgeschichtlichen Ereignisse. welche den Beginn dieser Periode bezeichnen, eingeleitet. Hierauf zeigt der Verf., wie sich die Umwälzung des geistigen Lebens, die sich im 16. und 17. Jahrhundert vollzog. auch in der Medicin äusserte, zur Errichtung eines auf eigene Untersuchungen und Beobachtungen gegründeten anatomischen Lehrgebäudes. dessen Baumeister Vesalius und mehrere andere Anatomen seiner Zeit waren, führte. die Entdeckung des Blutkreislaufs in Gefolge hatte, auf die Bedeutung der Physik und Chemie für die Medicin hinwies, durch die Schulen der Jatrophysiker und Chemiatriker hindurch die Rückkehr zur Hippokratischen Heilkunde anbahnte, der Erfahrung den gebührenden Platz wieder einräumte. und der Chirurgie durch die Erfindung neuer oder längst vergessener Operationsmethoden oder durch die Verbesserung und Vervollkommnung der bekannten eine gänzlich veränderte Gestalt gab. In ausführlicher Weise schildert er dabei die Bereicherungen, welche die verschiedenen Disciplinen der Heilkunde erhielten, und den Antheil, den die einzelnen Forscher daran hatten. In den folgenden Abschnitten werden die medicinischen Systeme und Fortschritte des 18. und 19. Jahrhunderts erörtert und die hervorragendsten Thatsachen, aus denen sich die Heilkunde unserer Zeit zusammensetzt, mitgetheilt. Im Anhang (S. 403 bis 418) folgt das Verzeichniss der in dem Buche genannten Namen. — Dem Inhalt nach entspricht der vorliegende Grundriss der Geschichte der Medicin den beiden ersten Bänden des Lehrbuchs des Verfassers; der dritte Band des letzteren, die Geschichte der Volkskrankheiten, findet in dem Grundriss keine Berücksichtigung. Derselbe enthält eine Fülle von Thatsachen und unterscheidet sich nur durch eine knappere Form von dem grossen Lehrbuch. berichtigt übrigens auch einzelne Irrthümer, welche in jenem enthalten sind, und ergänzt verschiedene Lücken desselben. Die für die Entwickelung der Heilkunde massgebende Literatur wird vollständig aufgeführt und von den älteren Werken stets die beste Ausgabe angegeben. Einige Flüchtigkeitsfehler, welche sich leider eingeschlichen haben, hätten sich leicht vermeiden lassen. So wird das Alter des Papyrus Ebers zu hoch angenommen (S. 4). S. 8 der Hinweis auf die wichtigen Ergebnisse der Forschungen A. Müller's vermisst und S. 90 über die psychiatrischen Bemerkungen des Alexander von Tralles ein ganz anderes Urtheil gefällt, als S. 78. Auch Druckfehler findet man, wie Dotze Joffan statt Joze Dophan u. a. m.; S. 118 sind die Zahlen bei Wien und Heidelberg verstellt worden. und S. 309. Z. 16 ist 1754 statt 1764 zu lesen. Zu S. 162 bemerken wir, dass es auch in den Gemälde-Gallerien zu Florenz und München Portraits Vesals giebt und dessen Statue zu Brüssel nicht von David, sondern von Geefs herrührt. — Diese kleinen Mängel wurden von uns nur hervorgehoben, um zu zeigen. dass auch der gelehrteste und gewissenhafteste Autor davor nicht immer geschützt ist. Dieselben vermögen übrigens den Werth des Buches keineswegs herabzusetzen; der vorliegende Grundriss ist trotzdem das weitaus beste Schulbuch der Geschichte der Medicin. welches wir in der deutschen Literatur besitzen, und verdient der studirenden Jugend auf das Wärmste empfohlen zu werden. Möge sich der „kleine Haeser" bei ihr eben so viele Freunde erwerben, als der „grosse Haeser" unter den Gelehrten und Forschern gefunden hat!

2) Dureau, A., Documents pour servir à l'histoire de la médecine. Gaz. méd. de Paris. I. p. 157—160. — 3) T., De geneeskundigen van vorheen en thans. Geneesk. Courant. No. 10—16. — 4) Bertrand, A., Histoire de la philosophie chez les médecins. Revue scient Paris XXXIII. p. 137—143. — 5) Rohlfs, H., Die Aerzte als Culturhistoriker. Deutsches Arch. f. Gesch. d. Med. VII. H. 4. S. 443—454. — 6) Schtschastny, A. J., Medico-istoricheskie ochersky. Voyenno-sandielo St. Petersb. 1883. III. p. 209, 218, 226, 233, 241, 249, 262. — 7) Mathewson, R. W., Medicine fifty years ago. Proc. Connect. M. Soc. Hartford No. 1. p. 57—63. — 8) Schlegel, Em, Wissen und Können der modernen Medicin Kiel. 32 Ss — 9) Rauber, A., Urgeschichte des Menschen. Leipzig. Bd. 1 436 Ss.

10) Reiss, W. und A. Stübel, Das Todtenfeld von Ancon in Peru. Ein Beitrag zur Kenntniss der Cultur und Industrie des Inca-Reiches. Berlin. Auch in englischer Uebersetzung.

Durch dieses mit einer grossen Anzahl von Tafeln prachtvoll ausgestattete Werk erhalten wir einen Einblick in die Lebensverhältnisse der alten Indianer und lernen ihren Farbensinn, Geschmack und ihre Kunstfertigkeit kennen. Auch bei den alten Peruanern herrschte nämlich die Sitte, dem Todten die Geräthschaften des täglichen Gebrauches, sowie Schmuckgegenstände und Gewänder ins Grab zu legen. Man fand daher bei der Eröffnung der Beerdigungsstätten Waffen und militärische Zeichen, Handwerksgeräthe, Spindeln. Arbeitskörbchen, Gefässe und Figuren aus Thon von verschiedenen Formen, Kinderspielzeug, Hals- und Armbänder, Lebensmittel und Hausthiere. Von besonderem Interesse erscheint die Art. wie die Mumien hergestellt und bestattet wurden. Die Untersuchung derselben führte zu dem Ergebniss, dass die alten Peruaner dem Gebrauch huldigten, sich während des Lebens tättowiren zu lassen und die Todten im mumificirten Zustande mit rother Farbe zu bemalen.

11) Gierke, Ueber die Medicin in Japan in alten und neuen Zeiten. Jahresber. d schles. Ges. f. vaterländische Cultur. Breslau 1883. S. 18—30 u. Deutsches Archiv f. Gesch. d. Med. VII. H. 1. S. 1—15. — 12) Ardouin, L., Aperçu sur l'histoire de la médecine au Japon. Paris. — 13) Lee, W, Lettres d'Amérique. Union méd. Paris. T. 37. p 336—339. T. 38. p. 327—329. — 14) Green, S. A., Notes on a copy of Dr. W. Douglas' Almanach for 1743, touching on the subject of medicine in Massachusetts before his time. Cambridge. — 15) Quinan, John, Medical annals of Baltimore from 1608 to 1880, including events, men and literature, to which is added a subject index and record of public services. Baltimore. 8. 274 pp. — 16) Salomon, M., Die Entwickelung des Medicinalwesens in England mit vergleichenden Seitenblicken auf Deutschland und Reformvorschlägen. Aerztl. Int.-Blatt. München. S 225—229. — 17) Keiller, A., Reminiscenses of the medical profession in Edinburgh fifty years ago, being the Harveian oration. Edinb. Med. Journ. XXIX. p. 977—991. — 18) The Medical magnates of Edinburg. Boston M. and S. J. p. 401. — 19) Wistrand, A. H., A. J. Bruzelius och C. Edling. Sverges Läkarchistoria ifran Gustav I till närvarande tid. (Geschichte der Medicin in Schweden von Gustav I. bis auf die Gegenwart.) Stockholm. 1883 8. — 20) Labonne, La médecine en Scandinavie. Gaz. hébd. de méd. Paris. p. 393, 573, 605. — 21) Guibout, E., Les vacances d'un médecin; l'Allemagne, la Russie, la Pologne, Vienne, Strasbourg. (Aerztliche Reiseberichte.) Paris. 219 pp. — 22) Rodriguez de Gusmas, Medicos portuguezes en França. Coimbra med. 1883 III. p. 131, 199, 245, 280, 295. — 23) Ibanez, Memorias par la historia de la medicina en Santa Fé de Bogota Rev. med. Bogota. 1883/84. VIII. p. 114, 213, 305, 355, 438, 495, 540. — 24) Galati, T., I medici italiani passati e presenti. Palermo. — 25) Thomas, L, La médecine à Vienne depuis un siècle. Gaz. hebd. d. méd. et chir. No. 9. (Mittheilung einiger Thatsachen aus Puschmann's Buch: Die Medicin in Wien während der letzten hundert Jahre) — 26) Gusbeth, Zur Geschichte der Sanitätsverhältnisse in Kronstadt (Siebenbürgen). Kronstadt. — 27) Hefke, Der Arzt im römischen und heutigen Recht. Arch. f. pract. Rechtswissenschaft. III. No. 1. — 28) Schmidt, H., Streiflichter über die Stellung des Arztes in der Gegenwart und sein Verhältniss zur Praxis oder die Medicin, was sie ist, was sie kann, und was sie will. Berlin. — 29) Herdegen, Rob., Bilder aus der Geschichte des ärztlichen Standes. Ein für Laien bestimmter Vortrag. 8. 30 Ss. Milwaukee. — 30) Das Wirken der deutschen Aerztinnen. Nordwest. her. von Lammers. No. 73. — 31) Paulsen, Fr., Geschichte des gelehrten Unterrichts auf den deutschen Schulen und Universitäten vom Ausgang des Mittelalters bis auf die Gegenwart Leipzig. 1885. 8. 811 Ss. (Sehr wichtig für die Geschichte der Universitäten und deren Einrichtungen.)

32) Conrad, Das Universitätsstudium in Deutschland während der letzten 50 Jahre. Jena 283 Ss. 8.

Dieses Buch enthält werthvolle statistische Zusammenstellungen über die Zahl der Studirenden, ihre Vertheilung auf die verschiedenen Landestheile, ihr Lebensalter, den Stand ihrer Eltern, über die Frequenz der einzelnen Facultäten u. a. m. Die Medicin zählte 1830/31 an sämmtlichen Universitäten des deutschen Reiches 2529 Studenten, 1835, 2655; hierauf folgte eine Abnahme. welche 1848 bis auf 1610 sank; dann stieg die Frequenz wieder bis 2395 im Jahre 1853/54, erhielt sich während der folgenden 10 Jahre in der gleichen Höhe, um seit 1862 allmälig anzuschwellen, und hat namentlich seit 1878 eine bemerkenswerthe Steigerung erfahren. Im Verhältniss zur Gesammtbevölkerung ergiebt sich, dass in Deutschland von 100000 Einwohnern 1831—36 8,4 pCt., 1846—51 5.2 pCt., 1876—81 8,3 pCt. und 1881 11 pCt. Medicin studirten.

33) Baumgart, M., Grundsätze und Bedingungen zur Erlangung der Doctorwürde bei allen Facultäten der Universitäten des deutschen Reiches. Berlin. 8. 222 Ss. — 34) Lorinser, Fr., Practische Anleitung in der Heilkunde. Wiener med. Wochenschr. No. 15 u. 16. — 35) Die ärztliche Prüfung und Vorprüfung im Deutschen Reiche. Bekanntmachungen des Reichskanzleramts vom 2. Juni 1883.

36) Säxinger, Joh., Die Entwickelung des medicinischen Unterrichts an der Tübinger Hochschule. Rectoratsrede. Tübingen. 1883.

Der Verf. skizzirt in lichtvoller Weise die Einführung und Entwickelung des medicinischen Unterrichts in Tübingen. Wie an andern Hochschulen, gab es auch dort anfangs nur 2—3 Professuren der Heilkunde; unter den ersten Lehrern befand sich Johann Widmann. Die erforderlichen Lehr-Institute fehlten bis in unser Jahrhundert fast gänzlich oder waren wenigstens sehr dürftig ausgestattet. In den ersten Decennien fand nur alle 3—4 Jahre die Zergliederung einer Leiche statt; erst Leonhard Fuchs, der berühmte Botaniker, welcher von 1535—1566 den Lehrstuhl der Anatomie inne hatte, wendete diesem Gegenstande eifrigere Pflege zu. Aber der Mangel an Leichen und die folgende Kriegszeit lähmten die Bestrebungen und bewirkten schliesslich eine gänzliche Unterbrechung des medicinischen Unterrichts. Erst im Beginn des 18. Jahrhunderts wurden die regelmässigen Leichen-Sectionen wieder aufgenommen und im Anfang des 19. Jahrhunderts wurde der Grund zu den Sammlungen der pathologischen und der vergleichenden Anatomie gelegt. Einen botanischen Garten erhielt die Universität in der letzten Hälfte des 17. Jahrhunderts, ein chemisches Laboratorium in der Mitte des 18. Jahrhunderts. Die Lehrkanzel der Botanik war wie auch anderwärts bis in die neueste Zeit mit der Professur der Chemie verbunden. Sehr spät entschloss man sich zur Errichtung klinischer Institute. Man begnügte sich bis dahin mit der Demonstration ambulanter Kranken und verschob die Gründung einer stationären Klinik bis zum Schluss des vorigen Jahrhunderts. Dieselbe zählte anfangs nur 4 Krankenbetten und gewann erst nach ihrer Uebersiedelung in die für ihre Zwecke hergerichteten Räume der alten Bursa eine grössere Ausdehnung.

37) Rothmund, A. v., Ueber die Entwickelung des medicinischen Studiums an den Universitäten Ingolstadt, Landshut und München. Rectoratsrede. München. 4. 25 Ss. — 38) Toepke, Die Matrikel der Universität Heidelberg von 1386—1662. I. Theil. Heidelberg. (Ausser den Namen der Studenten, welche in jener Periode immatriculirt waren, findet der Leser das Vermögens-Inventar der Universität vom J. 1396, in welchem das Bücherverzeichniss und der Accessions-Catalog von 1396—1432, der auch mehrere medicinische Werke aufzählt, unser Interesse erregt.) — 39) Acten der Erfurter Universität, bearb. v. H. Weissenborn. 2. Theil. Allgemeine und Facultätsstatuten von 1390—1636. Allgemeine Studentenmatrikel (1492 bis 1636).

40) Tönnies, Die Facultätsstudien zu Düsseldorf von der Mitte des 16. bis zum Anfang des 19. Jahrh. Programm der höheren Bürgerschule in Düsseldorf. 48 Ss.

Im 16. Jahrhundert vertrat die Düsseldorfer hohe Schule nur Theologie, Jurisprudenz und Philosophie. Spuren einer medicinischen Facultät finden sich erst im 18. Jahrhundert. Im Jahre 1770 ist vom anatomischen Theater die Rede; doch reichen die Nachrichten über den medicinischen Unterricht noch 30 Jahre weiter zurück. Ein einziger Lehrer trug damals sämmtliche Disciplinen der Heilkunde vor, und die Zahl der Studirenden war nicht viel höher. Uebrigens wurden dort nur Chirurgen ausgebildet, von denen die Medicinalordnung vom Jahre 1773 den Nachweis verlangte, dass sie die Anatomie in Düsseldorf besucht hatten. Das medicinische Doctor-Diplom wurde dort nicht ertheilt; wer sich als Arzt im Lande niederlassen wollte, war daher genöthigt, dasselbe an einer anderen Universität zu erwerben. Im Jahre 1812 sprach Napoleon die Absicht aus, die Zahl der medicinischen Professuren auf drei zu erhöhen; aber dies kam nicht mehr zur Ausführung.

41) Müller, Ed., Die Hochschule Bern in den Jahren 1834—1884. Festschrift zum Jubiläum derselben. Bern. 227 Ss.

Wir entnehmen dieser sehr gründlichen Arbeit, dass sich die Universität zu Bern und deren medicinische Facultät aus bescheidenen Anfängen allmälig entwickelt hat. Auf A. v. Haller's Veranlassung wurde dort schon ein anatomisches Theater eingerichtet, und dem gemeinnützigen Wirken der naturforschenden Gesellschaft war es hauptsächlich zu danken, dass 1782 unter Venel's Leitung eine Hebammenschule, 1789 ein botanischer Garten, 1797 eine medicinische Bibliothek und ein naturhistorisches Museum und 1798 ein medicinisches Institut gegründet wurde. Das letztere wurde bald darauf der Academie einverleibt, welche 1805 ins Leben trat. Dieselbe war die Vorläuferin der Universität, die durch das Gesetz vom 5. März 1834 geschaffen wurde. Der Verf. erzählt dann die Geschichte dieser Hochschule während der verflossenen 50 Jahre und widmet dabei der medicinischen Facultät, deren Lehrkräfte nach ihren wissenschaftlichen und literarischen Leistungen gewürdigt, deren Anstalten und Lehrmittel in ihrer Entstehung, Entwickelung und ihrem jetzigen Bestande geschildert werden, eine ausführliche Betrachtung.

42) Cartulaire de l'université d'Avignon (1303 bis 1791), publié avec une introduction et des notes par Laval. Avignon. 8. 484 pp. — 43) Dubouchet, A., Les anciens diplômes de l'école de médecine de Montpellier. Etude historique d'après des documents originaux. Montpellier et Paris. 8. 42 pp. — 44) Derselbe, Les ordonnances du vieux-temps à Montpellier. Gaz. hebd. d. sc. med. de Montpellier. VI. p. 145, 157, 205, 217, 241. — 45) de Bourmont, La fondation de l'université de Caën et son organisation au XVe siècle. Caën. 8. 351 pp.

46) Documents relatifs à la fondation de l'université de Paris et de la Sorbonne au XIIIe siècle. Gaz. des hôp. No. 74, 75.

P. Henri Denifle, ein gelehrter Geistlicher, hat bei seinen historischen Forschungen mehrere auf die frühere Geschichte der Pariser Universität bezügliche Documente aufgefunden und darüber in den Memoires de la société de l'histoire de Paris Bericht erstattet. Die Gazette des hôpitaux bringt folgende drei Stücke zum Abdruck: 1) Le Privilège de Philippe Auguste en faveur de l'université de Paris vom Jahre 1200, welches man bisher nur aus späteren Abschriften kannte. 2) Den Originalact der Gründung der Sorbonne vom Jahre 1256. 3) Den Text der Bulle des Papstes Innocenz IV., in welcher der Universität die Führung eines Siegels gestattet wird, vom 30. October 1246.

47) Grant, A., The story of the university of Edinburgh during its first three hundred years. With illustrations. 2 vol. London.

Dieses Werk erschien zur 300jährigen Stiftungsfeier der Universität Edinburg. Die Gründung derselben wird in das Jahr 1584 verlegt; doch trug sie zunächst nicht den Character einer Universität, sondern eines College, an welchem hauptsächlich die philosophischen Diciplinen gelehrt wurden. Sehr bald trat das theologische und das juristische Studium hinzu, während die Anfänge einer medicinischen Facultät in das Ende des 17. Jahrhundert fallen. Auf Anregung von Rob. Sibbald, Arch. Pitcairn und anderer Aerzte fasste das College of physicans den Beschluss, einen botanischen Garten anzulegen, in welchem Vorlesungen über Kräuterkunde und Medicin gehalten wurden. Diese medicinische Schule wurde vom Stadtrath, welcher die Angelegenheiten der Universität leitete, 1685 der letzteren einverleibt; es waren an derselben 3 Professoren der Medicin angestellt, welche die nothwendigen Lehrräume erhielten, aber keinen Gehalt bezogen. Um die weitere Entwickelung des medicinischen Unterrichts erwarb sich das College of surgeons ein grosses Verdinst, indem es auf Grund des ihm 1505 ertheilten Rechts einmal im Jahre die Leiche eines Gerichteten zu seciren, im Jahre 1697 ein anatomisches Theater erbaute und regelmässige anatomische Demonstrationen einrichtete. Wenige Jahre nachher wurde eine anatomische Lehrkanzel gestiftet und deren Inhaber in den Lehrkörper der Universität aufgenommen. Die Opferwilligkeit der Bevölkerung rief ein academisches Spital ins Leben, welches 1747 eröffnet wurde und dem klinischen Unterricht diente. Um diese Zeit wurde auch eine Professur für Geburtshilfe errichtet; aber erst 1802 entstand eine chirurgische Klinik. Die Lehrthätigkeit entwickelte sich dann entsprechend dem grossartigen Aufschwung, welchen die medicinische Wissenschaft in diesem Jahrhundert genommen hat. Neue Lehr-Institute wurden erbaut und mit den nöthigen Hilfsmitteln ausgestattet, und die medicinische Facultät, welcher in älterer Zeit die Monro's, William Cullen u. A., in neuer Zeit ein J. Y. Simpson und Lister angehörten, erlangte einen Weltruf. Die Edinburger Hochschule gleicht in ihren Einrichtungen mehr den deutschen als den englichen Universitäten; sie hat sich ähnlich der Genfer Academie allmälig zu einer Universität entwickelt, war ursprünglich eine städtische Anstalt und steht erst seit 1858 unter der Aufsicht des Staates. Ihre Geschichte enthält reiches Material für die allgemeine Culturgeschichte sowohl, als für die Geschichte der Medicin, und Grant hat es verstanden, dasselbe für seine Arbeit zu verwerthen.

48) Medical education and the regulation of the practice medicine in the United States and Canada. Chicago. — 49) Historical sketch of the medical departement of the university of Vermont. Med. Stud. N.-Y. I. p. 25. — 50) History of medical education and medical colleges in this city. Fort. Wayne J. M. Sc. III. p. 169—171. — 51) Herzenstein, G. M., Stranitza iz istorii med. obrazoranija v. Rossii. (Ein Blatt aus der Geschichte des medicin. Unterrichtswesens in Russland.) Vrach. St. Petersburg 1883. p. 770—778. — 52) Projet d'un hôpital de Saint Anne au faubourg St.-Germain-des-Prez (1648). Gaz. des hôp. No. 16. (Patentbrief der Königin Anna, der Mutter Louis XIV., zur Errichtung eines Hospitals für kranke Frauen und Mädchen. Das Document befindet sich in der Sammlung der Mad. Deborde.) — 53) Collection de documents pour servir à l'histoire des hôpitaux de Paris, par L. Brièle, archiviste de l'administration. Gaz. des hôp. No. 23, 38, 101, 104. (Einige Mittheilungen aus diesem Buch, welche die Thätigkeit des Steinoperateurs Colot im Hôtel Dieu, die Verwaltung dieses Hospitals und die Epidemien betreffen, von denen es heimgesucht wurde).

54) Brockhaus, Heinrich, Das Hospital San Spirito zu Rom im 15. Jahrhundert. Repertorium für Kunstwissenschaft herausg. von H. Janitschek. Bd. 7. H. 3. 4.

Die Stiftung der Kirche geht bis in das 8. Jahrhundert zurück; das Hospital wurde unter Papst Innocenz III. erbaut und 1204 der Brüderschaft des hl. Geistes übergeben. Aber Kriege und Fehden verwüsteten später die Gebäude und nöthigten zum Neubau. Sixtus IV. hielt es, wie der Verf. schreibt, für nothwendig, das Hospital ganz neu erbauen zu lassen, weil die vorhandenen Gebäude ihm viel zu eng und niedrig, ja überhaupt so ungeeignet vorkamen, dass sie mehr zum Verderben als zur Heilung der herzuströmenden Armen und Schwachen zu bestehen schienen. Das jetzige Hospital stammt aus der Zeit der Renaissance. Es ist musterhaft angelegt und genügt noch heut den einfachen hygienischen Anforderungen. Das Hauptgebäude enthielt einen Krankensaal, der 126 m lang, über 12 m breit und 13½ m hoch, also sehr luftig war. Der Verf. giebt dann eine interessante Beschreibung der Fresken, welche sich an den Wänden finden und auf die Gründung und den Zweck des Hospitals beziehen, und schildert die späteren baulichen Veränderungen, denen leider auch die alte schöne Façade zum Opfer fiel. Die Literatur wurde sorgsam zusammengestellt; doch fehlt darunter z. B. Virchow's Arbeit über den Hospitaliter-Orden vom hl. Geist.

55) Kulenkampff, D., Die Krankenanstalten der Stadt Bremen, ihre Geschichte und ihr jetziger Zustand. Bremen. 38 Ss.

„Die ersten Spuren einer öffentlichen Fürsorge für arme Kranke, schreibt der Verf., finden sich in der Stadt Bremen im 9. Jahrhundert vor, indem das vom Erzbischof Anscharius (849—865) erbaute St. Georgii oder St. Jürgen-Gasthaus neben der Bestimmung, Arme zu beherbergen, auch die erhielt Kranke zu pflegen". Ausserdem dienten zur Aufnahme von Kranken das von den Nachfolgern des Erzbischofs Rembert (865—888) gestiftete Leprosen-Haus, das sog. St. Remberti-Spital, sowie das mit dem deutschen Ordenshause verbundene Infirmarium. Auch in dem „Sekenhaus", welches sich beim St. Johannis-Kloster befand, dürften Kranke Pflege und Behandlung gefunden haben; sicherlich war dies der Fall, nachdem das letztere in Folge der Reformation seiner bisherigen Bestimmung entzogen und 1527 in ein Kranken- und Armenhaus umgewandelt worden war. Dieser Anstalt wurden 1602 auch die Güter und Fonds des St. Jürgenhauses, dessen Gebäude einige Jahre vorher abgebrannt waren, überwiesen. Sie enthielt mehr als 70 Zimmer; ein Theil derselben wurde zur Unterbringung der „Unsinnigen und Tollen" verwendet, welche in kleinen Gewölben oder in von Eichenbohlen mit Eisenbeschlag gezimmerten Buden gehalten wurden, „in denen kein Raum als eben zum Bewegen und für eine Bettlade vorhanden war, mit einer Klappe in der Thür, um die Speisen hineinzureichen." Der Verf. zählt dann mehrere Ereignisse auf, welche die Entwicklung des Bremer Sanitätswesens im 16. Jahrhundert beeinflussten, nämlich die Niederlassung des ersten promovirten Arztes im Jahre 1510, die Gründung einer Apotheke (1532), den Beginn einer Art von medicin. Unterricht an dem 1584 gestifteten Gymnasium academicum, die Anfänge literarischer Thätigkeit der Bremer Aerzte, die älteste Medicinalordnung v. J. 1644, und die Eröffnung eines anatomischen Theaters (1685). Bald darauf (1689) wurde vom Rath ein Haus in der Neustadt angekauft und zu einer Krankenheilanstalt hergerichtet, in welcher nur Bremer oder unter der Herrschaft des Bremer

Rathes Stehende aufgenommen wurden, mit Ausnahme der Kinder unter 4 Jahren und der Unheilbaren, während die an ansteckenden und ekelhaften Krankheiten Leidenden auf das Remberti-Hospital. die Irren auf das ehemalige Johannes-Kloster angewiesen blieben. Das neue Krankenhaus hatte übrigens nicht mehr als 60 Betten für Kranke, wie es scheint; den ärztlichen Dienst versahen ein Arzt, der mindestens zweimal wöchentlich die Patienten besuchen musste, und zwei Chirurgen, welche die Verbände besorgen sollten. Studirende der Medicin und Chirurgie durften den Krankenbesuchen beiwohnen und empfingen später durch besondere Demonstratoren, welche zugleich als Consiliarärzte an der Anstalt wirkten, die erforderliche medicinische Unterweisung. Leichen konnten nur mit Erlaubniss des Rathes zu anatomischen Zwecken verwendet werden. 1733 wurde im Krankenhause ein Theatrum anatomicum eröffnet. Die Krankensäle litten an manchen Uebelständen; dennoch genügte die Anstalt ihrer Bestimmung. bis i. J. 1823 nach der Aufhebung des Johannes Hospitals der Bau einer Irrenanstalt nothwendig wurde, in deren Nähe das Krankenhaus verlegt wurde. Die Räumlichkeiten. welche es dort erhielt, waren sehr eng und dürftig; man entschloss sich daher 1847 zur Herstellung eines neuen städtischen Krankenhauses, welches einen Kostenaufwand von 135000 Thaler verursachte. Der Verf. entwickelt hierauf den Plan desselben. sowie des Irrenhauses und der übrigen damit verbundenen ärztlichen Gebäude, schildert deren Einrichtungen und Verwaltung und beschreibt endlich das Kinderkrankenhaus, das Vereinskrankenhaus vom rothen Kreuz, das St. Joseph-Stift, das Militärlazareth und andere humanitäre Anstalten, welche den letzten Decennien ihre Entstehung verdanken. Im Anhang folgen eine Anzahl von Tafeln, welche die Pläne der Krankenhäuser und ihre Ventilations- und Heizungseinrichtungen veranschaulichen.

56) Gernet, H. G., Geschichte des Hamburgischen Landphysikats von 1818—1871 nach amtlichen Quellen. Hamburg.

Die Geschichte der Medicin und die allgemeine Culturgeschichte haben ebenso wie die Lokalgeschichte Hamburgs durch diese Arbeit, in welcher der Verf. die Entwicklung des Sanitätswesens seiner Heimath, wo er durch 20 Jahre als Landphysicus thätig war, mit liebevoller Sorgfalt schildert, eine werthvolle Bereicherung erfahren.

57) Müller, Joh., Die wissenschaftlichen Vereine und Gesellschaften Deutschlands im 19. Jahrhundert. Bibliographie ihrer Veröffentlichungen seit ihrer Begründung bis auf die Gegenwart. Berlin. 1883. (Die medicinischen Gesellschaften und deren Publicationen werden ebenfalls eingehend berücksichtigt. Leider will sich der Herausgeber auf die Grenzen des heutigen deutschen Reiches beschränken. In solchen Dingen sollte doch nicht die politische Zusammengehörigkeit, sondern die gemeinsame Cultur und Sprache entscheiden.) — 58) Petersen, O. und V. Hinzl, Bericht über die 25jährige Thätigkeit des Vereines St. Petersburger Aerzte 1859—1884. Ein Beitrag zur Geschichte der Medicin in Russland. St. Petersburg. — 59) Gruber, A., Historische Skizze des beim Wiener medicinischen Doctoren Collegium bestehenden Unterstützungs-Institutes. Wien. 8. 58 Ss. — 60) Panum, The history of international medical congresses. Brit. M. J. London. II. p. 561—563. — 61) Derselbe, Discours à l'inauguration du huitième congrès international des sciences médicales à Copenhague le 10 août 1884.

[Hospitaler og milde Stiftelser i Norge i Middelalderen. Norsk Magaz. for Laegevid. R. 4. Bd. 12. p. 93.

Nach einer Uebersicht über die Ordnung der Hospitalseinrichtungen bei den Völkern des Alterthums schildert der Verf. die bedeutende Entwickelung, welche diese Einrichtungen nach der Einführung des Christenthums erfuhren, indem die Kirche in demselben Maasse, wie ihre Macht stieg, eine Menge öffentlicher Wohlthätigkeitsanstalten verschiedener Art, auch zur Krankenpflege errichtete. Der Verf. hebt übrigens dabei die Eigenthümlichkeit hervor, dass die Kirchenversammlungen ein Mal über das andere die ärztliche Wirksamkeit der Geistlichen streng verdammten; die Verbote, die doch zum Theil in stattgefundenen Missbräuchen begründet waren, galten vorzugsweise der Chirurgie, deren Ausübung dem Räuberhandwerke gleich gesetzt wurde; die Verbote fruchteten aber nur wenig und die Geistlichkeit fuhr fort, nicht nur die geistige, sondern auch die medicinische Rathgeberin des Volkes zu sein. So scheint das Verhältniss überall in Europa gewesen zu sein, und wohl auch im Norden, obgleich die Geschichte im Ganzen nur wenig davon berichtet. — Ueberall, wo Klöster errichtet wurden, waren hauptsächlich die Mönche und Nonnen die Ausüber der Heilkunst. Sehr früh begannen die Klöster auch Hospizien rings umher anzulegen, den armen Wanderern Obdach zu geben und endlich auch sehr oft schwächliche, ältliche und ähnliche Personen in lebenslängliche Pflege zu nehmen. Von zahlreichen norwegischen Klöstern sind Contracte bewahrt, welche sehr genaue Bestimmungen über die beiderseitigen Leistungen enthalten. Die Klosterhospizien, die in Dänemark viel älter als das 13. Jahrhundert sind, sind auch, wie man annimmt, in Norwegen häufig gewesen. Ausser diesen Spitälern, wie sie hier genannt wurden, wurden auch in Norwegen ähnliche, aber weniger reichlich ausgestattete Gebäude, die sogenannten „Sälehus", wesentlich auf den grossen unwegsamen Gebirgsübergängen errichtet; das erste wurde zu Anfang des 12. Jahrhunderts vom Könige Eystein auf dem Dovrefjeld angelegt. Diese müssen ebenso wie die Hospizien als eine Art von religiösen Einrichtungen aufgefasst werden, während die rein weltlichen Herbergen in Norwegen erst am Schlusse des 13., in Dänemark sogar erst im 14. Jahrhunderte entstanden.

Demnächst geht der Verf. zu der Besprechung der besonderen Hospitalseinrichtungen über, wie sie sich in Norwegen im Mittelalter fanden und von denen die meisten nach der Mitte des 13. Jahrhunderts errichtet wurden, theils die allgemeinen Pflegeanstalten für Arme, „Almosohus", theils die eigentlichen Krankenhäuser, Hospitalia infirmorum, leprosorum. Sie standen alle in enger Verbindung mit der Kirche, waren aber ohne ärztliche Aufsicht, da es in dieser Zeit dem Lande im Ganzen genommen an eigentlichen Aerzten gebrach. Der Verf. bespricht jede einzelne Stiftung genauer; in dieser Beziehung verweisen wir auf seine Abhandlung. **Joh. Möller** (Kopenhagen).]

III. Die Medicin im Alterthum.

1) Seler, Weitere botanische Funde in den Gräbern des alten Aegyptens. Biolog. Centralbl. herausg. von Rosenthal. Bd. IV. No. 15

Im Anschluss an die Untersuchungen G. Schweinfurth's (Nature. Mai 1883. Jan. 1884) stellt der Verf. fest, dass in alten aegyptischen Königsgräbern neben Blättern von Nymphaea alba, Mimmops Schimperi, Salix Safsaf, Carthamus linclusus, Acacia nilotica, Alcea ficifolia, Dephinium orientale, Sesbonia aegyptiaca, Picris coronopsifolia, Centaurea depressa, Papaver rhoeas var. genuina, Fruchtkapseln von Linum humile Mill., Samen von Sinapis arvensis var. Alliensis, Besen aus Ceruana pratensis, sowie Pinus Pinea, Parnotica furfuracea und Juniperus phoeniceus, welche auf den frühen Handelsverkehr mit Griechenland und der kleinasiatischen Küste hinweisen, gefunden wurden. Die erhaltenen Exemplare sprechen übrigens für die Unveränderlichkeit der Arten.

2) Lafaye, Histoire du Culte des divinités d'Alexandrie Sérapis, Isis, Harpocrate et Anubis hors de l'Egypte. Paris 342 pp. — 3) Liétard, G., Une nouvelle traduction de l'Ayurvéda de Suçruta. Gaz. hebd. de méd. et de chir. Paris. No. 91. (Diese Uebersetzung erscheint als Theil der Bibliotheca Indica, wurde von der Asiatic Society of Bengal unternommen und von Udoy Chand Dutt angefertigt.) — 4) Derselbe, Suçruta. Dict. encycl. d. sc. med. Paris. 1883. XII. p. 643—673. — 5) Derselbe, Notice sur les connaissances anatomiques des Indous; l'anatomie et la physiologie dans l'Ayur-Veda de Suçruta. Rev. méd. de l'est. Nancy. XVI. p. 236—240. — 6) Puschmann, Th., Die Medicin der Griechen und Römer. Jahresber. über die Fortschritte der class. Alterthumswissenschaft. S. 51—81.

7) Förster, Rich., Die Physiognomik der Griechen. Kiel. 23 Ss. Festrede.

Nach einigen einleitenden Worten über den Werth und die Bedeutung der Physiognomik entwickelt der Verf., welche eifrige Pflege die Griechen diesem Gegenstande widmeten. Ihr fein entwickelter Beobachtungssinn liess sie Beziehungen suchen und finden zwischen gewissen Character-Eigenthümlichkeiten und dem Ausdruck der äusseren Erscheinung, und ihre Beobachtungen haben auf die Kunst, besonders auf die Bildhauerei, grossen Einfluss ausgeübt.

8) Cowley, L. M., Escuela de Pitagoras, secta de los leguministas y vegetaristas; fragmento de historia de la higiene. Crón. méd.-quir. de la Habana. X. p. 23, 71.

9) Sauer, E., Das Daimonion des Socrates. Programm des Karls-Gymnasiums zu Heilbronn.

Den Dämon des Sokrates hat man auf verschiedene Arten zu erklären versucht. Die Kirchenväter sahen darin einen persönlichen Geist, der den Sokrates überall begleitet habe, und waren nur darin uneinig, ob dies ein guter oder böser, ein weisser oder schwarzer Geist gewesen sei. Die Anhänger der mystisch-romantischen Schule deuteten ihn in ähnlicher Weise, und Lasaulx (Das Dämonium des Sokrates und seine Interpreten. S. 22) glaubte, dass Sokrates „mit allem Besseren in der Welt in substanzielle Verbindung getreten sei, nicht bloss mit dem Gegenwärtigen und mit dem Vergangenen, sondern auch mit dem Zukünftigen"; eine Erklärung, die unsern heutigen Spiritisten sehr gefallen dürfte, welchen Sokrates wahrscheinlich als sehr befähigtes Medium und das Dämonion als transcendentales Wesen erscheinen wird. Von einem ganz anderen Standpunkt betrachteten einige Aerzte, wie Lélut u. A. die Sache, wenn sie aus den Mittheilungen über das Dämonion des Sokrates folgerten, dass derselbe an Hallucinationen gelitten habe. Andere wollten darin eine feine Ironie erkennen, durch welche Sokrates seine geistige Ueberlegenheit zum Ausdruck brachte. Die meiste Berechtigung dürfte die Annahme besitzen, dass sich Sokrates selbst täuschte, indem er das, was ein innerer Vorgang seiner Seele war, für ein göttliches Zeichen hielt. Uebrigens sind seine Aeusserungen über die Art, wie sich dasselbe ihm kundgab, — ob in jedem Falle als Stimme oder auch auf andere Weise — zu mangelhaft und unbestimmt, als dass eine sichere Beantwortung der Frage möglich wäre.

10) Carrau, L., La zoologie d'Aristote d'après de récents travaux. Rev de deux mondes. T. 63 livr. 1. — 11) Biel, G., Aristotelis de anima libri III. recogn. Lips. — 12) Wertner, M., Alexander der Grosse als Kranker. Pester med. chirurg. Presse. 1883. No. 37. — 13) Shapter, L., An address on the science of medicine; a study of the Hippocratic and present epochs. Brit. M. J. London II. p. 10—13. (Verf. zeigt, welche Bedeutung das Studium der Hippokratischen Werke für den Arzt hat.)

14) Dubois, Marcel, De Co insula. Inaug.-Dissert. Paris. 78 pp. et 3 cartes.

Der Verf. legt hier einige Ergebnisse der Forschungen nieder, die er im Auftrage der französischen Regierung auf der Insel Kos gemacht hat. Eingehend erörtert er die Lage verschiedener Orte der Insel, sowie die Gestalt und Ausdehnung der alten Hauptstadt, entwickelt dabei, wo nach seiner Ansicht der Asklepios-Tempel gestanden haben dürfte, und schildert den Cultus und die Heiligthümer der alten Koer. Seine Mittheilungen werden durch zahlreiche Inschriften erläutert, welche er aufgefunden oder wenigstens zuerst entziffert hat. Wir müssen uns begnügen, nur auf diejenigen hinzuweisen, welche sich auf den Asklepiosdient und die Heilkunst beziehen. Auf einer Inschrift (S. 50) wird z. B. ein Arzt Xenotimos, Sohn des Timoxenos, wegen der Verdienste, die er sich bei einer Pestepedemie erworben hatte, gepriesen und durch Verleihung eines goldenen Kranzes ausgezeichnet. Der Verf. glaubt, dass diese Inschrift aus dem 3. Jahrhundert v. Chr. stamme, und folgert mit Hilfe einer sprachlichen Conjectur daraus, dass es dort zu jener Zeit Gemeinde-Aerzte gegeben habe. Im Folgenden werden die den Arzt Stertinius Xenophon betreffenden Inschriften veröffentlicht, auf welche Dubois schon früher aufmerksam gemacht hat. (S. meinen vor. Jahresber. S. 326 u. ff.)

15) Galeni Pergameni scripta minora recens Marquart, Iw. Mueller, G. Helmreich. Vol. I. περὶ ψυχῆς παθῶν καὶ ἁμαρτημάτων· περὶ τῆς ἀρίστης διδασκαλίας· περὶ τοῦ διὰ τῆς σμικρᾶς σφαίρας γυμνασίου· προτρεπτικός. Ex recogn. J. Marquardt. 8. Lips. LXVI. 129 Ss.

Eine auf kritische Durchsicht der Handschriften

Galen's gegründete Ausgabe der sämmtlichen Schriften desselben ist für die Geschichte der Medicin wie für diejenige der Philosophie ein längst gefühltes Bedürfniss; denn die früheren Editionen sind reich an Fehlern und entsprechen den heutigen Anforderungen keineswegs. Ein derartiges Unternehmen kann aber nur dann mit Erfolg durchgeführt werden, wenn sich Philologen, Orientalisten und Historiker der Medicin vereinigen und in gemeinsamer Arbeit diese Aufgabe lösen, und wenn sich eine Regierung, Academie oder gelehrte Gesellschaft findet, welche die für diesen Zweck erforderlichen Geldmittel zur Verfügung stellt. Sollten diese beiden Bedingungen einst erfüllt werden, so müsste der Ausgabe eine Uebersetzung in deutscher oder einer anderen lebenden Sprache nebst den nothwendigen sachlichen Erklärungen beigegeben werden, damit sie nicht bloss von den Philologen und Sprachgelehrten, sondern auch von den Aerzten benutzt und Galen in weiteren Kreisen ebenso bekannt wird, wie das Hippokratische Sammelwerk in Folge der Littré-schen Ausgabe. — Wesentlich näher gerückt wird uns dieses Ziel durch die ausgezeichneten Arbeiten eines Iwan Müller, Georg Helmreich, Joh. Marquardt u. A., welche den philologischen Theil der Aufgaben, die sie sich stellen, in mustergültiger Weise zur Lösung bringen. Der vorliegende Band enthält mehrere kleine Schriften Galens in griechischem Originaltext, ist von Joh. Marquardt redigirt und stützt sich hauptsächlich auf Cod. Laurent. 74. 3, welcher aus dem 12.—13. Jahrhundert stammt, wegen zahlreicher Abkürzungen schwer lesbar ist, aber viele Vorzüge bietet vor der Handschrift, welche der Aldina zu Grunde lag. Selbstverständlich wurden auch andere Codices, z. B. für die dritte Abhandlung, zu Rathe gezogen und die früheren Ausgaben, sowie die vorhandenen Emendationen und Commentare in richtiger Weise verwerthet. Leider konnte keine Handschrift der vierten Abhandlung aufgefunden werden.

16) Briau, R., Sur l'introduction de la médecine dans le Latium et à Rome. Acad. des inscript. 24. mars. — 17) Masson, The atomic theorie of Lucretius contrasted with modern doctrines of atoms and evolution. London. 12 pp. — 18) Dupouy, La médecine dans les poètes latins. Médecin. Paris. No. 15. — 19) Rossignol, J. P., Discussion sur l'authencité d'une clochette d'or lettrée, découverte à Rome et prise pour une amulette, suivie de questions sur le mauvais oeil, sur les amulettes, les cloches amulettes et leur origine. Paris 1883. 8. 71 pp. (Erst in christlicher Zeit wurden die kleinen Glöckchen als Amulette gebraucht; sonst dienten sie hauptsächlich als Schmuckgegenstände. Das vorliegende Exemplar wird für gefälscht oder mindestens sehr verdächtig erklärt.) — 20) Soury, J., Pathology in history (the family of Augustus). Alienist and Neurol. St. Louis. V. p. 260—276. — 21) Laboulbène, Celse et ses oeuvres. Rev. scient. T. 34. p. 681—686. 718—724. 739—746. — 22) Overbeck, J., Pompeji. 4. verm. Aufl. Leipzig. — 23) Schmidt, Em., Die antiken Schädel Pompejis. Arch für Anthropologie. Bd. 15. H. 3. S. 229—258. (Beschreibung und Angabe der Maassverhältnisse der in Pompeji gefundenen Schädel.)

24) Zarncke, Ed., Symbolae ad Julii Pollucis tractatum de partibus corporis humani. Habilit.-Schrift Leipzig.

Der Verf. zeigt in dieser sehr gelehrten Abhandlung, dass sich Julius Pollux auf des Rufus von Ephesus Schrift über die Benennungen der einzelnen Theile des menschlichen Körpers stützt, wie schon Jac. Goupyl bemerkt hat, ausserdem aber die von Greaves erwähnte Tabula medicinalis eines Ungenannten und die Pseudo-Galenischen Definitionen, wahrscheinlich auch mehrere anatomische Werke, welche verloren gegangen sind, sowie Aristoteles und Soranus benutzt hat.

25) Gemoll, W., Untersuchungen über die Quellen, den Verfasser und die Abfassungszeit der Geoponica. Berlin 1883. 8. 280 Ss.

Der Verf. führt auf Grund eines mit grosser Sorgfalt zusammengetragenen reichen kritischen Materials den scharfsinnigen Nachweis, dass für einen grossen Theil der Geoponica, ebenso wie für die sogenannte Syriaca versio, für Palladius und die Hippiatrica als gemeinsame Quelle die συναγωγὴ γεωργικῶν ἐπιτηδευμάτων des Anatolius gedient hat, welcher zur Zeit des Kaisers Julian lebte und dieses Werk vielleicht in dessen Auftrage verfasst hatte, dass aber ausserdem bei der Zusammenstellung der Geoponica, welche durch Cassianus Bassus um die Mitte des 10. Jahrhunderts wahrscheinlich auf Wunsch des Kaisers Constantin VII. Prophyrogennetus geschah, noch die Arat-Scholien, die Progymnasmatiker, Aëtius, ein παραδοξογράφος, ferner Aelian und die Römer Varro, Columella und Plinius benutzt worden sind.

26) Hofmann, K. und T. M. Auracher, Der Longobardische Dioskorides des Marcellus Virgilius. Roman. Forschungen, her. v. K. Vollmöller. Bd. I. H. 1. S. 51—105. (Nach dem Cod. latin. 337 der Münchener Hof- und Staatsbibliothek, welcher wahrscheinlich identisch ist mit der von Marcellus Virgilius in der Vorrede zu seiner 1518 erschienenen Uebersetzung (Juntima) erwähnten Handschrift, wird das erste Buch des Textes veröffentlicht, dem später die übrigen folgen sollen.) — 27) Rönsch, Hermann, Textkritische Bemerkungen zum Longobardischen Dioskorides Roman. Forschungen, her. v. K. Vollmöller. Bd. I. H. 3. S. 413—414. (Der Verf. macht einige Verbesserungsvorschläge zu dem vorher erwähnten Text.) — 28) Corlieu, A., Les médecins grecs depuis la mort de Galien jusqu'à la chute de l'empire d'Orient. Paris méd. p. 1. 49. 73. 169. 217. 229 289 325. 349. 372. 397. 421. 445. — 29) Derselbe, Michel Psellos ou le bègue. Ibid. p 325—27.

IV. Die Medicin des Mittelalters (Israeliten und Araber).

1) Laboulbène, Histoire des méd cins arabes et de l'école de Salerne. Gaz. des hôp. No. 4, 10. — 2) Fischer, G. J., Sketch of Abûl-Walid Mohammed Ibn Achmed Ibn Mohammed Ibn Roshd, commonly called Averroes. Pop. sc. month. New-York p. 405—409. — 3) Frölich, H., Kriegschirurgisches Avicenna's. Arch. f. klin. Chir. Bd. 30. H 4 S 745—752. (Die Bemerkungen Avicenna's über das Ausziehen von Pfeilspitzen, welche Frölich in deutscher Uebersetzung mittheilt, zeigen, dass er auf dem Gebiete der Kriegschirurgie weder an Abulkasem noch an Paulus von Aegina heranreichte) — 4) Derselbe, Abulkasem als Kriegschirurg. Ebendas. Bd. 30. S. 364—376. — 5) Le Bon, La civilisation des Arabes. Paris. —

6) Kocher, De la criminalité chez les Arabes au point de vue de la pratique médico-judiciaire en Algérie. Paris. 8. 244 pp.

7) Mohamed Ben-Larbey Seguir, La médecine arabe en Algérie. Thèse p. doctorat. Paris. 53 pp.

Den ersten Theil dieser Inauguraldissertation füllt eine von E. L. Bertherand angefertigte Zusammenstellung der medicinischen Schriftsteller aus, welche die Nordküste Afrika's im Verlauf der Jahrhunderte hervorgebracht hat. Im zweiten Theil macht der Verf., der ein muhamedanischer Eingeborner Algiers ist, einige Mittheilungen über die Heilkunde seiner Heimath. Er erwähnt zunächst die dort endemischen Leiden. nämlich die Gale bédouine, gegen welche man Dampfbäder und Waschungen anwendet, den Knoten von Biskra, die Filaria medinensis, welche am Nordrande der Wüste Sahara nicht selten beobachtet wird, die Elephantiasis und die Ophthalmia granulosa, bespricht dann die Stellung der arabischen Aerzte zur Chirurgie, namentlich ihre Vorliebe für die Pyrotechnik und die Scarificationen, ihr Verfahren bei Fracturen, die Ausführung der Circumcision und die Trepanation, schildert ihre diätetischen und hygienischen Einrichtungen und die Gefahren, denen die Eingeborenen in dieser Beziehung ausgesetzt sind, z. B. durch den Genuss schädlichen Brotes, erörtert ihr Verhalten gegenüber der Vaccination und Inoculation, gedenkt der Heilmittel, welche in Algier am meisten im Gebrauch sind, und berichtet bei dieser Gelegenheit auch über die von den Arabern el Bâris genannte Behandlung der Syphilis, welche in dem durch 20 — 40 Tage fortgesetzten inneren Gebrauch von vegetabilischen Abkochungen und strenger Diät besteht, und erzählt schliesslich, dass die gesetzlichen Institutionen der Kabylen eine längere Schwangerschaftsdauer anerkennen, als wir

8) Weisse, S., Philo von Alexandria und Moses Maimonides. Ein vergleichender Versuch. Inaug. Diss. Halle. (Verf. versucht, den Einfluss Philo's auf den Neuplatonismus darzulegen und stellt die theosophischen Ansichten des Philo und Maimonides zusammen.)

9) Rawitzki, M., Wiederum über die Lehre vom Kaiserschnitt im Talmud. Virchow's Arch. Bd. 95. H. 3. S. 485—526.

R. widerlegt zunächst einige Angaben über die Talmudische Medicin, die Kotelmann in seinen kritischen Bemerkungen zu dessen Erklärung des Joze Dophan gemacht hat, und sagt dann im Hinblick auf die von Kotelmann eingeholten Gutachten über das Vorkommen der centralen Dammruptur bei Thiergeburten, dass er bei Joze Dophan keineswegs nur an die reine Centralruptur des Dammes gedacht habe, sondern auch an jene Formen, welche central entstehen und sich in den After oder seitlich von ihm oder zu beiden Seiten der Vulva oder in eine oder beide Schamlippen fortsetzen, wenn nur die hintere Commissur der Vulva unverletzt bleibe. Hierauf wendet er sich gegen Israels und führt zum Schluss mehrere neue Gründe für seine Auffassung des Joze Dophan an.

10) Grünbaum, Medycyna w talmudzie. Pam. Towarz. Lek. Warszaw. p. 192—202.

[Auf Grund von Citaten aus dem Talmud liefert der Verf. Belege, dass die bei den Israeliten religiös vorgeschriebene Beschau des lebendigen und todten Viehes zu einer, wenn auch nicht systematischen, so doch mehr minder genauen Kenntniss anatomischer und pathologischer Zustände, sowie zur Ausführung mancher bezüglicher Untersuchungen und chirurgischer Operationen führte.

Das Buch „Chulin" Fol. 54, 76 enthält einige dürftige Mittheilungen über den Bau des Knie- und Hüftgelenkes, auch über die Muskeln der Extremitäten. Ausführlicher ist die Beschreibung der Blutkreislaufsorgane auf Fol. 45 desselben Buches und im Commentar des Maimonides zur Mischna F. 39, wo auch einiges über Gehirn und Rückenmark im physiologischen und pathologischen Zustande vorkommt. In Mischna F. 42, 43, 45, 54, 55, 76 werden die unbedingt tödtlichen und die zwar gefährlichen aber nicht unbedingt tödlichen Verletzungen speciell angeführt. Von anatomisch-pathologischen Veränderungen finden vorzüglich Beachtung: Lungenkrankheiten, die Perlsucht, die Hydronephrose und die Blasenwürmer der Leber. Darum wird auf die genaue Untersuchung dieser Organe, besonders aber der Lungen, grosses Gewicht gelegt. Die chirurgischen Beobachtungen beziehen sich auf Volvulus, penetrirende Bauchwunden mit Darmvorfall, Trepanation mit Einheilung einer Metallplatte und den schädlichen Einfluss der atmosphärischen Luft, auf die Heilung von äusserlichen Wunden und Geschwüren. Oettinger (Krakau).]

11) Klein, C. H. v., Jewish Hygiene and diet the Talmud and various other jewish writings, heretofore untranslated. Deliv. before the annual meeting of the American med. ass. at Washington. 22 pp.

Der Verf. führt die Ueberschriften der einzelnen Tractate der Mischnah, sowie noch andere hygienische Werke der alten hebräischen Literatur an, und bespricht dann die von Abraham, Moses und den Talmudisten gegebenen Gesetze und Vorschriften, welche sich auf die Circumcision, die Reinigungen, die Krankenbesuche, die Lebensweise, die Diät, das Schlachten der Thiere, das Verbot des Schweinefleisches u. a. m. beziehen. Sehr bezweifeln möchten wir die Richtigkeit der vom Verf. gemachten Angabe, dass gegenwärtig 67 pCt. aller jüdischen Aerzte Professuren der Medicin inne haben.

12) Güdemann, M., Geschichte des Erziehungswesens und der Cultur der abendländischen Juden während des Mittelalters und der neuesten Zeit. Wien. 8. 2 Bde. Die Juden in Italien während des Mittelalters.

Der geistvolle Verfasser geht in diesem Werk, dessen Studium uns grossen Genuss bereitet hat, auch auf die Bedeutung der Juden für die Entwicklung der Heilkunde während jener Periode ein und schildert die wissenschaftlichen Leistungen einzelner hervorragender jüdischer Aerzte und Gelehrten, welche sich um die Medicin verdient gemacht haben.

13) Barthélemy, L., Les médecins à Marseille avant et pendant le moyen-âge. Marseille 1883. 8. 37 pp. — 14) Forestié, E., Pharmaciens et médecins à Montauban au XIV. siècle Rev. scient. Paris. T. 34. p. 85—89. (Nach dem Geschäftsbuch der Brüder Bonis, welche im 14. Jahrh. zu Montauban einen Droguen-

handel betrieben, werden die Zustände der damaligen Apotheken, die Arzneien, welche in ihnen vorräthig gehalten werden mussten und ihre Zubereitung und die Namen der Aerzte, welche in Montauban und Umgebung die Praxis ausübten, mitgetheilt.)

15) Mussafia, Ad., Mittheilungen aus romanischen Handschriften. Sitzungsber. der k. Acad. der Wiss. Philosoph. Classe. Wien. Bd. 106. H. 2. S. 507—626.

Diese Arbeit handelt über ein altneapolitanisches Regimen sanitatis, welches vom sprachgeschichtlichen Standpunkte zu interessanten Bemerkungen Veranlassung giebt.
Es findet sich sowohl in der Pergamenthandschrift XIII. G. 37 (Fol. 55a—73b), die dem 14. Jahrh. angehört, als auch — in einer allerdings weniger correcten Form — in dem aus dem 15. Jahrh. stammenden Cod. Misc. XIV. G. 11 der Nationalbibliothek zu Neapel und besteht nach Mussafia's Redaction aus 112 sechszeiligen Strophen. Das Gedicht trägt die Ueberschrift: Incipit liber de regimine sanitatis, beginnt mit der Anrufung Gottes und entwickelt dann das Programm mit den Worten:

Ordeno da principio dell' airo inprimanente,
appresso de cibary et potu insemblamente,
de sonno e de vigilie no scrò neglegente,
de reposare e movere dico semelemente,
et medicina e vomico e sagnia
eo poneragio in questa compagnia.

Et ancora descrivote de coitu e bagnare
lo muodo e tiempo dicote, quando lo dige fare;
Cristo me done gracia dé ben vulgariçare
che chisto mio principio poça ben termenare;
da poi che d'isti facti me tramisi,
dico dell' airo como te promisi.

In der gleichen Weise wird hierauf das Thema im Einzelnen ausgeführt. Am Schlusse finden wir die Worte: explicit liber de regimine sanitatis. deo et matri gracias amen. Das Gedicht ist seinem Inhalt nach eine populäre Anleitung zu einer naturgemässen Lebensweise und gehört wahrscheinlich zu jenen literarischen Erzeugnissen, welche unter dem Einfluss des Regimen Salernitanum entstanden sind.

V. Die Medicin der Neuzeit.

1) Roth, F. W. E., Zur Heilkunde und Hauswirthschaft des 16. Jahrh. Rhenus red. v. G. Zülch. Jahrg. 2. No. 2. (Mittheilung einiger Hausmittel, deren Recepte auf dem Einband einer Incunabel v. J. 1483 geschrieben sind, die in der Landesbibliothek zu Wiesbaden aufbewahrt wird.)

2) Slanelli, Rud., Die Zukunfts-Philosophie des Paracelsus als Grundlage einer Reformation für Medicin und Naturwissenschaften. Moskau.

Zu den seltsamsten Erscheinungen der medicinischen Literatur gehört das vorliegende Buch, dessen Verf. in den Schriften des Paracelsus den Inbegriff der höchsten Weisheit entdeckt zu haben glaubt. Um dies zu beweisen, behauptet er, dass derselbe die wissenschaftlichen Fragen der heutigen Zeit und darüber hinaus bereits durchschaut und richtig beurtheilt, seine Ansichten aber unter mystischen Ausdrücken verborgen habe, deren Entzifferung dem Verf. gelungen ist. Nach seiner Angabe hat Paracelsus z. B. bei den Worten „Sulphur, Mercur und Sal" an „Kraft, Materie und Urgesetz" gedacht, die endemischen Krankheiten als „caducum matricis", die durch anatomisch-physiologische Ursachen hervorgerufenen als „excrementische oder tartarische" bezeichnet (S. 4) u. ä. m. Nach dieser Methode hätte der Verf. vielleicht auch manches Andere, z. B. die Anleitung zum Schachspiel, herauslesen können. Wünschenswerther wäre es wohl gewesen, wenn er statt dessen seine historischen Notizen von Irrthümern gereinigt hätte. Auf seine eigenthümlichen Anschauungen über Darwinismus, Vivisectionen, einzelne Gegenstände der Pathologie und Physiologie einzugehen, haben wir hier keine Veranlassung.

3) Tollin, H., Michael Servet, der Mann des Experiments. Deutsch. Arch. f. Gesch. d. Med. VII. H. 2. S. 171—176.

Der Verf. sucht den Vorwurf, dass Servet seine Behauptungen nicht auf eigene Untersuchungen gestützt habe, dadurch zu entkräften, dass er aus einer grossen Anzahl von Stellen aus dessen Schriften den Nachweis liefert, welchen hohen Werth derselbe dem Experiment und der Autopsie beimass und welche Summe von Erfahrungen er auf verschiedenen Gebieten des wissenschaftlichen Lebens gesammelt hatte.

4) Derselbe, Michael Servet's brevissima apologia pro Symphoriano Campegio in Leonardum Fuchsium. Ebend. VII. H. 4. S. 409—442.

Diese Schrift Servet's scheint verloren zu sein; Seb. Montuus hat in seinem Dialexeon medicinalium libri duo (Lyon bei M. Parmantier 1537 in 4°) ein Fragment derselben aufbewahrt, welches Tollin hier zum Abdruck bringt. Er schickt demselben erläuternde Mittheilungen voraus über den literarischen Streit zwischen Symphorien, Champhier Seb. Montus und Mich. Servet einerseits und Leonhard Fuchs andererseits.

5) Derselbe, Die Engländer und die Entdeckung des Blutkreislaufs. Virchow's Arch. Bd. 97. S. 431—482. Bd. 98. S. 193—230. (Der Verf. kritisirt die Schriften von Bridges, Sampson, Gamgee, Rob. Willis, Al. Gordon, Gascoïn, da Costa, Ogle, G. Johnson, Chapman u. A. über die Entdeckung des Blutkreislaufs und zeigt dabei, wie die Engländer über die Verdienste Harvey's, Servet's und Caesalpini's denken.)

6) Derselbe, Ein italienisches Urtheil über den ersten Entdecker des Blutkreislaufs. Pflüger's Archiv f. d. ges. Physiol. Bd. 33. H. 9/10.

Der Verf. widerlegt in überzeugender Weise die von einem anonymen Autor in Bizzozero's Archive per le mediche scienze (Torino 1876/77 p. 469—772) aufgestellten Thesen, welche die Ansichten Ceradini's über die Entdeckung des Blutkreislaufes enthalten. Dabei zeigt er, dass derselbe Unrecht hat, wenn er behauptet, dass bereits Galen den Lungenkreislauf gekannt habe, dass Servet's Restitutio Christianisimi in der zweiten Hälfte des 16. Jahrhunderts unbekannt gewesen und die darin befindliche, auf den kleinen Kreislauf bezügliche Stelle erst am Schlusse des 17. Jahrhunderts entdeckt worden sei, dass Vesal schon 1543 die Undurchdringlichkeit der mittleren Herzwand gelehrt, dass Servet die Vorlesungen R. Colombo's gehört und von ihm den Chemismus der Athmung übernommen habe, dass das Verdienst der Entdeckung des grossen Kreislaufes dem Caesalpin gebühre u. a. m.

7) Derselbe, Rob. Willis' neuer William Harvey. Ebend. Bd. 34. H. 1/2. (Der Verf. weist darauf hin, dass Rob. Willis in der zweiten Ausgabe seines Buches

über William Harvey v. J. 1878 diesen, sowie Mich. Servet wesentlich anders beurtheilt, als in der ersten Ausgabe v. J. 1847.) — 8) Derselbe, Andreas Caesalpin. Ebend. Bd. 35. (Scharfe Kritik der Festreden, die bei der Caesalpini-Feier am 30. October 1876 gehalten worden, an welche sich eine streng sachliche Widerlegung einzelner Irrthümer Ceradini's anschliesst. Hierauf entwirft der Verf. auf Grund der betr. Belegstellen ein richtiges Bild des Lebens und der wissenschaftlichen Verdienste und Leistungen Caesalpini's.) — 9) Reynolds, J. R., The Harveian oration delivered at the Royal College of Physicians Oct. 17. Lancet. London. II. p. 717—723. — 10) Johnson, G., A defense of Harvey as the discoverer of the circulation of the blood in reply to prof. Scalzi of Rome. London. 8. 23 pp. (Widerlegung der Behauptung Scalzi's, dass das Verdienst der Entdeckung des Blutkreislaufs nicht Harvey, sondern Caesalpini zuzuschreiben sei.) — 11) Cougnet, A., De la découverte de la circulation du sang. Nice méd. 1883—84. VIII. p. 52—59. — 12) Half-hours with the old naturalists. I. John Swammerdam. J. Sc. London. 3 s. VI. p. 198—206. — 13) Gourcuff, O. de, Un médecin Breton disciple de Molière; la faculté vengée de La Mettrie. Gaz. méd. de Nantes. 1883—84. II. 17—20. — 14) Richet, Ch., Lavoisier et la chaleur animale. Rev. scient. T. 34. p. 141—146. — 15) Lemos, M. jun., Medicos militares portuguezes no seculo XVIII. Gaz. d. hosp. mil. Lisb. 1884. VII. p. 149—196. — 16) Dudgeon, Hahnemanns first medical work on the cure of old ulcers. Brit. Journ. Homoeop. London. p. 97—176. — 17) Kirchenberger, Die älteste militärärztliche Zeitschrift Oesterreichs. Der Militärarzt. Beiblatt zur Wiener Med. Wochenschr. No. 10.

18) Frölich, H., Zur Kenntniss der ältesten militärärztlichen Zeitschrift Oesterreichs. Militärarzt. No. 11.

Der Verf. macht darauf aufmerksam, dass 1789 von J. A. Schmidt u J. Hunczovsky unter dem Titel: „Bibliothek der neuesten medicinisch-chirurgischen Literatur" eine Zeitschrift für Militärärzte herausgegeben wurde. Diese Thatsache ist keineswegs unbekannt und wurde auch in meinem Buch: „Die Medicin in Wien während der letzten hundert Jahre" mehrmals erwähnt. — Frölich macht in dem oben erwähnten Artikel ausführliche Angaben über die Dauer, den Preis und den Character jener Zeitschrift.

19) Cohn, Hermann, Geschichte einer wörtlich abgeschriebenen Hygiene des Auges. Wiener Med. Wochenschr. No. 19—22.

Der Verf. hat gefunden, dass die im Jahre 1824 vom Prof. J. R. Lichtenstädt zu Breslau veranstaltete deutsche Ausgabe des polnischen Leibchirurgen F. L. de la Fontaine: „Ueber den vernünftigen Gebrauch und die zweckmässige Pflege der Augen" in der Vorrede wie im Text nahezu wörtlich übereinstimmt mit G. Jos. Beer's Buch: „Pflege gesunder und geschwächter Augen (Wien 1800)". Die weitere Untersuchung dieses Sachverhaltes führte zu dem Ergebniss, dass de la Fontaine eine Abschrift der Arbeit Beer's angefertigt hatte, nicht um sie in deutscher Sprache herauszugeben, sondern um sie in die polnischen Sprache zu übersetzen und dann zu veröffentlichen, dass aber Lichtenstädt, welchem der literarische Nachlass de la Fontaine's zur Herausgabe übergeben wurde, dieselbe für eine Originalarbeit desselben gehalten hat, weil ihm Beer's Schrift unbekannt war.

20) Kiesewetter, K., Ein Beitrag zur Geschichte des Od. Daheim. Jahrg. 20 No. 25. — 21) Weech, F. v., Das rothe Kreuz in Deutschland. Vom Fels zum Meer. September.

VI. Geschichte der einzelnen Disciplinen.

1) Hyrtl, J., Die alten deutschen Kunstworte der Anatomie. Wien. 8. 230 Ss.

H. verwendet die Musse, die er sich nach seinem thatenreichen Leben wohl gönnen dürfte, dazu die anatomische Wissenschaft, auf deren Gebieten er unverwelkbare Lorbeeren geerntet hat, durch historische und kritisch-linguistische Untersuchungen zu fördern. In dem vorliegenden Werk hat er die alten deutschen Benennungen verschiedener Theile und Organe des Körpers zusammengestellt, auf ihre historische und sprachliche Berechtigung geprüft, und ihr Vorkommen bei den Autoren, sowie ihre Verbreitung bei einzelnen Volksstämmen erörtert. Die Arbeit legt ein freudiges Zeugniss ab von der Jugendfrische und rastlosen Unermüdlichkeit des greisen Gelehrten; sie bietet der Anatomie und Geschichte der Medicin, der Culturgeschichte, wie der germanistischen Sprachwissenschaft die gleiche Anregung und Belehrung. Im Anhang folgt das alphabetische Register der lateinischen Termini technici anatomici mit ihren nach dem Alter geordneten altdeutschen Synonymen und der alphabetische Index der besprochenen Artikel.

2) Heiberg, J., Ueber die Drehungen der Hand. Historisch und experimentell bearb. Mit 36 in den Text gedruckten Holzschnitten. 8. 90 Ss. Wien.

Der Verf. erörtert in dieser Abhandlung die Frage, ob bei der Drehung der Hand der Radius allein thätig sei, oder ob auch die Ulna dabei mitwirke, und welche Bedeutung dem Humerus zukomme. Die Lösung versucht er theils durch die Geschichte, indem er die Ansichten der Autoren aus alter und neuer Zeit zusammenstellt, theils durch das Experiment. Diese Anerkennung des Werthes der historischen Studien ist bei den Vertretern der experimentellen Richtung selten, obwohl sie erforderlich ist, wenn man auf das Prädicat der Gründlichkeit Anspruch erhebt; denn eine erschöpfende Darstellung eines Themas ist doch nur dann möglich, wenn die vorausgegangenen Arbeiten darüber in entsprechender Weise berücksichtigt werden. Heiberg hat gezeigt, wie dies geschehen soll, und dadurch ein beachtenswerthes Beispiel gegeben, welches im Interesse unserer Wissenschaft Nachahmung verdient.

3) Kölliker, A., Die Aufgaben der anatomischen Institute. Rede bei der Eröffnung der neuen Anatomie in Würzburg. 8. 21 Ss. — 4) Waldeyer, Wie soll man Anatomie lehren und lernen? Rede. Berlin. 41 Ss.

5) Hochegger, Rud., Die geschichtliche Entwickelung des Farbensinnes. Innsbruck. 134 Ss.

Der Verf. beginnt mit einer kurzen Recapitulation der verschiedenen Theorien, welche über die Entwickelung des Farbensinnes beim Menschen aufgestellt worden sind, seitdem Gladstone in seinen homerischen Studien zur Erörterung dieser Frage anregte. Hierauf wendet er sich gegen die von H. Magnus verfochtene Hypothese der Latenz des Farbensinnes und allmäligen Entwickelung desselben, weist darauf hin, dass auf altägyptischen Wandmalereien und griechischen Denkmälern des 5. Jahrh. v. Chr. neben der rothen und gelben auch die blaue und grüne Farbe erscheint, und glaubt, dass die angebliche Empfindungs-Trägheit gegenüber den letzteren, den kurzwelligen Farben, wie sie in einer frühen Culturperiode des Alterthums bestanden haben soll und heut noch bei einzelnen Naturvölkern beobachtet wird, nicht in dem empfindenden Organ ihren Grund hat, sondern in einer mangelhaften Entwickelung des sprachlichen Ausdrucks liegt, die sich durch verschiedene äussere und innere Factoren hinlänglich erklärt.

6) Kaufmann, D., Die Sinne. Beiträge zur Geschichte der Physiologie und Psychologie im Mittelalter aus hebräischen und arabischen Quellen. Jahresber. der Landes-Rabbinerschule in Budapest. Budapest. S. 1—199.

Der Verf. unterzieht sich der Aufgabe, die Ansichten und Lehren zu schildern, die in Betreff der Sinne bei den Juden im Mittelalter herrschten. Mit bewunderungswürdigem Fleiss und gewissenhafter Sorgfalt hat er aus der Literatur alle darauf bezüglichen Stellen zusammengetragen, dieselben sprachlich und inhaltlich in Bezug auf ihre Berechtigung und ihren Ursprung geprüft und dadurch ein Urtheil über die Kenntnisse und Leistungen der jüdischen Aerzte auf diesem Gebiet ermöglicht. Zunächst betrachtet er die Sinnesthätigkeit im Allgemeinen, wie sie in der jüdischen Literatur dargestellt wird, und wendet sich dann zu den Sinnen im Einzelnen. Er beschreibt nach seinen Belegstellen die Zusammensetzung des Auges, führt die verschiedenen Bezeichnungen für die Augenhäute an, berichtet, dass man darunter die Sclerotica, Chorioidea, Retina, vordere Linsenkapsel. Iris, Cornea, und Tunica vagin. bulbi unterschied und 3 Feuchtigkeiten verschiedener Art annahm, nämlich diejenige des Glaskörpers, der Linse und das Kammerwasser, dass man die Sehnerven für hohl hielt und ihre Vereinigung im Chiasma kannte, dessen Zweck eingehend erläutert wird (S. 102 u. ff.) und liefert dadurch den Beweis, dass die anatomischen Vorstellungen der Juden sich hauptsächlich auf Galen stützten, während auf ihre Physiologie neben Galen vorzugsweise Aristoteles Einfluss nahm. Im Folgenden geht er auch auf die Pathologie des Sehorganes ein und berichtigt dabei (S. 113 Anm. 49) einige der mittelalterlichen hebräischen Bezeichnungen für Augenkrankheiten, welche sich in die Geschichte der Medicin eingeschlichen haben. In der gleichen Weise werden das Gehörorgan, der Geruch, der Geschmack und der Tastsinn einer literarischen Untersuchung unterzogen. Am Schluss folgen Register der Autoren und Titel, der besprochenen hebräischen Worte und der Ausdrücke der Latino-Barbari, welche erklärt werden.

7) Heinemann, C., Historisches und Kritisches über Sinusreizung, diastolischen Stillstand nach mechanischer Reizung und Strychnineinwirkung am Froschherzen. Pflüger's Arch. für die ges. Physiol. Bd. 34. H. 5/6. S. 279—286. — 8) Hoppe, Edm., Geschichte der Electricität. Leipzig. 622 Ss. 8. (Sie reicht bis zur Entdeckung des Gesetzes der Erhaltung der Kraft und enthält werthvolle historische Erörterungen über Reibungselectricität, thierische Electricität, electrische Beleuchtung, Telegraphie u. a. m. Das Buch ist leicht verständlich geschrieben und mit einem vortrefflichen Namen- und Sachregister ausgestattet.) — 9) Richardsen, B. W., The first electrician: William Gilbert (1540—1603). Asclepiad. London. I. p. 217—232. — 10) Rosenberger, Geschichte der Physik. 2. Theil. Braunschweig. 406 Ss. (Behandelt die Zeit von 1600 bis 1780.) — 11) Ein Blick auf die Entwickelung der Physik im 17. und 18. Jahrh. Gaea. Jahrg. 20. H. 7. — 12) Beck, L., Geschichte des Eisens in technischer und culturgeschichtlicher Beziehung. Bd. I. 1050 Ss. — 13) Hoppe-Seyler, Ueber die Entwickelung der physiologischen Chemie und ihre Bedeutung für die Medicin. Rede bei der Eröffnung des physiologisch-chemischen Instituts zu Strassburg. — 14) Diderot, Introduction à la chymie; manuscrit inédit avec notes p. Ch. Henry. Rev. scient. Paris. T. 34. p. 97—108. (D. beschäftigte sich unter Rouelle's Leitung mit der Chemie und schrieb eine Einleitung zu dessen Vorlesungen. Dieselbe befindet sich in einer Abschrift in der Bibliothek zu Bordeaux und behandelt die Bedeutung und Geschichte der Chemie.) — 15) Waldmann, E., Der Bernstein im Alterthum. Berlin. — 16) Locard, Histoire des mollusques dans l'antiquité. Paris. 244 pp. — 17) Lefébure, E., Sur l'ancienneté du cheval en Egypte. Ann. de la faculté de lettres de Lyon. V. II. No. 1. p 1—11. — 18) Schrader, O., Thier- und Pflanzengeographie im Licht der Sprachforschung. Berlin. — 19) Candolle, A. de, Der Ursprung der Culturpflanzen, übers. v. E. Goeze Leipzig. X. 590 Ss. — 20) Phustanos, J., Ἱστορία τοῦ οἴνου. Hestia. Athen. No. 45. p. 437—441. — 21) Ince, A. M., De vera antiquorum herba Britannica. Pharmac. Journ. No. 712. — 22) Jaeggi, J., Die Wassernuss, Trapa natans und der Tribulus der Alten. Zürich. 1883. 34 Ss. und 1 Tafel. — 23) Imbert-Gourbeyre, Recherches sur les Solanum des anciens. Clermont (Oise). 8. 140 pp. — 24) Sigismund, R., Die Aromata in ihrer Bedeutung für Religion, Sitten, Handel und Geographie des Alterthums bis zu den ersten Jahrhunderten unserer Zeitrechnung. Leipzig. 234 Ss.

25) Oppler, Zur Geschichte des Schwefeläthers und des Chloroforms. Deutsche Zeitschrift für Chir. 1883. Bd. 19. H. 1. S. 118—122.

Die betäubende Wirkung des Schwefeläthers wurde bereits 1830 vom Frankfurter Senator v. Heyden benutzt, um Insecten in einen Zustand zu versetzen, in dem sie sich zu wissenschaftlichen Zwecken herrichten liessen. Im Jahre 1846 machten der Chemiker Jackson und der Zahnarzt Morton in Boston bekannt, dass die Einathmung von Schwefeläther Schmerzlosigkeit bei chirurgischen Operationen hervorrufe; die Priorität dieser Entdeckung wurde ihnen bald von Dr. Wells in Hartford (Connecticut) mit Erfolg bestritten. — Das von J. Liebig 1831 entdeckte Chloroform wurde zuerst von Simpson in Edinburg als Anaestheticum angewendet.

26) Gill, S. G., Odds and ends of materia medica. New-Orleans M. and S. Journ. 1883/84. p. 823—841. — 27) Amecke, W., Die Entstehung und Bekämpfung der Homöopathie. Mit einem Anhang:

Die heutige Universitäts-Medicin. Berlin. 8. 466 Ss. — 28) Hughes, The relation of homoeopathy to Hahnemann. Brit. Journ. Homoeop. London. 1883. XIII. p. 1—14. — 29) Hegewald, Hahnemann's Atomentherapie. Meiningen. — 30) Mattei, C., Electro-Homöopathie. Grundsätze einer neuen Wissenschaft. Deutsche Ausgabe. 4. verb. Aufl. 8. 287 Ss. Regensburg. — 31) Wertner, M., Zur Kenntniss der hygienischen Anschauungen. Eine histor. Skizze. Deutsch. Arch. f. Gesch. d. Med. VII. H. 2. S. 184—194. (Citate aus Gueudeville's Erklärungen zum Atlas historique [Amsterdam 1705—8], sowie aus Elias Beynon's Buch: Der barmherzige Samariter [Constanz 1670].) — 32) Eggers, Joh., Historisches zur Frage der Geniessbarkeit des Fleisches von perlsüchtigen Thieren. Inaug.-Diss. München. 43 Ss. 8. (Einige historische Notizen über die gesetzliche Fleischbeschau und über die Ansichten, welche in Betreff der Schädlichkeit des Fleisches und der Milch perlsüchtiger Rinder geherrscht haben.) — 33) Toulouze, E., Sepultures Parisiennes. Union méd. Paris. No. 183.

34) Blumenstock, Zum 200jährigen Jubiläum der Lungenprobe. Vierteljahrsschr. f. gerichtl. Medic. und öffentl. Sanitätswesen. N. F. Bd. 38. S. 252—269. Bd. 39. S. 1—12.

Am 11. October 1681 nahm Johann Schreyer, Stadtarzt in Zeitz, die gerichtsärztliche Untersuchung der Leiche eines neugeborenen Kindes vor, dessen Mutter, eine $15^1/_2$jährige Bauerndirne aus der Umgegend von Pegau, angeklagt war, dasselbe getödtet zu haben. Ihr Vertheidiger war der berühmte Rechtsgelehrte Thomasius, auf dessen Veranlassung Joh. Schreyer später einen genauen Sectionsbericht verfasste, in welchem er die Thatsache, dass die Lunge im Wasser untersank, als einen Beweis dafür, dass das Kind wahrscheinlich todt zur Welt gekommen sei, betrachtete. Damit wurde die Lungenprobe in die gerichtsärztliche Praxis eingeführt, nachdem sie bereits seit langer Zeit theoretisch erörtert worden war. Die Frage wurde nämlich schon von Galen angeregt; auch Harvey und Bartholinus (1633) beschäftigten sich mit ihr, Swammerdam erklärte die Ursache des Schwimmens oder Untersinkens der Lunge, und Bayger (1677) empfahl die Verwerthung dieser Erscheinung in der gerichtlichen Medicin. Schreyer führte dies wirklich aus, und die Gutachten der medicinischen Facultäten zu Frankfurt a./O. und Wittenberg, welche in dieser Angelegenheit bald nachher erstattet wurden, billigten sein Vorgehen. Es hatte auch zunächst den Erfolg, dass die Angeklagte von dem Verdacht des Kindsmordes befreit wurde. Weit wichtiger war es freilich, dass die Lungenprobe auf die Tagesordnung gelangt war. Welche Schicksale diese Frage in den folgenden Zeiten erlebte, welche verschiedenartige Beurtheilung sie erfuhr und wie sie sich bis heut entwickelt hat, wird vom Verf. mit wenigen treffenden Worten gezeichnet. Derselbe hat in diesem Aufsatz einen werthvollen Beitrag zur Geschichte der gerichtlichen Medicin geliefert.

35) Ebstein, W., Ueber Wasserentziehung und anstrengende Muskelbewegung bei Fettsucht, Fettherz, Kraftabnahme des Herzmuskels u. s. w. Eine historisch-kritische Studie. Wiesbaden. 1885. 33 Ss.

Als man nach dem glücklichen Heilerfolg am Fürsten Bismarck anfing, von der „Schweninger-Cur“ zu reden, machte Professor Oertel darauf aufmerksam, dass die Grundsätze dieser Heilmethode von ihm entdeckt worden seien. Dem gegenüber erinnert W. Ebstein daran, dass schon Plinius das Princip dieser Behandlungsweise geahnt habe, wenn er schreibt (hist. nat. XXIII, 23): Corpus augere volentibus aut mollire alvum conducit inter cibos bibere, contra minuentibus alvumque cohibentibus sitire in edendo, postea parum bibere. Ferner weist er darauf hin, dass in neuerer Zeit Léon, Chambers, Stockes, Symes beim sogenannten Entrainement, hauptsächlich aber T. Dancel das von Oertel empfohlene Verfahren angedeutet haben.

36) Muleur, G., Essai historique sur l'affection calculeuse du foie depuis Hippocrate jusqu' à Fourcroy et Pujol. Thèse pour le Doctorat. Paris. 4. 258 pp.

Eine Doctordissertation, die inhaltlich und formell weit über das Maass dessen, was man von derartigen Arbeiten verlangt, hinausreicht. Mit ausserordentlichem Fleiss und rührender Geduld hat der Verfasser die gesammte ältere Literatur bis zum Beginn des 19. Jahrhunderts durchgearbeitet und die Angaben, welche sich auf den Gegenstand seines Themas beziehen, zusammengestellt. Mit den dürftigen Notizen beginnend, welche das Alterthum darüber überliefert hat, gedenkt er dann der ersten Beobachtungen von Gallensteinen durch Gentilis a Fuligno und Benivieni, erwähnt die Erfahrungen, welche von Rhodigenus, Fernel, Colombo, Matthioli, Kentmann, Ferrandi, V. Koyter, Fabry v. Hilden u. A. gemacht wurden, entwickelt die Theorien des Paracelsus, Helmont und Sylvius, und schildert die Verdienste, die sich Forestus, Glisson, Ettmüller, Wepfer, Stahl, Baglivi, Bianchi, Vater, Fr. Hoffmann, Morgagni u. A. um die Lehre von den Gallensteinen erworben haben. Im Anhang folgt ein ausführliches Verzeichniss der benutzten Schriften.

37) Credé und Distel, Ueber den Nierenstein Herzogs Albrecht V., des Grossmüthigen, von Bayern († 1579) nebst einer Tafel. Virchow's Arch. Bd. 96. H. 3 S. 501.

Bei der Section der Leiche des Herzogs Albrecht V. von Bayern fand man zwei grosse Nierensteine. Ein Spottgemälde, welches bald darauf erschien, gab denselben, im Hinblick auf seine Vorliebe für die Jesuiten, das Ansehen eines Jesuitenkopfes. Kurfürst August von Sachsen wurde dadurch veranlasst, beim Nachfolger Albrechts nachzufragen, ob dieses Bild der Wahrheit entspreche, und erhielt mit der Antwort die naturgetreue Abbildung der Nierensteine, welche im Kgl. Sächs. Hauptstaatsarchiv aufbewahrt wird. Dieselbe ist dem Artikel beigegeben und erscheint als ein interessanter Beitrag zur Geschichte der pathologischen Anatomie.

38) Habets, J., Ueber einige zu Mastricht gefundene chirurgische Instrumente aus der Römerzeit (Holländisch). Verl. d. K. Ak. zu Amsterdam. III. No. 2. p. 133—154.

39) Schuchardt, B., Ueber Darstellungen von chirurgischen Operationen und Verbänden aus dem Alterthum. Arch. f. klin. Chir. Bd. 30. H. 3. S. 681 bis 683.

Während uns eine grosse Anzahl chirurgischer Instrumente des Alterthums erhalten ist, besitzen wir nur sehr wenige Darstellungen chirurgischer Operationen und Verbände aus jener Periode. Der Verf. erinnert daran, dass hierher die im 5. Jahrhundert v. Chr. von Sosias angefertigte, jetzt im Berliner Museum befindliche Schale gehört, welche auf dem Boden ihrer inneren Fläche das Bild des Achilles trägt, wie er dem durch einen Pfeilschuss am Ellenbogen verwundeten Patroklos einen Verband anlegt. Er weist ferner auf das von O. Rayet beschriebene Goldgefäss hin, welches mit anderen Gegenständen aus dem Grabhügel eines Scythenkönigs zu Kuloba bei Kertsch in Süd-Russland im Anfang der 30. Jahre dieses Jahrhunderts ausgegraben wurde, aus dem 4. oder 3. Jahrhundert v. Chr. stammt und gegenwärtig in der Eremitage zu St. Petersburg aufbewahrt wird. Dasselbe zeigt zwei bildliche Darstellungen, von denen die eine das Ausziehen eines Zahnes, die andere die Anlegung eines Verbandes bei einer Verwundung des linken Beines betrifft.

40) Stranz, M., Geschichte der Ligatur. Inaug.-Diss. Berlin. 8. 28 Ss. — 41) Hagens, Zur Geschichte der Gastrotomie. Berl. klin. Wochenschrift. 1883. No. 7.

42) Hilbert, Rich., Zur Geschichte der Gastrotomie. Deutsch. Arch. für Gesch. d. Med. VII. H. 2. S. 176—183.

Der erste Artikel betrifft den bekannten Fall des Bauern Grünheide, der im Jahre 1635 operirt wurde. Im zweiten wird nach Beckherrn: „Rastenburg historisch-topographisch dargestellt; Rastenburg 1880" über die Gastrotomie berichtet, welche 1720 an einer Frau Namens Anna Lembke, die ein Messer verschluckt hatte, vom practischen Arzt und damaligen Bürgermeister Dr. Heinr. Bern. Hübner mit glücklichem Erfolg ausgeführt wurde. Die Spitze des Messers brach sich durch einen Abscess an der vorderen Bauchwand Bahn und konnte durch einen seichten Einschnitt nach aussen entfernt werden.

43) Petit, L. H., Sur quelques points de l'histoire de la gastrotomie. Union méd. Paris. No. 26. — 44) Derselbe, Sur les imperforations du rectum et leur traitement par la méthode de Littre. Ibid. No. 52.

Petit veröffentlicht hier das im Archiv der Akademie der Wissenschaften befindliche, vom Jahre 1710 datirte Manuscript Littre's über die Undurchgängigkeit des Mastdarms, deren Ursachen theils in Entwickelungsfehlern, theils in Krankheiten gesucht werden, die sich während des intra-uterinen Lebens abspielen, über die Behandlung derselben und die Herstellung eines künstlichen Afters.

45) Derselbe, Observation d'une prétendue grossesse d'homme (inclusion scrotale) par St. Donat, chirurgien de Sisteron, rapport inédit de Dodart, lu à l'académie des sciences le 20 novembre 1697. Ibid. No. 174.

46) Bergmann, E. v., Die Schicksale der Transfusion im letzten Decennium. Rede. gr. 8. 31 Ss. Berlin. 1883.

Die grossen Erwartungen, welche man noch vor 10 Jahren von der Transfusion hegte, sind geschwunden, seitdem man erkannt hat, dass die Erfolge, welche durch diese Operation zuweilen erzielt werden, keineswegs auf der Zufuhr von Blut beruhen, sondern in dem durch die Vermehrung des Gefässinhalts erhöhten intravasculären Druck, welcher die Herzthätigkeit anregt, ihren Grund haben und durch die Infusion einer Kochsalzlösung ebenfalls erzeugt werden, und dass dabei nicht bloss die Blutkörperchen, welche transplantirt werden, zu Grunde gehen, sondern auch chemische Zersetzungen hervorgerufen werden, welche auf die Blutmasse schädlich wirken und Gefahren für den Kranken im Gefolge haben.

47) Cheyne, W. Watson, Die antiseptische Chirurgie, ihre Grundsätze, Ausübung, Geschichte und Resultate, übers. von F. Kammerer, mit einer Vorrede von H. Maas, mit 84 Abbildungen und 5 Tafeln. Leipzig. 1883. 8. — 48) Beschorner, Die Laryngoskopie, ein Vierteljahrhundert Eigenthum der praktischen Medicin. Jahresber. d. Ges. f. Natur- u. Heilk. in Dresden. — 49) Battel, J. A. A., Essais sur la vie, l'époque et les travaux de nos vieux maîtres en otologie. Ann. d. mal. de l'oreille, du larynx etc. 1883. p. 149—213 (Morgagni). p. 273—286 (Scarpa).

50) Berger, A. M. und T. M. Auracher, Des Benvenutus Grapheus „practica oculorum". Beitrag zur Geschichte der Augenheilk. 8. 38 Ss. München.

Man kennt 4 Handschriften der Augenheilkunde des Benvenutus Grapheus, nämlich 1) die Baseler, welche in provencalischer Sprache geschrieben und mit mehreren anderen medicinischen Abhandlungen vereinigt ist, vielleicht dem 13. Jahrhundert angehört und von Wackernagel (Zeitschrift f. deutsch. Alterth. Bd. V. S. 16) und Bartsch (Grundriss zur Gesch. d. provenz. Literatur § 42 u. 58) erwähnt wird; 2) eine Münchener (Cod. 259), die ebenfalls mit anderen medicinischen Schriften vereinigt ist und aus der Feder eines Studenten der Medicin, Namens Ulrich Eberhard aus Constanz, stammt; 3) eine Münchener (Cod. 331), welche neben philosophischen Materien erscheint und sich ehemals in Montpellier befand, — beide Münchener Handschriften gehören dem 14. Jahrhundert an und sind gleich der folgenden in lateinischer Sprache geschrieben; 4) eine Breslauer, welcher Haeser (Gesch. d. Med. Bd. I. S. 802) gedenkt.

Ueber den Werth dieser HHS. ist zu bemerken, dass der Text von 1 zwar reichhaltiger als 3, aber stellenweise unvollständiger als 2 ist, mit 2 grösstentheils übereinstimmt und nur an einer Stelle (Fol. 105) etwa eine Columne mehr enthält, welche den Verdacht einer Interpolation erwecken könnte, dass ferner 3 unvollständiger als 2 ist, dafür aber bessere Lesarten darbietet, dass endlich 4 nach Haeser's Mittheilungen die übrigen HHS. an Vollständigkeit übertrifft und am Schluss 10 Folio-Seiten enthält, welche jenen fehlen. Die Breslauer Handschrift musste also bei einer neuen Ausgabe des Werkes vor allen anderen berücksichtigt werden; leider haben dies die Herausgeber unterlassen und daher auch nur eine halbe Arbeit geliefert.

51) Mowat, R., Cachets d'oculistes. Bulletin des antiq. de France. 1883. p. 122—123. — 52) Danicourt, A., Note sur deux cachots d'oculistes romains, trouvés à Amiens en 1884 et à Lyon en 1880. Paris. 9 pp. Avec fig. — 53) Prochownick, Geburtshülfe und Cultur. Archiv für Gynäkologie. Bd. 23. H. 1. S. 1—27. (Der Verf. skizzirt in grossen Zügen die Entwickelung der Geburtshülfe, wie sich dieselbe auf culturhistorischer Grundlage vollzog.)

54) Ploss, H., Das Weib in der Natur- u. Völkerkunde. 2 Bde. Leipzig. 1884. 1885.

Die Naturgeschichte des Weibes ist noch niemals mit einer solchen erschöpfenden Gründlichkeit behandelt worden, als es dem Verf. in vorliegendem Werk gelungen ist. Der erste Band wird mit einer Schilderung der körperlichen Eigenthümlichkeiten des weiblichen Geschlechts eingeleitet; die folgenden Abschnitte betreffen die psychologischen Aufgaben des Weibes, die moderne Psychologie in ihrer Auffassung des weiblichen Characters, die Gewichtsverhältnisse des weiblichen Gehirns, die Betheiligung des weiblichen Geschlechts am Verbrechen, die weibliche Schönheit, den Standpunkt des Darwinismus zur Entwickelung der weiblichen Schönheit, die Beeinflussung der letzteren durch die Mischung der Rassen, die Vertheilung der weiblichen Schönheit unter den Völkern, die Verkümmerung des weiblichen Geschlechts, den Aberglauben in der Behandlung des weiblichen Geschlechts, die religiösen Satzungen in Bezug auf das Geschlechtsleben der Frau, die Sexualorgane des Weibes in ethnographischer Hinsicht, z. B. die künstliche Vergrösserung der Schamlippen und der Clitoris, die Beschneidung und Vernähung, die Frauenbrust in ihrer Rassengestaltung, Behandlung und Pflege, ferner die Reife des Weibes, den Eintritt der Menstruation, die Gebräuche, welche dabei bei einigen Völkern üblich sind, die Beurtheilung der Menstruation als etwas Unreinem, die klimakterische Epoche, die Beziehungen des Weibes zum männlichen Geschlecht, nämlich die weibliche Schamhaftigkeit und Keuschheit, die Jungfrauschaft, den Beischlaf, die Masturbation und Tribadie, den Hetärismus und die Prostitution, die Liebe und die Mittel, welche sie angeblich erregen, die Ehe, das Jus primae noctis, das Heirathsalter, die Zeugung, die Befruchtung und den Einfluss, den die Jahreszeiten und die socialen Zustände darauf ausüben, das Ansehen, in welchem die Fruchtbarkeit steht, die sympathischen, arzneilichen und mechanischen Mittel gegen Unfruchtbarkeit, die absichtliche Verhütung der Befruchtung, die Ueberfruchtung und mehrfache Schwangerschaft, die Entwickelung der Frucht, die Ansichten über die Erzeugung von Knaben oder Mädchen, die Zeichen der Schwangerschaft, die Erkenntniss des Geschlechts des Kindes, die Schwangerschaftsdauer, die Lehre von der Lebensunfähigkeit achtmonatlicher Früchte, die Lage und das Stürzen des Kindes im Mutterleibe, den natürlichen Abortus, die Lebensweise und die rechtliche Stellung der Schwangeren, den Aberglauben und die Ceremonien in der Schwangerschaft, die Prognose des Schwangerschaftsverlaufs, die psychische Stimmung, die Gelüste und Nahrung der Schwangeren, das diätetische Verhalten und die medicamentöse Behandlung derselben, die Extrauterinschwangerschaft, die Geschichte der Fruchtabtreibung, die Verbreitung derselben unter den jetzigen Völkern und die Abortivmittel. Der zweite Band enthält Erörterungen über die Geburt, d. h. über den Instinct beim Gebären und seine wissenschaftlich-practische Verwerthung, über die sprachlichen Bezeichnungen der Geburt, über die Geburt in der Bilderschrift, im religiösen und Volksglauben, über die Gottheiten der Geburt, die Wahl des Ortes, an welchem die Gebärende niederkommt, und die Anschauung einiger Völker, bei denen die letztere als unrein gilt, beschäftigt sich hierauf mit den Personen, welche bei der Geburt helfen, mit der Bedeutung und Bezeichnung der Hebammen, der Organisation der Geburtshülfe bei den Culturvölkern, der gesundheitsgemässen Geburt und ihren Bedingungen, den Hilfsmitteln, welche bei der normalen Geburt angewendet werden, ferner mit der Abnabelung des Kindes, der Beurtheilung, welche die Nabelschnur, Nachgeburt und Eihaut im Volksglauben erfahren, mit der Ausstossung und Entfernung der Nachgeburtstheile, mit der fehlerhaften Geburt, den Ursachen derselben, den psychischen, arzneilichen und mechanischen Mitteln und Operationen, welche dabei in Frage kommen, mit dem Kaiserschnitt, mit den Krankheiten, die bei der Entbindung eintreten, und dem Wochenbett. Am Schluss wird die sociale Stellung des Weibes, die Entwickelung derselben aus den Urzuständen und ihre Geschichte bei den Naturvölkern, den Culturvölkern des Orients, im classischen Alterthum, im Christenthum, im Islam und bei den Indogermanen der nachclassischen Zeit besprochen und ein Blick auf die moderne Frauenfrage geworfen. — Wir müssen uns darauf beschränken, den reichen Inhalt des Werkes nur anzudeuten; auf die Einzelnheiten näher einzugehen, ist uns nicht möglich. Dasselbe ist die Frucht vieljähriger unermüdlicher Arbeit und angestrengtesten Sammelfleisses; es steht den anthropologischen Werken eines Waitz, Bastian u. A. ebenbürtig zur Seite und wird den Aerzten, Anthropologen und Culturhistorikern eine unerschöpfliche Quelle der Belehrung sein.

55) Simpson, Al. Russel, A lecture on the history of embryulcia. Brit. Med. Journ. 13. Dec. p. 1178. 20. Decbr. p. 1230. (Verf. hat in vorliegendem Artikel, mit welchem er seine Vorlesungen einleitete, die Nachrichten über die Embryotomie von den ältesten Zeiten bis auf die Gegenwart zusammengestellt, und die verschiedenen Operationsmethoden beschrieben und durch 21 Abbildungen der dabei gebrauchten Instrumente anschaulich gemacht.) — 56) Wells, Spencer, Das Wiederaufleben der Ovariotomie und ihr Einfluss auf die moderne Chirurgie. Wiener Med. Bl. No. 47—51. — 57) Aveling, J., The Chamberlens and the midwifery forceps. Memorials of the family and essay of the invention of the instrument. London 1882. — 58) Kleinwächter, L., Kritisches und Historisches über die Geburtszange. Deutsch. Arch. f. Gesch. d. Med. VII. H. 2. S. 161—170. — 59) Huber, J. Ch., Historische und literarische Notizen über

das Meconium. Friedreich's Bl. f. gerichtl. Med. H. 2. — 60) Jacobi, A., The historical development of modern nursing. New-York. 1883. 15 pp. — 61) Toulouze, E., L'allaitement artificiel à l'époque gallo-romaine. Union méd. Paris. No. 99.

[Talko, Materyaly do historyi oftalmologii w d. Polsce i ziemiach b. Polski. (Materialien zur Geschichte der Ophthalmologie in den Ländern des gew. Königreiches Polen.) Książka jubileuszowa S. 51. Warschau. — 2) Blumensztok, L., Pierwsze orzeczenia sadowo-okulistyczne. Przyczynek do historyi okulistyki w wieku XVII. (Die ersten augenärztlichen Gutachten vor Gericht. Ein Beitrag zur Geschichte der Ophthalmologie des XVII. Jahrhunderts.) Ibid. p. 346. Warschau.

Talko (1) liefert eine fleissige Zusammenstellung des Bemerkenswerthen, welches mit der Ausübung und Pflege der Augenheilkunde in Polen in Zusammenhang steht.

Schon St. Falimierz (1534) schrieb in Polen über Augenheilmittel. Eine Reihe von späteren Werken polnischer Aerzte in lateinischer, polnischer, deutscher, französischer und englischer Sprache wird angeführt. Weiter werden die Verhältnisse besprochen, unter welchen Augenheilkunde an der Krakauer und Warschauer Universität gelehrt wurde. Es folgen biographische Skizzen polnischer Professoren und Aerzte, welche Abhandlungen augenärztlichen Inhaltes geliefert, eine Beschreibung der ophthalmologischen Kliniken, Spitäler und Abtheilungen, sowie ihre geschichtliche Entwickelung. Die Aufzählung von Abhandlungen und Werken polnischer Augenärzte ist fast vollständig. Die Abhandlung des Verf. ist von Bedeutung für die Geschichte der Augenheilkunde in Polen.

Blumenstock (2). Die ersten gerichtsärztlichen Abhandlungen von Paré und Codronchi enthalten keine die Erkrankungen der Augen betreffende Bemerkungen von Bedeutung.

Fedeli (1602) erwähnt schon einiger Augenleiden. Aber erst in den Werken des Paulus Zacchias, Protomedicus des Kirchenstaates, finden sich grössere Abhandlungen über Augenkrankheiten und ihre Bedeutung in gerichtsärztlicher Beziehung vor. Zacchias schreibt ausführlich über Myopia, Nyctalopia, Strabismus, Mydriasis, Myosis, Oculorum Prominentia, Cataracta, Glaucoma, Pannus, Fistula lacrymalis, Ophthalmia, Palpebrae morbosae, Humoris aquei vitia. Die gerichtsärztlichen Gutachten von Zacchias, welcher ständiger Beirath der kirchlichen und weltlichen Gerichte war, berücksichtigten das kirchliche und kaiserliche Gesetz. Sie bezogen sich dem entsprechend auf religiöse und kirchliche, aber auch auf weltliche Angelegenheiten. Er bespricht auch die Verletzungen der Augen, erwähnt aber, ebenso wie Fedeli, die Simulation von Augenkrankheiten gar nicht.

Der III. Band der Werke Zacchias' ist eine Sammlung von gerichtsärztlichen Gutachten. Darin sind drei augenärztlichen Inhalts. Ein jedes derselben zerfällt in 3 Theile; eine kurze Darlegung des Falles (Argumentum), der Inhalt des Gutachtens (Summarium), und das Gutachten selbst (Responsum). Angeführt sind aus den Werken Zacchias die Gutachten No. 45. p. 64., Concilium 81. p. 129, und die Derision 12. p. 153.

Nach Zacchias war von Bedeutung auf dem Gebiete der gerichtsärztlichen Medicin Paul Amman, Prof. in Leipzig. Seiner Sammlung von gerichtsärztlichen Gutachten entnimmt Verf. zwei von augenärztlichem Inhalte, und zwar No. 52. p. 260, und No. 79 p. 411. Die ausserordentlich interessanten Details der Abhandlung müssen im Original eingesehen werden.

Machek.]

VII. Geschichte der Volkskrankheiten.

1) Corlieu, A., La peste d'Athènes. Rev. scient. No. 12.

2) Lallot, N. A., Le typhus ou peste d'Athènes. Thèse pour le doctorat. Paris. 4. 50 pp.

Der Verf. giebt eine französische Uebersetzung der classischen Beschreibung der Atheniensischen Seuche, welche Thukydides hinterlassen hat, bespricht die verschiedenen Versuche zur Erklärung derselben und erläutert die Gründe, welche das Leiden als Typhus exanthematicus erscheinen lassen. Die Arbeit zeugt von anerkennenswerthem Fleiss, lässt jedoch manchmal die nothwendige kritische Sichtung des Materials vermissen.

3) Lechner, Karl, Die grosse Geisselfahrt d. J. 1349. Hist. Jahrb. her. von Gramich. Jahrg. 5. H. 3. S. 437—462.

Nach einer kritischen Uebersicht der vorhandenen Literatur über diesen Gegenstand erinnert der Verf. an die Entstehung des Flagellantenthums und an die ersten Geisslerfahrten, besonders an diejenigen von 1260, beschreibt dann ausführlich den grossen Büsserzug von 1349, der von Ungarn aus einerseits aufwärts die Donau entlang nach Bayern und Franken und andererseits nach Polen, Schlesien, Böhmen und den verschiedenen Theilen Deutschlands und einiger benachbarter Länder gelangte, und macht über die Dauer der Züge, die für jeden Theilnehmer statutengemäss $33^1/_2$ Tage betrug, sowie über die Gebräuche und Lebensweise, die Casteiungen und Vorschriften der Geissler interessante Mittheilungen.

4) Derselbe. Das grosse Sterben in Deutschland in den Jahren 1348—1351 und die folgenden Pestepidemien bis zum Schlusse des 14. Jahrh. Innsbruck. 8. 162 Ss.

Ein grosser Theil dieser Arbeit wurde bereits in den Schulprogrammen des k. k. Obergymnasiums zu Mitterburg veröffentlicht. Der Verf. zählt zunächst die auf den schwarzen Tod bezüglichen literarischen Quellen und deren spätere Bearbeitung auf, bespricht die verschiedenen Bezeichnungen der Seuche, zeigt dann, wie schon Höniger, die Grundlosigkeit der Annahme, dass dieselbe von aussergewöhnlichen kosmischen Erscheinungen begleitet oder beeinflusst war, beschreibt die Symptome der Krankheit und verfolgt den Verlauf und die Verbreitung derselben in Deutschland und den angrenzenden Ländern. Bei dieser Gelegenheit berichtigt er manche irrige Angabe früherer Autoren und zieht einzelne Thatsachen an das Licht, welche bisher übersehen oder nicht genügend beachtet worden sind.

Der zweite Abschnitt behandelt die Dauer der Seuche an verschiedenen Orten und den dadurch verursachten Menschenverlust, über welchen viele unverlässliche oder unrichtige Mittheilungen gemacht worden sind; hierauf werden die mangelhaften hygienischen Zustände jener Zeit geschildert und die ethischen und wirthschaftlichen Folgen der Epidemie erörtert. Unter den letzteren traten namentlich die

Entvölkerung und der dadurch hervorgerufene Mangel an Arbeitskräften, die Steigerung der Löhne und des Preises einzelner Producte, die Münzverschlechterung, welche zur Ausgleichung dieser Verhältnisse dienen sollte, der rasche Wechsel des Besitzes. die beträchtliche Verschiebung desselben zu Gunsten des Clerus und die zunehmende Verwilderung der Sitten hervor. Im dritten Theile gedenkt der Verf. der einzelnen Pestepidemien, welche bis zum Schluss des 14. Jahrhunderts auftraten, und im Anhang veröffentlicht er mehrere Urkunden, die er für seine Arbeit benutzt hat. Dieselbe erscheint als ein werthvoller Beitrag zur Seuchengeschichte jener Periode und wird den Historiker wie den Arzt in gleichem Maasse befriedigen.

5) Chéreau, A., Des mesures sanitaires que l'on prenait à Paris aux quinzième et seizième siècles, contre les épidémies. Gaz. des hôp No. 36, 37. (In diesem Artikel wird erzählt, welche Vorkehrungen zur Absperrung der Kranken von den Gesunden, zur Herstellung und Erhaltung der Reinlichkeit und zur Unterdrückung der Seuche bei einzelnen Pestepidemien des 16. Jahrh. in Paris getroffen wurden.)

6) Hoerschelmann, E. v., Die grossen Epidemien in Italien und ihre Beschwörer. Beil. d Allg. Zeit. München. No. 177, 179, 183.

Ein farbenreiches Bild der Seuchen, welche Italien in den vergangenen Jahrhunderten verheert haben. Verf. gedenkt dabei auch der Massregeln, welche dagegen ergriffen wurden und besonders der segensreichen Thätigkeit der heut noch existirenden fratellanza della misericordia, einer Laiengenossenschaft, welche sich den Transport der armen Kranken, die Unterstützung der Familien derselben, das Begraben der Todten u. a m. zur Aufgabe macht.

7) v. Kerschensteiner, Die Pest in München während des 30jähr. Krieges. Ebendas No. 202, 203

Dieser Aufsatz enthält eine Schilderung der Pestepidemie, welche 1634/35 in München wüthete. Die Erscheinungen der Krankheit waren: heftiges Fieber, heisse Haut, geröthetes Gesicht. rascher Puls, Kopfschmerz. Brustbeengung. Irrereden. Anschwellung der Drüsen, bes. derjenigen der Ellenbeuge. des Nackens, der Achselhöhle und der Leistengegend, Petechien, Erbrechen und Diarrhoen, bei denen häufig blutig gefärbte Massen entleert wurden. Sie führte entweder in 1—2 Tagen zum Tode oder bot bei längerer Dauer, besonders wenn die Bubonen weich wurden, die Aussicht auf Genesung. In ausführlicher Weise beschreibt der Verf. die Umstände. welche die Entwickelung der Seuche begleiteten und begünstigten, ihren Verlauf, ihre Dauer und die Vorkehrungen, welche von Seite der Aerzte und der staatlichen Behörden zu ihrer Unterdrückung getroffen wurden. Die geschichtlichen, literarischen und archivalischen Behelfe, die er bei seiner Arbeit benutzt hat, will er an anderer Stelle nachweisen.

8) Schenker, Die Pestepidemien im Fürstbisthum Basel. Deutsch. Arch. f. Gesch. d. Med VII. H. 3. S. 337—370. H. 4. S. 377—394.

Der Verf. schildert die Pestseuchen, welche Basel und seine Umgebung getroffen haben, die Erscheinungen derselben. die Ansichten, die sich in Betreff des Wesens derselben geltend machten, und die ärztliche Behandlung und berichtet eingehend über die sanitären Massregeln und internationalen Vorkehrungen, welche zum Schutz gegen die Einschleppung der Krankheit getroffen wurden. Zu diesem Zweck veröffentlicht er aus dem Fürstbischöflichen Archiv zu Pruntrut einige Actenstücke, welche bisher noch nicht publicirt waren und den Beweis liefern, dass die Machthaber und Diplomaten der Ausbreitung der Seuchen eine rege Aufmerksamkeit widmeten. Schenker's Aufsatz giebt neue Aufschlüsse darüber, besonders über einzelne Perioden der Pestepidemien von 1720—1722. ist belehrend und unterhaltend geschrieben und wird dem Leser gewiss Genuss bereiten.

9) Brückner, A, Die Pest in Russland. Eine populationistisch-historische Studie. Zeitschr. f. allg. Gesch, Culturgesch. u. Kunstgesch H. 1, 2. — 10) Levillain, Etude sur l'histoire des fièvres éruptives avant le XVII. siècle. Thèse inaug. Paris.

11) Wilbrand, Leop., Die Kriegslazarethe von 1792—1815 und der Kriegstyphus zu Frankfurt a./M. Archiv für Frankfurts Geschichte und Kunst. N. F. Bd. 11.

Der Verf. liefert eine actenmässige Darstellung der sanitären Zustände der einstigen freien Reichstadt Frankfurt a./M. während jener Kriegsperiode. Er beschreibt die Stadt und ihre Bevölkerung, deren hygienische Verhältnisse, die Strassenreinigung. Wasserversorgung. Abfuhr der Auswurfsstoffe u. a. m., schildert mit lebhaften Worten den Einmarsch der ersten französischen Truppen i. J. 1792, die Einrichtung der durch die kriegerischen Ereignisse nothwendig gewordenen Lazarethe, das Auftreten ansteckender Krankheiten und bösartiger Fieber und die erste Epidemie des exanthematischen Typhus (1793) Bei dieser Gelegenheit veröffentlicht er Sanitätsberichte, welche ein characteristisches Bild des traurigen Zustandes der Lazarethe liefern, nebst den Vorschlägen. welche das Sanitätsamt zu dessen Abhilfe machte. Er verfolgt dann den weiteren Verlauf der Seuche. ihre Verbreitung in der Umgegend Frankfurts und ihr Verhalten während der folgenden Jahre und wendet sich hierauf zu der Typhus-Epidemie, welche 1813 14 in Frankfurt herrschte. Ihre Entstehung, ihre Verbreitung in andern deutschen Städten. ihre Krankheitserscheinungen, das therapeutische Verfahren. welches Horn und Reuss dagegen einschlugen, werden einer eingehenden Betrachtung unterzogen. über die Veränderungen. welche Frankfurt in socialer und hygienischer Hinsicht seit der ersten Epidemie erfahren hatte, Bericht erstattet, die Vorkehrungen. welche man dort zur Aufnahme und Pflege der kranken Soldaten traf, geschildert, und das Regulativ über die Errichtung und Unterhaltung der Lazarethe für die verbündeten Heere nebst den nachträglichen Ausführungsbestimmungen abgedruckt. Im Februar 1814 wurde das grosse Barackenlazareth zu Frankfurt ein Raub der Flammen; ein Theil der Kranken musste in Folge dessen in die Häuser der Bürger verlegt werden und trug dorthin den Infectionsstoff der entsetzlichen Seuche, die erst im Mai erlosch. Am Schluss gedenkt der Verf. der Massregeln, welche die Behörden zum Schutz der Bevölkerung gegen die Wiedereinschleppung des Typhus durch die durchmarschirenden Truppen trafen, erwähnt die sehr vernünftigen Vorschriften des Coburger Regulativs, das in Frankfurt Geltung erhielt, und berührt die Auflösung der Kriegslazarethe i. J. 1815.

12) Fiedler, A., Ueber das Verhalten des Typhus abdominalis in Dresden in den letztvergangenen 34 Jahren. Jahresber. d. Ges. f. Natur- u. Heilkunde in Dresden (mit genauen statist. Tabellen). — 13) Lacaze, H., Le choléra dans l'Inde au XVIème siècle. Rev. scient. T. 34. p. 287—288 (Beschreibung der Krankheit nach Garcia d'Orta [Dujardin], welcher ihrer gelegentlich gedachte) — 14) Aus den Erlebnissen der Provinz Preussen i. J. 1831 beim ersten Auftreten der Cholera. Sonntags-Beil. der Voss. Zeit. No 24, 25. — 15) Dutrieux, Le choléra dans la Basse-Egypte en 1883. Paris. 294 pp. et carte. — 16) Bérenger-Féraud, Considérations sur l'histoire et la géographie de la fièvre jaune. Gaz des hôp. No. 79, 83, 93, 101, 102, 104, 107.

17) Kotelmann, L., Der Bacillus malariae im Alterthum. Virchow's Archiv. Bd. 97. H. 2. S. 361 bis 364.

Mit einer glücklichen Ahnung hat Varro auf die microscopischen Malaria-Träger hingewiesen, als er schrieb (de re rustica L. I. cap. 12): „Si qua erunt loca palustria, crescunt animalia quaedam minuta, quae non possunt oculi consequi, et per aëra intus in corpus per os et nares perveniunt atque efficiunt difficiles morbos". Selbstverständlich lässt sich daraus noch nicht auf eine wissenschaftliche Kenntniss dieser kleinen Organismen schliessen.

18) Tommasi-Crudeli, Il bonificamento dei paesi di malaria. Nuova antologia. Vol 47. Fasc 20. — 19) Braus, O., Die Diphtherie, ihre Geschichte, ihr Wesen und ihre Bedeutung. 2. Aufl. Essen. gr. 8. 52 Ss. — 20) Betz, F., Eine Bekanntmachung des Raths der hl. Reichsstadt Heilbronn i. J. 1801 über den Unterricht für den gemeinen Mann bei herumgehenden Kindsblattern. Deutsch. Arch f. Gesch. d. Med. VII. H. 4. S. 468—472. — 21) Wolffberg, S, Ueber die Impfung. Histor. statist. Mittheilungen über Pockenepidemien und Impfung, nebst einer Theorie der Schutzimpfung. Sammlung gemeinverst. wissenschaftl. Vorträge. Herausg. v. Virchow u. Holtzendorf. H. 437 u. 438. 47 Ss. — 22) Kranz, Zur Geschichte der Einführung der Schutzpockenimpfung in Bayern. Friedreich's Bl. f. gerichtl Med. H. 2.

23) Corradi, A., Nuovi documenti per la storia delle malattie veneree in Italia dalla fine del quattrocento alla metà del cinquecento. Annal. univ. di med. e chir. Milano. Vol. 269. p. 289—386

Im ersten Band seiner Annali delle epidemie in Italia hatte der Verf. die Absicht ausgesprochen, die von ihm gesammelten, auf die Geschichte der venerischen Krankheiten bezüglichen Documente später an einer anderen Stelle zu veröffentlichen. Er löst hiermit sein Versprechen ein, indem er 50 Documente ans Licht zieht, von denen 18 bisher gänzlich unbekannt waren, die anderen zwar schon gedruckt, aber von den Aerzten und medicinischen Historikern nicht beachtet wurden. Ihr Inhalt ist folgender:

1) Die Krankheitsgeschichte des Tommaso di Silvestro aus dessen Tagebuch, welches sich jetzt im Archivio storico comunale d'Orvieto befindet. Derselbe war Canonicus di S. Maria d'Orvieto und erzählt, dass er am 27. April 1498 die ersten Schmerzen am Penis gefühlt habe, und dass am 8. Juni bereits die Kopfhaut mit hässlichen krustenartigen Ausschlägen (Rupia) bedeckt gewesen sei, denen später heftige Kopfschmerzen folgten. Er wurde von einem Mönch behandelt, der ihm Blutentziehungen, Abführmittel und Quecksilber-Einreibungen verordnete, so dass ein starker Speichelfluss eintrat, der eine Stomatitis erzeugte, welche die Erscheinungen der Syphilis noch überdauerte. 2) Der Florentiner Chronist Parenti berichtet, dass im September 1496 in Italien eine Krankheit erschienen sei, welche Rogna franciosa genannt wurde, in den meisten Fällen 8 bis 10 Monate, manchmal auch ein Jahr dauerte, mit heftigen Schmerzen, sowie mit Bläschen- und Blattern-ähnlichen Ausschlägen verbunden war, die den ganzen Körper überzogen und einen übelen Geruch verbreiteten, übrigens aber nicht ansteckend erschien und meistens mit Genesung endete. 3) Sigismond Tizio spricht in seiner handschriftlich hinterlassenen Geschichte der Stadt Siena als Augenzeuge von den Krankheitserscheinungen, welche die Syphilis 1497 bei den dortigen Bewohnern hervorgerufen hat. Er schreibt, dass die Erkrankten dadurch häufig zur Verzweiflung und zum Selbstmord getrieben, dass sogar kleine Kinder von der Seuche ergriffen wurden und alle angewandten Heilmittel wirkungslos blieben. 4) In der unter dem Namen Bianchina bekannten Chronik von Bologna heisst es, dass dort die Syphilis 1496 aufgetreten sei, sich durch Erkrankungen des Halses und grosse blasenartige Ausschläge und heftige Schmerzen in den Armen und Beinen geäussert, manchmal die Nase, ja sogar das halbe Gesicht hinweggefressen habe, in den meisten Fällen durch den Coitus weiter verbreitet wurde, selten in Heilung überging und häufig zum Tode führte. 5) Gaspero Nadi aus Bologna hebt in seinem Libro per tenere ricordo unter den Symptomen der Syphilis die nächtlichen Knochenschmerzen hervor und bemerkt, dass die Krankheit dort schon 1495 beobachtet wurde und noch 1501 fortdauerte. 6) In der Chronik des Bologneser Friano Ubaldini heisst es, dass die Krankheit in demselben Jahre in Italien auftrat, in welchem die französischen Soldaten dahin kamen, und dass sie sich nicht bloss durch den geschlechtlichen Verkehr, sondern auch durch Speisen und Getränke weiter verbreitete. 7) Ein vierter Bologneser Chronist, Fileno delle Tuate schildert wie die Vorigen die Erscheinungen der Krankheit und erzählt, dass man bei der Section eines Syphilitischen äusserlich und innerlich Blasen gefunden habe. Alle Heilmittel, welche gegen das Leiden angewendet wurden, erschienen wirkungslos; um ihm die Quelle zu verstopfen, wurden die prostituirten Frauenzimmer aus Bologna, Ferrara und anderen Orten vertrieben. 8) Die Chronik von Ferrara des Zambotti verlegt das Erscheinen der Seuche in dieser Stadt auf das Ende des Jahres 1496, bestätigt, dass sie durch den Coitus von kranken Weibern auf gesunde Männer übertragen wurde, und betont die hohe Sterblichkeitsziffer der Erkrankten. 9) Die Chronik von Este des Karmelitermönchs Paolo da Legnago notirt ebenfalls den December 1496 als den Beginn des Leidens in Ferrara. 10) Die Frammenti degli annali di Sicilia geben an, dass die Krankheit 1498 von Neapel nach Sicilien verschleppt worden sei. 11) Eine Anweisung von 1509, wie die Quecksilbersalbe bereitet und die Schmiercur angewendet werden soll. Dabei wird auf den Speichelfluss, welcher sich einstellt, hingewiesen und der Genuss des gesalzten Fleisches verboten. 12) Aus den Statuten des Hospitals des hl. Hiob zu Bologna, welche von 1524 stammen, ergiebt sich, dass das Quecksilber, das anfangs

für ein souveränes Heilmittel angesehen wurde, damals gänzlich in Misscredit gekommen war und selten gebraucht wurde, und dass es den Chirurgen nicht gestattet war, eine Unctionscur anzuordnen. 13) In einem Schreiben des Sanitätstribunals von Neapel vom Jahre 1520 wird gemeldet, dass die Stadt von der Pest gänzlich frei sei, aber sehr viele Syphilitische habe, für welche kein besonderes Hospital vorhanden war. 14) Ein Empiriker, Paulus Tiburtinus, bietet dem Marchese von Mantua, welcher an Syphilis erkrankt zu Bette lag und von sehr tüchtigen Aerzten erfolglos behandelt worden war, seine Dienste an. 15) Decret des Protomedicus von Rom, durch welches dem sicilianischen Priester Giacomo Longo die Erlaubniss ertheilt wird, die ärztliche Praxis, soweit sie nicht in das Gebiet der Chirurgie hinüberreicht, auszuüben und das Decoct des Guajakholzes gegen die Syphilis zu verordnen. 16) Es folgen noch mehrere derartige Licenzen, welche an Chirurgen ertheilt wurden. Aus denselben geht hervor, dass die Chirurgen die Syphilis behandeln, dabei jedoch kein Quecksilber und zwar nicht einmal äusserlich anwenden und überhaupt keine inneren Heilmittel verordnen durften. 17) Brief des Fabrizio Peregrino an den Herzog von Mantua vom 11. Februar 1534, dass der Cardinal de Medici an der Syphilis schwer erkrankt sei und sich einer Cur unterziehe, welche im Genuss des Decoctes des Guajakholzes bestehe und 50 Tage dauere. 18) Kurze Geschichte der Missa beati Jobi contra morbum gallicum nach Paciaudi. — Die folgenden Documente sind bereits gedruckt worden und finden sich in verschiedenen Werken verstreut. 19) Notiz in einer anonymen Neapolitanischen Chronik, dass die Syphilis in Neapel in der Mitte des Jänner 1496 aufgetreten sei. 20) In den Tagebüchern des Sanuto wird erzählt, dass sich die Syphilis von 1496—1498 über Frankreich, Italien, Spanien, Griechenland und die ganze Welt verbreitet habe und nur durch den Coitus ansteckend wirke. 21) Mittheilung aus Sanuto's Chronik, dass die Venetianischen Schiffe in der Mitte des Jahres 1496 nicht von Corfu auslaufen konnten, weil der grösste Theil der Matrosen an der französischen Krankheit darniederlag. 22) Der Florentiner Luca Landucci berichtet in seinem Tagebuch, dass die Syphilis in Florenz zu Ende des Juni 1496 begann und zu Ende des Jahres gleichzeitig Pestilenzfieber (Typhus) auftrat, welches namentlich im Jahre 1500 wüthete. 23) Maffei von Voltera hat einige Mittheilungen über Elephantiasis und Satyriasis, die er für identisch mit Syphilis hielt, aus Plinius, Celsus u. a. zusammengestellt. 24) Der Apotheker Jac. Bianchi, genannt Lancellotti, beschreibt in seiner Chronik von Modena unterm 26. Juni 1496 die Krankheit und ihre Verbreitung und erklärt, dass man früher niemals ein derartiges Leiden beobachtet habe. 25) Die Modeneser Annalen des Al. Tassoni erwähnen nur, dass die Krankheit im Jahre 1496 zum ersten Male nach Italien gelangt sei. 26) Die anonyme Chronik von Cremona verlegt dagegen das Erscheinen derselben auf 1495 und giebt an, dass sehr viele Menschen daran starben. 27) Eine vortreffliche Schilderung des Leidens findet man in den Annalen des Francesco Muralti. 28) Aehnlich sprechen sich Jac. Rizzoni in seiner Chronik von Verona und 29) der Bischof Giustiniani darüber aus, welcher die Krankheit übrigens schon 1495 entstehen lässt. 30) Graf Sigismondo da Foligno berichtet über das Auftreten der Syphilis und vertritt die Ansicht, dass sie von den aus Spanien vertriebenen Marranen nach Neapel verschleppt worden sei. 31) Prinz Pico von Mirandola gedenkt des Leidens in seinem Liber de veris calamitatum causis nostrorum temporum. 32) Bern. Cirillo dell' Aquila schrieb nach 1535, dass die Krankheit 1496 schon in Deutschland, Dalmatien und Slavonien geherrscht habe und dass sie aus Amerika nach Europa und zwar durch spanische Truppen zuerst nach Neapel gebracht worden sei. Den amerikanischen Ursprung der Seuche sucht er u. A. dadurch zu beweisen, dass auch das Heilmittel gegen die Krankheit, nämlich das Guajakholz, dort seine Heimath habe. 33) In Reggio dell' Emilia zeigte sich die Seuche in den ersten Monaten d. J. 1497. 34—36) enthalten die ältesten poetischen Erzeugnisse Italiens, die sich auf die Syphilis beziehen. Der Dichter ist Ant. Cammelli aus Pistoja. 37) Beschwerde desselben gegen einen spanischen Heilkünstler, weil er seinen Sohn, der an Syphilis litt, vernachlässigt und schlecht behandelt hatte. 38) Klage des Florentiner Arztes Giovanni Penni, dass unter der Herrschaft des Papstes Leo X. die Syphilis sehr abnehme und milder werde. 39—41) bringen Mittheilungen Brasavola's über das Ausfallen der Haare und der Zähne bei der Syphilis, sowie über das Guajakholz und den Sublimatus corrosivus. 42) zeigt, dass man Guajakholz schon vor 1525 in Ferrara anwendete. 43) Die Annalen von Waverley berichten, dass 1277 dort eine Krankheit unter den Schafen herrschte, welche Clausik genannt und mit einer Salbe aus Quecksilber und Schweinefett behandelt wurde. Corradi folgert daraus, dass das Quecksilber seit alten Zeiten ein beliebtes Heilmittel bei den Erkrankungen der Haut war. 44) Girolamo Rossi zeichnet ein naturgetreues Bild der Syphilis in seiner Geschichte von Ravenna. 45) Ein launiger Brief, in welchem die durch die Krankheit erzeugte Kahlköpfigkeit verspottet wird. 46) Decret der Regierung von Lucca von 1532, in welchem den prostituirten Frauenzimmern Schutz gegen öffentliche Beleidigungen und Beschimpfungen zugesichert wird. 47) Vorschläge aus Cecchi's Riforma, um die Sodomie durch Strafen zu unterdrücken. Diese Form der widernatürlichen Unzucht hatte sich nämlich sehr verbreitet, weil man dadurch vor Ansteckung mit venerischen Krankheiten sicher zu sein glaubte. 48) Befehl der Venetianer Sanitätsbehörde vom 22. Februar 1521, dass alle Männer und Frauen, welche an venerischen Krankheiten litten, sich in das dafür bestimmte Hospital begeben und dort der ärztlichen Behandlung unterwerfen sollten. Vornehme Herren und Damen wuschen denselben aus Demuth die Füsse, wie aus Sanuto's Tagebüchern hervorgeht. 49) Auf die Sodomie bezügliche Decrete des Rathes der Zehn in Venedig vom 16. Mai 1461, 7. Jänner 1467 und 12. März 1496. Es wurde darin den Aerzten und Chirurgen mit hohen Geldstrafen und Verbannung aus dem Staat gedroht, wenn sie unterliessen, Anzeige zu machen, falls sie eine Person männlich oder weiblichen Geschlechts behandelten, welche in Folge von Sodomie an Verletzungen des Afters litt; der Letzteren wurde Straflosigkeit versprochen, wenn sie ihren Buhlgenossen nannte. 50) beweist, dass in Perugia die Einrichtung bestand, dass die Huren, wenn sie an Geschlechtskrankheiten litten, vom städtischen Arzt in ihren Wohnungen besucht und behandelt und dies den jungen Männern mitgetheilt wurde, damit sie sich vor Ansteckung hüten konnten. — Corradi schickt diesen Documenten Erörterungen voraus über die Sittenlosigkeit, die damals in Italien herrschte, über die Verbreitung der venerischen Affectionen und die sanitären Vorkehrungen, welche von den Behörden dagegen getroffen wurden.

24) Corradi, Alf., L'aqua di legno e le cure depurative nel cinquecento. Annal. univers. di med. e chir. Milano. Vol. 269. Juli. p 49—82.

Der Verf. lenkt die Aufmerksamkeit auf einen Brief vom Jahre 1562, in welchem der Cardinal Girolamo da Correggio im Auftrage der Cardinäle Alessandro und Ranuccio Tarnese eingeladen wird, auf deren Besitzung Caprarola die Nachcur, welche ihm nach der Behandlung mit dem Decoct des Guajakholzes bevorstand, durchzumachen, und knüpft daran einige Mittheilungen über die Geschichte des Medicaments, über die Bereitung und Anwendung desselben, sowie über die sog. Reinigungscuren des 15. und 16. Jahrhunderts.

25) Proksch, J. K., Die Syphilis des Nervensystems. Ein historischer Beitrag. Wien. Med. Blätter. No. 10, 11, 12.

Schon zu Ende des 15. Jahrhunderts schenkten die Aerzte, wie der Verf. zeigt, den Veränderungen der inneren Organe, welche im Gefolge der Syphilis einhergehen, ihre Aufmerksamkeit; sie glaubten, dass dieselben ihrem Character nach den Erscheinungen entsprechen, welche die Krankheit auf der äusseren Haut und den angrenzenden Schleimhäuten hervorruft. Das Gumma im Gehirn wurde zuerst von Christ. Guarinoni im Jahre 1610 erwähnt; der Verf. theilt aus dessen Consilia medicinalia den betreffenden Krankheitsfall mit, der wegen der starken Betheiligung des Nervensystems grosses Interesse darbietet. Er berichtet dann über ähnliche Angaben anderer Aerzte des 17. und 18. Jahrhunderts, weist dabei namentlich auf die ausgebreiteten Kenntnisse hin, welche J. Astruc von der Syphilis des Nervensystems besass, und erörtert endlich, welche Förderung dieser Gegenstand durch Morgagni erfuhr, der die syphilitische Erkrankung der Gehirnarterien zuerst erkannt und beschrieben hat. Wenn diese Entdeckung sowie andere Thatsachen, welche die Syphilis der inneren Organe betrafen, später in Vergessenheit geriethen, so liegt die Schuld nach des Verf. Ansicht an John Hunter, der dieselben läugnete, weil er sie selbst nicht zu beobachten Gelegenheit hatte, und durch seine mächtige Autorität die herrschenden Theorien in diesem Sinne beeinflusste.

26) Purjecz, S., Nicolaus Leonicenus auf dem Gebiete der Syphilidologie. Virchow's Arch. Bd. 95. H. 2. — 27) Derselbe, Hieronymus Fracastorius, ein Syphilidolog des 16. Jahrhunderts. Wien. Medicin. Wochenschr. No. 11—13.

28) Auspitz, H., Wo stehen wir heut gegenüber der Syphilis? Antrittsrede. Vierteljahresschr. für Dermatol. u Syphilis.

Der Verf. erklärt, dass den grossen Fortschritten gegenüber, welche die Pathologie des Tripper, und die Untersuchungstechnik der Harnröhre, besonders durch die Erfindung der Vervollkommnung des Endoskops gemacht habe, „die Trippertherapie durch die Geringfügigkeit ihrer Resultate und durch die Unwissenschaftlichkeit und den rohen irrationellen Empirismus ihrer Technik Staunenswerthes leiste". Er erklärt ferner, dass „wir der Wahrheit über das Syphiliscontagium bisher in keiner Weise näher gerückt sind" und auf diesem Gebiete noch nicht einmal „die Fundamentalfragen der Symptomatologie und Differenzialdiagnose" gelöst worden sind, und bemerkt schliesslich, dass auch in der Therapie der Syphilis seit der Einführung des Jod kein wesentlicher Fortschritt gemacht worden sei.

29) Kohn, Em., Kritische Glossen über den Terminus Psoriasis palmaris et plantaris syphilitica. Wien. Med. Presse.

[Wülfsberg, Den attiske Pest. Tidsskr. for prakt. Med. p. 104.

Der Verf. bespricht die während des peloponnesischen Krieges in Athen aufgetretene und von Thukydides beschriebene Epidemie, die nach seiner Ansicht unzweifelhaft exanthematischer Typhus gewesen ist. Diese Annahme stützt sich auf die Mittheilungen über die Verbreitung und Contagiosität der Krankheit, ihren typhusartigen Verlauf, Prodrome, Initialsymptome, das Fieber sammt dem Exanthem und den Complicationen. Die von Thukydides erwähnte Geschwürbildung im Unterleibe erklärt der Verf. für Decubitusgeschwüre in der Sacralregion. Der Verf. nimmt an, dass die Affection der Genitalien im späteren Verlaufe der Krankheit als Gangrän des Penis, des Scrotum oder der Labia majora angesehen werden muss, und nicht auf die Bubonenpest deutet. — Dagegen findet der Verf., wie er näher entwickelt, in der Beschreibung der Epidemie weniger gute Uebereinstimmung mit Abdominaltyphus, Scharlach, Blattern, Bubonenpest oder Cholera, mit welchen Krankheiten dieselbe auch zusammengestellt worden ist. Joh. Möller (Kopenhagen).]

VIII. Biographica.

1) Allgemeine deutsche Biographie, herausg. von der histor. Commission der k. Acad. d. Wiss. zu München Bd. 17. 18. 19. — 2) Wurzbach, C. v., Biographisches Lexicon des Kaiserthums Oesterreich. Wien. Bd. 49. 50. — 3) Biographisches Lexicon der hervorragenden Aerzte aller Zeiten und Länder, herausg. v. A. Hirsch u. Wernich. Wien. Bd. I. — 4) Langen, Jos., Roger Baco. Sybel's histor. Zeitschr. Bd. 51. S. 434—450. — 5) Pinto, Ricordo storico su Fabrizio d'Acquapendente (1537—1619). Bull. d. r. accad. med. di Roma. 1883. p. 158—174. — 6) Albertus, Essai biographique sur l'anatomiste J. B. Canano. Gaz. méd. de Paris. p. 133—137. (Notizen über die verschiedenen Aerzte des Namens Canano und besonders über Giov. Batt. Canano, den Entdecker der Venenklappen, der sich auch um die Chirurgie Verdienste erworben hat und als Leibarzt des Herzogs von Ferrara 1579 starb. Der Verf. stützt sich hauptsächlich auf Chaumeton.) — 7) Salomon, M., Albertus Magnus. Aerztl. Intell.-Bl. München. S. 336—339. — 8) Derselbe, H. C. Agrippa. Ebend. S. 192. 218. 276. — 9) Derselbe, J. F. Ackermann. Ebend. S. 146—148. — 10) Derselbe, Amatus Lusitanus. Ebend. S. 398. — 11) Derselbe, Apinus. Ebend. S. 421. — 12) Karlinski, J., Kilka słów o lekarskiej działalnosci Kopernika. Gaz. lek. Warszawa. 2 s. IV. p. 634—649. — 13) Kerschensteiner, Paul Zacchias (1586—1659). Friedreich's Bl f. gerichtl. Med. H. 6. (Diese kleine verdienstvolle Arbeit, welche zur Erinnerung an den 300jährigen Geburtstag des „Begründers der gerichtlichen Medicin" veröffentlicht wurde, bringt eine mit wohlthuender Wärme geschriebene Skizze seines Lebens nebst einer kurzen Characteristik seiner Schriften; beigegeben ist derselben sein Bild nach Vigneron.) — 14) v. Lotzbeck, Ambroise Paré's Bedeutung als Chirurg und besonders als Kriegschirurg; eine historische Skizze. Festschrift des ärztl. Vereins zu München. 1883. S. 1—26. (Die Festschrift, welche zur Feier des 50jährigen Bestehens des ärztlichen Vereins zu München herausgegeben wurde, beginnt mit vorliegender historischer Arbeit, in welcher die Lebensschicksale A. Paré's und seine Verdienste um die Entwickelung der Chirurgie und andere Theile der Heilkunde in klarer lichtvoller Weise erörtert werden.)

15) Goldschlag, Nathan, Beiträge zur politischen und publicistischen Thätigkeit Herm. Conring's. Inaug.-Diss. Göttingen. 80 Ss.

H. Conring, welcher von 1637—1681 in Helmstädt eine medicinische Professur bekleidete, zu gleicher Zeit aber auch Vorlesungen hielt über Politik, Nationalökonomie und deutsche Rechtsgeschichte, und eine sehr fruchtbare literarische Thätigkeit entfaltete, stand lange Zeit als politischer Agent im Dienste der schwedischen Regierung und wirkte für deren Eroberungsgelüste und gegen die Kräftigung der Kaiserlichen Macht. Der Verf. liefert dafür einige interessante Belege.

16) Gilles de la Tourette, Théophraste Renaudot d'après des documents inédits. Paris. — 17) Hatin, Théophraste Renaudot et ses innocentes inventions. Paris — 18) Candelé, Un épisode de la vie de Théophile Bordeu. Mem. et bubl. Soc. de méd et chir. de Bordeaux. 1883 p. 209—216. — 19) Albertus, A propos de l'oculiste Jacques Daviel. Gaz. méd. de Paris. No. 45. (Der Verf. macht darauf aufmerksam, dass Haltenhoff [Revue méd. de la Suisse Romande] nach den Sterberegistern festgestellt hat, dass Daviel, der Erfinder der Staar-Extraction, zu Genf am 30. September 1762 gestorben ist und auf dem katholischen Friedhofe zu Grand-Sacconex beerdigt wurde, und schliesst sich mit Begeisterung der Anregung Haltenhoff's zur Errichtung eines Denkmals für Daviel an.)

20) Dufour, Léon, Un savant d'autrefois. Son mémorial 1780—1865. publié par ses fils. Gaz. des hôp. No. 18, 21, 24, 27, 30, 36, 42, 47, 50, 53, 56, 61, 64, 72, 77, 81, 89, 93, 95, 100, 103, 106, 110, 112, 116, 122, 127, 136, 139 145.

Das Tagebuch enthält interessante Erinnerungen an die grosse Revolution. an die Studienzeit des Verf., an seinen Verkehr mit hervorragenden Naturforschern und Gelehrten, z. B. mit den Entomologen Latreille, Olivier, Fabricius, Savigny und C. Duméril, mit Cuvier, Adanson, Lamarck, Decandolle. Persoon Bonpland u. A., und an mehrere wichtige politische Ereignisse der Napoleon'schen Zeit, sowie Mittheilungen über Studienreisen und aus der ärztlichen Praxis.

21) Lanessan, J. L. de, Buffon; ses idées, son rôle dans l'histoire des sciences, son oeuvre et le développement des sciences naturelles depuis son époque. Rev. internat. d. sc. biol. Paris. 1883. XII. p. 381—441. — 22) N. H., Essays on medical classics. No. 2. Sydenham. Med. Tim. 6. Dec. p 786. (Es werden in gedrängter Kürze die wichtigsten Ereignisse seines Lebens und seine Ansichten über einzelne Krankheiten und Krankheitszustände aufgezählt.) — 23) Gee, S.. An anecdote of Sydenham. St. Barth. Hosp Rep. London. 1883. XIX. p. 1—4. — 24) Hjelt, O. E A., Olof af Acrel, den Svenska kirurgions fader (1717—1806). Stockholm. (Werthvoller Beitrag zur Geschichte der Medicin in Schweden.) — 25) Heuvel, A. J. v d., Petrus Camper als chirurgijn beschouwd. Amsterdam. 1883. 8. — 26) v. Hasner, Der medicinische Studiendirecter Mac-Neven. Prager medicin. Wochenschr. No. 12. (Werthvoller Beitrag zur Geschichte der van Swieten'schen Periode.) — 27) Güttler, Lorenz Oken und sein Verhältniss zur modernen Entwickelungslehre. Leipzig. (Eingeleitet durch eine Skizze der Geschichte der Entwickelungslehre, zeichnet das Buch, welches einer von der philosophischen Facultät zu München vor mehreren Jahren gestellten Preisfrage seine Anregung verdankt, ein Bild der naturwissenschaftlichen Anschauungen Okens und vergleicht damit die heutige Entwickelungslehre. Als schätzenswerther Beitrag zur Geschichte der naturphilosophischen Periode wird es die Aufmerksamkeit des Lesers erregen.) — 28) Brück, A. S., Joachim Dietrich Brandis, der erste Brunnenarzt Driburgs. Deutsch. Arch. f. Gesch. d. Med. VII. H. 4. S. 395—408. — 29) Ameeke, Zur Characteristik Hahnemann's und seiner Gegner. Zeitschr. d. Berl. Ver. homöopath Aerzte. 1883. S. 457—464. — 30) Rohlfs, H., Georg Friedrich Louis Stromeyer. Deutsch. Arch. f. Gesch. d Med. VII. — 31) Derselbe, Dieffenbach. Ebendas. VII. — 32) Billroth, Th., Wilhelm Baum. Arch. f. klin. Chir. Berlin. S. 186—216. — 33) Schüller, M, Zur Erinnerung an C. Hueter. Deutsche med Wochenschr. 1883. S. 697—714. — 34) Gerhardt, C., Gedächtnissrede auf F. v. Rinecker. Verhandl. d phys. med. Ges. zu Würzburg. 14 Ss. — 35) Kupffer, C., Gedächtnissrede auf Th. v. Bischoff. München. gr. 4. 52 Ss. — 36) Zum 50jährigen Doctorjubiläum des Prof. Franz Seitz in München (enthält einige Notizen zur Geschichte des Reisingerianums). — 37) Weigert, L., Jul. Cohnheim. Necrolog. Berl. klin. Wochenschr. S. 564—66. — 38) Emmet, Th A., A memoir of James Marion Sims. New-York. 8. 19 pp. — 39) Brennecke, H., E. Littré. Deutsche Rundschau. Berlin. S. 82—94. — 40) Gilles de la Tourette, Ad. Wurtz Progrès méd. Paris. p. 394 — 41) Troisier, Eloge sur J. Parrot. Paris. — 42) Daniels, C. E., Levensschets van Dr. A. H. Israels. Nederlandsch. Tijdschrift v. Geneeskunde. 36 pp. Amsterdam.

[Talko, Prof. Dr. Wiktor Feliks Szokalski. Eine Biographie. Ksiazka jubileuszowa. p. 1. Warschau.

Szokalski wurde am 15. Decb. 1811 in Warschau geboren. Nach absolvirtem Lyceum studirte er Medicin in Warschau und in Giessen, wo er im Jahre 1834 das Doctordiplom erwarb. Nachdem er sich einige Zeit in Würzburg und Heidelberg aufgehalten, wurde er Assistent des Dr Sichel in Paris und gleichzeitig auch Armenarzt, Hausarzt der Schule von Batignolles, 1849—1851 Spitalsarzt des Departement Côte d'Or. Im Jahre 1853 kehrte er nach Warschau zurück, wurde 1859 Professor der Physiologie, 1861 Professor der Augen- und Ohrenheilkunde an der Warschauer med.-chirurgischen Academie, welche Stellung er bis 1871 einnahm. Seitdem widmet Szokalski seine Thätigkeit dem ophthalmologischen Institute in Warschau, dessen leitender Arzt er ist. Der Biographie sind weiterhin beigefügt: Reden, welche Prof. Szokalski bei verschiedenen Gelegenheiten gehalten, eine Aufzählung seiner Abhandlungen und Werke, kritische Besprechungen derselben u. dergl. **Machek.**

1) Przystanski, Alex.. Lebensskizze des Warschauer Arztes Janus Ferdinand Nowakowski. Pamiętnik towarz. lek. warsz. Tom. LXXX. H. I. u II. p. 171—173. (Eine kurze Lebensbeschreibung mit Schriften-Verzeichniss des literarisch und ärztlich strebsamen Arztes J. F. Nowakowski, der 1832 geboren und 1883 gestorben, unter vielen anderen belletristischen und medicinischen Schriften gemeinsam mit Dr. Neugebauer im Jahre 1860 und 1865 eine polnische Bearbeitung von Hyrtl's descriptiver Anatomie herausgab und im Jahre 1869 gemeinsam mit dem Verf. die allererste noch bestehende Heilanstalt für Behandlung mit aus Kuhmilch bereitetem Kumys gründete.) — 2) Kośminski, Stan., Slownik lekarzów polskich. (Section polnischer Aerzte.) Siehe Jahrg. 1883. Bd. I. S. 325. Heft III. Warschau. 321—410 pp. (Als Fortsetzung der im vorigen Jahre begonnenen Publication enthält das Heft Lebensbeschreibungen und Schriftenverzeichnisse der Aerzte von Mierzejewski bis Steuermark.) — 3) Matlakowski, Lachol, Heinrich Hoyer. Gazeta lek. Bd IV. No. 51. (Eine zur Jubelfeier der 25jährigen Schriftsteller- und Lehrthätigkeit Prof. Heinrich Hoyer's verfasste Festschrift, welche dessen hervorragende Leistungen auf dem Gebiete der histologischen und physiologischen Forschung, der Heranbildung mehrerer Generationen von Schülern, der Verbreitung der exacten Untersuchungsmethode so-

wie der Hebung der Fachjournalistik am Orte seiner Wirksamkeit u. s. w. ausführlich behandelt und zum Schlusse eine biographische Skizze, ein Schriftenverzeichniss mit Angabe der in seinem Laboratorium unter seiner Leitung und Aufsicht vollzogenen Arbeiten nebst dem Bildnisse des Jubilars liefert.) — 4) Derselbe, Edward Klink. Ibid. No. 42. (Nachruf und Schriftenverzeichniss, betreffend den im 33. Lebensjahre verstorbene Syphilido- und Dermatologen Ed. Klink in Warschau. Derselbe war Abtheilungs-Arzt im St. Lazarus-Hospital, Verfasser zahlreicher Schriften, darunter auch eine Lebensbeschreibung und wissenschaftlichen Beurtheilung des berühmten poln. Syphilidologen W. Oczko [Ocellno] aus dem XVI. Jahrhundert.) — 5) Kramsztyk, Sigm., Rzut oka na naukową dzialalność Prof. Szokalskiego. (Ueberblick der wissensch. Leistungen Prof. Szokalski's). Ibid. Bd. IV. No. 43. (Eine Festrede zum 50jährigen Doctor-Jubiläum des Prof. Szokalski, welche dessen vielseitige wissenschaftliche, mitunter bahnbrechende Leistungen auf dem Gebiete der Histologie, Physiologie der Sinne, der Augenheilkunde etc. bespricht mit schliesslicher Mittheilung des Inhaltes einiger von ihm in früherer Zeit in französischer und deutscher Sprache veröffentlichten Schriften.) — 6) Leppert, Ladisl., Jacob Natanson. Ibidem. Bd. IV. No. 40. (Ein kurzer Nachruf dem im 52. Lebensjahre verstorbenen Chemiker Jac. Natanson, vom Jahre 1862 bis 1866 Professor an der Warschauer Hochschule, dem Verf. ausser mehreren kleineren Schriften, des in den Jahren 1857 und 1858 in polnischer Sprache in 2 Bänden erschienenen Werkes: Grundriss der organischen Chemie mit besonderer Rücksicht auf deren Anwendung in der Agricultur, Technologie und Medicin. Ferner im Jahre 1866: Lehrbuch der organischen Chemie nach dem unitären Systeme.) **Oettinger** (Krakau).]

IX. Varia.

1) Ecklund, P. B., Porträttgalleri af framstående svenska läkare (Bildergallerie hervorragender Schwedischer Aerzte). Stockholm 1883. — 2) Brown, Th., Religio medici being a facsimile of the first edition, published in 1642. With an introduction by Greenhill. London. 190 pp. (Es giebt eine grosse Anzahl von Ausgaben dieser Schrift in englischer Sprache, auch ist sie in französischer, lateinischer und deutscher erschienen.) — 3) Sozinskey, S. P., Medical symbolism. Med. and Surg. Rep. Philad. L. p. 33. — 4) Ferguson, John, Bibliographical notes on histories of inventions and books of secrets. Glasgow. 1883. 8. 62 pp. — 5) Witkowski, G. J., Le Mal qu'on a dit des médecins. 1. série. Auteurs grecs et latins. Paris. VIII. 243 pp. — 6) Courtney, W. M., St. John Long's liniment. Indian. M. Gaz. Calcutta. XIX. p. 245. — 7) Jacob, Charlatanisme de la médecine, son ignorance et ses dangers devoilés par le zouave Jacob, appuyés par les assertions des célébrités médicales et scientifiques (Hippocrate, Aristote, Galien, Pline etc.). 26. édition. Paris. 89 pp. — 8) Dechambre, A. et L. Thomas, Divination. Dict. encycl. d. sc. méd. Paris. T. 30. p. 24—96. — 9) Winter, G., Ein neuer Beitrag zur Geschichte des Hexenwesens in Deutschland. Deutsche Revue herg. von R. Fleischer. Jahrg. 9. H. 4. — 10) Camp, Maxime du, La charité privée à Paris. Rev. d. deux mondes. T. 62. p. 90. 574. — 11) Du Bois-Reymond, E., Friedrich II. in englischen Urtheilen. Darwin und Kopernikus. Die Humboldtdenkmäler vor der Berliner Universität. 3 Reden. Leipzig. — 12) Field, B. Rush, Medical thoughts of Shakespeare. Easton. Pa. 8. 16 pp. — 13) Whitsitt, W. H., A question in Diagnosis; death of the poet Burns. Louisville M. News. p. 273—275. — 14) Frank, F., Etude d'histoire médicale. La reine de Navarre, Marguerite d'Angoulême, soeur de François I. aux Pyrénées et aux eaux de Cauterets. Rev. méd. et scient. d'hydrol. Toulouse. I. p. 518—524. — 15) Extraits des Historiettes de Reaux. Union méd. No. 67. 82. — 16) Boursault, Le médicin volant; comédie burlesque, précédée d'une notice par le bibliophile Jacob. Paris. (Boursault schöpfte den Stoff wahrscheinlich aus dem Italienischen und nahm sich Molière, seinen Zeitgenossen, zum Vorbild; das Stück wurde 1665 zum ersten Male gedruckt.)

17) Hildebrand, Jul., Rousseau vom Standpunkt der Psychiatrie. Programm d. Gymnas. in Kleve.

Zwischen 1760 und der französischen Revolution gab es in Frankreich keinen namhaften Schriftsteller, der Rosseau nicht für „verrückt" erklärte, schreibt der Verf. Der Erste, der ihn für geisteskrank im eigentlichen Sinne dieses Wortes hielt, war Corancez. Dieser Mittheilung schlossen sich Laharpe und später die Aerzte G. H. Morin und F. Dubois an. Der Verf. untersucht nun in vorliegender Arbeit, welche Thatsachen dieser Ansicht zu Grunde lagen, und führt zu diesem Zweck eine grosse Anzahl von Stellen aus den Briefen Rousseau's an, in denen dieser über sein körperliches und geistiges Befinden Aufschluss giebt. Darnach zeigten auch sein Vater und sein Vetter Excentricitäten des Characters, während Rosseau selbst schon in früher Jugend nervös und erotisch erregt war, eine mangelhafte und unpassende Erziehung erhielt und später durch mancherlei körperliche Leiden und Krankheiten gequält wurde. Jahrelang litt er, wie der Verf. bemerkt, an einer hypochondrischen Verstimmung und seit 1766 an unzweifelhaftem Verfolgungswahn. Er glaubte sich von Hume, den er bis dahin für seinen besten Freund gehalten hatte, verfolgt, behauptete, dass derselbe durch Reden im Schlafe seine feindseligen Gesinnungen gegen ihn verrathen, seine Briefe geöffnet, Complotte gegen ihn geschmiedet habe und dergl. mehr. Bald schien es ihm, als ob alle Welt ihn belauere, bedrohe und verfolge, besonders die englische Regierung; er zog daher unstät umher, nirgends Ruhe findend, überall Feinde und Spione witternd. Er starb 1778; der Verf. nimmt an, durch Selbstmord, ohne freilich den geringsten Beweis dafür zu bringen.

18) Radestock, P., Genie und Wahnsinn. Breslau. 8. 79 Ss. — 19) Messner, M., Michael Servet. Historisches Drama in 5 Acten. Berlin. 8. 127 Ss. (M. Servet, dessen Person hier als Held eines Dramas erscheint, wurde an dieser Stelle so häufig genannt, dass es gestattet sein mag, dieses poetische Erzeugniss zu erwähnen. Leider sind dem Dichter die grossen Verdienste S.'s um die Heilkunde unbekannt geblieben, da er sie sonst sicherlich in wirksamer Weise zur Characteristik desselben verwendet hätte.)

Medicinische Geographie und Statistik

einschliesslich der

Endemischen Krankheiten

bearbeitet von

Reg.- und Med.-Rath Dr. A. WERNICH in Coeslin.

A. Medicinische Geographie und Statistik.

I. Zur allgemeinen medicinischen Geographie und Statistik.

1) Graetzer, J., Daniel Gohl und Christian Kollmann, Zur Geschichte der Medicinal-Statistik. Breslau. — 2) Bordier, A., La géographie médicale. Paris. — 3) Jousset, A., De l'acclimatement et de l'acclimatation. Arch. de méd nav. Janv., Fevr. (Die diesjährigen Fortsetzungen des Thomas sind noch allgemeiner gehalten, als die ersten Theile [vgl. Jahresbericht 1883, I. S. 338]. Zahlreiche Beispiele veranschaulichen indess den Einfluss des gewählten Klimas, besonders auch da, wo es sich trotz aller Vorsicht wegen mannigfacher Idiosyncrasien als schädlich erweist. Die Lebensalter werden in Bezug auf solche Idiosyncrasien ausführlich durchgesprochen.) — 4) Maurel, Hématimétrie normale et pathologique des pays chauds. Ibid. Novbr. Decbr. (Aeusserst dankenswerther Versuch, für den soviel gehörten Ausdruck der „Anémie des pays chauds" physiologische Begriffsgrundlagen zu gewinnen. Da die ersten Theile, die Technik und der normale Zustand des Blutes vorwiegend reinphysiologischen Inhaltes sind, sollen an dieser Stelle nur die pathologischen Resultate referirt werden, deren vollständige Publication M für den Jahrgang 1885 des Arch. de méd. nav. in Aussicht gestellt hat.) — 5) Le Roy de Méricourt et Corre, A., Du traitement des maladies tropicales dans les climats tempérés. Ibid. Janvier. (Die Behandlung der Cochinchina-Diarrhoe soll, wenn der Kranke in gemässigte Klimate zurückgekehrt ist, mit strengem Milchregime — kleine Quantitäten — beginnen und dann unter „Régime mixte" mit Erfüllung symptomatischer Indicationen weiter geführt werden.) — 6) Bertholon, De la parenté du rhumatisme et du l'impaludisme, étudiée d'après les données de l'ethnographie et de la climatologie. Lyon méd. 1883. No. 42. 43, 44, 45, 48, 51; 1884. No. 5, 7, 9, 10. — 7) Schmitz, Jacob, Ueber den Einfluss des Geschlechtes und des Lebensalters auf die Schwindsuchtssterblichkeit (mit besonderer Berücksichtigung der Verhältnisse der Stadt Bonn). Erg.-Heft zum Cbl. f. allg. Gesundheitspfl. III. Jahrg. — 8) Wolfberg, Ueber den Einfluss des Lebensalters auf die Mortalität durch Lungenschwindsucht in Bonn. Berl. klin. Woch. No. 35. (Bericht über die auf seine Anregung entstandene Schmitz'sche Arbeit.)

Bertholon (6) hat eine grosse Reihe von geographisch-pathologischen und klinischen Erfahrungen analysirt, um die Verwandtschaft zwischen Rheumatismus und „Impaludismus" klar zu legen. Wo unter dem Einfluss der klimatischen Bedingungen sich Sumpfkrankheiten zeigen, da treten auch rheumatische Affectionen auf; beide sich an Heftigkeit steigernd, je näher sich die Beobachtungsgegend dem Aequator befindet. Auch der Tetanus sei nur als eine Form des Gelenkrheumatismus aufzufassen. Für den aus einer wärmeren Zone in ein paludeennes Terrain Eingewanderten wächst zwar die Chance, einer rheumatischen Erkrankung anheimzufallen, aber es pflegt die Heftigkeit der letzteren nicht besonders stark zu sein. Dagegen bringt die Auswanderung aus einer kälteren in eine heissere Zone, insofern die letztere dem paludistischen Einfluss unterliegt, den Wegfall der Rheumatismusgefahr und die Chance rein malariellen Erkrankens. Es würde sich hiernach, wenn man die Empfänglichkeit eines im Sumpflande Geborenen der des daselbst Eingewanderten gleich setzen könnte, um ein häufigeres rheumatisches Erkranken des Ersteren, bei stärkerer Neigung des Zweiten zu Malariaerkrankung handeln. Durch häufigeres Durchstehen der milderen rheumatoïden Erkrankungsformen kommt bei den Eingebornen auch die allmälige Adaptation an ein ungesundes Klima zu Stande. — Noch hypothetischer als diese wechselnde Manifestation des „Rheumatismus" und „Paludeïsmus" ist, was Verf. über die Transformationen beider und über die Betheiligung der klimatischen Factoren an diesen letzteren sagt. So soll den eigentlichen Ausschlag für das Hervortreten der einen oder anderen Erkrankungsweise die Luftfeuchtigkeit geben, die anderen Factoren nur bedingend oder präparatorisch ins Gewicht fallen.

Die von Schmitz (7) angestellte Untersuchung erstreckte sich auf alle Todesfälle an Schwindsucht, welche in den 16 Jahren von 1867—1882 in Bonn vorkamen, und zwar wurden neben den unter „Lungenschwindsucht, Schwindsucht, Phthise, Phthisis pulmonum, Miliartuberculose" verzeichneten, auch die als „Zehrung, Auszehrung, Abzehrung" rubricirten Fälle herangezogen. Auf eine durchschnittliche Bevölkerung von 27 670 Personen, wovon 13 099 M., 14 571 F., kamen im obengenannten Zeitraum 1528 Schwindsuchtstodesfälle, 856 auf M., 672 auf F., also auf 1000 Lebende alljährlich 3,45 † an Schwindsucht; auf 100 der Letzteren 56,02 auf M., 43,97 auf F. Dieses Mortalitätsverhältniss steht etwas unter dem früher für die Rheinlande berechneten von 4,9 pM., welches die Regierungsbezirke Düsseldorf und Cöln überschreiten, während Trier nur den Durchschnitt von 3,5 pM. hat. Das in der Vertheilung der Tuberculose-Sterblichkeit auf die Geschlechter zu Tage tretende Verhältniss wiederholt das von Würzburg für ganz Preussen berechnete — Das erste Resultat des Verf. in Bezug auf das Lebensalter: „es werde das Maximum der Sterblichkeit durch Tuberculose bei beiden Geschlechtern gleich in der ersten Lebensklasse erreicht", ist schwer beeinflusst durch die Mitherzurechnung der Fälle von „Abzehrung etc.", die doch evident in weitaus grösserer Zahl bei unterjährigen Kindern mit Darmleiden in Beziehung stehen als mit irgend einer Form von Tuberculose. — In der Altersklasse von 10—15 Jahren soll die Phthise bei beiden Geschlechtern die wenigsten Opfer fordern. „Von nun an steigt die Mortalitätscurve und erreicht in der folgenden Klasse bei den Frauen die doppelte Höhe der vorhergehenden Lebensstufe und bei den Männern tritt der Unterschied noch deutlicher hervor. Das Steigen dauert bei diesen bis zum 50. und bei jenen bis zum 40. Lebensjahre. Bei beiden Geschlechtern ist die Sterblichkeit bis zum Alter von 15 Jahren nahezu gleich. Von diesem Zeitpunkte an aber sind die Männer durch einen höheren Procentsatz vertreten als die Frauen. In der Periode vom 30.—40. Lebensjahre beträgt die männliche Sterblichkeit ungefähr das Doppelte und auf der folgenden Altersstufe finden wir noch auffälligere Unterschiede Erst mit den sechziger Jahren nähern sich die Mortalitätszahlen wieder bei beiden Geschlechtern, doch prävalirt die Männersterblichkeit bis zum höchsten Alter. Auf der letzten Altersstufe ist bei den Männern die Mortalitätszahl grösser als zwischen dem 20.—30. Lebensjahre, und von den Frauen sterben im Alter von 20—30 Jahren nur 0,02 pM. mehr an Phthise, als im höchsten Alter. — An der Hand älterer Untersuchungen über die Schwindsuchtssterblichkeit in mehreren Städten Schwedens, in Preussen, in Kopenhagen versucht nun Sch. den Beweiss, dass überall ein gesetzmässiger Einfluss des Lebensalters auf die Disposition zur Phthisis sich äussert. Es liegt nahe, den physiologischen Anhalt für diese Altersunterschiede der Schwindsuchts-Disposition zu finden in den lebendigen Kräften der Zellen und demgemäss die Prophylaxe anzubahnen. Diese letztere hätte das Ausbilden einer Diathese zu verhindern und dieses Ziel zu erreichen durch Mittel, welche nachgewiesenermassen die Zellen in guten Ernährungszustand versetzen und den Stoffumsatz befördern: eiweissreiche Nahrungsmittel.

II. Zur speciellen medicinischen Geographie und Statistik.

1. Europa.

a. Deutschland. 9) Böckh, R., Die Bevölkerungs- und Wohnungsaufnahme vom 1. December 1880 in der Stadt Berlin. 1. Heft. Berlin 1883. (Nächst der Einleitung, welche die Technik bei Ausführung und Durcharbeitung der Volkszählung behandelt, bringt dieses erste Heft die hauptsächlichsten Verhältnisse der Grundstücke und der Stadtbezirke, sowie die Tabellen der Bevölkerungs- und der Behausungsverhältnisse in den einzelnen Stadtbezirken.) — 10) Pistor, Dritter Generalbericht über das Medicinal- und Sanitätswesen der Stadt Berlin im Jahre 1882. Berlin. — 11) Kanzow, C., Bericht über das Sanitätswesen des Regierungsbezirks Potsdam in den Jahren 1881 und 1882. Potsdam. — 12) Passauer, Das öffentliche Gesundheitswesen im Regierungsbezirk Gumbinnen während des Jahres 1882. Gumbinnen. — 13) Pianka, Generalbericht über das Medicinal- und Sanitätswesen im Regierungsbezirk Marienwerder für das Jahr 1882. Marienwerder. — 14) Weiss, A, Das öffentliche Gesundheitswesen des Regierungsbezirks Stettin im Jahre 1882. Vierter Verwaltungsbericht. Rudolstadt. — 15) v. Massenbach, Das öffentliche Gesundheitswesen im Regierungsbezirk Cöslin im Jahre 1882. Colberg — 16) Köhler, J. C., Generalbericht über das Sanitätswesen im Regierungsbezirk Stralsund auf das Jahr 1881. Greifswald 1883. — 17) Gemmel, Generalber. üb. d. Medic.- u. Sanitätswesen im Reg.-Bez. Posen. f. das Jahr 1882. Posen. — 18) Wolff, E., Generalbericht über die Verwaltung der Medicinal-Angelegenheiten im Regierungsbezirk Breslau. Breslau. — 19) Noak, P., Das öffentliche Gesundheitswesen d. Reg.-Bez Oppeln. f. d J. 1882. 2 Gen.-Ber. Oppeln. — 20) Richter, H. O., Generalbericht über das Medicinal- und Sanitätswesen im Regierungsbezirk Erfurt für die Jahre 1875—1880. Weimar. — 21) Wolff, E., Bericht über das Medicinal- und Sanitätswesen des Regierungsbezirks Merseburg für das Jahr 1882. Merseburg. — 22) Schultz-Henke, General-Verwaltungsbericht über das Medicinal- und Sanitätswesen des Regierungsbezirks Minden für das Jahr 1881. Minden. — 23) Schoenfeld, Erster Gesammtbericht über das öffentliche Gesundheitswesen im Regierungsbezirk Arnsberg, insbesondere die Jahre 1880—1882 umfassend. Arnsberg. — 24) Schwartz, Oscar, Vierter Generalbericht über das öffentliche Gesundheitswesen des Regierungsbezirks Cöln für das Jahr 1883. Cöln. — 25) Wittichen, Das öffentl. Gesundheitswesen in dem Landdr.-Bez. Hildesheim während d. J. 1882. 1. Gen.-Ber. Hildesheim. — 26) Bohde, A., Dritter Generalbericht über das Medicinal- und Sanitätswesen im Landdrosteibez Stade f. d J. 1882. gr 8. Stade. — 27) Alten, G., Das öffentliche Gesundheitswesen im Landdrosteibezirk Lüneburg im Jahre 1881. Lüneburg. — 28) Jahresbericht, 6., über den öffentlichen Gesundheitszustand und die Verwaltung der öffentlichen Gesundheitspflege in Bremen in den Jahren 1879 bis 1882. Bremen. — 29) Lübben, K. H., Beiträge zur Kenntniss der Rhön in medicinischer Hinsicht. Gotha — 30) Statistische Mittheilungen über den Civilstand der Stadt Frankfurt am Main im Jahre 1883. Frankfurt a. M. — 31) Jahresbericht über die Verwaltung des Medicinalwesens, die Krankenanstalten und die öffentlichen Gesundheitsverhältnisse der Stadt Frankfurt a. M. Herausgegeben vom ärztlichen Verein Frankfurt a. M. (Enthält in erweiterter Darlegung die unten nach den „Statistischen Mittheilungen" gegebenen officiellen Daten; ausserdem die Berichte von A. Spiess über die öffentliche Gesundheitspflege und Meteorologie, sowie die Hospitalrapporte.) — 32) Wagner, O, Bericht über die Verwaltung des Medicinal- und Sanitätswesens des Regierungsbezirks Wiesbaden im Jahre 1882. — 33) Jahresbericht, 14., des Landes-Medicinalcollegiums über das Medicinalwesen im Königreich Sachsen auf das Jahr 1884. Leipzig. — 34) Böhm, Fr., Die Morbiditätsstatistik in Bayern. Bayer. ärztl. Int.-Bl. No. 35. (Allgemeine Bemerkungen über die lebhafte freiwillige Theilnahme sämmtlicher Aerzte Bayerns an einer systematischen Aufzeichnung der Krankheiten.) — 35) Majer, C. F, Generalbericht über die Sanitätsverwaltung im Königreich Bayern. XV. Bd. Das Jahr 1881 umf. München. — 36) Derselbe, Die Sterblichkeit der Aerzte in Bayern während der Jahre 1864—1883 incl. Bayr.-ärztl. Int.-Bl. No. 27. (Die Differenz zwischen der Sterblichkeit der Aerzte und der im Alter von über 20 Jahren stehenden sonstigen Bevölkerung ist eine verschwindend geringe.) — 37) Derselbe, Statistik der zur Ausübung der Heilkunde nicht approbirten Personen. Ebend. No. 37. — 38) Karsch, Aus den Jahresberichten der Aerzte der Pfalz pro 1882. Ebendas. No. 36, 37. — 39) Reuss, A., Medicinisch-statistischer Jahresbericht über die Stadt Stuttgart vom Jahre 1883. Stuttgart. — 39a) Gussmann, E., Bericht über die Sterblichkeit in Stuttgart nebst Parzellen im Jahre 1883. Württemb. med. Corr.-Bl. No. 28, 29, 31, 32. — 40) Rank, C., Jahresbericht über die innerliche Abtheilung des Catharinenhospitals (zu Stuttgart) vom Jahre 1883. Ebendas. No 33, 34. (2991 Kranke, bei täglichem Durchschnitt von 113, von denen 575 an Scabies, 158 an Tuberculose, 141 an Pleuritis, 95 an Rheum. ac. etc. litten; 67 Todesfälle.) — 41) Pfeilsticker, Bericht des K. Medicinalcollegiums an das K. Ministerium des Inneren, betreffend die Anfrage der K. Ungarischen Regierung über die Verbreitung, Entstehungsursachen und Bekämpfung des Cretinismus und Idiotismus in Deutschland. Ebendas. No. 23.

b. Schweiz. 42) Wyttenbach, A., Die Mortalitätsverhältnisse der Stadt Bern. Corr.-Bl. f. Schweizer-Aerzte. No. 22. — 43) Volland, Ueber die geringe Kindersterblichkeit in Davos und ihre Gründe, nebst einigen Bemerkungen über Rachitis. Arch. f. Kinderheilk. XXII. S. 118. (Die erstgenannte Erscheinung hängt weniger von dem Vorhandensein besonders günstiger Lebensverhältnisse, als von dem Fehlen epidemischer Krankheitseinflüsse [spec. der Sommerdiarrhöen] ab. Rachitis wurde bei in Davos geborenen Kindern nicht beobachtet.) — 44) Secretan, L., Tables de mortalité pour Lausanne en 1882 et 1883. Rev. méd. de la Suisse Romande. 15 Août. (Auch in Lausanne sind 1883 nach Ausweis dieser Tafeln die Todesziffern für Typhus und Puerperalfieber zurück, diejenigen dagegen für Diphtherie, Masern, Keuchhusten und auch für Phthisis in die Höhe gegangen.)

c. Italien. 45) Corradi, A., Statistiche delle cause di morte. Giornale d'igiene. Gennajo. — 46) Sulla difusione della cecità, del sordomutismo, dell idiozia e del cretinismo in Italia. Ann. univ. di med. Gennajo.

d. Frankreich. 47) Colin, Léon, Rapport général sur les épidémies pendant l'année 1881. Paris. 1883. — 48) Cheysson, E., La question de la population en France et à l'étranger. Ann. d'hyg. publ. et de méd. lég. T. XI. Novbr. Decbr. (Mit vortrefflichen kartographischen Darstellungen versehen, und in dem Abschnitt: „Influence des grandes villes" nicht ohne medicinal-statistisches Interesse, welches seine Pointe in der Langsamkeit der Bevölkerungszunahme in Frankreich findet.) — 49) Lagneau, G., De l'immigration en France. Ibid. T. XI. Juillet. — 50) Lunier, Du mouvement de l'aliénation mentale en France de 1835 à 1882. Annales méd.-psych. Septbr. — 51) Longuet, R., Etudes sur le recrutement dans l'Isère. Lyon méd. No. 28, 29. (Von rein localem Interesse.) — 52) Deshayes, Considérations sur la mortalité des enfants du premier age dans la ville de Rouen, notamment pendant l'été. Gaz. hebd. de méd. et de chir. No. 40. (Gegenüber der enorm hohen Mortalitätsziffer von 33,0 pro mille und die vornehmlich durch die Sommersterblichkeit des ersten Kindesalters erzeugt wird, schlägt D. eine Reihe strenger Massregeln gegen Milchverfälscher, sowie eine geregelte Leichenschau der früh verstorbenen Kinder vor.) — 53) Teissier, M. J., Des maladies régnantes observées à Lyon pendant l'année 1883. Lyon méd. No. 7, 8, 9, 11.

e. Belgien. 54) Janssens, E, Statistique démographique et médicale de l'agglomération Bruxelloise et tableaux nosologiques des décès de la ville de Bruxelles. Bull. de l'acad. de méd. de Belgique. No. 6.

f. Grossbritannien. 55) Makuna, Montague D., The mortality from small-pox in England and Wales and in London. Brit. med. Journ. May 31.

g. Skandinavien. 56) Lehmann, Julius, Dodeligkeden af Lungesvindsot i de Danske Byer i Forhold til den levende Befolkning i de forskellige Aldersklasser og Kon. Hospitalstidende. Auch deutsch: Derselbe, Die Schwindsuchtssterblichkeit in den dänischen Städten im Verhältniss zu der lebenden Bevölkerung in den verschiedenen Altersklassen und Geschlechtern. Ergänzungshefte zum Centralblatt f. allg. Gesundheitspflege. I. Bd. — 56a) Schleisner, P. A., Aarsberetning angaaende Sundhedstilstanden i Kjöbenhavn for 1883. — 56b) Sörensen, Th., De ökonomiske Forholds og Beskaeftigelsens Indflydelse paa Dödeldgheden. För 2. Afdeling. Kjöbenhavn. 119 pp. — 56c) Levy, Om Plejebörnene med saerligs Hensyn til Forholdens i Kjöbenhavn. Ugeskrift for Laeger. R. IV. Bd. IV. p. 265. — 56d) Sörensen, Th., Plejebörn i Provinsbyer og paa Landet. Ibid. p. 434. — 56e) Medicinalstyrelsens underdånige berättelse för år 1882. Bidrag till Sverges officida statistik. K. Hälsooch spekvården. — 56f) Linroth, Berättelse till kongl. medicinalstyrelsen om allmanua halsotillståndet i Stockholm under året 1882. Stockholm. 1883. — 56g) Schierbeck, Bidrag til Islands Nosografi. Hospitals-Tidende. R. 3. Bd. 2. p. 673, 942. (Einige biologische Untersuchungen aus Island. Bei 30 gesunden Isländern, sämmtlich über 14 J. alt, war die Körpertemperatur, im Rectum oder ausnahmsweise in der Vagina gemessen, durchschnittlich 37,765° C. [bei 15 Männern 37,73°, bei 15 Frauen 37,80°], während dieselbe bei 30 der Bemannung eines Kriegsschiffes angehörenden Franzosen durchschnittlich 37,665° war: Bei 318 isländischen Frauen trat die erste Menstruation durchschnittlich im Alter von 16,64 Jahren ein [bei 176, d. h. 55,35 pCt. sämmtlicher Frauen, zwischen 15 und 18 Jahren].)

h. Russland. 57) Bericht des Russischen Medicinal-Departements für das Jahr 1880. Petersburg 1882. Ref. in Petersb. med. Wochenschr. März. — 58) Nikolajew, F., Alcoholismus in St. Petersburg. Wratsch No. 1. — 59) Bary, E., Ueber Delirium tremens in Petersburg, auf Grund 30jährigen Materials aus dem St. Magdalenen-Hospital. Wratsch No. 5. (Beide referirt in St. Petersb. med. Woch., No. 12.) — 59a) Polak, Przyczynek do statystyki ludności Warszawy. (Ein Beitrag zur Bevölkerungsstatistik Warschau's.) Gazeta Lekarska, No. 16, mit einer Tafel. (Verf. schildert die Art, wie die Statistik in Warschau seit 1877 geführt wird, wobei er kritisch zahlreiche Mängel bei der Zusammenstellung der Urlisten hervorhebt. Die beigegebene Tafel enthält eine graphische Darstellung des statistischen Materials von 6 Jahren [1877—1882].)

i. Oesterreich und Donauländer. 60) Bericht über die Thätigkeit des Prager Städtischen Gesundheitsrathes im Jahre 1883. Prag. — 61) Pelc, J., Bericht über die Sanitätsverhältnisse und über die Thätigkeit des Stadtphysikates in Prag im Jahre 1883. Prag. — 62) Sanitäts-Bericht d. k. k. Landes-Sanitätsrathes f. Mähren f. d. J. 1882. III. Jahrg. Brünn. — 63) Sanitäts-Bericht des k. k. Landes-Sanitätsrathes für Tirol und Vorarlberg für das Jahr 1882. Innsbruck. — 64) Glück, L., Ueber die Sanitätsverhältnisse unseres „Occupationsgebietes", insbesondere über einige daselbst beobachtete Infectionskrankheiten. Wien. med. Presse, No. 16, 17, 19, 21—24. — 65) Felix, J., Ueber die sanitären Zustände Rumäniens. Berlin 1883.

k. Griechenland und Türkei. 66) Ornstein, B., Noch ein Beitrag zur Macrobiotik aus Griechenland. Virch.'s Arch., Bd. 96, S. 475 (29 Fälle von Ableben recht bejahrter, theilweise über 100 Jahre alter, Griechen; manche aber nur nach „glaubwürdiger Schätzung" berechnet.) — 66a) Jablonowski, Kazuistyka lekarska w Turcyi. VIII. Choroby skórne. (Aerztliche Kasuistik in der Türkei. VIII. Hautkrankheiten.) Przegl. Lekarski No. 14, 16, 20, 23, 24, 26, 34, 36, 38, 50, 51. (Verf. bespricht die grosse Häufigkeit der Hautkrankheiten in der Türkei und die zahlreichen Ursachen derselben, ausführlich behandelt er den s. g. Bouton d'Alep, den Aussatz und Ichthyose.)

2. Afrika.

67) Fricourt, Contributions à la géographie médicale. II. Station du Levant. Arch. d. méd. nav. Juillet, Août. — 68) Rabitsch, J., Ueber die Nilkrätze und Nilbeule. Wien. med. Woch., 49—51. (Auffassung der ersteren als Eczema caloricum, des Bouton de Nil als [Schweissdrüsen-] Furunkel, so dass letzterem die Berechtigung, als Krankheitsform sui generis in der Pathologie zu figuriren, bestritten wird). — 69) Fricourt, Contribution à la géographie médicale. Littoral de la Tunisie. Arch. de méd. nav. Juillet. — 70) Marix, Etude médicale sur le Djerid et le Sud Tunisien. Arch. de méd. et de pharmacie militaires. No. 13. — 71) Maillet, Mon dernier mot sur les fièvres de l'Algérie. Gaz. des hôp No. 113. — 71a) Derselbe, Appendice à mon dernier mot sur les fièvres de l'Algérie. Ibid. No. 130, 133. (Von seiner schon vielfach vertheidigten Anschauung ausgehend, dass die als continuirliche oder typhöse aufgefassten in Rede stehenden Fieber nur pseudocontinuirliche oder verkappte Remittenten sein, fordert M. die methodische Application des Chinin in hohen Dosen bei denselben.) — 72) Vallin, Le mouvement de la population européenne en Algérie. Revue d'hyg. publ. et de pol. sanit. Mars. (In den Jahren 1873—1876 betrug das Wachsthum der in Algerien domicilirenden Bevölkerung auf je 1000 durch Geburtenüberschuss 99, durch Immigration 901; im Zeitraum 1877—1881 stellte sich der erstere Zuwachs auf 97, der Zuzug auf 903 pro Mille heraus. Die demographische Bewegung ist hiernach keineswegs, wie von einigen Seiten behauptet, beunruhigend.) — 73) Maillot, F. C., Considérations générales sur l'état sanitaire de la Garnison de Bône de 1832 à 1881. (Zahlenmässiger Nachweis der Erkrankungsziffern, die in der genannten algerischen Stadt die Menge der Intermittenten ausdrückten; aus ihnen gehe hervor, dass sich — abgesehen von gewissen Bodenameliorationen — die französische Garnison mehr und mehr den dortigen, Anfangs sehr ungünstigen Einflüssen accommodirt habe.) — 74) Pommay, H., De l'innocuité des marais des hauts plateaux du Sud-Oranais, au point de vue de l'impaludisme. Revue d'hygiène et de police sanitaire. Mars. (P. gründet seine Ueberzeugung auf den Umstand, dass von 450 an Ameliorationsarbeiten um Kreider betheiligten Soldaten nur 22 als fieberkrank zur Behandlung kamen und von diesen 20 schon vorher intermittenskrank gewesen waren.) — 75) Felkin, R. W., Notes on labour in Centralafrica. Edinb. med Journ. April. (Mehr von ethnographisch-tokologischem als von geographisch-pathologischem Interesse.) — 76) Egan, Ch. J., Midwifery in South-Afrika. Medical times and gaz. May 31. (Im Kaffernlande beobachtete E. bis 1871 400, seither noch 600 Geburten und notirte alle dabei beobachteten Abweichungen. Die resultirenden Zahlen lassen erkennen, dass keine Abnormität ganz fehlt und die für die Häufigkeit ermittelten Verhältnisse denen in Europa sehr ähnliche sind.)

3. Asien.

a. Vorderasien. 77) The mortality from snakes and wild animals in India. Brit. med. Journ. Novembre 29. — 78) Breitenstein, H., Die Syphilis in Indien. Wien. med. Presse 45. 46. 47. 48. (Mehr feuilletonistisch.) — 79) Gore, A. A., Medico-statistical sketch of a draft of the 1st East Lancashire Regiment during their first years residence in the Indian Hills, illustrating the effects of these climates on our young soldiers. Dublin Journ. of med. sc. January. — 80) Ewart, Sir Joseph, On the colonisation of the Sub-Himalayas, with remarks on the management of European children in India. Brit. med. Journ. May 31. — 81) The „black disease" of the Garo Hills. Ibid. Novbr. 29. — 82) Gore, A. A., Febris complicata of India. Dubl. Journ. of med. sc. July. (Casuistische Beiträge zu der Frage, welche Complicationen noch ausser dem Malariaeinfluss und excessiver Hitze das „Common continued fever" der älteren Autoren hervorbringen.) — 83) Pedlow, J., Some observations on endemic fevers in India. Med. Times and gaz. July 19. 26; Aug. 2. 16. (Nichts Neues.) — 84) Gore, Albert A., On the etiology of the common climatic fevers of the Kumaon-Hill Ranges in North-Western Bengal. Glasgow med. Journ. April. — 85) Mahéo, S., Note sur une épidémie d'oreillons survenue à bord du trois-mats Latona, de Londres, conduisant de Pondichéry et Karakal à la Guadeloupe un convoi d'émigrants Indiens. Arch. de méd. nav. Fébr. (Die Fahrt fand im November und December 1880 statt; 110 Individuen wurden von Mumps befallen; directe Contagion war für eine Reihe von Fällen stricte nachgewiesen.)

b. Hinterasien. 86) Bourrn, H, Le Tong-king. Ann. d'hyg. publ. et de méd. lég. Tome XI. Janv. Mars, Avril. — 87) Treille, Note sur un bacille courbe existant dans la diarrhée de Cochinchine. Arch. de méd. nav. Septembre. (Fand bei letztgenannter Krankheit kommaförmige Bacillen in den Stühlen, die er mit den von Koch beschriebenen Cholerabacillen für sicher identisch hält. Keine Züchtungen geschweige Reinculturen, mangelhafte mikroscopische Beschreibung.) — 88) Moursou, Note sur le traitement de la diarrhée chronique de Cochinchine par les courants continus. Ibid. Juillet. (Die besprochene Methode entbehrt wohl jeder physiologischen Grundlage; in beiden mitgetheilten Beobachtungen war plötzlicher Tod der Ausgang.) — 89) Königer, Ueber ärztliche Praxis im Auslande unter Bezugnahme auf die Verhältnisse in Manila. D. med. Wochenschrift. No. 12. 13. (Den in dieser Arbeit niedergelegten Winken für Aerzte und einer mehr feuilletonischen Schilderung Manila's fügt K. noch einige Bemerkungen über seine medicinischen Erlebnisse dortselbst hinzu. Theilweise finden sich diese Thatsachen in seiner unter „Beriberi" referirten grösseren klinischen Arbeit wiederholt. Im Uebrigen erwähnt er Pocken als endemisch und fast allwinterlich auftretend; Lichen ruber als sehr häufig, Elephantiasis als als selten. Von Syphilis möchte er nicht behaupten, dass sie bösartigere Formen zeige, als in Europa. Lungenschwindsucht sah er mehrfach dort ihre verderblichen Entwickelungsstadien auffallend rapide durchmachen.)

4. Australien und Polynesien.

90) Thomas, John D., Hydatid disease; with special reference to its prevalence in Australia. Monogr. Adelaïde. Ref. in: Brit. med. Journ. April 26. — 91) Corney, G. Bolton, Epidemic diseases in Polynesia. Ibid. May 24. The Lancet. May 3. — 92) Saffre, Archipel des Tonga, des Samoa, des Wallis, île Fatuma, les Fidji. Arch. de méd. nav. Juin. — 93) Clavel, Les Marquisiens. Ibid. Mars.

5. Amerika.

a. Nordamerika. 94) Berlin, Aug., Rapport médical sur l'expédition suédoise au Groenland 1883. Arch. de méd. nav. Avril. (Es machten sich auf dieser Expedition nur sehr wenige Krankheitseinflüsse geltend: „Rhume de cerveau", einige Gastralgien, einige Fälle von Erythema caloricum, wohl, wie Verf. meint, der Trockenheit der Luft und der langen Besonnung während des Tages zuzuschreiben, und 11 Fälle einer „Conjunctivitis erythematosa.) — 95) Davenport, F. H., Some observations on Southern California and Colorado. Boston med. and surg. Journ. June 12. (Badeärztliche Bemerkungen.)

b. Mittelamerika. 96) Turner, P., A new fever — „Abilene fever". Texas Courier-Record of med. — Ref. in: Phil. med. and surg. Rep. Nvbr. 15. (Intermittenten, bei denen Chinin sich wirkungslos erwies — sehr dürftige Beschreibung.) — 97) Girerd, Programme d'hygiène des Européens dans l'Isthme de Panama.

c. Südamerika. 98) Sommer, B., Einige Notizen über die Blattern in Buenos-Ayres und die Blattern der Indianer. Monatsschrift für pract. Dermatologie. No. 12. — 99) Martin, C., Die Krankheiten im südl. Chile. Mit 1 Karte. Berlin. — 100) Hyados, Notes hygiénique et médicales sur les Fuégiens de l'Archipel du Cap Horn. Revue d'hygiène et de police sanitaire. Juillet.

Den dritten Generalbericht über das Medicinal- und Sanitätswesen der Stadt Berlin erstattete Pistor (10) für das Jahr 1882. Die Sterblichkeit betrug in den Jahren 1838—1847: 26,8, — 1848 bis 1857: 28,3, — 1858—1867: 30,0, —1868 bis 1877: 33,4 p. M. Seit 1875 ist sie beständig im Absinken (von 32,92 bis auf 25,94 p. M.; mit einer kleinen Unregelmässigkeit im Jahre 1880). Die Ziffer von 25,94 für das Berichtsjahr ist die günstigste bisher erreichte. Die grosse Sommersterblichkeit wird nach wie vor durch das massenhafte Absterben der unterjährigen Kinder während der heissen Monate bedingt. In den einzelnen Stadttheilen schwankt die Sterblichkeitsziffer zwischen 17,60 (Friedrichstadt) und 38,28 p. M. (Wedding). — An der Mortalität betheiligten sich (excl. Infectionskrankheiten) Brechdurchfall mit 8,24 pCt. aller Gestorbenen, ausserdem noch Darm- resp. Magen- und Darmkatarrhe mit 6,72, Lungen- und Brustfellentzündung mit 5,98, Bronchitiden mit 2,81 pCt. Die Lungenschwindsucht nahm 12,44 pCt. aller Todesfälle in Anspruch. — Unter den Infectionskrankheiten stand Diphtherie obenan, die ihren Antheil an der Gesammtsterblichkeit (1914 von 32224) gegen 1881 um 11,6 p. M. höher brachte. Auch der Croup stellte sich um 1,4 p. M., das Kindbettfieber um 1.7 p. M. höher. Dagegen gingen zurück: Scharlach (604†) gegen 1881 um 9,2 p. M., Keuchhusten (292†) um 3,8, — Masern (144†) um 1,8 — Ruhr (127†) um 0,2 p. M. der Gesammtsterblichkeit — verglichen mit 1881. — Für die Diphtherie ist noch zu bemerken, dass sie im August weniger als 100 Todesfälle herbeiführte, im März dagegen über 200, und in den übrigen Monaten je etwas über 150. Hinsichtlich des Typhus, der bei 347† auf 1000 der Bevölkerung 0,29 Todesfälle herbeiführte, wurden die Ermittelungen, wie die voraufgegangenen Jahresberichte sie brachten (vergl. den von Skrzeczka im Jahresbericht 1881, I., S. 321 und den des Ref. im Jahresber. 1882, I, S. 355) bezüglich der Dichtigkeit, der Wohlhabenheit der Bevölkerung, der Wasserläufe und der Kanalisation für das Berichtsjahr fortgeführt.

Mit einer Sterblichkeitsziffer von 26,2 nimmt der Regierungsbezirk Potsdam, über welchen Kanzow (11) berichtet, die 25. Stelle unter den Preussischen Regierungs- und Landdrosteibezirken ein. Seine Säuglingssterblichkeit stellt sich noch ungünstiger, auch steht er in Bezug auf diese noch unter dem Nachbarbezirke Frankfurt; dies kommt auf Rechnung eines zahlreichen Proletariats, dessen Nachkommen zum grössten Theil an Verdauungsstörungen zu Grunde gehen. Die grösste Säuglingssterblichkeit haben die Kreise Brandenburg, Teltow, Niederbarnim, die geringste Westpriegnitz, Beeskow-Storkow, Ostpriegnitz. — Unter den Infectionskrankheiten spielten 1881 die Pocken mit in toto 18 Fällen nur eine untergeordnete Rolle; die Masern zeigten sich vereinzelt während des ganzen Jahres. Im Kreise Zauch-Belzig entwickelten sie sich zur Epidemie; — Scharlach herrschte weniger als 1880 ausser im Kreise Niederbarnim, wo 174 (gegen 77 im Vorjahre) daran starben. In Brandenburg trat gegen den Sommer Scharlachfieber fast in allen Häusern, aber durchweg gutartig auf. — Diphtherie trat als selbstständige Krankheit viel häufiger als früher und besonders schwer in den Kreisen Nieder- und Oberbarnim und in den Havelgegenden auf. In Oberbarnim starben daran 83, in Niederbarnim 196 (von hier 569 Erkrankten). Das Dorf Jeserich (Zauche-Belzig) hatte 60 Erkrankungen (13†); Welten (Osthavelland) 44 Erkrankungen (29†), — Flecktyphus kam in den Krankenhäusern zu Jüterbog, Schwedt, Templin vor. Unterleibstyphus war im Ganzen so milde, dass von den meisten Aerzten die Diagnose „gastrisch-nervöses Fieber" vorgezogen wurde. Ernster trat er im Kreise Oberbarnim auf: 44 Erkrankungen. In Brandenburg zeigt sich der Typhus zu Anfang des Jahres in einzelnen Fällen, gewann jedoch im III. Quartal eine sehr starke Verbreitung, wenn auch nicht entsprechende Intensität, so dass nur 17 Personen starben. Auch für das Städtchen Meyenburg war eine von März bis Ende Juni mit 40 Erkrankungen (4†) verlaufene Epidemie recht bedeutend. Die Zahl der an Lungenschwindsucht Verstorbenen soll für Oberbarnim 189, für Niederbarnim 266 betragen haben; in Potsdam wurden 148, in der Stadt Brandenburg 80 Schwindsuchtstodte gezählt. — 1882 war der Winter sehr milde. Die Sterblichkeit ging merklich hinab. Todesfälle in Folge der Blattern wurden nicht gemeldet, sondern nur einige Erkrankungen. — Masern herrschten das ganze Jahr hindurch mit gleichmässig mildem Character in einzelnen Epidemien; während des März war die Krankheit in Potdam selbst sehr verbreitet. — Scharlach entwickelte sich im Angermünder Kreise zu einer schweren Epidemie: 21 Kranke mit 11†; im Kreise Oberbarnim zog sich die Epidemie des Vorjahres noch in die erste Jahreshälfte hinein; im Kreise Niederbarnim war Scharlach das ganze Jahr hindurch sehr verbreitet. Treuenbrietzen und Deetz (Zauche-Belziger Kreises) hatten je 2 Epidemien mit 10—20 Todesfällen durchzumachen. Spandau hatte 52 Fälle mit 9†. — Diphtherie griff in den letzten beiden Quartalen im Kreise Templin stark um sich, so dass sie 113 Erkrankungsfälle mit 25 tödtlichen Ausgängen producirte. In den Kreisen Teltow, Ober- und Niederbarnim bestand die Krankheit in keiner besonders beträchtlichen gleichmässigen Häufigkeit fort; ebenso in den bereits während des Vorjahres befallen gewesenen Orten des Kreises Zauche-Belzig. Potsdam hatte 13† bei nur 19 polizeilich angemeldeten Erkrankungsfällen. In Rathenow (Westhavelland), wie in Ruppin war Diphtherie sehr verbreitet. Der Typhus wich in seinem Verhalten von dem des Jahres 1881 kaum ab, in Rathenow zeigte sich eine Hausepidemie von 11 Kr., 3†.

Nach Passauers Bericht (12) starben im Regierungsbezirk Gummbinnen während des Jahres 1882 12391 männliche und 11751 weibliche Personen. In nicht gering anzuschlagendem Maasse wurde die Sterblichkeit durch Infectionskrankheiten beeinflusst. Im Kreise Darkehmen herrschte Flecktyphus und zwar in 24 Orten. 17 Personen = 14 pCt. der Erkrankten starben; die ersten Erkrankungen wurden im März, die letzten im November constatirt. — Abdominaltyphus kam sporadisch in allen Kreisen vor; epidemisch trat er im Kreise Lötzen auf, im Tilsiter Kreise liessen sich die Fälle von Fleck- und Abdominaltyphus nicht sicher sondern; die Sterblichkeit betrug hier 26 pCt. — Auch Rückfallfieber fehlte nicht in den Kreisen Goldap, Tilsit und Angerburg; in letzteren wurden 10 Fälle notirt. Variolois kam im Gumbinner Kreise, in Insterburg und Widminnen, sowie in den östlichsten Theilen des Kreises Stallupönen vor; hier wurden 66 Personen (13 †) ergriffen. — Diphtherie und Croup waren sehr verbreitet im Kreise Angerburg, demnächst auch in den Kreisen Goldap, Darkehmen, Gumbinnen und recht bösartig im Kreise Heydekrug. In der Stadt Tilsit verursachten sie 42 Todesfälle. — Für Scharlach, Masern, Mumps und Keuchhusten sind die Ereignisse zahlenmässig nicht festgestellt.

Der von Pianka (13) für das Jahr 1882 über den Regierungsbezirk Marienwerder erstattete Generalbericht ist der erste zur Publication gelangte. Die Einwohnerzahl betrug nach der Volkszählung von 1880: 834781, nach der Klassensteuer-Veranlagungs-Liste des Jahres 1883 nur 811238 Einwohner; die Verminderung dürfte indess vielleicht eher der letzteren Listenführung als der Auswanderung (wie in früheren Jahren) zur Last zu legen sein. da diese sicher neuerdings abgenommen hat. — Von Infectionskrankheiten machten sich 1882 Pocken in dem Grenzkreise Strassburg bemerkbar: 27 Fälle modificirter und 15 Fälle von Variola mit 4 †: auch im Grenzkreise Thorn und im Stuhmer Kreise kamen zusammen noch 9 Fälle vor. — Der Abdominaltyphus herrschte in nahezu epidemischer Verbreitung im Kreise Schwetz: 287 Erkrankungen mit 15 †. an denen besonders Neuenburg betheiligt war. Garnsee im Kreise Marienwerder hatte ferner 83 Erkrankungen, 15 †, wovon jedoch einige in den Beginn der Epidemie — 1881 — fallen. Das Jahr 1881 hatte auch eine sehr umfangreiche Flecktyphus-Epidemie: 821 Erkrankungen, 85 † gebracht, deren Zahl im Berichtsjahr auf 359 Kranke mit 44 † sank. Von den Kreisen betheiligten sich: Mit einem Maximum Thorn, dann Culm, Schwetz, Stuhm, andere Kreise, endlich Konitz mit 0. Für Thorn lag ein ursächliches Moment in der Ansammlung fremder Arbeiter zu Festungsbauten. — Masern in 3483 Fällen zur Anzeige gelangt (50 †, hauptsächlich in Strassburg und Stuhm). — Scharlach mit 550 Erkrankungen, 68 †, herrschten das ganze Berichtsjahr hindurch, im Kreise Schlochau wurde durch diese Krankheitsform das Impfgeschäft gestört. Auch die Diphtherie kam nicht zu vollkommenem Erlöschen: von 1017 Erkrankten starben 209. In einzelnen Orten der Kreise Stuhm, Schwetz, Deutsch Krone, Konitz, Graudenz trat die Krankheit epidemisch auf. — In sehr grosser Verbreitung traten stets Sommehrruhren im Bezirk auf, die im Kreise Marienwerder vielfach tödtlich verliefen.

Von den 737789 Einwohnern, welche der Regierungsbezirk Stettin im Jahre 1882 zählte. starben dem Berichte von Weiss (14) zufolge. 19480 = 26 p. M. Laut der wöchentlichen Meldekarten erkrankten an Infectionskrankheiten 5670 = 0.76 pCt. der Einwohner. In Bezug auf die Mortalität erscheinen die vorläufigen Resultate des statitischen Bureaus vollständiger, welche ergeben: für Pocken 5. für Abdominal-Typhus 364, für Flecktyphus 5, für Rückfallstyphus 3, für Masern 97, für Scharlach 353, für Diphtherie 2088, für Puerperalfieber 169 Todesfälle. Den Kreisen nach betheiligten sich an den Pockenerkrankungen Usedom-Wollin, Greifenhagen, Pyritz, Stadt Stettin, Demmin, Ueckermünde mit je nur 1 Fall. — Eine grössere Typhusverbreitung wurde constatirt für die Kreise Cammin, Demmin, Greifenberg (in Treptow an der Rega nahm auch die Garnison Theil), Naugard (Stadt Gollnow), Pyritz, Randow (Domäne Köstin), Regenwalde (Gutsbezirk Witzwitz), Saatzig, Stadt Stettin (20 †), Ueckermünde. — Die 5 Flecktyphus-Todesfälle — 12 Erkrankungen — wurden aus 4 verschiedenen Ortskrankenhäusern gemeldet. — 18 Recurrensfälle mit 3 † spielten sich in den Kreisen Cammin, Ueckermünde, Randow und Stettin ab. — Masern herrschten mit 164 Erkrankungen im Kreise Ueckermünde sehr stark, erzeugten hier aber keinen Todesfall; sehr verbreitet waren sie ferner im Kreise Greifenhagen: 253 Kr., 4 †, — Randow: 211 Kr., 7 †, — Stettin: 133 Kr., 20 †, — Saatzig 124 Kr., 6 †. — An Scharlach mit und ohne Diphtherie betheiligten sich fast alle Kreise gleichmässig; eine sehr hohe Mortalität hatte der Kreis Greifenberg und der Kreis Demmin; eine noch höhere die Stadt Stettin mit 43 † auf 115 Erkrankungen = 37 pCt. Immerhin war selbst hier die Zahl der Todesfälle gegenüber der des Vorjahres um 66 vermindert. — Keuchhusten trat besonders heftig und verbreitet im Kreise Ueckermünde, demnächst in Naugard und Demmin auf.

Im Regierungsbezirk Coeslin ist, wie von Massenbach (15) ausführt, die Sterblichkeit in den Jahren 1876 bis 1880 stets niedriger gewesen als die Sterblichkeit der Gesammtbevölkerung des Preussischen Staates; sie betrug 21,3 pro Mille während des Jahres 1880, 22,7 p. M. für das Berichtsjahr. — Von Infectionskrankheiten ist Ruhr für den Kreis Schivelbein, Brechdurchfall für Colberg und Lauenburg hervorzuheben. Typhusepidemien mässigen Umfanges herrschten in Colberg, besonders unter dem Militair, in der Umgegend von Cöslin, wo auch vereinzelte Fäle von Rückfalltyphus auftraten, in Dörfern der Kreise Bublitz und Stolp und in der Stadt Schlawe. — Von echten Pocken blieb der Regierungsbezirk durchweg verschont. — Scharlach gewann epidemische Verbreitung im Kreise Lauenburg (hier hatte auch 1881 eine beträchtliche Scharlachepidemie geherrscht). Endlich ist auch für den Kreis Bütow eine grössere Scharlachepidemie des platten Landes zu erwähnen. — Fast sämmtliche Kreise hatten unter Croup und Diphtherie zu leiden; starke Mortalität wurde hierdurch herbeigeführt im südöstlichen Theil des Kreises Neustettin, in Dörfern des Kreises Belgard, in der Stadt Cöslin, während die Diphtherie in Rummelsburg, Stolp und Lauenburg milder verlief. — Von Masern wurden nur die Kreise Belgard, Cöslin, Colberg, Schivelbein, Bablitz und Neustettin ergriffen; die einzelnen Epidemien konnten als wesentlich gutartige bezeichnet werden. — Keuchhusten wird ausser in Schivelbein, Belgard und Bütow besonders von Stolp erwähnt, wo er im nordöstlichen Theile während des I. Quartals mehrfach auch Todesursache wurde.

Auf 216130 Seelen, welche nach Köhler's Bericht (16) die Einwohnerschaft des Reg.-Bez. Stralsund ausmachen, kamen im Jahre 1881 5054 Todesfälle. Der Unterschied in der Sterblichkeitsziffer der Städte- und Landbewoher ist ein sehr bedeutender: 27,34 gegen 20,61. Der Kreis Grimmen hat die niedrigste (19,40 pro Mille), der Stadtkreis Stralsund (27,31 p. M.) die höchste Sterbeziffer. Die der Säuglinge beträgt im Bezirk 21,2 auf 100, und zwar die der ehelichen 20,21, der unehelichen 26,72; auf dem Lande nähern sich die beiden letzten Procentverhältnisse etwas. Den Monaten nach entfielen auf den Januar die meisten, auf den October die wenigsten Sterbefälle. — Von den Infectionskrankheiten herrschten in weiter Verbreitung Masern, aber auch während des Berichtsjahres so gutartig, dass sie noch nicht 1 pCt. aller Sterbefälle verursachten. — Scharlach hat seit 1877 nicht aufgehört, seine Acme jedoch 1878 gehabt. — Stellenweise erlangte epidemische Verbreitung der Keuchhusten, der 1881 seinen grössten Sterblichkeitsantheil mit 2 pCt. sämmtlicher Todesfälle erreichte. — Diphtherie gelangte seit 1875 auch im Reg.-Bez. Stralsund zu erheblicher Ausbreitung, blieb jedoch, was die Todesfälle anlangt, noch immer hinter der allgemeinen Mortalität im Staate zurück; in den Städten waren die Verhältnisse stets ungünstiger; unter ihnen zeichnete sich die Stadt Barth durch eine sehr erhebliche Betheiligung sowohl an der Morbidität wie an der Mortalität aus: über 6 pCt. aller Gestorbenen. — Hiergegen steht der Abdominaltyphus sehr zurück, indem er durchgehends mit nicht viel mehr als 2,5 pCt. sich an der allgemeinen Sterblichkeit betheiligte. Der Antheil der einzelnen Kreise ist ein sehr verschiedener, am erheblichsten bei Stralsund, am niedrigsten bei Greifswald. — Schwindsucht fordert weniger Opfer als die Staatsziffer angiebt (beim weiblichen Geschlecht minus 1,5 pCt.), was K. der Nachbartchaft der Ostsee zuschreibt.

An der allgemeinen Sterblichkeit im Reg.-Bez. Breslau pro 1882, welche nach dem Bericht Wolff's (18) 8896 betrug, waren die Infectionskrankheiten mit zusammen 1695 Sterbefällen betheiligt. Ziemlich vereinzelt traten Pocken auf, nämlich mit 49 Erkrankungen (9 †) in Breslau selbst, 52 Kr. (7 †) im Kreise Waldenburg, 10 Kr. (2 †) im Namslauer und mit 90 Erkrankungen (10 †) im Wartenberger Kreise. — Meistens sporadisch trat auch der Unterleibstyphus auf, der allerdings in Breslau für endemisch gelten kann und dort 154 Krankheitsfälle mit 43 Tödtungen zur Folge hatte. Die Mortalität kommt hiernach schon der schlimmsten überhaupt beobachteten von 1876 ziemlich nahe. Hausepidemien einzelner Orte — bis zu 25 Fällen — werden vom Berichterstatter auf schlechtes Trinkwasser und malhygienische Verhältnisse zurückgeführt. Hervorzuheben ist noch eine August-September-Epidemie von 47 Fällen (6 †) in Reichenstein. — Von Flecktyphus kamen 11 Fälle in Breslau, 2 in Brieg, 11 in Münsterberg zur Kenntniss. — Febris recurrens wurde zu 3 Fällen im Breslauer Allerheiligen-Hospital, zu 6 im Namslauer Kreiskrankenhause behandelt. — Bezüglich des Scharlachs und der Masern, so sehr dieselben auch speciell in den Kreisen Namslau, Neumarkt, Nimptsch, Ohlau, Striegau epidemisch geherrscht haben, liegen Zahlenangaben nur für Breslau vor, wo ersteres bei 498 gemeldeten Erkrankungen 7,02, die

Masern bei 5133 Erkrankungen 2,12 pCt. Mortalität gehabt haben. — Auch für Diphtherie existiren zahlenmässige Aufstellungen nur von Breslau, nach denen sie hier bei 359 Erkrankungen 129 Todesfälle (also eine Mortalität von fast 36 pCt.) zur Folge hatte. — Keuchhusten trat in Breslau 71 mal als Todesursache auf.

Wie Richter (20) in seinem Generalbericht über Erfurt mittheilt, zeigte unter den Jahren 1875—1880 die geringste Sterblichkeit das Jahr 1876, die grösste das Folgejahr, und zwar hauptsächlich wegen einer heftigen Scharlachepidemie, welche die Stadt Mühlhausen heimsuchte. Die Sterbeziffer des Regierungsbezirkes schwankte während der genannten Jahre zwischen 23,3 und 25,7 in den Jahren 1879, bezw. 1877. Die meisten Sterbefälle, der Jahreszeit nach, waren im März zu verzeichnen. — An Infectionskrankheiten erlagen von den 57709 in toto während der Berichtszeit Gestorbenen 9562 Personen. Cholera, Pocken fehlten ganz. Rückfallfieber und Flecktyphus kamen ganz vereinzelt vor. An Abdominaltyphus starben 23,83 aller Gestorbenen (0,56 p. M. der ortsangehörigen Bewohner). Am erheblichsten war die Stadt Erfurt betheiligt, in welcher auch von Erkrankten nicht weniger als 54 : 14,7 pCt. starben. Erhebliche Beiträge hierzu lieferten einige Kasernenepidemien. — Eine Bedeutung, welche die des Typhus bei Weitem überragt, haben in der Berichtszeit Diphtherie und Croup erreicht: die Zahl der daran Verstorbenen machte durchschnittlich 59,3 pro Mille aller Defuncti aus. Am verderblichsten zeigten sich beide Krankheiten im Jahre 1877 — relativ am gutartigsten 1879. Der Schluss der Schulen musste vielfach angeordnet werden. — Scharlach, in jedem Jahre auftretend, forderte 1875 und 1877 schwere Opfer; der am meisten hierdurch befallen gewesene Ort war die Stadt Mühlhausen. Masern wurden 1877 (und 1880) im Kreise Schleusingen vielfach tödtlich. An Keuchhusten, der ebenfalls recht verbreitet war, starben 14 pCt. aller Gestorbenen. Als endemische Krankheit verdient noch der in den Niederungen der Gera auftretende Kropf Erwähnung.

Im Reg.-Bez. Merseburg hat, wie E. Wolff in seinem Bericht ausführt (21), die Gesammtzahl der Sterbefälle während des Jahres 1882 die Höhe von 26653 erreicht, — gegenüber 25446 des Vorjahres. Die Städte betheiligten sich daran mit 28,4 pro Mille ihrer Bewohner, die Landgemeinden mit 26,8. Von den 17 Kreisen des Regierungs-Bezirkes steht am günstigsten Wittenberg mit 22,6 (Städte 23.4, Land 26,8) pro Mille Einw. da; am ungünstigsten Zeitz, wo die entsprechenden Verhältnisse 33,0 — 32,7 — 33,1 auf das Tausend betragen. — Die Infectionskrankheiten haben in zahlreichen Epidemien 4259 Personen: 17,0 pCt. aller Verstorbenen getödtet; während dieser Antheil derselben an der allgemeinen Sterblichkeit 1881 nur 13,2 pCt. betragen hatte. Diese Zunahme ist lediglich bedingt durch das Plus der Todesfälle an Scharlach, welche von 1701 auf 2916, d. h. von 7,1 pCt. der Mortalität auf 11,7 pCt. gestiegen waren. Den Höhepunkt erreichte diese Krankheit im II.—III. Quartal; alle Kreise waren ergriffen, die grösste Bösartigkeit, fast ausnahmslose Complication mit Diphtherie, wurde in den Kreisen Merseburg, Naumburg, Liebenwerda und Zeitz constatirt, besonders aber in dem letzteren. — An Masern starben 125 Kinder (0,5 pCt. der überhaupt Gestorbenen; im Vorjahre 0,4), nur in den Kreisen Schweinitz, Torgau, Sangerhausen und Delitzsch erlangten sie eine relative Bösartigkeit. — Diphtherie kommt immer verbreiteter, nicht nur als Scharlachcomplication, sondern auch selbstständig zur Verbreitung; ihre Steigerung in ersterer Form entspricht den unter Scharlach wiedergegebenen Zahlen. — Der Abdominaltyphus ist im Abfallen: 1881 kamen noch 555, 1882 nur 436 Todesfälle durch ihn vor. Im Mansfelder Seekreise gewann er zwar eine grosse Verbreitung, blieb aber gutartig, in Eisleben, bildete er eine Reihe von Hausepidemien, kleinere auch in Weissenfels und Sangerhausen. Einige lehrreiche Fälle von Verschleppung werden im Anschluss hieran mitgetheilt. — Dem Keuchhusten erlagen im Berichtsjahre 340 Kinder vorwiegend in Querfurt, Eckartsberga, Sangerhausen und im Mansfelder Seekreis.

Eine vergleichende Zusammenstellung über die Sterblichkeit im Regierungsbezirk Minden, welche Schultz-Henke (22) seinem Bericht für 1881 vorausschickt, ergiebt eine grosse Ungleichmässigkeit derselben für die einzelnen Orte und Kreise. Während nämlich in Gütersloh, Höxter, Lübbecke, Versmold und Warburg auf 1000 Einwohner sich nur 15 bis 20 Gestorbene berechneten, betrug die Mortalität in Borgentreich 30,1, in Bünde 30,4, in Rheda sogar 31,1 pM. Mehr nach dem Minimum — mit 20 bis 25 † pM. — tendiren: Bielefeld, Brakel, Delbrück, Driburg, Minden, Oeynhausen, Paderborn, Petershagen, Werther; — mehr nach dem Maximum — 25 bis 30 † pM. —: Beverungen, Borgholzhausen, Halle i./W., Herford, Lügde, Nieheim, Rietberg, Salzkotten, Steinheim, Vlotho, Wiedenbrück. — Von den Infectionskrankheiten erreichte der Abdominaltyphus überall nur niedrige Zahlen, ausser in Herford, wo er sich allmälig zu einer Epidemie (aber mit geringer Tödtlichkeit) entwickelte und in Jacobsberg (Kreis Höxter), wo von 314 Einwohnern im Laufe des Sommers 64 erkrankten, 11 starben. — Flecktyphus und Recurrens kamen in ganz vereinzelten Fällen vor. — Scharlach und Diphtherie waren in ihrem Auftreten nicht von einander zu trennen. In epidemischer Verbreitung und Heftigkeit wurden sie im Dorfe Neesen bei Minden beobachtet, wo 66 Kinder (15 †) davon heimgesucht wurden. Auch eine Epidemie in Wiedenbrück, Kreises Rietberg, war, was Krankheitsverbreitung betrifft, eine bedeutende zu nennen (1 †). Diphtherie in grossem Umfange herrschte während des dritten Quartals im Dorfe Helmern (Kreis Warburg) und sehr verbreitet auch in den Ortschaften des Amtes Rehme: 94 Erkrankungen mit 41 †. Im 4. Quartal wurden die Kreise Lübbecke und Herford stark von Diphtherie ergriffen. — Masern traten nur sporadisch auf; Keuchhusten machte sich in grösserer Intensität während des 1. Quartals in Rietberg, während des 3. in der Umgebung von Herford geltend. — Der letztere Kreis zeichnete sich auch durch ganze Reihen von Puerperalerkrankungen mit tödtlichem Ausgange ungünstig aus. — Mumps herrschte in Halle i./W.; in Petershagen (Kr. Minden) endeten unter 5 Fällen von Genickkrampf 3 tödtlich.

In den Industriebezirken des Regierungsbezirks Arnsberg, über welchen Schönfeld (23) berichtet hat, zeichneten sich in den ersten achtziger Jahren mehrere Landgemeinden durch eine enorme Bevölkerungszunahme aus, nämlich im Landkreise Bochum: Herne, Schalke, Eickel, Langendreer, deren Bevölkerung seit ca. 20 Jahren sich verdoppelte bis versechsfachte, — und im Landkreise Dortmund: Aplerbeck, Annenwullen, Kirchhörde, wo ein ähnliches Anwachsen stattfand. Der Heimathliebe und Reinhaltung der Stämme, wie sie im Bezirk vielfach zu beobachten ist, möchte Verf. das häufige Vorkommen mancher Degenerations-Symptome — im Wege einer gewissen Inzucht, so Krankheiten der Nervencentren mit dem Effect von Somato- und Psychopathieen, auch Störungen der Knochenbildung, Tumoren, Lungenschwindsucht, Scrophulose zuschreiben. — Die Sterbeziffer war für den Durchschnitt der Jahre 1862—1871 auf 29 pM. berechnet worden; unter den Berichtsjahren war 1881 das günstigste mit 24,7, 1880 hatte 27,2, 1882 26,0 pM. — Von Infectionskrankheiten trat zunächst der Flecktyphus und zwar in Dortmund auf und verursachte 74 Erkrankungen, 19 Todesfälle. Die Acme der Epidemie fiel in den Juni. Vereinzelte Fälle von Flecktyphus ereigneten sich auch an anderen Orten des Regierungsbezirks. 1881 kam eine Familienendemie in Zorn, Kr. Lippstadt, 1882 ein vereinzelter Fall im Kreise Brilon vor. — An Recurrens erkrankten nur wenige, auf der Wanderschaft von Osten nach dem Westen begriffene Individuen. — Typhoïd verursachte nicht weniger als 1949 Todesfälle = 1 Typhustodesfall auf je 650 Lebende während der Jahre 1880—1882.

Die weitaus grösste Epidemie der Berichtszeit spielte sich in der Regierungshauptstadt selbst ab. Anfangs Januar 1882 wurde ein Fall importirt, aus welchem sich 253 ärztlich constatirte Fälle, also bei 6131 Einw. 4,12 pCt. der Bevölkerung entwickelten. Hiervon starben 35 Personen = 0,55 pCt. der Bevölkerung, fast 14 pCt. der Erkrankten. — Kleinere Typhusepidemien herrschten im Landkreise Bochum, im Kreise Brilon, im Stadtkreise Dortmund (speciell 1880), in Lütgendortmund, in den Kreisen Hagen und Hamm; in den hier nicht genannten kamen Epidemien kleineren Umfanges und schnelleren Ablaufes zuweilen vor (Lippstadt, Siegen). — Von Ruhr wurde während der Berichtsjahre besonders der Landkreis Bochum heimgesucht. — Diphtherie und Croup tödteten während der Berichtsperiode 2717, Scharlach 2712, Keuchhusten 1724, Masern und Rötheln 838 Personen. Scharlach herrschte, fast ohne wirkliche Pausen in Arnsberg, im Stadt- und Landkreise Bochum, in Dortmund, Soest, besonders aber auch im Kreise Meschede. Diphtherie machte sich während des Berichtstrienniums in allen Kreisen heimisch; auch Masern, welche sich jedoch im Ganzen mehr in einzelnen Epidemien zeigten, fehlten in keinem Kreise; an den verschiedenen Keuchhusten-Epidemien nahmen nur Altena und Hagen keinen Theil. — Die Pocken herrschten epidemisch im ersten Halbjahre 1882; allein im Dortmunder Landkreise kamen 130, im Dortmunder Stadtkreise 22, im Bochumer Landkreise ebenfalls 22 Erkrankungen zur Kenntniss; im Ganzen 228, von denen 31 starben. — Während Malaria und Kindbettfieber als Todesursachen sehr zurücktreten, bilden die als „Lungenschwindsucht" zusammengefassten Krankheiten in durchschnittlich 18 pCt. die Todesursache aller im Arnsberger Bezirk Sterbenden. Hierfür liegen die localen Ursachen in der oft ererbten Schwäche der Fabrikbevölkerung, zu frühzeitig im Kindesalter beginnender Fabriksbeschäftigung und Anstrengung in der Hausindustrie, in Eheschliessung bei zu jugendlichem Alter, in mangelhafter einseitiger Ernährung mittelst Kartoffeln und Alcoholmissbrauch.

In seinem vierten Generalbericht über das öffentlichen Gesundheitswesen Köln's (24) geht O. Schwartz nach einer kurzen meteorologischen Darstellung auf die Sterblichkeit näher ein. Im Kölner Reg.-Bezirk wurden todt geboren 1149, starben ausserdem 18341. Unter den Todesursachen steht Lungenschwindsucht absolut voran: mit 3562 Fällen; Eklampsie der Neugeborenen folgt mit 2496. Brechdurchfall ist nur mit 278 beziffert. Auffallend hoch erscheint die Zahl der Unglücksfälle: 213, wozu noch 11 Verletzungen im Gewerbebetrieb und 96 Selbstmorde. — Unter den Infectionskrankheiten steht mit seiner Mortalität oben an der Keuchhusten: 319 Fälle, Scharlach folgt mit 182, Unterleibstyphus mit 171, Diphtherie mit 131. Ganz besonders hoch muss die Zahl der tödtlichen Wochenbetterkrankungen, 131, erscheinen, worüber Aufklärung nicht gegeben wird. — Masern und Scharlach waren häufig mit Diphtherie complicirt; erstere forderten im Ganzen 115 Opfer. Was die Entstehungsweise des Abdominaltyphus anlangt, so wurde für Köln selbst als Ursache einiger nicht ganz kleiner Epidemien Milchbezug von bestimmten Gütern erkannt. Aus leicht sich ergebenden Zusammenhängen erklärt sich bei diesen Massenerkrankungen die vorwiegende Betheiligung des weiblichen Geschlechts mit 66 pCt.: von 56 derartigen Typhuskranken waren 14 Dienstmädchen, 16 Kinder unter 15 Jahren, 3 Bäckergesellen. — Pocken wurden nur sporadisch im Stadt- und Landkreise Köln, den Kreisen Bonn und Gummersbach beobachtet; im Ganzen 23 Erkrankungen mit 3†. — Bemerkenswerth ist noch, als Folge der Ueberschwemmungen, das Auftreten von Intermittenten, welche sich 1882 bereits gezeigt hatten und namentlich innerhalb des überschwemmt gewesenen Gemeindebezirks Merheim zu den häufigeren Erscheinungen gehörten.

Die allgemeine Sterbeziffer in der Landdrostei Lüneburg schwankte nach dem Bericht von Alten (27) in den Jahren 1868—1881 zwischen 22,08 und 24,18 pro Mille; in den Jahren 1880 und 1881 betrug sie 22,85 resp, 22,29. — Die Infectionskrankheiten anlangend, so blieben Stadt und Kreis Zelle bis auf das IV. Quartal vom Typhus verschont. Im November und December jedoch überragte die Anzahl der Typhusfälle die des Vorjahres bedeutend. Ueberhaupt erlagen von den im Kreise Celle Gestorbenen dem Typhus 18 = 1,25 pCt. Aehnlich war das Mortalitätsprocent dieser Krankheit in Gifhorn, Fallingbostel, Uelzen; geringer in Dannenberg, Lüneburg, Harburg. — Rückfallfieber kam im ganzen Bezirk nicht vor. — Nur in den Kreis Uelzen fanden die Pocken Eingang derart, dass 6 Personen erkrankten und 3 starben; in Harburg starb von 2 Blatternkranken 1. — Scharlach trat epidemisch auf in Celle und Umgegend. wo es im IV. Quartal seinen Höhepunkt erreichte. Der Kreis hatte 43 Scharlachtodte, darunter 12 in der Stadt Celle. In dem Kreise Gifhorn verursachte die Krankheit 23 Sterbefälle. Auch in den übrigen Kreisen, wo sie nur vereinzelt auftrat, entfiel das Plus auf das 3. und 4. Quartal. — Die grosse Epidemie der Masern vom Jahre 1880 hatte ein unverkennbar sich anschliessendes Nachspiel im Berichtsjahre in Lüneburg, wo von (der Schätzung nach) 500 Erkrankungen 8 tödlich verliefen. Sehr verbreitet waren Masern auch in den Kreisen Uelzen und Dannenberg; am häufigsten wurde jedoch der Kreis Harburg von den aus dem Jahre 1880 fortgesetzten Masernepidemien betroffen: 43†. — Diphtherie trat fast ausschliesslich als Complication der exanthematischen Kinderkrankheiten, Croup ganz vereinzelt auf. — Keuchhusten dagegen war stark vertreten, besonders in Fallingbostel (22†), Harburg (38†), Dannenberg (18), Gifhorn und Celle (zusammen 10†). — Endlich ist eine in Fallingbostel und Uelzen während der ersten Jahreshälfte aufgetretene Mumps-Epidemie hervorzuheben.

Nach dem officiellen statistischen Bericht über Frankfurt a. M. (30) betrug daselbst 1883 die Zahl der sämmtlichen Verstorbenen 2803. An dieser Summe betheiligten sich die Infectionskrankheiten etwa mit ein Zehntel: 275 Fällen. Diphtherie in erster Reihe mit 35, Scharlach mit 30, Keuchhusten mit 28 Fällen. Nur 13 Todesfälle durch Typhoïd sind notirt und ebenso viele an Puerperalfieber. — Unter den sonstigen Todesursachen steht die Lungenschwindsucht mit 544 Fällen obenan, in welchen 22 von gallopirender Schwindsucht noch nicht inbegriffen sind. Auffallend hoch sind noch die Sterbeziffern für Apoplexia cerebri sanguinea mit 149, Pneumonie: 185, Vitium cordis: 78 und Meningitis tuberculosa: 63. Unter den Monaten wies der Juli die meisten, der September die wenigsten Todesfälle auf.

Dem Bericht Wagner's (32) über den Regierungsbezirk Wiesbaden zufolge etablirten sich die Pocken in epidemischer Ausbreitung im Jahre 1882 (wie im Jahre vorher) hauptsächlich in Höchst und in Wiesbaden selbst: es erkrankten 67 mit 14 †. — Scharlach hatte ebenfalls bereits im 1. Quartal 1881 geherrscht, suchte viele Ortschaften des Bezirks heim und verursachte 199 Erkrankungen mit 22 † allein in der Stadt Wiesbaden, im Landkreise 145 Erkrankungs-. 13 Todesfälle. Auch im Dill-, Ober- und Unter-Taunus, Hinterland, Oberwesterwald-, Ober- und Unterlahn-Kreise hatte Scharlach eine erhebliche Ausbreitung; ebenso in der Stadt Frankfurt a./M. Aus dem Maingau wurde von tödtlichen Ausgängen in unverhältnissmässigem Procentsatz (Westliche Region 15 pCt. †) berichtet. — Die Diphtherie hatte erheblich abgenommen; in Homburg allein kamen mehrfache (4) Fälle vor. — Von Masern sind zur Kenntnissnahme nur 70 Erkrankungen mit 4 † gekommen. — Vereinzelte Fälle von Typhoïd wurden fast aus allen Kreisen berichtet: in Wiesbaden erkrankten 23, erlagen 2; in Frankfurt a./M. kamen mehrfache schwere Fälle auf der Krankenstation des Justizgefängnisses vor; aus dem Maingau wurden 29, aus dem Oberlahnkreise 20 Fälle (zerstreut) zur Anzeige gebracht. In ungünstiger Weise zeichnete sich eine im Westerwald belegene Ortschaft Mengerskirchen aus. in welcher nicht nur gehäufte Typhusfälle, sondern auch mehrfach Malaria beobachtet wurde. — Gehäufte Syphilisfälle herrschten unter den Prostituirten, resp. den männlichen Insassen des Polizei- und Justizgefängnisses zu Frankfurt a. M. Gegen Ende des Berichtsjahres liessen die Scharlach- und Masernerkrankungen bedeutend nach, während die Diphtherie eine erhebliche Steigerung erfuhr. — Der Typhus verbreitete sich von Beginn des Sommers ab im Untertaunuskreise und verursachte eine erheblichere Epidemie (43 Fälle) in Idstein, geringere in Biebrich und Limburg an der Lahn. — Als bemerkenswerthes Ereigniss werden die grossen Ueberschwemmungen des Jahres 1882 im Mainkreise einer eingehenden Besprechung unterzogen. Trotz ihrer Ausdehnung gaben dieselben zur Entstehung oder Vermehrung der Infectionskrankheiten keinen Anlass. Die ministeriellen Verfügungen bewährten sich vielmehr bei der Vorbeugung vollständig.

Die Zahl der Personen, welche in Bayern Praxis trieben, ohne dazu berechtigt zu sein, betrug, wie Mayer (37) ausführt, Ende des Jahres 1883: 1485, d. h. 61 weniger als im Durchschnitt der Periode 1879—1883, und 47 mehr als in der Durchschnittsperiode 1874—1878. 1068 Männer und 417 Weiber sind an dem Pfuschereitreiben betheiligt; die letzteren haben sich seit einigen Jahren einen immer grösseren Antheil erobert. Ganz zuverlässig sind die Zahlen nicht, weil die Pfuscherei des niederärztlichen Personales nicht immer nach derselben Regel mitberechnet wird. — Der Nationalität nach waren 58, d. h. 3,8 pCt. der Pfuscher Nicht-Bayern. Bedeutend erschien die Abnahme der Medicinalpfuscher aus geistlichem Stande, die in der Periode 1874—1878 noch 100, 1879 — 1883 noch durchschnittlich 79 und 1883 nur 63 Individuen betrug. Das niedere Heilpersonal war mit 36,8 pCt. vertreten.

Seit dem Jahre 1876 geht laut der Berichte der pfälzischen Aerzte, welche Karsch (38) zusammengestellt hat, die Geburtenziffer in der Pfalz dauernd zurück. Dieselbe beträgt pro 1882 noch 38.8 pM. Aber auch die Mortalitätsziffer hat sich verringert: sie betrug 1881 25,2, 1882 nur 24.5 pM., und zwar bezog sich die Herabsetzung hauptsächlich auf das Greisen- und früheste Kindesalter. Bemerkenswerth ist, dass diese günstige Mortalität unter ganz abnormen Witterungseinflüssen statt hatte. Auf ein ungemein trockenes Frühjahr folgte eine wahre Regenfluth im Juli, und der August brachte nicht weniger als 22 Regentage. Der September übertraf noch den Juli an Höhe der Niederschläge, und im November folgte nach enormen Schneefällen eine grössere Ueberschwemmung. die sich im December wiederholte und nun colossale Zerstörungen anrichtete. — Im Zusammenhange hiermit erreichte ein Gebiet der Morbidität allerdings einen ungewöhnlichen Umfang: Katarrhe und tiefergehende Entzündungen der Respirationsorgane und ungemein zahlreiche Anginen. Die Brechdurchfälle des Sommers hielten sich dagegen auf sehr geringer Zahl. — Pneumonien wiederum fanden sich vielfach in wahren Epidemien und Endemien vor. — Tuberculose wurde bei 11 pCt. aller Gestorbenen als Todesursache angegeben. Rheumatismus, Erysipel waren häufig. Auffallen konnte das geringe Hervortreten von Intermittenten gegenüber den durch die Ueberschwemmung gesetzten Bedingungen. Typhus hat 1882 848 Erkrankungen mit 115 Sterbefällen, 1881 nur 531 mit 76 † verursacht; grössere Epidemien in Mauchenheim und Dannenfels (Kirchheim-Bolanden), weniger bedeutende in Deidesheim, Speyer etc. — 26 Fälle von Meningitis cerebrospinalis epidemica (15 †) sind in den Tabellen notirt. — Blattern wurden von Sobernheim und Neunkirchen aus eingeschleppt. — Scharlach herrschte in ungemeiner Extensität und Intensität: 315 †. — Masern, obwohl sehr verbreitet, verliefen rasch und im Ganzen nicht ungünstig.

Die Ergebnisse der Berichte von Reuss und von Gussmann (39 a), welche die Sterblichkeit Stuttgart's behandeln, fassen wir im Folgenden zusammen. Unter 2417 in toto Verstorbenen waren 123 Todtgeborene. Gegenüber der für 1882 erhaltenen Ziffer starben 171 weniger und zwar participirten an dieser Verminderung ganz besonders die Altersklassen des 10.—12. Lebensmonats und des 2.—5. Lebensjahres. In auffälliger Weise waren ferner an dieser Abnahme die ehelichen Kinder betheiligt. Die Mortalität der Erwachsenen blieb im Berichtsjahre der des zehnjährigen Durchschnitts gleich. Auf die Monate fand folgende Vertheilung statt:

I.	II.	III	IV.	V.	VI.	VII	VIII.	IX.	X.	XI.	XII
182	184	214	199	189	208	266	176	167	163	155	191

Auch in den Parzellen hatte sich die Mortalität bedeutend, nämlich um 7.9 pCt. gebessert. — Verhältnissmässig gering ist nach beiden Berichten der Antheil, welchen die Infectionskrankheiten an der Sterblichkeit hatten, nämlich nur 7,2 (im Vorjahre 10,6) pCt. aller Gestorbenen. Cholera, Flecktyphus, Ruhr verursachten 0, Pocken 1 Todesfall. An Masern starben 21 (1882: 64); an Scharlach 16 (ebenfalls 20 weniger als 1882). Ein Ansteigen zeigten Diphtherie und Croup, nämlich bei 66 † ein Plus von 17. Keuchhusten herrschte im ganzen Jahre epidemisch, hatte aber auch mit 36 eine wesentliche Verminderung der tödtlichen Fälle aufzuweisen. Nur 10. Typhusfälle kamen zur Kenntniss; bei einem jährlichen Durchschnitt von 1,06 pCt. aller Gestorbenen aus den zehn Jahren 1875 — 1884 ist für das Berichtsjahr die Typhussterblichkeit bis auf 0.4 pCt. herabgegangen. — Dem Rückgange in der Morbidität des Darmkatarrhs und Brechdurchfalles dagegen ist für 1883 wieder eine merkbare Steigerung gefolgt, anschliessend, wie die Berichterstatter meinen. an die hohen Temperaturen des Juni und Juli. Es verstarben daran — gegenüber 184 während des Jahres 1882 — im Berichtsjahre 251, und zwar hatte nicht wie sonst der Monat August das Maximum dieser Sterbefälle, sondern der Juli. In den Parzellen war dagegen die Tödtlichkeit der Darmkatarrhe eine geringere. — Die Selbstmorde haben sich genau auf der Zahl des Vorjahres mit 21 = 0,9 pCt. aller Gestorbenen erhalten; nicht weniger als 17 fanden davon durch Erhängen statt. — In Gussmann's Bericht ist der Lungenschwindsucht eine ausführlichere Untersuchung gewidmet, aus welcher hervorzuheben ist, dass an dieser Krankheit wiederum nicht weniger als 13,2 pCt. aller Gestorbenen erlegen sind (1882 betrug dieses Verhältniss 12,9 pCt. — 1877: 12,1 pCt.). Der grösste Antheil hinsichtlich der Altersstufe fiel auf das 31. — 40. Lebensjahr, demnächst auf das 21.—30., und drittens auf das 41. bis 50. Den Monaten nach brachte der November die wenigsten, der Mai die meisten Todesfälle. — Als Anhang endlich zum Bericht von Reuss ist eine werthvolle Zusammenstellung der Todesursachen während des Decenniums 1872 — 1882 hervorzuheben. Als Durchschnitt der durch die Infectionskrankheiten bedingten Gesammtmortalität stellt sich 9,52 auf 100 Todte heraus. Weitaus am tödtlichsten war während der gesammten 10 Jahre Diphtherie und Croup, demnächst Scharlach. Sehr gering ist, früheren Zeiten gegenübergestellt, die Zahl der Typhustodten, während der Antheil der Lungenschwindsucht an der Sterblichkeit sich auch im 10jährigen Durchschnitt ganz ähnlich herausstellt wie oben für 1883 angegeben.

Die letzte Zählung der Idioten in Württemberg, die fünfte der überhaupt unternommenen, war die von Koch, welcher 1875 3810 Idioten dort zählte. Pfeilsticker (41) constatirt in seiner neuesten Arbeit zunächst, dass eine Abnahme des endemischen angeborenen Blödsinns sich schon seit den 40ger Jahren nachweisen lässt. Hinsichtlich der Vertheilung des Idiotismus und Kretinismus in den einzelnen Landesgebieten, so zeigt bei den 3 Zählungen von 1841, 1853, 1875 eine relatives Verschontbleiben der Donaukreis, am stärksten belastet erscheint der Jagstkreis; ebenso ist nicht zu verkennen, dass mit jeder neuen Zählung die Unterschiede in der Häufigkeit in den verschiedenen Kreisen kleiner werden: während 1841 noch die Differenz zwischen Maximum (Jagstkreis mit 3,08 p. M.) und Minimum (Donaukreis mit 0.95 p. M.) 2,13 p. M. beträgt, fällt im Jahre 1875 die Differenz zwischen Maximum (Schwarzwaldkreis mit 2,47 p. M.) und Minimum (Donaukreis mit 1,32 p. M.) auf 1,15 p. M.

Man findet, dass der Kretinismus beziehungsweise Idiotismus in Württemberg vorzugsweise auf älteren Gebilden, besonders dem Keuper, dem Muschelkalk und dem bunten Sandstein vorkommt, während die jurastischen und Tertiärbildungen fast ganz frei von diesem Uebel sind. Besonders deutlich lassen sich diese Verhältnisse in kartographischer Darstellung übersehen, wie eine solche über die Verbreitung des Kretinismus im Jahre 1853 in der von dem K. statistisch-topographischen Büreau herausgegebenen Beschreibung des Königreichs Württemberg im II. Band, 1. Hälfte, S. 77 sich findet. O. Köstlin, der den betreffenden Abschnitt (körperliche Beschaffenheit des Volkes) in diesem Buche bearbeitet hat, macht darauf aufmerksam, dass die scheinbare Ausnahme, die Tettnang mit 2,5 p. M. Kretinen macht, sich dadurch erklärt, dass die dortige Tertiärbildung (Molasse) fast in ihrer ganzen Erstreckung von dem Schutt des einstigen grossen Rheingletschers zugedeckt ist, und Kretinen nur an solchen Orten des Bezirkes vorkommen, welche ausschliesslich auf Gletscherschutt — also alter Formation liegen. — Darüber, welches schädliche Agens durch die ältere Gebirgsformationen bedingt ist, sind bekanntlich bis heute die Ansichten noch weit auseinandergehend und treten nach einander die verschiedensten Vermuthungen auf (Gyps, Dolomit-Gehalt des Trinkwassers, Mangels an Jodverbindungen in demselben, Miasmen, Bacterien etc). Die hauptsächlich empfohlenen Schutzmassregeln sind: 1) Sorge für trockene Lage und Reinlichkeit der Wohnplätze und ihrer nächsten Umgebung: Verhütung von Versumpfungen, Ziehen von Abzugsgräben, Regulirung der Bach- und Flussläufe, Austrocknung von Seen und Moorästen, Pflasterung und Kandelung der Ortsstrassen, Verhütung von Mistjaucheansammlungen, gehörige Verwahrung der Abtrittsgruben, Abtragung alter Stadtmauern und Thürme, Erweiterung enger Strassen etc. 2) Fürsorge für reines und frisches Trinkwasser. 3) Sorge für zweckmässige Nahrung und Massregeln gegen die Gewohnheit des allgemeinen Branntweintrinken (Mässigkeitsvereine, Einführung anderer gesunder Getränke, z. B. des Biers etc.) 4) Vermeidung von Heirathen zwischen Personen mit kretinischer Anlage oder anderen Siechkrankheiten. 5) Massregeln gegen das stete Ineinanderheirathen einer kleinen Zahl von Familien. 6) Abstellung verschiedener Missbräuche bezüglich der Pflege der kleinen Kinder u. s. f.

In der Gemeinde Bern verstarben, wie Wyttenbach (42) in einem Vortrage ausführt, abgesehen von den Todtgeborenen, während der Jahre 1871—1880: 12079 Personen und zwar in der Vertheilung auf die Geschlechter, dass die Mortalitätsziffer für M. 34,55 p. M., für F. 26.78 p. M., im Durchschnitt 30,36 p. M. betrug. Diese hohe Sterblichkeit wird erklärt durch die grosse Anzahl hoffnungsloser Kranker, welche gleichwohl in den Heilanstalten Berns noch Hülfe suchen und als Todescandidaten von Aussen zuziehen. — Die Hauptfactoren der Sterblichkeit sind des Weiteren Lungenphthise mit 403 auf 100000 Lebende, acute Respirationskrankheiten mit 346; dagegen ist während der 10 Jahre die Sterblichkeit an Enteritis des frühen Kindesalters auf 174 der gleichen Relation zurückgegangen, so dass diese Todesursache erst als dreizehnte figurirt. — Die höheren Altersstufen zeigen relativ beträchtliche Mortalitätsprocente in Folge von Krankheiten des Nervensystems, der Kreislaufs- und Athmungsorgane, speciell Apoplexien, Herzleiden und Pneumonien. — Unter den Infectionskrankheiten haben während des vorbezeichneten Decenniums einige vorübergehend grössere Bedeutung erlangt, so Erysipelas mit 11 † 1878; Typhus mit 66 † 1873; Scharlach mit 40 † 1871, mit 45 † 1876, mit 41 † 1879; — an Masern starben 1874 64 Kinder; Keuchhusten bedingte 1873 24, 1875 25 Todesfälle. Trotz dieser an sich mässigen Ziffern berechnet sich doch die Zahl der im ganzen Zeitraum an Infectionskrankheiten Verstorbenen auf 992 oder 249.4 auf 100000 der Bevölkerung. — Für nicht unwesentlich hält Verf. die Einflüsse der engen Bauart, welche der Stadt Bern eigen ist.

Um einen Ueberblick der Vertheilung der Todesursachen in Italien zu geben hat Corradi (45) 201228 Todesfälle aus 282 Gemeinden, wie sie im Laufe des Jahres 1882 durch die behandelnden Aerzte zur Kenntniss gelangten, sorgfältig analysirt. Wir müssen uns bei der Mannigfaltigkeit der Gesichtspunkte auf eine kleine Auswahl derselben beschränken. — In ihrer Behausung starben von der oben genannten Gesammtzahl 76,2 pCt.; in Krankenhäusern und Siechenhäusern 2,28 pCt.; in Strafanstalten und auf öffentlichen Orten je 0,5 pCt. — Unter den Infectionskrankheiten nehmen Diphtherie und Croup die erste Stelle ein; es folgen: Typhoid, Masern, Malariafieber, Scarlatina, Keuchhusten, Syphilis, Erysipel, Pocken. Eine wirklich verbreitete Epidemie der letzteren hat jedoch nur in Spezia stattgehabt. Was die schweren zum Tode führenden Malariaformen anlangt, so werden sie in Toscana, Calabrien, im Kirchenstaat, in Latium und in Sardinien vorwiegend beobachtet. Die schlimmsten Syphilisformen und zwar sowohl was erworbene, wie ererbte Lues anlangt, weist Viterbo auf: 8 pCt. gegen Salerno mit 2,1 pCt. Die congenitale Lues überwiegt als Todesursache natürlich die erworbene bedeutend: 951 gegen 107 Fälle. — Von 10000 Todesfällen verursachte je 139,4 die Pellagra, obgleich sie 1882 bedeutend milder auftrat als in den unmittelbar vorhergehenden Jahren. — Lungenschwindsucht traf unter je 10000 Lebenden 24,5 als Todesursache, und zwar trugen zu diesem Durchschnitt mit Plus bei: die Lombardei, Toscana und Latium, während beträchtlich hinter ihm zurückblieben Kirchenstaat, Calabrien und Sicilien. Wenn mit der absoluten Verhältnissziffer von 18,8 Tuberculosefällen zu 100 überhaupt Gestorbenen San Remo obenan steht, so erklärt sich dies aus dem Verhältniss des Fremdenzuzuges, welches gegen 60 pCt. Schwindsuchtstodte auf 100 überhaupt gestorbene Zuzügler aufweist. — Selbstmord mit 36,9 auf 10000 fand sich am verbreitetsten in Ligurien, am spärlichsten in Calabrien.

Eine officielle Uebersicht der Blinden, Taubstummen, Idioten und Cretinen im Königreich Italien nimmt die Volkszählungen von 1861, 1871 und 1881 zum Ausgangspunkt (46). Es gab

1861: 20,752 Blinde auf 21,777,334 Einw.,
1871: 28,127 „ „ 26,801,154 „
1881: 21,718 „ „ 28,495,628 „

ferner (auf die entsprechenden obigen Einwohnerzahlen):

1861: 17,785 Taubstumme;
1871: 19,779 „ 17.313 Idioten u. Cretinen,
1881: 15,300 „ 19,671 „ „ „

so dass auf 100000 Einwohner entfielen:

	Blinde:			Taubstumme:			Idiot. u. Cret.:		
	M.	F.	Durchschnitt	M.	F.	Durchschnitt	M.	F.	Durchschnitt
1861:	108	82	95	96	66	81	—	—	—
1871:	118	91	105	86	61	74	80	48	65
1881:	85	67	76	61	46	54	81	57	69

Die vorwiegende Theilnahme des männlichen Geschlechtes an diesen Gebrechen kehrt, wie hervorgehoben wird, vielfach wieder; für die Abnahme derselben im Laufe des letzten Jahrzehnts ist eine plausible Erklärung schwer zu finden. Ein Vergleich mit der Gebrechenstatistik anderer europäischer Staaten ergiebt, dass Italien ziemlich günstig dasteht, so betrug das Verhältniss auf 100000 Einw. in Preussen z. B. 83,1 Blinde und 101,8 Taubstumme (Census 1880), in Frankreich 83,7 Blinde und 62,6 Taubstumme. Von den Provinzen des Königreiches steht bezüglich der Blindheit am ungünstigsten Sardinien, am günstigsten Venetien da. Taubstummheit kam am verbreitetsten in der Lombardei, am seltensten in der Provinz Emilia vor; dabei war jedoch der grösste Theil der Taubstummen in alpinen Provinzen geboren. Von den 15300 Taubstummen des Census 1881 leben 13413 in ihrer Familie, nahe an 12000 haben nützliche Professionen erlernt. An Idioten und Cretinen ist ebenfalls die Lombardei am reichsten, während die geringste Anzahl auf Apulien fällt; bei der Militärmusterung wurden aber wegen dieses Gebrechens die relativ grösste Anzahl zurückgestellt in Ligurien. Der Cretinismus ist, wie überall am meisten in den bergigen Landestheilen heimisch.

An die Spitze der epidemischen Krankheiten des Jahres 1881, welche L. Colin (47) in einem besonderen Bericht beleuchtet, stellt der Autor den Abdominaltyphus. Paris allein hatte nicht weniger als 2315 Typhustodte zu registriren, und nicht weniger betheiligten sich auch Nancy, Lille und Lyon an den Typhusepidemien des Jahres 1881. Bezüglich der Landbevölkerung hatten besonders die Departements Côtes-du-Nord, Finistère, Meurthe, Nord und Pas-de-Calais den grössten Antheil. Hier findet Colin, dass jedesmal da das Typhoid die relativ meisten Bewohner befiel, wo das engste Zusammenleben stattfand. Als weitere Regel machte sich das starke Befallenwerden der vom Lande frisch nach den Städten Uebergesiedelten bemerkbar. — Die Pocken traten 1881 in 31 Departements epidemisch auf; am schlimmsten wurden die des Nordwestens mitgenommen, da hier mehrfach Epidemien zur Beobachtung gelangten, welche von 100 Kranken 20—35 tödteten. Auffallend häufig waren auch hämorrhagische (schwarze) Pocken. Ein besonderes Studium ist auf den Nachweis der jedesmaligen Importation verwandt worden; vielfach trugen zur Verschleppung der Pocken nach den Provinzen aus Paris zurückkehrende Ammen bei. Nicht ohne Interesse ist was C. bezüglich der Anhäufung von Pockenkranken aus seinen Kriegserfahrungen in Bicêtre mittheilt, wo 1870—71 sich täglich im Durchschnitt 1200—1500 Pockenkranken (total während 6 Monaten mindestens 8000) befanden: Im Gegensatz zu den an Typhuskranken und Verwundeten gemachten Erfahrungen fand infolge dieser Zusammenhäufung eine Aggravation der einzelnen Erkrankungen nicht statt; eine Verbreitung des Ansteckungsstoffes fand trotz der Menge, in welcher er producirt wurde und vorhanden war, stets nur durch „Contamination" (direct oder mittelst Effecten), nicht aber etwa durch die Luft statt; auch die weitesten Transporte übten auf die Pockenkranken keinerlei schädlichen Einfluss aus. — Masern fanden sich in fast allen Departements in epidemischer Verbreitung vor, hatten aber durchgehends eine nur geringe Sterblichkeit. — Dagegen kam dem Scharlachfieber eine sehr viel bedeutendere Wichtigkeit zu; fast alle Grenz-Departements, so Alpes-maritimes, Basses-Alpes, Savoyen, Rhône, Saône-et Loire, Jura, Doubs, Marne, Belfort, Vosges, Meurthe-et-Moselle, Ardenne — waren von ersteren Epidemien heimgesucht. In Paris stieg die Zahl der Scharlachtodesfälle auf 463, in Lyon auf 125; im Uebrigen blieb grade der Südosten von der Krankheit nahezu frei. Bei vielfach auseinanderlaufenden Ansichten über die Aetiologie, kommen die Originalberichte, welche C. benutzte, darin doch überein, dass Scharlach eine der von Saisoneinflüssen unabhängigsten Krankheiten ist. Auf die Nothwendigkeit rechtzeitiger Schulschliessungen und einer systematischen Reconvalescenten-Aufsicht wurde von vielen Seiten hingewiesen. — Ueber Diphtherie-Epidemien wurde aus 32 Departements berichtet; eine bestimmte geographische Prädisposition war nicht zu erkennen. Meistens handelte es sich um sich summirende Hausepidemien. In Hospitälern schien sich die Infection hier und da förmlich eingenistet zu haben. — In 20 Departements trat epidemisch verbreitet der Keuchhusten auf; am schwersten in denen der Bretagne, wo eine Mortalität von 8 pCt. festgestellt wurde. — Schweissfriesel ist beobachtet worden im Dorfe Halloy (Dep. la Somme) und in zwei Dörfern des Dep. Seine-et-Oise, Flins und Aubergerville, deren letzteres auf 500 Einwohner 8, und Flins auf 800 Einwohner 10 (bei 48 Kranken) durch diese seltene Todesart verlor. Bei fast vollkommenem Fehlen von Ruhr bei Erwachsenen forderte das Jahr 1881 in Paris wie in den Provinzen zahlreiche Opfer in Folge von Kinderdurchfällen.

Die allgemeine Einwanderung nach Frankreich ist nach den Uebersichten von Lagneau (49) seit 1851 sehr beträchtlich gestiegen. In diesem Jahre betrug sie 379289 Eingewanderte und 13525 Naturalisirte, während 1881 die Zahl der Ersteren 1001090, die der Naturalisirten nicht weniger als 77046 betrug. Die Steigerung innerhalb der Zwischenjahre unterlag einer ziemlich regelmässigen Progression, in 3—4 Jahren durchschnittlich um 100000 fortschreitend; selbst der 1870ger Krieg hat eine nachhaltige Unterbrechung hierin nicht bewirkt. Belgien liefert das zahlreichste Immigranten-Contingent derart, dass in den vorbezeichneten 30 Jahren eine Verdreifachung von 128103 auf 432265 (1881) eingetreten ist. Demnächst folgt Italien, dessen Einwanderer sich von 63307 des Jahres 1851 auf 240733 verstärkten; die Schweiz: 25485 im erstgenannten, 66281 im Jahre 1881. Aus England kamen 1851: 20357 — 1881: 37006; aus Deutschland 1851: 57061 — 1866: 106606 — 1872: 39361 (ausser den optirenden Elsässern) — 1876: 59028 — 1881: 81986. Indem die spanische Einwanderung 1881 die Zahl von 73981 erreichte, hatte sie sich seit 1851 etwas mehr als verdoppelt. Aus England kommen mehr Frauen; mehr Männer dagegen aus Belgien, Spanien und besonders aus Italien. Die Einwanderung in die einzelnen Departements schwankt in sehr weiten Grenzen: bei 273711 im Dep Nord zählt Dep. de la Lazère nicht mehr als 109 Fremde. Im Süden zeichnet sich das Dep. Ostpyrenäen durch 10960 fremde Bewohner aus. Die Deutschen bevorzugen das Dep. de la Seine (21884), die Engländer ebenfalls: 10519, doch sind letztere auch in Pas-de-Calais, Nord, Seine Inférieure und Basses-Pyrénaeen stark vertreten. — In einem Schlussabschnitt betrachtet L. ausser den politischen, öconomischen und demographischen auch die ethnologischen Folgen der Immigration und kommt zu dem Schluss, dass eine wesentliche Alteration der ethnischen Zusammensetzung durch die deutschen, belgischen, schweizerischen Einwanderer ebenso wenig stattfinde, wie durch die romanischen (Spanier und Italiener).

Soweit Lunier die in seiner Arbeit über das Anwachsen der Geisteskrankheiten in Frankreich (50) verwertheten Zahlen überhaupt als zuverlässig bezeichnen kann, würde sich das Verhältniss der Geisteskranken zur Landesbevölkerung in folgender Tabelle aussprechen. Auf total

Bevölkerung	im Jahre	entfielen Geisteskranke	d. h. auf 10000 Bewohner Geisteskranke	oder auf 1 Geisteskranken Bewohner
33346571	1835	16538	4,96	2016
34230178	1841	18367	5,37	1864
35783170	1851	46357	12,95	772
36139364	1856	59848	16,56	604
37386313	1861	84181	22,52	444
35067064	1866	90709	23,82	402
36102921	1872	87968	24.40	410
36839000	1876	83012	22,50	444

Es hat sich also, nach dem ersten Ansehen der Zahlen zu urtheilen, das Verhältniss der Geisteskranken zur Bevölkerang auf das Fünffache erhöht. — Verf. erklärt das Factum zunächst durch die ungleich exactere Irrenzählung, wie sie seit dem letzten Decennium überall durchgeführt ist. Was den Fortschritt der Vermehrung betrifft, so erfuhr derselbe wesentliche Störungen nur in den Jahren 1850 und 1871. Im ersteren raffte die Cholera eine verhältnissmässig sehr grosse Anzahl der Irrenhausbewohner fort; 1871 fand nicht nur „une grande perturbation dans le service des aliénés" statt, sondern es führte auch der Verlust von Elsass und Lothringen eine unregelmässige Verminderung der Irrenzahl herbei. — Für die im Uebrigen regelmässigen Vermehrungen soll man zur Erklärung noch heranziehen: dass viel weniger schnell als früher das Absterben der in Irrenhäusern Internirten sich vollzieht als in den früheren Jahrzehnten, wo die Irren schlechter gehalten wurden; dass bedeutend mehr Heilungen, bezw. auch Wiederaufnahmen registrirt werden. Die Wichtigkeit des Vergleiches der Zugänge, Abgänge und Todesfälle weist L. zahlenmässig nach. Die „Extinctionen" (wie der gebrauchte sehr bezeichnende Ausdruck lautet) sind an Zahl gegen früher sehr erheblich zurückgegangen. Diese Factoren abgerechnet, muss man allerdings noch zugeben, dass die Zahl der geisteskranken Paralytiker und Alcoholisten sich mehrt, während der Idiotismus und Cretinismus thatsächlich seit einer Reihe von Jahren in der Abnahme begriffen ist.

In Fortsetzung seiner Berichte über die herrschenden Krankheiten in Lyon bespricht Teissier (53) zunächst die zweite Hälfte des Jahres 1883 und ihre Krankheitsconstitution. Mit seinen Mortalitätsziffern: 3963 Todesfälle im Ganzen, 559 Seitens der dominirenden Krankheiten — stellt sich dieser Zeitabschnitt günstiger als der entsprechende des Vorjahres. Sehr zurücktretend waren die Digestionskrankheiten, tödtlicher dagegen traten die der Athmungswege auf. Masern verursachten nur 25, Scharlach nur 5 Todesfälle. Etwas häufiger tödteten Erysipele und Puerperalfieber. Sommercholera verursachte 1881:

115 — 1882: 81 — 1883 nur 54 Sterbefälle. Sein Hauptinteresse concentrirt der Berichterstatter demnach auf die Diphtherie: 38 Todesfälle wurden während des Semesters durch diese Krankheit herbeigeführt, die sich auch in Lyon vollständig eingenistet hat und zuweilen schon eine Mortalität von 74 pCt. aufwies. — Typhoid trat nur vereinzelt und in milden Formen auf bis Mitte August, gleichzeitig mit sehr warmem Wetter, Es erkrankten während des Berichtshalbjahres im Civil 138, es starben 42. In einer synoptischen Tabelle der Ursachen stellt T. folgende Rubra auf: „Logements insalubres; Mauvaise eau potable; Latrines ou fosses mal tenues; Rapport avec l'égout; Contagion directe; Refroidissement; Ennuis, surmenage, misères, maladies antérieurs". Bei grösserer Erkrankungsziffer hatte die Garnison weit günstigere Sterblichkeitsverhältnisse: nur 22 † auf 218 von Typhoid Ergriffenen. — An Pocken erkrankten 203, starben 68; einige local interessante Details über ihre Verschleppung und Verbreitung werden angeschlossen und kartographisch erläutert. — Den Schluss bildet ein Excurs über die auffallend grosse Pockensterblichkeit in den Lyoner Hospitälern. Neben der ungewöhnlichen Quote hämorrhagischer Fälle und der Menge kleiner Kinder, die befallen wurden, dürfte vielleicht eine neuerdings versuchte allzu schematische Therapie hier verantworlich zu machen sein.

Bei einer Bewohnerzahl von 166351, welche Brüssel nach den Zusammenstellungen von Janssens (54) zu Anfang 1883 erreicht hatte, fanden während dieses Jahres 5546 Geburten, hierunter 1403 illegitime statt. Doch waren nicht weniger als 411 dieser illegitimen Kinder von stattfremden Müttern geboren. 334, und zwar 191 m., 143 w. wurden todt geboren. Ausserdem fanden 4064 Todesfälle statt, so dass die Mortalitätsziffer auf 26,4 zu berechnen war. Unter den Todesursachen sind hervorzuheben: Selbstmorde (50), Uteruskrebs (52), Meningealtuberculose (167), Lungentuberculose (891), Typhoid (76), Cerebralapoplexie (238), Krämpfe (200), acute Bronchitis (253), Pneumonie und Pleuropneumonie (498), organische Herzkrankheiten (394), Enteritis und Brechdurchfall (586), Nierenkrankheiten (94), Pocken im Ganzen mit 206 Todesfällen, wovon auf Ungeimpfte 130, auf Geimpfte 75 (1 unbekannt). Die Mortalitätstabellen sind nach verschiedenen Gesichtspunkten (sociale Lage, Sterbemonat, Altersklassen etc.) specificirt.

Für England und Wales, sowie für London speciell sind genaue Pockenzählungen und -Berechnungen für drei Decennien ausgearbeitet worden, welche Makuna (55) wiedergiebt. Auf je eine Million Lebender entfielen Pockentodesfälle:

	In England und Wales			in London		
Während des Decenniums	1851—60	1861—70	1871—80	1851—60	1861—70	1871—80
im Alter unter 5 Jahren	1034	654	526	1296	1158	1133
„ „ von 5—10 „	257	145	283	358	290	579
„ „ „ 10—15 „	73	56	137	99	91	266
„ „ „ 15—20 „	93	85	197	135	143	346
„ „ „ 20—25 „	132	138	299	191	217	469
„ „ „ 25—35 „	93	103	238	121	158	387
„ „ „ 35—45 „	53	74	167	57	119	282
„ „ „ 45—55 „	38	50	111	44	63	182
„ „ „ 55—65 „	24	36	71	13	39	110
„ „ „ 65—75 „	18	26	46	12	36	63
„ „ über 75 „	19	23	35	8	6	58
im allgemeinen Durchschn.	222	163	235	276	302	439

Verf. verwerthet die aus diesen Zahlen zu entnehmenden Vergleiche in dem Sinne, die compulsatorische Impfung auch für England eingeführt zu wissen.

Sorgfältig analysirte Tabellen und Diagramme führen Lehmann (56) zur Aufstellung folgender Schlüsse hinsichtlich der Schwindsuchtssterblichkeit, die für die nördlichen Länder Europas, sowie für die Vereinigten Staaten Nordamerikas gültig sein dürften: Im frühen Kindesalter erreicht die Schwindsuchtssterblichkeit eine gewisse Höhe unter dem Einflusse der geringeren Widerstandskraft der kleinen Kinder, ihres eingeschlossenen Lebens, mangelhafter und unpassender Nahrung, sowie solcher Krankheiten, die für die Tuberculose disponiren. Danach nimmt die Sterblichkeit in der Regel ab bis zu einem Minimum, welches zwischen 5 und 10 oder 10 und 15 Jahren liegt, fängt aber wieder an zu steigen unter dem Einflusse der Pubertätsentwickelung und dann namentlich unter den Mädchen, die in diesem Alter in einer doppelt so grossen Anzahl an Lungenschwindsucht sterben als die Knaben. Im weiteren Verlauf des Lebens wird diese Zunahme der Schwindsuchtssterblichkeit namentlich unter dem Einflusse des Kampfes ums Dasein und aller damit mehr oder weniger in Verbindung stehenden Schädlichkeiten immer mehr ausgesprochen, was wenigstens zum Theil in einer stetigen Entstehung neuer Fälle von Lungenschwindsucht bedingt ist. Dabei kehrt das Verhältniss zwischen den beiden Geschlechtern sich um, so dass die Sterblichkeit jetzt viel grösser wird unter den Männern als unter den Frauen.

[Nach Schleisner (56a) wurden im Jahre 1883 in Kopenhagen (von durchnittlich 204 Aerzten wöchentlich) 39.221 epidemische Krankheitsfälle, d. i. 149 für je 1000 Einwohner, angemeldet (die Zahl der Einwohner in der Mitte des Jahres zu 262500 angesetzt). Die epidemische Morbidität war also verhältnissmässig gering; die Stadt wurde nicht von grösseren Epidemien heimgesucht, mit Ausnahme des Keuchhustens, von welcher Krankheit bedeutend mehr Fälle als in irgend einem der vorhergehenden 30 Jahre angemeldet wurden. Auch die Sterblichkeit war gering, und das Jahr war also in sanitärer Beziehung sehr günstig.

Angemeldet wurden von Pocken 9 Fälle (von diesen waren jedoch nur 2 in der Stadt entstanden, 7 aber mit Schiffen zugeführt), von Windpocken 1050 Fälle, von Scharlach 721 (im Verlaufe des Jahres abnehmend von 111 Fällen im Januar bis 26 im December); von Diphtherie 579 Fälle, Croup 131, Keuchhusten 2534; diese letzte Krankheit, die seit dem Jahre 1879 als Epidemie geherrscht hatte, hatte beim Ende des Jahres 1882 stärker zugenommen, culminirte im März 1883, nahm darnach ab, hielt sich aber noch am Ende des Jahres epidemisch. Ferner sind angemeldet von Parotitis epidemica 949 Fälle, von gastrischem Fieber (Fb. continua simplex) und Typhoid resp. 1413 und 445 Fälle, von Cholerine und acuter Diarrhöe 7166 Fälle, von denen 1871 bei Kindern im ersten Lebensjahre vorkamen Weder asiatische Cholera noch Flecktyphus zeigten sich im Jahre 1883. — Von Ruhr wurden 19 sporadische Fälle, von Wanderrose 1041 Fälle, von Kindbettfieber 97, von Intermittens 153, von Influenza 279, von Bronchialcatrrrh 12761, von Lungenentzündung 2156, von Halsentzündung 5911, von acutem Gelenkrheumatismus 1326 Fälle angemeldet; ferner von den venerischen Krankheiten 5947 Fälle von Gonorrhoe, 1329 von venerischen Geschwüren und 1182 von constit. Syphilis, darunter resp. 269, 78 und 36 in der Garnison und resp. 82, 22 und 18 auf der Rhede. Bei Kindern im ersten Lebensjahre fanden sich 93 Fälle von constit. Syphilis, davon 82 angeborene, nebst 22 Fällen von Gonorrhoe. Die Zahl der öffentlichen Dirnen war am Ende des Jahres 465. Von Krätze wurden 1006, von Säuferwahnsinn 300 und von chron. Alcoholismus 305 Fälle angemeldet.

Die Zahl der in Kopenhagen im Jahre 1883 Gestorbenen war 5777 (ausser 293 Todtgeborenen), die Zahl der Lebendgeborenen 9822. Im ersten Lebensjahre starben 2030, d. h. 20,76 pCt. der im Laufe des Jahres Lebendgeborenen (in den letzten 10 Jahren durchschnittlich 22,35 pCt.); von diesen wurden 676, d. h. 33,10 pCt. sämmtlicher im ersten Lebensjahre Gestorbenen, als ausserehelich geboren angegeben. Im Verhältniss zur Zahl der Einwohner war der Mortalitätsquotient 22,00 p. M. (in 1882 24,76 p. M., in den Jahren 1870—83 durchschnittlich 24,16 p. M. des Jahres.

Nach den Mortalitätstabellen hatten die epidemischen Krankheiten folgende Todtenziffern (welche sich nicht direct mit den obengenannten Zahlen der Krankenfälle vergleichen lassen, da die Todesursachen aller Gestorbenen in die amtlichen Mortalitätstabellen einregistrirt werden, nicht aber alle Krankenfälle zur Kenntniss der Aerzte kommen und also angemeldet werden): Masern 2, Scharlach 26, Diphtherie 48, Croup 56, Keuchhusten 198, Typhoid 46, Ruhr 2, Cholerine und acute Diarrhoe 380 (bei Kindern im ersten Lebensjahre 340, davon 138 bei ausserehelich geborenen), Wanderrose 38, Kindbettfieber 31, Pyämie 25, Intermittens 1, Influenza 1, acuter Gelenkrheumatismus 12, andere epidemische Krankheiten 10, zusammen 876; ausserdem starben an acuten Brustkrankheiten 612, nämlich an Lungenentzündung 323, Brustfellentzündung 24, acuter Bronchitis 76, capill. Bronchitis und catarrh. Lungenentzündung 189 (davon resp. 77, 3, 43 und 128 Kinder im ersten Lebensjahre). Von chron. Alcoholismus sind 11, von Säuferwahnsinn 35 und von plötzlichem Tode am Trunke 7 Todesfälle aufgeführt. Von den übrigen Todesursachen sind hervorzuheben: Lungenschwindsucht 699, andere tuberculösen Krankheiten 198, Krebs 310, Hirnentzündung 201, Gehirnapoplexie 98, organ. Herzkrankheiten 253, Bright'sche Krankheit 119, Selbstmord 67, Unglücksfälle 94, Atrophie der Kinder 402 und Altersschwäche 88.

Im Jahresberichte wird ausserdem eine Uebersicht über die Verbreitung des Scharlachs in Kopenhagen in den letzten 21 Jahren gegeben, in welchem Zeitraume diese Krankheit in 14½ Jahren epidemisch und nur in 6½ Jahren sporadisch sich gezeigt hat, und zwar so, dass sein epidemisches Auftreten durch mehr sporadische Zwischenräume in 4 besondere Epidemien sich trennen lässt. Im Ganzen wurden während dieser Zeit 20367 Krankenfälle gemeldet (ausser denen gewiss viele leichtere, nicht ärztlich behandelte Fälle vorgekommen sind); auf den Mortalitätstabellen sind 1965 Todesfälle an dieser Krankheit aufgeführt.

Im Anschluss an eine andere statistische Arbeit über die Kindersterblichkeit in den verschiedenen Schichten der Gesellschaft in Dänemark, theilt Sörensen (56b) eine Reihe von Untersuchungen über die Sterblichkeit der Personen über 20 Jahr mit. Die hier vorliegende erste Abtheilung dieser Untersuchungen umfasst Kopenhagen, und den Stoff dazu liefern die Todtenscheine aus dem Decennium 1865 bis 1874 nebst den Volkszählungslisten für 1870, indem der Verf. davon ausgeht, dass die Einwohnerzahl dieses Jahres der durchschnittlichen jährlichen Einwohnerzahl in dem erwähnten Decennium ungefähr gleich zu setzen ist. Um die Sterblichkeit der verschiedenen Schichten der Gesellschaft untersuchen zu können, hat der Verf. die Bevölkerung nach dem Vermögen in 3 Klassen eingetheilt: I. Handwerks- und Fabrikarbeiter, Tagelöhner und Arbeitsleute, Gesinde, Näherinnen, Armenhäusler u. s. w. II. Subalterne Beamte und Bedienstete, Comptoiristen, Handwerksmeister, Krämer u. s. w. III. Andere Beamte, Männer der Wissenschaft und Kunst, Aerzte, Anwälte, Kaufleute u. s. w. — Von den Resultaten des Verf. lassen sich nur die wichtigsten hervorheben.

Kopenhagens Einwohnerzahl betrug nach der Volkszählung von 1870 : 181291, von denen 110505 das 20jährige Alter erreicht hatten; von diesen gehörten 60120 der Gruppe I., 32638 der Gruppe II. und 17749 der Gruppe III. an. Von 1865—1874 trafen 20347 Sterbefälle bei Personen von 20 Jahren und darüber ein, in den Gruppen I., II. und III. bezugsweise 12282, 5430 und 3135. Durch eine vergleichende Untersuchung der Sterblichkeitsverhältnisse der 3 Vermögensgruppen in Betreff der beiden Geschlechter und der verschiedenen (hauptsächlich 10jährigen) Altersklassen hat der Verf. gefunden, dass in Gruppe I. die Sterblichkeitsziffer fast sämmtlicher Altersklassen beiderlei Geschlechts grösser als die der beiden andern Gruppen ist, während eine Vergleichung der beiden letzteren ergab, dass in Gruppe II. nur die Männer eine entschieden grösse Sterblichkeit als in III. aufzuweisen hatten. (S. die nachstehende Tabelle.)

Von 1000 Lebenden starben jährlich:

im Alter von	Männer			Frauen		
	Gruppe I.	Gruppe II.	Gruppe III.	Gruppe I.	Gruppe II.	Gruppe III.
20—25 J.	7,9	7,6	4,0	7,2	5,9	4,4
25—35 „	9,6	7.3	5,8	7,7	6,6	8,0
35—45 „	19,1	10,2	9,2	13,4	8,4	7,8
45—55 „	35,6	17,3	15,9	20,4	9,7	10,4
55—65 „	64,2	36,5	31,2	38,0	16,3	17,4
65—75 „	106,0	72,5	56,5	77,1	38,5	43,3
75 J. und darüber	207,1	173,1	139,3	192,7	98,2	120,3

Rücksichtlich der beiden Geschlechter ergab sich in allen 3 Gruppen ein bedeutendes Uebergewicht der Sterblichkeit auf Seiten der Männer vom circa 45. bis ca. 65. Lebensjahre; in den jüngeren und älteren Altersklassen war das Uebergewicht geringer oder unentschieden; die Ursache der überwiegenden Sterblichkeiten der Männer in der erwähnten Periode sucht der Verf. theils in der Beschäftigungsweise, theils in dem überreizten Leben, welches die Männer oft führen, während die Ausgleichung des Sterblichkeitsverhältnisses in den jüngeren Altersklassen des weiblichen Geschlechts seiner Ansicht nach den Gefahren, denen Schwangerschaft, Geburt und Kinderpflege dasselbe aussetzen, entspringt.

Bei der Untersuchung der relativen Häufigkeit der Todesursachen in den verschiedenen Schichten der Gesellschaft, der beiderlei Geschlechter und der verschiedenen Altersklassen hat der Verf., um nicht mit zu kleinen Zahlen zu rechnen, die Todesursachen in 6 Gruppen gesammelt, obwohl er einräumt, dass die Untersuchung dadurch an hygienischem Interesse bedeutend verliert. Was die Tuberculose (sowohl die der Lungen wie anderer Organe) betrifft, ist er, wie Jul. Lehmann, zu dem Resultate gelangt, dass die Sterblichkeit mit dem Alter zunimmt, bei den Männern namentlich von dem 45. bis zum 65. Jahre, beim weiblichen Geschlechte namentlich vom 20. bis zum 45. Jahre, und dass die Sterblichkeit der Männer im Ganzen die der Frauen übertrifft. Im Verhältniss zu der Gesammtsterbeziffer der einzelnen Altersklassen war hingegen die Sterblichkeit durch Tuberculose viel grösser in dem früheren als in dem späteren Alter. In Betreff der beiden Geschlechter war die Sterblichkeit durch Tuberculose in Gruppe I. weit grösser als in den beiden anderen Gruppen: namentlich in jener trat die mit dem Alter zunehmende Sterblichkejt hervor. Auch bei anderen Krankheiten der Luftwege war die Sterblichkeit weit grösser in Gruppe I. als in den beiden anderen Gruppen, und eben diese zwei Arten von Krankheiten scheinen vorzugsweise die bedeutend grössere Sterblichkeit der Arbeiterklasse im Vergleich zu den übrigen Schichten der Bevölkerung zu bewirken; die anderen Krankheitsklassen hatten keinen oder doch nur einen verschwindenden Einfluss auf den Unterschied der Sterblichkeit der verschiedenen Schichten der Bevölkerung. Von specielleren Todesursachen hat der Verf. Säuferkrankheiten, Selbstmord und Unglücksfälle untersucht und eine zunehmende Sterblichkeit von den höheren zu den niedrigeren Ständen gefunden; in Betreff der zuerst genannten Krankheiten bei beiden Geschlechtern, rücksichtlich der beiden zuletzt genannten Todesursachen wesentlich nur bei dem männlichen Geschlechte.

Um die Sterblichkeit bei den verschiedenen Erwerbszweigen zu bestimmen, hat der Verf. diese in 18 Gruppen zusammengestellt und bei jeder einzelnen die Sterblichkeit mit der durchschnittlichen der entsprechenden grösseren Gruppen verglichen. Eine geringere Sterblichkeit als die durchschnittliche fand sich bei Bäckern und Conditoren, Schuhmachern, Zimmerleuten nebst Kahn- und Schiffbauern und namentlich bei Dienstboten, sowohl den männlichen wie den weiblichen. Eine grössere Sterblichkeit als die durchschnittliche fand sich bei Buchbindern und Buchdruckern, den mit der Tabaksindustrie Beschäftigten, Tagelöhnern, den Wirthen u. A., während die Sterblichkeit der Sattler und Tapezierer, der Schneider, der Maler und Lackirer, der Schmiede, Eisengiesser und Maschinenbauer, der Maurer, Tischler und einiger anderen ungefähr die durchschnittliche oder unentschieden war. — Von den einzelnen Todesursachen hat der Verf. namentlich das Verhältniss der Tuberculose zur Sterblichkeit in den verschiedenen Erwerbszweigen untersucht und dabei eine grössere Sterblichkeiten als die durchschnittliche bei Schneidern, Buchbindern und Buchdruckern, Handelscomptoiristen und besonders bei den mit der Tabaksindustrie Beschäftigten gefunden, während eine geringere Sterblichkeit durch Tuberculose als die durchschnittliche sich bei Bäckern und Conditoren, Zimmerleuten sammt Kahnbauern und Schiffbauern und namentlich beim Gesinde, sowohl dem männlichen als dem weiblichen, vorfand.

Levy (56c) giebt eine statistische Untersuchung über die Sterblichkeit der Kinder, die im Zeitraume 1870—1878 von der Gebär- und Pflegestiftung zu Kopenhagen mit Unterstützung derselben ausgingen. im 1. Lebensjahre.

Die ganze Anzahl betrug 3015, von denen 1212 im ersten Lebensjahre starben; diese Kinder zerfallen in 2 scharf gesonderte Classen; diejenigen, welche die Stiftung gegen Ausbezahlung einer gewissen Summe in Pflege unterbringt und für die sie bis zu ihrem 14. Lebensjahre sorgt, und diejenigen, für die nichts bezahlt wird, die die Mutter selbst bei der Entlassung übernimmt und für welche sie selbst sorgen muss, indem sie jedoch eine Zeitlang (1 Jahr hindurch) eine kleine wöchentliche Unterstützung empfängt; diese letzteren Kinder werden gewöhnlich von der Mutter in Pflege gesetzt, zwar unter einiger Controlle von Seiten der Stiftung, aber doch unter viel ungünstigeren Verhältnissen als die von der Stiftung selbst untergebrachten Kinder. Zur ersten Classe der Kinder gehörten 292, von denen im 1. Lebensjahre 61, d. h 20,89 pCt. starben; zur 2. 2723, von denen im 1. Lebensjahre 1151, d. h. 42,31 pCt. also mehr als doppelt so viele wie in der ersten Classe starben. In den einzelnen Jahren des erwähnten Zeitraums variirte die Sterblichkeit der Kinder in der zweiten Classe von 33,63 bis 50,84 pCt. Ein wesentlicher Grund des Sterblichkeitsunterschiedes liegt darin, dass die Kinder erster Classe ohne Ausnahme wenigstens 3 Monate hindurch gesäugt wurden, bevor sie in Pflege gesetzt wurden; in diesen Zeitraum fallen bei diesen letzteren nur 13,12 pCt. sämmtlicher Todesfälle im ersten Lebensjahre; während von den Todesfällen der Kinder zweiter Classe 45,29 pCt. in den 3 ersten Monaten eintrafen. Der Verf. bemerkt, dass, wenn die Sterblichkeit unter den Kindern, die doch einiger Controle unterworfen sind, so bedeutend ist, man annehmen muss, dass dieselbe unter den völlig uncontrollirten Pflegekindern noch grösser ist: zu einer Beurtheilung hiervon fehlt es aber an statistischem Material.

Als Ursachen der grossen Sterblichkeit der Pflegekinder führt der Verf. zunächst ihre unzweckmässige und ungenügende Ernährung an, die Unwissenheit der Pflegemütter in den Anfangsgründen der Kinderpflege, den gewöhnlichen Mangel der Wohnungen an Licht und Luft, sammt in nicht wenigen Fällen absichtliche Vernachlässigung und Misshandlung der Kinder, deren Leben sowohl den Müttern wie den Pflegemüttern oft eine Last ist. Als Mittel diesem Uebel abzuhelfen nennt der Verf. eine sorgfältige Wahl der Pflegeeltern und des Pflegeortes (Beschaffenheit der Wohnungen), die Verbreitung von Kenntnissen über die Pflege zarter Kinder (durch gedruckte Anweisungen), leichten Zutritt zu unentgeltlicher ärztlicher Hilfe und bestimmte Verpflichtungen für die Pflegemütter in Krankheitsfällen zu rechter Zeit sachkundige Hilfe aufzusuchen, und namentlich eine fortwährende Beaufsichtigung der Pflegeeltern öffentlicherseits, indem es Niemand ohne eine von der betreffenden Behörde gegebene Erlaubniss gestattet werde, für Bezahlung Kinder in Pflege zu nehmen.

Störensen (56d) theilt eine Vergleichung zwischen der Sterblichkeit der unehelichen Kinder in Kopenhagen und der ausserhalb dieser Stadt für den Zeitraum von 1850—79 mit. Die Untersuchung in Betreff Kopenhagens umfasst nur einen Theil dieser Stadt, Christianshafen, wo verhältnissmässig eine grosse Menge armer Familien wohnt. Während in Kopenhagen in dem erwähnten Zeitraume von 1000 unehelichen Knaben 446, von 1000 unehelichen Mädchen 404 starben, waren die entsprechenden Zahlen für 7 kleinere Provinzstädte zusammen bezw. 189 und 171 und für 25 Dorfgemeinden zusammen bezw. 169 und 142. Die bedeutend geringere Sterblichkeit der unehelichen Kinder ausserhalb als innerhalb der Hauptstadt ist gewiss zum Theil in der durchschnittlich geringeren Kindersterblichkeit überhaupt in den kleineren Provinzstädten und auf dem Lande begründet; dies ist aber doch schwerlich der einzige Grund, indem auch im Verhältniss zu den ehelichen Kindern die unehelichen eine bedeutend geringere Sterblichkeit ausserhalb als in Kopenhagen aufzuweisen haben. Als mögliche Ursachen hierzu erwähnt der Verf. die in der Regel bessere Pflege der Kinder ausserhalb Kopenhagens, wo dieselben oft bei den Eltern der Mütter untergebracht werden, ferner das seltene Auftreten von hereditärer Syphilis in den Provinzen.

Die Sterblichkeit der schwedischen Städte (56e) war im Jahre 1882: 21,7 p.M.; unter den grösseren Städten hatte Stockholm eine Sterblichkeit von 23,3, Göteborg von 19,7, Malmö von 31,4. Die Ziffer der Geborenen und der Gestorbenen sämmtlicher Städte verhielten sich wie 152 : 100, die der Haupt stadt Stockholm wie 135 : 100. Die Todesfälle des ersten Lebensjahres betrugen 25,3 pCt. sämmtlicher Todesfälle und 16,7 pCt. der Zahl der Geborenen (in Stockholm resp. 28,6 und 20,0 pCt.). Die Sterblichkeit der Männer = 23 p M., die der Frauen = 18,7 p.M. Die Todesfälle an Infectionskrankheiten betrugen 14 pCt. sämmtlicher Todesfälle; eine Steigerung gegen das Vorjahr zeigten besonders Dysenterie (406 gegen 99), Typhoid (279 gegen 190), ferner Masern und Pocken; eine Verminderung dagegen Keuchhusten und Diphtherie. Von den übrigen Todesursachen gab Lungenschwindsucht 13,9 pCt., acute Pneumonie und Pleuritis 9,6 pCt. sämmtlicher Todesfälle; von Selbstmord sind 135, von Mord 16 Fälle angeführt. — Die Häufigkeit der Infectionskrankheiten des ganzen Landes ist grösser als im Vorjahre gewesen. Eine Zunahme zeigten Flecktyphus, Typhoid und gastrisches Fieber, Diphtherie, Dysenterie und Diarrhoe, sammt epidemischer Parotitis und Masern; eine Abnahme Pocken, contagiöse Ophthalmie und in geringerem Grade Scharlach. — Die Zahl der Krankenhäuser und anderen civilen Krankenpflegeanstalten war 115 mit 6262 Betten, d. i. ein Krankenbett auf je 731 Einwohner. In den Gebärstiftungen wurden 2417 Wöchnerinnen gepflegt; von Kindbettfieber trafen 20 Fälle, davon 5 mit tödtlichem Ausgange, ein. Die Zahl der Brunnen- und Badeanstalten betrug 27, von denen Ronneby und Medevi die am meisten besuchten waren (resp. 1719 und 1204 Curgäste; die Zahl der Curgäste sämmtlicher Anstalten war 12592). Der Gesundheitszustand der Gefängnisse wird als „ganz gut“ bezeichnet; Scorbut kam nur in 23 Fällen vor; dagegen waren Magen- und Darmcatarrh sammt Diarrhoe sehr häufig und gaben etwa $^1/_3$ aller angemeldeten Krankheitsfälle. — Die Zahl der Aerzte war

572, durchschnittlich 1 auf je 8005 Einwohner; in Stockholm fanden sich 114 (1 auf je 1625 Einwohner). Im Laufe des Jahres starben 22 Aerzte, während 30 die ärztlichen Prüfungen vollendeten. Die Zahl der Hebammen war 2318 (1 auf je 1018 der weiblichen Bevölkerung des Reichs), der Apotheker 239, der Thierärzte 182. Die Zahl der Geimpften betrug 81 pCt. der im Vorjahre lebend Geborenen. — Von 102 gerichtsärztlich untersuchten Selbstmorden wurden 32 durch Erhängen vollführt, 25 durch Gift, 18 durch Früchte abtreibende Mittel, 12 durch Schiesswaffen, 8 durch Ertränken und 7 durch schneidende oder stechende Geräthe. Mord und Todtschlag gaben 58 Todesfälle (53 bei Männern, 5 bei Frauen); von diesen geschahen 47 durch gewaltsame Misshandlung, 6 durch Schiesswaffen, 3 durch Erdrosseln, 1 durch Gift und 1 durch fehlerhafte Geburtshülfe. 18, sämmtlich Männer, starben plötzlich nach dem Genuss starker Getränke. Kindesmord wurde 70 Mal verübt, 25 Mal durch Erdrosseln, 15 Mal durch Mangel an Pflege, 7 Mal durch Ertränken.

Die Zahl der Einwohner Stockholms hatte nach Linroth (56 f.) im Jahre 1882 einen Zuwachs von 7531 und betrug am Ende des Jahres 181732, von denen 44,6 pCt. männlichen, 55,4 pCt. weiblichen Geschlechts waren. Die Zahl der Lebendgeborenen war 5894 (d. i. 33,84 auf je 1000 Einwohner), von denen 1775 ausser Ehe geboren waren; die Zahl der Gestorbenen war 4171, die Sterblichkeit, für die mittlere Einwohnerzahl des Jahres berechnet, war 23,9 p. M. An Infectionskrankheiten starben 431, davon 122 an Diphtherie, 95 an Scharlach und 66 an Typhoid; von letztgenannter Krankheit kam im Herbst eine beschränkte Epidemie in der Stadt vor. Unter den epidemischen Krankheiten traten noch Masern und Keuchhusten recht häufig auf. An Krankheiten der Athmungsorgane starben 1341, davon 588 an Lungenschwindsucht und 446 an acuter Pneumonie. Die Krankheiten der Verdauungsorgane gaben 855 Todesfälle, davon die diarrhoischen Krankheiten 737; von diesen letzteren fielen auf die Altersklasse 0—1 Jahr 611, deren 430 in den 3 Monaten Juli-September eintrafen. Sämmtliche Todesfälle der Kinder im ersten Lebensjahre betrugen 1192 und in den 5 ersten Lebensjahren 1720 (resp. 28.57 pCt. und 41,23 pCt. der Todesfälle aller Altersklassen).

Das Mortalitätsprocent der Kinder im ersten Lebensjahre, aus der mittleren Zahl der im Jahre 1882 und im Vorjahre Geborenen berechnet, war 21,28 (in 1881: 19,13 und in 1880: 24,8). — Die Zahl der von den städtischen Vaccinatoren Geimpften war 3886. Die Zahl der zur Besichtigung verpflichteten prostituirten Weiber am Ende des Jahres 413.

Das Jahr war durch eine ungewöhnlich hohe mittlere Temperatur, + 6,49 °C., die höchste der letzten 12 Jahre, und durch einen bedeutenden Niederschlag, 537 mm, ausgezeichnet. Vom Monate August bis zur Mitte des Monats October war der Wasserstand des Mälar-Sees stetig sinkend.

Ueber die Wirksamkeit der Sanitätspolizei giebt der Bericht mehrere detaillirte Aufschlüsse, besonders über die Beaufsichtigung der Lebensmittel, der gesundheitswidrigen Gewerbe, der Reinhaltung der Höfe und Ställe, der Abfuhr u. s. w. Die hygienischen Verhältnisse der Schulen wurden einer eingehenden Untersuchung unterworfen. Bei den Fleischbeschau-Bureaus wurden 29668 ganze Schweine, 1852 halbe Schweine und 10649 kleinere Stücke untersucht, unter denen resp. 19,3 und 7 trichinenhaltig gefunden wurden. Die Zufuhr des amerikanischen Speckes betrug nur das Viertel derjenigen des Vorjahres. Der Wasserverbrauch pro Tag und Kopf war im Februar am geringsten = 45,7 l, im August am grössten = 83,6 l. Ein vollständiger Entwurf betreffend die Ordnung der Reinhaltung der Stadt, besonders die Regulirung des Tonnensystems und die Verbesserung der Siele, ist von einem Comité ausgearbeitet; ein anderes Comité hat einen Vorschlag zur Einrichtung eines öffentlichen Schlachthauses in Verbindung mit einem Marktplatze für Viehhandel gestellt.

Joh. Møller (Kopenhagen).]

In seinem ersten Hauptabschnitt bringt der jüngste Bericht des Russischen Medicinal-Departements (57) die Mittheilungen über den Gesundheitszustand der Bevölkerung. Aus der diesem Capitel beigefügten Tabelle geht hervor, dass die mittlere Sterblichkeit im Jahre 1880 bei einer Bevölkerung von ca. 85 Millionen 3,4 pCt. (2,545,811 Todesfälle), die Zahl der Geburten aber 4,7 pCt. (3.463,444 Geburten) betrug. Regelrechte Sterblichkeitsregister wurden, wie der Bericht hervorhebt, in den beiden Residenzen und in den Städten Kijew, Odessa, Grodno und Kostroma geführt. In St. Petersburg kamen im Jahre bei einer Einwohnerzahl von beinahe 700,000 — 31,198 Sterbefälle (excl. 1.287 Todtgeborene) vor und betrug die durchschnittliche Sterblichkeit für das Berichtsjahr 44,4 p. M. der Einwohnerzahl. Unter den Verstorbenen waren 10,509 Kinder unter 5 Jahren (7,096 unter einem Jahre), 2,066 standen im Alter von 60—69 Jahren, 1,252 im Alter von 70 bis 79 Jahren und 472 waren 80 Jahr und älter geworden. Die häufigste Todesursache bildeten Krankheiten der Athmungsorgane und zwar Lungenschwindsucht in 4,916 und acute Entzündungen der Athmungsorgane in 3,722 Fällen, sodann folgen Gastro-intestinal-Krankheiten in 4,762, Typhus in 4,273, Entzündungen des Gehirns und seiner Häute in 1,296, Gehirnapoplexie in 617, Diphtherie in 364 Fällen u. s. w. Selbstmorde kamen 121 und Morde 7 vor. — In Moskau starben von den ca. 602,000 Einwohnern im Berichtsjahre 24,790 (excl. 1 045 Todtgeborene) d. i. 41,1 p. M. Wie im Jahre 1879, kommt fast die Hälfte aller Todesfälle, nämlich 11,766 auf Kinder unter 5 Jahren. Von 1000 Einwohnern männlichen Geschlechts starben, 39,2 von ebenso viel weiblichen Geschlechts 44,9, von 1000 Kindern unter 5 Jahren 348,94. In den Säuglingsabtheilungen des Moskauer Findelhauses starben allein 3,308 Kinder,

d. i. 280,2 p. M. — Die Zahl der an den Pocken erkrankten war im Jahre 1880 wiederum grösser als in den vorhergehenden 5 Jahren. die Sterblichkeit jedoch eine geringere, als in den 3 vorhergehenden Jahren. Es starben von 91.442 Erkrankten 22.053 d. i. 24,1 pCt., während 1879 bei 89.156 Erkrankungen 25.574 Sterbefälle, also 28.4 pCt. vorkamen. Die Pocken waren mit Ausnahme des Irkutskischen Gouvernements über alle Gouvernements verbreitet, namentlich herrschten sie in den südlichen, westlichen und nordwestlichen Gouvernements. In St. Petersburg kamen nur 182 Todesfälle an Pocken vor, während im Jahre 1879 in St. Petersburg an den Pocken 1180 Personen starben. — Die Gesammtzahl der Scharlachkranken im Reiche betrug 23,400 von denen 4.796, also 21,2 pCt., starben. Am meisten hatten die Gouverments Liv- und Kurland, Warschau, die Stadt Moskau u. s. w. vom Scharlach zu leiden, namentlich aber die Stadt Riga, wo die meisten Erkrankungen vorkamen. Es starben in Livland von 2,266 Erkrankten 303 (13,3 pCt.), in Moskau kamen auf 1.956 Erkrankungen 338 Todesfälle (17.2 pCt.), in Kurland starben von 761 Erkrankten 63. In St. Petersburg starben von 683 Erkrankten 125 Personen (18,3 pCt.) an Scharlach. — Die Diphtherie breitet sich, wie aus den Berichten für die vorhergehenden Jahre zu ersehen, immer noch weiter aus, doch ist das Sterblichkeitsprocent geringer geworden:

Im Jahre	erkrankten	starben	pCt.
1878	63 613	23 412	39,9
1879	83 275	38 815	40,2
1880	124 197	44 428	35,7

Am ärgsten wüthete die Epidemie im Poltawaschen Gouvernement. wo 20643 Personen erkrankten und 8071 Personen starben, sowie im Charkowschen Gouvernement, wo von 18277 Erkrankten 7200 starben und im Podolischen, wo bei 15414 Erkrankungen 4319 Todesfälle vorkamen, nächstdem im Kurskschen (10240 — 3964), Jekaterinoslawschen (gegen 10000 — 3688), Woroneshschen (8528 — 2717), Kijewschen (8250 — 2949), Tschernigowschen (4523 — 2191). — Die Zahl der an den Masern Erkrankten und Gestorbenen war im Berichtsjahre geringer. als in den beiden vorhergehenden Jahren. Im Ganzen starben von 19183 Erkrankten 1902, d. i. 9,9 pCt. Die meisten Erkrankungen kamen in Moskau (2610 mit 283 Todesfällen), in St. Petersburg (1569 mit 153 Todesfällen) vor. — An Keuchhusten starben von 14731 Erkrankten 1168, d. i. 7,7 pCt. Die grösste Zahl der Erkrankungen fällt auf das Gouvernement Charkow; es erkrankten dort 2701 und starben 257, d. i. 9.5 pCt. — Der Typhus weist auch in diesem Berichtsjahre eine sehr bedeutende Zunahme gegen die beiden vorhergehenden Jahre auf und ist das Mortalitätsprocent um 3,4 höher, als im Jahre vorher. — Am Typhus erkrankten

i. J. 1878 85 050 und starben 9 568 (11,2 pCt.);
„ „ 1879 89 251 „ „ 8 694 (9,7 „);
„ „ 1880 121 715 „ „ 15 974 (13,1 „).

Die meisten Erkrankungen am Typhus, fast 3 Mal so viel als im vorhergehenden Jahre, kamen in St. Petersburg (28000 — im Jahre 1879 — 10000) vor, sodann im Charkowschen Gouvernement (6715). im Wjatkaschen Gouvernement (5910). im Petersburger Gouvernement (5215). im Kiewschen Gouvernement (4009). im Ssimbirskischen Gouvernement (3528), in Odessa (3204) u. s. w. Die grösste Zahl der Erkrankungen kommt auf den Abdominaltyphus (mit 10,4 pCt. Mortalität), dann folgt der Flecktyphus (mit 10.5 pCt. Mortalität) und die wenigsten Erkrankungen kamen an Recurrens (mit 9 8 pCt. Mortalität vor. In St. Petersburg starben am Typhus 4273 Personen. im Gouvernement Petersburg 356. im Gouvernement Wjatka 555, im Gouvernement Charkow 502. Livland weist auch im Jahre 1880 eine grosse Zahl an Typhuskranken auf (1914 mit 154 Todesfällen); von Recurrens kamen nur 7 Fälle dort vor. — Die Dysenterie weist eine bedeutende Zunahme gegen früher auf; es starben von 44496 Kranken 7057. also 15,8 pCt. Am stärksten herrschste sie im Wologdaschen Gouvernement und zwar epidemisch in 6 Kreisen desselben (bei 4282 Erkrankungen 901 Todesfälle). In Livland, wo die Dysenterie im Jahre 1879 besonders stark. namentlich im Werroschen Kreise, grassirte, konnte eine Abnahme derselben constatirt werden. Von 1807 Erkrankten starben dort 223: im Dorpatschen Kreise, wo sie epidemisch auftrat, kamen bei 675 Erkrankungen 121 Todesfälle vor.

Die Arbeiten über den Alcoholismus in St. Petersburg von Nikolajew (58) und Bary (59) ergänzen sich insofern, als der Erstere unter dem soeben gebrauchten Namen die 5396 Fälle von Delirium tremens, periodischer Trunksucht, acutem und chronischem Alcoholismus aus den 5 grössten Civilspitälern der Stadt verwerthet. während Bary's Zusammenstellungen aus dem Material an diesen Affectionen, welches im Zeitraum von 30 Jahren dem Magdalenenhospital zufloss. gebildet sind: 1652 Fälle. Jene zuerst von Robertson an englischem Material demonstrirte Thatsache, dass keineswegs während der kalten Tage, sondern im Gegentheil während der Monate Juli und August der grösste Consum der Alcoholica stattfindet oder wenigstens doch die augenfälligsten Folgen hat, zeigte sich auch hier. So vertheilte sich die Gesammtzahl auf die Monate:

	I.	II.	III.	IV.	V.	VI.	VII.	VIII.	IX.	X.	XI.	XII.
bei Nikolajew mit	382	282	338	494	558	556	567	659	461	385	389	379
bei Bary mit	145	97	107	142	132	125	152	195	175	129	138	115

Der letztere Autor erklärt dieses Sommermaximum des Schnapsunfuges dadurch. dass die Arbeiterklasse während des Sommers mehr Erwerb hat und die hellen warmen Tage mehr zu Excessen anregen. — Aber auch für die verschiedenen Jahre sind die Schwankungen sehr bedeutend, was nach Bary's Analyse durch social-politische Umstände bedingt wird. Bis 1856 war, da Leibeigenschaft, Cholera, Krimkrieg dämpfend wirkten, der Alcoholismus gering. Dann unter dem Einfluss des Friedens, Besserung der Finanzverhältnisse eine mässige, nach Aufhebung der Leibeigenschaft und Entwicklung des Fabrikwesens starke Steigerung. Febris recurrens, Cholera bewirken bis 1867 eine Abnahme, von da ab tritt bei gutem Handel und reger Fabrikthätigkeit wieder ein Anwachsen ein. (Der Modus des Schnapsverkaufes und der Besteuerung sollte doch nicht unberücksichtigt bleiben. Ref.)

Während sich der über die Thätigkeit des Prager Gesundheitsrathes erstattete Bericht(60) ausschliesslich mit den brennenden Fragen der dortigen Localhygiene befasst, liefert der des Stadtphysicus Pelc (61) ein genaues Bild der medicinal-statistischen Verhältnisse des Jahres 1883. Als häufigste Todesursache tritt wie in allen Grossstädten so auch in Prag die Tuberculose auf, welche ihren Antheil an der Gesammtsterblichkeit auf 22,2 pCt. forderte (1080 Prager Einwohner gegen 1028 im Jahre 1882, wozu noch 495 Ortsfremde, die in öffentlichen Krankenhäusern der Schwindsucht erlagen, hinzuzurechnen sind). Sonstige Krankheiten der Respirationsorgane veranlassten noch 677, solche der Verdauungsorgane 567 Sterbefälle. Acute Infectionskrankheiten erreichten eine grössere Verbreitung als 1882; fast die Hälfte von allen hierhergehörigen Krankheitsfällen wurden durch Masern (1052) und Blattern (688) verursacht. Auch die Croup- und Diphtherie Erkrankungen übertrafen bedeutend die des Vorjahres (216 : 71); nur Scharlach war hervortretend seltener. Der Abdominaltyphus hielt sich mit 394 Erkrankungsfällen (97 †) auf der in früheren Jahren bereits erreichten Höhe. — Der localen Entwicklung der Blattern-Epidemie, sowie der speciell dort ergriffenen Schutzmassregeln widmet Verf. einen besonderen Abschnitt. — Bei der Erörterung der Typhusverhältnisse ist die schnell sich steigernde Typhusfrequenz in den Umgebungen von Prag nicht ohne Interesse. Es sind hier vorzugsweise diejenigen Gebiete, die vorübergehenden Ueberschwemmungen ausgesetzt sind, welche die meisten Typhusfälle liefern, während in der Stadt zu diesem ebenfalls gelegentlich sich geltend machenden Moment noch die anderweitigen der zu dicht bewohnten Häuser und Gassen, resp. der mangelhaften Canalisation sich geltend machen. — Die Masern zeigten eine auffallende örtliche Abgrenzung: sie traten epidemisch zu Anfang des Jahres auf dem Hradschin und der Kleinseite auf und überzogen dann langsam vorrückend die Alt- und Joseph-Stadt, die erst mit Juli — und dann fast gänzlich — von ihnen frei wurden.

Nach dem officiellen Sanitätsbericht (63) beträgt die Bevölkerung Tyrols 805176, Vorarlbergs 107373 Seelen. Während des Jahres 1882 machten sich epidemische Einflüsse jeder Art z. Th. in recht anhaltender Weise geltend, so Blattern besonders in Nordtyrol, in Kufstein starben von 28 daran binnen kurzer Zeit Erkrankten 12. Auch in der Umgebung von Innsbruck, in der Stadt Bozen, im Bezirke Meran kamen tödtliche Erkrankungen vor. — Scharlach herrschte in bedeutender Ausbreitung und verursachte in Tyrol 419, in Vorarlberg dagegen nur 15 Todesfälle. Die Verbreitung war in den italienischen Bezirken Tyrols am stärksten; die Mortalität war am schlimmsten in den Bezirken Brixen, Kitzbühel und Kufstein, so auch in der Umgebung von Trient, wo 23,9 pCt. aller Erkrankten erlagen. Masern, in den nordtyroler Bezirken nur sporadisch beobachtet, traten in den übrigen Theilen zwar verbreitet, aber nicht mit besonderer Heftigkeit auf; nur in einer Gemeinde Mühlwald fielen ihnen in Folge der Complication mit Diphtherie in grosser Anzahl die Erkrankten zum Opfer. Häufiger kam in Parallele mit den Masernepidemien Keuchhusten vor, für den häufig auch als Verbreitungsmodus Ortswechsel der erkrankten Kinder nachgewiesen wurde. — Typhoid machte sich in einzelnen italienischen Bezirken durch grosse Tödtlichkeit bemerkbar, z. B. starben in Lasino bei Trient von 60 Erkrankten 10, in Ortschaften des Bezirks Roveredo sogar 33 pCt. — Von Croup und Diphtherie wird geklagt, dass sie sich immer mehr ausbreiten. — Eine sehr schnell sich verbreitende, aber in Bezug auf Tödtlichkeit milde Schweissfriesel-Epidemie wurde zu Kastelruth im Bezirk Bozen beobachtet. — Total betrug die Anzahl der Todesfälle 22180 im Jahre 1882; nur die Jahre 1875 und 1881 hatten eine noch grössere Anzahl aufzuweisen. — Von endemischen Verhältnissen ist zu erwähnen, dass sich die Zahl der Kretinen von 1008 auf 925 vermindert hat.

Bosnien und die Herzegowina, über deren Sanitätsverhältnisse Glück (64) als Districtsarzt in Foca Beobachtungen zu sammeln in der Lage war, schienen, als die Gesundheitsverhältnisse der sonstigen europäischen Türkei beschrieben wurden (Riegler, Oppenheim) der Kenntniss medicinisch gebildeter Berichterstatter noch ganz unzugänglich. — Unter den Infectionskrankheiten nehmen z. Z. die Blattern unbedingt die erste Stelle ein. Eine grössere Epidemie, welche G. 1881—1882 beobachte, beschränkte sich auf Nord- und Mittel-Bosnien, während sich die des Folgejahres auch über den Süden dieser Provinz ausdehnte. Die Herzegowina blieb verschont. Als Schutzmassregel lernte Verf. dort noch die Einimpfung der Menschenblattern (Variolation) kennen, welche nach seinem Dafürhalten eher zur Verbreitung der Epidemie beitrug, da ein Schutz durch sie nicht erfolgte, vielmehr immer nur eine (im günstigen Falle) mildere wirkliche Blatternerkrankung durch sie hervorgerufen wird, die noch immer eine Mortalität von 5—6 pCt. der Variolirten bedingt und da ferner die durch Variolation erzeugten Blattern genau ebenso übertragbar sind wie die durch Infection erzeugten. Im Uebrigen weisen die durch Variolation erzeugten Krankheitsbilder unter sich manche interessanten Verschiedenheiten auf, deren Wiedergabe jedoch nicht hierher gehört. — Sehr befriedigt spricht sich G. jenen zweifelhaften Errungenschaften gegenüber hinsichtlich der von ihm 1882 und 1883 im Bezirk Foca geübten Vaccination und ihrer Schutzwirkungen aus. — Im Osten und Südosten Bosniens tritt Syphilis in einer Verbreitungsweise auf, die man entschieden als eine endemische bezeichnen muss; Kladany, Visoko, Fojnica, Foca sind die Hauptsitze dieser endemischen Syphilis.

Unter den mohamedanischen Bewohnern einzelner Dörfer in diesen Bezirken sind oft ganze Familien mit Syphilis behaftet, die hier „Frenjak“ genannt wird, — aber mit Unrecht, denn sie ist eher aus dem fernen Osten, als „aus dem Abendlande“ eingeschleppt. Das Volk glaubt z. Th. auch daran, dass man „Frenjak“ von verdorbenen Speisen bekommen könne. weiss indess, dass die Krankheit ansteckend und hereditär ist. Das endemische Vorkommen der Syphilis in Bosnien erscheint G. als eine neue Stütze für den Satz von Hirsch, wonach dieselbe hauptsächlich in solchen Gegenden angetroffen wird. welche dem grossen Verkehr entzogen, von einer armseligen, wenig intelligenten, in ihrer Lebensweise sorglosen Bevölkerung bewohnt werden. Die Unzugänglichkeit der mohamedanischen Weiber jeder ärztlichen Behandlung gegenüber tritt noch als weiterer erschwerender Umstand hinzu. — Eine Gegend, welche als vollkommen frei von Malaria zu bezeichnen wäre, kennt Verf. in ganz Bosnien nicht; das eigentliche Malariagebiet jedoch deckt sich mit der Possavina, der Save-Ebene und den Thälern ihrer Nebenflüsse. Die Possavina ist im Ganzen sehr wasserreich. Ueberschwemmungen der grösseren und kleineren Wasserläufe treten fast nach jedem stärkeren Regen ein. Doch haben die Intermittenten, meistens in tertianem oder quartanem Typus auftretend, keinen sehr bösartigen Character und stehen unter der Herrschaft des Chinins. Die Häufung der Fälle tritt im Herbst und im Frühjahr ein; Fremde erkranken viel häufiger als Einheimische. — An endemischem Kropf scheint, mit Ausnahme der Herzegowina und des Savethales, das ganze Occupationsgebiet sehr reich zu sein; am häufigsten sah ihn G. in dem Bezirke Tassany und zwar in mehreren Seitenthälern der Bosna und der Ussora. Auch das Drinathal nebst seinen engen, feuchten Nebenthälern ist als Kropfgebiet zu nennen. Dabei ist in ganz Bosnien Kretinismus extrem selten. — Endlich betont G. die Häufigkeit des Favus und der Krätze in dem gesammten Occupationsgebiet.

Friocourt (67) liefert eine interessante Beschreibung der Inselhäfen, welche die sog. Levante-Station bilden und fasst unter ihnen zunächst Milo (Melos) ins Auge. Malariaeinflüsse haben hier eine sehr starke Wirkung entfaltet; manche Orte wurden gänzlich verlassen, so dass die Bevölkerung von 20000 auf 5—6000 Einwohnern gesunken sein soll. Wichtiger ist unter den weiteren Stationen Port-Said, nach dem Census von 1881 13294 Einw. gross, mit einer nach modernen Grundsatzen disponirten, entwässerten und beleuchteten europäischen Stadt. Dabei bestehen grosse Schwierigkeiten in der Beschaffung der Provisionen, so dass Verdauungskrankheiten sehr häufig sind; und nicht weniger wird die Frequenz der Geschlechtskrankheiten gefördert durch die sehr in Blüthe stehende Prostitution, an welcher Weiber aus allen Ländern Europas sich lebhaft betheiligen. Bei 11,5 ° C. Jahresmittel der Temperatur und einer hohen Luftfeuchtigkeit sind Phthisisfälle nicht allein sehr häufig, sondern nehmen auch einen überraschend rapiden Verlauf in Port-Said. Verf. hebt bei diesem Anlass speciell hervor, wir ungünstig das Klima ganz Unteregyptens für einigermassen vorgeschrittene Lungenschwindsucht ist. Malariafieber kommen in Port-Said überhaupt kaum, Typhoid ganz sporadisch vor. — Von Dengue sind einzelne stark verbreitete Epidemien — 1871 sowie 1881 — beobachtet worden. Dysenterien, gastrische Störungen, Hepatitiden treten in grosser Anzahl auf. Als häufig werden auch Blasenstein, Haematurie (und zwar besonders die durch Filaria sanguinis bedingte) aufgeführt. In cursorischer Weise werden endlich noch Beyrut und Piraeus (Hafen Athens) besonders in Bezug auf Hospitäler und sanitäre Einrichtungen besprochen.

Die Bevölkerung der tunesischen Küste setzt sich, wie Friocourt ferner berichtet (69) zusammen aus Arabern (ca. 6000), Juden (5—6000). europäischen Christen 250—300, darunter vorherrschend Italiener und Malteser. Das zur Beobachtung gelangte Krankenmaterial lässt in seiner Geringfügigkeit nur wenige Schlüsse zu; sicher erscheint, dass Malariaeinflüsse nur eine geringe Wirksamkeit entfalten, obwohl die Umgebungen von Bizerta vielfach zu deren Erzeugung günstig erscheinen. Wenn in den Monaten Juli bis October die Atmosphäre besonders erhitzt, dabei mit Feuchtigkeit überladen ist. entwickeln sich Diarrhöen und Dysenterien in grosser Menge. Typhen dagegen sollen nur sporadisch zur Beobachtung kommen. — Die letzten Pockenepidemien fanden 1872 und 1878 statt. die des erstgenannten Jahres trat mörderisch auf. — Als sehr selten werden Masern und Scharlach bezeichnet. Diphtherie dagegen ist selbst bei Erwachsenen sehr häufig; noch häufiger vielleicht Rheumatismus in jeder Form. — Aussatz, dessen Vorkommen in Tunis längst constatirt ist, wird in der Stadt Bizerta bei 6000 Einw. nur in 8—10 Exemplaren angetroffen. — Grosse Verwüstungen richtet die Syphilis unter der arabischen Bevölkerung an.

Die wichtigste Oase des Djerid, welche Marix ethnographisch und geographisch-pathologisch beschreibt (70), ist die von Tozer. nicht, wie eine Zeit lang allgemein angenommen wurde, die von Gafsa; ausserdem ist noch die Nefta-Oase, 22 km südwestlich von Tozer, zu nennen. Letzteres liegt auf demselben Grade mit Gabes und hat ein sehr heisses Klima. Die Tageshitze steigt sofort mit Aufgang der Sonne und lässt zur heissesten Jahreszeit erst um 11 Uhr Abends nach. Im Winter sind, bei häufigen Nordost- und Nordwest-Winden, die Nächte sehr frisch; in der wärmeren Jahreszeit tritt häufig Sirocco mit all' seinen unangenehmen Folgen auf. Regenfälle sind selten. — Die Bewohner dieser südtunesischen Oasen sind grösstentheils Berberstämme, deren Scheiks und Marabuts von ächten arabischen Reiterstämmen (Hamamas) ihre Herkunft ableiten. Auch blonde Reste vandalischer Stämme werden hier noch angetroffen, Juden nur wenige. Endlich kommen Schwarze aus dem Sudan nicht ganz selten vor. — Malariaeinflüsse (Impaludisme) giebt M. als selten an: Verdauungskrankheiten, Dysenterien an der Spitze (und Leberkrankheiten als ihre Folge) beherrschen die ganze Pathologie und treten zuweilen mit solcher Heftigkeit auf, dass robuste Kinder oft in wenigen Stunden einem Ruhranfalle unterliegen. Bei Erwachsenen scheinen die tödtlichen Dysenteriefälle mit der Unsitte der Araber, unreife Früchte in Menge zu geniessen, häufig in unmittelbarem Zusammenhange zu stehen. Ausser den mit Dysenterie sich complicirenden Leberaffectionen kommen solche jeder anderen Art häufig zur Beobachtung. — Als durchgehendste Ursachen der sehr häufigen Erblindungen giebt Verf. die eitrige Augenentzündung und das Entstehen von Pockenpusteln auf der Hornhaut an; er hat indess mehr diese Residuen grösserer Pockenepidemien, als solche selbst beobachtet. Tuberculose galt als sehr selten, Diphtherie als gänzlich unbekannt. Syphilis mit ihren Folgen ist ziemlich häufig, doch nicht so sehr wie in Nord-Tunis (Krumyrien z. B.).

Ueber die tödtlichen Verwundungen durch die Anfälle wilder Thiere und die Bisse der Schlangen in Indien bringt das Brit. med. Journ. (77) Zusammenstellungen des Inhalts, dass sich diese Unglücksfälle bei allen dagegen getroffenen Massregeln in den letzten Jahren eher vermehrt haben. Im Jahre 1875 fanden 21391 bezügliche Todesfälle statt, 1876: 19279; 1882 dagegen sogar 22125. Nach wie vor ist es die Präsidentschaft Bengalen, welche in der Liste obenan steht, und zwar vornehmlich in Folge der Häufigkeit der Schlangenbisse. Demnächst lieferten die nordwestlichsten Provinzen die höchste bezügliche Sterbeziffer.

Die pathologischen Erfahrungen, welche Gore (79) mittheilt, betreffen das 1. Lancashire-Regiment, von welchem am 5. November (1881) 96 Mann in Bombay eintreffen und in den „Indian Hills" bei Ranikeet, 5000—6000 Fuss hoch, stationirt wurden. Genau ein Jahr nach der Ankunft befanden sich von den durchschnittlich 22 Jahre zählenden Soldaten 11 in lazarethärztlicher Behandlung, darunter 3 an primärer Syphilis, zu denen in sehr kurzer Zeit noch 4 andere an derselben Krankheit Leidende traten; ausserdem war 1 an Lungenschwindsucht, 1 an Typhoid gestorben. Bei weiteren Märschen durch die Hügel stieg die Zahl derer, welche Syphilis acquirirten, auf 21, später auf ein Drittel des ganzen Corps, so dass die Zahl der für Syphilis und Gonorrhoe zur Aufwendung gekommenen Lazarethtage 1395 betrug. Regelmässig ist die Behandlungsdauer unter den in den Bergen stationirten Truppen eine längere als bei den in der Ebene zur Verwendung kommenden. — Die zur genaueren Beobachtung gekommenen Typhusfälle sind von ganz klassischem Verlauf und bieten weder bezüglich der Temperaturverhältnisse noch bezüglich der Krankheitsdauer etwas Abweichendes dar. Plötzlich entstehender Kropf und Hitzschlag wurden an einigen der jüngsten Soldaten ganz sporadisch beobachtet.

Ewart (80) hat die Geschichte der Britisch-Indischen Besitzungen, soweit sie in ethnologischen und geographisch-pathologischen Aufzeichnungen niedergelegt ist, durchsucht auf die Fähigkeit der Europäer, dort einen fortpflanzungsfähigen reingehaltenen europäischen Bevölkerungsstamm hervorzubringen. Bis jetzt ist ein allgemeines Misslingen zu verzeichnen gewesen. Twining hatte nur Descendenten bis zur dritten Generation auffinden können; Fayrer hat ihr Vorkommen noch bis zum vierten Gliede festgestellt — nicht darüber hinaus. Bei allen Cautelen sanitärer und hygienischer Erfindung hat sich in den indischen Ebenen die angelsächsische Rasse nicht als generationsfähig beweisen können. Darum die Nothwendigkeit, die Kinder, die in Indien geboren sind, wieder nach England zurückzubringen und dort zu erziehen; daher auch die unvermeidliche Substitution der indischen Soldaten durch frischen Nachschub. E. stellt nun die Frage, ob ein zum System ausgebildeter Wechsel zwischen dem Leben in den grossen colonisirten Ebenen und auf den indischen Bergketten nicht im Stande sein sollte, die bisherigen ungünstigen Erfahrungen wesentlich umzugestalten. Einige verstreut in den Berglanden errichtete Kinderasyle (Ootacamund, Abu, Sanavar, Murree) haben bereits ermunternde Resultate erzielt. Man hat sie bis jetzt meistens erst in Fällen benutzt, in denen bereits krankhafte Störungen eingetreten waren; bei ihrem Freisein von Malaria und epidemischen Einflüssen würde man ihre günstige Wirkung auf rechtzeitig dorthin gebrachte noch gesunde Kinder wohl höher anzuschlagen haben. — Aber selbst zutreffendenfalls bleiben die anerkannten Schwierigkeiten der Ernährung noch zu lösen: fast kein in Indien aufgesäugtes Kind zeigt die Muskelrundung, Energie, Faserfestigkeit und rosige Färbung der Haut, wie die heimischen Babys. — Die Frage, ob es unschädlich sei, gesunde Säuglinge von Europa unter indische Einflüsse überzuführen, möchte Verf. verneinen.

Als eine neue Fieberform wird in verschiedenen englischen Zeitschriften (81) zuerst in der Indian med. Gaz. die „schwarze Krankeit in den Garohills" beschrieben, die in einem Rayon zahlreiche Epidemien verursacht hat, welcher dort beginnt, wo die genannte Bergkette in die niedrig gelegene, für Malaria-Entwicklung besonders geeignete centralasiatische Ebene übergeht. Viele Ortschaften sollen seit 1869, wo die „schwarze Krankheit" zuerst grössere Verbreitung gewann, vollkommen entvölkert sein. Der Name macht es nöthig, zu betonen, dass das Leiden in keiner Weise mit dem „schwarzem Tode" resp. der Palipest Beziehungen hat. Häufige Fröste, mit Hitzestadien abwechselnd, und begleitet von Erbrechen,

Durst, Verstopfung, Gelbwerden, leiten das erste Erkrankungsstadium ein, während dessen diese Attaquen täglich wiederkehren. Dann entwickelt sich, während gleichzeitig localisirte heftige Schmerzen im Bauch, den Knochen und Gelenken auftreten, eine colossale Perspiration, unter deren fortwährender Wiederholung der Kranke schwächer und schwächer und seine Haut immer dunkler wird; nachdem die Cachexie einige Wochen angedauert hat, werden die Stühle immer dünnflüssiger und farbloser, Haut und Zunge dagegen nahezu schwarz. Catarrhalische Symptome Seitens der Respirations- und Verdauungs-Schleimhäute treten hinzu; gleichzeitig bildet sich immer grössere Blutleere aus, progressive Abmagerung und sehr verschieden localisirte Oedeme folgen; die Sensibilität lässt nach; der Geist wird umnachtet; — unter allerlei intercurrenten Symptomen wie Epistaxis, Albuminurie erfolgt im Ablauf von 6 Monaten bis 3 Jahren der Tod. „Kala Agar" nennen die Eingeborenen die Krankheit, was in der Ueberschrift wörtlich übersetzt ist. Die englischen Beschreiber bestehen auf der malariellen Natur der „schwarzen Krankheit", während die Indier sie für exquisit übertragbar halten und die von ihr Ergriffenen meiden.

Seit dem Jahre 1879, in welchem eine starke Epidemie, an welche Gore (84) anknüpft, die Aufmerksamkeit auf die klimatischen Fieber der Nordwest-Districte Indiens gelenkt hat, ist man bemüht, die Formen dieser Fieber möglichst zu differenziren. Manche, die mit intensivem Kopfschmerz als plötzlicher Anfall auftreten, sind von echtem Malariafieber kaum zu unterscheiden, obwohl viele Aerzte das Vorkommen wirklicher Malaria in den indischen Hügeldistricten leugnen; andere zeigen statt wirklicher Intermissionen nur sehr ausgeprägte Remissionen, besonders nach dem ersten Shock. Für eine dritte Reihe, deren Aetiologie durch unreines Trinkwasser die betreffenden Autoren für sicher halten, für sicher halten, hat sich die Benennung „Aqua-malariae" oder „Adynamic remittent fever" Geltung verschafft. — Einige Specialbeschreibungen einzelner Epidemien enthalten merkwürdige Details über die häufige, sich auffallend schnell ausbildende Betheiligung der Leber bei zurücktretender Milzaffection; besonders aber auch bezüglich des Auftretens der klimatischen Fieber in Berghöhen von 5000 und 7000 Fuss. Dies dürfte, wie an einigen Fällen erläutert wird, darauf zurückgeführt werden, dass der eigentliche Infectionsvorgang erfolgte, während die Personen noch in der Ebene wohnten, und dass die Krankheit erst nach der Luftveränderung, anlässlich von Erkältungen pp. zum wirklichen Ausbruch kam.

Hinsichtlich des Klima's von Tongking wiederholt in seiner geographisch-pathologischen Studie Bourru (86) die Angabe früherer Beobachter: es habe 5 Monate Tropen- und 7 Monate europäisches Wetter, da ein (sehr heisser) Sommer, ein milder aber veritabler Winter und zwei Uebergangsjahreszeiten zu constatiren sind. Die mittlere Jahrestemperatur beträgt zu Hanoë und Haë-phong etwas über 24°, für Saïgon 27,05° R. Die Winterjahreszeit zeichnet sich durch ausserordentlich dicke Nebel aus. Hinsichtlich des „Fièvre des bois" wiederholt B. Bekanntes, wobei er jedoch die Schädlichkeit des von den Bergen hernieder kommenden Wassers besonders betont. Auch gegenüber der Dysenterie, welche unter den französischen Truppen jedenfalls viel milder aufgetreten ist in den letzten als in den früheren Jahren, scheint ihm Vorsicht bei der Auswahl des Trinkwassers und geregelte Diät der beste Schutz. Die zuweilen an französischen Soldaten beobachtete Diarrhoe war nicht die gefürchtete Cochinchina-Diarrhoe; die Affectionen der Leber verliefen sehr leicht; Fälle von Beriberi waren extrem selten. Syphilis, so verbreitet sie auftrat, localisirte sich meistens in der Haut. Die einzigen epidemischen Einflüsse, die man ernstlich fürchten muss, sind Cholera und Pocken. Gegen letztere hat jedoch die Regierung durch eine bereits sehr vorgeschrittene Impfungs-Propaganda sehr viel geleistet. Was die Cholerafrage anlangt, so behandelt B. diese unter dem Capitel: „Avenir du Tong-king au point de vue de la salubrité" und weist nach, dass eine sehr wesentliche Verminderung der Todesfälle unter den nahezu in gleichbleibender Zahl dort lebenden Europäern zu constatiren ist. 1862 starben 134, 1863 bis 1864 noch über 80, 1865 48, in den meisten der Folgejahre nur ganz vereinzelt Erkrankte und in den wirklichen Cholerajahren 1874, 1875, 1877 von Weissen nur 26, bezw. 28 und 31. — Schliesslich resumirt Verf., dass Tongking, soviel salubrer als Cochinchina es auch sei, doch nicht als Gesundheitsstation für letzteres dienen könne.

Mit Ausnahme etwa von Island müssen nach den Ausführungen von Thomas (90) die anglo-australischen Colonien als die durch Hydatiden meistverseuchten Plätze der Erde angesehen werden. Innerhalb der letzten 14 Jahre endeten allein in Victoria 200 Fälle der Hydatidenkrankheit tödtlich. Eine bedenkliche Erscheinung ist das unverkennbare Zunehmen des Uebels, welchem der Autor mit seinem Werke entgegenzuarbeiten unternimmt. Es mussten als Grundlage einer Prophylaxe festgestellt werden: die Zahl der Hunde, — die Zahl der pflanzenfressenden Hausthiere, — die Gelegenheiten, welche sich den letzteren darbieten, Echinococcuseier zu verschlingen; — und die Chancen, welche die Hunde haben, inficirte Organtheile der übrigen Hausthiere zu fressen. Die Eigenthümlichkeiten der australischen Schafzucht, zu denen besonders auch die primitive Wasserversorgung gehört, scheinen allen Bedingungen des Echinococcen-Generationswechsels aufs beste Vorschub zu leisten. Eine scharfe Controle der Hunde könnte es wohl ermöglichen, dass dieselben am Betreten der Schlachthäuser verhindert und dass die Wasserreservoire und Tanks gegen ihre Excremente geschützt würden. — Verf. hat seine Darstellung mit möglichst vollständigen statistischen Uebersichten ausgestattet.

Die Bemerkungen Corney's (91) beziehen sich

hauptsächlich auf die epidemischen Krankheiten, welche bisher auf den Fidschi-Inseln zur Beobachtung gelangt sind. Von Sydney aus wurden 1875 die Masern importirt; sie verbreiteten sich durch ungünstige Nebenumstände in rapidester Weise, so dass in 4 Monaten 26 pCt. sämmtlicher Einwohner ergriffen waren. und ein Nothstand sich manifestirte, da nicht mehr erwachsene Personen in genügender Anzahl vorhanden waren, um die Kranken zu nähren und abzuwarten. Es traten hiernach Lungenentzündungen und Dysenterien als Nachkrankheiten auf; die Sterblichkeit betrug 6 pCt. Nach Erlöschen dieses Ausbruchs hatten sich zwar die Masern eingebürgert, traten aber nur ganz sporadisch und mit einem Minimum von Sterbefällen auf den Fidschi-Inseln auf. — Die Pocken wurden auf den ebengenanten, seitdem sie englische Colonien wurden. durch die Vaccination erfolgreich bekämpft; eine andere Inselgruppe, die Nuka-Niva-Inseln, erlitt eine folgeschweren Einschleppung 1862. — Eine der häufigsten in epidemischer Verbreitung in West-Polynesien auftretende Krankheit ist Influenza. Oft wiederholen sich Epidemien davon 2—3 Mal im Jahre und führen durch intensive Capillarbronchitis und Lungenentzündung viele Todesfälle herbei. Die Bewohner der anderen Inselgruppe ausser den Fidschi sind auch bemerkenswerth disponirt zu Darmkrankheiten und sterben vielfach an einer merkwürdigen Complication von Dysenterie und Stomatitis gangraenosa. Auch von bösartigen Intermittenten ist die Fidschi-Gruppe ziemlich frei, während die Bewohner der Neuen Hebriden. der Salomon-Inseln und Neu-Britanniens viel unter solchen zu leiden haben. — Keuchhusten soll zuweilen einen fatalen Character annehmen, so in Tonga. — Scharlach, Gelbfieber. Diphtherie sollen bis jetzt unbekannt; dagegen Syphilis schon im Kindesalter sehr verbreitet zu beobachten sein.

Auf den Inselgruppen, deren ethnologische Eigenthümlichkeiten Saffre zum Gegenstande einer Studie (92) gemacht hat, den Tonga-, Samoa-, Wallis- und Fidschi-Inseln finden sich gewisse pathologische Einflüsse, die, hier und da von einzelnen Gruppen erwähnt. in einer gewissen Gemeinsamkeit auf alle dort lebenden Europäer Geltung haben. So unterliegen dieselben besonders häufig rheumatischen Erkrankungen und der Dysenterie; — die Eingeborenen werden in hohem Grade durch Phthisis decimirt und leiden an ungemein verbreiteten Bronchitiden. während Leiden der Athmungsorgane bei den Europäern kaum vorkommen. Die Allgemeinheit, in welcher die eingeborenen Insulaner an Syphilis leiden, soll zurückzuführen sein auf die Zubereitung des berauschenden „Kawa", welcher durch Speichelferment in der Weise hergestellt wird, dass gekaute Pflanzentheile wieder ausgespieen und dann der Gährung überlassen werden. Neuerdings soll diese Präparation des Kawa, ja sogar die Cultur der Kawapflanze gesetzlich verboten worden sein Elephantiasis, besonders in Gestalt des Lymphoscrotums, dort „Féfé" genannt, soll ungemein häufig sein. — Apia, Hauptstadt auf der Samoagruppe, gilt, abgesehen von der auch hier sehr ausgesprochenen Disposition zu rheumatischen Affectionen als für die Europäer sehr saluber; die Eingeborenen unterliegen der Tuberculose in hohem Grade. — An der Propagation der Syphilis sollen auf der Wallis-Gruppe die Fremden die meiste Schuld tragen, weshalb die Prostitution Seitens der einheimischen Weiber besonders streng beaufsichtigt wird. „Féfé" ist auch hier die häufigste Affection und kam in einzelnen Fällen sogar bei Europäern zur Beobachtung.

Der Archipel von Nuka Ginsa, auch die Marquisen-Inseln, Marquisen-Archipel beannt, auf welchen Clavel (93) 6 Monate der Jahre 1881 und 1882 zubrachte, haben von Tahiti eine Entfernung von ca. 250 Seemeilen und liegen zwischen 7° und 11° SB. und 141—143° WL. Der erste Theil der Arbeit behandelt ethnographische Details der Abstammung und Lebensweise der nahe an 5000 Bewohner. Den physiologischen und pathologischen Abschnitt eröffnet C. mit einer Betrachtung des Factums. dass auch diese Insulaner in einer dauernden Decadenz und Verminderung sich befinden, die, wenn den ungefähren Schätzungen Cook's Glauben beizumessen ist, seit 1775 sich auf $^{9}/_{10}$ aller Bewohner beläuft. In diesem Jahre sollen 50000. 1838: 20000, 1856: 12500, jetzt wie oben angeführt 5000 Bewohner vorhanden gewesen sein. Auf den benachbarten Gambier-Inseln ist aber die Depopulation noch ärger. Im Alter von 12 bis 13 Jahren beginnt bei den Weibern das Gebärgeschäft und wird von denen, die gesund und dazu geeignet sind, schnell wiederholt: von 47 Frauen, deren Verhältnisse genau registrirt wurden, waren 20 steril; die 27 übrigen hatten zusammen 199 (eine darunter allein 29) Kinder, von denen indess 38 todtgeboren, 50 in den ersten Lebensmonaten abgestorben waren. Ein äusserst zuchtloses Verhalten nach kaum erreichter Pubertät (50 Coïtus mit ebenso viel Männern an demselben Tage) soll die Sterilität bedingen. An der Sterblichkeit der jungen Kinder sind ausser den sonst bekannten Ursachen constitutionelle Syphilis und Aussatz nicht betheiligt. Dystokien sollen häufig, die dagegen in Anwendung gebrachten Mittel vorwiegend innerlich sein. — Eine ausführliche Darstellung des Wuchses, Gewichtes und der physiologischen Functionen lässt eine auszügliche Wiedergabe nicht zu. — Unter den pathologischen Einflüssen, welche zur Entvölkerung der Insel beigetragen haben, stehen die Pocken obenan. Speciell ist eine Epidemie näher bekannt, welche 1864 eingeschleppt, 2000 Marquesasinsulaner ergriffen und getödtet haben soll. — Scharlach und Masern sind dagegen ganz unbekannt. Eine in grosser Verbreitung aber ohne Todes fall verlaufene Epidemie eines Erythems mit heftigen Gelenkschmerzen vor einigen Jahren wurde ex post als Dengue recognoscirt. Die Lungenschwindsucht scheint bis jetzt auf den Marquesas milder als auf vielen anderen Inseln der Nachbarschaft eingetreten zu sein. — Bronchitiden sind langwierig und so häufig, dass von 10 Bewohnern stets mindestens 7 daran leiden sollen. Die verbreitetste Affection dürften jedoch die Gastrointestinal-Catarrhe darstellen, was vom Verf. theilweise auf die Vorliebe der Insulaner, halbverfaulte Nahrungsmittel zu geniessen, zurückgeführt wird; in ihrem Auftreten haben manche derartige Catarrhe grosse Aehnlichkeit mit Typhen. Daneben ist auch catarrhalischer Icterus recht häufig. Auch auf die constitutionellen Krankheiten geht C. näher ein und fand besonders die einzelnen Constituentien der Scrophulose häufig vertreten. — Die Verbreitung des Aussatzes wird als eine geradezu ungeheure geschildert und verläuft in den schlimmsten Formen; Elephantiasis dagegen ist sehr selten. — Die Verbreitung der Syphilis wurde bereits gelegentlich der Todesursachen im Kindesalter erwähnt. Sie in so einseitiger Weise, wie es von manchen Seiten geschehen ist, für die Depopulation verantwortlich zu machen, hält Verf. für unrichtig.

Nach der Mittheilung von Sommer (98) werden in Buenos-Ayres die Blattern überwiegend häufig durch die Indianer eingeschleppt, welche man erst neuerdings mit einigem Erfolge zur Vaccination herangezogen hat. Setzen sich Indianer in unvaccinirtem Zustande einer Ansteckung aus, so pflegt die Infection nicht nur mit grosser Sicherheit stattzufinden, sondern auch einen sehr schweren Verlauf nach sich zu ziehen.

In besonderer Häufigkeit entwickeln sich confluirende und hämorrhagische Formen echter Variola und die Mortalität beträgt dann selten unter 95 pCt. der Erkrankten. Angeschlossen ist die Mittheilung eines Dr. Penna, welcher Terpentin-Essenz (innerlich in Gummilösung) in Buenos-Aeyres gegen die hämorhagischen Pocken in Buenos-Ayres wirksam gefunden hat.

Hyades, welcher als Mitglied der Mission am Cap Horn Gelegenheit hatte, die Feuerländer an der Orange-Bay ein Jahr lang zu beobachten, giebt neben rein geographischen und anthropologischen, auch eine Reihe geographisch-pathologischer Notizen über diese Ureinwohner jenes ca. 100 Inseln umfassenden antarktischen Archipels (100). Er leitet dieselben durch die Resultate von vielfach variirten Temperaturmessungen und Blutkörperchenzählungen ein, welche jedoch besonders merkwürdige Abweichungen nicht ergaben und markirt als die relativ häufigsten Krankheiten Kopfschmerzen und Entzündungen der Mandeln. Auffallend ist die Seltenheit aller Respirationskrankheiten: sowohl ernsterer Bronchitiden, als der Lungen- und Brustfellentzündung. Jugendliche Individuen fand H. nicht selten an ausgeprägter Verdichtung der Lungenspitzen leidend, aber in den überwiegend meisten Fällen fand sich der gesammte physicalische Symptomencomplex in wenigen Wochen verschwunden. Weniger selten als Circulationsstörungen und Verdauungskrankheiten sind Eczeme, die jedoch leicht zu verlaufen schienen. Die Mehrzahl aller Krankheiten wird durch rheumatische Schmerzen bedingt, die theils mehr verbreitet, theils in der Form von Monarthritiden auftreten. Noch ist erwähnenswerth, dass phlegmonöse Entzündungen, wenn einmal etablirt, leicht einen gangränösen Character annehmen. — Syphilis soll noch überhaupt nicht imponirt sein; Gonorrhoe mit consecutiver Orchitis hatte H. jedoch selbst beobachtet. — Unter den Feuerländern der englischen Mission von Ouchouaya kommt Tuberculose häufig vor (und zwar, wie durch Cornil festgestellt, unter Anwesenheit von Tuberkelbacillen). Aerzte und Medicamente sind unbekannt.

III. Zur geographischen Pathologie.

1) Vaudein, A., De la fièvre bilieuse melanurique observée à Mayotte. Thèse. Paris. (Unter Bestätigung der Trennung vom Gelbfieber und Zuordnung zur „infection palustre“ machte Verf. speciell für Mayotte [eine Insel der Comorengruppe] die Erfahrung, dass Aufenthalt auf höheren Punkten gegen das biliösmelanurische Fieber schützt.) — 2) Donkin, H. B., On some cases of ague in London. Med. times and gaz. July 5. (Ohne weiteres Interesse.) — 3) Lee, Henry, Syphilis in Denmark. The Lancet. Novbr. 29. — 4) Wharton, Henry T., „Prickly heat“. Ibid. Aug. 2. (Ganz gewöhnlicher Fall von Lichen tropicus) — 5) Baldwin, Benjamin J., The immunity of the negro from trachoma. New-York med. Rec. Decbr. 27. (Einige Bemerkungen zur Bestätigung des von S. M. Burnett berichteten Factums, dass die Neger auch unter sonst dafür sehr geeigneten Bedingungen das genuine Trachom nicht acquiriren) — 6) Seitz, C, Die croupöse Pneumonie und die meteorologischen Verhältnisse von München in den letzten 20 Jahren. Bayr. ärztl. Int.-Bl. No. 33 — 7) Bollinger, Ueber die Häufigkeit und die Ursachen der idiopathischen Herzhypertrophie in München. D. med. Woch. No. 12. — 8) Milward, E. O., The causation of tropical hepatitis: with notes of four cases of abscess of the liver. Brit. med. Journ. June 7. (Auch ohne specifische Anlässe, wie Dysenterie, Pyämie und mechanische Insulte, durch blosse übertriebene Inanspruchnahme der Verdauungsthätigkeit kommen bei noch jungen Soldaten in Indien entzündliche Leberabscesse vor; 3 von den 4 Fällen, über welche M. berichtet, nahmen durch Operation einen günstigen Ausgang.) — 9) Fayrer, Jos., On tropical liver-abscess. Ibid. June 14. (Vortrag, in welchem F. seine schon öfter begründeten Anschauungen über Entstehung und Formen der tropischen Leberabscesse zusammenfasst [vgl. Jahresber. 1883, I. S. 357]) — 10) Derselbe, A clinical lecture on tropical diarrhoea. Ibid. May 31. — 11) Hurd, E. P., Consumption in New-England. Bost. med. and surg. Journ. 1883. March 29, April 5.

Seit den letzten 50 Jahren hat nach der Zusammenstellung von Lee (3) in Dänemark ein sehr strenges polizeiliches Regulativ der Syphilis gegenüber seine Wirksamkeit entfaltet. Nach einer die Jahre 1871—1880 umfassenden Statistik belief sich die Zahl der insgesammt während dieser Zeit beobachteten Erkrankungsfälle durch venerische Krankheiten auf 55923; jedoch war die Syphilis nur um 1 pCt. gestiegen, während die Blennorrhagien sich um 37 pCt. vermehrt, die Zahl der localen Geschwüre sich um 28 pCt. vermindert hatte. Ein sehr schlimmes Wachsthum zeigten die Zählungen für die Stadt Kopenhagen, in welcher die Zahl der krank befundenen Frauenzimmer von 1358 im Jahre 1881 auf 2352 im Jahre 1882 wuchs. Innerhalb 13 Jahren, in welchen ein

Washsthum der Bevölkerung um 43 pCt. constatirt wurde, vermehrte sich die Zahl syphilitischer Erkrankungen um nahezu 100 pCt. Daneben gab es indessen andere nicht unbedeutende Städte, in welchen unter dem strengen Polizei-Regime eine entschiedene Abnahme der Syphilis-Kranken constatirt wurde. Dennoch war, da es sich bei den Orten mit polizeilicher Aufsicht meistens um Hafen- und Garnisonorte handelte, der Procentsatz an Syphilis für diese 11, für die Gesammtheit der unreglementirten Städte nur 9 pro Mille sämmtlicher Bewohner. Innerhalb der ganzen ländlichen Bevölkerung kamen während des Jahrzehnts bei einer Anzahl von 1141000 Einwohnern 11154 Syphilisfälle vor; hier betrug die Abnahme der eigentlichen Syphilisformen nicht weniger als 59 pCt.; dieses Resultat wurde ohne jede Polizeiaufsicht erreicht. In der Armee stiegen während der Zeit von 1866 bis zu dem damit verglichenen Jahre 1878 die secundären Syphilisformen um 2 p. M.

In den 20 Jahren von 1864 bis 1883 kamen, wie Seitz jun. (6) ausführt. in sämmtlichen öffentlichen Heilanstalten Münchens 5905 Fälle croupöser Pneumonie zur Beobachtung. Auf die Winter- und Frühjahrsmonate entfielen dabei $^2/_3$, auf die Sommer- und Herbstmonate $^1/_3$ der Jahresfreqeenz, nämlich auf den

Winter	Frühling	Sommer	Herbst
32,2 pCt.	36,8 pCt.	15,3 pCt.	15,7 pCt.
69 pCt.		31 pCt.	

Unter den einzelnen Monaten ergiebt sich die Reihenfolge:

III (760), IV, II, I, V, XII, VI, XI, X, VII, VIII, IX (214).

Der März war auch der Monat, in welchem unter den einzelnen 20 Jahren am häufigsten das Maximum fiel, nämlich 7 Mal; das Minimum traf auf den September 8, auf den August 9 Mal. — Mit den einzelnen meteorologischen Factoren in Parallele gebracht, so ergab sich die grösste Pneumonieziffer mit der niedrigsten Temperatur coincidirend nur in 2 Jahren: 1876 und 1881. — Auch für Pneumoniefrequenz und Dunstdruck ergab sich ein regelmässiges Nebeneinandergehen nicht. Dagegen meint Verf. durch seine Zusammenstellung das von Keller für Tübingen behauptete umgekehrte Parallelgehen der Menge der Niederschläge und der Pneumoniefrequenz bestätigen zu sollen: im April 1865 mit 2 mm Niederschlagsmenge fanden 50, im August 1867 mit einer Niederschlagshöhe von 114.4 mm nur 4 Pneumonieerkrankungen statt. Diese beiden Jahre wurden wegen ihrer fast genau gleichen Temperatur-Jahresmittel ausgewählt. Die Betrachtung der Grundwasserschwankungen endlich ergab: Sinken der Pneumoniefrequenz regelmässig mit dem Steigen des Grundwassers; niedere Pneumonieziffern in Jahren mit abnorm hohem Grundwasserstande.

Bollinger (7) nimmt die Frage nach der Ursache der häufigen Herzkrankheiten in München wieder auf, welche zuletzt von Beetz (vgl. Jahresbericht 1883, I. S. 356) in einem von früheren Autoren abweichenden Sinne entschieden worden war. Während nämlich Schmidbauer, nachdem er zunächst die Thatsache des abnorm häufigen Vorkommens von Herzhypertrophie an Münchener Leichen ziffermässig festgestellt hatte, zu der Ansicht gelangt war, der übermässige Biergenuss trage an jenem Vorkommen die überwiegende Schuld, hatte Beetz dies geläugnet und unter Bestreitung der Prämisse, dass durch Alcoholgenuss an sich Herzhypertrophien hervorgerufen werden sollen, etwa wie folgt geschlossen: „Die in München so zahlreich auftretenden Herzklappenfehler sind auf den dort ebenso häufigen acuten Gelenkrheumatismus zurückzuführen." Hiergegen erklärt sich B. mit folgendem Resumé: „Die in München so häufige und für das Leben gefährliche idiopathische Hypertrophie und Dilatation des Herzens kann weder durch Myocarditis, noch im Zusammenhange mit Rheumatismus acutus der Gelenke erklärt werden, sondern ist als eine toxisch-functionelle Hypertrophie aufzufassen, bedingt durch habituellen Bier-Alcoholismus und eine concurrirende Plethora. Die letale Insufficienz des Herzens ist anatomisch in vielen Fällen unklar: es kann eine toxische Wirkung auf das Herznervensystem oder Ermüdung desselben durch functionelle Ueberanstrengung angenommen werden. — Während bei mässigem Genusse das Bier vom hygienischen Standpunkte als Genuss- und Nahrungsmittel unerreichbare Vorzüge besitzt, ist der Abusus wie bei anderen Spirituosen gesundheitlich von den grössten Gefahren begleitet."

Es ist die früher besonders von Annesley, Twining. Martin, Goodeve. A. Grant beschriebene „Indian hill-diarrhoea", über welche Fayrer (10) seine Erfahrungen in gedrängter Form mittheilt. Seiner Ueberzeugung nach ist es — neben den klimatischen Einflüssen — das Wasser, welches diese Diarrhoea alba hervorruft und bei einigermassen geschwächten Individuen in kürzester Zeit chronisch werden lässt. Ist es den auf diese Weise Ergriffenen möglich, bald nach Europa zurückzukehren, so leiden sie oft trotzdem noch Monate lang und zwar in der Weise, dass die Diarrhoen ganz besonders Morgens und in der Vormittagszeit sich lästig bemerkbar machen. Trotzdem ist die Aussicht auf Heilung grösser, als bei denjenigen weissen Diarrhoen, die in Indien selbst eine längere Zeit gedauert und bereits zu tieferen Gewebsveränderungen geführt haben. In den ausgeprägteren Fällen sind die gastro-intestinalen Functionen, sowie die der Leber und der Milz tief derangirt. die Darmschleimhaut in einen atrophischen Zustand heruntergekommen, besonders was die Zotten und die Darmdrüsen betrifft. Das vollständige Fehlen einer Gallenbeimischung möchte F. jedoch selbst in diesem Stadium mehr auf ein vollständiges Ausfallen der Leberfunctionen geschoben sehen. Schon bei Lebzeiten wird das Aussehen solcher Diarrhoiker total verändert, sowohl durch die Veränderungen, welche die Haut erleidet, als durch die Abmagerung des Gesichts, die bald sich hinzufindenden Mundkrankheiten etc. Wie häufig auch der malarielle Einfluss als Ursache der weissen Diarrhoe auftritt, so lässt F. doch auch noch andere Entstehungsanlässe zu. — In der nun sich anschliessenden Darstellung der pathologisch-anatomischen Veränderungen der Darmschleimhaut weicht er von der früher an dieser Stelle referirten Beschreibung wenig ab und nimmt an ihnen nur Gelegenheit, auf die Aehnlichkeit der Diarrhoea alba mit den „Sprue“ der niederländisch-indischen Literatur hinzudeuten. Unter den Heilmitteln wird als aussichtsvoll besonders Milch mit viel Kalkwasser zum längeren Gebrauch empfohlen, vor Thee und Kaffee gewarnt.

Statistische Erhebungen in Newburyport, Mass. dienten Hurd (11) dazu, ein Bild von wechselnden Verhältnissen der Phthisissterblichkeit zu geben. Es zeigt sich, dass dieselbe eine sehr verschiedene Steigerung erfahren hat, je nachdem die Bevölkerung rein amerikanischer Abstammung oder die eingewanderte Bevölkerung Neu-Englands von der Phthisis betroffen wurde, nach Massgabe folgender Tabelle:

			Amerikaner	
1858	kam 1	Phthisistodesfall	auf 370,	auf 273 Fremde,
1865	„ 1	„	„ 564,	„ 150 „
1870	„ 1	„	„ 252,	„ 161 „
1875	„ 1	„	„ 300,	„ 176 „
1880	„ 1	„	„ 351,	„ 136 „

Weitere Zahlenermittelungen zeigten, dass auch die vollkommene Acclimatisation noh einen die Phthisissterblichkeit günstig beeinflussenden Factor bildete. — Nach einem Excurs auf das Gebiet der modernen Schwindsuchtstheorien betrachtet H. noch das stetig sich vermehrende Umsichgreifen der Krankheit unter der schwarzen Bevölkerung der Südstaaten. Treten hier als ätiologisches Moment die schlechtventilirten, für die Familien stets viel zu kleinen Wohnungen in den Vordergrund so muss doch auch der erbärmlichen Nahrung und der Häufigkeit der Syphilis unter den Negern Rechnung getragen werden.

IV. Klimatische Curen und Curorte.

1) Gerner, Rich., The theory and practice of the cure of phthisis by hard mountaineering, as embraced in what I know about consumption. A memoir. Glasgow med. Journ. Octbr. (Nicht ohne allgemeines Interesse ist diese eigene Krankengeschichte des Verf. über die ausgezeichneten Wirkungen der Curmittel von Davos-Platz, wie sie an ihm und an seiner Form von Phthisis sich bewährten.) — 2) Schreiber, J., Behandlung der Lungenphthise durch Ueberwinterung im Hochgebirge. Wien. med. Pr. No. 43, 44. (Warme Befürwortung dieses Curverfahrens; ohne neuen Gesichtspunkt.) — 3) Gauster, F., Ueber den Einfluss des Höhenklimas auf die Tuberculose. Allg. Wiener med. Ztg. No. 15—18. (Einige für wirkliche Heilung durch Höhenclima sprechende Erfahrungen.) — 4) Adam, Zur Frage von der relativen Immunität der Gebirgsbevölkerung gegen Lungenschwindsucht. Bresl. ärztl. Zeitschrift. 13. Septbr. (Die Aerzte in Höhencurorten sollten ihre Resultate bezüglich der Schwindsucht nicht als Heilungen proclamiren, sondern durch die Translocation der Convalescenten in die reine frische Luft der Wälder und Höhen die Verhütung der Tuberculose erstreben. Diese „Salubritätsverhältnisse“ bedingen eine relative Befreiung der Gebirgsbewohner von der Schwindsucht, während eine Höhenimmunität an sich nicht durchgängig zu beweisen ist.) — 5) Hill, Berkeley, Strathpeffer as a health resort. The Lancet. May 3. (Vergleich des genannten in Rossshire belegenen Schwefelthermenortes mit Aachen zu des ersteren Gunsten.) — 6) Langerhans, P., Handbuch für Madeira. Mit 1 Karte und 1 Plan. 8. Berlin. — 7) Petit, Ajaccio som klimatisk Kursted. Ugeskrift for Läger. 4 R. X. Bd. p. 321. (Verf. empfiehlt Ajaccio als Kurstelle für Phthisiker; das Klima ist $1\frac{1}{2}$—2° wärmer als die Riviera, die Feuchtigkeit der Luft mittelgross, Regen selten; die Stadt ist gegen Wind recht wohl geschützt.) — 8) Blomberg, Beretning fra Tous aaseus Sanatorium for Sommeren 1882. Norsk Magaz. for Lägevid. R. 3. Bd. 13. p. 246. — 8a) Derselbe, Dasselbe, for Sommeren 1883. Tidskr. for prakt. Medicin. p. 85. (Tous, der neueingerichtete norwegische Curort liegt ungefähr 600 m über dem Meere, sehr gut geschützt und windfrei in einer grossen mit Fichten- und Tannenwäldern dicht bestandenen Felsenpartie, welche die Grenze zwischen dem Valders- und Etnethal bildet. Die Mitteltemperatur des Ortes für Juni bis August des Jahres 1882 war 13° C., die Durchschnittswerthe des Druckes der Wasserdämpfe, der relativen Feuchtigkeit und des Barometerstandes bezw. 8,5 mm, 75 pCt. und 676 mm. Im Jahre 1882 wurde das Sanatorium von 147 Curgästen besucht. Diese litten verhältnissmässig am häufigsten an chronischen Lungenkrankheiten, von denen die mehr torpiden und chronischen Formen, wo keine Hämoptyse und Fieber gewesen war, am günstigsten beeinflusst wurden; dagegen bekamen von 10 Phthisikern, welche früher wiederholte Hämoptysen gehabt hatten, drei Recidive derselben während ihres dortigen Aufenthaltes. Bei chronischer Bronchitis war das Resultat durchgängig günstig; bei 2 Fällen von asthmatischen in Emphysem begründeten Leiden erwies der Aufenthalt in dem Sanatorium sich unerwartet wirksam. Auch nervöse Fälle, Anämie, Chlorose, nebst gastrischen Fällen wurden mit Erfolg behandelt. Bei der Cur wurde auf körperliche Bewegung und den möglichst ausgedehnten Aufenthalt in freier Luft besonders Gewicht gelegt, was in Betreff der Lungenpatienten durch eine bestimmte Anzahl täglicher Spaziergänge von festgesetzter Länge methodisch geordnet wurde; auch wurde mässige Kaltwassercur bei Phthisikern viel angewandt, und zwar mit günstigem Erfolge, ausgenommen bei zwei erethischen Individuen. Im Jahre 1883 war das Sanatorium von 137 Curgästen besucht. Auch in diesem Jahre erwies es sich für die mehr chronisch verlaufenden, nicht für die erethischen und febrilen Phthisisfälle, ferner für nervöse und anämische Fälle besonders günstig. Die Mitteltemperatur für Juni, Juli und August war bezw. 11,4°, 12,9° und 10,4° C., die höchste Temperatur [im Juli] = 23,6° C., die niedrigste [im August] = 1,8° C. Joh. Möller [Kopenhagen].) — 9) Barrett, J. W., Victoria and Tasmania as resorts for consumptives and persons afflicted with lung diseases. Med. times and gaz. Aug. 9. (Beide Plätze liegen auf dem 34° S. B.; Victoria hat gewissermassen zwei verschiedene Climate: das für die Landwirthschaft günstige aber variable und neblige der Südhälfte und das gleichmässige und trockene des nördlichen Theils; während Melbourne, Ballarat und Geelong auf jener belegen sind, ist die einzige Stadt des Nordens Sandhurst [mit 36000 E.]. — Tasmanien, von Melbourne 250 [englische] Meilen entfernt, ist etwas kleiner als Irland, durchaus bergig, aber von einem milden Klima beherrscht, welches Verf. für Invaliden und Reconvalescenten aus Indien für sehr geeignet

hält; nur der Winter ist etwas rauh.) — 10) Hurd, E. P., Consumption in New-England. Bost. med. and surg. Journ. May 24. (Geheilte Fälle, besonders zur Demonstration des heilsamen klimatischen Einflusses mitgetheilt.) — 11) Tyndall, J. H., New Mexico; its climatic advantages for consumptives. Ibid. 1883. April 5. (Wenig sorgfältig gearbeitete klimatische Anpreisung der neumexikanischen Städte La Mesilla, Silver City, Socorro, Santa Fé und Fort Union)

B. Endemische Krankheiten.

1. Kropf und Kretinismus.

1) Verga, Giov. Batt. e Ag. Brunati, Studio sull' eziologia dell cretinismo e dell' idiopazia. Gazz. med. Ital.-Lombard. No. 5. 6. 8. 9. — 2) Kratter, J., Der alpine Kretinismus insbesondere in Steiermark. Graz. Auch ref. in Wien. med. Woch. No. 18. — 3) Longuet, R., Etudes sur le recrutement dans l'Isère; étiologie du goître. Arch. de méd. milit. — 4) Verga, Battista, Appendice allo studio sull' eziologia dell' idiopazia e del cretinismo. Gaz med. Ital.-Lombard. No. 10 (Kurze Mittheilungen über das Vorkommen des Kropfes bei Kretinen und die im Irrenhause zu Mailand beobachteten Formen von Geisteskrankheiten; es wird ein directer Zusammenhang der degenerativen Veränderungen der Schilddrüse und krankhafter Veränderung des Gehirns bestritten.) — 5) Kirk, Sporadic cretinism in Scotland. The Lancet. Aug. 30. (Besprechung von 5 einschlägigen mit Myxoedema complicirten Fällen.) — 6) Derselbe, Rob., On five cases of sporadic cretinism in Scotland. Ibid. August 23. (Der sporadische Kretinismus hat, wie Vf. meint, eine ätiologische Verwandtschaft zum Myxoedema bei Erwachsenen.)

Verga und Brunati (1) stellen in einer ausführlichen Studie über die Aetiologie des Cretinismus und Idiotismus zunächst die in der Literatur landläufigen Anschauungen zusammen. Sie selbst gründeten einen unabhängigen Pfad der Forschung auf die Beantwortung eines Fragebogens mit 25 Fragen, welche letzteren neben einem sehr eingehend specificirten Nationale auf die geographisch-pathologischen Eigenthümlichkeiten der Kropf- und Kretinenbezirke, die frühesten Erscheinungen der qu. Gebrechen, alle Fingerzeige der Heredität, die auf- oder absteigende Frequenz, in welcher sich die Krankheiten bewegten, und Aehnliches im Auge behielten. — Als gemeinsamer Grundfactor für den Kropf wie für den Cretinismus schien sich eine Entwicklungshemmung des Gehirns, „eine cerebrale Scrophulose" herauszustellen, die mit der Entwickelung der allgemeinen Scrophulose Hand in Hand geht. Muss man auch mit der Mehrzahl älterer Forscher die Erblichkeit der Scrophulose zugestehen, so wird ihre Entwickelung besonders mit Bezug auf die in Rede stehende Form doch besonders begünstigt durch Mangel an Luft und Licht gefördert. Diesem in früher Jugend stark zur Wirkung gelangenden Einfluss gegenüber stellt das Gehirn bei den scrophulös Beanlagten gewissermassen den Locus minoris resistentiae dar. Daneben lassen die Verff. indess auch gewisse örtliche Schädlichkeiten und den Einfluss der Blutsverwandschaft gelten, so dass sie als practisch in Frage tretende Vorbeugungsmassregeln auch die Vermeidung der Ehen mit Blutsverwandten, mit Alcoholisten hervorheben. Besondere Bedeutung kommt dem Ergebniss der Fragebogen zufolge auch Krankheitsanfällen während der Schwangerschaft und während derselben erlittenen Traumen (besonders solchen, welche den Uterus direct treffen) zu.

Ueber den alpinen Kretinismus in Steiermark hat Kratter (2) gearbeitet und seine Resultate theils monographisch, theils durch Vorträge in der österreichischen Gesellschaft für Gesundheitspflege bekannt gegeben. Nach der Volkszählung von 1880 kommen auf 100000 Einwohner in Voralberg 34, in Istrien 36, in Krain 51, in Görz und Gradiska 64, in Niederösterreich 79, in Tirol 112, in Oberösterreich 155, in Steiermark 240, in Salzburg 309, in Kärnthen 343 als Kretinen bezeichnete Individuen, d. h. durchschnittlich 69 und bei einer Gesammtbevölkerung von etwas über 22 Millionen 15195. Kärnthen weist 10 Mal, Salzburg 9 Mal, Steiermark 7 Mal soviel Kretinen auf, als das auf der südlichen Kalkalpenparallelkette gelegene Küstenland. Verf. hat nun die Vertheilung des Uebels auf die einzelnen Districte Steiermarks genau studirt und kartographisch dargestellt. Auffällig selten finden sich Kretinen — den Bodenformen nach — auf den Alpenkalkterritorien; der Kretinismus tritt auf den gesammten Tertiärformationen des Landes entschieden numerisch zurück. Die intensivsten Herde finden sich in den offenen Thälern; speciell gehäuft erscheint das Uebel auf dem Diluvium jener Flüsse, deren Quellgebiete im Urgestein liegen; das Elevationsgebiet erscheint schmal begrenzt (zwischen 300—1000 m verticaler Erhebung), mit einer Prädilection für die Zone zwischen 450—700 m. Trotz dieser anscheinend gegebenen Bedingungen legt K. doch auf hygienische Prophylaxe grosses Gewicht.

Während Longuet (3) in einem allgemeinen Bericht über das Aushebungsgeschäft in der Isère mehr Fragen des localen Interesses berührt hat, benutzt er gleichzeitig diese Studien, um auf die Kropfätiologie näher einzugehen. Als Einleitung hierzu werden die geologischen und klimatischen Verhältnisse des Isère-Departements näher geschildert, dann die Populationsverhältnisse dargelegt. Bei diesen wird das auffallende Factum ermittelt, dass bei einem Anwachsen der Bevölkerung seit 1816 um nahezu ein Drittel, die Quote der jungen Leute von 20—21 Jahren sogar eine merkbare Verminderung erfahren hat. Dies trifft zwar auch für eine Reihe anderer Departements zu, wird aber nirgend von so fatalem Einfluss, wie im Isère-Departement, wo ausserdem noch eine grosse Anzahl Kropfkranker aus den Recrutirungslisten entfallen muss. Nach einer Recapitulation der in der Kropfätiologie figurirenden Factoren untersucht Verf. jeden einzelnen derselben auf seine Dignität für die Verhältnisse im Isère-Departement und kommt zu dem Schluss, dass in diesem die Kropfendemien ganz exact localisirt seien je nach der Bodenformation, und dass über den miocenen Molassegeschieben und der Liasformation die Anhäufung der Kröpfe statthabe. Dieses Zusammentreffen wird an der Hand der Recrutirungslisten, sowie kartographisch veranschaulicht und auf eine Fortsetzung der Untersuchungen verwiesen.

2. Aussatz.

1) Plumert, Beobachtungen aus dem Leprahause zu Scutari bei Constantinopel. Allg. Wien. med. Ztg. No. 34. 35. 36. 37. — 2) Lortet, De la lèpre tuberculeuse en Syrie, notes d'un voyageur en 1880. Lyon méd. No. 1. 2. 4. — 3) Goldschmidt, Jul., Die Lepra auf Madeira. Berl klin. Woch. No. 9. (Mehr feuilletonistisch; die Westbezirke der Insel scheinen hauptsächlich befallen; die Gesammtzahl der Aussätzigen soll zwischen 500 und 600 betragen) — 4) Bonn, Leprosy in the virgin Islands. The med. Record May 17. (Drei Fälle, für deren 2 Uebertragung wahrscheinlich gemacht werden soll.) — 5) Hansen, G. Armauer, Étiologie et pathologie de la lèpre. Annales de dermatologie V. No. 11. (Auf dem internationalen Congress in Kopenhagen stellte H. 3 typische Aussatzkranke vor und knüpfte daran neben nosologischen Bemerkungen noch solche über die Contagiosität des Aussatzes: seit 1868 habe eine entschiedene und beträchtliche Verminderung der Krankheit in Norwegen constatirt werden können. Dies sei das Jahr, in welchem mit der Isolirung der Aussätzigen zuerst strenge vorgegangen wurde. Wo die Isolirung am rigorosesten zur Durchführung gelangte, nahm auch die Zahl der Aussätzigen am schnellsten ab.) — 6) Derselbe, Einige Bemerkungen über die anästhetische Form des Aussatzes. Vierteljahrsschr. für Dermatologie und Syphilis. S. 557. — 7) Neisser, A., Erwiderung auf den vorstehenden Aufsatz von Armauer Hansen in Bergen. Ebenda, S. 560. (Erörterungen darüber, ob Neisser die Flecken der Lepra anaesthetica mit Recht als „cutane" Lepra aufgefasst hat, oder ob sie als zur „nervösen" Lepra gehörig aufzufassen waren.) — 7) Arning, E., Ueber das Vorkommen des Bacillus leprae bei Lepra anaesthetica sive nervorum. Virchow's Archiv Bd. 97, S. 170. — 8) Thin, Geo., Report on leprous infiltration of the epiglottis and its dependence on the bacillus leprae. Brit. med. Journ. July 19. — 9) Geddings, W. H., A case of indigenous leprosy. The New-York med. Rec. Aug. 16. (20j. Mädchen, einer englischen in Süd-Carolina angesiedelten Familie entsprossen; erstes Auftreten anästhetischer Flecken im Alter von 10 Jahren. In der Umgebung von Charleston werden sporadische Leprafälle unter den Farbigen und mit auffallender relativer Häufigkeit auch unter den dort angesiedelten Juden beobachtet.) — 10) Neve, Arthur, On nerve stretchning for anaesthetic leprosy. Edinb. med. Journ. Novbr. (An 75 Fällen von anästhetischem Aussatz — und zwar 61 mal am Ischiadicus, 7 mal am Ulnaris, 5 mal am Medianus, 2 mal an kleineren Nerven — versuchte Vf. die vorsichtige Nervendehnung. Er sah unangenehme Folgen nie eintreten und bei drei Viertel der Operirten die normale Gefühlsfähigkeit wiederkehren.)

Nach dem Bericht von Plumert (1) liegt die Leproserie von Scutari, oder wie sie im Volksmund heisst: „Meskinhane" (von Meskinlik = der Aussatz) am südöstlichen Saum der grossen cypressenbewaldeten Friedhöfe, auf der Anhöhe zwischen Scutari, Haidarpascha und Kadiköi. Es ist ein ebenerdiges kleines Holzhaus im Rechteck gebaut und mit einem halbverfallenen Minaret geziert. Im Innern besitzt es einen dürftigen Hofraum, von dem aus nach drei Seiten Thüren in eine Art Zellen führen, die je nach der Grösse von ein, zwei Aussätzigen, auch wohl von ganzen Familien bewohnt werden. Ein niederer Divan, eine Matte, manchmal einige Schemel, bilden die ganze Einrichtung. Die Kranken halten sich wohl nur wenig in den Zimmern auf, zumeist sitzen sie draussen in der frischen Luft vor dem Hause. Manche gehen wohl auch dem Broderwerb, d. i. dem Bettel nach. — Kaum 300 Schritt gegenüber erhebt sich der Prachtbau des Militärspitals von Haidarpascha mit einem Belegraum von 1000 Betten und einer durchaus modernen europäischen Einrichtung. Während in Haidarpascha eine ganze Unzahl von Aerzten ein- und ausgeht, entbehren die Insassen der Leprosie jeder ärztlichen Hilfe. Die Angehörigen der Aussätzigen werden oft durch die Noth verleitet, mit diesen Aufnahme in der Leproserie zu suchen. — Im Anschluss an diese allgemeineren Bemerkungen theilt Verf. 12 Leprafälle mit, die er als besonders charakteristische ausgewählt hat. In den Bemerkungen über Aetiologie, Entwickelung und Verlauf des Leidens findet sich nichts Neues. Dagegen verdient erwähnt zu werden, dass P. von der Behandlung mit Jodoform, welche er in einer grösseren Anzahl von Fällen anwandte, sagen kann: Das Jodoform bewährte sich auch hier als ein theils leicht reizendes, theils resorbirendes und Granulationen anregendes Medicament, bewirkte Reinigung der Geschwüre und schnelle Beseitigung der necrotischen Gewebstrümmer. — In gleicher Weise hoffnungsvoll schienen dem Verf. Versuche, die er an leprösen Knoten mittelst Emplastrum mercuriale anstellte.

Nach eigenen Anschauungen schildert Lortet (2) die Aussatzkranken in Syrien, resp. ihr Leben in und ausserhalb der Hospitäler, wie sich ihm diese Verhältnisse 1880 darboten. In Syrien scheint der Aussatz am meisten endemisch localisirt zu sein in den südlichen an Aegypten grenzenden Theilen. Weder unter der Libanonbevölkerung noch in den Ebenen um Damascus oder am todten Meere trifft man ihn an. In den für den Aussatz disponirten Bevölkerungen ist der Glaube an seine Ansteckungsfähigkeit allgemein; die von ihm Ergriffenen werden seitens ihrer Verwandten verjagt und leben in Jerusalem, Naplouse und Ramleh in Leproserien beisammen. Früher hinter der Omarmoschee belegen, ist die — sehr erbärmliche — Leproserie von Jerusalem jetzt an einer Seite des Thales von Cedron errichtet. Von dem Inneren dieses Instituts, sowie von dem Grade der Krankheit, der an den Insassen zu constatiren war, giebt L. eine eingehendere Schilderung. — Viel vortheilhafter als das unter türkischer Verwaltung stehende Cedron- (oder Siloam-)Spital präsentirt sich auf der Strasse nach

Jaffa, das Seitens der deutschen protestantischen Mission für die Aussätzigen erbaute Asyl. Hier verleben die Kranken unter sorgfältiger Reinlichkeit und präciser Hausordnung, erfreuen sich aber im Uebrigen vollkommen freier Bewegung: Heilungsresultate werden allerdings trotz aller Bemühungen auch in diesem ausgezeichneten Asyl nicht erzielt. — Im weiteren Verlauf seiner Mittheilung kommt L. auf die Contagionsfrage, die Heredität, die Ichthyophagie, beschreibt auch die einzelnen Fälle in Siloam, ohne jedoch hier etwas besonders Interessantes zu bringen. — Die No. 4 des Lyon médical bringt das Referat Rollet's über die Lortet'sche Arbeit, welchem sein Autor einige Bemerkungen über die Relationen des Aussatzes der Bibel mit dem syrischen Aussatz in der Gegenwart voraufschickt.

Arning (7) gelang das Auffinden der Aussatzbacillen in den Nerven bei der anästhetischen Form mittelst Anwendung der Färbemethoden in folgenden 2 Fällen. Bei einem 30 jährigen Chinesen mit typischer Klauenstellung der linken Hand und Anästhesie im Ulnarisgebiet sowie mit einem Ulcus plantae pedis (dessen Secret bacillenfrei war) bestand die Handaffection bereits 15 Jahre; es fand sich demgemäss eine schon weit vorgeschrittene Bindegewebsbildung zwischen den Nervenbündeln. In diesen Bindegewebszügen lassen sich nun neben kleinen länglichen Häufchen unregelmässiger Pigmentkörner spärliche Gruppen von 4—5 Bacillen nachweisen. Sie sind nur sehr schwach gefärbt und zwar nur an den beiden Enden, also wohl in einen Dauersporenzustand übergegangen. In ein bestimmtes Verhältniss zu einer beherbergenden Zelle können sie nicht gebracht werden. Daneben finden sich aber auch in den sehr vereinzelten Heerden frischer kleinzelliger Infiltration spärliche, eigenthümlich glänzende, epitheloide Zellen mit deutlichem Kern und einem oder mehreren stark gefärbten und sporenfreien Bacillen. — Das zweite Präparat stammt von einem hawaiischen 14 jährigen Knaben, der angiebt, seit dem 8. Lebensjahre eine allmälig zunehmende Schwäche beider Hände bemerkt zu haben. Ausserdem hat er eine linksseitige Facialisparese und Pigmentverschiebungen in der Rumpfhaut. Beide Hände stehen in leichter Klauenstellung bei entsprechender Atrophie der Ballen- und Interosseal-musculatur. Links ist vollständige Anästhesie im Ulnarisgebiet, rechts nur Analgesie; beiderseits ist der Nervus ulnaris verdickt zu fühlen, rechts empfindlich. Der neurotische Process war also evident rechts noch nicht abgelaufen und A. machte daher die Excision auf dieser Seite. — Dementsprechend findet sich auch im Präparat die Narbenbildung im Nerven noch nicht so ausgesprochen, wie im ersten Falle, und eine weit grössere Anzahl gut gefärbter Bacillen, wenngleich ihre Menge sehr erheblich zurücksteht gegen die dichten Haufen, die sich in Lepraknoten der Haut demonstriren lassen.

Von einem Aussätzigen, der in der Colonie New-South-Wales gestorben war, erhielt Thin (8) den Kehlkopf nebst Adnexis zugeschickt. Der Aussatz hatte bei dem betreffenden Individuum mit Flecken auf der Brust begonnen, war nach 8 Monaten in verschiedenen Schwellungen im Gesicht, am Munde und in den Extremitäten stärker hervorgetreten, und hatte 1 Monat vor dem Tode bei gleichzeitig enormen Verwüstungen im Gesicht und im Munde vollständigen Stimmverlust und sich steigernde Anfälle von Athemnoth hervorgebracht. — Bei der Untersuchung der betreffenden Theile zeigte sich macroscopisch die Epiglottis und die Kehlkopfschleimhaut enorm geschwollen, die Stimmbänder zum grösseren Theile zerstört. Die Schwellung deckte sich mit einer enormen Verdickung des submucösen Bindegewebes und diese war direct erzeugt durch Masseneinlagerungen von Infiltrationszellen und durch enormes Oedem des Bindegewebes. Erst durch Anwendung der Färbemethoden gelang es, das exacte Verhältniss dieser überwiegenden Momente des Schwellungsbefundes zu den eingelagerten Aussatz-Bacillen festzustellen. Dasselbe schien ein sehr ähnliches zu sein, wie es Verf. früher in der Haut einiger aussätzigen Chinesen beschrieben hatte (vergl. Jahresber. 1883, I, S. 360): Die kleineren Leprazellen, etwa in der Grösse eines weissen Blutkörperchens, enthielten nur sehr wenige, die grösseren meistens an die Grenzen des Infiltrationsbezirkes vorgeschobenen Zellen enthielten Massen von Aussatzbacillen. Dem Epiglottisbefunde eigenthümlich war die Dichtigkeit der infiltrirten Massen in unmittelbarer Nachbarschaft der Blutgefässe; auch bildet Th. Capillargefässe ab, nahezu verstopft mit Leprazellen und lose darin vorfindliche Bacillen in grösserer Zahl enthaltend.

3. Ainhum.

1) Duhring, L. A., A case of ainhum. Americ. Journ. of med. sc. January. — 2) Dupouy, Ed., Considérations sur l'Aïnhum. Archives de méd. nav. Avril.

Einen Fall von Ainhum, in welchem eine starke Erblichkeit zur Beobachtung kam, theilte Duhring (1) mit. Der Vater des 40jährigen Kranken, eines Negers, hatte zwei Zehen durch Ainhum verloren, seine Mutter litt an einem Zehen. Als 10 Jahre altes Kind hatte Patient zuerst die Erkrankung dargeboten; nach 30 Jahren erkrankte der andere Fuss — der rechte — an dessen abgefallener Nagelphalanx eine eingehende microscopische Untersuchung vorgenommen wurde. Das Epidermislager erscheint verdickt, in einzelne Schichten abgetheilt, das Stratum papillare ebenfalls bedeutend verdickt, jede Hautpapille verlängert, schlanker als normal, spindelförmig, mit pigmentirten Rändern. Die Papillen des Corium sind stark verlängert und verbreitert, zeigen sehr dilatirte und gewundene Capillaren und in ihren perivasculären Räumen Massen kleiner runder Zellen. Diese drängen sich zwischen die Maschen und Bündel des Unterhautzellgewebes ein, welches auch sonst besonders in der Nachbarschaft der Schweissdrüsen vielfach gelockert und durchbrochen erscheint. Weisse und rothe Blutkörperchen sind besonders massig auch in den perivasculären Räumen angehäuft. An den Wänden der grösseren Arterien tritt (sichtbar bei stärkeren Vergrösserungen) eine bemerkenswerthe Verdickung der Media und Adventitia und eine Wucherung der Endothelien hervor. Die Lymphgefässe erscheinen ausgeweitet aber meistens leer; die Schweissdrüsen atrophisch; den allgemeinen Eindruck möchte Verf. als den eines entzündlichen Oedems („inflammatory oedema") wiedergeben.

Nicht ohne Interesse sind auch die Erwägungen über Aïnhum, welche Dupouy (2) anstellt. Ihm scheint die Frage nach der Wesenheit dieser trophischen Störung durch die so zahlreiche Casuistik nicht wesentlich gefördert zu sein. wohl deswegen. weil man über der auffallenden Erscheinung der localisirten Störung nicht nur so wichtige Nebenerscheinungen. wie z. B. die Heredität. sondern auch Symptome übersehen hat, welche wohl geeignet waren. auf den eigentlichen Sitz des Grundleidens einiges Licht zu werfen. In dieser Hinsicht dürften die Lendenschmerzen obenanstehen, welche D. in keinem Falle seiner in London gemachten Beobachtungen vermisste. Hier nennt man die Abfurchung und das endliche Abstossen der kleinen Zehe „Bankokérendé", hält sie für in demselben Grade hereditär wie den Aussatz, obwohl Aïnhumleidende vergleichsweise zu Leprösen noch ziemlich leicht zu einer Frau gelangen. Für sicher gilt auch, dass Aïnhum oder Bankokérendé niemals vor dem Eintritt der Pubertät beobachtet wird. In den von ihm mitgetheilten 3 Fällen legt D. eine grosse Betonung darauf, dass ein parasitärer Einfluss kaum jemals im Stande sein dürfte, die ringförmige Furche des Aïnhum hervorzubringen und eine noch grössere auf den Umstand, dass thatsächlich hier stets das Initialsymptom des Lumbarschmerzes in einem so hohen Grade bemerkbar war, dass die Individuen z. Th. weder zu gehen noch zu essen im Stande waren. Leider hatte D keine Gelegenheit, einen der Patienten bis zum Tode zu beobachten: „Malgré notre vif désir nous n'avons pas pu nous procurer la moelle d'un sujet ateint du bankokérendé; d'autres seront plus heureux". Die letzte der 3 Beobachtungen giebt ihm auch Anlass, ausdrücklich zu betonen, dass die Mutilationen mit Aussatz nichts zu thun hatten, — eine Versicherung. die man so manchem Falle von Aïnhum, der nicht alle pathognomischen Kennzeichen aufweist, gern angefügt sähe.

4. Beriberi.

1) Königer, Ueber epidemisches Auftreten von Beriberi in Manila 1882/83. Deutsches Arch. f. klin. Med. Bd. XXXIV. S. 419. — 2) Lacerda, J. B. de, Etiologie et developpement génésique du beriberi. 8. Paris. — 3) Derselbe, Le microorganisme du béribéri. Lyon méd. No. 10. Auch in Bullet. de l'acad. de méd. No. 5. (Mittelst einer in ihren Phasen äusserst fragwürdigen Methode will Verf. aus dem Blute Beriberikranker nun einen milzbrandbacillenähnlichen Microben gezüchtet und damit Meerschweinchen und Kaninchen mit Erfolg inficirt haben. Reinzüchtungen fanden nicht statt; Bestätigung bleibt abzuwarten.) — 4) Chevers, Norman, Beri-beri fever. Brit. med. J. April 5. (Glaubt Gründe zu haben, dass Beriberi als exanthematisches Fieber beginne und bisher nur in seinen Residuen und Folgekrankheiten studirt sei.) — 5) Gayet, Du Béribéri. Arch. de méd. nav. Septembre. Octobre. (Häufigkeit der Krankheit in Saigon und auf Poulo-Condor; einige Fälle foudroyanter Form. Sonst nur Recapitulationen und recht steriles Räsonnement.) — 6) Gries, Kakke (Béri-béri) du Japon par le Dr. E. Baelz Ibid. Avril. (Auszügliche Uebersetzung eines Artikels in den „Mittheilungen der deutschen Gesellschaft für Natur- und Völkerkunde Ostasiens". Bd. III, die aus Jahresber. 1881. I. S 352 und 1882, I. S. 387 bekannten Ansichten recapitulirend.) — 7) Erni, H., Nog eens Beri-Beri. Genessk. Tijdschrift voor Nederlandsch Indië. Deel XXIV. Afl. 3. (Kommt nochmals auf das Vorkommen von Trichocephalus dispar und Anchylostomum duodenale [Jahresber. 1882. S. 388] zurück und versucht mit gleicher Unkenntniss der sonstigen nosologischen Beziehungen und mit nicht mehr Glück als früher einen ätiologischen Zusammenhang zu begründen.)

Königer (1) berichtet, dass von August bis October 1882 die Stadt Manila häufig von Cholera heimgesucht wurde, so dass bei 400000 Einwohnern wohl 15—20000 erlagen. Am 20. October zerstörte ein Cyclon die Wohnungen von über 60000 Menschen, es folgte eine Ueberschwemmung und während die Choleraepidemie in geringem Maassstabe noch andauerte. zeigte sich unter den Eingeborenen eine neue Krankheit, die sehr tödtlich zu sein schien. Diese erkannte K. als Beriberi, wie er sie in Japan beobachtet hatte. Die Fälle wiederholten sich in ziemlicher Zahl den November und December hindurch. Mit Beginn des Jahres 1883 trat ein Nachlass ein. Die Gesammtmortalität schätzt K. auf 60pCt.; nach einer vertrauenswürdigen Notiz wurde in manchen Orten jeder 80. Einwohner getödtet und zwar wurden am härtesten die Malayen (Indier) heimgesucht. was im Zusammenhange mit den Eingangs erwähnten Naturereignissen stand. Denn diese malayischen Bewohner, meistens in Hütten aus Bambus und Palmblättern lebend, waren durch den Orkan zum grössten Theil ihrer Häuser beraubt und fanden unter deren Trümmern eine Unterkunft, die durch die gleichzeitige Ueberschwemmung noch elender wurde. Das Wetter war dabei im October und November sehr regnerisch und stürmisch. Aber auch hinsichtlich der Ernährungsweise waren die Malayen sehr übel daran, da sie die ihnen sonst das Fleisch ersetzenden Fische während der Zeit. dass Flüsse und Canäle durch die Cholerastühle verunreinigt waren, zu essen verschmähten. Die europäische Bewohnerschaft, wie auch deren Diener. blieben in besseren Häusern und von besserer Nahrung lebend, fast vollkommen verschont. Obductionen waren nicht ausführbar; die Symptomencomplexe waren die bekannten. Im weiteren Verlauf seiner Arbeit stellt K. die Ernährungsätiologie des Beriberi der Hypothese, welche ein specifisches Gift zur Erzeugung desselben annimmt, gegenüber und legt der Ernährungsstörung eine grosse und entscheidende Wichtigkeit bei.

5. Pellagra.

Tonnini, Sitrio, I Disturbi spinali nei pazzi pellagrosi. Studio clinico, Continuazio e fine: Anatomia patologica. Rivista sperimentale X. p. 63.

Im weiteren Verfolg seiner Studien über die Rückenmarksstörungen bei Pellagra fasst Tonnini seine neuesten Resultate wie folgt zusammen (vgl. Jahresber. 1883. I. S. 363). Die anatomisch-pathologischen Veränderungen im Rückenmark der Pellagrakranken sind ziemlich mannigfaltig. Sie halten sich keineswegs an die anatomische Anordnung des Rückenmarks, sondern befallen meistens mehrere Strangsysteme desselben zugleich; mit Vorliebe jedoch die Seitenstränge. Am ehesten liesse sich der Character der Veränderungen bezeichnen als chronische Hyperämie, und zwar erscheinen (gleichsam als Folgezustände einer solchen) die Membranen des Rückenmarks verdickt, das Periost des Wirbelcanals aufgetrieben und dies auf Kosten der Nervensubstanz selbst, welche anämisch und erweicht aussieht. Als microscopischen Befund kann man das Vorhandensein einer pigment-granulären Entartung angeben. — Geht man nun an der Hand dieser Erhebungen auf die klinischen Nervensymptome zurück, so ragen unter den sensorischen und motorischen, wie unter den vasomotorischen und trophischen Erscheinungen doch die Störungen der Reflexerregbarkeit am meisten hervor, schon weil sie fast ausnahmslos zu bleibenden Störungen der Sphäre: Contracturen, Muskelkrämpfen führen. Mit Anlehnung an den pathologisch-anatomischen Befund wird man die Symptomencomplexe am richtigsten als die der spastischen Spinalparalyse und der spinalen Neurasthenie bezeichnen, so dass dieselben mit den Nervenerscheinungen beim Ergotismus in einem gewissen Gegensatze stehen. Die microscopische Constatirung der erwähnten Pigmentdegeneration und deren prävalirendes Vorkommen in der grauen Substanz der Vorderhörner steht ebenfalls mit den obengenannten Störungen in Parallele.

6. Filariakrankheiten (Sclerodermie).

1) Manson, Patrick, La metamorphose de la Filaria sanguinis hominis dans le moustique. Arch. de méd. nav. Novbr. — 2) Calmette, A., Note analytique sur la filaire du sang humain et l'éléphantiasis des Arabes d'après les travaux du Dr Patrice Manson. Ibid. Decbr. (Kritisirende Einwände gegen Manson's Theorie.)

Manson selbst (1) stellt in einer neuen Arbeit die Postulate zusammen, die man an einen exacten Nachweis des ursächlichen Zusammenhanges zwischen Musquito's und Filariakrankheiten (Elephantiasis, Lymphoscrotum etc.) noch zu stellen hat. Es muss vor allem demonstrirt werden, zu welchem vorgeschrittenen Stadium der Entwicklung die Filarien im Körper der Musquitos gelangen; ob diese vorgerückteren Filarien sich nur bei Musquitos finden, welche mit Filarieneier enthaltendem Blute sich nähren, oder etwa auch bei solchen, welche filarienfreies Blut gesogen haben; und endlich mussten die metamorphosirten Filarien in vorwurfsfreier Weise auf Mensch oder Thier übertragen werden. Die Metamorphosen hat M. an zahlreichen den Musquito's incorporirten Filarien verfolgt: sie äussern sich besonders in einer Verkürzung und Streifenbildung, später im Abwerfen der äusseren Umhüllung; gleichzeitig hören die Geisselbewegungen auf und der ganze Filarienkörper beginnt, sich in schlangenförmigen Torsionen fortzubewegen. So wandern sie im Körper des Mosquito und verbreiten sich zunächst vom Abdomen (wohin sie primär durch das Saugen gelangten) nach der Brusthöhle hin. Hier angelangt, werden die Filarienkörper dicker und fast vollkommen durchsichtig; die transversale Streifenbildung ist gänzlich verschwunden, die Bewegungsfähigkeit hat aufgehört oder äussert sich höchstens noch in schwachen intermittirenden Bewegungen. Dann beginnt der Körper des Fadenwurmes in die Dicke zu wachsen, nimmt eine wurstförmige Gestalt an und trägt einen kleinen schwanzförmigen Appendix. In einem weiteren Stadium der Entwicklung bildet sich eine deutliche Mundöffnung und eine granulöse Beschaffenheit des Körpers aus, indem sich ein das ganze Thier durchsetzender Verdauungskanal mit kernhaltigen Zellen füllt, die bald die Wände eines wohlorganisirten Digestivschlauches austapezieren. Von nun an beginnt die Filarie schneller zu wachsen, die ganze Körpermasse ist in deutlicher Zellenstructur angeordnet, die erst im folgenden Stadium verloren geht, welches als das Stadium der Verlängerung und Verdünnung bezeichnet werden kann: letzterer ist besonders das vordere Körperende des Fadenwurms unterworfen. Gleichzeitig schliesst sich der Mund, und in dem immer fadenförmiger werdenden Gebilde gehen die vorher so deutlichen Contouren des Digestionskanales verloren. Die letzte Metamorphose (die 6. nach Manson's Zählung) ist characterisirt durch das Hervorwachsen von 3—4 Caudalpapillen, deren Bedeutung noch nicht vollkommen aufgeklärt ist, und die zuletzt eine Gestalt annehmen, ähnlich dem Stempel einer Blüthe. Gleichzeichtig mit ihrer Ausbildung erreicht die Filaria ihre grösste Länge (1.50 mm) und Dünne, sowie auch den Entwicklungszeitpunkt, in welchem sie den Körper des Musquito verlässt. Die ganze Entwicklungsphase in ihren 6 Abschnitten beansprucht die Zeit von 130—156 Stunden; nur 5—10 pCt. aller weiblichen Mücken, in denen sich die Vorgänge abspielen, überleben die genannte Stundenzahl. Die ausgewachsene Filaria, welche nun sehr widerstandsfähig geworden ist, trägt vielleicht zum Tode des Wirthes bei, der gewöhnlich auf einer Wasseroberfläche stattfindet. Das Wasser übt in diesem Entwickelungsstadium auf die Filarien einer geradezu belebenden Einfluss aus. — Die Frage, ob nur Musquitos, welche filarieneierhaltiges Blut gesogen haben, Filarien des 6. Entwickelungsstadiums enthalten, beantwortet M. bejahend: Den Abschluss der Versuche, die metamorphosirten Filarien auf Thiere oder gar Menschen zu übertragen, hat er sich noch vorbehalten.

7. Endemische Beulen.

1) Depéret, Ch. und Ed. Boinet, Du bouton de Gafsa au camp de Sathonay. Arch. de méd. milit. No. 8. — 2) Boinet, Ed. und Ch. Depéret, Nou-

veaux faits relatifs à l'histoire du bouton de Gafsa Ibid. No. 23 Auch in Bull. de l'acad. de méd. No. 25. — 3) Ducloux, E. und L. Heydenreich, Etude d'un microbe rencontré chez un malade atteint de l'affection appelée clou de Biskra. Arch. de phys. norm. et pathol. No. 6; auch in: Gaz. hebd de méd. et de chir. No. 24. — 4) Ducloux, E, Etude d'un microbe rencontré sur un malade atteint de clou de Biskra. Ann. de dermatologie. V. No. 7. (Verf. machte mit dem aus dem Blute eines betreffenden Kranken gewonnenen Coccus und seinen Culturen Inoculationsversuche an Kaninchen, die jedoch durch die Mannigfaltigkeit ihrer positiven Erfolge den Verdacht erwecken, dass das cultivirte Impfmaterial ein sehr gemischtes [unreines] gewesen sei) — 5) Kaposi, Demonstration eines Falles von Bouton d'Alep. Wiener medicin Blätter. No. 46. (Der von K. vorgestellte Kranke war 2½ J. im Auslande Militärarzt gewesen. K. nahm sich die Exstirpation des primären Knötchens und dessen eingehende microscopische Untersuchung vor.) — 6) Coustan, Note relative au traitement du clou de Biskra. Arch. de méd. et pharm. milit. No. 13. (Zehn schwerere Fälle; nach Fehlschlagen anderer Mittel durch Lister-Verbände geheilt.)

Im Süden von Tunis, in Gafsa, beobachteten Depéret und Boinet (1) eine endemische Beule, welche sie dem Verlauf und den anatomischen Kennzeichen nach beschreiben und auf Grund ihrer Beobachtung mit Carter's Delhibeule und Weber's Bouton de Biskra in dieselbe Kategorie stellen. Sie fanden sie später noch an mehreren Orten des südlichen Tunis vor und waren besonders bemüht, Inoculationen auszuführen, welche bei Meerschweinchen einen schwankenden, bei Kaninchen und Pferden aber den ziemlich constanten Erfolg hatten, dass Ulcerationen ganz ähnlich der Beule am Menschen erzeugt wurden. Zu Inoculationsmaterial konnte die frisch austretende Lymphe wie auch die angetrockneten Borken mit gleich positivem Erfolge benutzt werden; auch Culturflüssigkeiten, in denen der „Micrococcus" rein dargestellt wurde, gaben ein wirksames Impfmaterial.

In der zweiten Arbeit (2) wählen sich Boinet und Depéret einige weitere Punkte aus der Pathologie der Gafsabeule zur Erörterung aus. Das Terrain des Vorkommens ist ziemlich beschränkt, nämlich auf die Region der Schotts-, etwa bis zur tripolitanischen Grenze, also Gafsa, El Guettar, Tozer, Nefta, Djerid. Schon in Sphax und Gabes ist die Beule unbekannt; auch die Oasen von Süd-Tunis erscheinen vollkommen immun. — Die Jahreszeit des Auftretens ist der Herbst: Ende September; Personen, die um diese Zeit in Gafsa anlangen, acquiriren die Beule oft in wenigen Tagen, besonders sind um diese Jahreszeit Europäer bedroht. — Specieller mitgetheilt wird eine Beobachtung, welche das spontane Auftreten des Leidens an einer Hündin betrifft, welche es drei Jungen noch mittheilte, nachdem bei ihr selbst bereits eine vollständige Vernarbung der Beulen stattgefunden hatte. — Auf ihre mit Culturflüssigkeiten des Microben der Beule angestellten Versuche kommen die Verf. zurück, um zu erwähnen, dass jene Flüssigkeiten nach einer gewissen Zeit an Virulenz einbüssen und in diesem Zustande die Qualität von Schutzflüssigkeiten — vaccinale Kraft — zu haben scheinen.

Von einem tunesischen Kranken, der speciell am Vorderarm eine Anzahl Biscrabeulen aufzuweisen hatte, entnahmen Ducloux und Heydenreich (3 und 4) Blut und züchteten daraus einen Microben. Bei der Lückenhaftigkeit, in welcher sie ihre Beschreibung der Reinzüchtungsversuche halten, und bei dem Fehlen jeder Abbildung, selbst jeder genauern Schilderung des vermutheten „Coccus" rechtfertigt sich ein Eingehen auf die Entdeckung nur durch die Sicherheit, mit welcher die Infectionsversuche an Thieren gelungen zu sein scheinen. Dieselben wurden an Kaninchen angestellt und erzielten — an zum Theil weit von der Impfstelle entfernten Körperstellen — zuerst Papeln, dann Exulcerationen, welche man mit Sicherheit als modificirte Beulen ansprechen konnte; allerdings entwickelten sie sich mit einer von dem am Menschen bekannten Tempo gänzlich abweichenden Schnelligkeit. Unsicherer wird der Zusammenhang wiederum dadurch, dass anderweitige Kaninchen, denen von der Microbencultur grössere Quantitäten intraperitonal oder intravenös beigebracht wurden, ganz anderen Krankheitszuständen dadurch anheimfielen, so einer ausgedehnten Lymphangitis, intensiver Pericarditis etc. Die Verf. versuchen hierfür die Erklärung, — nicht dass ihr Microorganismenmaterial möglicherweise sehr verschiedene Dinge enthielt, sondern — dass es hiernach Microben gebe, die verschiedene Krankheitszustände hervorzubringen im Stande seien.

8. Milk-sickness.

Fulton, Milk-sickness. Phil. med. and surg. Reporter. April 12.

Der (inzwischen verstorbene) Dr. Fulton hat über die Symptomatologie der Trembles (Milk sickness) am Menschen einige interessante Aufzeichnungen gemacht. Er sieht von der noch strittigen Frage, ob am Rindvieh ursprünglich ein vegetabilisches oder mineralisches Gift die Krankheit erzeuge, ab, da die Erzählungen der Viehbesitzer bald das eine, bald das andere in den Vordergrund stellen. Oft haben eingreifende Bodenverbesserungen, oft eine Veränderung des Trinkwasserbezuges unter Jahre lang ergriffen gewesenen Heerden die Krankheit zum Aufhören gebracht. — Eine eigenthümliche bis jetzt nicht genügend gewürdigte Thatsache ist die lange Incubationszeit, die das Gift sowohl in den vom kranken Vieh herstammenden Gebrauchsartikeln als auch in bereits inficirten Menschen oft durchmacht. Bei der Beschreibung der Symptome legt F. ein besonderes Gewicht auf das lästige Gefühl des Vollseins und den Präcordialdruck, auf einen eigenthümlichen unbeschreiblichen Geruch, der aus den Lungen des Kranken kommt und von diesem ausgeathmet wird, auf die enorme Toleranz gegen Drastica und Kathartica jeder Art, die oft in 5—6fachen Dosen nicht eine Abführung erzielen und und endlich auf ein ungemein characteristisches Aechzen („Moan“), welches sich ebenfalls der Beschreibung entzieht, aber nahezu pathognomisch ist. Das Abdomen erscheint ausserodentlich retrahirt, der Darm ganz zusammengezogen, weshalb F. den Locus primae affectionis auch in das Unterleibsgangliensystem zu verlegen geneigt ist.

9. Miryachit.

Hammond, Wilbain A., Miryachit, a newly described disease of the nervous system and its analogues. Brit. med. Journ. April 19.

Hammond entnimmt einem Reisewerk dreier amerikanischer Flottenoffiziere, welche Sibirien durchkreuzten, die Schilderung eines eigenthümlichen, am Ussarfluss (kurz bevor er mit dem Amur zusammfliesst) beobachteten Nervenleidens. Dasselbe äussert sich zunächst in willenlosen Nachahmungsbewegungen, die der Kranke vollzieht in ähnlicher Weise, wie es die Hypnotisirten zu thun pflegen. Aber die an Myriachit Erkrankten imitirten auch Geräusche, die sie vernahmen, mit grosser Accuratesse. In der Umgebung von Yakatsk soll die Krankheit häufig sein und meistens in Folge grosser Winterkälte vorkommen. H. wiederholt im Anschluss daran die Erfahrungen, welche Beard 1880 am Moosehead Lake mit den sogenannten „Jumpers“ gemacht hat und findet in den Imitationen der Letzteren, die sich besonders im Nachsprechen grosser Recitationen in vollständig fremden Sprachen auszeichneten, die dem „Myriachit“ analogen Grundzüge. Auch geht er auf die eigenthümlichen Zustände der Grosshirnrinde, welche als Schlaftrunkenheit in die Erscheinung treten, als auf etwas Verwandtes näher ein. (Noch sei hierzu bemerkt, dass ein neuerer Fall von Myriachit [oder Jumping oder Latah] von Gilles de Tourelle in dem Arch. de Neurologie, VII. Bd. beschrieben worden ist, der sich auf der Charcot'schen Klinik zur Beobachtung stellte. Derselbe characterisirte sich hervorragend durch das echoartige Nachsprechen vorgesprochener Sätze. — Ref. muss schon jetzt, Angesichts der wohl zu erwartenden Mehrung dieser Fälle, seinen Zweifel aussprechen, ob das Leiden Anspruch darauf erheben kann, irgendwo als wirklich endemische Krankheit betrachtet zu werden.)

10. Skerljewo.

Suttina, Zur Kenntniss der Skerljewo; Elephantiasis pudendarum skerljevitica. Wien. med. Presse. No. 1 und 5.

Durch hundertfach wiederholte Beobachtung glaubt Suttina, Primärarzt am Landesspitale zu Sebenico sich die Versicherung verschafft zu haben, dass Skerljeva nichts anderes als genuine Syphilis ist und zwar in ihren secundären resp. tertiären Erscheinungen, in ihrer zerstörendsten, renitentesten und Recidiven am meisten unterliegenden Form. Am häufigsten tritt sie als Tonsillitis in die Erscheinung, aber sofort complicirt mit Zerstörung des weichen Gaumens, der Uvula, ja des ganzen Pharynx. Auch die Haut bildet ein weites Feld für die verschiedensten Formen; bei manchen Kranken bleibt keine Region der Haut unversehrt. Kein einziger von so vielen Patienten hatte sich dagegen über irgend eine krankhafte Störung der inneren Organe zu beklagen, ausgenommen die Fälle, in denen Skerljewo mit Wechselfieber complicirt war. — Die Krankheit ist über weite Landstrecken des nördlichen Dalmatiens verbreitet; im südlichen wird dieselbe Krankheit als Mal di Breno bezeichnet. Die Verbreitung in den Gemeindebezirken, den einzelnen Ortschaften, sowie innerhalb der Familien ist eine sehr ungleiche. Den grossen Opfern, welche die Regierung behufs Unterdrückung der Krankheit gebracht hat, stand stets die Apathie, die Ignoranz und der Aberglauben im Volk gegenüber; erst seit einigen Jahren treten Kranke in grösserer Anzahl in die Landesspitäler ein und werden in besondere skerljevitische Abtheilungen aufgenommen. — Im Anschluss an diese Mittheilungen beschreibt S. einen Fall von Elephantiasis pudendarum skerljevitica: zwei über kindskopfgrosse, zwei Hemisphären darstellende weiche, elastische Geschwülste, die sehr beweglich und leicht zu umgreifen waren und sichtlich Verdickungen der grossen Schamlippen darstellten. Ihre Oberfläche war theilweise mit oberflächlichen Geschwürchen mit speckigem Grunde bedeckt. Interne Jodkaliumbehandlung hatte Verschwinden der letzteren und Einschrumpfen der Geschwülsts um ein Drittel zur Folge. Ein Jahr später jedoch hatten sie ihre frühere Grösse wieder erreicht, wurden amputirt und wogen 1 Kilogramm.

DRITTE ABTHEILUNG.

Arzneimittellehre, öffentliche Medicin.

Pharmakologie und Toxikologie

bearbeitet von

Prof. Dr. THEODOR HUSEMANN in Göttingen.

I. Allgemeine Werke.

1) Binz, C., Vorlesungen über Pharmacologie für Aerzte und Studirende. In 3 Abtheilungen. I. Abth. VIII. u. 273 Ss. II. Abth. S. 275—562. gr. 8. Berlin. — 2) Nothnagel, H. und M. J. Rossbach, Handbuch der Arzneimittellehre. 5. gänzlich umgearb. Aufl. XX. u. 916 Ss. gr. 8. — 3) Bernatzik, W. und A. E. Vogl, Lehrbuch der Arzneimittellehre. Mit gleichmässiger Berücksichtigung der Oesterreichischen und Deutschen Pharmacopoe. Erste Hälfte (Bog. 1—18). gr. 8. Wien. — 4) Gubler, Ad., Commentaires thérapeutiques du Codex medicamentarius. 3. Edition, par Labbée. gr. 8. Paris. — 5) Rabuteau, A., Traité élémentaire de thérapeutique et de pharmacologie. 4. éd. augmentée. II. u. 1844 pp. 8. Paris. — 6) Bartholow, R., A practical treatise on materia medica and therapeutics. 5. edit 739 pp. 8. New-York. London. — 7) Gomez de la Mata, Étude thérapeutique des médicaments modernes. 2. éd. trad. de l'espagnol par A. Delétrez et précédée d'une préface par Lefebvre. 355 pp. 8. Louvain. — 8) Böhm, Rudolf, Lehrbuch der allgemeinen und speciellen Arzneiverordnungslehre für Studirende, Aerzte und Apotheker auf Grundlage der Pharmacopoea Germanica, Ed. II., sowie der übrigen Europäischen Pharmacopöen. XVI. und 676 Ss. gr. 8. Jena. (Sehr umsichtig gearbeitetes und brauchbares Werk.) — 9) Börner, J. und H. Adler, Für die ärztliche Praxis. Arzneiverordnungslehre und Receptur. II. u. 191 Ss. 8. Berlin. — 10) Lewin, L., Die Arzneimittel und ihre Dosirung. Zum Gebrauche für Vorlesungen und die ärztliche Praxis bearbeitet. 47 Ss. 8. Berlin. (Genaue Angaben der Maximaldosen auch für die nicht in Phpp. enthaltenen Medicamente.) — 11) Köhler, H., Aerztliches Recepttaschenbuch. 2. Aufl. Bearbeitet von A. Jaenicke. 295 Ss. 8. Hamburg. — 12) Rabow, S., Arzneiverordnungen zum Gebrauche für Kliniciston und angehende Aerzte. 8. verb. Aufl. VII. und 81 Ss. 12. Strassburg. — 13) Formulae magistrales Berolinenses in usum pauperum. Mit einem Anhange, enth. 1. Anleitung für die Herren Armenärzte zur Kostenersparniss beim Verordnen für Arzneien, 2. die Handverkaufspreise. 16 Ss. gr. 8. Berlin. — 14) Formulaire nouveau de thérapeutique publié sous la direction de Lutaud avec la collaboration de Gallard, Leblond, Bergeron etc., précédé d'une note sur les poisons et leurs antidotes et suivi d'un vademecum des injections hypodermiques et d'un mémorial thérapeutique. 268 pp. 16. Paris. — 15) Fonssagrives, A. Formulario terapeutico para uso de los prácticos. Version espanola de H. Carilla. VII. u. 498 pp. Madrid. — 16) Formulario terapeutico ragionato, ricavato dalla clinica di A. Cantani. 4. ediz. interamente rifatta. 590 pp. 16. Napoli. — 17) Codex medicamentarius. Pharmacopée Française, rédigée par ordre du gouvernement. XXIV. u. 728 pp. gr. 8. Paris. — 18) Hirsch, Bruno, Universal. Pharmacopöe. Eine vergleichende Zusammenstellung der zur Zeit in Europa und Nordamerika gültigen Pharmacopöen. Erste Lieferung. 8. S. 1—96. Leipzig. (Verspricht ein höchst brauchbares und als nothwendige Vorarbeit zu einer internationalen Pharmacopöe wichtiges Werk zu werden.) — 19) Husemann, Aug., A. Hilger und Th. Husemann, Die Pflanzenstoffe in chemischer, physiologischer und toxicologischer Hinsicht. Für Aerzte,

Apotheker, Chemiker und Pharmacologen bearbeitet. Zweite völlig umgearbeitete Auflage. In 2 Bänden. 2. Bd. XII S. u. S. 665—1571. 8. Berlin. — 20) Flückiger, F. A., Grundriss der Pharmacognosie. XXIV u. 260 Ss. gr. 8. Berlin. — 21) Hérand, Nouveau dictionnaire des plantes médicinales. 2. édit. Avec 273 fig. 18. Paris. — 22) Beck, G., Therapeutischer Almanach. 11. Jahrg. Des Taschenbuchs der neuesten Therapie 3. Bändch. 1. Heft. 88 Ss. 16. Bonn, Leipzig u. Stuttgart. (Enthält recht umfassende Angaben über neuere Behandlungsmethoden und moderne Medicamente.) — 23) Jousset, P., Traité élémentaire de matière médicale expérimentale et de thérapeutique positive. 2 vol. In-8. Paris.

II. Einzelne Arzneimittel und Gifte.

A. Pharmacologie und Toxicologie der unorganischen Stoffe und ihrer Verbindungen.

1. Sauerstoff.

1) Filipow, M., Zur therapeutischen Bedeutung von Sauerstoff und Ozon. Arch. für die gesammte Physiol. Bd. XXXIV. S. 335. Gazeta lekarska No. 18 bis 21 (polnisch). (Aus Dogiel's Laboratorium in Kasan.) — 2) Binz, C., Die Wirkung ozonisirter Luft auf das Gehirn. Berl. klin. Wochenschr. No. 40. S. 633. — 3) Shelly, C. E. (Hertford), The uses of peroxide of hydrogen. Practitioner. Vol. XXXII. p. 196. (Empfehlung des Wasserstoffsuperoxyds zu antiseptischen Umschlägen, Injectionen, Mund- und Gurgelwässern.)

Filipow (1) hat bei abwechselnder Athmung von Sauerstoff und atmosphärischer Luft weder an Menschen noch an Thieren (Hund, Frosch) irgendwie Abweichungen in Bezug auf Puls und Athemzahl, bezw. Temperatur constatirt und fand auch bei zuvor mit Dämpfen von Chloroform, Aethylalcohol, Schwefelwasserstoff oder Kohlenoxyd asphyxirten Fröschen keinen durchgreifenden Unterschied in der Erholungsdauer an freier Luft oder in Sauerstoffatmosphäre, welcher zu Gunsten der letzteren spräche. In Hinsicht der Wirkung des Ozons bestätigt F. die bekannte Thatsache, dass dasselbe concentrirt eingeathmet starke Irritation der Luftwege verursacht, aus denen reflectorisch Verlangsamung der Pulsschläge resultirt, die bei Einführung von Wasser, durch welches längere Zeit Ozon geleitet wurde, in den Kreislauf von Thieren nicht statthat. Inhalationsversuche mit verdünntem Ozon ergaben beim Menschen als Symptom nach längerem Einathmen Wärmegefühl in der Brust, geringe Abstumpfung und Schläfrigkeit, sowie unbedeutenden Hustenreiz; doch konnte F. wirklichen Schlaf durch Ozon weder bei Menschen noch bei Katzen herbeiführen, was, wie Binz (2) darthut, bezüglich ersterer nicht auffällig ist, da Schlaf bei Personen, welche, wie in F.'s Versuchen, in sitzender Stellung sich befinden und Hustenreiz nach Ozon bekommen, nicht eintritt.

2. Schwefel.

1) Smirnow, G., Ueber die Wirkung des Schwefelwasserstoffs auf den thierischen Organismus, nebst einigen Daten zur Pathologie des Cheyne-Stokes'schen Respirationsphänomens. Centralbl. für die med. Wiss. No. 37. S. 641. — 2) Morrill, F. Gordon, Some diseases which may be merely symptoms of the effects of poisoning by sewer gas. Boston med. and surg. Journ. Dcb. 4. p. 531. (Ohne Bedeutung.)

Smirnow (1) hat unter Botkin den Einfluss des Schwefelwasserstoffs auf Athmung und Herz theils an tracheotomirten Thieren, welche verschiedenartige Gemenge athmeten, theils bei Infusion von Schwefelwasserstoffwasser mit Hilfe des Marey'schen Polygraphen und des Ludwig'schen Kymographen studirt und dabei das merkwürdige Resultat erhalten, dass Schwefelwasserstoff eine erregende Wirkung auf das vasomotorische Centrum besitzt, während es paralysirend auf das periphere vasomotorische System wirkt, und dass die Inhalation gewisser Gasgemenge klassisches Cheyne-Stokes'sches Athmen hervorruft, welches S. auf Schwäche des Athemcentrums bezieht.

Schwefelwasserstoffwasser, welches bei Infusion mehr oder weniger anhaltenden Athemstillstand bedingt, erzeugt vor dem Eintritte des letzteren rasches Steigen des Blutdrucks, während dessen Dauer Sinken, welchem bei Wiedereintritt der Athmung Zunahme bis zur Norm folgt; der gleichzeitig auffallend verlangsamte Herzschlag wird durch Durchschneidung der Vagi aufgehoben, welche den Blutdruck nicht verändert; auch kehrt die Retardation nach grossen Dosen selbst nach Atropinisiren der Thiere wieder. Bei curarisirten Thieren bedingt sowohl Schwefelwasserstoffwasser als SH_2-Inhalation starkes Steigen des Blutdrucks; Durchschneidung der Splanchnici bedingt Fallen des gestiegenen Blutdrucks, jedoch nur insoweit dadurch die Verbindung des vasomotorischen Centrums mit der Peripherie unterbrochen wird. Bei Thieren mit durchschnittenem Rückenmark erfolgt zuerst Sinken, dann Steigen, worauf weder die Höhe des Schnittes noch die Durchschneidung der Splanchnici Einfluss hat. Reizung der peripheren Enden der letzteren erzeugt dagegen bei Hunden mit durchschnittenem Rückenmark bei Vergiftung mit H_2S geringere Erhöhung des Blutdrucks als im normalen Zustande. Bei künstlicher Circulation von H_2S haltigem Blute durch eine isolirte Extremität resultirt bedeutende Gefässerweiterung. Das Cheyne-Stokes'sche Athemphänomen resultirt bei Beimengung von $^1/_8$—$^1/_7$% H_2S zu Luft oder Sauerstoff, während $^1/_{10}$% H_2S haltende Atmosphäre die Athmung nur vertiefte und ausgiebiger machte; die Periodicität und das allmälige Sinken und Schwächerwerden der Resp. wird durch Durchschneidung der Vagi und Laryngei nicht geändert. Bei Luft oder Sauerstoff mit $^1/_6$—$^1/_5$% H_2S dauern die Athmungspausen länger an und können bei kleineren Thieren direct zum Tode führen; auch bei grösseren, wo Athempausen beobachtet werden, sinkt die Zahl der Athemzüge; Luft mit $^1/_2$% H_2S tödtet rasch. Im Blute der vergifteten Thiere ist niemals das Schwefelwasserstoffspectrum nachweisbar.

Weitere Studien Smirnow's über den Einfluss des Schwefelwasserstoffs auf den Stoffwechsel ergaben bei Hunden im Stickstoffgleichgewichte sowohl bei toxischen als bei kleineren Dosen Vermehrung der Harnstoff-, Schwefel- und Phosphorausscheidung durch den Harn bei Verringerung des Stickstoffs im Koth. Ein bestimmter Einfluss auf die Secretion von Galle, Magen- und Darmsaft wurde nicht ermittelt.

3. Chlor.

Gehle, H., Ueber einen Fall von Vergiftung mit Salzsäure. Berl. klin. Wochenschr. No. 22. S. 337. (Auf der Heidelberger Klinik beobachtete Intoxikation eines Mannes, mit einem tüchtigen Schluck Salzsäure, nach baldigem Rückgange der Affection in Pharynx und Speiseröhre sehr hartnäckige Gastritis, Stenosis pylori und Magendilatation, Tod in ca. 6 Monaten; während der ganzen Dauer der Affection Albuminurie, mitunter auch Epithelcylinder und Blutelemente im Urin, ohne dass die Nieren p. m. mehr als geringe Schwellung der Epithelien darboten.)

4. Brom.

1) Tay, Waren, und Stephen Mackenzie, Bromide of potassium eruption. Lancet. May 24. p. 937. (Frieselartiger Ausschlag bei einem Kinde, besonders in der Lumbargegend, erst 6 Wochen nach Beendigung der Bromkaliumcur verschwindend, microscopisch wurde entzündliche Hyperämie des Corium und der unmittelbaren Nachbarschaft der Haarfollikel, mit Blutergüssen und Infiltration mit Rundzelle: in den mittleren und tieferen Schichten der Cutis nachgewiesen.) — 2) Simon, J, Les bromures. Leçon recueillie par Paul Le Gendre. Progrès méd. No. 5. p. 81. — 3) Küssner, B., Ueber die Anwendung von Brompräparaten bei Neurosen, speciell bei Epilepsie. Deutsche med. Wochenschr. No. 49. — 4) Cutler, E G., Protracted lethargy after the use of bromide of sodium by one having the morphium habit. Boston med. and surg. Journ. March 13. p. 248. — 5) Testa, Baldassare, Dell' azione terapeutica del bromuro di zinco paragonata a quella del bromuro di potassa e dello zinco. Il Morgagni. Apr. p. 222. — 6) Mai, S., Effetti di dosi troppo forti di preparati di bromo e di jodio. Gaz. med. Ital. Lombardia. Nr. 11. p. 101. (Psychopathische Aufregungszustände, in 1 Fall mit Atherom der Hirngefässe verbunden, nach Ansicht des Vf. durch übertriebene Brom- resp. Jodkaliumdosen entstanden [?].)

Nach Testa (5) setzt das Bromzink analog dem Bromkalium die electrische Reizbarkeit der psychomotorischen Centren, auch bei Steigerung der Reflexerregbarkeit durch kleine Dosen Strychnin herab, eine Wirkung, welche vorzugsweise vom Bromcomponenten abhängt, da andere Zinkverbindungen in dieser Beziehung weit schwächer als Bromzink und noch weit schwächer als Bromkalium wirken. Cinchonidin ruft bei Thieren, welche längere Zeit Bromzink oder Bromkalium erhielten, weit weniger ausgeprägte epileptiforme Anfälle hervor; Zinksalze sind von geringerem Einfluss. Picrotoxinkrämpfe werden durch alle drei Substanzen weit weniger beeinträchtigt als Cinchonidinkrämpfe. Als Antiepilepticum hat Bromzink vor Bromkalium den entschiedenen Vorzug, dass es keine Prostratio virium bei längerem Gebrauche herbeiführt.

Als Dosen des Bromkalium bei Kindern bezeichnet Simon (2) für Säuglinge 0,2, auf 2 mal beim Stillen gegeben, für Kinder von 1—2 J. 0,4, ebenfalls auf 2 mal in starker Verdünnung und für Kinder von 2—4 J. 1,0—3,0; bei älteren Kindern reicht er das Mittel mit 1,0 beginnend, in steigenden Gaben, selbst bis 10,0 pro die, bei Epilepsie mit längeren arzneifreien Pausen. Bei kleinen Kindern sah er auf hohe Gaben öfters Diarrhoe eintreten; bei älteren hie und da Epistaxis, bei Herzkranken neben Verlangsamung des Pulses Zunahme der Oedeme. S. benutzt Bromkalium besonders bei Eclampsie und Hirnirritabilität kleiner Kinder, wo es vorbeugend gegen Entzündung wirkt, bei Epilepsie, wo er übrigens bei nicht völligem Erfolge mit Atropin abwechselt, auch bei symptomatischer Epilepsie in Folge chronischer Hirnleiden (hier mit Jodkalium combinirt), endlich bei Cephalalgie und Migräne 8—10jähriger, und bei Herzirritation (Palpitation, Praecordialangst) in der Pubertätszeit. Küssner (3), der im ersten Lebensjahre bei Dentitionsirritabilität ebenfalls 0,25 Bromkalium benutzt, empfiehlt bei epileptischen Erwachsenen die Tagesgabe von Bromkalium und Bromammonium, das er für gleichwerthig, wenn nicht mitunter noch besser wirkend erklärt, anfänglich auf 8,0 zu stellen, welche, von dem Arzte deutlich als Tagesgabe bezeichnet, in sehr starker Verdünnung (500,0—1000,0 Wasser) tagsüber schluckweise verbraucht wird, und später auf 10,0—12,0 zu steigern. Höhere Dosen vermeidet K. in Anbetracht der sich einstellenden motorischen Störungen Die fragliche Menge wird anfangs mehrere Wochen täglich, dann jeden zweiten, später jeden dritten Tag, nach Monaten oft nur alle 8 Tage genommen, bis das Allgemeinbefinden oder das völlige Ausbleiben der Anfälle den Schluss der Cur bewirkt. Wie wesentlich die genaue Bezeichnung der Tagesdosen ist, zeigt ein von K. mitgetheilter Fall, wo ein Kranker, dem 150,0 Bromkalium mit der Weisung verordnet waren, 1—2 Theelöffel voll täglich zu nehmen, der aber statt dessen 2stündl. einen Theelöffel consumirte, nach Verbrauch der Hälfte am 2. Tage an Herzlähmung starb. Wie schwer derartige grosse Dosen wirken, beweist der von Cutler (4) berichtete Fall von 18tägiger Lethargie bei einem Morphinisten, der in Folge einer von Mattison empfohlenen Cur mit steigenden Dosen Bromnatrium im Laufe einer Woche 1890 Gran (etwa 125,0) consumirte und danach 18 Tage in completem Schlafe, der durch die intensivste Faradisation, die nicht einmal irgend einen Reflex bedingte, nicht unterbrochen werden konnte, und drei weitere Tage fast fortwährend in Schlafsucht sich befand, übrigens trotz dieser Cur, wobei ihm das Leben offenbar nur durch künstliche Ernährung per rectum erhalten wurde, von der Morphiumsucht nur für einige Monate befreit wurde.

5. Jod.

1) Pellacani, Paolo (Pavia), Sulla tossicologia del iodio e di alcuni suoi preparati. Annali univ. Dic. p. 497. — 2) Lorenz (Militsch). Ein eigenthümlicher Fall von Jodvergiftung. Deutsche med. Wochenschrift. No. 45. S. 433. (3/4 Stdn. nach 3mal hinter einander ausgeführter Bepinselung des Vorderarms in Handtellergrösse heftige Coryza, Husten und Brechreiz, erschwerte, fast pfeifende Respiration und starke Schwellung der Fusssohle, in 1/2 St. fast ganz nachlassend; 3 Std. nach der Application; mehrmals Ohnmachtsanfälle, Zuckungen, Herzschwäche, Schwindel beim Aufrichten im Bette, Intermittenz und gesteigerte Frequenz des Pulses bei normaler Temp. und eiweissfreiem Harn, stark juckendes Exanthem, mit den übrigen Erscheinungen nach 2 J. verschwindend.) — 3) Locquin (Dijon), Erythème symetrique des mains consécutif à l'application de teinture d'iode sur l'uno d'elles. Gaz. méd. de Paris. No. 12. p. 137. (Nach 6 wöchentlicher reichlicher Bepinselung auftretend.) — 4) Talamon, Ch, Sur une éruption cutanée, simulant l'érythème noueux, due à l'iodure de potassium. La France méd. No. 7, 8. — 5) Pellizari, Celso (Siena), Nuovo contributo allo studio delle eruzioni iodiche. Lo Sperimental. Sett. p. 233. — 6) Besnier, Ernest, A propos des injections sous-cutanées d'iodure de potassium. Bull. gén. de Thérap. Janv. 30. p 74. (Vergl. Ber. 1882. I. S. 393.) — 7) Lindsay, James A., A case of a remarkable eruption following the administration of iodide of potassium. Brit. med. Journ. March 29. p. 602. — 8) Baumann, E. (Freiburg), Zur Frage der Jodbestimmung im Harne. Zeitschrift für physiol. Chemie. Bd. VIII. S. 282. (Polemisch.) — 9) Harnack, Erich (Halle), Ueber die quantitative Jodbestimmung im Harn. Ebend. S. 391. (Desgl.)

In einer Studie über die Wirkungsweise des Jods und der Jodverbindungen bestreitet Pellacani (1) die Angaben von Böhm und Berg (Bericht 1876 I. S. 402), dass das Jod früher auf das Eiweiss als das darin enthaltene Alkali wirke und stellt die von Högyes (Bericht 1879. I. S. 439) behauptete Bedeutung des Jodalbumins für das Zustandekommen von Jodvergiftung in Abrede, während er der auch im Thierkörper vor sich gehenden Einwirkung auf Hämomoglobin einen hervorragenden Theil an derselben vindicirt.

Nach P. bindet alkalisches Eiweiss eine weit grössere Menge Jod als neutralisirtes und erfolgt die Bildung von Jodalbuminat überhaupt erst nach vollständiger Sättigung des Alkali, und zwar unter Sauerwerden der Mischung, Entstehen von Jodwasserstoffsäure (auch ohne Gegenwart von Wasser) und theilweiser Coagulation. Im Blutserum und in den Parenchymen mit Lugol'scher Lösung vom Magen oder Peritoneum aus vergifteter Thiere konnte P. niemals Jodalbumin auffinden, auch nicht bei Vergiftung mit anderen Jodpräparaten, in specie Jodoform. Die bereits von Magendie hergestellte Verbindung des Jod mit Hämoglobin ist weit stabiler als Jodeiweiss.

Das in das Blut durch Resorption intraperitoneal oder subcutan injicirter Lugol'scher Lösung aufgenommene freie Jod ruft in grosser Dose constant Auflösung der rothen Blutkörperchen und Haemoglobinämie mit allen ihren Consequenzen (Nierenaffection u. s. w.) hervor. Auch vom Magen aus bewirkt die Lugol'sche Lösung dieselben Erscheinungen, wozu jedoch auch noch ulcerative Processe im Magen treten. Diese sind wirklich von den Magenveränderungen verschieden, welche bei intraperitonealer und subcutaner Application in hochgradiger Weise vorkommen, beruhend, wie dies schon früher Rose (Ber. 1866. I. S. 292) betonte, auf dem freiwerdenden Jod, das hier keine Alkalien zur Sättigung vorfindet und dessen Gegenwart sich durch Braunfärbung der Elemente, mit denen dasselbe in Contact kam, insbesondere der Pepsindrüsen, bei Lockerung der Epithelialschicht der Schleimhaut zu erkennen giebt. Die Pepsindrüsen zeigen körnige Trübung und Verschwinden des Kernes. Durch wiederholtes Ausziehen mit Alcohol kann das Jod frei gemacht werden, doch sind auch später bei Veraschung noch Spuren nachzuweisen.

Die von Böhm (Ber. 1882. I. S. 493) beschriebene Magenschleimhautaffection bei chronischer Vergiftung mit Jod hat nach P. denselben Ausgangspunkt und Grund. In den Nieren hat P. keine durch directe Einwirkung von Jod bedingte Braunfärbung constatirt; dagegen zeigt sich hier der Effect der Hämoglobinämie, der auch durch dunkle Färbung der Milz, des Knochenmarkes, in welchem Hämorrhagien nicht fehlen, und durch Pigmentkörnchen in den Leberzellen sich manifestirt. Hämoglobinmassen finden sich nicht nur in den gewundenen Harncanälchen, sondern in allen Theilen der macroscopisch dunkelbraun gefärbten Nieren; die Nierenepithelien sind wenig verändert, in den gewundenen Canälen oft körnig und opak. Trübe Schwellung findet sich auch in anderen Zellen, z. B. in den Speicheldrüsen, während wirkliche fettige Degeneration durch Jod nicht bedingt wird.

Von den Erscheinungen der acuten Vergiftung durch grosse Gaben Jod erinnern die sehr frühzeitig auftretenden respiratorischen Störungen (Dyspnoe), ebenso wie das ganze Krankheitsbild, die relative Immunität der Carnivoren im Gegensatze zu der grossen Empfänglichkeit der Herbivoren, die Nichtbeinträchtigung des Herzens und der Vasomotoren bis zur Lähmung des respiratorischen Centrums, sehr an die Vergiftung durch verdünnte Säuren, und die Athemnoth kann in der Kalientziehung um so eher ihre Erklärung finden, als dieselbe bei Intoxication mit Jodüren und Jodoform nicht vorhanden ist.

Bei der gleichzeitigen Beeinträchtigung des Blutes und der Nieren kann der Umstand, dass Alkalien die Jodwirkung nicht aufheben, nicht als Grund gegen diese Ableitung gelten. Ein Einfluss des Jods auf die nervösen Elemente im Organismus ist nach P. nicht nachweisbar, und die comatösen Erscheinungen, mit denen die Intoxication abschliesst, lassen sich aus der Anurie und Hämoglobinämie einfach erklären. Die von Rose bei Jodvergiftung am Menschen beobachteten Symptome entsprechen im Wesentlichen der Hämoglobinurie; der dabei vorgekommene harte und volle Puls resultirt nach sphygmographischen Versuchen von P. nicht aus einer Wirkung des Jods auf die peripheren Gefässe, sondern aus Reizung des Vaguscentrum.

Die Wirkung toxischer Dosen von Jodnatrium, welche übrigens sowohl für Herbivoren als für Carnivoren sehr grosse sind, besteht nach P. in progressiver Dyspnoe mit schliesslicher Paralyse des Athemcentrums und bulbospinaler, vorwaltend motorischer Paralyse, welcher mitunter Excitationsphänomene vorausgehen, ohne jede anatomische Läsion, und erblickt P. darin eine Analogie mit den Wirkungen grosser Dosen anderer Natriumsalze bezw. Chlornatrium, wie sich eine solche auch in Beziehung auf die Einwirkung auf das Froschherz ergiebt.

Die von Böhm und Berg nach Infusion von Jodnatrium constatirten hämorrhagischen pleuritischen Ergüsse und Lungenblutungen konnte P. nach intraperitonealer und subcutaner Application niemals constatiren. Hunde toleriren intraperitoneal 30,0—40,0, Kaninchen intern mehrere Monate täglich 2,0—4,0; tödtlichen Effect bei letzteren hat erst 2,5 per kg subcutan. Im Harn tritt auch nach Einführung vollkommen reinen Jodnatriums Jodat auf, und zwar um so reichlicher, je grösser die eingeführte Jodkaliummenge ist.

Ganz verschieden von der Wirkung der Jodüre ist diejenige der jodsauren Verbindungen, deren sehr bedeutende antiseptische Action sich nach P. einfach aus dem kräftigen Oxydationsvermögen erklärt, nicht aus dem Freiwerden von Jod, welches sich bei Versuchen mit organischen Materien nicht nachweisen lässt (wohl aber constant die Anwesenheit von Jodüren).

Nur in höchst acut verlaufenden Intoxicationen durch Jodate decken sich die Symptome mit denen der Vergiftung durch hohe Dosen Jod (Dyspnoe und Coma) und kann die Wirkung auf das respiratorische Centrum nach früher von Feitelberg angestellten Versuchen auf die bedeutende Alkalientziehung zurückgeführt werden. Künstliche Athmung kann den unmittelbaren Tod zwar hinausschieben, wirkt jedoch nicht lebensrettend, da die Jodate auch auf das Herz und die Gefässe, sowie auf die quergestreiften Muskeln lähmend wirken. Jodate lähmen nicht nur die vasomotorischen Centren, sondern auch die peripheren Gefässnerven; Der Herzschlag wird bei Säugethieren anfangs beschleunigt, später stark verlangsamt und arhythmisch; das Froschherz wird sowohl gegen mechanische Reize als gegen Physostigmin und Campher unempfindlich; auch die Reizbarkeit der Muskeln und der Nervencentren wird beim Frosche vernichtet. Als weitere Effecte der Jodate bezeichnet P. Vermehrung der Secretionen, besonders von Speichel, Galle, Pancreassaft, Thränen, Harn und Darmschleim, Steigerung der Peristaltik (Diarrhoe, Erbrechen), bedeutende Herabsetzung der Temperatur und Pupillenerweiterung (welche durch Muscarin aufgehoben wird und nicht bei localer Application von Jodaten eintritt).

Bei mehrfacher Einführung kleiner Dosen äussern die Jodate eine zerstörende Wirkung auf die Blutkörperchen, erzeugen Hämoglobinämie mit nachfolgender intensiver Hämoglobinurie und bedingen fettige Degeneration der Parenchym- und Epithelzellen, sowie der Muskelfasern. Die Wirkung auf die Blutkörperchen ist weit heftiger als beim Jod, welches vorwaltend das Hämoglobin aus denselben frei macht, während die Jodate durch sehr ausgedehnte Destruction wahre acute Anämie erzeugen.

Im Blute der chronisch vergifteten Thiere ist spectroscopisch Methämoglobin nachweisbar, welchem Befunde die Chocoladefarbe des Blutes und die pechschwarze Färbung von Milz und Leber entspricht. Bei Hunden combiniren sich mit dieser Wirkung die auf die Nervencentra und die Secretionen gerichteten, von denen die letztere oft anfangs so prävalirt, dass die Vergiftung, von der Pupillendilatation abgesehen, an Pilocarpinismus erinnert; es folgt auf das erste Stadium, wo namentlich das Athemcentrum leidet, ein solches von spinaler Reizung mit Zittern, Contracturen und Muskelzuckungen, worauf Paralyse folgt. P. will die Krämpfe nicht als Folge von Hämoglobinämie, sondern von directer Wirkung der Jodate auf die Nervencentra ansehen. Der Blutdruck wird bei der chronischen Vergiftung wenig alterirt. Die Section weist in den Nieren ausser der Hämoglobinexsudation constant Verfettung der Epithelien nach, ausserdem auffällige Veränderung der grauen Substanz im Hirn und des Rückenmarks, macroscopisch durch Rosafärbung hervortretend, microscopisch durch reichliche Hämorrhagien und intensive Gefässerweiterung, sowie durch Atrophie der Nervenzellen characterisirt. Im Magen finden sich Hyperämie und Ecchymosen in der Drüsenschicht, nicht die durch freies Jod bewirkten Veränderungen der Pepsindrüsen.

Der Harn enthielt nach Einführung von Jodaten stets Jodüre, aber kein Jod in organischer Verbindung, wie dies constant bei Einführung von Jodoform und anderen organischen Jodverbindungen der Fall ist, welche sich in Form einer organischen Säure z. Th. im Urin wiederfinden. In Bezug auf die acute Jodoformvergiftung ist Pellacani der Ansicht, dass die Symptomatologie am meisten mit derjenigen der Intoxication mit mittleren Dosen von Jodaten übereinstimmt, welche er auch geradezu für wesentlich betheiligt hält, da sich nach Jodoformeinführung nicht nur Jodat im Harn findet, sondern in noch weit grösseren Mengen im Blute und in den Organen. Eine Ableitung der Jodoformwirkung von den im Blute freiwerdenden geringen Mengen Jod hält P. für völlig unstatthaft, dagegen zeigt das Jodoform neben der Jodatwirkung noch besondere Actionen, wohin P. insbesondere die bei Kalt- und Warmblütern hervortretenden Reizungserscheinungen der Nervencentra (tetanische Convulsionen, psychische Aufregung), die Reizung des Vaguscentrums bei Batrachiern und die Erhöhung des Blutdrucks bei Warmblütern rechnet, und welche dem Jodoform als solchem zugeschrieben werden können, da P. solches bei mit Jodoform vergifteten Thieren in verschiedenen, zuvor von Jodüren und Jodaten befreiten Organen nachwies. Fettige Degeneration ist beim Jodoform weit ausgesprochener als bei allen anderen Jodverbindungen.

Jodoform fand sich nach subcutaner Einspritzung von Jodoformöl besonders im Gehirn und Rückenmark, danach in der Leber, hiernach in den Muskeln, nicht im Blut, dessen Serum reichlich Jodat enthielt, auch nicht in Leber, Milz und Urin. Bei interner Vergiftung enthielt die Leber mehr als das Gehirn. Der Nachweis wurde mittelst der Reaction von Lustgarten (Ber. 1882. I. S. 171) geführt. Die Jodoformwirkung im engeren Sinne findet sich namentlich auch ausgesprochen bei der allmäligen Zufuhr von kleinen Mengen Jodoform, deren Wirkung sich cumulirt, wobei die fettigen Degenerationen fehlen können. P. fand letztere sehr ausgesprochen bei den todtgeborenen Jungen einer mit Jodoform vergifteten Hündin; hier war auch der mütterliche Theil der Placenta völlig fettig degenerirt, der fötale Theil körnig entartet.

Wenn sich nach den obigen Untersuchungen eine differente Wirkung der Jodüre, Jodate und des Jodoforms ergiebt, welche sich nicht mit der Annahme einer Wirkung derselben durch das abgespaltene Jod verträgt, so fällt letztere um so mehr durch die von allen abweichende Wirkung des durch die Leichtigkeit der Jodabgabe ausgezeichneten Jodäthylens, welches in Folge der letzteren weit stärkere antiseptische Wirkung als das Jodoform (sowohl in Bezug auf die Verhinderung der Fäulniss von Harn, Pancreas u. s. w. als der Entwicklung von Microorganismen in Nährflüssigkeiten) besitzt und bei putriden und gangränösen Wunden als Ersatzmittel des Jodoforms dienen und als Jodmittel bei Drüsengeschwülsten local in Salbenform verwendbar ist. Die Vergiftung mit Jodäthylen ist besonders interessant durch das Auftreten epileptischer Anfälle durch Reizung der Hirnrinde, welche durch vorherige Anwendung von Bromkalium verhindert werden, und durch die beim Ausbleiben der Krämpfe sich einstellenden Anfälle von Wuth und Schreien, welche allerdings an die furibunden Delirien bei der Jodoformintoxication des Menschen erinnern, jedoch bei Thieren durch Jodoform nie hervorgerufen werden.

Die bei Vergiftung mit Lugol'scher Lösung constatirte Pepsindrüsenveränderung findet sich nach Jodäthylen in geringem Maasse, meist nur Hyperämie und Ecchymosen der Magenschleimhaut; fettige Degeneration fehlt.

Die zur Behandlung von Jodoformvergiftung vorgeschlagenen Alkalien hat P. völlig nutzlos gefunden, was dafür spricht, dass dabei Alkalientziehung nicht in Frage kommt. Am meisten Nutzen verspricht sich P. vom Atropin gegen die bestehende centrale Parese. Diuretica können wohl Jodate und Jodüre fortschaffen; aber nicht das im Gehirn in organischer Verbindung existirende Jodoform oder Jodaethylen. Ammoniak gab negative Resultate.

Zur Casuistik der Jodausschläge bringen Talamon (4) und Pellizari (5) neue Fälle von Erythema nodosum, das in dem Falle von T. 5 mal nach dem Jodgebrauche auftrat, während zwei Beobachtungen P.'s neue Beweise für dessen frühere Angabe (Ber. 1880. I. S. 437) liefern, dass derartige Knoten auch erweichen und vereitern können.

Während in dem einen dieser Fälle möglicherweise der bestehende schwere syphilitische Allgemeinzustand von Einfluss auf diesen Augang sein konnte, handelte es sich in dem zweiten um einen Nichtsyphilitiker, bei welchem nach Selbstverordnung von Jodkalium verschiedene eiternde Knoten an Brust, Hals und anderen Körpertheilen, auch Erythema papulosum und urticatum am Oberschenkel auftrat und bestehende Acne im Gesicht ein carbunculöses Aussehen annahm, so dass eine gewisse Aehnlichkeit, zumal bei der sympathischen Anschwellung der Lymphdrüsen und fieberhaftem Zustande mit Delirien und Störung des Sensorium mit Rotz kaum in Abrede zu stellen ist. Dieser Fall kann auch zur Widerlegung der Annahme von Besnier dienen, dass Jod bei demselben Patienten immer nur eine einzige Eruptionsform hervorrufe.

Dass das Jodkalium häufiger Exantheme bedinge als Jodnatrium und Jodammonium, wird von P. zugegeben; doch hat er auch nach Jodnatrium, z. B. nach zehntägigem Gebrauche von 2 mal täglich 0,5 und ebenso nach ausgiebigem Aufstreuen von Jodoform auf Drüsengeschwüre exquisite Jodacne beobachtet.

Die Ansicht Gamberini's, dass nur unreines Jodkalium zu Eruptionen führe, weist P. ab, da er sich in dem einen der obigen Fälle von der Reinheit des angewandten Präparates überzeugte, während er die Intoleranz des Magens gegen Jodkalium auf beigemengtes jodsaures Salz bezieht, womit freilich die von ihm gemachte Beobachtung nicht ganz harmonirt, dass derartige Kranke auch Jodnatrium nicht toleriren. In dem ersten der oben erwähnten Fälle von nodösem Ausschlage nahmen die Knoten an Umfange zu, als Jodnatrium gegeben wurde. In demselben Falle scheint eine besondere Schwäche der Herzmusculatur und gleichzeitig bestehende Albuminurie als begünstigendes Verhältniss für das Auftreten von Jodexanthem aufgefasst werden zu können; doch ist zu erwägen, ob nicht auch äussere Verhältnisse auf deren Erscheinen einwirken, da, wie P. hervorhebt, die meisten seiner Beobachtungen auf das Frühjahr fallen und es Perioden giebt, in denen z. B. die Mannigfaltigkeit der eruptiven Formen bei Syphilitischen auffallend grösser ist, als in anderen. Die Ansicht Besnier's dass die anomalen Ausschlagsformen als Reflex vom Magen aus anzusehen seien und dass dieselben überhaupt nur da verkämen, wo das Jodkalium Störungen der ersten Wege bedinge, weist Pelizzari an der Hand verschiedener neuer Beobachtungen zurück. Unter diesen ist ein Fall, wo bei einem Manne, der früher schon am Nesselfieber gelitten, der Gebrauch von 1,0 Jodkalium innerhalb 3 Stunden Erythema urticatum hervorrief, welches später sich bei Fortgebrauch verringerte, obschon nach 6—7 Tagen geringe gastrische Störungen (Nausea) sich einstellten. In einem anderen Falle rief 0,5 kein Exanthem hervor, wohl aber 1,0 Urticaria, die sich bei Fortgebrauch steigerte, ohne dass es überhaupt zu gastrischen Störungen kam. Andererseits stellte sich in einem Falle, wo Jodkalium und Jodnatrium in Lösung vom Magen nicht tolerirt wurden und es gelang, 0,6 Jodkalium in Pastillen einzuführen, ausser wenigen Roseolaflecken kein Exanthem ein. P. ist übrigens der Ansicht, dass das Gefässsystem und dessen durch das Jod gesetzte Erregung für das Zustandekommen der Jodexantheme von hervorragender Bedeutung sei, wie sie auch die von ihm zweimal beobachtete Intoleranz von Patienten erklärt, welche nach 0,5 Jodkalium jedesmal Hämoptysis bekamen.

Die Jodacne kann nach P. nicht durch die reizende Wirkung durch die Hautdrüsen eliminirten Jods erklärt werden, da ihm der Nachweis von Jod in 21 F. von Jodacnepusteln nicht gelang, wie auch in dem Inhalte der Abscesse bei den obenerwähnten Kranken kein Jod nachgewiesen werden konnte. P. verwirft die Eliminationstheorie um so mehr, weil er durch microscopische Untersuchung von Acnepusteln in ihrem frühesten Entwicklungsstadium sich davon überzeugte, dass nicht die Drüse das erstbetroffene Organ ist, sondern die in der Nachbarschaft befindlichen Gefässe, deren Irritation zu Hyperämie und später zu wirklicher Entzündung führt, und bezeichnet die furunculösen und anthracoiden Formen des Jodexanthems nur für eine Steigerung der localen Irritation.

Eine von einem doppelten Hofe umgebene bullöse Eruption, der von Bazin als Hydroa bezeichneten entsprechend, kam in einem Falle von Lindsay (7) im Royal-Hospital zu Belfast bei einer an Paralyse leidenden Frau nach dem Genusse von zwei Gaben von $3^3/_4$ Gran Jodkalium zur Erscheinung; die Eruption hinderte, obschon von Uebelbefinden und Hautjucken begleitet, den Fortgebrauch des auf die Lähmung günstig influirenden Mittels nicht, kam und schwand während desselben in 8 Tagen. Erwähnenswerth (als Jodwirkung) ist das Wiedererscheinen der seit 12 Jahren fehlenden Catamenien in diesem Falle.

[Jakowski, Niezwykla wrazliwość na dzialanie jodu. (Eine ungewöhnliche Empfindlichkeit gegen Jod.)

Der Verf. beschreibt aus seiner Praxis folgenden interessanten Fall. Einer 50jährigen Frau, welche an rheumatischer Entzündung beider Armgelenke litt, verordnete der Verf. Kalium jodatum. Schon nach zwei Löffeln dieser Arznei entwickelte sich ein starker Schnupfen, Husten und erschien auf der Haut ein erysipelatöser Ausschlag, sodass der Verf. die weitere Darreichung des Mittels ausstellen musste. Nach einiger Zeit fand der Verf. bei derselben Patientin eine Bronchitis in den oberen Theilen der linken Lunge. Er bepinselte die Haut in regione infraclaviculari mit Jodtinctur. Schon am folgenden Tage erschienen auf der ganzen Haut rosarothe Flecken, wie das vorige Mal, die Patientin klagte über Herzklopfen und der Bronchocatarrh wurde jetzt viel stärker. Nach zwei Wochen, nachdem die Kranke ganz genesen war, bepinselte der Verf. wieder ein Stück ihrer Haut mit Jodtinctur, um sich zu überzeugen, ob die vorige Erscheinung die Folge der Intoxication war. Wirklich brach auch jetzt schon nach einmaliger Bepinselung ein erysipelatöser Ausschlag auf der ganzen Haut aus, und die Patientin klagte über Schnupfen und Conjunctivitis.

v. Kopff (Krakau).]

6. Bor.

1) Cyon, E. de, Le borax comme désinfectant intérieur. Compt. rend. de l'Acad. T. XCIX. No. 3. p. 147. (Vorschlag, den Borax zu 6,0 täglich innerlich als Präservativ der Cholera zu verwenden.) — 2) Rosenthal (Wien), Untersuchungen und Beobachtungen über Arzneimittel. 1. Borsäure. Anzeigen der Gesellsch. Wiener Aerzte. No. 12. S. 59. — 3) Lebovicz, F. L. (Salonichi), Action thérapeutique de l'acide borique. Gaz. hebdom. de méd. No. 38. p. 624. — 4) Parker, W. T. (Fort Union, Neu-Mexico), Boroglyceride, the new antiseptic. Philad. med. Times. Sept. 20. p. 926.

Rosenthal (2) empfiehlt Borsäure innerlich in 2—3proc. Lösung in Dosen von 1,0—1,5 oder subcutan in 4proc. Solution bei leichter Cystitis und Phosphaturie, wo sich der Harn rasch klärt und säuert, und 3—4 pCt. als vorzügliches antimycotisches Injectionsmittel bei mucös purulenter Cystitis und Magenspülmittel bei Ectasia ventriculi. Innerlich bewirken 4,0—6,0 beim Gesunden etwas Uebelkeit und Steigerung der Diurese, 12,0—15,0 unangenehmes Gefühl im Magen.

Lebowicz (3) hat im Hospitale zu Salonichi den

günstigen antiseptischen Effect des Borsäurestreupulvers bei Wunden und Geschwüren und der Borsäurebougies bei Tripper mit Induration der Corpora cavernosa, hier in Verbindung mit Jodkalium innerlich erprobt.

Parker (4) rühmt die vortrefflichen Erfolge des Verbandes von Wunden mit Boroglycerid, das in wässriger Lösung (1 : 20—30) sich nicht zersetzt und jedes Wundfieber verhütet; Lösungen von Borax in Glycerin geben nicht dieselben Effecte wie das aus Borsäure und reinem Glycerin bereitete Präparat. Vorzügliche Dienste leistet dasselbe auch in der gynäcologischen Praxis, theils in Form von Injectionen und Pessarien bei Vaginitis und Leucorrhoe, theils bei Geschwüren des Cervix auf Wattetampons oder in Form 25 proc. Gelatinesuppositorien; auch sind intrauterine Einspritzungen im Puerperium von Nutzen und wegen ihrer Ungefährlichkeit den Carbolinjectionen vorzuziehen. 5 proc. Lösungen sind bei chronischem Nasencatarrh indicirt. Sehr guten Erfolg hatte P. auch bei Otorrhoe, Cystitis putrida und indolenten Geschwüren, bei denen er es in Pastenform applicirt.

[Hogner, Rich., Förgiftningsfall genom Borsyresköljningar. Eira. p. 389.

Hogner theilt 3 Fälle von Borsäurevergiftung mit, der eine durch Ausspülung der Blase, die anderen durch Spülungen des Magens hervorgerufen. Im ersten Falle wurden 1000 g einer 4 proc. Lösung angewendet, wovon 150 g zurückgelassen wurden. Des Nachts stellten sich Harndrang und Diarrhoe ein, des Morgens enthielt der Harn Schleim mit Blut vermischt und Schleimhautfetzen; ähnliche Symptome wurden durch 3—2 proc. Brorsäurelösungen hervorgerufen. Im zweiten Falle verlor ein 63 jähriger Mann, dessen Magen mit Borsäurelösung ausgespült wurde, plötzlich den Appetit, er wurde matt und bekam eine Hauteruption im Gesichte wie Erysipelas, am Truncus wie Purpura haemorrhagica aussehend. Fieber und Erbrechen gesellten sich dazu, er wurde soporös und starb am dritten Tage. Der dritte Fall betraf einen 63 jährigen Mann mit hochgradiger Magenerweiterung. Ausspülung des Magens mit 2 l Kochsalzlösung, später mit 300 g einer 2—2,5 proc. Borsäurelösung. Danach Mattigkeit, Uebelkeit, Blutungen in der Haut. Der Patient starb am 7. Tage in grosser Adynamie. Bentzen.]

7. Stickstoff.

1) Binz, C., Ueber Stickoxydul. Wiener med. Blätter. No. 22. S. 675. (Abdruck aus den „Vorträgen über Pharmacologie".) — 2) Cazeneuve, P., De le préparation du protoxyde d'azote. Lyon méd. No. 44. p. 274. — 3) Goetz, E. (Genf), De l'anesthésie par le protoxyde d'azote sous pression, d'après la méthode de Paul Bert. Revue méd. de la Suisse Romande. No. 2. p. 75. — 4) Aubeau, Anesthésie prolongée à l'aide du protoxyde d'azote à la pression normale. Gaz. des Hôp. No. 27. p. 211. — 5) Schmitz, A. (Bonn), Vergiftung durch Einathmen von rauchender Salpetersäure. Berl. klin. Wochenschr. No. 27. S. 428. — 6) Pott, Richard (Halle), Eine Massenvergiftung durch „salpetrigsaure Dämpfe". Dtsch. med. Wchschr. No. 29. 30. S. 451.

Cazeneuve (2) weist experimentell nach, dass die bei Bereitung des Stickoxyduls vorkommenden Explosionen auf Ueberhitzung des Ammoniumnitrats, nicht aber auf Beimengung von Chlorammonium beruht, und führt das Unwirksamwerden des aufbewahrten Gases darauf zurück, dass das Gas stets Mengen von O und N einschliesst, welche von vorn herein die anästhesirenden Wirkungen nicht beeinträchtigen, wohl aber, wenn sich in Folge der grösseren Löslichkeit des Stickoxyduls in Wasser eine relativ grössere Menge desselben beim Aufbewahren im Gasometer im Wasser löst. Der von Paillarson constatirte irritirende Geruch frisch bereiteten Stickoxyduls rührt nach C. von einer Spur beigemengten Stickoxyds her und schwindet sofort beim Schütteln mit einer Eisenoxydullösung.

Das von Bert angegebene, inzwischen aber wieder verlassene Verfahren der Anästhesie mit Stickoxydul unter erhöhetem Drucke empfiehlt Götz (3) nach den in Genf von Roussy gemachten Erfahrungen bei Zahnoperationen, doch hält er eine Mischung von 12 Th. Sauerstoff und 88 Th. Stickoxydul für besser als die von Bert benutzte (15 : 85), weil die Anästhesie rascher (bei einem Druck von 25—30 Cm. nach 10—15, mitunter nach 6—8 Inspirationen) eintritt und länger (1—1¼ Min.) andauert. Etwa eintretende Agitation wird durch Steigerung des Drucks rasch beseitigt. Unter 80 Pat. fand sich ein Refractär. Die beim Athmen in comprimirter Luft hervortretende schmerzhafte Empfindung in den Ohren, welche in der Regel rasch durch einige Kaubewegungen beseitigt wird, war in einem Falle ziemlich hochgradig.

Aubeau (4) bestätigt Bert's Angabe, dass, nach Einleitung der Anästhesie durch reines Stickoxydul, Gemenge von Stickoxydul und Sauerstoffgas die Narkose verlängern, und steht die Dauer dieser Prolongation im umgekehrten Verhältnisse zum Sauerstoffgehalte, so dass 30 proc. Gemenge beim Hunde die Narkose nur 6 Min., 10 proc. um 12 und 20 proc. um 24 Min. verlängern. Beim Menschen wirken Stickoxydulsauerstoffgemenge von 5—6 pCt. Sauerstoff an sich anästhesirend, beim Hunde nur solche mit 2½ proc. bis 4 proc. Sauerstoff, die jedoch gefährlich sind und Tod durch respiratorische Syncope bedingen können, worauf die Section Retraction und Hyperämie der Lungen, subpleurale Ekchymosen und Ausdehnung des Herzens mit rothem flüssigen Blute zeigt.

Zur Casuistik der Vergiftung mit Salpetrigsäuredämpfen bringen Schulz (5) und Pott (6) Beiträge, wobei der Erstere namentlich auf die Möglichkeit einer directen centralen Wirkung hinweist, die er in einem bei einem Chemiker beobachteten chronischen Vergiftungsfalle, der sich durch Abgespanntheit, Müdigkeit in den Gliedern, Kopfschmerzen und Schwindelanfälle neben Brechneigung, Halsschmerzen, Schlingbeschwerden und Diarrhoe characterisirte, supponirt. In dem höchst interessanten Falle von Massenvergiftung, welche Pott beschreibt, handelt es sich um 30 Personen, welche beim Löschen eines Speichers thätig gewesen waren, in welchem 900 Centner eines Gemenges von 3 Th. aufgeschlossener Knochenkohle (Superphosphat) und 2 Th. Chilesalpeter, möglicherweise durch eine zu starke Säuerung des Superphosphats und Einwirkung der überschüssigen Schwefelsäure auf das Natriumnitrat, angeblich in Selbstentzündung gerathen waren. Zwei der den Dämpfen am meisten exponirten Personen gingen, nachdem ca. 8 Stunden später intensive dyspnoische Erscheinungen eingetreten waren, an acutem Lungenödem in 8 resp. 40 Stunden zu Grunde, ohne vorherige Störung des Sensoriums; in den übrigen F. blieb es bei acuter hyperämischer Schwellung der Bronchialschleimhaut bis in die feinsten Bronchialverzweigungen mit Expectoration citronengelber Massen; nur in 1 Falle, wo das am 1. Tage vorhandene starke Oppressionsgefühl in der Brust durch Ammoniakinhalation rasch geschwunden war, kam es zu mehrere Tage hindurch sich wiederholendem Erbrechen gelber Massen mit Schwere und Abgeschlagenheit in den Gliedern und Neigung zu Somnolenz. P. erwähnt auch eine analoge Massenvergiftung in einer Dynamitfabrik durch Platzen von Salpetersäureballons, wobei angeblich auch blutiger Auswurf vorkam.

8. Phosphor.

1) Miura, Igakushi Moritzi, Die Wirkung des Phosphors auf den Fötus. (Aus dem pathologischen Institut zu Berlin.) Arch. für pathol. Anat. und Physiologie. Bd. XCVI. S. 54. — 2) Schwarz, Josef (Pesth), Zur Aufklärung einiger Erscheinungen der Phosphorvergiftung. Wien. medicin. Blätter. No. 45. S. 1417. — 3) v. Starck (Kiel), Beiträge zur Pathologie der Phosphorvergiftung. Deutsches Archiv für klin. Med. Bd. XXXV. S. 481. — 4) Schulz, H. (Greifswald), Ueber die Giftigkeit der Phosphor-Sauerstoffverbindungen und über den Chemismus der Wirkung unorganischer Gifte. Arch. für exp. Path. und Pharmacol. Bd. XXXII. S. 175.

Miura (1) hat bei seinen durch Virchow veranlassten Versuchen an trächtigen Kaninchen und Meerschweinchen constatirt, dass Phosphor dieselben fettigen Degenerationen verschiedener Organe beim Fötus hervorruft, wie sie beim Mutterthiere constant nach 48, mitunter schon nach 36 stündiger Vergiftung auftreten.

Die Leber ist auch beim Fötus am stärksten afficirt; das Duodenum war fast ganz intact und Icterus kam nicht vor, dagegen 1 Mal Blutung im Magen, deren Zusammenhang mit fettiger Degeneration der Gefässe nicht nachweisbar war.

Schwarz (2) will sowohl die Verfettung, als die Ecchymosen bei Phosphorismus auf die Erweiterung der Gefässe, woraus Verlangsamung der Blutcirculation resultire, welche die Umwandlung von Eiweiss in Fett befördere, beziehen. Auch hält er die bei Phosphorismus beobachteten Krampfanfälle für Folge der Erweiterung der Hirngefässe.

Die in drei Fällen von Phosphorvergiftung ausgeführte chemische Analyse der verfetteten Leber ergab nach v. Starck (3) übereinstimmend mit früheren analytischen Resultaten von Perls, v. Hösslin und Lebedeff Abnahme des Wassergehalts (von 76,0 auf 60—64,4 pCt.), enorme Steigerung des Fettgehalts (von 3 auf 23,34 — 29,8 pCt.) und erhebliche, jedoch der Fettzunahme adäquate Verminderung der festen Bestandtheile (von 20,9 auf 15,66—8,9 pCt.), während bei acuter Leberatrophie Zunahme des Wassergehaltes (auf 80,5) und mässige Fettzunahme (4,3), welche der Verminderung der Fixa (auf 15,6 pCt.) ensprach, constatirt wurde. So leicht hiernach, abgesehen von der acuten atrophischen Phosphorleber, die Phosphorleber chemisch von der atrophischen bei acuter Leberatrophie zu unterscheiden ist, so glaubt v. St. doch nicht mit Perls das Fett in der Phosphorleber als in toto infiltrirt ansehen zu können, concedirt vielmehr für einen Theil Entstehung durch Eiweisszersetzung in der Leber, wofür die gesteigerte N-Ausscheidung spricht, welche, wie eine weitere im Kieler Krankenhause gemachte Beobachtung zeigt, nicht nur bei tödtlichen, sondern auch bei günstig verlaufenden Fällen vom 4.—6. Tage an zu beobachten ist, ohne dass Lebervergrösserung nachgewiesen werden kann. v. St. betont noch das Vorkommen von freiem Phosphor in Magen und Darm am 2. und 3. Tage der Intoxication, welches die Anwendung von Evacuantien auch in späteren Perioden indicirt.

Schulz (4) versucht die Verträglichkeit der Verhältnisse der Giftigkeit der Phosphor-Sauerstoffverbindungen mit der von ihm und Binz vertretenen Schwingungstheorie zur Erklärung der Action des Arseniks und der übrigen Glieder der Stickstoffgruppe (Ber. 1879. I. S. 404) zu zeigen, wobei jedoch die Verhältnisse der Pyro- und Metaphosphorsäure vorläufig unerklärt bleiben.

Nach den mit E. Wilkes ausgeführten Versuchen mit den Natriumsalzen der einzelnen Oxydationsstufen des Phosphors ist das unterphosphorigsaure Natrium bis zu 2,0 bei Kaninchen ungiftig, was S. daraus erklärt, dass sich dasselbe im Thierkörper durch Addition von molecularem Sauerstoff in das Natriumsalz der Orthophosphorsäure verwandelt, welche ihren Sauerstoff energisch festhält und nicht wieder reducirt wird, erzeugt dagegen bei Fröschen, wo die Oxydation nicht mit derselben Intensität sich vollzieht, Lähmungserscheinungen. Phosphorigsaures Natrium ist ein starkes Gift, welches bei Katzen Somnolenz und Gleichgewichtsstörungen, bei Kaninchen Krämpfe, Dyspnoe und gesteigerte Pulsfrequenz, sowie hämorrhagische Gastroenteritis, in kleineren Giftmengen auch beginnende fettige Degeneration in Leber und Nieren hervorruft; das Blut behält die Fähigkeit, Sauerstoff aufzunehmen, und ist spectroscopisch nicht alterirt. Diese Giftigkeit erklärt S. dadurch, dass bei der Umwandlung in orthophosphorsaures Salz nicht blosse Addition von O, sondern ein in das organische Leben tiefer eingreifender Spaltungsvorgang stattfindet, durch welchen atomistischer Sauerstoff freigemacht wird. Unterphosphorsaures Natrium tödtet Kaninchen zu 1,0 in 2 Gaben subcutan in einigen Stunden, wobei die Section hämorrhagische Gastroenteritis, dagegen keine Verfettungserscheinungen zeigte, was S. mit Spaltung in phosphorige Säure und in Pyrophosphorsäure erklärt, deren Natriumsalz zu 0,5 subcutan in 12 Stunden und zu 1,0 in 3—4 Stunden Tod durch Gastroenteritis bedingt und giftiger als metaphosphorsaures Natrium erscheint, das zu 1,0 in getheilten Gaben nicht letal wirkt, wohl aber in einer einzelnen Gabe.

Dass die bei diesen Intoxicationen, wie bei Arsen, Wismuth und anderen Gliedern der Stickstoffgruppe bedingten Veränderungen im Darm wirkliche entzündliche Läsionen sind, und nicht von Lähmung des Gefässsystems herrühren, betont Schulz unter Hinweis auf den Umstand, dass nach Sympathicuslähmung nie Hämorrhagien und Ecchymosen in gleich kurzer Zeit auftreten. Dasselbe gilt für die gleichartigen Effecte verschiedener Metallverbindungen, bei denen übrigens nach der Anschauung von Schulz theilweise, nämlich bei der Eisengruppe, ebenfalls eine unmittelbare Wirkung durch den Sauerstoff stattfindet und die Albuminatbildung nur als Mittel zum Zweck bei der internen Wirkung erscheint. Bezüglich anderer Metalle supponirt Schulz, dass Quecksilber, Gold und Platin zwar als Chlorverbindungen wirken, aber durch Abspaltung von Cl und damit im Zusammenhang stehender Wasserzersetzung ebenfalls eine Sauerstoffwirkung von grosser Intensität haben, während bei Zinn, Zink, Kupfer und Silber es zweifelhaft bleibe, ob ihnen einfache Sauerstoffwirkung oder Chlorwirkung zukomme.

9. Arsenik.

1) Coester, (Biebrich), Vergiftung durch Arsenwasserstoffgas mit tödtlichem Ausgange (Hämoglobinurie, Icterus, Anurie). Berl. klin. Wochenschr. No. 8. S. 119. (Vergiftung eines 43jähr. Arbeiters in einer Anilinfabrik durch Gase, welche beim Kochen von Anilin, Nitrit und arsenhaltigem Zink und arsen-

haltiger Salzsäure sich entwickelten; Schüttelfrost, Schmerzen im Kopfe und in der Nierengegend, mehrmaliges Erbrechen, tiefbraunschwarzer, von morphotischen Elementen freier Urin, von welchem vom 2. bis 6. Tage täglich nur 5 ccm entleert wurden; Temp. in den ersten Tagen etwas erhöht, später normal; vom 2. Tage an Icterus; in den letzten Tagen leichte Delirien und Zuckungen der Vorderarme und Gesichtsmuskeln, durch warme Bäder gemildert; plötzlicher Tod am 10. Tage; die Section wegen vorgeschrittener Fäulniss ohne Ergebniss; in der Leber wurde Arsenik spurweise nachgewiesen.) — 2) Seifert, Otto (Würzburg), Ein Fall von Arsenikvergiftung. Wien. med. Wochenschr. No. 38. S. 1125. (Magenschmerzen, Hämaturie und Albuminurie nach dem Tragen mit arsenhaltigem Fuchsien gefärbter Strümpfe, welche an den Unterschenkeln Eczem hervorgerufen hatten.) — 3) Truman, Edgar Beckit (Nottingham), Cases of accidental poisoning. I. By Arsenic. Lancet. Aug. 2. p. 189. (Tödtliche Vergiftung durch ein Gemenge von arseniger Säure [46—50 pCt.] und Magnesiumcarbonat, welches in einem unter weiblicher Obhut stehenden Arzneiladen als letzteses dispensirt war; die gewonnene Menge entsprach mindestens 10 g Arsenik). — 4) Whitford, William (Liverpool), Notes on three cases of arsenical poisoning. Brit. med. Journ March. 15. p. 504. Lancet. March 8. p. 419. — 5) Brown, J. Campbell und Eduard Davies, On the yellow pigment found in the intestines in cases of arsenical poisoning. Brit. med. Journ. p. 506. Lancet. pag. 421. — 6) Stevenson, Thomas, On the yellow pigment found in the viscera in cases of arsenical poisoning. Lancet. March 24. — 7) Scolosuboff (Kasan), Paralysie arsénicale. Arch. de physiol. norm. et pathol. No. 7. p. 323. — 8) Withe, James C. (Haward University), Cases of arsenical dermatitis. Boston med. and surg. Journ. Nov. 6. p. 433. — 9) Schulz, Hugo, Ueber den therapeutischen Werth des Arsens. Vortrag, gehalten auf der Vers. der Aerzte des Reg.-Bez Stralsund. Deutsche med. Wochenschrift. No. 29. S. 453. (Weitere Ausführung der Binz-Schulz'schen Schwingungshypothese.) — 10) Husemann, Th., Ueber arsenhaltige Mineralwässer. Oesterr. Badezeitung. No. 16. 17.

Brown und Davies (5) haben in drei exhumirten Leichen, in deren Eingeweiden tödtliche Mengen Arsen nachgewiesen wurden, einen eigenthümlichen gelben, bereits von aussen erkennbaren Farbstoff sehr verbreitet auf der Innenfläche des Dünndarms, jedoch nicht in unmittelbarer Nähe des Gallenganges, constatirt, welcher mit Bestimmtheit nicht Schwefelarsen war, vielmehr nach den Reactionen, besonders der Färbung mit Schwefelsäure und Zucker, sowie derjenigen mit Salpetersäure, von Galle herzurühren schien.

Das nicht in Wasser; gut in Chloroform, weniger in Alcohol lösliche Pigment fand sich am meisten in dem am längsten (3 Jahre) begraben gewesenen Cadaver, nicht in der frischen Leiche eines durch wiederholte Arsendosen Vergifteten, dessen Eingeweide in 20 Unzen $^1/_2$ g arseniger Säure enthielten. Dass dieser Farbstoff übrigens das Vorkommen von Schwefelarsen in Leichen mit Arsenik Vergifteter nicht zweifelhaft macht, wie B. und D. meinen, beweist ausser desfallsigen genauen und durch chemische Reactionen gestützten Beobachtungen ein Fall von Stevenson (6), in welchem ein gelber Ueberzug im Magen und Dünndarm mit Sicherheit als die Oberfläche von Fragmenten arseniger Säure überziehendes Schwefelarsen dargethan wurde. In sämmtlichen drei exhumirten Leichen fand sich nach Whitford (4) Arsen nur in gelöstem Zustande, was bei der langen Dauer der cadaverösen Zersetzung ebensowohl durch die Einwirkung der Alkalien erklärt werden kann. als durch die Darreichung in flüssiger Form. Ob der Umstand, dass bei dem oben erwähnten nicht exhumirten Arsenvergifteten die Milz in gleichen Gewichtsmengen 6 mal mehr Arsenik als die Leber enthielt, mit oder ohne Verbindung mit der gleichmässigen Vertheilung inflammatorischer Flecke (Ecchymosen) im Darmcanal, genügt, um eine wiederholte Darreichung von Arsenik forensisch sicher zu stellen, müssen wir als fraglich bezeichnen.

Scolosuboff (7) beschreibt die in Russland in Folge des mit arseniger Säure getriebenen Missbrauchs weit häufiger als in anderen Culturstaaten vorkommende Arsenlähmung, die er im Hinblick auf das gleichzeitige Betroffensein sämmtlicher Extremitäten und die gleichzeitige Störung der Motilität, Sensibilität, Circulation und Ernährung als centralen Ursprungs bezeichnet und als deren Sitz er vorzugsweise die graue Substanz des Rückenmarks und zwar (bei der Integrität der Rumpf- und Blasenmuskeln) den Cervicaltheil und Lumbartheil des letzteren ansieht, wobei es sich bei der Wiederherstellbarkeit der Functionen nicht um tiefgehende anatomische Veränderungen, sondern höchstens um Veränderungen des interstitiellen Gewebes (Myelitis acuta disseminata) handle.

Die Arsenlähmung hat nach S. die grösste Aehnlichkeit mit der von Duchenne beschriebenen subacuten allgemeinen vorderen Spinallähmung, während sie von der acuten spinalen Paralyse sich durch das Auftreten von Muskelatrophie, den Verlust der electrischen Contractilität und die Integrität der Beckenorgane sich unterscheidet; auch ist in den meisten Fällen von Paralysis arsenicalis die tactile und thermische Sensibilität herabgesetzt oder aufgehoben und die Schmerzempfindung gesteigert. Sehr nahe steht der Arsenvergiftung symptomatologisch die acute Lateralsclerose, doch sind hier Sensibilität und electrische Contractilität normal und der Verlauf ist ein in 2—3 Jahren durch Bulbärparalyse tödtlicher. Bleiparalyse ist nur in den äusserst seltenen Fällen, wo sie auf die untere Extremität sich beschränkt, mit der Arsenlähmung zu verwechseln, jedoch durch die begleitenden Erscheinungen (Bleisaum etc.) leicht auszuschliessen. Bei Atrophia progressiva fehlt die eigentliche Paralyse. — Zur Behandlung der Arsenlähmung empfiehlt S. allgemeine Bäder von 28—30° R., Faradisation der Muskeln und Anwendung des constanten Stromes auf Rückenmark und periphere Nerven, sowie Morphiuminjectionen gegen die Hyperästhesien.

Zum Beweise, dass Arsenik alle möglichen Formen von Ausschlag erzeugen könne, bringt White (8) mehrere Fälle von Dermatitis arsenicalis, welche zugleich Beiträge zur Aetiologie des Arsenicismus geben. In einem Falle handelt es sich um einen vesiculösen Ausschlag mit allgemeiner Hautverdickung und Brennen in der Handfläche nach dem Spielen mit Karten, deren Rücken mit viel Arsenikgrün bedeckt war; in dem zweiten um erythematöse Flecken mit Oedem und seröser Exsudation am Vorderarm und besonders im Gesicht nach Einkleben von Mustern in ein Probekartenbuch, dessen Papier mit Arsengrün dick bedeckt war. Merkwürdiger ist der dritte Fall, wo in einem Zimmer mit Arsentapeten zuerst eine Frau nach 4 wöchentlichem Aufenthalte an einem der Form nach an Pityriasis circinnata erinnernden Ausschlage, dann ein Säugling, ebenfalls nach Aufenthalt von einigen Wochen, an höchst obstinatem Intertrigo, der erst durch Verlegung in ein anderes Zimmer heilbar wurde, erkrankte, während die Wärterin wiederholt von Diarrhoe und Erbrechen befallen wurde.

Husemann (10) spricht die Ansicht aus, dass der Grund der bekannten Gewöhnung an arsenige Säure einfach in der Oxydation derselben zu Arsensäure begründet sei, welche nach den Versuchen H.'s für alle Thierklassen (z. B. auch für Fliegen, die durch arsensäurehaltiges Fliegenpapier nicht sterben, Blatta u. s. w.) weit weniger giftig ist, und dass bei der modernen Theorie der Gleichartigkeit der Wirkung der arsenig- und arsensauren Verbindungen die letzteren als weit ungefährlicher und in grösseren Gaben darreichbar als Medicamente, zumal als tonisirende, den Vorzug verdienen.

10. Silber.

1) Frölich, H. (Leipzig-Gohlis), Ueber die Zersetzung von Höllensteinlösungen. Wien. med. Presse. No. 37. S. 1181. — 2) Rosenthal (Wien), Untersuchungen und Beobachtungen über Arzneimittel. 4. Subcutane Silberinjectionen. Anzeiger d. Gesellsch. Wien. Aerzte. No. 12. S. 61. — 3) Dittrich, Paul (Prag), Ueber einen Fall von Argyrie. Prag. med. Wochenschr. No. 46, 47. S. 449, 460. — 4) Loew, O., Zur Chemie der Argyrie. Arch. für die gesammte Physiol. Bd. XXXIV. S. 601.

Frölich (1) empfiehlt, da nach seinen Versuchen Zersetzung von Höllensteinlösungen nicht allein, obschon am stärksten, durch Licht, sondern auch in geringerem Grade durch die Luft bezw. in derselben vorhandene organische Partikel erfolgt, die fraglichen Lösungen nur in kleinen Mengen und in Arzneigläsern, deren Cubikinhalt das Volumen der Solution nur wenig übersteigt, zu verordnen und diese in luftdichten Hülsen aufzubewahren.

An Stelle der von Eulenburg vorgeschlagenen Silberverbindungen zu hypodermatischer Injection (unterschwefligsaures Silbernatrium, Argentum pyrophosphoricum, Silberalbuminat), welche sich ungemein leicht zersetzen und örtlich irritiren, empfiehlt Rosenthal (2) das in $^1/_2$ proc. wässriger Lösung nicht reizende Argentum aceticum, von dem er in 4 F. von Ataxie 2mal günstigen Erfolg hatte.

Dittrich (3) stellt auf Grund eines in Prag vorgekommenen Falles von Argyrie, wo die Silberaufnahme nur relativ kurze Zeit gewährt hatte, die Vermuthung auf, dass die Argyrie der inneren Organe der argyrischen Hautfärbung einige Zeit vorausgeht und dass es die Blutgefässe sind, welche den Transport der Silberverbindung nach den einzelnen Organen vermitteln.

In diesem Falle nach halbjährigem Gebrauche von im Ganzen 70,0 Silbersalpeter in Pillen zuerst manifest, fanden sich ausser der kaum bemerkbaren schmutzig grauen Verfärbung der Haut, die nur an den Augenlidern, Oberschenkeln und am Bauche dunkler war, bei der Section vorwaltend die Plexus chorioidei, die Intima der Aorta, das Hodenparenchym und die Glomeruli Malpighii von Silberablagerung betroffen. In der Haut war das Pigment am stärksten in der äusseren Wand der Schweiss- und Talgdrüsen, nicht in deren Innern, und in sämmtlichen Schichten der art. und venösen Gefässe; auch in den Haarbälgen und Haarpapillen, nicht in der Glashaut des Haares. In den Plexus chorioidei fand sich ein dichter streifenförmiger Saum feinkörnigen Pigments dicht unter dem Epithel, ausserdem einzelne Körnchen und Körnchengruppen im Verlaufe der Blutgefässe und im Bindegewebe. In den Hoden war der Hauptsitz in den Wandungen der Drüsencanälchen; ausserdem fand sich feinkörniges Pigment ziemlich reichlich in den Arterien- und Venenwandungen, spärlich in der Albuginea. In den Nieren konnte D. silberfreie Glomeruli nicht auffinden; die Bowman'sche Kapsel und die Harncanälchen waren pigmentfrei, die Nierenkapsel in geringem Grade fein pigmentirt, die Blutgefässwandungen zeigten nur vereinzelt Silberkörnchen. Microscopisch wurde ausserdem Silber in vielen Organen, welche macroscopisch keine Farbeveränderung zeigten, nachgewiesen, z. B. reichlich und z. Th. körnig in den Wandungen der Arterien und Venen und im lockeren Bindegewebe der Zunge, sowie in den Zungenpapillen, nicht im Zungenmuskel, in den Art. und Venen der Wangenschleimhaut und des weichen Gaumens, in der Schilddrüse (grobkörnig im Stroma, feinkörnig in den Gefässwandungen), in der Leber (in den Wandungen der Gallengänge, Pfortader und Leberarterie, weniger reichlich in dem interacinösen Bindegewebe, nicht in den Leberzellen), im Pancreas (im interstitiellen Bindegewebe und den Wandungen der Drüsenausführungsgänge, nicht in den Gefässen), in den Arterienwandungen und in der glatten Musculatur des Magendarmcanals und ziemlich reichlich in der Basis der Zotten des Dünndarms, in der Kapsel und in den Trabekeln der Milz, im Peritoneum und Pericardium (fein vertheilt); dagegen nicht in den Lungen, Nervencentren, Muskeln, Knorpeln und Knochen, den Nebennieren, der Speiseröhre, Harnblase und der Unterkieferspeicheldrüse. Der macrochemische Nachweis des Silbers in einem Stück Niere misslang, dagegen schwanden die Körnchen microchemisch durch Cyankalium schnell.

Loew (4) erklärt die Ansicht Riemer's, dass das Silber bei Argyrie nirgends an zellige Elemente gebunden sei, für irrthümlich, da es in den Malpighischen Kapseln nicht die Wandungen der Gefässschlingen umkleidet, sondern innerhalb der die Schleifen umkleidenden Epithelzellen liegt in welche es somit nur in Form einer gelösten Verbindung eingedrungen sein kann, um hier Reduction zu erfahren, die als specifische Action des activen Eiweisses des lebenden Protoplasma aufgefasst werden zu müssen scheint, wie solche von L. namentlich an Pflanzenzellen, besonders Spirogyren, in hochgradigster Weise constatirt ist, so dass lebende Spirogyrenzellen noch Silber in einer Lösung von 1 : 2 000 000 Silbernitrat in Ammoniakgegenwart reduciren.

Dass Silber ausserhalb der Zellen im Thierkörper bei Argyrie gefunden werde, will Loew aus dem Zerfall der ersteren erklären, während er den Endothelzellen der Malpighischen Schleifen eine besonders hohe Resistenz des Protoplasma, auf hohem Dichtigkeitsgrade beruhend, vindicirt. Als die im Organismus circulirende Silberverbindung betrachtet Loew das Silberalbuminat, da der vitale Process der Reduction durch Algenzellen durch Zusatz von Kochsalz zu einer schwach alkalischen Lösung von chlorfreiem Silberpeptonat vollkommen vernichtet, diejenige von Aldehyden, Glykose, Pyrogallol stark verringert wird.

11. Quecksilber.

1) Schuster (Aachen), Neue Aufschlüsse über die Ausscheidung des Quecksilbers. Briefliche Mittheilung an den Verein für innere Medicin. Deutsche med. Wochenschr. Nr. 18. S. 278. — 2) Derselbe, Ausscheidung von Quecksilber aus dem menschlichen Kör-

per. Centralbl. f. d. med. Wissensch. No. 16. S. 273. — 3) Nega, Julius, Vergleichende Untersuchungen über die Resorption und Wirkung verschiedener zur cutanen Behandlung verwandter Quecksilberpräparate. gr. 8. Strassburg. — 4) Derselbe, Ueber den Quecksilbernachweis im Harn bei Anwendung verschiedener Präparate nach einer modificirten Ludwig-Fürbringer'schen Methode. Berl. klin. Wochenschr. No. 19. p. 298. — 5) Schridde, Paul (Aachen), Bemerkungen zum Quecksilbernachweis im Harn von Dr. Nega. Ebend. No. 23. S. 359. — 6) Nega, Erwiderung auf die Bemerkungen des Herrn Dr. Schridde zum Quecksilbernachweis im Harn. Ebend. No. 28. S. 439. — 7) Maschka, Zwei Fälle von Sublimatvergiftung. Prager med. Wochenschr. No. 5. S. 43 (Selbstvergiftung eines Brautpaares, Tod des Mädchens am 6. Tage nach voraufgehender Gastroenteritis, Anurie und Stomatitis mercurialis; keine Verschorfung im Magen, dagegen im Dünndarm in der Nähe der Coecalklappe und im Dickdarm, Verfettung des Nierenepithels, nicht im Herzen, wenig ausgesprochen in der Leber) — 8) Baumeister, E. (Berlin), Ueber gleichzeitige Anwendung von Calomel mit Jodkali. Berl. klin. Wochenschr. No. 43. S. 688. (Fall von Conjunctivalgeschwür nach Einstreuen von Calomel bei einem mit Jodkalium behandelten Syphilitischen.) — 9) Price, T, Davies, Conjunctivitis following the application of calomel to the conjunctiva during the internal administration of iodide of potassium. Lancet. March 24. (Analoger Fall aus dem Nottingham Dispensary.) — 10) Bourgoin, Edme, Sur la solubilité de l'iodure mercurique dans l'eau et dans l'alcool. Bull. de l'Acad. de méd. No. 37. p. 1260. (Quecksilberjodid 0,04 in 1 Lit. Wasser und bei Zusatz von 10 pCt. Weingeist zu 0,08 löslich.) — 11) Green, W. E., Unusual symptoms following the use of Unguentum Hydrargyri ammoniati. Brit. med. Journ. May 3. p. 853. (Ekzem des Kopfes mit starker Exsudation und Oedem des Gesichts nach Einreibung weisser Präcipitatsalbe [1 : 120] in die Kopfhaut, besonders links, wo die Salbe applicirt war; auch zwischen den Fingern trat Ekzem ein, das übrigens schon früher nach Benutzung einer Quecksilbersalbe sich eingestellt hatte.) — 12) Pauly, Julius (Berlin), Ueber Hydrargyrum tannicum. Berl. klin. Wochenschr. No. 47. S. 752.

Nega (3) hat in der Strassburger Klinik umfangreiche Versuche über die Quecksilberausscheidung nach externer Anwendung verschiedener Mercurpräparate, insbesondere frischer, ohne Zusatz alter Salbe bereiteter grauer Salbe, ferner ölsaurer Quecksilberoxyd-Salbe, Oberländenscher Quecksilberseife und Quecksilberpflastermull, und die antisyphilitische Wirkung dieser Präparate angestellt.

N. wandte dabei die Ludwig-Fürbringer'sche Methode des Quecksilbers mit der Modification an, dass er die Messinglametta im Wasserstoffstrome vor dem Gebrauche erhitzt, um die ihm vorgekommene Amalgamirung im Laboratorium aufbewahrter Lametta zu verhüten, dass er auf 1 l Harn nur 0,15—0,25 Lametta verwendet, dieselbe auf das genaueste gereinigt und vollkommen trocken in die zum Erhitzen benutzte Röhre bringt, und die Jodirung des sublimirten Quecksilbers in der Weise bewerkstelligt, dass er die Capillarröhren mit dem offenen Ende in einen durchlöcherten Pappdeckel steckt, welcher ein Becherglas, das auf dem Boden einige Körnchen Jod enthält, verschliesst, wobei das verdampfende Jod in minimaler Menge bis zum nächsten Tage hinreichend auf den Quecksilberbeschlag einwirkt. Auf diese Weise lässt sich in 1 l Harn 0,2, manchmal selbst 0,1 mg Sublimat nachweisen. Nach Schuster (2) und Schridde erhält man die nämliche Schärfe, wenn man in den mit Salzsäure angesäuerten Harn Schwefelwasserstoff einleitet, das in 24 Std. gesammelte Sediment abfiltrirt und Filter und Inhalt mit Königswasser so lange begiesst, bis keine Salpetersäure mehr vorhanden ist, den Rückstand in 10,0 Wasser löst und weiter nach Fürbringer verfährt.

Das wichtigste Resultat dieser Studien ist, dass die neue graue Salbe (Unguentum Hydrargyri duplex, Ph. Gall. Lebeuf) und die Mercurialseife in ihrer Wirksamkeit gegen Syphilis das Mercuroleat weit übertreffen, so dass von letzterem bei gleicher Gabe weit mehr Einreibungen erforderlich sind, so dass also die in der alten ranzigen grauen Salbe enthaltenen fettsauren Quecksilbersalze entschieden nicht die Aufnahme des Quecksilbers fördern, und dass das Mercuroleat die Haut am wenigsten reizt (Eczem wurde niemals nach demselben, wohl aber nach den beiden anderen Ppt. mehrfach beobachtet) und am seltensten zu Stomatitis führt, so dass es also bei den leichteren Formen und bei geschwächten Kranken indicirt erscheint, während die Lebeuf'sche Salbe in Folge schneller und reichlicher Resorption und sehr günstiger Einwirkung auf den syphilitischen Process zu Einreibungscuren in allen schweren Fällen das geeignete Präparat ist, das durch die Mercurseife theils wegen der Schwierigkeit, ein gutes Ppt. darzustellen, theils wegen der schwierigen Verreibbarkeit grösserer Quantitäten keine Concurrenz findet.

Dass die Ausscheidung im Harn wesentlich mit der verwendeten Dosis im Zusammenhange steht, zeigt der Umstand, dass, während bei den Oleatversuchen unter 210 Analysen 124 positive und 86 negative Resultate erhalten wurden, bei Anwendung der doppelten Menge unter 22 Analysen nur 2 negativ und 20 positiv ausfielen. In gleichen Dosen lieferte das Oleat 45 pCt., die Mercurseife nur 27 pCt. negativer Resultate. Sehr gross war die Zahl der Misserfolge (24 : 18 positiven) bei der sonst sehr erfolgreichen Einreibung von Quecksilberoleat bei Cystitis, wo kein Wechsel der Einreibungsstelle stattfand. Der Nachweis gelang schon nach 24 Stunden und bei allen Patienten (bei mehrmaliger Untersuchung) innerhalb der drei ersten Monate (mit Ausnahme von 2 Pat., welche 11 resp. 13 Einreibungen in die Bauchwand erhalten hatten); dies fand auch statt bei Application von Pflastermullen auf grössere Hautstellen. In einzelnen Fällen hat N. auch noch nach 5—6 Monaten positive, meist aber negative Resultate erhalten.

Das von Lustgarten als inneres Quecksilberpräparat empfohlene Hydrargyrum tannicum hat Pauly (12) als Antisyphiliticum zu 3mal täglich 0,1 in Pulverform sehr wirksam und brauchbar gefunden; doch erregt es im Beginn der Cur fast regelmässig Durchfälle und Koliken, welche jedoch nur ausnahmsweise (1mal unter 13 F.) so hochgradig werden, dass sie den Fortgebrauch des Mittels verbieten.

12. Kupfer. Blei.

1) Du Moulin, Sur l'emploi des sels de cuivre dans la scrofulose, et sur un symptome nouveau de l'intoxication saturnine. Bull. de l'Acad. de méd. de Belgique. No. 10. p. 1089. — 2) Derselbe, L'intoxication saturnine. Seconde communication. Ibid. No. 11. p. 1148. — 3) Curci, Antonio (Messina), Sull' azione del piombo e sul saturnismo Il Morgagni. Maggio. p. 461. Giugno. p. 585. — 4) Coutand (Saumur), Contributions à l'étude de la colique de Poitou considérée comme intoxication saturnine. IV. 36. pp. Thèse. Paris. — 5)

Brown, George Arthur (Tredegar), Notes on an outbreak of lead poisoning at Tredegar. Practitioner. Vol. XXXIII. p. 396. — 6) Galvagni, Ercole (Modena), Sopra un caso di mesenterite in un saturnino. Rivista clin. di Bologna. Marzo. p. 286. — 7) Seifert, Otto (Würzburg), Kehlkopfmuskellähmung in Folge von Bleivergiftung. Berl. klin. Wochenschr. No. 35. S. 555. — 8) Racine (Caternberg), Ein Fall von Bleimanie. Deutsche med. Wochenschr. No. 10. S. 147. (Maniakalischer Anfall, durch Schlaf geendigt, aber Vergesslichkeit zurücklassend, die sich unter Jodkaliumgebrauch besserte; die Erkrankung, durch leichten Blei[?]-Saum, die sich auch bei den übrigen Familiengliedern fand, als saturnine characterisirt, wird von einem alten zinnernen Kaffeetopfe hergeleitet, der 20 pCt. Blei enthielt). — 9) Krönig, Ein Fall von Encephalopathia saturnina mit generalisirter Bleilähmung. Charité-Ann. Jahrg. IX. S. 154. (Epileptische Convulsionen, Delirien und Somnolenz, von 8tägiger Dauer, unmittelbar nach einem mit Schwindel und Kopfschmerz begleiteten Kolikanfalle, ohne Albuminurie auftretend; gleich nach dem 1. epileptischen Anfall Parese der ganzen oberen und $1^1/_2$ Tage später der unteren rechten Extremität, am folgenden Tage auch Lähmung des linken Beines und der linken Schulter- und Streckmusculatur des Vorderarms bei Verschontbleiben des Facialis; Heilung durch electrische Behandlung: Kniephänomene bei gesteigerter directer mechanischer Erregbarkeit fehlend und erst 14 Tage nach Wiederherstellung der Functionsfähigkeit der Beine wiederkehrend.) — 10) Pedell, Wahre Gicht mit Nierenschrumpfung bei Bleiintoxication. Deutsche med. Wochenschr. No. 9. S. 129.

Du Moulin (1) hat Kupfersalze, insbesondere Kupfersulfat, mit grossem Erfolge zunächst gegen scrophulöse Hautausschläge, dann auch gegen andere scrophulöse Leiden, wie Drüsenentzündungen, Blepharitis, Conjunctivitis und selbst Keratitis, angewendet und nimmt eine Elimination des Kupfers durch die Haut an, wie Verf. solche beim Saturnismus bezüglich des Bleis wiederholt (in 14 Fällen) beobachtet haben will, wo sich auf der durch Natriummonosulfür sich schwarzfärbenden Haut eine unlösliche, durch Ammoniumtartrat entfernbare Verbindung findet, die nach Entfernung durch das angegebene Solvens in in 14 Tagen wiederkehrt und auch an bedeckten Körperstellen nachweisbar ist. Indessen besteht nach weiteren Untersuchungen Desselben (2) diese bei Arbeitern in Bleiweissfabriken auch früher wiederholt constatirte Verbindung nur zum ganz geringen Theile aus Bleisulfat, ist grösstentheils eine Eisenverbindung, weshalb sie auch durch verdünnte Salzsäure aufgelöst wird, und rührt nach Verf.'s Vermuthung aus dem Schweisse her, findet sich aber weder bei Gesunden. noch bei Cachectischen anderer Art, so dass sie demnach vom Verf. als pathognomonisch für den Saturnismus betrachtet wird. Derselbe nimmt ein Freiwerden des Eisens im Organismus Bleikranker an und bringt damit auch das von ihm constatirte beträchtliche Schwinden der rothen Blutkörperchen bei solchen in Zusammenhang.

Die in der Symptomenreihe der chronischen Bleivergiftung constante Verlangsamung des Pulses will Curci (3) nicht auf Constriction der Gefässe bezogen wissen, da eine solche Wirkung dem Blei überhaupt nicht zukommt; vielmehr findet sich nach seinen physiologischen Versuchen bei 0,02 Bleiacetat pro Kilo progressives Sinken des Blutdrucks bei verringerter Pulszahl und Intermittens der Pulse, durch Herzstillstände, bei 0,03 pro Kilo Beschleunigung und Kleinheit des Pulses, bei letalen toxischen Dosen Verlangsamung und Schwäche desselben. Von diesen Erscheinungen erklärt C. die primäre Retardation, da sie bei Warm und Kaltblütern durch Atropin, aber nicht durch Vagussection verhindert wird aus Reizung der im Herzen vorhandenen Hemmungsfasern, während er die secundäre Beschleunigung auf Lähmung dieser Partien und den Effect toxischer Dosen auf Parese des Muskels und aller Herznerven zurückführt. Die von Harnack versuchte Ableitung der Bleicolik von Reizung der im Darme belegenen Sympathicusganglien hält Curci nicht für ausreichend, da auch vom Vagus acceleratorische Fasern zum Magen und Darme gehen und die durch Atropin bedingte Hemmung bezw. Sistirung der durch Blei gesteigerten Peristaltik auch von der Wirkung des ersteren auf den Vagus abzuleiten ist. C. schreibt dem Blei auch eine ebenfalls durch Atropin zu beseitigende Reizung der sensibelen Darmnerven zu und weist auf die Aehnlichkeit hin, welche die Erscheinungen der Bleicolik mit Affectionen des Bauchvagus haben. Eine Abhängigkeit der Pulsverlangsamung bei Bleicolik von Gefässcontraction in den Eingeweiden stellt C. mit Entschiedenheit in Abrede. Die bei Saturnismus chronicus vorkommenden Zuckungen, Tremor u. s. w. hält C. für centralen Ursprunges, da analoge Phänomene bei künstlich respirirenden Thieren nach Zerstörung des verlängerten Markes nicht auftreten. Ob indess die Zuckungen bei acuter Intoxication mit ersteren verglichen werden dürfen, steht dahin; noch weniger Analogie aber bietet gewiss die bei Fröschen nach acuter Vergiftung eintretende Lähmung mit den Bleiparalysen, so dass die Erhaltung der Reizbarkeit der peripheren Nerven und der Muskeln bei ersteren kaum für die Erklärung der letzteren verwendet werden kann, ebenso wenig wie der Beweis der Einwirkung solcher Dosen auf die Nervencentren die Abhängigkeit der Encephalopathia saturnina vom Blei selbst sicher macht.

Einen neuen Beweis dafür, dass die sog. Kolik von Poitou durch Genuss bleihaltigen Weins entstanden sei, liefert Coutand (4), indem er zeigt, dass in der Gegend von Saumur noch jetzt nicht selten Fälle von Saturnismus bei Landleuten in Folge der schon seit undenklichen Zeiten herrschenden Unsitte vorkommen, in die zur Aufbewahrung des bei der Feldarbeit zu trinkenden Weins üblichen kleinen Holztonnen Bleikugeln, meist Rehposten, zu legen, um den Absatz von Essigmutter zu verhindern. C. theilt ausser mehreren Fällen dieser Art einen anderen mit, wo der Bleiweissanstrich im Innern eines Schöpfeimers, in welchem Wein längere Zeit stehen blieb, zu chronischer Bleivergiftung führte. Eine Endemie von chronischer Bleivergiftung berichtet Brown (5) aus Tredegar in Monmouthshire, wo in Folge der Anwendung von Bleiröhren bei der Wasserleitung von Frühjahr 1883 bis Juni 1884 nicht weniger als 52 Fälle von ausgesprochenem Saturnismus (meistens Kolik, 9 Fälle von Extensorenlähmung, 1 Mal einseitig, 1 Mal mit Epilepsie verbunden) vorkamen, während ausserdem bei mehr als 200 sich der characteristische blaue Zahnfleischrand und süsse Geruch des Athems vorfand. Die Krankheit betraf fast ausschliesslich Erwachsene; das durch grosse Weichheit ausgezeichnete Wasser enthielt durchschnittlich $^1/_8$ Gran in der Gallone.

Galvagni (6) hat bei zwei Bleikranken das Auftreten entzündlicher Affectionen des Peritoneum und Mesenterium beobachtet, welche möglicherweise von Saturnismus chronicus abhängig erscheinen. In dem einen Falle ergab die Section Perihepatitis und Perisplenitis mit totaler Adhärenz von Magen, Leber und Milz am Diaphragma, chronische, sclerotische Mesenteritis mit Retraction sämmtlicher Darmschlingen, sowie Sclerose des Plexus solaris neben Hirnanämie, chronischem Lungenödem mit totaler Adhärenz, chronischem Catarrh der Speiseröhre, des Magens und Duodenum, brauner Atrophie der Leber und granulöser Nierenatrophie.

Seifert (7) bringt drei Fälle von Kehlkopfmuskellähmung im Verlaufe von chronischer Bleivergiftung, welche den Beweis liefern, dass sowohl einzelne Kehlkopfmuskeln als ganze Gruppen erkranken können.

In einem Falle handelte es sich um Lähmung des Arytaenoideus proprius, in einem anderen um anfängliche Parese, später Lähmung aller inneren Kehlkopfmuskeln der rechten Seite; in dem dritten, wo der Kranke an interstitieller Nephritis, Herzhypertrophie und Pericarditis litt und unter urämischen Erscheinungen zu Grunde ging, welche indess in kleinen Blutergüsse in verschiedenen Theilen des Gehirns ihre Ursache gehabt haben mögen, wurde die Kehlkopfmuskellähmung bei Lebzeiten erst nach Beseitigung von Schleimhautödem erkannt und fand sich bei der Section der rechte M. crico-arytaenoideus postious blass, der linke blass und atrophisch bei ödematöser Durchtränkung der Thyroidei interni.

Der Zusammenhang zwischen Gicht und Bleivergiftung wird jetzt auch von Leyden anerkannt, nachdem auf seiner Klinik zwei von Pedell (10) ausführlich beschriebene Fälle von Bleischrumpfniere mit Hypertrophie des linken Ventrikels vorkamen, bei denen die Section in verschiedenen Gelenken der Unterextremität und in den Nieren Ablagerungen von Uraten nachwies.

13. Eisen.

1) Vachetta, Andrea Alfonso (Pisa), Ricerche cliniche e sperimentali sull' albuminato di ferro. Amministrazione interna, injezioni ipodermiche, endoperitoneale ed intravenose. Annali univ. di med. Gennajo. p. 1. — 2) Rosenthal (Wien), Ueber subcutane Eiseninjectionen. Anzeiger der Ges. Wien. Aerzte. No. 12. S. 60. — 3) Desmarets, P., Du peptonate de fer pepsique et diastasé. Gaz. des Hôp. No. 28. p. 223. (Empfehlung des Elixir Hampton, eines Eisenpeptonat, Pepsin und Diastase enthaltenden Liqueurs, bei anämischen Zuständen.) — 4) v. Mering (Strassburg), Ueber die Wirkung des Ferricyankalium auf das Blut. Zeitschr. für physiol. Chemie. VIII. S. 186.

Vachetta (1) empfiehlt als Eisenpräparat ein Eisenalbuminat italienischer Provenienz (Albuminato di ferro von Tarozzi), sowohl zum internen Gebrauch als zu subcutanen, intraperitonealen und intravenösen Injectionen, intern zu 0,25—1,0 pro die, subcutan und intraperitoneal (letzteres zum Ersatz der in Italien mehrfach versuchten Einspritzungen defibrinirten Blutes) in kaltbereiteten wässrigen Lösungen von 1:10 oder 20 kalten Wassers, intravenös bei acuter Anämie in erwärmten Lösungen, wo jedoch V. selbst der Transfusion den Vorzug giebt.

Das fragliche Präparat bildet granatrothe, sehr hygroscopische Schuppen, die sich leicht in 5 Th. kaltem Wasser lösen; diese Lösung coagulirt bei 18—20° in einigen Stunden, nicht bei Blutwärme, wo sie indess kleine Flocken absetzt. Zum inneren Gebrauch qualificirt es sich besonders wegen seines angenehmen süssholzähnlichen Geschmackes; sehr empfehlenswerth ist die Darreichung in Fleischbrühe. Frisches Thierblut wird dadurch weder verfärbt noch coagulirt. Der Eisenoxydgehalt beträgt 35 pCt., während andere italienische Eisenalbuminate nur 2 pCt. enthalten. Bei Subcutaninjectionen geht das Eisen in den Harn über und kann man bei Pferden sofort, bei Hunden in 2 bis 3 Tagen Vermehrung des Hämoglobins constatiren.

Als völlig frei von localer Irritation und daher zur Subcutaninjection besonders geeignete Eisensalze bezeichnet Rosenthal (2) das Ferrum peptonatum (1:10) und das Ferrum oleïnicum, welches er durch 2tägige Digestion von Eisen mit Oelsäure im Wasserbade bereitet.

Die zuerst von Jäderholm constatirte Methämoglobinbildung durch Einwirkung von Ferricyankalium auf Blut findet nach v. Mering (4) nur statt, wenn die rothen Blutkörperchen durch Zusatz von Wasser, Aether, Chloroform, Gefrierenlassen u. s. w. zerstört sind, während bei Integrität der letzteren conc. Ferricyankaliumlösung, wie Kochsalz- und Natriumsulfatlösung und selbst Kaliumchlorat, auf dieselben geradezu conservirend wirkt.

[Esmann, Solutio pyrophosphatis natrico-ferrici. Ugeskr. f. Laeger. R. 4. B. 7. p. 466. (Da das genannte Salz sich so leicht decomponirt, stellt E. es extempore dar, indem er 9 g Solut. Chloreti ferrici mit 180 Theilen Wasser und nach und nach 16 g Pyrophosphat. natrici in 120 g Wasser verrieben mit einander vermischt. Das gebildete Chlornatrium ist unschädlich.)
Bentzen.]

14. Mangan und verwandte Metalle.

1) Cahn, Joseph (Worms), Ueber die Resorptions- und Ausscheidungsverhältnisse des Mangans im Organismus. (Strassburger pharmacologisches Institut.) Arch. f. exp. Path. u. Pharmacol. Bd. XVIII. S. 129. — 2) Stuart, T. P. Anderson, Ueber den Einfluss der Nickel- und der Kobaltverbindungen auf den thierischen Organismus. (Strassburger pharmacol. Institut.) Ebendas. S. 151. (Vgl. Ber. 1882. I. S. 402.)

Nach Cahn (1) gestaltet sich die Resorption und Elimination der Mangansalze so, dass dieselben von der Darmschleimhaut aus nicht resorbirt und selbst bei directer Einführung in das Blut nicht von den Blutkörperchen aufgenommen werden, während die parenchymatösen Organe dieselben aufnehmen und weiter befördern und der grösste Theil durch die Darmschleimhaut eliminirt wird.

Das zu den Versuchen C.'s benutzte Manganoxydulnatriumcitrat rief bei subcutaner und intravenöser Injection bei keinem Versuchsthiere Entzündung hervor. In den Nieren fand sich eine weit grössere Menge Mn als in der Leber, in dem Gehirn nur Spuren. Die in der Darmwand constant sich findenden grossen Manganmengen können nicht von der Galle abgeleitet werden, da in den Darm direct eingeführte grössere Mengen dieses Metallsalzes, welche bei an Citrate gewöhnten Thieren oder bei Application in Milch ebenfalls keine Corrosion und Entzündung bedingen, nicht zur Imprägnation der Darmwandungen führen. Auch die Magenschleimhaut scheidet bei subcutaner und intravenöser Einführung Mn ab.

[Selldin, H., Bidrag til behandlinger af ormbett. Eira 1883. p. 599.

Ein 6jähriges Kind, welches einige Minuten vorher von einer Viper in den Finger gebissen war und Schwellung der Hand zeigte, bekam, theils in den Finger, theils in den Vorderarm einige Pravaz'sche Spritzen mit 1 pCt. Chamaeleonlösung subcutan injicirt. Die Schwellung schwand schnell und das Kind erholte sich schnell. Aehnliches Resultat wurde mit einem Jagdhund erzielt, der in den Unterkiefer gebissen worden war. Auch in diesem Falle wurden die Injectionen sofort nach der Verletzung vorgenommen. In Fällen, wo mehrere Stunden verstrichen waren, zeigten die Injectionen sich unwirksam. Bentzen.]

15. Chrom.

Dumoutier, De l'élimination du bichromate de potasse. Progrès méd. No 30. p. 599.

Dumoutier hat bezüglich der Elimination des Kaliumbichromats bei Hunden und Katzen in den Faeces Chromoxyd und im Harn Kaliumchromat nachgewiesen. Das Kaliumbichromat zersetzt sich unter Reduction sowohl bei mehrstündigem Contacte mit Pepsin und Salzsäure als in Berührung mit Magen- und Darmwandung, wird aber im Darm offenbar auch durch die dort vorhandenen Schwefel- und Ammoniakverbindungen verändert.

16. Alkalimetalle.

1) Dietrich, Eduard, Ueber die Einwirkung des Rubidium- und Caesiumchlorids auf den quergestreiften Muskel des Frosches. 8. 65 Ss. Halle. Diss. — 2) Krumhoff, Eugen, Experimentelle Beiträge zur Wirkung des Lithium. 8. 36 Ss. Göttingen. Diss. — 3) Rousset, C, Les indications de la médication alcaline. Gaz. des Hôp. No. 71. p. 565. (Bekanntes) — 4) Raimondi, Carlo (Genua), Dell' alcalescenza del sangue e sue variazioni di grado ad arte prodotte: importanza loro fisiologica e terapeutica. Appunti e nuove ricerche sperimentali con analisi gasometriche del sangue. Annali univ. di med. Luglio. p. 1. Note preliminare in Riv. di Chim. med. e farm. p. 439. (Strassburger pharmacol. Laboratorium.) — 5) Mering, J. v., Das chlorsaure Kali, seine physiologischen, toxischen und therapeutischen Wirkungen. 8. 142 Ss. Berlin. — 6) Neuss, Fall von Kali chloricum-Vergiftung. (Verhandlungen des Allg. ärztlichen Vereins in Köln.) Deutsche med. Wochenschr. No. 4. S 57. — 7) Leichtenstern, Otto (Köln), Beobachtungen zur Kali chloricum-Vergiftung. Ebendas. No. 4. S. 58. — 8) Derselbe, Beitrag zur Casuistik der Kali chloricum-Vergiftung. Ebendas. No. 20. S. 305. — 9) Zillmer, Eduard, Ueber Vergiftung mit chlorsaurem Kali. Wien. med. Wochenschr. No. 33. 34. S. 998. 1021. (Zusammenstellung.) — 10) Rabuteau, Sur les altérations du sang produites par les nitrites, notammement par le nitrite de soude ou du sodium. Compt. rend. de la Soc. de Biol. 1883. p. 685. — 11) Fuchs, Paul (Ostrowo), Ueber die therapeutische Wirksamkeit des Natriumnitrats. 8. 28 Ss. Diss. Berlin.

Nach den unter Harnack ausgeführten Versuchen Dietrich's (1) über die Einwirkung des Rubidium- und Caesiumchlorids auf den Froschmuskel, vorzugsweise unter Benutzung des Tiegelschen Apparates ausgeführt, schliesst sich das Rubidiumsalz zunächst den Kaliumsalzen an, erfordert jedoch zur Muskellähmung grössere Dosen, während das Cäsiumsalz zwar stärker, aber wesentlich in gleicher Weise wie Natriumchlorid wirkt und am normalen Muskel, wie dies auch Rubidium in kleineren Mengen thut, die Muskelcurve in der Weise verändert, dass bei gleicher Höhe der Anfangszuckung die Abnahme der Zuckungshöhen anfangs weit schneller als später erfolgt. Da Cäsiumchlorid auf verletzte Muskeln lähmend wirkt, ist der Unterschied zwischen diesem und dem Rubidiumchlorid auf die verschiedenen Diffusionsverhältnisse zu beziehen, indem Chlorrubidium $2^1/_2$ mal so rasch wie Chlorcäsium diffundirt. Reizungserscheinungen am Muskel sind beim Cäsium weit weniger prägnant als bei ersterem. Chlorlithium lässt den Froschmuskel ziemlich intact; Ammoniumchlorid wirkt schwach muskellähmend. Mit der Höhe der Atomgewichte stehen diese Effecte in keinem Zusammenhange, da Rubidium und Cäsium ein höheres Atomgewicht als Kalium haben.

Krumhoff (2) bestätigt auf Grundlage im Göttingen pharmacologischen Institute angestellter Versuche die giftige Wirkung des Chlorlithiums, das bei Hunden und Katzen bei intravenöser Application Verlangsamung der Herzaction mit starkem Sinken des Blutdrucks (letzteres nicht bei vorheriger Lähmung des Vagus im Herzen durch Atropin) und bei höheren Dosen Herzstillstand bedingt. Neben diesen Herzwirkungen resultiren bei Infusion toxischer intravenöser Dosen auch Erbrechen und Gastroenteritis, häufig mit letalem Ausgange, welche auch bei länger fortgesetzter subcutaner Injection kleinerer Dosen resultiren, woraus K. den Schluss zieht, dass auch der längere Gebrauch von Lithiumsalzen beim Menschen ungünstige Wirkungen haben könne. Auffällig erscheint, dass Kaliumsalze diese letztere Wirkung nicht besitzen, während dieselben nach K. bei Infusion schon in geringeren Mengen den Tod herbeiführen. Eine lösende Wirkung auf Harnsteine besitzt Chlorlithium nicht.

Raimondi (4) hat die Blutgase nach der Einführung von Natriumcarbonat in wässriger Lösung (1 : 10 und 1 : 20) bei Kaninchen, denen Blut nach $^1/_2$ Stunde und länger aus der Carotis entnommen war, analysirt und dabei constatirt, dass etwas grössere Dosen in gegebenen Zeiten eine Vermehrung der Kohlensäure zu Wege bringen, wonach auf eine Vermehrung der Bicarbonate und anderer unbeständiger Kohlensäureverbindungen bezw. auf Vermehrung der Alkalinität des Blutes geschlossen werden kann, welche allerdings bei der spärlichen Resorption des Natriumcarbonats und der raschen Elimination eine beschränkte sein muss. übrigens nicht so vorübergehend ist, dass Grad und Zeit der Hyperalkalinität nicht bestimmbar wäre. Fortgesetzte Zufuhr von Natriumcarbonat hat keinen dauernden oder cumulativen Effect auf die Alkalescenz des Blutes, woraus R. schliesst, dass, wenn auch ein Einfluss der vorübergehenden und unbedeutenden Hyperalkalescenz des Blutes auf den Stoffwechsel nicht von der Hand zu weisen ist, doch die durch continuirlichen Gebrauch von Alkalien bei Menschen beobachteten Gesundheitsstörungen nicht Folge der Blutbeschaffenheit sind, sondern Folge der Störungen im Tractus und der veränderten Chymification, wodurch das zur Resorption gelangende Material quantitativ und qualitativ geändert wird, sind. Dass auch die Theorie der therapeutischen Anwendung der Alkalien und alkalischen Quellen manches zu wünschen übrig lässt. können wir R. ohne weiteres zugestehen.

In seiner Monographie des Kaliumchlorats giebt v. Mering (5) interessante experimentelle Beiträge zur Ausscheidung des Salzes und zur Wirkung desselben auf das Blut und den Stoffwechsel. Es wird dadurch zur absoluten Sicherheit erhoben, dass das Kalium chloricum den Organismus als solches fast völlig wieder verlässt und die im Harn wieder auffindbaren Mengen bei gesunden Menschen, Syphilitischen und Hunden so grosse sind, dass die aus dem Verhalten des Salzes gegen Blut zu folgernde partielle Reduction aus dem Deficit des wiedergefundenen nicht bewiesen werden kann. Auch bei vollem Magen eingeführtes Kaliumchlorat erscheint fast ganz im Harn wieder. Die in letzterem bei Versuchen an Hunden zu constatirende Vermehrung der Chloride hat ihren Grund darin, dass Zufuhr von Kalisalzen überhaupt vermehrte Abscheidung von Chlornatrium bedingt. Bei Thieren im Stickstoffgleichgewicht resultirt auch Vermehrung der Harnstoffausscheidung, die mit vermehrter Wasserausscheidung und dadurch bedingter Ausspülung der Gewebe zusammenhängt. Die Veränderungen, welche Blut auf Zusatz von Kalium- oder Natriumchlorat erleidet und wobei neben Methämoglobin auch Hämatin gebildet wird, treten je nach der Menge des zugesetzten Salzes und nach der Temperatur verschieden schnell ein, in der Wärme weit rascher als in der Kälte. Bei 22° C. sind 0,2 und bei 37° 1,0 chlorsaures Kalium erforderlich, um in 100 ccm Blut in 24 Stunden Methämoglobin zu erzeugen, doch kann das veränderte Blut durch blosses Stehen an der Luft (Fäulniss) sich wieder zurückbilden, ein Umstand, der bei Kaliumchlorat-Vergiftungen die frühzeitige Vornahme der Section indicirt und es erklärt, weshalb bei späterer Section häufig die characteristischen Blutveränderungen nicht vorhanden sind. Chlorsaures Kalium und Natrium sind wirksamer als die entsprechende Verbindung von Barium, Strontium, Calcium und Magnesium, welche in ihrer Wirkung von Ammoniumchlorat übertroffen werden, was offenbar mit der geringeren Stabilität der letzteren Verbindung im Zusammenhange steht, in Folge wovon Chlorsäure mit grösserer Leichtigkeit frei wird. Freie Chlorsäure bedingt in grösseren Mengen fast augenblickliche Zersetzung des Blutes, in schwachen Lösungen dagegen erst nach mehreren Stunden oder selbst Tagen, nicht intensiver aber rascher als Kaliumchlorat. Die räthselhaften Intoxicationen durch sehr kleine Dosen des letzteren finden ihre Erklärung darin, dass verschiedene Umstände die Einwirkung desselben auf das Blut erheblich beschleunigen, wohin namentlich die Gegenwart der Kohlensäure und diejenige saurer Phosphate gehört. Gleiche Mengen chlorsaurer Salze zersetzen Dyspnoeblut doppelt so schnell wie arterielles Blut. Schon unbedeutender Zusatz von Aetznatron oder Natriumcarbonat wirkt auf die Zersetzung bedeutend verlangsamend, offenbar durch Bindung der Kohlensäure, da Aetznatron kräftiger als das Natriumcarbonat wirkt und Natriumbicarbonat die Zersetzung nur sehr wenig beeinflusst. Sehr sorgfältig angestellte und controlirte Versuche zeigen, dass chlorsaures Kali im Blute zu Chlorkalium reducirt wird, ohne dass gleichzeitig Bildung von Perchlorat stattfindet. Diese Reduction ist bei gleicher Zeitdauer und Temperatur in erster Linie von der absoluten Menge des vorhandenen Chlorats abhängig; wenn aber auch kleine Mengen nach längerer Zeit vollkommen reducirt werden, so macht sich hier doch das Gesetz der Massenwirkung geltend, so dass bei Zusatz grösserer Mengen auch die Quantität des reducirten Salzes eine grössere ist, womit sich die Gefährlichkeit der grösseren Kaliumchloratgaben erklärt. Die reducirende Wirkung kommt dem Oxyhämoglobin zu, während Lecithin, Zucker, Fibrin und Blutserum Kaliumchlorat nicht reduciren.

Weitere Versuche v. Mering's zeigen, dass Kaliumchlorat weder bei Berührung mit Zucker, noch bei der alcoholischen Gährung reducirt wird, ebenso nicht durch Globulin und frischen Eiter, wohl aber durch faulendes Fibrin. Ein eigentliches Antisepticum ist Kaliumchlorat nicht, indem es die Fäulniss von Fibrin, Hefe und Milch nicht retardirt, wohl aber ist die durch Versetzen von Blut mit dem gleichen Volumen einer 5 proc. Lösung unter Bildung von Haematin entstehende schwarze, kautschukähnliche Masse gegen Fäulniss sehr resistent. Dagegen kommt den bromsauren und jodsauren Salzen antiseptische Wirkung zu, wobei Reduction erfolgt. Methämoglobinbildung im Blute wird nach v. M. nur durch bromsaures, nicht durch jodsaures Kalium bewirkt, und auch die oxydirende Action des Kaliumbromats ist schwächer als die des Kaliumchlorats. Das jodsaure Kalium wird sehr leicht durch Blut und thierische Gewebe (Leber, Muskeln, Nieren) leicht und auch im Körper mit Bestimmtheit reducirt.

Für die Praxis sind v. Mering's Untersuchungen besonders dadurch wichtig, als sie die Gefährlichkeit des Kaliumchlorats im Fieber bei Alkalescenzabnahme des Blutes und bei Kohlensäureanhäufung im Blute in Folge von Athemstörungen bei Pneumonie, uncompensirten Herzfehlern u. s. w. darthun.

Unter der diesjährigen Casuistik der Vergiftung mit Kalium chloricum ist ein Fall von Neuss (6) wegen seines höchst acuten, in 6 Stunden tödtlichen Verlaufes von Interesse, der um so eclatanter die Existenz der fraglichen Intoxication darthut, als der Kranke, ein 36jähr. sonst gesunder Mann, das Mittel gegen chronische Pharyngitis verordnet erhielt, und zwar in der Menge von 75,0, die er, statt 15,0, wie verordnet war, in einer Selterswasserflasche löste und in dieser zum Gurgeln bestimmten Lösung austrank, wonach heftiges Brennen im Unterleibe und schweres Uebelbefinden, Erbrechen, Cyanose und Dyspnoe eintrat; die Section ergab chocoladebraune Farbe des Blutes, hochgradige Hyperämie aller Unterleibsorgane, Schwellung der dunkelbraunen Milz, Vergrösserung, Hyperämie und Braunfärbung der Nieren; im Magen wurden 2,668, im Harnblaseninhalte 2,438 g Kalium chloricum nachgewiesen. Bei der von Leichtenstern (7) ausgeführten microscopischen Untersuchung der Nieren fand sich enorme Blutfüllung des Gefässsystems, besonders der Capillaren, Abwesenheit jeder rothbraunen körnigen Massen in den Glomeruli und in den Tubuli contorti, während die Sammelröhren fast in toto theils von derartigen trüben, theils von glänzenden, grobkörnigen oder scholligen Massen erfüllt sind und hyaline Cylinder überall fehlen; die Epithelien der Tubuli contorti theils homogen braun tingirt, theils mit äusserst feinen braunkörnigen Massen erfüllt, welche die Kerne streckenweise gänzlich verdecken. Dieser Befund wird von L. so gedeutet, dass die Epithelien das durch die enorm gefüllten Rindencapillaren austretende Hämoglobin oder Methämoglobin anziehen, um es in das Lumen der Harncanälchen abzugeben, wo es weiter schollig oder körnig metamorphosirt, bis nach dem Aufhören der Function der Epithelien auch in diesen selbst sich braunkörnige Niederschläge bilden, die in den Sammelröhren theils in Folge der daselbst stattfindenden Eindickung der Massen durch Wasserresorption sich anhäufen, theils durch den von den Glomerulis nachrückenden Wasserstrom dorthin gespült werden, bis sie bei der allmälig versiegenden Herzkraft und der successiven Abnahme des Secretionsdruckes nicht weiter geschoben werden können. Contouren und Schatten von Erythrocyten konnte L. in den Harncanälchen nicht wahrnehmen; ebensowenig schollige oder körnige Ausscheidungen innerhalb der Capillaren.

In Bezug auf die Theorie der Kaliumchloratvergiftung ist Leichtenstern (7) zu der Ansicht gelangt, dass in den acutesten Fällen, wie demjenigen von Neuss, nicht die Auflösung der Blutkörperchen, sondern die durch das Kalisalz bedingte Herzlähmung die Hauptsache sei und der Tod eher erfolge, als erstere zu Störungen Veranlassung gebe, dass aber auch bei der subacuten und chronischen Form der Zustand des Herzens eine Rolle spiele, insofern die Verstopfung der Harnkanälchen mit körnigen Zerfallsproducten der Erythrocyten und die daraus resultirende Anurie um so länger dauert und Urämie um so eher eintritt, je weniger leistungsfähig das Herz ist. Die vorsichtige Anwendung blutdrucksteigernder Mittel (Digitalis), um die Anurie zu heben, dürfte danach gerechtfertigt sein.

In einem Falle, wo 30,0 K. chl. in einem Nachmittage vergurgelt und theilweise verschluckt wurden, dauerte die auf schweren Collaps, Albuminurie und Methämoglobinurie folgende Anurie volle 7 Tage, ohne dass urämische Erscheinungen auftraten (nur am sechsten Tage kam es zu leichten Zuckungen und leichten psychischen Störungen) und machte dann reichlicher Polyurie Platz.

Die Ansicht von Ponfick, dass das im Blute bei K. chl.-Vergiftung gelöste Hämoglobin zuerst durch Leber und Milz verarbeitet werde, bestätigt Leichtenstern (8) durch einen Fall, wo bei einem Kinde, das reichliche Mengen (mindestens 20,0—30,0) in warmem Wasser genommen hatte, sich neben heftigem Collaps starke Schwellung von Leber und Milz einstellte, dagegen der Harn während des ganzen Vergiftungsverlaufs nicht die geringsten Veränderungen darbot.

Nach Rabuteau (10) nimmt das Blut nach Infusion von Natriumnitrit (5,0—6,0) neben chocoladebrauner Farbe auch saure Reaction an und zeigt den Streifen des sauren Hämatin, während die Hämoglobinstreifen verschwunden sind. Intravenös eingeführt bewirkt Kaliumnitrit (1,0—2,0) bei Versuchsthieren keine Acidität des Blutes, sondern tödtet rasch als Kalisalz.

Fuchs (11) theilt aus der Poliklinik von J. Meyer eine Reihe von Fällen mit, in denen Natriumnitrit bei Angina pectoris, Asthma, Husten und Dyspnoe in Folge von Bronchitis und Emphysem sehr guten palliativen Effect hatte, ohne jedoch bei den letztgenannten Leiden den Catarrh zu modificiren. Das Mittel, welches übrigens in einzelnen Fällen seine Wirkung versagte, wurde in Solution (2,0 : 120,0), von der 4mal täglich 1 Theelöffel verabreicht, gut vertragen und rief nur einmal, wo es bei nüchternem Magen gegeben wurde, Schwindel, Ohrensausen und Mattigkeit in den Beinen hervor. Bei Hemicranie, wo die Aehnlichkeit der Wirkung mit der des Amylnitrits günstigen Effect erwarten liess, war es in 6 Fällen zu 0,1 Morgens und Abends ohne Erfolg.

B. Pharmacologie und Toxicologie der organischen Verbindungen.

a. Künstlich darstellbare Kohlenstoff-Verbindungen.

1. Kohlenoxyd.

1) Hörbye og Bentzen, Lysgasforgiftning. Norsk Magazin for Laeger. Forh. p. 8. — 2) Bentzen, G. E., Lysgasforgiftning af samtlige Beboen i et 3 etages hus uden Gasledning. Nord. medic. Arkiv. 16 Bd. H. 1. No. 3.

Bentzen (2) theilt einen Fall von Leuchtgasvergiftung mit, der sämmtliche Bewohner eines dreistöckigen Hauses in Christiania betraf. Das Haus war ohne Gasleitung, aber die Strassenleitung hatte im Winter zwei Brüche bekommen und durch 15 Fuss Erde war das Gas in die Kellerräume und von dort in alle Etagen des Hauses gedrungen. Die Intensität der Vergiftung war in allen Stockwerken gleich gross. Alle genasen. [Bentzen.]

1a. Schwefelkohlenstoff.

1) Bruce, Alexander (Edinburgh), Chronic poisoning by bisulfide of carbon. Edinb. med. Journ. May. p. 1009. — 2) Gastine et Couanon, Emploi du sulfure de carbone. Avec tables. 8. Paris.

Zu der chronischen Vergiftung mit Schwefelkohlenstoff bringt Bruce (6) einen interessanten Beitrag durch die drei ersten englischen Fälle dieser Art, welche sämmtlich Arbeiter in einer Kautschukfabrik betreffen, wo dieselben die Auflösung von Chlorschwefel in Schwefelkohlenstoff und die Beaufsichtigung der Wirkung der Vulcanisirmaschine zu besorgen hatten. Bei allen drei Kranken, von denen der eine erst nach etwa 2 Jahren, die beiden anderen schon nach 2—4 monatlicher Beschäftigung erkrankten, gingen Uebelkeiten, übelriechendes Aufstossen und Erbrechen, sowie Unfähigkeit, den Harn längere Zeit zu halten, und Brennen bei der Entleerung desselben den schwereren nervösen Erscheinungen vorauf, die überall in allgemeiner Schwäche, Kopfschmerz, Lähmungs-, Kälte- und Betäubungsgefühl in den Extremitäten, Lumbarschmerzen, partiellem oder totalem Verluste des Gedächtnisses, Verlust des Geschlechtstriebes und Impotenz, furchtbaren Träumen und häufigen krampfhaften Muskelcontractionen bestanden und bei zweien sich zu einem Schwunde des Fettpolsters und Muskelatrophie, mit Herabsetzung der faradischen Reizbarkeit von Muskeln und Nerven, steigerten, welche jedoch dem Gebrauche von Nux vomica und Electricität wichen. In dem schwersten Falle fehlten Haut-, Patellar- und Sehnenreflexe, während die Sensibilität für thermale, tactile und schmerzhafte Reize fortbestand; die Menge der Erythrocyten und des Hämoglobins war in demselben nicht vermindert. Der 3. Fall ist besonders interessant durch den Verlust, Gegenstände mittelst des Gesichtssinns deutlich zu unterscheiden, und das Farbensehen (anfangs blaugrün, später nach einer opthalmoscopischen Untersuchung roth), welche, wie die bestehende Schwäche, nach 7wöchentlichem Leben auf dem Lande verschwanden.

2. Aethylalcohol.

1) Dujardin-Beaumetz, Recherches expérimentales sur l'alcoolisme chronique. Bull. de l'Acad. de méd. No. 14. p. 471. — 2) Perrin, Maurice, Sur l'action physiologique de l'alcool. Ibid. No. 17. p. 521. — 3) Béchamp, Sur l'act. phys. de l'alcool. Ibid. p. 630. — 4) Jaillet, De l'alcool, sa combustion, son action physiologique, son antidote. IV. 178 pp. Thèse. Paris. — 5) Moeli, C., Statistisches und Klinisches über Alcoholismus. Charité-Annalen. Jahrg. IX. S. 524. — 6) Ackroid, The history and the science of drunckenners. 8 126 pp. Manchester. — 7) Canderlier, L'alcoolisme en Belgique. Premier report sur le remède au mal. La crise économique. 8. 31 pp. Brüssel. — 8) Kuborn, H., Rapport sur les mémoires au concours 1880—1883, relatif aux effets de l'alcoolisme au point de vue matériel, psychique et médico-légal. 8. 161 pp. Brüssel. — 9) Lubelski, De l'alcoolisme en Pologne. 8. 12 pp. Paris. — 10) Lentz, F., De l'alcoolisme et de ses diverses manifestations. 8. Brüssel. — 11) Ethyl oder Amyl, Einige Bemerkungen zu der jüngst erschienen Schrift des Prof. N. P. Hamberg in Stockholm: Physiologische Versuche über diejenigen Substanzen, welche sich im Branntwein vorfinden. Wien. med. Blätter. No. 10. S. 196. (Räsonnement). — 12) Dujardin-

Beaumetz, Du traitement de l'alcoolisme par la strychnine. Bull. gén. de Thérap. Janv. 15. p. 1.

Jaillet (4) ist durch zahlreiche Versuche zu der übrigens unter den Pharmacologen jetzt fast allgemeinen Ueberzeugung gekommen, dass eine Verbrennung des Alcohols im Thierkörper dem grösseren Theile nach bei Einführung von Spirituosen stattfindet, ein kleinerer Theil dagegen, und zwar immer mehr, je grösser die in das Blut eingedrungene Alcoholmenge war, daher auch reichlicher bei subcutaner, als bei interner Einführung, durch Harn, Lungenexhalation und Perspiration eliminirt wird oder auch bei Intoxicationen sich in verschiedenen Organen (Milz, Muskeln und besonders in Gehirn und Leber) wiederfindet, weil im Verlaufe der Vergiftung die Veränderung der Athembewegungen, die venöse Stase in den Organen und die allmälige Abnahme der respiratorischen Capacität des Bluts die Oxydation verhindern. J. lässt die intermediäre Bildung von Essigsäure, dagegen nicht von Aldehyd zu, da er weder nach Aethylalcohol Acetaldehyd, noch nach Benzylalcohol Benzaldehyd in den Exhalationen constatiren konnte; doch ist die erstere Ansicht nur auf ein ausserhalb des Thierkörpers angestelltes Experiment gegründet, wonach sich allerdings unter diesen Umständen eine dem Blute beigemengte kleine Alcoholmenge in Essigsäure verwandelt, während im circulirenden Blute die allerdings leicht verbrennenden Acetate nicht auffindbar sind.

Bei sehr rapidem Eindringen von Alcohol in das Blut bei Thieren constatirte J. mit Hayem eine ausgedehnte Alteration der rothen Blutkörperchen, von denen kaum ein Drittel intact war, während die übrigen theils maulbeerförmig, mit gelben Hämoglobinniederschlägen im Innern, theils verkleinert und theilweise des Hämoglobins beraubt waren; dagegen kamen bei Injection von Alcohol in das Blut wohl zerstörte, aber keine maulbeerförmige Erythrocyten vor, während bei allmäliger Einführung kleiner Mengen sich die Hämatoblasten und Leucocyten auffallend vermehrt zeigten und die Coagulabilität des Blutes sehr vermehrt war. Spectroscopische Veränderungen sind am Blute nicht zu constatiren. Blutgasanalysen bei Thieren, welche nicht berauschende Mengen von Spirituosen erhielten, ergaben Verringerung der respiratorischen Capacität der Blutkörperchen bei starker Vermehrung der Kohlensäure im Blute, welche letztere Jaillet z. Th auf die Verbrennung des Alcohols bezieht. Dass die Kohlensäureausscheidung nach Alcohol abnimmt, will J. damit erklären, dass sich in Folge des verminderten Blutdrucks die Kohlensäure im Blute anhäuft und nach Bildung von Alkalicarbonaten durch den Harn eliminirt wird, den J. selbst alkalisch fand.

Nach Moeli (5) ist das Verhältniss des Alcoholmissbrauches zu den Geisteskrankheiten in Berlin nicht sehr ungünstig, indem, von Delirium tremens abgesehen, in der Charité, welche seit 1880 fast sämmtliche Geisteskranken Berlins, so weit dieselben nicht in Privatanstalten übergehen, vorläufig aufnimmt, sich auf der männlichen Abtheilung bei eigentlichen Psychosen wirklicher habitueller Missbrauch geistiger Getränke 76 mal in 680 Fällen, also bei 12,5 pCt., nachweisen liess, was mit dem Procentverhältnisse in den meisten deutschen und englischen Anstalten ziemlich harmonirt Die Mehrzahl dieser Kranken (30 F.) litt an acut entwickelten Wahnvorstellungen und Sinnestäuschungen, deren Inhalt meist Verfolgungs-, seltener Grössenideen waren; eine kleinere Anzahl, meist ältere Individuen, an mehr schubweiser chronischer Entwickelung von Verfolgungsideen und namentlich des Wahnes ehelicher Untreue; eine grössere Gruppe an Schwäche der intellectuellen oder gemüthlichen Thätigkeit, einzelne an Irresein nach epileptischen Anfällen oder acuter Verwirrtheit mit hochgradiger Bewusstseinsstörung. Von den in der Charité aufgenommenen Deliranten, welche bis auf ca. 12 pCt. sämmtlich Alcoholisten sind, litten etwa 36 pCt. (139 unter 388) an Krampfanfällen, wozu ausserdem noch 30 (4 pCt.) als krampfkrank Aufgenommene kommen, deren Leiden offenbar vom Spiritus herrührte; bei den eigentlichen alcoholischen Geisteskrankheiten kam Epilepsie nur in 10 pCt., meist bei Schwachsinnigen nach mehreren Anfällen von Delirien. Durch die Combination von Delirium und Krampf wird die Mortalität wesentlich erhöht, so dass der Procentsatz der Krampfkranken unter den aufgenommenen Deliranten 36—40, unter den Verstorbenen 58 betrug, wobei 9 mal Pneumonie, 1 mal Cirrhose, 2 mal starke Meningealtrübung, 3 mal Veränderungen am Herzen nachgewiesen wurden und 9 mal die Section völlig negatives Resultat lieferte. Von Interesse ist der von Uthoff ermittelte Augenspiegelbefund bei 181 Deliranten und krampfhaften Deliranten, der 28 mal Abblassung des temporalen Abschnitts der Papille und 33 mal Trübung des Augenhintergrunds mit leichter Verwischtheit der Papillargrenzen, 1 mal eine Mischung beider Zustände darbot; die Veränderungen waren bei Krampfkranken etwas häufiger. Concentrische Gesichtsfeldbeschränkung und die damit regelmässig verbundenen Sensibilitätsstörungen (Hemianästhesie, Hemialgesie) kamen ausschliesslich bei krampfkranken Alcoholisten vor; erstere fand sich stets beiderseitig, doch oft stärker auf dem Auge der Seite, wo die Hemianästhesie war. In einem Falle, wo nach wiederholten Anfällen von Delirium tremens mässige neuralgische Schmerzen in den Beinen, dann Lähmung der Strecker des Unterschenkels eintraten, fand sich post mortem Alteration beider Cruralnerven, während das Rückenmark nicht verändert war.

Dujardin-Beaumetz (12) hat im Hôp. St. Antoine die günstigen Erfolge der Luton'schen Strychnintherapie des Alcoholismus bestätigt, insoweit es sich um die Beseitigung von Trunkenheit und Delirium tremens handelt, läugnet aber jeden Einfluss auf andere Organopathien der Potatoren, insbesondere Gastritis und Leberverfettung, weshalb er auch die sonderbare Idee Luton's, Branntweine u. s. w. mit kleinen Strychninmengen behufs Verhütung des Alcoholismus zu versetzen, verwirft.

Bei Hunden lassen sich bei gleichzeitigem Strychningebrauch beträchtliche Mengen Alcohol einführen, wodurch es gelingt, die Erscheinungen der Gastritis ulcerosa potatorum bei diesen Thieren zu erzeugen, die nach Jaillet (4) ihren Sitz besonders in der Curvatura major hat, leicht heilt und wobei nach den Untersuchungen von Cornil dem auch die Drüsenschicht zerstörenden Ulcus stets die Bildung einer Phlyctäne vorausgeht, in deren Centrum ein aus rothen Blutkörperchen bestehender bräunlicher Pfropf sich findet. Jaillet will das Strychnin auch im Alcoholcoma versucht wissen, um die verderblichen Folgen des Alcohols auf das verlängerte Mark und auf das Rückenmark zu verhüten, und hebt hervor, dass bei im Alcoholcoma befindlichen Thieren höhere Gaben Strychnin tetanische Krämpfe bedingen können, welche jedoch das Leben nicht gefährden; ja er will in dem Auftreten derselben, welches allerdings das Vorhandensein einer nicht completen, daher nicht absolut letalen Lähmung der Centra beweist, ein Indicium für die günstigen Folgen der Strychnintherapie sehen und daher auch die Strychningaben möglichst hoch, selbst auf 0,025 normiren, neben welchen dann die sonstigen Mittel gegen Collaps und Sauerstoffinhalationen anzuwenden seien.

3. Aldehyd. Paraldehyd.

1) Noorden, Carl von, Paraldehyd als Schlafmittel. (Aus der med. Klinik von Prof. Riegel in Giessen.) Centralblatt für klin. Med. No. 12. — 2) Berger, O. (Breslau), Paraldehyd. Bresl. ärztl. Zeitschrift. No. 4. S. 35. — 3) Rank, C. (Stuttgart), Ueber den Werth des P. als Schlafmittel. Württemb. med. Corr.-Bl. No. 20. S. 153. — 4) Fronmüller (Fürth), Aus der Hospitalpraxis. Paraldehyd. Memorab. No. 7. S. 385. — 5) La paraldéhyde et ses propriétés hypnotiques. Union méd. No. 8 p. 85. (Zusammenstellung.) — 6) Yvon, Sur la paraldéhyde. Bull. gén. de Thérap. Janv. 30. p. 70 (Chemisch und pharmaceutisch.) — 7) Dujardin-Beaumetz, Sur les effets physiologiques et thérapeutiques de la parald. Ibid. Jan. 30. p. 49. — 8) Coudray, Louis, Recherches sur les propriétés physiologiques et thérapeutiques de la paraldéhyde. IV. 138 pp. Thèse. Paris. — 9) Quinquaud, E., Un mot sur le paraldéhyde. Compt. rend. de la Soc. de Biol. p. 142. — 10) Henocque, De l'influence de la p. sur la calorification, sur l'oxygénation d'hémoglobine et sur les phénomènes d'échange. Ibid. p. 146. — 11) Vulpian et Bochefontaine, Note relative à quelques expériences sur la paraldéhyde. Ibid. p. 157. — 12) Prevost, J. L., Note relative à l'action physiologique de la paraldéhyde, présentée le 15 août 1884 à la section de biologie du congrès international de Copenhague. Rev méd. de la Suisse Romande. No. 10. p. 577.

Für die Verwendung des Paraldehyds als Schlafmittel sprechen sich sowohl in Deutschland als in Frankreich verschiedene Kliniker aus.

v. Noorden (1) sah nach durchschnittlich 4,5 (mit ana Tr. cort. Aur. in Zuckerwasser Abends als Schlafmittel gegeben) constant in 15—45 Min. Eintritt von Schlaf, der bei nervöser Insomnie die ganze Nacht, bei Hustenreiz oder Schmerzen bis zum Frühmorgen dauerte und keine üblen Nachwirkungen (in 120 Fällen nur 2 mal beobachteten belästigenden Paraldehydgeruch und Geschmack ausgenommen) hinterliess. Contraindicirt ist das Mittel bei vorgeschrittener Phthise mit Betheiligung des Kehlkopfs, wo die Darreichung häufig unmittelbar Hustenreiz, Erbrechen und grosse Aufregung bewirkt. Als wesentlichen Vorzug bezeichnet v. N. die Nichtbeeinträchtigung der Athmung und die sehr geringe Herabsetzung der Spannung in den Arterien, welche bei Herzkranken nach sphygmographischen Untersuchungen Riegel's noch unbedeutender sein kann, als bei Gesunden, ein Umstand, welcher gerade bei geschwächtem Herzen das Paraldehyd als Hypnoticum indicirt erscheinen lässt.

Berger (2) empfiehlt, das Paraldehyd, das er als Hypnoticum zu 3,0—6,0 in allen Fällen, wo Chloral contraindicirt ist, und als Beruhigungsmittel bei psychischen Erregungszuständen und Delirium tremens zu 1,0—2,0 gereicht wissen will, des Geschmackes wegen in Emulsion (Paraldehydi, Gi. Mimosae ana 18,0, F. c. Aq. dest. Emulsio 150,0, cui adde Syrupi Amygd. 30,0. M. D. S. 2 Esslöffel auf einmal zu nehmen) darzureichen, da das Mittel in Gallertkapseln mitunter Magenbeschwerden erzeugt.

Dujardin-Beaumetz (7) hatte schon bei Dosen von 3,0 bei Kranken regelmässig Hypnose, und fand eine 10proc. Mixtur (nach Yvon mit Sprit und Syrupus simplex und mit Vanilletinctur aromatisirt) besser nach dem Geschmacke der Kranken als eine Chloralsolution; doch hebt er hervor, dass P. als Beruhigungsmittel bei schmerzhaften Leiden in Dosen von 2,0—3,0 weit unter Morphin oder Chloral stehe. Den Geruch des Athems, den er besonders stark bei grossen (3,0) Gaben sah, bezeichnet er als äusserst intensiven Aldehydgeruch. Ob in dem von D.-B. citirten Falle, in welchem C. Paul einer Morphiumsüchtigen durch Paraldehyd den Missbrauch des Morphins abgewöhnte, der Effect dauernd war, steht dahin.

Coudray (8) betont nach den unter Dujardin-Beaumetz gesammelten Erfahrungen, dass Paraldehyd bei Phthisikern im ersten Stadium weit günstiger als später wirke, wo der durch die Ansammlung des Secrets bedingte Hustenreiz den hypnotischen Effect häufig störe.

Es ist übrigens kaum zu bezweifeln, dass die Glanzepoche des neuen Schlafmittels bereits vorüber ist, da die keineswegs in dem schlechten Geschmack allein bestehenden Inconvenienzen durch Rank (3, u. A. hervorgehoben werden und selbst die hypnotische Wirkung bestritten wird.

Rank (3) hat im Stuttgarter Katharinenhospitale nicht allein Uebelkeit und Brechneigung, ja mitunter Erbrechen nach dem neuen Mittel, das er zu 6,0 in 1 oder 2 Dosen, meist in Milch, wo es noch am besten tolerirt wird, gesehen, sondern auch $^1/_2$—1 Std. nach der Application auftretendes und oft bis zum andern Morgen dauerndes intensives Kopfweh mit Schwindel, Benommenheit und Unruhe, mitunter Sinken der Frequenz, Irregularität und Dicrotismus des Pulses; daneben zeigte sich das Mittel fast wirkungslos, so dass es in einer grösseren Versuchsreihe nur 5 mal (2 mal bei Delirium tremens, 1 mal bei nervöser Insomnie) volle Hypnose erzielte. R. betont auch die üble Atmosphäre, welche der Athem der mit P. Behandelten selbst noch nach 24—36 Std. erzeugte und das Mittel aus der Privatpraxis bannen würde.

Zahlreich sind auch die von Fronmüller (4), der das Mittel bei 58 Kranken in Dosen von 2,5—10,0 anwandte, beobachteten Nebenwirkungen, indem am folgenden Morgen 8 mal Kopfschmerz mit Schwindel, 6 mal Brennen im Magen, 2 mal Brennen im Halse, 2 mal Erbrechen beobachtet wurde und 1 mal nächtliche Aufregung eintrat. Im Uebrigen waren die hypnotischen Effecte ziemlich günstig, da 42 mal ein mehr als $4^1/_2$stündiger Schlaf und 13 mal Schlaf von 3 Std. resultirte (nach 10,0 sogar von ca. 15 Std. Dauer). Am besten vertrugen Alcoholisten das Mittel, dessen mittlere Dosis F. auf 4,5 fixirt.

Coudray (8) weist auf die Verwendbarkeit des Paraldehyds beim Tetanus toxicus und bei Tetanus überhaupt, gestützt auf die günstigen Erfolge, welche Dujardin-Beaumetz bei Strychninvergiftung an Thieren hatte, hin.

Sicher hat das Mittel vor dem Chloral den Vorzug grösserer Unschädlichkeit und der dadurch bedingten Möglichkeit, höhere Dosen bei Strychninvergiftung anzuwenden. Nach D.-B. ist die letale Dosis des Paraldehyds beim Kaninchen erst 4,0 pro kg. Die Angabe von D.-B., wonach dasselbe im Stande ist, die 20fache letale Strychninmenge zu überwinden, ist jedoch keineswegs richtig, da die minimal letale Dosis Strychnin mindestens dreimal so hoch ist, wie die von ihm angenommene.

Das Paraldehyd ist auch der Gegenstand mehrerer physiologischer Studien geworden, welche die Angaben von Cervello (Ber. 1882. I. S. 475) nur in einzelnen Punkten ergänzen.

Quinquaud (9), der die primäre Wirkung auf das

Grosshirn und erst die secundäre auf Med. oblongata und spinalis gerichtet ansieht und eine anästhetische Action nur bei gefährlichen Dosen constatirte, und welcher durch 1stündige Inhalation von P. oder von einem Gemische desselben mit gleichen Theilen Weingeist keinen Schlaf herbeiführen konnte, hebt eine besondere Einwirkung auf das Blut hervor, in welchem Methämoglobin erscheine und das in den Arterien unmittelbar nach der Injection in die Venen schwarz werde, nicht dunkel wie bei Asphyxie, womit die nach toxischen Mengen zu beobachtende Temperaturverminderung und Abnahme der exhalirten Kohlensäure im Zusammenhange stehen kann. Bei grossen Gaben hat Q. auch Sinken des Blutdrucks mit Verlangsamung des Herzschlages constatirt, obschon der Tod an Paraldehyd durch Respirationsstillstand bei fortschlagendem Herzen eintritt und kleine Dosen den Blutdruck nicht wesentlich alteriren.

Henocque (10), der bei Kaninchen und Meerschweinchen Temperaturabnahme bis zu 8° und im Anfange der Versuche Speichelfluss, später Verstopfung und Retardation der Harnentleerung beobachtete, will spectroscopisch im Blute starke Verminderung des Oxyhämoglobins bei Hellerrothwerden des Venenblutes constatirt haben und schreibt dem Paraldehyd eine Verringerung der Oxydationsprocesse zu, indem es die durch Natriumnitrit zu bewirkende Umwandlung von Oxyhämoglobin in Methämoglobin (dessen Auffassung als Oxydationsproduct übrigens neuerdings viel bestritten ist. Ref.) verhindert.

Coudray (8) und Hayem konnten durch P. weder Methämoglobinbildung im Blute noch Verhinderung der durch Natriumnitrit herbeigeführten erzielen: die Nitritwirkung auf das Blut schien geradezu beschleunigt zu werden.

Bochefontaine (11), der bei Kaninchen das Paraldehyd zu 3,0 oft nicht letal fand, constatirte, dass es bei Application in das Ohr keine der von Brown-Séquard (Ber. f 1881. I. S. 426) nach Chloral beobachteten Erscheinungen bedinge.

Prevost (12) weist nach, dass locale Anästhesirung des Gehirns mit Paraldehyd beim Frosche, wie die durch andere Anaesthetica bewirkte, wieder nach Herstellung der Circulation nach einiger Zeit von selbst verschwinden kann, und dass bei sehr grossen, jedoch nicht immer bloss bei letalen Gaben in tiefer Narcose auch der Patellarreflex aufgehoben wird, jedoch weniger rasch als durch Chloralhydrat, während der Kehlkopfreflex schon in früheren Perioden, mitunter selbst vor dem Cornealreflex schwindet. Bei subcutaner oder intravenöser Einführung wird der Paraldehydgeruch im Athem manifest, nicht im Harn, der nach Prevost quantitativ verringert ist.

Coudray (8) veröffentlicht von Dujardin-Beaumetz angestellte Versuche über die relative Toxicität des Paraldehyds, Aldehyds und Aldehydammoniaks, wonach die beiden letzten bei Kalt- und Warmblütern mindestens 3mal so giftig wie ersteres sind. Aldehyd erzeugt bei subcutaner Anwendung sehr starke örtliche Reizung und bedarf zur Erzeugung von Anästhesie bei Inhalation sehr grosser gefährlicher Mengen.

[Rothe, Paraldehyd, nowy środek nasenny. (Das Paraldehyd als neues Hypnoticum.) Gazeta lekarska. No. 12.

Der Verfasser machte 200mal bei 16 Kranken Gebrauch von Paraldehyd. Auf Grund dieser Untersuchung behauptet der Verf.: Das Paraldehyd ist ein vorzügliches, hypnotisches Mittel. Nach dem Gebrauche von einer einmaligen Gabe von 4—5 g trat immer nach 10—90 Minuten ein ruhiger, tiefer Schlaf ein, der gewöhnlich 3—7 Stunden dauerte und sich in keiner Weise vom gewöhnlichen Schlafe unterschied. Das Paraldehyd übte keinen ermüdenden Einfluss auf die Circulationsorgane, der die Schattenseite des Chlorals und Crotonchlorals bildet. Von den Verdauungsorganen wird das Paraldehyd sogar bei einem längeren Gebrauche gut vertragen. Der Verf. überzeugte sich ferner, dass dieses Mittel besonders bei Mania furibunda, bei verschiedenen Erregungszuständen, bei Paralysis progressiva, bei hysterischem und epileptischem Irrsinn Vorzügliches leistet, dass es auch sehr oft im Delirium tremens und auch in verschiedenen Neuralgien gut wirkt. Nur in Depressionszuständen (Melancholie) blieb es oft ohne Erfolg. v Kopff (Krakau).]

4. Chloralhydrat. Trichloressigsäure.

1) Warner, E. (Worcester), Chloral hydrate as an antiseptic. Bost. med. and surg. Journ. Aug. 21. p. 177. — 2) Booth, J. Mackenzie (Aberdeen), Case of chloral poisoning treated by the administration of belladonna. Lancet. March 15. p. 468. (Starke Depression des Athemcentrums und der Circulation nach 2 Drachmen Chloralhydrat b. e. Dipsomanen, nach 1 Theelöffel Belladonnatinctur rasch gebessert.) — 3) Hermann, Ludimar (Zürich), Die Wirkung der Trichloressigsäure. Nach Versuchen mit A. v. Gendre. Archiv für die gesammte Physiol. Bd. XXXV. S. 45.

Warner (1) rühmt Chloralhydrat als Verbandmittel für grosse eiternde Flächen, wo er eine mit wässeriger Lösung (1 : 100—150) befeuchtete Compresse und darüber eine leichte Rollbinde applicirt, und betont besonders die günstigen Resultate bei Ovariotomie. Gleiche antiseptische Erfolge hatte er von Injectionen in Vagina und Uterus; auch heilte er binnen einer Woche ein chronisches Eczem durch unausgesetztes Feuchthalten mit der gedachten Lösung.

Hermann (3) hält nach Versuchen mit v. Gendre seine frühere Angabe aufrecht, dass Trichloressigsäure kein schlafmachendes Mittel sei, sondern Lähmungserscheinungen bedinge, die von hinten nach vorn (Hinterbeine, Athemmuskeln, bei Katzen auch Zunge) fortschreiten und denen bei Kaninchen, welche erst nach 5,0 der als Natriumsalz gegebenen Säure afficirt werden, während Hunde und Katzen empfindlicher sind, deutliche Reizungserscheinungen (Strecken der Hinterbeine) vorausgehen. Die Lähmung ist, da bei den wenig für das Gift empfänglichen Fröschen periphere Lähmung ausgeschlossen ist, vermuthlich spinalen Ursprunges.

5. Aceton.

Tappeiner, H., Ueber die giftigen Eigenschaften des Acetons. Archiv für klin. Med. Bd. XXXIV. S. 450. (Münchener pathol. Institut.)

Tappeiner erklärt nach Versuchen an Hunden und Kaninchen das Aceton für ein nach Art anderer Körper der Fettreihe, jedoch sehr allmälig wirkendes und nur in grossen Mengen bei sehr leichter Einathmung tödtliches Gift, welches zunächst im Stadium der Erregung, characterisirt durch starke Steigerung der Puls- und Athemfrequenz, beim Hunde auch durch Erhöhung des Blutdrucks, dann ein Depressionsstadium herbeiführt, in welchem complete Anästhesie und Erschlaffung aller Muskeln hervortritt, die Reflexaction erlischt und Blutdruck, Puls und Athemfrequenz bis zu dem durch respiratorische Lähmung erfolgenden Tode sinken.

6. Aether.

1) Mollière, Daniel, Note sur l'éthérisation par la voie rectale. Lyon médical. No. 13. p. 419. — 2) Starcke (Berlin), Aethernarcose per rectum nach Pirogoff. Berl.

klin. Wochenschr. No. 28. S. 433. — 3) Löwenthal, Wilhelm (Genf), Aethernarcose per rectum. Ebendas. No. 32. S. 523. — 4) Bull, William, T., On etherization by the rectum. New-York med. Record. May 3. p. 477. — 5) Shrady, G. O. F. und J. H. Browning, Anaesthesia by rectal etherisation. Ibid. May 3. p. 487. (St. Francis Hospital.) — 6) Shrady und Freeman, Alpheus, Administration of ether by the rectum (Presbyterian Hospital) Ibid. — 7) Miller, John S., Etherisation by the rectum; report of four cases by Iversens method. Philadelphia med. Times. Juli 26. p 792. — 8) Braine, Woodhouse, Anaesthetics and their administration. Brit. med. Journal Nov. 29. p. 1060. — 9) Eastes, George, The vapors chiefly used for anaesthetic inhalations. Ibid. p. 1064. — 10) Jefferson, Arthur (York), Ether as an anaesthetic in cases where there is obstructive disease of the left side of the heart. Lancet. Sept. 20. p. 492. — 11) Holmes, T., A fatal case of ether inhalation. Brit med. Journal. March 15. p. 508. — 12) Jennings, Charles Egerton, Notes on resuscitation of the newly born and on the treatment of the poisoning by anaesthetics. Ibidem. April 26. p. 609. (Hinweis auf Infusion und Transfusion bei Asphyxie und auf die vergebliche Anwendung der Sylvester'schen Methode der künstlichen Respiration bei Rücksinken der Zunge.)

Die schon in den vierziger Jahren von Pirogoff benutzte Aetherrectalnarcose, welche auch späterhin in Dänemark Anwendung fand, ist auf Veranlassung des dänischen Arztes Iversen zuerst von Mollière (1) in Lyon einer erneuten Prüfung unterworfen und dann der Gegenstand einer Reihe von Arbeiten geworden, welche der Methode bei Operationen im Gesicht, im Munde, am Gaumen und an den Augen, wo die Inhalation Inconvenienzen hat, das Wort zu reden scheinen, obschon allerdings Pirogoff's Verfahren kaum einen besonderen Vorzug vor der Aetherinhalation besitzt und sogar wegen des damit mitunter verbundenen hochgradigen Auftreibens des Abdomens durch Aethergas und wegen grösserer Gefahr bei Eintritt von Syncope Bedenken involvirt, wie auch bei nicht sehr vorsichtiger Manipulation örtliche Irritation des Darms eintreten kann.

Dass auch andere wie Operationen im Gesichte unter der Aetherrectalnarcose ausgeführt werden können, beweisen schon die ersten Mittheilungen von Mollière (1), der u. a. eine Nervendehnung des Ischiadicus bei einem Trinker ausführte, welcher, nachdem neben dem Rectalverfahren noch 10,0 inhalirt waren, ohne jede Excitation einschlief. Indessen ist es nicht richtig, dass die Methode die Excitation überhaupt verhütet; denn unter den Beobachtungen von Bull (4), der das Verfahren zuerst in Amerika eineinführte, findet sich ausser mehreren Fällen von leichter Excitation, welche durch Zuhilfenahme der Aetherinhalation rasch schwand, auch mehrfach heftige Aufregung, einmal mit Herabspringen vom Tische, verbunden. Ob das Erbrechen bei dieser Methode seltener als bei der Aetherinhalation ist, wie Mollière will, ist zweifelhaft; jedenfalls fehlte es nicht in denjenigen Fällen von Mollière, wo Speise in den letzten Stunden genommen war, und ebenso kommt es mehrfach in der Casuistik von Bull vor. Als Vortheil des Verfahrens wird von Mollière (1), Shrady (5) und Miller (7) das Fehlen des Strangulationsgefühls, das bei Aetherinhalation oft sich stark bemerklich macht, hervorgehoben; auch ist wohl a priori richtig, wenn Miller (7) die Gefahr der reflectorischen Respirationsstillstände, entstanden durch Reizung der Nerven der oberen Luftwege, dadurch für beseitigt hält und ebenso die Gefahr der Asphyxie, insofern diese von Anhäufung von Mucus in den Luftwegen herrührt; denn wenn auch nach der übereinstimmenden Angabe der sämmtlichen Beobachter der in den Darm geleitete Aetherdampf rasch in die Luftwege übergeht, so dass mitunter schon in 1 bis 2 Minuten der zu Narcotisirende den Aether riecht und sehr bald hernach auch der Aethergeruch der Exspiration der Umgebung bemerkbar wird, so ist doch eine Reizung der Luftwege durch die geringen Aethermengen, welche zur Elimination gelangen, bisher nicht constatirt worden. Dass aber im Laufe der Narcose, die in ihrer Tiefe sich in der Regel wohl nicht von der gewöhnlichen Aethernarcose unterscheidet, die Gefahr der Asphyxie nicht ausgeschlossen ist, beweist ein Fall von Bull (4), in welchem nach 25 Minuten der Athem stertorös, das Gesicht cyanotisch, der Puls schwach, die Körperoberfläche kalt wurde und das Bewusstsein nur allmälig in einer Stunde unter Anwendung externer Stimulantien wiederkehrte. Cyanose durch Rückwärtssinken der Zunge führen auch Shrady und Freeman (6) an. Noch schlimmer als in Bull's Falle erging es einer Patientin von Poncet (3), welche in 5 Minuten complet anästhetisch war; hier floss beim Einschnitte in die Haut schwarzes Blut, und trotz sofortiger Entfernung der Canüle cessirte Herzthätigkeit und Athmung bei starker Cyanose und Pupillenerweiterung und nur durch 20 Minuten hindurch eingeleitete künstliche Respiration und intensive Haut- und Darmreize gelang die Wiederherstellung. Es ist offenbar ganz richtig, wenn Starcke (2) betont, dass die Chancen der Lebensrettung in solchen Fällen bei Pirogoff's Methode ungünstigere sind, als bei der Aetherinhalation, wo man mit Wegnahme des Apparats die weitere Zufuhr von Aether sofort verhütet, während hier im Darme stets nicht unerhebliche Quantitäten zurückbleiben, welche resorbirt werden können und die Gefahr stetig steigern müssen. Das Zurückbleiben von Aethermengen im Darm wird durch die mitunter mehrere Stunden anhaltende Narcose (Poncet, Starcke) erwiesen. Nach Mollière wird die Menge des Aetherverbrauches bei dem Pirogoff'schen Verfahren verringert; indessen sind die Fälle, wo 10,0 Aether vom Darm aus Narcose bewirkten, doch nur Ausnahmen und meist sind 20,0 und mehr erforderlich. Bei dem Einleiten solcher Mengen ist eine bedeutende Auftreibung des Bauches natürliche Folge, die für den Pat. höchst belästigend werden kann.

In dem von Starcke (2) mitgetheilten Versuche, wo 30,0—43,0 verbraucht wurden, hatte der Patient das Gefühl des Platzens, welches durch den Abgang von ätherischen Flatus und Borborygmen in Folge von Frottiren des Unterleibs beseitigt wurde, ohne dass jedoch völlige Entfernung des Aethers erzielt werden konnte. (Der Athem des Kranken roch noch mehrere Tage nach Aether.) Versuche von Poncet (3) und Miller (7) an Kaninchen und Hunden beweisen übrigens, dass die Aetherdämpfe bei der fraglichen Applicationsweise auch in den Dünndarm eindringen, was nach Poncet auch bei der menschlichen Leiche stattfindet.

Sehr bedenklich erscheinen übrigens die bei dem Verfahren wiederholt — von Poncet auch bei Versuchsthieren — beobachteten Irritationen der Darmschleimhaut, die sich nach Miller (7) in 35 Fällen 7 Mal durch Diarrhoe, mehrmals ausserdem durch Tenesmus äusserten. Dass das Verfahren bei Operationen am Darm oder bei Perinealaffectionen unbrauchbar ist, wird von Miller besonders betont

Für den Aether als hauptsächlichstes Anästheticum plädirt Woodhouse Braine (8), indem er dem Stickoxydul als Indication nur die kürzeren Operationen und dem Chloroform alle längeren, bei denen Hämorrhagien vermieden werden sollen, wie bei einzelnen Augenoperationen, da Aether zur Erweiterung der Gefässe prädisponire, und solche zuweist, wo das Glüheisen gebraucht wird. Das nach Aether eintretende Erbrechen bezeichnet B. als völlig verschieden von dem nach Chloroformiren eintretenden, indem ersteres stets von einer grossen Menge Flatus begleitet bezw. bedingt werde, letzteres mit weit mehr Schwäche und Nausea sich verbinde und in Ruhe geschehe. Singultus nach der Anästhesie wird rasch durch Trinken einer kleinen Tasse Thee oder kleinere Dosen verdünnter Blausäure gestillt. In Bezug auf Stickoxydul hat B. an sich die Erfahrung gemacht, dass die Schallperception dadurch wesentlich geschärft werde, und dass der Hörsinn bei der sich entwickelnden Narkose sehr lange functionsfähig bleibe und sich früher wiederherstelle als das Gefühl, so dass es zu vermeiden sei, in der Gegenwart der Kranken auf diese bezügliche Bemerkungen zu machen. Unruhe bei Stickoxydulnarkose beobachtete B. nur an Trinkern; im Uebrigen ertragen nach seiner Erfahrung nicht nur Gravidae und stillende Mütter, sondern auch Greise, choreakranke Kinder und Epileptiker dieselbe. Als beste Zeit zum Anästhesiren bezeichnet B. die Morgenstunde von 8—9 Uhr, wonach seiner Erfahrung weniger Aether oder Chloroform nothwendig werde. Die dem Aether zugeschriebene Bronchitis glaubt er nicht dem Anästheticum, sondern äusseren, Erkältung veranlassenden Momenten schuld geben zu müssen, denen man durch warme Bedeckung des Körpers entgegenwirkt, die um so mehr zu empfehlen ist, als Aether nicht selten profusen Schweiss veranlasst; doch hat B. bei vier Plethorischen blutig gefärbte Sputa nach der Aetherisation beobachtet, ohne dass es zu weiteren Störungen kam. In Bezug auf die Chloroformtodesfälle macht B. darauf aufmerksam, dass dieselben nicht selten sich ereigneten, wenn frisches Chloroform aufgegossen war, was er wohl mit Recht auf den Umstand bezieht, dass durch die in dieser Zeit tiefer gewordene Athmung eine grössere Menge Chloroform plötzlich zur Wirkung gelange, weshalb er bei Aufgiessen des Chloroforms eine vorsichtige Wiederannäherung empfiehlt. Bei Pallor oder drohender Syncope befürwortet B. in erster Linie Inhalation von etwas Amylnitrit, das der mit der Anästhesie betraute Arzt stets bei sich führen soll, warnt aber vor dessen interner Anwendung, die selbst zu Collaps Anlass werden kann. Zur Verhütung von Erbrechen nach beendeter Operation empfiehlt B. jedes Schütteln des Pat. beim Transporte vom Operationstische zu vermeiden und im Falle die Operation im Bette gemacht wird, denselben mindestens 4 Stunden in Ruhe zu lassen, bei eintretender Schwäche unter keinen Umständen vor Ablauf von 3 Stunden Nahrung, und zwar kalt bis zum folgenden Morgen, unter Vermeidung von Milch, statt deren Beaf tea sich empfiehlt, zu reichen, auch die Augen so lange wie möglich schliessen zu lassen.

Auch Eastes (9), der die Abnahme der Todesfälle durch Anästhetica in England auf die Zunahme des Aetherverbrauches an Stelle des Chloroforms zurückführt, spricht entschieden für Aethernarkose, eingeleitet durch Stickoxydul, und verabreicht Chloroform nur im Alter bis 6—7 Jahren, oder bei Personen mit Neigung zu Bronchitis, bei denen er jedoch die in England gebräuchliche Mischung von Chloroform, Aether und Alcohol vorzieht.

Von Interesse ist ein von Jefferson (10) mitgetheilter Fall, wo bei einem an Stenosis der Mitralis leidenden Manne Aetherinhalation alsbald Cyanose und insufficiente Respiration bedingte und das nach Beseitigung der Zufälle zur Fortsetzung der Anästhesie benutzte Chloroform in wenigen Minuten Irregularität und Aussetzen des Herzschlages hervorrief, während 8 Tage später die Chloroformnarcose 45 Minuten ohne Störung unterhalten werden konnte. Dass übrigens der Aether auch unter anderen Verhältnissen als Anästheticum nicht völlig gefahrlos ist, zeigt der von Holmes (11) im St. Georges Hospital beobachtete Aethertodesfall, der vor Beginn der Operation unter plötzlich eintretender Cyanose und Cessiren der Athmung, während der Puls in der Cruralis noch längere Zeit fortdauerte, sich ereignete, obschon die Patientin noch nicht einmal vollkommen anästhesirt war und wo weder durch die Sylvester'sche Methode, noch durch die Tracheotomie die Athmung wiederhergestellt wurde; bei der Section collabirten die Lungen nicht und waren ausserordentlich blass, sonst wie das Herz und die übrigen Organe bis auf den Uterus (Fibrom) und die Schilddrüse (Cystenkropf) normal; der bestehende Kropf war nach H. an dem Ereignisse ganz unschuldig.

[Święcicki (Posen), Wplyw eteru w skórcze pochwy. (Ueber den Einfluss des Aethers auf die Contractionen der Scheide). Gazeta lekarska No 11. (Dasselbe hat der Vf. später auch deutsch in der Zeitschr. f. Geb. u. Gynäk. B. X veröffentlicht.)

v. Kopff (Krakau).]

7. Chloroform. Methylenbichlorid.

1) Dubois, Note pour servir à l'histoire de l'anesthésie rectale. Gaz. des Hôp. No. 59. p. 468. — 2) Bouchard, Ch., Etude experimentale sur la mort qui succède à l'injection sous-cutanée de chloroforme sur les animaux et sur l'albuminurie chloroformique. Gas. hebdom. de méd. N. 7. p. 104. — 3) Blocq, Accidents déterminés par une injection chloroformique sous-muqueuse. Progrès méd. Nov. 22. p. 963. — 4) Morel-Lavallée, A., Purpura chloroformique. Ann. de dermatol. p. 78. — 5) Bert, Paul, L'anesthésie par la méthode des mélanges titrés de vapeurs et d'air; son application à l'homme pour les vapeurs de chloroforme. Compt. rend. T. XCVIII. N. 2. p. 62. — 6) Aubeau, A., Anesthésie chirurgicale; emploi d'un mélange titré de chloroforme et d'air. Gaz. des Hôp. No. 1. p. 1. — 7) Gosselin, Réflexions sur la dernière communication de M. P. Bert, relative à l'anesthésie chez l'homme. Compt. rend. T. XCVIII. N. 3. p. 121. — 8) Bert, Réponse aux observations précédentes. Ibid. p. 124. — 9) Richet, Sur l'emploi des mélanges titrés de vapeurs anesthésiques et d'air dan la chloroformisation. Ibid. No. 4. p. 192. — 10) Bert, Paul, Réponse aux observations présentées par Mr. Richet. Ibid. N. 5. p. 262. — 11) Ratimoff (Petersburg), Ueber die Wirkung des Chloroforms auf Herz und Athmungsorgane. Arch. f. Anat. und Physiol. Physiol. Abth. S. 576. — 12) Maylard, Death from chloroform, with manifestations of unusual symptoms. Brit. med. Journ. Oct. 25. p. 811. Glasgow med. Journ. Nov. p. 337. (Tod eines 26jährigen Mannes im Western Infirmary zu Glasgow, der 3 Monate früher wegen Comminutivfractur Chloroform erhalten hatte; bei der Inhalation vom Tuche athmete der Kranke anfangs rasch und oberflächlich, dann sehr tief, so dass das Tuch entfernt wurde, in 1—2 Minuten plötzliches Oeffnen der Augen und Pupillenerweiterung ohne Verfärbung der Lippen und des Gesichts; Pulslosigkeit, dann nach vier Athemzügen Stillstand der Athmung; niedrigere Lagerung des Kopfes, Vorziehen der Zunge, Galvanismus, künstliche Respiration nach Sylvester vergeblich; keine Section.) — 13) Fatal chloroform narcosis. Ibid. Nov. 1. p. 874. (Todesfall in Chicago beim Verbande einer frischen Wunde, bei einem 28jährigen kräftigen, aber durch die an der Hand befindliche Verletzung sehr nervösen Pat; 2½—3 Dr. Chloroform vom gefalteten Tuche aus inhalirt; Excitationsstadium ausgesprochen; complete Narcose in 12 Minuten, Tod vor dem Beginne der Operation; plötzliche stertoröse Ath-

mung, Stillstand des Herzens und Pallor, dem dunkle venöse Congestion folgte; Hervorziehen der Zunge, künstliche Respiration und Acupunctur des Herzens erfolglos; Sectionsbefund: leichte Hyperämie des Gehirns, starke Hyperämie und leichtes Oedem der Lungen, grosse Fettablagerung an und um die Vorhöfe und fettige Infiltration der Muskelfasern, Herzwand dünn und blass, Klappen lang und dünn, Kranzarterien und Aorta atheromatös, Nieren, Leber, Milz und Dünndarm hyperämisch, in der Bauchhöhle 3 Unzen blutiger Flüssigkeit). — 14) Struwe, Ursachen und Verhütung des Chloroformtodes. Deutsche militärärztl. Zeitschr. H. 11. S. 529. (Sehr lehrreiche Zusammenstellung.) — 15) Braatz, E. (Libau), Ueber die Wiederbelebungsversuche bei Chloroformtod, insbesondere über die dabei angewendete Electricität. Wiener med. Bl. N. 31, 32, 33. Ss. 968, 1004, 1036. Petersb. med. Wochenschr. No. 28, 29, 30. — 16) Regnauld, J. und Villejean, Etudes experimentales sur les propriétés anesthésiques des dérivés chlorés du formène. Compt. rend. T. XCVIII. N. 21. p. 1315. — 17) Junker, F. E., Bichloride of methylene before the Academy of Medicine of Paris. Brit. med. Journ. March 8. p. 450.

Versuche von P. Bert und Dubois (1) über die Möglichkeit, Chloroform per rectum als Anästheticum zu benutzen, lieferten negatives Resultat sowohl für Luft, welche mit Chloroform bei gewöhnlicher Temperatur oder bei 35 ° gesättigt war, wobei sich höchstens leichter Rausch und daneben heftiger Tenesmus einstellte, als für Oel, welches bis 25 pCt. Chloroform einschloss.

Bouchard (2) hat constatirt, dass die Subcutaninjection von grösseren oder wiederholten kleineren toxischen Dosen Chloroform bei Kaninchen und Hunden Albuminurie und bei Ueberschreitung gewisser Grenzen (2 ccm pro Kilo bei Hunden) auch den Tod zur Folge hat, der jedoch erst in 24—48 Stunden nach einer Periode scheinbaren Wohlbefindens erfolgt, der niemals mit localer Phlegmone zusammenhängt, noch auch auf Urämie zu beziehen ist, da die Nieren nur intensive Hyperämie mit Blutung in den Harncanälchen, aber keine Veränderungen der Epithelien darbieten, auch die Harnstoffmenge im Blute nicht vermehrt ist. Die Albuminurie ist nicht reflectorisch, da sie auch nach Durchschneidung des Ischiadicus und Einspritzung in die von demselben innervirten Partien eintritt, rührt selbstverständlich nicht von Microben (!) her und leitet sich vom Chloroform selbst ab, da sie vorübergehend auch bei Inhalation des letzteren bei Kaninchen auftritt, ohne dass es dabei zur Narkose zu kommen braucht. Auffällig ist, dass bei intravenöser Injection grosse Dosen nicht den Tod herbeiführen, z. B. 0,2 in wässerig alcoholischer Lösung, obschon danach unmittelbar tiefe Narcose und Albuminurie und Hämaturie entstehen. Beim Menschen konnte B. auch bei Subcutaninjection von 5 ccm Chloroform Albuminurie nicht constatiren, doch warnt er vor länger dauernder Anwendung. Vorübergehende Albuminurie ist B. nach Anästhesirung mit Chloroform vorgekommen.

Die neuerdings in Frankreich von Dop eingeführte Methode, bei Zahnschmerz eine Injection von 5 bis 6 Tropfen Chloroform unter das Zahnfleisch zu machen, gab in einem Falle von Blocq (3) unmittelbar nach der Vornahme zu dem Auftreten beträchtlicher Anschwellung der linken Oberlippe und der linken Gesichtshälfte mit Erysipel und Phlyctaenenbildung in der Regio infraorbitalis, welche mehrere Tage anhielt, sowie auch zur Mortification und Abstossung der injicirten Zahnfleischpartie und der entsprechenden Oberlippenpartie, sowie zur Necrose des vorderen Alveolarrandes des Oberkiefers in grösserer Ausdehnung Veranlassung. Der Fall ist unter die Categorie der sog. Idiosyncrasie zu bringen, wohin auch die Purpura chloroformica gehört, welche Morel-Lavallée (4) in drei Fällen im Laufe von Chloroformnarcosen beobachtet hat und die das Eigenthümliche darbietet, dass sich im Beginne der Inhalation auf einmal und im Zeitraum von 2 Minuten auf der Vorderfläche des Körpers und namentlich auf der Brust discrete Purpuraflecken von 3—4 mm Durchmesser im Mittel entwickelten, von denen einzelne unmittelbar in Blutblasen übergingen. M.-L. betrachtet dieselbe als Reflexphänomen durch den Reiz, welchen die Chloroformdämpfe verursachen. In einem Falle ging dem Auftreten ein Erblassen der Brusthaut mit nachfolgendem Alterniren grosser weisser und rother Streifen voraus.

Die von Bert (5) angegebene Anästhesie durch ein Chloroform-Luftgemenge von bestimmtem Gehalt unter Anwendung des Gasometer von St. Martin (Ber. 1883. I. S. 416) hat noch weitere Prüfungen im Hôpital St. Louis erfahren, die allerdings, wie Richet (9) richtig bemerkt, noch zu klein sind, um ein endgültiges Urtheil über die Vorzüge dieses Verfahrens vor der gewöhnlichen, mit Sorgfalt ausgeführten Anästhesie durch Chloroform und insbesondere der vorsichtigen Methode von Gosselin (7) zuzulassen. Das Verhältniss des Chloroforms zur Luft wurde auf 8,0 : 100 l Luft festgestellt, da bei Anwendung von 7,0 : 100 die Narcose nicht tief genug war. Nach Bert (5) beseitigt das Verfahren das von ihm als „Repulsionsphase“ bezeichnete Stadium und die diesem angehörigen reflectorischen Stillstände von Herz und Athmung durch Reizung der Nasal- und Larynxnerven (doch ist Richet [9] selbst von starkem Hustenreiz durch die Inhalation des fraglichen Gemenges befallen), kürzt das Excitationsstadium wesentlich ab (was Richet ebenfalls bestreitet, der bei drei von ihm bei Péan gesehenen Anästhesien dieser Art 2 Mal starke Excitation constatirt hat), bedingt constante langdauernde Anästhesie mit ruhigem Erwachen und wenig Nausea (nach Richet kam bei einem der von ihm gesehenen drei Kranken nicht bloss Nausea, sondern auch Erbrechen vor) und spart Chloroform, von dem übrigens in dem einem der Péan-Richet'schen Fälle 50,0 verbraucht wurden. Dass Bert's Verfahren die Chloroformtodesfälle nicht verhüten wird, ist uns ebenso wie Richet zweifellos, um so mehr, als unter Anwendung des Apparats von Colter, welcher im Wesentlichen auf denselben Principien beruht und vermittelst dessen ein dem Bert'schen fast gleiches, aber noch ein wenig mehr verdünntes (also gefahrloseres) Chloroform-Luftgemenge inhalirt wird, verschiedene, mindestens fünf Todesfälle vorgekommen sind, welche Bert (8) freilich, wie früher auch Clover, auf Versehen bei der Füllung des Apparats bezieht, denen er in Zukunft durch Ersatz des erwähnten und von Aubeau (6) beschriebenen Gasometers u. s. w. durch einen automatischen Apparat abzuhelfen gedenkt, wodurch allerdings die Einwendungen Gosselin's (7) gegen die „voluminösen Gasometer“ beseitigt werden dürften.

Ratimoff (11) hat unter Kronecker vermittelst eines von Jastreboff angegebenen und von R. verbesserten Apparats die Effecte titrirter Chloroformdämpfe bei Thieren studirt, wonach mit Chloroformdampf gesättigte Luft das Herz von Kaninchen in spätestens 1 Stunde tödtet, während Verdünnungen von 7—10 ccm auf 100 l in 2 Stunden tödten, solche von 5—6 ccm das Thier mehrere Stunden in Narcose halten, ohne dass dasselbe bei verhinderter Abkühlung stirbt und noch schwächere keine vollkommene Narcose bedingen. Die Wirkung narcotisirender Dampfmischungen bei verhinderter Abkühlung hört nach einigen Stunden auf, so dass stärkere Concentrationen gegeben werden müssen; doch behält die concentrirte Lösung ihre deletäre Action. Der Herztod erfolgt derart, dass das Herz (manchmal erst nach Stillstand in Diastole) flimmert, wovon es nicht gerettet werden kann (Lähmung des Coordinationscentrums); durch längere Zuleitung geschwächte Herzen können durch Einathmen frischer Luft wieder hergestellt werden, bleiben aber leichter afficirbar und gehen meist ohne Flimmern unter allmäligem Seltener- und Kleinerwerden der Schläge zu Grunde. Das Athmungscentrum wird von concentrirten Dämpfen ebenfalls ganz gelähmt, und zwar vor dem Herzen: vor der totalen Lähmung tritt Diaphragmalähmung bei normaler Function der Thoraxmusculatur ein. Bei vollkommener Narcose mit mässigen Dampfdichten bleibt die Athmung noch völlig abdominal.

Recht beherzigenswerthe Winke über die rationelle Behandlung der Chloroformsynkope giebt Braatz (15), indem er die Anwendung der Reizmittel perhorrescirt, da hierdurch der richtige Zeitpunkt für die wirklichen Heilmittel oft verpasst wird, und die sofortige Einleitung der künstlichen Respiration nach der Methode von Schüller bei stark hervorgezogener Zunge und in Hüftkniebeugungsstellung des Patienten empfiehlt. Die Anwendung des Inductionsapparates verwirft B. vollständig, wobei er auch die zufällig an den Sympathicus abgehenden und das Herz erregenden Stromesschleifen als eher schädlich denn nützlich bezeichnet, da sowohl der galvanische als der faradische Strom für das Thierherz eminent verderblich wirkt, hält aber eine mechanische Reizung des Herzens nicht für schädlich und bezieht auf letztere z. Th. die günstigen Effecte der Inversion, welche er intercurrent anzuwenden räth.

Das Rücksinken der Zunge mit König als fast ausschliessliche Ursache der Chloroformtodesfälle anzusehen, hält B. für sehr gewagt. Von der Schüller'schen Methode der künstlichen Athmung hat B. in einem Falle von Cyankaliumvergiftung mit Erfolg Gebrauch gemacht.

Regnauld und Villejean (16) haben, nachdem sie das Methylenbichlorid des Handels (vergl. Ber. 1883. I. S. 417) als unreines Chloroform erkannt, mit eigens dargestelltem chemisch reinen Methylenbichlorid Versuche an Warmblütern und Fröschen angestellt, wonach sie dasselbe als zur Anaesthesirung praktisch ungeeignet bezeichnen, da es keine Relaxation der Muskeln, sondern einen Zustand von Contractur abwechselnd mit klonischen Bewegungen und epileptiformen oder choreaähnlichen Anfällen erzeugt.

Junker (17) hat die Regnauld'sche Mischung von Chloroform und Methylalcohol (Ber. 1883. I. S. 417) in 20 Fällen von Ovariotomie, Laparotomie u. s. w. als Anästheticum benutzt und niemals Erbrechen oder andere üble Folgen eintreten gesehen, obschon die Dauer der Operationen 30—140 Minuten betrug und durchschnittlich stündlich $8^1/_4$ Drachmen und in 9 Fällen 10—16 Drachmen mittelst des Junker'schen Apparates verbreicht wurden. Durchnittlich trat complete Narcose nach $1^1/_2$ Drachmen in 10 Minuten ein.

8. Bromoform. Bromäthyl. Bromäthylen.

1) Bonome, A. und G. Mazza, (Genua), Sull' azione biologica del bromoformio, bromuro d'etile e bromuro d'etilene. Riv. di Chim. med. p. 329. — 2) v. Horoch, Ueber die physiologischen Eigenschaften des Bromoforms. Anzeiger der Gesellschaft Wiener Aerzte. No. 12. S. 58. (Vergl. Ber. 1883. I. S. 418). — 3) Williams, W. Roger, Bromide of ethyl as an anaesthetic for short operations, and as a precursor to the administration of ether. Brit. med. Journ. March 1. p. 402.

Bonome und Mazza (1) haben unter Albertoni die Wirkungen des Bromoforms, Bromäthyls und Bromäthylens studirt und bestätigen bezüglich des ersteren auch durch Versuche am Menschen die von Horoch (2) gemachten günstigen Erfahrungen in Hinsicht auf die Verwendung des allgemeinen Anästheticum, doch konnte in einem Falle complete Narcose nicht erhalten werden. Beachtungswerth ist der Vorschlag, dasselbe als Anaestheticum generale bei Epileptischen zu verwenden, wo Chloroform nach früheren von Albertoni bestätigten Erfahrungen mitunter epileptische Anfälle hervorruft, während Bromoform nach vielfachen Beobachtungen an Epileptikern dies niemals thut, vielmehr nach directen Versuchen an Hunden die Reizbarkeit der psychomotorischen Centren der Hirnrinde erheblich herabsetzt und beim Menschen, was offenbar damit im Zusammenhange steht, Narcose ohne vorausgehendes Excitationsstadium bedingt, was seinerseits den Gebrauch bei Trinkern indicirt.

Die anästhesirende Wirkung erfolgt nach B. und M. etwas langsamer als beim Chloroform; das Nichtzustandekommen derselben in 1 F. scheint dadurch entstanden zu sein, dass das benutzte Bromoform freies Brom enthielt, das starke Reizung der Conjunctiva, Nasen- und Kehlkopfschleimhaut hervorrief. Die weiteren Versuche lassen das Mittel als die Functionen der Respiration nach Eintritt der Narcose nicht beeinträchtigend erscheinen, während anfangs der Rhythmus der respiratorischen Excursionen etwas unregelmässig wird; auch wird der Blutdruck nur wenig herabgesetzt und die zur Erzielung der Anästhesie nöthige Menge ist geringer als beim Chloroform. Erbrechen kam nach Bromoform niemals vor; dagegen war die Temperatur in den ersten Stunden nach der Narcose wie nach Chloroform, aber weniger herabgesetzt. Bei Hunden fand sich starke Mydriasis in der Narcose, während beim Menschen ausgesprochene Pupillenveränderungen fehlten. Intern bei Epileptischen zu 4,0 pro die gegeben, bedingte Bromoform Neigung zum Schlafe nach dem Einnehmen, in 1 F. Abnahme der Zahl der epileptischen Anfälle. 0,14 pro Kilo tödtete subcutan Kaninchen unter Erscheinungen von Dyspnoe, Sopor und starker Verlangsamung der Respiration. Auch die neuere Angabe von Horoch (2), dass Bromoform antiseptisch wirkt, indem es zu 0,1 pCt. in Nährlösungen Bacterien tödtet, wird von B. u. M. bestätigt, welche auch Bromäthyl und Bromäthylen dieselben Effecte vindiciren.

Die dem Bromoform zukommende Herabsetzung der psychomotorischen Centren der Hirnrinde zeigte nach Bonome und Mazza auch das Bromäthyl, das bei seiner raschen Elimination indess für die Zwecke der allgemeinen Anästhesie kaum in Betracht kommt. Es ist weniger giftig als Bromoform und das nicht als Anästheticum verwendbare Bromäthylen.

Die anästhesirende Wirkung des Bromäthyls tritt rascher, als die des Chloro- und Bromoforms ein, ist aber mit allmäliger Herabsetzung des Blutdruckes verbunden. Die letale Dosis beträgt bei Subcutaninjection

0,17 bei Bromäthyl, 0,1 beim Bromäthylen. Letzteres tödtet bei länger fortgesetzter Inhalation, ohne Narcose zu erzeugen, unter Verlangsamung des Pulses und der Athmung, welche übrigens erst sehr spät afficirt werden.

Zur Einleitung der Anästhesie durch Aether empfiehlt Williams (3) nach dem Vorgange der amerikanischen Aerzte Chisholm und Prince das Bromäthyl, dessen Unannehmlichkeiten und Gefahren bei dem Versuche längerer Narcotisirung W. anerkennt, während er das rasch verdunstende Mittel, aus einer Düte geathmet, als ausserordentlich rasch (binnen 1 Minute) Anästhesie erzeugend bezeichnet; doch dauert letztere nur gegen 2 Minuten, so dass es für sich nur bei kleinen Operationen von sehr kurzer Dauer anwendbar ist.

9. Jodoform. Methylenjodid.

1) Burman, C. Clark (Belford), Jodoform in erysipelas. Practitioner. Vol. XXXII. p. 365. — 2) Neisser, A. (Breslau), Ueber Jodoformexanthem. Deutsche med. Wochenschr. No. 30. S. 467. — 3) Behring (Winzig), Ueber Jodoformvergiftung und ihre Behandlung. Ebendas. No. 5. S. 68. — 4) Fabre, P., Eruption eczémateuse provocquée par l'application d'une pommade d'iodoforme. Gaz. méd. de Paris. No. 42. p. 494. — 5) Schwerin (Berlin), Ueber Methylenjodid. Ein Beitrag zur Kenntniss der Jodverbindungen. Centralbl. für die med. Wiss. No. 9, 10. S. 130, 146.

Burman (2) empfiehlt Bestreichen mit Jodoformcollodium bei Erysipelas faciei als sofort schmerzstillendes und das Fortschreiten der Rose verhinderndes Mittel, das auch die Abschuppungsperiode günstig zu beeinflussen scheint.

Als ein neues Inconveniens der Jodoformtherapie bezeichnet Neisser (2) die bei einzelnen besonders prädisponirten Personen nach externem Gebrauche von Jodoform in den verschiedensten Arzneiformen, bei innerem Gebrauche nicht auftretende. Dermatitis erythematodes vesiculosa, welche bald mehr nässend und Krusten bildend, bald mehr impetiginös, weit über die Applicationsstelle hinaus sich verbreitet, jedoch nur ganz ausnahmsweise dem Mercurialeczem entsprechend sprungweise, und unter Anwendung kühler Umschläge mit 5 proc. Lösung von essigsaurer Thonerde oder Waschungen mit 2 proc Phenolspiritus und nachträglicher Behandlung mit Streupulvern verschwindet. Fabre (4) ist der Ansicht, dass die Form der Application nicht ohne Einfluss sei, da sich bei einem übrigens zu eczemitösen Ausschlägen geneigten Syphilitiker nässendes Eczem regelmässig nach Gebrauch einer Jodoformsalbe (1:15), nicht aber nach Application anderer Salben oder von Jodoform in Pulver, das übrigens nicht direct mit der Haut, sondern mit einem Geschwür in Contact kam, einstellte; der Ausschlag blieb hier auf eine Gesichtshälfte beschränkt und machte rasch das erythematöse, vesiculöse und squamöse Stadium durch, ohne durch die angewandten Mittel viel beeinflusst zu werden.

Behring (4) empfiehlt, von der Möglichkeit ausgehend, dass ein Theil der toxischen Jodoformwirkung auf Alkalientziehdung vermöge der Abspaltung von Jod und Bildung von Jodsäure beruhe, das Kaliumbicarbonat als Antidot, von dessen Wirkung er sich sowohl bei Kaninchen als in 2 Fällen externer Jodoformintoxication beim Menschen überzeugte. Natriumbicarbonat verwirft B. wegen seiner hyperämisirenden Nebenwirkung auf Nieren und Darm.

Die dem Methylenbichlorid entsprechende Jodverbindung, das Methylenjodid, $C_2H_2J_2$ ist nach Versuchen von Schwerin (5) ohne jede antiseptische Wirkung, ruft dagegen bei Kalt- und Warmblütern eingeathmet oder nach subcutaner und interner Application Hypnose und Anästhesie hervor, in Folge deren bei grösseren Dosen (0,5—1 ccm intern beim Kaninchen) der Tod erfolgt. In verschiedenen Versuchsthieren gelang der Nachweis von Jod in Spuren oder mitunter selbst in bedeutenderen Mengen im Gehirn, das mehrfach deutlichen Geruch nach Methyljodid zeigte.

10. Amylnitrit.

1) Rosenthal (Wien), Untersuchungen und Beobachtungen über Arzneimittel. 2. Amylnitrit. Anzeiger der Gesellschaft Wiener Aerzte. No. 12. S. 60. — 2) Dittel, Amylnitrit als Antisepticum. Ebend. S. 61. — 3) Hare, Hobart A. (Philadelphia), The nitrite of amyl as an antidote in strychnia poisoning. Boston med. and surg. Journ. Nov. 20. p. 481.

Rosenthal (1) sah in 4 Fällen von Migräne auf Amylnitrit-Inhalationen sofortige Beseitigung des Scotoma scintillans (Lösung des reflectorischen Gefässkrampfes im centralen Opticusgebiete?), während in 2 Fällen von Hemicranie mit entoptischen farbigen Ringen oder dunklen Figuren das Mittel nicht wirkt, welches bei einer vasomotorischen Neurose des Nasenrachenraums vorzügliche Dienste leistete. Die Beobachtung, dass wenige Tropfen Amylnitrit die Pilzbildung in Chinin-, Alaun- und Tanninlösungen lange verhindern, führte zu Versuchen bei eitrigem Blasencatarrh, wo Irrigationen mit amylnitrithaltigem Wasser (5—6 Tr. A. auf 500,0) Günstiges leisteten, wie sie auch nach Dittel (2) bei Carcinoma und Diphtheritis vesicae ausgezeichnet deodorisiren.

Die von Gray behauptete antidotarische Wirkung des Amylnitrits gegen Strychnin ist nach Versuchen von Hare (3), deren Resultat Ref. bestätigen kann, nur eine äusserst beschränkte, da es, in physiologischen Gaben angewendet, zwar Convulsionen aufhebt und bei letalen Strychnindosen lebensverlängernd, jedoch bei bereits eingetretenen Symptomen nicht lebensrettend wirkt, und deshalb höchstens in Injection und inhalirt so lange anwendbar erscheint, bis sichere Mittel (Chloral) herbeigeschafft sind.

11. Nitroglycerin.

1) Marieux, Louis, Recherches sur les propriétés physiologiques et thérapeutiques de la trinitrine. IV. 80 pp. Pariser Thèse. 1883. Mamers. — 2) Tambroni, Ruggero, Sull' azione fisiologica e terapeutica della trinitrina. Riv. sperim. di freniatria. p. 333.

Marieux (1) hat unter Dujardin-Beaumetz mehrere Thierversuche mit Nitroglycerin angestellt, wobei er tonische und clonische Krämpfe nur bei Fröschen und Meerschweinchen, bei grösseren Thieren nur Betäubung wahrnahm; die Herzaction und Athmung war Anfangs beschleunigt, später verlangsamt und irregulär. Beim Menschen beobachtete M. mit Huchard (Ber. 1883. I. S. 423.) nach medicinalen Gaben mehrfach dicroten Puls, Beschleunigung der Athmung und Zunahme der Thoraxexcursionen, niemals gesteigerte Diurese oder Vermehrung anderer Secretionen, einige Male Nausea und Erbrechen. In therapeutischer Hinsicht erwähnt M. die vorzügliche Wirkung mehrmaliger Injection gegen Schwindel und Ohnmachten in einem Falle von Aorteninsufficienz. Bei peripheren Neuralgien half das Mittel nicht. Zur Subcutanapplication empfiehlt M. Lösung von 30 gtt. 1 procentiger alcoholischer Lösung in 8,40 Wasser, wovon 1,0 drei Tropfen Nitroglycerin enthält.

Nach Tambroni (2) wirkt Nitroglycerin auf Meerschweinchen wenig toxisch, während Frösche schon durch 2—3 Tropfen 1 procent. alcoholischer Solution getödtet werden. Bei Hunden erzeugt es Volumsvermehrung und Steigerung des Hirndrucks wie Amylnitrit. Bei sich selbst und Anderen gab Tambroni selbst 24 Tropfen 1 procent. alcoholischer Solution in ½ Stunde, ohne schwere Nebensymptome (Ohnmacht) zu bewirken. Die Temperatur fand T. sowohl bei Menschen als bei Hunden herabgesetzt; den Puls beim Menschen in den ersten 10 Minuten um 10 Schläge steigend, später verlangsamt, dikrot. Versuche an Geisteskranken mit Anämie des Gehirns gaben kein entschiedenes Resultat.

12. Cyanverbindungen.

1) Bufalini, G. (Siena), Sull' avvelenamento per acidò prussico. Riv. di chim. med. e farm. p. 41. — 2) Giacosa, Piero (Turin), Sui nitrili aromatici e grassi nell' organismo. Ibidem. p. 13, 71. (Vgl. Ber. 1883. I. S. 162.)

Bufalini (1) konnte keinen Unterschied in dem Eintreten von Blausäurevergiftungs-Symptomen nach Application wasserfreier Blausäure auf die Bindehaut finden, wenn letztere durch Trigeminusdurchschneidung anästhetisch gemacht war; die Herzaction überdauerte die Athmung constant längere Zeit.

13. Nitrobenzol.

Werner (Borna), Ein Beitrag zur Kenntniss und Behandlung der Nitrobenzolvergiftung. Berliner klin. Wochenschrift. No. 4. S. 58.

Werner plaidirt unter Mittheilung eines im Leipziger Jacobs-Spitale behandelten Falles von Nitrobenzin-Vergiftung für die frühzeitige Anwendung der Venäsection mit nachfolgender reichlicher Transfusion; doch spricht die fragliche Intoxication mit angeblich 30,0, wovon übrigens ein Theil bald wieder erbrochen war, insofern nicht prägnant für dies Heilverfahren, als einerseits andere Mittel (Magenpumpe nach 6½ Stunden angewandt, 200,0 Cognac im Clystier, 400,0 Rothwein intern, 3,4 Campher subcutan) gewiss den günstigen Ausgang mit bedingten, andererseits die erst nach 13 Stunden vollzogene Transfusion zwar vorübergehende Besserung von T. und P., dann aber bald wieder Rückfall und Somnolenz im Gefolge hatte. Bei den Vergifteten persistirten der zuerst nach 2 Stunden bemerkte Bittermandelgeruch und die nach 3 Stunden hervorgetretene bleigraue Färbung der Körperoberfläche noch 4 Tage nach der Intoxication; der Verlust des Bewusstseins erfolgte erst 5 Stunden nach dem Einnehmen des Giftes. Auch im tiefsten Coma riefen starke Hautreize Abwehrbewegungen hervor. Im Harn war kein Zucker nachweisbar.

14. Carbolsäure. Dihydroxybenzole.

1) Cartaz, A., De la paralysie vésicale consécutive à l'usage de l'acide phénique en pansements. Gaz. méd. de Paris. No. 42. p. 496. — 2) Hoffmann, Empoisonnement par l'acide phénique; guérison. Gaz. des Hôp. p. 780. (Vergiftung einer Typhuskranken mit ca. 200 Grm. 4procent. wässeriger Carbollösung; nach vorübergehendem Coma örtliche Erscheinungen in der Speiseröhre sehr ausgesprochen; blutiger Auswurf; im Aetherauszuge des mit Schwefelsäure versetzten Urins wurde Phenol mittelst Anilin und Natriumhypochlorit evident nachgewiesen.) — 3) Hind, Albert, Case of recovery after swallowing carbolic acid. Lancet. April 12. p. 659. (Vergiftung eines 17jährigen Mädchens mit dem aus 14procent. roher Carbolsäure bestehenden Inhalte einer 6 Unzenflasche, aus der zwei Theelöffel voll vorher verbraucht waren, aus Versehen statt Potio nigra genommen; anscheinend nur örtliche Wirkung, welche durch die etwa ¼ Stunde später gereichte Mischung von 14 Album. ovi und 1 Gallone warmer Milch wesentlich gemildert wurde, wodurch beim Wiedererbrechen auch gleichzeitig die Carbolsäure aus dem Magen entfernt wurde; schwarzer Harn am 2. und 3. Tage nach der Vergiftung.) — 4) Oliver, F. Hewitt (Maidstone), Carbolic acid poisoning in a child. Med. Times and Gaz. March 1. p. 282. (Schwerer Collaps bei einem 2jährigen Kinde nach Verschlucken von 1½ Unzen Mc. Dougall's Patent Sewage Carbolic Acid, einer 30procent. Carbolsäure mit Theerölen, durch Brandy mit Olivenöl erfolgreich bekämpft; Laryngitis und Bronchitis dem Anfalle vorübergehend folgend.) — 5) Altara, Un caso di avvelenamento per acido fenico guarito colla camfora. Lo Spallanzani. Fasc. 1 u. 2. Gazz. med. Ital. Lombardia No. 14, p. 150. (Injection 1procent. Carbolsäurelösung in die Vagina bei einer an Metritis post abortum leidenden Frau; nach der zweiten Dosis, etwa 0,66 Phenol entsprechend, Collaps mit starkem Sinken der Temperatur [35°], Verlust des Gedächtnisses, Schwindel, Schwierigkeit beim Schlucken, Lumbarschmerzen und Hämoglobinurie; Erholung nach 4 Esslöffeln einer Mixtur aus 0,5 Campher und 200,0 Syrup.) — 6) Seifert, Paul (Dresden), Hydrochinon als Antipyreticum. Vortrag im Verein für Natur- und Heilkunde zu Dresden. Berl. klin. Wochenschr. No. 29. S. 450. — 7) Sur la résorcine; propriétés physiologiques; applications thérapeutiques; posologie. Gaz. hebdom. de méd. No. 10. p. 153. (Zusammenstellung.) — 8) Andeer, Justus (München), Das Resorcin in seiner Anwendung bei den Krankheiten der Schleimhäute. Wiener med. Presse. No. 6, 7, 9. S. 175, 207, 270. — 9) Derselbe, Die Gegengifte des Resorcins. Ebendas. No. 38. S. 1218. — 10) Derselbe, Das Resorcin bei Darmleiden. Petersburger med. Wochenschrift. No. 6. S. 57. — 11) Derselbe, Das R. als schmerzstillendes Mittel. Bayr. ärztl. Intelligenz-Blatt. No. 10. S. 99 — 12) Derselbe, Das R. als brechstillendes Mittel. Ebendas. No. 27. S. 300. — 13) Derselbe, das R. als Hypnoticum. Prager med. Wochenschrift. No. 39. S. 377. — 14) Epaminonda, F., Analisi di un avvelenamento per resorcina ed alcuni esperimenti sulla medesima. Lo Sperimentale. Nov. p. 492. — 15) Zeni, Giovanni und Ciro Bettelli (Ravenna), Contribuzione allo studio dell' azione della resorcina sulla temperatura e sul ricambio materiale in condizioni di sanità. Riv. clin. di Bologna. Agosto. p. 721. — 16) Andeer, Justus, Das Resorcinderivat Phloroglucin. Centralblatt für die med. Wissenschaften. No. 12, 33. S. 193, 579.

Als eine neue Nebenerscheinung der Carbolsäure bezeichnet Cartaz (1) das Auftreten paralytischer Harnretention, welche er einmal nach intrauterinen Einspritzungen von 2procentiger Lösung post abortum, ein anderes Mal nach Verband eines Decubitusgeschwürs mit 5procent. Solution beobachtete und die in beiden Fällen nach dem Gebrauche anderer Desinficientien nicht wiederkehrte.

Für das Hydrochinon als Antipyreticum plädirt Seifert (7) nach Versuchen im Dresdener Stadtkrankenhause, wo es bei Typhus, Pneumonie und analogen Affectionen durch 3—4 Einzeldosen von 1,0 die Temperatur auf einer mittleren Höhe von 38,5 zu halten gelang, ohne dass, abgesehen von 4 Kranken, welche regelmässig oder häufiger das Mittel erbrachen, Nebenerscheinungen sich einstellten. Das Hydrochinon bewährte sich als Antipyreticum in Einzeldosen von 0,33 bei 2—4jährigen und zu 0,5 bei älteren Kindern. 0,5 war bei Erwachsenen ohne Wirkung, während nach 1,0 die Temp. durchschnittlich eine in 10 Min. beginnende und 2—3 Std. dauernde Abnahme um 1—2°, mitunter um 3—4° erfuhr, womit constant Schweiss und Abnahme der Pulsfrequenz sich verband. Bei Typhuskranken wirkte die Medication entschieden günstig auf das Sensorium.

Andeer sucht in verschiedenen Abhandlungen (8—13) die Indication des Resorcins in diversen Krankheiten festzustellen, wobei er auf die Anwendung reiner Präparate dringt.

Nach Andeer (8) ist das Resorcin bei einfachen Abschuppungen der Mundschleimhaut dem Höllenstein vorzuziehen und bei Mundaffectionen, wo es darauf ankommt, starke Vernarbungen zu vermeiden, z. B. bei eitrig-fibrinöser Entzündung der Eingänge der Tuba Eustachii oder des Ductus Stenonianus von besonderem Werthe als Aetzmittel, als welches es sich bei wuchernden Neubildungen vasculoser oder drüsiger Natur auf der Mundschleimhaut empfiehlt. A. benutzte dasselbe mit Erfolg zur Desinfection und Aetzung bei Eiterung im Antrum Highmori, bei Fisteln und Höhlen cariöser Zähne, ferner als Hämostaticum bei den mannigfachsten Rhagaden, Geschwüren und Substanzverlusten der Zahnschleimhaut, und bei blutenden Alveolen, als Anaestheticum auf Zahnfleisch und Pulpa applicirt, bei Zahnoperationen, wo es die Nachtheile der arsenigen Säure nicht hat, endlich bei scorbutischem Zahnfleisch durch Zahnsteinbildung, wo er mit conc. Resorcinpaste (mit āā Vaselin und wenig Glycerin) ätzt. Auch bei Gingivitis blennorhoiea ulcerosa, crouposa diphtheritica, Ep- und Parulis, Pyorrhoea alveolaris und Pulpitis bewährte sich das Mittel. Erfolge von Resorcininhalation bei Erkrankungen der infralaryngealen Luftwege hat A. nicht aufzuweisen, obschon rasche Besserung von Bronchialcatarrhen in der Resorcinabtheilung von Anilinfabriken vorkommt. Die von A. bei Behandlung von 222 Fällen von Diphtheritis in Mund, Schlund und Kehlkopf erhaltenen Resultate, wobei leichte Fälle nur eine scharfe Aetzung mit Resorcinkrystall oder mit 10—50 oder 80 proc. Resorcinvaselinsalbe, die schwersten wiederholte Aetzungen und internen Resorcingebrauch erforderten, sind erstaunlich, insofern er keinen einzigen ungünstigen Ausgang zu verzeichnen hatte. Schliesslich empfiehlt A. das Resorcin auch als locales Anaestheticum und Antisepticum bei Oesophagusstricturen und bei Magen- und Darmleiden, wo nach Massgabe anderer eigener Beobachtungen (10) namentlich bei Coliken und Gastralgien im Gefolge von Neoplasmen, sowie in einem Falle von Gallensteinen, die heftigsten Schmerzen oft augenblicklich gemildert werden, nachdem andere Mittel vergeblich angewendet wurden. Die anästhesirende Wirkung, welche auch bei Hauthyperästhesien therapeutisch benutzt werden kann, ist nach A. dem völlig chemisch reinen, nicht dem mit Phenol und Cresol verunreinigten, eigen. Nur dem reinen Resorcin kommt nach Andeer (12) auch die von ihm mehrfach constatirte brechstillende Action bei Magenaffectionen zu, die niemals mit Digestionsstörung sich complicirt, während bei unreinen Präparaten Aufstossen mit Brechreiz und Würgen und bei Mastdarmblasenausspülungen heftiger Tenesmus Regel sind. Auch die toxischen Erscheinungen nach grösseren Dosen sollen beim Resorcinum purissimum s. resublimatum relativ unbedeutend sein, wie dies Medicament in medicinalen Dosen auch ruhigen normalen Schlaf bedingen soll, der bei unreinen Präparaten ein soporöser und cephalalgischer ist. Als Hypnoticum ist R. nach Andeer (13) besonders bei schweren Magen- und Darmleiden und bei vorgeschrittener Phthise indicirt.

Als einfaches und mehr als Natriumsulfat leistendes Antidot des Resorcins empfiehlt Andeer (9) den Rothwein, der in schweren Resorcinismusfällen stets zu langem ruhigem Schlafe führt. Ob derselbe bei letalen Dosen lebensrettend wirkt, wird die Zukunft lehren. Dass aber grössere Mengen Resorcin den Tod auch beim Menschen nach sich ziehen können, beweist ein in einem italienischen Gefängnisse vorgekommener Todesfall durch Verwechselung von (zu ophthalmiatrischen Zwecken bestimmtem) Resorcin mit Cremor tartari, wobei Epaminonda (14) im Erbrochenen, Pharynx, Mageninhalt und Harn den Nachweis des Resorcins durch die Reaction mit Eisenchlorid und die stark reducirende Wirkung auf Chlorgold bei Gegenwart von kaustischem Kali lieferte.

In Hinsicht der physiologischen Wirkung des Resorcins verdienen die Versuche von Zeni und Betelli (15) über die Beeinflussung des Stoffwechsels Beachtung, insofern sich bei einer unter absolut gleicher Diät gehaltenen Versuchsperson unter dem Gebrauche von 3,0 pro die (in halbstündlichen Gaben von 0,3) eine sehr bedeutende Abnahme der Harnstoffausscheidung herausstellte, während die übrigen Harnbestandtheile gleich blieben. Bei Hunden fanden Z. und B. nach nicht giftigen Dosen hypodermatisch oder rectal applicirt Sinken der Temperatur um 0,2—0,4°, während toxische Gaben (0,085 per kg) unmittelbar nach den Convulsionen eine Temperatursteigerung von 1—1,5° und in der späteren Vergiftungsperiode ein Sinken von 1°, seltener nur von 0,4 bis 0,5° hervortreten liessen.

Das der Pyrogallussäure isomere Phloroglucin besitzt nach Andeer (16) keine eiweissgerinnende Wirkung, sondern schützt Blut und andere leicht coagulirende Gewebssäfte geradezu vor Gerinnung, wobei es im Blute die rothen und weissen Blutkörperchen in keiner Weise alterirt und die Sauerstoffaufnahme des Hämoglobins nicht beschränkt. Den Eintritt von Fäulnissvorgängen schiebt Phloroglucin zwar einige Zeit hinaus, tödtet aber Bacterien nicht und scheint die Schimmelbildung geradezu zu befördern. In Verbindung mit Salzsäure, worin es nach Wiesner Lignin roth färbt, besitzt es die für die Anfertigung microscopischer Schnitte sehr wichtige Eigenschaft, nicht bloss die kohlensäurehaltigen organischen Kalkgebilde niederer Wirbelthiere, sondern auch die härtesten phosphorhaltigen Knochen von Säugethieren bei völliger Erhaltung ihrer Structur in eine weiche plastische Masse zu verwandeln. Die als Zusatz zur gesättigten wässerigen Phloroglucinlösung erforderliche Menge Salzsäure ist dem Phosphorgehalt der Knochen proportional und beträgt bei Batrachiern 5—10, bei Cheloniern und Vögeln 10—20, bei Säugethieren 20—40 pCt.

[1) Sydow, F. E. v., Om karbolsyreförgiftning, särdeles när den vållas genom utvärtes bruk af karbololja. Eira 1883. p. 703. — 2) Gade, F. C., Dödelig Karbolsyreforgiftning per os. Norsk. Magazin f. Laegevidensk. R. 3. B. 14. p. 234.

v. Sydow (1). Ein ausgetragener gesunder Knabe wurde gleich nach der Geburt mit Carbolöl (1 : 11) auf dem unterbundenen Nabel und auf dem wunden Scrotum eingerieben. Nach $2^1/_2$ Tagen wurde der Knabe unruhig, saugte weniger und ungern, erbrach und liess schwarzen Harn. Der Knabe collabirte, wurde soporös, das Erbrechen und die Schwarzfärburg des Harns dauerten fort. Starker Icterus, Tod am siebenten Tage. Das Carbolöl wurde erst nach $3^1/_2$ Tagen entfernt, warme Bäder und Stimulantia angewendet. Die Section zeigte Entzündung der Nieren, vergrösserte Milz und Icterus. Zum Schluss stellt Verf. vier ähnliche in der Literatur aufgezeichnete Fälle zusammen, wo die Vergiftung durch Carbolöl hervorgerufen worden war. Die Schwarzfärbung des Harnes war in allen Fällen am meisten hervortretend.

Gade (2). Der Patient bekam aus Versehen einen Esslöffel Carbolsäure. Der Fehler wurde augenblicklich entdeckt. Nach einigen Minuten begann der 71jährige Mann zu stöhnen und zu ächzen. Trinken unmöglich; vollständige Bewusstlosigkeit. Trachealrasseln; zitternde Krämpfe über den ganzen Körper, besonders in den Händen. Pat. wurde bleich mit bläulichen Lippen, die Augen nach oben gerichtet, starr, leblos. Kühler Schweiss. Puls sehr schnell, klein aussetzend. Respiration frequent. Er starb nach 13 Minuten.

Section 38 Stunden nach dem Tode. Aetzung des Epithels der Lippen und des Zahnfleisches. Zunge, Epiglottis und Trachea normal. Im Schlunde Epithel leicht entfernbar. In der obersten Hälfte des Oesophagus nichts Abnormes. Erst die untere Hälfte wird nach und nach von stahlgrauer Farbe, hart und trocken. Im Bindegewebe rings um den Oesophagus dunkelrothe Blutaustretungen. Der Magen auf die Mitte zusammengeschnürt, im Ganzen fest contrahirt. Die Schleimhaut von der Cardia aus von eigenthümlicher chocoladenbrauner bis braunrother Färbung, abgegrenzt durch ein grauliches Häutchen von coagulirtem Epithel. Kein tieferer Substanzverlust, keine Perforation. Mageninhalt bestand aus 1/4 Liter chocoladenbrauner mit Speiseresten gemischter Flüssigkeit, mit starkem Geruch nach Carbolsäure. Die Schleimhaut des Duodenum in einer Strecke von 15 cm fein granulirt, matt und grau, später normal. Harn gelb und klar. G. sucht die Ursache des schnellen Todes im Shok oder in der Einwirkung des Giftes auf die Nervencentren des Gehirns.

Buntzen.]

15. Salicylsäure.

1) Tonoli, Stefano, Sulla salicina e sui preparati salicilici. Gazz. med. Ital. Lombard. N. 35, 36, 38, 39, 40, 41, 42, 43, 45, 46, 50, 51, 52. p. 353, 363, 383, 393, 407, 417, 432, 446, 470, 484, 501, 527, 534, 549. — 2) Quinlan, F. J. B. (Dublin), On the antipyretic action of salicin and of the salicylates; also of kairin. Brit. med. Journ. Dec. 6. p. 1124. — 3) Maragliano, Ed. (Genua), Wirkung des salicylsauren Natrons auf die Circulation. Zeitschr. f. klin. Med. Bd. VII. H. 3. S. 248. — 4) Thomson, St. Clair., Some evidence with regard to salicylate of soda. Lancet. May 24. p. 932. — 5) Erb, W. (Heidelberg), Zur Kenntniss der Nebenwirkungen der Salicylsäure. Berl. klin. Wochenschr. N. 29. S. 445. — 6) Desportes, E., Du meilleur moyen d'administrer le salicylate de soude. Gaz. hebd. N. 17. p. 289. Gaz. des Hôp. N. 36. p. 283. (Reclame für die Solution Clin, welche im Esslöffel 2,0 Natriumsalicylat enthält.)

Eine grössere Arbeit von Tonoli (1) über die therapeutische Verwendung der Salicylsäure und Salicylate beschränkt die Heileffecte der Salicylate im Wesentlichen auf Rheumatismus (unter Beibringung mehrerer Fälle von coupirtem febrilen Muskelrheumatismus) und stellt namentlich die antipyretischen Effecte medicinaler Dosen (5,0 Salicylsäure und 10,0 bis 12,0 Natriumsalicylat) in zymotischen Fiebern (Masern, Puerperalfieber, Typhus) in Abrede, wo auch kein Effect auf den Krankheitsprocess ersichtlich war. In Bezug auf den örtlichen antiputriden Effect leistete Phenol bei Puerperalfieber weit mehr; ebenso Borax bei Soor, Phenol und Resorcin bei Herpes tonsurans, Resorcin und Borax bei Impetigo capitis, wo Salicylsäure, besonders in Pulverform, zwar wohl Besserung, aber niemals Heilung bewirkt, während bei Eczem des Gesichts von 16 Fällen 6 in 15—40 Tagen geheilt wurden, ohne dass das Mittel mehr als Zinkoxyd leistete, und bei Eczem des Körpers unter 28 Fällen 10 Fälle in 20 Tagen geheilt und 9 gebessert wurden. Negative Resultate ergab die Salicyltherapie äusserlich gegen Scabies und Herpes tonsurans, ebenso intern in einem Falle von Diabetes; dagegen wirkte die Säure bei Gährungsprocessen im Magen günstig und in 2 Fällen das Natriumsalicylat bei Erysipelas, wo Fieber, Kopfweh und Gliederschmerzen nachliessen, ohne dass der Verlauf sich änderte. Bei Malariafiebern hatten weder die Säure noch das Natriumsalz, auch nicht in Dosen, welche die Anfänge des Salicismus bedingten, Wirkung; dagegen war Salicin in hohen Dosen mitunter curativ, während es in der Regel nur die fieberfreie Zeit verkürzte oder die Anfälle milderte; salicylsaures Chinin hatte nur in den Dosen, wo auch andere Chininsalze (1,4 bis 1,5) wirken, nicht in kleineren (0,6—0,7) auf Sumpffieber Einfluss. Intensivere Nebenerscheinungen von Seiten des Tractus und Nervensystems hat Tonoli nie beobachtet; bei Intoleranz gegen Salicylsäure war die Darreichung in Vichy-Wasser stets erfolgreich. Die Menge und das spec. Gewicht des Harns war stets vermehrt; die Salicylsäurereaction im Harn konnte nicht vor 40 Minuten constatirt wurden.

Quinlan (2) will die Heilwirkung der Salicylsäure und des Natriumsalicylats bei Rheumatismus acutus nur nach stündlichen Gaben von 1,2—3,2, welche stets intensive Nebenerscheinungen machen, constatirt haben, empfiehlt dagegen Salicin, das er in stündlichen Gaben von 2,0—3,2 bis zur Defervescenz reicht, unter Steigerung der Anfangsdose um weitere 0,5, wenn nach 6 Stunden bezw. 8 Stunden der erwartete Effect nicht eintrat. Quinlan hat Einzelgaben von 5,0 in der Reconvalescenz und von 8,0 bei Gesunden keine Nebenerscheinungen bedingen sehen. In 102 Fällen von Salicylbehandlung der Polyarthritis rheum. kam nur 5 Mal Endocarditis vor. Q. giebt Salicin in Kapseln bei leerem Magen.

Sphygmographische Untersuchungen über die Wirkung des Natriumsalicylats auf die Circulation führen Maragliano (3) zu dem Schlusse, dass auch grosse Dosen (auf 2 mal 5,0 in 1—1½ Stunde genommen) die sphygmische Curve nie deprimiren, vielmehr Steigen der systolischen Linie und Accentuation der secundären Erhebungen der absteigenden Linie (Dicrotie, Polycrotie) bedingen, welche, 1 Stunde nach dem Einnehmen auftretend, ihr Maximum nach 2—3 Stunden erreichen und in 3—4 Stunden verschwinden. Continuirliche Darreichung kleiner Gaben erhöhte in der Regel die sphygmische Curve, setzte dieselbe aber niemals herab, vielmehr sank dieselbe stets nach Weglassen des Mittels.

Bei grösseren Gaben stieg die Pulsfrequenz nie, sank meist unbedeutend nach 1 Stunde auf die Dauer von 1—2 Stunden und zeigte in einzelnen Fällen eine sehr bedeutende Abnahme. Untersuchungen mit dem Sphygmomanometer von Basch ergaben Sinken des intraarteriellen Drucks bei 2, 3 und bisweilen 8 Stunden fortdauerndem Steigen des Blutdrucks um 5 bis 30 mm Quecksilber.

Merkwürdig sind zwei von Thomson (4) beschriebene Fälle, wo Natriumsalicylat bei rheumatischen Affectionen in grossen Dosen (20 Gran 4stündlich) längere Zeit (9 Tage) gegeben, das Auftreten einer rheumatischen Erkrankung eines anderen Organs nicht verhütete. In dem einen Fall trat bei Salicylbehandlung von Polyarthritis rheumatica eine Tonsillitis auf, in dem zweiten folgte auf letztere ein rheumatisches Fieber mit Endocarditis.

Erb (5) hat bei einem Rheumatismuskranken nach Salicylsäurepräparaten dreimal diffuses Erythem mit Schüttelfrost und Temperatursteigerung sich entwickeln sehen, welches am Gesichte und Rumpf gleichmässig, an den Extremitäten mehr grossfleckig erschien und ohne Abschuppung endete. Dasselbe trat regelmässig früher als das Fieber ein und überdauerte dasselbe nach dem Aussetzen des Mittels 1—1½ Tage. Bemerkenswerth ist die sich steigernde Empfänglichkeit des Kranken, der anfangs 8 Tage Dosen von 0,5 Acidum salicylicum bis zum Gesammtbetrage von 36,0 ohne irgend welche Nebenerscheinungen nahm, dann, nachdem das Mittel wegen Diarrhoe 2 Tage ausgesetzt war, nach Verbrauche von 6,5 in einem Tage den ersten Anfall bekam, der später auf 0,5 Salicylsäure und zum dritten Male auf 1,0 Natriumsalicylat sich einstellte. Die Steigerung der Temp. ging das 1. Mal über 40°; die Conjunctiva war stark, der Rachen leicht geröthet. Dass es sich um eine vasomotorische Störung handelt, scheint die grosse vasomotorische Reizbarkeit des Pat. zu beweisen, die sich beim Streichen der Haut durch sehr rasch (in 5—10 Secunden) eintretende, in 10 Minuten verschwindende Röthung und bei stärkerem Reize durch Quaddelbildung manifestirte.

[Winge, Salicylsyre ved rheumatismus acutus. Norsk Magazin for Lägevid. p. 30. (Nichts Neues.)
F. Levison (Kopenhagen).

Anders, T., Kwas salicylowy jako poronny srodek leczenia szankrów miekkich. (Salicylsäure als Abortivmittel gegen das weiche, venerische Geschwür) Gazeta lekarska No. 50.

Auf Empfehlung von Hebra junior behandelte der Verfasser seit einiger Zeit auf seiner Abtheilung alle weichen Geschwüre mit Salicylsäure. Die Geschwüre heilten rasch. Nur eins konnte der Verfasser nicht bestätigen: die Salicylsäure war niemals im Stande die Entstehung der acuten Drüsenanschwellung und die Vereiterung derselben zu verhindern.
v. Kopff (Krakau).]

16. Phenylhydrazin.

Hoppe-Seyler, Georg, Ueber die Wirkung des Phenylhydrazins auf den Organismus. Zeitschr. für physiol. Chemie. Bd. IX. S. 34.

Ein neues Blutgift hat G. Hoppe-Seyler in dem Phenylhydrazin aufgefunden, welches ebenso wie seine salzsaure Verbindung Kaninchen zu 0,05 subcutan und zu 0,5 intern unter den Erscheinungen einer weitgehenden Blutzersetzung mit consecutiver Hämaturie tödtet. Die Wirkung auf das Blut erfolgt nur bei Anwesenheit von O und besteht in der Bildung eines bisher nicht bekannten braunen Farbstoffs (mit scharfen Absorptionsstreifen hinter D), der sehr leicht in eine grüne, nicht durch scharfe Absorption des Spectrum characterisirte Substanz übergeht. Bei Ausschluss von O bildet das (alkalische) Phenylhydrazin aus Hämoglobin Hämochromogen.

17. Naphthalin.

1) Rossbach, M. J. (Jena), Ueber eine neue Heilwirkung des Naphthalins. Vortrag, gehalten auf dem 3. Congresso für innere Medicin zu Berlin. Verhandl. des 3. Congr. für innere Med. S. 199. Wien. med. Zeitung No. 29. S. 461. — 2) Derselbe, Ueber die Behandlung verschiedener Krankheiten des Darms mit Naphthalin. Aus der med. Klinik in Jena. Berl. klin. Wochenschr. No. 42. S. 665. — 3) Derselbe, Einfluss des innerlichen Naphthalingebrauchs auf die Harnfäulniss. Ebend. No. 46. S. 729. — 4) Evers (Dresden), Erkrankung, anscheinend hervorgerufen durch Naphthalin. Ebend. No. 37. S. 593. — 5) Treymann, M., Zur chronischen Nicotinvergiftung. Ebend. No. 46. — 6) Evers, Einige Bemerkungen zu dem Artikel: Zur chron. Nicotinvergiftung von M. Tr. Ebend. No. 49. S. 487. — 7) Testa, B., Ricerche sperimentali sull' azione biologica della naftalina. Rivista clin. di Bologna. Agosto. p. 706 — 8) Cagnoli (Genua), La naftalina in terapia. Riv. di Chim. med. p. 494. (Erfolglose Anwendung von 0,5—5,0 pro die bei Diarrhöen, die durch Opium und Wismut theilweise rasch beseitigt wurden; grössere Dosen riefen Leibschmerzen und Nausea hervor.)

Rossbach (2) empfiehlt Naphthalin als ein in grossen Dosen darreichbares und nicht in den oberen Partien des Tractus resorbirbares Antisepticum bei verschiedenen Durchfallsformen, ausserdem (1) als günstig wirkendes Mittel bei Blasencatarrhen, wo danach schon in 1—2 Tagen die Coccen schwinden und der unter dem Gebrauche entleerte Harn selbst monatelang bei gewöhnlicher Temperatur nicht fault, was bei den negativen Resultaten mit Zusatz von Naphthalin zu gewöhnlichem Harne bestimmt nicht den geringen Mengen resorbirten und durch die Nieren eliminirten Naphthalins zuzuschreiben ist, neben welchem nach Schleicher übrigens auch die Reactionen des α-Naphthols im Urin erscheinen (3).

Ausschliesslich verwendbar ist Naphthalinum purissimum (durch Auswaschen mit Alcohol rein weiss), welches mit Zucker fein verrieben und mit Ol. Bergamottae aromatisirt zu 0,1—0,5 pro dosi wiederholt, bis zu einer Tagesgabe von 5,0, welche wochenlang tolerirt wird, innerlich gegeben wird, aber auch zu Irrigationen dienen kann, wozu man das Naphthalin (1,0 bis 5,0) in heissem Wasser (50,0—100,0) geschmolzen und fein verrührt mit 500,0—1000,0 heissem Eibischthee mischt und nach Abkühlung auf 37° verwendet. Das Mittel ruft nur ausnahmsweise Erbrechen oder bei mehrwöchentlichem Gebrauche Störung des Appetits hervor, weshalb Rossbach die von Evers (4) nach Aufenthalt in einer Naphthalinatmosphäre an sich beobachteten Krankheitserscheinungen (fauligen Geschmack, Uebelkeit, Appetitlosigkeit, Unterleibsschmerzen, harten Stuhl, starke Schweisse, Hautjucken, Erythem an Unterschenkel und Fussrücken, schlechten Schlaf), welche Treymann (5) wohl nicht mit Recht auf chronische Nicotinvergiftung zurückführt, auf Idiosyncrasie bezieht. Die curative Wirkung zeigte sich bei allen veralteten chronischen Dünn- und Dickdarmcatarrhen mit und ohne Ulceration in 5—15 Tagen und fehlte auch nicht beim acuten Darmcatarrh; ebenso sah N. in einer Epidemie von Kindercholera gleich guten Erfolg wie Calomel. Bei Typhus war N. in Fällen gegen Ende der 2. Woche ohne Effect, während bei Fällen früheren Datums nach 5—6tägigem Gebrauche das Fieber schwand und in einem Falle mit hochgradigem Fieber die Effecte des Chinins sich erst mit Unterstützung durch Naphthalin geltend machten. Bei Tuberculösen beobachtete R. mehrfach monatelanges Verschwinden der Darmerscheinungen nach 14—21tägigem Gebrauche von 0,5—3,0 Naphthalin.

Nach Cagnolo (8), der die Persistenz der Acidität des Harns bei Naphthalingebrauch bestätigt, jedoch schon vom 6. Tage an Zersetzung beobachtete, wird ein Theil des Naphthalins als Aether eliminirt.

Dass das Naphthalin auch bei grossen internen Gaben nicht schädlich wirkt, beweisen am besten Versuche von Testa (7), der bei Hunden 10,0 im Tage und Dosen von mehrmals täglich 0,5 mehrere Tage hinter einander ohne Beeinträchtigung der Gesundheit gab. Bei Subcutanapplication einer Lösung in Oel (1 : 10) erregten 0,5 bei Mäusen Verlangsamung und Vertiefung der Respiration und leichten Stupor, 2,0 bei Kaninchen vorübergehendes Zittern und 4,0 bei Hunden keinerlei Störung, doch wurden Herzaction und Blutdruck durch grosse Dosen etwas herabgesetzt, während dieselben bei kleinen Dosen stiegen. Albuminurie trat bei länger fortgesetzter Subcutanapplication niemals ein. Die normale Temperatur wurde durch Naphthalin nicht oder nur höchst unbedeutend (Herabsetzung um höchstens 0,3°) alterirt, dagegen zeigte sich das Mittel zu 0,2—0,3 subcutan oder in mehreren kurz aufeinander folgenden innerlichen Gaben von 0,5 fähig, bei Thieren künstlich erzeugtes septisches Fieber vorübergehend herabzusetzen. Bei sich selbst constatirte T. nach 0,5 resp. 1,0 entschiedene Abnahme der Harnstoffausscheidung.

18. Chinolin und Chinolinderivate (Kairin, Antipyrin, Thallin u. s. w.).

1) Albertoni, Pietro, Ricerche farmacologiche sul gruppo della chinolina. Riv. Chim. med. e farm. p. 380. — 2) v. Mering (Strassburg), Ueber das Schicksal des Kairin im menschlichen Organismus. Zeitschr. f. klin. Med. Bd. VII. Suppl. S. 149. — 3) Petri (Görbersdorf), Kairin bei Phthise, sowie über den Nachweis einer danach im Harn auftretenden Aetherschwefelsäure. Cbl. f. d. med. Wissensch. N. 18. S. 305. — 4) Halla, Arthur, Ueber die antipyretische Wirkung des Kairin. Prager medic. Wochenschr. No. 7, 8, 9, 10, 11, 12. S. 61, 74, 83, 98, 107, 114. — 5) Peiper, E., Ueber Kairin. Deutsche medicin. Wochenschr. N. 2. S. 20. (Vortrag in der Versammlung der Aerzte des Reg.-Bez. Stralsund vom 2. December 1883.) — 6) Steffen, A. (Stettin), Ueber die Wirkung des Kairin. Jahrb. für Kinderheilk. N. F. XXI. S. 124. — 7) Warnots, L. (Brüssel), Le kairine, nouveau remède proposé contre la fièvre. Journ. de méd. de Bruxelles. Févr. p. 113. — 8) Maere, J., Des applications thérapeutiques de la kairine. Ann. de la Soc. de méd. de Gand. Mai. p. 120. — 9) Archer, Robert S. (Liverpool), A clinical note on kairin. Brit. med. Journ. April 12. p. 711. (Ohne Bedeutung.) — 10) Green, T. B. (Kendal), Influence of kairin on the temperature in enteric fever. Lancet. July 5. p. 39. (Casuistisch). — 11) Hutchinson, James H., A note on kairin. Philad. medical Times. Nov. 29. p. 153. (Erfolglose Anwendung als Diureticum bei Anasarca). — 12) Maragliano, E. (Genua), Ueber das Kairin. Collectivmittheilungen der in der medicinischen Klinik zu Genua vorgenommenen Untersuchungen. Centralbl. für die med. Wissensch. No. 39 u. 40. S. 673, 696. — 13) Graziadei, B. (Turin), Sopra un nuovo antipiretico, la cairina. Riv. di Chim. med. e farm. p. 84. — 14) Derselbe, Communicazione sull' azione antipiretica della cairina. Giornale dell' Accad. di med. di Torino. Giuglio. 1883. — 15) Filehne, W. (Erlangen), Ueber das Antipyrin, ein neues Antipyreticum. Zeitschrift für klin. Med. Bd. VII. H. 6. S. 641. — 16) Guttmann, Paul, Ueber die Wirkung des Antipyrins. (Aus dem städtischen Krankenhause Moabit in Berlin.) Berlin. klin. Wochenschr. No. 20. S. 305. — 17) Falkenheim, H., Zur Wirkung des A. (Königsberger medicin. Universitätsklinik) Ebendas. No. 24. S. 369. — 18) Busch. A. (Lübeck), Zur antifebrilen Wirkung des Antipyrin. Ebendas. No. 27. S. 424. — 19) Lahn, A., Ueber Antipyrinexanthem. (Strassburger Universitätsklinik.) Ebendas. No. 36. S. 569. — 20) Noorden, Carl von, Zur Wirkung des Antipyrins. (Aus der medicinischen Klinik von Riegel in Giessen.) Ebendas. No. 32. S. 503. — 21) Alexander, Ueber das Antipyrin und seine Wirkung bei fieberhaften Krankheiten. Nach einem am 23. Mai 1884 in der medicinischen Section der Schlesischen Gesellschaft für vaterländische Cultur zu Breslau gehaltenen Vortrage. (Aus der Biermer'schen Klinik.) Breslauer ärztliche Zeitschr. No. 11. S. 129. — 22) Derselbe, Zweiter Bericht über die Wirkungen und Nebenwirkungen des Antipyrins. Ebendas. No. 14. S. 169. — 23) Bielschowsky (Breslau), Beiträge zur Antipyrinbehandlung. Ebendas. No. 16. S. 193. (Aus Friedländer's Abtheilung im Allerheiligen-Hospitale.) — 24) May, Ferdinand (Köln), Antipyrin, das neueste Antipyreticum. Deutsche med. Wochenschr. No. 24, 25, 26. S. 369, 387, 405. (Beobachtungen unter Leichtenstern im Kölner Bürgerhospitale.) — 25) Rank, C. (Stuttgard), Ueber den therapeutischen Werth des Antipyrin. Ebendas. No. 24. S. 373 (50 Beobachtungen an 35 Personen im Stuttgarter Katharinenhospitale.) — 26) Geier, A. (Heidelberg), Zur Wirkung des Antipyrin bei Kindern und Erwachsenen. Ebendas. No. 45. S. 728. (Aus der v. Dusch'schen Klinik in Heidelberg.) — 27) Hoffer, A. v. (Graz), Ueber den Werth des Antipyrin als Antipyreticum. Wien. medicin. Wochenschr. No. 47. S. 1390. — 28) Lehmann, Hugo, Ueber die neueren Antipyretica mit besonderer Berücksichtigung des Antipyrin. Diss. 8. 32 Ss. Berlin. (Enthält die Curven zu den Guttmann'schen Antipyrinversuchen im Krankenhause Moabit.) — 29) Tilmann, Otto, Antipyrin, das neueste Antipyreticum. Diss. 8. 36 Ss. Berlin. (Enthält die Beobachtungen auf der Leyden'schen Station in der Berliner Charité.) — 30) Pribram, Alfred, Ueber das Antipyrin. Prager med. Wochenschr. No 40, 42, 43. S. 389, 413, 421. — 31) Rapin, Notes sur l'antipyrine. Rév. méd. de la Suisse Romande. No. 7. p. 404. — 32) Derselbe, Note complémentaire sur l'antipyrine. Ibidem. No. 10. p. 532. — 33) Huchard, Henri, Recherches thérapeutiques sur un nouvel antipyrétique, l'antipyrine. Union méd. No. 169, 172. p. 901, 937. — 34) Wurtz, Frédéric, Sur l'antipyrine. Bull. gén. de Thérap. Décembre 30. p. 563. (Nichts Neues) — 35) Coppola, Francesco (Palermo), Sull' azione fisiologica dell' antipirina. Riv. di Chim. med. e farm. p. 448. — 36) Pellacani, Contribuzione alla farmacologia del gruppo della chinolina. Arch. per le Sc. med. VIII. 2. (Sep.-Abdr.) — 37) Jaksch, Rudolf von, Ueber die therapeutische Wirkung einiger neuer Chinolinbasen. Zeitschr. für klin. Med. Bd. VIII. H. 5. S. 442. H. 6. S. 517. (Klinik von Nothnagel in Wien.) — 38) Derselbe, Thallin, ein neues Antipyreticum. Wien. med. Wochenschr. No. 48. S. 1421. — 39) Derselbe, Thallin, ein neues Antipyreticum. Vortrag in der Gesellsch. Wiener Aerzte. Wien. med. Presse. 46. S. 1473.

Albertoni (1) statuirte eine pharmacologische Gruppe des Chinolins, deren Angehörige ausser ihrer chemischen Verwandtschaft noch als Wirkung das Gemeinsame darbieten, dass sie das Herz und den Circulationsapparat wenig oder gar nicht beeinflussen, auf die Nervencentra lähmend wirken, die Temperatur herabsetzen und sich leicht im Körper verändern; doch ist diese Gruppe wegen der weiter unten zu besprechenden Abweichung der Wirkung verschiedener Chinolinbasen, die krampferregend wirken und die Temperatur nicht herabsetzen, kaum haltbar.

Auch das Chinolin selbst hat nach Albertoni keinen entschiedenen Einfluss auf die Fiebertemperatur und wirkt sehr wenig auf die Elimination der Kohlensäure. Das von A. zuerst physiologisch geprüfte Chinaldin bringt beim gesunden Menschen zu 0,25 keine Erscheinungen hervor, lähmt beim Meerschweinchen zu 0,25 die Willkürbewegung bei Erhaltung der Reflexbewegung und Herabsetzung der Sensibilität, setzt die Rectaltemperatur um mehrere Grade herab und bedingt in toxischen Gaben Abnahme der Athemzahl und oberflächliche Athmung. 0,6 setzten bei einem Phthisiker die Temperatur nur um wenige Decigrade herab. Paramethylchinaldin wirkt nach A. noch weniger intensiv.

Die fortgesetzten Untersuchungen über die antipyretische Wirkung des Kairin beweisen zwar dessen Wirksamkeit in Art des Hydrochinons und Resorcins, lassen aber keinen Zweifel darüber, dass das Mittel, welches sich nach v. Mering (2) und Petri (3) auch in Bezug auf seine Elimination den Dioxyphenolen anschliesst, dem Chinin keineswegs ebenbürtig ist, wie das namentlich Halla (5) unter Bezugnahme auf eigene Beobachtung und mit Kritik früherer, das Medicament wesentlich überschätzender Arbeiten betont. Nicht unbedenklich erscheinen übrigens auch die zuerst von De Renzi beobachteten und von Maragliano (12) zweimal an demselben, von jeder Nervenaffection freien Kranken constatirten epileptiformen Krämpfe nach Kairingebrauch. Für die Theorie der antipyretischen Wirkung sind die Versuche von Maragliano von Bedeutung, wonach das Kairin den Gasaustausch des Blutes alterirt, indem die Blutkörperchen bei Gegenwart desselben weniger O aufnehmen, ohne anfangs die Fähigkeit der O-Aufnahme zu verringern, die erst durch länger andauernden Kairingebrauch beeinträchtigt wird. Aus dieser Asphyxie der Blutkörperchen folgt eine Verlangsamung der Oxydation, die sich sowohl beim Gesunden als beim Kranken durch Abnahme der Elimination von Harnstoff und Kohlensäure zu erkennen giebt und auch aus der geringeren Abnahme des Körpergewichts bei kairinisirten Fiebernden erhellt. In zweiter Linie wirkt übrigens der plethysmographisch nachgewiesene, ebenfalls bei Gesunden und Fiebernden vorhandene Einfluss des Kairins auf die Hautgefässe und die mit Winternitz' Calorimeter constatirte Steigerung der Wärmeabgabe durch die Haut bis zur Apyrexie, welche beim Wiederanstiege des Fiebers wiederum abnimmt. Nach Versuchen von Maragliano und Zäslein wachsen die Typhusmicroorganismen bei Reinculturen in Fleischbrühe in Gegenwart kleiner Kairinmengen, welche die Entwicklung von Fäulnissbacterien nicht beeinträchtigen, nicht mehr.

Nach v. Mering (2) bedingt Kairin starke Vermehrung der gebundenen Schwefelsäure im Urin und tritt zum grössten Theile als kairinschwefelsaures Salz in denselben über, während ein anderer Theil sich weiter oxydirt und bei grossen Gaben eine linksdrehende und reducirende Substanz, vermuthlich eine gepaarte Glykuronsäure, im Harn auftritt. Inwieweit die Kairinschwefelsäure antipyretisch wirkt, bleibt noch zu untersuchen. Das Vorhandensein der Aetherschwefelsäure im Harn weist man nach Lehmann und Petri (3) sehr schön nach, indem man dem mit Essigsäure angesäuerten Urin vorsichtig tropfenweise nicht zu starke (höchstens 10 pCt.) Chlorkalklösung zufügt, wodurch prachtvoll fuchsinrothe Färbung, die erst nach $^1/_2$ Std. abblasst, resultirt; die Färbung wird nicht nach dem Kochen des Harns mit Salpetersäure erhalten; auch nicht mit Kairin. Nach Maragliano (12) und Della Cella ist übrigens Kairin in dem bei Kranken in der Regel vermehrten Harne schon $^1/_2$ Std. und noch 36 Std. nach der Verabreichung nachweisbar, während die Hauptausscheidung schon nach 8 Std. stattgefunden hat. Graziadei (14) konnte die Eisenchloridreaction beim Gesunden nicht nach 0,5, wohl aber $^3/_4$ Std. nach 1,0 erhalten, hier jedoch nur auf die Dauer von 4 Stunden; bei Kranken trat nach derselben Dose (1,5) die Reaction bald nach 2, bald nach 24 Std. ein und cessirte nach 2—4 Std.; in 2 Fällen von Diabetes und interstitieller chronischer Nephritis zeigte der Urin weder diese Reaction noch Färbung beim Stehen. Albertoni (1) bezeichnet 0,15 beim Kaninchen und 0,5 beim Menschen und Hunde als die Dosen, nach denen Kairin im Harn erscheint. Die Oxydation des Kairins im Thierkörper wird nach A. durch gleichzeitige Darreichung von Chinin behindert.

Nach Halla's (5) Beobachtungen in der Prager Klinik war es zwar leicht, durch einige stündliche Gaben von 1,0 und bei Phthisikern von 0,5 entfiebernd zu wirken, ohne besondere Nebenerscheinungen (ausser Schweiss) zu erzeugen und die der Entfieberung zukommende, auch nach Resorcin und Chinin zu beobachtende bessere Spannung der Arterie zu bewirken, aber der steile Wiederanstieg der Temperatur war in so vielen Fällen von Frösteln, das sich trotz rechtzeitigem Fortgebrauche von Kairin zum Schüttelfroste steigerte, und von ohne voraufgehendes Frösteln eintretenden Schüttelfrösten begleitet, dass wieder zu Chinin gegriffen werden musste. In einem Typhusfalle kam es nach 3,0 zu schwerem Collaps. Eine mehr als 4 Std. dauernde Gleichmässigkeit der Temp. konnte H. durch Kairin niemals erzielen. Dagegen rühmt H. demselben dem Resorcin gegenüber nach, dass es keine cerebralen Erscheinungen bedinge, und dass es auch in refracta dosi wirksam sei, hält es aber, um durch wiederholte Kairingaben die Temp. für längere Zeit auf niederem Niveau zu erhalten, für nothwendig, dass man mindestens alle Stunde eine Temperaturmessung im Rectum macht und dabei auch eine Dosis Kairin verabreicht. H. betont ferner, dass selbst bei Innehaltung dieses umständlichen Verfahrens der Erfolg ausbleiben kann und dass die als Nebenerscheinungen zu besorgenden Schüttelfröste so häufig sind, dass die Statistik der Beobachtungen von Guttmann und Riess (Ber. 1883. I. S. 431) und der eigenen Fälle auf 177 Versuchstage 71 Schüttelfröste giebt, ein Verhältniss, welches nur bei genauer $^1/_2$- oder $^1/_4$stündlicher Temperaturmessung in der Zeitperiode der zur Norm zurückgebrachten Temp. und halbstündige Kairingaben in Kliniken sich bessern kann, in der Privatpraxis aber nothwendig ungünstiger ausfallen muss. Im Typhus gab bei sehr hohen Temperaturen, wo das Chinin im Stich liess, Kairin niemals antipyretischen Effect und die 16—24stündige antipyretische Wirkung einer grossen Chiningabe ist durch Kairin kaum jemals zu erzielen.

Dass gerade die intensiveren Fieber für die Kairinbehandlung weniger passen, betont auch Petri (3) nach den in Görbersdorf gesammelten Erfahrungen bei Phthisikern, wo hohe Temperaturen ohne nennenswerthe Remissionen das Mittel contraindiciren, das, in den Abendstunden gegeben, durch das baldige Wiederansteigen den Schlaf stört. In anderen Fällen gelingt es, durch Dosen von 0,2—0,5, die man vor dem Erlöschen der Wirkung der ersten Dosis wiederholt, wobei 3,0—9,0, selbst 11,0 im Tage gegeben werden, den Ausbruch des Fiebers zu verhüten. In 1 F. steigerte sich das Kriebeln in der Nase zu Stirnkopfschmerz, der durch Citronensäurelimonade schwand; auch kam es zu Nasenbluten.

Maere (8) der sich von der antipyretischen Wirkung bei hektischem Fieber, Pneumonie und Typhus überzeugte, betont als Inconveniens in der Privatpraxis die Nothwendigkeit häufiger Untersuchungen, namentlich am ersten Tage.

Steffen (6) stellt das Kairin in der Kinderpraxis im Ganzen dem Hydrochinon zur Seite, das er jedoch wegen billigeren Preises und rascherer Wirkung vorzieht. Frösteln bei wiederansteigender Temp. nach Kairin hat St. nicht beobachtet, wohl aber leichten Collaps. Der antipyretische Effect trat nach Dosen von 0,2—0,5 bei Typhus und Scharlach exquisiter hervor als bei Pneumonie.

Nicht ungünstig lauten die von Mosler und Peiper (5) auf der Greifswalder Klinik gesammelten Erfahrungen über die antipyretische Wirkung des Kairin, da dasselbe fast constant intensiv und prompt wirkte, ohne dass selbst die sehr tiefen Temperaturerniedrigungen (35°) das Allgemeinbefinden beeinträchtigten, und ohne dass Erbrechen und Schüttelfröste (letztere nur bei rapidem Wiederansteigen von subnormaler Temp.) häufiger vorkamen, während sonstige gastrische Erscheinungen selbst bei mehrtägiger rectaler Application nicht eintraten und acuter Collaps fehlte. Cyanose kam mehrmals, am ausgeprägtesten bei einem Pneumoniker vor, 2 mal in der Reconvalescenz Typhöser starke Herzschwäche (nach Consum von 30,0 bei einem Erwachsenen und von 22,75 bei einem 7jährigen Knaben), deren Ableitung vom Kairin allerdings eine vorsichtige Handhabung des Mittels nothwendig machen würde, das im Uebrigen die Typhuskranken den kalten Bädern vorzogen und das auf die Delirien und den Eiweissharn im Typhus entschieden günstig influirte. Bei typhuskranken Kindern genügten 3—4stündige Dosen von 0,25; beim Erwachsenen war bei Temp. über 39° stets 1,0 als erste Einzelgabe nöthig, um in 25 bis 30 Minuten Fieberabfall auf 2 Stunden zu bewirken. Bei Phthisikern war der Effect schon bei kleineren Dosen ersichtlich; bei Scarlatina einer Erwachsenen war die dreimalige Darreichung von 1,0 stündlich nur im Stande, die Temperatur von 40° auf 39° herabzudrücken. Bei Gesunden fand Peiper nach 1,0 Erniedrigung um 2—3 Zehntelgrade. Auch Warnots (7), der das Kairin zu 0,5 2stündlich bei Variola mit Erfolg als Antipyreticum gab, erhielt bei einer afebrilen Kranken eine Temperaturherabsetzung von 1° durch dieselben Dosen. Dagegen haben Maragliano (12) und Queirolo bei 10 Gesunden niemals einen Abfall der Temperatur, selbst nicht bei 4,0—5,0 in der Stunde, constatirt, während die Pulsfrequenz um 6 bis 18 Schläge in der Minute abnahm und der (mit dem Sphygmomanometer von Basch gemessene) arterielle Blutdruck selbst nach 5,0 (innerhalb 3 Stunden) nicht abnahm, eher etwas stieg, und die sphygmographische Curve in keiner Weise erheblich modificirt wurde.

In Bezug auf die therapeutische Verwendung und die Dosirung des Kairin betont Maragliano (12), dass höhere Dosen als 1,0 für den Magen sehr fühlbar seien, während Einzeldosen von 0,2 bei Fieber höchstens Abnahme der Temperatur um 0,6° hervorbringen, so dass für die Praxis nur Gaben von 0,5—1,0 in Betracht kommen, von denen die ersteren das Fieber höchstens um 2° herabsetzen, die letzteren allerdings einen Abfall von 2—4° bedingen, aber mitunter gastrische Störungen bewirken. Für die Feststellung der Dosis ist die vorherige Bestimmung der thermischen Resistenz in jedem Einzelfalle festzustellen, welche Maragliano bei Pneumonie sehr stark fand. Sehr zweckmässig erscheint, wenn das Mittel vom Magen nicht tolerirt wird, die Subcutanapplication warmer wässriger Lösung (1 : 1—2), wobei nur die Hälfte der Dosis erforderlich ist und örtliche Reizung nicht stark eintritt.

Graziadei (14), der schon im Vorjahre in der Turiner Klinik Versuche über die antipyretische Wirkung des Kairin gemacht hatte (13) und zu dem Resultate gelangt war, dass die sphygmomanometrisch zu constatirende ¼—½ Stunde nach dem Einnehmen des Mittels eintretende Herabsetzung des Blutdruckes zu vorübergehend (in ½ Stunde) sei, um Gefahren zu bieten, zumal sich damit regelmässig Verlangsamung des Pulses verbinde, hat in seinen weiteren Versuchen am Krankenbette die constante Apyrexie bei Tagesgaben von 4,0—5,0 erhalten, räth aber bei continuirlichem Fieber an, das Mittel in den Abendstunden und in der Nacht zu verwerthen und Morgens durch prolongirte Bäder die Temperatur niedrig zu halten. Auch bei galopirender Phthisis mit hohem und continuirlichem Fieber bewährte sich diese Combination. Das nach Kairin hervortretende Brennen in der Nase und Augenbindehaut verlor sich bei längerem Gebrauche und war nur bei einem an interstitieller chronischer Nephritis Leidenden andauernd und mit Katarrh verbunden. In einem einzigen Fall vorgerückter Phthisis musste Kairin wegen intensiven Schweisses, grosser Schwäche und Brennen im Magen, in einem andern wegen eines unangenehmen Gefühls im Kopfe ausgesetzt werden. In einem Falle rief der 2tägige Gebrauch leichtes Zittern der Glieder hervor. Im Uebrigen erhielt G. die besten antipyretischen Effecte bei Phthise, weniger bei Pneumonie, wo namentlich im Beginne Defervescenz schwer zu erreichen ist, während das Fieber beim Abdominaltyphus, wie dies auch Maragliano in Genua constatirte, dem Kairin besseren Angriffspunkt darbietet.

In Bezug auf die Wirkung des Kairins bei Thieren betont Albertoni (1), dass Toleranz, tödtliche Dosis und Temperaturherabsetzung in bestimmten Beziehungen zur Temperatur des umgebenden Mediums stehen. In hohen Dosen vermindert K. den Puls, beeinflusst aber den Blutdruck nur in sehr geringem Grade; die toxische Wirkung beruht auf Lähmung der Nervencentren und Blutveränderung. Ein ausgesprochener Einfluss auf die Kohlensäureausscheidung findet bei Thieren nicht statt; bei kleinen Dosen wird dieselbe ein wenig vermehrt, bei grossen etwas herabgesetzt, während der Wasserverlust steigt. Die bei Fiebernden dadurch bedingte Apyrexie ist von leichter Abnahme des Stoffwechsels begleitet.

Die antipyretische Heilmethode hat durch das von Knoll entdeckte und von Filehne (15) zuerst als temperaturherabsetzendes Medicament erkannte Dimethyloxychinicin oder, wie es allgemein genannt wird, Antipyrin, eine wesentliche Bereicherung erhalten, indem das Mittel alle neueren Antipyretica, insbesondere Kairin, durch die mit ihm zu erzielende länger dauernde Defervescenz und die grosse Seltenheit von Nebenerscheinungen übertrifft, ein Umstand, der zu einer ausserordentlich verbreiteten Anwendung des neuen Medicaments und einer ausgedehnten Literatur über dasselbe geführt hat. Im Allgemeinen sind die Resultate der zuerst in Nürnberg, Berlin (Moabit) und in Frankfurt a./M. (Heil. Geist-Hosp.) von Merkel, Guttmann (16) und Wiesner unternommenen Versuche am Krankenbette, auf welche bereits in Filehne's erster Publication Bezug genommen wird, in den meisten deutschen Kliniken und Krankenhäusern bestätigt, wonach das Antipyrin in geeigneten Dosen die Fiebertemperatur rascher als Chinin, aber allmälig, auf die Dauer von 5—6 Stunden oder selbst länger und in der Regel auch die Pulsfrequenz entsprechend herabsetzt und dass es, von Schweiss und Erbrechen in einzelnen Fällen abgesehen, erhebliche Nebensymptome nicht hervorruft, namentlich nicht die dem Chinin und der Salicylsäure zukommenden Gehörstörungen, auch nicht, oder doch nur höchst ausnahmsweise, den Schüttelfrost, der bei Kairin und Resorcin beim Wiederanstieg der Temperatur so oft auftritt. Da das Mittel nur mässig bitter schmeckt und in wässriger Lösung oder einem aromatischen Vehikel selbst von Kindern gut genommen wird, ohne dem Kranken Widerwillen zu erregen, und da dasselbe keinerlei cumulative Wirkung besitzt und daher in grossen Mengen wochenlang ohne Schaden dargereicht werden kann, lässt sich dem Antipyrin als Ersatzmittel des Chinins in nicht typischen Fiebern ein günstiges Prognosticon stellen, insofern der Preis des Antipyrins trotz der doppelt so hohen Dose eine Concurrenz mit dem Chinin ermöglicht. Der Grund der antipyretischen Wirkung liegt ohne Zweifel nicht bloss in der Diaphorese, da nach v. Noorden (20) und Huchard (33) Anthidrotica zwar die diaphoretische, aber nicht die antipyretische Wirkung des Mittels beschränken; doch kommt nach den physiologischen Versuchen von Pellacani (36) eine directe Verminderung der Wärmeproduction, wie dieselbe dem Chinin eigen ist, dem Antipyrin nicht zu, das beim gesunden Menschen nach Falkenheim (17) sogar geringe Temperaturerhöhung bei gesteigerter Schweisssecretion machen kann.

Pribram (30) bringt die anhaltendere antipyretische Wirkung des Antipyrins gegenüber dem Kairin mit der langsameren Elimination des ersteren in Zuhang. Mittelst der durch Eisenchloridlösung bedingten Rothbraunfärbung konnte er A. im Harn schon in den ersten Stunden nach der ersten Dosis nachweisen; die Reaction erreichte rasch ihre höchste Intensität, war aber nach 12 Stunden noch sehr deutlich. Nach Rosenfeld und Alexander (22) dauert die auch bei Siedhitze persistente Reaction sogar 36 Stunden.

Die Grösse des antipyretischen Effects ist natürlich nach den Gaben einerseits und dem Grade des Fiebers, der Krankheit u. s. w. verschieden; doch können die ursprünglichen Angaben von Filehne (16) als massgebend gelten, wonach Antipyrin in zwei Gaben von 2,0 und einer dritten von 1,0, in stündlichen Intervallen gegeben, ein continuirliches und allmäliges Sinken bedingt, das in 3—4 Stunden, ausnahmsweise erst in 5—6 Stunden auf 1½—3° heranwächst, um auf diesem Maximum 1—2 Stunden sich zu erhalten, worauf dann die Temp. allmälig in 5—6 Stunden und mitunter erst in 12—18 Stunden wieder ansteigt. Dieselbe Wirkung kann, nach Pribram (30) jedoch nur auf 5—6 Stunden Dauer, durch stündliche Gaben von 1,0 erzielt werden, während nach Guttmann 0,5 ohne Wirkung sind. Mitunter kommen starke subnormale Temperaturen zu Stande, wie z. B. Falkenheim (17) 35,2° und in der Achselhöhle selbst 34,8° constatirte, ohne dass irgendwie Collapserscheinungen vorhanden waren. Auch an den folgenden Tagen kommen nach grossen Dosen subnormale Temperaturen vor, ohne dass eine Krise eingetreten ist, wie dies Cahn (19) bei Erysipelas und bei Pneumonie beobachtete.

Mit der Abnahme der Temperatur geht auch die Frequenz des Pulses fast ausnahmslos herab; die Spannung der Arterie nimmt nach sphygmographischen Untersuchungen von Cahn (19), v. Noorden (20), Pribram (30) u. A. zu, während der Blutdruck nicht modificirt wird, und bestehender Dicrotismus verschwindet oft.

Als fast constanter Begleiter der Antipyrinwirkung erscheint bei Phthisikern und bei anderen zum Schweiss geneigten Personen Hidrose, die zwar Cahn (19), v. Noorden (20), Huchard (33) u. A. für weniger stark als beim Kairin erklären, jedoch nach Busch (18), Bielschowsky (23), May (24), Tilmann (29) äusserst profus und lästig werden kann. Bielschowsky sah Schweiss weniger ausgesprochen nach Antipyrin in Klysmen; Tilmann beobachtete ihn schon 5 Minuten nach der ersten Dose, ohne dass er bei den späteren Gaben zunahm. Nach v. Noorden (20) bleibt er aus, wenn man der ersten Antipyringabe 0,005 Agaricin oder 0,001 Atropin in Pillenform vorausschickte, ohne dass der antipyretische Effect vermindert wird. Nach v. Hoffer (27) mässigt die Combination von Atropin und Antipyrin bei Phthisikern hectisches Fieber und hectische Schweisse gleichmässig.

Ein störender Einfluss des Antipyrins auf Verdauung ist weder bei grossen Dosen, noch bei längerem Gebrauche des Mittels constatirt. Schon Guttmann (16) giebt an, dass Einzelgaben von 4,0 und Tagesgaben von 9,0 bei Erwachsenen und 0,5—1 0 von Kindern sehr gut ertragen werden. Cahn (19) erwähnt, dass ein durch Darmblutung geschwächter Typhuskranker während eines schweren Recidivs 69,0 ohne jede Störung der Verdauung vertragen habe. Falkenheim (17) beobachtete keinerlei Störung nach 8tägigem Gebrauche von im Ganzen 49,0 und 51,0 in 8 Tagen und von 15,0 in 24 Stunden bei Typhuskranken; ebensowenig Tilmann (29) nach 7,0 in 6 Stunden bei Pneumonie; Bielschowsky (23) gab einem Typhuskranken 114,0 ohne Schaden. Dass mitunter beim Antipyringebrauche Erbrechen vorkommt, nach Pribram (30) auch ausnahmsweise Magendruck, ist nicht zu bestreiten; doch handelt es sich meist um Kinder (Geier), um weibliche Personen oder um solche, welche überhaupt zum Vomitus geneigt sind, und nur Bielschowsky (23) bezeichnet das Erbrechen geradezu als häufig. Cahn (19) hebt im Gegensatze dazu hervor, dass das Medicament auch in der Gravidität nicht contraindicirt sei. Rank (25) hat bei Frauen Erbrechen selbst 6 Stunden nach dem Einnehmen gesehen.

Als Veränderungen des Harnes nach Antipyrin constatirten Cahn (10) und Pribram (30) bei Typhuskranken Steigerung der Diurese und Abnahme des spec. Gew des Harns. Bei Phthisikern und Typhus sah P. die Diazoreaction im Harn schwinden, welche durch Zusatz von Antipyrin zum Fieberharn nicht beeinflusst wird, woraus der Schluss gerechtfertigt erscheint, dass A. nicht nur die Fieberbewegung, sondern auch den mit dieser verbundenen Stoffumsatz verändert. Cahn (19) bestreitet das Auftreten gepaarter Säuren, insbesondere Glycuronsäuren, im Harn

Dass übrigens manche Nebenwirkungen des Kairin auch beim Antipyrin ausnahmsweise auftreten, hat Bielschowsky (23) hervorgehoben. Wie er bei einem Phthisiker ein Steigen der Pulsfrequenz gleichzeitig beim Sinken der Temperatur beobachtete, ohne dass das Wohlbefinden gestört wurde, hat er mehrfach bei Typhösen wirklichen leichten Collaps und auch Schüttelfrost beim Wiederansteigen der Temperatur constatirt. Letzteres sahen auch Busch (18) in 1 Falle und v. Hoffer (27) in 2 Fällen, während Tilmann (29) von collapsähnlichen Zufällen bei zwei Kranken redet, deren einer dieselben einer zu grossen Anfangsgabe verdankte. Pribram (30) hatte tiefen Collaps bei einem hochfiebernden Tuberculösen nach einer Gesammtgabe von 4,0, nachdem in den beiden vorhergehenden Tagen 2,0 gut ertragen waren. May

(24) beschreibt schweren Collaps nach 5,0 in toto bei einem übrigens schon vor dem Versuche bleichen und schwächlichen Pneumoniker und constatirte ausserdem wiederholt leichtes Frösteln, das er mit den Schüttelfrösten nach Kairingebrauch nicht identificirt wissen will.

Dass ausnahmsweise auch Ohrensausen vorkommt, beobachtete Tilmann (29) an einer sehr empfindlichen Typhuskranken, wo dasselbe mit Kopfweh und Erbrechen auftrat, welche Erscheinungen erst beim Wiederansteigen der Temperatur sich verloren. Rapin (32) hat bei mehreren Kranken plötzlich eintretende Hitze im Kopfe mit leichtem Ohrensausen gesehen und erwähnt die Beobachtung einer starken Turgescenz zum Kopfe bei einem Typhuskranken nach Goetz. May (24) sah Benommenheit des Sensoriums und Apathie in einem Falle.

Auffällig ist, wie häufig das Antipyrin zum Auftreten von Arzneiexanthemen geführt hat, was beim Kairin weniger häufig ist und, wie Cahn (19) meint, das A. dem Chinin näher stellt; doch scheinen diese Exantheme meist erst nach längerem Gebrauche aufzutreten und sind nach den in Strassburg gemachten Erfahrungen bei Typhuskranken keineswegs eine Contraindication des Fortgebrauches.

Von den von Cahn (19) beschriebenen 2 Fällen betrifft der eine ein theils fleckiges, theils diffuses Erythem an Rumpf und Extremitäten, besonders an der Streckseite, welches erst nach 25tägigem Gebrauche des Mittels und nach Consum von 20,0 entstand, dann aber nach dem Aussetzen verschwand und jedesmal beim Wiedergebrauch von 2,0 aufs Neue auftrat; in dem anderen Falle bestand neben Hyperämie auch leichte Infiltration und zeigte sich das Exanthem zuerst nach Verbrauch von 30,0. In einem von Alexander (22) beschriebenen Falle trug das nach 34,0 eintretende juckende, confluirende Exanthem einen masernartigen Character, bewirkte keinerlei Steigerung des Fiebers und endete ohne Desquamation unter Fortgebrauch des Mittels; in zwei anderen entwickelte sich dasselbe Exanthem nach 32,0 resp. 57,0. A. beobachtete auch ein mit fetziger Abhäutung endigendes, mehr an Miliaria erinnerndes Exanthem, schon nach 6,0 und eine Urticaria, welche nach jeder einzelnen Dosis auftrat. Interessant ist die Beobachtung Bielschowsky's (23), wo zuerst ein morbillöser Ausschlag nach Verbrauch von 40,0—50,0 auftrat, der später petechial wurde, und nach Aussetzen und Wiederaufnahme der Medication sich auf Rumpf und Oberarm ein scarlatinöses Exanthem entwickelte. Geier (26) beobachtete bei einem Typhuskranken nach einer Gesammtdose von 96,0 ein rasch verschwindendes Erythem am Rücken und an den Extremitäten und bei einem Kinde einen papulo-maculösen Hautausschlag an den Händen und Vorderarmen (Streckseite), der ebenfalls von A. herzurühren scheint, da der 4jährige Kranke relativ grosse Dosen (1,5 in Clystier) längere Zeit erhielt. Pribram (30) hat Antipyrinexantheme 5mal, und zwar gewöhnlich als morbillösen Ausschlag, in einem Falle dem Erythema urticatum ähnlich, beobachtet; in dem letzteren Falle stand das Exanthem 11 Tage (gewöhnlich 3 bis 4 Tage) und verband sich mit einer analogen Fleckeneruption am Gaumen. Der Ausschlag trat in einem Falle von Typhus nach ausschliesslicher Anwendung per rectum auf, in den übrigen (Typhus, Pneumonie) nach interner, und zwar constant erst nach vieltägigem Gebrauche und nach Verlassen der grossen und Anwendung kleinerer Dosen (1,0—2,0 pro die), und entwickelte sich trotz Aussetzens auch in einer Zeit weiter, wo das Fehlen der Eisenchloridreaction im Harn die Antipyrinausscheidung als ganz oder nahezu beendet erscheinen liess.

Die antipyretischen Effecte des Mittels haben sich in den nach Hunderten zählenden Versuchen fast in allen Fieberkrankheiten gezeigt. So bei Typhus, Recurrens, Scarlatina, Morbilli, Variola, Erysipelas, Phlegmone, Peritonitis, Pneumonie, Pleuritis, Phthisis pulmonum und Rheumatismus acutus; doch wurde nicht bei allen Krankheiten stets derselbe Effect beobachtet, so dass z. B. Bielschowsky (29) das Mittel als bei Typhus und Phthise am einflussreichsten, weniger günstig bei Recurrens, Typhus exanthematicus und Masern erklärt.

Die Wirkung entbleibt nach Tillmann (29) auch in Fiebern nicht, welche mit intermittirenden Frösten einhergehen, ja es gelang sogar durch Darreichung von 1,0—3,0 im Tage in einem Falle von Endocarditis ulcerosa und einem wahrscheinlichen Falle von Abscessus cerebri nicht nur den Eintritt der Fröste zu verhindern, sondern auch die Temperatur dauernd normal zu erhalten. Dagegen gab Pribram (30) 8,0 in 2 Tagen bei einiger Pericarditis und Pleuritis mit septischem Fieber ohne nachhaltigen Effect und erhielt Rapin (32) bei Endocarditis ulcerosa keine Herabsetzung der sehr hohen Abendtemperatur. v. Hoffer (27) hat das Mittel sowohl bei Endocarditis als in einem Falle von chronischer Pyämie mit gutem Erfolge gegeben.

Alexander (21) vindicirt dem Antipyrin bei Rheumatismus acutus und subacutus nicht nur einen fieberwidrigen, sondern auch einen direct heilenden Einfluss, da es in den meisten Fällen rasch die Schmerzen in den Gelenken beseitigt; doch ist bei der Medication zu beachten, dass das Mittel wie Natriumsalicylat auch nach Beseitigung des Fiebers eine Zeit lang fortgegeben werden muss.

Bei anderen Krankheiten ist von einer directen Action auf den Krankheitsprocess mit Sicherheit nichts festgestellt und sind die günstigen Effecte auf die Herstellung der Apyrexie zu beziehen. Bei Pneumonie, wo die Apyrexie nach Falkenheim (17) weniger lange dauert als bei Typhus (12—15 Stunden), während Pribram (30) die Entfieberung als länger anhaltend und durch kleinere Dosen zu Stande kommend bezeichnet, wird der Process nicht modificirt, aber das Allgemeinbefinden und die Dyspnoe gebessert. Nach P. nimmt hier auch die Zahl der Athemzüge ab, was Tillmann (29) nicht finden konnte. May (24) fand Antipyrin auch in schweren Fällen von Pneumonie, wo Chinin seine Wirkung versagte, von entschiedenem antipyretischem Effecte und sah in 2 Fällen, wo vergleichende Untersuchungen angestellt wurden, stärkeren Effect von Antipyrin als vom Chinin; auffällig war auch die lange Dauer der Defervescenz (30—36 Stunden) in 2 Fällen von Scarlatina.

Beim Typhus ist eine specifische Action auf das Typhusgift nicht ersichtlich, so dass, wie Alexander (21) hervorhebt, selbst nach dem Gebrauche von 54,0 Recidiv eintreten kann; doch ist milderer Verlauf unter Schwinden von Kopfschmerzen und Benommenheit des Sensoriums von Noorden (20), Pribram (30) u. A., von Alexander (22) auch mit Steigerung des Appetits constatirt. Pribram erklärt das Mittel bei Typhus für geeigneter als Chinin wegen der fehlenden Wirkung auf Gehirn und Sensorium und konnte durch Antipyrin sowohl die höchsten Temperaturen herabdrücken als überhaupt den ganzen Verlauf möglichst fieberlos gestalten. Nur Bielschowsky (23), der übrigens dem Antipyrin eine energischere Einwirkung auf das Fieber zuschreibt als dem Chinin, giebt an, dass die Kranken sich nach letzterem viel wohler fühlten.

Kalten Bädern gegenüber verhielt sich nach Tilmann (29) Antipyrin so, dass die Apyrexie durch letzteres nicht so rapide auftritt, länger dauert und nur allmälig verschwindet. Rapin (31) und Erb constatirten die antipyretische Wirkung auch in Fällen, wo Chinin und kalte Bäder im Stiche liessen.

Die antitypische Wirkung des Chinins ist nach den übereinstimmenden Beobachtungen von Alexander (22), Leyden (29), Pribram (30) u. A. dem Antipyrin nicht eigen. Acute Milztumoren werden nach P. und A. nicht verkleinert.

Nach Alexander (22) können Dosen von 6,0 zwar die Fieberanfälle der Intermittens besser coupiren, die Krankheit selbst jedoch nicht heilen. Falkenheim (17) gelang es mit 5,0 nicht, die Anfälle zu coupiren. Nach Leyden und Tilmann (29) resultirte auch bei 8,0 pro die keine Heilung, und bei keinem Intermittenskranken sank die Temp. bei prophylactischer Darreichung (15,0 in 5 Tagen). Pellacani (36), der einzelne Fälle von Malariafieber darnach heilen sah, bezeichnet es als in der Mehrzahl wirkungslos.

Als Trippermittel, wozu Alexander (22) das Antipyrin gebrauchte, wurde es zwar in 1procentiger Lösung recht gut ertragen, leistete aber nichts Besonderes.

Bei Phthisikern, bei denen Pribram (30) wiederholt mit kleineren Gaben längere Zeit die Fieberbewegung unter merklichem Nachlasse der subjectiven Beschwerden herabdrücken konnte, wobei zwar nicht der Gesammtverlauf alterirt, aber der rapide Kräfteverfall verzögert zu werden schien, beobachtete er mitunter eine nennenswerthe Gewichtszunahme, die nach Aussetzen des Mittels und Wiedereintritt des Fiebers rasch schwand, und die offenbar mit der grösseren Nahrungsaufnahme und dem gesteigerten Appetit in Verbindung stand, da Harn, Stuhl, Sputa, Schweiss und insensible Ausgaben nicht wesentlich beeinflusst wurden.

Besondere Massnahmen in Bezug auf die interne Darreichung erachten die sämmtlichen Autoren für überflüssig. Man giebt Antipyrin als Pulver oder in Lösung (1 : 15); der geringe bittere Geschmack wird leicht, nach Cahn (19) schon durch Nachtrinken von Wasser, oder nach Alexander (21) durch Ungarwein beseitigt. In Bezug auf die Dosirung des Antipyrins divergiren zwar einzelne Autoren; doch gilt im Allgemeinen die Angabe Filehne's, dass zwei stündliche Gaben von 2,0 und eine dritte von 1,0—1,5 auch bei hohen Fiebergraden in der Regel ausreichen, und dass höhere Einzelgaben, z. B. 3,0, wie sie Busch (18) vorzieht, nur selten nothwendig sind, während man bei geringerem Fieber auch durch stündliche Einzelgaben von 1,0 vollständige Apyrexie erreicht. v. Hoffer (27) empfiehlt drei stündliche Gaben von 1,0 beim Erwachsenen und von 0,3—0,5 bei Kindern, weil hiernach Erbrechen nicht vorkomme. Bei Phthisikern ist die Dosis, wie Tilmann (29) betont, im Anfange etwas niedriger zu nehmen, um nicht colossale Schweisse und Collapstemperaturen zu erhalten, und scheint es am zweckmässigsten, immer 1,0 zu verabreichen, sobald die Temp. über 38° steigt. Huchard (33), der ganz besonders die günstigen Effecte des Antipyrins bei Phthisikern betont, giebt 2,0—4,0 pro die in zwei Dosen in ½ Glas mit Syr. Menth. aromatisirtem Syrup.

Bei Kranken, welche nach Antipyrin erbrechen, empfiehlt sich die zuerst in Breslau angewandte Application per rectum, die nach Alexander (21) dieselbe Dosis wie der interne Gebrauch, mitunter etwas weniger erfordert, und nach Geyer (26) rascher und sicherer als die interne Medication wirkt, während nach Hoffer (27) grössere Gaben (5,0) erforderlich sind. Lösungen von 1 : 15 irritiren den Mastdarm nicht im Geringsten. Auch die Subcutaninjection muss nach den Versuchen von Rank (25) als zulässig, wenn auch, wie Cahn und Huchard richtig bemerkten, bei der Leichtigkeit des inneren Gebrauchs als entbehrlich bezeichnet werden. Alexander hatte von conc. wässriger Lösung bei Subcutanapplication am Arm heftige Schmerzen und Abscessbildung, die bei einer Kranken durch Eiscompressen verhütet wurde. Auch Tilmann (29) hebt die Constanz der wenn auch nicht heftigen Schmerzen bei hypodermatischer Verwendung hervor und beschränkt letztere auf Peritonitis und Meningitis, wo Erbrechen zum Krankheitsbilde gehört.

Zur Subcutaninjection empfiehlt Rank (25) gesättigte Lösung in heissem Wasser, da sich so zwei Theile A. in 1 Theil Wasser lösen, und kein A. beim Erkalten ausfällt, während die Löslichkeit in kaltem Wasser nur 1 : 3 ist, was bei der mehrmals wiederholten Dosis von 1,5—2,0 Inconvenienzen der Injection bedingt. Nach R. genügt übrigens in der Regel eine einzige Gabe von 2,0 subcutan und wirkt sogar rascher und stärker antifebril als die interne Medication, ein Umstand, der diese Methode bei Kindern und schwachen Personen contraindicirt. Andererseits sah Hoffer (26) bei Subcutanapplication 50procentiger Lösung selbst nach 2,0, binnen einigen Stunden gegeben, nur Temperaturerniedrigung um einige Decigrade. Rapin (31) erklärt nach den Versuchen von Erb die hypodermatische Injection für zu schmerzhaft.

Ueber die physiologische Wirkung des Antipyrins liegen Versuche von Coppolo (35) vor, wonach dasselbe zu 0,02—0,04 bei Fröschen die Reflexerregbarkeit des Rückenmarks steigert und zu 0,05 bis 0,08 durch Einwirkung auf das Gehirn tetaniforme Krämpfe von mehr als 24 Stunden Dauer bedingt, während noch grössere Dosen Lähmung der Nervencentren ohne vorherige Erregung bewirken. An der Applicationsstelle wird die Sensibilität herabgesetzt; die Pupille wird durch Reizung des Sympathicus erweitert. Das Herz wird nicht beeinflusst und steht erst nach Lähmung des Rückenmarks und verlängerten Marks in Diastole still.

Wie wenig übereinstimmend die physiologische Action des Kairin und Antipyrin ist, lehrt eine Studie von Pellacani (36), nach welcher im Allgemeinen das Kairin in seinem physiologischen Verhalten dem Chinin weit näher steht als das dessen antipyretischem Effecte nach den Erfahrungen am Krankenbette weit näher kommende Antipyrin, dass aber beide in Bezug auf letztere sich dadurch vom Chinin unterscheiden, dass sie nach Rückenmarksdurchschneidung die Temperatur nicht herabsetzen.

Kairin wirkt auf Microorganismen fast in gleichem Grade deleter wie Chinin, hemmt wie dieses die Einwirkung des Pepsins und Pancreasferments, ebenso die Spaltung von Benzylamin durch Histozym, und beschleunigt die Verwandlung von Oxyhämoglobin in Methämoglobin noch stärker als Chinin, während dem Antipyrin jede dieser Wirkungen abgeht. Auf Frösche wirkt Kairin doppelt so giftig wie Antipyrin, wobei sonst die nämlichen Erscheinungen (centrale Paralyse) hervortreten; auch bei Warmblütern, wo Kairin durch respiratorische Lähmung tödtet, ist dieses dem Antipyrin überlegen, das nicht wie ersteres bloss paralysirend wirkt, sondern Steigerung der Reflexerregbarkeit und Krämpfe hervorruft. Am isolirten Froschherzen erzeugt Antipyrin Verringerung der circulirenden Blutmenge in Folge von Gefässerweiterung, und Abnahme der Frequenz und Energie des Herzschlages bis zum Stillstande, der zuerst den Ventrikel, dann die Vorhöfe betrifft, wobei das Herz noch längere Zeit mechanisch reizbar bleibt; Kairin hat den nämlichen Effect, erzeugt aber ausserdem noch in Annäherung an die Wirkung des Chinins vorübergehende diastolische Stillstände, welche durch Campher und Physostigmin nicht modificirt werden. Bei Warmblütern bedingen Dosen von 0,25—0,3 pro Kilo kurzdauernde, nicht bedeutende Steigerung des Blutdrucks, mit Beschleunigung des Herzschlages beim Antipyrin und Verminderung desselben beim Kairin; bei grösseren Dosen bleiben die Alterationen der Pulsfrequenz dieselben, während der Blutdruck bei beiden unter bedeutender Erweiterung der peripheren Gefässe beträchtlich sinkt. Mit dem Chinin stimmen Kairin und Antipyrin darin überein, dass sie nur in sehr grossen Dosen eine Herabsetzung der Erregbarkeit der Gefässe und des vasomotorischen Centrums zur Folge haben, dass somit die Wirkung auf die Gefässe selbst gerichtet ist, deren Dilatation durch den aus ihr resultirenden Wärmeverlust offenbar die hauptsächlichste antipyretische Basis der Wirkung beider Stoffe bilden. Antipyrin wirkt gar nicht temperaturherabsetzend nach Rückenmarksdurchschneidung, Kairin höchstens um wenige Decigrade; dagegen ist die Gefässdilatation auch unter diesen Umständen erheblich. Auch bei Durchschneidung der unteren Partien des Rückenmarks bleibt der antithermische Effect aus. Dass die Effecte des Kairins trotz dessen ausgesprochener Wirksamkeit als Protoplasmagift bei Malaria negativ sind, schreibt P. der raschen Zersetzung im Organismus zu.

Ausser dem Antipyrin sind noch zwei andere Chinolinderivate, welchen der Name Thallin und Aethylthallin beigelegt ist, als Antipyretica in Frage gekommen, doch lassen die auf der Nothnagel'schen Klinik von Jaksch (37) erhaltenen Resultate keinen Zweifel darüber, dass die im Uebrigen gut vertragenen Salze dieser Verbindungen im Wesentlichen wie Kairin, Resorcin und Hydrochinon zwar rasche (in $^1/_2$ bis 1 Stunde auftretende), aber kurze (1—2 Stunden anhaltende) Defervescenz bedingen und beim Wiederanstieg der Temperatur häufig (obschon seltener als beim Kairin) Schüttelfrost eintritt, während Ohrensausen, Magenbeschwerden und andere Nebenerscheinungen mit Ausnahme von Schweissen fehlen, auch kein Collaps vorkommt, wodurch allerdings ein Vorzug vor dem Kairin gegeben ist, auf dessen Anwendung bei Phthisikern man der Nebenwirkungen wegen verzichten müsste, wenn es auch, was von J. in Abrede genommen wird, bei hectischem Fieber in gleicher Weise antipyretisch wirkte wie Thallin und Aethylthallin. Eine specifische Action auf irgend eine Infectionskrankheit kommt auch den beiden letzteren nicht zu.

Jaksch (37—39) hat mehrere von Skraup dargestellte Chinolinderivate theils an Thieren, theils am Krankenbette studirt. Hiernach wirkte das Paraoxychinolin (C_9H_7NO), dessen Hydrochlorat ein fast geruch- und geschmackfreies, in Wasser leicht lösliches, jedoch in wässeriger Lösung unter Braunfärbung sich zersetzendes Salz darstellt, bei Kaninchen zu 0,6 subcutan zwar temperaturherabsetzend, jedoch nur unbedeutend (um kaum 1°). Das Tetrahydroparaoxychinolin ($C_9H_{11}NO$) tödtete Kaninchen zu 0,2—0,6 subcutan unter tonischen Krämpfen in ca. 2 Stunden; die beim Stehen an der Luft sich daraus bildenden braungefärbten Zersetzungsproducte erwiesen sich als ungiftig. Weder antipyretische Effecte von Bedeutung, noch toxische Erscheinungen lieferten bei Thieren die Salze des Parachinanisol, $C_{10}H_9NO$, während beträchtliche Temperaturerniedrigungen beim Tetrahydroparachinanisol, $C_{10}H_{13}NO$, welches Skraup wegen seiner Grünfärbung mit Eisenchlorid oder anderer Oxydation als Thallin bezeichnet hat, und beim Aethyltetrahydroparachinanisol oder Aethylthallin, $C_{12}H_{17}NO$, dessen in Wasser leicht lösliche und in ihren Lösungen durch Eisenchlorid sich röthende Salze einen angenehmen Geschmack besitzen, nach 0,6 beim Kaninchen hervortreten, ohne dass giftige Effecte resultiren. Bei Fieberkranken erwies sich Chinanisol als Tartrat, Hydrochlorat und Sulfat verabreicht, nur von sehr geringer antipyretischer Wirkung, so dass selbst Dosen von 3,0 nur eine Temperaturherabsetzung von 1° bedingten; Tartrat und Hydrochlorat waren ohne jede Nebenwirkung, während beim Sulfat Erbrechen vorkam. Der Harn zeigte Chinanisolgeruch und dunkelbraungelbe Farbe; Eisenchlorid färbte denselben 1—2 Stunden nach dem Einnehmen und 24 bis 72 Stunden lang roth; die diese Reaction bedingende Substanz konnte nicht direct, wohl aber nach Versetzung des Harns mit einer Säure durch Aether extrahirt werden. Die theoretische Voraussetzung, dass Chinanisol, weil dasselbe das halbe Chininmolecül bildet, starke antipyretische Effecte besitzen müsse, erwies sich als unbegründet. Weinsaures Thallin gab bei Gesunden zu 0,25—0,5 ausser etwas Schweisssecretion keinen Effect und wirkte bei Intermittens auf die Anfälle zwar für einige Zeit coupirend, doch traten rasch Recidive ein; dagegen war es bei Fiebernden schon zu 0,25 antipyretisch, ohne Nebenaffecte, und zu 0,5 sehr stark antipyretisch, wobei jedoch mitunter Schüttelfröste vorkamen. Dieser Effect trat auch bei Sepsis puerperalis und bei acutem Gelenkrheumatismus ein, bei welchem jedoch das Thallinsalz auf die Gelenkaffection nur in einzelnen Fällen entschieden günstigen Einfluss hatte. Sehr gut ertragen wurde das Mittel von Phthisikern, bei denen sich Euphorie einstellte, ohne dass ein wesentlicher Einfluss auf den Krankheitsprocess einerseits und ausser Schweissen irgend welche Nebenerscheinung eintrat. Aehnlicht Effecte lieferte salzsaures Thallin, das in Dosen von 0,25 oft intensiver antipyretisch als das Tartrat wirkte, wobei constant Vermehrung der Schweisssecretion eintrat, übrigens nie den Magen irritirte, dagegen wiederholt zu Schüttelfrösten beim Wiederanstieg der Temperatur Veranlassung gab. In letzterer Beziehung schien Thallinsulfat, das im Uebrigen dem salzsauren Thallin ebenbürtig war, günstigere Erfolge zu geben. Ganz analog wirkte salzsaures Aethylthallin, das jedoch kräftige antipyretische Wirkung nicht bei 0,25, sondern erst bei 0,5 entfaltete, ebenfalls heftige Schweisssecretion bedingte und wenig zu Schüttelfrost Anlass gab; der antipyretische Effect schien etwas länger zu dauern als beim Thallin. Der Harn ist nach Thallingebrauch gelbbraun bis dunkelbraun oder gelbgrün und giebt mit Eisenchlorid purpurrothe, in 3—4 Stunden in Schwarzbraun übergehende Farbe; Ausschütteln mit Aether lässt auch einen Theil des Thallins als unverändert eliminirt erscheinen. Aethylthallin scheint sich im Organismus zu zersetzen und zum Theil als Thallin, zum Theil als ein an eine Säure gebundener Körper, der sich mit Eisenchlorid roth färbt, ausgeschieden zu werden.

[1) Bull, Kairin. Norsk Magazin for Lägevid. R. 3. B. 13. Forh. P. 136. — 2) Israel, Om Antipyrinet. Hospitalstidende. 3 R. 2 B. P. 1129. — 3) Wichmann, Nogle Forsög med. Antipyrin i typhoid Feber. Ugeskrift for Läger. 4 R. 10 B. P. 417.

Israel (2) hat im Communehospital in Copenhagen 39 Patienten beobachtet, die mit Antipyrin behandelt wurden; darunter waren 25 Fälle von Fb. typhoidea, 7 Phthisiker, 4 Pneumoniker, 1 Angina, 1 Pleuritis, 1 Septichaemie.

Im typhoiden Fieber hat sich das Mittel als zuverlässig bewährt; der Temperaturfall betrug 2—4° C. und es dauerte nach einer Einzeldosis von 2 g 3—4 Stunden, bis die hohe Temperatur wieder erreicht war. Die gewöhnliche Tagesdosis war 5 g, bisweilen 6.

Bei Phthisis pulmonum war das Resultat weniger constant; in der Pneumonie war der Temperaturfall schnell und bedeutend.

Von unangenehmen Wirkungen des Antipyrins erwähnt Verf. Schweiss, der durch gleichzeitige Eingabe von Atropin gehemmt werden kann, Ekel und Erbrechen, die sich jedoch nicht zeigen, wenn das Mittel als Clysma gegeben wird. Ein scarlatinaähnliches Exanthem wurde in 15 Fällen observirt. Bei einem 11jährigen Knaben trat nach Eingabe von 4 g Antipyrin ein Temperaturfall auf 34,2° C. und damit Coma ein; er erholte sich jedoch wieder. In zwei Fällen sind nach Anwendung von mittelgrossen Dosen von Antipyrin Hämatemese und Convulsionen eingetreten, die letal endeten. Doch ist die Causalverbindung mit dem Gebrauche des Antipyrins sehr unsicher.

Wichmann (3) hat ungefähr dieselben Resultate gesehen, doch scheint ihm das Antipyrin nicht in allen Fällen zuverlässig. Collaps ist einige Male geschehen, doch erholten sich die Kranken wieder.

F. Levison (Kopenhagen).]

19. Ichthyol.

Thimann, Paul, Zur Anwendung des Natrium ichthyolsulfonicum. 8. 42 Ss. Halle. Diss.

Das von Unna zuerst gegen Eczem und verschiedene von Jucken begleitete Hautkrankheiten, später zu Einreibungen bei rheumatischen Affectionen benutzte Ichthyol — ein durch trockene Destillation aus einem eine grosse Anzahl von Fischabdrücken enthaltenden bituminösen Gestein gewonnenes, kräuterartig riechendes, schwefelhaltiges Oel, welches nach Baumann und Schotten das in Wasser lösliche Natriumsalz einer zweibasischen Säure von der Formel $C_{28}H_{36}S_3Na_2O_6$ ist — hat in Versuchen in der Halleschen Klinik und Poliklinik bei acutem Gelenkrheumatismus, wo es als 30—60 proc. Lösung örtlich applicirt und theilweise auch intern in Pillen (6 pro die zu 0,1) gereicht wurde, nicht ungünstige Resultate gegeben, obschon es in 5 Fällen unter 14 ganz im Stiche liess, und wird von Th. als ein die bestehende Schmerzhaftigkeit beseitigendes und den Erguss im Gelenke zur Resorption bringendes Mittel besonders da empfohlen, wo die dem Ichthyol sonst im Allgemeinen überlegene Salicylsäure entweder von vorn herein oder in Folge von Gewöhnung unwirksam bleibt oder wegen zu grosser Schwäche contraindicirt ist. In einzelnen Fällen erzeugte die Einreibung stärkerer (60 proc.) Lösung ein dem Erythema papulatum ähnliches Exanthem in loco; in anderen traten locale Hyperidrosis oder starke Schmerzen auf. Der mitunter lästige aromatische Geruch des Mittels ist durch Zusatz von Cumarin und Vanillin zu verdecken.

20. Vaselin.

Robson, A. W. Mayo (Leeds), Irritation of the skin following the application of vaseline as a surgical dressing. Lancet. Nov. 8. (Eczeme und Oedeme bei mehreren Personen nach Gebrauch von Vaselin als Verbandmittel, das von anderen Personen gut tolerirt wurde.)

b. Pflanzenstoffe und deren Derivate.

1. Fungi.

1) Proebsting, Ueber die anthidrotische Wirkung des Agaricin. Aus der med. Klinik von Prof. Riegel in Giessen. Centrbl. für klin. Med. No. 6. — 2) Piering, Oscar, Ueber das Agaricin und dessen Einfluss auf die Perspiration. Aus der med. Klin. von Prof. Pribram in Prag. Prager med. Wochenschr. No. 31, 32. S. 305. 315. — 3) Drei Vergiftungen, — durch Ergotin oder Phosphor? Petersb. med. Wochenschr. No. 12. S. 105. (Tod von drei schwangeren Frauenzimmern nach dem Einnehmen von Abortivmitteln, welche nur in 1 Fall zum Ziele führten; die Section wies ausser acutem Catarrh des Dünndarmes, Icterus, fettige Degeration der Leber, Nieren und des Herzmuskels, auch weit verbreitete Ecchymosen nach, welche für Phosphorvergiftung sprechen, welche auch nach äusseren Umständen wahrscheinlich ist, dagegen war chemisch der Nachdes Phosphors in dem dem Chemiker mehrere Tage nach dem Tode in ziemlich starkem Verwesungszustande übergebenen Darme nicht zu führen, während Ergotin in einem Falle sehr reichlich, in den zwei anderen deutlich nachgewiesen wurden; die Symptome bei Lebzeiten sind ungenau beobachtet, so dass mit Sicherheit nur das Vorhandensein von Erbrechen und Tod durch Herzschwäche constatirt ist; vielleicht handelt es sich um eine complexe Vergiftung, da der Befund im Darme der acuten Mutterkornvergiftung entspricht.) — 4) Debierre (Lyon), Sur l'action physiologique et toxique de l'ergotine à propos d'un empoisonnement par l'ergotine Bonjean. Bull. gén. de thérap. Janv. 30. p. 52. — 5) Ringer, Sydney und Harrington Sainsbury, Note on some experiments with ergotine. Brit. med. Journ. Jan. 19. p. 97. — 6) Marckwaldt, Max (Kreuznach), Ueber die Wirkungen von Ergotin, Ergotinin und Sclerotinsäure auf Blutdruck, Uterusbewegungen und Blutungen. Arch. für Anat. und Physiologie. Physiol. Abth. S. 434. — 7) Kobert, R. (Strassburg), Ueber die Bestandtheile und Wirkungen des Mutterkorns. Archiv für exper. Pathol. und Pharmacologie. Bd. XVIII. S. 317. (Auch unter gleichem Titel als besondere Schrift erschienen) — 8) Friedmann, Moritz (Galszeos), Secale cornutum als prophylactisches Mittel bei Gehörsstörungen nach Salicylsäure und Chinin. Wien. med. Presse. No. 29. S. 927. (Ergotin zu 0,4 auf 4mal injicirt oder zu 0,33 innerlich bei Ohrensausen und Metrorrhagien nach grossen Salicylsäuregaben wirksam.) — 9) Stocquard, Note sur les injections hypodermiques de teinture de seigle ergoté d'après la formule de Mr. Luton. Mém de méd. de Bruxelles Août. p. 130. — 10) Mauk, Hermann, Ein neues Mutterkornextract, Extractum Secalis cornuti Denzel. Württemb. med. Correspondenzblatt. No. 41. S. 321.

Die von Seifert (Ber. 1883. I. S. 434) constatirte anthidrotische Wirkung des Agaricins findet durch Riegel und Pröbsting (1) und durch Pribram und Piering (2) vollständige Bestätigung.

Nach den Erfahrungen in der Giessener Klinik wirkt 0,01 Agaricin ungefähr so stark anthidrotisch wie 0,5 mgm Atropin und tritt die Wirkung, wenn sie auch bei sehr profusen hektischen Schweissen erst nach mehreren Stunden in vollem Maasse sich entfaltet, oft schon in sehr kurzer Zeit ein, auch bleibt der Schweiss nach mehrmaligem Gebrauche manchmal einige Tage von selbst aus, während mitunter auch eine Erhöhung der Dosis nöthig wird. Unangenehme Nebenwirkungen, von Uebelkeit und Kopfschmerzen in einem und von Aufstossen und Appetitlosigkeit in einem andern Falle abgesehen, stellten sich bei der Darreichung mit Pulvis Doveri in Pillenform (Agaricini 0,5, Pulv. Doveri 7,5, Rad. Alth. Mucilag. ana 4,0 M. f. pilul. 100) nach den benutzten Gaben (0,005—0,01) niemals ein. In Prag wurden, obschon das Mittel nicht mit Pulv. Doveri gegeben wurde, ebenfalls keine Nebenerscheinungen, selbst nicht bei der Dosis von 0,03, beobachtet; auch konnte beim Wiederausbruche der Schweisse nach einer durch das Mittel bewirkten schweissfreien Periode dieselben durch kleinere Gaben (0,005) beseitigt werden; dagegen war der anthidrotische Effect bei Nachtschweissen stets erst in 5—6 Stunden manifest; die Pulsfrequenz war n der Regel etwas gesteigert, die Temp. nicht verändert; in einem Falle von Peritonealtuberculose wurde auch die Diarrhoe sistirt, bei anderen Phthisikern der Hustenreiz gemindert. Genaue Wägungen des Körpers, der Excrete und Ingesta ergaben, dass ein Einfluss des Agaricins auf die Perspiration weder bei nicht schwitzenden Menschen noch bei Phthisikern, deren Schweisse durch das Mittel unterdrückt wurden, statthat, was sich daraus erklärt, dass einerseits das Durstgefühl sich vermindert, andrerseits bei gleicher Wassereinnahme die Harnmenge sich vermehrt.

Debierre (4) weist durch Mittheilung eines Falles von Vergiftung durch Bonjean'sches Ergotin nach, dass bereits 5.0—6,0 auf einmal intern genommen heftige Intoxication bedingen können, welche an das Bild der chronischen Mutterkornvergiftung erinnert. Merkwürdig ist in diesem Falle das späte Eintreten der Erscheinungen, die erst 9—10 Stunden nach der von der Patientin gegen typische, die Menstruation begleitende Hämoptysis genommenen Dose sich einstellten. Dieselben begannen mit heftigen Schmerzen im Unterleibe und einem Ohnmachtsanfalle, worauf sich ein Gefühl beträchtlicher Trockenheit des Mundes und Schlundes, sowie der äusseren Haut, starke Präcordialangst und Athemnoth mit stark beschleunigter Athemfrequenz, unerträglicher Schmerz in der Brust und im Epigastrium, anscheinend im Verlaufe der Speiseröhre und der Bronchi, Schwindel, Ohrensausen, Trübung des Sehvermögens, Schwere des Kopfes, Constriction der Schläfen, Verlangsamung des Pulses, Sinken der Temperatur (36,4° in der Achselhöhle), Ameisenkriechen in den Extremitäten, Frostschauer, endlich allgemeine Anästhesie und Analgesie, von den Fingern und Zehen beginnend und sich auf Rumpf und Gesicht (auch Lippen und Zunge) ausdehnend, und 3½ Stunde später auch unter Steigerung der Schmerzen in Brust und Bauch noch tonische und klonische Krämpfe gesellten, welche Contracturen der Flexoren hinterliessen. Derartige Anfälle, welche übrigens wesentlich durch Aetherinjectionen und Chloral gemildert wurden, wiederholten sich auch mehrmals in den folgenden 4 Tagen, in welchen auch die excessive Schwäche und die Anästhesie, letztere jedoch so, dass starker Druck empfunden wurde, persistirten Dass das Ensemble der Erscheinungen auf Contraction der peripheren Gefässe beruhte, glaubt D. aus der Kleinheit des Pulses und der Blässe der Haut schliessen zu können; die Secretionen waren durchgängig verändert, auch die Diurese, welche selbst durch grosse Mengen Kaffee nicht gesteigert wurde.

Ringer und Sainsbury (5) haben bei künstlicher Circulation in den Hinterextremitäten einer Schildkröte mit zerstörtem Hirn- und Rückenmark die Wirkung des Ergotins (in 8—10 proc. Lösung) auf die von den Nervencentra abgetrennten Gefässe in der Weise eintreten gesehen, dass zuerst Erweiterung, dann Contraction statthatte, welche bei Ersetzung der Ergotin- durch Salzlösung wieder einer Dilatation Platz machte.

Marckwald (6) hat unter Kronecker den Einfluss verschiedener käuflicher Mutterkornpräparate auf die Uteruscontractionen und den Blutdruck mittelst der Methode messender graphischer Aufzeichnung studirt und gefunden, dass das Ergotinin aus verschiedenen Bezugsquellen in keiner Form und Dosis bei trächtigen, puerperalen oder jungfräulichen Thieren Wirkung auf Grösse, Frequenz, Dauer oder Rhythmus der Gebärmutterzusammenziehungen hat, während es den Blutdruck durch Erregung des Gefässnervencentrums steigert, die Pulsfrequenz herabsetzt, die Athmung mässig retardirt und die Ausflussgeschwindigkeit (nach dem Verfahren von Kireef) eher beschleunigt als verzögert. Sclerotinsäure wirkt nach M. herabsetzend auf den Blutdruck und die Pulsfrequenz, bedingt constant enorme Verstärkung und Verlängerung der Uteruscontractionen, ohne jedoch Tetanus uteri zu erzeugen und retardirt die Ausflussgeschwindigkeit, scheint also als blutstillendes Mittel vor dem Mutterkornextract (Ergotin von Bonjean) Vorzüge zu besitzen, da dieses als Gemenge von Ergotinin und Sclerotinsäure zwar wohl Contractionen der Gebärmutter bedingt, aber die Ausflussgeschwindigkeit nicht alterirt, wie es auch eine constante Wirkung auf den Blutdruck nicht zeigt. Die durch Mutterkornpräparate bedingten Uterincontractionen sind von den Alterationen des Kreislaufes völlig unabhängig und stehen namentlich nicht mit Steigerung des Blutdruckes in Verbindung. In der gynäcologischen Praxis will M. das Ergotinum dialysatum zur Blutstillung zu 1,0—2,0 pro dosi und zur Beförderung der Resorption von Fibroiden in Dosen von 0,5 subcutan in einer stets frisch bereiteten Lösung mit 0,73 pCt. Kochsalzlösung, welche sogar weit weniger irritirend als destillirtes Wasser wirkt, angewendet wissen.

Kobert (7) ist durch mehrjährige Versuche über die activen Principien des Mutterkorns zu dem Resultate gelangt, dass als solche zwei Säuren, die er als Ergotinsäure und Sphacelinsäure bezeichnet, und eine von ihm Cornutin genannte Pflanbase anzusehen sind.

In chemischer Hinsicht ist die Ergotinsäure, welche den hauptsächlichsten Bestandtheil der chemisch keineswegs reinen Sclerotinsäure von Dragendorff bildet, als hygroscopisches leicht zusammenbackendes Pulver, das sich in Wasser mit saurer Reaction löst, in welcher Lösung Phosphorwolframsäure voluminösen Niederschlag giebt, characterisirt; sie ist stickstoffhaltig und glycosidisch, indem sie bei längerem Kochen mit verdünnter Salz- oder Schwefelsäure in rechtsdrehenden, kalische Kupferlösung reducirenden Zucker und eine durch Phosphorwolframsäure fällbare, physiologisch unwirksame Base zerfällt Die Darstellung der Ergotinsäure beruht auf ihrer Fällbarkeit durch ammoniacalischen Bleiessig; bei Versuchen der Reinigung mit Alcohol zersetzt sie sich leicht, wobei man ein schneeweisses, absolut unwirksames, colloides, dem Dextrin ähnliches Kohlehydrat, das übrigens vielleicht auch schon im Mutterkorn präformirt ist, und die erwähnte Base erhält. Auch Barythydrat, Alkalien und Säuren wirken leicht zersetzend. Die Ergotinsäure ist das einzige wirksame Princip in dem jetzt in Deutschland officinellen Mutterkornextract und ist in den meisten Specialitäten dieses Namens vorwiegend enthalten. Die Sphacelinsäure, deren Darstellung auf ihrer Unlöslichkeit in Wasser und ihrer Löslichkeft in Alcohol beruht, ist in verdünnten Säuren unlöslich, in Chloroform, Aether und fetten Oelen unlöslich, ist stickstofffrei und geht an der Luft leicht in eine unwirksame harzige Modification über; ihre Alkalisalze sind in Wasser löslich, in Alcoholäther unlöslich. Dieselbe ist im Ergotin von Wiggers und in verschiedenen als Mutterkornharz bezeichneten französischen Präparaten vorhanden, jedoch neben anderen Stoffen. Das Cornutin ist weder mit dem crystallisirten noch mit dem amorphen Ergotinin von Tanret identisch, löst sich leicht in Alcohol und wird aus alkalischen Lösungen von Essigäther aufgenommen. Sublimat fällt es in alkalischer Lösung; sein Hydrochlorat und Citrat lösen sich leicht in Wasser. In salzsaurer Lösung kann es stundenlang auf dem Wasserbade erhitzt werden, ohne dass die Wirkung abnimmt, was dagegen beim Erhitzen in alkalischer Lösung rasch der Fall ist. Das Ecbolin von Wenzell ist ein sehr verunreinigtes Cornutin; das Ergotinin von Tanret ist weit weniger löslich und ungiftig; doch scheint im Handel ein stark mit Cornutin verunreinigtes Präparat vorgekommen zu sein.

Die von Kobert ausgeführten physiologischen Versuche lassen die Ergotinsäure als an der medicinischen gefässverengernden und ecbolischen Wirkung unbetheiligt erscheinen und zeigen dieselbe als eine central die Motilität lähmende Substanz, welche durch Herabsetzung des vasomotorischen Centrums Sinken des Blutdrucks herbeiführt. Im Magen scheint dieselbe leicht zersetzt zu werden, da man intern weder acute noch chronische Vergiftung bei Warmblütern mit derselben herbeiführen kann, während die subcutane oder intravenöse Injection kleiner Mengen von ergotinsaurem Natrium stark toxisch ist. Gangrän wird durch Ergotinsäure nicht hervorgerufen.

Bei Fröschen cessirt die Athmung später als die Reflexerregbarkeit; die directe Erregbarkeit der Muskeln bleibt in der Lähmung bestehen, die noch nach 6 bis 8tägiger Dauer sich zurückbilden kann; Zuckungs- und Ermüdungscurven sind nicht verändert, ebenso wenig die Action des Herzens, auf das Helleboreïn und Muscarin wie in der Norm reagiren. Das Sinken des Blutdrucks kommt bei Thieren schon durch 0,01 intravenös zu Stande; complete Lähmung des vasomotorischen Centrums kommt nicht vor. Bei schwangeren Thieren bewirkten auch starke Dosen keine Uteruscontraction. Die Hirnfunction wurde erst nach Eintritt der Blutdrucksenkung alterirt.

Die Sphacelinsäure ist dasjenige Princip, welches Gangrän hervorruft, was in höchst characteristischer Weise bei acuter Vergiftung an Hähnen und und Schweinen auftritt, während bei Kaninchen, Meerschweinchen nnd Katzen dieselbe nicht zu Stande kommt (bei Kaninchen etc. auch nicht bei monatelanger Verfütterung kleiner Mengen). Ausserdem erzeugen toxische Dosen hochgradigen folliculären Catarrh der oberen Partien des Tractus und intensiven Darmkatarrh mit zahllosen, oft unter einander verschmolzenen Blutextravasaten, welche letzteren sich übrigens auch unter dem Pericardium, im Endocard und an den Anhängen der grossen Gefässstämme, häufig im subcutanen Bindegewebe und mesenterialen Fettgewebe, sowie in verschiedenen Organen, selbst im Uterus und in den Föten finden, endlich Ataxie der Bewegungen in höherem oder geringerem Grade.

Bei Hähnen tritt die Gangrän alsbald nach der Vergiftung an dem schwarz und trocken werdenden Kamme und an den Bartlappen, aber auch an der Zungenspitze, den Rändern des Gaumens und des Kehldeckels auf; doch kam es in einem Falle auch zu Abstossung der Flügel. Bei Schweinen bildeten sich Brandblasen an den Ohren und der Schnauze.

Die durch die Sphacelinsäure hervorgerufene Gangrän hat nach der von v. Recklinghausen vorgenommenen microscopischen Untersuchung ihren Ursprung in hyalinen Thrombosen der Arterienästchen, worauf auch die Ataxie zu beruhen scheint, da sich bei Hähnen analoge Veränderungen im Rückenmarke nachweisen liessen, und sind diese Thrombosen von heftiger und andauernder Contraction der Arterien um so eher herzuleiten, als nach weiteren Untersuchungen Kobert's bei Kaninchen intravenöse Injection starkes Steigen des Blutdruckes veranlasst, welches auf Erregung des vasomotorischen Centrums beruht und bei tiefer Chloralnarcose und bei durchschnittenem Halsmarke ausbleiben. Der Tod durch Sphacelinsäure erfolgt durch Lähmung der Athmung. Die Effecte der Säure schwächen sich bei Wiederholung der Dosen sehr bedeutend ab, so dass immer grössere Mengen nöthig werden.

Dass diese Wirkung der Sphacelinsäure nicht nur eine Erklärung für den Ergotismus gangränosus, sondern auch für einzelne in neueren Epidemien von Kriebelkrankheit gemachte Beobachtungen in Bezug auf Ataxia und Psychosen (Ber. 1882. II S. 96. 1883. I. S. 433) bilden, liegt auf der Hand. Das bei Kriebelkrankheit wahrgenommene Fehlen des Patellarreflexes hat K. auch an Schweinen constatirt.

Ganz andere Activität besitzt das Cornutin, welches als Citrat oder Hydrochlorat subcutan oder (in grösseren Dosen) auch intern toxische Wirkung äussert und bei Fröschen Muskelrigidität nach Art des Veratrins (mit Verlängerung der Zuckungscurven um das 15—100 fache) und grosse Disposition zu Krampfanfällen mit nachfolgender Lähmung der Medulla oblongata und spinalis bedingt und in sehr grossen Dosen gleich paralysirt, dagegen abweichend vom Veratrin die Herzaction nicht beeinträchtigt, auch keine Contraction der Gefässe in der Schleimhaut im Lähmungsstadium hervorruft. Bei Katzen und Hunden bedingen kleine Dosen (0,5 mg pr. Kilo) auffallende Störung des Wohlbefindens, starke Nausea, Erbrechen, Speichelfluss und Entleerung von Koth und Harn, bei etwas höheren Gaben hochgradige Steifigkeit der Beine, bei noch höheren klonische und tonische (epileptiforme) Krämpfe, in deren Pause starke Dyspnoe und Herabsetzung der Empfindlichkeit besteht; noch grössere Dosen bewirken respiratorischen Stillstand, während das Herz noch kräftig fortpulsirt. Sowohl bei diesen Thieren als bei Kaninchen rufen sie Unregelmässigkeit und Verlangsamung des Pulses in Folge von centraler Erregung des Vagus (auch bei curarisirten Thieren, nicht nach Vagusdurchschneidung) und beträchtliches Ansteigen des Blutdruckes (schon nach 0,5—0,1 mg intravenös) hervor, welches nach den physiologischen Versuchen auf einer Erregung des vasomotorischen Centrums beruht, die selbst noch zu Stande kommt, wenn Sphacelinsäure dieselbe nicht mehr hervorbringt. Bei Hähnen bedingt Cornutin ebenfalls Krämpfe und Tod, ruft aber keine Gangrän hervor.

Bei trächtigen und nicht trächtigen Thieren erregt Cornutin wellenförmige Bewegungen, die bei ersteren häufig nicht zur Ausstossung der Föten führen, niemals aber einen eigentlichen Tetanus uteri; auch ist es auf den isolirten Uterus bei künstlicher Circulation ohne jeden Einfluss. Es ist daher die Annahme Kobert's, dass die Sphacelinsäure als die die ekbolische Action des Mutterkorns bedingende Substanz anzusehen sein, als eine wahrscheinliche zu betrachten, während das Cornutin als das die convulsivische Form des Ergotismus bedingende Princip erscheint.

Eine Identität des Cornutins mit dem giftigen Picrosclerotin von Dragendorff glaubt Kobert in Abrede stellen zu müssen, da sich das Cornutin nur in frischem Mutterkorn findet, während Picrosclerotin erst mit der Zeit im Secale cornutum durch Abspaltung entsteht. Die Mutterkornfarbstoffe hat K. ganz wirkungslos gefunden.

In practischer Beziehung führen die Kobert'schen Untersuchungen zu dem Schlusse, dass Extracte, welche nur Ergotinsäure enthalten, für die Uterinbewegungen, zumal bei interner Anwendung, indifferent sein müssen, während diejenigen, welche Cornutin enthalten, wozu das weiter unten zu erwähnende Denzel'sche Extract gehört, da diese Base in minimalen Dosen pilocarpinähnlich wirkt, bessere, und diejenigen, welche auch die Sphacelinsäure enthalten, noch bessere Wirkung haben müssen. Von besonderer Wichtigkeit ist die Darstellung aus frischem Mutterkorn, da sowohl das Cornutin als die Sphacelinsäure in älterem Mutterkorn, und zwar auch im entölten, schwinden.

Der als Surrogat des Mutterkorns empfohlene Ustilago Maydis ist nach Versuchen von Kobert völlig unwirksam.

Die Angabe Luton's, dass zur Subcutaninjection sich Mutterkorntinctur besser als Bonjean'sches Ergotin eigne, zieht Stocquart (9) nach seinen Erfahrungen, wonach die Tinctur in 5 F. 3 mal sehr heftigen Schmerz und 1 mal Abscessbildung hervorrief, während schmerzhafte Phänomene beim Ergotin nie hervortraten, in Zweifel.

Als ein sehr gutes Mutterkornpräparat für geburtshilfliche und gynäcologische Zwecke empfiehlt Mauk (10) nach Versuchen in der Tübinger Klinik von Säxinger das Denzel'sche Extractum secalis cornuti, welches Ergotin, Ecbolin und Sclerotinsäure neben einander enthält und diesem Umstande seine Activität verdankt, da keiner der gedachten Stoffe für sich nach übereinstimmenden Versuchen von Säxinger, Fehling und Scanzoni wesentlich verstärkend auf die Uteruscontractionen wirkt. Das Extract, welches vor anderen auch den Vortheil besitzt, dass seine mit Glycerin versetzte Lösung monatelang nicht schimmelt, lässt sich intern (Extr. S. c. D. 2,0, Aq. Cinnam. 180,0. M. D. S. täglich 2 Essl.) als subcutan (Extr. S. c. Denz., Glycerin aa 2,5, Aq. dest. 5,0. D. S. ½ bis 1 Spritze zur Injection) verwenden und wirkt bei letzterer Anwendungsweise weniger irritirend als das officinelle Extract. Säxinger hat das neue Präparat als wehentreibendes Mittel bei Geburten und in der gynäcologischen Praxis bei interstitiellen und submucösen Fibromen, Polypen, bei mangelhafter puerperaler Involution, bei chronischer Hyperämie und Metritis, sowie bei Blutungen mit gutem Erfolge benutzt und längere Darreichung als völlig unschädlich gefunden.

2. Coniferae.

1) Stahlmann, Gerhard, Ueber die Wirkung des Oleum thujae und seine Bestandtheile. 8. 33 Ss. Göttingen. Diss. — 2) Bachmaier, J. (Kronstadt), Ueber die therapeutische Verwendung der Juniperuspräparate. Wien. med. Bl. No. 22, 25, 28. S. 679, 777, 875.

Ueber die von Jahns dargestellten Bestandtheile des ätherischen Oeles von Thuja occidentalis im Göttinger pharmacologischen Institute angestellten Versuche von Stahlmann (1) lassen das darin zu 60—70 pCt. enthaltene sauerstoffhaltige Oel (Thujol), $C_{10}H_{16}O$, als am stärksten wirkend erscheinen, und zwar ist der bei 197 bis 199° siedende rechtsdrehende Antheil giftiger als der bei 195° siedende linksdrehende. Beide bewirken bei Kaninchen und Hunden in toxischen Dosen heftigen Tetanus mit nachfolgenden clonischen Krämpfen, welche beim linksdrehenden Thujol schwächer sind, Speichelfluss, Mydriasis und vermehrte Darmperistaltik. Die vermuthlich von Reizung der Krampfcentren im verlängerten Marke abhängigen Krämpfe treten auch nach täglicher Injection kleiner Mengen in einiger Zeit plötzlich auf, so dass dem Thujol, dessen stärkere Art schon zu 0,3 subcutan bei Kaninchen letal wirkt, cumulative Action zukommt. Ausserdem bedingt Thujol bei Warmblütern Beschleunigung der Respiration bei Erniedrigung der Körpertemperatur und Erhöhung des Blutdrucks (auch bei Ausschliessung der Krämpfe durch Curare); die Pulsfrequenz ist variabel, unmittelbar vor dem Krampfanfalle gewöhnlich gesteigert. Bei Fröschen sistirt Thujol die Athmung und bewirkt allgemeine Lähmung, das Herz nach Art des Camphers beeinflussend. Bei epidermatischer Application wirkt sowohl das Thujol als das zu etwa 10 pCt. im Thujaöle enthaltene Terpen, $C_{10}H_{16}$, irritirend, letzteres vielleicht etwas langsamer; auch treten nach grösseren Dosen sowohl bei subcutaner als bei interner Anwendung in den inneren Organen entzündliche Erscheinungen auf. Das Terpen wirkt auf Kaltblüter dem Thujol analog und setzt in Dosen von 0,5 die Temperatur bei Warmblütern herab; grössere Dosen vermindern Puls- und Athemfrequenz, bewirken Schwerfälligkeit der Körperbewegungen und tödten durch respiratorische Lähmung. Die durch Campher bewirkten Krämpfe werden durch toxische Dosen des Thujaterpens aufgehoben.

Bachmaier (2) glaubt bei Compensationsstörungen sowohl Digitalis als Coffëin durch 15—18 grädigen Wachholderschnaps, zu 3,0—10,0 2—3 mal täglich nach der Mahlzeit verabreicht, völlig ersetzbar; doch muss das Getränk fuselfrei und aus der Maische bereitet sein. Analoge günstige Effecte hat ihm auch der Genuss von Wachholderbeeren selbst zu 15—30 Stück pro die gegeben; doch ist stets eine „alkalische" Diät zu beobachten.

3. Dioscoreae.

Coutagne, Henry, Note sur un cas d'empoisonnement par les fruits du taminier. Lyon méd. No. 25. p. 239.

Coutagne richtet die Aufmerksamkeit auf eine bisher unbeachtete Giftpflanze, Tamus communis, deren Beeren in den Gedärmen eines unter verdächtigen Umständen gestorbenen 12jährigen Mädchen gefunden wurden, und deren Saft, ebenso wie daraus bereitete Tincturen, bei Fröschen, Meerschweinchen und Hunden, theils bei subcutaner, theils bei interner Einführung, Intoxicationserscheinungen hervorriefen, welche der Pflanze eher eine Stellung unter den Neurotica, als unter den Drastica zuweisen, zu welchen einzelne Autoren sie stellen. Ob die Angabe von Mairet, wonach 5 Kinder im Jura nach dem Genusse dieser Beeren an Coliken und Durchfall schwer erkrankten, sich auf Tamus bezieht, bleibt danach fraglich.

4. Liliaceae.

1) Horwitz, Lloyd N., An interesting case of poisoning from Veratrum viride. Philad. medic. Times. Aug. 23. p. 863. (Schwerer Collaps mit Prominenz der Bulbi und Pupillencontraction in der Typhusreconvalescenz durch 1 Theelöffel Tinct. Veratri viridis.) — 2) Werner (Markgröningen), Vergiftung mit unreifem Samen der Herbstzeitlose. Württemb. Corr.-Bl. No. 34. S. 269. (Tod bei einem 4 Jahre alten Knaben in circa 25 Stunden nach choleriformen Erscheinungen eintretend; Wadenkrämpfe; Puls klein, äusserst frequent; Magen und Dünndarm bei der Section nicht entzündet, Dickdarm nicht untersucht.) — 3) Leubuscher, G., Physiologische und therapeutische Wirkungen des Convallamarin. (Aus dem Laboratorium der medic. Klinik

in Jena). Zeitschr. für klin. Medicin. Bd. VII. H. 6. S. 581. — 4) Reboul, Charles, Le Convallaria maïalis; son action physiologique sur le coeur. Lyon. méd. 37, 38. p. 35, 71. — 5) Roberts, Frederick T., A case illustrating the beneficial effects of Convallaria. Practitioner. Vol. XXXII. p. 215. (Sehr günstige Wirkung bei Mitralisstenose mit Hydrops.)

Durchaus negative Effecte bei der therapeutischen Anwendung des Convallamarin erhielt Leubuscher (3), der weder bei Gesunden, noch bei Kranken nach Gaben bis zu 0,1 subcutan wesentliche Veränderungen des Pulses constatirte, bei zwei an Myocarditis Erkrankten nach 0,01 Sinken der Pulsfrequenz um ca. 10 Schläge beobachtete; während 0,02 bei an Mitralisinsufficienz Leidenden neben der Pulsfrequenz auch den Blutdruck stark herabsetzte. Bei Hydrops und Herzleiden wurden selbst durch Dosen von 0,06 und bei Tagesgaben von 1,0 keinerlei Besserung oder Erhöhung des Blutdrucks beobachtet, welche Digitalis bei den nämlichen Kranken hervorrief. In 3 Fällen schien C. Diarrhoe zu bewirken. Das von L. benutzte Präparat erwies sich in Thierversuchen als energisches Herzgift, das die Herzschläge bis zum Tode verlangsamte, die Erregbarkeit der Vagi anfangs steigerte und später aufhob, die Athmung und Reflexerregung nicht wesentlich beeinflusste und den Blutdruck in mittleren und letalen Gaben nicht steigerte, sondern bis zum Tode fortschreitend herabsetzte.

Nach Reboul (4) tritt Rigidität des Herzmuskels und sog. systolischer Herzstillstand nur nach sehr grossen Dosen Convallariaextract ein, während kleine Dosen nur verlangsamend auf die Herzaction wirken und der Herzstillstand in Diastole stattfindet; die Herzverlangsamung wird nicht durch Vagussection, wohl aber durch (Lähmung der intracardialen Hemmungscentren) Atropin alterirt, wodurch sie beim Frosche verringert und beim Hunde vollständig verhütet wird. Mittlere Dosen können vorübergehende Rigidität des Herzmuskels und schliesslichen diastolischen Herzstillstand zur Folge haben.

5. Gramineae.

Lussana, Filippo und Francesco Ciotto, Sugli alcaloidi del maiz guasto. Gazz. med. Ital. Lombardia. No. 9, 10, 11, 12, 13, 14, 16, 17, 18, 24, 25, 26, 27, 28, 29. p. 82, 95, 105, 122, 126, 149, 167, 173, 196, 243, 263, 272, 283, 295.

Lussana und Ciotto haben aufs Neue die Producte des verdorbenen Mais zum Zwecke der Beleuchtung der Aetiologie des Pellagra physiologisch und chemisch untersucht, ohne zu einem anderen als ihrem früheren Resultate zu gelangen, dass der verdorbene Mais nicht die Ursache der genannten Affection sei, sondern höchstens eine mitwirkende Ursache, insofern das Verderben des Mais den Nährwerth verringert und ungenügende Nahrung, ähnlich wie die ländliche Arbeit und die Heredität, das Auftreten des Pellagra begünstigen, welches die Verfasser als eine specifische Krankheit der „lateinischen Race", gegen die die Juden in Italien eine Immunität besitzen sollen, betrachten. Von dem verdorbenen Mais (maiz guasto, worunter sie nur den durch Milchsäuregährung und Schimmelbildung sauer gewordenen Mais verstehen, während sie den „maiz corrotto", bei dem es sich um Fäulniss der Proteïnstoffe handelt, davon völlig trennen) führen sie an, dass dieser in einem gerichtlich verhandelten Falle, wo derselbe nachweislich längere Zeit genossen war, zwar bitteren Geschmack, Brennen im Munde, Schlunde und Magen, Aufstossen und Diarrhoe, wie dies auch andere der Milchsäuregährung unterlegene Speisen thun, aber nicht die nervösen Erscheinungen des Pellagra hervorgerufen habe. Wenn Lussana und Ciotto sämmtliche Extracte aus maiz guasto ungiftig oder nur local wirkend fanden, so hat dies den gegensätzlichen Ergebnissen der Versuche, welche Lombroso und in Gemeinschaft mit Ref. Cortes früher mit analogen Producten anstellten, gegenüber seinen Grund offenbar darin, dass die letzteren aus einem anderen Zersetzungsstadium stammten als Lussana's Extracte. Dass übrigens im maiz guasto eine Substanz mit Alkaloidreactionen vorhanden ist, hat auch Ciotto neuerdings gefunden, doch hält er die Möglichkeit für gegeben, dass dieselbe auch im gesunden Welschkorn vorkomme, und ausserdem war sie einerseits nur in äusserst geringer Menge vorhanden, und andererseits zeigte sie in Dosen, welche die letalen Strychningaben bei Meerschweinchen um das Zehnfache übersteigen, keine toxische Action.

6. Cannabineae.

Pusinelli (Dresden), Gerbsaures Cannabin als Hypnoticum. Berl. klin. Wochenschr. No. 1. S. 7.

Pusinelli bezeichnet Cannabinum tannicum als ein nicht zu unterschätzendes Hypnoticum, das ihm in Dosen von 0,3—1,0 bei nervöser und andere Krankheiten begleitender Insomnie in mehr als der Hälfte der Fälle gute Dienste leistete, dagegen in kleinen Gaben (0,1—0,3) wirkungslos blieb oder selbst Aufregung erzeugte. Die besten Effecte gab es bei beginnender Paralyse, bei Schlaflosigkeit nach Apoplexie und bei Phthisikern, wo es Nachtschweisse, Fieber und Husten jedoch nicht verminderte; weniger günstig wirkte es bei hysterischer Agrypnie, gut bei Insomnie in Folge schmerzhafter Leiden, nicht bei Klappenfehlern mit hochgradigen Compensationsstörungen. Erbrechen kam in 5 Fällen unter 63, Trockenheit im Halse in 2 Fällen als Nebenerscheinung vor.

7. Ericaceae.

1) Paschkis, H., Ueber die arzneiliche Wirkung des Arbutins und der Folia uvae ursi. Wien. med. Presse. No. 13. S. 396. — 2) Feibes, Ernst, Ueber das Schicksal des Arbutins im menschlichen Organismus. 8. 23 Ss. Diss. Würzburg.

Die auf die Anwendung des Arbutins bei Cystitis gesetzten Erwartungen (vgl. Ber. 1883. I. S. 438) sind nach Paschkis (1) und Feibes (2) aussichtslos, jedenfalls steht dieselbe der örtlichen Spülung bedeutend nach und kann nicht auf Hydrochinon bezogen werden.

In den von Paschkis unternommenen therapeutischen Versuchen, in welchen der Harn nach grösseren Dosen entschiedene Zunahme der Aetherschwefelsäure zeigte, erfolgte selbst nach 3 Gaben von 3,0 Arbutin keine Steigerung der Diurese, wohl aber nach trockenem Bärentraubenextract zu 1,0 mehrmals täglich.

Feibes (2), der unter Kunkel im Würzburger pharmacologischen Institute Versuche über die Veränderungen des Arbutins im Thierkörper anstellte, stellt eine wesentliche Desinfection bei Cystitis durch im Körper sich abspaltendes Hydrochinon um so mehr in Abrede, als der Harn nicht Hydrochinon, sondern Hydrochinonschwefelsäure resp. deren Salz enthält, und auch dieses nach Einzeldosen von 5,0—9,0 nur in wenigen Centigrammen, welche gar nicht von einer Zersetzung resorbirten Arbutins herzurühren brauchen, da frischer Magensaft schon in sehr kurzer Zeit die Spaltung des Arbutins bedingt, welche Speichel und verdünnte Salzsäure erst weit später zu Wege bringen. Der grösste Theil des eingenommenen Arbutins findet sich im Harn als solches wieder und muss, wo das Mittel antiseptisch bei Blasenleiden wirkt, als die Ursache dieser Action angesehen werden, da Zusatz von Arbutin zu Harn dessen Fäulniss wenn auch nicht aufhebt, doch retardirt und abschwächt.

8. Solaneae.

1) Jackson, J. H., Case of Belladonna poisoning. Lancet. Febr. 23. (Vergiftung eines 39jährigen Mannes mit 1 Unze Linimentum Belladonnae; Brechmittel, 30 Tr. Opiumtinctur und 1/4 Gran Morphin subcutan, die den Lauf der Vergiftung nicht modificirten; das Bewusstsein kehrte erst nach 23 Stunden wieder.) — 2) Masse, Empoisonnement par une infusion de feuilles de belladone. Bull. gén. de Thér. Mai 15. p. 385. (Vergiftung durch die Hälfte einer Abkochung von 7,0 trockener Belladonnablätter, welche statt Folia cichorii dispensirt waren; Morphininjection brachte vorübergehenden Schlaf hervor, doch traten später wieder Delirien ein; Genesung.) — 3) Fleming, Mart. J. (New-York), Case of belladonna poisoning resulting from the application of a belladonna plaster. New-York med. Rec. Jan. 19. p. 68. (Delirien und Hallucinationen; das Pflaster war am Nacken auf einer vorher mit irritirendem Liniment behandelten und theilweise excoriirten Stelle applicirt.) — 4) Swetlin, W. (Wien), Tobsucht durch Belladonnaintoxication; Heilung. Wien. med. Blätter. No. 38. S. 1192. (Ohne Bedeutung.) — 5) Feddersen, Inguer Meinhard, Beiträge zur Atropinvergiftung. Aus dem Laboratorium der pharmacologischen Sammlung in Kiel. Diss. 8. 42 Ss. Berlin. — 6) Shapiro, Heinr. (Petersburg), Wirkung des Atropins auf die Leistung des Herzens. (Aus der speciell physiol. Abth. des physiol. Instituts zu Berlin.) Centralbl. für die med. Wiss. No. 33. S 378. — 7) Hutchinson, Jonathan, Extract from a clinical lecture on tobacco poisoning. Med. Times and Gaz. Jan. 12. p 40. (Fall von Tabaksamblyopie bei einem englischen Arzte, zuerst nach deutschem Tabak aufgetreten, nach dem reichlichen Genusse von Champagner wesentlich gebessert und nach längerem Gebrauche von Opium geheilt.) — 8) Treymann, M., Zur chronischen Nicotinvergiftung. Berl. klin. Wochenschr. No. 43. S. 687.

Zur Statistik der Atropinvergiftung bringt Feddersen (5), der selbst eine leichte Intoxication nach Application eines erbsengrossen Quantums 30proc. Atropinsalbe an eine in Folge von Prurigo stark zerkratzte Hautpartie beobachtete, Zusammenstellungen aus der Literatur, wonach auf 103 Vergiftungsfälle 12 Todesfälle (Mortalität 11,7 pCt) kommen, und die zufällige Intoxication (84, davon 41 medicinale und 43 öconomische) die absichtliche (19, davon 10 Selbstmordfälle) bedeutend überwiegt. In 86 Fällen gab Lösung des Alkaloides oder seines Sulfats, die in 43 Fällen sicher (wahrscheinlich aber in 78) in Collyrien verordnet war, in 5 Fällen Pulver, in 7 Fällen Pillen, in 1 Fall Atropinsyrup, in 2 Fällen Salbe, 1 Mal Liniment, 1 Mal Suppositorien zur Vergiftung Anlass. Die Frequenz der Atropinvergiftung ist bedeutend gestiegen (von 1850—1859 6 Fälle, 1860—1869 41 Fälle, 1870—1879 36 Fälle, 1880 bis 1882 19 Fälle). Zur Verhütung einer weiteren Steigerung und zur Beschränkung der Intoxication hält F. es für besonders angezeigt, die für Collyrien zu verordnende Menge Atropin auf das absolut nothwendige Maass zu reduciren. Bezüglich der Minimummenge, welche beim Menschen zur Pupillenerweiterung führt, constatirte F. bei an 76 Personen angestellten Versuchen, dass im günstigsten Falle 0,00008 mg ausreichen, die bei einzelnen Personen, vermuthlich reflectorisch, Pupillenverengerung erzeugen, bei den meisten gar nicht wirken, dass aber 0,0002 mg überall Mydriasis bedingt, welche, in 38 Minuten eintretend, in 62 Minuten ihren Höhepunkt erreicht und in 20 Stunden verschwindet. Zu diagnostischen Zwecken, wo die Reaction auf Lichtreiz und die Accommodation aufgehoben werden soll, fand F. 0,001—0,002 Atropin ausreichend, wobei die Wirkung in 7 Minuten beginnt, in 40—50 Minuten ihr Maximum erreicht und nach 30—34 Stunden fast vollkommen verschwunden ist.

Nach Shapiro (6) ist die Einwirkung des Atropins auf den Umfang der Herzcontractionen von der Temperatur abhängig, indem dieselben bei Temperaturen über 15° verringert werden, bei 7—8° zunehmen. Bei Durchleitungsversuchen sinkt die Leistungsfähigkeit des Herzens schneller unter Atropin als unter blosser Kochsalzlösung, und wirkt das Atropin in dieser Beziehung (durch Herabsetzung des Tonus der Nährspalten im Herzen) gleich wie erhöhte Temperatur, mit welcher auch ein Parallelismus der Wirkung in Bezug auf die Beeinflussung der Nervi vagi existirt, deren Reizung bei erhöhter Temperatur abnimmt, wozu bei Warmblütern höhere Grade als bei Kaltblütern erforderlich sind. Die Ermüdung des Herzens erfolgt durch Atropin auch schneller, wenn das Herz in ein mit Kohlensäure gesättigtes Bad eingesetzt wird (Ermüdung des Herzmuskels). Auch Warmblüterherzen, deren Vagi durchtrennt wurden, scheinen die Asphyxie nicht so lange während Atropinvergiftung zu vertragen, wie vor und nach derselben. Atropinisirte Schildkrötenherzen verfallen beim Durchspülen mit schwach alkalischer Kochsalzlösung in tonische Contraction. Die abgeklemmte Herzspitze von Fröschen und Schildkröten machen unter dem Einflusse von Atropin und erhöhter Temperatur häufig Reihen selbstständiger Pulse.

Treymann (8) will viele Fälle von sog. nervösem Asthma als chronische Nicotinvergiftung aufgefasst wissen und hatte an sich selbst Gelegenheit, vasomotorischen Schnupfen und Bronchialcatarrh mit Dyspnoe aus derselben Ursache zu beobachten, der nach dem 6 Jahre fortgesetzten Rauchen von 6—8 grossen starken Cigarren allmorgendlich auftrat, nach dem Aufgeben des Rauchens fortblieb und bei Wiederaufnahme desselben mit starkem Hautjucken auf Brust und Rücken und Gürtelgefühl, trockenem Husten und exspiratorischer Dyspnoe sich wiedereinstellte.

9. Scrophularineae.

1) Kogerer, Th. R. v., Zur Indicationsstellung der Digitalis. Wien. med. Presse. No. 9, 10, 11. S. 265, 297, 329. (Aus der Nothnagel'schen Klinik zu Wien.) — 2) Nickles, S., Digitalis, its physiological action. Amer Journ. of med. Sc. Oct. p 410. (Räsonnement.) — 3) Brunton, Lauder T. and J. Theodore Cash, On the alterations in the action of digitalis produced by febrile temperature. Practitioner. Vol XXXIII. p. 272. — 4) Fahrenheim, H. (Königsberg), Ueber Ersatzmittel der Digitalis. Arch. für klin. Med. Bd. XXXVI. S. 84. — 5) Rogers, Herbert C. (Brooklyn), The use of manaca (Franciscea uniflora) in the treatment of acute rheumatism. Boston med. and surg Journ. Dec. 4. p. 532. (Nicht abgeschlossen)

Kogerer (1) gelangt in Anknüpfung an einen Fall, in welchem nach der Empfehlung Leube's zur Verhütung von Urämie Digitalis zweimal bei Steigerung des Blutdrucks gegeben wurde, das erste Mal ohne Schaden, aber auch ohne jede diuretische Action, das zweite Mal mit dem Resultat, dass am 5 Tage heftige Urämie mit letalem Effecte, Hirnanämie und Hirnödem eintrat, zu dem Satze, dass das nach Traube Digitalis indicirende Moment, die Herabsetzung des Blutdruckes, festzuhalten sei und dass bei abnorm hoher Spannung im Aortensystem im Verlaufe der Nephritis der streng gerechtfertigte therapeutische Weg in Anregung der Diaphorese (Pilocarpin, Einwickelungen), event. Anregung der Darmsecretion, und beim geringsten Sinken der Herzkraft je nach Dringlichkeit in Anwendung von Digitalis oder Excitantien (Aether, Campher) bestehe. Dass die Möglichkeit der Entstehung von Hirnödem durch weitere künstliche Steigerung bestehenden hohen arteriellen Drucks bei wässeriger Blutbeschaffenheit vorliegt, ist wohl ausser Zweifel.

Brunton und Cash (3) zeigen experimentell, dass die wiederholt constatirte Unwirksamkeit der Digitalis bei sehr hohen Körpertemperaturen auf einer durch die Hitze bedingten hochgradigen Herabsetzung der Hemmungswirkung des Vaguscentrum beruht.

Bei Katzen und allen Thieren, deren Vaguscentrum bedeutenden hemmenden Einfluss auf die Herzbewegung ausübt, steigt die Pulsfrequenz mit Zunahme der Körpertemperatur in nicht so constanter Weise wie bei Thieren mit schwachem Vaguscentrum (Kaninchen); über einem gewissen Grade, meist zwischen 40,5 und 42°, erfolgt weitere Steigerung durch Lähmung der peripheren Vagusendigungen und des Centrums. Die Lähmung des letzteren erfolgt früher, ist aber selbst bei 46° nicht so complet, dass nicht auch starke electrische Reizung des centralen Endes eines durchschnittenen Vagus Herzverlangsamung bedingte, welche auf schwache Reize, zu denen Digitalis zu zählen ist, nicht eintritt.

Von Ersatzmitteln der Digitalis sind nach Falkenheim (4) auf der Königsberger medicinischen Klinik sowohl die Convallaria majalis als das Helleboreïn mit häufig gutem Erfolge bei Herzfehlern mit Compensationsstörungen in Gebrauch gezogen, doch schien derselbe bei Convallaria, welche sonst die Verdauung weniger als Digitalis beeinträchtigte, nicht mit derselben Sicherheit einzutreten und beim Helleboreïn wurde bei den zur Erzielung der Wirkung nothwendigen grossen Dosen die Brauchbarkeit durch eintretende Durchfälle sehr beeinträchtigt. Von Convallaria dienten von den Stielen sorgfältig befreite deutsche Flores Convallariae, die dadurch quantitativ der aus Russland bezogenen Droge gleichwerthig wurden, in Aufgüssen von 10,0 : 200,0 2stdl. 1 Esslöffel mit Zusatz von 20,0 Mucil. Salep zur Verhütung von Diarrhöen und konnten davon 5, selbst 7 Flaschen in 14 Tagen verbraucht werden, ohne dass cumulative Wirkung eintrat. In 1 Falle erfolgte schon nach 2 Esslöffeln gesteigerte Diurese. Helleboreïn wurde zu 0,04—0,1 in Pillen administrirt.

10. Labiatae.

Campardon, Du Thym. Ses propriétés thérapeutiques. Bull. gén. du Thérap. Deb. 15, 30. p. 491, 551.

Campardon empfiehlt Oleum Thymi als Excitans in Fällen von Chlorose mit Depressionserscheinungen und bei Erschöpfungszuständen durch deprimirende psychische Affecte, als Diaphoreticum und Diureticum bei fixem Muskelrheumatismus, auch bei Dermalgien und Neuralgien, als die Schleimabsonderung beschränkendes Medicament in der catarrhalischen (nicht in der entzündlichen, wo es geradezu verschlimmernd wirkt) Periode von Affectionen der Bronchien, der Urethra, Blase und Scheide, endlich als blutstillendes Mittel bei passiven Hämorrhagien. Bei chronischem Tripper und Nachtripper bewährte es sich sogar in Fällen, wo Copaiva und Sadeöl nichts genutzt hatte, während es bei acuter Gonorrhoe das Leiden verschlimmerte. Das Mittel wird innerlich in Pillenform (Olei Thymi, Sapon. amygdal. aa, Pulv. Alth. q. s.) gegeben, wobei man anfangs 2 Mal täglich vor der Mahlzeit 0,1 und allmälig, bei Chlorose und Rheuma jedoch nicht über 0,6 pro die, bei Urethralblennorrhoe selbst auf 1,5 im Tage steigen kann und selbst während der Regeln nicht auszusetzen braucht. Die Heilwirkung wird durch äusseren Gebrauch, bei Rheuma durch Räucherungen und Frictionen mit dem Oel, bei Urogenitalcatarrhen durch Injectionen, wozu von einer aus Oleum Thymi 5,0, Tinctura Quillajae 20,0 und Spir. Vini 80,0 bestehenden Mischung ein Kaffeelöffel voll zu 250,0 Aq. gesetzt wird. Dieselbe Mischung dient auch zu Mundwässern bei Fötidität des Athems und zu Lotionen bei Pruritus vaginae und gangränösen Wunden. Als belebendes Mittel rühmt C. auch die schon früher von Aran, Guyon und Topinard (1867) empfohlenen Thymianölbäder, die jedoch nicht bis zum Eintreten von Dermatitis gegeben zu werden brauchen und wozu C. 2,0 benutzt, welche Tags zuvor in einer Flasche mit 250,0—300,0 Natriumcarbonat stehen gelassen werden. Der stimulirende Effect interner Dosen auf Puls, Gemüthsstimmung, Appetit und Diurese zeigt sich nach 4—8tägigem Gebrauche von 0,2—0,3; bei höheren Gaben kommt leichte Roseola und trockener Husten mit Röthung der Larynxschleimhaut mitunter vor, weitere Steigerung stört die Digestion. Der Harn nimmt schwachen Veilchengeruch an.

11. Oleaceae.

1) Bernabei, C., Su che può essere fondata la pretesa efficacia dell' olio d' oliva nel trattamento interno della colelitiasi. Riv. di Chim. med. e farm. p. 297. (Glaubt, dass das angebliche Abgehen von Gallensteinen nach Olivenöl auf Verwechselung mit den bekanntlich bei längerem Gebrauche constanten Fettconcrementen beruhe.) — 2) Shoemaker, John V. (Philadelphia), Oleates, further investigations into their nature and action. Introduction to a discussion in the Section of Pharmacology and Therapeutics of the British Medical Association. Brit. med. Journal. Oct. 18. p. 749.

Shoemaker (2) bemerkte nach fortgesetztem Gebrauche im Philadelphia-Hospital for Skin-Diseases, dass die durch Wechselzersetzung von chemisch reinem ölsaurem Natrium mit verschiedenen Metall- oder Alkaloidsalzen erhaltenen reinen Oleate weit höheren therapeutischen Werth besitzen als die mit der, nicht angemessen zu reinigenden unreinen Oelsäure des Handels dargestellten, von denen übrigens die meisten käuflichen Alkaloidoleate nicht wirkliche Verbindungen, sondern Lösungen darstellen, aus denen das Alkaloid sich wieder ausscheidet. S. bestreitet nach Thierversuchen die Resorption der meisten in die Haut eingeriebenen ölsauren Verbindungen (Chinin, Strychnin, Aconitin, Zink, Kupfer, Quecksilberoxyd) und sieht als den Grund ihrer vorzüglicheren Wirksamkeit bei verschiedenen Hautaffectionen der Umstand an, dass sie sich in fettigem Vehikel lösen und in die Drüsen und Follikel eindringen, was bei den fraglichen Oxyden und Basen nicht der Fall ist. Nur dem Quecksilberoxyduloleat concedirt S. Resorptionswirkung, indem dasselbe leicht seinen Metallcomponenten abgiebt und durch Bildung anderer Salze (oder Freiwerden von Hg? Ref.) entfernte Quecksilberwirkung veranlasst. Das Eindringen in die Drüsen und Follikel erklärt besonders den grossen Heileffect bei Trichophytosis und Dermatophytosis, wie sich z. B. das Kupferoleat mit 4—9 Theilen Fett zusammengeschmolzen bei Pityriasis versicolor, Alopecia areata und bei Favus, hier ohne Epilation, bewährt. Einzelne Oleate, wie Silberoleat, können auch in Pulverform bei Excoriationen und Ulcerationen, um durch Eiweisscoagulation protectiv zu wirken, angewendet werden; doch empfiehlt es sich für die meisten, dieselben, und zwar bei möglichst niedriger Temperatur im Wasserbade, mit Fett zusammenzuschmelzen. Vaselin und ähnliche Producte sind zu vermeiden, da sie das Eindringen in die Haut erschweren, wovon sich S. auch bei irritirenden Salben, z. B. Veratrinsalbe, überzeugt hat. Auch die harten Oleate lassen sich durch Zusatz von wenig Oelsäure für die Salbenform geeignet machen.

Von den einzelnen Oleaten empfiehlt S. das Aluminium oleïnicum als Stypticum, Antisepticum und secretionsbeschränkendes Mittel, besonders bei den mucös-purulenten Exsudationen bei Dermatitis und Ekzem, bei übermässigen und fötiden Schweissen, auch als deckendes Verbandmittel bei übelriechenden Geschwüren, Brandschäden, Abscessen u. s. w. Arsenoleat passt bei ulcerirenden Epitheliomen, wo es länger als andere Arsenikformen tolerirt wird, und bei Lupus, wo es verhältnissmässig mild und schmerzlos ätzt; doch tritt die cauterisirende Wirkung nur nach zuvoriger Entfernung der Oberhaut ein. Schwache Salben (1 : 10) erwiesen sich auch bei Sykosis, Seborrhoe und in einigen Formen von Ekzem von Werth. Wismutoleat wirkt erweichend und schwach adstringirend und leistet, leicht aufgestrichen, bei allen pustulösen Hautausschlägen, auch bei Sykosis, Erysipelas und Insolation, gute Dienste; es bewährt sich bei den hartnäckigsten Formen von Acne nach zuvorigem Anstechen mit einer Nadel, bei acutem Ekzem und wunden Brustwarzen. Kupferoleat wirkt, von den schon erwähnten Mykosen abgesehen, auch bei indolenten Geschwüren und hartnäckigen Granulationen günstig; ebenso bei Sommersprossen und in Pflasterform bei Schwielen und Hühneraugen. Cadmiumoleat, dem starke stimulirende Wirkungen beigelegt werden, wendet S. bei scrophulösen Drüsentumoren, alten Geschwüren, chronischem Ekzem mit bedeutender Infiltration und wuchernden Granulationen an. Eisenoleat bewährte sich bei entzündlichen Formen von acutem Ekzem mit stark gerötheter und blutender Oberfläche als Adstringens und Stypticum, gab indess als internes Eisenpräparat und in die Haut eingerieben keine Erfolge bei Chlorose, während es bei pustulösen Hautaffectionen durch Arsenik Günstiges zu leisten schien. Salben aus Nickeloleat (1 : 25—100) erwiesen sich mitunter sehr nützlich bei ulcerirenden Epitheliomen, wuchernden Granulationen, alten callösen Geschwüren und chronischem Ekzem mit starker Infiltration und Induration. Bleioleat bildet mit ana Axungia zusammengeschmolzen ein leicht darstellbares Cerat, welches Hebra's Ungt. Lithargyri überall ersetzen kann und in vielen Formen von Ekzem von grösstem Nutzen ist, namentlich bei papulärem Eczem und Eczem an den Beugeflächen der Gelenke, am Perineum, in der Axilla und an der Fusssohle und Handfläche, bei pustulösem Eczem der Kinder, ferner bei Acne und A. rosacea, sowie bei indurirten Papeln. Chininoleat gab auch bei Inunction in grossen Mengen bei Intermittens keine Heilwirkung, Morphinoleat nur sehr unbedeutenden localen schmerzlindernden Effect. Silberoleat hat in Pulverform aufgestreut erheblichen Nutzen bei schlechten Geschwüren, Decubitus und wuchernden Granulationen, und giebt nach Zusatz von Oelsäure mit 8—100 Th. Schmalz zusammengeschmolzen, eine Salbe, welche bei Erysipel dessen Ausbreitung hemmt, bei oberflächlichem Lupus die Zellinfiltration vermindert, bei Furunkeln und Carbunkeln frühzeitig angewendet, die Pustulation verhindert und ganz vorzügliche Dienste bei Eczema ani et pudendorum leistet. Zinnoleat wirkt in Salbenform (1 : 8—50) bei papulösem Eczem und bei Affectionen der Nägel, für welche es auch als Cosmeticum dienen kann. Zinkoleat, ein feines, talkähnlich anzufühlendes Pulver, bewährt sich als Streupulver bei Hyperidrosis und fötiden localen Schweissen, bei vesiculärem Eczem, bei Seborrhoe, bei Erythemen, Herpes und Zona, in Salbenform auch bei Acne rosacea. Quecksilberoxydoleat, eine gelbliche schmierige Masse, kann als Alterans bei Tumoren, Drüsenanschwellungen, Induration und Verdickung der Haut, besonders auch bei veraltetem Eczem mit starker Infiltration, ferner bei hartnäckigen Geschwüren, indolenten Papeln und Tuberkeln, bei den mit Abscessen einhergehenden Infiltrationen, Entzündung der Barthaarfollikel, auch bei Sclerodermie gebraucht werden, beseitigt thierische Ectoparasiten und deren Eier und ist in Bezug auf phytoparasitäre Affectionen dem Kupferoleat gleichwerthig. Analog lässt sich auch das Quecksilberoxyduloleat verwenden, welches übrigens $1^1/_2$ mal mehr Quecksilber enthält und sich bei alten Psoriasisplaques und chronischem Eczem der Handfläche und Fusssohle bewährt, auch constitutionelle Effecte giebt und so zu Inunctionscuren verwendbar ist, wo es die graue Salbe durch Wohlfeilheit und Reinlichkeit der Anwendung übertrifft.

12. Loganiaceae.

1) Ogilvie, Leslie, A case of strychnia poisoning. Brit med. Journ. June 28. p. 1251. (Tod eines 72 j. Mannes $2^1/_2$ Std. nach dem Einnehmen eines Strychninpulvers, dessen toxische Wirkung in Folge starker Füllung des Magens erst nach 1 Std. eintrat; im Mageninhalt Strychnin nachgewiesen; Rigidität der Muskeln noch bei fortgeschrittener Fäulniss; im Herzen keine Gerinnsel; Brustmusculatur sehr blass, Lungen hyperämisch). — 2) Truman, Edgar Beckit (Nottingham), Accidental poisoning by strychnia. Lancet. Aug. 2. p. 189. (Tödtliche Vergiftung eines 10 jährigen Kindes durch Epsom Salt, welches mit Strychnin, — ob unabsichtlich in der Drogenhandlung oder absichtlich im Hause der Verstorbenen, bleibt fraglich — gemischt war; Nachweis von Strychnin im Magen, auch mittelst des physiologischen Nachweises, wozu jedoch in Ermanglung von Fröschen Kröten benutzt wurden, deren Haut sich bei der Marshall-Hall'schen Probe so impermeabel erwies, dass im Strychninbade nicht allein $^1/_{10000}$ Gran ohne jede Wirkung blieb, sondern selbst 1 Gran erst nach $27^1/_2$ Stunden Krämpfe erzeugte, so dass die hyperdermatische Probe offenbar vorzuziehen ist.) — 3) Falck, F. A. (Kiel), Ueber den Einfluss des Alters auf die Wirkung des Strychnins. Erster Theil. Arch. f. die gesammte Physiol. Bd. XXXIV. S. 531. — 4) Derselbe, Beitrag zum Nachweis des Str. Vierteljahrsschr. f. gerichtl. Med. Bd. XLI. H. 2. S. 345 — 5) Ciotto, Francesco (Padua), Constatazione della stricnina in un caso di avvelenamento. Rivista di Chim med. e farmac. p. 1. (Tödtliche Vergiftung eines 12 j. Mädchen, welches statt Santonin Strychnin erhielt; aus verschiedenen Eingeweiden, darunter dem halben Magen, wurde 1 mg Strychnin fast vollkommen rein dargestellt und als solches chemisch und physiologisch nachgewiesen.) — 6) Stassana, Enrico (Naples), L'action du curare dans la série animale. Mém. de la Soc. de Biol. IV. p. 59.

Sehr interessant sind die Ergebnisse einer von Falck (3) über den Einfluss des Alters auf die Wirkung des Strychnins an Kaninchen angestellten Untersuchung, insofern dieselbe wesentliche Modificationen in den ersten Lebensperioden ergiebt; die mit der differenten Organisation der Nervencentra und der Musculatur in denselben in engster Beziehung stehen. So hängt es unzweifelhaft von der relativ schwachen Entwicklung der Extensoren ab, dass in den ersten 10 Lebenstagen kein Opisthotonos, sondern stets Orthotonos auftritt, während vom 11. Tage an constant Opisthotonus beobachtet wird. Ebenso erklärt die geringe Entwicklung des Gehirnorgans, dass Geräusche in den ersten 9 Tagen nur schwierig und in den ersten 5 Tagen gar nicht zu tetanischen Anfällen Anlass werden, während solche nach Reizung der Haut regelmässig eintreten. Interessant ist das Verhalten der krampferregenden Dose (auf das Körpergewicht berechnet), indem dieselbe beim neugeborenen Kaninchen sich derjenigen des erwachsenen (über 60 Tage alten) gleich stellt, während vom ersten bis zum 60. Tage die Receptivität gesteigert ist, und zwar am meisten am 10. Tage, wo sie doppelt so hoch wie beim erwachsenen Kaninchen ist, von wo ab sie bis zum 40. Tage eine schnellere, bis zum 60. eine langsamere Abnahme erfährt. Das merkwürdige Verhalten erklärt sich so, dass beim neugeborenen Thiere die sehr geringe Reizbarkeit der peripheren und sensiblen Nerven die Neigung des Muskels zur Tetanie und das Fehlen reflexhemmender Vorrichtungen compensiren, während beim 10 tägigen Thiere die letzteren den Krampf begünstigenden Verhältnisse bei bereits normal entwickelter Nervenreizbarkeit fortdauern. Die Wirkung minimal letaler Dosen (0,39 mg p. Kilo) erfolgt in allen Altersklassen in gleichen Zeitabschnitten (10—12,8 Minuten).

Auch in Bezug auf Zahl und Form der Anfälle fand F. bei jungen und erwachsenen Thieren Differenzen; die Zahl der ersteren ist weit bedeutender, ausserdem kehrt bei Thieren von 10—20 Tagen die Athmung am Ende des Anfalls, und zwar bei jedem folgenden Anfalle früher, wieder und der Krampf geht in eigenthümliches Muskelschwirren über, das in einzelnen Versuchen mehr als 10 Minuten ununterbrochen fortdauert, wie solches übrigens nach den Erfahrungen des Ref. nicht selten bei Tauben und ausnahmsweise bei ausgewachsenen Kaninchen vorkommt, wo es jedoch erst durch sehr hohe oder colossale Dosen hervorgerufen wird, welche die Erregbarkeit der Nerven herabsetzen. Hiermit im Zusammenhange steht, dass nach nicht letalen Dosen das Krampfstadium bei jüngeren Thieren länger ($2^1/_4$—$3^1/_2$ Stunden) dauert als bei erwachsenen (15 Minuten); Erhöhung der Giftmenge auf die letale Dose verkürzt es bei letzteren sehr bedeutend (auf 1,9 Minuten), bei ersteren weniger (auf 51,9 Minuten). Neugeborenen und bis 5 Jahre alte Kaninchen zeigen die fragliche Krampfform nur nach Injection kleiner Giftmengen; die bei grösseren constanten tetanischen Anfälle lassen die Athmung sehr schnell wieder hervortreten, später folgt hochgradige Erschlaffung; bei noch grösseren Gaben ist die Athmung im Krampfe sehr frequent, während in der Erschlaffung Athempausen selbst von 1 Minute Dauer, die durch Hautreiz unterbrochen werden, eintreten. Die Zeitdauer der Vergiftung ist bei den jüngsten Thieren um 16 Minuten länger, als bei den 10—30 Tage alten.

Auch die minimal letale Dose stellt sich für das neugeborne Kaninchen sehr hoch und die Höhe derselben nimmt bis zum 10. Tage schnell, dann bis zum 40. Tage langsamer ab. Dieselbe stellt sich bei neugebornen auf das 17fache der Krampfdosis, während diese bei älteren Thieren nur wenig (um 40—80 pCt.) überschritten werden darf, um letal zu werden. Diese hohe Resistenz der neugebornen Kaninchen erklärt sich nach F. aus der auch anderweitig constatirten hohen Resistenz gegen Erstickung. Durch forcirte Respiration können 22—24 Tage alte Kaninchen zu der Immunität der neugeborenen gebracht werden, so dass sie erst nach dem 2,7 fachen der minimal letalen Dose zu Grunde gehen.

Dasselbe Verhalten der Krampfdosis findet sich nach Falck (6) auch bei der weissen Maus, die eine grössere Empfindlichkeit gegen Strychnin als die frei lebende Hausmaus zeigt; auch das eigenthümliche Muskelschwirren tritt bei jungen Thieren sehr hervor. Mäuse von 14—16 Tagen (nicht ältere) eignen sich daher bei ihrer geringen Schwere trefflich zum physiologischen Nachweise der Strychninvergiftung, da schon bei 0,0012—0,002 mg die bei erwachsenen Fröschen erst nach der 40—15fachen Menge auftretenden Krämpfe resultiren, wodurch der physiologische Nachweis ebenso scharf wie die chemischen Farbenproben wird und sogar dadurch an Bedeutung gewinnt, dass man die characteristischen Muskelcurven auf die berusste Trommel aufzeichnet und so ein „Corpus delicti" erhält, welches bei dem raschen Vorübergehen der Farbenreactionen die Chemie nicht liefert.

Stassana (6) hat auf der zoologischen Station zu Neapel durch ausgedehnte Versuche die Thatsache constatirt, dass die Wirkung des Curare bei den verschiedenen Thierklassen ziemlich die nämliche ist, ausgenommen bei den Cölenteraten, wo die Nerven sich nicht in Endplatten endigen und wo die Curarewirkung ausserordentlich langsam hervortritt.

Bei den Actinien gelang weder durch Injection noch durch Einsetzen in Solutionen die Aufhebung der Contractilität, bei Medusen (Rhizostoma pulmo, Pelagia noctiluca) war die Injection sehr grosser Mengen zur Herbeiführung von Störungen im Rhythmus der Bewegungen des Schirmes und zur completen Aufhebung der Athmung erforderlich. Bei Echinodermen (Astropecten, Asteria glacialis, Holothuria tubulosa, Synapta digitata) tritt auch nach sehr grossen, in die Hautmuskelhülle injicirten Mengen kaum Betäubung ein, woran offenbar die rasche Austreibung des Giftes durch Contractionen Schuld ist. Auch bei den niederen Würmern (Planarien, Blutegeln) ist der Effect langsam und unvollständig; ebenso bei Sipunculus und Eunice, wo die zur Lähmung von 2 Fröschen in 15 Min. nöthige Curaremenge erst in 40 Min. lähmt; bei anderen Würmern hemmt die ausserordentliche Länge des Thieres die Giftvertheilung; am leichtesten zu curarisiren sind die Aphroditen, z. B. Hermione hystrix, zu deren Paralyse in 25 Min. die für einen Frosch tödtliche Dosis ausreicht. Crustaceen aller Ordnungen (Cirripedia, Brachyura, Carida, Stomatopoda und Isopoda) werden bei Einspritzung in den Cephalothorax 4—6mal rascher als bei Injection in die Leber oder die Bauchmuskeln gelähmt. Insecten (Heuschrecken, Musca carnaria, Käfer) werden in 10—30 Minuten paralysirt; bei Lampyris noctiluca dauert das Leuchten auch in completer Lähmung stundenlag fort. Bei Mollusken giebt die Einspritzung in das Abdomen die raschesten Resultate; doch lassen sich selbst Cephalopoden durch subcutane Application grosser Mengen an verschiedenen Stellen paralysiren. Bei den ebenfalls der Curarewirkung unterliegenden Salzen lassen sich die Diffusion des Giftes und damit parallel dessen Action gut verfolgen. Amphioxus lanceolatus wird in 10 Minuten complet paralysirt, erholt sich in frischem Wasser; mässige Dosen lähmen andere Fische (Blennius, Gobius, Hippocampus, Julis, Scyllium, Solea, Torpedo, Uranoscopus) bei subcutaner oder intramusculärer Application in $^1/_4$ Std.

13. Apocyneae.

1) Harnack, Erich und H. Hoffmann (Halle), Ueber die Wirkung der Alkaloide aus der Quebrachorinde. Zeitschr. für klin. Med. Bd. VIII. H. 8. S. 471. — 2) Hoffmann, H., Pharmacologische Studien über die Alkaloide der Quebrachorinde. 8. Diss. Halle. — 3) Eloy, Charles et Henri Huchard, De l'action antithermique des alcaloides de quebracho (aspidospermine, québrachine, hypoquébrachine, aspidospermatine). Union méd. No. 135. p. 517.

Harnack und Hoffmann (1) wollen die Quebrachoalkaloide mit dem Apomorphin in eine Gruppe vereinigen; doch ist auch das einzige, wirklich emetisch wirkende Quebrachoalkaloid, das Aspidosamin, erst in viel grösseren Mengen emetisch und nicht zum Ersatze des Apomorphins geschickt. Die Wirkung der Quebracho wollen H. und H. nicht auf die nauseose Wirkung der Alkaloide, sondern auf ihre Eigenschaften als Respirationsgifte beziehen, indem dieselben analog dem Morphin und der Blausäure die Erregbarkeit des Athemcentrums herabsetzen. Zur Anwendung qualificirt sich am besten das Quebrachin, dessen Salze in warmem Wasser sich ziemlich leicht lösen und in Lösung bleiben, weniger gut Aspidospermin und das wegen seiner amorphen Beschaffenheit schwer rein zu erhaltende Aspidosamin.

Nach Harnack und Hoffmann (1 und 2) sind die Quebracho-Alkaloide keine sehr intensiv wirkende Gifte, nur Quebrachin wirkt bei directer Einführung in das Blut bei Kaninchen sehr schnell und heftig respirationslähmend und schon zu 5 mg fast unmittelbar tödtlich, während Aspidospermin intravenös selbst zu 0,1 nicht letal wirkt. Das vor den übrigen Alkaloiden durch emetische Wirkung characterisirte Aspidosamin wirkt stärker als Aspidospermin, Hypoquebrachin und Quebrachamin, doch ist die Resorption der amorphen Basen weniger gleichmässig als die der crystallinischen, so dass auch beim Aspidosamin sehr erhebliche Mengen zur Hervorrufung von Emese nothwendig werden. Sämmtliche genannte Basen wirken bei Fröschen und in weit hervorragenderer Weise noch bei Warmblütern lähmend auf die Athmung. Bei letzteren geht beim Quebrachin der Lähmung ein kurzes Stadium gesteigerter Erregbarkeit (Zunahme der Frequenz und Tiefe der Respiration, Muskelkrämpfe) voraus; Aspidosamin bedingt sofortige Verlangsamung und Verflachung und kurz vor der Lähmung meist Periodicität der Athmung; letztere findet sich auch beim Aspidospermin, das anfänglich wie Quebrachin Frequenz und Tiefe der Respiration steigert und zugleich Krämpfe hervorruft. Beim Frosche prävalirt bei sämmtlichen Basen eine lähmende Wirkung auf das centrale Nervensystem, bei deren Beginn auch Reizungserscheinungen (krampfhafte Zuckungen) vorkommen (am häufigsten nach Quebrachin, welches auch zu Schwimm- und Kratzbewegungen führt). Aspidosamin wirkt emetisch, die übrigen Alkaloide bewirken nur hochgradige Nausea und deren Begleiterscheinungen (Schwäche, Salivation, Pulsbeschleunigung). Auf die peripherischen Nervenendigungen wirken nur die amorphen Basen Aspidosamin und Hypoquebrachin, nicht die übrigen lähmend; dagegen tritt nach sämmtlichen Alkaloiden in gleicher Weise directe Lähmung der quergestreiften Muskeln beim Frosche ein, nach grossen Dosen unmittelbar, nach kleinen oft nach vorgängiger erheblicher Steigerung der Leistungsfähigkeit des Muskels, mitunter, jedoch nicht constant, nach fibrillären Muskelzuckungen, die auch beim Warmblüter vorkommen, wo übrigens ein directer Nachweis einer Muskellähmung sich nicht führen lässt. Das Herz wird zwar geschwächt, überdauert jedoch stets die Athmung.

Eloy und Huchard (3) betonen die antithermische Wirkung der Quebrachoalkaloide, welche sie theils an dem ein Gemenge derselben darstellenden käuflichen Aspidospermin, theils am Aspidospermatinlactat, Aspidosperminhydrochlorat, Hypoquebrachinsulfat und Quebrachinlactat bei Kaninchen, Hunden und Meerschweinchen constatirten und bezüglich des salzsauren Aspidopermins auch bei Typhuskranken, wo Dosen von 0,05—0,2 subcutan ohne Schaden gegeben werden können, während 0,3 Muskelzuckungen hervorrufen können, nachgewiesen; doch ist der Effect nicht gross genug, um mit dem Antipyrin zu concurriren. Das Aspidospermin bedingt nach E. und H. ausserdem eigenthümliche hellrothe, an Vergiftung mit Blausäure oder Kohlenoxyd erinnernde Färbung des venösen Blutes, eine Wirkung, welche in geringerem Grade auch den anderen Alkaloiden der Quebracho zukommt, die jedoch in grösseren Dosen asphyctischen Tod mit terminalen Convulsionen bewirken.

14. Rubiaceae.

1) Hare, Hobart A., The action of the sulfate of quinia on the blood. Philadelphia med. Times. Oct. 18. p. 43. — 2) Prior (Bonn), Ueber den Einfluss des Chinin auf den Stoffwechsel des gesunden Organismus. Archiv für die gesammte Physiologie. Bd. XXXIV. S. 237. (Aus dem Laboratorium der Bonner med. Klinik.) — 3) Schwabach (Berlin), Ueber bleibende Störungen im Gehörorgan nach Chinin- und Salicylsäuregebrauch. Deutsche med. Wochenschrift. No. 11. S. 163. — 4) Pick, R. (Coblenz), Ueber die Anwendung des Chinin in Form von Suppositorien. Ebendas. No. 18. S. 277. — 5) Finkler und Prior (Bonn), Mittheilung über das Chininum amorphum boricum. Ebendas. No. 6. S. 81. — 6) Hartge, A. (Dorpat), Zur Wirkung des Chinidinum sulfuricum bei Fiebernden. Petersb. med. Wochenschrift. No. 51. S. 507. — 7) Marty, Jules (Rennes), Contribution à l'étude du sulfate de cinchonidine envisagé au point de vue physiologique et thérapeutique. Bull. gén. de Thérap. Avr. 30. Mai 15, 30. p. 355, 394, 445 — 8) Riegel, Franz (Giessen), Ueber die therapeutische Verwendung der Caffeïnpräparate. Berliner klin. Wochenschrift. No. 19. S. 289. Wiener med. Blätter. No. 20. S. 616. Wiener med. Zeitung. No. 39. S. 450. — 9) Becher, Carl (Wien), Coffeïn als Herztonicum und Diureticum. Wiener med. Blätter. No. 21. S. 639. — 10) Couty, Guimaraês et Niobey, De l'action du café sur la composition du sang. Compt. rend. T. LXXXXIV. No. 2. p. 85. — 11) Guimaraês, Sur l'action physiologique et hygiéniques du café. Arch. de physiol. norm. et pathol. No. 7. p. 52.

Hare (1) führt die Behinderung der Wanderung der farblosen Blutkörperchen durch Chinin, welche er durch neue Versuche am Froschmesenterium bestätigt, auf die durch das Alkaloid bedingte Contraction der Gefässmuskeln, welche weder bei Durchschneidung des Rückenmarks, noch durch Atropin schwindet, daher vom vasomotorischen Nervensystem unabhängig erscheint, und die Verminderung der vis a tergo in Folge der herabgesetzten Energie des Herzens durch Einwirkung auf die Herzganglien zurück. Die Gerinnbarkeit des Blutes bei Chininvergiftung fand H. an Kaninchen in keiner Weise beeinträchtigt.

Neue Untersuchungen von Prior (2) über den Einfluss des Chinins auf den Stoffwechsel, theils an sich selbst mit grossen (2,0), mittleren (1,0 bis 1,5) und wiederholten kleinen (3stündlich 4mal 0,25) Dosen, theils beim hungernden Hunde (mit 0,5 und 0,75) unternommen und mit den bewährten Methoden, z. B. der Harnstoffbestimmung nach Pflüger ausgeführt, ergaben im Gegensatze zu der neuerdings wieder von Oppenheim behaupteten Steigerung des Stoffwechsels durch das Alkaloid constant Abnahme des Harnstoffs, der Harnsäure, der Schwefelsäure, des Kochsalzes und der Phosphorsäure im Harne, und zwar am bedeutensten der Harnsäure (bei den Selbstversuchen um durchschnittlich 72,29 pCt., in einem Vers. um 90 pCt.), der Schwefel- und Phosphorsäure, danach des Harnstoffes (bis zu 29 pCt., entsprechend 11,66 g gegenüber dem Normalwerthe). Diese Verminderung des Harnstoffs u. s. w. muss um so bedeutender erscheinen, als gleichzeitig mit derselben eine ihm entgegenwirkende Steigerung der Harnmenge (bis zu 14 pCt.) ebenfalls constant stattfindet. Dass das Sinken der N-haltigen Ausscheidungen auf wirklicher Behinderung der Oxydation beruht, schliesst P. aus dem Ausbleiben einer Steigerung der Ausfuhr nach Aussetzen des Chinins, deren Norm sich, nachdem die Verminderung noch 1 bis 2 Tage angehalten, erst allmälig herstellt. Die Grösse der vermehrten Diurese und der Abnahme der Harnbestandtheile ist der Grösse der verabreichten Chiningabe ziemlich proportional. Als Ursache der Vermehrung der Harnmenge betrachtet P. directe Reizung und Hyperämie der Nieren, namentlich in Rücksicht auf die von grösseren Chiningaben resultirenden Schmerzen in der Nierengegend und dem Drange zum Uriniren, ohne indess eine centrale Wirkung auszuschliessen. Im Harn wies P. das Chinin durch die Jodjodkaliumprobe bei sich von der ersten halben Stunde bis zu den letzten Stunden des 2. und mitunter den ersten Stunden des 3. Tages nach.

Schwabach (3) betont, dass dauernde Störungen des Hörvermögens auch nach verhältnissmässig kleinen Dosen Chinin oder Salicylsäure vorkommen können, während andererseits durch die genannten Arzneimittel bedingte langdauernde hochgradige Schwerhörigkeit und subjective Geräusche der Therapie noch zugängig sind. Der Beweis hierfür wird durch einen Fall von entzündlicher Affection der Paukenhöhle und des Labyrinths erwiesen, in welchem 1,2 Chinin mur. die Störung hervorgerufen hatte; in einem anderen Falle trat Schwerhörigkeit und Ohrensausen nach Verbrauch von 30,0 Natriumsalicylat (in 3 Dosen von 1,0 pro die) auf und verlor sich ersteres, während letzteres stabil blieb. Auch in ersterem Falle wurde Besserung durch die Luftdouche und zeitweise Einspritzung einiger Tropfen einer 3 proc. Chloralhydratlösung erzielt.

Zur Erzielung antipyretischer Effecte bei Kindern empfiehlt Pick (4) an Stelle der rasch wieder abgehenden Chininclystiere die (auch bei Magenleidenden) zweckmässig zu verwendenden Chininsuppositorien, in denen, da sie höchstens 2—3 Stunden gehalten werden, die Dosis selbst für Kinder 1,0—1,5 betragen kann. Bei 1—3jährigen Kindern sind sie einige Centimeter hoch über die Sphincteren, womöglich im Schlafe, einzuführen.

Das borsaure Chinoidin (Chininum amorphum boricum) ist nach Finkler und Prior (5) ein treffliches Ersatzmittel des Chinins als Antipyreticum und Antitypicum, das auch in Einzeldosen von 0,5—1,0 und selbst zu 3,0 in 2—4 Stunden verbraucht bei Darreichung in Capsulis amylaceis gut ertragen wird und sogar bei Tuberculösen und an Magencatarrh Leidenden bei wochenlanger Darreichung weder zu Erbrechen noch zu sonstigen gastrischen Störungen führt.

Auch bei acuten Fiebern veranlasst es weniger leicht Erbrechen und Ohrensausen als Chin. hydrochloricum. Die antitypische Action ergab sich in einem Falle von intermittirender Trigeminusneuralgie, die antipyretische bei Typhus, septischem Fieber, Pneumonie und Febris hectica, wo sie übrigens ganz analog dem Chinin nur langsam eintritt, aber lange anhält. Inwieweit die Borsäure an den Effecten mitbetheiligt ist, bleibt fraglich.

Versuche an Fiebernden, welche Hartge (6) mit Chinidinsulfat anstellte, ergaben, dass das Mittel als Antipyreticum dasselbe wie Chinin leistet und die nach grösseren Gaben (2,0—2,4) beobachteten Nebenerscheinungen (Harthörigkeit, Ohrensausen, Schwindel, Schweiss) nicht intensiver als beim Chinin sind, dessen antitypischen Effecte, wie sich H. in einem Falle von Tertiana anteponens überzeugte, es theilt. Nur bei einem hochgradigen Anämischen mit darniederliegender Verdauung wurde Chinidinsulfat (selbst zu 0,6) nicht tolerirt.

Nach den von Marty (7) und Meurs im Hospital des Dey zu Algier an 88 Sumpffieberkranken angestellten Versuchen ist das Cinchonidinsulfat nur bei leichten Formen (Tertiana) in Dosen, welche das Doppelte des Chininsulfats betragen, von therapeutischem Werthe, nicht in schweren; auch scheint es wenig gegen Malaria-Cephalaea und Neuralgien zu nützen. Als sehr bedenklich erschien die Variabilität der individuellen Receptivität, so dass einzelne robuste Kranke schon nach 0,8 heftige Kopfschmerzen, Ohnmachten, Ohrensausen oder Ohrentönen und Zittern bekamen, während manche sehr kachectische Personen selbst die Dosis von 2,0 vertrugen, welche übrigens, wie Marty betont, in keinem Falle überschritten werden darf, da sonst schwerere nervöse Erscheinungen, wie Sehnenhüpfen, heftiger Schwindel und tumultuarischer Herzschlag oder selbst Coma mit vollkommener Anästhesie der peripheren Nerven und des Acusticus, allgemeiner Erschlaffung, stertoröser und ungleichmässiger Respiration, und mit Pupillenerweiterung, selbst tonische Krämpfe vorkommen können. Die Einwirkung des Cinchonidinsulfats auf die Temperatur ist nach Marty nicht constant; bei nicht zu hohen Dosen kam es meist nach 2—3 Stunden zu einer 1—2 Stunden anhaltenden Temperaturerniedrigung, der mitunter ein Steigen voranging, nach grossen Dosen mitunter zu nicht unbeträchtlicher Steigerung. Der Puls correspondirte meist mit der Temperatur. Im Harn liess sich Cinchonidinsulfat schon in 1/2 Stunde und länger als 24 Stunden nachweisen. Nausea war bei Cinchonidinsulfat nicht selten; mehr vereinzelt kam Colik und Diarrhoe, niemals Erbrechen vor; der Schlaf wurde in der Regel nicht beeinträchtigt.

Riegel (8) bezeichnet nach seinen Erfahrungen das Coffeïn als ein sehr werthvolles Herzmittel, das mit Digitalis auf gleicher Linie stehe und in mancher Beziehung vor dem Fingerhut wesentliche Vorzüge besitze, was jedoch nur bei Anwendung grösserer Dosen als gebräuchlich sind, hervortritt. Zum Gebrauche hält R. wegen ihrer grossen Löslichkeit die Doppelsalze des Coffeïns und des Natriums mit Benzoësäure, Zimmtsäure und Salicylsäure (Wasser löst in der Kochhitze die Hälfte seines Gewichts dieser Salze, welche auch in der Kälte gelöst bleiben) viel geeigneter als reines Coffeïn oder sogen. Coffeïnum citricum. Subcutan bewirken dieselben zu 0,4—1,0 mässige, wenn auch niemals beträchtliche Verlangsamung der Herzaction, Spannungszunahme des Pulses und Grössenzunahme der einzelnen Pulswellen. Ganz analogen Effect zugleich mit Steigerung der Diurese ergaben die Coffeïndoppelsalze in 24 Fällen von Herzklappenfehlern im Stadium der gestörten Compensation, ferner bei Myocarditis, Fettherz, Nephritis mit beträchtlicher Verminderung der Harnausscheidung, und in einem Falle exsudativer Pleuritis mit starker Abnahme des art. Drucks und der Diurese. Der günstige Effect, der mit dem Aussetzen des Mittels schwand, war constant weit rascher und meist grösser als derjenige der vergleichsweise angewandten Digitalis, namentlich auch in Bezug auf die Herabsetzung des Eiweissgehaltes im Urin.

In manchen Fällen, wo Coffeïn weniger erfolgreich war und selbst schlecht vertragen wurde, so dass Aufregung, unruhiger Schlaf, Kopfschmerz und mitunter auch Erbrechen auftrat, half auch Digitalis nicht; in 1 Fall scheint der Effect der Coffeïnsalze durch gleichzeitige Darreichung von Morphin verringert zu sein. Bei der Dosirung des Coffeïnum Natro-salicylicum, C.-Natro-benzoicum und C.-Natro-cinnamomicum, neben denen Riegel auch Coffeïnum hydrobromicum benutzte, dringt R auf Individualisirung, wobei mit kleinen Dosen zu beginnen und rasch zu steigen ist und die Application in getheilten Einzeldosen geschieht.

Gleichzeitig mit Riegel haben auch Nothnagel und Becher (9) Coffeïnum citricum und C. hydrobromicum in Einzelgaben von 0,25—0,5 und in Tagesgaben von 0,5—2,5, bei Hydrops im Gefolge von Herzfehlern mit recht günstigen Resultaten angewandt. Fast überall machte sich Verstärkung der Herzcontractionen und der Spannung der peripherischen Arterien geltend, auch wurde sehr häufig bestehende Arhythmie gemässigt oder beseitigt, während ein Sinken der Pulsfrequenz weit unbedeutender als bei Digitalis hervortrat; die in einzelnen Fällen sehr bedeutende Zunahme der Diurese war im Allgemeinen der Wirkung auf das Herz adäquat; in 2 Fällen gaben die Coffeïnpräparate entschieden besseres Resultat als Digitalis. Coffeïnum purum rief weit leichter Intoleranzerscheinungen hervor als die Salze; bei C. citricum kam wiederholt Schlaflosigkeit vor, welche bei C. hydrobromicum stets fehlte, zu leichter Intoxication mit heftigem Schwindel und Erbrechen kam es nur 1 mal nach einer Tagesgabe von 2,0. Als reines Diureticum bei exsudativer Pleuritis und Pericarditis, auch bei Nephritis gegeben, wirkten die Coffeïnpräparate nur wenig und vorübergehend.

Guimaraes, Couty und Niobey (10) haben ihre in früheren Jahrgängen (1882. I. S. 430. 1883. I. S. 444) besprochenen Studien über die Wirkung des Kaffeegenusses auf die Assimilation und den Stoffwechsel fortgesetzt und ihre frühere Angabe, dass der Kaffee die Assimilation stickstoffhaltiger Bestandtheile fördere und die Harnstoff- und Zuckerproduction steigere, dagegen die Blutgase vermindere, und zwar letztere bei directer Infusion in das Blut um $^1/_6$—$^1/_4$, während der Harnstoff, im Zusammenhange mit der grösseren Assimilation und dem grösseren Consum bei freier Kost, auf das Doppelte und Vierfache steigen kann und die Zuckerzunahme am meisten bei fortgesetzter Kaffeezufuhr hervortritt, bestätigt. Als ein Sparmittel für die einfachsten Verbrennungsprocesse, deren Endresultat Kohlensäure ist, lässt sich der Kaffee somit allerdings betrachten, nicht aber als ein solches für stickstoffhaltige Materien, insbesondere Fleisch, dessen Verbrauch und Verbrennung er geradezu befördert.

[Halvarsen, A.: Et Par Bemärkninger om Brugen af det garvesure Kinin i Börnepraxis. Ugeskr. f. Laeger. R. 4. B. 7. p. 309.

Halvarsen empfiehlt das gerbsaure Chinin in der Kinderpraxis, weil es nicht übel schmeckt. Dosis das Doppelte von den übrigen Chininsalzen. Er giebt es in Trochisci mit Chocolade. Ein Trochiscus enthält 20 cg Tannatis chinici. Bei Erwachsenen, wo gewöhnliche Chininverbindungen Exantheme hervorrufen, hat er es gleichfalls benutzt ohne Intoxicationsphänomene. Joh. Bentzen.]

15. Synanthereae.

1) Roux, Etude sur l'absinthine, principe amer de l'absinthe. Bull. gén. de Thérap. Nov. 30. p. 438. — 2) Cartier, Eruption érysipelateuse de la face produite par l'application de teinture d'arnica. Lyon méd. N. 15. p. 501. (Erysipelas mit Phlyctänenbildung, Drüsenanschwellung und so starkem Oedem des Gesichts und Halses, dass Schlingbeschwerden eintraten, nach Application von gleichen Theilen Bleiwasser und Arnicatinctur, fieberlos in 6 Tagen verlaufen; Linimentum calcis wirkte günstig.) — 3) Luchsinger, B., Ist Santonsäure wirklich ein ausschliessliches Hirnkrampfgift? Arch. f. die ges. Physiol. Bd. XXXIV. S. 293.

Roux (1) empfiehlt Absynthin in Dosen von 0,1 bis 0,25 2 Mal täglich $^1/_4$ Stunde vor dem Essen bei Anorexie und Verstopfung von Chlorotischen und Reconvalescenten, während er das Mittel, welches auf Hühner selbst zu 2,0 nicht toxisch wirkt und in kleinen Dosen lange Zeit dargereicht werden kann, ohne etwas anderes wie beschleunigte, jedoch nicht diarrhoische Defäcation zu bedingen, bei bestehender Tendenz zu Durchfällen verwirft. Man giebt das amorphe Absynthin in Gelatinekapseln, woneben sich auch gleichzeitig Wismuthnitrat und ähnliche Mittel gebrauchen lassen.

Luchsinger (3) bestreitet dem Santonin, wie früher dem Cocaïn, Campher und Picrotoxin, die Qualification als Hirnkrampfgift, weil auch nach Ausschaltung des Hirns und verlängerten Markes durch das Gift (spinale) Convulsionen entstehen, ohne indess eine vorwaltende irritirende Action auf das Gehirn und die Medulla oblongata bei kleinen Dosen in Abrede zu stellen.

[Heimbeck, J., Santoninforgiftning. Norsk Magazin f. Laeger. R. 3. Bd. 14. p. 38.

Ein 5jähriges Mädchen, Reconvalescent nach einer langwierigen Diarrhoe, bekam nach Einnahme von zwei Trochisci Santonin (0,06 gm) nach $1^1/_2$ Stunden Gelbsehen, Delirien, Erbrechen und zum Schluss vollständige Bewusstlosigkeit. Da die Patientin später 0,10 gm Santonin ohne Vergiftungserscheinungen bekam, liegt wahrscheinlich ein Fehler von Seiten des Apothekers vor. Bentzen.]

16. Laurineae.

Hill, Charles G., The common sassafras a potent drug and a dangerous narcotic. Transact. of the med. chir. Soc. of Maryland. p. 337.

Hill beschreibt die Vergiftung eines kräftigen Burschen durch 2 Schluck Oleum Sassafras, worauf rasch Bewusstlosigkeit und Stupor mit allgemeiner Erschlaffung, Schweiss, Pulsbeschleunigung und Gesichtsblässe folgte; die Pupille war nicht verändert und auf Brechmittel erfolgte rasche Genesung. Bei Mäusen wirkten 10 Tropfen subcutan rasch krampferregend und tödtlich; auch kleinere Dosen intern erzeugten tetanischen Krampf; Hunde und Katzen verfielen nach 4,0 subcutan in vorübergehende Bewusstlosigkeit mit Paralyse der Hinterbeine. Als Antisepticum wirkt Sassafrasöl etwa halb so stark wie Phenol.

17. Ranunculaceae.

1) Husemann, Th., Aconitin und Aconitpräparate. Pharm. Zeitung. No. 8, 22, 66. — 2) Harnack, Erich, Zur Aconitinfrage. Berl. klin. Wochenschr. No. 2. S. 26. (Bekanntes.) — 3) Plugge, C. und T. Haakma Tresling, Waarnemingen van de werking van twee verschillende soorten Nitras Aconitini. Nederl. Tijdschr. voor Geneesk. Sep.-Abdr. — 4) Cullimore, D. H., Remarks on the therapeutic action of the Aconitum ferox, or Indican Aconite. Brit. med. Journ. Dec. 27. p. 1225. — 5) Frölich, H., Ueber Ranunculus acris als Heilmittel. Bayr. ärztl. Intell.-Bl. S. 477. — 6) Reynolds, Walter B., A case of poisoning by Podophyllum peltatum. New-York med. Rec. Sept. 27. p. 345. (Collaps mit Erbrechen, heftigen Coliken und Tenesmus nach einer Abkochung von Podophyllum; Genesung unter stimulirender Behandlung, Morphin, Bismutum u. s w) — 7) Fellner, Leopold (Franzensbad), Die physiologische Wirkung der Hydrastis Canadensis. Centralbl. für die med. Wissensch No. 24. S. 417. — 8) Kurz, Edgar (Florenz), Hydrastis Canad. in der gynäcologischen Praxis Memorab. No. 5. S. 271. (Ohne Bedeutung.)

Husemann (1) zeigt, dass die von der neuen französischen Pharmacopoe gegebenen Vorschriften für die Darstellung von Aconitin und Aconitinnitrat nicht dahin führen können, Präparate von gleicher Stärke in den Handel zu bringen und dass von dem ungleichmässigen Verhalten des Aconitins abhängige Vergiftungen so lange zu befürchten sind, wie das Darstellungsmaterial nach seiner Provenienz (vgl. die Angaben von Duquesnel und Laborde im Ber. 1883. I. S. 495) ein wechselndes ist, was nur dadurch vermieden werden kann, wenn man die Knollen von cultivirtem authentischem Aconitum Napellus, wie dies früher von Morson geschehen, verwendet.

Enen Beweis für die Richtigkeit dieser Ansicht giebt eine von Plugge und Haakma Tresling (3) mitgetheilte Vergiftung durch Pillen aus Aconitinnitrat von Petit, von welchen zwei Sendungen so differirten, dass 73 Dosen von $1^1/_2$ mg in Pillen keine Inconvenienzen bedingten, während eine einzige derartige Gabe von der zweiten Sendung hochgradige Vergiftung erzeugte, die auch bei mehreren Personen, welche die Pillen experimenti causa probirten, eintrat. Plugge zeigte die toxische Differenz auch an Extracten der Pillen bei Fröschen, Tauben und Kaninchen.

Cullimore (3) hat eine Tinctur (1 : 10) aus den Bikh-Knollen vom Himalaya (Aconitum ferox) an sich selbst und verschiedenen Kranken (mit Neuralgie, Scharlach, Nephritis, Herzfehler, Gicht, Rheumatismus) versucht und vindicirt derselben im Wesentlichen die Effecte der Tinctura aconiti (aus den Knollen von Aconitum Napellus); doch trat die diaphoretische und in Folge davon auch die antipyretische Action weniger hervor, während der diuretische Effect und die schmerzstillende Wirkung bei Gicht und Rheumatismus, besonders bei äusserem Gebrauche, wo übrigens Aconitin noch günstiger wirkte, prägnanter war. In kleinen Dosen wirkte die Tinctur einige Male beschleunigend auf die Herzthätigkeit; als Erstwirkung machte sich Wärmegefühl bemerkbar, worauf später Kriebeln und Frostgefühl mit Sinken der Temperatur folgte. C. gab die Tinctur tropfenweise in Intervallen von 10 Min. bis zu 1 Std., bei chronischem Rheumatismus bis zum Eintreten von Kriebelgefühl. Das ostindische Aconitum heterophyllum, das selbst zu 4,0 auf Hunde nicht toxisch wirkt, bezeichnet C. nach indischen Erfahrungen als Tonicum und Aphrodisiacum.

Frölich (4) empfiehlt zu derivatorischen Ableitungen die zerriebenen frischen Blüthen und Knospen von Ranunculus acris zu 20,0 in Form messerrückendicker Umschläge, welche weniger rasch als Senf (in 1—2 Stunden) stark hautröthend wirken und später nach Art der Canthariden Auftreten von Blasen bedingen, die jedoch auch erst ziemlich spät (in 5 bis 6 Tagen) vollkommen ausgebildet sind.

Nach den von Fellner (7) unter Basch angestellten Versuchen über die physiologische Wirkung von Hydrastis Canadensis setzen bei directer Einspritzung von Fluid Extract der Pflanze in das Blut grosse Dosen (2,5—5,0) den Blutdruck nach vorübergehender Steigerung stark und lange, mitunter bis zum eintretenden Herztode herab, während bei mittelgrossen das Stadium der Blutdrucksteigerung länger dauert, das Sinken nicht so bedeutend, obschon ziemlich anhaltend ist, und zwischen beide Wirkungsstadien sich ein Stadium der Unruhe einschaltet, und kleine Dosen nur vorübergehendes Sinken, dann anhaltende Steigerung veranlassen. Mehrmalige kleine Gaben wirken wie eine mittelgrosse, und mehrmalige mittelgrosse wie eine starke. Subcutan, intern und rectal applicirt rufen grosse Dosen (2,0) anfangs vorübergehendes Sinken hervor, dem kurzes Steigen und abermals wiederholtes allmäliges, jedoch nicht continuirliches Sinken folgt. Durchschneidung der Splanchnici und Compression der Aorta modificiren die Hydrastinblutdruckwirkung nicht; Strychnin und dyspnoischer Reiz heben den gesunkenen Blutdruck, während nach Halsmarkdurchschneidung das Stadium der Steigerung fortfällt. Der Darm röthet sich mit dem Sinken und erblasst mit dem Steigen des Blutdrucks. Neben der ausgesprochenen centralen vasomotorischen Wirkung besitzt Hydrastis noch eine doppelte Action auf den Puls, den es anfangs durch centrale Vagusreizung herabsetzt und selbst durch Herzstillstand suspendirt, während bei tiefstehendem Blutdrucke nach grossen Dosen Arhythmie und Pulsverlangsamung eintritt, welche Vagusdurchschneidung nicht modificirt. Endlich bewirkt H. Contractionen des gesammten Uterus, die am intensivsten kurz nach der Einspritzung in die Venen auftreten, doch finden sich auch später zeitlich mit Gefässcontractionen coincidirende Contractionen, besonders der Hörner.

18. Papaveraceae.

1) Taylor, H. H., Case of opium poisoning; subcutaneous injection of atropia; rapid recovery; relapse; ultimate recovery. Lancet. May 24. p. 937. (Tiefes Coma, nach Injection von $^1/_2$ Gran Atropin Rückkehr des Bewusstseins auf die Dauer von $^1/_2$ Std.; zur Bekämpfung des Rückfalls künstliche Respiration erfolgreich, wobei die M. Hall'sche Methode sich besser als diejenigen von Howard und Silvester bewährte.) — 2) Finlay, David F., A case of opium poisoning. Ibid. March 29. p. 561. (Vergiftung eines Stallknechts

mit einer Pferdemixtur, welche eine 17 Gran Opium entsprechende Menge Opium enthielt; freizeitiges Cessiren der Respiration, welches künstliche Athmung erforderte, welche jedoch nicht mehr nöthig war, sobald $^1/_{16}$ Gran Atropin eingespritzt war, wonach die Pupille sich stark erweiterte und die Zahl der Athemzüge, die übrigens das Cheyne-Stokes'sche Phänomen zeigten, verdoppelt wurde; später Genesung unter excitirender Behandlung.) — 3) Le morphinisme chronique et l'amorphinisme. Gaz. des Hôp. No. 34. p. 273. (Auszug aus der folgenden Nummer.) — 4) Jouet, Daniel, Etude sur le morphinisme chronique. IV. 72 pp. Thèse. Paris. 1883. — 5) Burkart, R. (Bonn), Ueber Wesen und Behandlung der chronischen Morphiumvergiftung. Sammlung klin. Vorträge. No. 237. S. 2159 — 6) Lussana, Felice (Bergamo), Un caso di morfinismo cronico. Riv. di Chim. e farm. p. 446. — 7) Notta, Maurice, De la recherche de la morphine dans l'urine des morphiomanes. Union méd. No. 128. p. 409. — 8) Derselbe, La morphine et la morphiomanie. Arch. gén. de méd. Octbr. Novbr. p. 385, 561. — 9) Straham, S. A. K. (Northampton), Treatment of morphia habitués by suddenly discontinuing the drug. Lancet. March 29. p. 561. (Fall einer Morphium per os geniessenden Amerikanerin, welche in den letzten Jahren täglich etwa 0,5 consumirte; das M. scheint ausser habitueller Verstopfung schliesslich nach einer grossen Dose zu einem psychischen Aufregungszustande mit angenehmen Visionen geführt zu haben, die die Aufnahme ins Nottingham Asylum und die gewöhnlichen Morphiuminanitionssymptome bedingten.) — 10) Clarke, J St. Thomas (Leicester), Treatment of the habit of injecting morphia by suddenly discontinuing the drug. Ibid. Sept. 20. p. 491. (Glücklicher Erfolg der Entziehungscur bei einer 29j. Doctorsgattin, welche 9 Jahre hindurch täglich 3 Dosen von 0,2 Morphinacetat injicirte; ein Einfluss auf die Menstruation, den Verf. in mehreren von ihm in Theobald's Institut in Leicester beobachteten Fällen wahrnahm, war nicht hervorgetreten.) — 11) Nankivell, Case of a morphia habitué, said to have taken daily fourty grains of morphia hypodermically; temporary abstention; relapse; death. Ibid. Nov. 22. p. 913. (Fall aus dem Native Hospital von Butterworth in Südafrika; die Leidenschaft durch heftige rheumatische Knochenschmerzen erworben, Morphin in der angegebenen Menge 8 Monate genommen; daneben reichlicher Alcoholmissbrauch.) — 12) Jennings, T. Egerton (Newcastle), The subcutaneous injection of morphia. Ibid. March 29. p. 562. — 13) de Beurmann, Note sur l'action thérapeutique du chlorhydrate de codéine. Bull. gén. de Thérap. Juin 15. p. 496. (Vollständige Wirkungslosigkeit von 0,02—0,08 Codeïnhydrochlorat subcutan bei Neuralgien, wo 0,02 Morphinhydrochlorat rasch schmerzstillend wirkte.)

Die Zahl der Schriften über **Morphiummissbrauch** ist auch in diesem Jahre wiederum nicht unbedeutend und scheint die Zunahme dieser Unsitte besonders in Frankreich, wo man einander schon elegante Pravaz'sche Spritzen zum Geschenk macht, eine sehr grosse zu sein.

Eine reichhaltige Casuistik bringt die These von Jouet (3), der im Wesentlichen den Standpunkt Charcots vertritt und auch dessen Ansicht verficht, dass verschiedene Individuen nicht morphinsüchtig werden können, weil in Folge von Idiosyncrasie nach jeder Morphineinspritzung allgemeines Unwohlsein und Erbrechen eintritt, und dass derartige Personen, wenn sie trotzdem die Injectionen fortsetzen, einer Kachexie und dem sicheren Tode entgegengehen. Obschon zwar ein gewisser Schutz in diesem Momente namentlich bei Hysterischen gegeben ist, kann es nach Burkart (5) doch auch bei solchen Personen allmälig zu einer Gewöhnung kommen. Einen weiteren Schutz gewährt nach Jouet Geistesstörung gegen chronischen Morphinismus, da bei dieser, selbst wenn längere Zeit grössere Dosen (0,1) gegeben wurden, die plötzliche Entziehung keine jener Erscheinungen hervorruft, welche J. mit Charcot als Amorphinismus bezeichnet und die häufig genug, bei Gelegenheit einer acuten Krankheit, wo die gewohnte Morphinzufuhr aufhört, dem Arzt die Diagnose der chronischen Morphinvergiftung ungeachtet des mangelnden Eingeständnisses des Kranken suppeditiren. Unter den Symptomen des Morphinismus chronicus bespricht J. besonders den Morphintremor, den er als in abwechselnder continuirlicher Contraction der Supinatoren und Pronatoren bestehend bezeichnet und der wesentliche Differenzen vom Tremor senilis und Tremor alcoholicus darbieten soll. In Bezug auf die Abscesse der Einstichstelle behauptet J. mit Charcot, dass dieselben nicht, wie Verneuil meint, Ausdruck einer Morphincrase oder Morphincachexie seien, auch nicht bloss bei Benutzung unreiner Instrumente (vgl. weiter unten) resultirten, sondern auf scrofulöser Diathese beruhen, wie auch andere Hautalterationen in der Nähe der Einstichstelle, z. B. Eczem und Urticaria, wovon er einen Fall beschreibt, Ausdruck einer bestimmten constitutionellen Prädisposition (herpetischer Krase, Rheumatismus) sein sollen. Nicht ohne Interesse ist ein Fall, wo nach jeder Morphininjection sich eigenthümliche Hallucinationen des Gesichts und Gehörs regelmässig einstellten; und ein anderer, in welchem die Morphincachexie sich durch hectisches Fieber characterisirte. Unter die Erscheinungen der Morphinentziehung stellt J. heftiges Brennen im ganzen Körper und lancinirende Schmerzen und nach einer Beobachtung auch Ascites, der nach Wiederaufnahme der Einspritzungen sofort schwand. In Bezug auf die Therapie giebt J. den allmäligen Entziehungen nach Burkart in Verbindung mit kalten Douchen den Vorzug.

Burkart (5) tritt der Hypothese, dass die Morphiuminanitionserscheinungen von Oxydimorphin abhängig seien (Ber. 1883. I. S. 454), auf Grund der Thatsache entgegen, dass die gleichen Erscheinungen sich nach anscheinend völligem Wohlbefinden längere Zeit (selbst 2 Monate) nach perfect gewordener Morphinentziehung bei Morphinisten für 1 bis 2 Tage einstellen, was mit der raschen Ausscheidung des Oxydimorphins nicht in Einklang steht, und fasst die fraglichen Symptome in hergebrachter Weise als einfache Reaction des Nervensystems auf das Ausbleiben des gewohnten Reizes auf. Derselbe widerräth jede Entziehungscur bei Patienten von 50—60 Jahren, welche längere Jahre Morphinabusus trieben, selbst wenn dieselben auch ihre früheren grossen Gaben gemässigt haben, sobald auffällige Symptome des Morphinismus, namentlich mit Dyspnoe verbundene Circulationsphänomene (Herzerweiterung, Hydrops) existiren, in welchen Fällen mitunter selbst eine Steigerung der Dosen geboten ist. B. ist gegen die Anwendung des Chloralhydrats bei der Entziehungscur, weil man in der Regel sehr grossen Dosen bedarf, um Schlaf herbeizuführen, der noch dazu nur selten die gehoffte Kräftigung und Erleichterung schafft und am folgenden Tage meist die Entziehungssymptome heftiger hervortreten lässt. Bei gleichzeitigem Morphin- und Chloralmissbrauch treten nach der Morphiumentziehung in sehr prägnanter Weise die durch Chloral bedingten Gefässdilatationen auf. Zur Unterstützung der Morphiumentziehungscur empfiehlt B. theils kalte Abreibungen, kurze kalte Regenbäder und kühlere Halbbäder (23—25°) oder, wo diese nicht ertragen werden, Vollbäder von 28—26° R., theils Rheinwein und guten Cognac (100,0—200,0 in 24 Stunden).

Dass ähnlich wie dies Burkart bei älteren Morphinisten beobachtete, erhebliche Schwächezustände nach der Morphinentziehung auch bei jüngeren Personen, welche noch dazu nur mässigen Morphinmissbrauch getrieben haben, vorkommen, beweist eine Beobachtung Lussana's (6) bei einer Frau, welche anfangs 0,25 Morph. hydrochl. in 24 Stdn., dann 2 bis 3 Jahre anfangs 0,1 und später 0,05 intern nahm und noch 40 Tage nach der Entziehung grosse Nervosität und hochgradige Schwäche zeigte.

Notta (8) theilt in einer grösseren Abhandlung über Morphiumsucht einen Fall mit, wo bei einem Kranken, der 2 Jahre hindurch täglich 0,8—1,0, später 6 Monate 1,5—2,0 injicirte, sich in dieser letzten Zeit multiple Abscesse, von den Injectionsstellen ausgehend, entwickelten und der Tod unter allgemeiner Abmagerung und pyämischen Erscheinungen erfolgte. In einem anderen Falle traten bei einer Frau nach habitueller Einspritzung von 0,3 täglich Störungen des Appetits, Schlaflosigkeit und starke sexuale Aufregung ohne Befriedigung beim Coitus ein. In Bezug auf die von Landowski bei der Entwöhnungscur vorgeschlagene Substitution von Chininlösungen, um die Kranken durch deren Bitterkeit glauben zu machen, dass sie Morphin injiciren, bemerkt Notta mit Recht, dass diese Täuschung kaum möglich ist, da die Morphinisten aus ihren subjectiven Empfindungen in der Regel nicht nur die Qualität der Einspritzung, sondern auch die Quantität des injicirten Morphins zu beurtheilen wissen. Für die Pariser Verhältnisse ist es bezeichnend, dass in der Demi-monde eine Anzahl Morphiumsüchtiger existiren, welche das Morphin gebrauchen, um sexuale Aufregung zu erhalten, und welche für die Verbreitung der habituellen Morphiuminjection unter ihren Berufsgenossen die thätigste Propaganda machen. Als Mittel zur Beschränkung der Morphiumsucht schlägt N ein Verbot der Abgabe von Pravaz'schen Spritzen an Nichtärzte vor.

Dass bei der von Seiten des Arztes vorzunehmenden Morphininjection die Reinhaltung der Spritze besondere Sorgfalt erheischt, wird von Jennings (12) hervorgehoben, der deshalb statt der Spritze mit Piston eine graduirte Pipette empfiehlt, welche man bei Gebrauch, um nicht Luft mit zu injiciren, stets mit mehr Flüssigkeit anfüllt, als einzuspritzen beabsichtigt wird. Sehr instructiv ist in dieser Beziehung ein von Notta (8) aus der Salpetrière berichtetes Factum, wo in Folge des Gebrauches einer sehr schmutzigen, im Bette verborgenen Spritze und einer unreinen Solution sich bei vier Atactischen bösartiges Erysipel entwickelte, das bei drei Erkrankten letal verlief, während die Insassen des Saales, welche nicht davon Gebrauch gemacht hatten, kein Erysipel bekamen. Nach Jennings hat übrigens die zu lange Aufbewahrung von Morphinsolutionen den Uebelstand, dass sich stets — durch Braunfärbung beim Kochen mit überschüssiger Kalilauge nachweisbares — Apomorphin entwickelt, was bei Aufbewahrung von Morphinsulfat oder Morphinmeconat in comprimirten Tabletten nicht der Fall ist.

Notta und Lugan (7) haben Morphin in dem Harn einer Morphiumsüchtigen, welche täglich 0,3 injicirte, constant gefunden, mitunter schon durch directe Reaction mit Kaliumquecksilberjodid und Jodjodkalium, was nach ihren Versuchen anzeigt, dass der Harn im Liter mehr als 0,1—0,2 Morphin enthält, constant aber mittelst der Otto-Dragendorff'schen Methode, unter Benutzung der Salpetersäure- und Eisenchloridreaction. Zum rascheren Nachweise empfehlen N. und L., den Harn zuerst mit Bleiessig zu behandeln, das mit Schwefelsäure entbleite Filtrat mit Ammoniak im Ueberschusse zu versetzen und mit heissem Amylalcohol einige Minuten zu schütteln, den sich klar absetzenden Amylalcohol mit durch Schwefelsäure angesäuertem Wasser zu schütteln und das so gebildete Morphinsulfat mit Ammoniak zu zersetzen und aufs Neue in Amylalcohol aufzunehmen.

19. Aurantieae.

Aitken, Lauchlan (Rome), A new and simple antipyretic. Brit. med. Journ. Oct. 4. p. 653. (Bestätigung der günstigen Wirkungen der von Maglieri empfohlenen Abkochung frischer Citronen, 1 Stück pro die, bei Malariafieber und Typhus, besonders in Fällen passend, wo Verdauungsstörungen, Icterus u. s. w. den Gebrauch des Chinins untersagen.)

20. Rutaceae.

Sédan (Algier), Sur l'antagonisme de l'ergotine et de la pilocarpine. Gaz. des Hôp. No. 27. p. 211.

Sédan, der bei Behandlung von Netzhautablösungen mit Pilocarpininjectionen wiederholt die Catamenien früher und reichlicher eintreten sah, empfiehlt einen Thee von Folia Jaborandi bei Menstruationsanomalien zu 2,5—3,0.

[Beek, Om Virkningen og Nytten af Pilokarpinet anvendt ved diftheritis. Ugeskrift for Läger. 4. R. IX. B. p. 509. (Verf. hat Pilocarpin mit Erfolg angewandt sowohl in mehreren Fällen von Croup, als bei einem Fall von krampfhaftem Husten und Dyspnoe bei einem 13jährigen, anämischen und nervösen Mädchen.)
F. Levison (Kopenhagen).]

21. Erythroxyleae.

1) Beugnier-Corbeau, Recherches historiques, expérimentales et thérapeutiques sur la coca et son alcaloide. Bull. gén. de Thérap. Dcb. 30. p. 529. — 2) Vulpian, Expériences sur le chlorhydrate de cocaïne. Compt. rend. T. XCIX No. 20. 21. p. 836. 885. — 3) Grasset, J., Sur l'action anesthésique de la cocaïne. Ibid. No. 22. p. 983. — 4) Derselbe, Sur l'action anesthésique cutanée du chlorhydrate de cocaïne. Ibid. No. 25. p. 1122. — 5) Fauvel, Ch., De l'anesthésie produite par le chlorhydrate de cocaïne sur la muqueuse pharyngienne et laryngienne. Gaz. des Hôp. No. 134. p. 1067. — 6) Dumas, Adolphe, Note sur l'emploi de la cocaïne dans la déglutition douloureuse. Bull. gén. de Thérap. Dcb. 30. p. 549. — 7) Königstein, L. (Wien), Ueber das Cocaïnum muriaticum in seiner Anwendung in der Oculistik. Wien. med. Presse. No. 42. 43. S. 1339. 1365. — 8) Bettelheim, Josef (Wien), Ein Beitrag zur Wirkung des Cocaïnum muriaticum. Ebend. No. 45. S. 1437. — 9) Jellinek, Ueber die Anwendung des Cocaïns als Anaestheticum und Analgeticum an der Schleimhaut des Rachens und Kehlkopfes. Ebend. S. 1438. — 10) Lublinski, Ueber Cocaïn. Verhandlungen des Vereins für innere Medicin. Deutsche med. Wochenschr. No. 50. — 11) Rossbach, M. J., Cocaïn als örtliches Anästheticum. Berl. klin. Wochenschr. No. 50. S. 802. (Prioritätsreclamation f. v. Anrep.) — 12) Fraenkel, E. (Breslau), Ueber Cocaïn als Mittel zur Localanästhesie der Schleimhäute. Bresl. ärztl. Zeitschrift. No. 24. S. 289. — 13) Knapp, H., Hydrochlorate of cocaïne, experiments and application. New-York med. Rec. Oct. 25. p. 461. — 14) Roosa, The new local anaesthetic. Ibid. p. 463. — 15) Bosworth, A new therapeutic use for cocaïne. Ibid. Nov. 15. p. 533. — 16) Hepburn, N. J., Some notes on hydrochlorate of cocaïne. Ibid. p. 534. — 17) Muriate of cocaïne in dentistry. Ibid. Dec. 13. p. 657. — 18) Muriate of cocaïne in general surgery. Ibid. — 19) Muriate of cocaïne in operative gynecology; vesico-vaginal fistula Ibid. p. 658. — 20) Muriate of cocaïne in iridectomy; injection into the anterior chamber. Ibid. — 21) Failures with cocaïne. Ibid. (Fall von Pannus und Ulcus corneae mit Iriseinklemmung, in welchem 2proc. Cocaïnlösung, die in andern Fällen sehr wirksam war,

nicht anästhetisch wirkte) — 22) Vacher, Louis (Orléans), Contribution à l'étude de l'action physiologique du chlorhydrate de cocaïne. Gaz. hebdom. de méd. et de chir. No. 48. p. 786.

Die zuerst von v. Anrep (7) constatirte Thatsache, dass das Cocaïn bei subcutaner Injection circumscripte locale Anästhesie erzeuge und in gleicher Weise bei Application auf Schleimhäute (Mundschleimhaut) wirke, ohne Reizungserscheinungen zu bedingen, hat nicht allein experimentelle Bestätigung durch Vulpian (2), Grasset (3 u. 4), Knapp (13) u. A. gefunden, sondern auch zu einer ausgiebigen therapeutischen Anwendung des chlorwasserstoffsauren Cocaïns zur Herabsetzung der Empfindlichkeit und des Schmerzes und Beseitigung der damit im Zusammenhange stehenden Reflexe an verschiedenen zugängigen Schleimhautpartien geführt, und scheint es, als ob dieses Salz eine werthvolle Zugabe des Heilmittelapparates, besonders in Bezug auf Oculistik und Krankheiten der oberen Partien der Respirationsschleimhaut, bilde, das übrigens auch zur localen Anästhesie der Haut, der Ohrschleimhaut, Genital- und Mastdarmschleimhaut und der Zähne Anwendung finden kann, sei es um bestehende Schmerzen zu lindern oder kurzdauernde Operationen auszuführen. Die Wirkung verbindet sich mit Anämie der Schleimhäute und bei Application auf die Bindehaut mit Mydriasis und Protrusion der Bulbi, ein Symptomencomplex, der, wie Königstein (8) und Vulpian (2) hervorheben, auf eine Reizung des Sympathicus bezw. der Sympathicusfasern im Ganglion ciliare hindeutet. Nach Knapp (13) lässt sich durch das Cocaïn nicht nur die Sensibilität der verschiedensten Schleimhäute, sondern auch die Geschmacks- und Geruchsempfindung zeitweise aufheben.

Aus den von Vulpian (2) angestellten physiologischen Versuchen erhellt, dass die Anästhesie der Cornea und Protrusion der Bulbi, wie sie die Localapplication hervorruft, auch nach Einspritzung von 0,1 Cocaïn in die Saphena bei Thieren eintritt, während die Sensibilität der Haut zwar stark herabgesetzt, aber nicht völlig erloschen ist und gleichzeitig eine Art trunkenen Zustandes resultirt, der wie die übrigen Erscheinungen in etwa 10 Min. schwindet. Die locale anästhesirende Action zeigt sich auch bei Fröschen, scheint aber weder bei Helix pomatium noch bei Astacus fluviatilis oder doch nicht in gleichem Maasse hervorzutreten. Bei Fröschen, denen das Rückenmark in der Höhe der Brachialnerven durchschnitten wurde, verhindert vorherige Bepinselung der Hinterextremität die Wiedereinnahme der Flexionsstellung derselben und die bekannten reflectorischen Abwehrbewegungen bis zum Schwinden der Anästhesie. Von sonstigen Wirkungen des Cocaïns hebt Vulpian hervor, dass bei Einspritzung in die Saphena bei Thieren keine Zunahme der Secretionen stattfindet, mit Ausnahme des Speichels; Atropin bringt den entstehenden Speichelfluss zum Schwinden, jedoch weit langsamer als beim Pilocarpinschweiss. Den Blutdruck fand V. anfangs beträchtlich vermindert, später gesteigert; bei Fröschen schien das resorbirte Cocaïn keinen Einfluss auf das Herz auszuüben, während bei directer Application Retardation des Herzschlags eintritt.

Beugnier-Corbeau (1) vindicirt dem Cocaïn nach einer Beobachtung, wo ein Verband mit 1 proc. Lösung bei Gangrän vorübergehend günstig wirkte, eine antiseptische Action.

Dass man zum Zwecke örtlicher Anästhesie der Haut mit Bepinselungen nichts ausrichtet, wird von Grasset (4) betont, der bei mehreren Versuchspersonen nach subcutaner Injection von 0,01 salzsaurem Cocaïn constant eine der Injection entsprechende anästhetische Zone, welche 5—6 cm Länge auf 3—4 cm Breite oder selbst noch grössere Dimensionen hatte und sich in 20—30 Min., bei Einzelnen erst nach 1 Std. wieder verlor, sah und die Zeit der auszuführenden Operation auf 10 Min. nach der Einspritzung fixirt. Wie Grasset betont auch Stickler (18), der bei sich einen Hautschnitt nach Cocaïninjection ohne Schmerz und Suturen, bei denen er nur ein Druckgefühl hatte, anlegen liess, dass die empfindungslose Zone dem Stichcanal entspricht. Eine hyperästhetische Begrenzungslinie der anästhetischen Zone, welche Hepburn (16) an sich beobachtete, konnte St. bei sich nicht wahrnehmen. H. hat übrigens bei seinen Selbstversuchen, wo er es bis zur Einspritzung von 0,08 trieb, auch Resorptionserscheinungen (vermehrte Puls- und Athemfrequenz, angenehmes Wärmegefühl, kreuzweises Doppelsehen, vorübergehende Hallucinationen beim Schliessen der Augen) beobachtet, die sich in ca. 2 Std. verloren. Bei späteren Versuchen konnte H. übrigens die doppelte Menge injiciren, ehe es zu Allgemeinerscheinungen, wozu auch Herabsetzung der gesammten cutanen Sensibilität trat, kam.

Die Wirkung von Cocaïninstillationen in das Auge gestaltet sich nach Koller, dem die erste therapeutische Verwendung derselben in der Oculistik zukommt, und nach Koenigstein (8) so, dass Anästhesie und Analgesie der Conjunctiva und Cornea, Blässe (Anämisirung) der Bindehaut der Lider und des Auges, Erweiterung der Lidspalte, Protrusion des Bulbus, Dilatation der Pupille und eine unbedeutende Accommodationsbeschränkung eintreten. Diese Erscheinungen resultiren nach 1 proc. Lösungen in 2—3 Min., noch rascher nach stärkeren Lösungen, jedoch nur zu einem gewissen Grade, so dass 10 proc. Lösung des Cocaïnum muriaticum wohl in Folge der zu solchen Solutionen nöthigen Salzsäure nicht anästhesirend und anämisirend wirkt. Die anhaltendste Anästhesie giebt das in Substanz applicirte Salz, wobei die Accommodationsbeschränkung nicht besonders, wohl aber die — in 10—20 Min. eintretende und im Allgemeinen 12 Std. dauernde — Pupillenerweiterung verstärkt wird. Auch an der Aussenfläche der Lider wird die Empfindung herabgesetzt. Koenigstein wandte das Cocaïn als Anästheticum mit Erfolg bei Fremdkörperentfernungen von der Cornea, Abtragung von Granulomen, Incision von Chalazien, directer Electrisation der Augenmuskeln, bei der Michel'schen Methode der Zerrung des Augenmuskels und bei Cauterisationen an und hatte bei Thieren sehr brillante Erfolge bei Tenotomien, Iridectomien und (nach subcutaner Einspritzung in die Tenon'sche Kapsel) selbst bei Enucleatio bulbi. Als schmerzstillendes Mittel bewährte es sich bei phlyctänulösen und pustulösen Processen, wo der Blepharospasmus nach 2—3 maliger Einträufelung schwand, und bei Verätzungen und Läsionen der Hornhaut, auch bei Cyclitis und Zoster, vorübergehend bei Subcutaninjection auch bei Supraorbitalneuralgie. Sehr günstigen Effect zeigte Cocaïn auch als anämisirendes Mittel, so dass z. B. ein Fall von beginnender Iritis dadurch geheilt wurde; dagegen stand es bei catarrhalischer und trachomatöser Iritis dem Höllenstein weit nach. Dass das Mittel wegen der geringen Accommodationsstörung vor dem Atropin bei Augenspiegeluntersuchung entschiedenen Vorzug besitzt, wird von Koenigstein besonders betont.

Dasselbe thut auch Knapp (13), der das Mittel andererseits nicht für Untersuchungen des Refractionszustandes geeignet hält, weil es die Accommodation nicht vollständig lähmt, sondern nur durch Verschiebung des Nahepunktes reducirt und zuweilen einen künstlichen Astigmatismus erzeugt, der übrigens, wie die ganze Accommodationsstörung, in $^1/_4$—$^1/_2$ Stunde trotz fortbestehender Pupillenerweiterung schwindet. Knapp hat übrigens bei Gebrauch von Cocaïnlösungen bei Augenoperationen 2proc. Lösung nicht völlig anaesthesirend gefunden, wohl aber 4proc., wodurch selbst bei Staaroperationen nur das Herausziehen der Iris als schmerzhaft bezeichnet wurde. Wegen der bleibenden Empfindlichlichkeit der Iris hat E. Smith (20), welcher Cocaïn bei Strabismus, Kapselstaar und Iridectomie anwandte, in einem Falle 2 Tropfen 2procentige Lösung in die vordere Augenkammer, ohne dass irgend welche Störung resultirte, injicirt. Vacher (22) empfiehlt Subcutaninjectionen von Cocaïnlösung (1 : 10—20) im Verlauf der Nervenstämme mit Einträufelungen (1 : 20) zu verbinden, wenn es sich um Operationen an der Conjunctiva oder Cornea handelt. Auch sah er günstigen Erfolg von Cocaïneinträufelung (1 : 60) bei Episcleritis und Sclerochorioiditis.

In der Otiatrie hat Knapp (13) 4proc. Lösung bei Auskratzen von Ohrpolypen mit dem Erfolge verwendet, dass die Sensibilität der oberen Schichten der Ohrenschleimhaut, nicht aber die der unteren, sehr herabgesetzt war. Roosa (14) hatte nach zwei Instillationen von 3proc. Solution brillanten Erfolg bei Neuralgie des Trommelfells.

Als Anaestheticum und Analgeticum für die Schleimhaut des Pharynx und Larynx hat Jellinek (9) das salzsaure Cocaïn eingeführt; doch sind hier 10—20procentige Solutionen nöthig, die man im Pharynx mit Charpiepinseln, im Larynx mit weichen Haarpinseln, im Nothfalle wiederholt applicirt, wonach man in etwa 2 Minuten eine meist 12 Minuten anhaltende, nach 20 Minuten völlig schwindende Anästhesie und Reflexlosigkeit erhält, welche die Ausführung endolaryngealer Operationen ermöglicht. Selbst der in Chloroformnarcose persistirende reflectorische Schluss der Stimmbänder bleibt bei Cocaïnanästhesie aus. Besonders günstigen Effect hatte Jellinek bei schmerzhaften Kehlkopf- und Rachenaffectionen, besonders bei Perichondritis der Epiglottis und Affectionen der hinteren Larynxwand, hochgradiger Angina tonsillaris phlegmonosa, Pharyngitis acuta und ulcerativen Processen im Rachen, wo eine einzige Bepinselung mit 20proc. wässriger Lösung oft tagelange Remission der Schmerzen bedingt. Auch betont Jellinek die durch das Mittel bedingte locale Anämisirung und die daraus resultirende Abschwellung und Secretionsverminderung. Lublinski (10), der übrigens nicht vollständige Reflexlosigkeit, sondern nur hochgradige Herabsetzung der Reflexaction erhielt, betont, wie auch Jellinek, dass vor endolaryngealen Operationen alle Theile des Kehlkopfes, namentlich die Aryknorpel und ihre äussere Umgebung bis zu den Sinus pyriformes und beide Flächen der Epiglottis mit Cocaïnlösung bestrichen werden müssen und dass nach Behandlung des Larynx auch der Pharynx ebenso gründlich zu tractiren ist, wodurch man schon in kurzer Zeit auch sehr ungeberdige Kranke zur Operation vorbereiten kann. Dass das Cocaïn als Anaestheticum des Kehlkopfes weit mehr als alle früheren Mittel und namentlich die nachträglich Entzündung bedingenden Chloroformlösungen leistet, bestätigen auch Schrötter und Stoerk (9). Von entfernten Cocaïnwirkungen sah Lublinski bei Application 20proc. Solution nur mässige Mydriasis und Gefühl von Trockne in Mund und Hals, während unmittelbar nach der Application starke Speichel- und Schleimsecretion auftritt. In Frankreich hat Fauvel (5), der übrigens schon seit 1877 eine Tinctur der Cocablätter bei entzündlichen und schmerzhaften Pharynxaffectionen benutzte, die Angabe Jellinek's bestätigt und eine Spannung erschlaffter Stimmbänder bei endolaryngealer Application constatirt. Dumas (6) erhielt vorzüglichen Erfolg bei den Schlingbeschwerden einer Phthisica unter Anwendung einer 40proc. Lösung, was mit Erfahrungen von Jellinek (9) und Lublinski (10) harmonirt, welch' letzterer auch Abschwellung der ödematösen Epiglottis und Cartilagines arytaenoidei beobachtete.

In Bezug auf Affectionen der Nasenhöhle hat Bosworth (15) ausgiebigen Gebrauch vom Cocaïn gemacht, wobei er neben der anästhesirenden Wirkung als besonders werthvoll eine durch das Mittel constant hervorgerufene feste Contraction der venösen Sinus in der Schleimhaut der unteren und mittleren Concha hervorhebt, deren Schwellung nach der Anwendung von Caustica bei Hypertrophie der Nasenschleimhaut Cocaïnapplication verhütet, wie es auch die Blutung nach Exstirpation von Nasenpolypen verhindert. B. hat auch gefunden, dass das Mittel, in Form von Spray oder Schnupfpulver angewendet, acute Coryza auf die Dauer von 12—20 Stunden beseitigt, worauf der Schnupfen stets weit gelinder auftritt, und es dass in milderen Formen von Heufieber vorzügliche Dienste leistet. Auch Lublinski (10) führte vor der Exstirpation von Nasenpolypen mit 10proc. Solution getränkte Wattebausche mit Erfolg ein.

Mit der local anästhesirenden Wirkung des Cocaïns stehen vielleicht in Verbindung die von Beugnier-Corbeau (1) erhaltenen günstigen Effecte des Kauens von Cocablättern (10—15 Stück zwischen den Mahlzeiten) bei sogenannter Pollakiphagie Chlorotischer. Auch bei Gastralgie bewährte sich die Cur.

Bettelheim (8) gebrauchte Cocaïnhydrochlorat in Form von Cacaosuppositorien mit 0,03 gegen Harn- und Stuhldrang bei Prostatahypertrophie mit dem Erfolge, dass die Nachtruhe wiederhergestellt wurde und nach 2—3maligem Gebrauche das Mittel 1—2 Tage ausgesetzt werden konnte. Uhler (18) beobachtete in 2 Fällen bei Application von Cocaïnsolution im Rectum feste Contraction des Sphincter und der Längsmuskeln des Darms.

Für die männliche Harnröhre ist der anästhesirende Effect des Cocaïns von Knapp (13) experimentell festgestellt.

Nach Versuchen von Fraenkel (12) ist die Schleimhaut der weiblichen Genitalien vermuthlich wegen ihres geschichteten Pflasterepithelüberzuges resistenter gegen das Cocaïn, so dass erst nach 3—4maliger Bepinselung der vorher sorgfältig gereinigten und getrockneten Mucosa mit 20 pCt. Cocaïnlösung (1 : 2 Aq. und 3 Spir Vini ohne Säurezusatz, bei Trübung mit etwas mehr Weingeist zu versetzen) oder nach 15 Minuten langem Einlegen einer mit dieser Lösung getränkten Watte, die zur Vornahme rascher operativer Eingriffe nothwendige locale Anästhesie eintritt, die mitunter auch auf tiefer liegende Gewebsschichten sich erstreckt. Die in dieser Weise bewirkte Anästhesie eignet sich nach F. besonders zur Ausführung intensiverer Aetzung der Vulvar- und Vaginalschleimhaut mit Lapis oder Sublimatlösungen, zur Abtragung kleiner oberflächlich sitzender Schleimhautwucherungen, z. B. spitzer Condylome oder Aetzung ihrer Basis mit Höllenstein oder Glüheisen, sowie zur Eröffnung abscedirter Bartholin'scher Drüsen. F. fand auch eine starke Herabsetzung der Reflexerregbarkeit bei der Digitaluntersuchung einer an Vaginismus leidenden Frau, und empfiehlt es zu Versuchen bei diesem Leiden ante coitum, sowie bei Proctospasmus in Folge von Fissura ani.

Doughty (19) hat die Localanästhesie mit Cocaïn bei einer Blasenscheidenfisteloperation mit Erfolg benutzt; das Mittel schien dabei auch einen verringernden Einfluss auf die Blutung zu haben.

In der Dentistik (17) hat Weld 10proc. Lösung in Spiritus Menthae piperitae vor Entfernung des Weinsteins mit Erfolg aufgepinselt, auch blossliegende Nerven durch halbstündige Application von einer 90 proc. Solution in Glycerin und durch 24stündige Einbringung von borsaurem Cocaïn vor dem Plombiren anästhesirt. Horton benutzte dasselbe vor Ausführung von Incisionen am Zahnfleische. Vacher (22) führte vor der Zahnextraction 10 proc. Cocaïnlösung in den Zahncanal mit Erfolg ein.

22. Hamamelideae.

1) Black, J. E. (Newark), Therapeutical remarks on Hamamelis Virginica. Philad. med. and surg. Rep. Oct. 4. p. 371. — 2) Dujardin-Beaumetz, Sur l'Hamamelis virginica et sur ses propriétés thérapeutiques. Bull. gén. de Thérap. Mars 15. p. 493. (Versuche bei Hämorrhoiden, Varicen und Hämoptysis noch nicht abgeschlossen.)

Die Heilwirkung des Hamamelisextracts (vgl. Ber. 1882. I. S. 435. 1883. I. S. 457) gegen Hämorrhoiden bestätigt Black (1), der das Mittel mit ana Glycerin und etwas Amylum bei schweren Fällen blutender Hämorrhoiden von vorzüglichem Effect fand und dasselbe ausserdem intern bei atonischer und colliquativer Diarrhöe, bei Bronchialcatarrh und bei Hämoptysis empfiehlt, wo er 3stündlich 4,0 verordnet.

23. Euphorbiaceae.

Dugès, A., Croton morifolium, var. sphaerocarpum, vulgo Palillo. a Guanaguato. Compt. rend. de la Soc. de Biol. 1883 p. 695.

Ein neues mexicanisches Arzneimittel ist das sog. Palillo, eine Crotonart, deren Blätter als Thee bei Gastralgie oder einfacher Magenatonie in Ansehen stehen und deren Samen ein zu 2—3 Tropfen gelind purgirendes Oel geben. Dugès hat mit einer Macerationstinctur frischer Blätter in Dosen von 10—20 Tropfen innerlich und bei Localapplication sehr gute Erfolge bei Neuralgien und anderen schmerzhaften Affectionen, z. B. Otalgie, erzielt.

24. Umbelliferae.

Wolfenden, Norris R., Epilepsy treated with hydrobromate of conia. Practitioner. Vol. XXXII. p. 431.

Wolfenden hat vom bromwasserstoffsauren Coniin bei Epilepsie günstige Effecte, jedoch vorwaltend in leichteren Fällen, gesehen, wobei übrigens häufig Kopfweh und bei grösseren Dosen 1stündiger Schwindel und Röthung der Conjunctiva als Nebenerscheinungen resultirten. Die Dosis betrug pro die 0,09 (in drei Gaben), welche selbst von 7—8jährigen Kindern ertragen wurden, bis 0,2, doch traten stärkere Nebeneffecte mitunter schon nach 0,12 bei Erwachsenen ein.

[Swięcicki (Posen), Wplyw koniiny na skórcze pochwy. (Ueber den Einfluss des Coniins auf die Contractionen der Scheide.) Gazeta lekarska. No. 25 (Dasselbe hat der Verf. später deutsch in der Zeitschrift f. Geb. und Gynäc. Bd. X. veröffentlicht.)

v. Kopff (Krakau).]

25. Myrthaceae.

v. Schroeder (Strassburg), Ueber das Pelletierin. Archiv für exper. Path. und Pharmacol. Bd. XIII. S. 381.

Die bekannte anthelmintische Wirkung des Pelletierins hat v. Schroeder sehr eclatant durch Versuche mit Taenia serrata dargethan, welche in 1 pCt. Kochsalz und 0,1 pCt. Natriumcarbonat enthaltendem Wasser bei 37° mehrere Tage leben, dagegen bei Zusatz von 0,01 pCt. in 5 Minuten regungslos und in 10 Minuten getödtet werden. Dass bei starker Wirkung auf menschliche Cestoden von einer Dosis von 0,3 Pelletierintannat hinreichend viel in den Darmcanal gelangt, um den Parasiten zu tödten, ist danach nicht zweifelhaft, doch weist v. S. auf die von ihm durch Thierversuche constatirte starke Blutdrucksteigerung hin, um vor der Anwendung des Mittels bei Kranken mit Aneurysmen oder Atherom zu warnen. Die Annahme Kamnitzer's (Ber. 1883. I. S. 450), dass sich das Pelletierin bei Bereitung eines Granatrindendecocts verflüchtige, fand v. S. nicht bestätigt; auch hält er die Ableitung der Nebenwirkungen eines solchen von der Gerbsäure allein für nicht statthaft, obschon manche derselben entschieden letzterer zukommen und es deshalb wohl gerathen scheint, bei der Bereitung eines solchen auf die theilweise Entfernung der Gerbsäure Rücksicht zu nehmen.

v. S. empfiehlt zu diesem Zwecke die gut zerkleinerte Rinde auf dem Wasserbade 1 Stunde zu erhitzen, bis alle Alkaloide in der Abkochungsflüssigkeit sich gelöst haben, nach dem Erkalten Kalkmilch im Ueberschusse zuzusetzen, von dem entstehenden Niederschlage die Flüssigkeit abzufiltriren, mit Schwefelsäure zu neutralisiren, räth aber, dem Liquidum etwas Gerbsäure hinzuzufügen, um die Resorption des Pelletierins zu verzögern. Man erhält nach v. S. ein entsprechendes Extract, indem man das neutralisirte Filtrat des Decocts, auf dem Wasserbade zur Trockne gebracht, mit 70 pCt. Alcohol versetzt, wodurch die Alkaloidsalze in Lösung gehen und der schwefelsaure Kalk sich ausscheidet. Auch hier wird Gerbsäurezusatz empfohlen. Die von v. S. ausgeführten Thierversuche lassen das Pelletierin als ein sehr interessantes Gift erscheinen, indem es bei Fröschen Steigerung der Reflexerregbarkeit und die eigenthümliche Veränderung der Muskelaction, welche das Veratrin hervorbringt, bedingt, daneben den Herzmuskel für kurze Zeit erregt und den Vagus lähmt, während bei Warmblütern, wo übrigens ebenfalls Erhöhung der Reflexerregbarkeit neben Locomotionsstörungen (vom Kleinhirn ausgehend) hervortreten, erhebliche Steigerung des Blutdrucks durch Erregung des vasomotorischen Centrums (nicht bei chloralisirten Thieren) nach den ersten Dosen, nicht bei weiteren resultirt und gleichzeitig ebenfalls Vaguslähmung eintritt. Die Giftigkeit des Pelletierins ist an sich nicht gross, so dass pro Kilo 0,25—0,28—0,3 bei Meerschweinchen, Tauben und Kaninchen letal sind.

26. Papilionaceae.

1) Bufalini, G. und Fl. Tassi, Contribuzione all' avvelenamento di jequirity. Rivista di Chim. med. p. 45 — 2) Bruylants und Venneman (Löwen), Le jequirity et son principe phlogogène. Bull. de l'Acad. de méd. de Belgique. No. 1. p. 147. — 3) Warden, C. J. H. und L. A. Waddell, The non bacillar nature of Abrus poison. 8. Calcutta. — 4) Davidson, Andrew und Thomas Stevenson, Poisoning by pois d'Achéry (Phaseolus lunatus L.). Pratitioner. Vol. XXXII. p. 435. — 5) Stocquart, L'acide chrysophanique administré par les voies stomacales et hypodermiques dans le traitement des maladies de la peau. Journ. de méd. de Bruxelles. Févr. p. 118. —

6) Berger, O. (Breslau), Extractum Piscidiae als Hypnoticum. Breslauer ärztl. Zeitschr No 2. S. 17. — 7) Fronmüller (Fürth), Aus der Hospitalpraxis. Piscidia. Memorab. No. 5. S. 265. — 8) Tambrony, Sull' azione fisiologica e terapeutica della Piscidia erythrina. Riv. sperim. di freniatria. p. 336. — 9) Erede, Lisania (Genua), Sulla Piscidia erythrina. Riv. di Chim. med. p. 114.

Die bisherige allgemeine Annahme (vergl. Ber. 1883. I. S. 459), dass die sog. Jequirity-Samen (Samen von Abrus precatoria) ihre Wirkung eigenthümlichen Bacillen verdanken, muss nach den neuesten Untersuchungen aufgegeben werden.

Nach Bufalini und Tassi (1) ist dieselbe nur insoweit von Bacterien abhängig, als schwache Aufgüsse auf der Conjunctiva Entzündung hervorrufen. Diese Action kommt auch den Aufgüssen der Samen vieler Leguminosen zu, welche ebenfalls Bacterien enthalten, zum Theil in weit grösserer Menge, wie Anagyris foetida, Ervum Lens, Lablab vulgaris, Lupinus albus, Phaseolus multiflorus, Edwardsia microphylla, Colutea arborescens und Rhynchosia precatoria, von welcher letzteren Aufgüsse auf die Bindehaut genau wie Jequirity-Aufgüsse wirken und auch deren Eigenschaft theilen, durch Zusatz von Borsäure oder Natriumsalicylat in diesem Effect nicht beeinträchtigt zu werden. Die toxischen Wirkungen concentrirter Aufgüsse von Abrus- und Rhynchosiasamen bei Fröschen müssen ihrer Intensität wegen auf eine bisher unbekannte Substanz bezogen werden und haben mit Bacteriämie nichts zu schaffen. Analoge Effecte rufen die conc Aufgüsse der Samen der genannten Leguminosen nicht hervor, mit Ausnahme der wirklich ein Gift einschliessenden Lupinen und Anagyris.

Bruylants und Venneman (2) bezeichnen ein unorganisirtes Ferment in den Jequiritysamen, welches sich während der Keimung entwickelt, als das wirksame Princip derselben. Auch die aus vorher mit Alcohol und Aether behandelten Paternostererbsen dargestellten bacterienfreien Aufgüsse bedingen am Kaninchenauge croupöse Conjunctivitis und führen in einzelnen Fällen bei dieser Applicationsweise, wo die locale Entzündung eine geringere ist, zum Tode. Das erwähnte Ferment, welches B. und V. als Jequiritin oder zymase jéquiritique bezeichnen, wird durch Erwärmen der Maceration auf 65° inactiv, und derartige Macerationen erhalten ihre Activität auch nicht wieder, wenn sich Bacterien, und selbst die specifischen Jequiritybacterien in ihnen bilden. Dass die active Substanz sich durch Keimung entwickelt, lehrt der Nichteffect der verschiedensten Extracte und der Macerate aus Jequiritypulver, welches vorher längere Zeit mit Alcohol behandelt und bei höherer Temperatur getrocknet war. Das von B. und V. dargestellte Jequiritin, welches Stickstoff enthält und sich in Wasser löst, ist bereits in Mengen von $^1/_{100}$ und mitunter von $^1/_{250}$ mg im Stande, in Kaninchenaugen intensive Entzündung zu bewirken, während dies beim Menschen nach $^1/_2$—$1^1/_2$ mg geschieht; diese Wirkung schwindet, wenn man die Lösung 5 Min. auf 70° oder 20 Min. auf 63° erhitzt. Bei Einspritzung in die Venen oder hypodermatischer Injection erzeugt Jequiritin meist erst nach längerer Zeit (12 Stdn. und darüber) intensive hämorrhagische Gastroenteritis mit Fieber, Herzschwäche und starker Prostration, und kann zu $^1/_2$—1 mg tödtlich werden. Die durch Jequiritin beim Menschen hervorgerufene croupöse Augenentzündung geht rascher vorüber und ist mit weniger starker Eiterung verbunden, als die durch Jequiritinaufgüsse bewirkte. Die Wirkung des Jequiritins auf das Auge wird von B. und V. so aufgefasst, dass es zunächst die Epithelialzellen der Bindehaut und die in die Submucosa infiltrirten Leucocyten zerstört, wobei das Fibrinferment in Freiheit gesetzt wird und das transsudirte Blutserum coagulirt, womit dann seröse Infiltration und Zellinfiltration sich verbindet. Am intensivsten wirkt Jequiritin bei Succulenz und Lockerung der Bindehaut, sehr wenig bei Vorhandensein von harten Granulationen oder Narbengewebe.

Auch Warden und Waddell (3) führen den Nachweis, dass das die Conjunctivitis erzeugende Princip ein Proteid, welches dem gewöhnlichen Eiweiss nahe verwandt sei, und das sich auch im Stamme und der Wurzel von Abrus precatoria finde, sei. Der von ihnen Abrin genannte Stoff wirkte auch subcutan toxisch, nicht aber bei interner Einführung.

Interessant ist die von Davidson und Stevenson (4) constatirte Thatsache, dass eine auf Mauritius cultivirte Vitsbohne, die sog. pois d'Achéry, von Phaseolus lunatus, durch Blausäureentwicklung toxisch nach Art verschiedener Amygdaleensamen ist.

Die Ansicht der Eingeborenen, dass nur die bunte Varietät giftig, die weisssamige ungiftig sei, stimmt nicht ganz zu den Untersuchungen von D. und St., welche Blausäureentwicklung aus nicht bunten Bohnen, obschon meist in geringerer Menge, constatirten; durchschnittlich gaben die Bohnen 0,25 pCt. Blausäure. Das Intoxicationsbild entspricht im Wesentlichen der Blausäurevergiftung; doch treten die Symptome oft erst sehr spät (selbst in $2^1/_2$ Std) ein, was, ebenso wie die beobachtete Intermittenz der Erscheinungen und die mehrstündige Dauer der Vergiftung, aus der langsamen Verdauung der sehr zähen Bohnen sich erklärt. Erbrechen und Schmerzen im Epigastrium gehen dem Ausbruche der übrigen Symptome häufig voraus.

Stocquart (5) hat günstigen Erfolg der Chrysophansäure bei interner und hypodermatischer Application in verschiedenen Hautkrankheiten erzielt und will die externe Anwendung nur bei beschränkten Dermatosen der bedeckten Körpertheile an nicht zu zarten Hautstellen zulassen.

Innerlich wird 0,3 pro die gut ertragen; doch kommen einzelne Kranke vor, wo schon bei 0,015 Appetitlosigkeit, Nausea, Herzklopfen und Präcordialangst, Schwindel, Erbrechen und Frost und Hitze auftreten, während Andere selbst 0,08—0,12 ohne gastrische Erscheinungen ertragen. Eine Gewöhnung an steigende Dosen scheint nicht stattzufinden, dagegen scheinen Kinder von 4 Wochen sehr grosse Gaben (0,01—0,02) nehmen zu können. Durchfälle sind auch bei höheren Dosen nicht constant. Offenbar hat die interne Application vor der hypodermatischen grosse Vorzüge, da in Folge der letzteren selbst bei sehr kleinen Dosen ($^1/_8$—$^1/_4$ mg) gar nicht selten Abscesse an der Injectionsstelle entstehen. Der Heileffect der Chrysophansäure beschränkt sich keineswegs bloss auf Psoriasis; besonders rasch tritt derselbe bei Acne, Ecthyma, Impetigo und Pityriasis hervor, ebenso giebt Eczem gute Resultate. Bei Lichen und Prurigo schwindet das Hautjucken vor dem Exanthem; bei letzterer Affection sind oft grosse Gaben erforderlich.

Berger (6) hat Extractum Piscidiae, sowohl amerikanisches Fluid Extract als trockenes Extract, letzteres zu 0,5—1,0 bei etwa 80 Kranken als Schlafmittel mit völlig negativem Resultate benutzt; Nebenerscheinungen fehlten, der Puls war meist um 4—8 Schläge langsamer. Dagegen hat Fronmüller (7) mit Extr. spir. siccum in Pillen zu 2—4 Stück von 0,06 bei 25 Kranken 9 mal vorzügliche Hypnose und 3 Halberfolge erzielt, während in 8 Fällen nach sonst gutem Schlaf am Morgen Betäubung, Schwindel, Kopfschmerz und Erbrechen eintrat, und in 67 Versuchen mit Fluid Extract kamen negative Erfolge nur bei Anwendung von 50 Tropfen, nicht bei 75 Tr. oder höheren Dosen, leichte Narcose nur vereinzelt vor. Von zwei aus der Piscidia von Merck dargestellten Stoffen lieferte das eine, als Piscidienglycosid bezeichnet, bei 5 Versuchen mit 0,5 vier gute und 1 Halberfolg, sämmtlich mit starken Intoxicationen, während das zweite, Piscidienresinoid, in 4 Versuchen mit 0,25 nur Halb- und Misserfolge hatte. Ein retardirender Einfluss auf den Stuhl wurde nach keinem Ppt. beobachtet. Tambroni (8) hat von alcoholischer Tinctur, um am Tage Schlaf zu erhalten, selbst 15,0—20,0 geben müssen (Alcoholwirkung) und erhielt nur bei solchen Dosen constante Wirkung auf die Pupille (Erweiterung); bei Geisteskranken, welche das Mittel gern nehmen, führte dasselbe mitunter zu 3,0—5,0, bei maniakalischen Erregungszuständen erst zu 15,0 oder gar nicht, zu ruhigem, von Hallucinationen freiem Schlafe. Zur Subcutaninjection erklärt T. das Mittel wegen der grossen Dosis für ungeeignet. Erede (9), der auf der Abtheilung von Albertoni guten sedativen Erfolg des Piscidiaextracts bei Bronchialcatarrh mit Hustenreiz und Dyspnoe bei Emphysem, auch bei Dentalneuralgien sah, konnte diuretische Effecte weder an sich noch bei Hunden constatiren und hatte in einem Falle von Prosopalgie Misserfolg.

[Madsen, H. P., Extractum piscidiae erythrinae liquidum. Ugeskrift for Läger. R. 4. B. 7. p. 392. (100 Theile enthalten das Lösliche von 100 Theilen der Drogue.) **Bastsen.**]

27. Piperaceae.

[Swięcicki, Wpływ piperydyny na skórcze pochwy. (Ueber den Einfluss des Piperidin auf die Contractionen der Scheide.) Gazeta lekarska. No. 16. (Dasselbe hat der Verfasser später noch deutsch in der Zeitschrift f. Geburtsh. u. Gynäk., Bd. X, veröffentlicht.) **v. Kopff** (Krakau)]

28. Malvaceae.

[Jerzykowski, St. (Posen), Kora korzenia bawełny (Radix Gossypii herb.) jako środek zastępujący sporysz. (Radix Gossypii herbae, ein Surrogat des Mutterkorns.) Gazeta lekarska. No. 30.

Der Verfasser hat mehrere Versuche mit der Radix Gossypii, dem von Wilhoeft und Prochownik in letzter Zeit als Emenagogum empfohlenen Mittel, angestellt. Nach des Verfassers Ansicht ist diese Arznei ein sehr kräftiges Mittel gegen Amenorrhoe und Dysmenorrhoe. In sechs solchen Fällen ist das verordnete Mutterkorn mit Eisen erfolglos geblieben, und erst nach dem Gebrauche der Rinde der Baumwollenwurzel stellte sich eine regelmässige Menstruation wieder ein.

In der geburtshülflichen Praxis hatte der Verfasser seltener Gelegenheit, dieses Mittel zu erproben. Aber auch hier rühmt er seine Wirksamkeit. Zwar wirkt die Baumwollenwurzelrinde nicht so rasch wie das Mutterkorn, aber dafür ist ihre Wirkung entschiedener, und man kann sie auch in der ersten Geburtsperiode ohne Bedenken anwenden. Der Verfasser verordnete das Mittel entweder als Decoctum (10,0—15,0:180,0 — je ½ Stunde einen Esslöffel) oder als Extractum. **v. Kopff** (Krakau).]

29. Pflanzenstoffe unbekannter Abstammung.

Harnack, Erich (Halle), Ueber ein digitalinartig wirkendes Glycosid aus einem africanischen Pfeilgifte. Arch. f. exp. Pathol. u. Pharmacol. Bd. XVIII. S. 1.

Harnack hat in einem africanischen Pfeilgifte, das von nicht näher bestimmten Sudannegern benutzt wird, ein in Alcohol und angesäuertem Wasser, weniger leicht in reinem Wasser, fast gar nicht in Aether lösliches, aus saurer Solution durch Gerbsäure und Phosphorwolframsäure fällbares, stickstofffreies Glycosid gefunden, das schon zu $^1/_2$ mg bei Rana temporaria systolischen Herzstillstand bedingt. Das Pfeilgift enthält ausserdem den picrotoxinartig wirkenden Spaltungskörper dieses Stoffes, wodurch es sich erklärt, dass bei dessen Herzwirkung dem systolischen Stillstande durch centrale Vaguserregung starke diastolische Ausdehnung der Vorhöfe und durch die geringsten Reize auslösbare reflectorische diastolische Stillstände vorausgehen. Ausserdem scheinen auch saponinähnliche Glycoside und eine wenig active Pflanzenbase in dem Gifte vorhanden zu sein, das nach seiner chemischen Zusammensetzung mit dem (auch in Ostafrica benutzten) Inée nicht identisch sein kann.

c. Thierstoffe und deren Derivate.

1. Vermes.

Haycraft, John B. (Birmingham), Ueber die Einwirkung eines Secretes des officinellen Blutegels auf die Gerinnbarkeit des Blutes. Arch. für exper. Pathol. und Pharmacol. Bd. XVIII. S. 209.

Haycraft weist nach, dass der medicinische Blutegel in seinem Munde eine Substanz secernirt, welche das Fibrinferment zerstört, ohne sonst wahrnehmbare Blutveränderungen zu bewirken.

Die in Wasser und Kochsalzsolution lösliche, in Chloroform, Benzol, Alcohol und Aether unlösliche Substanz, deren Wirkung nicht durch Kochen zerstört wird, beeinträchtigt weder die Vitalität der Leucocyten, noch die (nicht als Coagulationserscheinung aufzufassende) Geldrollenbildung der Erythrocyten, ist auf die Gerinnung von Crustaceenblut ohne Einfluss und stört die Milchgerinnung nicht, während sie die Gerinnung von Myosin und den Eintritt der Todtenstarre etwas beschleunigt. In das Blut injicirt, bewirkt dieselbe bei Hunden und Kaninchen rasch vorübergehende Temperatursteigerung und Vermehrung der Athemfrequenz, ohne den Blutdruck zu beeinflussen, und geht in den Harn über.

2. Insecta.

1) Bruen, Edward T., Experimental use of cantharides as a diuretic. Philad. med. Times. Jan. 12. p. 275. (Günstige Wirkung von Tinctura Cantharidum, zu 18—30 Tropfen pro die, in Fällen von parenchymatöser Nephritis und Hydrops im Gefolge von Herzkrankheiten.) — 2) Lautré (Calmont), Intoxication cantharidienne par le vésicatoire. Gaz. des Hôp. No. 128. p. 1020. — 3) Guarnieri, H., und R. Agostinelli, (Rom), Sull' avvelenamento per cantaride. Archivio per le Scienze med. Vol. VIII. No. 15. p. 307.

Nicht ohne Interesse ist eine Selbstbeobachtung Lautré's (2) über Cantharidismus externus, indem 6 Stunden nach Application zweier grosser Vesicatoren bei Pleuritis Fieberhitze, heftige Kopfschmerzen, profuse viscöse Schweisse, Aufregung, Angst, leichte Delirien und convulsivische Bewegungen, Erbrechen schleimiger und später blutiger Materien und Blasenschmerzen, dagegen keine Strangurie oder Priapismus eintraten; die Erscheinungen schwanden in 3 Stunden.

Guarnieri und Agostinelli (3) haben in einem Falle von in 26 Stunden tödtlicher Vergiftung mit

Spanisch Fliegenpflaster, die unter starken gastroenteritischen und unter den bekannten Erscheinungen von Nierenschmerz, Harndrang und Anurie verlief, die von Cornil und Eliaschoff (Ber. 1883. I. S. 461) bei Subcutaninjection von Cantharidin bei Thieren constatirte Coagulationsnecrose in der Niere bezw. Glomerulonephritis nicht gefunden und führen letztere auf das bei Subcutanapplication in Massen resorbirte und nach den Nieren gelangende Cantharidin zurück, womit ganz andere Verhältnisse als bei der internen Vergiftung gegeben sind, wo die starke croupös-diphtheritische Affection der Magendarmschleimhaut die Resorption des Giftes in Schranken hält.

Auch bei Kaninchen konnten G. und A. intensivere Erkrankungen des Nierenparenchyms nur durch die hypodermatische Methode erzielen, während bei interner Vergiftung die Nierenaffection auch hier über das Niveau der beim Menschen beobachteten Alterationen (Hyperämie der Rindensubstanz, leichte regressive Metamorphosen der Epithelien in den Tubuli contorti und hyaline Cylinder in den dünnsten Theilen der Henleschen Schlingen) hinausgingen.

3. Pisces.

1) Schreiber, Julius (Königsberg), Ueber Fischvergiftung. Nach einem in dem Verein f. wissensch. Heilk. zu Königsberg i. Pr. gehaltenen Vortrag. Berl. klin. Wochenschr. No. 11, 12. S. 161, 183. — 2) Rémy, Charles, Sur les poissons toxiques de Japon. Mém. de la Soc. de Biol. IV. p. 1.

Die Lehre der Vergiftung durch verdorbene Fische erfährt eine interessante Erweiterung durch die Beobachtung Schreiber's (1), dass ein dem Wurstgift ähnliches oder damit identisches Gift sich schon bei sehr kurzer Aufbewahrung entwickeln kann.

S. beobachtete 6 Fälle dieser Intoxication, darunter 2 mit tödtlichem Verlaufe, wo die Ursache in wohlgekochten, seit 5—6 Tagen in Essig eingelegten Fischen, die allerdings in Aussehen und Geschmack sehr verändert waren, bestand. Die Krankheitserscheinungen zeigten sich erst 20 Stunden, nachdem bald nach der Mahlzeit Uebelkeit und wiederholtes Erbrechen eingetreten war, mit Trockenheit im Munde und Halse, Verdunkelung der Augen, Schluckbeschwerden und bei den Schwerererkrankten auch mit Schwäche und Schwere in den Gliedern; ausgeprägter Ptosis und Unbeweglichkeit der Bulbi durch Lähmung der Augennerven, Lähmung des Gaumensegels, weisslich schmierigen, mit der Unterlage fest verfilztem Belag und hartnäckiger Stuhlverstopfung, welche Erscheinungen durch Strychnin und Eserin (subcutan) wenig beeinflusst wurden; in den beiden tödtlichen Fällen erfolgte der Tod am 10. resp. 24. Tage an heftigen Erstickungsanfällen, bei denen die laryngoscopische Untersuchung Abschwächung der Excursionen der Stimmbänder ergab, unter hochgradiger Cyanose. Atropin dilatirte die erweiterte Pupille noch mehr. Die microscopische Untersuchung des Rückenmarks und der Medulla oblongata, der Nn. oculomot. und glossopharyng. ergab nichts Pathologisches. Von den Theilnehmern an der aus Schleien bestehenden Mahlzeit blieb einer völlig gesund.

Rémy (2) hat sich durch Thierversuche überzeugt, dass die giftigen Fische Japans, dort Fugu genannt und besonders im Frühjahr gefürchtet, weder ihre deletäre Eigenschaften irgend welchen Parasiten verdanken, noch in allen ihren Theilen giftig sind, sondern das Gift nur in den Geschlechtswerkzeugen (Eierstöcke, Hoden) entwickeln, deren Verfütterung an Hunde ausser heftigem Erbrechen starke Apathie erzeugt, während eine Abkochung unter die Haut gespritzt die nämlichen Erscheinungen mit Zittern, Speichelfluss, Mydriasis, Paralyse, Dyspnoe, Contraction des Abdomen, Cyanose und Tod bedingt. Der Rogen scheint giftiger als die Hoden zu wirken und die grössere Giftigkeit der Fische im Frühjahr mit der stärkeren Entwickelung der Genitalien im Zusammenhange zu stehen. Die Section ergab Hyperämie der oberen Partie des Tractus und Zeichen von Asphyxie.

Nach den von Rémy zuerst veröffentlichten Notizen von Geerts sind als giftige Fische Japans 5 Species von Tetrodon zu bezeichnen, von denen zwei, T. chrysops s. Pardalis, Akamé, Nai shiro fugu, und T. rubripes, Hon fugu, Ma-fugo, Tora-fugu, Teppo, Kaminata, sehr häufig vorkommen, ausser denen noch T. lineatus, T. vermiculatus und T. rivulatus vom Marktverkehr ausgeschlossen sind; ausserdem gelten noch 7 andere Species dieser Gattung für verdächtig und nur eine Art, T. argenteus, für unschädlich. Rémy's Versuche zeigen mit Bestimmtheit auch die Toxicität der Eierstöcke von T. stictonotus, Goma fugu. An ein Ptomaïn kann R. nicht glauben, da die von ihm benutzten Fische völlig frisch waren und die Versuche im Winter stattfanden. Ausser den genannten Tetrodenarten gelten in Japan nach Geerts noch für giftig: Silurus japonicus, der Namadzu, Thynnus sibi, den die Japanesen roh in Sauce verzehren und der sehr häufig Schwindel und Congestion des Kopfes und der Bindehaut bedingt, was auch Rémy beobachtete, in altem Zustande nicht selten zu Diarrhoe und Enteritis führt, ausserdem Thynnus thunnina, Th. pelamys, Th. macropterus und Pelamys orientalis, welche roh in gleicher Weise wirken, getrocknet ohne Schaden verzehrt werden, Scomber scombrus, Scomber pneumatophorus (Saba), und Cybium chinense, welche leicht faulen, Chrysophrys longispinus, dessen Giftigkeit Geerts in Zweifel zieht, Orthagoriscus mola, Diodon novemmaculatus, die wirklich giftig sind, Aluteres monoceras, Ostracion turritos und O. brevicornis, deren Genuss vermieden wird, Aluteres cinerea, dessen Haut für giftig gilt, Cyprinus auratus und C. chinensis, welche bestimmt ungiftig sind, endlich Pagrus aurantiacus und Plotosus lineatus. welche nach Geerts einen giftigen Stachel auf dem Rücken haben.

4. Mammalia.

1) Yvon, Sur le poudre de viande. Bull. gén. de Thérap. Jan. 15. p. 5. — 2) Dannecy (Rio Janeiro), Préparation de la poudre de viande. Ibidem. Sept. 15. p. 231. — 3) Vernon, Pol., De la poudre de viande et de son action thérapeutique. Gaz. des Hôp. No. 142. p. 1131. (Ohne Bedeutung.) — 4) Kochs, W. (Bonn), Ein neues Fleischpepton, Nährmittel und Genussmittel für Kranke und Gesunde. 8. 34 Ss. u. 7 Tafeln. Bonn. — 5) Vigier, Pierre, Des ferments digestifs et de leur préparation pharmaceutique. Gaz. hebdom. de méd. No. 19, 20, 21. p. 316, 326, 346. — 6) Defresne, Th., Critique sur les études qui ont déterminé la Commission du Codex à choisir la fibrine pour titrer la pepsine. Ibidem. No. 43. p. 704. — 7) Derselbe, La pancréatine et les peptones. 8. Paris. — 8) Husson, Note sur les ferments glycogéniques. Bull. de l'Acad. de méd. No. 52. p. 1789. — 9) Mandowski (Badenweiler), Ueber Kefir (moussirenden Milchwein). Deutsche medicin. Wochenschr. No. 21. S. 324. — 10) Poulet, V. (Plancher-les-Mines), De l'emploi des hippurates en médecine. Gaz. hebdom.

de méd. et de chir. No. 46, 47, 48. — 11) Cervello, Vincenzo (Palermo), Notizie preliminari sull' azione della neurina. Riv. di Chim. med. e farm p. 272. — 12) Gelder, H. van, Bijdrage tot de studie der ptomaïnen. Weekbl. voor Pharmacie. No. 41.

Das nach Debove (Ber. 1883, I. S. 462) dargestellte Fleischpulver wird in Paris jetzt so massenhaft verbraucht, dass täglich 300 kg theils aus Rind-, theils aus Pferdefleisch fabricirt werden; doch sind die Fabricate keineswegs von gleicher Qualität und meist weniger wohlschmeckend und aromatisch als das von Debove in Bicêtre unter Ausschluss mechanischer Arbeit dargestellte Präparat.

Zur Werthbestimmung dieser Fleischpulver des Handels dient nach Yvon (1) in erster Linie die microscopische Untersuchung, indem die Zahl der quergestreiften Muskelfasern einen Anhaltspunkt dafür abgiebt, ob gute Muskelstücke zur Darstellung benutzt und Fett und Sehnen entfernt wurden und ob nicht eine zu hohe Temperatur angewendet wurde, durch welche die Querstreifung verschwindet. Zur Erleichterung dieser Untersuchung kann man das Fleischpulver mit Fuchsin färben, das von den Muskelfasern angezogen wird, dagegen nicht die fremden Materien färbt. Weitere Aufschlüsse gab die quantitative Bestimmung des wässerigen Extracts, insofern Rindfleisch im Durchschnitt nur 11—12, Pferdefleisch 17 pCt. liefert, und indem vorher gekochtes oder vorher ausgepresstes Fleisch weit weniger, mitunter sogar nur 1.5 pCt. Wasserextract liefert. Endlich ist die Bestimmung der festen Salze, welche Yvon durchschnittlich zu 4,30 pCt. fand, von Wichtigkeit, theils um einen etwaigen Zusatz von Chlornatrium, das im Mittel 0,6 pCt. beträgt, zu constatiren, theils um ebenfalls vorherige Extraction zu erkennen. Gut präparirtes Fleischpulver wird durch Pepsin ebenso gut und in Folge seiner feineren Vertheilung leichter peptonisirt als Hackefleisch.

Dannecy (2) bereitet das Fleischpulver aus Fleisch, welches vorher mindestens 1 Stunde in dem 10fachen Volumen 1 proc. kochender Salzlösung eingetaucht war. um die in demselben vorhandenen Parasiten, insbesondere Finnen, zu tödten. Das Pepton nimmt einen sehr angenehmen Geschmack an, wenn man, wie in Bordeaux, das Eintauchen mit der Darstellung von Krankenbouillon verbindet. Auch Yvon betont, dass das Kochen nicht ungünstig einwirkt, vielmehr Geschmack und Geruch bessert, und dass auch die im Luftbade getrockneten Fleischpulver des Pariser Handels kein lösliches Eiweiss an kaltes Wasser abtreten.

Ein wesentlicher Fortschritt für die Anwendung der Peptone scheint darin gegeben zu sein, dass Kochs (4) ein haltbares leimfreies Fleischpepton erfunden hat, welches sowohl elastisch weich in Büchsen als in fester Form von Peptontafeln und Pastillen monatelang bei warmer feuchter Luft unverändert bleibt und in kochendem Wasser gelöst mit dem nöthigen Zusatze von Kochsalz eine äusserst wohlschmeckende, nach den Erfahrungen Bamberger's und Leyden's von Magenkranken lange Zeit gern genommene und gut tolerirte Fleischbrühe liefert, deren Nahrhaftigkeit nach den im Bonner pharmacologischen Institute angestellten Fütterungsversuchen nicht in Zweifel steht.

Nach einer Analyse von Bodlaender besteht dasselbe aus etwa gleichen Theilen (45,95 pCt der Trockensubstanz) peptonisirter Eiweisskörper des Muskelfleisches, von denen etwa die Hälfte durch Natriumsulfat und die andere Hälfte durch Ammoniumsulfat fällbar ist, und der in Liebig's Fleischextract enthaltenen organischen und unorganischen Extractivstoffe, welche 40,66 pCt. resp. 11,28 pCt. der Trockensubstanz ausmachen. Die Asche enthält 35,59 pCt. Kali und 31,95 Phosphorpentoxyd; doch ist trotz des grossen Kaligehalts das dem Eiweissbedürfnisse entsprechende Quantum Fleischpepton ohne schädliche Wirkung auf Herz und Nervensystem.

Vigier (5) hebt hervor, dass der Gebrauch von gekochtem Eiweiss zur Prüfung von Pepsin verwerflich ist, weil die grössere oder geringere Feinheit der Vertheilung des Eiweiss die Pepsinwirkung wesentlich modificirt, und weil ausserordentlich schwach wirkende Pepsine gekochtes Eiweiss zwar lösen, aber nicht peptonisiren; auch wird gekochtes Eiweiss, wenn es 2—3 Stunden an der Luft gestanden hat, so modificirt, dass Pepsin dasselbe nicht mehr angreift. Auch bei der Fibrinprobe ist übrigens zu beachten, dass sehr schwache Pepsine Fibrin zur Lösung bringen, ohne zu peptonisiren, und muss deshalb das erhaltene filtrirte Product stets auf seine Fällbarkeit durch Salpetersäure geprüft werden. Gutes Pepsin kann selbst die 3000 bis 4000fache Fibrinmenge in Lösung bringen, wenn die Menge des angesäuerten Wassers im richtigen Verhältnisse zur Pepsinmenge steht. Zu der Fibrinprobe nimmt Verf. 0,5 pulverförmiges oder 0,02 extractives Pepsin, 60,0 Wasser, 0,06 Salzsäure und 10,0 Fibrin, die im Marienbade 6 Stunden bei 50° erwärmt werden, worauf 10 ccm der filtrirten Flüssigkeit sich nicht durch allmäligen Zusatz von 30—40 Tropfen Salpetersäure trüben dürfen. Die Prüfung mit Salpetersäure darf nicht durch die Kochprobe ersetzt werden, welche auch nicht peptonisirtes gelöstes Eiweiss fällt; auch ist die Temperatur der Digestion zweckmässig etwas höher als die Körperwärme zu wählen. Unter pulverförmigem Pepsin versteht V. die mit Amylum oder Dextrin versetzten Pepsine, unter extractivem P. das früher in Frankreich officinelle Präparat. Für die Fibrinprobe empfiehlt er F. vom Schweine, Schafe oder Kalbe, dagegen kein Ochsenfibrin, das durch seine voluminösern Fäden der Digestion grosse Hindernisse entgegensetzt. Die Wirkung des Pepsins im Magen ist nach V. bedeutender als in künstlicher Verdauung, da die gebildeten Peptone für letztere hinderlich sind, woher es auch kommt, dass das bei letzteren benutzte Pepsin nach Aufhören seiner Action wieder peptonisirend wirkt, sobald die Peptone durch Dilution entfernt werden. V. zieht das Pepsinpulver dem Pepsinwein entschieden vor, weil bei der Bereitung desselben, ebenso wie bei derjenigen von Pepsinelixir, 50 pCt. Pepsin verloren gehen, betont übrigens, dass bei guter Bereitung die Pepsinweine und Elixire ihre verdauende Kraft lange conserviren. Französisches Amylum-Pepsin giebt nach V. gute Pepsinweine, während durch Abkratzen erhaltenes englisches Pepsin und mit Kochsalz gefällte und mit Milchzucker versetzte Pepsine ungenügende alcoholische Präparate liefern. Die Pepsinsorten des Pariser Handels entsprechen z. Th. den Anforderungen, die Pepsinweine nur höchst ausnahmsweise.

Defresne (6) will vom Fibrin nichts wissen, das in sehr verschiedener Qualität vorkommt, und empfiehlt rohes Eiweiss zur Pepsinprüfung, dessen Zusammensetzung er als sehr gleichartig betrachtet, da das Gewicht der Trockensubstanz nur ganz unbedeutende Schwankungen zeigt. 1,0 medicinales Pepsin peptonisirt 30,0 rohes Hühnereiweiss vollständig.

Husson (8) erklärt nach Digestionsversuchen die aus Malz dargestellten Präparate des französischen Handels (Maltin, Diastase) zwar dem Malzpulver und dem deutschen Maltin in Bezug auf die Ueberführung von Stärke in Zucker weit überlegen, aber ihrerseits dem Pancreatin, das ausserdem den Kleber des Brods peptonisirt, sehr nachstehend, und empfiehlt als ex tempore zu bereitendes nutritives Präparat eine Emulsion de pain peptonisé, in dem er 10,0 Mica panis mit 0,5 Pancreatin und 100,0 Wasser bei 40° 24 Stunden digerirt und die Colatur mit 10,0 Vanillezucker, 5,0 Gummi und 5,0 Aq flor. Aurantii emulgirt, womit er namentlich das Decoctum album Sydenhami ersetzen will.

Aus Russland wird ein neues dem Kumys verwandtes Getränk, der Kefir, welches durch Gährenlassen von Milch mittelst eines als „Hirse des Propheten" bezeichneten Pilzcongomerats, aus Bacterien, Oïdium lactis und Saccharomyces bestehend, erhalten wird. Genauere Mittheilungen über die Bereitung des von den Bewohnern des Kaukasus benutzten Getränks, das zweckmässiger aus entrahmter Milch gemacht wird und am wohlschmeckendsten bei Benutzung gekochter Milch ausfällt, hat Mandrowski (9) gegeben, der es als gutes Ernährungsmittel selbst in Fällen, wo Milch nicht tolerirt wurde, erprobte, Magendrücken und Erbrechen in einzelnen Fällen von Magenkatarrhen und Magengeschwür dadurch sofort coupirt sah, und das Mittel ausserdem bei Dyspepsien, Phthisis, chronischem Lungenkatarrh und Kachexien als Stomachicum und Tonicum benutzte.

Man trinkt Morgens, Mittags und Abend 1/4 l Kefir, der übrigens nach der Dauer der Einwirkung des Gährungspilzes — welcher unter dem Namen Kefirknollen im Handel ist, — verschieden ausfällt und nach einiger Zeit bei dem Kranken, besonders bei Benutzung zu alten Kefir's, Widerwillen erregt, welcher Pausen in der Cur nöthig macht Mit Kumys verglichen enthält Kefir mehr Milchsäure, aber weniger Kohlensäure und Alcohol, ist rahmweiss und dickflüssig, der Buttermilch ähnlich, und schmeckt prickelnd. Nach A. Szadowen verliert Kefir in 2 Tagen von 5 pCt. Zucker die Hälfte und enthält 1¼ pCt. Milchsäure und ¾ pCt. Alcohol, in 5 Tagen verliert er 3 pCt. Zucker und enthält 1½ pCt. Milchsäure und 1 pCt. Alcohol.

Eine Lanze für die hippursauren Salze, insbesondere das hippursaure Calcium als Heilmittel in den verschiedensten Krankheiten bricht Poulet (70) unter Beifügung von Krankengeschichten, welche zum Theil wegen gleichzeitiger Anwendung anderer Mittel nicht besonders concludent sind. P. glaubt damit rapide Erfolge bei Phosphaturie und bei Cystitis mit alkalischer und schleimiger Beschaffenheit des Urins (gleichzeitig mit Bilsenkrautextract gegen Tenesmus vesicalis) erzielt zu haben; ferner bei Scrophulose, wo es auch bei Ophthalmia scr. die Photophobie beseitigt haben soll, und bei Morbus maculosus (nach erfolgloser Anwendung anderer Mittel), bei beginender Lebercirrhose mit stark vermehrter Abscheidung von Uraten im Harne, bei harnsaurem Gries, wo neben dem Calciumhippurat das hippursaure Lithium indicirt ist, das P. als Syrupus Lithii hippurici, von dem jeder Löffel 0,25 enthält, verwendet, bei Struma, scrophulösen Hautaffectionen (Crusta lactea, Impetigo, Prurigo, selbst Lupus hypertrophicus), bei Acne der Erwachsenen und verschiedenen flechtenartigen Ausschlägen, welche P. von harnsaurer Diathese ableitet, endlich bei den verschiedensten Störungen des Verdauungscanals, namentlich Durchfall der Kinder, wo bei gleichzeitig bestehendem Erbrechen Ceriumoxalat sich bewährt. Ausser dem hippursauren Calcium, in welchem P. das beste Antidot bei Phosphorismus acutus erkennt, hat er auch hippursaures Eisenoxydul (in candirten Pillen) bei Chlorose und Hippursäure mit Pepsin bei Dyspepsie aus unbekannten Ursachen mit Erfolg benutzt. Zur Bereitung des von ihm benutzten Syrupus Calcii hippurici sättigt P. 100,0 reine Hippursäure mit Kalkmilch in Wasser von ca. 80°, setzt Wasser bis zu 2 l hinzu und löst darin 2400 g Zucker und 15,0 Tinctura Citri, von welcher Mischung 2—3 mal täglich 1 Esslöffel voll genommen wird.

Nach Cervello (11) besitzt das Neurin giftige Wirkung, welche einerseits an Curare, andererseits an Muscarin und Pilocarpin erinnert.

Es wirkt bei Fröschen zu 1—3 mg lähmend auf die Nervenendigungen und bedingt diastolische Herzpausen und Verlangsamung, welche durch Atropin aufgehoben resp. verhütet werden. Grosse Dosen bewirken bei Hunden und Kaninchen Speichelfluss. Unsicherheit der Bewegungen, Verlangsamung der Herzschläge und der Athmung, letale führen zu allgemeiner Lähmung und tödten durch Lähmung der Respirationsmuskeln; der Herzschlag persistirt nach dem Cessiren der Athmung noch einige, bei künstlicher Athmung noch längere Zeit; die Muskeln bleiben direct erregbar. Ausserdem bewirkt Neurin Myosis (local applicirt), Speichelfluss und Vermehrung der Intestinalsecretion, was durch Atropin verhindert werden kann; es steigert anfangs den Blutdruck und macht die Herzschläge langsamer und ausgiebiger, später (nach 5 Min) folgt allmäliges Sinken bis unter die Norm. Das bereits stillstehende Herz kann durch künstliche Athmung wieder in Gang gebracht werden; Vagusdurchschneidung beeinflusst die Wirkung auf die Circulation nicht. Das Neurin ist bei Vergiftungen im Harn, nicht im Speichel nachweisbar.

van Gelder (12) hat bei einer in Leeuwarden vorgekommenen Vergiftung durch Rauchfleisch, welche mit Kopfweh, Erbrechen, Leibschmerz und Diarrhoe verlief, in dem fraglichen Fleische, welches auf Hunde nicht giftig wirkte, nicht nur zahlreiche Micrococcen und Bacterien constatirt, sondern auch daraus ein aus saurer und ein aus alkalischer Lösung in Aether übergehendes Ptomaïn isolirt, an denen jedoch eine giftige Wirkung auf Kaninchen und Frösche bei Subcutaninjection nicht nachweisbar war.

III. Allgemeine pharmacologische und toxicologische Studien.

1) Falck, F. A. (Kiel), Ueber den Einfluss des Alters auf die Wirkung der Arzneimittel. Archiv für die gesammte Physiol. Bd. XXXIV. S. 525. (Zeigt die Incongruenz der Dosenscalen von Juncker-Gaub, Hufeland u. A. mit den Gewichtsverhältnissen der Altersstufen und die Nothwendigkeit, derartige Scalen auf Grund umfassender Einzelversuche herzustellen.) — 2) Hess, E. und B. Luchsinger (Bern), Toxikologische Beiträge. Ebendas. Bd. XXXV. S. 74. — 3) Brunton, T. Lauder und T. Theodore Cash (London), Ueber vorbeugende Gegengifte. Centralbl. f. d. med. Wissensch. No. 31. S 545. — 4) Smith, Walter, The antagonism of drugs Dubl. Journ. of med. Sc. Jan. p. 32. (Ohne Bedeutung.) — 5) Rabuteau, Sur divers sels et oxydes d'ammoniums quaternaires agissant comme poisons paralyso-moteurs ou curarisants. Mém. de la Soc. de Biol. p. 29. — 6) Stolnikow (Petersburg), Ueber die Bedeutung der Hydroxylgruppe (HO) in einigen Giften. Zeitschr. f. physiol. Chemie. Bd. VIII. S. 235. — 7) Smith, C. Solomon (Halifax), On antiseptic inhalations. Brit. med. Journ. Febr. 23. p. 353. (Räsonnement.) — 8) Cousins, J. Ward (Portsmouth), A new inhaler; with remarks on antiseptic inhalation. Med. Times and Gaz. Sept. 20. p 401. (Beschreibung eines sehr leichten, nur 72 Gran schweren Inhalationsapparats für antiseptische Mittel bei Tuberculösen, für Nase und Mund gleich

brauchbar, und Kritik anderer Apparate.) — 9) Simanowsky, N. und C. Schoumoff (Petersburg), Ueber den Einfluss des Alcohols und des Morphiums auf die physiologische Oxydation. Arch. f. d. gesammte Physiologie. Bd. XXXIII S. 251. — 10) Becker, Franz, Ueber den Einfluss, welchen verschiedene Salze auf die rothen Blutkörperchen ausüben. 8. 38 Ss. Diss. Halle. (Hallesches physiol. Institut.) — 11) Ringer, Sydney und Harrington Sainsbury, Investigations into the digitalis group. Med. chir. Transact. LXVII. p. 67. (Giebt die ausführlichen Versuche der im vorj. Ber. I. S. 466 referirten Arbeit.) — 12) Blake, James, On the action of the salts of lime, strontia and baryta on the heart. Practit. XXXII. p. 187. (Prioritätsreclamation.) — 13) Ringer und Sainsbury, On the influence of certain drugs on the period of diminished excitability. Journ of Physiol. Vol. IV. No. 6. p. 350. — 14) Ringer, An investigation regarding the action of rubidium and caesium salts compared with the action of potassium salts on the ventricle of the frogs hearts. Ibidem. p. 371. — 15) Derselbe, Report on the influence of rhombic sodium-phosphate and sodium-bicarbonate on muscular contraction. British medical Journal. July 19. p 494. — 16) Maki, Rioschiro, Ueber den Einfluss des Camphers, Coffeïns und Alcohols auf das Herz. 59 Ss 8. Diss. Strassburg. — 17) Bufalini, G. und Fl. Tassi (Siena), Dell' influenza di alcuni alcaloidi sulla eccitabilità muscolare. Riv. di Chim. med. e farm. p. 303. — 18) Henrichsen, Hugo (Wandsbeck), Beitrag zur Kenntniss von der Wirkung der Abführmittel. 8. 52 Ss. Diss. Kiel. — 19) Lewaschew, S. W., Beiträge zur Lehre über den Einfluss alkalischer Mittel auf die Zusammensetzung der Galle. Zeitschrift f. klin Medicin. Bd. VII. S. 609. Bd. VIII. S. 48. — 20) Derselbe, Zur Frage über die quantitativen Veränderungen der Gallensecretion unter Einfluss alkalischer Mittel. Aus dem Laboratorium von Prof. Botkin. Deutsches Arch. f. klin. Med. Bd. XXXV. S. 93. (Vgl. Ber. f. 1883 I. S. 469.) — 21) Paschkis, Heinrich (Wien), Ueber Cholagoga Wiener med. Jahrb. H. 2 u. 3. S. 159. — 22) Kremer, F., Ueber die Einwirkung der Narcotica auf den Raumsinn der Haut. Archiv für die gesammte Physiologie. Bd XXXIII. S. 271. — 23) Curci, Ant, Azione di alcuni medicamenti sulla circolazione del sangue nel cervello. Lo Sperimentale. Marzo. p. 248. — 24) Chirone, Vincenzo, Studi critici e sperimentali intorno alla epilepsia tossica. Il Morgagni. Ottobre. p. 641. — 25) Brunton, Lauder T., On the action and use of diuretics. Practitioner. Vol. XXXII. p. 274, 353. (Darstellung der physiologischen Verhältnisse der Harnsecretion und der Wege, auf welchen dieselbe gesteigert werden kann, nebst einer darauf gegründeten Eintheilung der Diuretica.)

Die alte Meinung, dass der Organismus durch Speisung mit Gegengiften gegen die Wirkung von Giften resistenzfähiger gemacht werde, scheint eine Stütze in Beobachtungen von Brunton und Cash (3) zu finden, wonach Fütterung mit Kalisalzen Thiere weniger empfindlich gegen die Wirkung von Bariumsalzen macht und den Tod erheblich hinausschiebt. Auch bei gleichzeitiger Injection von Kalium- und Bariumsalzen resultirt weniger rascher Tod; dagegen beeinflussen Kaliumsalze die toxischen Effecte des Veratrins nicht, obschon sie nach früheren Versuchen von B. und C. die Wirkung des letzteren auf den Froschmuskel ebenso gut wie die analoge der Bariumsalze aufheben.

Luchsinger hat in Gemeinschaft mit Hess (2) seine thermischtoxicologischen Untersuchungen (Ber. 1883. I. S. 465) fortgesetzt und das früher bei Kali- und Kupfersalzen gefundene Factum, dass stark gewärmte vergiftete Thiere stets vor den kalt gehaltenen starben, dagegen mässig erwärmte die längste Lebensdauer hatten, auch bei Chloral, Alcohol, Coniin, Quecksilber-, Platin- und Thalliumsalzen bestätigt gefunden, wenn dieselben subcutan applicirt wurden, während bei intravenöser Injection (von Chloralhydrat) die hoch erwärmten Thiere die kalt gehaltenen überlebten, so dass also die durch die Wärme bedingte raschere Resorption wohl als Ursache der erhöhten Giftwirkung anzusehen ist.

In Bezug auf die einzelnen in den Versuchen benutzten Gifte betonen L. und H., dass bei langsamer Vergiftung mit Thallium das Herz nach bereits zu Stande gekommener centraler Lähmung noch kräftig schlagen kann, und dass beim Thallium wie bei Quecksilber, Platina und anderen Metallen die Blutdruckverringerung in der durch die Magendarmentzündung sich kundgebenden Lähmung der Darmgefässe ihren Grund hat. In Fällen, wo der Tod ohne Krämpfe erfolgt, ist die Reizbarkeit des Ischiadicus und der Muskeln constant erloschen bezw. stark herabgesetzt. Die Lähmung der Muskeln erfolgt nicht gleichmässig, die der glatten später als die der quergestreiften, unter diesen wird der quergestreifte Oesophagus am spätesten, der Peronei eher als die Gastrocnemii, die Strecker die Hand eher als die Beuger paralysirt.

Dass die bei den fraglichen metallischen Giften constante Temperaturerniedrigung Folge einer Hemmung der Oxydationsvorgänge im Körper ist, folgern L. und H aus der Abnahme der Kohlensäureausscheidung bei den mit Platin oder Kupfer vergifteten Thieren, auch wenn die Abkühlung durch Erwärmen ausgeschlossen wurde, und durch die Verringerung der Phenolbildung aus Benzol (vgl. Ber. 1883. I. S. 464.) bei denselben.

Rabuteau (5) zeigt die curareartige Wirkung der von Anilin und Toluidin abgeleiteten quaternären Ammoniumbasen (Phenyltriäthylammonium, Phenyldimethyläthylammonium, Phenyldimethylamylammonium, — Toluyltriäthylammonium, Ditoluyldiäthylammonium, Toluyldiäthylamylammonium), sowie diejenige entsprechender Kressyl- und Naphthylverbindungen.

Von den quaternären Phenylammoniumbasen ist Phenyldimethylamylamin die giftigste, von den Toluylderivaten das Toluyldiäthylamylammonium; das Toluyltriäthylammonium ist schwächer als die entsprechende Phenylbase. Noch stärker als die Jodüre dieser Verbindungen wirken die Oxyde (Phenyldimethylamylammoniumhydrat, Toluyltriäthylammoniumhydrat), im Verhältnisse von 3 : 2 ihrem Moleculargewichte entsprechend, nach Art des Curarins, in welchem Rabuteau ebenfalls eine quaternäre Ammoniumbase erblickt. Weder Anilin noch Toluidin, noch die davon abgeleiteten secundären und ternären Basen lähmen die motorischen Nerven.

Stolnikow (6) ist bei seinen unter Baumann angestellten Versuchen über die Wirkung des Morphins, Phenols, Pyrogallols und Resorcins und der Aetherschwefelsäuren dieser Verbindungen zu dem Resultate gelangt, dass die Giftigkeit der genannten Körper eng mit den in ihnen enthaltenen Hydroxylgruppen verknüpft ist und dass, wenn man letztere mit der indifferenten Schwefelsäuregruppe vertauscht, weit schwächere Gifte resultiren, die auch, wie z. B. Morphinschwefelsäure, qualitativ in ihrer Wirkung verändert sind.

Morphinschwefelsäure ist beim Menschen zu 0,1—0,12 und bei Hunden zu 2,0—4,9 ohne jeden Effect, bedingt aber bei Fröschen in Dosen, welche die letale Gabe des Morphins um das 3—5 fache übersteigen, Tetanusanfälle und klonische Krämpfe, auf welche ein leichter Grad von Trägheit folgt; ein Verhalten, woraus S. schliesst, dass die narcotisirenden Wirkungen des Morphin $C_{17}H_{18}NO_2$ (HO) in der Hydroxylgruppe beruhen, welche in der Morphinschwefelsäure $C_{17}H_{18}NO_2$ (SO_4H) durch einen Schwefelsäurerest vertreten wird. Auf Blutung, Herzrhythmus und Athmungsact wirkt Morphinschwefelsäure in den fraglichen Dosen nicht ein. In Bezug auf die Schicksale des Morphins im Organismus ist es S. gelungen, bei Hunden nach toxischen Morphindosen (2,0) Morphin nachzuweisen, jedoch nur in kleinen, durch Farbenreactionen nachweisbaren Mengen, nicht in Krystallen, während gleichzeitig keine wesentliche Menge Morphinschwefelsäure im Harn auftrat; auch hat er früher in einem Falle von Ptyalismus den Uebergang des Morphins in den Speichel nachgewiesen. Morphinschwefelsäure konnte nach grösseren Mengen im Harn nicht nachgewiesen werden, in welchem auch Morphin nicht auftrat; dagegen erschien die Menge der Aetherschwefelsäuren im Harn sowohl nach Morphin als nach Morphinschwefelsäure vermehrt, so dass es scheint, als ob andere Aetherschwefelsäuren im Organismus aus Morphin gebildet würden. Als charakteristische Reaction der Morphinätherschwefelsäure erscheint das Verhalten eines Gemenges mit einigen Tropfen Schwefelsäure, das beim Erwärmen im Wasserbade schön rosarothe Färbung mit einem Stich ins Violette, beim Erwärmen auf der Gasflamme schön violette Färbung giebt, welche letztere auch beim Stehenlassen der rosagefärbten Mischung an der Luft allmälig eintritt. Phenolätherschwefelsäure, welche auf Warmblüter ohne toxische Wirkung zu sein scheint, wirkte auf Frösche paralysirend, jedoch erst in weit grösseren Mengen als Phenol. Pyrogallolmonätherschwefelsäure wirkte weniger giftig als Pyrogallol und Phloroglucin, dagegen stärker als Phenolätherschwefelsäure und als die anscheinend ganz ungiftige Resorcindiätherschwefelsäure. Die Einführung des Schwefelsäurerestes in das Resorcin wirkt somit ganz anders als das Methyliren, da Dimethylresorcin schon zu 1 Tropfen unter einer Glasglocke 5 Frösche in 3—5 Minuten tödtet.

Mittelst der Methode von Nencki und Sieber (Ber. 1883. I. S. 464) constatirten Simanowski und Schoumoff (9) bei Thieren und Menschen erhebliche Abnahme des atomistischen Sauerstoffs in den Geweben (um 50—75 pCt.) nach Einführung von Alcohol, während Morphium selbst in Gaben, welche weit intensiver als die angewandten Alcoholmengen wirkten, die Oxydation in den Geweben erhöhte. Die Vermehrung der N-Ausscheidung im Harn und der Kohlensäureausscheidung nach grossen Alcoholmengen kann nach den Benzoloxydationsversuchen nicht auf Vermehrung der Oxydationsvorgänge im Organismus bezogen werden, sondern scheint, wie die analoge Thatsache beim Phosphorismus vom Absterben des protoplasmatischen Eiweisses abhängig. Als Ursache des die Benzoloxydation verringernden Effects des Alcohols betrachten S. und Sch. theils die Hemmung der normalen Vorgänge im Protoplasma, theils die Oxydation des Alcohols selbst, den sie (nach 150,0 Alcohol absolutus in Cognac beim Menschen) aus dem Harn nicht als solchen abscheiden, wohl aber durch Jodoform spurweise nachweisen konnten.

Becker (10) fand, dass Alkalisalze die Resistenz der rothen Blutkörperchen gegen physikalisch wirksame Auflösungsmittel herabsetzen, dagegen gegen chemisch wirksame (Galle, Aether) erhöhen, ein Umstand, welcher die Anwendung salinischer Abführmittel bei Icterus zu contraindiciren scheint. Die erhöhende Wirkung machte sich am stärksten bei den Carbonaten, am wenigsten bei den Sulfaten geltend; in der Mitte stehen die Nitrate, Chlorkalium, chlorsaures Kalium und Magnesiumsulfat. In den mit Aether und chlorsaurem Kalium angestellten Versuchen schied sich statt Hämoglobin Methämoglobin ab.

Im weiteren Verfolge ihrer Studien über die Einwirkung verschiedener Stoffe auf das Froschherz bei künstlicher Circulation bestätigen Ringer und Sainsbury (13) den von ihnen schon früher gefundenen (vgl. Ber. 1882. I. S. 438) eigenthümlichen Einfluss der Kaliverbindungen auf die Verhältnisse der Faradisation des Froschventrikels, insofern der refractorische Zustand gegen weitere Reize, den der Herzmuskel, wie überhaupt jedes contractile Gewebe während der Dauer eines Reizes ausübt, durch Kaliumchlorid erheblich verlängert wird, unter Prolongation der Periode der Latenz und Verminderung der Dauer des Schlages, und dass diese zeitliche Verminderung der Excitabilität nicht wie beim normalen Ventrikel durch neue Reize abgekürzt, sondern geradezu verlängert wird. Ammoniumchlorid wirkt in gleicher Weise, jedoch erst nach Vorausgehen eines Zeitraums, in welchem die sog. Periode der verminderten Excitabilität bald leicht vermindert, bald leicht ausgedehnt ist. Dagegen bewirkt Natriumchlorid erhebliche Verringerung der Periode der verminderten Excitabilität (trotz Verlängerung der latenten Periode), und wiederholte Reizung hat den nämlichen Effect wie beim normalen Froschherzen.

Die angegebene Kaliumwirkung kommt nach Ringer und Sainsbury (14) auch dem Rubidium- und Caesiumchlorid zu, von denen das erstere überhaupt in seinen Wirkungen auf das Froschherz bei künstlicher Circulation überhaupt mit dem Kaliumchlorid übereinstimmt, während das Caesiumchlorid nur noch in der Aufhebung der Wirkung von Kalk auf die Diastole dem Kalisalze gleicht, im Uebrigen aber dem Bariumchlorid (vgl. Ber. 1883. I. S. 410.) nähersteht, welches jedoch deleterer als Caesiumchlorid wirkt.

Maki (16) hat unter Schmiedeberg den Einfluss des Camphers, Chinins und Alcohols auf das Herz mittelst des Williams'schen Froschherzapparats studirt, wobei bezüglich des Camphers zunächst ein (vermuthlich durch Ueberreizung bedingtes) Sinken, dann aber ein erhebliches Steigen des Blutdrucks sich ergab, wie letzteres auch als Ausdruck der Herzwirkung bei chloralisirten und curarisirten Kaninchen constant eintritt. Beim Coffeïn ergab sich nur sehr geringe, kurz dauernde, oft auch gar keine Blutdrucksteigerung, noch auch eine Veränderung der Pulsfrequenz am Froschherzen, obschon die Systolen verstärkt schienen; auch wurde nicht, wie beim Campher, das mit Kupfersalzen vergiftete Herz leistungsfähiger. Auch beim Säugethiere resultirte keine constante Blutdrucksveränderung. Alcohol erregte in kleinen Dosen geringe Steigerung des Blutdrucks mit adäquater Verstärkung und Beschleunigung der Herzcontractionen beim unvergifteten oder durch neutrale Kupferlösung geschwächten Froschherzen, und dieselben Phänomene fanden sich auch bei Warmblütern; dagegen ergab sich nach grösseren Mengen Senkung des Blutdrucks und Verlangsamung.

Nach Ringer (15) üben phosphorsaures, phosphorigsaures und unterphosphorigsaures Natrium und noch mehr Natriumbicarbonat auf die quergestreiften Muskeln einen Einfluss dahin aus, dass sie fibrilläre Zuckungen einerseits und einen Zustand minutenlang anhaltender Contraction bei Bewegungen erzeugen, wie solcher bereits vom Veratrin bekannt ist und einen Gang bedingen, der Analogie mit dem bei Rückenmarkssclerose besitzt. Die Wirkung, welche beim Natriumbicarbonat viel stärker als beim Veratrin ist, tritt auch an Muskeln auf, welche durch Nervendurchschneidung von den Nervencentren abgetrennt wurden; Curare vermindert die fibrillären Zuckungen, lässt aber die Verlängerung der Contraction noch stärker hervortreten. Dass es sich bei der Wirkung nicht um Erschöpfung handelt, geht daraus hervor, dass verlängerte electrische Reizung sowohl beim normalen, als bei dem mit Natriumbicarbonat vergifteten Muskel sowohl die fibrillären Zuckungen, als die Contractur vermindert und schliesslich aufhebt.

Nach Bufalini und Tassi (17) wird die Nervenirritabilität und Muskelreizbarkeit stark durch Aconitin, Napellin und Lycoctonin bei Fröschen herabgesetzt, erstere etwas mehr als letztere; durch Aconitsäure bleiben beide intact. Gelsemin setzt die Nervenreizbarkeit rasch herab, ohne die Muskelcontractilität zu beeinflussen; Pilocarpin schwächt beide in nicht bedeutendem Maasse; Veratrin wirkt auf beide anfangs steigernd, später setzt es die Muskelcontractilität stark herab, während die Nerven auch nach dem Tode reizbar bleiben.

Henrichsen (18) hat auf Veranlassung von Edlefsen durch Selbstversuche die Wirkung verschiedener Abführmittel (Ricinusöl, Karlsbader Salz, Glaubersalz, Brustpulver, Ofener Bittersalz) auf den Harn erforscht und constant an den Abführtagen Verminderung der Harnabscheidung gefunden, weniger bedeutend bei den vegetabilischen, als bei den salinischen Laxantien, weil bei ersteren die purgirende Action noch am 2. Tage in geringerem Grade fortdauerte, während bei den Salzen am 2. Tage bereits eine Steigerung der Harnmenge über die Norm hervortrat. Bei den vegetabilischen Mitteln vertheilte sich die Verminderung der Urinabsonderung gleichmässig auf Tag und Nacht, während bei den Salzen dieselbe in den Tagesstunden bedeutender war als am Abend und in der Nacht, ein Verhalten, welches H. bei dem Uebergange der betreffenden Salze in den Harn auf diosmotische Abgabe von Wasser an den Darminhalt seitens des Blutes bezogen wissen will. Während bei dem Brustpulver in der Ausscheidung der festen Harnbestandtheile sich keine Abweichungen von der Norm ergaben, zeigte sich beim Karlsbader Salz schon in den ersten Stunden, beim Glaubersalze nach Ablauf von 5—10 Stunden und beim Ofener Bittersalze den ganzen Tag über, am meisten jedoch in den ersten Stunden, erhebliche Vermehrung der Fixa. Diese Differenz entspricht nach H. der langsamen Resorption des Glaubersalzes, auf dessen Wirkung auch die in der Abend- und Nachtperiode erkennbare Vermehrung der festen Harnbestandtheile im Karlsbader und Ofener Salze zurückführbar erscheint, während die Vermehrung in der ersten Stunde, welche beim Karlsbader Salze eintritt, viel zu gross ist, um allein auf der Aufnahme des Kochsalzes und des fast ganz in Chlornatrium übergeführten Natriumcarbonats zu beruhen, so dass entweder eine Ueberführung des Natriumsulfats in diffusibelere Verbindungen oder eine Alteration der Resorptionsgeschwindigkeit desselben durch gleichzeitige Einfuhr anderer Salze stattfindet. Vermehrung des Indicans im Harn fand in kaum der Hälfte der Fälle statt, mitunter schon 2 Stunden nach dem Einnehmen des Purgans.

Im Anschlusse an seine Versuche über den Einfluss alkalischer Mineralwässer auf die Gallensecretion (Ber. 1883. I. S. 469) publicirt Lewaschew (19) Studien über die fraglichen Effecte von Alkalien bei Gallenfistelhunden nach Einführung in Substanz, woraus sich ergiebt, dass auch das Natriumbicarbonat in mittleren Mengen, mehr in Wasserlösung, aber auch ohne jede fremde Beimischung eine bedeutende Verdünnung der Galle durch Verminderung aller festen Bestandtheile desselben hervorrufen kann, dass in gleicher Weise und nur unbedeutend schwächer das Natriumsulfat wirkt, das in mittleren Dosen (3,5 — 5,0) die Galle länger und intensiver verdünnt, als in kleinen (0,5 — 3,0), während sehr grosse Dosen (6,0 — 30,0) nicht stärkeren oder längeren Effect als mittlere hervortreten lassen, dass die Wirkung des Natriumsulfats bei Verdünnung mit Wasser stärker hervortritt und die bei Einführung von ungelöstem Glaubersalz nachträglich eintretende nachträgliche Verdichtung der Galle ausbleibt, endlich dass Natriumphosphat dem Natriumsulfat in seiner Action gleichkommt. Während die Wirkung aller drei Verbindungen auf die Galle keineswegs constant ist, zeigt sich constante und weit intensivere cholagoge Action beim Natriumsalicylat, die selbst bei kleinen Dosen (0,5) prägnant auftritt und durch Darreichung mit Wasser nicht verstärkt wird (obschon sie dabei rascher auftritt und rascher ihr Maximum erreicht), während bei grossen Gaben (1,0—4,0) die festen Bestandtheile der Galle noch nach 24 $^1/_2$ und 48 Stunden $^1/_2$ der Norm darbieten. Dieser Effect übertrifft selbst die Wirkung von Vichy und von alkalischen Mineralwässern.

Paschkis (21) hat bei Hunden mit temporärer Gallenfistel den Einfluss verschiedener in die Blutbahn injicirter Stoffe auf die Gallensecretion untersucht, dabei jedoch meist negative Resultate erhalten.

So bei Colocynthin (0,5, welches auf Puls und Rectumtemperatur nicht einwirkte), Aloïn (1,5, wonach P. Blutharnen und starke Hyperämie im Becken constatirte), Cathartinsäure (mit Natron), Podophyllotoxin, Podophyllin und Pilocarpin. Ebensowenig rief Traubenzucker in grossen Mengen Gallenvermehrung hervor. Eine geringe Steigerung wurde nach Crotonöl erhalten; dagegen ergab die Infusion cholalsauren, glycocholsauren oder taurocholsauren Natriums rasch sehr bedeutende Steigerung (um das Doppelte), welche bei Glycocoll und Taurin ausbleibt.

Kremer (22) constatirte bei Untersuchungen über den Einfluss der Narcotica auf den Raumsinn, die unter Beobachtung der nothwendigen Cautelen (Gleichmässigkeit der Temperatur, nicht zu häufige Prüfung) angestellt wurden, dass innerlich genommene medicinale Dosen Morphium muriaticum und fast in demselben Grade Bromkalium den Raumsinn beträchtlich beschränken, dass auch Cannabinum tannicum und Chloralhydrat in gleichem Sinne wirken, letzteres jedoch weit schwächer als Morphin, dass Extractum Hyoscyami nur wenig den Raumsinn zu beschränken scheint, und dass Coffeïn eine beträchtliche Erhöhung des Raumsinns bedingt, welche selbst am folgenden Tage in verminderter Weise fortdauerte. Locale Herabsetzung des Raumsinns durch Subcutaninjection von Morphin konnte weder in der Norm, noch bei künstlich hervorgerufener localer Hyperästhesie constatirt werden.

Curci (23) hat an trepanirten Hunden den Einfluss verschiedener Medicamente auf die Blutcirculation im Gehirn und die Gehirnpulsationen manometrisch untersucht (unter Vermeidung von Curare u. a. Beruhigungsmitteln). Hiernach wird durch Chloroform und Aether der venöse Druck im Gehirn herabgesetzt unter gleichzeitiger Verringerung der von den Herzpulsationen abhängigen Gehirnbewegungen, woraus relative Anämie des Gehirns resultirt. Ebenso erniedrigt Chloral den Druck im Sinus longitudinalis und bedingt eine erhebliche Abnahme des Hirnvolums, das später initunter wieder über die Norm steigt, um dann wieder dauernd zu sinken, so dass auch hier Anämie resultirt. Ebenso wirkt Paraldehyd, während Amylnitrit Hyperämie und Volumsvermehrung des Gehirns erzeugt. Morphin vergrössert das Hirnvolum und steigert den venösen Blutdruck im Gehirn; dagegen tritt dieser hyperämisirende Effect nicht nach vorheriger Anwendung von Chloroform, Aether, Chloral, Paraldehyd und Chinin ein, während diese Substanzen, namentlich Aether, Chloroform und Chloral die fragliche Morphinwirkung schwächen. Mit Atropin wurden gleichmässige Resultate nicht erhalten; dagegen ergab sich beim Chinin ein gewisser Grad von Volumsverminderung. Therapeutisch scheint hiernach Chloroform, Chloral, Aether und Paraldehyd als Schlafmittel besonders bei hyperämischen Zuständen des Gehirns, Morphin bei anämischen indicirt, wie auch Amylnitrit bei Hirnanämie seine Indication findet.

Zur Stütze seiner früheren Angaben über die Ungleichartigkeit der Entstehung epileptiformer Krampfanfälle nach Giften (Cinchonidin, Picrotoxin) bringt Chirone (24) Versuche an neugeborenen Thieren, bei denen die motorischen Centren der Hirnrinde noch nicht erregbar sind, wonach Cinchonidin hier überhaupt keine, Picrotoxin heftige Krämpfe erregt, welche indess mehr tetanisch sind.

(1) L. A. Gluzinski, Adonis vernalis und Convallaria majalis als Surrogat der Digitalis. (Aus der med. Klinik des Prof. Dr Korczynski in Krakau.) Przegl. lekarski. No. 46—49. — 2) Krokiewicz, A., Ueber einige neueren Arzneimittel. (Aus der medic. Klinik des Prof. Dr. Korczynski in Krakau.) Medycyna. No. 45—51. 1884.

Die Präparate Adonis vernalis und Convallaria majalis wurden von Gluzinski (1) unter denselben Indicationen, wie für Digitalis, also in organischen auf Endo- oder Myocarditis beruhenden Herzfehlern theils im Stadium der vollkommenen Compensation, wo die Herzaction verstärkt und der Puls beschleunigt war, theils in den Stadien einer mehr oder minder ausgesprochenen Compensationsstörung, ohne Unterschied, ob sich dieselbe auf Grund eines organischen Herzfehlers, oder in Folge einer entfernteren Ursache (Pericarditis chronica, Emphysema pulmonum, Nephritis chronica und dergl.) ausgebildet hat, angewandt. Adonis vernalis wurde von Merck, Convallaria majalis aus Moskau bezogen. Ersteres wurde als Infusum herbae 4—8 g auf 200, letzteres als Infusum florum 4—6 g auf 200 verschrieben und im Laufe des Tages verbraucht.

In Compensationsstörungen, welche einer Medication überhaupt zugänglich waren, bemerkte man nach beiden Mitteln, dass der Herzschlag ruhiger und deutlicher, der Puls mehr gespannt und weniger accelerirt wurde, und dass sich die Arhythmie, wenn sie vorher bestand, verkleinerte. Die Dimensionen der Herzventrikel wurden kleiner, die Töne, eventuell die Geräusche, deutlicher. Die Urinmenge stieg von 300 auf 2000—3000 cm, die hydropischen Erscheinungen gingen zurück oder verschwanden gänzlich (in einem Falle verlor aus diesem Grunde der Kranke im Verlaufe eines Monats 24 kg an Körpergewicht). Die subjectiven Erscheinungen besserten sich, besonders das Herzklopfen, die Athemnoth und das Allgemeinbefinden.

Beide Mittel sind also im Stande, die Compensation, wo sie überhaupt noch möglich ist, wieder herzustellen. Die ersten Anzeichen der Wirkung zeigten sich gewöhnlich schon nach 1—2 Dosen. Der Unterschied der Wirkung in Vergleich mit Digitalis lässt sich nicht generalisiren, denn es giebt Fälle, wo die Digitalis vollkommen im Stiche lässt, während eines der beiden genannten Präparate eine prompte Wirkung entfaltet; in anderen Fällen muss man der Convallaria oder Adonis eine oder einige Dosen Digitalis vorausschicken, und erst dann bemerkt man die Wirkung, welche jene der Digitalis bedeutend übersteigt. Was den Grad der Wirkung anbelangt, so scheint es, dass dennoch die Digitalis intensiver wirke als Adonis, letzteres stärker als Convallaria. Beiden Ersatzmitteln fehlen die cumulativen Erscheinungen und überhaupt sind Nebenerscheinungen selten (besonders seitens des Darmtractus), seltener nach Adonis als Convallaria. Beide Mittel eignen sich für einen längeren Gebrauch, besonders wo Digitalis ohne Wirkung bleibt, oder wo der Kranke einer ärztlichen Controle entbehren muss, obwohl es rathsam ist, in schweren Fällen, wo keine Zeit zu verlieren, meist mit einigen Dosen von Digitalis die Medication einzuleiten.

Krokiewicz (2). Mit Uebergehung der Literatur und Versuchsreihen sind folgende Schlussfolgerungen zu notiren:

1. Agaricinum. Verdient allgemeine Anwendung gegen Schweisse der Phthisiker, besonders in nicht sehr späten Stadien der Krankheit. Die kleinste wirksame Dosis beträgt 0,005, die mittlere 0,01 g. Keine Nebenerscheinungen, sogar bei Anwesenheit tuberculöser Darmgeschwüre oder tuberculöser Peritonitis. Manchmal tritt Angewöhnung ein, so dass die Dosis auf 0,03—0,04 erhöht werden muss. Die Wirkung erstreckt sich manchmal auf einige Tage. Jedenfalls ist das Mittel in der Mehrzahl der Fälle dem Atropin vorzuziehen.

2. Arbutinum. Die therapeutischen Erfolge sind nicht sehr eclatant. Tägliche Dosen von 3—4 g des Merck'schen Präparates, sogar längere Zeit angewandt, zeigten eine unbedeutende diuretische Wirkung und übten einen nicht constanten Einfluss auf die Eiterung in den Harnwegen aus. Der ziemlich hohe Preis ist jedenfalls in Rechnung zu bringen.

3. Acidum lacticum. Gegen dyspeptische Erscheinungen (täglich 1—2 g auf 200 aqu. und 20 bis 30 g Syr simpl.) wirkt es ähnlich der Salzsäure. — Gegen Diabetes mellitus erwies sich in einem Falle sogar die tägliche Dosis von 36 g (!) durch 8 Tage hindurch gereicht, vollkommen wirkungslos, in einem anderen Falle verkleinerte sich während einer dreiwöchentlichen Anwendung von täglich 7 g die mittlere Urinmenge nur um 440 cm, und die tägliche Zuckermenge nur um 40 g.

Dagegen wirkt das von Cantani so warm empfohlene Mittel in Tagesdosen von 2—4 g wenigstens symptomatisch, aber gewöhnlich sehr prompt gegen die alkalische Reaction des Harns und gegen das Auftreten von basisch phosphorsaurem Kalk.

4. Cannabinum tannicum wirkte als ein schwaches und nicht immer sicheres Hypnoticum in Dosen von 0,25—1,00 g des Merck'schen Präparates. Schmerz- und hustenstillende Eigenschaften kommen ihm nicht zu. Bei Herzkranken erheischt es Vorsicht (in einem Falle stellte sich nach 0,30 Erbrechen, in einem anderen nach 0,40 g Uebligkeiten, Athemnoth und Schwindel ein), sonst verursacht es keine Nebenerscheinungen.

5. Extractum stigmatum maïdis. Die Inconstanz der Wirkung scheint von der Verschiedenheit der Zubereitung des Präparates abzuhängen. Jedenfalls verdient es eine nähere Analyse und pharmacolo-

gische Prüfung des wirksamen Bestandtheiles. In einigen Fällen von Pyelitis gonorrhoica wurde eine rasche Abnahme der Eiter- und Epithelmenge constatirt, und in einigen Fällen von Pyelitis calculosa wirkte es diuretisch und schmerzstillend.

6. Chinoideum citricum. Dieses in der jüngsten Zeit von Hagens so warm empfohlene und fast beispiellos billige Fiebermittel ist wirklich im Stande, die Fieberanfälle zum Verschwinden zu bringen, und es genügen dazu 4—6 g in einmaligen abendlichen Dosen von 1—2 g. Die Rückfälle treten aber viel öfters und in viel kürzeren Zeiträumen als nach Chinin auf, und, was wichtiger, der Einfluss auf die Verkleinerung der Milztumoren ist bei weitem geringer. Auch in Fällen, wo das Mittel gut vertragen wird, muss man oft, theils wegen der Rückfälle, theils wegen des Milztumors dennoch nachträglich zum Chinin greifen. Der grösste Uebelstand des gewöhnlichen käuflichen Präparates ist seine Eigenschaft, sehr oft Erbrechen zu verursachen, auch wenn es in einer Oblate gut eingehüllt gereicht wird. Ausserdem ruft das Mittel manchmal Aufstossen, Uebliehkeiten und Verlust des Appetits hervor.

7. Kairinum. Die erhaltenen Resultate weichen gar nicht von denen anderer Beobachter ab. Trotz der prompten Einwirkung auf die febrile Temperatur wurde nicht der geringste Einfluss auf den eigentlichen Verlauf der Krankheit constatirt: die durch Kairin afebrilen Kranken verhielten sich gerade so, als ob sie kein Antipyreticum gebraucht hätten, und der Verlauf der Krankheit wurde durch das Mittel weder verkürzt, noch auf irgend welche andere Art beeinflusst. Nur in der Polyartritis acuta milderten sich die subjectiven und objectiven Symptome, aber gewöhnlich nur auf so lange, als das Mittel gereicht wurde und in einem viel kleineren Grade als nach der Salicylsäure. Einige Mal wurde trotz aller Vorsicht in der Anwendung bedrohlicher Collaps constatirt, welchem die gleichzeitige Anwendung starker Excitantien nicht vorbeugen konnte. — In einem Falle, wo vor der Medication die tägliche Harnstoffmenge 2,65 pCt. = 25,88 g betrug, gestaltete sie sich in den folgenden Tagen bei der Kairinmedication: 2,81 pCt. = 46,17 g, 2,98 pCt. = 33,92 g, 3,76 pCt. = 68,11 g, 3,6 pCt. = 37 g.

Korczynski (Krakau)]

Electrotherapie

bearbeitet von

Prof. Dr. M. BERNHARDT in Berlin.

I. Allgemeine Arbeiten. Physiologisches. Methoden.

1) Bardet, G., Traité élém. et prat. d'électricité médicale. Av. 235 fig. 8. Paris. — 2) Beard and Rockwell, A Practial Treatise on the Medical and Surgical Uses of Electricity. 4. éd. Illust. 8. New-York. — 3) Benedikt, M., Die Electricität in der Medicin. 8. Wien. — 4) Boudet de Paris, L'Electricité en médecine. Av. 15 fig. 8. Paris. — 5) Le Breton, J, Histoire et application de l'électricité. Av 126 grav. 8. Paris. — 6) Hospitalier, E., Les principales applications de l'éléctricité. 3. éd Av. fig. et 4 pl. 8. Paris. — 7) Mucci, Manuale di Elettro-terapia galvanica. Piacenza. — 8) Watteville, A. de, A practical introduction to medical electricity. London. II. Edition. — 9) Müller, C W., Zur Einleitung in die Electrotherapie. Wiesbaden. — 10) Engelskjön, C., Die ungleichartige therapeutische Wirkungsweise der zwei electrischen Stromesarten und die electrodiagnostische Gesichtsfelduntersuchung. Archiv f. Psych. etc. XV. S. 136 u. 305. — 10) Jolly, F., Untersuchungen über den electrischen Leitungswiderstand des menschlichen Körpers. Festschrift. Strassb. — 12) Boudet, L'Electricité en médecine. Bulletin génér. de Thérap. 29. Févr. — 13) Scolozouboff, Du courant constant et du courant induit dans le diagnostic des paralysies. Arch. de Phys. etc. No. 8. S. 523. — 14) Heusner, Ueber die Wirkungen des Blitzes auf den Menschen. Wiener med. Blätt. No. 40. — 15) Schleicher, A., Ueber farado-electrische Bäder. Wiener med. Presse No. 27. — 16) v. Corval und Wunderlich, Beobachtungen aus der curärztlichen Praxis. Deutsche med. Wochenschrift. No 21. (Verff. wendeten das monopolare faradische Bad bei im Ganzen 18 Patienten [Hysterischen, Neurasthenischen etc.] an. Die Pulsfrequenz wurde vermindert, das Schlafbedürfniss gesteigert, der Appetit, die Verdauung angeregt, Muskelschwäche beseitigt.) — 17) Trautwein, J., Zur Kenntniss der Stromvertheilung im menschlichen Körper bei Anwendung des galvanischen Bades. Berliner klinische Wochenschrift. No. 37. — 18) Derselbe, Einiges über die electrische Douche und im Anschluss daran über einen Fall von multipler Neuritis. Zeitschrift f. klin. Med. Bd. XII. S. 279. — 19) Herbst, E., Ueber den Einfluss des inducirten und constanten Stromes auf die Thätigkeit des menschlichen Herzens. Archiv für experim. Path. etc. XVIII. S. 423. — 20) Aronsohn, E., Ueber electrische Geruchsempfindung. Physiologische Gesellschaft zu Berlin (Verhandl. No. 15 und 16). — 21) Darier, Réaction galvanique du nerf optique. Progrès méd. 9. Févr. (Die Hervorrufung einer Lichterscheinung wird bei Gesunden durch eine in ihrer Grösse wechselnde Stromstärke erzielt; war die Reaction einmal hervorgerufen, so genügte später bei allen Gesunden eine Stromstärke von 0,1 M. A. [secundäre Reaction]. Bei Entzündung oder grauer Degeneration des N. opt. erhöht sich die Stärke des Stromes bis zu 0,5 und darüber, und ist die Lichtreaction in be-

stimmten Fällen überhaupt nicht mehr zu erzielen.) — 22) Eulenburg, A., Ueber das Verhalten erkrankter (degenerirter) Nerven und Muskeln gegen magnetelectrische Ströme. Neurolog. Centralblatt. No. 3. — 23) Stepanow, Ueber die Wirkungen der statischen Electricität (russisch; Wratsch, No 26; nach einem Referat in Erlm. Centralbl. S. 521) (Eine Sitzung von 12—15 Min. vermindert die Ausdünstung an der Applicationsstelle, vermehrt sie an anderen. Die tägliche Harnmenge steigt; Pulscurvengipfel werden steiler, spitzer und die Dicrotie ausgesprochener. Die Franklinisation wirkt erfrischend, schmerzstillend, dissolvirend. Chronische Rückenmarksaffectionen und Neurosen, wie Hysterie, Neurasthenie werden günstig beeinflusst.) — 24) Vigouroux, R., De l'électricité statique comme agent préventif du choléra. Progrès médic. No. 29. (Die Erzeugung des „antiseptisch wirkenden" Ozon durch die Influenzmaschine, die Einathmung der so ozonisirten Luft, die Imprägnirung der Kleider mit diesem Agens sei „als ein Präventivmittel" gegen die Cholera zu empfehlen? Ref.) — 25) Rockwell, A. D, The induction coil. Its varieties and the differential indications for their use. The New-York Med. Record. Novemb. 8. (Verf. unterscheidet beim Inductionsapparat solche mit separate coils, d. h. die gewöhnlichen und continuous or single coil apparatus. Die letzteren bestehen aus mehreren mit einander und der primären in beliebige Combination zu setzenden Rollen. Diesen verschiedenen Zusammenstellungen vindicirt R. einen verschiedenen therapeutischen Werth. Die Combination der primären mit einer ersten, zweiten und dritten Inductionsspirale soll namentlich bei „allgemeiner Faradisation" wesentliche Dienste leisten; der primäre Strom hat sich ihm besonders bei neuralgischen Zuständen wirksam erwiesen und speciell bei Asthenopie; die Combination von primärer und erster und zweiter Inductionsrolle soll die kräftigsten Muskelcontractionen erregen.) — 26) Niermeijer, H. A., De behandelingsmethode van Rumpf. Weekbl. van het Nederl. Tijdschr. voor Geneesk. No. 14. p. 256 (nach einem Referat im Neurol. Centralb. S. 353). (Günstige Erfolge bei kräftiger faradischer Pinselung der Hautoberfläche nach Rumpf speciell bei von hyperämischen Zuständen abhängigen Kopfschmerzen und Depressionszuständen; auch bei einigen Tabesfällen wirkte die Methode günstig.) — 27) Buch, M., Zur Diagnose des Scheintodes Centralblatt f. Nervenheilk. No. 4. (Noch mehrere Stunden nach dem Tode gelingt es bekanntlich, die quergestreiften Muskeln zur Contraction zu bringen. Während bei Lebenden die Temperatur der über dem zusammengezogenen Muskel liegenden Haut ansteigt, bleibt bei Leichen die Hauttemperatur über dem contrahirten Muskel unverändert und sinkt erst nach 10 Minuten etwas. Man kann also dieses gegensätzliche Verhalten der Hauttemperatur benutzen, um im gegebenen Falle über Leben oder Tod eines Individuums zu entscheiden. Ist kein Inductionsapparat zur Hand, so kann man kräftige mechanische Reizungen [Knetungen des Muskels] zu demselben Zweck und mit demselben Erfolge benutzen.) — 28) Bumm, E., Untersuchungen über die electrische Reizbarkeit des Uterus bei Schwangeren, Kreissenden und Wöchnerinnen. Arch. f. Gynäcol. Bd. 24. H. I. S. 38—68. — 29) Bayer, H., Ueber die Bedeutung der Electricität in der Geburtshülfe und Gynäcologie, insbesondere über die Einleitung der künstlichen Frühgeburt durch den constanten Strom. Zeitschrift für Geburtsh. u. Gynäcol. Bd. XI. Heft I. S. 88—135. — 30) Apostoli, G., Sur la faradisation utérine double ou bipolaire. L'union méd. No. 153, 155.

de Watteville's (8) Elektrodiagnostik und Electrotherapie ist im Jahre 1878 in erster Auflage erschienen. Die Vorzüge dieser ersten Auflage d. h. der sorgfältige Aufbau des Lehrbuchs auf streng physikalischen Grundlagen, die Prägnanz des Ausdrucks und das gleichmässige Fernbleiben des Verf.'s von allzugrosser Skepsis sowohl als von übertriebenem Enthusiasmus bilden auch die Vorzüge dieser zweiten Auflage. Die in der ersten Ausgabe etwas zu ausführliche Beschreibung des Instrumentenapparats, der, wie Verf. selbst sagt, dieselbe fast zu einem illustrirten Kataloge machte, ist zum Vortheil des Buches ebenso wie die zugehörigen Zeichnungen erheblich reducirt. Aufs Neue aber und mit Recht ist grosser Nachdruck auf die Klarlegung der physikalischen Grundlagen und der Principien rationeller Electrodiagnostik gelegt; während früher de W. sich in der Therapie eng an Onimus anschloss, wandelt er in dieser neuen Bearbeitung eigne Wege. Neu hinzugekommen ist der Appendix über „Electrolyse": Die Zeichnungen zu den motorischen Punkten sind verbessert; hinzugekommen Tabellen, aus denen in übersichtlicher Weise die Nervenvertheilung für die einzelnen Muskeln in Bezug auf den Wurzelursprung der Nerven zu ersehen ist.

Müller (9) giebt in seinem Buche in 21 Kapiteln die aus einem langjährigen Studium und einer ausgedehnten practischen Thätigkeit geschöpften Erfahrungen über die Anwendung und Ausübung electrotherapeutischer Massnahmen. Die ersten sieben Kapitel enthalten die ausführlichen Untersuchungen des Verf.'s über Galvanoscope und Galvanometer. Das Resultat ist die Anerkennung des in diesem Bericht beschriebenen, neuerdings von Hirschmann gebauten absoluten Verticalgalvanometers als des zur Zeit besten und allen Anforderungen entsprechenden. Mit Entschiedenheit wird auch von M. für die Nothwendigkeit einer sicheren Stromstärkenmessung eingetreten. Dass in Bezug auf die Erregung bezw. überhaupt Einwirkung auf nervöse Gebilde neben der Stromstärke ganz besonders die Stromesdichte von Bedeutung ist, wird in den neueren Lehrbüchern (Erb, S. 149 etc., Rosenthal und Bernhardt, S. 186, 274) hervorgehoben und betont. M. bemüht sich neben der heute allgemein anerkannten Einheit der Stromstärke auch einen allgemein verständlichen und annehmbaren Ausdruck für die Einheit der Stromdichte zu finden. Bestimmte er die Stromstärke, welche bei gesunden Menschen eine Minimalempfindung des electrischen Stromes bei normaler Hautbeschaffenheit und Sensibilität hervorbringt, so fand er, dass die hierzu nöthige Stromesdichte (D) gleich ist 1 Milliampère, dividirt durch einen Electrodenquerschnitt, der 18 qcm ausmachte.

$$1\ D = \frac{1\ J}{1\ Q} = \frac{1\ \text{Milliampère}}{18\ \text{qcm}} \text{ oder } D = \frac{1}{18}$$

Wann und bei welchen Affectionen diese Stromdichte erhöht oder noch mehr herabgesetzt zur Verwendung kommen soll, wird in den anderen Kapiteln des Weiteren ausgeführt und für das therapeutische Handeln ein besonderer Nachdruck darauf gelegt, dass continuirlich, hinter einander, ohne lange Pausen behandelt werde, dass der Strom loco morbi und oft, wiederholt einwirke und im Durchschnitt nur schwache Ströme benutzt werden. Es ist wohl hier nicht der Ort noch weiter auf die Einzelheiten der durch ausführliche Krankengeschichten aus der reichen Erfahrung des Verf.'s illustrirten Vorschriften einzugehen: einer gewissenhaften Prüfung sind dieselben jedenfalls werth.

Ausgehend von zwei Beobachtungen, die an mit vasomotorischen Neurosen behafteten Patientinnen anstellt wurden, kommt Engelskjön (10) zu dem Schluss, dass der faradische Strom sich zu dem galvanischen in seiner Einwirkung auf die krankhaft veränderte Vasomotion (?) umgekehrt verhält, indem der erstere die spastisch verengten Gefässe erweitert, während der letztere die activ erweiterten Gefässe verengt, und dass diese Effecte durch directe Einwirkung auf die vasomotorisch angegriffene Haut zum Vorschein kommen, dagegen nicht durch Electrisirung der Nervenstämme. So konnten Fälle von Hemicranie, welche der vasoconstrictorischen Form angehörten, durch den faradischen Strom geheilt werden (diese wurden auch durch Einathmungen von Amylnitrit gebessert), während bei anderen der galvanische Strom sich wirksam erwies (Fälle, in denen auch die Carotiscompression günstig wirkte). Diese Versicherungen des Verf. werden leider dadurch sehr erschüttert, dass derselbe diese Sätze später nur als Hypothesen gelten lassen will, da Misserfolge bei beiden Behandlungsmethoden ihm selbst nicht ausblieben. Die Stromesart, welche heilende Wirkungen in einem bestimmten Falle ausübt, nennt E. die positive, die andere die negative. Er unterscheidet eine Oblongataelectrisirung und eine solche des Cervicalmarks (ad I. steht eine Electrode hoch oben am Nacken, die andere am Kehlkopf; ad II. die eine Electrode am 6. oder 7. Halswirbel, die andere am Manubrium). Andere Behauptungen lauten: „Die Electrisirung durch den Kopf ist oft nützlich, aber nicht selten schädlich"; „Electrisirung längs des Rückenmarks in der Regel überflüssig"; „die Stromrichtung ist in jedem Falle gleichgültig". Eine bessere Fundamentirung dieser eigenthümlichen, sich in der Arbeit des Verf.'s selbst und jedenfalls bekannten Thatsachen widersprechenden Thesen wäre nöthig gewesen. Dasselbe gilt von den „paradoxen vasomotorischen Reflexphänomenen" und der „electrischen Neurose" des Verf.'s, betreffs derer wir auf das Original verweisen. Gesichtsfeldmessungen bei nervösen Patienten liessen E. zu dem Resultat kommen, dass die positive Stromesart (vergl. oben) das Gesichtsfeld erweitert, die negative es beschränkt; aber auch dieser Schluss wird in seiner Beweiskraft durch den Autor selbst wieder erschüttert, „da es nach ihm Individuen giebt, bei denen sich die Gesichtsfeldgrenze in einem fortwährenden und auffallend schnellen Schwanken mit sogar ganz bedeutenden Excursionen befindet. Somit erscheint denn auch die Empfehlung E.'s fraglich, diese Eigenschaft der beiden Stromesarten in Bezug auf ihre Wirkung auf das Auge als Nachweis der im speciellen Krankheitsfalle zu benutzenden Stromesart zu verwerthen, desgleichen die Behauptung, dass kaltes Wasser auf die Haut wirkend ebenso wie der galvanische Strom das Gesichtsfeld beeinflusst, was es ebenso wirke wie der faradische etc. etc. Jedenfalls werden diese verschiedenen Behauptungen E.'s ernstlich und ohne Voreingenommenheit nachgeprüft werden müssen, ehe sie auf allgemeine Geltung Anspruch erheben dürfen. Es ist dies zum Theil schon geschehen, worüber im künftigen Jahresbericht zu lesen sein wird.

Behufs Untersuchungen des Leitungswiderstandes hat sich Jolly (11) bei seinen zahlreichen Experimenten an Gesunden und Kranken der Wheatstone'schen Methode bedient, wie dies, wenn auch nicht ganz in derselben Weise, Gärtner und Rosenthal vor ihm gethan (siehe die genaueren Angaben über die Methode im Original). Auch J. fand die Anfangswerthe des Widerstandes zu 100000 ja häufig bis zu 400000 Einheiten und darüber (Prüfungsstrom, Masskette = 1 Siemens-Element). Bei verschiedenen Menschen und an verschiedenen Hautstellen war der Leitungswiderstand sehr verschieden, was auch bei demselben Individuum an verschiedenen Tagen zutraf. Immerhin zeigten einzelne Hautstellen wesentliche und dauernde Verschiedenheiten. Als besonders auffällig und den bisherigen Annahmen widersprechend zeigte sich der Widerstand der inneren Handflächen und der Fusssohlen als ganz besonders klein. So betrug er an den inneren Handflächen 41300 bei Männern, 30900 bei Frauen; an den Sohlen 23000 und 32000; an den Wangen fand sich 42300 bei Männern, 78000 bei Frauen, für die Schläfengegend bei Männern 92500, bei Frauen 109000. Für alle anderen untersuchten Hautstellen lagen die Mittelwerthe über 100000, meist zwischen 200000 und 300000, durchschnittlich bei Männern höher als bei Frauen (mit Ausnahme der Fusssohlen-, Schläfen- und Wangengegend). — Bei beiden Geschlechtern zeigte die Wangengegend einen geringeren Widerstand als die Schläfengegend. Deutliche Altersunterschiede liessen sich nicht wahrnehmen: immerhin wurden für die Schläfegegend die höchsten Widerstandszahlen bei den ältesten Individuen gefunden. Doch kann man nicht sagen, dass in bestimmtem Verhältniss mit dem zunehmendem Lebensalter der Leitungswiderstand der Haut sich ändere. Die auffallende Differenz der Angaben fast aller anderen Autoren über den hohen Leitungswiderstand der Handflächen und Fusssohlen gegenüber seinen eigenen Befunden glaubt J. nur dadurch erklären zu können, dass der durchgeleitete Strom den Widerstand an den verschidenen Hautstellen in verschiedener Weise beeinflusst und dass die Galvanometerablesung (deren sich die anderen Autoren zur Beurtheilung des Widerstandes bedienten) nur ein Bild des ungleichartig geänderten, nicht aber des ursprünglich vorhandenen Widerstandes giebt. Bis nach Einleitung eines constanten Stromes überhaupt eine Galvanometerablesung möglich ist, wird der Widerstand in der Regel schon auf die Hälfte, ein Drittel und noch weniger von seiner ursprünglichen Grösse vermindert sein. Bei auch nur mässig starken Strömen geben also galvanometrische Messungen jedenfalls zu niedrige Zahlen. Trotzdem wäre es möglich, so noch wenigstens über die relative Verschiedenheit des Widerstandes einzelner Hautstellen Aufschluss zu erhalten, wenn eben die Widerstandsabnahme überall gleichmässig einträte: die Widerstandsabnahme durch gleich starke constante Ströme ist an verschiedenen Hautstellen ausserordentlich verschieden, und speciell für Handfläche und Fusssohle ergab sich, dass sie in der Regel ein besseres electrisches Leitungsvermögen besitzen als alle anderen Hautstellen, dass aber die Herabsetzung ihres Widerstandes durch den constanten Strom sehr viel geringer ist als an allen anderen Hautstellen.

In Bezug auf den Sitz des grossen Widerstandes bestätigen die Versuche J.'s die bekannte und speciell von Runge und Gärtner bewiesene Annahme, dass es die Epidermis ist. Des weiteren zeigte sich, dass das todte Gewebe überhaupt schlechter leitet, als das lebende. — Die Verringerung des Widerstandes durch den constanten Strom ist bedingt durch die Zunahme des Wasser- und Salzgehaltes der Epidermis. Dazu kommt eine durch Blutgefässerweiterung bedingte bessere Durchtränkung der Epidermislagen durch Gewebsflüssigkeit, die Anregung der Schweisssecretion und der grössere Blutgehalt der unmittelbar an die Epidermis grenzenden Schichten, endlich die kataphorische Wirkung des Stroms, durch welche Feuchtigkeit direct in die Haut eingeführt wird. Die Ansicht Gärtner's, dass es eben nur die letzteren physicalischen, mit Ausschluss der physiologischen Wirkungen des Stromes wären, welche die Abnahme des Leitungswiderstandes bedingten, ist nach J. nicht stichhaltig: auch nach Entfernung der Epidermis wird beim Lebenden durch die Einwirkung des constanten Stromes der Widerstand vermindert. In ähnlicher Weise wie der constante Strom (physiologisch) auf die Haut wirkt, wirken auch hautröthende und schweisstreibende Mittel und endlich der Inductionsstrom: auch durch sie wird der Widerstand herabgesetzt.

In einem zu Wien am 6. Oktober 1883 gehaltenen Vortrage bespricht Boudet (12) zunächst einige Apparate, in denen speciell das Microphon als Hilfsmittel für die Auscultation des Pulses (Sphygmophone), sodann aber zum Hörbarmachen der Muskelgeräusche (Myophone) verwerthet ist. Die tonische Spannung, in welcher sich ein Muskel auch im scheinbaren Ruhezustande befindet, giebt ein von der Blutcirculation unabhängiges, continuirliches Geräusch, das sich bei Muskelcontractionen verstärkt, bei Lähmungen natürlich mindert: die kleinsten noch übrigen, durch den electrischen Reiz bedingten, wenngleich dem Auge nicht mehr sichtbaren Contractionen sollen durch das Myophon dem Ohre nach hörbar gemacht werden. Des Weiteren wird die von Thomson zuerst erprobte Verbindung des Microphon mit einer Metallsonde erwähnt zur Erforschung des Blaseninhalts auf die Anwesenheit von Steinen: ferner eigene Versuche des Verf.'s zum Studium der Stimmvibrationen. Sodann bespricht er ausführlich den Nutzen einer Combination des Telephons mit dem Microphon bei Hörprüfungen, bei denen man durch die Einschaltungsmöglichkeit genau abstufbarer Widerstandseinheiten eine bisher noch nicht erzielte Genauigkeit solle erreichen können, ein Instrument, welches von B. auch zur genauesten Prüfung der Muskel- und Nervenerregbarkeit benutzt wird. (In Bezug auf die Construction dieser feinen Apparate muss auf das Original verwiesen werden.)

Der Guillemin'sche, von Marey modificirte Condensator wird ferner vom Verf. für die Behandlung von Muskelatrophien und Lähmungen mit günstigem Erfolge verwerthet.

Zur Behandlung von Darmobstructionen verwendet B. den galvanischen Strom: in den Darm führt er eine Gummisonde mit hohlem Metallmandrin, der mit den Polen der Batterien verbunden werden kann. Das Mandrinende bleibt vom gefensterten Sondenende 1 cm entfernt; sein Stiel ist durch einen hinreichend langen Gummischlauch mit einem Salzwasser Irrigator verbunden: so ist jede Escharabildung selbst bei starken Strömen vermieden. Der andere Pol ruht auf dem Abdomen oder in der Nierengegend als breite Platte auf. Aehnlich wird die intravesicale Galvanisation ausgeführt, dabei kann man noch ein Wasser- oder Quecksilbermanometer anbringen, um so selbst die geringsten Contractionen der Blasenwandungen nach aussen sichtbar zu machen. Zum Schluss werden noch einige schon bekannte Apparate zu leichter Aetzung der Haut mittels des galvanischen Stromes beschrieben und endlich eine Vorrichtung, mittelst einer durch Electricität zum Vibriren gebrachten Stimmgabel auf mechanische Weise günstig auf Neuralgien einzuwirken.

Ein Auszug der Arbeit Soolozouboff's (13) wird unter obigem Titel (13) von einem Anonymus B. mitgetheilt. Hauptaufgabe dieser Arbeit ist es, die deutsche Art der Benutzung des galvanischen Stromes zur electrodiagnostischen Untersuchung zu discreditiren und speciell die Verdienste Erb's zu verkleinern. Ein Theil der Ausstellungen trifft schon seit Jahren die neueren deutschen Autoren gar nicht mehr: selbst Benedikt gebraucht bekanntlich heute die Ausdrücke Plexus-Nerven-, Wurzel-Plexusstrom etc. nur noch in dem Sinne, dass der Leser sofort über die Ansatzstellen der Electroden orientirt sei: die Vorwürfe S.'s treffen somit nur alte, abgethane Dinge. — Was soll man aber sagen, wenn Verf. weiter fortfährt: „der constante Strom kann seiner geringen Spannung wegen nie zu diagnostischer Untersuchung verwandt werden: er kann nie so präcise, characteristische Reactionen geben, wie der faradische! Was weiter dazu, dass der Arzt in seiner Praxis nur selten die Anomalie der Entartungsreaction constatiren kann! Wie beschaffen muss das Material des Kasaner Professors sein, wenn er so etwas ausspricht und wenn er ähnliche Reactionen, wie er sie „quelquefois" bei schwereren Facialislähmungen gesehen als „öfter" bei Tabes, Veitstanz und cerebralen Lähmungen vorkommend beschreibt? Wie sein Material, so seine Kenntniss dieser Dinge: unmöglich kann er etwas von dem Gebrauch der Galvanometer, von der Wichtigkeit der Stromdichte wissen. ja sogar ein wesentliches Moment der EaR, die Trägheit der Zuckung des direct galvanisch gereizten Muskels, ist ihm entgangen, wenn er meint, dass die Erhöhung der Erregbarkeit bei Individuen mit dünner Haut etc. der an die Seite gesetzt werden darf, welche als eines der Zeichen der EaR. beschrieben worden ist. Wenn Verf. ferner S. 530 unten sagt. Erb selbst habe in nicht gelähmten Muskeln EaR beobachtet. so vergisst er ganz, dass in diesen Fällen auch die faradische Erregbarkeit erheblich verringert oder vernichtet war und verschweigt so wesentliche Dinge seinem Eifer zu Liebe, die Verdienste Anderer herabzusetzen.

Heusner (14) berichtet: Ein Blitzschlag hatte in der Nähe von Barmen 20 Menschen niedergestreckt. 4 davon waren gleich todt, 16 wurden mehr oder weniger stark beschädigt. Viele der später Genesenen hatten keine Erinnerung an das, was mit ihnen vorgegangen, andere erinnerten sich des Moments und ihrer Empfindungen dabei: meist schien es ihnen, als habe man sie mit einem schweren Gegenstande auf den Kopf oder in den Nacken geschlagen. — An der Haut Aller fanden sich unregelmässige Brandwunden, von denen aus dendritisch verzweigte rothe Streifen über Glieder und Rumpf hinliefen. Interessant ist die schon früher gemachte und vom Verf. bestätigte Beobachtung, dass selbst schwere Schädelwunden für das Gehirn von relativ geringer Bedeutung sein können: trotz Erbrechens im Anfang und bleibender Amnesie für den Vorfall, sowie trotz wochenlang zurückbleibender Schwäche genas doch ein Knabe, der mitten auf der Stirn eine die Cutis bis auf den Schädel durchsetzende Brandwunde erhalten hatte.

Die vom Blitzschlag Getroffenen zeigten eine leichenblasse Farbe, entstellte Gesichtszüge und auffallend kühle Extremitäten. Interessant war bei einer Frau der Befund einiger 20 linsen- bis groschengrosser rundlicher Brandflecken an den Sohlen der Füsse, Flecken, durch welche offenbar der Blitzstrahl seinen Ausgang aus dem Körper genommen hatte.

Schleicher (15) hat nach dem Vorgange Stein's faradische Bäder bei einer Reihe von Kranken mit günstigem Erfolg angewendet. (Dipolare Methode, Benutzung der Stein'schen Schaufelelectrode, welche nie den Körper des Leidenden direct berührt). Nach etwa 30 Bädern tritt eine mehrwöchentliche Curpause ein. Die Pulsfrequenz wird im Bade um 8—20 Schläge vermindert, als Nachwirkung zeigt sich allgemeine Kräftigung, vermehrte Lust zu geistiger und körperlicher Thätigkeit. Namentlich wurden sogenannte Neurastheniker gebessert, Agrypnie geheilt, Dyspepsie günstig beeinflusst.

Statt bei dem sogenannten „monopolaren" galvanischen Bade die eine Electrode ausserhalb des Badewassers an den menschlichen Körper anzulegen, brachte Trautwein (17) mittels einer eigens zu diesem Zwecke construirten sogenannten Kissenelectrode (die genauere Beschreibung siehe im Orig.) den einen Pol unterhalb, bezw. innerhalb des Badewassers an den Körper und konnte so einen viel stärkeren Strom auf denselben einwirken lassen. (Soweit Ref. aus der Beschreibung ersieht, bleibt auch so noch eine mehr oder weniger dicke Wasserschicht zwischen der Elektrode und dem Körper, und scheint somit der Ausdruck „monopolare" Anordnung im Sinne Eulenburg's für die Trautwein'sche Vorrichtung nicht berechtigt.) Um zu untersuchen, ob es bei dieser Anordnung gelänge, Zweigströme in einem abgeleiteten Bogen nachzuweisen, führte Verf. gummirte, in freie Metallknöpfe endigende, mit dem Ableitungsbogen verbundene Sonden ein in die Mundhöhle und Mastdarm, nachdem diese Höhlen vorher mit gut leitender Soole ausgefüllt waren; in der That zeigte die Nadel des Hirschmann'schen Galvanometers eine Ablenkung von 1 M. A. an. Sowohl die Breite der Hauptelectroden, als die Ansatzstelle der einen von ihnen (ob am Rücken oder vorn am Bauch etc.) als endlich die Benutzung von Sool- oder gewöhnlichem Wasser hatte auf die Stärke dieses abgeleiteten Stroms einen wesentlichen Einfluss. —

Zum Schluss fasst Verf. seine Beobachtungen in folgenden Sätzen zusammen: Durch die von ihm angewandte Technik kann man ziemlich bedeutende Stromquantitäten dem badenden Körper zuführen nnd durch Ableitungsbogen nachweisen. Compacte Körpertheile (Rücken etc.) leiten den Strom besser als die von lufthaltigen Organen (Bauch- und Brusthöhlenseite) eingenommenen. Die den Körper durchfliessenden Ströme haben im Allgemeinen die Richtung des Hauptstroms. Bei der T.'schen Anwendung des galvanischen Bades werden Hirn und Rückenmark von nicht unerheblichen Stromantheilen getroffen.

Bei seinen Versuchen über die Wirkung der electrischen Douche bediente sich Trautwein (18) des warmen Soolwassers in der Weise, dass der eine Pol mit dem metallnen Ansatze des Schlauches in Verbindung gesetzt wurde, während der andere in das Wasser einer Badewanne tauchte, worin der Patient stand. Durch Messungen mittels des Hirschmann'schen Galvanometers fand Verf., dass die 2 proc. Kochsalzlösung dem Strom einen etwa 10 Mal, die Soole einen 8 Mal geringeren Widerstand entgegensetzte, als einfaches Wasser. Die Wirkung namentlich der faradischen Douche ist eine sehr wohlthuende, erfrischende. Die Pulsschläge erfahren eine Herabsetzung von 8 bis 12, die Athemzüge von 2—4 in der Minute. Bei geeigneter Stromstärke und hinreichend verkürztem Douchestrahle kann man (sehr gut für die Kräftigung schwacher Individuen oder bei Muskelrheumatismen) die gesammte Musculatur in kräftige Contractionen versetzen. — Ein nach Verf. als „multiple Neuritis" aufzufassender Fall, der ausführlich mitgetheilt wird (vergl. das Orig.), wurde ebenfalls in günstiger Weise durch die Application der electrischen Douche beeinflusst.

Gleichsam als Fortsetzung der Beobachtungen v. Ziemssen's über den Einfluss electrischer Ströme auf das Herz hat auch Herbst (19) an

Hunden und Menschen derartige Versuche angestellt. Reizung des freiliegenden Hundeherzens sowohl mit dem faradischen wie mit dem galvanischen Strom führt in kurzer Zeit vollkommene Herzlähmung und den Tod des Thieres herbei. An gesunden wie an (Herz- oder Lungen-) kranken Menschen wurden die Versuche so angestellt, dass die eine Electrode (meist die positive) auf die vordere Brustwand in die Gegend der Herzdämpfung, die andere an den unteren linken Schulterblattwinkel gestellt wurde; der Puls wurde mit Hilfe einer Marey'schen Transmissionskapsel registrirt; das Resultat war in Bezug auf faradische Ströme ein negatives; die Pulse blieben gleich hoch, voll und gleich gespannt vor, während und nach der Reizung. Dies steht auch mit den Erfahrungen v. Ziemssen's im Einklang. Im Widerspruch mit v. Ziemssen fand nun aber Verf. auch bei Reizung mit galvanischen Strömen durch die unversehrte Brustwand hindurch, dass auch durch diese die Frequenz und der Rhythmus der Herzschläge nicht zu beeinflussen sind.

Aronsohn (20) experimentirte an sich selbst so, dass er eine (eichelförmige) Electrode in die Nase einführte, welche mit einer blutwarmen $^3/_4$ proc. Kochsalzlösung gefüllt war; die andere breite Electrode stand auf der Stirn. Die Resultate waren folgende: Eine eigenthümliche Geruchsempfindung entstand nur bei KaS und AO; letztere Wirkung ist stärker, wenn der Strom längere Zeit geschlossen war, überhaupt aber ist sie unter sonst gleichen Bedingungen schwächer, als die durch KaS erzeugte Empfindung und wird durch AS sofort vernichtet. Beide Reactionen (KaS und AO) nehmen mit wachsender Stromstärke zu; es genügen aber schon sehr mässige Stromstärken (0,1—0,2 M. A.), um Geruchsempfindungen hervorzurufen. Sogenannte Volta'sche Alternativen (auf Ka) wirken stärker als einfache KaS; andererseits traten die Reactionen auch auf, wenn bei geschlossenem Strom und bei Application von Ka in die Nase die Stromstärke schnell vermehrt bezw. bei Application von A in die Nase die Stromstärke plötzlich vermindert wird.

Inducirte Ströme waren in Bezug auf Hervorrufung von Geruchsempfindungen wirkungslos.

Eulenburg (22) fand in 10 Fällen quantitativer Veränderung (Herabsetzung resp. Aufhebung) der Erregbarkeit die Verhältnisse für magnetelectrische und faradische Reizung gleich; ebenso konnte er unter 4 Fällen von EaR dreimal ein dem Anschein nach völlig paralleles Verhalten gegen magnet- und voltaelectrische Ströme constatiren. In einem Falle aber (EaR; faradische Erregbarkeit erst spurweise im Nerven zurückgekehrt) wurden am Nerven, wie an den (faradisch) noch unerregbaren (Gesichts-) Muskeln durch magnetelectrische Ströme deutliche träge Zuckungen ausgelöst. Wahrscheinlich beruht dies auf der viel längeren Dauer der einzelnen Stromstösse bei den magnetelectrischen Strömen, da ja bekanntlich Muskeln in einem gewissen Stadium der Entartung nur auf länger andauernde Reize reagiren. Bald kehrte übrigens im vorliegenden Falle die Erregbarkeit auch für den faradischen Reiz zurück.

Bumm (28) hat zunächst Versuche am Kaninchenuterus angestellt, um den Effect der Electricität auf die glatte Muskelfaser zu studiren. Bei Anwendung schwacher galvanischer und faradischer Ströme beschränkt sich die Zusammenziehung auf den Bereich der Pole; je nach der Stellung dieser zu einander waren die Gestaltveränderungen (localer Natur) des Uterus verschieden: starke faradische Ströme bewirkten eine von den Polen aus über das ganze Uterushorn fortschreitende Contraction und Tetanus: bei Anwendung galvanischer Ströme erwies sich die Anode wirksamer als die Kathode. Mit Abnahme der Stromintensität verlängerte sich die zur Contractionsauslösung nöthige Schliessungsdauer; auch hielt während der Stromesdauer die Contraction an, um schliesslich das ganze Uterushorn in Tetanus zu versetzen. Ein Unterschied durchgreifender Art zwischen faradischem und galvanischem Strom konnte nicht constatirt werden. Bei Reizung der Nerven im Plexus uterinus und der Nn. sacrales tritt schon bei schwachen Strömen eine Gesammtcontraction des Uterus ein, wobei sich derselbe unter Zusammenfaltung der Ligam. lata aufbäumt, blutleer und hart wird. Auch reflectorisch durch Reizung sensibler Nerven kann der Uterus zur Contraction gebracht werden. Die Reizbarkeit der Gebärmutter schwankt zunächst einmal je nach den Thiergattungen (Trägheit des Raubthieruterus), aber auch bei einzelnen Individuen derselben Gattung. Am Menschen machte Verf. Untersuchungen einmal durch percutane Reizung der Gebärmutter von den Bauchdecken her, sodann directe Reizungen der Portio und Uterusinnenwand, endlich der Uterinnerven von der Scheide und dem Mastdarm aus. Ein schädlicher Einfluss der Electricität auf Mutter oder Frucht wurde selbst bei Anwendung bedeutender Stromstärken nicht bemerkt.

Zehnmal wurden die Eectroden bei Schwangeren auf die Bauchdecken bezw. Ka am Kreuz, gespaltene Anode zu beiden Seiten der Symphyse applicirt ohne jeden nennenswerthen Erfolg; nur zweimal traten bei der eben beschriebenen Stellung der Ka und A leichte Wehen ein. — Die electrische Uteruserregbarkeit bei Kreissenden zeigte bedeutende individuelle Schwankungen. Die percutan hervorgerufenen Contractionen waren nur schwache, der constante Strom übertraf auch hier den faradischen an Wirksamkeit; die Erregbarkeit des Uterus bei Kreissenden ist vermehrt im Vergleich zu der bei Schwangeren. Der Einfluss des constanten Stromes auf Krampfwehen trat nur einmal deutlich hervor und blieb in der Mehrzahl der Fälle aus.

Zur Application des Stromes per vaginam benutzte B. 18—24 cm lange Ansatzstücke aus dickem Messingdraht, bis zur Spitze durch einen Gummischlauch isolirt, desinficirt, mit in Sublimat getränkter Watte umwickelt. — Die andere Electrode wurde als grosse Platte auf den Bauch gesetzt. — Vagina, Cervix, die umgebenden Theile sind dem faradischen Reiz gegenüber auffallend wenig empfindlich; der galvanische Strom verbietet sich nach B. der starken Polarisationswirkungen halber. Die Vaginalportion erleidet durch den Strom keine Gestaltsveränderung, bei directem Contact der Electrode aber mit der Uterusinnenwand treten Contractionen bald nach Beginn des Stromes ein, um bis zu seiner Oeffnung anzuhalten; um dies zu erreichen hat man die Contactfläche der Electrode mit der Innenwand des Uterus zu vergrössern durch die Wahl eines Drahtes von der 3 bis 4fachen Stärke einer gewöhnlichen Uterussonde. — Mit Erfolg wurde diese Art der Electrisation angewendet bei normalem Verhalten des Uterus in der Nachgeburtsperiode, auch in Fällen sogenannter Subinvolutio uteri. — Reizung des Uterus von den Nerven aus (Andrücken der Electrode am Promontorium etc.) blieb stets ohne Erfolg, desgleichen bei Application des Stromes per rectum. Wahrscheinlich verschieben sich mit dem Hinaufrücken des Uterus in die Bauchhöhle und der Verlängerung der Scheide die Plexus uterini und hypogastrici und können so von der Electrode in der Vagina oder im Mastdarm nicht mehr getroffen werden. — Schliesslich glaubt Verf. nur die intrauterine Electrisation empfehlen zu sollen: da dazu die Möglichkeit (bei Schwangeren, Kreissenden) erst nach der Entleerung des Uterus gegeben ist, so bleiben für eine rationelle electrische Behandlung nur die mit Blutung complicirten Erschlaffungszustände der Gebärmutter in der Nachgeburtszeit übrig, wobei es sich aber nur um einfache Atonie, nicht um mechanische Ursachen (als Contractionshinderniss) handeln darf. —

Zur Einleitung der künstlichen Frühgeburt wandte Bayer (29) nur den constanten Strom an; die Kathode wurde als eine durch ein Drainagerohr isolirte Kupfersonde in den Cervix gebracht, die Anode auf den Bauch oder ans Kreuz gesetzt. Ebenso wurde bei rechtzeitigen Geburten der galvanische Strom als wehenverstärkendes und wehencorrigirendes Mittel angewendet (mit besonderem Vortheil bei spastischen Stricturen des Collum). Nur der constante Strom ist zu empfehlen und am vortheilhaftesten die combinirte Galvanisation, Anode aussen, Cathode im Collum und zwar an dessen lateralen (nervenreichsten) Partien; die Stromstärke wurde (leider) nur nach Elementen, nicht durch ein Galvanometer bemessen (12—16 Elemente genügten meist). Als Resultat rühmt B. die Regelmässigkeit, in welcher namentlich die Eröffnungsperiode beeinflusst wird. In Bezug auf die Einleitung der künstlichen Frühgeburt steht zunächst fest, dass dabei dem Kinde keinerlei Gefahren erwachsen, aber auch der Mutter ist sie (trotz oberflächlicher Aetzung der Cervixschleimhaut) nicht schädlich. Wehen werden sicher hervorgerufen, der Cervix gleichmässig eröffnet, Stricturen werden vermieden, Krampfwehen günstig beeinflusst, Infection vermieden, so dass die Methode für viele Fälle als das sicherste, beste und ungefährlichste Verfahren zur Einleitung der künstlichen Frühgeburt vom Verf. gerühmt wird. Weniger erfolgreich ist die Electricität bei Wehenschwäche; bei Stricturen aber, nach B., das souveräne Mittel zu deren Beseitigung. In der Nachgeburtsperiode und bei Nachblutungen (ex atonia uteri) wurde die Electrisation eben so wenig angewendet, wie im Wochenbette, obgleich bei mangelhafter Involution des Uterus sich die Electricität nach Verf. wohl empfehlen dürfte. In der gynäcologischen Praxis bewährte sich der galvanische Strom (gegen den nach wiederholter Application auch vorher unempfindliche Uteri stets stärker reagirten) bei der spastischen Form der Dysmenorrhoe (auch während der Menstruation und trotz bestehender chronischer Unterleibsentzündung), weniger bei Lageveränderung des Uterus; in Bezug auf die Behandlung chronischer Metritis mit dem Strom stehen dem Verf. nicht genügende Erfahrungen zu Gebote; in einem Falle wurde ein Myom des Uterus mit günstigem Erfolge behandelt.

Im Gegensatz zu der Tripier'schen Methode des Procédé utéro-sus-pubien oder abdomino-utérin und sacro-utérin (wobei nur ein Pol an den Uterus, der andere auf die oben bezeichneten Hautstellen gesetzt wird) empfiehlt Apostoli (30) die bipolare Faradisation der Gebärmutter, unter Angabe einer Electrode, in welcher beide Pole, durch isolirende Vorrichtungen von einander getrennt, vereinigt sind und beide in den Uterus gebracht werden. Diese Electrode wird von innen her an die vordere Uteruswand angedrückt gehalten. Die Schmerzempfindlichkeit ist für den Halsantheil der Gebärmutter eine bedeutend grössere, als für den Körper, daher nach dieser Richtung hin Vorsicht vonnöthen, ebenso wie natürlich Schwangerschaft berücksichtigt werden muss: trotzdem bietet diese nach A. kein absolutes Hinderniss für die Faradisation, nur hat man sich zu hüten, mit der electrischen Sonde über das Orif. internum colli hinauszugehen. Ausserdem verbietet Verf. bei der Einführung der Sonde die Anwendung des Spiegels: man gehe vorsichtig vor, halte bei jedem Hinderniss an. — Gegenstand der Behandlung bildet vorwiegend die Metritis.

[1) Engelskjón, De Electriske Strömarters uligeartede therapeutiske Virkemaade og den elektro-diagnostiske Synsfeltprove. Nord. med. Arck. Bd. XVI. No. 1. (Auch in deutsch publicirt im Archiv für Psychiatrie und Nervenkrankheiten. Bd. XV. S. 305. — Vgl oben [10].) — 2) Rode, Livt om electriske Bade. Tidskr. f. pract. Med. 1883. p. 161.

Rode (2) macht einige Bemerkungen über electrische Bäder, die in den letzten Jahren zu Modum und Sandefjord (zwei norwegische Kurorte) eingeführt worden sind. Er lobt die Wirkung derselben gegen „Nervosität", Hysterie, Hypochondrie und Chlorose. Zur Zeit macht er Versuche, anfangendes Carcinoma uteri (!) dadurch zu heilen. **Friedenreich.**]

Metalloscopie und Metallotherapie.

1) Gondouin, A., Paralysie hystérique; métalloscopie et métallothérapie interne. L'Union méd. No. 142. — 2) Desguin, V., Le Burquisme, métalloscopie et métallothérapie. Bruxelles.

II. Electrotherapie der Nerven- und Muskelkrankheiten.

1) Gatschkowski, G. J., Zur Casuistik der allgemeinen Faradisation. Russkain Medicina. No. 2 und 5. (Nach einem Referat im Centralbl. f. Nervenheilk. etc S. 542.) (Drei durch allgemeine Faradisation günstig beeinflusste Fälle.) — 2) Robertson, A, Case of insanity of seven years duration: treatment by electricity. Journ. of ment. science. April. p. 54. (50jährige, verrückte Frau, über ein Jahr lang mit dem galvanischen Strom durch den Kopf und am Sympathicus behandelt [3—4mal wöchentlich] Heilung) — 3) David, P., Casuistische Beiträge zur Electrodiagnostik und Symptomatologie der peripherischen Facialisparalysen. Berl. Inaug. Dissert. 12. Juli. — 4) Gibney, O. P, The treatment of sciatica by the strong galvanic current. The New-York Med. Record. June 7. (Ueberschrift besagt den Inhalt Bekanntes.) — 5) Böttger, H., Beiträge zur Behandlung des chronischen Gelenkrheumatismus mit Electricität. Inaug. Dissert. Halle. 15. Aug. (Ausführung und Bestätigung der Seeligmüller'schen Behandlungsmethode. Vgl. Jahresber. pro 1883. I. S. 475.)

III. Electrotherapie anderer Organe (mit Einschluss der Sinnesorgane). Galvanochirurgie.

1) Bardet, G., De la galvanisation directe de l'estomac. Bullet. génér. de thér. Juin 30. — 2) Bottey, Note sur un cas d'obstruction intestinale datant de 18 jours et levée par l'électricité. Progrés méd. No. 3. (Den Inhalt besagt die Ueberschrift; der Fall betraf eine 77jährige Frau; angewandt wurde der faradische Strom, eine Electrode befand sich im Rectum, die andere wurde auf die Bauchdecken applicirt. Zweimalige Behandlung. In ähnlichen Fällen von Kothstauung wird natürlich auch der faradische Strom zur kräftigen Wirkung auf die Bauchmuskeln, in anderen Fällen [bei Darmverschluss durch Volvulus etc] der constante Strom empfohlen) — 3) Dukeman, W. H., The treatment of organic stricture of the urethra by electrolysis. The Med. Record. 5. Jan. — 4) Rockwell, A. D., Electricity in superinvolution and subinvolution of the uterus New-York Med. Rec. June 19. (Empfehlung von intrauteriner Faradisation oder Galvanisation bei abnormer Verkleinerung und andererseits mangelhafter Rückbildung der Gebärmutter.) — 5) Zweifel, P., Die electrolytische Behandlung der Uterusfibroide. Centralbl. f. Gynäc. No. 50. (Sassen die Uterusfibroide sehr breit auf und waren sie ausserdem aus anderen Gründen nicht operirbar, so erzielte Z. theils durch percutane Durchleitung galvanischer Ströme, theils so, dass eine Electrode [Ka] von der Vagina aus an den Tumor angelegt oder [mit spitzem Ende] in ihn hinein versenkt wurde, Resultate, welche zu einer Weiterbehandlung und Benutzung der Electrolyse nach dieser Richtung hin auffordern.) — 6) Delore, Du traitement des tumeurs érectiles par l'électrolyse. Gaz. méd. de Paris. No. 41. (Bekanntes.)

Bardet (1) empfiehlt speciell bei der atonischen Magendilatation und beim nervösen Erbrechen die intraventriculäre mit Magenausspülung verbundene Galvanisation. Durch die Schlundsonde wird, nachdem der Magen ausgespült und darauf mit Wasser theilweise gefüllt ist, ein Pol durch einen Mandrin eingeführt, der nie bis an die Augen der Sonde reicht, somit nie die übrigens ja durch eine Flüssigkeitsschicht von ihm getrennten Magenwände direct erreicht. Handelt es sich um Magenerweiterung, so wird die Kathode, bei rein nervösen Beschwerden die Anode eingeführt: der Strom wird in letzterem Fall stabil (nicht unterbrochen), bei Dilatationen mit zeitweiligen Unterbrechungen angewendet. Stärke des Stroms 15—25 M. A., Dauer 5 bis 10 Minuten. Bei nervösem Magenleiden ruhe die Kathode in der Hand des Leidenden, bei Magenerschlaffung wird der andere Pol zweckentsprechend in die Magengrube applicirt. 4 Fälle illustriren das Gesagte.

Auf Grund eigner zahlreicher günstiger Erfolge empfiehlt Dukemann (3) folgende Behandlungsweise von Harnröhrenverengerungen: Der positive Pol einer galvanischen Batterie (von 5—15 Volts) wird als Schwammelectrode auf dem Schenkel applicirt, der negative als bis auf den olivenförmigen Knopf isolirte Sonde in die Harnröhre bis zur Strictur eingeführt. Der Strom wird erst geschlossen, wenn dies geschehen: man beginne mit geringer Stromstärke, vergrössere diese allmälig und wiederhole die Operation nicht vor Ablauf von 2—4 Wochen. (Rheostatbenutzung und Anwendung genauer [absoluter] Galvanometer erwähnt Verf. leider nicht.)

IV. Electrotherapeutische Apparate.

1) Eulenburg, A., Ueber die electromedicinischen Apparate der Ausstellung auf dem Gebiete der Hygiene und des Rettungswesens. Deutsch. med Wochenschr. 1883. No. 29—31. — 1a) Derselbe, Ueber ein neues absolutes Galvanometer und einige damit angestellte Versuche. Ebendas 1884. No. 8. — 2) Derselbe, Das Hirschmann'sche absolute Galvanometer. Arch. f. Psychiatrie. Bd. XV. S. 858. — 2a) Derselbe, Neurolog. Centralbl. No. 21. (Betont Remak gegenüber, dass von ihm zuerst und schon 1883 das Hirschmann'sche Galvanometer beschrieben und empfohlen sei.) — 3) Remak, Das Hirschmann'sche absolute Verticalgalvanometer. Arch. f. Psych Bd. XV. S. 856. (Beschreibung des Galvanometers, Empfehlung desselben, als Mangel sei die zu langsame Dämpfung der Nadelschwingung anzusehen.) — 4) Bernhardt, Das Hirschmann'sche absolute Verticalgalvanometer. Ebendas. Bd. XV. S. 857. (Schliesst sich den Empfehlungen Eulenburg's und Remak's an; gebraucht das ihm von Herrn Hirschmann zur Prüfung übergebene Galvanometer seit dem Herbst 1883 und hat nur die nicht ganz zureichende [d. i. die zu langsam eintretende] Dämpfung der Oscillationen und die nicht ganz zweckmässige Scaleneintheilung zu moniren) — 5) Müller, Fr., Die electrotherapeutischen Apparate auf der internationalen electrischen Ausstellung in Wien. Centralblatt f. Nervenheilk. No. 1. — 6) Poore, V., On the choice of electric batteries. Medical Times etc April 26. — 7) Rudisch, J. and G. B. Jacoby, Galvanic batteries in medicine with description of a new selector. Journ. of nerv. and ment. Dis etc. XI. p. 25. — 8) Schuffer, L., Die vielseitige Benutzung der Secundärbatterien in Form der Taschenaccumulatoren für die ärztliche Praxis. Wien. med. Wochenschrift. No. 8 (Empfehlung von durch Adler und Co. in Wien gefertigter, ½ Kilo schwerer Accumulatoren für alle möglichen Dinge. Glühlicht, Galvanocaustik, Speisung eines Inductionsapparates etc) — 9) Stevenson, W. E, The electrical department. St. Bartbol. Hosp. Rep. Bd. XIX. (Beschreibung der im Bartholomewsspital instituirten Einrichtungen zur practischen Anwendung der Electrotherapie. — Nichts Besonderes.) — 10) Schlittler, A., Eine neue sich selbst befeuchtende Electrode. Centralbl. f. Nervenheilk. etc. S. 119.

Eulenburg (1) beschreibt ausführlich das von Hirschmann in Berlin construirte absolute Galvanometer mit vertical schwingendem, astatischem Nadelpaar.

Die vordere befindet sich an der Scala, die andere, von 2 Drahtspiralen und einem Kupferkasten als Dämpfer umgeben, im Innern eines Holzkastens. Eine zweckmässig angebrachte Stellschraube gestattet das Galvanometer auch bei nicht ganz horizontaler Stellung stets wieder auf den Nullpunkt der Scala einzustellen. Durch Nebenschliessungen und Einfügung passender Widerstände hat H dem Galvanometer abstufbare Empfindlichkeit für die Benutzung schwacher, mittelstarker und sehr starker Ströme verliehen; so kann je nach der Stöpselung (vgl. das Original) jeder Scalentheilstrich ½, 1 oder 2 M. A. anzeigen (man kann aber auch bis auf $^1/_{10}$ M A. noch deutlich ablesen). Diese veränderliche Empfindlichkeit wird durch Einschaltungen von Nebenschliessungen von gleichem Widerstand wie der des Galvanometers (500 Siemens'sche Einheiten) oder von $^1/_3$ des Galvanometerwiderstandes erreicht. Damit aber der Gesammtwiderstand trotz der Nebenschliessungen immer der gleiche bleibe, ist bei Nebenschliessung von gleichem Widerstand wie der des Galvanometers noch ein Widerstand von 250, und bei Nebenschliessung von $^1/_3$ des Galvanometerwiderstandes noch ein Widerstand von 125 Einheiten eingefügt. Die Stromstärke bleibt demnach trotz der modificirten Stöpselung stets dieselbe und eine Unterbrechung findet bei den Uebergängen nie statt. In Bezug auf das Zuckungsminimum, bei dem an motorischen Nerven KaSZ, ASzAOz auftreten, fand E. bei 0,5—2,5 M. A KaSz, bei 1,2—3,5 ASz und bei 1,5—4,0 M. A. AOz. Muskeln gebrauchten etwas höhere Stromstärken; bei EaR trat KaSz und ASz schon bei 0,5—0,6 M. A. auf. (Vgl. die dem entsprechenden Beobachtungen des Ref. in seiner Electrodiagnostik [Jahresbericht f. 1883. Bd. I. S. 472] in den Beispielen des Anhangs 1. und 3. und 9. etc.)

Balneotherapie

bearbeitet von

Sanitätsrath Dr. L. LEHMANN in Oeynhausen (Rehme).

Brunnen- und Badecuren. Naturwissenschaftliche Hydrologie überhaupt. Zeitschriften.

*1) Hamburger, E. W., Oesterreichische Badezeitung. Organ für die Interessen der europäischen Curorte und des Curpublicums. XIII. Jahrg. — 2) Veröffentlichungen der Gesellschaft für Heilkunde in Berlin. IX. Sechste öffentliche Versammlung der balneologischen Section am 15. und 16. März 1884. Für Aerzte bearbeitet von Brock. Berlin. — 3) Lafontaine. Jul., Allgemeine Cur- und Badezeitung. Organ für Mineral-, Wild- und Seebäder, Luftcurorte, Kaltwasser-Heilanstalten, Sanatorien, Hôtels und Pensionen. Baden-Baden. — 4) Schwedisch-norwegische Brunnen- und Badezeitung. (Cfr. No. 57 dieses Referates.)

[Smolenski (Ensdorf), Hydroterapia (Grundriss der Hydrotherapie.) Krakow. S. IX. p. 185.

Der Verf. liefert in gedrängter Kürze ein klares und gehaltvolles Bild des jetzigen Standes der Hydrotherapie. Das Werk zerfällt in einen allgemeinen und speciellen Theil. In dem ersten bespricht der Verf. die Wirkung der Kälte und Wärme auf den thierischen Organismus; in dem zweiten beschäftigt er sich mit der Darstellung der gebräuchlichsten hydrotherapeutischen Proceduren und mit den Indicationen für dieselben. Den Schluss bildet ein Verzeichniss der hydrotherapeutischen Anstalten und der hydriatischen Literatur. v. Kopff (Krakau).]

A. Naturwissenschaftliche und technische Hydrologie.

Analysen.

5) Wildbad „Wildstein" bei Trarbach a. d. Mosel. Circularschreiben. — 6) Source gauloise à Vals. Bulletin de l'académie de médecine. No. 39. p. 1342. — 7) Source la Perle à Vals. Ibidem. No. 39. p. 1343. — 8) Trois sources de la Pioule, des Romains, Jerfroy à Luc-en-Provence. Ibidem. No. 39. p. 1344. — 9) Source Auvergne à Cornillon (Isère). Ibidem. No. 8. p. 305. — 10) Source nouvelle à Sail-sous-Couzan. Ibid. No. 8. p. 306. — 11) Deux sources Coffre (ou des cordeliers) et Chermont (ou Hôpital) à Evian. Ibid. No 8. p. 307. — 12) 3 sources Pompe, Montagne, Intérieur d'une composition semblable. Ibid. No. 8. p. 309. — 13) Source Espezy à Sail-sous-Couzan. Ibid. No. 11. p. 372. — 14) 2 sources du Par et de Lestande à Chaudesaignes. Ibid. No. 11. p. 378. — 15) Bad Assmannshausen am Rhein am Fusse des Niederwaldes. Circularschreiben. — 16) Die neu erbohrte warme Quelle in Warmbrunn. Der 12. schlesische Bädertag. S. 32. — 17) Thierry's Quelle in Contrexéville. Bull. de l'acad. de méd. p. 1341. — 18) Source No. 2 de la Preste (Pyrénées-Orientales). Ibidem. No. 8. p. 304. — 19) Schimberg-Bad. Circularschreiben von A. Schiffmann. — 20) Deux sources, grande source et S. des Dames à Bagnoles. Bull. de l'acad. de méd. No. 8. p. 376. — 21) Sources Gontard, Mey, Torrent à St. Gervais. Ibidem. No. 8. p. 379. — 22) 2 Sources

Mancourt et Ministres à St. Martin-de-Renacas. Ibidem. No. 80. p. 1685 — 23) Plumert, Arthur, Die Schwefelthermen in Brussa. Allgemeine Wiener med. Zeitung 18. März. — 24) Oettinger, Die Adelhaids-Quelle, ein jodhaltiges Bromwasser in Heilbronn in Oberbayern. München. 1881. — 25) Source Clémentine à Labégude. Bull. de l'acad. de méd. p. 374. — 26) Source Guerrier à St.-Yorre (Allier). Ibid. p. 375. — 27) Eisenfreier alkalischer Sauerbrunnen Salvator. Circularschreiben. — 28) Source des Médecins à Chamalières. Bull. de l'acad. de méd. No. 8. p. 308. — 29) Source Desaix à St. Myon. Ibidem. p. 377. — 30) Source Excellente à Prades. Ibidem. p. 380. — 31) 2 Sources Cerisier et Colline à Augnat. Ibid. No 23. p. 713. — 32) Source minérale à Enval (Puy-de-Dôme). Ibid. No. 80. p. 1687. — 33) Fresenius, R., Chemische Analyse des Oberbrunnens zu Salzbrunn in Schlesien. 3 Aufl. Wiesbaden. — 34) Valentiner, Die Kronen-Quelle zu Ober-Salzbrunn und ihre wissenschaftliche Vertretung. Reclame oder Studium? Ein offenes Schreiben an Herrn Dr. Gscheidlen. Wiesb. — 35) Renschel, E., König-Ottobad bei Wiesau in der Oberpfalz. Bayr. Intelligenzblatt No. 22. — 36) Ludwig, E., Beiträge zur Kenntniss der Heilquellen der österreichischen Monarchie Der Säuerling der Maria-Theresia-Quelle zu Andersdorf in Mähren. Wiener med. Blätter. No. 17. — 37) Manson, A new effervescing chalybeate spring at Strathpeffer Spa. Brit. med Journal. May 17. — 38) Schott, Aug. und Th., Die Nauheimer Sprudel- und Sprudelstrombäder. Berliner klin. Wochenschrift. No. 19. — 39) Terrier, F., Note sur l'emploi de la pulverisation de l'eau du Mont-Dore en inhalations. Gazette hebdomadaire de médecine et de chirurgie. No. 39.

Analysen einzelner Wässer.

I. An CO_2 arme Wässer.

a. Indifferente Wässer (Akratothermen).

Analyse des Bades Wildstein (5) ist von Apotheker Mertitsch. Das Wasser ist weich, farblos, krystallhell und 36,25° warm. Die Ergiebigkeit = 1000 l in der Minute.

Schwefelsaures Kali	0,041740
Kohlensaures Kali	0,004426
Kohlensaures Natron	0,127200
Kohlensaurer Kalk	0,019643
Chlorkalium	0,035800
Kieselsäure	0,035000

In 1000 = 0,295 feste Bestandtheile.
Ausserdem: freie CO_2 0,130318, gebunden 0,063182.

b. Eisen- und erdige Wässer (erdig-alkalische, erdig-muriatische).

Die Source gauloise (6) liegt am linken Volane-Ufer. Sie entspringt, wie die übrigen Valser-Heilquellen, aus verwittertem Granit. Die Ergiebigkeit ist 1,67 l in der Minute. Sie enthält:

Kohlensauren Kalk	0,090
Kohlensaure Magnesia	0,002
Kohlensaures Eisenoxydul	0,002
Kohlensaure Alkalien	1,112
Kochsalz	0,002
Kieselerde	0,004
	1,212

Nicht bestimmte freie CO_2.

Die Quelle La Perle (7), ebenfalls in Vals mit einer Ergiebigkeit von 1132 l in 24 Stunden, entspringt im Innern eines alten Gebäudes aus einem Gestein, wie die unmittelbar vorhergehende. In 1 l sind:

Kohlensaurer Kalk	0,194
Kohlensaure Magnesia	0,025
Kohlensaures Eisenoxydul	0,005
Kohlensaure Alkalien	0,080
Chlornatrium	0,001
Kieselerde	0,005
	0,220

CO_2 nicht bestimmt.

3 Quellen im Quartier Pioule, (8) mit Namen Pioule, Romains, Jerfroy entspringen in einer fast kreisförmigen Mulde in einer Tiefe von höchstens 2,50 m, welche den Boden der Ebene einkerbt, die Ebene besteht aus Mergel, Sandstein und ist von einem schwarzen Thon gefüllt. Dieser Thon schützt gegen wilde Zuflüsse. Ergiebigkeit 500 hl in 24 Stunden. Die Pioule-Quelle enthält:

Kohlensauren Kalk	0,356
Kohlensaure Magnesia	0,040
Kohlensaure Alkalien	0,123
Eisenperoxyd	0,002
Schwefelsauren Kalk	0,139
Schwefelsaure Magnesia	0,040
Chlornatrium	0,018
Kieselerde	0,024
	0,642

Die Quelle Anvergue in Cornillon (Isère) (9) giebt 2 l in der Minute. Temp. 10,5°. Schon sind andere ähnliche Quellen daselbst in Betrieb.

Kohlensaurer Kalk	1,163
Kohlensaure Magnesia	0,060
Kohlensaures Natron	0,090
Kohlensaures Eisenoxydul	0,038
Schwefelsaures Natron, Schwefelsaurer Kalk, Schwefelsaure Magnesia	0,070
Kieselerde	0,020
	1,441

Die Heilquellen von Sail-sous Couzan (10) entspringen sämmtlich aus Quarz-Pyril-Gängen, die mit einander in Verbindung stehen und grosse Aushöhlungen einschliessen. So hat auch diese neue Quelle eine unterirdische Verbindung mit der älteren Quelle Bayen und ebenso, wenn auch nicht so ausgesprochen, mit der Quelle Fontfort. Die neue Quelle giebt 28 l in der Minute.

Natrium-	Bicarbonat	0,527
Kalium-	Bicarbonat	0,237
Calcium-	Bicarbonat	0,589
Eisenoxydul-	Bicarbonat	0,008
Natrium-	Sulfat	0,140
Calcium-	Sulfat	0,012
Chlornatrium		0,120
Natrium-Calcium-Aluminium-Sulfat		0,185
		1,818

2 Heilquellen, Coffre und Hôpital in Evian (H.-Savoie) (11) entspringen in einem Alluvium am Südufer des Genfer Sees über Schiefer und Liaskalk oder mittlerem Jurakalk oder Triasgyps oder Münzmuschelsandstein. Das Alluvium besteht grösstentheils aus fortgerissenen, dem Stützgebirge angehörenden

Kieseln, welche von dichten Thonschichten durchsetzt sind, Coffre giebt 136 l in der Minute, Temp. 6 °, Clermont 24 l, Temp. 5,5 °. In 1 l:

		Coffre oder Cordeliers.	Clermont oder Hôpital.
Calcium-	Bicarbonat	0,178	0,196
Magnesium-	Bicarbonat	0,060	0,060
Natrium-	Bicarbonat	0,020	0,020
Eisen-	Bicarbonat	0,006	0,008
Chlornatrium		0,010	0,010
Kieselerde		0,028	0,044
		0,302	0,338

3 Heilquellen in Bagnères de Bigorre (12) (H.-Pyrénées) entspringen im Scheitel zweier Thäler des Salutbaches, aus einem Kalkschiefergestein, das mit Alluvium überdeckt ist. Temp. der Quellen 31 bis 33,5 °. Ergiebigkeit 72, 117, 124 Tausend l in 24 Stunden.

In 1 l enthält die Pompe-Quelle:

Calcium-	Carbonat	0,240
Magnesium-	Carbonat	0,010
Eisen-	Carbonat	0,020
Calcium-	Sulfat	0,620
Natrium-	Sulfat	0,200
Chlornatrium		0,200
Kieselerde		0,025
		1,315

Die Espezy-Quelle in Sail-sous-Couzan (Loire) (13) entspringt im Keller eines dortigen Hauses aus einem ausserordentlich harten Felsgestein. Dasselbe besteht aus einem dichten, in verwittertem, zum Theil mit gelbem Pyrit durchsetzten Granit eingebetteten Quarzgeschiebe. Das Bohrloch ist auf 13 m Tiefe gefasst. — Temperatur der Quelle 13 °. Ergiebigkeit 2800 l in 24 Stunden.

Dieselbe enthält:

Natrium-	Bicarbonat	0,536
Kalium-	Bicarbonat	0,230
Calcium-	Bicarbonat	0,620
Magnesium-	Bicarbonat	0,380
Eisenoxydul-	Bicarbonat	0,007
Natrium-	Sulfat	0,160
Calcium-	Sulfat	0,015
Chlornatrium		0,160
Kieselerde		0,140
		2,198

2 Heilquellen Par und Lestande in Chaudesaignes (Cantal) (14) entspringen die eine in der oberen Stadt auf dem linken Ufer des Remontalon, die zweite im Flussbette. Die Ergiebigkeit der ersteren, welche aus Spalten des Primitivgebirges hervorbricht, beträgt 374,400 l in 24 Stunden. Die Temperatur der einen 82 °, der zweiten 68 ° in einem Sammelbecken.

Par enthält in 1 l:

Natrium-	Carbonat	0,480
Calcium-	Carbonat	0,045
Magnesium-	Carbonat	0,016
Eisen-	Carbonat	0,002
Calcium-	Sulfat	0,044
Magnesium-	Sulfat	0,015
Chlornatrium		0,071
		0,673

Die Assmannshauser Heilquelle (15) enthält in 1000 bei einer Temperatur von 32,5 ° (nach Fresenius):

Natrium-	Bicarbonat	0,1379
Lithium-	Bicarbonat	0,0278
Calcium-	Bicarbonat	0,1761
Magnesium-	Bicarbonat	0,0610
Chlornatrium		0,5717
Freie CO_2		0,1858

Im Klosterhofe zu Warmbrunn (16) wurde in einer Tiefe von 166 m eine Quelle mit 35° Wärme gefunden. Dieselbe wurde von Polek ebenso, wie das schon in einer Tiefe von 25 m gefundene Wasser analysirt. Die drei schon daselbst vorhandenen Quellen sind zum Vergleiche daneben gestellt.

		25 m tief	166 m	Gr. Bassin	Kl. Bassin	Neue Quelle
Kalium-Sulfat		0,2199	0,4010	0,1273	0,1322	0,1242
Natrium-Sulfat		2,1342	2,0193	2,3803	2,3029	2,3538
Chlornatrium		0,6651	1,1133	0,6808	0,6787	0,6991
Natrium-	Carbonat	1,3637	1,2360	1,1214	1,0164	1,2412
Ammonium-	Carbonat	—	—	0,0014	0,0002	Spur
Lithium-	Carbonat	0,0148	0,0156	0,0054	0,0040	0,0036
Calcium-	Carbonat	0,2774	0,2374	0,2524	0,2018	0,2008
Magnesium-	Carbonat	nicht bestimmt		0,0019	0,0028	0,0018
Strontium-	Carbonat	dto.		0,0089	0,0089	0,0089
Eisenoxydul-	Carbonat	0,0246	0,0232	0,0013	0,0011	0,0013
Mangan-oxydul-	Carbonat	nicht best.	0,0058	0,0001	0,0004	0,00007
Phosphorsaures Calcium		nicht bestimmt		0,0020	0,0069	0,0035
Kieselsäure		0,8420	0,8320	0,8450	0,9067	0,8800
Organ. Substanz		nicht bestimmbar		0,1368	0,2603	0,0312
		5,5417	5,8831	5,5650	5,5233	5,4950

Die Thierryquelle in Contrexéville (17) entspringt aus denselben Gebirgsschichten wie die anderen, daselbst lange in Benutzung. Das wenig tiefe Thal, in dessen Grund die Quellen entspringen, liegt in der obersten Schicht des Muschelkalkes. Die Quellen kommen unter einem Thonlager von 2—3 m Mächtigkeit zu Tage. Die Ergiebigkeit der Quelle ist 17,684 l in 24 Stunden. In einem Liter sind:

Calcium-	Sulfat	1,260
Magnesium-	Sulfat	0,320
Calcium-	Carbonat	0,520
Magnesium-	Carbonat	0,210
Alkali-	Carbonat	0,200
Chlornatrium		0,005
Kieselerde		0,080
		2,295

c. Schwefelwässer.

Die Quelle No. 2 des Badeortes Preste (Pyrénées-Orient.) (18). Der Ort liegt in dem hohen Thale des Tech-Baches, welches im Süden der mächtige Gebirgsstock des Canigon begrenzt, der 1200 m Höhe erreicht. 2 Quellen-Gruppen, von welchen nur eine im Gebrauch, finden sich dort. Die No. 2-Quelle entspringt im Bette des Çadène-Baches und ist gut gefasst, in einer Ergiebigkeit von 1600000 l (für alle Quellen) in 24 Stunden. Temp. 43,5 °.

Kohlensaurer Kalk	0,041
Kohlensaure Magnesia	0,011
Chlornatrium	0,012
Schwefelsaures Natron	0,030
Kieselerde	0,040
Natriumsulfür	0,005
	0,139

Schimberg (19) hat 3 neue Schwefelquellen erhalten, welche noch nicht analysirt worden sind, wahrscheinlich aber zusammengesetzt wie die folgende, 1875 von Bolley und später von Müller analysirte. Diese Quelle entspringt in einer Meereshöhe von 1425 m. Nebenbei das Curetablissement. Die Temperatur der Quelle 11 °.

1000 g enthalten:

Doppeltkohlensaures Natron	0,6830
Doppeltkohlensauren Kalk	0,0249
Doppeltkohlensaure Magnesia	0,0176
Schwefelsaures Kali	0,0034
Schwefelnatrium	0,0292
Unterschwefligsaures Natron	0,0011
Chlornatrium	0,0045
Jodnatrium	0,0007
Kieselerde	0,0039

Schwefelwasserstoff	0,680 ccm
Stickstoff	0,294 „
Sauerstoff	0,298 „

2 neue Heilquellen in Bagnoles (Orne) (20), Gr. Source und S. des Dames, haben Temperaturen von 25 ° und 27 ° und enthalten in 1 l:

	Gr. Source	S des Dames
Calcium-Carbonat	0,016	0,017
Magnesium-Carbonat	0,009	0,003
Alkali-Carbonat	0,075	0,040
Eisenperoxyd	—	0,005
Chlornatrium	0,020	0,009

Schwefelwasserstoff oder Natriumsulfür in kleiner Menge nach Os. Henry fehlt.

3 Heilquellen Gontard, Mey, Torrent in St.-Gervais (21), analog zusammengesetzt, in einer Temperatur von 39 °. Die Analyse der Torrentquelle:

Calciumsulfür	0,023
Calciumbicarbonat	0,211
Calciumsulfat	0,056
Natriumcarbonat	0,085
Natriumsulfat	0,821
Chlornatrium	1,794
Chlormagnesium	0,124
Kieselerde	0,037
Thonerde	0,007
	3,158

2 Heilquellen Mancourt und Ministres in St.-Martin de Renacas (22) entspringen auf dem rechten Ufer des Ausseletbaches, nicht weit von dessen Mündung in den Largnefluss, aus Mergelkalk, unfern des am linken Ausseletufers lagernden Gypses. Die Bohrung ist 8 m tief. Bei $2^1/_2$ m fand sich die erste Schwefelquelle, welche besonders gefasst wurde. Bei 7 m Tiefe die zweite Quelle. Die erste giebt 7200, die zweite 3600 l in 24 Stunden, 15 ° warm. Die Analyse:

	Mancourt	Ministres
Calciumsulfat	0,555	4,360
Magnesiumsulfat	0,324	2,210
Alkalichlorür	0,815	14,000
Schwefelwasserstoff	0,010	0,010
Kieselerde	0,060	—
	1,764	20,580

In Brussa (23) sind ausserordentlich zahlreiche Quellen, deren einige in Bäder geleitet werden, andere zwecklos dahinfliessen. Die Temperaturen derselben variiren zwischen 12 und 67 ° R. Einige Wässer sind klar, andere milchig. Beim Erkalten trübe; mit erdig gelblichem Niederschlag. Das Wasser riecht characteristisch, doch nicht auffallend widrig. Geschmack salzig, leicht bitterlich manchmal, oft prickelnd. Die Mehrzahl der Quellen trat spontan zu Tage, einige durch Erdarbeiten und Sprengungen. Die chemische Analyse einiger Quellen von Noë.

In 1000 g	Gross. Schwefelbad	Jeni-Kaplidza
Schwefels. Natron	0,0453	0,2395
„ Kalk	0,2375	—
„ Magnesia	0,2350	0,1494
„ Thonerde	—	0,0918
Dop.-kohlens. Kalk	0,1880	0,3352
„ „ Natron	—	0,0721
Salzsaures Natron	—	0,9945
Silicium	—	0,0003
Freie Kohlensäure	0,1520	0,1521
Hydrothionsäure	0,3321	0,0552
Spec. Gewicht	1,0111	1,0121
Temperatur	65—67° R.	66° R.

Die Analysen zweier nicht schwefelhaltiger erdiger Quellen folgen hier:

	Quelle Tschéhirghé	Kara Mustapha
Schwefelsaur. Natron	0,0020	
„ Thonerde	0,0206	
„ Kalkerde	0,0001	0,2621
„ Bittererde	0,1022	0,0481
Dopp.-kohlens. Kalk	1,2890	0,2621
„ „ Natron	0,0512	
Salzsaur. Natron	0,0016	0,0166
Freie Kohlensäure	0,0821	0,0132
Eisen, Lith. und Silic.	Spuren	
Spec. Gewicht	1,0123	1,0049
Temperatur	34—36° R.	18° R.

d. Jod-Brom-Kochsalzwässer.

Die neue Analyse der altberühmten Adelhaidsquelle (24) wurde von Egger, Assistent des hygieinischen Instituts in München, unter Regie des Dr. v. Pettenkofer's ausgeführt. Das Wasser wurde von dem Analytiker an der Quelle geschöpft und erst nach längerer Lagerung im Keller des hygieinischen Institutes untersucht. Die Füllung geschah Anfang November 1880, die Analyse Februar 1881.

Das spec. Gewicht des Wassers: 10050 die kohlensauren Salze als Bicarbonate angenommen und als wasserfreie berechnet.

Absorbirte Gase in 1000 g:

Kohlensäure	15,606 ccm
Stickstoff	11,916 „
Kohlenwasserstoff	25,076 „

Die frei aufsteigenden Quellengase, die sehr leicht entzündet werden, in 100 Raumtheilen:

Kohlenwasserstoff	92,440
Stickstoff	6,245
Sauerstoff	0,726
Kohlensäure	0,589

In 1000 g sind enthalten:

	g
Bromnatrium	0,0589
Jodnatrium	0,0801
Chlornatrium	4,9704
Borsaures Natrium	Spur
Natriumbicarbonat	1,3088
Kaliumbicarbonat	0,0064
Lithiumbicarbonat	Spur
Calciumbicarbonat	0,0652
Magnesiumbicarbonat	0,0364
Strontiumbicarbonat	0,0078
Eisenoxydulcarbonat	0,0005
Schwefelsaures Natrium	0,0193
Thonerde	0,0010
Kieselerde	0,0125
Phosphorsaures Calcium	Spur
Organische Substanzen	0,0060
	6,5183

II. An CO_2 reiche Wässer.

a. Muriatisch-erdig-alkalische Säuerlinge.

Clémentine-Quelle in Labégude (25) hat, nach neuerdings vorgenommenen Fassungsarbeiten, welche nunmehr nach vorhergegangener Zurückweisung von Seiten der Akademie der Medicin genügen, eine Ergiebigkeit bis 5760 l in 24 Stunden, das Wasser wird heraufgepumpt.

Analyse:

Calciumcarbonat	0,915
Magnesiumcarbonat	0,070
Alkalicarbonat	1,284
Chlornatrium	0,001
Kieselerde	0,010
	2,280

und reichlich Kohlensäure.

Die Guerrier-Quelle in St.-Yorre (Allier) (26) hat ein Bohrloch von 23 m Tiefe, unter einer Bank von tertiärem Thonkalk, in einem Sandsteine, der beim Zerreiben einen sehr feinen kieseligen Staub giebt. In dem Sandstein sind Einsprengungen von grünlichem Thon. Die Quelle ist intermittirend mit Pausen von 40—45 Minuten. Die Ergiebigkeit gegen 50000 l in 24 Stunden. Truchot fand darin:

	g
Freie Kohlensäure	1,420
Natriumbicarbonat	4,910
Kaliumbicarbonat	0,415
Calciumbicarbonat	0,740
Magnesiumbicarbonat	0,215
Strontiumbicarbonat	Spur
Natriumsulfat	0,240
Natriumphosphat	Spur
Chlornatrium	0,414
Chlorlithium	0,012
Natriumarseniat	0,002
Kieselerde	0,040
Organ. Substanz	Spur
mit der CO_2 ...	8,428

Die Salvatorquelle in Szinye-Lipócz bei Eperies (Ungarn) (27) enthält nach Joh. Molnár:

Kalium-Sulfat	0,05303
Natrium-Sulfat	0,18056
Chlornatrium	0,16820
Jod	0,00959
Borsaures Natrium	0,28091
Natrium-Carbonat	0,17623
Lithium- „	0,08800
Calcium- „	0,80675
Magnesium- „	0,46984
Kieselsäure	0,03824
	2,27135
Gesammt-Kohlensäure	3,73336

b. Muriatisch-erdig-alkalische Eisensäuerlinge.

Die Médecins-Quelle in Chamalières (28) ist in einem 38 m tiefen Brunnen von 1 m Durchmesser gefasst. Das Bohrloch durchstösst 12—13 m Alluvial- und Pflanzendecke, dann ein Gebirge, in dessen unterem Theile Feldspathcrystalle und thondurchsetzte Quarztheilchen vorkommen. Die Ergiebigkeit nahe 25,000 l in 24 Stunden.

Truchot fand:

Freie Kohlensäure	2,097
Natrium-Bicarbonat	1,366
Kalium- „	0,239
Calcium- „	1,241
Magnesium- „	0,611
Eisenoxydul- „	0,017
Natriumsulfat	0,136
Natriumphosphat	0,008
Chlornatrium	2,050
Chlorlithium	0,028
Natriumarseniat	Spur
Kieselerde	0,084
Harz	0,005
Mit Einschluss der Kohlens.	7,932

Die Desaix-Quelle in Saint-Myon (29), bekannt seit dem 17. Jahrhundert, entspringt aus einem quarztragenden Porphyr, welcher das rechte Morge-Ufer beherrscht, die Ergiebigkeit 1728 l in 24 Stdn.

Lefort fand:

Natrium-Bicarbonat	1,612
Kalium- „	0,519
Calcium- „	0,516
Magnesium- „	0,121
Eisenoxydul „	0,018
Natriumsulfat	0,250
Chlornatrium	0,413
Natriumarseniat, Quellsaures Eisen, Lithium	Spuren
Kieselerde	0,103
Freie Kohlensäure	1,835
	5,387

Die Excellente-Quelle bei Prades (Ardèche) (30) entspringt aus einem Granitgestein am linken Ufer des Sausses-Baches, bei 500 m Entfernung von der Vernet-Quelle. — 1368 l in 24 Stunden, 9,5° warm. Sie enthält:

Kieselerde	0,040
Calcium-Carbonat	0,170
Magnesium-Carbonat	0,048
Eisen-Carbonat	0,005

Chlornatrium	0,001
Alkali-Carbonate	0,906
	1,170

Reichlich Kohlensäure ausserdem.

2 Quellen Cerisier und Colline in Augnat (31). Die erstere entspringt am Fusse eines aus grauem Gneis bestehenden steilen Abhanges des Couze-Thales. 10,5° warm. 31,248 l in 24 Stunden. — Die letztere entspringt etwas höher hinauf an diesem Abhange, wo eisenhaltige Concretionen im Gneis sichtbar werden. 18,5° warm und 28.800 l in 24 Stunden. Analyse nach Charles Girard:

	Cerisier g	Colline g
Kieselerde	0,0760	0,0755
Calcium-Carbonat	0,6324	0,4673
Eisen- „	0,0062	0,0160
Magnesium- „	0,0934	0,3222
Natrium- „	0,6271	1,0678
Kalium- „	0,4761	0,0772
Lithium- „	0,0100	0,0119
Kalium-Sulfat	—	0,0452
Calcium- „	0,0345	—
Chlornatrium	0,5842	0,5760
Thonerde. Phosphorsäure	Spur.	Spur.
	2,5399	2,6591
Freie Kohlensäure	0,3511	0,6432

Die Mineralquelle in Enval (Puy-de-Dôme) (32) entspringt aus einer engen Felsspalte in der Mitte des Brunnenbeckens. Daselbst wird ein mächtiges Aufwallen von Kohlensäure bemerkbar. 16° warm und 9564 l in 24 Stunden. Analyse von Truchot:

	g
Natrium-Bicarbonat, Kalium- „	0,160
Calcium- „	0,936
Magnesium- „	0,182
Eisenoxydul- „	0,022
Natriumsulfat	0,053
Chlornatrium	0,057
Chlorlithium	0,014
Arsensaures Natrium	Spur
Kieselerde	0,090
Organisches	Spur
	2,684
Völlig freie Kohlensäure	1,170
Freie und halbgebundene	1,514

Der Oberbrunnen zu Salzbrunn (Schlesien) (33) ist das am meisten gebrauchte Wasser des Curorts. Es wurde 1881 von R. Fresenius neuerdings untersucht. Der Brunnen ist eine runde Granitfassung von 95 cm Durchmesser, welche auf der Grauwacke, aus deren Spalten die Quelle zu Tage tritt, aufsitzt. Die Gesammttiefe des Brunnenschachtes beträgt 3,14 m, die Entfernung vom Boden bis zum seitlichen Ablauf 0,57 m. — Wenn der Brunnenschacht leer geschöpft wird, füllt er sich in etwa 6 Stunden wieder bis zum Ablauf. Das Wasser ist vollkommen klar und farblos; an der Glaswand sitzen Gasperlen. Geruchlos. Geschmack erfrischend, mässig prickelnd, angenehm kohlensäuerlich, weich, schwach eisenartig. Das Wasser erhält sich beim Aufbewahren; nur setzt sich etwas Eisenoxyd ab, wodurch der eisenartige Geschmack verringert wird. 8,5° warm. Specifisches Gewicht 1,00367.

Analyse, in welcher die kohlensauren Salze als wasserhaltige Bicarbonate und sämmtliche Salze ohne Crystallwasser berechnet wurden, in 1000 g Wasser:

	g
Doppelt kohlensaures Natron	2,410308
„ „ Lithium	0,015030
„ „ Ammon	0,000754
Schwefelsaures Natron	0,459389
„ Kali	0,052329
Salpetersaures Natron	0,006000
Phosphorsaures „	0,000064
Chlornatrium	0,176658
Bromnatrium	0,000782
Jodnatrium	0,000005
Doppelt kohlensaurer Kalk	0,493039
„ „ Strontian	0,004837
„ kohlensaure Magnesia	0,540661
„ kohlensaures Eisenoxydul	0,006348
„ „ Manganoxydul	0,000953
Kieselsäure	0,030750
	4,198407
Völlig freie Kohlensäure	1,876571

Auf Volumina berechnet beträgt die wirklich freie Kohlensäure in 1 l Wasser .... 985,11 ccm die freie und halbgebundene............1476,32 „ vergleiche hier die Streitschrift Valentiner contra Gscheidlen (34).

Valentiner (34) tritt in dieser Arbeit als ein strenger Kritiker der Gscheidlen'schen Behauptungen, betreffend die Kronenquelle in Salzbrunn auf und weist durch Zahlen nach, dass entgegen jenen Behauptungen die Kronenquelle dem Oberbrunnen nachsteht, wenn der Natrongehalt und selbst der Lithiongehalt geprüft wird. Auch die therapeutische Gleichwerthigkeit der Kronenquelle mit der Natron-Lithionquelle zu Weilbach, welche Gscheidlen behauptet, wird zurückgewiesen. — Ueber das Ausführliche sei hier auf die genannte Abhandlung verwiesen.

Die Quellen vom König-Otto-Bad in Wiesau (35) wurden von Gorup-Besanez analysirt.

	Ottoquelle 10,8° C.	Sprudel 9,25°	Wiesenquelle 11,25°
Schwefels. Natron	0,01326	0,00208	0,00406
„ Kali	0,01526	0,02148	0,01483
Chlornatrium	0,00281	0,00298	0,00276
Kohlens. Kalk	0,04114	0,03673	0,04178
„ Eisenoxydul	0,07923	0,05466	0,04798
Kohlens. Natron	0,03801	0,04935	0,03209
Freie CO_2 in ccm	953,07	963,00	914,00

Die Moorerde daselbst enthielt: Chlor, Schwefelsäure, Kohlensäure, Spur von Phosphorsäure, Ammoniak, Kali, Natron, Bittererde, Kalk, Eisenoxydul, Manganoxydul, phosphorsaure Thonerde, Humin- (bes. Gein-) Säure, Buttersäure. — Die getrocknete Moorerde ergab 9,322 Aschenbestandtheile, von Eisen rothbraun gefärbt.

Die Maria Theresia-Quelle (36) wird von einer cylindrischen Fassung aus Lärchenbrettern aufgenommen und durch ein Gebäude überdacht. Die Temperatur 10,5°. Vom Boden des Quellbassins steigt reine CO_2 auf. Das Wasser ist klar, farb- und geruchlos, besitzt den Geschmack der Säuerlinge. — Die Analyse (die Salze als wasserfreie Bicarbonate) ergiebt in 1000:

Schwefelsaures Kalium..........	0,00553
Chlorkalium...............	0,00032
Chlornatrium................	0,00259
Phosphorsaurer Kalk........	0,00013
Natriumbicarbonat...........	0,23365
Calciumbicarbonat...........	1,45726
Strontiumbicarbonat..........	0,00062
Magnesiumbicarbonat........	0,15372
Manganbicarbonat............	0,00311
Eisenbicarbonat..............	0,03288
Aluminiumoxyd.............	0,00010
Kieselsäureanhydrid..........	0,06229
Organische Substanz.........	0,00269
Lithium und Baryum........	Spuren
Freie Kohlensäure...........	2,28579

Eine neue Stahlquelle in Strathpeffer Spa (37) war im schottischen Hochland Jahrhunderte lang unter dem Namen „iron well" bekannt. Sie entspringt am Fusse des Ben Wyvis und wurde vor einigen Jahren mittelst Eisenrohre 3 Meilen weit zum Badehaus geleitet; das Wasser schäumt im Glase wie Champagner. Es enthält $^1/_4$ Gran Eisencarbonat in 10 Unzen. Die Ergiebigkeit der Quelle 900 Gallons in 24 Stunden. Auch Stahlbäder sollen davon bereitet werden. — Da nun auch Schwefelquellen daselbst fliessen, wird dieser Curort in den schottischen Hochlanden reich ausgestattet erscheinen.

c. Thermalsoolen.

Aug. und Theod. Schott (38) haben den Kohlensäuregehalt in den Badewannen der Nauheimer Sprudel- und Sprudelstrombäder bestimmt, nachdem sie unter Leitung von Lepsius im Laboratorium des Senckenbergianum zu Frankfurt einige Vorversuche zur Einübung der Methode gemacht hatten. Die Kohlensäure wurde an eine vorher abgewogene Menge Kalkhydrat gebunden.

Die Verff. fanden für das Quellwasser des Sprudelbaderohrs im Mittel völlig freie Kohlensäure 2,4260 in 1 l, freie und halbgebundene CO_2 3,1107. Im vollkommen ruhig gewordenen Sprudelbade fanden sich völlig freie und halbgebundene CO_2 2,0344 auf 1 l. Demnach betrage der Unterschied an Gehalt seit dem Einströmen über 1,2 g.

Das strömende Sprudelbad war verschieden gehaltreich je nach Geschwindigkeit des Stroms und der Tiefe, aus welcher die Probe entnommen wurde. Die Einzelbeobachtungen ergaben einen Gehalt von 3,5763 und 3,81, Durchschnitt: 3,7269.

Das Einströmen geschah bei diesen Versuchen meist unter einem Ueberdruck von 114 mm. Bei solchem Ueberdruck fand sich völlig freie CO_2 2,1367 g, ohne Ueberdruck 1,6579.

Vergleiche zwischen dem Kohlensäuregehalt eines Bades in Pyrmont, in Schwalbach (Weinbrunnen) und in Nauheim ergaben 1,996 — 2,089 — 2,034 g in beziehentlich den vorgenannten Bädern bei 31,25° Temperatur. Dabei sind aber die für Pyrmont und Schwalbach angegebenen Ziffern als nicht ganz authentisch zu betrachten. Demgemäss zeigten die Badewannen der drei verschiedenen Curorte, wo zwei der Quellen erwärmt werden mussten, eine der Quellen ursprünglich unter höherem Druck reichlicher Kohlensäure besass, nunmehr bei gleichgemachten Bedingungen nahezu gleiche Kohlensäure-Sättigung.

Bei einem Sprudelstrombad fanden die Verff. völlig freie Kohlensäure = 2 2583 g, also auf 1000 ccm Soole 1278 ccm Kohlensäure. — In Kissingen fehle die höhere Anfangstemperatur, in Rehme sei die mechanische Wirkung geringer und auch der CO_2-gehalt.

Terrier (39) macht folgende das Dunstbad in Mont-Dore betreffende Bemerkungen. Die verspritzten Mineralwasserbläschen vermindern sich an Zahl mit der steigenden Temperatur des Dunstraumes, welche hervorgebracht wird, durch das immerwährende Nachströmen des Wassers, durch dichte Frequenz der Inhalirenden und durch die draussen herrschende hohe Temperatur. In der Regel sind im Dunstraume daselbst 32° C. Uebrigens sei das verdunstende Wasser, was allerdings durch eine Analyse des Dunstes noch festgestellt werden müsse, nur destillirtes Wasser ohne nennenswerthe mineralische Zugaben. Deshalb stellte der Verf. mit Léon-Chabory Versuche an, um die Methode der Dunsterzeugung dahin zu verändern, dass ähnlich wie beim Lister-Spray das Wasser zur Verdunstung gelange, um mehr Wasserbläschen, darin die Mineralstoffe vermehrt, und so überhaupt einen heilwirkenden Dunst zu produciren. Das Verfahren — wie beim Lister-Spray — wird genauer beschrieben und hier, als bekannt, nicht weiter mitgetheilt. — Die Wärme der angewandten Dampfdouche wird bei der Verdunstung des Wassers genügend abgekühlt (z. B. Dampfdouche 50°, Dunstraum 44 und 41°). Bei einem Meter des Dampfstrahles hatte man z. B. 40°; wenn die Pulverisation wirksam thätig war, 38°. — So kann ein Patient behaglich athmen in einem mit dichtem Nebel angefüllten Raume. Es sei bei der modernen Anschauung von der Contagiosität der Tuberculose das Isolirsystem bei der Inhalation medicamentöser Stoffe dem Massensystem vorzuziehen.

B. Theoretische Balneologie.

40) Finkler und Pletzer, Zur Kenntniss der Wärmeregulation. Berl. klin. Wochenschr. No. 5. — 41) Chauvet, C. (Royat), Influence du bain tiède sur la température centrale et la température périphérique. Lyon médical. No. 22. — 42) Beissel, J. und G. Mayer, Aachener Thermalcur und Gicht. Berliner klin. Wochenschr. No. 13. — 43) Neumann, Hermann, Die diuretische Wirkung des Wernarzer Brunnens in Brückenau. Inaug.-Dissertation zu Berlin. 4. Aug. Berlin. — 44) Jacob, Das Soolbad hat seine Wirkung durch die ihm gegebene Temperatur, der Salzgehalt desselben ist ohne Bedeutung. Veröffentl. d. Gesellsch. f. Heilk. in Berlin. 6. öffentl. Versamml. der balneol. Section am 15./16. März. S. 28. — 45) Derselbe, Aufgaben der balneologischen Forschung. Ebendas. S. 48. — 46) Derselbe, Zur directen und reflectorischen Steuerung der Blutcirculation, des Herzens und der Respiration, welche durch Süsswasser- und Kohlensäurebäder und Muskelaction bewirkt wird, und zur Therapie der Herzkrankheiten mittelst dieser drei Factoren. Virchow's Archiv f. path. Anatomie. Bd. XCVI.

H. 1. S. 36—53. — 47) Jaworski, W., Vergleichende experimentelle Untersuchungen über das Verhalten des Kissinger und Carlsbader Wassers, sowie des Carlsbader Quellsalzes im menschlichen Magen. Deutsches Arch. f. klin Med. Bd XXXV. S. 38.—78.

Finkler und Pletzer (40) bestätigen Pflüger's Erfahrung, dass die Eigenwärme des Kaninchens im kühlem Bade relativ leichter herabgedrückt wird, wenn dem kühlen Bade eine Uebergiessung mit warmem Wasser folgt. Kaltes Bad + 12°, warmes Wasser 35—40°. Sowohl an gesunden, wie an fiebernden Kaninchen wurde beobachtet und die Bestätigung jener Erfahrung gemacht. Beim fiebernden Thiere scheint der Effect vergleichsweise am grössten. Die Oxydation verminderte sich dabei.

Chauvet (41) machte Rectum-Temperatur-Messungen vor, während und nach einem 34 bis 35° warmen Royat-Bade.

I. 25. Mai 1883.

Vor dem Bade	37,3°	
Im Bade	37,1°	nach 20 Min. des Bades
	36,9°	„ 30 „ „ „
	36,7°	„ 38 „ „ „
Nach dem Bade	36,7°	3 Min.
	36,7°	10 „

Das Bad bewirkte 0,6° Temperaturerniedrigung.

II. 4. Juni.

Vor dem Bade	37,4°	
Im Bade	37,3°	15 Min.
	37,2°	30 „
	37,1°	45 „
Nach dem Bade	36,8°	15 Min. nach
	37,3°	30 „ „

Temperaturerniedrigung 0,6° (irrthümlich vom Verf. 0,5° angegeben)

III. 5. Juni.

Vor dem Bade	37,7°	
Im Bade	37,7°	15 Min.
	37,4°	30 „
Nach dem Bade	37,0°	15 Min. nach
	37,4°	30 „ „

Temperaturerniedrigung 0,7°.

IV. 9. Juni.

Vor dem Bade	37,7°	
Im Bade	37,5°	15 Min.
	35,3°	30 „
Nach dem Bade	37,3°	
	37,5°	

Temperaturerniedrigung 0,4°.

V. 25. Juli. Nunmehr wird die Temperatur an der inneren Oberfläche des Oberarms (Haut- oder periphere Temperatur) und die rectale Temperatur gemessen.

	Haut-temperatur		Rectum-temperatur
Vor dem Bade	33,2°		37,3°
Im Bade	34,3°	10 Min.	
	36,8°	15 „	37,3°
	35,1°	20 „	
	35,1°	30 „	37,2°
	35,2°	35 „	
	35,2°	40 „	37,1°
Nach dem Bade	33,8°	5 „	
	33,2°	10 „	37,2°
	32,8°	25 „	
	32,6°	50 „	

Die Hauttemperatur war im Bade bis 3,2° gestiegen, die Rectumtemperatur um 0,2° gefallen.

VI. 30. Juli. Die Hauttemperatur

vor dem Bade	33,4°	
im Bade	34,4°	5 Min.
	34,7°	10 „
	34,7°	15 „
	34,7°	20 „
	34,7°	25 „
	34,7°	30 „
nach dem Bade	32,8°	5 Min
	32,8°	10 „
	32,3°	30 „
	32,8°	35 „
	33,2°	40 „

Resultat aus dieser Beobachtungsreihe: In einem 34—35° warmen Royatbade sank die Rectumtemperatur um ungefähr einen halben Grad, während die Hauttemperatur um einige Grade oder weniger stieg. — Die Haut wurde geröthet.

Beissel und Mayer (42). Die Aachener Thermaldouche während 15 Minuten und nachher 15 Minuten in einem gleich warmen Vollbade (37—38°) wirkte bei einem Manne im Louisen-Hospital bei gleich bleibender Lebensweise und Nahrung, wie folgt:

	Urinmenge in 24 Stdn	Harnsäure in 24 Stdn.	Harnstoff in 24 Stdn.	SO_3 in 24 Stdn
Normal:	1650	0,90	39	2.8
	2120	1,16	42,4	1,9
	1910	0,75	29,6	1,6
Douche:	1340	1,20	27,2	2,4
	1870	1,12	53,5	2,0
	1750	3,41	40,8	2.7
Nach den Douchen:	2300	0,80	15,0	1.5
	1850	1,29	26,4	2.4
	1350	0,94	31,5	1,9

Spec. Gew. der Urine
1. Reihe: 1020—15—21,
2. Reihe: 1017—12—20,
3. Reihe: 1007 —13—20.

Diese Beobachtungen liefern demgemäss 3 tägige Reihen, deren Resultate zwar vorsichtig weiter geprüft werden müssen, jedoch von vornherein wahrscheinlich erscheinen. Referent fand vor vielen Jahren schon, dass die Urinmengen nach Thermalsoolbädern, welche verglichen mit gewöhnlichem Wasser einen grösseren Reiz darstellen, relativ geringer, als nach gewöhnlichem Wasserbade ausfallen.

Neumann (43) verfertigte seine Inauguraldissertation über von ihm zur Prüfung der diuretischen Wirkung des Wernarzer Brunnens (in Brückenau) an sich selbst und an einigen Kranken angestellte Beobachtungen. Zunächst werden die 24 stündigen, eigenen Urinmengen an 12 Tagen notirt; (es wird nicht dabei gesagt, ob diese ununterbrochen auf einander folgten. Die Versuche liegen zwischen Anfang December und Anfang März.) — Die 12 Urinmengen liegen zwischen 1100 und 1400 ccm mit specifischen Gewichten zwischen 1018 und 1024 (durchschnittlich 1250 und 1220). — An 3 Tagen war auch gewöhnliches Wasser, wie viel ist nicht angegeben, getrunken worden; die Urinmengen dabei waren: 1350, 1400, 1400.

Nun wird eine halbe Flasche Wernarzbrunnen getrunken, dabei werden folgende 24st. Urinmengen gefunden:

2000; 2200; 2500; 2300; 2400

mit dem spec. Gewicht 1012—1014.

Auch war die Wirkung des Brunnens längerdauernd, als die Anwendung geschah. Denn die erste Tagesanwendung brachte ein Ergebniss von 2000 ccm Urin für diesen Tag, dann aber während 8 folgender Tage ohne Brunnen: Mengen zwischen 1400 und 1900 (1017—1019), welche meist über das normale Maximum hinausliegen. — Dann wird nochmals Brunnen genommen, als am 10. Tage des Versuchs mit 2200, und endlich am 11. Tage des Versuchs nochmals mit 2500 ccm Urin. Der darauf folgende Tag, also der 12. der Reihe, ohne Brunnen bleibt ohne die vorhin angenommene, länger dauernde Einwirkung des Brunnens; denn die Ziffer ist 1000. Dahingegen ergeben zwei folgende Tage mit Brunnen: beziehentlich 2300 und 2400.

Es wird dann eine ganze Flasche getrunken. (Hier ist die Reihe durch unregelmässig erfolgten Genuss von Bier und Thee nicht mehr ganz verwerthbar.) Gefunden werden: 2300 (Bier); 2600; 1500; 1700 ccm an je dem 1., 7., 9., 17. Tage der Versuchsreihe — Die Tage, welche selbst ohne Brunnen den genannten Brunnentagen folgen, ergeben beziehentlich zwischen:

1350 und 2200; — 1700; — 1000 und 2250; — 1300 und 2000.

Eine vergleichende Beobachtung über die Einwirkungsgrösse des Seltersbrunnens ($^1/_2$ l) ergab an 4 Tagen folgende 24stündige Urinmenge:

1850; 1650; 1900; 1400 (1016—1021).

Folgende Beobachtungen betreffen Kranke.

1. Fall. (Syphilis, Amyloid der Leber, Milz, Niere. Pleuritis. Hydrops.)
Urinmengen ohne Brunnen 1000—1400,
" mit " 1700—2000,
und 4 nachfolgende Tage ohne Brunnen: 1400—1900.

2. Fall. (16jähr. Steindrucker. Pleuritis sin.)
Urinquanta bei Brunnen: 1500—1800,
" in der Convalescenz: 600—1200.
Angaben vor dem Brunnengebrauch fehlen.

3. Fall. (Hydrops.)
Vor dem Brunnen: 500—600.
$^1/_2$ Flasche Brunnen während 13 Tage: zwischen 1000 und 2000.
Als der Brunnen ausgesetzt wurde, verringerten sich die Harnquanta wieder auf 500 und steigerten sich wieder nach einigen Wochen unter Brunnengebrauch zwischen 800 und 1800.

4. Fall. (Frau. Pleur. exs. sin.)
Ohne Brunnen: 1500,
Mit Brunnen: 1400—2500 an 18 Tagen.

5. Fall. (24jähr. Hämoptoe. Tuberculose.)
Ohne Brunnen: 400, 600, 800, 1000, 1300.
Mit Brunnen: 1200, 1100, 1600, 1400, 1400.

Für die Aufsuchung der diuretischen Salze wäre Kalk- und Magnesia-Bicarbonat hervorzuheben gewesen. (E. Lehmann, Berl. klin. Wochenschr. 1882. No. 21, Zur Wirkung des kohlensauren Kalks und der kohlensauren Magnesia.)

Jacob (44) scheint von dem Satze auszugehen, dass die balneologische Wirksamkeit ausschliesslich veranschaulicht werden kann durch Temperaturmessungen im Rectum, der Achselhöhle, oder mehr an der Peripherie. Die sich dabei ergebenden Unterschiede lassen ausschliesslich den Schluss auf „Reiz", „Blutdurchströmung" gerechtfertigt erscheinen. Seine eigenen Untersuchungen sind ihm also das A und Ω der Studien. Gleichwohl ist keine andere Untersuchung so unsicher, muss man dagegen sagen, weil auch unter ganz normalen und gewöhnlichen Verhältnissen die Körpertemperatur um Zehntelgrade steigt und fällt.

Ausserdem sind dem Verf. die Arbeiten anderer Beobachter über Urinausscheidung und Athemeducte unter dem Einfluss der Bäder, auch diejenigen des Ref., beweisunkräftig, weil die Forderung des „Stickstoffgleichgewichtes" bei den betreffenden Versuchsreihen vermisst würde. Der Herr Verfasser scheint mit diesem Ausdruck einen ganz besonderen Sinn zu verbinden, denn gewöhnlich ist derselbe nur zu beziehen auf Reihen von Tagebeobachtungen. Bei des Ref. Beobachtungen wurden aber nur Ergebnisse einzelner unmittelbar sich folgender Stunden desselben Tages — und obendrein noch bei absolutem Fasten — mit einander verglichen. Diese Arbeiten sind überdies nur zum Vergleiche der Wirkung von Thermalsool- und gemeinen Wasserbädern angestellt worden*). — Die Zuntz-Rörig'schen Versuche sind dem Verf. nicht beweiskräftig, weil sie an Kaninchen angestellt wurden, aber die Wirkung verschieden ausfallen könne, wenn Kaninchen oder wenn Menschen baden. — Statt nun zu behaupten, die Wirkung des Salzes im Bade sei noch nicht sicher erwiesen, behauptet der Verf. die Nichtwirkung des Salzes im Bade sei erwiesen.

Schliesslich nahm die 6. Versammlung der balneologischen Section folgende von Liebreich vorgeschlagene Resolution mit allen gegen eine Stimme an: „dass nach den klinischen Erfahrungen das Soolbad ein mächtiges spezifisches therapeutisches Heilmittel ist, welches heutzutage nicht mehr entbehrt werden kann, wenn auch zur Zeit, wie bei anderen Heilmethoden, die physiologische Wirkung noch nicht ganz klargestellt ist."

Auch diese Arbeit von Jacob (46) enthält Beobachtungen über Verhalten der Achsel- und Fingertemperatur in 31° warmen Bädern von Süsswasser und Kohlensäurewasser (auch Pulse und Respiration wurden gezählt). Die aus den Beobachtungen gezogenen Schlüsse sind im Auszuge nicht wieder zu geben. 11 Tabellen enthalten die Ziffern, von denen ich auszugsweise einige mittheile:

---

*) Die Arbeit „über Nauheimer Soolthermen, Marburg 1859", welche S. 33 angeführt wurde, ist nicht vom Referenten und demselben gänzlich unbekannt.

1. Versuch. CO_2-Bad. Süsswasserbad.
Vor dem Bade:
Achseltemp. 37.9° .... 37,8°
Nach 25 Min.:
37,4° .... 37,6°
Nach 45 Min.:
37,15° .... 37,42°

3. Versuch. CO_2-Bad. Süssw. Bad.
Achseltemp. vor d. B
? .... 38,1°
nach 20 Min.: 38° .... 38,2°
Ende des B.
nach 40 Min.: 37,12° .... 37,25°

Die Fingertemperaturen verhalten sich in diesen 3 Versuchen zu den beziehungsweise selben Zeiten:
Vers. 1. 36,4° u. 31,2° u. 30,8° 36,4° 31,6° 31,1°
Vers. 3. ? 28,8° 27,8° 27,2° 29,1° 31,6°

4. Versuch. Achseltemp.
vor d. B.: 37,7° .... 37,9°
nach 10 Min.: 37,95° .... 38,18°
Fingertemperatur
vor d. B: 37,3° .... 37,8°
nach 10 Min.: 29,3° .... 28,4°
20 umfangreiche Thesen bilden das Resumé

Die Beobachtungen Jaworski's (47) über das Verhalten verschiedener Wässer (auch des Karlsbader Quellsalzes) im menschlichen Magen erweitern erfreulicherweise unsere Kenntnisse über bis dahin dunkle Dinge. — Die folgenden Fragen sind Gegenstand der Untersuchung: 1) Weilen verschiedene Wässer verschieden lange Zeit im Magen? 2) Werden von den in den verschiedenen Wässern gelösten Stoffen relativ verschiedene Mengen resorbirt? 3) Haben verschiedene Temperaturen der getrunkenen Wässer Einfluss verschiedenen Grades auf Concentration der Magenflüssigkeit, bezw. auf die ausgeschiedenen Chloride? Die Beobachtungen wurden an einem gesunden 29jährigen Manne angestellt, der nüchtern ins Labotorium kam und die bekannten Mengen verschiedener Flüssigkeiten trank, nachher aber ruhig dasass. Nach einer viertel bis halben Stunde wurde der Magen ausgehebelt. Der Mageninhalt war stets frei von Speiseresten. Dieser, sowie vorher das eingeführte Wasser, wurden sorgfältig chemisch analysirt.

Ueber die erste Frage befindet sich S. 69 eine Tabelle, welche ich der besseren Uebersicht wegen verändert in der Form vorführe. Eingeführt wurden 500 cc, nach 1/4 Stunde erfolgte die Aspiration der Magenflüssigkeit. Die aspirirten Mengen betrugen bei

		dest. Wasser cc	Racozzi cc	Mühlbrunnen cc
wenn 10,5°	warm	236		
„ 11°	„		220	
„ 14°	„		250	
„ 16,5°	„			295
„ 49°	„			95
„ 50°	„	195	180	80
„ 52°	„	—	—	75

Die Folgerung aus diesen Zahlen ist: bei kalten und kühlen Temperaturen (16,5°) verweilt der Mühlbrunnen am längsten im Magen, während der Racozzi kürzere Zeit bleibt. Bei der Erwärmung verschwindet der Mühlbrunnen (49—52°) bei weitem am schnellsten. Zwischen Racozzi und destillirtem Wasser, wenn kalt, ist die kürzere Anwesenheit, im Magen ersterem zuzusprechen, bewirkt vielleicht durch die Kohlensäure.

Pag. 68 findet sich dann folgende Zusammenstellung für Mühlbrunnen bei verschiedener Temperatur:

Bei 16,5°	wurden	aspirirt	295 cc
„ 49°	„	„	95 „
„ 50°	„	„	80 „
„ 52°	„	„	75 „

Die Beseitigung des heissen Mühlbrunnens geschieht demnach fast 4 Mal rascher.

Für dest. Wasser und Racozzi ist S. 62 folgende Zusammenstellung

für gleiche Temperaturen:

	dest. W.	Racozzi
bei 11° konnten aspirirt werden	236 cc	200 cc
„ 50° „ „ „	195 „	180 „

Der Racozzi sowohl kalt als warm verschwindet schneller als das destill. Wasser.

Ferner giebt Verf. als Hauptresultat seiner Versuche (S. 42) an, dass 1/2 Std. nach Einführung von 1/2 l dest. Wasser schon nichts mehr, nach 1/4 Stunde fast die Hälfte noch anzutreffen ist". Kaltes Wasser verschwindet langsamer. als erwärmtes. Bei Racozzi sind die Verhältnisse ähnlich, nur relativ rascheres Verschwinden. Das Karlsbader Wasser verweilt, wenn kalt, am längsten, wenn heiss, am kürzesten im Magen.

Ueber die zweite Frage nach der relativ verschieden grossen Resorbirbarkeit der im Wasser gelösten Salze durch den Magen in gegebener Zeit entscheidet der Vergleich zwischen dem Procentbefund der Salze in der Lösung vor Einführung und nach der Ausfüllung und zwar im Verhältniss zu einander. Die vergleichsweise stärkere Resorption des einen oder anderen Salzes wird die vor der Einführung gefundenen Verhältzahlen der Procente zu Ungunsten des im Magen am meisten verschwundenen herabsetzen.

Als Resultat wird gefunden (S. 42), dass aus dem Racozzi die Salze nach folgender Reihenanordnung resorbirt werden: am stärksten die sauren Carbonate, dann Sulphate, Kalk-Magnesiasalze, am geringsten die Chloride. Mit der Temperatur steigt die Grösse der Resorption, besonders der sauren Carbonate.

Aus dem Mühlbrunnen wird in grösster Menge das Natriumsulfat, in geringerer das Natriumcarbonat in geringster das Chlornatrium resorbirt. Mit Erhöhung der Temperatur des eingeführten Brunnens wächst die Resorption des Natriumsulfat, nimmt diejenige des Carbonats ab. — Die Sulfate aus dem Mühlbrunnen, und um so mehr, je mehr die Temperatur des Brunnens wächst, werden stärker resorbirt als aus dem Racozzi, aus welchem mit der steigenden Temperatur des Brunnens die betreffende Resorption abnimmt. — Die Carbonate verhalten sich umgekehrt: vom heissen Mühlbrunnen wird weniger, vom gewärmten Racozzi mehr desselben resorbirt. Im Mühlbrunnen ist neutrales Natriumcarbonat, im Racozzi saures Calciumcarbonat aufgelöst.

Die sauren Carbonate erweisen sich als die am leichtesten resorbirbaren Salze, die neutralen als schwer resorbirbar. Calciumsalze werden leichter als

Magnesiumsalze, Natriumsulfat leichter als Magnesium- und Calciumsulfat resorbirt. Chloride gehören zu den schwer resorbirbaren Verbindungen.

Ueber die 3. Frage, Einfluss der verschiedenen Wässer auf die Magenflüssigkeit, beziehungsweise die ausgeschiedenen Chloride wird gefunden (S. 42), dass unter dem Einfluss des kalten Getränkes sich im Magen mehr Chloride und Magensäure ausscheiden, als bei Anwendung des warmen. Der (S. 61) mitgetheilte Versuch 9 ergiebt nach Trinken von 500 cbcm 50° heissen destillirten Wassers in der Magenflüssigkeit 0,0372 Cl gegen 0,1859 Cl in Versuch 8 als ebensoviel destillirtes Wasser von 12,5° getrunken worden war.

Unter dem Einflusse des Racozzi (S. 63) wird die ausgeschiedene Chlormenge geringer, als bei destillirtem Wasser. Mit Temperaturerhöhung steigt diese Verringerung noch, jedoch dies beim Racozzi kaum oder nicht. Die Magensäure wird durch die im Brunnen vorhandenen Carbonate neutralisirt, konnte also nicht untersucht werden. Nach Mühlbrunnen (16,5°) wuchs die Menge der Chloride im Magensaft. Nach heissem Mühlbrunnen (49°) vergrösserte sich die Menge des Natriumcarbonates so, dass der Magensaft nicht reich an Säure, wohl aber an Chloriden erschien. Die Anregung der Magenschleimhaut durch warmen Mühlbrunnen ist grösser als nach kaltem. Aus dem Mühlbrunnen bleibe in grösster Menge das Kochsalz zurück, in geringster das Natriumsulfat. Racozzi, kalt gebraucht, Mühlbrunnen heiss, regen den Magen relativ stärker zur Secretion der Chloride an.

Zwischen dem Mühlbrunnen und dem Karlsbader Quellsalz fand der Verf. folgende Wirkungsverschiedenheiten: 1) Das Quellsalz verweilt länger im Magen als entsprechend viel kaltes Karlsbader Wasser. 2) Natriumcarbonat wird aus dem Quellsalz in grösserer Menge, vom Karlsbader Wasser in geringerer Menge als das Natriumsulfat resorbirt. 3) Das Salz regt die Magenschleimhaut nicht zu stärkerer Secretion der Chloride an. Auch beschleunigt dasselbe die Neutralisation der Carbonate nicht.

Schliesslich sei noch bemerkt, dass nach des Verf.'s Beobachtungen das natürliche Wasser aus dem Magen viel rascher verschwindet, als das destillirte Wasser und auch als die künstlichen Lösungen des Salzes.

C. Geschichte der Balneologie. Nationale Entwickelung. Statistik.

48) Kolbe, Medicin. statist. Generalbericht für den Jahrg. 1883 der vereinten schlesischen Curorte Cudowa, Flinsberg, Görbersdorf, Königsdorff-Jastrzemb, Reinerz, Salzbrunn und Warmbrunn. S. 12. schles. Bädertag. S. 122. — 49) Heinel, Statistischer Verwaltungsbericht der vorgenannten Curorte. Ebendaselbst. S. 147. — 50) Brehmer, Die Controle der Curorte. Ebendas. S. 38. — 51) Die Vergünstigung der Aerzte in den Badeorten. 6. österreich. Versammlung der balneol. Section. S. 48. — 52) Dengler, Weitere Mittheilungen in der Quellenschutzangelegenheit. Ebendas. S. 68. (Schutzbezirke betreffend für Reinerz, Cudowa und zwei andere Bäder.) — 53) Achter Jahresbericht der Kinderheilanstalt in Salzuflen im Fürstenthum Lippe. Ebendas. — 54) Dengler, Ueber die Jastrzember Kinderhospizfrage. Ebendas. S. 108. — 55) Mettenheimer, C., Ueber die hygienische Bedeutung der Ostsee mit besonderer Berücksichtigung der Kinderheilstätten an den Seeküsten. Vortrag, gehalten zu Berlin am 3. und 4. October 1883 i. Auftr. d. Aussch. d. a. deutsch. Ausst. auf dem Gebiete der Hyg. und des Rettungsw. Schwerin. 1883. — 56) Dengler, Neueste balneologische Bestrebungen in Ungarn. Ebendas. S. 94. (Vorschläge, betreffend die Einrichtung einer billigen chemisch-analytischen Station, Anstellung von balneologischen Referenten bei der Regierung, Tarifherabsetzung für Versand der Brunnen etc.) — 57) Eine neue schwedische Badezeitung. Deutsche medicinische Zeitung. No. 48. — 58) Americanische Bestrebungen. (Vergl. Alling. No. 71.) — 59) Japanische Bademethode. (Vergl. Baelz. No. 93 dieses Referates.) — 60) Source minérale à Bagnères de-Lychon. Bulletin de l'académie de médecine. p. 310. — 61) 4 sources (grande, s. salée, s. marine, s. Sedlitz française) à Beaume de Venise. Ibid. p. 373. — 62) Source Célestine à Vals. Ibid. p. 1345. — 63) Source des Bocages. Ibid. p 1346 — 64) Source la Favorite de Carabana (Espagne). Ibid. p. 1345 — 65) Eau purgative Aesculap (Autriche-Hongrie). Ibid. p. 1345. — 66) Source Condal à Rubinat (Espagne). Ibid. p 1346. — 67) Niebergall, Programm zur 2. Versammlung des Thüringischen Bäderverbandes in Friedrichroda am 5., 6., 7. October.

In der Wintercur 1882/83 in Salzuflen (53) blieben 14 Kinder, und 12 wurden dazu aufgenommen. Schulbesuch erwies sich wegen Krankheit, schlechten Wetters etc. unregelmässig und überhaupt deshalb ohne Nutzen. Mit dem 15. Mai begann die Sommercur. In 4 einzelnen Cur-Serien von je 4 Wochen wurden bis zum 14. September 408 Kinder verpflegt. Die Kinder kamen aus Lippe (68), Westphalen (231), Rheinland (42), Schaumburg (25), Bremen (37), anderswoher (4). Indicationen wie bisher Scrophulose und verwandte Krankheiten.

Das Kinderhospiz in Jastrzemb (54) ist erst mit den Vorarbeiten, welche zu einem Hospiz führen sollen, beschäftigt.

Mettenheimer (55) liefert eine Geschichte der Entstehung der Seebäder an den deutschen Küsten überhaupt, topographische und meteorologische Verhältnisse des Ostseegebietes mit Vorschlägen zur Gründung von Kinderheilstätten, Feriencolonien, zur Bildung von Pensionen und Schulsanatorien überall an der Küste des baltischen Meeres, wie schon mehrere z. B. in Zoppot, Colberg, Königsgabe bei Heringsdorf, Müritz gegründet worden sind. Lehrer Vorbeck in Althagen auf dem Fischland will Kinder in den Schulferien für Curzwecke bei sich aufnehmen. Eine andere gebildete Familie lebt an der Küste und nimmt alljährlich unentgeltlich 2 kränkliche Kinder unbemittelter Eltern auf, um sie mit ihren eigenen Kindern die Cur und Pflege geniessen zu lassen. Nicht aber sollen die neu zu begründenden Hospize ihre Insassen aus der eng begrenzten Nachbarschaft erwarten, sondern dahin streben, dass aus der fernsten Tiefe des deutschen Binnenlandes die kleinen Patienten zureisen und zu dem schönen Ziele der Hebung der allgemeinen Gesundheit ein „neues Band der Einheit für die nun politisch geeinigten deutschen Stämme" geschaffen werde.

In Schweden (57) hat eine Brunnen- und Badezeitung zu erscheinen begonnen, mit dem Zwecke der Hebung der schwedischen und norwegischen Badeorte; sie erscheint vor dem 1. Juni 4 mal und in der Saison 1 mal wöchentlich.

In Frankreich (60—66) gilt ein Gesetz über die sanitätspolizeiliche Ueberwachung der Heilquellen, nach welchem eine jede ihre Berechtigung durch Feststellung bestimmter Bedingungen nachweisen muss, bevor ihr der Character einer officiellen öffentlichen Heilquelle zugesprochen wird. Ehe dies geschehen, darf eine inländische Heilquelle keinen Curort begründen, auch keinen Vertrieb für Curzwecke anstreben. Eine ausländische Heilquelle darf für Curzwecke nach Frankreich nicht eingeführt werden. Eine eigne Behörde, Abzweigung der Akademie der Medicin, muss erst die Zulässigkeit einer Heilquelle als solche begutachten; anders wird dieselbe für Heilzwecke vom Minister zurückgewiesen. Die 7 in der Literaturangabe befindlichen Artikel, von No. 60 bis No. 66 einschliesslich sind zum Belege für diese Einrichtung dienlich. Die 4 erst genannten werden folgendermassen begründet zurückgewiesen:

Die Quelle in Bagnères-Le-Luchon ist nach der Analyse (Calc. sulfat 0,140 Magnes. sulfat 0,022, Natr. sulfat 0,033, Kieselerde 0,020) nur Trinkwasser und keine Heilquelle. — 4 Quellen in B. de Venise werden vor einer Zulassung so lange vertagt, bis die betreffenden Analysen im April und im September gemacht worden sind. — Bei der Quelle Célestine fehlt ein authentischer Bericht von Sachverständigen. Der Bericht rührt von dem Eigenthümer selbst her. — Die Quelle Boccages (Calc. carbonat 0,280, Magn. carbon. 0,016, Chlorcalcium 0,012, Eisen und Thonerde 0,001, Kieselerde 0,010) hat keine Zusammensetzung, um Heilquelle zu heissen. — Die folgenden betreffen 2 Heilquellen aus Spanien, und eine aus Ungarn, welche in Frankreich als Brunnen zum Heilen eingeführt werden sollten. Favorite de Carabana hat keine als genügend nachgewiesene Brunnenfassung. — Die ungarische Quelle Aesculap hat ihren Ursprung und ihre Brunnenfassung nicht von wissenschaftlichen, für die Hydrologie speciell bekannten Autoritäten feststellen lassen. — Der Bericht gilt als ungenügend. — Zuletzt wird die spanische Quelle Condal ebenfalls wegen ungenügender Berichte Sachverständiger zurückgewiesen. Ein notarieller Act aus Barcelona beweist die Heilkräftigkeit der Quelle. Gerade aus diesem Attest geht hervor, dass der Brunnen ungenügend gefasst ist.

D. Balneotherapie im engeren Sinne.

68) Compardon, Ch., Guide de thérapeutique aux eaux minérales et aux bains de mer. Paris. — 69) Raspe, F., Heilquellen-Analysen für normale Verhältnisse und zur Mineralwasserfabrikation, berechnet auf zehntausend Theile. 11—16 Lief. Dresd. — 70) Nadal, Alfredo, Compendio di Hidrologia medica; Balneologia e Hidroterapia. Con apuntos sobre Todos los establicimentos principales de Espana y del Extrangero. Obra recisada por B. Robert. Illustrada c. grabados. Barcelona.

Das Werk Nadal's (70) enthält in 3 Theilen die allgemeine und specielle Hydrologie, die allgemeine und specielle Balneotherapie und die Wasserheilkunde im engeren Sinne. Das Werk steht auf der Höhe der Wissenschaft, in welchem die französische, spanische, italienische und vor allen Dingen, die deutsche Literatur gründlich beachtet und benutzt worden ist. Die Mineralquellen in ihrer Beziehung zur Geologie, in ihrer pharmacologischen Wirksamkeit, in der Anwendungsweise, in ihrem örtlichen Vorkommen und den um sie gegründeten Curorten sowohl Spaniens als des Auslandes und besonders auch in denjenigen Einrichtungen, welche Spanien eigenthümlich sind, werden erschöpfend und kurzgefasst dargestellt. Ein alphabetisches Wort- und Sachregister erleichtert den Ueberblick des Inhaltes und seine Benutzung für alle einschlägigen Fragen. — Der zweite Theil des Werkes ganz, und das letzte Stück des ersten, ist eine Abhandlung nach dem System der Bäder- und Brunnenlehre von L. Lehmann, mit stellenweise wörtlicher Conformität und Wiedergabe von dessen Inhalt (S. 348—462). Lehmann hat auf Wunsch des Autors eine tabellarische Uebersicht (cuadro sinóptico) S. 425 über die physiologische Wirkung der Bäder je nach ihren Temperaturverschiedenheiten hinzugefügt, während sich S. 365 eine vom Verf. selbst geschaffene tabellarische Uebersicht über alle zur Balneologie, in deren engerem und weiterem Sinne, gehörenden Dinge und Verhältnisse befindet. — Nicht allein der spanische Arzt, für welchen das Werk zunächst geschrieben, sondern auch der Ausländer wird dasselbe mit hoher Befriedigung studiren.

a. Cur mit gemeinem Wasser.

Keine Arbeiten.

b. Cur mit Mineralwasser (incl. Seewasser).

71) Alling, W. G., Some observations on the saline cathartic waters of Saratoga with the indications and contra-indications for their use. The New-York medical record. March 8. p. 259. — 72) Cornillon, J., L'Hémophilie est-elle une contre-indication au traitement par les eaux de Vichy? Gazette médicale de Paris. No. 21 u. 22. — 73) Durand-Fardel, Max, Sur les applications respectives des différentes sources de Vichy. Bulletin général des thérapie. 15. Fevrier. — 74) Nicolas, J., Note sur l'emploi des eaux minerales, en particulier de celles du Mont-Dore, pendant la grossesse. L'union médicale. No. 29. — 75) Terrier, F., Note sur l'emploi de la pulvérisation de l'eau du Mont-Dore en inhalations. Gazette hebdomadaire de méd. et de chir. No. 39. (Vergl. No. 39 dieses Referates) — 76) Marcus, Die Indicationen für das Stahl- und Soolbad Pyrmont. Petersburger med. Wochenschrift. No. 29. — 77) Schott, A. und Th., Die Nauheimer Sprudel- und Sprudelstrombäder. Berl klin. Wochenschrift. No. 19. (Vergl. No. 38 dieses Referates.) — 78) Heubes, Eduard, Die Wirkungen kohlensäurehaltiger Sool- und Eisenbäder bei chronischen Herzkrankheiten Inaugural-Dissertation. 2. Mai. Berlin. —

79) Jacob, Zur Steuerung des Herzens durch Süsswasser, kohlensaure Stahlbäder und Muskelthätigkeit und zur Behandlung des kranken Herzens. Sitzung d. balneol. Section. S. 3. — 80) Ossi, Giuseppe, Le acque chloroiodo-bromiche di Castrocaro. Raccogliatore medico. 30. Magg. (Bekanntes über Castrocaro. Analyse von Bechi, 1871. Statistische Zusammenstellung der Erfolge während der Jahre 1881—1883, gegen Scrophulose, dazu alle Krankheiten der Frauen, Hautkrankheiten, Krankheiten der Digestionsorgane etc.) — 81) Brabazon, A. B., Case of ague treated by Bath mineral waters and baths The Lancet. May 24. — 82) Spender, John Kent, Sciatica and its allies, and their treatment by the Bath thermal waters. The Lancet. June 21. — 83) Lehmann, L., Oeynhausen (Rehme) gegen Ischias. Deutsche med Wochenschrift. No 21. — 84) Mayer, G., Die Heilwirkung der Aachener Thermalcur in der Gicht. — 85) Baelz, E., Ueber permanente Thermalbäder. Berliner klinische Wochenschrift. No. 48. (Vergl. No. 93 dieses Referates.) — 86) Kaatzer, Peter, Balneologisches über Bad Rehburg. — 87) Scherk, C., Ueber die Wirkungsweise der jod- und bromhaltigen Soolbäder. Der 12. schlesische Bädertag. S. 33. — 88) Jaworski, W., Beobachtungen und Betrachtungen über die Trinktemperaturen der Karlsbader Thermen an der Quelle und in der Hauscur. Wiener med. Zeitschrift. No. 35 u. 36. — 89) Roden, S. S., On the physiological and curative influence of the saline waters of Droitwich in certain forms of disease. The Britisch medical Journal. August 9. p. 273. — 90) Wilmot, R. Eardley, On the natural mineral waters of Leamington. Medical Times. April 12. p. 489. — 91) Sterk, Jul., Ueber eine modificirte Anwendung der alkalisch salinischen Mineralwässer. Wiener med. Presse. No. 11. S. 369. — 92) Klein, Karl, Ueber den Heilwerth der Stahlquellen. Ebendas. S. 493.

Alling (71) versucht in Anknüpfung an eine Mittheilung über den chemischen und therapeutischen Werth der Mineralquellen von Saratoga eine Empfehlung der amerikanischen an Stelle der europäischen Heilquellen zu begründen. Die Congressquelle mit reichlichem Brom- und Jodgehalt, die Excelsior- und Unionquelle (seit 1859 und 1868 im Gebrauch) sind mild abführend und vornehmlich als Diuretica wirksam. Die Hathorquelle (1868, analysirt 1869) ist stark eisenhaltig und salinisch. Die Geyser- und Champion-Quelle ist stark kohlensäurehaltig und, wie die anderen, enthalten auch sie Chloride und Alkalicarbonate. — Die Stellung von Indicationen bringt nichts Neues.

Cornillon (72) findet bei ausgesprochener Phthise Vichy contraindicirt, desgleichen bei Complication mit Diabetes. Da aber die meisten Diabetiker tuberculös sind, darf man nicht allgemein, wie Durand Fardel es will, den Gebrauch von Vichy diesen Kranken untersagen, zumal wenn der Character der Krankheit. wie namentlich bei vorgeschrittenem Lebensalter, stationär ist.

Bei Magenblutungen in Folge einfachen Geschwürs ist Vichy nicht contraindicirt. Unter seinem Gebrauch hört das Erbrechen auf, werden die Schmerzen gemildert und bessert sich der Appetit. Nur ganz kleine Gaben werden hier vertragen.

Bei Bluturin muss man vorsichtigt sein, da selbst bei bis dahin davon Verschonten sich unter dem Gebrauch von Vichy Blut im Urin einstellt Namentlich erfordert die Anwendung der Céléstinsquelle hier die grösste Vorsicht. — Bei der Pyelonephritis bessern sich meistens durch Vichy die Schmerzen, klärt sich der Urin und der beigemischte Eiter nimmt ab.

Bei Albuminurie, wenn sie chronisch geworden, wird Vichy empfohlen. — Am häufigsten ist die Gruppe der Patienten mit chronischer Cystitis in Vichy vertreten. Bäder sind hier das Wichtigste, natürlich der innere Gebrauch nicht zu vernachlässigen. Die Erfolge sind sehr getheilt.

Nur dann, wenn ein acuter Zustand oder Cachexie die Hämorrhagie begleiten, ist Vichy zu untersagen. In allen anderen Fällen sind dieselben durch Vichy günstig zu beeinflussen.

Durand-Fardel (73) leitet seinen Artikel ein mit der These, dass die Methode in der Brunnenpraxis den Schlüssel für die Erfolge in Händen habe. Gerade Vichy, wo so verschiedene Quellen fliessen, könne dies beweisen. Es herrschten über die Wirkungsweise dieser verschiedene Irrthümer, von denen selbst Aerzte, die in Vichy practiciren, nicht immer frei seien. Wo viele Quellen im Gebrauch eines Badeortes sind, da seien stets die wärmeren die wirksameren. Das komme daher, dass der Temperaturgrad einer Quelle, deren Natur durch eine heutige Analyse nicht in ihrer feinsten Construction erkannt werden könne, in genauer und unmittelbarer Verbindung stehe mit ihrer Entstehungsgeschichte. Bei dieser ergebe sich ein gewisses, noch nicht klar definirbares Geheimnissvolles, das sich wie „Electricität, Status nascens, eigenartige moleculäre Wirksamkeit“ ansprechen lasse, das sehr flüchtig beim Zutagetreten des Wassers verschwinde, und also ohne Zögern nur am Brunnen selbst in reiner Energie angetroffen werde. Wie wirksam immer die chemischen Substanzen der Brunnen bleiben, den hohen Grad der Wirksamkeit haben sie nur an Ort und Stelle. Der sprechendste Beweis für die intimste Nachbarschaft eines Patienten mit der Ursprungsstätte einer Quelle sei die natürliche Temperaturhöhe an Ort und Stelle. Die wärmsten Quellen in Vichy „l'Hôpital“ (31,70°) und vornehmlich „Grande-Grille“ (42,50°) sind also die Hauptquellen dieses Curortes. Dieselben wurden bisher von den Aerzten sehr systematisch als etwa folgendermaassen indicirt angesehen, dass für gastrointestinale Krankheiten die Quelle „l'Hôpital“, gegen Leberaffectionen „Grande grille“, gegen Krankheiten der uropoetischen Organe etc. „Célestins“ passend anzusehen sei. Indessen lehre die klinische Erfahrung, dass gegen Gicht und Urolithiasis zwar alle Vichy-Brunnen, die heissen aber besonders sich eignen. Die landläufige Routine wollte hier den Brunnen „Célestins“, also die kühle Quelle, als vornehmlich heilkräftig bezeichnen. Die Quelle „l'Hôpital“ gehört zu den sedirenden und passt bei erethischem Character der Krankheit. Deshalb ist nach des Verf.'s Erfahrung im Gegensatze zur allgemein landläufigen Routine der letztgenannte Brunnen gegen Lebercolik und gegen schmerzhafte Leberanschoppung am Platze, während

„Grande grille" die Schmerzen in solchen Affectionen steigert. In den schmerzlosen Affectionen genannter Art tritt die Heilkraft der „Grande grille" ins helle Licht. Gerade wie hier die schmerzhaften Leberaffectionen durch „Grande grille", werden schmerzhafte Affectionen der uropoetischen Organe gesteigert durch das Trinken der Célestinsquelle. Auch wird Hämaturie durch dieselbe provocirt. In solchen irritablen Fällen ist im Gegensatze zur ärztlichen Routine „Grande grille" oder „l'Hôpital" angezeigt. Bei Curen fern von Vichy, bei versandten Brunnen, brauche man sich aber um diese Unterschiede nicht zu bekümmern. Nur an Ort und Stelle sei das Vorgetragene zu beachten. Für den Versand eignen sich am Besten und behalten am längsten ihre Eigenthümlichkeiten die kühlen Quellen Célestins und Haute-rive. „Les eaux transportées ne sont plus que les cadavres des eaux minérales. (Chaptal.)

Nicolas (74) giebt eine Casuistik theils aus der Praxis von Richelot, theils aus eigener, um seine Ansicht, dass Mont-Dore das passende Bad für schwangere Frauen, im 4. bis 7. Monate der Schwangerschaft, ist, zu begründen. Er lässt während der Cur Brunnen je nach der Krankheit trinken und behandelt mit Erfolg: Vomitus gravidarum (kalte Douchen auf das Epigastrium), hartnäckige Stuhlverstopfung, Chloro-Anämie und eine Anzahl constitutioneller Krankheiten, letztere namentlich mit Rücksicht auf Heilerfolge für das zu erwartende Kind, namentlich also bei Scrophulose, Tuberculose, Syphilis.

Brabazon (81) und der folgende Autor Spender (83), beide Aerzte in Bath, rühmen die Heilkraft der dortigen Heilquellen, der erstgenannte gegen Malariafieber, der letztgenannte gegen Ischias.

Lehmann (83) machte Mittheilung über 81 in den letzten 5 Jahren behandelte, meist sehr hartnäckige Ischiasfälle, welche allen sonst dagegen angewandten Curen widerstanden hatten. Oeynhausen heilte 42 Fälle; von 39 fehlte ein Bericht. Die meisten Fälle heilten erst in der sogenannten Nachwirkung.

Mayer (84) hatte anfangs selbst nicht an die Wirksamkeit der Aachener Thermen gegen Gicht geglaubt. Doch ist sein Unglaube in dieser Beziehung durch einschlägige Erfahrungen in den letzten 10 bis 12 Jahren geschwunden; es bleibe für die Douche und das Trinken des Thermalwassers fest bestehen, was die Alten lehrten, dass nach einer Aachener Cur im folgenden Frühling und Winter die gewohnten Anfälle entweder ganz ausbleiben oder doch erheblich seltener und milder auftreten. Der Procentsatz der Gichtbehandelten in der M.'schen Praxis hebt sich in den letzten Jahren von 4 pCt. auf 5, 6, 7, ja 8 pCt. im Jahre 1883. M. veranlasste exacte Stoffwechseluntersuchungen beim Gebrauche der Thermaldouchen, welche Beissel ausführte. Dieselben ergaben: Vermehrung der Harnsäure, Verminderung der 24stündigen Urinquantitäten.

Da die meisten Karlsbader Quellen zu heiss sind, um vom Patienten sofort ohne Abkühlung getrunken werden zu können, und dennoch auf Verordnung der Wässer mit bestimmter Temperatur Werth zu legen, so beobachtete Jaworski (88) im Juli (Morgenstunden zwischen 5 und 7 Uhr), mit welcher Dauer die dortigen Brunnen die zum Trinken geeignete Temperatur erreichen. Die Temperatur der umgebenden Luft variirte zwischen 10 und 22°. Folgende 7 Quellen (Schloss-, Kaiser-, Mühlbrunn-, Elisabeth-, Markt-, Park- und Karl-Quelle) hatten eine trinkbare Bechertemperatur von 51,5—43,5°. — Folgende 4 (Bernhardsquelle, Neu-Theresienbrunnen, Felsenquelle) hatten nach 5 Minuten Abwarten des Wassers im Becher von 54,5—49°. — Sprudel- und Curhausquelle mussten 10 Minuten im Becher warten ehe 54 beziehentlich 51° erreicht waren. Der Sprudel, anfänglich 70°, kühlte sich von je 5 zu 5 Minuten auf 59, 54, 50, 46,5, 44, 41,5, 39, 37, 35° ab, bei 18° Aussentemperatur in der Sprudelkolonade.

Die Artikel von Roden (89) über Droitwich und von Wilmot (90) über Leamington sind nur für englische Leser eingerichtet und enthalten nichts Unbekanntes.

Sterk (91) empfiehlt den Gebrauch des salinischen Brunnens nach dem Frühstück, wenn die Wirkungslosigkeit desselben bei nüchternem Zustande constatirt wird.

Klein (92) giebt eine Uebersicht und Kritik der bekannteren Stahlquellen ohne neue Thatsachen.

c. Cur mit künstlichen Bädern und Brunnen, Hauscuren (Molke, Kumys, Moorbäder etc.).

93) Baelz, E., Ueber permanente Thermalbäder. Berlin. klin. Wochenschr. No. 48. — 94) Jaworski, W., Die bereits No. 86 dieses Referates genannte Abhandlung in der Wien. medic. Wochenschrift. — 95) Trautwein, J., Zur Kenntniss der Stromvertheilung im menschlichen Körper bei Anwendung des galvanischen Bades. Berlin. klin. Wochenschrift. No. 37. — 96) Derselbe, Einiges über die electrische Douche und im Anschluss daran über einen Fall von multipler Neuritis. Zeitschr. f. klin. Medicin. Bd. VIII. H. 3.

Baelz (93) will die Bademethode, wie sie in unseren Akratothermen üblich ist, dass daselbst nämlich 10, 15, 20 Minuten gebadet wird, gründlich geändert und europäische Thermen zu Dauerbädern benutzt wissen. Zur Begründung dieses Vorschlages benutzt er die Jahrhunderte alte als probat erwiesene und erst in den letzten Jahrzehnten veränderte Ansicht über die Zweckmässigkeit der Badedauer, vor allem aber seine selbständige Erfahrung in Japan.

„Der Japaner badet in indifferenten oder leicht salzigen Thermen von 42—48° C. bis zu 10 oder 15 mal täglich (meist 4—5 mal). Schädliche Wirkungen davon beobachtet man fast nur bei Leuten mit Neigung zu Gefässzerreissung . . . . . ., sowie bei manchen Nervenkrankheiten.

„Ganz besonders interessant war mir ein primitives, tief in den Bergen der Provinz Dzooshin gelegenes Bad Namens Kawanaka. Es ist eine indische Therme von 36,2 . . . . Hier nun bleiben die Patienten Wochen und Tage lang bei Tag und Nacht im Bade, das sie nur gelegentlich verlassen, um ihre Nothdurft zu verrichten, oder auch, um sich ein wenig zu bewegen. Der Körper befindet sich in halb liegender, halb sitzender oder sonst bequemer Stellung, der Hinterkopf und Nacken lehnen sich an den Rand des hölzernen, allen Patienten gemeinsamen Badebeckens (es ist etwa 2:5 m gross). Damit im Schlafe der Körper nicht an die Oberfläche kömmt, legen sich die Badenden einen mehr oder weniger grossen Stein auf den Schooss. Der Besitzer des Bades ein 70jähriger Greis, bringt fast den ganzen Winter im Wasser zu und fühlt sich so ohne Kleider und ohne Ofen behaglich und warm, während draussen der Schnee 4 oder 5 Monate nicht schmilzt. Die Haut, namentlich an Händen und Füssen, wird runzlich und trüb, mattweisslich oder gelblich, wie man es an Händen von Wäscherinnen sieht, doch nicht in so hohem Grade, als man erwarten sollte. Appetit und alle Functionen des Körpers leiden in keiner Weise. Die Blutwärme ist normal, der Puls nach längerem Aufenthalt im Wasser ebenso wie gewöhnlich. — Genauere Untersuchungen über den Stoffwechsel im Dauerbade musste ich wegen baldiger Abreise nach Europa auf 1 oder 2 Jahren Jahre verschieben." Das aber geht schon aus dem bisher Gesagten hervor, dass von einer „mächtig reizenden polykratischen Wirkung lange dauernder Bäder keine Rede sein kann". Der Verf. selbst badete 2 Stunden ununterbrochen in Wasser von Kawanaka.

Das Karlsbader Wasser bei Hauscuren darf nach Jaworski (14) über 55° nicht erwärmt werden, so dass, weil der Sprudel in Natur 73° warm sei, diese natürliche Temperatur zu erreichen für Hauscuren ungeeignet erscheine. Eine Erwärmung sowohl des Sprudels, als auch des Schloss- nnd Mühlbrunnens über oder unter ihre Quellentemperatur habe nichts Unstatthaftes an sich. 50° und 52° seien auch für Hauscuren die zu erstrebende Temperatur der genannten Brunnen, das Flaschenwasser solle nicht unmittelbar über der Flamme erwärmt werden, wie in dem patentirten, Lehmann'schen Wasserwärmer, sondern in einem Gefässe mit kochendem Wasser unter Controle eines Thermometers. Dadurch werde Ueberhitzung und Verlust an Kohlensäure vermieden.

Zwar wird an einer besonderen Stelle dieses Werkes über Electrotherapie, wahrscheinlich demzufolge auch über die beiden Arbeiten von Trautwein (95 und 96) referirt werden; jedoch gereicht dem Bericht über Balneotherapie eine kurze Hinweisung auf dieselben zur unentbehrlichen Vervollständigung. Verf. hat für die Anwendung des hydroelectrischen Bades zwei, wie mir scheint, nicht bedeutungslose Aenderungen eingeführt. Während bisher der Badende die eine Polleitung durch einen ausserhalb des Badewassers befindlichen Körpertheil (ein mit feuchtem Leiter umhüllter Metallstab wird ausserhalb des Bades angebracht und vom Badenden mit den Händen umfasst) — empfing, so wird hier das früher schon benutzte sogenannte dipolare Bad wieder eingeführt. Eulenburg konnte aus seinem monopolaren keine merkbaren Stromquantitäten aus dem badenden Körper ableiten. Verf. kam nach verschiedenen Versuchen nun zu folgender angeblich erfolgreichen Methode:

Mundhöhle und Rectum dienen als Ansatzstellen für die ableitenden Bogen. Beide Höhlen werden mit gut leitender Soole angefüllt. Freie Metallknöpfe isolirter, mit dem Ableitungsbogen verbundener Sonden werden hineingebracht. Am Fussende des Soolbades taucht eine grosse Kupferelectrode. Eine Kissenelectrode wird an dem Kopfende der Wanne so angebracht, dass der Badende sich bequem und fest daran lehnen kann. Diese Kissenelectrode ist eine gummibedeckte, kreisrunde, hölzerne Scheibe, von ca. 20 cm Durchmesser. Ein dieselbe central durchbohrender, isolirter Leitungsdraht berührte mit seinem freien Ende eine auf der Gummilage ruhende Kupferplatte, welche von dem inneren Ring eines gewöhnlichen kreisrunden Gummiluftkissens umschlossen wird. — Durch diese Vorrichtung wurde eine Stromstärke von 20 Elementen ertragen. Alsdann fing das feste Andrücken an das Kissen eben an, unbequem zu werden. Ein in den ableitenden Bogen eingeschaltetes Hirschmann'sches Galvanometer zeigte dabei eine Nadelablenkung bis über 1 M. A. — Setzte Verf. das Kissen auf den Leib, so war kein Ausweichen der Nadel bemerkbar. Das Leitungshinderniss durch die Gase des Darmes, Magen, der Lungen sei bei dieser Anordnung zu gross. — Die den Körper durchkreisenden Ströme hatten die Richtung des Hauptstromes. Auch Gehirn und Rückenmark würden von nicht unerheblichen Stromantheilen getroffen.

Zweitens hat Verf. die von Anderen (Stein, Eulenburg) bereits erwähnte electrische Douche bei Kranken in Anwendung gebracht und berichtet ausführlich über günstigen Erfolg davon gegen einen schweren Fall von multipler Neuritis. Verf. bediente sich der warmen Soolwasserdouche. Der eine Pol stand mit dem metallnen Ansatz des Schlauches in Verbindung, der andere mit einem Fussbade des Patienten. Der Durchmesser der Douche $1\frac{1}{2}$ mm, die Länge der Wassersäule zwischen 5 und 10 cm, die Temperatur die der Umgebung. Beobachtungen über 5, 10 und 15 Elemente werden tabellarisch mitgetheilt. Die Wasserdouche giebt einen Nadelausschlag von 0,5, die Sooldouche von 4, die Kochsalzdouche $5\frac{1}{2}$ M. A. Der Patient durfte mit einem leichten Bademantel bekleidet sein. Etwa 5—10 Minuten lang wurden sämmtliche Körpertheile unter den Einfluss der Douche gebracht. Die Wirkung war ausserordentlich wohlthuend und erfrischend. Verf. nimmt an, dass für Habitus phthisicus durch eine längere Zeit fortgesetzte Behandlung mit dieser Douche der Ernährungszustand der schlaffen Musculatur verbessert werden könne, und dieselbe von prophylactischem Werthe sich erweisen könne. — Für das nähere Detail sei hier auf beide Arbeiten verwiesen.

[1) Holm, J. C. og A. Magelsen, Om Tanglad. Norsk. Magazin for Läger. Forh. p. 4. (H. schlägt vor, „Kelp oder Varek" als Zusatz zu Bädern zu benutzen. Er vergleicht dieses Mittel mit der Kreuznacher Mutterlauge.) — 2) Dedichen, Valle som Kurmiddel. Tidsskrift f. prakt. Medicin. 1883. p. 289.

Dedichen (2) hat die Molken sehr häufig in dem Sanatorium von Modum (Gebirgscurort in Norwegen) angewendet. Er hebt hervor, dass sie mit der Milch nichts gemein haben, stellt sie aber in die Reihe der

Mineralwässer. Diese Molken enthalten 6 g unorganischer Salze auf 1000 Wasser, wovon 2,5 g phosphorsaurer Kalk und 3,5 g Chlorkalium. Er wendet sie nicht bei Krankheiten in den Gedärmen, sondern nur bei Respirationskrankheiten an. **Buntzen.**]

E. Curorte.

97) Schuchardt, Die Bade- und Curorte Thüringens im Sommer 1884. Sep.-Abdr. aus No. 5 d. Correspondenzbl. des allg. ärztl. Ver. f. Th. — 98) Nordseebad Cuxhaven. Circular. — 99) Hôtel und Curhaus in Gravenstein. Circular. — 100) Wasserheilanstalt Bad Elgersburg im Thüringer Wald. Dauer der Saison vom 1. April bis 1. November. Dr. Pelizaeus. — 101) Bad Laubbach am Rhein im Laubbachthale bei Coblenz. Dr. H. Averbeck. — 102) Davos, Curort für Lungenkranke. Circular. — 103) Arco, climatischer Herbst- und Wintercurort. Circular. — 104) Reiboldsgrün im Voigtlande. Circular. — 105) Harzburg am Harz. Circular. — 106) Kaatzer, P., Balneologisches über Bad Rehburg. Berl. klin. Wochenschr. No. 29. (cf. No. 84 dieses Ref.) — 107) Speck, Ueber pneumatische Behandlung mit Luftcur und Dillenburg als Luftcurort. Dillenburg. — 108) Das königliche Bad Teinach im württembergischen Schwarzwalde. Circular. — 109) Prospect des Königl. bayr. Stahl- und Moorbades Steben. Circular. — 110) Bad Driburg. Prospect als Circular. — 111) Lenzberg, Die Bäder zu Salzuflen im Fürstenthum Lippe. Salzuflen. — 112) Soden am Taunus, Reg.-Bez. Wiesbaden. Circular. — 113) Bad Assmannshausen am Rhein am Fusse des Niederwaldes. Circular. — 114) Schimbergbad. Circular. — 115) Wildbad „Wildstein" bei Trarbach a. d. Mosel (Rheinpreussen). Circular. — 116) Amérie, C., Aix-la-Chapelle et ses environs. Manuel à l'usage des étrangers contenant la déscription et l'histoire de cette ville et de ses environs. 8me éd. revue et augm. — 117) Guide médical aux eaux thermales d'Aix-la-Chapelle et de Borcette par Reumont. 4me éd. entièr. refondue. Avec un plan de la ville et une carte des environs. Aix la-Chapelle. — 118) On the natural mineral waters of Leamington. (cf. No. 90 dieses Referates.) — 119) On the saline waters of Droitwich (cf. No. 89 dieses Referates.) — 120) Andesdorf in Mähren. (cf. No. 36 dieses Referates.) — 121) König Ottobad bei Wiesau in der Pfalz. (cf. No. 35 dieses Referates.) (512 m Meereshöhe, am Südabhange einer Hügelkette, welche sich westlich gegen den Steinwald hinzieht. Wiesau liegt an den Eisenbahnlinien Regensburg-Hof und Wiesau-Eger, und hat eine Vicinalbahn nach Tirschenreuth. Verkehr mit Eger, Franzensbad, Carlsbad etc.) — 122) Brussa. (cf. No. 23 dieses Referates.) (Am Fusse des Bithynischen Olympes, in einem reizenden vom Ulfer durchflossenen Gebirgsthale. 80000 Einwohner. Seidenraupenzucht und Seidenweberei. Constantinopel in ½ Tag zu erreichen. Klima sehr mild. [Frühjahr, Herbst.] Dass Malariafieber daselbst grassire, wird von griechischen Aerzten in Abrede gestellt.) — 123) Döring, Alb., Die Thermen von Ems. 3. Aufl. Ems. — 124) Kern, H., Les bains jodurés de Lipik et sa s. chaude. Wien. — 125) Diruf, Osc., Bad Kissingen und seine Heilquellen. 5. Aufl. Würzburg. — 126) Flechsig, R., Bad Elster. 3. Aufl. Leipzig. — 127) Klawacek, Ed., Carlsbad in geschichtlicher, medicinischer und topographischer Beziehung. 14. Aufl. Carlsbad.

[Klee, Beskrivelse af og Beretning om Silkeborg Vandcuranstalt i 1883. Hospitals-Tidende. R. 3. Bd. 2. S. 249.

Diese im Juli 1883 eröffnete dänische Wasserheilanstalt ist in dem Westwalde Silkeborg's, in der reizenden, wald- und seereichen Gegend am Himmelberge, ca. ¼ Meile von der Eisenbahnstation zu Silkeborg belegen. Das Wasser, das man aus reichhaltigen Quellen bekommt, hat eine Temperatur von 5—6° R., ist crystallhell und etwas eisenhaltig (in 10000 Theilen finden sich in der einen Quelle 0,306 kohlensaures Eisenoxydul, in der anderen 0,129). Das Curhaus, welches vorläufig mit 26 Zimmern, wovon 6 mit 2 Betten, eröffnet wurde, enthält alle verschiedenen Badeapparate der neueren Hydrotherapie nebst Apparaten zu schwedischer Gymnastik. Es wurde 1883 von 50 Curgästen besucht, von denen nur 36 (grossentheils mit nervösen Leiden und chronischem Magendarmcatarrh) eine vollständige Cur durchmachten; 29 wurden als geheilt oder doch gebessert entlassen, 7 blieben unverändert.
Joh. Möller (Kopenhagen).]

[1) Bjorhslin, J. J., Utlalende angaendi Hanzó Badanstalt. Finska laekaresaelsk handlinger. Bd. 25. — 2) Kuntsen, C. A., Sandifjords Bad 1882. Norsk. Magazin f. Laegevidensk. R. 3. Bd. 13. p. 227. (Aus dem Berichte ist hervorzuheben, dass bei dem Bade Medusen mit Vortheil gegen Tabes und verschiedene rheumatische, arthritische und neuralgische Leiden angewendet werden. **Buntzen.**

Majkowski, Sprawozdanie lekarskie z zakladu zdrojowego i kapielowego w Busku za rok 1883. (Aerztlicher Bericht über die Badeanstalt in Busk für das Jahr 1883.) Medycyna No. 10.

In dem Badeorte Busk (Schwefelchlornatriumbäder) betrug im Jahre 1883 die Frequenz der Kranken 1165. Das grösste Contingent lieferten Syphilis (447) und Rheumatismus (236). Der Verfasser lobt den heilsamen Erfolg der Bäder im Rheumatismus articulorum et musculorum. **v. Kopff** (Krakau).]

Gerichtsarzneikunde

bearbeitet von

Prof. Dr. E. HOFMANN in Wien.

I. Das Gesammtgebiet der gerichtlichen Medicin umfassende Werke.

1) Hofmann, E., Lehrbuch der gerichtlichen Medicin. 3. Aufl. Mit 108 Holzschnitten. 2. Hälfte. gr. 8. — 2) Kornfeld, H., Handbuch der gerichtlichen Medicin in Beziehung zu der Gesetzgebung Deutschlands und des Auslandes. Mit 50 Holzschnitten. 8. — 3) Lesser, A., Atlas der gerichtlichen Medicin. 3. Lief. Mit 6 col. Taf. gr. 4. — 4) Dambre, H., Traité de médecine légale et de jurisprudence de la médecine. 3. Ed. 8. — 5) Pènard, L., Rapport sur les travaux de la Société de médecine légale de New-York. Ann. d'hyg. publ. No. 1. p. 70. (Besprechung des Berichtes der Gesellschaft für gerichtliche Medicin vom Jahre 1882, s. diesen Bericht II. S. 469.) — 6) Masson, Ch., Essai sur l'histoire et le développement de la médecine légale. Lyon. 8. — 7) Martin, E., Exposé des principaux passages contenus dans le Si-Yuen-Lu. Paris. 8.

Einen Abriss der Geschichte und Entwicklung der gerichtlichen Medicin bringt Masson (6) in einer grösseren Arbeit aus dem forensisch-medicinischen Institut in Lyon. Er unterscheidet drei Perioden: 1) die Période fictive, welche die ersten Spuren gerichtsärztlicher Thätigkeit und die Zeiten des Jus talionis umfasst, 2) die Période abstrait ou métaphysique unter der Herrschaft des römischen Rechts und des Katholicismus und unter dem Einflusse der Capitularien Karl des Grossen, der Carolina und der „Ordonnance" Ludwig XIV. vom Jahre 1670, und 3) die Période positive oder die Periode der wissenschaftlichen Bearbeitung der gerichtlichen Medicin. Bei Behandlung der ersten Periode bespricht M. an der Hand des Werkes von Martin (7) die Entwicklung der gerichtlichen Medicin in China, insbesondere den Inhalt des aus dem Jahre 1248 stammenden chinesischen Werkes Si-Yuen-Lu, einer Art von Compendium der gerichtlichen Medicin. Dasselbe besteht aus 5 Büchern, von denen das erste Allgemeines über gerichtsärztliche Untersuchungen, insbesondere von Verletzungen enthält und gleichzeitig die Simulation von Verletzungen, die Identitätsfrage und den Abortus behandelt, das zweite die Verletzungen bezüglich des Werkzeuges und der Art wie sie zugefügt wurden und die Unterscheidung von vital und post mortem entstandenen Verletzungen, das dritte den Tod durch Strangulation und durch Ertränken und die zwei übrigen die Gifte und Vergiftungen.

II. Monographien und Journalaufsätze.

A. Untersuchungen an Lebenden.

1. Allgemeines.

1) v. Kerschensteiner, Paul Zacchias 1584 bis 1659. Friedreich's Bl. f. gerichtl. Med. S. 401. — 2) Blumenstok, L., Medycyna sadowa w wiekach średnich. Przeglad Lekarski. — 3) Brouardel, De l'organisation et de la pratique de la médecine légale en France. Ann. d'hygién. publ. No. 2. p. 157. No. 4. p. 344 et No. 5. p. 442. — 4) Tamassia, A., Aspirazioni della medicina legale moderna. Gazetta med. italiana provincie Venete. No. 49. (Antrittsvorlesung über die Ziele der modernen gerichtlichen Medicin.) — 5) Lacassagne, A., Le médecin devant les cours d'assises. Revue scientifique. No. 26. 1883. — 6) Dieterich, G., Zu § 81 der Strafprocessordnung. Vierteljahrsschr. f. ger. Med. XL. S. 242. — 7) Wellenstein, Die für den Gerichtsarzt und Medicinalbeamten interessanten Erkenntnisse des Reichsgerichtes in Strafsachen und des Ober-Verwaltungsgerichtes. Ebendas. XL. S. 148. — 8) Frölich, H., Reichsgerichtliche Entscheidungen als Beiträge zur gerichtlichen Medicin. Ebendaselbst. XL. S. 161 und XLI. S. 142.

Aus Anlass des 300jährigen Wiegenfestes des „Begründers der gerichtlichen Medicin" Paulus Zacchias bringt Kerschensteiner (1) eine gedrängte Beschreibung des Lebens und Wirkens dieses berühmten Gerichtsarztes zugleich mit einem Verzeichniss einestheils der Werke desselben, andererseits der über ihn erschienenen Schriften und mit seinem der Sammlung von Vigneron entnommenen Bilde.

Aus der Skizze Blumenstok's (2) über die gerichtliche Medicin im Mittelalter entnehmen wir, dass nach Angabe von Abraham Cieświecki (Hechell: Badamie poczatku i wzrostu medycyny sadowéj [Untersuchungen über die Anfänge und die Entwicklung der gerichtlichen Medicin]. Krakau 1839) in Polen bereits im 16. Jahrhundert eine Obduction behufs Constatirung der Todesursache gemacht worden ist.

Aus Anlass der projectirten Errichtungen einer neuen Morgue in Paris und aus Anlass der eben stattfindenden Berathungen über eine neue Strafprozessordnung acceptirte die Gesellschaft für gerichtliche Medicin in Paris eine von Brouardel (3) ausgearbeitete Eingabe an die Kammer, welche eine Organisation des Unterrichts in gerichtlicher Medicin und der gerichtsärztlichen Praxis verlangt. Diese Eingabe beantragt einen Spezialunterricht der künftigen Gerichtsärzte in gerichtlich-medicinischen Untersuchungen, theils in der Morgue theils in Irrenanstalten durch 1 Jahr, Ablegung einer besonderen Prüfung zur Erlangung des Diploms als Gerichtsarzt resp. als Gerichtschemiker. Erhöhung des Honorars für gerichtsärztliche Verrichtungen und Creirung einer superarbitrirenden Stelle analog der wissenschaftlichen Deputation in Berlin. Ausserdem wird verlangt, dass fortan stets zwei Gerichtsärzte zu den betreffenden Untersuchungen genommen werden sollen. Dem Berichte ist eine Zusammenstellung der von B. in den Jahren 1878—83 gemachten gerichtsärztlichen Untersuchungen und eine Uebersetzung des deutschen Regulativs für das Verfahren der Gerichtsärzte bei den gerichtlichen Untersuchungen menschlicher Leichen angeschlossen.

In seiner Antrittsvorlesung bespricht Lacassagne (5) die Aufgaben des Arztes vor dem Schwurgerichte und giebt einige praktische Winke über das dabei zu beobachtende Verhalten.

Dieterich (6) beklagt sich über den Zustand des Gefängnisses in Oels, der nicht einmal eine ordentliche Behandlung gewöhnlicher Kranken, noch weniger aber eine Beobachtung angeblich Geisteskranker gestattet und beschwert sich, dass trotz dieser Verhältnisse dennoch die Ueberführung einer offenbar geistesgestörten Brandlegerin in eine Irrenanstalt behufs weiterer Beobachtung von der Strafkammer nicht gestattet resp. vom § 81 St.-P.-O. nicht Gebrauch gemacht wurde.

Wellenstein (7) setzt die Mittheilung von für den Gerichtsarzt und Medicinalbeamten interessanten Erkenntnissen des Reichsgerichtes und des Ober-Verwaltungsgerichtes fort. Aus diesen heben wir folgende hervor:

Bei einem Polizeidiener war nach einem Biss eine Steifigkeit des Mittelfingers der rechten Hand und eine Erschwerung der Beugungsfähigkeit des 2. und 4. Fingers zurückgeblieben. Das Reichsgericht entschied, dass ein „Verfall in Lähmung" vorliege und führte aus, dass unter letzterem jedenfalls nicht die Beschränkung oder völlige Aufhebung der Gebrauchsfähigkeit irgend eines einzelnen Gliedes des menschlichen Körpers, sondern nur eine derartige Affection zu verstehen sei, welche den Organismus des Menschen in einer umfassenden Weise angreift, welche mit umfassender Wirkung Organe des Körpers der freien Aeusserung ihrer naturgemässen Thätigkeit beraubt. — Ein Dienstherr hatte seinem Dienstmädchen vorsätzlich Vitriol in's Gesicht gegossen. Der Strafsenat erklärte, dass eine ätzende Substanz (Vitriol) als gefährliches Werkzeug im Sinne des § 223a St.-G.-B. nicht anzusehen sei! — Die gegenseitige Onanie unter Männern fällt nicht unter den § 175 St.-G.-B. — Der Verlust zweier Glieder des Zeigefingers der rechten Hand ist nicht als „Verlust eines wichtigen Gliedes des Körpers" anzusehen. In der Entscheidung wurde ausgeführt, dass für den Begriff der Wichtigkeit nicht der relative Werth in Betracht komme, welchen der Besitz oder Verlust eines Körpergliedes für den Verletzten nach seinem individuellen Lebenslaufe, insbesondere seinem Nahrungs- und Erwerbszweige besitzt.

Auch Frölich (8) bringt weitere reichsgerichtliche Entscheidungen:

In einem Falle hatte ein Mann mit einem von ihm nicht erkannten Gegenstande eine nicht erhebliche Verletzung über dem r. Handgelenk erhalten, welche auch Jaquet und Hemd durchschnitt. Das R.-G. erklärte, dass zu erkennen sei, dass vom Angeklagten der Schlag mit einem Gegenstande, welcher mit einer Schneide versehen und, wenn nicht ein Messer, jedenfalls von der Art eines solchen war und unter Benutzung der Schneide ausgeführt worden ist. Unter einem solchen Gegenstande war ohne Rechtsirrthum ein Werkzeug zu verstehen, und zwar ein solches, welches als Mittel zur Körperverletzung benutzt, nach seiner objectiven Beschaffenheit und bei Verwendung der Schneide, zugleich auch nach Art der Benutzung geeignet ist, erheblichere Verletzungen herbeizuführen. Damit rechtfertigt sich die Annahme, dass die in Rede stehende Verletzung mittelst eines gefährlichen Werkzeuges begangen wurde. — In einem anderen Falle wurde ein umgekehrtes Billardqueue, welches zum Schlagen benutzt wurde, als ein gefährliches Werkzeug erklärt und hinzugefügt, dass unter einem gefährlichen Werkzeug ein solches zu verstehen sei, welches, wenn es als Mittel zu einer Körperverletzung benutzt wird, nach seiner objectiven Beschaffenheit und nach der Art seiner Benutzung geeignet ist, erheblichere Körperverletzungen zuzufügen.

Von den weiteren Entscheidungen ist nur die gerichtsärztlich bemerkenswerth, welche sich auf den Verlust der beiden ersten Glieder des r. Zeigefingers durch Abbeissen bezieht. Das R.-G. verneinte, dass der Verlust eines wichtigen Gliedes im Sinne des § 224 Str.-G.-B. vorliege. Für den Begriff der Wichtigkeit kommt nicht der relative Werth in Betracht, welchen der Besitz oder Verlust eines Körpergliedes für den Verletzten besitzt und dasselbe Glied kann nicht für den Einen werthvoll, für den Anderen werthlos sein. Diese Rücksichten kommen ausschliesslich bei der Strafzumessung in Betracht. Im Sinne des § 224 müsse auch für das einzelne Körperglied das Werthverhältniss entscheiden, in welchem dasselbe seiner Wichtigkeit nach noch zu dem Gesammtorganismus des Menschen steht und insbesondere das grössere oder geringere Maass von Unterbrechung oder Beeinträchtigung erwogen werden, welche die regelmässigen Functionen aller Einzelorgane durch den Mangel eines oder einzelner derselben durchschnittlich erleiden. In vorliegendem Fall sei eine Verminderung der Functionsfähigkeit des gesammten Körpers überhaupt nicht oder in geringem Maasse entstanden.

[Zawadski, Notatki sądowo lekarskie. (Gerichtlich medicinische Notizen.) Medycyna No. 37 u. 38.

In 3 Abschnitten bespricht der Verf. 1) Die Stellung der Aerzte als Sachverständige in der gerichtlich medicinischen Praxis; 2) die Schändung; 3) die falschen gerichtlich medicinischen Gutachten und die unumgängliche Reorganisation des gerichtlich medicinischen Dienstes. Die Besprechung geschieht mit Berücksichtigung der Verhältnisse im Königreich Polen. Zum Schluss befürwortet der Verf. den Plan, der 1876 auftauchte aber fallen gelassen wurde, bei jedem Kreisgerichte den Posten eines Gerichtsarztes zu creiren, dem die Pflicht obliegen würde, sich ausschliesslich mit den Fortschritten in der gerichtlichen Medicin zu befassen und sie seinen Gutachten und Expertisen zu Grunde zu legen. **Grabowski** (Krakau).]

2. Streitige geschlechtliche Verhältnisse.

1) Pozzi, S., Homme hypospade (Pseudo-Hermaphrodite) considéré depuis vings-huit ans comme femme. Question d'identité. Ann. d'hyg. path. No. 4. p. 383. — 2) Martineau, L., Leçons sur les déformations vulvaires et anales produites par la masturbation, le saphisme, la défloration et la Sodomie. Paris. 8. — 3) Pouillet, Étude médico-philosophique sur les formes, les causes, les signes, les conséquences et le traitement de l'onanisme chez la femme. Paris. 8. Quatrième édition. — 4) Mabille, H., Rapport médico-légale sur un cas de viol et d'attentat à la pudeur avec violences commis sur une jeune fille atteinte d'hystérie avec crises de sommeil. Ann. médico-psychologique. VI. 11. p. 83. — 5) Bouley, H. et P. Brouardel, Un chien peut-il avoir avec un homme des rapports de l'ordre de ceux, qui constituent dans l'éspèce humaine l'acte de péderastie? Ann. d'hyg. path. No. 6. p. 528. — 6) Vincentelli, A., Essai sur l'intervention du médecin légiste dans les cas de séparation de corps et de divorce, précédé de notions très succintes sur la séparation de corps au point de vue de la loi. Paris et Montpellier. 8. — 7) Anonymus, Action for slauder brought by a medical man. British med. Journ. p. 583. — 8) Leblond, De la fécondation artificielle. Ann. d'hyg. publ. No. 1. p. 89. — 9) Mascarel, Une femme mariée peut-elle avoir pendant plusieurs années du lait, sans avoir jamais été en état de grossesse? Ibidem. No. 1. p. 87. — 10) Ploss, H., Zur Geschichte, Verbreitung und Methode der Fruchtabtreibung. Culturgeschichtlich-medicinische Skizze. Leipzig. 8. 1883. — 11) Galliot, L., Recherches historiques, ethnographiques et médico-légales sur l'avortement criminal. Paris. 8. — 12) Leblond, Rapport sur un fait d'avortement. Ann. d'hyg. publ. No. 6. p. 520. — 13) Pannin, Un cas vraisemblable de superfétation. Ibidem. No. 1. p. 103.

Der von Pozzi (1) der Pariser Société de médecine légale vorgestellte 27jährige Pseudo-Hermaphrodite war als Mädchen erzogen worden, zeigte mehr männliche Formen und besass einen schwachen feinen Vollbart. Menses waren nie eingetreten. Im 16. Jahre waren während eines starken Lachanfalles plötzlich zwei kleine Geschwülste (die Hoden) in der Leistengegend vorgetreten, was so starken Schmerz verursachte, dass die Person in Ohnmacht fiel. Seitdem hatte sich auch der Penis entwickelt und eine ziemliche Grösse erreicht. Das Individuum fühlte sich mehr zum weiblichen Geschlecht hingezogen und hatte sich wiederholt mit anderen Mädchen, mit denen es in einem Confectionsgeschäft diente „amusirt", später auch den Coitus, wenn auch wegen Kleinheit und Krümmung nur mit einiger Schwierigkeit ausgeübt, wobei eine viscide samenähnliche Flüssigkeit abging, in welcher P. keine Spermatozoiden nachweisen konnte, doch sollen von einem anderen Arzte 2 solche gefunden worden sein. Die Untersuchung der Genitalien ergab Hypospadie, Scrotalspalte, links einen atrophischen, rechts einen ziemlich entwickelten Hoden. Brustdrüsen waren nicht vorhanden. P. erklärt das Individuum für zweifellos männlichen Geschlechtes und für beischlafsfähig, jedoch für unfähig zur Befruchtung und erörtert, dass letzterer Umstand keinen triftigen Grund zur Nullitätserklärung einer Ehe abgeben können, da ein ähnlicher Zustand aus anderen Ursachen, z. B. nach doppelseitiger Epididymitis häufig vorkomme.

Der Vorstand der gynäcologischen und syphiligraphischen Klinik des „Hopital de Lourcine" in Paris Martineau (2) publicirt eine Reihe von Vorlesungen über die Veränderungen an der Vulva und am Anus, welche durch Masturbation, Saphismus, durch Defloration und durch Sodomie zu Stande kommen. Unter Saphismus versteht M die mit Saugen verbundene Friction der Clitoris mit der Zunge. Diese von weiblichen Individuen unter einander geübte, somit eine Art von Tribadie bildende Unzuchtsform soll in Paris sehr häufig vorkommen und M. steht nicht an zu erklären, dass der Saphismus ebenso wie die Päderastie als eine Form der Prostitution existirt. Solche Tribaden vereinigen sich mitunter zu förmlichen Liebespaaren und ihr Verhalten und ihre Briefe zeigen dieselbe Leidenschaft und Eifersucht, wie sie bekanntlich bei Päderasten beobachtet wird. Auch Saphismus mit Benutzung von Thieren, besonders Hunden, ist keine Seltenheit. Letztere werden dazu mitunter mit sehr primitiven Mitteln abgerichtet „qui consistent non pas à dorer, mais bien à sucrer la pilule". Die Veränderungen, welche durch habituellen Saphismus zu Stande kommen, bestehen vorzugsweise in einer Verlängerung der Clitoris, Vergrösserung der Eichel und Erschlaffung des Praeputiums. Zweimal beobachtete M. Bisswunden an der Clitoris, welche im Zustande höchster Excitation erzeugt worden waren. Vielfach scheint solchen Ausschreitungen ein abnormer Geisteszustand zu Grunde liegen, der sich auch in exaltirten Schriften, leidenschaftlichen Ausbrüchen verschiedener Art und mitunter in Selbtmord kundgiebt. Neuropathien sind häufig, insbesondere Hytserie und Hysteroepilepsie. — Von Sodomie (Coitus analis) an Frauen hat M. in 2 Jahren mehr als 100 Fälle gesehen. Häufig findet sie sich bei verheiratheten Frauen, wie schon Tardieu angab. Unkenntniss der Frau oder Brutalität des Mannes sind meist die Ursache. In einigen Fällen hatte die Frau den Act zugelassen aus Furcht, dass der Mann anderweitig solchen Passionen nachgehe. In mehreren anderen Fällen hatte Verbildung oder krankhafte Empfindlichkeit der weiblichen Genitalien zum Coitus analis geführt. Letzterer wurde in allen Lebensaltern beobachtet vom 8. Lebensjahre angefangen bis zum 50. und darüber hinaus. Frische Fälle kommen selten zur Beobachtung. In einem solchen fand M. eine hochgradige Blutung aus Einrissen der Anal-Schleimhaut, in anderen acute Entzündungen des Mastdarms. Ob sich bei habitueller Sodomie ein „Infundibulum anale" bilde, hängt von den Dimensionen der betreffenden Organe ab. Eine Dysproportion der letzteren besteht häufig, daher ist auch die Bildung eines Infundibulum keine Seltenheit. M. fand ein solches in 60—80 pCt. Ausserdem findet sich Erweiterung und Erschlaffung des Anus, unwillkürlicher Abgang von Darmgasen und Faecalien, Verstreichung der Analfalten. Die sog. Cristae oder Mariscae hat M. niemals beobachtet, ebensowenig chronische Ulcerationen, Hämorrhoiden oder Fisteln. Specifische Geschwüre sind ziemlich häufig. Bei einer jungen

Frau fand er einen Schanker am Anus und bei deren Liebhaber eine Menge Syphilide — auf der Zunge. Blennorrhoe ist selten.

Ueber die Onanie beim Weibe, ihre Formen, Ursachen, Symptome, Folgen und ihre Cur handelt die Monographie von Pouillet (3). Er unterscheidet eine Masturbation vaginal, uterine und clitoridienne. Die M. uterine soll nicht bloss bei japanischen, chinesischen und indischen Weibern, sondern auch bei den Pariserinnen vorkommen und P. erwähnt eines Falles von Lisfranc, in welchem eine Frau sich zu diesem Zwecke ein Schilfrohr, und zwar während der Menstruation, in den Uterus eingeführt hatte, welches dort abbrach. Die Schrift enthält eine reiche Casuistik, namentlich von in die Blase und Vagina eingeführten Fremdkörpern.

In einem von Mabille (4) mitgetheilten Falle handelte es sich um Constatirung des Geisteszustandes einer 22jährigen Dienstmagd, welche auf dem Heimwege von einem Ball von ihren Begleitern, 4 jungen Männern, niedergeworfen und geschlechtlich missbraucht wurde, worauf man mit ihr noch durch einige Zeit angeblich durch 2 Stunden verschiedenen Unfug trieb, sie an den Schamhaaren zupfte und dergl., während andere Personen zusahen. Die Untersuchte ist schwachsinnig und laborirt an catalepsieartigen Anfällen. Bei ihrem ersten Verhör schlief sie plötzlich ein und erwachte erst nach 6 Stunden, ebenso wiederholt bei den späteren Verhören und während der klinischen Beobachtung. Sie ist längst deflorirt und mit Fluor albus behaftet. Die Genitalien zeigen normale Empfindlichkeit, dagegen ist sie an zahlreichen anderen Körperstellen anästhetisch. Diese Stellen wechseln, manchmal besteht halbseitige Anästhesie, manchmal wieder ist letztere fast auf den ganzen Körper verbreitet. Die Haut zeigt ausserdem partiellen Albinismus. Die Kranke laborirt an Globulus hystericus, häufigem Erbrechen und habitueller Stuhlverstopfung. Degenerationszeichen sind nicht vorhanden. Für gewöhnlich ist die Kranke apathisch. Von Zeit zu Zeit wird sie plötzlich blass, greift sich an die Kehle, glaubt zu ersticken, vermag sich noch niederzulegen und verfällt in tiefen Schlaf. Während desselben ist sie vollkommen unempfindlich, die Pupillen aber reagiren. Die Dauer des Schlafes variirt von 15 Minuten bis 9 Stunden. Nach dem Erwachen besteht völlige Amnesie. An diesen Zuständen leidet die Kranke bereits über 10 Jahre. Nach allem bestand ein solcher Anfall auch während des Attentates und auch während der Hauptverhandlung wurde sie von einem solchem ergriffen.

Der von Tardieu in der 6. Auflage seiner Attentats aux moeurs p. 15 mitgetheilte Fall von angeblicher Päderastie mit einem Hund, wobei letzterer die active Rolle gespielt haben soll, war bis jetzt der einzige seiner Art. Bouley und Brouardel (5) berichten über einen zweiten.

Er betrifft einen halbseitig unvollständig gelähmten 39jährigen corpulenten Mann, welcher am freien Felde mit einem Jagdhunde in der entsprechenden Position angetroffen worden sein soll, wobei der Zeuge angab, dass er den Hund die Coitusbewegungen machen und dessen erigirten Penis gesehen habe. An dem After des Mannes wurde nichts Abnormes gefunden und letzterer gab an, dass er damals am Felde seine Nothdurft verrichtet und deshalb jene Stellung eingenommen habe, weil er sich seiner Lähmung wegen nicht anders, als wenn er sich mit den Händen auf dem Boden anstemme, erheben könne. Wie sich dabei der Hund benahm, ist aus den Aussagen des Beschuldigten, soweit sie B. und Br. mittheilen, nicht zu entnehmen, ebensowenig ob sich der Hund etwa in der Brunstzeit befunden habe.

B. und Br. negiren in einem ausführlichen Gutachten die Möglichkeit einer vollständigen Ausführung des Coitus analis durch einen Hund sowohl im allgemeinen als im speciellen Falle, wobei sie namentlich hervorheben, dass das zur Ausführung eines solchen Actes ursprünglich nothwendige Umfassen des Hinterkörpers mit den Vorderpfoten nicht möglich sei. Sie glauben daher, dass nur eine Illusion vorlag, veranlasst durch die ungewöhnliche aber in der Hemiplegie des Beschädigten begründete Stellung des letzteren nach einer Defaecation.

Die These Vincentelli's (6) handelt von der Thätigkeit des Gerichtsarztes bei Ehescheidungs- und Ehetrennungsprocessen und bespricht von den Veranlassungen zu letzteren die Schwängerung vor der Ehe, den Ehebruch, die unnatürliche Ausübung des Beischlafes, Abscheu, Impotenz, die venerische Ansteckung und Misshandlungen resp. Verletzungen.

Ein Anonymus (7) berichtet über den Verlauf einer Verläumdungsklage, welche ein Arzt gegen einen Gentleman eingeleitet hatte, der ihn öffentlich beschuldigte, dass er unter dem Vorwande ärztlicher Visiten Ehebruch mit des Gentlemans Frau getrieben habe. Der Arzt war, wie letzterer und mehrere Zeugen behaupteten, wiederholt auffallend lange bei der Frau, die nebenbei gesagt Morphinistin war und schon früher einen Ehebruch begangen haben soll, geblieben und die Thür war während dieser Zeit verriegelt und die Fensterrouleaux herabgelassen. Der Gentleman wurde zu einer Entschädigung von 150 Lstr. verurtheilt.

Ein Arzt in Bordeaux, welcher ein Honorar von 1500 Fr. für eine künstliche Befruchtung eingeklagt hatte, wurde mit seiner Forderung vom Gericht abgewiesen und zur Tragung der Gerichtskosten verurtheilt. Im Urtheil wurde erwähnt, dass der Kläger die Pflicht der Geheimhaltung verletzt habe, dass es unverträglich mit der Würde (dignité) der Ehe wäre, wenn die künstliche Befruchtung aus dem Gebiete der Wissenschaft auf das der Praxis übertragen würde, dass dieser Vorgang im Falle des Missbrauches eine wirkliche sociale Gefahr bedingen und dass daher die Justiz Verpflichtungen aus solchen Vorgängen nicht sanctioniren könne. Leblond (8), der über diesen Fall in der Pariser Société de médecine légale berichtete, bemerkt, dass hier zwei Dinge auseinandergehalten werden müssen: erstens die Verletzung der Pflicht der Geheimhaltung und zweitens die vom Gericht ausgesprochene moralische Verdammung der künstlichen Befruchtung. Erstere lag zweifellos vor, da der Arzt, noch bevor das Gericht behufs seiner eigenen Information eine nähere Auskunft verlangte, bereits die Details mittheilte. Solche Mittheilungen sollten aber dann auch vor Gericht geheimgehalten und nicht publicirt werden, wie dies in einem von Chandé erwähnten Falle geschah, wo die geheime Krankheit (Syphilis), wegen deren Behandlung ein Arzt das Honorar einklagte, in die gerichtliche Vorladung aufgenommen und diese beim Concièrge des Hauses deponirt wurde, in dem die geklagte Partei wohnte. Letztere hatte nun ihrerseits den Arzt wegen Verletzung des Geheimnisses verklagt, welcher dann in der That verurtheilt worden ist. Was aber die künstliche Befruchtung als solche betrifft, so sei zu dieser von den verschiedenen Methoden, welche die Beseitigung der Conceptionshindernisse bezwecken, z. B. der Erweiterung des Muttermundes, nur ein Schritt und sie sei dort indicirt, wo erstere im Stiche lassen. Die betreffende Procedur werde von bedeutenden Gynäcologen empfohlen und ausgeführt, könne sehr einfach und in decenter Weise effectuirt werden und sei, wenn sie im gegenseitigen Einverständniss der Eheleute und nur mit dem Samen des Gatten geschehe, von dessen normaler Beschaffenheit man sich früher überzeugen müsse, nicht bloss nicht zu verdammen, sondern im Gegentheil zu befürworten, da sie zur Fortpflanzung der Gattung beitrage und die Erzielung von Familienfreuden für solche ermögliche, welche sonst dieselben entbehren müssten.

Eine 35jährige Frau, welche Mascarel (9) untersuchte, ist seit 18 Jahren verheirathet ohne je schwanger geworden zu sein. Die Menses waren stets regelmässig, ausgenommen vor 4 Jahren, wo ihr Eintritt sich durch 8 Tage verzögerte. Seit 6 Jahren sind die Brüste geschwellt und schmerzhaft und entleeren beim Druck milchige Flüssigkeiten vom Aussehen des Colostrum. Die Venen sind dilatirt, die Warzenhöfe nicht auffallend gebräunt, die Follikel der Areole nicht vergrössert. Die Frau klagt über gastrische und hypogastrische Schmerzen, zeigt aber ausser einer kleinen „Echancrure" am äusseren Muttermund keine Abnormitäten an den Genitalien. In der Debatte über diesen Fall werden mehrere andere Fälle von Milchsecretion bei Nichtschwangeren mitgetheilt und von Leblond sogar ein Fall von beträchtlicher Milchsecretion bei einem 25jährigen Manne.

Ueber die Geschichte und Verbreitung der Fruchtabtreibung bei den verschiedenen Völkern sind zwei interessante Arbeiten erschienen, die von Ploss (10) in Leipzig und von Galliot (11) in Lyon, wobei letztere bereits die erstere verwerthet. P. behandelt im ersten Theile seiner Arbeit die Kindesabtreibung in ihrer Verbreitung bei den verschiedenen Völkern und im zweiten die Abortivmittel, wobei er auf die germanischen Völker besondere Rücksicht nimmt. G. theilt seine Schrift in 5 Capitel, von denen das erste den Ursprung der Familie, das zweite die Fruchtabtreibung bei den Fetischisten, das dritte und vierte die Fruchtabtreibung bei den Poly- und Monotheisten bespricht und das fünfte eine statistische Uebersicht über die Verbreitung der Fruchtabtreibung in Frankreich seit 1789 bringt. Aus dieser geht hervor, dass, obgleich nur ein unverhältnissmässig geringer Theil der Fruchtabtreibungen zur Kenntniss der Gerichte kommt, die Zahl solcher Verbrechen in beständiger Zunahme begriffen ist und dass insbesondere Hebammen sich dabei sehr betheiligen. G. fordert strenge staatliche Ueberwachung der Privatentbindungsinstitute, die ebenso nothwendig ist, wie z. B. der Privatirrenanstalten. G. zeigt ferner, dass die Fruchtabtreibung ebenso, wie der Kindesmord in gewissen Perioden des Jahres häufiger vorkommt als in anderen. Während die meisten Kindesmorde im Januar bis April vorkommen (Conceptionen der mois génésiques April bis Juli), dann im August bis December (Conceptionen aus der Zeit des neuen Weins und des Carnevals), geschehen die meisten Fruchtabtreibungen 4—5 Monate nach den erwähnten Conceptionsperioden. Auch bemerkt G., dass ebenso wie Paris, welches auch auffallend häufig von schwangeren Engländerinnen aufgesucht wird, auch andere Städte einen gewissen Ruf wegen dort gewerbsmässig geübter Fruchtabtreibung erworben haben, so z. B. Givors, welches vorzugsweise Lyoner Frauen aufsuchen und wo erst vor Kurzem ausser einer Hebamme und einem Arzt auch ein Gewürzkrämer wegen dieses Verbrechen verurtheilt wurde, welcher eingestandener Maassen durch mindestens 10 Jahre das „Geschäft" betrieben und den Abortus mittels einer Packnadel provocirt hatte.

Um die Frage, ob eine Schwangere an sich selbst den Eihautstich correct ausführen könne, handelte es sich in einem von Le Blond (12) mitgetheilten Fall. Eine Frau, die wegen Fruchtabtreibung angeklagt war, hatte gestanden, dass sie sich zweimal eine 15 cm lange spitzige Scheere mit Hülfe der Finger in die Genitalien eingeführt habe. Das erste Mal sei nichts, das zweite Mal Fruchtwasser abgegangen und hierauf ein todtes, etwa 7 monatliches Kind zur Welt gekommen, welches beseitigt wurde. B. setzt auseinander, dass, wenn die Schwangere sich das Collum uteri mit den Fingern der einen Hand aufsucht resp. erreichen kann, die Einführung der Sonde mit der anderen leicht gelingen kann, um so leichter als das Collum uteri wenig empfindlich ist, und führt einen Fall aus seiner Privatpraxis an, betreffend eine Frau, die ihn in Zwischenräumen von einigen Monaten dreimal angeblich wegen Metritis consultirt hatte, bis ihm die regelmässige Wiederkehr der Erscheinungen und das rasche Verschwinden derselben verdächtig vorkam und die Frau auf eindringliches Inquiriren gestand, dass sie sich jedesmal die Frucht selbst abgetrieben habe und zwar in der Weise, dass sie sich, was ihr ein Mediciner gesagt haben soll, in der Seitenlage mit einem Finger den Muttermund aufsuchte und hierauf mit der anderen Hand, entlang des Fingers einen hölzernen Federhalter einführte. Die Ausbauchung des Federhalters verhinderte eine allzutiefe Einführung. In der an diese Mittheilung sich anschliessenden Debatte berichtete Charpentier über eine verheirathete Frau, welche, um weiteren Kindersegen zu verhüten, an sich selbst zwei Mal den Eihautstich ausgeführt hatte, in gleicher Weise, wie die von B. erwähnte Person. Diese Frau hatte die Gewohnheit, nach dem Coitus das Sperma mit den Fingern aus den Genitalien zu entfernen, wobei sie den Muttermund berührte.

Pannin (13) demonstrirte der Gesellschaft der Aerzte in Stockholm Drillinge. Zwei davon, deren Entwicklung etwa dem 7. Monat entsprach, hatten ein gemeinsames Amnion und eine gemeinschaftliche Placenta.

Der dritte Foetus war kleiner, äusserlich und innerlich weniger entwickelt als die zwei anderen. P. glaubt daher an Superfoetation im 2. und 3. Monat einer Zwillingsschwangerschaft.

3. Streitige Körperverletzungen am Lebenden.

1) Rehm, Aus der gerichtsärztlichen Praxis. Friedreich's Bl. f. ger. Med. S. 306 und 336. — 2) Descoust, Erreurs de diagnostic auxquelles peuvent exposer les épanchements sanguins sous-coutanés chez les enfants. Ann. d'hyg. publ. No. 6. p. 513. — 3) Trostorff, J. v., Ueber die Verletzungen des Trommelfells in forensischer Beziehung. Bonner Dissertation. — 4) Penet, J. L., Des traumatismes du cristallin avec considerations médico-judiciaires. Lyoner These. — 5) Ogier, M., De l'iris au point de vue medico-légal. Lyon. 8. — 6) Dressy, G., Etude des annexes de l'oeil an point de one médico-légal. Lyon. 8. — 7) Kuby, Mittheilungen aus der gerichtsärztlichen Praxis. Hornsignalblasen, Leistenbruch, beschränkte Erwerbsfähigkeit. Friedreich's Blätter für ger. Med. S. 59. — 8) David, L., Mutilation des organes génitaux. L'union médicale. p. 1010. — 9) Bérenger-Féraud, Deux cas de paralysie simulée de la main droite. Ann. d'hyg. publ. No. 5. p. 427. — 10) De Castro, Democh, Dumesthé etc., Paralysie simulée. Ibidem. No. 6. p. 553.

Nicht selten sind die Fälle, in welchen gegen Lehrer Anklagen wegen angeblicher Körperverletzung oder fahrlässiger Tödtung von Schulkindern durch Ueberschreitung des Züchtigungsrechtes gerichtet werden. In der Regel ergiebt sich eine natürliche Ursache der Erkrankung resp. des Todes. In 4 von Rehm (1) obducirten derartigen Fällen fand sich 3 Mal eine solche und zwar einmal Pericarditis, Nierenentzündung und seröses Exsudat in Bauch- und linker Brusthöhle, im zweiten Falle allgemeine Wassersucht mit acuter Nierenentzündung, wie sie sich nach Scharlach finden und das dritte Mal eitrige Parotitis mit Durchbruch in die Vena jugularis. Im 4. Falle war ein Causalnexus zwischen Misshandlung und Tod nicht zu bestreiten, da sich bei dem allerdings schon früher geistig und körperlich zurückgebliebenen Knaben, welcher 5 Wochen vor dem Tode einen Schlag mit einem Würfellineal über den Kopf erhalten, darauf eine Beule gezeigt und seitdem über Kopfschmerzen geklagt hatte und nach 14 Tagen unter meningitischen Erscheinungen erkrankt war, eine ältere Blutunterlaufung unter den Schädeldecken am Scheitel und ältere Blutaustritte in den weichen Hirnhäuten am Scheitel gefunden wurden. Doch wurde angenommen, dass durch rechtzeitige Behandlung und ordentliche häusliche Pflege der tödtliche Ausgang zu verhüten gewesen wäre. — Von R. wird ferner ein Fall von Tod durch traumatische Rindenepilepsie mitgetheilt, der ein Seitenstück zu den von R. 1882 (s. d. Ber.) publicirten bildet.

Der 54jähr. E. war von mehreren Personen mit grosser Gewalt gegen den Boden geschleudert und noch mehrfach misshandelt worden, war regungslos liegen geblieben, hatte sich jedoch bald wieder erhoben und noch am Nachtmahl theilgenommen und wurde am zweiten Tage bewusstlos, mit durch Blutunterlaufungen ganz entstelltem Kopfe ins Spital gebracht, wo er sich allmälig so weit erholte, dass er nach 8 Tagen auf Verlangen entlassen werden konnte. Nach 25 Tagen wurde er jedoch wieder eingebracht, klagte über beständige Kopfschmerzen und zeigte geschwollene Füsse. Nach 2 Wochen bekam er bei plötzlichem Sichumwenden einen epileptischen Anfall und in den nächsten Wochen 3 andere schwächere. Aus dem Spital entlassen, verbrachte er 6 Monate in L., klagte jedoch beständig über Kopfschmerzen und geschwollene Füsse und hatte 2—3 mal wöchentlich epileptoide Anfälle. Elf Monate nach der Misshandlung trat der Tod ein, nachdem Pat. die letzten Wochen das Bett nicht mehr verlassen hatte. Die Obduction ergab: umfangreiche geheilte Zertrümmerung beider Scheitelbeine, chronische Pachymeningitis und gelbbraune Erweichungsherde in der rechten vorderen Centralwindung und an der Spitze und Unterfläche beider Stirnlappen.

Ein 11jähriger, Vagabondirens wegen einer Anstalt übergebener Knabe, welcher wegen Erkrankung in ein Spital transferirt werden sollte, zeigte bei der ärztlichen Untersuchung zahlreiche Ecchymosen fast am ganzen Körper, welche von stattgehabten Misshandlungen hergeleitet wurden. Der Knabe starb nach 7 Tagen, nachdem schliesslich Epistaxis und Blutbrechen eingetreten war. Descoust (2) constatirte bei der gerichtlichen Obduction, dass es sich nicht um Misshandlung, sondern um eine scorbutische Erkrankung gehandelt habe und warnt vor ähnlichen Verwechslungen.

In seiner Dissertation behandelt v. Trostorff (3) ausführlich die Verletzungen des Trommelfells in forensischer Beziehung und bringt eine aus 12 Fällen bestehende Casuistik solcher Verletzungen.

In seiner These bespricht Penet (4) die Verletzungen der Krystalllinse in gerichtsärztlicher Beziehung.

Ueber die Iris in gerichtsärztlicher Beziehung schrieb Ogier (5), indem er in mehr cursorischer Weise ihre Bedeutung für die Identitätsfrage, das Verhalten derselben bei Vergiftungen und nervösen Erkrankungen und schliesslich die Verletzungen der Iris bespricht. Von letzteren bringt er u. A. die Beschreibung und Abbildung eines Falles von vollständigem Verschwinden der Iris nach heftiger Contusion des Bulbus.

In ähnlicher Weise behandelt Dressy (6) die Annexa des Auges vom gerichtsärztlichen Standpunkte.

Ein Mann, welchen Kuby (7) untersuchte, behauptete, durch Hornsignalblasen einen linksseitigen Leistenbruch acquirirt zu haben und dadurch erwerbsunfähig geworden zu sein. K. kommt zum Schlusse, dass der Mann schon früher einen Bauchfelldivertikel am Processus vaginalis, aber keinen Bruch besass. Letzterer sei erst durch das mit anhaltender und kräftiger Wirkung der Bauchpresse verbundene Hornsignalblasen entstanden. Durch diesen Bruch sei der Mann mit Bezug auf seine Beschäftigung als Waffenschmied grösstentheils erwerbsunfähig geworden und ausserdem einer ganzen Reihe von Gefahren mehr ausgesetzt, als er es vor Austritt von Baucheingeweiden in den Bruchsack war.

Ueber eine Verstümmelung der Genitalien durch Abschneiden des Penis und des Scrotums sammt den Hoden berichtet David (8).

Sie betraf einen 51jähr. Bergarbeiter, welcher angab, in einem Walde von 3 Männern angefallen worden zu sein, die ihm sein Geld (7 Frcs.) abforderten, ihm dann einen Sack über den Kopf warfen und die Genitalien abschnitten. Bei der ersten Untersuchung wurden die Hosen im Schlitz zerrissen und mit Blut besudelt gefunden, dagegen kein Blut an den Aermeln und keine sonstigen Spuren einer Verletzung. Von der Gensdarmerie wurde der Verdacht ausgesprochen, dass der Mann sich selbst verstümmelt habe. D. erklärte jedoch die Einwirkung fremder Hände für wahrscheinlicher. Nachträglich wurde in dem betreffenden Walde in dem Astloche eines Baumstammes, in dessen Nähe schon früher eine Blutlache und die abgeschnittenen Genitalien gefunden worden waren, ein zugemachtes, mit Blut beflecktes Taschenmesser und eine leere Nadelbüchse entdeckt, welche dem Verletzten gehörten. Hierauf sprach sich auch D. dahin aus, dass wahrscheinlich eine Selbstverstümmelung vorliege, und er meint, dass der Mann, welcher, trotzdem er nie mit Weibern verkehrte, einen starken Penis und grosse Hoden hatte, wahrscheinlich der Masturbation ergeben war, letztere auch in jenem Walde ausgeübt und darauf im Paroxysmus, vielleicht unter dem Einflusse von Hallucinationen sich die Genitalien abgeschnitten habe. Geistesstörung konnte nicht nachgewiesen werden. Doch war der Mann stets verschlossen und trank manchmal einen Becher zu viel. Letzteres scheint auch an jenem Tage stattgefunden zu haben, da am Thatorte und an den Kleidern erbrochene, nach Wein riechende Massen bemerkt wurden. Der Mann hatte auch an den Hüften und am Penis Narben, von denen eine die Harnröhrenmündung etwas verengerte, und gab an, dass diese Narben von Verbrennungen herrührten.

Ueber zwei Soldaten, welche eine Lähmung des rechten Armes simulirt hatten, berichtet Bérenger-Féraud (9). Die Simulation geschah in beiden Fällen durch Compression der Axillargeflechte, und zwar in dem einen besonders raffinirt und hartnäckig durchgeführten Falle mittelst eines Crucifixes aus Metall und später mit einem hölzernen Pfeifenkopf, während im zweiten die Art, wie die Compression geschah, nicht constatirt werden konnte.

Am 11. Juni 1882 war in Alexandrien eine lange vorbereitete Emeute der Araber ausgebrochen, an welcher sich auch die Gensdarmerie betheiligte und welcher viele Europäer zum Opfer fielen. Selbst solche, die sich in die Polizeipräfectur geflüchtet hatten, wurden dort von der Gensdarmerie niedergemacht. Der Polizeipräfect Saïd Bey Kandil, der von Arabi Pascha ernannt worden war, war nicht auf seinem Posten. Er wurde von der öffentlichen Meinung für einen der Hauptanstifter des Aufruhrs gehalten, entschuldigte aber seine Abwesenheit mit einem Anfall rechtsseitiger Hemiplegie, den er an jenem Tage erlitten habe und behauptete, schon mehrere Monate früher einen solchen überstanden zu haben. Ein aus De Castro, Demech, Dumesthe und 4 anderen Aerzten zusammengesetzte Commission (10) fand in der That eine rechtsseitige Hemiparese und Hemianaesthesie, überzeugte sich jedoch durch sorgfältige Untersuchung, dass nur eine Simulation vorliege. Der Präfect wurde zu 5 Jahren Strafarbeit verurtheilt.

4. Streitige geistige Zustände.

1) Projet de loi sur les aliénés. Rédaction adoptée par la commission du Sénat. Ann. médico-psychologiques. VI. 12. p. 63. — 2) Parant, V., De la séquestration des aliénés dans leurs familles. Ibidem. 11. p. 390. — 3) Motet, Des aliénés criminels. Ann. d'hyg. publ. No. 1. p. 5. (Plaidirt, indem er auf die bereits in England bestehenden Einrichtungen hinweist, für die Errichtung eigener Anstalten für geisteskranke Verbrecher, ohne Neues zu bringen.) — 4) Socquet, J., Contribution a l'étude statistique de la criminalité en France de 1826 à 1860. Pariser These. (Statistik der einzelnen Verbrechen nach Alter, Geschlecht, Stand und Wohnort der Verbrecher, bei den sexuellen Verbrechen auch der Missbrauchten. S. findet, dass die Zahl der Kindesmorde seit Aufhebung der tours allerdings, doch keineswegs überall gleichmässig, zugenommen habe, dass aber noch andere Momente an dieser Zunahme Schuld tragen.) — 5) Kocher, A., De la criminalité chez les Arabes au point de vue de la pratique médico-judiciaire en Algérie. Paris. 8. — 6) Bournet, A., De la criminalité en France et en Italie. Étude médico-légale. Paris. 8. (Laboratoire de méd. légale de Lyon.) — 7) Lombroso, C., Pro mea schola. Sein Archiv. Vol. V. Fasc. I. p. 92. — 8) Furlani, Due tipi di delinquenti abituali. Ibidem. Fasc. II.—III. p 334. — 9) Lestingi, F., L'associazione della fratellanza nelle provincie di Girgenti. Ibidem. Fasc. IV. p. 452. — 10) Boggio, J., Tipi di criminali nati e d'occasione. Ibidem. Fasc. IV. p. 483. (Kurzer Bericht über 4 Verbrecher mit körperlichen und geistigen Anomalien.) — 11) Lombroso, Pazzia morale e delinquente nato. Ibidem. Fasc. I. p. 17. — 12) Pugliese, G. A., Processo Luisi. Tipi degli assassini di Luisi. Ibid. Fasc. II. e III. p. 332 e Fasc. IV. p. 487. — 13) Ferri, E., L'omicidio-suicidio. Responsabilitá juridica. Ibidem. Vol. IV. p. 350 e 448 e Vol. V. p. 53. — 14) Balestrini, L'omicidio-suicidio del prof. Ferri. Ibidem. Vol. V. p. 198. — 15) Ferri, E., Risposte alle critiche dell omicidio-suicidio (con una tavola graphica). Ibidem. p. 207. — 16) Badik, J., Eintheilung der Verbrechen in vier Typen. Virchow's Arch. 97. Bd. S. 254. — 17) Romiti, G., Crani e cervelli di criminali. Lombroso's Archiv. Vol. V. Fasc. I. p. 75. — 18) Lombroso e Cougnet, La reazione vasale nei delinquenti e nei pazzi (con 3 tavole). Ibidem. p. 1. — 19) Lombroso, Sul mancinismo e destrismo tattile nei sani, nei pazzi, nei ciechi e nei sordomuti. Ibidem. Fasc. II. III. p. 187. — 20) Derselbe, Sul mancinismo motorio e sensorio nel sano, nell pazzo, sordo-muto, cieco nato e nel criminale. Giornale della r. academie di medicine di Torino. Fasc. 8. — 21) Andronico, C., Il mancinismo in rapporto alla delinquenza. Lombroso's Arch. Vol. V. Fasc. IV. p. 480. — 22) Lombroso, Denti a sega negli idioti, sordomuti e ciechi. Ibidem. p. 483. — 23) Ferri, E., Il contagno dei delinquenti. Ibidem. Fasc. I. p. 81. — 24) Derselbe, Il rimorso nei delinquenti. Ibidem. Fasc. IV. p. 464. — 25) Derselbe, Il sentimento religioso negli omicidi. Ibidem. Fasc. II.—III. p. 276. — 26) Shaw, T. C., On criminal responsibility in the insane. St. Bartholomew's Hosp. Report. XIX. p. 5. — 27) Buckham, T. R., Insanity considered in its medico-legal relations. Philadelphia. 8. — 28) Bucknill, J. C., A lecture on the relation of madness to crime. Journ. of insanity. p. 412 und The British med. Journ. p. 499. — 29) Giraud, A., Revue de médecine légale. Ann. médico-psychol. VI. 11. p. 412. — 30) Bell, C., Madness and crime. The medico-légal Journ. (Separatabdruck.) — 31) Everts, O., Criminal responsibility of the insane. Journ. of insanity. p. 440. — 32) v. Krafft-Ebing, Diebstahl und socialistische Umtriebe seitens eines Gewohnheitsverbrechers. Moralischer Irrsinn und moralische Verkommenheit. Friedreich's Blätter für gerichtl. Med. S. 216. — 33) Puglia, F., Delinquente nato affetto da mania omicida. Lombroso's Arch. Vol. V. Fasc. II.—III. p. 282. — 34) Virgilio, G., In causa di doppio omicidio con uxoricidio imputato a G. C. Rivista sperim. di psych. e di medic. legale Ann. X. Fasc. I.—II. p. 27. Fasc. III. p. 130. — 35) Musso e F. Stura, Caso typico di follia morale. Lombroso's

Arch. Vol. V. Fasc. II.—III. p. 182. — 36) v. Krafft-Ebing, Ein criminal-psychologisch denkwürdiger Gerichtsfall. Als Beitrag zu den geistigen Störungen in der Pubertätsentwickelung. Mittheilungen des Steyrischen ärztl. Vereins. 1883. S. 29. — 37) Derselbe, Mordversuch eines Gymnasialschülers an seinem Lehrer. Organische Belastung. Streitige Sinnesverwirrung zur Zeit der That. Freisprechung. Jahrb. f. Psychiatrie. V. Bd. 1. und 2. Heft. S. 171. — 38) Anjel, Ueber eigenthümliche Anfälle perverser Sexualerregung. Arch. f. Psychiatrie. XV. S. 594. — 39) Jastrowitz, M., Ueber einen Fall von Zwangsvorstellungen vor Gericht nebst einigen Bemerkungen über Zwangsvorstellungen. Deutsche medic. Wochenschr. No. 31 und 32. — 40) Frigerio, Amore omicida di un pazzo. Lombroso's Arch. Vol. V. Fasc. IV. p. 482. — 41) Marro, Tentativo di stupro in alienato. Ibidem. Fasc. I. p. 33. — 42) v. Krafft-Ebing, Unzuchtsdelicte mit Kindern in einem Zustande von Bewusstlosigkeit (wahrscheinlich auf Grund traumatisch entstandener Rindenepilepsie) Friedreich's Blätter f. ger. Med. S. 81. — 43) Falk, F., Ueber einige Anklagen wegen Sittlichkeitsverbrechens. Allg. Zeitschr. f. Psychiatrie. 41. Bd. S. 119. — 44) Laehr, Fall von Sittlichkeitsverbrechen vor dem Schwurgericht. Ebendas. S. 120. — 45) Weiss, J., Ein Fall von Athetose. — Päderastie. Wien. med. Presse. No. 41. — 46) Lombroso e Bianchi, Misdea. Lombroso's Arch. Vol. V. Fasc. IV. p. 381. — 47) Wollner, Mordversuch. Mania transitoria. Friedreich's Bl. f. gerichtl. Med. S. 127. — 48) Mierzejewski, J., Przyczynek do nanki o alkoholizmie. (Separat-abdruck aus dem Przeglad lekarski. Beitrag zur Lehre vom Alcoholismus, insbesondere des alcoholischen Irrseins.) — 49) Tamburini, A, Contributo allo studio medico-legale della dipsomanie e dell' alcoolismo. I. Dipsomanie. Accessi dipsomanici sin della prima gioventà, influenza ereditaria, azioni criminose, processi e condanne, inutili tentativi di reabilitazione, truffe di L 5000, Assoluzione ricadate. Riv. sperim. di freniatr. e di medic. leg. Ann. X. Fasc. III. p. 150. — 50) Fritsch, F., Mord und Mordversuch. Alcoholismus chronicus; pathologischer Rausch. Unzurechnungsfähigkeit. Jahrb. f. Psychiatrie. V. Bd. Heft 1 und 2. S. 182. — 51) Wolff, G., Ein Gutachten über einen Geisteskranken. Vierteljahrsschr f. gerichtl. Med. XLI. S. 67. (Potator, beim Schafdiebstahl ertappt. In der Untersuchungshaft aufgeregt und verworren, zerstösst sich eines Nachts den Kopf an den Gefängnisswänden, die er für Alleebäume hält. Vielleicht Delirium tremens.) — 52) v. Krafft-Ebing, Gefährliche Drohungen. Transitorisches Irrsein a potu. Unzucht mit der Stiefmutter. Keine chronische Geistesstörung. Friedreich's Bl. f. ger. Med. S. 40. — 53) Derselbe, Körperverletzung. Zweifelhafte geistige Gesundheit des Thäters. Verfolgungswahnsinn neben wirklichen Kränkungen. Ebendas. S. 364. (57jähr. Mann, seit einem Sturz von bedeutender Höhe immer krank, schlecht genährt, verfällt unter dem Einflusse wirklich erlittener Kränkungen in Verfolgungswahn mit Gehörshallucinationen, in Folge welcher er seine „Feinde" körperlich verletzt.) — 54) Derselbe, Schwere Verletzung der Mutter und der Frau, wahrscheinlich in transitorischer Geistesstörung a potu. (Ein dem Trunke stark ergebener Mann schläft im berauschten Zustand ein und wird von seiner Mutter plötzlich durch Anschreien geweckt, warf erstere zu Boden, verwundet sie und seine herbeieilende Frau mit einem Messer, will beiden die Köpfe abschneiden und feuert dann eine nur mit Pulver geladene Pistole gegen seine Stirngegend ab, wodurch er sich leicht verletzt. Seine am Boden blutend und bewusstlos liegende Frau hatte er geküsst, ihr den einen Schuh ausgezogen mit den Worten: „der todte Körper wird mir verzeihen." Dieses Verhalten, die Unnatürlichkeit der That und die nur traumhafte Erinnerung an die That sprach für Geistesstörung und zwar zusammengehalten mit der Anamnese auf transitorische Geistesstörung a potu. Von anderen Arzten war auch an Schlaftrunkenheit gedacht worden.) — 55) Liman, Die Processe gegen Friederike Z. und gegen Bertha H. Vierteljahrsschr. f. ger. Med. XL. S. 266 und Berliner klin. Wochenschr. No. 8. — 56) Hitzig, E., Einige Bemerkungen zu dem Fall Zemisch. Berl. klin. Wochenschrift. No. 10. S. 158. — 57) Langreuter, G., Noch einmal der Fall Zemisch. Ebendaselbst. No. 11. S. 137. — 58) Ziino, G., In causa di parricidio. Il Morgagni. p. 521 und 573. — 59) v. Krafft-Ebing, Zwei Fälle von vieljähriger Verkennung geistiger Krankheit (Verfolgungsquärulantenwahnsinn) bei Sträflingen. Jahrb. f. Psychiatrie. V. Bd. 3. Heft. S. 242. — 60) Frigerio, Omicidio per paranoia allucinatoria di natura persecutorio con ipertrofia del vermis e fossetta occipitale media. Lombroso's Arch. Vol. V. Fasc. IV. p. 410. (Ein Priester hatte auf offenem Markte ein Weib niedergestochen, weil er, wie er sagte, von Gott beauftragt war, diesen verdammten Geist aus der Welt zu schaffen. Als er nach mehreren Jahren im Alter von 70 Jahren in der Irrenanstalt starb, fand sich ein atrophisches Gehirn, Hydrocephalus internus und eine Hypertrophie des Wurms mit Bildung einer mittleren Hinterhauptsgrube.) — 61) Fritsch, J., Gerichtsärztliches Gutachten. Originärer Schwachsinn. Betrug. Unzurechnungsfähigkeit. Jahrb. f. Psychiatr. V. Bd. 3. Heft. S. 264. — 62) v. Krafft-Ebing, Imbecillität. Religiöse Melancholie. Versuchter Giftmord des Kindes und versuchter Selbstmord. Friedreich's Bl. f. ger. Med. S. 210 — 63) Ziino, G., In causa di frato e truffe a danno di una imbecille. Osservazioni e perizia. Il Morgagni. p. 307. — 64) Shuttleworth, G. E., Is legal responsibility acquired by educated Imbecilles? Journ. of mental science. January. p. 467. — 65) Sommer, W., Simulirte Amnesie. Vierteljahrsschr. f. ger. Med. XL. S. 252. — 66) Landgraf, K., Ein Simulant vor Gericht. Friedreich's Bl. f. gerichtl. Med. S. 411.

Der Entwurf eines neuen französischen Irrengesetzes liegt nun auch in der vom Senat acceptirten Redaction vor (1). Derselbe weicht von dem Project des Gouvernements (s. letzten Bericht) ausser durch verschiedene Modificationen des Textes insbesondere durch folgende neu zugefügte, hier auszugsweise mitgetheilte, Artikel ab:

Art. 8. Wenn ein Geisteskranker zu Hause behandelt wird und die Nothwendigkeit seiner Einschliessung mehr als 3 Monate gedauert hat, sind die Angehörigen verpflichtet, hiervon unter Vorlage eines ärztliches Zeugnisses dem Staatsanwalt Anzeige zu machen und dieser wieder der permanenten Commission zur Ueberwachung des Irrenwesens. Auch weiterhin sind in Intervallen, die 3 Monate nicht übersteigen dürfen, neuerliche Anzeigen zu erstatten. Art. 11. In jedem Departement ist eine permanente Irren-Commission zu errichten, welche aus dem Gerichtspräsidenten, einem Statthaltereirath, einem Advocaten und Notar, welche von der Advocaten- resp. Notariatskammer gewählt werden und einem vom Minister des Innern auf Vorschlag der obersten Irren-Commission ernannten Irrenarzt zu bestehen hat. Die Commission hat sämmtliche Irren des Departements zu überwachen; Archiv und Berathungen der Commission sind geheim. Die Mitglieder derselben werden von 4 zu 4 Jahren neu ernannt. Art. 12. Die Commission hat selbst oder durch ihr ärztliches und ein anderes Mitglied wenigstens einmal in 3 Monaten alle in Anstalten und ausserhalb derselben befindlichen Geisteskranken zu besuchen und über jeden einzeln der Commission zu berichten, und bis zum 1. Februar einen Jahresbericht dem Präfecten zu übergeben. Die Mitglieder der Commission beziehen Reisegelder, der Secretair, als welcher das ärztliche

Mitglied zu fungiren hat, einen Gehalt. Art. 14. Die General-Inspectoren werden vom Minister auf dem Concurswege ernannt. Zum Concurs werden zugelassen: die Mitglieder der Academie de médecine, die Professoren der medicinischen Facultät, Medic. Doctoren, welche entweder durch mindestens 5 Jahre Directoren resp. Primar-Aerzte einer Irren-Anstalt oder Secretaire einer permanenten Irren-Commission gewesen sind. Psychiater von Namen können durch die oberste Irren-Commission vorgeschlagen werden. Jede öffentliche oder Privat-Irrenanstalt ist mindestens einmal im Jahr durch einen der General-Inspectoren zu visitiren. Bei ihren Touren haben letztere die betreffenden permanenten Commissionen einzuberufen und über deren Thätigkeit sich Bericht erstatten zu lassen. Art. 15. Die oberste Irren-Commission hat zu bestehen: Aus einem Staatsrath, welcher durch den Conseil und einem Mitglied des Cassationshofes, welches durch diesen gewählt wird, aus dem General-Procurator des Pariser Appellations-Gerichtshofes oder aus einem Mitgliede des letzteren, aus einem Mitgliede der Academie de médecine, dem Professor der Psychiatrie an der medicinischen Facultät von Paris, je einem Director des Ministeriums der Justiz und des Innern und aus den General-Inspectoren. Art. 17. Wenn die nach Erfüllung der legalen Formalitäten in eine Irren-Anstalt unterzubringende Person dem Transporte mit Gewalt sich widersetzt, so kann der Maire oder die Polizei den Transport unter Anwendung der nöthigen Vorsichtsmassregeln veranlassen. Ueber den Vorgang ist ein Protocoll aufzunehmen und dieses binnen 24 Stunden dem Staatsanwalt zu übergeben. Art. 18. Ein grossjähriges Individuum, welches seiner Geisteskrankheit sich bewusst ist und in eine Irren-Anstalt aufgenommen zu werden wünscht, kann ohne die sonst vorgeschriebenen Formalitäten aufgenommen werden. Ein von ihm unterschriebenes Gesuch genügt. Art. 19. Niemand darf in eine ausländische Irren-Anstalt oder Irrenpflege gebracht werden, ohne dass hiervon binnen einem Monat, vom Tage der Placirung gerechnet, die Anzeige an den Staatsanwalt des Wohnortes des Kranken gemacht werden würde. Ein aus dem Ausland in eine französische Irren-Anstalt gebrachter Geisteskranker darf ohne ein Gesuch und ohne ein ärztliches in seiner Heimath oder durch den diplomatischen Vertreter der letzteren legalisirtes Zeugniss nicht aufgenommen werden. Von der Aufnahme hat der Präfect binnen drei Tagen die betreffende diplomatische Vertretung zu verständigen. Art. 22. Bei Transportirungen von einer Irren-Anstalt in eine andere geschieht die Aufnahme auf Grund eines von ersterer aufgestellten ärztlichen Zeugnisses unter Beilage von Abschriften des Aufnahmeactes. Art. 41. Wenn die Entlassung eines wegen Gemeingefährlichkeit internirten oder eines verbrecherischen Irren angesucht wird, hat der behandelnde Arzt zu erklären, ob das Individuum geheilt ist oder nicht und in ersterem Falle, ob eine Recidive zu befürchten steht. Den Antrag auf Entlassung stellt die permanente Commission, die Entscheidung fällt die Rathskammer des betreffenden Tribunals. Die Entlassung ist revocirbar und findet überhaupt nur bedingungsweise statt. Art. 42. Wenn bei einem Angeklagten Verdacht besteht, dass er geisteskrank sei, so kann derselbe einer Irren-Anstalt oder Irren-Abtheilung zur Beobachtung übergeben werden, wenn einer der Experten Arzt des betreffenden Etablissements ist. Die Aufnahme geschieht durch Auftrag des Präfecten auf Ansuchen des Gerichtes. Art. 48 betrifft die Verpflegungskosten. Art. 68. Jeder Angestellte (employé) einer privaten oder öffentlichen Irren-Anstalt, welcher sich Misshandlungen oder Thätlichkeiten gegen einen der Kranken schuldig macht, wird mit Gefängniss von 5 Tagen bis zu 3 Monaten und einer Geldbusse von 16 bis 200 Francs bestraft. Jeder Aufseher oder Wärter, welcher durch Nachlässigkeit oder Nichtbeachtung der Reglements die Gesundheit oder das Leben der ihm anvertrauten Kranken compromittirt, ist mit einer Geldbusse von 16 bis 100 Francs zu bestrafen. Art. 69. Jedes an einem Geisteskranken mit Bewusstsein des geisteskranken Zustandes desselben ohne Anwendung von Gewalt vollbrachte oder versuchte Attentat gegen die Sittlichkeit wird mit Reclusion bestraft.

Zu dem Aufsatze Parant's (2) über die Sequestration von Geisteskrankheiten innerhalb der Familie, gab Veranlassung die Sequestration eines jungen blödsinnigen Mannes und seines seit zwei Jahren an mit Aphasie verbundener Demenz leidenden Vaters durch ihre nächsten Verwandten in einem Hause der Vorstadt von Toulouse, welches nach Aussen hin gefängnissartig abgeschlossen war.

Anfangs hatte jeder der Kranken ein eigenes grosses Zimmer, später wurden beide in einem untergebracht, welches durch Bretterwände in zwei Zimmerchen und zwei Vorzimmer abgetheilt wurde. Das Zimmerchen des Sohnes hielt bloss 13 cbm, war ohne Fenster und erhielt seine Luft bloss durch einige 15 cm im Durchmesser haltende Oeffnungen in der Scheidewand aus dem für den Vater bestimmten Raum, welcher 20 cbm fasste und nur ein fast stets verschlossenes Fenster besass. Die Räume waren nicht mit Ziegeln gepflastert und nicht heizbar. Später hatte man an das Zimmer eine Art Käfig angebaut, der 4 m im Gevierte und 2 m 75 cm in der Höhe betrug, dessen zwei Seiten von den Zimmerwänden und die zwei anderen durch ein dichtes Gitter gebildet wurden. Hier sollten die Kranken promeniren und Luft schöpfen. Boden und Wände der Räume waren mit Fäcalien verunreinigt und der Geruch in letzteren war penetrant. Der junge Mann war nur mit einem langen Hemde bekleidet, die Haare waren lang und wirr, die Nägel 4 bis 5 cm lang und gegen die Hohlhand gekrümmt. Während eines dreimonatlichen Aufregungsstadiums hatte man die Zelle nicht betreten und dem Kranken die Speisen durch ein Loch gereicht.

Die Verwandten wurden in Anklagestand versetzt, das Gericht entschied jedoch, dass kein Grund zur gerichtlichen Verfolgung vorliege, weil eine böse Absicht nicht erwiesen sei! P. erörtert, wie nothwendig es sei, dass auch bezüglich der Behandlung von Geisteskranken innerhalb der Familie gesetzliche Bestimmungen erlassen werden möchten und führt als Beweis für diese Nothwendigkeit an, dass innerhalb der letzten 15 Jahre die inhumane Sequestration von Geisteskranken innerhalb der Familie achtmal Gegenstand strafrechtlicher Verfolgung gewesen ist.

Das Werk von Kocher (5) behandelt die Criminalität der Araber in Algier in gerichtlich-medicinischer Beziehung. In einer Einleitung schildert K. die Bewohner der Provinz Algier, die Gesetzgebung daselbst vor und nach der Conquète und giebt einen Ueberblick der Criminalstatistik. Die weitere Arbeit zerfällt in 3 Theile. Im ersten bespricht K. die allgemeinen Fragen, welche sich bei gerichtsärztlichen Untersuchungen ergeben können (Alter, Geschlecht, Stand, Narben, Tätowirungen, Fäulniss und Mumification, verdächtige Spuren, Geistesstörung, Simulation etc.), im zweiten die Attentate gegen die Person (Verletzungen, Vergiftungen, Selbstmord, Erstickungsformen, Tod durch Inanition), im dritten die auf den Geschlechtstrieb bezüglichen Fragen (Nothzucht,

Päderastie, Sodomie, Tribadie, Schwangerschaft und Geburt, Fruchtabtreibung und Kindsmord). Einen besonderen Abschnitt des letzten Theils bildet die Forcirung des ersten ehelichen Beischlafes an unentwickelten Mädchen, und die bei diesem von K. als „Viol dans le mariage" bezeichneten Acte theils durch den Coitus als solchen, theils durch die Finger aber auch durch gewaltsam eingeführte fremde Körper, entstehenden Verletzungen. In einem dieser Fälle, welcher ein 11—12jähriges Mädchen betraf, wurde bei der Obduction jauchige Peritonitis und ausser Zerreissungen der Vagina und des Rectums eine intraperitoneale Perforation des letzteren und eine Durchbohrung des hinteren Scheidengewölbes gefunden, in der Bauchhöhle aber der 15,5 cm lange und 8—9 cm im Umfang betragende Stiel eines zum Krämpeln von Wolle dienenden Werkzeuges, welches offenbar sowohl in die Scheide als ins Rectum eingestossen worden war.

Bournet (6) vergleicht die Criminalität in Frankreich mit jener in Italien und kommt trotz des Umstandes, dass in Frankreich schon seit Langem (seit 1825) in Italien aber erst seit 1872 eine Criminalstatistik besteht, zu folgenden Schlüssen: Die blutigen Verbrechen sind in Italien mindestens 3 mal häufiger als in Frankreich; der Todtschlag ist etwa 6 mal häufiger in Italien als in Frankreich und es kommen dabei in Italien vorzugsweise schneidende und stechende nicht insidiöse Werkzeuge, in Frankreich aber vorwiegend Messer und Schusswaffen in Anwendung, letztere namentlich in Corsica; dagegen vermindert sich der Meuchelmord in Italien, während in Frankreich eine Zunahme sich bemerkbar macht. Die Zahl der Verwandtenmorde ist in Italien etwa doppelt so gross als in Frankreich; die Vergiftungen nehmen in beiden Staaten an Zahl ab; die Attentate gegen die Sittlichkeit, namentlich die an Kindern begangenen sind in Italien bedeutend seltener als in Frankreich, ebenso die Kindsmorde, während bezüglich der Fruchtabtreibungen weder in Frankreich noch in Italien verlässliche Daten bestehen. Das Gesetz des Antagonismus zwischen blutigen Verbrechen und Selbstmord manifestirt sich sowohl in Frankreich als in Italien. In beiden Staaten nimmt der Selbstmord an Häufigkeit zu, besonders in der Armee.

Lombroso (7) vertheidigt in einem auszugsweise nicht wiederzugebenden Aufsatze seine criminal-anthropologische Schule gegen von verschiedenen Seiten, insbesondere von Oettingen in der 3. Auflage seine Moralstatistik 1882, von Messedaglia und Orano erhobenen Einwürfe.

Ueber die der Mafia ähnliche Verbrecher-Verbindung „Fratellanza" in der Provinz Girgenti und deren Organisation berichtet Lestingi (9).

Einer der indirecten Beweise für die Identität des moralischen Irrseins mit dem angeborenen Verbrecherthum (delinquente-nato), welcher zugleich die Zweifel erklärt, die in dieser Beziehung unter den Psychiatern herrschten, ist, wie Lombroso (11) ausführt, die grosse Seltenheit des ersteren in den Irrenhäusern und umgekehrt dessen grosse Häufigkeit in den Gefängnissen. Auch spricht für diese Identität der Umstand, dass fast alle an moralisch Irren beobachteten Eigenschaften auch an dem Delinquente nato vorkommen, wie L., indem er die in der Literatur verzeichneten Fälle von „moralischem Irrsein" durchgeht, des Näheren ausführt.

Eine Bande von 8 bereits wiederholt abgestraften Männern hatte einen gewissen Luisi durch 42 Wunden ermordet und ausgeraubt und dabei zwei andere Personen verwundet. Vier derselben zeigten wie Pugliese (12) ausführt und durch eine Abbildung illustrirt, ausgesprochenen Verbrechertypus, insbesondere verschiedene Degenerationszeichen am Kopfe.

Ein längerer Artikel Ferri's (13) handelt von der juridischen Verantwortlichkeit der Selbstmörder und kommt zum Schlusse, dass keinem Menschen das Recht, freiwillig aus dem Leben zu scheiden, bestritten werden kann. Balestrini (14) ist entgegengesetzter Anschauung, worauf Ferri (15) replicirt.

Badik (16), Arzt der ungarischen Strafanstalt Illava, welche auf länger als 10 Jahre verurtheilte Verbrecher beherbergt, beschäftigt sich seit 10 Jahren mit der Frage der Anomalien an Verbrecherschädeln und -Gehirnen. Er unterscheidet vier Typen von Verbrechern, nämlich a) mit symmetrischem kleinen Schädel, ohne pathologische Veränderungen am Gehirn und seinen Häuten, b) mit symmetrischem mittelgrossen Schädel mit pathologischen Veränderungen am Gehirn und seinen Hüllen, c) mit asymmetrischem Schädel ohne pathologische Veränderungen am Hirn und den Meningen und d) mit asymmetrischem Schädel mit solchen Veränderungen. Die Verbrecher der ersten Kategorie sind einfältige bildungsunfähige, ihrer Strafe gegenüber gleichgültige Menschen. Sie begehen das Verbrechen aus Einfalt oder als das Werkzeug Anderer. Jene der zweiten Kategorie sind geistig mehr entwickelt und können dann die Tragweite ihres Verbrechens beurtheilen. Ihr Betragen in der Anstalt ist ein gutes, sie verlassen dieselbe in der Regel gebessert und werden selten rückfällig, was bei den Verbrechern der Kategorie a leicht geschieht. Sie leiden an verschiedenen Angioneurosen, zeitweilig an Kopfweh und Schwindel. Ihre Verbrechen sind meist Affecthandlungen. Die Verbrecher der dritten Kategorie bilden den grössten Theil der Bewohner der Strafanstalt. Ihr Verbrechen ist in der Regel ein schweres, ihre Gedanken beschäftigen sich nur mit Bösem und sie begehen, als ob die Moral bei ihnen ganz ausgestorben wäre, nur Schlechtes. Sie sind Lügner, Verläumder, Räuber, Mörder, Gauner und dabei leichtsinnig und herausfordernd bis zur Unverschämtheit. Sie stiften die anderen Sträflinge zu Aufständen und Schlägereien an und tragen anderseits falsche Anzeigen den Beamten zu. Sie empfinden keine Reue über ihr begangenes Verbrechen und nur die Gewalt hält sie von bösen Thaten zurück. Von Besserung ist keine Rede. Bei den Verbrechern der vierten Kategorie hängt der Character derselben von den pathologischen Veränderungen am Gehirn ab. Sind diese nur gering, so neigen sich die Individuen in ihrem Verhalten der Kategorie c zu, im anderen Falle leiden sie nicht nur an Angioneurosen, sondern an den verschiedensten Formen der Epilepsie. Diese Verbrecher begehen ihre Verbrechen, wenn auch nicht immer, so doch meistens im unbewussten Zustande und erinnern sich dessen nur wie eines Traumes. Ihr Geist ist schwach, im 40. bis 50. Jahre werden sie blöd und oft paralytisch. Die Anzahl der Sträflinge der genannten 4 Kategorien zeigt folgendes Verhältniss: 1, 3, 9, 0,5. B. erwartet Berücksichtigung der geschilderten Thatsachen durch die Strafgesetzgebung.

Romiti (17) hat die Schädel und Gehirne von 4 schweren Verbrechern untersucht, nämlich von einem 38jährigen Gattenmörder, einem 21jährigen Räuber, einem 28jährigen Mörder und zugleich Selbstmörder und einem 68jährigen Mann, der seine zweite und wahrscheinlich auch seine erste Frau umgebracht hatte. Die Gehirne wogen 1522, 1270, 1440 und 1240 g. In 3 dieser Fälle fand sich eine mittlere Occipitalgrube, zweimal eine bemerkenswerthe (notevole) Dicke des Schädels, dreimal Wormi'sche Knochen, einmal eine Verwachsung der Nähte, einmal Plagiocephalie, einmal Oxycephalie, einmal eine ausgesprochene Sutura incisiva, einmal ein Osteom der Sichel, dreimal eine Verdoppelung einer Stirnwindung und dreimal Verwachsung der Meningen.

Lombroso und Cougnet (18) prüften das vasomotorische Verhalten bei Verbrechern und fanden häufig Anomalien. So fehlte die Schamröthe bei 98 jungen männlichen Verbrechern in 44 und bei 122 weiblichen in 81 pCt. Auch fanden sich einige, bei denen statt des Erröthens ein Erblassen eintrat. Die Gefässreaction auf Amylnitrit ist nicht selten verlangsamt und häufig schwächer als normal. Sphygmographische Beobachtungen ergaben bei einzelnen ein vollständiges Fehlen der Gefässreaction gegenüber Affecten und bei Vielen Abweichungen vom Normalen, wie an Curventafeln gezeigt wird. Gleiches ergaben pletysmographische Studien und sehen L. und C. in der Anwendung des Pletysmographen ein schätzbares Mittel zur Entlarvung von Simulanten resp. zur Unterscheidung „geborener Verbrecher" von Gelegenheitsverbrechern. Die geringe Sensibilität, insbesondere gegenüber von Schmerz und die minder intensive Reaction des Gefässsystems giebt vielleicht den Schlüssel zur Erklärung der relativ grossen Vitalität gewisser Verbrecher, von denen viele, wie L. und C. durch Beispiele zeigen, trotz ungünstiger äusserer Verhältnisse, insbesondere in Gefängnissen ein hohes Alter erreichen, und durch grosses Körpergewicht und robuste Constitution sich auszeichnen.

Ueber die rechts- und linksseitige Prävalenz des Tastgefühles bei Gesunden, Geisteskranken, bei Verbrechern, Blinden und Taubstummen hat Lombroso (19) Untersuchungen angestellt. Bei (68) Gesunden fand sich das Tastgefühl beiderseits gleich bei 44 pCt., links stärker entwickelt bei 26 pCt., rechts bei 29 pCt.; bei (36) Verbrechern ergab sich ein Verhältniss von 27, 54 und 18,9 pCt., bei (104) Geisteskranken ein solches von 24, 43,2 und 32,6 pCt. Bei Blinden und Taubstummen fand L., dass das denselben zugeschriebene feinere Tastgefühl nicht existirt, sondern dass dieses namentlich bei Nichtunterrichteten im Allgemeinen weniger entwickelt ist als bei normalen Individuen, und dass bei Blinden und Taubstummen auch die laterale Prävalenz häufiger vorkommt als bei letzteren.

Etwas ausführlicher behandelt L. denselben Gegenstand in einem anderen Aufsatze (20). Ausserdem bemerkt er, dass unter normalen Verhältnissen Linkshändigkeit sich in 4,3 pCt. bei Männern und 5,88 pCt. bei Weibern findet. Von bedeutenden Männern waren Leonardo da Vinci, Buhl, Nigra und Tiberius linkshändig. Bei geisteskranken Männern fand sich Linkshändigkeit in 4,13 und bei Frauen in 4.27 pCt.; bei männlichen Verbrechern in 13,9, bei weiblichen in 22,7 pCt., daher 3—4 mal häufiger als de norma. Damit in Uebereinstimmung fand L. bei Verbrechern die rechtsseitige Asymmetrie des Schädels häufiger als die linksseitige und eine Prävalenz der Entwickelung der rechten Hirnhemisphäre über die der linken. Aus dem „Lateralismus" erklärt sich eine Reihe bisher unverständlich gewesener psychopathischer Erscheinungen, z. B. das Gefühl der doppelten Persönlichkeit.

Andronico (21) fand in der weiblichen Strafanstalt in Messina unter 279 Sträflingen 12 Linkshänder, somit 4,3 pCt. Unter diesen war eine wiederholt abgestrafte Diebin entschieden geisteskrank. Zwei Monate vor ihrer letzten Entlassung aus dem Gefängnisse hatte sie versucht sich durch Anzünden ihres Strohsackes umzubringen, wobei sie bedeutende Brandwunden davontrug. Sie war auch auf der linken Seite empfindlicher als auf der rechten und klagte deshalb auch mehr über die linksseitigen Brandwunden als über die rechtsseitigen, obgleich letztere intensiver waren. Eine zweite Gefangene hatte wiederholt Brand gelegt, zeigt ausgesprochenen Affentypus, Prognatismus, Strabismus, fehlerhafte Insertion der Zähne und ist geistesgestört. Sie zeigt motorischen sowohl als sensorischen Mancinismus. Unter diesen 12 Linkshändern hatte 1 einen Vater und 4 Mütter, die linkshändig waren, was für Erblichkeit der Erscheinung spricht.

Nachdem Lombroso (22) bei Idioten und bei mit Moral insanity Behafteten wiederholt geriffte Zähne (denti a sega) gefunden hatte, verfolgte er diese Erscheinung bei Taubstummen und Blindgeborenen und constatirte sie bei 110 der letzteren 18 mal, und bei ersteren in 6—8 pCt. Er meint daher, dass geriffte Zähne nicht, wie man gewöhnlich annimmt, von angeborener Syphilis herrühren, sondern unter die Degenerationszeichen gehören.

Die Meinung ist sehr verbreitet, dass die meisten Verbrecher auch nach ihrer Verurtheilung die That leugnen und behaupten unschuldig zu sein. Ferri (23) dagegen fand, dass von 345 Verbrechern im Gefängnisse von Pesaro nur 42 pCt., von 353 in jenem von Castelfranco sogar nur 21 pCt. die That läugneten, und das gerade die schweren Verbrecher ihre Thaten nicht bloss eingestehen, sondern sogar, namentlich ihren Mitgefangenen gegenüber, mit diesen prahlen. F. sieht darin einen weiteren Beweis der von Haus aus bestehenden gemüthlichen Stumpfheit der meisten schweren Verbrecher, die sich auch bei vielen schon durch ihr Benehmen bei der That selbst, beim Verhör und bei der Verkündigung des Urtheils mitunter in ganz auffälliger Weise documentirt, was F. durch eine grosse Zahl von Beispielen illustrirt.

Ferri (24) bespricht in einem Aufsatze die Erscheinungen der Reue bei Verbrechern. Er fand bei 698 von ihm untersuchten Verbrechern, dass in 35 pCt. jedes Reuegefühl vollkommen fehlte und dass bei vielen sogar das Gegentheil hiervon, nämlich eine gewisse Befriedigung und ein heiteres Wesen vorhanden war.

Religiöses Fühlen hat, wie Ferri (25) auseinandersetzt, auf die Genesis des Verbrechens keinen Einfluss, welche nur in dem verschiedenen Verhalten des moralischen Sinnes wurzelt. Wenn in einem Menschen ein moralischer Sinn existirt, so ist dieser massgebend für sein Benehmen und für sich allein ausreichend, kann aber allerdings in religiösen Gefühlen weitere Unterstützung finden; wenn aber ein moralisches Fühlen nicht vorhanden ist, kann das religiöse Gefühl entweder selbst den Antrieb zum Verbrechen abgeben (z. B. bei Verbrechen aus fanatischen Motiven) oder es bildet nur einen schwachen Zügel nicht bloss weil für diesen der Angriffspunkt fehlt, sondern weil das religiöse Fühlen sich der originären moralischen Gefühllosigkeit adaptirt. So kommt es, dass, weil die Religion ein automorphisches Gefühl ist, welches sich das Bild Gottes nach menschlichem Vorbilde construirt, ein guter und ehrenhafter Mensch einen Gott der Liebe und der Gnade verehrt, während ein perverser und unmoralischer sich einen grausamen und rächenden Gott bildet. Auch zeigt die tägliche Erfahrung, dass sich moralische und unmoralische, ehrenhafte und unehrenhafte Menschen ebenso gut unter Atheisten wie unter Gläubigen finden, und dass auch bei gemeinen Mördern religiöse Gefühle bestehen können, dafür giebt es bei diesen verschiedene Beweise, so die tätowirten religiösen Embleme, die Amulete und Heiligenbilder, die sie bei sich tragen, und der Aberglaube. Viele schwere und habituelle Verbrecher waren ganz eifrige Kirchenbesucher und strenge Beobachter gewisser kirchlicher Gebote, z. B. der vorgeschriebenen Fasten. Ebenso führt F. viele Fälle an, wo Verbrecher vor Begehung ihrer Thaten Gott oder die Heiligen um Förderung ihres Unternehmens anflehten oder nach vollbrachter That durch Gebet und Opfer Absolution sich zu erwerben meinten. Im Ganzen sind Atheisten unter den Mördern selten und unter den von F. untersuchten fand sich nur ein solcher.

Shaw's (26) Schrift erörtert die Unhaltbarkeit der von Laien gewöhnlich als Kriterien der Geisteskrankheit resp. Unzurechnungsfähigkeit angesehenen Erscheinungen. Er findet es auffällig, dass während man so leicht bereit ist bei Selbstmord einen gestörten Geisteszustand anzunehmen, solche Schwierigkeiten in gewissen Mordfällen gemacht werden. In beiden Fällen kann das unerwartete Handeln gegen ein Naturgesetz das erste Symptom einer Geistesstörung sein. Die Kenntniss von Recht oder Unrecht kann dabei vorhanden sein oder fehlen. Auch der Verlauf kann verschieden sein, indem z. B. einmal die Geistesstörung mit einer explosiven Gewaltthat beginnt und dann ruhig verläuft, während ein andermal eine harmlose Illusion in furibunde Delirien übergeht. Amnesie für die Zeit der That ist häufig, so dass der Betreffende nachträglich sich selbst nicht Rechenschaft zu geben vermag, ob er damals das Unrechte seiner Handlung einsah oder nicht. Krankhafte Impulse zu Gewaltthaten müssen keineswegs immer plötzlich und vorübergehend auftreten, sie können auch längere Zeit bestehen und selbst zu planmässigem Vorgehen führen. Beides kommt namentlich bei Individuen mit ererbter psychopathischer Veranlagung vor und ob ein solches ein kleines oder ein grosses Verbrechen verübt, ist vielleicht nur Sache des Zufalls; für einen gesunden Geist ist die Begehung eines Diebstahls ebenso unbegreiflich, wie die Begehung eines schweren Verbrechens. Theoretisch genommen giebt es eigentlich keine Grade des Verbrechens. Veränderung des Characters ist ein häufiges Symptom eingetretener Geistesstörung. Dieselbe kann zu harmlosen „Eigenthümlichkeiten" des Benehmens, aber auch zu schrecklichen Gewaltthaten führen und das Schlimmste dabei ist, dass Niemand sagen kann, ob letzteres eintreten wird oder nicht. Wenn das Individuum eine Gewaltthat begeht wird nur auf Geistesstörung plaidirt, während wenn erstere nicht geschehen wäre, man vielleicht die Berechtigung bestritten hätte, den Mann wegen seiner „Excentricitäten" einer Irrenanstalt zu übergeben. Das beste Mittel die Geisteskrankheiten zu vermeiden wäre das Heirathsverbot für geistig Abnorme. Dieses durchzuführen ist aber nicht möglich. Richtige Erziehung kann bis zu einem gewissen Grade die erworbene, häufig zum Verbrechen führende Schwäche (nerve-weakness) corrigiren, das Verbrechen auszurotten vermag sie nicht.

Bucknill (28) definirt die Geisteskrankheit im forensischen Sinne als eine unfähigmachende Schwäche oder Störung des Geistes durch Krankheit (Insanity is incapacitating weakness or derangement of mind caused by disease), da die Unfähigkeit sich der Begehung der That zu enthalten stets die wichtigste Bedingung der Unzurechnungsfähigkeit bilden muss. An der Hand vieler verflossener Entscheidungen führt B. aus, dass das gegenwärtige englische Gesetz in Bezug auf die Behandlung geisteskranker Verbrecher nicht bloss unklar ist, sondern, wenn stricte ausgeführt, zu monströsen Consequenzen führen kann und empfiehlt dringend rationelle Massnahmen, insbesondere eine systematische Untersuchung der der Geistesstörung Verdächtigen durch beeidete Sachverständige, welche in öffentlicher Gerichtssitzung auszusagen und ihr Gutachten zu motiviren hätten.

Die von Giraud (29) auszugsweise gebrachten Fälle betreffen Geisteskranke, welche schwere Gewaltthaten begangen hatten u. z. 1) originär Verrückter, hochgradig erblich belastet, der sich für unfruchtbar hält, weil sein Same zu hell ist und deshalb behauptet, dass seine Kinder aus Ehebruch stammen, mit Gehörshallucinationen und Vergiftungswahn behaftet, erschiesst einen Nachbar ohne allen Grund und wird trotz des Gutachtens der Aerzte zu 20 Jahren Strafarbeit verurtheilt! 2) Mordversuch einer Frau an ihrem Manne im epileptischen Delirium. 3) Dreiundsechzigjähriger Mann, erblich veranlagt, der schon mehrere Selbstmordversuche unternommen, hatte seine Schwiegertochter angeblich in Folge eines Streites mit einem Stück Holz erschlagen. Kurz zuvor hatte er Vermögensverlust erlitten und ein Bruder von ihm war geisteskrank geworden. Die Beobachtung in der Irrenanstalt ergab melancholische Verrücktheit. 4) Ein 28jähriger Mann, welcher an Hallucinationen des Gesichtes und Gehöres laborirte, sowie theils an Verfolgungs- theils an Grössenideen, hatte seinen Vater auf freiem Felde erwürgt, die Leiche in einen Graben geworfen und mit Zweigen bedeckt. In der Irrenanstalt fand sich ausser den genannten Erscheinungen, Ungleichheit der Pupillen und schwere Sprache. 5) Ein 38jähriger Mann hatte seiner neben ihm im Bette liegenden Frau den Hals durchschnitten und sich selbst drei Wunden beigebracht. Die Untersuchung ergab beginnende progressive Paralyse mit Grössenideen. 6) Schwachsinn nach Typhus mit Verfolgungsideen bei einem 33jährigen Mann, der seine Schwägerin erstochen und seine Schwester verwundet hatte. 7) Mordversuch durch einen schwachsinnigen Hereditarier. 8) Misshandlung von Vater und Mutter durch einen Cretin.

Als Beweis, zu welchen Rechtsirrthümern die in England und Amerika von den Juristen festgehaltene Anschauung führt, dass das Unterscheidungsvermögen zwischen Recht und Unrecht das Kriterium der Zurechnungsfähigkeit bilde, theilt Bell (30) ausser dem Fall Guiteau folgende Fälle mit:

1) Fall Gouldstone, verhandelt in London 1883. G. hatte aus unbegründeter Furcht vor bevorstehendem Ruin drei seiner Kinder in einer Cisterne ertränkt und den zwei übrigen den Schädel mit einem Hammer eingeschlagen, darauf sagte er seinem Weibe: „Nun sind alle Kinder todt, ich werde gehängt und Du wirst allein sein" und dem Policeman: „Ich habe es gethan und bin nun glücklich und bereit für den Strick. Ich wollte es mit einem Revolver thun, habe jedoch meine Absicht geändert, weil ich dachte es würde zuviel Lärm machen". Die Mutter des G. war mehrere Jahre geisteskrank, hatte zweimal Selbstmord versucht, auch deren Schwester war geistesgestört, ebenso ein Cousin und eine Cousine väterlicherseits. Dr. Savage, welcher den G. nur $^1/_2$ Stunde untersuchen konnte (!) erklärte ihn mit Rücksicht auf die erwiesene Veranlagung von väter- und mütterlicher Seite aus für geisteskrank, diese Motivirung wurde aber vom Gerichtshof nicht acceptirt und Dr. S. musste zugeben, dass er an dem G. selbst keine Geistesstörung zu constatiren vermochte und dass derselbe jetzt und zur Zeit der That wisse und wusste, dass er etwas Unrechtes thue. Der Richter gab den Geschworenen mit Rücksicht auf die Parlamentsacte vom August 1883 die Rechtsbelehrung: „dass, wenn sie fänden, dass der Angeklagte zur Zeit der That geisteskrank (insane) war, sie ein Specialverdict in diesem Sinne abgeben müssten, wenn sie aber fänden, dass er, als er seine Kinder umbrachte, die Natur und Bedeutung (nature and quality) kannte und nicht geisteskrank (was not of unsound mind) war, so müssten sie ihn schuldig sprechen". Letzteres geschah auch und das Verdict lautete: „guilty of willful murder". Dieser Fall erregte ein grosses Aufsehen in England und veranlasste sowohl Dr. S. als Andere, namentlich den Obmann der Jury Briefe an die Redactionen der grossen Blätter zu richten, welche B. vollinhaltlich bringt und ersterer hat den Fall auch in der Januar-Nummer des Journ. of mental science besprochen, worin er verlangt, dass man alle Definitionen des Begriffes „Zurechnungsfähigkeit" ganz aufgebe und jeden Fall concret beurtheile. Man könne Geisteskrankheit ebensowenig definiren wie den Eindruck des Regenbogens oder einer Landschaft.

2) Fall Cole, verhandelt in London 1883. C. hatte seinen 3jährigen Sohn bei den Füssen gefasst und ihm den Schädel an der Wand zerschmettert, war dann davon gelaufen, indem er einem Manne zurief: „Ich habe mein Kind ermordet". C. stammt aus einer neuropathischen Familie, hatte sein Weib in Verdacht, dass sie Leute unter dem Boden verberge und ihn vergiften wolle, war wiederholt Nachts aufgesprungen schreiend, man wolle ihn ermorden, war intolerant gegen Alcoholica etc. Trotzdem wurde er des Mordes schuldig gesprochen. Der Richter sprach sich nach dem Verdict dahin aus, dass die Bemühung des Vertheidigers, C. als unzurechnungsfähig hinzustellen, mit Recht und im Sinne des englischen Gesetzes von den Geschworenen nicht acceptirt worden sei und sagte zu dem Verurtheilten: „Obgleich es erwiesen ist, dass Ihr an Wahnvorstellungen (delusions) gelitten habt, zweifle ich doch nicht, dass Ihr, als Ihr Euer Kind tödtetet, gewusst habt, dass ihr etwas Unrechtes thut und dass Ihr gegen das Gesetz dieses Landes handelt, und dass ihr es gethan habt unter dem Einfluss der Leidenschaft, welche Euch ergriff wegen Mangels genügender Controle, was zur Folge hatte, dass das arme Kind eines solchen Todes gestorben ist".

B. schliesst der Besprechung dieser Fälle einen darüber von Hack Tuke im Journal of Mental Science (January 1884) gebrachten Artikel an und die Mittheilung einer im Jahres-Meeting der psychiatrischen Gesellschaft in London gefassten und in der October-Nummer des genannten Journals vom J. 1883 p. 451 publicirten Resolution an, welche lautet: „Ein Verhafteter, welcher im Verdacht steht geisteskrank zu sein, soll sobald als möglich nach Begehung der That, wegen welcher er verhaftet wurde, durch Sachverständige gerichtlich untersucht werden. Es ist wünschenswerth, dass mit der Untersuchung betraut würden: der Arzt des betreffenden Gefängnisses, der Arzt der Irrenanstalt des betreffenden Bezirkes und ein practischer Arzt des Ortes, wo das Gefängniss sich befindet. Diese 3 Aerzte sollen nach gemeinschaftlicher Berathung dem Staatsanwalt (prosecuting counsel) ein Gutachten abgeben. Die Kosten der Untersuchung und Begutachtung hat die Staatskasse zu zahlen."

Everts (31) kommt in einer sehr scharfsinnigen Abhandlung über die Zurechnungsfähigkeit Geisteskranker zum Schlusse, dass wenn erwiesen ist, dass die Entwickelung und das Gedeihen der menschlichen Gesellschaft durch das Ueberwiegen zur Kraft und Activität constructiver Elemente über die Kraft und Activität retrogressiver oder destructiver Elemente bedingt ist, es nicht angeht, dass ersterer durch die Gesellschaft die ganze Last der letzteren aufgebürdet werde, und daher unverständig sei, wenn man eine ganze Klasse dieser „untüchtigen" (unfit) Elemente, nämlich die Geisteskranken, von der Zurechnung ihrer strafbaren Handlungen ganz ausschliessen will. Consequenter Weise müsste die Gesellschaft auch vor der Hinrichtung solcher Geisteskranker nicht zurückschrecken, falls dies für ihr Gedeihen als nützlich erkannt werden sollte. E. ist jedoch letzterer Meinung nicht, sondern hält die Todesstrafe überhaupt für einen Ueberrest des Barbarismus.

Dass gelegenheitlich auch socialistische Tendenzen Gegenstand gerichtlich-psychiatrischer Beurtheilung werden können, beweist ein von Krafft-Ebing (32) mitgetheilter Fall.

Er betrifft einen vagabondirenden, arbeitsscheuen und wiederholt abgestraften Bäcker, bei welchem, als er wegen Diebstahlsverdacht verhaftet wurde, gedruckte und von seiner eigenen Hand geschriebene socialistische Schriften gefunden wurden. Die meisten der letzteren waren Copien, Einiges hatte er selbst concipirt. Neben Unklarheit der Gedanken und des Stiles verrathen seine Elaborate eine nicht geringe Belesenheit und eine über seine Sphäre hinausgehende Kenntniss von Fremdwörtern, wissenschaftlichen Ausdrücken und selbst lateinischen Sprüchen. Seinen verlotterten Lebenswandel schreibt er der schlechten Gesellschaft zu, in die er schon mit 14 Jahren gerieth und erblickt sein und der Menschheit Heil im Socialismus, dessen Tendenzen er in phrasenhafter Weise entwickelt. Auf seinen abenteuerlichen Fahrten, auch nach Italien, wo er sich mit dem Wörterbuche forthalf, habe er theils von socialistischen Unterstützungsgeldern gelebt, theils gelegenheitlich in seiner Profession gearbeitet. K.-E. erklärt in seinem Gutachten: A. W. ist ein intellectuell und ethisch nicht schlecht angelegter, aber moralisch verkommener Mensch, eine Persönlichkeit, die ganz geeignet ist in dem neuen Evangelium des Socialismus für die eigene Person ein Heil zu erblicken und sich ihm zuzuwenden. Er ist aber kein Fanatiker, sondern ein Lump, der in dieser Lehre eine bequeme und erwünschte Lösung für die tiefe Stellung, in welche er zur Gesellschaft und zum Staat gerathen ist, sucht und findet Es ist weder eine erbliche Anlage zu Hirn- oder Nervenkrankheiten an ihm nachweisbar, noch eine Störung, welche in der Entwickelungsperiode seines Gehirns eingetreten wäre. Er bietet weder anatomische noch functionelle Entartungszeichen, noch Epilepsie oder eine sonstige Nervenkrankheit. Er ist weder intellectuell noch moralisch schwachsinnig und es lassen sich keine Wahnideen und Sinnestäuschungen constatiren. Die moralische Verkommenheit, Bösartigkeit und Gemeingefährlichkeit des Inculpaten entspricht nicht organischen inneren, sondern psychologischen äusseren Bedingungen — einer mangel- und fehlerhaften Erziehung."

Der von Puglia (33) und von Virgilio (34) besprochene Fall betrifft einen Arzt, welcher zuerst ein Weib durch einen Schuss verwundet und unmittelbar darauf seine eigene ihn anrufende Frau durch 5 Schüsse niedergestreckt hatte.

Der betreffende Arzt, Namens C., soll stets ein böser, unmoralischer und habsüchtiger Mensch gewesen sein, der aber, wenn es sein Interesse erheischte, sich wohl zu verstellen wusste. Auch soll er stets verschlossen, mürrisch und hypochondrisch gewesen sein. Seine Grossmutter von väterlicher Seite war angeblich hysterisch und in den letzten Lebensjahren geisteskrank, ein Onkel starb geisteskrank, die Mutter soll hysterisch und der Vater sehr nervös gewesen sein. C. heirathete zweimal, und zwar stets vermögliche Frauen. Die erste Frau wurde von ihm schlecht behandelt und starb nach 5 Jahren in mysteriöser Weise, angeblich in Folge der beständigen Misshandlungen. Im Verlaufe der zweiten Ehe soll er die Tochter aus einer angesehenen Familie, welcher von mehreren Aerzten, auch von C., wegen Schwächlichkeit und Kränklichkeit das Heirathen widerrathen worden war, geschwängert und sie dann, um den Verdacht von sich abzulenken, veranlasst habe, mit einem Anderen zu entfliehen. Ueberdies habe er versucht, als das Mädchen während der Schwangerschaft starb, durch verschiedene Machinationen das Vermögen derselben an sich zu reissen. Als dieses ruchbar wurde, verlor C. seine Clientel, und auf das Grab des Mädchens wurde ein Grabstein gesetzt mit dem Namen ihres „Mörders". Fünf Tage darnach beging C. den Doppelmord. Eine Ursache des letzteren war nicht nachweisbar, doch soll C. verschiedene Verfolgungsideen geäussert haben. Nach der That war er anfangs stuporös, später unruhig, wobei er Gott und die Heiligen anrief. Nach der Verhaftung benahm er sich ruhig, äusserte aber Verfolgungsideen und beschuldigte verschiedene Leute, auch seine Frau, der Spionage. C. zeigt einen dolichocephalen Schädel mit stark prognatem Gesicht und fliehender Stirne, krauses Haar und auffallend dunkelen Teint. C. wurde von verschiedenen Seiten verschieden beurtheilt. Die meisten denken an Verfolgungswahn, andere halten ihn für einen bösartigen vollkommen zurechnungsfähigen Verbrecher. Puglia ist aber der Meinung, dass man es bei C. mit einem „delinquente nato" zu thun habe, der den Doppelmord in einem durch die eigenthümlichen Umstände veranlassten Anfalle von „mania omicida" begangen hat.

Musso und Stura (35) berichten über einen typischen Fall von moralischem Irrsein.

Er betrifft einen 16j. von einem syphilitischen, dem Trunke und unordentlichen Lebenswandel ergebenen Vater abstammenden, wegen wiederholter Brandlegung inhaftirten Knaben. Derselbe zeigt kleinen Schädel, asymmetrisches Gesicht, voluminöse Kiefer, lange Arme, verminderte electrische Reizbarkeit. Schon mit 7 Jahren masturbirte er und ergab sich dem Trunke, war nicht zu bändigen, vagabundirte herum, bestahl seine Angehörigen, hielt bei keinem Meister aus u. s. w. Mit 8 Jahren entfloh er zu einer Seiltänzerbande, wo er sich, um die Glieder beweglicher zu machen, verschiedenen schmerzhaften Manipulationen unterzogen haben soll, theilweise unter Chloroformnarcose (?). Mit 11 Jahren kam er in ein Arbeitshaus, wo er sich höchst subordinationswidrig benahm und mit mehreren Genossen Feuer zu legen versuchte. Mit 12 Jahren versuchte er seine in der Wiege liegenden Brüder zu tödten und biss und misshandelte seine Mutter, als sie ihn daran verhinderte. Auch machte ihm das Martern von Thieren Vergnügen. Im Gefängnisse zeigte er völlige Gemüthlosigkeit und Undisciplinirbarkeit, erkrankte an schwerem Ileotyphus mit meningitischen Erscheinungen und leidet seitdem theils an epileptischen, theils an epileptoiden Anfällen mit „Dämmerungszuständen", in denen er einen Selbstmordversuch durch Strangulation beging.

Ein 15j. Bursche, über welchen Krafft-Ebing (36) berichtet, hatte in seinem Heimathsorte wiederholt Zettel gelegt, die Majestätsbeleidigungen, die unfläthigsten Dinge und Drohungen von Mord und Brandlegung enthielten, wodurch die Ortsbewohner in grosse Aufregung versetzt wurden. Er wusste den Verdacht auf verschiedene andere ihm missliebige Personen zu lenken und hat wahrscheinlich ein auf ihn begangenes Pistolenattentat nur simulirt, indem er sich die Kleider durchlöcherte und Schrotkörner unter diese brachte. Die Untersuchung ergab einen in der Pubertätsperiode begriffenen, geschlechtlich sehr erregbaren, geistig beschränkten originär abnormen, menschenscheuen, an Nervenschwäche, einem Herzklappenfehler und Anämie leidenden, wahrscheinlich erblich veranlagten Burschen mit brachycephalem an den Hirn- und Scheitelhöckern ungewöhnlich vorgebauchtem und in den Querdurchmessern abnorm entwickeltem Schädel, eigenthümlichem Ausdruck des Auges und schlaffer Haltung, ohne gemüthliche Erregbarkeit, der sich hartnäckig aufs Leugnen verlegt. Das Gutachten hebt die krankhafte Veranlagung, den Einfluss der Pubertät und der Onanie hervor, lässt aber die Frage, inwieweit der Bursche sich der rechtlichen Bedeutung seiner Handlung und ihrer Folgen bewusst war und daraus sich für die Begehung oder Unterlassung derselben entscheiden konnte, dahin gestellt. Das Verfahren wurde eingestellt.

Der 19jähr. Gymnasiast N., dessen Geisteszustand v. Krafft-Ebing (37) begutachtete, hatte seinen Lehrer mit einem Revolver zu erschiessen versucht, nachdem ihm auf seine Anfrage mitgetheilt worden war, dass er schwerlich Aussicht habe, bei der Maturitätsprüfung durchzukommen. N. stammt von einem nervenkranken Vater, ein Bruder hatte versucht sich zu vergiften, eine Schwester ist in der Entwickelung geistig und körperlich zurückgeblieben. Er war stets schwach begabt, jähzornig, verschlossen, zu extremen Gemüthsschwankungen geneigt, hatte wiederholt Selbstmordsgedanken und galt bei seinen Collegen als rappelköpfisch. Onanie war nicht nachzuweisen. N. hat einen kleinen schmalen Schädel und etwas schief stehende Zähne und zeigt sonst keine Degenerationszeichen. Vor der That war er erregt, nach derselben auffallend ruhig und gelassen. K. erklärte ihn in seinem Gutachten für einen organisch belasteten Menschen, der in die Categorie jener gehört, von welchen schon P. Zacchias sagt: Non sentiunt, non agunt, non ratiocinantur ut caeteri sanae mentis homines. Von den Geschworenen wurde N. freigesprochen.

Ein Herr in angesehener socialer Stellung, literarisch thätig und glücklicher Familienvater und früher stets von würdigem und normalem Verhalten, zeigt, wie Anjel (38) berichtet, in Intervallen vor mehreren Monaten bis zu einem Jahre ein gereiztes Wesen, fühlt sich seiner eigenen Angabe nach während dieser Zeit durch mehrere Tagen bis Wochen furchtbar aufgeregt, wird von den sonderbarsten Ideen gequält, zu den sonderbarsten Handlungen getrieben und vermag dann nur selten das Krankhafte seiner Gefühle zu bemeistern. Er bat seine Frau um möglichste Nachgiebigkeit, da ihn jede Opposition bis zur Wuth reize. Er laufe dann fort und sperre sich in sein Arbeitszimmer ein um der Gelegenheit zu einem Wuthausbruche zu entgehen. Schrecklich war seiner Frau besonders die Bitte, während einer solchen Periode die beiden Kinder, Mädchen von 9 und 11 nicht in seiner Nähe zu lassen, er fühle einen unbezwinglichen Drang zu kleinen Mädchen und sei nicht sicher, dass er nicht einmal das väterliche Verhältniss zu seinen Kindern compromittire. Selbst die Stimmen der Kinder im Nebenzimmer regen ihn geschlechtlich im höchsten Grade auf. Seiner perversen Sexualerregung vollständig bewusst, vermied er es in den letzten Jahren während einer solchen Periode auszugehen, um nicht kleinen Mädchen zu begegnen. Bevor er über das Eigenthümliche dieser vorübergehenden Krankhaftigkeit orientirt war, ging er absichtlich in entlegene Gassen spazieren oder passte auf Feldwegen weiblichen Schulkindern auf, und es gewährte ihm eine eigenthümliche Befriedigung, sich vor die Kinder hinzustellen und seine Genitalien zu entblössen. Aus Furcht vor Skandal habe er sich gehütet, die Kinder an sich zu locken, obwohl er einen unsagbaren Trieb dazu empfunden habe. Seit er aber diesen Zustand als krankhaft erfasst habe und seit er wisse, dass er in 8—14 Tage vorübergeht, sperre er sich für diese Zeit von jedem Verkehr ab, bleibe auf seinem Zimmer still brütend und abwechselnd von schrecklichen Angstgefühlen gequält oder werde von einer Unruhe beherrscht, die ihn durch alle Wohnräume treibt. Erbliche Belastung ist nicht nachweisbar. Als Ursache des Leidens wird ein vor 8 Jahren aus Anlass einer Panique in einem Concertsaale erlittener heftiger Schreck vermuthet. Dem Anfalle geht Unruhe und Schlaflosigkeit voraus. Der ganze krankhafte Vorgang lässt sich nach A. als sog. psychisches Aequivalent eines epileptischen Anfalles ansprechen. — Der zweite von A. beobachtete analoge Fall betrifft eine ruhige, nahe dem Climacterium stehende sehr gebildete Frau aus den besten Ständen. Dieselbe ist stark erblich belastet, litt in der Jugend und als Frau öfter an petit mal und war stets excentrisch und heftig, verhielt sich jedoch stets tadellos. Vor mehreren Jahren trat in Folge heftiger Gemüthsaufregungen ein hystero-epileptischer Anfall ein mit mehrwöchentlichem postepileptischem Irrsein. Seitdem bestand Insomnie, die nach einer Kaltwassercur in soweit sich besserte, als sie jetzt nur während der Menses auftritt und zugleich mit ihr ein Aufregungszustand, der A. nöthigte, der Frau während dieser Zeit jeden Ausgang zu verbieten, denn sobald sie ausging, was meist in Begleitung ihrer Dienerin geschah, suchte sie die im Walde Holz oder Beeren sammelnden Knaben von unter 10 Jahren an sich zu locken, sie zu herzen und deren Geschlechtstheile zu berühren. Während der Menses sprach sie zu A ungenirt von diesem Triebe und fand es selbst angezeigt, dass sie zu Hause bleibe, nach Ablauf der Menses verschwand dieser Trieb und die Kranke vermied ängstlich jedes Gespräch, was darauf Bezug hatte. Sie lebte dann sehr decent und will überhaupt niemals ein besonderes geschlechtliches Bedürfniss empfunden haben.

Zu Jastrowitz (39) kam ein Herr, der verstört aussah, mit den Worten: „Ich werde an Sie gewiesen, weil ich an Kleptomanie leide; ich bitte, mich zu heilen". Er erklärte sich für ganz unglücklich, da er eine unwiderstehliche Neigung habe, sich Gegenstände, die Weibern angehören, anzueignen. Schon der Anblick von Weiberwäsche erwecke diese Neigung. Er sei dabei ganz ohne Wollustgefühl. Sowie er die Sachen angefasst habe, sei es gut. Unter dem Einflusse eines solchen Antriebes habe er einer jungen Dame das Portemonnaie aus der Tasche gezogen und sei dabei gefasst worden. Er ist Clavierstimmer, 31 Jahre alt, verheirathet und hat 5 gesunde Kinder. Eine Schwester hatte als Kind Krämpfe, er selbst vom 9—11 Jahre mehrfach, vom 18—24 Jahre zweimal Ohnmachten. Vor einem Jahre zweimal Schmerzen im Hypochondrium, die bis in den Hals hinaufstiegen und fast 10 Stunden anhielten. Onanie wurde nicht geübt. J. dachte zunächst an Epilepsie, kam aber später zur Ueberzeugung, dass es sich um Zwangsvorstellungen handle, welche bei dem Manne in Folge seiner Beschäftigung, nämlich in Folge der anhaltenden monotonen, *den Hörnerv anstrengenden* Arbeit des Clavierstimmens *veranlasst* wurden. Diese Arbeit erzeugte *eine Reizbarkeit und* Schwäche im Gehirn und dadurch *eine Geneigtheit* zum Auftreten der erwähnten *Zwangsvorstellungen.* Der Principal des Mannes, ein *Pianofabrikant,* gab an, seine Stimmer würden oft sonderbare Kerle. Die Schuld daran trage das beständige Anstrengen des Gehörs, da sie den ganzen Tag mit dem Abstimmen der Instrumente in seinen Claviersälen beschäftigt seien. J. führt aus, wie jede durch was immer für Einflüsse, insbesondere geistige Ueberanstrengung, veranlasste erhöhte Impressionabilität oder Asthenie des Gehirns eine Geneigtheit zum Auftreten von Zwangsvorstellungen herbeiführe. Letztere haben die Bedeutung eines elementären Symptoms bei den verschiedensten Psychosen, welches sowohl bei degenerirten als kräftigen Gehirnen vorkommen kann. Das Auftreten von Zwangsvorstellungen ist gewöhnlich mit Angstzuständen verbunden, welche, wenn Heilung eintritt, in der Regel früher als die Zwangsvorstellung schwinden. Ungünstig ist die Prognose, wenn die Zwangsidee schwindet, die ängstliche Stimmung aber beharrt, oder wenn die Affecte abblassen und die kranken Vorstellungen bleiben.

Ein 65jähriger Mann, über welchen Frigerio (40) berichtet, hatte eine junge Frau geheirathet und laborirte seitdem unter dem Antriebe, die inneren Organe seiner Frau, insbesondere die Gebärmutter, sehen zu müssen! Um diesem Drange zu entgehen, hatte er sich auf Reisen begeben. Als er nach mehreren Jahren zurückkehrte und zum ersten Male wieder den Coitus ausgeführt hatte, zog er plötzlich ein langes Messer hervor und schlitzte damit seiner Frau den Bauch auf. Nach der That floh er nicht, sondern liess sich ruhig verhaften. In der Irrenanstalt war er anfangs ruhig und folgsam, später wurde er bis zum Excess religiös und bekam wiederholte maniacalische Anfälle. Schliesslich starb er an einem Lungenleiden. Die Section wurde nicht gemacht.

Ueber einen von einem Geisteskranken begangenen Nothzuchtsversuch (?) berichtet Marro (41):

Der 23jährige C. war in der Nacht zum Bette gekommen, wo die 25jährige F. mit ihrer Mutter schlief, hatte erstere betastet und war, als die Frauen zu schreien anfingen, verschwunden. Am anderen Tage überfiel er das Mädchen, versuchte es in seine Kammer zu ziehen und hielt es so fest mit seinen Armen umschlossen, dass er erst losliess, als ein herbeigekommener Mann ihn am Halse würgte. Verhaftet, gab er an, dass er das Mädchen nur habe küssen wollen. C. ist nicht erblich veranlagt, erlitt aber im 14. Jahre eine schwere Verletzung am Hinterhaupt durch einen Steinwurf und eine zweite am Scheitel durch Sturz von einer Höhe, wovon noch jetzt die Narben zu sehen sind. Seitdem Schwachsinn, schweigsames, mitunter wieder unbegründet lustiges und zeitweise verwirrtes Benehmen, welches er auch nach der Verhaftung zeigte. Die Sensibilität zeigte sich bei algometrischen Versuchen an der Eichel ungleich geringer als an anderen Körperstellen. Aus diesem Umstande, sowie daraus, dass C. in jener Nacht auffallend kalte Hände hatte und bei dem Angriff am nächsten Tage keinen eigentlich sexuellen Act unternommen hatte, schliesst M., dass das Vergehen des C. kein Nothzuchts-Attentat im engeren Sinne, sondern nur eine verirrte Handlung ohne eigentlichen *Zweck* und ohne klares Bewusstsein gewesen *ist, wofür* auch die Umstände sprechen, unter welchen sie *begangen* wurde. Epileptische oder epileptoide Anfälle waren nicht beobachtet worden.

Ein 49jähriger Mann, welcher angeblich 2 Kinder in seine Arbeitsstätte hineingerufen und genothzüchtigt hatte und welchen Krafft-Ebing (42) untersuchte, hat einen epileptischen Bruder, war früher dem Trunke ergeben und hatte vor Jahren durch Sturz vom Gerüst eine Kopfverletzung erlitten. Seitdem häufige Kopfschmerzen, die von der Stelle der erlittenen Kopfverletzung ausgehen, Morosität, Gereiztheit, Lebensüberdruss, Intoleranz gegen Alcoholica und zeitweilige Wochen- bis Monate dauernde Anfälle von Aufregung, Angst bis zum Verfolgungsdelirium, gefährliche Drohungen und Gewaltthätigkeit mit fehlender Rückerinnerung. Auch zur Zeit der angeblichen That befand er sich in einem solchen Zustande. Epileptische Anfälle waren niemals bemerkt worden, doch wurde der epileptoide Character der Erscheinungen schon früher vermuthet und Bromkali angewendet. K. vermuthet traumatische Reflexepilepsie mit transitorischer Bewusstseinsstörung und weist darauf hin, dass, wie neuere Gerichtsfälle lehren, in derlei epileptischen Bewusstlosigkeitszuständen nicht selten, dem intervallären Leben sonst fremde geschlechtliche Impulse und unzüchtige Handlungen vorkommen.

An den (cursorisch publicirten) Bericht Falk's (43) über 4 Fälle von an Mädchen unter 14 Jahren begangenen Vergehen gegen die Sittlichkeit, schliesst Lähr (44) die Mittheilung eines einschlägigen Falles.

Ein anständig gekleideter Mann geht durch ein Dorf, findet am Eingange desselben 3 Kinder spielend, darunter ein Mädchen. Er geht auf letzteres zu, wirft es hin, setzt sich, nimmt es auf den Schooss, steckt einen Finger in dessen Genitalien, setzt dann das schreiende Kind wieder hin, giebt ihm einen Silbergroschen und geht wieder fort. Abends wird dieser Mann in einem Gasthause verhaftet, gesteht die That und es ergiebt sich, dass er Chef eines angesehenen Handlungshauses ist und eine junge und hübsche Frau besitzt. Im Gefängnisse fällt er durch sein Verhalten auf, wird von dem Director einer Irren-Anstalt an 4 Tagen untersucht, der ihn aber für einen Simulanten erklärt. Die Anamnese ergab jedoch erbliche Belastung, zeitweise tiefe hypochondrische Verstimmung und grosse Reizbarkeit, verwirrtes Verhalten zur Zeit der That. Im Gefängnisse periodische Veränderungen des Wesens resp. Auftreten eines träumerischen apathischen Zustandes. Auch bei der Hauptverhandlung und nach erfolgter Freisprechung wegen Geistesstörung, apathisches Verhalten. Nach sechsmonatlichem Aufenthalt in einer Irren-Anstalt Genesung. Epileptische Anfälle waren niemals aufgetreten.

Weiss (45) hatte ein Gutachten über einen 25jähr. Mohamedaner abzugeben, welcher einen Knaben päderastisch missbraucht hatte. Der Mann ist schwachsinnig und laborirt an einer Art Veitstanz, Athetose seit 7 Jahren. Eine äussere Veranlassung für letztere Krankheit ist nicht nachweisbar. Sechs Brüder seines Vaters sollen an derselben Krankheit gelitten haben, waren jedoch geistig normal. Ein 40 Jahre alter Cousin väterlicherseits ist mit demselben Leiden behaftet.

Bezüglich der Unthat des Soldaten Misdea, welcher bekanntlich in einem Wuthanfalle mehrere Kameraden durch Schüsse theils getödtet theils verletzt hatte, sind Lambroso und Bianchi (46) der Meinung, dass sie in einem Anfalle von larvirter Epilepsie geschehen sei. M. stammt aus einer psycho- und neuropathischen

wofür
begangen
waren

..amilie, hat einen kleinen asymmetrischen, plagiocephalen Schädel, unverhältnissmässig vorstehende Backenknochen, ist mit leichtem Strabismus convergens links behaftet, masturbirte seit dem 6. Jahre und excedirte später mit Weibern, war stets ein leidenschaftlicher reizbarer Character, litt an Vertigo und Schlafsucht und hatte in dem letzten Jahre 3 entschiedene epileptische Anfälle. Das geringfügige Motiv und die verhältnissmässige Brutalität der That, die ungewöhnliche Kraft, welche M. entwickelte und der tiefe Schlaf, in welchen er am Abend nach der That verfiel, sprechen trotz der fehlenden Amnesie für „psychische Epilepsie". Dem Berichte ist ein allerdings schlecht gemachtes Portrait des M. beigegeben.

Der von Wollner (47) mitgetheilte Fall betrifft eine Mania transitoria auf epileptischer Grundlage.

Der 23jährige Mann war nach einem Rausche zusammengestürzt und in tiefen Schlaf verfallen und nach einigen Stunden erwacht, hatte dann ängstlich und verstört aussehend das Haus verlassen, sich zu einer Frau begeben, die er nach einigen gleichgültigen Worten plötzlich und ohne allen Grund mit einem Tranchirmesser überfiel und durch 20 Stiche verwundete, dann eine Vase zerschmetterte und entlief. Verhaftet, geberdete er sich sonderbar, was als Simulation aufgefasst wurde, schlief in der Nacht ruhig und erwachte mit vollständiger Amnesie. Die Anamnese ergab epileptische Anfälle und wiederholte vorübergehende geistige Störungen, sowie häufigen unmotivirten Wechsel seines Characters und Betragens. W. sprach sich somit für epileptische Geistesstörung zur Zeit der That aus und das Medicinal-Comité schloss sich dieser Anschauung an.

Tamburini (49) beginnt eine Reihe von Mittheilungen über Fälle von Dipsomanie und Alcoholismus in forensischer Beziehung.

Vorläufig bringt er einen Fall von Dipsomanie, der einen jungen Mann aus guter Familie betrifft, welcher bis dahin psychisch normal sich verhaltend, vom 16. Jahre angefangen in unregelmässigen Intervallen sich dem Trunke ergab und während dieser Zeit verschiedene Excesse und schliesslich Betrügereien beging. In den Zwischenzeiten verhielt er sich vollkommen normal und auch als er schliesslich der Irrenanstalt übergeben wurde, zeigte er keine Spur einer Geistesstörung, doch eine gewisse Aufregung und veränderten Gesichtsausdruck, wenn ihm zeitweise grössere Rationen Wein gegeben wurden. Geisteskrankheiten waren in der Familie nicht vorgekommen, doch waren mehrere Angehörige an Hirnkrankheiten gestorben. Degenerationszeichen wurden nicht gefunden. Vom Gericht wegen Unzurechnungsfähigkeit freigesprochen, benahm er sich einige Zeit ordentlich, wurde jedoch wieder recidiv und musste abermals der Irrenanstalt übergeben werden.

Fritsch (50) berichtet über einen mit Alcoholismus chronicus behafteten Mann, der im „pathologischen Rauschzustand" sein Kind mit einer Hacke erschlagen, seine Geliebte lebensgefährlich verwundet und dann sich selbst mit der Hacke Hiebe auf den Kopf versetzt hatte, bis er zusammenstürzte. Bei der Hauptverhandlung war den Gerichtsärzten, welche über die Todesart des Kindes und die Verletzung des Weibes auszusagen hatten, eine linksseitige Facialisparalyse und Zittern der Zunge aufgefallen und sie hatten deshalb die psychiatrische Untersuchung beantragt. Letztere ergab fortschreitende körperliche und psychische Entartung durch Alcoholmissbrauch. Eine Erkrankung an Typhus und an Wechselfieber, sowie eine schwere Vergiftung durch Cloakengas, welche der Untersuchte als Canalräumer durchzumachen hatte, hatte die Degeneration offenbar beschleunigt. Im Laufe der letzten Jahre waren viermal hallucinatorische Delirien aufgetreten. Der That war ein neuerlicher Missbrauch von alcoholischen Getränken und ein Streit mit der Geliebten vorausgegangen. Unmittelbar nach der That war die Erinnerung vorhanden, später nahezu vollständige Amnesie. Die gerichtliche Verfolgung wurde eingestellt und der Mann einer Irrenanstalt übergeben.

Um einen sog. pathologischen Rauschzustand handelte es sich in einem von Krafft-Ebing (52) mitgetheilten Falle.

Der Mann hatte vor Jahren durch Auffallen von Steinen auf den Kopf eine schwere mit Bewusstlosigkeit verbundene Kopfverletzung erlitten, wovon noch jetzt eine Narbe am Hinterhaupt besteht. Seitdem auffällige Intoleranz gegen Alcoholica und andere congestionirende Einflüsse. Nach dem Genusse grösserer Mengen von Most war derselbe in einen tobsuchtsartigen Anfall mit nachträglicher Amnesie gerathen, während dessen er gefährliche Drohungen ausgestossen hatte.

Die von Liman (55) mitgetheilten Processe waren beide gegen Personen gerichtet, die während der Untersuchungshaft geisteskrank wurden, aus der Anstalt entlassen und vor die Geschworenen gestellt worden sind.

Im ersten Falle bezichtigt die Z. sich selbst der viermaligen Fruchtabtreibung und einen gewissen H. als Schwängerer und Beihelfer. Gleich beim ersten Verhör erschien sie geisteskrank, wurde zur Charité befördert, wo sie L. maniakisch erregt fand. Von dort wurde sie als unheilbar einer Irrenanstalt und von dieser an eine zweite übergeben, von wo sie nach längerer Zeit als geheilt entlassen wurde. Mittlerweile war die Untersuchung gegen H. eingeleitet worden, wobei die nun genesene Z. angab, sie habe sich, als sie von H. zum ersten Male geschwängert wurde, auf dessen Rath zu einer Hebamme begeben, die für 100 Mk. die Fruchtabtreibung unternahm, indem sie eine Stricknadel in die Gebärmutter einführte, welchen Vorgang sie in Zwischenräumen von mehreren Tagen etwa 12mal wiederholte, bis eines Tages blutiges Fruchtwasser erschien. Die Entbindung von einem 4—5monatlichen Fötus erfolgte nach 3 Tagen. Nach 6 Monaten abermals schwanger begab sie sich wieder zu jener Hebamme, welche sie diesesmal wieder um 100 Mk, jedoch mit Einspritzungen „behandelte", indem sie einen mit Mandrin versehenen Catheter einführte und nach Entfernung des Mandrins 4 Einspritzungen machte. Das Mädchen bekam furchtbare Schmerzen, abortirte aber nicht. Nach einigen Tagen wurde die Operation wiederholt, der nicht so lebhafte aber andauernde Schmerzen und am 3. Tage der Abort folgte. Bei der 3. Schwangerschaft wurde in gleicher Weise vorgegangen und der Abort erfolgte am nächsten Tage. Das 4. Mal spaltete sich der Catheter bei der Einführung, so dass keine Einspritzungen geschahen, der Abortus trat jedoch trotzdem nach einigen Tagen ein. Bei der 5. Schwangerschaft drang H. auf abermalige Abtreibung und kaufte selbst einen neuen Catheter und Spritze, die auch gefunden wurden, doch kam es vor Anwendung dieser zu Zerwürfnissen und der Denunciation. Im Termin, zu welchem 8 Aerzte (!) als Sachverständige geladen waren, gab L. folgendes Gutachten: die Z. befindet sich auch heute nicht in normaler Gemüthslage, aber ihre intellectuellen Fähigkeiten sind nur formal gestört. Sie ist verhandlungsfähig. Sie war geisteskrank, wahrscheinlich schon zur Zeit der 3. Fruchtabtreibung. Ihre Angaben über letztere erscheinen glaublich, insofern sie nicht den Character von Wahnvorstellungen haben, sondern wirklich Erlebtes referiren. — Im zweiten Falle hatte ein Mädchen ihrem untreuen Geliebten Schwefelsäure ins Gesicht gegossen, was den Tod desselben zur Folge hatte. Die Geistesstörung scheint durch die Nachricht von der Verlobung ihres Geliebten hervorgerufen worden zu sein. Zur Zeit der That laborirte sie entschieden an Wahnvorstellungen. In der Charité wurde sie als geisteskrank erkannt und nach längerer Zeit nach dem Gefängnisse als geheilt entlassen. Im Termin konnte sie ihre Wahnvorstellungen immer noch nicht corrigiren. L. plaidirte für sehr erhebliche Beeinträchtigung der freien Willensbestimmung, der Staatsanwalt verlangte den vollständigen Ausschluss der letzteren. Die Geschworenen sprachen das Nichtschuldig.

Beide Fälle, insbesondere der der Z. wurden in der Berliner medicinischen Gesellschaft Gegenstand einer Discussion, in welcher zunächst Mendel die die Ansicht vertritt, dass der Arzt nur die Frage beantworten sollte, ob ein Zustand von Bewusstlosigkeit oder krankhafter Störung der Geistesthätigkeit vorhanden sei, die Frage aber, ob dadurch die freie Willensbestimmung ausgeschlossen werde, dem Gerichte zu überlassen habe. Er hält die Z. für entschieden geisteskrank, glaubt aber mit L., dass sie vernehmungsfähig war, obgleich ihre Aussagen nie die Gewähr einer vollgültigen Zeugin bieten konnten. — Auch Ebel, einer der Sachverständigen, hält die Z. für geisteskrank. — Virchow schliesst sich, indem er die Entstehungsgeschichte des § 51 bespricht, der Ansicht Mendel's an und bemerkt, dass die wissenschaftliche Deputation auch der Meinung war, dass auch die Constatirung der „Bewusstlosigkeit" nicht immer unter die Competenz ärztlicher Beobachtung gestellt werden müsse, sondern in gewissen Fällen, z. B. bei Trunkenheit, dem Gerichte anheimfalle. Nur die „krankhafte Störung der Geistesthätigkeit" wurde als die eigentliche Sedes materiae für die ärztliche Einwirkung betrachtet. Liman erwidert darauf, dass mit einer so haarscharfen Spaltung der Competenz die Rechtspflege nicht weiter kommt und dass er, da der Arzt nur ein Urtheil ausspricht, keineswegs aber verurtheilt, darin keine Competenzüberschreitung erblickt, wenn dieser sich, wie z. B. in anderen Fällen über Erwerbsfähigkeit, bei Geisteskranken über deren Zurechnungsfähigkeit ausspricht. L. hält die Z. nicht für geisteskrank im Sinne des Gesetzes, denn hätte er sie dafür gehalten, so hätte er sie auch für verhandlungsunfähig erklärt.

Hitzig (56) motivirt in einem besonderen Aufsatze sein Gutachten, womit er die Z. für geisteskrank erklärte. Die Z., eine erblich belastete Person, hat aller Wahrscheinlichkeit nach an einer Puerperalpsychose im weiteren Sinne gelitten. In den Zwischenzeiten erholte sie sich wieder. Sie war geisteskrank „im Sinne des Arztes", ob auch „im Sinne des Gesetzes", überlasse er dem Richter. Die Aussagen der Z. hält H. für glaubwürdig. Er kritisirt ferner scharf das Verhalten des Staatsanwaltes, welcher sich abfällig über die Psychiatrie geäussert hatte und kann den „practischen Standpunkt", an welchem L. gegen seine sonstige Ueberzeugung festhält, nicht billigen, indem er ihm die Worte seines eigenen Handbuches entgegenhält: „denn wenn auch die Befugniss des Richters, in jedem einzelnen Falle die Fragen zu stellen, wie er will, nicht bestritten werden soll, so wird doch auch dem Arzte das Recht nicht streitig gemacht werden, zu antworten wie er kann."

Langreuter (57) verwehrt sich mit Rücksicht auf eine Bemerkung Hitzig's gegen den Vorwurf, dass die Beobachtung der Z. in der Irrenanstalt eine ungenügende gewesen sei.

Ein 27jähr. Mann, über welchen Ziino (58) berichtet, hatte in der Nacht seinen Vater, mit welchem er in einem Bette schlief, mit einem Beile ermordet. Derselbe, früher gesund und arbeitsam, zeigte seit einiger Zeit ein schlechtes Aussehen und melancholisches Verhalten und consultirte einen Arzt wegen Impotenz, dem er auch zugestand, dass er masturbire. Gleichzeitig bestand eine grosse Reizbarkeit, und er hatte eine Schwester schwer verletzt, bloss weil sie ihn auslachte. Auch erklärte er, nicht mehr arbeiten zu können, weil ihm die Kräfte dazu fehlen. Dass ihn trotzdem der Vater zur Arbeit anhielt und ihn wegen seiner Trägheit schalt, scheint der Grund zur blutigen That gewesen zu sein. Erbliche Veranlagung war nicht nachweisbar, auch keine Degenerationszeichen. Die Diagnose lautete hypochondrische Verrücktheit.

Zwei typische Fälle von Verfolgungsquerulantenirrsinn bei Sträflingen mit vieljähriger Verkennung der geistigen Erkrankung bringt v. Krafft-Ebing (59).

Der eine dieser auszugsweise nicht wiederzugebenden Fälle betraf einen wegen Brandstiftung, angeblich unschuldig, zum lebenslänglichen Kerker verurtheilten Mann mit Degenerationszeichen, der einige Jahre vor der incriminirten That eine schwere Kopfverletzung erlitten hatte, der zweite einen wegen wiederholter Diebstähle verurtheilten Sträfling, der ein ganzes Tagebuch über seinen Process und seine angeblich unschuldige Verurtheilung geschrieben hatte. Bei beiden war grosser Redefluss, Rabulistik und ansehnliche Gesetzkenntniss vorhanden.

Ein von Fritsch (61) mitgetheilter Fall betrifft einen 21jähriger Mann, der sich als unehelicher Sohn eines Fürsten ausgegeben, an sich selbst Briefe von hochgestellten Persönlichkeiten geschrieben, sich falsche Namen beigelegt, auf ein gefälschtes Sparkassenbuch Geld ausgeliehen, zwecklose Reisen unternommen hatte u. s. w. Die Untersuchung ergab einen kleinen, abnorm gebildeten Schädel, Asymmetrie des Gesichtes, mimische Schwäche links, kleine Ohren ohne markirte Läppchen, auffallende Kleinheit des Unterkiefers und des linken Hodens, Anämie und schwächlichen Körperbau. Als Kind litt er an Wasserkopf und Fraisen, genoss zwar den Schulunterricht in entsprechender Weise, soll aber schon damals „geisteszerrüttet" sich gezeigt und an Verfolgungswahn gelitten haben. Die Untersuchung ergab originären Schwachsinn und Unzurechnungsfähigkeit.

Eine von Krafft-Ebing (62) untersuchte 28jähr. Frau, welche sich selbst und ihre 7jähr. Tochter mit Arsenik zu vergiften versucht hatte, ergab sich als eine schwächliche, von Jugend auf mit nervösen Beschwerden behaftete, geistig beschränkte, seit jeher bigotte Person, welche seit einer Missionsbeichte in religiöse, mit Wahnvorstellungen und Angstzuständen verbundene Melancholie verfiel und in einem Anfalle von Präcordialangst und unter dem Einflusse der Idee, verloren und dem Teufel verfallen zu sein, die That begangen hatte.

Nach einem Ausfall gegen die Schule der Positivisten berichtet Ziino (63) über einen an der schwachsinnigen D'A. ausgeführten Betrug und die aus diesem Anlass eingeleitete gerichtliche Untersuchung des Geisteszustandes dieser Person.

Der 34jähr. D'A. wurde eines Tages von ihren zwei Brüdern eine Quantität Schwämme gebracht, mit der Aufforderung, ihnen dieselben zu kochen. Die D'A. weigerte sich anfangs, da ihr die Schwämme verdächtig vorkamen, dieses zu thun, folgte jedoch schliesslich der wiederholten Aufforderung, worauf alle drei von der Speise assen und sämmtlich unter Vergiftungserscheinungen erkrankten. Die zwei Brüder starben, die D'A. aber, welche vorsichtiger Weise nur wenig gegessen hatte, genas. Wenige Tage nach dem Tode der beiden wurde sie unter dem Vorwande, dass sie behufs Beseitigung der Folgezustände der Vergiftung einen Arzt consultiren müsse, statt zu diesem zu einem Notar geführt, wo man sie einen Contract unterfertigen liess, durch welchen sie einen grossen Theil ihres von den Brüdern ererbten Vermögens an die Leute abtrat, die sie zum Notar geführt hatten. Ein anderer Verwandter wollte noch den Rest des Vermögens auf gleiche Weise erlangen; die Ausfertigung des Contractes wurde jedoch verweigert, da dem Notar und den Zeugen die Geistesschwäche der D'A. aufgefallen waren. Nachdem die Sache ruchbar geworden, wurde auch die Rechtsgültigkeit des ersten Contractes angefochten und deshalb die gerichtliche Untersuchung des Geisteszustandes der D'A. eingeleitet. Die Anamnese ergab angeborenen hochgradigen Schwachsinn und Fehlen der Dispositionsfähigkeit. Die Frage, ob durch die vorausgegangene Vergiftung der Schwachsinn wesentlich vermehrt worden sei, wurde negirt.

Shuttleworth (64) behandelt die Frage der Zurechnungsfähigkeit unterrichteter Blödsinniger und zwar aus Veranlassung eines im Royal Albert Asylum von einem blödsinnigen Knaben an einem anderen begangenen Todtschlages. Ersterer war von letzterem durch Wegziehen der Bettdecke geneckt worden, hatte diesen in Gegenwart anderer blödsinniger Knaben zu Boden geworfen und dessen Kopf so gegen den Boden gestossen, dass der Tod durch Fractur des abnorm dünnen Schädels erfolgte. Beim Coroner-Inquest wurden 3 der bei der That gegenwärtig gewesenen Knaben, nach einer von Sh. abgegebenen Aeusserung, dass sie zwischen wahr und unwahr zu unterscheiden vermögen, beeidet (! Ref.) und verhört, worauf die Jury auf Todtschlag erkannte. Bei der nun folgenden „Magisterial inquiry" wurde von der Vertheidigung die Fähigkeit der Knaben zur Abgabe eines rechtsgültigen Zeugnisses mit Rücksicht auf Archbold's Ausspruch: „an idiot shall not be allowed to give evidence" bestritten. Die Richter meinten jedoch, dass gegenwärtig, da Anstalten für den Unterricht von Idioten bestehen und die betreffenden Knaben thatsächlich einen solchen Unterricht genossen hatten, die Fähigkeit zur Zeugnissabgabe denselben nicht absolut abgesprochen werden könne. Es sei jedoch früher zu constatiren, ob die Knaben eine genügende Vorstellung von Religion und von der Bedeutung eines Eides haben. Sh. berichtete darauf zunächst bezüglich des einen Knaben, dass dieser zu sagen wisse, dass lügen eine Sünde sei und dass diejenigen, welche lügen, nachdem sie die Bibel geküsst haben, eingesperrt werden und nach dem Tode zu dem schwarzen Manne mit der Gabel kommen, weiter dass dieser Knabe nur etwas (imperfectly) lesen und schreiben könne und obgleich erst 15 Jahre alt schon als tüchtiger Arbeiter im Hause verwendet werde. Der Junge wurde nun vorgerufen und über Religion und die Bedeutung des Eides befragt, gab aber ebenso wie die anderen Knaben solche Antworten, dass die Behörden erklärten, dass „his evidence was not admisible. Der Angeklagte wurde nun vor die Assisen gebracht, woselbst die grosse Jury fand, dass „the prisoner was not able to plead" und hinzufügte, „that he was not answerable for his acts". — An diesen Fall knüpft Sh. einige Bemerkungen über die Dispositions- und Zurechnungsfähigkeit unterrichteter Idioten und meint, dass sich in dieser Beziehung keine allgemein gültigen Regeln aufstellen lassen, sondern dass jeder Fall concret aufzufassen sei. Die Fähigkeit der Selbstbesorgung ihrer Angelegenheiten, sowie die zur Eingehung von Verträgen und Eheschliessungen müsse allerdings stets negirt werden. Wenn aber die Sache, über welche sie ein Zeugniss abzulegen haben, ihrer Fassungskraft entspricht, kann ihnen die Eignung zur Abgabe einer gültigen Evidence nicht abgesprochen werden, ebenso sei es gefährlich, allen solchen Idioten die Zurechnungsfähigkeit vollkommen abzusprechen resp. sie nicht zu bestrafen.

Um eine wahrscheinlich simulirte und zwar von einem geisteskranken Epileptiker simulirte Amnesie handelte es sich in dem von Sommer (65) mitgetheilten Falle.

Derselbe betrifft einen 42jährigen, erblich nicht belasteten, aber dem Trunke hochgradig ergebenen Dachdecker (!), welcher, wie er 10 Tage darnach bis ins Detail eingestand, auf Anstiften eines Anderen ein Wirthschaftsgebäude in Brand gesteckt hatte. Noch am Vormittag dieses Tages erschien er vollkommen normal, am Nachmittage dagegen erschien er unruhig, war verwirrt und geängstigt, welcher Zustand etwa 12 Tage dauerte und für Delirium tremens gehalten wurde. In die Irrenanstalt gebracht und dort durch 6 Wochen beobachtet, zeigte er keine Zeichen von Geistesstörung, behauptete aber an Epilepsie und Schwindel zu leiden, was mit seinem Gewerbe unvereinbar schien, und selbst von seiner eigenen Frau negirt wurde. Am Kopfe wurden zwei mit Knochendepression verbundene Narben gefunden, die von einem vor 1 bis 2 Jahren angeblich erfolgten Sturz vom Dache herrühren sollten. Thatsächlich wurde ein nächtlicher epileptischer Anfall in der Anstalt beobachtet, bei welchem aber Simulation nicht absolut ausgeschlossen werden konnte. Auffallend war, ausser dem Bestreben, sich als epileptisch hinzustellen, dass er weder von dem Brande, noch von dem abgelegten Geständnisse auch nur das Geringste wissen wollte, welche Angabe ganz unglaubwürdig erschien. Das Gutachten wurde dahin abgegeben, dass D. mit grosser Wahrscheinlichkeit simulire, wenn er schon zur Zeit der That geisteskrank gewesen sein wolle. Doch könne dies nicht absolut behauptet werden, da Inculpat nach dem ersten Verhöre factisch geistig erkrankte und zweifellos unter einer erworbenen Disposition zum Irresein stehe. Die Folge zeigte, wie berechtigt diese Reserve war, da D. wenige Wochen danach im Gefängnisse wiederholte epileptische Anfälle bekam, denen Dämmerzustände mit ängstlichen und schreckhaften Hallucinationen folgten, und in deren einem er unerwartet starb. S. hält trotzdem die Amnesie bezüglich der incriminirten That für simulirt, was er des weiteren ausführt.

Als Beispiel von ungewöhnlicher Willensenergie und Ausdauer bei einem Simulanten wird von Landgraf (66) folgender Fall mitgetheilt:

Der 42jähr., wiederholt wegen Diebstahl abgestrafte B. war wegen dreier, unter erschwerenden Umständen begangener Diebstähle neuerlich zu 10 Jahren Zuchthaus verurtheilt worden. Im letzteren benahm er sich gut, bis er in die Krankenabtheilung transferirt wurde. Hier suchte er pantomimisch auszudrücken, dass er heftigen Kopfschmerz habe, hielt zugleich die Augen fest verschlossen, hörte nichts mehr, gab keinen Laut von sich und stellte sich vollständig blöde. In diesem Zustande verharrte B. volle 8 Jahre und legte auch nach überstandener Strafzeit sein Verhalten nicht ab. In einem Privathause untergebracht, verhielt er sich anfangs ruhig, verschwand jedoch in einer Nacht und wurde erst nach 12 Tagen aufgegriffen, nachdem er wiederholte Diebstähle begangen und dabei vorsichtig und mit einer grossen Behendigkeit vorgegangen war. Hierbei hatte er die Augen offen und war spähend gesehen worden. Trotzdem war er nach der Verhaftung wieder blind, taubstumm und blöd. Die Untersuchung auf der Augenklinik ergab vollkommen negativen Augenspiegelbefund, keine Anhaltspunkte für eine centrale Erkrankung und durch habituelle Verdrehung der Augen nach oben acquirirten Nystagmus. Um ihn zu täuschen, wurde in seiner Gegenwart bemerkt, dass Taubstumme, eine schwingende Stimmgabel zwischen die Zähne gesteckt, durch den Mund hören, und B. ging in die Falle. Im Untersuchungsgefängniss ass er nur, wenn ihm Schüssel und Löffel in die Hand gegeben wurden, und liess durch 3 Tage Speise und Trank unberührt, als dies absichtlich unterlassen wurde. Auch bei der Hauptverhandlung blieb B. bei seinem Verhalten. Die Gerichts- und Irrenärzte sprachen sich sämmtlich für zweifellose Simulation aus, doch liessen sie die Möglichkeit offen, dass B. unter dem Einflusse einer Geistesstörung (Moral insanity) eine so ungewöhnliche Ausdauer und Energie bei seiner Simulation entwickelt habe. B. wurde wieder zu 10 Jahren verurtheilt. In der Isolirzelle blieb er 8—10 Wochen apathisch. Eines Morgens fand ihn der Aufseher mit offenen Augen, freudig grinsend und andeutend, dass ihm etwas im Kopfe gerissen sei und er nun wieder sehen könne. Fortan arbeitete er ruhig an der Haspelmaschine, simulirte aber die Taubheit bis zu seinem bald an Tuberculose erfolgten Tode. Die Untersuchung der Augen, der Gehörorgane und des Gehirns ergab ganz normale Verhältnisse.

[Björnström, Sinnessjukdomar och abnorma sinnestillstand, betraktade hufoudsakligen från rättsmedicinsk synpunkt. Stockholm. 1883.

Eine von einer bedeutenden Casuistik (47 Fälle rechtsmedicinischer Erklärungen über Gemüthsbeschaffenheit) begleitete kurzgefasste Darstellung des gegenwärtigen Standpunktes der Rechtspsychologie. Der Verf. behandelt besonders die Frage der Zurechnungsfähigkeit und bespricht besonders die einzelnen Gemüthskrankheiten und abnormen Gemüthszustände, indem er für jedes derselben erst eine pathologische Skizze, demnächst ihre forensische Bedeutung darlegt.

Joh. Møller (Kopenhagen).

Wallgren, Simuleradt blodhosta och blodkräkning. Upsala läkareFören. Förhandl. Bd. 19. p. 372. (Eine 15jährige chlorotische Pat. simulirte Bluthusten durch nächtliches Ausdrücken eines Blutegels in das Spuckglas.) **F. Levison** (Kopenhagen).

Blumenstok, Watpliwy stan umyslowy. Morderstwo. (Zweifelhafter Geisteszustand. Mord.) Przegl. Lekarski. No. 12 u. 24.

Förster Joh. K. sass in einem Wirthshause mit dem Zimmermeister Ign. S., dessen Bekanntschaft er einen Tag vorher gemacht hatte, und sie tranken im Verlaufe von mehr als 10 Stunden eine ziemlich grosse Quantität Branntweins. Dabei unterhielten sie sich gemüthlich, sangen und küssten einander gegenseitig. Plötzlich ohne jeden Grund rief K. dem Zimmermeister zu: „Jetzt werde ich Dich erschiessen." S. nahm dies als Scherz auf und erwiderte: „Herr Förster, Sie werden dies nicht thun." K. sprach darauf (deutsch): „Ja, gleich bist Du todt!" stand auf, nahm seine Doppelflinte, die scharf geladen war, zielte auf S., als dieser eben aufgestanden war und schoss. S. fiel zu Boden, die Kugel ging ihm durch den Leib. Als K. dies sah, fragte er (deutsch): „Was ist geschehen, wer hat das gemacht? Die Kinder haben das gemacht!" Ging dann in der Stube herum, betrachtete den Todten und verliess bald darauf das Wirthshaus.

Sein Benehmen war anscheinend ganz ruhig, nur als man ihn arretirte und aufforderte, in das Wirthshaus zurückzukehren, sprach er: „Ich werde diesen Weg theuer bezahlen." Er machte nicht den Eindruck eines Betrunkenen, der nicht weiss, was er thut. Als er im Wirthshause die Leiche des Zimmermeisters sah, wollte er nicht zugeben, ihn jemals gekannt zu haben. Hierauf setzte er sich nieder und versank in Nachdenken, bedauerte den Getödteten, betheuerte, dass er des Mordes nicht schuldig sei, machte einige Fragen über den Vorfall und äusserte dann, dass er die Doppelflinte ergriffen habe und dass sie dabei zufälligerweise losfeuerte.

Die Untersuchung wies nach, dass in der Familie des K. Niemand geisteskrank war. Sein Lebenswandel war bisher tadellos, er war freundlich und sanft, nur betrank er sich öfters mit Bier, manchmal mit Wein und sehr selten mit Branntwein. Schon eine geringe Menge eines alcoholischen Getränkes wirkte auf ihn aufregend, in solchen Fällen wurde er gewaltthätig und wurde deshalb von Allen gemieden.

Seitdem er zum letzten Male den Posten eines Försters antrat, wurde er trübsinnig, und wähnte, dass ihm die Verwaltung Unrecht thue, dies soll auch die Veranlassung gewesen sein, dass man ihn öfters im betrunkenen Zustande sah. Ein Zeuge gab an, dass K. in der letzten Zeit an Verfolgungswahn litt. Die zuerst befragten Experten gaben an: „dass es sehr wahrscheinlich und möglich ist, dass K. nach dem Genusse einer grösseren Menge Branntweins unter der schädlichen Wirkung des Alcohols die That vollführte im Zustande einer vorübergehenden Bewusstlosigkeit." Die Krakauer medicinische Facultät um ihre Meinung befragt, gab sie dahin ab: „dass K. im Augenblicke der That sich im Zustande einer bewusstlosen Geistesstörung befand." Als Gründe dieses Gutachtens wurde angeführt:

1) Die Vergangenheit des Angeklagten und zwar der Missbrauch geistiger Getränke bei einer verminderten Widerstandsfähigkeit, die man wahrscheinlich als ein Zeichen der schon bestehenden Degeneration betrachten muss; 2) die Geistesschwäche, die man in den letzten Jahren bei K. beobachtete; 3) der 10 Stunden dauernde Suff; 4) der Mangel jedes Beweggrundes zur That; 5) die plötzliche Ausführung der Handlung; 6) das Benehmen nach der That und 7) die Amnesie.

Das Gericht stellte nach diesem Gutachten die Untersuchung ein.

Verf. führt an, dass solche Fälle selten sind und glaubt, dass in denselben der Gerichtsarzt seinem Gutachten nicht die Zeugenaussagen, noch weniger die Angaben des Angeklagten zu Grunde legen dürfe, sondern er habe durch passende Fragen die Amnesie zu ermitteln und die falsche Meinung richtig zu stellen, als bildeten vollständige Bewusstlosigkeit und Herumtaumeln die einzigen und nothwendigen Merkmale einer die Besinnung aufhebenden Trunkenheit.

Verf. bespricht endlich die verschiedenen Formen von Geisteskrankheiten, die aus dem Missbrauche der geistigen Getränke resultiren und beweist, dass man den beschriebenen Fall nicht in die Categorie der chronischen Geisteskrankheiten zählen darf, sondern ihn als eine acute Form der Trunkenheit aufzufassen hat.

Grabowski (Krakau).]

B. Untersuchungen an leblosen Gegenständen.

1. Allgemeines.

1) Otto, Fr. Jul., Anleitung zur Ausmittelung der Gifte und zur Erkennung der Blutflecken bei gerichtlich-medicinischen Untersuchungen. 6. Aufl. Mit Holzschn. und einer farb. Tafel, Blutkörperchen darstellend. 2. Hälfte. gr. 8. — 2) Ludwig, E., Medicinische Chemie in Anwendung auf gerichtliche, sanitätspolizeiliche und hygienische Untersuchungen, sowie auch Prüfung der Arzneipräparate. Ein Handbuch für Aerzte, Apotheker, Sanitätsbeamte und Studirende. Wien und Leipzig. gr. 8. — 3) Frigerio, L., Omicidio; perizia microscopica-chimica sopra alcuni indumenti erroneamente ritenuti machiati di sangue. Gaz. medica italiana lombarda. N. 32 e 33. — 4) Tamassia, A., Sulla determinazione cronologica delle machie di sangue. Ricerche sperimentali di medicina forense. Atti del R. Istituto veneto di scienze, lettere ed arti. Tom. II. Ser. VI. — 5) Huber, J. Ch., Zur forensisch-medicinischen Würdigung des Meconiums. Friedreich's Blätter f. ger. Med. S. 24. — 6) Derselbe, Historische und literarische Notizen über das Meconium. Ebendas. S. 142. — 7) Eller, M. T., A few medico-legal features of life insurance. Boston med. and surg. Journ. July 31. p. 100. — 8) Rocher, G. (Advocat), Les médecins doivent-ils délivrer des certificats post mortem a produire aux compagnies d'assurances sur la vie. Rapport à la société de médecine légale. Ann d'hyg. publ. — 9) De Crecchio, L., Istituto di medicina legale e sala necroscopica giudiciaria della R. Università di Napoli. 8. Napoli. (Kurze Beschreibung der Localitäten und der Einrichtung des forensisch-medicinischen Institutes in Neapel. De C. hatte 1882 nach vieler Mühe erzielt, dass das Institut als Morgue eingerichtet und sämmtliche behördlichen Obductionen daselbst gemacht wurden. Nach 2 Monaten musste er selbst um Suspension dieser Einrichtung einschreiten, da das Municipium die bereits secirten Leichen in der Julihitze mehrere Tage liegen liess und zu einer rechtzeitigen Abholung derselben nicht zu bringen war! Eiskeller scheinen nicht vorhanden zu sein. Die Vorlesungen über ger. Medicin wurden im Jahre 1883 bis 1884 von 179 Medicinern und 121 Juristen frequentirt, die gerichtsärztlichen Uebungen von 98 Medicinern.) — 10) Fürst, Die Verlesung der Obductionsprotocolle in den öffentlichen Gerichtsverhandlungen. Friedreich's Blätter. S. 25. — 11) Jacobs, Kann jeder Arzt durch Gerichtsvollzieher-Ladung zur Vornahme einer gerichtlichen Obduction gezwungen werden? (Nach einem in dem allgemeinen ärztlichen Verein zu Cöln gehaltenem Vortrage). Vierteljahrschr. f. ger. Med. XLI. S. 94. — 12) Zillner, E., Ueber Leichenerscheinungen in gerichtsärztlicher und sanitätspolizeilicher Beziehung. Wiener med. Presse. No. 48 u. 49. — 13) Vleminckx, Laroche, Stiénon médicins-légistes, J. B. Depaire et H. Bergé éxperts-chimistes, Rapports medico-légaux relatifs a l'affaire Peltzer. Journ. de méd. de Bruxell. p. 143, 267, 353 und 496. — 14) Tamassia, A., Alcune correlazioni tra l'irrigidimento cadaverico e la temperatura del corpo. Ricerche sperimentali di medicina forense. Atti del R. Istituto veneto di scienze, lettere ed arti. Tom. II. Ser. VI — 15) Pellacani, P., L'irrigidimento cadaverico e la influence dell' ambiente. Ann. universali di medicina. Agosto. p. 171. — 16) Fubini, S., Osservazioni sopra un giustiziato con fucilazione. Lombroso's Arch. Vol. V. Fasc. IV. p. 447. — 17) Freyer, Frühzeitiger Eintritt von hochgradigem postmortalem Emphysem der Haut und innerer Organe. Todesursache: traumatisches Erysipel. Vierteljahrsschr. für ger. Medicin. XL. S. 37. (Rasche Sepsis). — 18) Pellacani, P., Sulle sostanze coloranti nelle putrefazioni e sulla decolorazione dei tessuti putrefatti. Rivista sperim di fren. e di medic. legale. Anno X. Fasc. III. p. 93. — 19) Auerbach, B., Fäulnisscrystalle in Leichen. Vierteljahrsschr. f. ger. Med. XL. S. 66. — 20) Erman, •Thanatologische Beiträge. Ebendas. S. 29. — 21) Pellacani, P., Sulla struttura del funiculo spermatico in diversi periodi della vita. Contribuzioni alla diagnosi medicoforense dell' identità (con due tavole. Continuazione e fine). Rivista sperim. di freniatr. e di medic. leg. Ann. X. Fasc. I—II. p. 1. — 22) Patenko, Th., Der Kehlkopf in gerichtlich-medicinischer Beziehung. Vierteljahrsschr. f. ger. Medicin. XLI. S. 193. — 23) Emmert, C., Ueber die nächsten Folgen schwerer Schädelverletzungen in Bezug auf bewusste Handlungen der Verletzten. Friedreich's Bl. f. ger. Med. S. 241 und 321. — 24) Pellacani, P., Osservazioni di medicina forense. Annali univers. di medic. Novembre. p. 461. — 25) Mayer, C., Statistik der Strafrechtspflege in Bayern nebst Beiträgen zur gerichtsärztlichen Casuistik für das Jahr 1882. Friedreich's Bl. f. ger. Med. — 26) Maschka, Gerichtsärztliche Mittheilungen. Vierteljahrsschr. f. ger. Med. XLI. S. 1. — 27) Derselbe, Gerichtsärztliche Mittheilungen. Allgem. Wiener med. Zeitung. No. 12 u. 13. — 28) Lesser, A., Kann postmortale Senkung des Blutes in frischen Leichen binnen 24 Stunden zu Gefässzerreissungen und Blutungen in der Haut führen? Vierteljahrsschrift f. ger. Med. XL. S. 69. (Im Jahresbericht pro 1882. I. S. 503, hat Ref. dem Autor einen groben Beobachtungsfehler ausgestellt. L. polemisirt dagegen, negirt die postmortale Vergrösserung von vital entstandenen Ecchymosen, durch hypostatisches Nachsickern des Blutes, wozu ihm einige mit Leichen von Erhängten angestellte Versuche vollkommen genügen und hat die Unverfrorenheit seiner Erwiderung obige Aufschrift zu geben, welche etwas enthält, was Ref. garnicht behauptet hat.)

Bei der Untersuchung von angeblichen Blutflecken an verschiedenen Kleidungsstücken, an denen ein Arzt sogar erkannt haben wollte, dass sie von venösem Blute herrührten, fand Frigerio (3), dass nur einige winzige, wirklich von Blut nicht nachweisbarer Provenienz, die grösseren aber von Excrementen von Seidenwürmern herrührten, welche, wie sich an dem massenhaften Vorkommen der durch Cornalia entdeckten Körperchen erkennen liess, mit der Seidenraupenkrankheit (pebrina) behaftet gewesen waren.

Pfaff und Dragendorff haben angegeben, dass sich der Grad der Löslichkeit von Blutspuren in einer Arseniklösung zu Altersbestimmungen derselben verwerthen lasse. Tamassia (4) hat in dieser Richtung Versuche angestellt und gefunden, dass diese Probe jeder Verlässlichkeit entbehrt. Ebenso hält er Altersbestimmungen aus der Farbe der Hämincrystalle, dem Verhalten der Blutlösung gegen Chlor und dem Vorhandensein oder Fehlen des Methämoglobinstreifens für unzulässig, dagegen glaubt er, dass in dieser Beziehung das Verhalten der Blutspurlösungen gegen Schwefelwasserstoffwasser einigermassen verwerthet werden könne, indem solche aus über ein Jahr alten

Blutspuren stammende Lösungen nicht mehr Dichroismus zeigen.

Huber (5) unterscheidet nach Zusammenstellung der Literatur des Gegenstandes mit Ref. zwei Arten des Meconiums, das schwarzgrüne, schleimreichere Meconium hepaticum und das gelbbraune M. amnioticum. Letzteres enthält Elemente verschluckten Fruchtwassers, ersteres enthält als wichtigsten Bestandtheil in Schleim gehüllte gelblich grünliche Körper, welche das Colorit der schwarzgrünen Massen bedingen und die H. Meconkörper nennt. Diese (schon von Schwartz [„Vorzeitige Athembewegungen"] und vom Ref. gesehenen und als Gallenfarbstoff-Schollen bezeichneten) Körper sind meist oval, bisweilen rund, nicht selten schollig mit abgestumpften Ecken von der Grösse von Microcyten bis zum Umfang von Plattenepithelien der Zunge. Sie scheinen ganz homogene Structur zu haben und geben Gallenfarbstoffreaction. Essigsäure und Aether lassen sie unverändert, Kalilauge löst sie auf. Schwieriger ist die Entscheidung über das Substrat (Albabin? Keratin?) und über die Herkunft der Gebilde. Wenn man die massenhafte Epithelabstossung im Dünndarm des Fötus beobachtet hat, so kann man den Gedanken nicht fernhalten, dass es sich um aufgequollene, zusammengeflossene und zertrümmerte Zellen des Darmepithels handle. In einem Schlussartikel bringt H. (6) historische und literarische Notizen über das Meconium.

Eller (7) behandelt die schwierige Stellung des Arztes bei aus Lebensversicherungen sich ergebenden Processen. Auf der einen Seite sieht man im Hintergehen einer Versicherungsgesellschaft nichts besonders Unrechtes, andererseits sind wieder die Fälle nicht selten, in welchen unter nichtigen und selbst frivolen Vorwänden die Auszahlung der Versicherungssumme verweigert wird. In letzterer Beziehung ist zwar, namentlich was den Selbstmord betrifft, eine Besserung insofern eingetreten, als die Gesellschaften nur in besonders flagranten Fällen die Auszahlung der Prämie verweigern. Hierzu haben einzelne Gesetze, z. B. das in New-York erlassene, beigetragen, wonach ein im geistesgestörten Zustande begangener Selbstmord zum Risico der Versicherungsgesellschaften gehört. Von anderen Eventualitäten erwähnt E. die absichtliche Verheimlichung einer erblichen Veranlagung oder einer vorausgegangenen Krankheit.

In einem Falle hatte Jemand seine 3 Söhne versichert, die alle kurz hintereinander an Tuberculose starben. Die Nachforschungen ergaben, dass in der mütterlichen Seite der Familie durch 5 Generationen Tuberculose erblich bestand, und dass der Versichernde dieses absichtlich verschwiegen hatte. In einem anderen Falle war dem zu Versichernden ausdrücklich die Frage gestellt worden, ob er an Gallensteinen gelitten habe, was dieser verneinte. Sechs Monate darnach starb er, wie die Section ergab, an einer Ulceration und Ruptur der Gallenblase durch Gallensteine und es wurde constatirt, dass er einige Monate vor stattgehabter Versicherung an einer schweren Peritonitis erkrankt war, welche von den behandelnden Aerzten als durch Gallensteine veranlasst erklärt worden war. In einem dritten Falle, der einen an einer angeblich syphilitischen Sclerose der Hinterstränge gestorbenen jungen Mann betraf, ergab sich, dass derselbe vor der Versicherung eine Tertiäraffection überstanden aber verschwiegen hatte.

E. betont die Schwierigkeit der Erhebung der Anamnese in solchen Fällen, die insbesondere an der Weigerung der behandelnden Aerzte, Auskünfte zu geben, scheitert. Der Arzt hat aber, sagt E., nicht bloss Verpflichtungen gegenüber seinen Patienten, sondern auch gegenüber der Gesellschaft und der Gerechtigkeit und die „Wahrung des Geheimnisses" sollte nicht so weit gehen, dass der Arzt auch dann schweigt, wenn seiner Ueberzeugung nach ein offener Betrug geschieht. Weiter bespricht E. die Verheimlichung schädlicher Gewohnheiten, insbesondere der Trunksucht. Ein seit Jahren dem Trunke ergebener Mann hatte mit grosser Selbstüberwindung durch mehrere Monate ein nüchternes Leben geführt und sein Leben dann hoch versichert. Sofort danach begann er unmässig zu trinken und starb nach 8 Monaten an Delirium tremens. Die Gesellschaft verweigerte die Zahlung, es kam aber ein Compromiss zu Stande. Endlich kommen Fälle vor, in denen der Versicherte erst nachträglich dem Trunke oder einem anderen die Gesundheit ruinirenden Lebenswandel sich ergiebt. Dieses Risico müssen die Versicherungsgesellschaften übernehmen, denn: ultra vires nemo potest.

Rocher (8) referirte in der Pariser Gesellschaft für gerichtliche Medicin über die Frage, ob es für den behandelnden Arzt statthaft sei, an Versicherungsgesellschaften Zeugnisse über die Todesursache seiner Clienten auszustellen und kommt nach ausführlicher Erörterung der verschiedenen Seiten des Gegenstandes zu dem Schlusse, „dass die Aerzte gut thun werden, wenn sie die Abgabe solcher Certificate über die Natur der Krankheit ihrer Clienten und über die Umstände, unter welchen der Tod der letzteren erfolgte, stets und absolut verweigern."

Wie Fürst (10) erörtert, ist das Obductionsprotocoll weder eine Aussage in richterlicher Vernehmung, noch ein ärztliches Attest, und er glaubt somit, dass die Verlesung von Obductionsprotocollen (wie nicht minder von Wundbeschauprotocollen) mit Hinweglassung des provisorischen Gutachtens in der Hauptverhandlung durch die Processordnung nicht nur ausnahmsweise, sondern in allen Fällen und unbedingt gestattet ist, dass sie in jedem einzelnen Falle zweckmässig und bei der Vernehmung mehrerer Sachverständigen im Interesse der Rechtssprechung dringend geboten ist. Der Untersuchungsrichter des Landgerichtes, bei welchem F. fungirt, anerkennt das dargelegte practische Bedürfniss und beabsichtigt künftig das vorläufige Gutachten in einem gesonderten Protocolle niederlegen zu lassen, um dem Sectionsprotocolle den ausschliesslichen Character eines Augenscheinsprotocolles zu wahren.

Wie Jacobs (11) mittheilt, wurden mehrere Aerzte, obgleich sie die Erklärung abgaben, dass sie keine gerichtliche Obduction zu machen im Stande seien, gerichtlich gezwungen, eine solche vorzunehmen. Der Staatsanwalt, an welchen sich J. um Auskunft wandte, erwiederte: dass es im einzelnen Falle der richterlichen Beurtheilung anheimfällt, ob ein als Sachverständiger geladener Arzt zur Vornahme der Obduction verpflichtet ist, und demselben überlassen bleiben muss, seine Weigerungsgründe eventuell im Beschwerdewege geltend zu machen. Nach Auffassung der Staatsanwaltschaft ist die Frage auf Grund des § 75 St.-P.-O. zu bejahen, wobei es indessen nach § 76 selbstverständlich erscheint, dass der vorgeladene Arzt von der Verpflichtung zur Vornahme der Leichenöffnung und Erstattung des Gutachtens durch den Richter entbunden werden kann, falls er demselben glaubhaft macht, dass er die erforderliche Befähigung nicht besitze. Die Erklärung, dass der geladene Arzt eine solche Obduction nicht zu machen verstehe, genügt also dem Richter nicht, sondern er verlangt, dass ihm diese glaubhaft gemacht werde. Wie kann dies geschehen? Nach Meinung J.'s vielleicht dadurch, dass der Arzt die eidliche Versicherung abgiebt, dass er keine gerichtliche Medicin auf der Universität gehört und sich nicht mit gerichtlichen Obductionen befasst habe. Eine solche Erklärung, meint J., würden die meisten Aerzte geben können, da, wie er statistisch nachweist, die gerichtliche Medicin von den Medicinern überaus selten gehört wird! J. verspricht sich aber nicht viel von dieser Erklärung und glaubt, dass die Aerzte der Vorladung zu einer gerichtlichen Obduction einstweilen und so lange folgen müssen, als nicht im Gesetze steht, dass nur beamtete Aerzte verpflichtet sind, eine Obduction zu übernehmen. (Die Beantwortung der vorliegenden Frage hängt innig mit der Auffassung der „gerichtlichen Medicin" überhaupt zusammen. Wenn letztere, wie leider von verschiedenen Seiten behauptet wird, nur eine einfache Anwendung medicinischen Wissens ist und nicht besonders gelehrt und gelernt zu werden braucht, dann ist zweifellos die Ausrede eines Arztes, dass er die erforderliche Befähigung zur Vornahme einer gerichtlichen Obduction und zur Erstattung des Gutachtens nicht besitze, ganz unzulässig. Erfordert aber eine solche Function specielles Wissen, dann ist für jeden Arzt, der sich dasselbe nicht angeeignet hat, die Ablehnung geradezu Gewissenspflicht. Giebt es aber einen besseren Beweis dafür, dass für derartige Untersuchungen allgemein medicinisches Wissen allein nicht ausreicht, als eben die vorgekommenen, offenbar durch die Gewissenhaftigkeit der betreffenden Aerzte dictirten Ablehnungen? Ob aber von jedem Arzte ausser den gewöhnlichen ärztlichen Kenntnissen auch Specialkenntnisse in gerichtlicher Medicin verlangt werden sollen, ist eine andere Frage. Im Interesse der Justizpflege muss dieselbe bejaht werden, da nicht immer und überall „beamtete" Aerzte zu haben sind und gerade gerichtliche Obductionen so früh als möglich vorgenommen werden sollen. Für gewöhnlich jedoch ist es angezeigt, die angestellten Gerichtsärzte zu nehmen, weil bei diesen mehr Erfahrung und Uebung in solchen Untersuchungen zu erwarten ist. Ref.)

Einen Vortrag über Leichenerscheinungen in gerichtsärztlicher und sanitätspolizeilicher Beziehung hielt Zillner (12), welchen er mit Präparaten aus dem Wiener Museum des Institutes für gerichtliche Medicin in Wien illustrirte.

Die Gerichtsärzte Vleminckx, Laroche und Stiénon und die Gerichtschemiker Depaire und Bergé (13) berichten über die von ihnen aus Anlass des bekannten Falles Peltzer vorgenommenen Untersuchungen und zwar zunächst über die Autopsie des Advocaten Bernays, bei welcher sich eine in die Medulla oblongata eindringende Schusswunde über dem Hinterhauptsloche ergab, ferner über die Untersuchung vorgefundener Haare und Blutspuren. In ersterer Beziehung wurden insbesondere zwei Haarbürsten untersucht. In diesen fanden sich viererlei Haare, 1) lange weisse Frauenhaare, 2) röthlich-blonde Haare mit Wurzeln, 3) braune ohne Wurzeln und 4) schwarz gefärbte Haare. Durch Untersuchung von 10 anderen Haarbürsten überzeugten sich die Sachverständigen, dass beim Bürsten der Kopfhaut 98,22 pCt. der Haare sammt den Wurzeln abgehen, dass daher die zahlreichen wurzellosen Haare in den gerichtlich untersuchten Bürsten anderweitig in letztere gekommen sein müssen. Bei weiteren Versuchen fanden sie, dass mit Schwefelblei oder Schwefelsilber schwarz gefärbte Haare durch Behandlung mit Wasserstoffsuperoxyd entfärbt werden können, ohne dass dabei die ursprüngliche Haarfarbe leidet. So wurde constatirt, dass die in den Bürsten gefundenen schwarz gefärbten Haare ursprünglich röthlichblond waren und somit in ihrer Farbe den oben sub 2 erwähnten Haaren entsprachen. Von dem im Locale vorgefundenen Blutspuren wurde insbesondere das in einem Lavoir befindliche blutige Wasser und eine auf einem Teppich neben dem Fauteuil, auf welcher die Leiche sass, constatirte Blutspur einer genaueren Untersuchung unterzogen. Im ersteren wurde die beiläufige Quantität des dem Wasser beigemengten Blutes bestimmt, und da sich bei der Spectralanalyse ergab, dass die Blutlösung sich bei Zusatz von Schwefelammonium nicht reducirte, wurde auf die Anwesenheit von Kohlenoxydhämoglobin geschlossen und die Bildung des letzteren von den Verbrennungsgasen eines am entgegengesetzten Ende des Zimmers befindlichen kleinen Gasofens abgeleitet, welcher durch die ganzen 7 Tage, die bis zur Auffindung der Leiche verflossen waren, gebrannt hatte. Bei einem in dieser Richtung im selben Locale und unter gleichen Umständen unternommenen Versuch zeigte das blutige Wasser schon am 3. Tage eine bräunliche Farbe und den Methämoglobinsstreif und eine Persistenz der zwei „Blutbänder" auch nach Zusatz von Schwefelammonium. An der Blutspur am Teppich wurde am Rande ein Eindruck constatirt, welchen die Experten abbilden und von einem Abdruck der Spitze einer rechten Stiefelsohle herleiten. Es wurden Versuche in dieser Richtung angestellt, ebenso darüber, aus welcher Entfernung der Pistolenschuss gekommen ist, wobei sich ergab, dass, da am Einschuss keine Versengung oder Pulverschwärze gefunden wurde, die Entfernung der

Pistolenmündung vom Nacken mindestens 15 cm betragen haben musste.

Mit Rücksicht auf die Behauptung des Angeklagten, dass er den Getödteten aufgehoben, ihm den Kopf gewaschen und dann die Leiche ins Fauteuil gesetzt habe, erklären die Sachverständigen, dass diese Vorgänge, weil keine Blutspuren am Fauteuil gefunden wurden, nicht gleich nach dem Tode, sondern viel später geschehen sein konnten, und weisen weiter nach, dass, wenn der Körper erst als Leiche ins Fauteuil gesetzt wurde, dieses nur zu einer Zeit stattgefunden haben konnte, wo die Körpertheile beweglich waren, also entweder vor Eintritt oder nach Ablauf der Todtenstarre. Durch weitere Versuche wurde constatirt, dass, wenn man Leichen 1/4—1/2 Stunde nach dem Tode in jene sitzende Position brachte, in welcher die des Bernay gefunden wurde, die Todtenflecke am Oberkörper stets fehlten, dagegen an den Hüften und am unteren Theile des Rückens sehr markirt, an den Hinterflächen der unteren und an den Vorderflächen der Unterarme deutlich und an den mittleren Partien des Rückens undeutlich sich ausbildeten. Da nun dieselben an der Leiche Bernay's an der rechten Halsseite, an der unteren Partie der Hinterfläche des linken Vorderarmes, sowie an der Vorderfläche des letzteren, dann an der Innenfläche des rechten Vorderarmes und an der ganzen Hinterfläche des Stammes gefunden wurden, so schliessen die Sachverständigen, dass sich die Leiche B.'s früher und zwar durch längere Zeit in der Rückenlage befunden haben müsse. Wenn sie Leichen nach 4, 6 und 12 Stunden aus der Rückenlage in eine andere Lage brachten, fand ein Déplacement der Todtenflecke statt, nicht aber wenn dieses nach 23—28 Stunden geschah. Aus allem ergab sich der Schluss, dass die Leiche des B. nicht gleich nach dem Tode, sondern erst viel später und zwar wahrscheinlich erst nachdem die Todtenstarre bereits verschwunden war, somit etwa nach 40—60 Stunden in jene Position gebracht wurde, in welcher sie aufgefunden worden ist. — Die Richtigkeit der aus den Todtenflecken gezogenen Conclusionen wurde von der Vertheidigung lebhaft bestritten und zwar unter Berufung auf einen Satz im Lehrbuche des Ref., welcher lautet: „In der Haut äussert sich der Beginn der Fäulniss zuerst durch Imbibitionsvorgänge. Die Todtenflecke werden diffuser und missfarbig und livide diffuse Flecken treten auch an nicht abhängigen Körperstellen auf und nehmen an Ausdehnung zu". Dagegen wurde mit Recht erwiedert, dass dies allerdings an relativ abhängigen Stellen geschehen könne, im vorliegenden Falle aber irrelevant sei, da gerade an der linken Seite, welche dem durch die ganzen 11 Tage brennenden Gasofen zugekehrt war, also am ehesten der Fäulniss verfallen konnte, die Livores mortis schwächer ausgebildet waren als auf der rechten. Schliesslich wird der Fall eines Potators mitgetheilt, dessen Leiche durch 9 Tage auf dem Gesichte liegen geblieben war und an welcher trotz weit vorgerückter Fäulniss die Hinterfläche des Körpers ganz frei von Todtenflecken gefunden wurde.

Tamassia (14) prüfte experimentell das Verhalten der Todtenstarre bei verschiedenen Temperaturen an Meerschweinchen, Kaninchen und Hunden. Bei Temperaturen von 13—15° trat die Starre zwischen 2,36—4,33 Stunden ein, bei kleineren Thieren früher als bei grösseren, an den vorderen Extremitäten früher als an den hinteren. Extrem niedrige (— 10°) und extrem hohe (75°) Temperaturen bewirken fast augenblickliche Starre, wobei im ersteren Falle, wie T. ausführt, eine Congelation auszuschliessen ist. Beschleunigend wirken auch, obwohl nicht constant, Temperaturen von 0—5° und von 30—60°. Diese Beschleunigung der Todtenstarre durch extreme Tempeturen scheint T. dafür zu sprechen, dass bei letzterer ausser physischen und chemischen Veränderungen des Myosins noch andere vorläufig unbekannte Einflüsse eine Rolle spielen. Die Verblutung hat auf den Verlauf der Todtenstarre keinen wesentlichen Einfluss.

Pellacani (15) studirte an zahlreichen Leichen den Verlauf der Todtenstarre, insbesondere den Einfluss der äusseren Temperatur auf denselben. Zunächst constatirte er durch entsprechende Beobachtungen, dass auch bei gleichen Temperaturen die Starre bezüglich des Eintretens und der Dauer sich verschieden verhält, und dass daher individuelle Verhältnisse eine wesentliche Rolle spielen. Insbesondere der Zustand der Musculatur. Bei einer Temperatur von + 32—39° begann der Rigor bei normal entwickelter Musculatur in 1 bis 6 Stunden, war überall ausgebreitet in 3—9 Stunden, und hielt durch 18—56 Stunden an; während bei herabgekommenen Individuen bei gleicher äusserer Temperatur, die Starre in 2—7 h. eintrat, in 4 bis 7 h. allseitig vorhanden war und höchstens 28 h., häufig aber nur so kurz anhielt, dass die Dauer gar nicht bestimmt werden konnte. Einen Einfluss des Nervensystems giebt P. nur insofern zu, als durch Störungen der Innervation, z. B. durch länger dauernde Paralysen, der Ernährungszustand der Musculatur beeinträchtigt wird. Ungewöhnlich rascher Verlauf der Starre trat an einer unteren Extremität ein, die unmittelbar vor dem Tode zerquetscht worden war. Dass die Starre immer von oben nach abwärts verschwindet fand P. nicht bestätigt. Unter 44 Fällen beobachtete er nur 8 mal den Typus descendens, 2 mal einen Typus ascendens, 22 mal folgende Ordnung: a. obere Gliedmassen, b. Hals und Kopf, c. untere Gliedmassen und d. Kiefer; 12 mal nachstehende: a. obere Gliedmassen, b. Kiefer, c. Hals und Rumpf, d. untere Gliedmassen. Der Typus descendens scheint die Norm zu sein bei kräftigen, der T. ascendens die bei schwächlichen oder herabgekommenen Individuen, bei welchen auch die Starre rascher ablauft als bei ersteren. Niedere Temperaturen bis zu 0°, verzögern den Eintritt der Starre und können die Dauer der letzteren um das 4 fache vermehren. Doch machen sich, wie P. an 3 in Eis oder Schnee eingelegten Leichen constatirte, auch hier die individuellen Momente geltend, indem bei schlechter Ernährung die Dauer eine kürzere ist, als bei guter. Bei einer Temperatur unter 0° tritt Gefrierung ein und eine Unterscheidung zwischen gefrornem und bloss todtenstarrem Zustand ist nicht mehr möglich. Auch schwindet der Rigor, wenn er vor dem Gefrieren bestand, nach dem Aufthauen äusserst rasch. Hohe Temperaturen beschleunigen den Eintritt und verkürzen die Dauer der Todtenstarre. Bei 50° tritt Wärmestarre ein, wodurch der Körper rigider wird, weil auch Gerinnung anderer Eiweisskörper als nur des Myosins erfolgt. Diese Starre hält bis zum Eintritt der Fäulniss an.

Fubini (16) erhielt die Leiche eines wegen Mord durch Erschiessen hingerichteten 34j. Soldaten 50 Minuten nach der Justification.

Die Haut war glatt und blieb es durch 8 Stunden; erst dann entwickelte sich Gänsehaut. Das Retinalroth wurde an dem durch eine Viertelstunde dem Licht ausgesetzten rechten Auge noch nach 5 Stunden beobachtet. Das Gehirn wog ohne Meningen 1296 g. Die Meningen waren stellenweise mit der Hirnrinde verwachsen. Herz und Lungen waren zertrümmert. Die Gedärme zeigten nach $1^1/_2$ Stunde keine peristaltischen Bewegungen und konnten solche auch nicht durch starke electrische Ströme hervorgerufen werden. Die Temperatur des Körpers betrug im Rectum (bei äusserer Temperatur von 15,5—19,8° C.) eine Stunde nach dem Tode 37,8 und dann bis $9^1/_2$ Stunden nach dem Tode von $^1/_2$ zu $^1/_2$ Stunde abgelesen: 37, 36,4, 36,3, 35,4, 34,4, 34,1, 33,2, 32,7, 32,2, 31,8, 31,6, 31,1, 30,6, 30,2, 29,6, 29,2 und 28,8° C. Das vom Larynx abgekratzte und sofort in 0,75 proc. Kochsalzlösung gelegte Epithel zeigte noch nach 30 Stunden Flimmerbewegung; die Spermatozoiden mit 5 proc. Lösung von phosphorsaurem Natron behandelt, bewegten sich noch nach 12 Stunden. Die Muskeln zuckten 90 Min. nach dem Tode schon bei schwachen electrischen Reizungen, aber nur, wenn die Rheophoren über den Muskeln selbst angesetzt wurden. Von den betreffenden Nervenstämmen aus konnten keine Contractionen ausgelöst werden. Nach $2^1/_4$ Stunden reagirten die Gesichtsmuskeln nur schwach. Zuerst erlosch die Contractibilität in den Kaumuskeln, zuletzt im M. orbicularis palpebrarum, und konnte auch nach Injection frischen, defibrinirten und stark sauerstoffhaltigen Hundeblutes von 40° C. durch die Carotiden nicht mehr hervorgerufen werden. Nachdem die electrische Reizbarkeit der Extremitätenmusculatur erloschen war, konnte man nur noch durch mechanische Reize Contractionen hervorrufen und zwar noch 9 Stunden nach dem Tode.

In einer ausführlichen Arbeit behandelt Pellacani (18) die Eigenschaften des grünen Farbstoffes, welcher sich bei der Fäulniss in der Haut und in anderen Geweben bildet. Im ersten Theile dieser Arbeit kommt er auf Grund seiner Untersuchungen zu folgenden Schlüssen: 1. das Auftreten und die Verbreitung der grünen Fäulnissfärbung ist nicht an besondere grün gefärbte Microorganismen geknüpft, sondern wird durch eine in Wasser und Alcohol lösliche Substanz veranlasst, welche in ihren physischen und chemischen Eigenschaften mit denen des Sulfhämoglobins übereinstimmt. 2. Der Sitz dieser Verfärbung ist in der Haut das subepidermoidale Stratum derselben, doch kann die färbende Substanz auch durch die Epidermis hindurch ausgezogen werden. 3. Diese Substanz tritt bei der Fäulniss in allen Organen auf, welche Blut enthalten. 4. Sie bildet sich durch Entwickelung von Schwefelwasserstoff aus dem zerfallenden Eiweissmolecul und Verbindung desselben mit dem Blutfarbstoff. 5. Es ist die einzige färbende Substanz, die sich durch Fäulniss in bluthaltigen Geweben bildet. Andere Verbindungen des Schwefelwasserstoffes mit dem Blutfarbstoff sind nicht nachweisbar. — Im zweiten Theile beschäftigt er sich mit der Frage, ob die grüne Farbe auch bei Fäulniss blutfreier Gewebe auftritt und findet: 1. Im Allgemeinen verlieren die von Blut befreiten Organe die Fähigkeit sich durch Fäulniss grün zu färben. 2. Wenn der Blutfarbstoff solche Veränderungen erlitten hat, dass er eine Verbindung mit dem SH_2 nicht mehr eingeht, so z. B. wenn bei Vergiftung durch chlorsaures Kali eine Umwandlung in Methämoglobin stattgefunden hat, bleibt die grüne Verfärbung aus. 3. In einigen blutfreien Organen, z. B. im Eidotter entwickelt sich bei der Fäulniss ebenfalls eine grüne Verfärbung und zwar durch Verbindung des SH_2 mit einem Globulin, dem Vitellin zu einer grünen Substanz, dem Schwefelwasserstoff-Vitellin. 4. Andere Albuminoide scheinen die Fähigkeit mit Schwefelwasserstoff grün gefärbte Verbindungen zu bilden nicht zu besitzen. — Der dritte Theil handelt von den Entfärbungsmethoden faulgrüner Körpertheile. In völliger Uebereinstimmung mit dem Ref. und in Widerspruch mit den diesbezüglichen Angaben Maschka's constatirte P. durch zahlreiche Versuche unter den Mitteln, welche den Farbstoff lösen, das Wasser den ersten Rang behauptet, und dass durch dieses die betreffenden Hautpartien auch ohne vorhergegangene Ablösung der Epidermis ausgebleicht werden können. Eine Ausbleichung durch Zersetzung des Farbstoffes erfolgt durch Chlor und durch schweflige Säure. Ersterem giebt P. den Vorzug, weil es die Epidermis nicht zerstört und keine secundären Färbungen erzeugt wie dies z. B. besonders das übermangansaure Kali thut.

Bei der wegen Verdacht einer Strychninvergiftung (vergifteten Weizen) nach 110 und 134 Tagen vorgenommenen Exhumation zweier Kinder im Alter von 5 und 6 Wochen fand Auerbach (19) auf der Magen- und Darmschleimhaut und am Bauchfell hanfkornbis über stecknadelknopfgrosse weissliche sandförmige Körnchen, welche sich als phosphorsaure Ammoniak-Magnesia erwiesen. (Die Kinder hatten in ihrer Krankheit kohlensaure Magnesia erhalten.) A. macht auf das Vorkommen solcher und anderer „Fäulnisskrystalle“ aufmerksam, da der Befund solcher sandigen Körnchen leicht einen Irrthum veranlassen resp. Verdacht auf Vergiftung wecken könnte. (Ref. hat bei Wochen oder Monate alten Leichen wiederholt weisse sandige Körnchen auf der Schleimhaut des Verdauungstractes und am Peritoneum besonders der Leber gefunden, die sich als Tyrosinkrystalle erwiesen und kann sich der Ansicht A.'s nur anschliessen, dass solche Befunde Arsenikkörnchen etc. vortäuschen können.)

Zu seinen interessanten Mittheilungen über Adipocireleichen (s. d. Ber. 1883) fügt Erman (20) eine neue hinzu. Sie betrifft einen 70j. 190 Pfund schwer gewesenen Bauer, der am 20. Februar 1881 im Eise der Elbe eingebrochen war und dessen Leiche erst nach 1 Jahr 11 Monaten treibend gefunden wurde. Die Leiche war in ihren Formen auffallend erhalten, plastisch starr, die Kleidungsstücke noch zusammenhängend, morsch, auch fand sich ein Bruchband. Die Oberfläche des Körpers gleicht einem starren Panzer der aus einer starren dicken Fettrinde besteht. Die inneren Organe erweicht und schlaff, doch noch erkennbar. Das Fett überall erhalten, theils feucht, theils starr. E. bemerkt mit Recht, dass man in ähnlichen Fällen die kürzeste seit dem Tode vergangene Frist wird annähernd bestimmen können, aber, da sich „saporificirte" Leichen lange unverändert erhalten, darauf wird verzichten müssen den längstmöglichen seit dem Tode verflossenen Termin mit irgend welcher Genauigkeit zu umgrenzen. E. ist auch der Meinung, dass die gute Erhaltung solcher Wasserleichen wesentlich mit auf dem Umstand beruht, dass der Fluss sie in den Schlamm und Sand seines Bodens begrub. — Eine zweite Mittheilung E.'s betrifft zwei nach 12 Jahren im mumificirten Zustande ausgegrabene Leichen. Es waren nach localer Sitte 4 Leichen über einander begraben worden (!) und die unterste wurde wegen Verdacht auf Vergiftung exhumirt. Diese und die zunächst darüber liegende Leiche, deren Särge noch wohl erhalten waren, wurden mumificirt gefunden. In den Eingeweiden der untersten wurde wirklich Arsenik (0,2324) nachgewiesen, die darüber liegende fand sich arsenfrei, obgleich der Friedhofsboden auch an einer 40 m entfernten Stelle arsenhaltig gefunden wurde. Die anatomischen Befunde in beiden Leichen sind ausführlich beschrieben.

Pellacani (21) beendet seine mit Abbildungen illustrirte Studie über das Verhalten des Samenstranges in den verschiedenen Lebensperioden und kommt zu folgenden Schlüssen: 1. Die letzten Perioden des intrauterinen, die ersten des extrauterinen Lebens, die Pubertät und das Alter gehen mit erheblichen Modificationen im Verhalten der den Samenstrang constituirenden Theile einher. 2. Auch der Testikel zeigt durch Bildung von Pigment Altersveränderungen. 3. Aus letzterem Befunde können keine sicheren Schlüsse auf das Fehlen oder Vorhandensein von Spermatozoen gezogen werden.

Patenko (22) studirte im Wiener forensisch-medicinischen Institute das Verhalten des Kehlkopfes in gerichtsärztlicher Beziehung. Bei der Untersuchung von 100 Kehlköpfen von Erwachsenen und 20 von Kindern war P. zunächst, trotz systematischer Nachforschung, nicht im Stande, die von Luschka angegebene Lamina mediana nachzuweisen und negirt daher ihre Existenz. Auch bezüglich der Dimensionen der einzelnen Kehlkopfknorpel erhielt P. andere Resultate als L. und findet, dass die Grösse des männlichen Schild- und Ringknorpels die des weiblichen bedeutend übersteigt und dass dieser Umstand zusammengehalten mit dem Fehlen oder Vorhandensein der Verknöcherung resp. dem Grade der letzteren, leicht gestattet, den männlichen vom weiblichen Kehlkopf zu unterscheiden. In 5 Fällen beobachtete er ein Fehlen der grossen Kehlkopfhörner und zwar einmal (Mann) beiderseits. Besonders eingehend verfolgte P. den Verknöcherungsvorgang der Kehlkopfknorpel bei beiden Geschlechtern und in den verschiedenen Lebensaltern, indem er von 10 zu 10 Jahren vorschreitend, sein Material in entsprechende Gruppen eintheilte. Gleichzeitig verfolgte er das Verhalten der Trachealringe und des Zungenbeins. Beim Mann fand P. schon um das 10. Lebensjahr herum beginnende Ossification im Schildknorpel, beim Weibe noch im 18. Jahre kaum Spuren. Der weitere Gang der Ossification unterliegt, wie im Original näher ausgeführt wird, keiner Gesetzmässigkeit, gestaltet sich selbst bei Individuen von gleichem Alter und gleichem Geschlecht sehr verschieden, entwickelt sich jedoch im Allgemeinen beim Weibe langsamer und im geringeren Grade. Die Köpfchen der grossen Hörner des Zungenbeins fand P. bis zum 30. Jahre noch knorpelig, eine Ankylose der grossen Hörner desselben oder wenigstens eine erschwerte Beweglichkeit erst nach dem 30. Jahre. Die Verknöcherung (Verkalkung) der Trachealringe sah er nie vor dem 60. Jahre. Von dem Grade der Verknöcherung hängt das Vermögen des Kehlkopfes ab, äusseren Gewalten zu widerstehen. Da aber ersterer grossen Schwankungen unterliegt, so erklären sich daraus die divergirenden Anschauungen der Gerichtsärzte und Chirurgen über die Fragilität des Kehlkopfes und, wie P. an Beispielen illustrirt, das verschiedene Verhalten der Kehlkopfhörner beim Erhängen. Durch Verknöcherung resp. Degeneration kann die Elasticität der Kehlkopfknorpel so herabgesetzt sein, dass sie bei der Präparation unter den Fingern brechen, es ist daher die Möglichkeit einer Fracturirung eines solches Kehlkopfes durch einfaches Zugreifen an den Hals oder durch zufällige, event. auch postmortale Gewalteinwirkungen keineswegs auszuschliessen. Der Arbeit ist die Abbildung zweier Kehlkopffracturen (Fusstritt und Ueberfahren), einer geheilten Fractur des Schildknorpels und einer mehrfachen Verletzung des Kehlkopfes und der Trachea durch Schnitt (Selbstmord) beigegeben.

Die nächsten Folgen schwerer Schädelverletzungen in Bezug auf bewusste Handlungen der Verletzten haben in forensischer Beziehung in so fern eine wichtige Bedeutung, als in solchen Fällen häufig unrichtiger Weise geschlossen wird, dass der Betreffende nach derselben nicht mehr im Stande gewesen sein könne, diese oder jene bewusste Handlung vorzunehmen, dass daher die schwere Schädelverletzung erst nach letzterer entstanden sein konnte, was vielfach von Seite der Sachverständigen zu einer ganz irrigen Bestimmung des Zeitpunktes der Entstehung der Verletzung und so weiterhin zu einer unrichtigen Annahme der Thäterschaft führt. Emmert (23) erörtert deshalb an der Hand mehrerer selbstbeobachteten Fälle, unter welchen Verhältnissen nach einer schweren Schädelverletzung sofort und unter welchen erst nachträglich Bewusstlosigkeit eintreten kann. Von den Ursachen, welche sofort Bewusstlosigkeit herbeiführen können, bespricht er ausser der Commotion, vorzugsweise die Compression des Gehirns durch Depression von Schädelknochen, durch rasch entstandene Blutextravasate (worunter ein Fall von Ruptur des l. Sinus transversus durch einen Steinwurf ohne Schädelbruch!) und durch eingedrungene Fremdkörper, von jenen, welche erst später Bewusstlosigkeit nach sich ziehen, die allmälig sich vergrössernden intracraniellen Blutextravasate und die Meningitis und Encephalitis, und zwar: α) bei Schädelfracturen mit intracraniellem Blutextravasat, β) bei Schädelfracturen mit Hirnverletzung durch eingedrungene Fremdkörper, γ) bei Schädelfracturen mit Hirnquetschung und δ) bei Schädelwunden mit Hirnverletzung.

Die Mittheilungen Pellacani's (24) betreffen: 1) die Blutungen aus den Ohren bei Kopfverletzungen, bezüglich welcher er erörtert, dass sie auch ohne Fractur der Schädelbasis eintreten können. Ungleich beweisender für letztere sei der Ausfluss seröser Flüssigkeit; 2) einen Fall von Verlust der Ohrmuschel durch Abbeissen. P. bespricht unter Anführung der diesbezüglichen Meinungen der (alten) Anatomen und Gerichtsärzte die Frage, ob dass äussere Ohr noch zum Gesichte, namentlich im Sinne des Gesetzes, gehöre, und bejaht diese Frage, ebenso die, ob der Verlust der Ohrmuschel als eine bleibende Entstellung angesehen werden kann. Den Umstand, dass der Verlust durch die Haare verdeckt werden kann, hält er für irrelevant; 3) zwei Fälle von Entbindung im Stehen bei verheiratheten Frauen, von denen die eine das 4. Mal, die andere das 3. Mal schwanger war. In beiden Fällen fiel das Kind, weil sich die Gebärenden wahrscheinlich im letzten Moment niedergekauert hatten, mit dem Kopf auf den Boden, blieb aber unbeschädigt. Die Nabelschnur riss nicht und die Nachgeburt ging in 15 resp. 20 Minuten ab. Ein solcher Verlauf der Sturzgeburt kann, wie P. bemerkt, auch bei ganz aufrechter Stellung der Gebärenden erfolgen, wenn diese von kleiner Statur ist; 4) ein Fall von angeblich durch künstliche Respirationsbewegungen, nach der Methode von Pacini, lufthaltig gewordenen Lungen eines todtgeborenen Kindes. Das Kind, dessen Fruchtalter nicht angegeben wird, wurde P. von der geburtshülflichen Klinik Curci's mit der Diagnose übergeben: „Foetus, wegen schwerer Entbindung (per parto laborioso) asphyctisch geboren, keine spontanen Athembewegungen, Belebungsversuche nach der Methode von Pacini, negatives Resultat". Nach Eröffnung des Thorax fand sich die Herzgegend frei. Die Lungen waren im Allgemeinen von fötaler Beschaffenheit, ziemlich blutreich mit reichlichen subpleuralen Ecchymosen, zeigten jedoch an beiden Aussenflächen hellrothe Stellen von der Grösse eines Soldo, waren daselbst gebläht (soffice), elastisch und knisternd. Diese Partien schwammen im Wasser und entleerten beim Druck Schaum. Der Magen war leer. P. hält diesen Befund für einen Beweis dafür, dass durch die Methode von Pacini wirklich Luft in die Lungen des (asphyctischen) Neugeborenen gelange. (Die naheliegende Möglichkeit, dass die Luft durch intrauterines Athmen während der „schweren" Geburt in die Lungen hineingelangt sein konnte, zieht P. nicht in Betracht. Ref.); 5) gewöhnlicher Fall von „fötalem Erstickungstod" mit Aspiration von Fruchtwässern. P. meint, dass letztere, insbesondere die so häufig beigemengten Gallenstoffe, noch bei sehr faulen Lungen durch microscopische Untersuchung nachgewiesen werden können.

Majer (25) bringt auch diesmal eine Statistik der Strafrechtspflege in Bayern, nebst Beiträgen zur gerichtsärztlichen Casuistik und zwar für das Jahr 1882. Von letzteren sind folgende Fälle bemerkenswerth:

1) Eine Magd hatte heimlich entbunden und das angeblich todtgeborene Kind im Stalle verscharrt. Die Obduction ergab eine grosse Menge von Gerstenhülsen im Rachen, Kehlkopf, in der Trachea und im l. Bronchus und einige Körner im Magen und demzufolge lautete das Gutachten auf Erstickung durch diese Fremdkörper. Die Magd gestand, das lebend geborene Kind im Trebertrog ertränkt zu haben, modificirte aber später diese Angabe dahin, dass sie das scheintodte Kind nur in der Absicht es zu taufen in das Wasser gehalten habe. 2) Ein Bauer hatte von seinem eigenen Sohne 5 Hiebe mit einer Haue erhalten, von welchen jeder die Hirnschale eingeschlagen und Gehirntheile so zerquetscht hatte, dass sie aus den Wunden heraushingen. Der Angeklagte gab an, nur aus Nothwehr so gehandelt zu haben, während obiger Sectionsbefund deutlich dafür sprach, dass der Getödtete die meisten Hiebe erhalten hatte, nachdem er bereits zusammengestürzt war. 3) Sechzehn Tage (im Hochsommer!) vergraben gewesenes neugeborenes Kind, in welchem trotz vorgeschrittener Zersetzung angeblich noch nachgewiesen werden konnte, dass dasselbe erstickt worden ist. „Auf Erstickung deutete: a) der geschlossene Mund mit etwa $1\frac{1}{2}$ cm weit und ihrer ganzen Breite nach zwischen den Lippen hervorgetretener Zunge; b) die dunkel livide Färbung der unteren Fläche der Zungenspitze, soweit solche zwischen den Lippen hervorgeragt hatte (! Ref.), ein prägnantes Zeichen von Einwirkung eines Druckes zu Lebzeiten des Kindes; c) die bläuliche Färbung der Fingernägel; d) die Entleerung von blutig gefärbtem Schaum aus den unter Wasser ausgedrückten Fragmenten der zerschnittenen Lungen und der Erguss von ziemlich viel lufthaltigem Blut aus den Schnittflächen derselben beim Abstreifen mit dem Messer". (Kein einziges dieser Zeichen berechtigt zur Diagnose des Erstickungstodes, ebensowenig alle zusammengehalten und es muss bedauert werden, dass solche Gutachten noch als mustergültig hingestellt werden! Ref.) 4) Von besonderem Interesse ist folgender Fall: Eine Frau war plötzlich unter heftigen Bauchschmerzen und Erbrechen erkrankt und nach einigen Stunden gestorben. Zu Einreibungen in das Abdomen war Ol. Hyosc. mit Extr. Bellad. verordnet, irrthümlich aber innerlich gegeben worden. Doch war die Quantität so gering, dass dieselbe keinen Einfluss auf den Verlauf des durch die Section constatirten Processes haben konnte. Bei der Obduction fand sich nämlich eine ausserordentliche Menge frischen geronnenen Blutes in der Bauchhöhle und als Ursache dieser Hämorrhagie eine rechtsseitige Tubarschwangerschaft in der 6. Woche mit Berstung der Tuba, bei gleichzeitigem Vorhandensein einer zweiten aber 3 Monate alten Frucht im Uterus! Es lag somit eine ältere intra- und eine jüngere extra-uterine Schwangerschaft vor. Nach Ansicht der obducirenden Aerzte Schröder und Braun ist dieser Vorgang so zu erklären, dass, nachdem die intrauterine Schwangerschaft gesetzt war, noch ein Eichen aus dem rechten

Ovarium sich löste, befruchtet wurde, bei seiner Wanderung durch den Eileiter aber nicht mehr in den Uterus gelangen konnte, weil einerseits in Folge des im Uterus sich entwickelndes Eies die Schleimhaut der Tuba gelockert und verdickt war, andererseits das in der Peritonealhöhle befruchtete Ei auf dem Wege in die Uterushöhle sich vergrössert hatte. Es lag somit eine Superfoetation d. i. zwei aus verschiedenen Ovulationsperioden der nämlichen Schwangerschaft herrührende Eier vor.

Die gerichtsärztlichen Mittheilungen Maschka's (26) betreffen folgende Fälle:

1) Osteomyelitis und Periostitis maligna am linken Oberschenkel mit tödtlichem Ausgang bei einem 13jährigen Knaben, angeblich nach einem Fusstritt durch einen anderen Knaben, wahrscheinlich aber durch wiederholtes Fallen entstanden. M. macht auf die gerichtsärztliche Bedeutung solcher ganz acut und mitunter nach ganz geringfügigen Traumen eintretenden Periostitiden aufmerksam, und meint, dass in solchen Fällen eine schädliche (infectiöse) Substanz, wahrscheinlich bacteritischer Natur, schon früher im Blute vorhanden war, dass aber erst das Trauma die Veranlassung zur Festsetzung dieser Substanz an einer bestimmten Stelle des Knochens und hierdurch zur Entstehung der Entzündung abgab.

2) Bedeutende Verletzungen der Schädelknochen mit anfänglich geringen Erscheinungen und sodann fast plötzlich eingetretenem tödtlichen Ausgang. Ein Taglöhner wurde Morgens in einer 180 cm tiefen gemauerten Grube langsam herumgehend getroffen, schwang sich nach erfolgtem Anrufen selbst aus der Grube heraus, taumelte aber und sprach unverständlich, so dass man ihn für betrunken hielt. Er wurde eine Strecke weiter geführt, und dann auf einem Wagen nach Hause gebracht, wo er noch am selben Tage starb. Die Obduction ergab ausser mehreren Hautabschürfungen eine Fissur des rechten Seitenwandbeins, welche durch das rechte Schläfebein und die Pyramide bis zum Türkensattel zog, einen Einriss am linken Schläfelappen mit starkem Intermeningealextravasat, Fractur der 4. bis 7. rechten Rippe in der Mamillarlinie und eine kleine Ruptur der rechten Niere. Der Mann war spät Abends betrunken gesehen worden und offenbar zufällig in die Grube gefallen. Interessant war, dass er trotz der Schädelfractur noch in der Grube herumgehen und sogar aus dieser sich selbst herausschwingen konnte, was M. aus dem erst nachträglichen Eintreten einer stärkeren Intermeningealblutung erklärt und durch einen weiteren Fall illustrirt, wo ein junger Mann am Abort eines Wirthshauses ausgerutscht war und eine Fractur des linken Stirn- und Schläfebeins mit Ruptur der A. meningea media sich zugezogen hatte, aber noch zu Fuss nach Hause gehen konnte.

3) Ein Mann war mit zwei Schusswunden am Kopfe und einer Schnittwunde am Halse im Walde todt gefunden worden. Neben ihm lag ein Revolver und ein Taschenmesser. Die Projectile waren im Knochen stecken geblieben und hatten das Gehirn nicht verletzt. Ein Vorübergehender hatte die Leiche gefunden, ausgeraubt und dadurch den Verdacht des Mordes auf sich geladen. . Auch die Gerichtsärzte sprachen sich für Mord aus und hatten sogar die Einrisse der Haut am Einschuss für Schnittwunden gehalten. M. widerlegt diese Anschauungen und spricht sich für combinirten Selbstmord aus, der auch durch die sonstigen Umstände des Falles klar war.

4) Angebliche Erwürgung eines neugeborenen Kindes. Möglichkeit der Entstehung der vorgefundenen Verletzungen (sugillirte Hautabschürfungen im Gesichte, unter den Ohren und an den Schlüsselbeinen) durch Selbsthilfe.

5) Drei Fälle von gerichtsärztlicher Untersuchung aufgefundener menschlicher Knochen, von denen nur der eine ein besonderes Interesse bietet, weil sich an dem einem etwa 30jährigen wahrscheinlich einem männlichen Individuum angehörigen schon morschen und defecten Schädel in der Mitte der Stirne eine 1,5 cm breite, fast vollkommen runde, in die Schädelhöhle führende Oeffnung fand, die nach M. von einer Schusswunde herrühren dürfte. Es ergab sich, dass am Fundorte in früherer Zeit Verbrecher aus dem Militärstande durch Erschiessen hingerichtet und dort verscharrt wurden, so dass wahrscheinlich der Schädel von einem dort Justificirten herrührte.

Weitere Mittheilungen Maschka's (27) betreffen 1) Verletzungen im Gesichte. Nach acht Tagen Schlagfluss. Nicht nachweisbarer Zusammenhang, leichte Verletzung. 2) Vergiftung zweier Pfründner mit einem in böswilliger Absicht in die Suppe geworfenen Stückchen Arsenik. Leichte Erkrankung bei der einen, schwerere bei der zweiten Person. Tod der letzteren, eines schon früher sehr kränklichen und marastischen Mannes, 6 Tage nach dem Aufhören der letzten Vergiftungssymptome. Kein nachweisbarer Zusammenhang zwischen Vergiftung und Tod, jedoch erstere schwere Verletzung. 3) Vergraben gefundenes, sehr faules neugeborenes Kind mit fast luftleeren Lungen. Gelebthaben nach der Geburt nicht nachweisbar. Schädelbrüche vorhanden, doch nicht mehr zu erkennen, ob dieselben in vivo oder erst postmortal entstanden waren.

[Otto, Jac. G., En Legalundersögelse med nogle Bemärkninger. Arch. for Mathem. og Naturvidensk. 1885.

Der Verf. berichtet über eine forensische Untersuchung, wo es sich um den Nachweis von Blutflecken auf Eisen handelte.

Er widmet hierbei der Literatur über die Darstellung der Teichmann'schen Krystalle eine kritische Behandlung, so wie er auch über einige bei dieser Gelegenheit von ihm angestellte Experimente berichtet. Von diesen dürften hervorgehoben werden, dass der Verf. als zweckmässigstes Lösungsmittel für Blutflecken eine sehr schwache Natronlauge, welche längere Zeit (ca. 24 Stunden) einwirken muss, fand, weiter zeigt der Verf., dass die Darstellung von Häminerystallen, wenn das Blut bei hoher Temperatur auf blankem Eisen eingetrocknet war, bei Anwendung oben genannten Lösungsmittels keine besondere Schwierigkeiten darbietet, dagegen gelingt die Darstellung der Crystalle nicht, wenn das Blut bei dem Eintrocknen bei hoher Temperatur mit Eisenrost gemengt war.

Die von einigen Forschern angenommene Meinung, dass man mittelst Messung der etwa in dem Blutflecke gefundenen Blutkörperchen eine differentiale Diagnose zwischen Menschenblut und Säugethierblut stellen kann, bezweifelt der Verf. nach seinen Erfahrungen.

Christian Bohr.]

2. Gewaltsame Todesarten und Kindesmord.

1) Pohl, H., Aus dem Gebiete der gerichtlichen Medicin. St. Petersburger med. Wochenschrift. S. 336. (Rascher Tod eines 5jährigen blutarmen Mädchens an acutem Darmcatarrh. Ein geholter Arzt kam nicht, und der Nichtgewährung der ärztlichen Hülfe wurde der tödtliche Ausgang zugeschrieben. P gab das Gutachten, dass bei dem stürmischen Verlauf ärztliche Hülfe aller Wahrscheinlichkeit nach keinen Nutzen gehabt haben würde.) — 2) Laugier, Rapport sur le procès-verbal d'autopsie rédigé par les DDr. Berlingeri, Ramaroni et Stoupy (de Bastia) à l'occasion de la mort de M. Dosquet, dit Saint-Elme Ann. d'hyg. publ. XII. No. 3. p. 258. (Die DDr. B., R. und St. in Bastia hatten die gerichtliche Obduction eines Publicisten gemacht, welcher 3 Monate zuvor mehrere leichte Verletzungen erlitten hatte, wobei sie die Verletzungen sämmtlich vollkommen geheilt fanden und constatirten,

dass der Mann an Tuberculose der Lungen und der serösen Häute eines natürlichen Todes gestorben war. Dieses Gutachtens wegen wurden sie von der Presse heftig angegriffen. Sie ersuchten nun die Pariser Société de médecine légale um ihr Superarbitrium und diese erklärte entsprechend einem von L. erstatteten Referate das Vorgehen und Gutachten der genannten Aerzte für vollkommen correct.) — 3) Draper, F. W., A case of homicide by a wound of the vulva. Boston med. and surg. Journ. No. 10. p. 217. — 4) Tamassia, A., Contribuzione allo studio medico-forense dei traumi sull' addome. Nota di pratica forense. Riv. sperim. di freniatria e di med. leg. Anno X. Fasc. III. p. 121. — 5) Zaggl, Ein Selbstmordversuch in puerperio. Friedreich's Bl. f. ger. Med. S. 67. — 6) Macdonald, K. N., Medico-legal aspects of a case of death from haemorrhagé of the right temporal artery resulting from a wound inflicted by a piece of glass. Edinb. med. Journ. Febr. p. 727. — 7) Seydl, C., Seltener Fall von innerer Verletzung. Vierteljahrsschr. f. ger. Med. XL. S. 295. — 8) Naegeli, O., Zwei perforirende Hirnschüsse. Mord oder Selbstmord. Ebendaselbst. XLI. S. 231. — 9) Maschka, Seltene Lage der Eingangsöffnungen der Schusswunden bei Selbstmördern. Prager medicin. Wochenschrift. No. 17. — 10) Coutagne, H., Etude sur un cas de suicide par coups de revolver (Affaire G. de Creste). Lyon médic. No. 10. — 11) Ogston, F., A case of suicide by pistol-schot, without external wound. Edinburgh med. Journ. February. — 12) Presbrey, S. D., Notes of two autopsies. Boston med. and surg. Journ. p. 154. (Kurze Mittheilung, 1) über eine ältere Frau, welche neben einem Sopha am Boden und mit dem Gesichte in einer wenig blutiges Wasser enthaltenden Waschschüssel todt aufgefunden wurde und von welcher trotz äusserer verdächtiger Umstände angenommen wird, dass sie im trunkenen Zustande von dem Sopha fiel, zufällig mit dem Gesichte in die Waschschüssel zu liegen kam und auf diese Weise ertrank; 2) über ein bereits faules, mit durchschnittenem Halse aus dem Flusse gezogenes neugeborenes Kind.) — 13) Stedman, G., Notes of a case of drowning. Ibidem. 21. August. — (Bei der aus dem Wasser gezogenen frischen Leiche eines Mannes hatte eine bläuliche Verfärbung der Augenlider und am Vorderkopf Verdacht erregt. Die Obduction ergab keine Blutunterlaufung, überhaupt keine Verletzung, aber auch keinen der dem Ertrinkungstode gewöhnlich zugeschriebenen Befunde, insbesondere keine gedunsenen Lungen und kein Wasser in denselben, und nur eine Theetasse von letzterem im Magen.) — 14) Lesser, A., Ueber die wichtigsten Sectionsbefunde bei dem Tode durch Ertrinken in dünnflüssigen Medien. Vierteljahrsschrift für gerichtl. Medicin. XL. S. 1. — 15) Wolff, G., Ist die Arbeitsfrau T. durch die Hand eines Dritten erstickt worden? Ebendaselbst. XL. S. 60. — (Von einem dem Trunke ergebenen Ehepaare, welches sich Abends wahrscheinlich berauscht niedergelegt hatte, wurde Morgens das Weib, auf dem Gesichte liegend, todt aufgefunden und bis Mittag so liegen gelassen, während der Mann ein blutrünstiges Auge und eine Quetschung des l. Unterarmes zeigte, und angab, dass er in der Nacht mit seinem Weibe in Streit gerathen sei und dieser, nachdem sie ihn mit einem Holzpantoffel geschlagen, den Mund und die Nase zugehalten habe, bis sie still war. Trotzdem die Haut rosaröthlich gefärbt und keine Verletzung, wohl aber Kohlenoxyd im Blute gefunden wurde, bleibt W. bei der Ansicht, dass die Untersuchte durch Zuhalten des Mundes und der Nase erstickt wurde und erschliesst dies aus den Angaben des Mannes, der weisslichen Verfärbung der Kinn-, Mund- und Nasengegend und der — auffälligen Seitwärtsbiegung der Nase!) — 16) Deininger, G., Zur Casuistik des Selbstmordes durch Erhängen. Friedreich's Bl. f. ger. Medicin. S. 47. — 17) Nobiling, A., Zwei seltene Sectionsbefunde an den Leichen zweier Erhängten. Aerztl. Int.-Bl. f. Bayern. No. 20. — 18) Barr, J., Judicial Hanging. The Lancet. June 7. — 19) Krauss, A., Erstickt oder erdrosselt? Ein Seitenstück zu dem im 4. u. 5. Heft 1883 dieser Blätter mitgetheilten Falle G. Friedreich's Bl. f. ger. Medicin. S. 91. — 20) Cohn, Bruch des Zungenbeins. Vierteljahrsschr. f. gerichtl. Medicin. XL. S. 290. — 21) Maschka, Zwei Fälle von Sublimatvergiftung. Prager med. Wochenschrift. No. 5 und 6. — 22) Derselbe, Phosphorvergiftungen mit rasch eingetretenem Tode Wiener med. Wochenschrift. No. 20 u. 21. — 23) Leonpacher, Tod durch acute Phosphorvergiftung ohne Auffinden von Phosphor in der Leiche. Friedreich's Bl. f. ger. Medicin. S. 29. — — 24) Ludwig, E. und J. Mauthner, Aus der forensisch-chemischen Praxis. Vortäuschung einer Arsenvergiftung, bedingt durch einen Kranz aus künstlichen arsenhaltigen Blumen. Wiener med. Blätter. No. 1—3. — 25) Buchner, L. A., Ueber Vergiftungen mit gifthaltigem Mehle. Friedreich's Bl. S. 161. — 26) Garnier et Schlagdenhauffen, Empoisonnement par l'acide sulfurique du commerce. Ann. d'hyg. publ. No. 3. p. 227. — 27) Anonymus, The poisonning by arsenic in Liverpool. The Lanc. p. 349. — 28) Lowndes, F. W., Exhumation and examination of a body wich had been buried ten months. Ibidem. March 15. — 29) Brown, C. und E. Davis, On the yellow pigment found in the intestines in cases of arsenical poisoning. Med. Times. p. 319. — 30) Chittenden, Arsenic in a human body. Brit. med. Journ. p. 234. — 31) Zillner, E., Ueber Vergiftung mit chlorsaurem Kali. Wiener med. Wochenschrift. No. 33 u. 34. — 32) Falck, F. A., Beitrag zum Nachweis des Strychnins. Vierteljahrsschrift f. gerichtliche Medicin. XLI. S. 345. — 33) Chandelon, Th., Neues Verfahren zur Ausmittelung des Strychnins, sowie einiger Alkaloide in Vergiftungsfällen. Zeitschrift f. physiol. Chemie. IX. S. 40. — 34) Masse, Empoisonnement par une infusion de feuilles de Belladonne. Gaz. hebdom. des sciences médic. de Bordeaux. 18. Mai und Ann. d'hyg. publ. No. 6. p 549. — 35) Gibbons, H., Empoisonnement par l'Hyosciamine. Ann. d'hyg. publ. No. 1. p. 101. (Auszug aus dem Pacific med. and surg. Journ.) — 36) Severi, A., Del Jequirity in rapporto alla tossicologia e alla medicina legale. Lo Sperimentale. Gennaio. p. 36. — 37) Coutagne, H., Note sur un cas d'empoisonnement par les fruits du taminier. Lyon médical. 22. Juin. — 38) Estradère, Le médecin de campagne, médecin légiste forcé. Observation d'asphyxie par le gaz d'éclairage devenue mortelle par une administration maladroite de l'ammoniaque. Ann. d'hyg. publ. No. 2. p. 174. — 39) Falk, F., Ueber einen Fall von Kohlenoxyd-Vergiftung. Vierteljahrsschrift f. gerichtl. Med. S. 279. — 40) Descoust et Yvon, Asphyxie par l'acide carbonique. Ann. d'hyg. publ. No. 3. p. 273 und No. 1. p. 69. — 41) Du Mesnil, Présence de l'acide carbonique dans le sol renfermant des matières organiques en décomposition et notamment dans les cimetières. Ibidem. No. 5. p. 418. — 42) Bert, P., Répons à M. du Mesnil. Ibidem. p. 477. — 43) Raimondi, C., Le ptomaine di Selmi ed i criteri medico-forensi nel veneficio. Prelezione al corso di medicina legale nella R. università di Genova, letta il 22. Gennaio 1884. La Salute. Anno XVIII. No. 4—5. — 44) Schjerning, Ueber den Tod in Folge von Verbrennung und Verbrühung vom gerichtsärztlichen Standpunkte. Vierteljahrsschrift f. gerichtl. Medicin. XLI. S. 24 u. 273 und XLII. (1885). S. 68. — 45) Heusner, Ueber die Wirkungen des Blitzes auf den Menschen. Wiener med. Blätter. No. 40. — 46) Steiger, A., Kurze Beleuchtung des Processes Dr. Troxler's Erben gegen die schweizerische Unfall-Versicherungs-Gesellschaft in Winterthur. Correspondenz-Blatt für Schweizer Aerzte. No. 2. S. 36. — 47) Maschka, Ueber Fruchtabtreibung mit tödtlichem Ausgange. Vierteljahrsschrift für gerichtl. Medicin. XLI. S. 265 und XLII. (1885). S. 32. — 48) Körber, Die Durchschnittsmaasse ausgetragener Neugeborener und ihre Lebensfähigkeit, berechnet aus den Jahresberichten der Findelhäuser in St. Petersburg und Moskau. Ebendas. XL. S. 225. — 49) Severi, A., Valutazione della lunghezza del tubo alimentario e delle sue diverse parti in rapporto alla età del féto. Lo Sperimentale. Maggio. p. 482. — 50) Huber, J. Ch., Einige Notizen über die Nabelschnur. Friedreich's Blätter f. gerichtl Medicin. S. 391. — 51) Nobiling, A., Der pathologisch-anatomische Befund bei dem Erstickungstode des Neugeborenen und seine Verwerthung in gerichtlich-medicinischer Beziehung. Aerztl. Int.-Bl. f. Bayern. No. 38—40. — 52) Schauta, F, Experimentelle Studien über den Effect der Schultze-schen Schwingungen zur Wiederbelebung Neugeborener. Wiener med. Blätt. No. 29 u. 30. — 53) Hofmann, E., Ueber den Effect der sogenannten Schultze'schen Schwingungen und ähnlicher Vorgänge. Ebendas. No 34. — 54) Laennec, Th. A., Docimasie hydrostatique et docimasie optique. Gazette des Hôpitaux. No. 2. — 55) Fielitz, Leben ohne Athem. Gerichtsärztliches Gutachten. Vierteljahrsschrift f. gerichtl. Medic. XLI. S. 72. — 56) Loeser, Erstickungstod oder Verblutung aus der nicht unterbundenen Nabelschnur. Ebendas. S. 80. — 57) Zillner, E., Ruptura flexurae sigmoideae neonati inter partum. Virchow's Arch. 96. Bd. S. 307. — 58) Pohl, H., Aus gerichtlich-medicinischem Gebiete. St. Petersburger med. Wochenschrift. No. 10. — 59) Wollner, Tod eines neugeborenen Kindes durch Erstickung oder durch Lebensschwäche? Friedreich's Blätter f. gerichtl. Medicin. S. 111. (Nicht ausgetragenes, 2 Stunden nach der Geburt gestorbenes Kind. Dickflüssiges Blut, Ecchymosen an den Lungen und am Herzbeutel, Bluterguss zwischen den inneren Meningen. Die Obducenten lassen das Kind an Erstickung sterben, W. dagegen in Folge der unvollkommenen Reife und präcipirten Geburt. Offenbar lag Tod durch während des Geburtsactes entstandene intermeningeale Hämorrhagie vor.) — 60) Jaumes, A., Une autopsie de nouveau-né. Ann. d'hyg. publ. No. 5. p. 424 und Montpellier médic. Novbr. p. 393. (Gutachten über die Todesart eines neugeborenen Kindes, welches in eine Serviette gehüllt, mit fest um den Körper, aber nicht um den Hals geschlungener Nabelschnur und plattgedrückter Nase, in einem Sandhaufen seicht vergraben gefunden wurde. Die Obduction ergab Erstickungsbefunde und J. bespricht die Möglichkeiten, durch welche im concreten Falle die Erstickung veranlasst worden sein konnte.) — 61) Carreau, Rapport sur un cas d'infanticide par immersion. Ann. d'hyg. publ. No. 6. p. 545.

Bekannt ist die Gefährlichkeit von Wunden der Clitorisgegend. Draper (3) hatte ein noch rüstiges Weib zu untersuchen, welches sich an einer solchen Wunde verblutet hatte, die ihr wahrscheinlich von ihrem Manne absichtlich, wie D. vermuthet mit einem Messer, beigebracht worden war.

Das, ebenso wie ihr Mann, dem Trunke ergebene Weib war, in einer Blutlache liegend, todt gefunden worden, und in ihrer Nähe eine Blut enthaltende Waschschüssel. Die Wunde sass zwischen Clitoris und Harnröhrenmündung, verlief etwas schief von oben nach unten, war 1 engl. Zoll lang, bis ½ Zoll tief und zeigte scharfe Ränder und glatte Seitenflächen. Grössere Gefässe waren nicht verletzt. Der Mann leugnete jede Gewaltthat, benahm sich aber beim Auffinden der Leiche sehr verdächtig, indem er unter anderem auch die Vermuthung aussprach, dass sich sein Weib die Verletzung selbst bei einem Fruchtabtreibungsversuch zugefügt haben könne. Die Section ergab jedoch einen leeren Uterus.

Tamassia (4) berichtet über eine Frau, welche im 3. Monate schwanger, von ihrem Manne einen Stoss in die Seite erhielt, wodurch sie das Gleichgewicht verlor, auf eine Wiege fiel und nach wenigen Augenblicken den Geist aufgab. Die Obduction ergab als Todesursache innere Verblutung in Folge von Ruptur der Leber und der Milz. Die Leber aber war fettig degenerirt und der Riss sass über einer citronengrossen Echinococcusblase und auch die geborstene Milz war acut geschwellt in Folge vorangegangener Intermittensanfälle. T. führte in seinem Gutachten aus, dass die eine Ruptur durch directen Stoss, die andere durch das Auffallen auf die Wiege entstand, und dass beide Gewalten nicht ihrer allgemeinen Natur nach, sondern nur wegen der krankhaften Beschaffenheit der betreffenden Organe deren Ruptur bewirkt haben. Der Mann wurde von den Geschworenen freigesprochen.

Selbstmord durch Hiebwunden gehört bekanntlich zu den Seltenheiten. Zaggl (5) bringt einen solchen Fall, welcher eine durch grossen Blutverlust und Fieber herabgekommene und durch gleichzeitige Unglücksfälle deprimirte Wöchnerin betraf, die sich mit einem Fleischhackel den Schädel eingeschlagen hatte. Die Frau wurde bei Bewusstsein gefunden und zeigte zwei Quetschwunden am Scheitel und im Grunde der einen eine fünfmarkstückgrosse Zersplitterung des Knochens, aus welcher 11 Splitter entfernt wurden. Auffallend war dabei die vollständige Unempfindlichkeit der Patientin. Nach 8 wöchentlicher Krankheitsdauer und Abstossung necrotischer Knochenstücke erfolgte vollständige Heilung. Von Seite der Staatsanwaltschaft wurde ein Gutachten verlangt, ob wirklich nur ein Selbstmordversuch oder eine Einwirkung fremder Hand vorliege. Die Untersuchte war geständig und schilderte ausführlich den von ihr eingeschlagenen Vorgang und die Motive hierzu.

In dem von Macdonald (6) mitgetheilten Falle war ein 41jähr. Potator, in seinem Blute schwimmend, im Bette todt gefunden worden und am Boden eine zerbrochene Schnapsflasche. Die Blutung stammte aus einer Wunde in der rechten Schläfengegend, in welcher die Schläfearterie quer durchschnitten war. Die Umstände schienen auf einen Sturz im Rausch auf jene Flasche hinzudeuten, weitere Recherchen ergaben jedoch, dass die Wunde vom Weibe des Verstorbenen veranlasst worden war, welches ihm, als er berauscht nach Hause gekommen war, die Schnapsflasche auf den Kopf geworfen hatte. Sofort war heftige Blutung eingetreten, doch vermochte sich der Verletzte noch in sein Bett zu legen, worin er nach 3 Stunden starb, nachdem er sich unruhig hin und her geworfen hatte.

Bei einem Manne, welcher durch eine 30 Centner schwere eiserne Brückenklappe zerquetscht worden war, fand Seydl (7) ausser vielfachen Knochenbrüchen und Rupturen eine Höhle, welche sich zwischen linker 12. Rippe und Darmbeinschaufel gebildet hatte, in der die Milz, ein Stück des Magens und die zertrümmerte linke Niere sich befand. Der übrige Magen und ein etwa gänseeigrosses Stück der Leber mit der Gallenblase befand sich in der rechten Scrotalhälfte ohne Peritonealüberzug, der grösste Theil der Dünndärme aber in einer kindskopfgrossen subcutanen Höhle an der Vorderfläche des rechten Oberschenkels.

Die gerichtsärztliche Beurtheilung eines von Naegeli (8) mitgetheilten Falles von angeblichem Selbstmord durch Schuss, bezüglich dessen auch von Prof. Huguenin in Zürich, von Dr. Kappeler und von dem Ingenieur und Waffentechniker v. Martini

(Erfinder des Martinigewehrs) Gutachten abgegeben wurden, war in der That eine sehr schwierige.

Es handelte sich um einen 56jährigen, mit seinem Weibe in unglücklicher Ehe lebenden Mann, der eines Morgens in seinem Bette todt gefunden wurde, und zwar mit zwei Schusswunden im Kopfe, welche, wie die Obduction ergab, von aus nächster Nähe abgefeuerten Revolverschüssen herrührten und von denen die eine, wie durch beigegebene Zeichnungen erläutert wird, mit einer erbsengrossen Oeffnung an der linken Incisura supraorbitalis begann und in einen Canal überging, welcher von links und vorn nach rechts und hinten ziehend den rechten Stirnlappen, den vorderen Winkel der rechten Sylvischen Grube und den vordersten Theil des rechten Schläfelappens durchbohrte, ohne die innere Capsel oder die Centralwindungen zu verletzen, während die andere, etwas unterhalb des inneren linken Augenwinkels beginnend, in einen von vorn nach hinten und etwas von links nach rechts ziehenden Schusscanal sich fortsetzte, der unter der Schädelbasis bis zur rechten Seite des Clivus verlief, die rechte Carotis interna im Sulcus caroticus durchriss, das rechte Kleinhirn quetschend, ohne Verletzung der centralen Theile rechts an der Mittellinie etwa in der halben Höhe des Hinterhauptbeins endete. Der Untersuchte war rechtshändig und der Revolver lag rechts und unmittelbar vor der ausgestreckten rechten Hand mit der Mündung gegen die Füsse gekehrt. Schwärzung der Hände konnte nicht constatirt werden, da diese bereits gewaschen worden waren. Die Untersuchung des Revolvers ergab, dass derselbe wegen Federbruches nur bei nach abwärts gerichteter Mündung repetirt und sowohl beim Aufziehen als beim Abdrücken sehr schwer geht. Der Techniker erklärt, dass bei der eigenthümlichen Schussrichtung und bei einem Rechtshändigen ein Selbstmord nur im Liegen und mit Benutzung beider Hände möglich war, findet jedoch den ganzen Vorgang, die Lage der Leiche und des Revolvers sehr befremdend. Die Gutachten der ärztlichen Sachverständigen drehen sich vorzugsweise um die Frage, ob Denatus sich beide Schüsse hat selbst beibringen können und kommen sämmtlich zu dem Schlusse, dass, wenn der Schuss, welcher durch den rechten Stirnlappen drang, der erste gewesen ist, diese Möglichkeit nicht absolut ausgeschlossen werden kann. Huguenin erörtert dies, indem er die verletzten Hirntheile und die Functionen, welche denselben entsprechen, einer genauen Erwägung unterzieht, Kappeler an der Hand chirurgischer Erfahrungen, indem er zunächst mehrere Beobachtungen, darunter eine eigene, anführt, wo nach gleichen oder ähnlichen Schüssen, wie der durch den rechten Stirnlappen, das Bewusstsein unmittelbar nach der Verletzung erhalten blieb, und dann einen Selbstmord durch 3 perforirende Schädelwunden aus eigener Erfahrung mittheilt. Es war ein kleiner Revolver benutzt worden. Der eine Einschuss sass 2 Finger breit über der Nasenwurzel, der zweite 3 cm unterhalb des rechten äusseren Augenwinkels. Am zweiten Tage kam der Patient auf kurze Zeit zu sich und zeigte eine Paralyse der linken Extremitäten, starb aber am dritten Tage. Die Obduction ergab einen von vorn nach hinten und etwas von innen nach aussen verlaufenden Schusscanal durch den oberen Theil der rechten Grosshirnhemisphäre mit Bluterguss in den rechten Seitenventrikel und einen zweiten in der rechten Schläfengegend, welcher, den Knochen durchbohrend, mit einer 2 Francstück grossen Quetschung des Schläfelappens 3 cm hinter der Spitze desselben endete. N. findet die Analogisirung dieser Fälle mit dem gegenwärtigen nicht ganz zutreffend, indem es sich hier um ungleich schwerere Verletzungen handelte und ist, indem er diese Thatsache mit den sonstigen Umständen des Falles zusammenfasst, der Ueberzeugung, „dass man, um den Fall als Selbstmord hinstellen zu können, in jeder Hinsicht bis an die Grenze der Wahrscheinlichkeit schreiten müsste und dass wir dann wirklich ein forensisches Unicum vor uns hätten". Die Staatsanwaltschaft liess die Anklage gegen die Angeschuldigten fallen.

Zwei Fälle von ungewöhnlicher Lage der Eingangsöffnungen von Schusswunden bei Selbstmördern werden von Maschka (9) mitgetheilt.

In dem einen Falle (kleine Pistole) sass die Oeffnung im linken Seitenwandbein, und zwar im Winkel zwischen der Pfeilnaht und der Lambdanaht, im zweiten (Revolver) hatte sich der Selbstmörder zuerst in die Scheitelgegend geschossen, wodurch im hinteren Drittel der Pfeilnaht ein kreuzergrosser, fast kreisrunder Sprung mit umschriebener Contusion des Gehirns darunter entstand und hierauf mit einem zweiten Schuss in das Herz sich getödtet.

In einem von Coutagne (10) begutachteten Falle war ein Mann in seinem Zimmer todt gefunden worden, nachdem man vier, und $^3/_4$ Stunden danach einen fünften Schuss gehört hatte. An der Leiche fanden sich, wie C. abbildet, 4 Schusscanäle mit theilweise geschwärzten kleinen Eingangsöffnungen, von denen einer den Thorax in der Herzgegend von links nach rechts durchdrang, ohne wichtige Organe zu verletzen (!), ein zweiter unter dem linken Warzenfortsatz quer durch den Pharynx bis zum fracturirten rechten Unterkieferaste, ein dritter unmittelbar über dem zweiten bis zum linken Warzenfortsatz führte, während ein vierter von der rechten (!) Schläfegegend quer durch die Basis beider Stirnlappen bis in die zertrümmerte linke Orbita verlief. Bei der Leiche lag ein kleiner Revolver. C. führt aus, dass es sich offenbar um Selbstmord handle und dass die drei erstgenannten Schüsse mit der linken und der vierte zuletzt mit der rechten Hand abgegeben wurden. Der Untersuchte soll Ambidexter gewesen sein. Auch wurde constatirt, dass er zwischen den 4 ersten Schüssen, von denen einer in die Luft gegangen sein musste, und dem letzten blutend in das Zimmer seiner Kinder gekommen, einige verwirrte Worte gesprochen und dann wieder in sein Zimmer zurückgegangen sei.

Bei einem Manne, welcher sich durch einen Revolverschuss in den Mund umgebracht hatte, fand Ogston (11) äusserlich keine Verletzung, dagegen im Munde Schwärzung und eine $^1/_4$ Zoll weite Oeffnung im weichen Gaumen, die in einen Canal führte, welcher knapp vor der vorderen Peripherie des Hinterhauptloches den Basilarfortsatz des Occiput perforirte, dann durch die Medulla oblongata bis zur inneren Protuberanz des Hinterhauptbeins sich fortsetzte, dann unter einem spitzen Winkel durch das Gehirn bis zum oberen Antheil des rechten Stirnbeins und von dort zwischen Dura und Hirnoberfläche bis zum oberen Ende der linken Sylvi'schen Furche führte, wo das plattgedrückte Projectil sass. Es handelte sich somit, wie O. in einer Zeichnung zeigt, um ein doppeltes Ricochettiren des letzteren. Der Schädel war bis auf die bezeichnete Oeffnung unverletzt.

Entgegen den Angaben anderer Beobachter fand Lesser (14) bei allen frischen Leichen Ertrunkener ballonirte Lungen und als Ursache dieser Erscheinung das Ausbleiben des Lungencollapses in Folge Verstopfung der kleinen Bronchien durch zähen Schleim, welcher, wie er meint, während des Ertrinkens durch Einwirkung der stets bis in die feineren

Bronchien, aber nicht weiter, dringenden Ertränkungsflüssigkeit, secernirt wird. Die Ertränkungsflüssigkeit für sich allein ist nicht im Stande, den Lungencollaps hintanzuhalten. Weiterhin (S. 28) wird aber gesagt, dass die Blähung der Lungen an und für sich in Betreff der Todesursache nichts beweist, denn sie finde sich, abgesehen von Abnormitäten des Lungenparenchyms, stets, wenn die Luftwege verletzt sind, sei es dass das Hinderniss in den grossen Bronchien, in der Trachea oder im Rachen seinen Sitz hat! Fäulniss bewirkt eine Verminderung der Consistenz des Bronchialinhaltes und wenn diese bis zu einem gewissen Grade gediehen ist, collabiren die Lungen wie gewöhnlich. (Die Schleimbildung in den Bronchien beim Ertränkungstod und ihr Einfluss auf das Ausbleiben des Lungencollapses hat bereits G. Ceradini [„Della morte da sommersione e da introduzione d'aria nelle vene". L'imparziale. 1873. No. 7—10 und als Broschüre Firenze 1873] zum Gegenstande ausführlicher Untersuchungen an Hunden gemacht, jedoch gefunden, dass dieselbe keineswegs immer, sondern nur dann sich einstellt, wenn der Todeskampf längere Zeit gedauert hat, wie dieses bei ertrinkenden Menschen, indem sie noch einige Male auftauchen, in der Regel der Fall ist. Ref.) Den Umstand, dass, wie L. gefunden haben will, bei ertrunkenen Thieren und Neugeborenen der Lungenbefund wesentlich abweicht von dem bei ertrunkenen erwachsenen Menschen, dass nämlich bei ersteren die Ertränkungsflüssigkeit bis in das Lungenparenchym eindringt und keine Schleimbildung in den Bronchien erfolgt, erklärt er sich aus Verschiedenheiten im physiologischen Verhalten während des Sterbens, insbesondere daraus, dass beim erwachsenen Menschen die Erstickung überhaupt in beträchtlich kürzerer Zeit sich abzuspielen und das Stadium der „terminalen" Athembewegungen nur kurz zu dauern oder ganz fortzufallen scheint. (Dies würde wohl das Nichteindringen der Ertränkungsflüssigkeit in die Alveolen, nicht aber die angebliche Schleimsecretion erklären, die ja desto weniger eine bedeutende sein könnte, je rascher der Tod eingetreten ist. Ref.) Bei Versuchen mit in Flüssigkeiten eingelegten Leichen fand L., dass erstere mit grosser Leichtigkeit bis in die Alveolen und in den Magen und auch in die Paukenhöhlen eindringen. In diesem Umstand einerseits und der bei vielen frischen Leichen Ertrunkener constatirten Trockenheit der Lungen andererseits, sieht L. einen weiteren Beweis für die von ihm behauptete schon während des Lebens eintretende Verstopfung der Bronchien durch secernirten Schleim. (Versuche mit in leicht nachweisbare wässrige Flüssigkeiten eingelegten frischen Leichen Ertrunkener wären wohl angezeigt gewesen. Uebrigens ist es unrichtig, dass die „Ertränkungsflüssigkeit" an der Leiche so gar leicht bis in die Alveolen eindringe, da die im Wiener forens. med. Institute 1883 von Hnevkovsky angestellten Versuche ergaben, dass dies bei 26 submersirten Kindesleichen nur 3 Mal der Fall war. Andererseits wurde auch bei Erwachsenen die Ertränkungsflüssigkeit resp. die in ihr enthaltenen feinen Fremdkörper in den Alveolen gefunden und es zeigen auch die so häufigen Fälle, in denen Individuen unter Aspiration von Blut oder Mageninhalt plötzlich oder sehr rasch sterben, zur Genüge, dass auch bei Erwachsenen selbst dicklichere Stoffe bis in die Alveolen aspirirt werden können. Allerdings ist diese Aspiration keine gleichmässige, sondern findet nur inselförmig statt. So dürfte sich aber die Sache auch beim Ertrinkungstode verhalten und daraus wieder sich ungezwungen erklären, warum auch beim Ertrinken, selbst wenn nicht unbeträchtliche Mengen der Ertränkungsflüssigkeit aspirirt worden sind, grosse Partien des Lungenparenchyms trocken bleiben können. Ref.)

Eine geisteskranke 61 Jahr alte Frau, über welche Deininger (16) berichtet, wurde, in halb liegender, halb hockender Stellung an einer Zuckerhutschnur in der Weise hängend und todt gefunden, dass die Schnur den Nacken dicht unter der Haarwuchsgrenze umfing, an den Seiten des Halses nach vorn lief und unter dem Kinn sich vereinigte, wo die Schnur zu einem Knoten geschlungen war. Das Gesicht war nach oben gerichtet, das Kinn durch die straff angespannte Schnur nach rückwärts gedrängt. Bei der Obduction wurde eine $^1/_2$ cm breite Strangfurche gefunden, welche im Nacken am stärksten ausgeprägt war und nach vorn schwächer werdend an dem höchsten Punkt der seitlichen Halspartien beiderseits verschwand. Genau unter dem Kinn fand sich eine fünfpfennigstückgrosse, gelblich braune, vertrocknete, vom Druck des Knotens herrührende Stelle. Die vordere Hals- und die Kehlkopfgegend war somit vollkommen freigeblieben. Das Gesicht war blassbläulich, die Lippen und Zunge blau, Bindehäute nicht ecchymosirt, dagegen punktförmige Ecchymosen an den Wangen. Eine Obduction wurde nicht gemacht. Selbstmord war zweifellos. D. erörtert unter Heranziehung analoger Fälle aus der Litteratur die Art und Weise, wie bei derartigen Suspensionen der Tod erfolgt und kommt zum Schlusse, dass in solchen Fällen der Tod ohne Betheiligung der Athmungsorgane, lediglich in Folge der Compression der grossen Halsgefässe eintritt. Versuche, die er an Lebenden und Leichen anstellte, haben ergeben, dass bei einer Lage des Stranges, wie sie im obigen Falle gefunden wurde, zwar durch Verdrängung der Weichtheile der seitlichen Halspartien nach vorne, innen und oben eine Verengerung des Rachenraumes stattfindet, dass aber von einer Aufhebung der Luftzufuhr keine Rede sein kann. Dagegen findet eine Compression der grossen Halsgefässe statt und dadurch im ersten Momente eine venöse Stauung und darauf eine arterielle Anaemie. Der Ernährungszustand ist hierbei nicht gleichgültig, da bei stärkerem Hals die Compression der Gefässe leichter erfolgen kann als bei schwächerem (Ref. hat aus Anlass eines im vorigen Jahre vorgekommenen gleichen Falles ähnliche Versuche an Leichen angestellt wie D. und hat dabei ebenfalls gefunden, dass die Luftwege nicht wesentlich verengert, wohl aber die grossen Halsgefässe comprimirt resp. undurchgängig gemacht werden, was zum Eintritt zunächst von Bewusstlosigkeit und dann des Todes vollkommen hinreichen kann).

Bei einem 24j. Mann, der sich in knieender Stellung an einem baumwollenen Taschentuch erhängt hatte, fand Nobiling (17) Zunge und Zungenbein stark nach rück- und aufwärts gedrängt, der hinteren Pharynxwand fest anliegend, das Gaumensegel sammt Uvula nach hinten und aufwärts geschlagen, Ecchymosen in den Conjunctiven, an den ödematösen Lungen und an der Herzspitze; und bei einem 40j. corpulenten Mann, der an einer mit Draht durchflochtenen Rebschnur frei hängend gefunden wurde, partielle Ruptur der am Zungenbein sich ansetzenden Muskeln, des Kopfnickers und der obersten hinteren Halsmuskeln mit beträchtlicher Blutung ins Muskelgewebe, mehrere 1,5 — 2 cm lange und 3—4 mm breite Ecchymosen in dem die Carotis und den Vagus umgebenden Bindegewebe, Röthung und Schwellung der Schleimhaut der Luftwege, eine grosse Ecchymose am rechten Stimmband, kleinere unter der Pleura und im Lungengewebe, feinblasigen Schaum im Kehlkopf und in der Luftröhre.

Der Gefängnissarzt von Kirkdale Barr (18) verlangt, dass der Vorgang bei der Hinrichtung durch Hängen nicht dem Belieben des Henkers überlassen bleiben, sondern wissenschaftlichen Grundsätzen entsprechend vorgeschrieben werden sollte. B. empfiehlt das mit einem Fall aus einer gewissen Höhe (with long drop) verbundene Hängen, da bei letzterem, wie er sich in mehreren Fällen überzeugte, eine Fractur oder Luxation der Halswirbelsäule erfolgt. Um das Zustandekommen derselben zu erleichtern sei der Knoten unter dem Kinn anzubringen, da dann beim Fall der Kopf plötzlich nach rückwärts gerissen wird. Doch konnte er auch in Fällen, wo wirklich eine Dislocation der Halswirbelsäule sich ergab, ein Fortschlagen des Herzens durch 2 — 13 Minuten constatiren. (Da bei dieser Methode eine Dislocation der Halswirbelsäule keineswegs immer erfolgen muss und der Verschluss der Luftwege unvollständig oder gar nicht, die plötzliche Compression der Halsgefässe, die so rasch Bewusstlosigkeit herbeiführt, wenigstens nicht so sicher und vollständig geschieht, wie beim typischen Erhängen, so kann Ref. in ersterer keinen Vorzug vor letzterem erblicken.)

Krauss (19) hat im vorigen Jahre (s. d. Ber.) einen Mord durch Erwürgen mitgetheilt, wobei ein Knabe Zeuge der That gewesen zu sein behauptete. Als Seitenstück dazu bringt er einen zweiten Fall, in welchem es sich um Erwürgung einer 68jährigen Frau durch ihren Schwiegersohn handelte. Die Betheiligten wollten den Sterbefall als natürlichen Tod hinstellen und auch die Obducenten sprachen sich für natürlichen Erstickungstod in Folge von Bronchitis aus, weil sie innerlich am Halse keine Verletzungen fanden und die unbedeutenden Kratzwunden am Vorderhals ihrer Meinung nach auch nur zufällig entstanden sein konnten. Ein dritter Gerichtsarzt diagnostirte mit Entschiedenheit Erwürgung durch fremde Hand. Der Angeklagte gestand auch, die Frau aus Anlass eines Streites gewürgt und unabsichtlich getödtet zu haben. Der That hatte der eigene 6jährige etwas idiotische Sohn des Angeklagten zugesehen und darüber genaue Angaben gemacht. K. erörtert die Glaubwürdigkeit dieses Zeugen vom psychologischen und psychiatrischen Standpunkt und kommt zum Schlusse, dass dessen Zeugniss als ein durchaus glaubwürdiges anzusehen sei.

Bei einer Frau, welche mit zahlreichen Quetschungen am Kopfe, im Gesichte, am Halse und einer Einknickung der 6. Rippe etc. todt gefunden wurde, constatirte Cohn (20) einen Bruch des Zungenbeins, welchen Befund er für sehr selten erklärt und sein Gutachten dahin abgiebt, dass die Untersuchte zuerst durch Schläge gegen den Kopf betäubt und dann gewürgt worden sei.

Zu dem im vorigem Jahre mitgetheilten Falle von Sublimatvergiftung fügt Maschka (21) zwei neue einen Doppelselbstmord betreffende Fälle hinzu.

Bei dem Manne war der Tod nach 4, bei dem Mädchen nach 6 Tagen erfolgt. Bei ersterem war die Schleimhaut der Luftröhre leicht geröthet, die der Speiseröhre bräunlich, leicht gerunzelt, das Epithel abgelöst, die Submucosa etwas ödematös. In der Bauchhöhle etwas trübe Flüssigkeit, das Netz stark injicirt, wie gegerbt. Der Magen äusserlich bräunlich, derb anzufühlen, seine Schleimhaut dunkelbraun, geschwellt, blutig suffundirt, tief verschorft; die des Dünndarms etwas geschwellt, stellenweise injicirt ohne Verschorfungen, jene des Dickdarms, namentlich des Querstücks hochgradig verschorft und zwar in der Art, dass die Verschorfungen, welche rundlich und erbsengross waren, bis zur Serosa reichten und stellenweise, namentlich in der Flexura sigmoidea abgestossen waren. Bei dem Mädchen war die Schleimhaut der Trachea ebenfalls schwach geröthet, die der Speiseröhre aber blass und normal, im unteren Drittel bräunlich, gerunzelt, das Epithel theils abgängig, theils in Fetzen herabhängend. Der Magen von aussen blass, seine Schleimhaut leicht geschwellt, am Grunde etwas geröthet, mit einigen stecknadelkopfgrossen Ecchymosen, sonst unverändert, ebenso das Duodenum. Im Dünndarm nur in der Nähe des Coecum quer gestellte Verschorfungen einzelner Falten, sonst die Schleimhaut geschwellt, gelockert, stellenweise injicirt; die Schleimhaut des Dickdarms war vom Mastdarm angefangen bis zum Coecum geschwellt, dunkelbraunroth, mit zahlreichen gelbgrünen Schorfen besetzt, welche rundlich, bohnengross und symmetrisch, stets 3 nebeneinander in Reihen nach der Längsachse des Darms gestellt waren. In beiden Fällen fand sich parenchymatöse Degeneration der Leber und der Nieren. In der Epikrise erklärt sich M. die geringere Entwickelung der Verätzung des Magens bei dem Mädchen daraus, dass letzteres vor der Einnahme des Giftes Speisen genossen hatte. Die Verschorfungen im Dickdarm, welche sich in beiden Fällen fanden, hält M. in Uebereinstimmung mit anderen Beobachtern nicht für ein Product localer Anätzung, sondern für eine vom Blute aus durch das resorbirte Gift bedingte Erscheinung, wofür auch die von Heilborn gemachte Beobachtung spricht, dass auch nach subcutaner und cutaner Beibringung von Sublimat ähnliche Verschorfungen an der Magen- und Darmschleimhaut zu Stande kommen.

Phosphorvergiftungen, bei welchen der Tod schon in wenigen Stunden eintritt, sind selten: Maschka bringt 3 solche. In dem einem Falle war der Tod 7 — 8 Stunden, im zweiten (10 Päckchen Zündhölzchen) nach 8 und im dritten ebenfalls nach 8 Stunden eingetreten. In allen 3 Fällen wurde besonders im Darm Phosphor nachgewiesen, sonst nur beginnende fettige Degeneration der Leber und der Nieren und in zweien auch des Herzens gefunden, aber keine gröbere anatomische Veränderung. M. erklärt sich den raschen Tod unter Berufung auf die Versuche von H. Mayer aus der directen herzlähmenden Wirkung des Phosphor, aus der grösseren Menge des genommenen Giftes und aus den die Resorption befördernden Umständen.

Ueber eine medicinale Vergiftung durch Phosphor berichtet Leonpacher (23).

Ein 17j. mit Menstrualcolik behaftetes Mädchen hatte sich an einen Curpfuscher gewendet und von diesem eine nach Zündhölzchen riechende und ekelhaft schmeckende Medicin erhalten, durch 3 Tage genommen und dann weggeschüttet. An dem Weggeschütteten wurde ein Leuchten bemerkt. Nach 5tägigem Krankenlager trat der Tod ein. Die klinischen Erscheinungen und der anatomische Befund entsprachen denen der subacuten Phosphorvergiftung. P. wurde in den Leichentheilen nicht nachgewiesen, ebensowenig in den leeren Arzneigläsern, dagegen in einem der letzteren Phosphorsäure. L. und das Medicinalcomité sprachen sich für Phosphorvergiftung aus, die Untersuchung wegen fahrlässiger Tödtung wurde jedoch eingestellt, da sich nicht constatiren liess, dass das kritische Arzneiglas vom Curpfuscher herrührte.

Wie bei Exhumationen durch unsachgemässes Vorgehen der Gerichtsärzte complicirte Situationen und höchst bedenkliche Irrungen geschaffen werden können, zeigt der von Ludwig und Mauthner (24) publicirte Fall von Vortäuschung einer Arsenikvergiftung durch einen Kranz von künstlichen arsenhaltigen Blumen.

Ein 18j. schwangeres Mädchen war, nachdem es sich zu einer Kupplerin, wahrscheinlich behufs Abtreibung der Leibesfrucht begeben hatte, tags darauf als Leiche in einem offenen Wassercanale gefunden worden. Die Gerichtsärzte fanden keine Spur einer Verletzung oder Vergiftung und diagnosticirten Ertrinkungstod. Wenige Tage darauf gestand ihr Geliebter, dass er und ein Zweiter die Untersuchte in der Nacht bereits todt aus dem Hause der Kupplerin getragen und ins Wasser geworfen habe. Wegen Verdacht der Vergiftung wurde die Exhumation vorgenommen und die chemische Untersuchung eingeleitet. Zu letzterer wurden von den Gerichtsärzten merkwürdiger Weise nur ein etwa wallnussgrosses (!) Stück vertrockneter unkenntlicher innerer Organe im Gewichte von 23 g und ein Stück der behaarten Kopfhaut im Gewichte von 47 g übergeben. Unter diesen Umständen unterzogen L. und M. diese Leichentheile vereinigt der chemischen Analyse und zwar nur auf Metallgifte. Diese Untersuchung ergab deutliche Spuren von Arsen und zwar wurden drei deutliche Arsenspiegel erhalten. Die Grazer Facultät erklärte, dass sich auf Grund des Resultates dieser Untersuchung nur sagen lasse, dass die Verstorbene Arsen genossen habe, nicht aber ob eine gefährliche oder gar tödtliche Menge des letzteren und zu welchem Zwecke genommen worden sei. Ueberhaupt sei wegen Unzulänglichkeit der ärztlichen Befunde die Abgabe eines bestimmten Gutachtens über die Todesart des Mädchens nicht möglich. Vielleicht könne eine nochmalige Exhumation und fachgemässe Untersuchung der Leiche positivere Anhaltspunkte ergeben. Hierauf verfügte das Gericht (10 Monate p. m.) eine nochmalige Exhumation. Diesmal wurden grössere Quantitäten der Leichentheile und von verschiedenen Körperstellen genommen und ebenso wie die der Leiche beiliegenden anderen Objecte, sowie Friedhofserde getrennt aufbewahrt. Das Resultat der chemischen Untersuchung war sehr überraschend, da in den Eingeweiden und in den Kopfhaaren Spuren von Arsen und Kupfer, nicht aber in der Musculatur der Extremitäten gefunden wurden, während die Untersuchung des aus künstlichen Blumen gemachten Kranzes und eines Teppichstückes, welche als Kopfschmuck mit in den Sarg gelegt worden waren, reichlichen Kupfer- und Arsengehalt ergab. Offenbar stammten somit die Arsenspuren in den Kopfhaaren und in den bei der zweiten Exhumation entnommenen Eingeweiden von der arsenhaltigen Farbe jener Schmuckgegenstände und eine Arsenikvergiftung konnte positiv ausgeschlossen werden, was, wenn von den Obducenten correct vorgegangen worden wäre, schon nach der ersten Exhumation möglich gewesen wäre.

Ueber öconomische Vergiftungen mehrerer Personen mit gifthaltigem Mehle berichtet Buchner (25). In dem einem Falle handelte es sich um eine Verunreinigung des Mehles durch Blei, herrührend von einem mit Blei ausgegossenen Mühlstein, in dem zweiten um eine wahrscheinlich durch Fahrlässigkeit geschehene Beimischung von Arsenik unter Reismehl.

In den Kleidern eines mit Schwefelsäure vergifteten $5^1/_2$ Monate alten Kindes wurden von Garnier und Schlagdenhauffen (26) morsche, verfärbte Stellen und in diesen freie Schwefelsäure nachgewiesen; in der Leiche selbst wurde Verätzung der Schlingorgane und des Magens und bei der chemischen Untersuchung zwar keine freie Schwefelsäure, wohl aber starke Spuren von Arsen gefunden, von welchen G. und Sch. nachweisen, dass sie von einer Verunreinigung der käuflichen Schwefelsäure mit Arsenik herrühren. Interessanter Weise enthielt auch die Erde des Friedhofs, auf welchem das Kind begraben worden war, Arsen. G. und Sch. zeigen jedoch, dass die in der Leiche gefundenen Arsenspuren nicht aus dieser Quelle stammen können und constatirten durch ihre Versuche, dass, wie schon Orfila gefunden hatte, der Arsenik im Erdreich nur in unlöslichen Verbindungen vorkomme, da selbst eine mehrmonatliche Behandlung des betreffenden Erdreiches mit gewöhnlichem kalten Wasser, keine Arsenspuren in letzterem ergab.

In Liverpool wurden nach einer Mittheilung der Lancet (27) zwei Schwestern zum Tode verurtheilt, welche den Gatten der einen, dessen Leben sie ohne sein Wissen versichert hatten, und schon früher drei andere Personen mit Arsenik u. z., wie sie später eingestanden, mit der aus Fliegenpapier gewonnenen wässrigen Lösung vergiftet hatten. Der Ehemann wurde zwei Tage nach dem Tode obducirt. Die Obduction ergab, wie ein Anonymus berichtet, Irritationserscheinungen im Verdauungstractus und durch die chemische Untersuchung wurden in den übersandten Eingeweiden 0,33 Grains Arsenik nachgewiesen. Ein 18jähriges Mädchen wurde nach 10 Monaten exhumirt. Lowndes (28) fand die Leiche noch ziemlich wohl erhalten und die Analyse constatirte die Anwesenheit von Arsenik im Magen, im Dünndarm, in der Leber und in den Nieren. In der exhumirten Leiche eines 10jährigen Mädchens wurde 1 Grain und in der eines nach drei Jahren exhumirten Mannes, die auffallend gut erhalten war, 3—4 Grains Arsenik gefunden. Von der Vertheidigung wurde, wie bei Arsenikvergiftungen schon wiederholt, eingewendet, dass das gefundene Arsen von einer Verunreinigung des als Medicament angewendeten Wismuths herrühren könnte. Die Chemiker hatten jedoch vorsichtshalber schon früher die Wismuthpräparate der betreffenden Apotheken untersucht und dieselben arsenfrei gefunden.

Mit Rücksicht auf die häufige Behauptung, dass bei an Arsenikvergiftung gestorbenen und längere

Zeit begrabenen Personen sich der Arsenik in Schwefelarsen umwandele und dann den betreffenden Stellen eine gelbe Färbung verleihe, berichten Brown und Davis (29), dass sie bei solchen Vergifteten einmal nach 3 Jahren und ein anderes Mal nach 13 Monaten eine deutliche Gelbfärbung der Innenwand der Gedärme und an den Mesenterien gefunden, sich aber durch chemische Analyse überzeugt haben, dass diese Färbung nicht von Schwefelarsen, sondern wahrscheinscheinlich von Gallenfarbstoff oder einem anderen organischen Pigment herrühre und dass die Intensität ihrer Entwicklung keineswegs proportional mit der Menge des in den Eingeweiden vorhandenen Arsens sei. Aus diesen Untersuchungen ergiebt sich nur, dass nicht jede Gelbfärbung auf Schwefelarsen bezogen werden darf, was auch von Niemandem behauptet wurde. Ref.)

Um sich von der Vertheilung des Arsens im Körper zu überzeugen, hat Chittenden (30) nahezu die Hälfte der Musculatur und die Knochen eines nach 6 Monaten exhumirten Mädchens untersucht, dessen Leiche in einer Mehrbucht schwimmend gefunden und angeblich nach einer Arsenikvergiftung dorthin geworfen worden war. (Es scheint der im letzten Bericht I. S. 526 referirte Fall der J. gewesen zu sein. Ref.) Nach der Auffindung war eine Obduction und eine chemische Analyse der Eingeweide vorgenommen worden, die Spuren von Arsen in letzteren ergab. Der exhumirte Körper ohne Eingeweide wog 57 engl. Pfund und die Gesammtmenge des in ihm enthaltenen Arsentrioxyds wurde auf 1.95 Grains berechnet. Im linken Arm wurde 0,094, im rechten Oberschenkel ohne Femur 0,118, in den Brustmuskeln 0,098, in den Rückenmuskeln 0,356 Grains, im Oberschenkelknochen aber kein Arsenik gefunden. Dieser Umstand, sowie der, dass bei der ersten Untersuchung in den Nieren nur 0,03 Grains in den Halsorganen aber dreimal soviel Arsenik gefunden wurde, spricht nach Ch. für eine acute Vergiftung. Im dritten Theils des Gehirns wurden 0,025 Grains Arsenik nachgewiesen.

Der Habilitationsvortrag Zillner's (31) hat die Vergiftung mit chlorsaurem Kali zum Gegenstande. Er behandelt vorzugsweise die Veränderung, welche das Blut erleidet (Methaemoglobinbildung) und den Befund von braunen Blutcylindern in den Harncanälchen, welcher durch zwei Abbildungen illustrirt wird, und endlich den chemischen Nachweis des chlorsauren Kali im Harn und im Mageninhalt.

Die Versuche von Falck (32) ergaben, dass kleine Kaninchen, namentlich aber junge weisse Mäuse empfindlicher gegen Strychnin reagiren als Frösche. Bei Mäusen trat schon nach 0.0012—0,0020 mg, die characteristische Wirkung ein, also nach Dosen, welche nur $^1/_{40}$—$^1/_{15}$ derjenigen Giftmenge beträgt, die bei Fröschen hierzu erforderlich ist. Nach 0,002 mg Strychninnitrat tritt sehr schön das characteristische Muskelschwirren auf, von welchem F. die betreffenden Curven erhielt, wenn er um den Schwanz der Maus ausgeglühten Draht wickelte und die Spitze des letzteren auf der Trommel des Polygraphen schreiben liess. Da diese Curven jederzeit vorgelegt werden können als Beweis für die eigenthümliche Wirkung des Strychnins resp. der aus Leichentheilen dargestellten Auszüge, so gewinnt hierdurch der physiologische Nachweis des Strychnins bedeutend an Werth.

Chandelon (33) empfiehlt zur Ausmittlung des Strychnins in Vergiftungsfällen folgendes Verfahren:

Die fein zerkleinerten Eingeweide werden mit einem gleichen Gewichte ganz trockenen Gypses vermengt und zu einer gleichmässigen Masse verrieben, die nach 4—5 Stunden so fest ist, dass sie in kleine Stücke getheilt werden kann. Diese werden getrocknet, pulverisirt und mit 90proc. Alcohol, dem etwas Weinsäure beigesetzt ist, ausgekocht, filtrirt und das saure Filtrat destillirt, der Rückstand auf dem Wasserbade getrocknet, mit siedendem Wasser aufgenommen und nach dem Erkalten filtrirt. Das Filtrat wird auf 20 bis 25 ccm eingeengt, mit Natronlauge deutlich alkalisch gemacht und nun sogleich in ein grosses Uhrglas gebracht, wo man es mit Gyps mischt. Die fest gewordene Masse wird pulverisirt, das Pulver im Schwefelsäureexsiccator getrocknet und mit Chloroform ausgezogen. Der filtrirte Chloroformauszug wird mit dem gleichen Volumen einer gesättigten Lösung von Oxalsäure in Aether versetzt, worauf sich bald schöne Büschel von Nadeln von oxalsaurem Strychnin niederschlagen. Diese werden mit Aether und Chloroform gewaschen, getrocknet in sehr wenig Wasser gelöst, worauf nach Zusatz von Ammoniak reines Strychnin ausfällt. Durch mehrere Versuche überzeugte sich Ch. von der Genauigkeit dieses Verfahrens, welches er auch für den Nachweis derjenigen Alkaloide empfiehlt, deren Lösung in Chloroform vollständig durch eine ätherische Oxalsäurelösung gefällt wird, also fast für alle Alkaloide mit Ausnahme von Morphin, Narcotin und Colchicin.

Ueber die Vergiftung eines 42 jährigen Mannes durch ein Infusum von Belladonnablättern berichtet Masse (34).

Der Mann hatte sich unwohl gefühlt und wollte, da ein Purgans nichts gefruchtet hatte, einen Thee aus Cichorienblättern nehmen, wozu ihm aber statt letzterer in der Apotheke getrocknete Belladonnablätter gegeben wurden, denen noch einzelne Früchte beigemengt waren. M. berechnet, dass der Mann im Ganzen etwa 5 mg Atropin genommen habe. Durch $^3/_4$ Stunden keine Erscheinungen, dann ziemlich plötzlich Sehstörungen, Trockenheit im Halse, Lähmung der Zunge, Unfähigkeit sich auf den Füssen zu erhalten, Blässe des Gesichtes, kalte Haut und starkes Kältegefühl, aufs Maximum erweiterte Pupille. Hallucinationen traten erst nach $1^3/_4$ Stunden auf, aus welchen der Kranke durch starkes Anschreien vorübergehend erweckt werden konnte. Nach Morphiuminjection zweistündiger Schlaf, worauf wieder heftige Delirien, die allmälig abnehmend noch am anderen Tage zeitweilig auftraten. Die Pupille war nach zwei Tagen zur normalen Weite zurückgekehrt.

Bei den Versuchen, welche Severi (36) mit Jequirity-Infusum anstellte, ergab sich die bedeutende Giftigkeit desselben (starke Kaninchen starben nach 18—48 Stunden) und dass dieselbe offenbar nicht durch die Jequiritybacterien, sondern durch ein chemisches Agens bedingt sei. Das Infusum erzeugt ebenso wie auf der Conjunctiva auch im Pharynx, in den Luftwegen und an der Genitalschleimhaut croupöse Entzündungen, im Verdauungstractus starke Entzündungen mit Ecchymosirung und partieller Neurose jedoch ohne Bildung von Croupmembranen. Bald entwickelt sich eine parenchymatöse Degeneration besonders in der willkürlichen Musculatur und in der des Herzens. Vom Magen aus wirkt das Gift schwächer als von serösen Häuten aus, oder subcutan beigebracht. S. empfiehlt Vorsicht bei der Anwendung des Jequirity-Infusum auf die Conjunctiva, da dasselbe durch die Thränenwege in die Nasenrachenräume und selbst in den Kehlkopf gelangen und dort gefährliche Entzündungen erregen kann. In einem bei Prof. Simi vorgekommenen Falle wurde bei einem 19jährigen Mädchen wegen Trachom die Jequiritycur am rechten Auge angewendet. Nach 24 Stunden klagte die Patientin über Schmerzen im Halse, fieberte stark, die rechtsseitigen Halsdrüsen schwollen an, ebenso die rechte Gesichts- und Halshälfte, Schlingen und Inspiration waren erschwert. Es fand sich eine croupöse Entzündung der Rachenschleimhaut, welche glücklicher Weise gut verlief.

Ueber die Vergiftung eines 27 Monate alten Kindes mit den Früchten von Tamnus (oder Tamus) communis L. berichtet Coutagne (37).

Das Kind hatte 10 oder 11 der Beeren gegessen und war bald darauf unter Erbrechen und Kolikschmerzen gestorben. Die Beeren und ihre Kerne fanden sich im Magen, sonst nichts Auffälliges. Versuche an Thieren bestätigten die Giftigkeit der Beeren und C. rechnet sie zu den narcotisch-scharfen Giften Tardieu's.

Ueber eine zufällige Vergiftung mit Ammoniak berichtet Estradère (38).

Sie betraf ein 22jähriges Mädchen, welchem wegen Keuchhusten Leuchtgasinhalationen verordnet worden waren. Ungeschickter Weise wurden letztere in der Gasanstalt so eingeleitet, dass ein Arbeiter die Patientin das Gas unmittelbar durch ein in den Mund derselben gestecktes Gasrohr einathmen liess, worauf das Mädchen nach wenigen Athemzügen bewusstlos zusammenstürzte. In der Verwirrung bespritzte man das Gesicht des Mädchens mit Ammoniak, so dass dieses in den Mund und in die Nase kam. Das Mädchen erholte sich rasch von der Asphyxie, klagte jedoch über brennende Schmerzen im Munde und entlang des Oesophagus, die ebenso wie die Inspirationsbeschwerden rasch anstiegen. Mund und Rachen zeigten weissgraue Verschorfungen, und es entwickelte sich rasch eine croupöse Bronchitis, im Verlaufe welcher Bronchialausgüsse und selbst Stückchen der Magenschleimhaut (? Ref.) ausgeworfen wurden, und die nach 2 Tagen zum Tode führte. Eine Obduction wurde nicht gemacht. Da die Frage aufgeworfen wurde, ob nicht durch die directe Einathmung von Leuchtgas eine Bronchitis crouposa erzeugt werden könne, stellte E. drei Versuche an Hunden an, sämmtlich mit negativem Erfolg.

Falk (39) hatte Gelegenheit eine Frau zu obduciren, welche im 8. Monat der Schwangerschaft an Kohlendunstvergiftung gestorben war. Die Leiche der Frau zeigte ausgesprochenen Kohlenoxydgehalt des Blutes und davon herrührende sonstige Erscheinungen, dagegen konnte im Blute des Fötus kein Kohlenoxyd nachgewiesen werden, was somit dafür spricht dass, wie auch von anderen Beobachtern gefunden wurde, für gewöhnlich das von Schwangeren eingeathmete Kohlenoxyd in das Fötal-Blut nicht übergeht. F. injicirte gewöhnliches defibrinirtes Blut in die Bauchhöhle von Meerschweinchen kurz vor oder bald nach Beginn einer Leuchtgasvergiftung und fand nur ausnahmsweise, dass CO in das injicirte Blut durch Diffusion überging und zwar nur nach besonders lange protrahirter Intoxication, und wenn nur geringe Mengen von Blut eingespritzt worden waren. Auch wenn er ausserhalb des Thierkörpers kohlenoxydhaltiges Blut bei starkem Nebendruck und langsamer Strömung durch thierische Membran hindurch in gewöhnliches Blut diffundiren zu lassen versuchte, so gelang dieses nur in einem exceptionellen Falle, wo Frosch-Dünndarm als Scheidewand gedient hatte. Auch konnte F. das CO-Hämoglobin in während der Narcose erzeugten Sugillationen nachweisen und zwar auch nachdem sich das Thier wieder vollständig erholt hatte. Dagegen war in kurz vor oder kurz nach der CO-Einathmung erzeugten Ecchymosen Oxyhämoglobin nachweisbar.

Descoust und Yvon (40) hatten über den Leichenbefund bei zwei Arbeitern berichtet, welche auf einem der pariser Friedhöfe in einer in die Erde hineingemauerten Gruft an Kohlensäureasphyxie zu Grunde gegangen waren. Im ersten Falle hatte die Luft in der Gruft 8 pCt. CO_2 und 6 pCt. O enthalten, im zweiten 12 pCt. CO_2 und 3,7 pCt. O. Das Leichenblut enthielt im letzteren 38,5 Vol. pCt. CO_2. Im behördlichen Auftrage wurden auf demselben Friedhofe zwei frische, nahezu 5 m tiefe Grüfte gegraben und ausgemauert und Du Mesnil (41) mit der Untersuchung betraut, ob und wie rasch sich Kohlensäure am Grunde anhäufe, wobei sich ergab, dass schon in 24 Stunden soviel CO_2 am Boden der Gruben angesammelt war, dass daselbst ein Licht erlosch und bei weiteren mit Stundenkerzen in den verschlossenen Grüften angestellten Versuchen, dass eine am Boden gestellte Kerze nur $^1/_2$ Stunde, und die 2, 3 und 4 m darüber angebrachten 1, $1^1/_4$ und $1^1/_2$, in der zweiten Grube aber 10 Minuten, $^1/_2$, 1 und $1^1/_4$ Stunden brannten, was alles auf ein ganz rapides Eindringen von CO_2 aus dem offenbar mit organischen Stoffen überladenen Friedhofsboden schliessen lässt. In der Debatte über diese Fälle führte Bert (42) aus, dass die Untersuchten nicht an Kohlensäurevergiftung, wie angenommen wurde, sondern an einfacher Erstickung in Folge von Mangel an Sauerstoff gestorben sind, da Thiere erst bei einem Gehalte von 30—40 pCt. der Athmungsluft an CO_2 zu Grunde gehen und selbst, bei 50 pCt., wenn eine genügende Menge von O vorhanden ist, nicht plötzlich sterben und da Demarquay durch 10 Minuten eine Luft ohne Schaden athmen konnte, welche 12,5 pCt. enthielt. Auch enthält das arterielle Blut von Thieren die an CO_2-Vergiftung gestorben sind 106—116 Vol. CO_2 beziehungsweise nach dem Tode etwa 130, welches die im Blut der Verunglückten gefundenen CO_2-Mengen weit übersteige.

In seiner Antrittsvorlesung bespricht Raimondi (43) die Geschichte der Entdeckung der Ptomaine, die bisherigen Arbeiten auf diesem Gebiete, sowie die Bedeutung der Ptomaine für die gerichtsärztliche und gerichtlich-chemische Diagnose einer Vergiftung. Zum Schlusse plaidirt er für die Errichtung von gerichtlich-medicinischen Instituten an den italienischen Universitäten.

Mit anerkennenswerthem Fleisse hat Schjerning (44) das bis jetzt über den Tod durch Verbrennung und Verbrühung Geschriebene kritisch zusammengestellt und kommt auf Grund dieser und eigener Beobachtungen und Versuche zu folgenden Resultaten: 1) Der Tod nach Verbrennung und Verbrühung erfolgt in verschiedenen Zeiten und aus verschiedenen Ursachen, unmittelbar nach oder während der Katastrophe durch Ueberhitzung des Blutes und durch die wegen der Hautnervenüberreizung hervorgebrachten Respirations- und Circulationsstörungen; bald nach der Verbrennung durch reflectorische Herabsetzung des Gefässtonus. Daneben ist in gewissen Fällen eine Blutveränderung wirsam, welche sich durch Zerstörung der Blutkörperchen und Freiwerden des Hämoglobins und der Kalisalze documentirt. Später sind meistens entzündliche Processe die Todesursache. 2) Dementsprechend sind die Obductionsbefunde im ersten Stadium negativ; im zweiten Stadium herrschen die Hyperämien des Gehirns, der Lungen und der Bauchorgane vor. Je eher der Tod erfolgt, desto häufiger Hirnhyperämien. Pneumonien, parenchymatöse Nephritis und Methämoglobinurie treten bereits auf. Die Verstopfung der Nieren durch Hämoglobinmassen kann zu urämischen Erscheinungen führen. Zerstörung der Blutkörperchen, Hämoglobinurie und Freiwerden der Kalisalze kann auch bei Hitzschlagerkrankungen vorkommen. Wichtig erscheint der Befund der Darmlähmung. Nach Verlauf von 2 Tagen nehmen die Pneumonien die Hauptstelle unter den Todesursachen ein. Encephalitis und Meningitis sind selten. Entzündungen treten meist an den Organen derjenigen Körperhöhlen auf, deren Bedeckungen verbrannt und verbrüht sind. Eine Ausnahme machen die Nieren. Bemerkenswerth sind Geschwürsbildungen im Magen und Darm. 3) Zur Diagnose „Tod durch Verbrennung und Verbrühung" gehört nicht nur das Abwaschen und die Bestimmung der Grösse der betreffenden Hautpartie, sondern auch eine genaue Würdigung der Befunde an inneren Organen. 4) Diagnose und Differenzialdiagnose der Verbrennung ist in der Regel leicht. 5) Brandblasen an nicht ödematösen Leichen sind ein untrügliches Zeichen, dass die Verbrennung während des Lebens geschah. Die Beschaffenheit, besonders die Farbe der Basis der Blasen ist zur Verwerthung nicht geeignet. Die Füllung der Hautcapillaren von Brandschwarten ist ein nur bedingt geltendes Zeichen für Verbrennung während des Lebens. Derselbe Befund kann auch bei Verbrennung hypostatischer Stellen an Leichen gemacht werden. Russtheilchen in den Luftwegen sind ein absolut sicheres, das Auffinden von Kohlenoxydblut ein fast sicheres Zeichen für Gelebthaben während des Brandes. 6) In einzelnen Fällen wird es möglich sein, vor dem Tode zugefügte Verletzungen zu diagnosticiren, in anderen nicht. Die Art der Knochenfissuren und Fracturen kann dabei nicht benutzt werden, sondern nur die ausserdem gefundenen Zeichen der Reaction, Hämorrhagien u. s. w. 7) Unter genauer Berücksichtigung der Veränderungen der Haut und der inneren Organe kann a) auf die Dauer der Einwirkung des Feuers, b) auf die von der Verbrennung bis zum Tode verflossene Zeit geschlossen werden.

Der Arbeit sind Tabellen der Obductionsbefunde bei Verbrennungen und Verbrühungen beigegeben und zwar 1) von nach dem Tode Verbrannten (18 Fälle), 2) von während der Verbrennung Verstorbenen (62 Fälle), 3) von nach der Verbrennung resp. Verbrühung Gestorbenen (201 Fall) und schliesslich eine procentalische Berechnung und Zusammenstellung der hauptsächlichsten Befunde.

Von besonderem Interesse sind die Beobachtungen Heusner's (45) über die Wirkungen des Blitzes auf den Menschen. Am 13. Juli schlug der Blitz bei Barmen in eine Menschenmenge, welche sich vor dem Gewitter Schutz suchend an die einen Wettrennplatz umspannende Leinwand herangedrängt hatte. Von den getroffenen 20 Personen waren 4 sogleich todt, 16 andere erholten sich binnen wenigen Minuten bis zu einer Stunde, trugen aber der Mehrzahl nach erhebliche Beschädigungen davon. Die am meisten beschädigte Frau St. zeigte hinter dem linken Ohre bis herab zur Schulter einen handtellerbreiten Brandfleck und leichtere Hautversengungen und erythematöse Röthungen auf der rechten Brusthälfte und auf den rechtem Ober- und Unterarm. Der merkwürdigste, bisher nicht beschriebe Befund ergab sich an den Fusssohlen. Hier fanden sich nämlich beiderseits etwa 20 linsen- bis groschengrosse rundliche weissgraue Flecke mit durchlöchertem von versengter Epidermis umrandetem Centrum, welche einigermassen an die Löcher erinnerten, welche der electrische Funke durch Kartenblätter zu schlagen pflegt. Vierundzwanzig solcher mitunter nur nadelstichgrosser Oeffnungen fanden sich in dem einen Strumpfe und Zeugschuhe der Frau und zwar sämmtlich, mit Ausnahme von zweien in der Sohle, in der unteren Umrandung des Oberzeugs. Aehnliche Durchlöcherungen der Fusssohlen zeigten auch andere Verunglückte. Bei Personen, welche Nagelschuhe trugen, waren keine solche Oeffnungen vorhanden, offenbar weil die Nägel selbst dem Blitz als Leiter dienten. Auch die Kleider zeigten bei mehreren Verletzten ähnliche Brandlöcher, die sich dort, wo die Kleider in mehreren Schichten über einander lagen, nach Innen zu vergrösserten. Die mehrfachen Durchbohrungen der Kleider an umschriebenen Stellen beweisen, dass der Blitz meist nicht einfach, sondern in mehreren Strahlen, ja oft in ganzen Garben auf die Getroffenen niederfällt. Alle Verunglückten zeigten am Oberkörper ein oder mehrere Brandwunden, von denen erythematöse, mitunter dendritische oder rankenartige Streifen (Blitzfiguren) ausgingen. An einer der Leichen schnitt H. letztere ein, konnte jedoch keine Blutaustretungen oder sonstige Veränderungen der Cutis wahrnehmen. Diese Verletzungen sahen somit ganz anders aus als die am Unterkörper, was wohl auf polaren Verschiedenheiten des electrischen Stroms beruht. Alle Verletzten zeigten auffallend blasse und kühle Extremitäten, die bei einigen später anschwollen. Die äusseren Verletzungen standen nicht immer im gleichen Verhältniss zu der

Schwere der Hirn- resp. Rückenmarkserscheinungen. So war ein 14jähriger Knabe 4 Tage nach dem Ereigniss im Gesicht stark geröthet und verschwollen, hatte versengte Augenlider und mitten auf der Stirn einen markstückgrossen bis auf den Schädel dringenden Brandschorf, zeigte jedoch ausser dem Verlust des Gedächtnisses für die letzten Scenen des Wettrennens, Erbrechen und Schwäche, in den ersten Tagen keinerlei dauernde Hirnstörungen. Die häufig berichtete und forensisch wichtige Thatsache, dass vom Blitz getroffene Personen von dem, was mit ihnen vorgegangen ist, meist keine Erinnerung haben, zeigte sich auch hier. Die meisten und zwar gerade die am schwersten Verletzten hatten weder den Blitz gesehen, noch den Donner gehört. Mehrere jedoch hatten die Erinnerung an den Blitzschlag behalten, schildern aber das dabei gehabte Gefühl verschieden. Einzelne waren erst einige Augenblicke, nachdem sie vom Blitze getroffen wurden, betäubt umgesunken.

Ein 52jähr. Arzt, Dr. T., über dessen Rechtsfall Steiger (46) berichtet, war am 27. October auf dem Heimwege von seiner Gebirgspraxis noch um 4 Uhr Nachmittags gesehen und am folgenden Tage, 5 Uhr Abends, auf einer Wiese in halbsitzender, halbliegender Stellung, den Kopf auf den rechten Arm gestützt, „vor Kälte erstarrt" gefunden worden und war etwa 3 Stunden danach trotz Belebungsversuchen gestorben. Er war ohne Ueberzieher, es herrschte kalter Nordwind und starker Nebel, und die locale Temperatur in jener Nacht wird auf 0° geschätzt. Dr. T. hatte am 27. October in der Zeit von 11 Uhr Vormittags, bis 4 Uhr Nachmittags zweimal je 2 Deciliter Wein getrunken. Die Obduction ergab Blässe der Haut, Blutüberfüllung der inneren, sonst normalen. Organe, und im Magen nur ein paar Löffel einer dunklen, braunen, dickflüssigen Masse ohne Geruch. Die Obducenten sprachen sich für Erfrierungstod aus. Die Unfallsversicherungsgesellschaft, bei welcher Dr. T. versichert war, bestreitet die Verpflichtung zur Ausrichtung der Versicherungssumme von 20,000 Fr., da es sich nicht um einen Unfall im Sinne ihrer Statuten handle, da der Erfrierungstod nicht erwiesen sei und da Dr. T. an einer Geisteskrankheit gelitten, in Folge deren er verunglückt sei. Auf eine Geisteskrankheit wurde nicht etwa aus während des Lebens bestandenen Erscheinungen, sondern aus der bei der Obduction constatirten Trübung der Hirnhäute und zahlreichen Pacchioni'schen Granulationen geschlossen! St. wendet sich energisch gegen diese Behauptungen und führt aus, dass Dr. T. offenbar im starken Nebel vom Wege abgekommen und erfroren sei.

Nach einigen allgemeinen Bemerkungen über die verschiedenen Arten der Fruchtabtreibung, in welchen er u. A. die Möglichkeit, dass eine Schwangere an sich selbst und ohne ihre Genitalien zu verletzen, die Frucht abtreibung durch Einführung eines Instrumentes in den Uterus ausführen könne, entschieden negirt und die von Coutagne erwähnte Möglichkeit, dass auch durch forcirte Injectionen in den Uterus Rupturen desselben entstehen können, nur dann zugiebt, wenn reizende und ätzende Flüssigkeiten injicirt wurden, die dann erst nachträglich durch Entzündung oder Necrose der Uterussubstanz zur Perforation führen können, theilt Maschka (47) 5 Fälle von Fruchtabtreibung durch Eihautstich mit tödtlichem Ausgang mit. In allen Fällen war Perforation des Uterus und Peritonitis die Todesursache.

Im ersten Falle sass die innere, 2 cm weite Perforationsöffnung nach innen vom rechten Tubarwinkel, die äussere, 4 cm lange und auf 2 cm klaffende, an der hinteren Fläche des Uterus 2 cm unterhalb des oberen Randes des Uteruskörpers, knapp unter der rechtsseitigen Tubarinsertion beginnend und quer nach links verlaufend. Der Abortus war von einer Hebamme wahrscheinlich mit einem durch ein Röhrchen und einen Gänsekiel eingeführten Drahte provocirt worden und der Tod war 4 Tage nach der Operation eingetreten. Im zweiten Falle befand sich die 3 cm lange und ca. auf 2 cm klaffende Perforationsöffnung in der Mitte der hinteren Wand des Uterus. Der Tod war am 5. Tage nach dem Abortus, über dessen Umstände nichts weiter hervorkam, eingetreten. Im dritten Falle war die 38jähr. Wittwe K. vor ihrem am 1 September erfolgten Tode zweimal erkrankt, das erste Mal am 16. Juli, nachdem sie von einer unbekannten Frau „untersucht" worden war. Ein Arzt fand am anderen Tage heftige Bauchschmerzen, Offenstehen des Cervix, Vergrösserung des Uterus und blutigen Ausfluss, welche Erscheinungen sich in einigen Tagen besserten. Das zweite Mal erkrankte sie am 26. August unter Symptomen der Peritonitis, die in 5 Tagen zum Tode führte. Einige Tage vor der zweiten Erkrankung hatte eine Hebamme eines Ausflusses wegen eine Einspritzung gemacht. Die Oduction ergab eine $8^1/_2$ cm lange, 6 cm breite, $2^1/_2$ cm dicke Gebärmutter. Ihre Höhle 2 cm breit, ihre Schleimhaut fest, bräunlich roth. In der Mitte der oberen Grenze der hinteren Fläche des Uterus eine erbsengrosse, rundliche, zackige, mit der Bauchhöhle communicirende, in der nächsten Umgebung ecchymosirte Oeffnung, die Innenwand des betreffenden Canals abgeglättet. Das Gutachten ging dahin, dass der Abortus wahrscheinlich schon im Juli durch Einführung eines Instrumentes erfolgt sei, dass durch letzteres eine unvollständige Perforation erzeugt wurde, welche durch nachträgliche Entzündung zu einer vollständigen wurde. Im 4. Falle war der Tod am 3. bis 6. Tage nach der Operation erfolgt. An der inneren Fläche des Grundes der Gebärmutter, und zwar neben der Einmündung der linken Tuba fand sich eine erbsengrosse, necrotische Ränder besitzende und mit der Bauchhöhle communicirende Oeffnung. Im 5. Falle war der Tod nach 8 tägiger Krankheit eingetreten, und die Obduction ergab einen Placentarriss im Uterus, septische Endometritis und im Cervix unmittelbar unter dem inneren Muttermund einen unregelmässig runden, 1 cm breiten, 3—4 mm tiefen, dellenförmigen, necrotischen Substanzverlust.

Mit grossem Fleisse hat Körber (48) aus den Berichten des St. Petersburger Findelhauses vom Jahre 1876 bis incl. 1879, und dann des Moskauer vom Jahre 1877—79 das Gewicht und die Maasse ausgetragener Neugeborener zusammengestellt resp. berechnet und die erhaltenen Zahlen für die Frage der Lebensfähigkeit dieser Kinder verwerthet.

Für St. Petersburg ergab sich im Mittel ein Gewicht von 3056 grm (3300—2800), eine Länge von 48,6 ctm (50—47), Umfang des Kopfes 33,9 (35—33), der Brust 31,5 (33—30), Ueberschuss der Brust über die halbe Länge 7,4 (8—7), des Kopfes über die Brust 2,1 (3—1); für Moskau: Gewicht 3150 (3700—2600), Länge 48,5 (51—46), Umfang des Kopfes 34,0 (35—33), der Brust 33,6 (35—32), Ueberschuss der Brust über die halbe Länge 9,0 (10—8), des Kopfes über die Brust 0,2 (—1 bis +1). Bezüglich der Mortalität lassen sich nach K. etwa folgende Sätze aufstellen: Jede Verminderung des Gewichtes um 600 grm (Petersburg) resp. 200 grm (Moskau), der Körperlänge um 3 resp. 1,5 cm, des

Kopfumfanges um 1,5 und des Brustumfanges um 1,5 resp. 1 cm unter die Grenze der noch als typisch erkannten Maasse, setzt die Vitalität eines Kindes so bedeutend herab (bis zu 50 pCt.), dass dasselbe mit grosser Wahrscheinlichkeit zu den lebensunfähigen gezählt werden darf. Die absoluten Maasse, welchen dieselbe Herabsetzung der Vitalität bis zu 50 pCt. entspricht, sind für's Gewicht in Petersburg 2300 g, in Moskau 2500 g, für die Länge 44 resp. 45,5, für den Kopfumfang 31 resp. 31,5, für den Brustumfang 28,5 resp. 31 cm. Die Grenze der typischen Maasse muss für jede Gegend oder Nationalität besonders erst durch die Berücksichtigung der Mortalität gefunden werden. — Im Anfang lässt K die entsprechenden Mittelzahlen für reife Kinder esthnischer Nationalität folgen. Im Mittel betrug das Gewicht 3018, die Länge 50,2, der Kopfumfang 32,8, der Brustumfang 29,4, der Ueberschuss des Brustumfangs über die halbe Körperlänge 3,7, des Kopfumfangs über den Brustumfang 3,4; der quere Kopfdurchmesser 8,6, der gerade 10,8, der schräge 12,8, die Entfernung der Schultern 11,4, der Rollhügel 8,7 und die Breite des Knochenkerns 5,5 cm.

Durch seine Untersuchungen über den Werth der Länge des Verdauungstractus und seiner einzelnen Theile für Altersbestimmungen des Fötus kommt Severi (49) zum Schlusse, dass zwar die Länge des ganzes Nahrungscanals und die Länge des Dünndarms auch beim Fötus sehr variirt, dass aber die Länge des Dickdarms in den verschiedenen Perioden des Fötallebens eine ziemlich constante ist und daher für Altersbestimmungen verwerthet werden kann. Im 7. Monat ist die Länge des Fötus gleich der Länge des Dickdarms, während erstere im 3—6. Monat grösser, im 8. und 9. kleiner ist als letztere. Im 1. und 2. Jahre des extrauterinen Lebens bleibt der Dickdarm länger als der ganze Körper, allmälig aber werden Dickdarm und Körper gleich lang. Das Verhältniss der Körperlänge zur Länge des Dickdarms gestaltet sich im 3., 4., 5., 6., 7., 8. und 9. Monat, und im 1. und 2. Jahre nach der Geburt wie folgt: $\frac{1}{2}$:1; 0,7:1; 0,9:1; 0,9:1; 1:1; 1:1; 1,1:1; 1,1:1 und 1,1:1.

Huber (50) bemerkt, dass Nabelschnüre vorkommen können, die theils durchschnitten, theils durchrissen sind, was sich namentlich dann ereignen kann, wenn Jemand, wie z. B. die Mutter bei einer Entbindung am Abort, bei herabhängendem Kinde die Schnur zu durchschneiden versucht, indem in diesem Falle die Schnur noch vor ganz ausgeführtem Schnitt durch die Last der Frucht durchrissen wird. H. empfiehlt ferner mit Recht die Aufbewahrung solcher Objecte im eingetrockneten Zustand.

Nobiling (51) studirte eingehend den pathologisch-anatomischen Befund bei an Erstickung verstorbenen Neugeborenen, insbesondere das Verhalten der Ecchymosen. Die Untersuchungen erstreckten sich auf 173 vollkommen oder nahezu reife Früchte, 138 macerirte Früchte aus dem 7. bis 9. Monat und 142 Foeten aus dem 4. bis 7. Monat. Ob alle diese Früchte an Erstickung und an welchen Erstickungsformen gestorben sind, wird leider nicht angegeben. N. fasst die Resultate seiner Beobachtungen wie folgt zusammen: „Aus den Darlegungen lässt sich die wichtige Thatsache entnehmen, dass der Erstickungstod durch Blutergüsse zunächst in sämmtliche seröse, in zweiter Linie durch solche in die verschiedenen Schleimhäute characterisirt ist. Fast ausnahmslos sind bei allen selbst den früheren Entwicklungsmonaten angehörigen Erstickten subpericardiale, bei noch vorhandener Anectase der Lungen und in der Mehrzahl der Fälle, wenn Luft in dieselben eingedrungen, subpleurale Hämorrhagien aufzufinden. In der Milz lassen sich häufig Blutaustritte constatiren, ebenso in der Kopfhaut, in der Sehnenhaube, in der Beinhaut der Kopfknochen, in der Thymus, in der Niere, in der bindegewebigen Umhüllung des Pancreas, während solche in allen übrigen Organen ziemlich selten sind. In der Pauken- und Nasenhöhle ist fast immer lebhafte Röthung, in vielen Fällen auch Blutung nachzuweisen. Hämorrhagien in die Conjunctiva sind ein häufiger, solche in die Retina kein seltener Befund. Blutaustritte in Form feiner Querstreifen auf den Stimmbändern bilden ein verhältnissmässig häufiges Vorkommniss. Selten treten Blutungen in das Lungewebe auf, niemals erfolgen solche in die Alveolen oder Bronchien und dort aufgefundenes Blut entstammt entweder der Nase des Kindes oder den mütterlichen Geburtswegen (gleiches gilt vom Blute im Magen). Bei längerer Dauer des Erstickungsvorganges bildet sich ein starkes Oedem der Lungen und zuweilen des Kehldeckels und der Nasenschleimhaut aus, dazu interstitielles Emphysem; doch kann letzteres nicht selten auch bei rasch eingetretenem Tode sich finden. Knochen und Muskelsystem (Augenmuskeln, Herz und Tensor tympani ausgenommen) erfahren, abgesehen von einer zuweilen zu beobachtenden stärkeren Füllung ihrer Blutgefässe keine Veränderung!" — Ausführlicher bespricht N. die Ecchymosen am und im Auge. Solche in der Thränendrüse sind selten, dagegen sind ausgedehntere Blutergüsse in das den Bulbus umgebende Fettgewebe häufig. In zwei Fällen waren dieselben so mächtig, dass der Bulbus von einer durch die Blutinfiltration dunkelroth gefärbten Fetthülse umgeben war. In den geraden Augenmuskeln fand N. interfibrilläre mitunter sehr beträchtliche Blutergüsse. Der Hauptsitz der Blutaustritte ist aber das der Aussenseite der Sclerotica unmittelbar anliegende Bindegewebe, wo es durch Zusammenfliessen der sonst mohnkorn- bis linsengrossen Ecchymosen zu ausgebreiteter Suffusion kommen kann. Kleine punktförmige Hämorrhagien an der Innenseite der Sclerotica sind ein seltener Befund. Die Chorioidea ist gewöhnlich hyperämisch und in 3 Fällen fanden sich kleine Blutergüsse daselbst. Die Retina ist der Hauptsitz von Blutaustritten, welche gewöhnlich hirse- bis hanfkorngross, mitunter confluiren und der ganzen Netzhautfläche ein zart gefleckten Aussehen geben können. In einem Falle hatte sich ein 20 pfennigstückgrosser Blutungsherd in und unter die Netzhaut gebildet und die Retina war dadurch in gleicher Ausdehnung von der Chorioidea abgelöst. Die Eintrittsstelle des Sehnerven und der gelbe Fleck bleiben von der Hämorrhagie vollständig verschont. Es ist jedoch nicht leicht, diese schwach gefärbten Blutergüsse auf dem lichten Retinalgrunde nachzuweisen und erst die Besichtigung mit schwacher Vergrösserung und die Untersuchung feiner vertical durch die Augapfelwand geführter Schnitte, bei welchen diese dunkleren Flecke sich als schwache buckelige Emporhebungen der Netzhaut präsentiren, beseitigen jeden Zweifel, dass wirkliche Retinalhämorrhagien vorliegen. — Ecchymosen in der Haut sind selten. Grössere Petechien, wie sie bei erstickten erwachsenen Individuen besonders an der Rückseite (! Ref.) des Rumpfes keinen seltenen Befund bilden, konnte N. nur in 5 Fällen nachweisen, in weiteren 7 waren sie sehr blass, verschwommen und konnten erst durch die microscopische Untersuchung als wirkliche Hämorrhagien im Rete Malpighii erkannt werden. Um sich zu überzeugen, ob, entsprechend den Angaben des Ref., auch postmortal Hautecchymosen an abhängigen Stellen sich bilden resp. bereits vorhanden gewesene durch Hypostase sich vergrössern können, hat N. die Leichen von 40 Neugeborenen theils beim Kopfe, theils bei den Füssen aufgehängt, konnte jedoch wohl die Entstehung von tief dunklen hypostatischen Färbungen aber keine Neubildung von Ecchymosen und auch keine Vergrösserung der bereits früher vorhanden gewesenen constatiren. (Der negative Ausfall des Experimentes mit menschlichen Leichen ist kein Gegenbeweis gegen die vom Ref. aufgestellte Behauptung, dass in vivo entstandene Ecchymosen sich durch hypostatisches Nachsickern des Blutes vergrössern, da längere Zeit nach dem Tode andere Verhältnisse bestehen, als unmittelbar nach demselben und insbesondere eingewendet werden kann, dass die mittlerweile in den Ecchymosen eingetretene Gerinnung des Blutes eine weitere Vergrösserung derselben durch Nachsickerung verhindert. Ausserdem sprechen häufige am Leichentisch zu machende Beobachtungen für einen solchen auch leicht begreiflichen Vorgang, u. a. auch der Umstand, dass grössere sofort sichtbare Hautecchymosen, wie N. selbst angiebt, vorzugsweise an den hinteren also in der Regel abhängigen und hypostatisch verfärbten Körperstellen sich finden. Ref.)

Die vom Ref. erhobenen, durch Versuche an menschlichen und Thierfrüchten bestätigten Zweifel, ob durch sog. Schultze'sche Schwingungen oder duch ähnliche Vorgänge wirklich so leicht Luft in die Lungen todtgeborener Kinder gelange, wie bisher angenommen und namentlich von Runge behauptet wurde (siehe diesen Bericht I, pr. 1882 und 1883 und das Lehrb. des Ref. 3. Aufl. S. 704) haben Schauta (52) veranlasst, bei 3 todtgeborenen Früchten entsprechende Versuche vorzunehmen, die ein positives Resultat ergaben. Von diesen Fällen ist jedoch, wie Sch. selbst zugiebt, nur der eine, welcher ein bereits macerirtes Kind betraf, absolut beweiskräftig, während bei den zwei anderen, namentlich bei dem ersten die Möglichkeit nicht ausgeschlossen ist, dass die bei der Section in den Lungen gefundene Luft, wenigstens theilweise, schon vor Vornahme der Schwingungen durch intrauterine Aspiration hineingekommen ist. Im zweiten Falle ergab die Percussion des Thorax vor Vornehmen der Schwingungen leeren, nach derselben aber vollen Schall. In Folge dieser Beobachtungen zweifelt Sch. nicht mehr an der Wirksamkeit der Schultze'schen Schwingungen als Wiederbelebungsmethode, bemerkt aber, dass sehr viel auf die Art ankommt, wie die Schwingungen gemacht werden. Insbesondere müsse der Vorgang genau in der von Schultze angegebenen Weise geschehen, ausserdem aber der Hals immer gestreckt bleiben und das Abwärtsschwingen sehr kräftig, ruckweise erfolgen. — Ref. (53) anerkennt die Beweiskraft des dritten von Sch. mitgetheilten Falles, hält jedoch damit die verschiedenen Seiten der Frage keineswegs für erledigt, da es sich nicht darum handelt, ob überhaupt durch Schwingungen Luft in die Lungen aspirirt wird, sondern ob dieses leicht und in der Regel geschieht und ob, was besonders gerichtsärztlich wichtig ist, auch durch analoge Manipulationen mit der Kindesleiche, resp. durch Compressionen und Expansionen des Thorax in der Regel oder wenigstens leicht ein gleicher Effect bewirkt wird. Die erwähnten Versuche des Ref. sprechen entschieden dagegen, ebenso 4 neue Beobachtungen resp. Versuche, die er seitdem in dieser Richtung zu machen Gelegenheit hatte, von denen 3 Früchte betrafen, die erst bei der Obduction plötzlich verstorbener Schwangeren dem Mutterleibe entnommen wurden, der 4. aber, eine durch Sectio caesarea in mortua gewonnene, mit welcher theils Schwingungen, theils andere Methoden künstlicher Respiration vorgenommen wurden, ohne dass bei der nachträglichen Obduction auch nur eine Spur von Luft in den Lungen gefunden worden wäre. Die Ursache dieser Erscheinung dürfte nach Meinung des Ref. darin liegen, dass bei den betreffenden Inspirationsbewegungen die noch weiche Trachea des Neugeborenen durch den äusseren Luftdruck verschlossen wird, aus gleichem Grunde, aus welchem man bekanntlich nicht im Stande ist, durch einen schlaffen Schlauch Flüssigkeiten einzusaugen. Deshalb muss, wenn Schwingungen und dergleichen Vorgänge von Effect sein sollen, künstlich für ein Offenhalten der Trachea gesorgt werden, wie ja auch Sch. verlangt.

Laennec (34) betont den Werth der von Bouchut (1862) sogenannten optischen Lungenprobe (docimasie optique), nämlich die Constatirung der Füllung der Lungenbläschen mit Luft und der interlobulären Gefässe mit Blut mittelst Loupenuntersuchung.

Kreisphysicus Ficlitz (55) in Querfurt obducirte die 9 Tage im Wasser gelegene Leiche eines neugeborenen, kräftigen reifen Kindes und fand im Brustkorb, aus welchem beim Eröffnen etwas Gas hervordrang, die Lungen vollständig zurückgelagert, gleichmässig hellroth und vollkommen luftleer, so dass sie selbst in Stückchen zerschnitten, sofort untersanken. Der Magen war zusammengefallen, Herzbeutel und Leber mit Fäulnissblasen besetzt. F. gab das Gutachten, dass das Kind nach der Geburt nicht gelebt und geathmet habe. Die nachträglich eruirte Mutter gestand aber, dass das von ihr auf freiem Felde geborene Kind zwischen der Geburt des Kopfes und der Schultern und auch noch einige Minuten nach der Geburt die Augen öffnete und schnappende Athembewegungen gemacht habe, die immer schwächer wurden bis zu dem bald eingetretenen Tode. F. erklärt sich diesen Fall von Leben ohne Athmen, nach Ausscheidung anderer Möglichkeiten durch die Annahme, dass das Kind im ersten Stadium des Scheintodes zur Welt gekommen sei und nur oberflächliche, „asphyctische" Athembewegungen gemacht habe, die keine Luft in die Lungen bringen konnten.

In dem von Loeser (56) publicirten, aus den 60er Jahren stammenden Falle, gab die Mutter an, dass sie im Bette neben ihrer Schwester liegend, ohne dass diese etwas merkte, geboren und das schreiende Kind in ihren Rock gewickelt und nachträglich in's Wasser geworfen habe. Die Nabelschnur sei, als sie das Kind aus dem Schosse zog, von selbst zerrissen. Die Obduction des schon sehr faulen, ausgetragenen Kindes ergab zwar mit Fäulnissblasen besetzte, aber hellrothe, mit grauen Punkten marmorirte Lungen, die in allen Theilen im Wasser schwammen. Die übrigen Organe waren faul. Herz und grosse Gefässe blutleer. Die Obducenten erklärten, dass das Kind theils an Verblutung, theils an Erstickung gestorben sei. Das Medicinalcollegium dagegen, dass aus dem Sectionsbefunde die Todesursache nicht hervorgehe, und dass insbesondere die allgemeine Blutleere nur in der frischen, niemals in der faulenden Leiche für den Verblutungstod beweisend sei. Die wissenschaftliche Deputation gab ihr Gutachten dahin ab, dass die hellrothe Farbe der Lungen für stattgehabtes Athmen spreche, und dass eine so hochgradige Blutleere in fast allen Theilen des Gefässsystems niemals bei blosser Verblutung, wohl aber durch Fäulniss zu Stande komme, und dass auch die dunkle Farbe der verschiedenen Körpertheile und Organe, weil von zersetztem Blute herrührend, beweise, dass zur Zeit des Todes keine Blutleere dieser Theile bestanden habe.

Im Wiener medicinisch-forensischen Institute kamen, wie Zillner (57) mittheilt, innerhalb eines Jahres 4 kräftige und ausgetragene Kinder zur sanitätspolizeilichen Obduction, welche 13—15 Stunden nach der Geburt ohne ärztliche Behandlung gestorben waren, bei denen allen Peritonitis in Folge von Ruptur der Flexura sigmoidea sich als Todesursache ergab. Die Rupturen waren quer gestellt, 9—14 mm lang und vom After 15—26,5 cm entfernt. Für den Ansatz einer Klystierspritze waren, wie Versuche ergaben, diese Stellen nicht erreichbar, auch sahen die Lücken nicht aus wie solche Durchbohrungen, ebenso zeigte das Experiment, dass dieselben nicht etwa durch brutales Eintreiben einer Flüssigkeit in den After entstanden sein konnten. Für die Annahme einer anderen Gewalt, insbesondere eines durch fremde Hand auf den Bauch ausgeübten Druckes, fehlte jeder Anhaltspunkt. Sämmtliche Kinder waren spontan geboren worden, drei stammten von Eheleuten und nur eins von einer ledigen doch in Gegenwart einer Hebamme entbundenen Person. Die Kinder schrien sofort sehr viel und hatten einen trommelartig aufgetriebenen Bauch, und auch der sonstige Verlauf wies darauf hin, dass diese Ruptur schon bei der Geburt entstanden war. Z. ist nun der Meinung und unterstützt dieselbe durch Versuche, dass diese Rupturen spontan während des Geburtsactes durch bis zur Unwegsamkeit gehende Compression der mit einem langen Gekröse versehenen und strotzend mit Meconium gefüllten S förmigen Schlinge in der Weise sich bildeten, dass das comprimirte Kindspech, da es weder nach oben noch nach unten ausweichen konnte, schliesslich am Scheitel der Schlinge die Berstung veranlasste. In welchem Stadium des Geburtsactes am ehesten die Bedingungen zu einem solchen Vorgange gegeben sind, dies zu verfolgen überlässt Z. den Geburtshelfern und ist der Ansicht, dass solche Rupturen gelegentlich auch bei der Extraction durch die Hand des Geburtshelfers entstehen können.

Pohl (58) wurde zu einem 18jähr. Dienstmädchen gerufen, welches seit 3 Tagen am „Unterleib" erkrankt war, fand die Zeichen einer überstandenen Entbindung und extrahirte eine Placenta, deren Nabelschnur, wie es schien, schräg abgeschnitten war. Das Mädchen stellte trotzdem eine Entbindung in Abrede und gestand erst, als das Kind in einer Commode versteckt gefunden wurde, dass sie vor 3 Tagen nach vorangegangenen heftigen Schmerzen entbunden habe, während sie neben dem Bette stehend sich auf die Bettlehne mit den Ellbogen gestützt hatte. Sie habe gefühlt, wie etwas Schweres zu Boden falle, habe das Bewusstsein verloren und zu sich gekommen, das todte Kind gefunden. Die Obduction ergab ein ausgetragenes Kind, lufthaltige Lungen, äusserlich keine Verletzung, „auf den Scheitelbeinen aber eine runde, etwa nussgrosse Impression quer über der Pfeilnaht stehend mit intermeningealer Hämorrhagie". P. und Neyding erklärten die Sturzgeburt für möglich und die Angaben des Mädchens über den Geburtsverlauf für wahrscheinlich.

Bei einer bis auf die Knochen verfaulten, aus dem Wasser gezogenen Kindesleiche, welche Carreau (61) untersuchte, fanden sich noch die inneren weiblichen Genitalien und der Magen, welcher Reste von Obst enthielt. Die 4 mittleren Schneidezähne waren bereits durchgebrochen, die 4 übrigen im Durchbruch begriffen, und im Kopf des Humerus und in der oberen Epiphyse der Tibia fanden sich grosse Knochenkerne, aus welchen Befunden auf ein Alter des Kindes von 12—15 Monaten geschlossen wurde. Die Todesursache konnte nicht mehr erkannt werden. C hatte auch zu bestimmen, welcher Rasse das Kind angehört habe, und konnte sich aus der Beschaffenheit der theilweise noch vorhandenen Kopfhaare, welche zwar schwarz aber schlicht und seidenartig waren, dahin äussern, dass es kein Negerkind gewesen sei. Die ursprüngliche Farbe der Haut war nicht mehr zu erkennen.

[1) Bergwall, J. E., Egendomligt fall af kräfningsdöd. Eira 1883. p. 740. (Eine medico-forensische Section der Leiche eines jungen Mannes, der in betrunkenem Zustande durch erbrochenen und in die Luftwege eingedrungenen Mageninhalt erstickt war.) — 2) Hallin, O. F., Rättsmedicinsk undersökning å en af alkoholförgiftning afliden person. Sv. läkaresällsk. förh. 1883. p. 72. (Eine medico-forensische Untersuchung einer Alcoholvergiftung. Ein 12jähriger Knabe bekam circa 100 ccm Branntwein; fiel in einen Schlaf, dem ein comatöser Zustand mit schnellem Puls und Athemholen, erhöhter Temperatur und tetanischen Krampfanfällen und Trismus folgte; der Tod erfolgte nach 44 Stunden. Die Section erwies Blutüberfüllung der Hirnhäute, nicht aber der Hirnsubstanz.) — 3) Holst, E., Fortsatte Meddelelser fra den mediko-legale Praxis i Ringkjöbing Fysikat (1881—83). Hospitals-Tidende. R. 3. Bd. 2. p. 529.

Holst (3). Eine medico-forensische Casuistik, wo unter anderem ein Paar Fälle cataleptischer Todesstarre mitgetheilt werden, nämlich bei einem betrunkenen Fischer, dessen Leichnam in einem gesunkenen Prahme, aufrecht in demselben stehend und sich fest an den Mast klammernd, 1 Elle unter dem Wasserspiegel gefunden wurde; ferner bei einem periodischen

Säufer, der an einem Seile erhängt, mit der Hand das eine Ende desselben fest umklammernd gefunden wurde. Der Verf. fasst die cataleptische Todesstarre in diesen beiden Fällen nicht als einen blitzschnell nach dem Tode eintretenden Rigor, sondern als die Continuation einer längere Zeit vor dem Todesmomente dauernden vitalen Muskelaction auf. — Als Beitrag zur Beleuchtung des Erhängungsprocesses nennt der Verf. Beispiele von Erhängten in eigenthümlichen Stellungen, wie auf den Knien und Füssen liegend, die Fingerspitzen gegen den Fussboden stützend, oder ganz bequem in der Knie-Ellenbogenlage liegend, oder im Bette den Kopf kürzer oder weiter aus demselben hervorstreckend, so dass nur das Gewicht des Kopfes gegen das Seil gedrückt hat; ein Selbstmörder stützte sogar bei der Erhängung die Stirn gegen einen Tisch. Der Verf. führt ferner 3 Fälle von Erhängung bei Knaben an, die aus Muthwillen, aus Lust zu versuchen, welche Bewandtniss es mit dem Erhängen habe, stattfanden. — Von Tod durch Ertrinken führt der Verf. nicht wenige Fälle an, die in so seichtem Wasser vorgefallen, dass der Hinterkopf nicht nass wurde (4 stark Berauschte, 4 Epileptiker und 1 kleines Kind). Ferner erwähnt er mehrere Fälle von Erstickung, Vergiftung, Contusion des Kopfes und Tödtung durch den Blitz.

Joh. Møller (Kopenhagen).

1) Schaitter, Watpliwa konkurencyja trzech przyczyn śmierci. (Unentschiedene Concurrenz dreier Todesursachen.) Medycyna. No. 16. — 2) Derselbe, Przypadek usiłowanego morderstwa i samobójstwa przez przecięcie powłok brzusznych. (Ein misslungener Mordversuch und Selbstmord durch Aufschlitzung der Bauchwände.) Przegl. Lekarski. No. 37. — 3) Derselbe, Przypadek chronicznego otrucie arzenem. (Ein Fall chronischer Arsenvergiftung.) Medycyna. No. 22.

Bei Zusammentreffen mehrerer schwerer Körperverletzungen ist es nach Schaitter (1) manchmal schwierig, zu entscheiden, welche die erste und die Hauptursache des Todes war. Die Entscheidung ist aber im gegebenen Falle für das Gericht von grosser Wichtigkeit, besonders in den Fällen, in denen an der Verübung der That mehrere Personen theilgenommen haben, wo es sich deshalb um Eruirung derjenigen Person handelt, die hauptsächlich Schuld an dem Tode trägt und daher am schwersten zu verurtheilen ist. In dem vom Verf. beschriebenen Falle starb der 25j. bis jetzt ganz gesund gewesene A. B. bald nach einer Schlägerei im Wirthshause, an der mehrere Personen theilnahmen. Bei der Section fand man ausser vielen grossen Blutunterlaufungen: 1. am Kopfscheitel eine 3 cm lange Wunde, die bis an die Beinhaut reichte. Die Schädelknochen waren nicht beschädigt, die Gehirnwindungen verflacht. Unter der Arachnoidea zwischen den Gehirnwindungen sieht man auf der ganzen Oberfläche ein bedeutendes Blutextravasat. Das Gehirn hatte normale Consistenz und auf der Schnittfläche zahlreiche Blutpunkte; 2. auf der linken Seite des Rückens eine grosse Blutunterlaufung, welche vom Rückgrat bis zur Mamillarlinie reichte. Dem entsprechend eine emphysematische Aufblähung unter der Haut und ein grosses Blutextravasat mit Muskelquetschung. Die Rippen sind an dieser Seite von der 3. bis zur 12. gebrochen. In der linken Hälfte des Brustkorbes fand man 500 g extravasirten Blutes, ebenso ein bedeutendes Blutextravasat im hinteren Mediastinum. Die Lungen mit Blut überfüllt, die rechte bedeutend; 3. in der Bauchhöhle 200 g extravasirten Blutes. Netz, Gedärme, Magen, Leber und Milz in hohem Grade mit Blut überfüllt. Die Muskeln und alle Gewebe, die das Becken bedecken, sind mit extravasirtem Blute überzogen, endlich ist die linke Beckenhälfte in mehrere Stücke gebrochen.

Die ersten Sachverständigen äusserten sich dahin, dass in diesem Falle durch Bluterguss ins Gehirn und in die Pleurahöhle eine Gehirnlähmung und eine Lungencompression entstand, welche den Tod augenblicklich herbeiführte. Den Zeugenaussagen und diesem Gutachten entsprechend könnten als Werkzeuge, mit denen die beschriebenen schweren Körperverletzungen beigebracht wurden, ein Stein und ein Pfahl gedient haben, mit dem ersten wurde die tödtliche Kopfverletzung beigebracht, mit dem zweiten die gleichfalls tödtliche Brustverletzung sammt der Verletzung der Bauchhöhle und des Beckens.

Da dieses Gutachten das Gericht nicht befriedigte, wurden andere Sachverständige darum befragt, welche von den drei wichtigen Verletzungen die directe Todesursache bildete? welches war der Todesstoss? — Die zweiten Sachverständigen erklärten, dass, trotzdem alle Verletzungen schwere sind und alle drei in die Kategorie der tödtlichen gehören, könne als directe Todesursache des A. B. die Atelectase der linken Lunge und das Oedema der rechten angesehen werden, dass daher in diesem Falle die Verletzung des Brustkorbes die nächste Todesursache bildete. Sie erklärten weiter, dass die Verletzungen am wahrscheinlichsten in Folge eines Druckes mit den Knieen entstand, die anderen Verletzungen wurden ihrer Ansicht nach mit einem stumpfen, schweren Werkzeuge beigebracht, besonders die Beckenverletzung. Da das Gericht den Thäter der tödtlichen Verletzung nicht eruiren konnte, sah es sich genöthigt, alle Angreifer des A. B. gleichmässig zu verurtheilen, indem sie der Beibringung von schweren Körperverletzungen, deren Folge der Tod war, für schuldig erklärt wurden.

Verf. ist mit dem Gutachten der letzten Sachverständigen einverstanden und macht auf die häufig vorkommende Unmöglichkeit aufmerksam, ein entschiedenes Gutachten darüber abzugeben, welche von mehreren Verletzungen die directe Todesursache war und führt im Auszuge zwei hierher gehörende Fälle (von Skrzeczka und Hoffmann) an.

Derselbe (2). Der emeritirte fast 80jährige Beamte W. verlor den Posten eines Privatschreibers wegen Cataracta incipiens. Auf seine bescheidene Pension beschränkt, musste er sich sammt seiner Familie Vieles versagen. Dies kränkte ihn, er wurde düster, sprach wenig, hatte alle Bekannte ohne Grund im Verdachte, sehr oft brach er in Zorn aus, deshalb war jedes längere Gespräch mit ihm unmöglich. Dieser Zustand verschlimmerte sich noch nach dem Tode seiner Frau. Einige Monate später schlitzte er eines Morgens um 5 Uhr seinem schlafenden Sohne mit einem Rasirmesser den Bauch auf und wollte dasselbe bei dem zweiten Sohne vornehmen, dieser aber entfloh. W. zog sich dann in sein Zimmer zurück, sperrte sich ab und durchschlitzte sich auch die Bauchwände, wobei er mit den Händen die Eingeweide herauszog. Die herbeigeeilten Nachbarn fanden den W. in Agonie. Die Wunden des Sohnes waren leicht und heilten nach Anlegung von vier blutigen Nähten in verhältnissmässig kurzer Zeit.

Bei der Section der Leiche des W. fand man 1. im Gehirn Veränderungen, die man für atrophische, vom Alter herrührende ansehen muss, ebenso im Herzen, in der Leber und in der Milz; 2. interstitielle Veränderungen in der Corticalsubstanz der Nieren, welche mit den Symptomen eines gestörten Blutkreislaufes im Venensystem (Hydrops der unteren Extremitäten) das Bild eines chronischen Morbus Brigthii vervollständigen; 3. eine bedeutende Anämie aller Organe, deren Ursache die theils nach Aussen, theils nach Innen stattfindende Blutung aus den Wunden der Bauchwände darstellte. Die Form und der Verlauf dieser Wunden sprechen dafür, dass sie mit der eigenen Hand des Verstorbenen beigebracht wurden, was mit den Zeugenaussagen übereinstimmt. — Die vernommenen Zeugen, Nachbarn und Bekannten constatirten den melancholischen Zustand des Verstorbenen, welchen sie aber durch die Umstände erklären, unter welchen der Alte die letzten Monate seines Lebens zubrachte. Trotzdem unterliegt es keinem Zweifel, dass die That resp. die Thaten Folgen einer Gemüthsstörung waren. Die im Sectionsprotocolle beschriebenen Veränderungen, die man im Gehirn fand, stimmen damit überein, die vorhandene Greisenatrophie dieses Organs lässt nicht glaubwürdig erscheinen, dass der Gemüthszustand dieses Mannes bei Lebzeiten ein normaler war. Es spricht alles dafür, dass man es hier mit einem Falle eines Greisenwahnsinns mit melancholieartigem Verlaufe zu thun hatte.

Verfasser (3) beschreibt einen Fall, in dem die Frau ihren Mann allmälig vergiftete. Die letzte Krankheit des Vergifteten äusserte sich durch Erbrechen nach jedesmaligem Essen und eine hartnäckige 7 Wochen andauernde Diarrhoe. Die Exhumation erfolgte $5^1/_2$ Monate nach dem Tode. Wegen vorgerückter Fäulniss fiel das Resultat der Section negativ aus, dennoch konnte man dabei die für die Vergiftung mit Arsenpräparaten characteristische Mumificirung constatiren. In den Eingeweiden (Magen, Leber, Gedärme) wurden mittelst des Marsh'schen Apparates deutliche Arsenspuren nachgewiesen. Die Möglichkeit, dass das Arsen später von auswärts in die Leiche gelangte, wurde ausgeschlossen. In Anbetracht sowohl der durch die Untersuchung gelieferten Daten, als auch der in den Eingeweiden vorgefundenen Arsenspuren und der Mumification erklärten die Sachverständigen als Todesursache eine chronische Arsenvergiftung.

Grabowski (Krakau).]

Gesundheitspflege

bearbeitet von

Prof. KNAUFF in Heidelberg.

A. Allgemeines.

1) Wilson, C., A handbook of hygiene and sanitary science. 5 edit. 8. London. — 2) Schaper, H., Sechs Vorträge über Gesundheitspflege. 136 Ss. 8. Hannover. — 3) Martin, A. J., L'enseignement de l'hygiène dans les établissements d'enseignement supérieur. Revue d'hyg. p. 273—296; 405—425. — 4) Debay, A., Der Mensch und die Ehe. Nach der 35. Auflage des französischen Originals bearbeitet von L. Hauff. 2. Aufl. 416 Ss. 8. — 5) Clement, E., Hygiène conjugale; guide des gens mariés. 9 edit. 120 pp. Paris. — 6) Cheysson, E., La question de la population en France et à l'étranger. Annales d'hyg. XII. p. 384. — 7) Nielly, M., Hygiène des Européens dans les pays intertropicaux. 300 pp. 18. Paris. — 8) Congrès international d'hygiène et de démographie. Rapport par Valin. Revue d'hyg. p. 541, 762—790, 850—897. — 9) Bericht über die am 20. October 1883 in Düsseldorf stattgehabte 9. Versammlung des Niederrhein. Vereins für öffentl. Gesundheitspflege. Centralbl. für allgem. Gesundheitspflege. S. 69—96. — 10) Deutscher Verein für öffentliche Gesundheitspflege; XI. Versammlung zu Hannover. Deutsche medicinische Wochenschrift. S. 637. — 11) Exposition internationale d'hygiène de Londres. Rapport par Vallin. Revue d'hyg. p. 537—538, 631—639, 712 bis 729. — 12) Die Londoner internationale Hygieneausstellung von J. Uffelmann. Berl. klin. Wochenschr. S. 710—716, 758—774.

Martin (3) giebt eine Uebersicht über die Lehranstalten für Hygiene im Auslande mit einer Gründlichkeit und einem Freimuthe, wie ihn wenige französische Arbeiten ähnlicher Art darbieten dürften. Insbesondere lautet die Darstellung der Verhältnisse in Deutschland für dieses höchst schmeichelhaft. Spricht doch Martin im Anschlusse an Arnould und Zuber aus: „Deutschland nimmt heutzutage den ersten Rang in der Sanitär-Medicin ein; es hat verstanden, diese Suprematie England zu entwinden, und dem Unterrichte in diesem Gebiete eine bessere Richtung zu geben." In Frankreich sind die Zustände in den Schulen der Provinzen besser als in Paris. In Bordeaux ist ein vollständiges Laboratorium für Hygiene fertig und Dr. Layet unterstellt; ebenso in Nancy unter Dr. Poincaré; in Montpellier giebt Dr. Bertin Unterricht mit practischen Uebungen; in Lille lehrt Arnould, obwohl ein eigenes Laboratorium fehlt, und giebt die nöthigen Demonstrationen; ähnlich Dr. Rollet in Lyon. Aus jeder dieser Schulen ist eine stattliche Reihe selbstständiger Arbeiten (Thèses) hervorgegangen. An der Pariser Universität war der Unterricht in Hygiene vor Bouchardat sehr im Argen; seitdem dieser den Lehrstuhl inne hat, ist eine wesentliche Aenderung zum Bessern eingetreten. Doch beschränkt sich der ganze Unterricht auf 3 Stunden Vorlesung im Sommersemester, welche übrigens nur von einigen Candidaten und Personen reiferen Alters besucht wird. „Von practischem Unterricht keine

Spur." Martin verlangt für die Universität in Paris vor Allem eine Anstalt zum practischen Unterricht. Ob und in wie weit eine selbstständige Abzweigung der Hygiene von der Médecine légale zu erfolgen habe, lässt er mit Rücksicht auf die Tradition der Pariser Facultät unentschieden.

Cheysson (6) behandelt in einer sehr lesenswerthen Arbeit die Bewegung der Bevölkerungsziffern Frankreichs im Vergleich zu den modernen Culturstaaten. Im Jahre 1700 bildete Frankreich mit 19 Millionen Einwohnern 38 pCt. der Gesammtbevölkerung der drei europäischen Grossmächte, im Jahre 1882 mit ca. 37 Millionen Einwohnern 11 pCt. der Gesammtbevölkerung der europäischen Grossmächte plus Vereinigte Staaten von Nordamerika. Eine weitere Verringerung dieser Verhältnisszahl ist für die absehbare Zukunft unausbleiblich. Dieser für Frankreich ungünstige Entwickelungsgang ist theilweise durch das Auftreten jüngerer Staaten — Russland, Nordamerika, Italien —, theilweise aber auch durch die langsame Bevölkerungszunahme des Heimathslandes des Verf. bedingt. In dieser Beziehung wird es von sämmtlichen Culturstaaten nur von Irland übertroffen, welches einen erheblichen Rückgang der absoluten Bevölkerungszahl aufweist. Frankreich hatte 1806 29,107,425 Einwohner, 1881 37,672,043, entsprechend einer mittleren jährlichen Bevölkerungszunahme von 0.38 pCt. Die letzten 6 Decennien in drei zwanzigjährige Perioden vertheilt ergeben aber Ziffern der Bevölkerungszunahme von 0,57, 0,45 und (1861—1881) 0,26 pCt., also eine reissende Verkleinerung derselben innerhalb des der Mittelzahl von 0,38 pCt. zu Grunde liegenden Zeitraums. — Ein Vergleich der Zahl der lebenden Kinder (unter 15 Jahren) mit der Gesammtbevölkerung ergiebt für Frankreich 27 pCt., für Deutschland 34 pCt., für Schweden und England 36 pCt.

Die Sterblichkeit betrug in Frankreich 1806 36,9 p. M. der Bevölkerung; gegenwärtig beträgt sie 23—24 p. M., also etwas weniger als die mittlere Sterblichkeit aller civilisirten Staaten (26 p. M.). Die Sterblichkeit der Kinder im 1. Lebensjahre ist im Vergleich zu anderen Staaten mässig: ca. 167 p. M. Lebender gegen 315 p. M. Württemberg, 190 Preussen, 152 England, 116 Norwegen; die absolute Zahl für Frankreich beträgt 140—150,000. — Die Sterblichkeit der ehelichen Kinder im 1. Lebensjahre beträgt 155 p. M. Lebender, die der unehelichen 301 p. M.

Die Heirathen zeigen eine normale Mittelziffer, 8 p. M. der Einwohner. Die Männer treten etwas später, die Frauen etwas früher in die Ehe als in England.

Die absolute Geburtsziffer ist in Frankreich im Jahre 1880 genau dieselbe wie 1805 (920,000); bei der Zunahme der Bevölkerungsziffer entspricht dieselbe einer Abnahme der Geburtsziffer von 34 p. M. auf 25 p. M. Einwohner. Der niederen Geburtsziffer entspricht wieder der geringe Kinderreichthum der Ehen: In Frankreich gebären 100 Ehefrauen jährlich 17 Kinder, in England 26 und in Preussen 29, oder auf 100 Frauen im Alter von 15—50 Jahren entfallen Geburten: in Ungarn 20. in Preussen 16. in England 14, in Irland 11—12, in Frankreich 10. Der Ueberschuss der Geburtsziffer über die Sterbeziffer ist in Frankreich unter allen Ländern weitaus der geringste und in stetiger Abnahme, beide Ziffern verhielten sich in den Jahren 1801—1860 wie 32,5 : 28,8, in den Jahren 1871—1876 wie 25,5 : 24,9.

Die einzelnen Provinzen Frankreichs weichen aber von dieser Mittelzahl erheblich ab. Die Mittelwerthe resultiren aus sehr verschiedenartigen Einzelzahlen: in einzelnen derselben finden sich sehr günstige Verhältnisse, so namentlich in der Bretagne, wo jetzt 31 bis 34 Geburten auf 1000 Einwohner kommen, in anderen sehr ungünstige, so namentlich in der Normandie mit 20 und selbst 18 Geburten. In den Jahren 1856—1881 hat die Bretagne um 233,000 Einwohner zugenommen, die Normandie 157,000 eingebüsst. — Die grosse Fruchtbarkeit und rasche Vermehrung desselben Volksstammes, der Normannen in Canada beweist, dass nicht die Race, sondern dem Lande Frankreich eigenthümliche Verhältnisse die Ursache der Sterilität der Bewohner der Normandie sind.

Ein für die Bevölkerungsbewegung wichtiges Moment ist die Aufhäufung der Bevölkerung in den Städten. Während im Jahre 1846 die Landbevölkerung $^3/_4$ der Gesammtbevölkerung ausmachte, bildet sie jetzt nur noch $^2/_3$ davon. In dieser Beziehung übt Paris mit seiner jährlichen Zunahme von gegenwärtig nahezu 60000 die stärkste Anziehung aus. Hiervon wird die Zusammensetzung der Stadtbevölkerung natürlich erheblich beeinflusst. Von 100 Einwohnern sind nur 37 in dem Seine-Departement geboren, 57 in der Provinz und 7 im Auslande. Unter den 164,038 Pariser Fremden sind 31,090 Deutsche. Auch die Altersklassen der Bevölkerung bekommen durch die Auswanderung ungewöhnliche Verhältnisse zu einander; die Zahl der im mittleren Alter stehenden (15—50 Jahre) überwiegt in Paris ganz bedeutend die im übrigen Frankreich vorfindlichen Verhältnisse. Kinder- und Greisenalter treten in Folge dessen numerisch zurück. Bei dem Zurücktreten dieser die Bevölkerungsfortschritte belastenden Klassen verliert die an sich günstige Sterblichkeit bedeutend an Werth, wird zum statistischen „trompe-l'oeil", und erscheint die niedere Geburtsziffer in um so ungünstigerem Lichte. — Die starke Zuwanderung bedingt ungünstigere Versorgungsverhältnisse, namentlich eine Zunahme der Garnisten ungünstigster Art, welche jetzt über ein Zehntheil der ganzen Bevölkerung ausmachen und hauptsächlich die äusseren und ganz besonders die südlichen und östlichen Stadttheile wegen des niederen Preises der Wohnungen aufsuchen. Diese Quartiere sind es, in welchen die hygienischen und socialen Schaden am stärksten die Bevölkerung decimiren, andererseits aber auch das ungebundenste Geschlechtsleben eine grosse Kinderzahl erzeugt. Die Verschlimmerung der Wohnungsverhältnisse ist unzweifelhaft ein Hauptgrund für die grössere Zahl von Opfern, welche die Infectionskrankheiten und insbesondere der Typhus gegenwärtig fordern. Eine Illustration der Stadttheile nach Miethspreisen und eine solche nach Sterblichkeit ergiebt die Steigerung der Sterblichkeitshäufigkeit mit der der Wohnungsmisere im schlagendster Weise.

Als Hauptursache der ungünstigen Verhältnisse der Bevölkerungszunahme in Frankreich sieht aber Ch. die Civilgesetzgebung bezw. die Erbverhältnisse an. Die dem Familienhaupt aufgezwungene Zersplitterung seines Besitzes in gleich grosse und der Kinderzahl entsprechende Stücke führt nach Ch. ganz nothwendig zu einer nöthigenfalls künstlich herbeigeführten Beschränkung der Kinderzahl. Auch ein Theil der Landbevölkerung, die sonst das Verdienst hat, dem Ganzen wieder genügend frisches Blut zuzuführen, huldigt dem „moral restreint". Die gesetzliche Wiederherstellung des geschlossenen Grundbesitzes und des Erstgeborenenrechtes sind namentlich für diese als Corrective nothwendig und sofort wieder einzuführen; dann fällt das Hauptinteresse an der Kinderbeschränkung und kommt der natürliche Kinderreichthum von selbst wieder. Als Beweis der Richtigkeit dieser Anschauung verweist Ch. auf das feudale vorrevolutionäre Frankreich und die günstigen Verhältnisse in der Bretagne, des noch am meisten unter alter Tradition stehenden Landestheiles, auf Amerika mit seinem Homestead-Gesetze und auf einen erheblichen Theil Deutschlands.

(1) Pontin, D. M., Författningar m. m. angående medicinalväsenet i Sverge, omfattande tiden från och med år 1877 till och med ar 1882. Do. omfattande år 1883. Stockholm. (Eine Fortsetzung der früher von Wistrand [bis zum Jahre 1859] und von Küllberg [für die Jahre 1860—1876] herausgegebenen Sammlungen der das schwedische Medicinalwesen betreffenden Gesetze, Verordnungen und amtlichen Schreiben.) — 2) Annus medicus 1883. Hospitals-Tidende. R. 3. Bd. 2. p. 1. — 3) Selskabet for Sundhedsplejen. Aarsberetning for 1882—1883. Hygiejniske Meddelser. R. 3. Bd. 2. p. 164. — 4) Hälsovardsföreningeus i Stockholm förhandlingar 1883, I och II. Stockholm.

Eine kurze Uebersicht (2) über die Wirksamkeit auf den Gebieten der Medicin und der Hygiene in Dänemark im Jahra 1883. Unter anderem wird der Plan zu einer Verlegung des Friedrichs-Hospitals und der Gebäranstalt, sowie der damit in Verbindung stehenden medicinischen Institute nach einem anderen Orte besonders besprochen, durch welche Verlegung die erwähnten Institute hoffentlich eine lang ersehnte Erweiterung bekommen werden.

Die Lehrkräfte der medicinischen Facultät sind im Jahre 1883 durch 2 interimistische Docenten der Bacteriologie und der normalen Histologie vermehrt worden. Von den sanitären Veranstaltungen in der Kopenhagener Commune werden hervorgehoben: die zwei im Bau begriffenen bedeutenden Hospitalsanlagen des Armenwesens, sammt einem Hospitale für Frauen mit venerischen Krankheiten; ferner das nun vollendete öffentliche Schlachthaus (doch ohne Schlachtzwang), und die Errichtung von wohlfeilen Speisehäusern, in denen weder Branntwein noch Wein und nur ein beschränktes Quantum Bier genossen werden darf. — Eine Commission hat ein ausführliches Gutachten über die hygienischen Zustände der Schulen abgeben. Eine Wassercuranstalt ist in Silkeborg, in einer reizenden, wald- und wasserreichen Gegend Jütland's eröffnet worden.

Die Gesellschaft für Gesundheitspflege in Dänemark (3) hat im Jahre 1882—83 die im Vorjahre begonnenen umfassenden Untersuchungen über das Grundwasser (seine Höhe und chemische Zusammensetzung) sammt der Bodenluft in Kopenhagen und der Nachbargemeinde Frederiksberg fortgesetzt. Ausserdem sind im Laufe des Winters 3 Vorträge, mitgetheilt in der Zeitschrift der Gesellschaft (Hygiejn. Medd. R. 3., Bb. 2, p. 65, 84, 101) gehalten worden: 1) von Meldahl, was sich thun liesse, um den privaten Schulen bessere Locale zu verschaffen, in welcher Angelegenheit M. meint, dass das Oeffentliche (Staat oder Commune) zu Hilfe kommen müsse, indem es entweder die Sache ganz in seine Hand nähme oder zweckmässig belegene Grundstücke in passender Entfernung und in starkbebauten Stadttheilen anwiese oder vielleicht ausserdem Kapitalien hergäbe —, Mittel, welche mehrere von den an der Verhandlung Theilnehmenden für unerreichbar, ja nicht einmal für wünschenswerth ansahen; 2) von Raavad: Beschreibung der Ventilationseinrichtungen in einem neuerrichteten grösseren Gebäude, denen man eine gefällige Form zu geben sich bemüht hätte, so dass sie die Häuser und Zimmer verschönerten und nicht, wie jetzt oft der Fall sei, verunzierten; nur auf diese Weise würde man, nach der Ansicht des Verf. die Erkenntniss von der Bedeutung der Lufterneuerung ins Volk bringen können, und zu diesem Zwecke betont der Verf. stark ein genaues Zusammenwirken der Architekten und Ingenieure; 3) von Meyer über die Leitungen des Abfallwassers der Häuser. Der Verf. entwickelt die technischen Momente, die bei den Dimensionen, dem Gefälle, der Richtung, dem Material der Leitungen in Betracht kommen und hebt als besonders wichtig hervor, dass die Luft in den Leitungen so rein wie möglich erhalten werde; die Hausleitung müsse deshalb gegen die Strassenleitung und ihre Kanalluft durch einen guten Wasserverschluss gesichert und dadurch ventilirt werden, dass man eine Frischluftöffnung unten an der Erde anbringt und das Fallrohr desselben über das Dach hinausführt und oben offen hält, ohne dasselbe in den Schornstein ausmünden zu lassen. Um ferner die Kanalluft, sowie die in der Hausleitung selbst gebildete unreine Luft fernzuhalten, müsse jeder Ablauf (jede Gosse) im Gebäude einen sicheren Wasserverschluss haben, und dieser müsse, um gegen Aussaugung beschützt zu sein, durch ein Luftrohr, das in ein Hauptluftrohr längs des Fallrohres ausmündet, ventilirt sein. Der Verf. beschreibt die verschiedenen Arten von Wasserverschluss, verwirft die gewöhnlich gebrauchten Glockenverschlüsse und zieht unbedingt die S.-Verschlüsse vor. Endlich zeigt der Verf. die Misslichkeiten, die das im Hauswasser enthaltene Fett verursachen kann, wenn es bei der Abkühlung durch die Leitungsröhre erstarrt und diese verstopft, und giebt die Massregeln an, wodurch diese Misslichkeit sich vermeiden lässt.

Heft I (4) enthält: 1) 3 Vorträge über schulhygienische Gegenstände, darunter einen von Heyman über die Ansprüche an ein gesundes Schulzimmer, mit einer kurzen Darstellung der hygienischen Grundsätze für die Grösse und constructioen Anordnungen, die natürliche und künstliche Beleuchtung, sowie für die Erwärmung und Ventilation des Schulzimmers. Die beiden folgenden Abhandlungen enthalten theils die Darstellung einer centralen Warmlufteinrichtung, von Cederblom in einem vor Kurzem zu Stockholm aufgeführten Schulgebäude angebracht; theils einen Vorschlag von Westin zu localer Erwärmung und Ventilation, hauptsächlich bestimmt zu einer Verbesserung des Luftwechsels in schon aufgeführten Schulgebäuden. — 2) einen Vortrag von Linroth über die Massregeln, die zu treffen sind, um der Verbreitung der Ansteckung in einem Hause vorzubeugen, wo Fälle ansteckender Krankheiten behandelt werden. Im Vortrage wird die Lage und Einrichtung des Krankenzimmers, das Verhältniss desselben zur Oeconomie des Hauses und die Defectionsveranstaltungen behandelt. In der darauf folgenden Discussion wurden die günstigen Resultate hervorgehoben, die in Stockholms Volksschulen in den späteren Jahren durch strenge Einhaltung von Isolirungsmassregeln erzielt sind, indem die Ausbreitung besonders des Scharlachs, aber auch der Masern unter den 11—12000 Zöglingen der Volksschule in nicht geringem Grade abgenommen hat.

Heft II enthält einen Vortrag von Oedmansson mit nachfolgender ausführlichen Verhandlung über die Verordnung vom 18. Nov. 1881 in Betreff der Verwendung Minderjähriger zur Arbeit in Fabriken und beim Handwerk. Die Erfahrungen, welche in einigen Städten des Landes während der Anwendung des obgenannten Gesetzes gewonnen sind, werden mitgetheilt. **Joh. Möller** (Kopenhagen).

1) Swiezawski, Z higijeny publicznéj w dawnéj Polsce. I. Wodociągi w Sandomierzu i Lublinie. (Oeffentliche Gesundheitspflege im ehemaligen Polen. I. Die Wasserleitungen in Sandomierz und Lublin.) Pam. Tow. Lek. warsz. T. 80. p. 228—239. — 2) Polak, J., Międzynarodowa wystawa higijeniczna w Londynie. (Die internationale Hygieineausstellung in London.) Gazeta Lekarska. No. 40 u. ff. (Die Arbeit, welche eine detaillirte Beschreibung vieler Ausstellungsgegenstände enthält, eignet sich nicht zum Auszuge.) **Grabowski** (Krakau).]

B. Specielles.

1. Neugeborene.

Pfeiffer, E., Ueber Pflegekinder und Säuglingskrippen. Wiesbaden. 8. 34 Ss.

In dem Schriftchen sucht Pfeiffer das Interesse weiterer Kreise an der hohen Kinder-Sterblichkeitsziffer zu wecken, wie sie in Deutschland noch, immer namentlich bei den Pflegekindern, zu beklagen ist. Unter den Mitteln zur Besserung der Klein-Kinderpflege werden ausser allgemeinen ärztlichen und hygienischen Dingen die Säuglingskrippen einer Beleuchtung unterzogen, welche das Ergebniss liefert, dass die Krippen eher schaden als nützen, selbst wenn sie in der in Deutschland als musterhaft angesehenen Weise gehalten werden. Die wenigen (ausser Deutschland) bestehendenden Krippen, in welchem gleichgute Resultate erzielt werden, wie bei wohlhabenden Privaten, erfordern Mittel, welche bei uns unerschwinglich sind. Unzweifelhaft empfiehlt sich für deutsche Verhältnisse viel mehr eine gut überwachte (und subventionirte! Ref.) Privatpflege der Kinder.

2. Wohnstätten und deren Complexe als Infectionsherde. — Kleidung.

1) Fodor, Joseph v., Ueber den Einfluss der Wohnungsverhältnisse auf die Verbreitung von Cholera und Typhus. Archiv f. Hyg. II. S. 257—280. — 2) Gutachten der Kgl. wissensch. Deputation, betr. das Liernur'sche Reinigungsverfahren in Städten. Herausgeg. von Dr. H. Eulenberg. Eulenberg's Vierteljahresschrift für ger. Med, u. öff. San.-Wesen XL. Bd. Supplementheft. 61 Ss. — 3) Lindley, W. H., Die Klärbeckenanlage für die Sielwasser von Frankfurt a. M. Ebend. XVI. Bd. S. 545—567. — 4) Soyka, J., Untersuchungen zur Kanalisation. 3. Abth.: Die Selbstreinigung des Bodens. Archiv f. Hyg. S 281—317. — 5) Virchow, R., Die Craigentenny-Farm bei Edinburg Virchow's Archiv f. path. Anat. Bd. 96. S. 502—504. — 6) Weiss, Alb., Zur Assanirung der Stadt Stettin. Friedreich's Blättsr. S. 123—127; 435—452. — 7) Sur l'évacuation et l'emploi des immondices de la ville de Paris. Commissionsbericht erstattet von Trélat. Revue d'hyg. p. 653—779. (Majorität für Berieselung; Minorität gegen dieselbe.) — 8) Du-Mesuil, O., Nettoiement de la voie publique enlevant les ordures ménagères; leur utilisation. Annales d'hyg. p. 305—327. (Bericht über das Verfahren verschiedener Städte innerhalb und ausserhalb Frankreichs.) — 9) Dumont, A., Étude d'un projet de canal d'assainissement de Paris à la mer. Compte rend. T. 99. p. 992. (Entwurf eines grossen Abzugcanals, der sämmtliche Schmutzwasser von Paris aufnehmen, und, soweit sie nicht unterwegs für Berieselung verbraucht werden, bei Dieppe dem Meere übergeben soll.) — 10) Barnes, H. J., Sewage systems and the epuration of sewage by irrigation and agriculture. Boston med. and surg. journal. p. 577—581, 603—606. (Uebersichtliche Darstellung verschiedener Systeme mit Befürwortung der Berieselung.) — 11) Romain, A., Nouveau manuel complet du chauffage et de la ventilation. 320 pp. Bar-sur-Seine. — 12) Geigel, R., Wärmeregulation und Kleidung. Archiv für Hyg. II. S. 318—334.

Fodor (1) versuchte die complicirten Bedingungen, durch welche Wohnungsverhältnisse auf Verbreitung von Cholera und Typhus fördernd oder hemmend einwirken können, statistisch klarzustellen. Er zieht dabei 1300 von ihm ausgewählte, in den verschiedensten Theilen von Ofen-Pest gelegene Häuser in Betracht, deren jedes einzelne er so gut als zulässig untersucht hat.

1. Es steigt die Mortalität (Verhältniss der Gestorbenen zu den Bewohnern) im Sinne folgender Reihenfolge der Häuser: Häuser stockhoch (?mit hohen Stockwerken) ohne Kellerwohnung, solche mit Kellerwohnung, ebenerdige unterkellerte Häuser ohne Kellerwohnung, ebenenerdige Häuser mit Kellerwohnungen, solche nicht unterkellert. 2. Ebenso steigt die Mortalität mit der Zahl der auf 1 Zimmer entfallenden Bewohner (das zahlenmässig am leichtesten sicher zu stellende und aus mehrfachen Gründen wichtigste Moment). Von 10000 Einwohnern, welche in einem Zimmer wohnen:

starben an:	zu weniger als 1:	zu 1—2:	zu 2—4:	zu mehr als 4:
Cholera	61	131	219	327
Typhus	116	161	203	304
Darmcatarrh	48	78	104	158
Pocken	53	95	188	270
Masern	16	32	57	84
Scharlach	44	68	79	66
Croup u. Diphtherie	70	109	130	101
Pneumonie	35	53	75	92

3. Desgleichen ist die Mortalität an Typhus und Cholera in unreinlichen Wohnhäusern grösser, als in reinlichen, die Reinlichkeit geprüft an dem Verhalten

der Höfe und den Wohnungen event. der Menschen selbst.

Hieraus zieht F. folgende Schlüsse: „Der im Boden, in der Luft, im Wasser und in den Wohnungen befindliche Schmutz vermag die Entstehung und Verbreitung von Epidemien zu reguliren und zwar entweder in Gemeinschaft mit gewissen Verhältnissen des Bodens und Grundwassers und von diesen unterstützt, oder auch ohne, ja gegen diese." Der Schmutz ist übrigens nicht als ein die Entwickelung des Krankheitserregers förderndes, sondern lediglich die Erkrankungsdisposition des Menschen steigerndes Moment von Bedeutung. Genaueres über dieses „disponirende Agens" ist nicht anzugeben, „chronische Form putrider Infection" aber zu unterstellen. Die Folgerungen für die öffentliche Gesundheitsflege ergeben sich von selbst. F. schliesst mit dem Satze: „Die Epidemien der Städte und Wohnungen stehen im Verhältniss zur Anzahl der gebrauchten Besen."

Das Gutachten der wissenschaftlichen Deputation (2) über das Liernur'sche System enthält 3 an das kgl. Ministerium im Laufe des Jahres 1882 eingereichte amtliche Erklärungen mit einem Protocoll der Sitzung, welche die Commission unter Zuzug des Herrn Liernur am 11. Januar 1882 abgehalten hat.

Die besonderen Umstände, unter welchen das Gutachten gefordert und erlassen wurde, bringen es mit sich, dass dasselbe mancherlei, der ärztlich-technischen Seite im engern Sinne nicht zugehörige Punkte behandelt. Es gipfelt in der Erklärung, dass der Anwendung des L.'schen Systems ärztliche Bedenken nicht entgegen stehen, sofern dasselbe in der, den jüngsten Entwürfen L.'s entsprechenden Weise ausgeführt wird. Diese anscheinend selbstverständliche Bedingung musste aus mehrfachen Gründen nachdrücklich und in verschiedener Form betont werden, vor Allem deswegen, weil das L.'sche System bis jetzt nirgendwo nach den jüngsten Entwürfen vollständig durchgeführt ist, seine technische Durchführbarkeit also noch nirgends erwiesen hat. Insbesondere gilt dies von dem schwierigsten Punkte des L.'schen Entwurfs, der Nothwendigkeit, die Schmutzwasser, bevor sie in die öffentlichen Leitungen zugelassen werden, genügend zu reinigen. Der von L. und seinen Mitarbeitern gezogene Vergleich zwischen ihrem Systeme und den andern Methoden der Städtereinigung, insbesondere der Schwemmcanalisation mit Berieselung, welcher natürlich unbedingt und in jeder Beziehung zu Gunsten der ersteren ausfällt, ist schon hinfällig mit dem Hinweise des Gutachtens, dass das Schwemmsystem vielfach und seit Jahren durchgeführt und im Gebrauche ist, während das Vergleichsobject. das L.'sche System sich noch im Stadium des Entwurfes und theoretischer Berechnung befindet. Wirkliche Erfahrung und Entwürfe haben aber bei so complicirten und oft nicht voraussehbaren Hindernissen unterworfenen Einrichtungen einen sehr verschiedenen Werth. Es wird weiter nachgewiesen, dass die L.'schen Angriffe gegen das Berliner Schwemm-Berieselwerk vielfach auf unrichtigen Annahmen theilweise selbst unrichtigen Zahlenangaben beruhen. — Schliesslich betont das Gutachten, dass eine Prüfung der financiellen Gebahrung des L.'schen Systems mit allem Vorbedacht vermieden wurde.

Die Stadt Frankfurt a. M. (3) entledigt sich der ihr von der Behörde gemachten Auflage, ihr Canalwasser genügend resp. nicht nur durch mechanische, sondern auch chemische Mittel zu reinigen, durch Anlage grosser Klärbassins. Dieselben sind unterhalb Frankfurt Sachsenhausen auf der linken Mainseite angelegt für beide Städte bestimmt. Frankfurt muss also sein Canalwasser auf die andere Uferseite hinüberleiten (durch zwei unter dem Flusse durchgehende Druckröhren, von denen aber vorerst meist nur eine functionirt). Die Klärbassins konnten so nivellirt werden, dass sie bei gewöhnlichem Wasserstand Ablauf in den Fluss haben; bei den fast immer kurzdauernden Hochwassern wird durch Sperren der Abflüsse und äusserstenfalls durch Auspumpen die Functionirung der Bassins gesichert. Durch Eindecken sind sie vor Frost geschützt. Wegen ihrer Höhenlage sind sie auf ständigen Durchfluss eingerichtet. Die Capacität der Bassins ist so berechnet, dass sie $^1/_4$ des Tagesdurchflusses aufnehmen, dass also der durchschnittliche Aufenthalt des Wassers in denselben 6 Stunden beträgt. Sie nehmen alles Abwasser der Stadt (Meteor- und Schmutzwasser) auf; nur für starke Regen sind Nothauslässe (auch auf der Frankfurter Seite) vorgesehen. — Die Reinigung des Wassers erfolgt theils mechanisch durch vorläufiges Seihen, theils und namentlich durch Sedimentiren unter Zusatz von schwefelsaurer Thonerde und Aetzkalk, die Mischung so regulirt, dass die Gesammtmasse von Schmutzwasser und Zusatz neutral reagirt und alle Thonerde ausfällt. Der sich absetzende Schlamm wird bei Reinigung einer Bassinabtheilung durch Centrifugen aufgenommen und durch Ableitungsröhren nach aussen, zunächst in eingedämmte Lagerstätten wie 5000 cbm geschafft. Die Lagerung solcher Massen wird für unbedenklich und nicht belästigend angesehen. Für den Fall, dass sie als Dungmittel Abnahme finden, sollen sie durch Filterpressen zum Transport geeigneter gemacht, d. h. eines Theiles ihrer ursprünglichen 90 proc. Wasser entlastet werden. Doch ist der Consum der rückständigen Schlammmassen als Dünger nicht in Calcul gezogen, wenn derselbe auch bei den günstigen Transportverhältnissen und der Düngerbedürftigkeit der Nachbarschaft erwartet werden darf. Der einer Erweiterung schwer zugängliche Theil der Anlage — namentlich die unter dem Flusse durchgehenden Röhren — sind gross genug, für eine absehbare Zunahme der Bevölkerung; die übrigen Theile können schrittweise der Bevölkerungszunahme entsprechend vergrössert werden. Die Inbetriebnahme soll im Jahre 1886 beginnen.

Anknüpfend an die Untersuchungen Falk's (s. d. J.-B. 1877, S. 500 und 1878, S. 493) sowie an frühere eigene (ebd. 1878, S. 494) prüft Soyka die Fähigkeit des Bodens giftige Alkaloide, die meist in wässriger Lösung demselben zugeführt wurden, festzuhalten und zu zersetzen. Als „Boden" figurirten Röhren, welche bei Füllung in der Höhe von 80 cm 400 ccm Material aufnahmen, also von etwa 2,5 cm Durchmesser im Lichten. Die Füllung bestand in Kiessorten, meist Mittelsand mit 0,3—1 mm Korngrösse, seltener Feinkies (mit 2—4 mm) und Grobsand (1—2 mm).

Auf fünf solcher Röhren mit Mittelsand, 0,8 m hoch gefüllt, wurden täglich 10 ccm von Lösungen von Strychninsulfat gegossen, deren Gehalt zwischen 0,01 und 1,4 pCt. abgestuft war. Am 7. bis 8. Tage begann das Filtrat und war durchaus strychninfrei abzufliessen.

Bei einer zweiten Versuchsreihe wurde der bei allmäligem Zugiessen von Lösungen erreichbare Maximalstrychningehalt verschiedener Bodenarten bestimmt. Auf Röhren mit Grob- und Mittelsand wurden Lösungen von Strychninsulfat zu 1,0 pCt. und Strychninacetat 0,25 pCt. gegossen, bis das Filtrat Strychninreaction gab. Es wurden von 100 g Boden 0,4 bis 0,57 g Strychninsalz zurückgehalten. Somit kann 1 cm Boden bis zu 2,25 kg Strychninsalz aufnehmen. Aehnliche Resultate ergaben Versuche mit sieben anderen Alkaloiden, darunter Chininsulfat, von welchem gröberer Mittelsand 0,15 g per 100 g Boden, feiner Mittelsand 0,26 g zurückbehielt; schwefelsaures Morphin und Atropin wurden im Betrage von 0,15 g bezw. über 0,16 g reinen Alkaloids zurückgehalten. Variationen der Versuche zur Feststellung, welchen Einfluss langsameres oder schnelleres Zugiessen habe, ergaben eine Mehraufnahme im ersteren, Minderaufnahme im letzteren Falle.

Die im Boden zurückgehaltenen Alkaloide bleiben aber im Boden nicht unverändert, sondern erleiden nach kurzer Zeit eine Zersetzung, welche zur Nitrit- und Nitrat- sowie Ammoniakbildung führt: Die Nitratbildung scheint das Endglied, das Ammoniak, welches meist neben der Salpetersäure nachweisbar ist, das Mittelglied der Zersetzungsprocesse zu sein. Von sieben untersuchten schwefel- und salzsauren Alkaloiden lieferten am 8. Tage des Untersuchens keines Salpetersäure, sechs dagegen Ammoniak, am 150. Tage fünf Salpetersäure und keines deutlich nachweisbares Ammoniak. Die Ausgiebigkeit der Zersetzung ergiebt sich aus folgender Versuchsreihe:

0,8 g in 1proc. Lösung schwefelsauren Strychnins auf Mittelsand gegossen, gab am 12. Tage Salpetersäurereaction des Filtrats; nach 167 Tagen waren in demselben 116,1 mg Salpetersäure nachgewiesen, deren Stickstoff 54 pCt. des Gesammtstickstoffs des Salzes beträgt; 0,75 Strychn. acet. in 0,1proc. Lösung auf Grobsand gegossen, ergab am 18. Tage Salpetersäure, in 167 Tagen 27,0 mg, deren Stickstoff = 51 pCt. des essigsauren Salzes.

Die Ammoniakbildung scheint ohne Mitwirkung von Organismen, die darauf folgende und fussende Nitratbildung mit solcher zu erfolgen. Wenigstens gaben Ammoniaksalze ohne und mit bacterienfeindlichen Alkaloiden (Pyridinsulfat, Chinolinsulfat) in Boden gebracht im ersten Falle am 15. resp. 35. Tage, im letzteren am 55. resp. 82. Tage Salpetersäure. Den beschriebenen ähnliche Versuche mit Torf angestellt ergaben ein stärkeres Absorptionsvermögen desselben als das der Sandarten (4,4 pCt. des Torfgewichts Strychn. sulf.), auch rasche und ergiebige Ammoniak-, aber keine Salpetersäurebildung, und längeren Verbleib der Gifte im Torf als im Sand. Von zwei Torfproben, deren erste mit Wasser, deren zweite mit Salzsäure und folgendem Wasser gründlich ausgewaschen waren, ergab die zweite eine stärkere Ammoniakbildung. Auch Thierkohle im H-Strome frisch ausgeglüht ergab am 3. bis 4. Tage des Alkaloidzusatzes Ammoniak, als sicheren Beweis, dass die Zersetzung von dem organischen Filtermaterial, nicht etwaigen Organismen abhängig ist.

Soyka glaubt, „dass durch diese Versuche gezeigt worden ist, dass es eine Selbstreinigung des Bodens giebt, die jedoch an gewisse Bedingungen geknüpft ist.“. Diese Bedingungen sind 1) geeigneter Boden d. h. solcher mit Filtrir- und Absorptionsfähigkeit und einer gewissen Wassercapacität. 2) Wechsel der Durchfeuchtung. 3) Genügende Verdünnung der zu reinigenden Flüssigkeiten. Die Erfüllung dieser Bedingungen trifft bei richtig durchgeführter Canalisation immer mehr oder weniger zu und ist damit die in der Nähe von Canälen trotz unvermeidlicher kleiner Undichten erwiesene Reinigung des Bodens begreiflich.

Virchow (5) besuchte im April 1884 die 250 Jahre alte Rieselanlage Craigentenny-Farm bei Edinburg. Dieselbe liefert den Beweis, dass bei einer auch noch so langen Rieselung weder der Ertrag des Bodens, noch die Gesundheit der Farmbewohner und Nachbarn eine Einbusse erleidet. Die Ueberrieselung geschieht in dem Maassstabe, dass etwa für 1000 Köpfe der Bewohner 1 Acre gerechnet wird. Im Winter wird die Rieselung zeitweilig eingestellt und das Wasser direct abgeleitet. Allmälig hat sich auf dem ursprünglichen Sand- und Lemboden eine schwarze, 2 Fuss mächtige Schicht von Rieselstoffen abgelagert. Der Hauptbestand der Rieselfarm ist Ray-gras, welches grün verfüttert wird, jährlich 4, ausnahmsweise bis zu 6 Schnitte und 31 Lstr. Erlös per Acre bringt. In der Umgebung Edinburgs sind in den letzten Jahren noch neue Rieselfarmen entstanden, welche mehr Gemüsebau treiben als die alte Farm und zugleich bis zu 45 Lstr. per Acre bringen; die Pacht beträgt 12 Lstr., während gleiches nicht gerieseltes Land um 5 Lstr. abgegeben wird.

Geigel (12) versucht die complicirten Vorgänge, durch welche die Bekleidung die Wärmeöconomie unseres Körpers beeinflusst, wenigstens zum Theil klarzustellen, indem er die Wärmeabgabe eines Körpertheiles (seines linken Armes) an die umgebende Luft unter sonst möglichst gleichbleibenden Verhältnissen vergleicht einmal im entblössten, zum anderen in auf verschiedene Weise umhüllten Zustande.

Zur Wärmemessung diente ein doppelwandiger Blechcylinder, der sowohl in seinem Innen- als Zwischenraum durch ausgiebiges Durchtreiben von Luft vor Beginn jedes Versuches rasch auf die möglichst gleichgehaltene Zimmertemperatur gebracht werden konnte. Der Innenraum nahm den Arm auf, welcher durch eine möglichst passende Manchette umfasst wurde, und so zugleich die Innenluft abschloss. Die Temperaturzunahme des Innenraums wirkt nun auch auf die des Zwischenraums und dehnt dessen Luft aus. Diese Luftausdehnung wirkt, da alle andern Oeffnungen desselben sorgfältig geschlossen sind, auf eine Wassersäule, welche in einer flach ansteigenden offenen Glasröhre eingeschlossen, den Druckwirkungen der Luft sehr leicht folgt. Nach den Voraussetzungen Geigels entspricht die Schnelligkeit, mit der die Wassersäule fortbewegt wird, direct, oder die Zeit, welche die Wassersäule zum Durchwandern einer bestimmten Strecke der Glasröhre braucht, im umgekehrten Verhältnisse, dem Maasse der Wärmezufuhr im Apparate. Eigentliche Temperaturmessungen sind nicht gemacht, die Versuche beanspruchen nur Vergleichbarkeit der Ergebnisse unter sich.

Aus diesen glaubt G. schliessen zu dürfen, dass die Wärmeabgabe des Körpers an die umgebende Luft die gleiche sei in bekleidetem und unbekleidetem Zustande des Körpers, sofern extreme Temperaturen und Wärmeableitungen durch in unmittelbarem Contacte stehende feste und flüssige Körper ausgeschlossen sind. Für die Richtigkeit der Experimentation wird die Uebereinstimmung einer hierauf begründeten Berechnung des Gesammtverlustes eines gesunden Menschen (= 2224 Cal. per 24 Std.) mit dem von Helmholz angenommenen Mittel von 2300 Cal. angeführt (? Ref.)

[Lubelski, Mieszkania robotników ich zajazdy i noclegi. (Die Arbeiterwohnungen, Arbeiterherbergen und Nachtquartiere.) Pamietnik Tow. Lek warsz. T. 80. p. 203—213. (Eine kurze Zusammenstellung der die Arbeiterwohnungen in Polen und im Auslande betreffenden Zustände. Verfasser macht kurze Bemerkungen über die Arbeiterwohnungsverhältnisse in öconomischer, technischer und hygienischer Beziehung.)
Grabowski (Krakau).]

3. Desinfection.

1) Russel, F. B., On desinfection. Glasgow med. journ. Vol. XXII. p. 401—412. — 2) Möller, Les antiseptiques et les désinfectants. Bull. de l'acad. de méd. de Belgique. No. 10. p. 1101—1111. (Beanstandet den Werth der bisherigen Terminologie und dringt darauf, sich mehr der durch R. Koch eröffneten Bearbeitungsweise der Desinfectionsfragen anzuschliessen.) — 3) Lefebre, Dasselbe. Ibid. p. 1159—1168. (Entgegnung hierauf.) — 4) Sur les antiseptiques et les désinfectants. Discussion. Ibid. p. 722, 1101, 1159, 1242. — 5) Lee, Robert, Atmospheric desinfection and its application in the treatment of disease. British med. journ. p. 713—714. — 6) Referat. Bull. de la société de méd. de Gand. p. 67. — 7) Vallin, E., Quelques expériences sur les étuves de desinfection dans les hôpitaux de Paris. Annales d'hyg. XI. p. 255. — 8) Rochefort, Sur l'étuve à desinfection par la vapeur surchauffée. Revue d'hyg. p. 53; auch Annales d'hyg. XI. p. 264. — 9) Discussion über E. Vallin's „Sur les étuves". (No. 7) Revue d'hyg p 57; auch Annales d'hyg. T. XI. p. 270. — 10) Koch, Alphonse, La desinfection par l'eau bouillante et la vapeur. Revue d'hyg. p. 679—684. — 11) Fischer, B. und B. Proskauer, Ueber Desinfection mit Chlor und Brom. Mittheilungen aus dem Kaiserl. Ges. Amte II. S. 228—308. — 12) Dujardin-Beaumetz, Expériences sur la desinfection des locaux ayant été occupés par des malades atteints d'affections contagieuses. Bull. de l'acad. de méd. p. 1261—1271; auch Bull. général de thérap. p. 241—247. (Beschreibt und empfiehlt einen Schwefelverbrennungsofen und eine Schwefelkohlenstofflampe [nach Ckiandi] zur Entwickelung der schwefeligen Säure. — 13) Ckiandi-Bey, Sur les propriétés antiseptique du sulfur de charbon. Comptes rend. T. 99. p. 509. — 14) Czernicki, Sur l'assainissement du quartier du Palais à Avignon au moyen de l'acide sulfureux. Arch. de méd. milit. No. 20. — 15) Pettenkofer, M. v., Ueber Desinfection der ostindischen Post als Schutzmittel gegen Einschleppung der Cholera in Europa. Archiv f. Hyg II. S. 35—46. — 16) Schill, E. und B. Fischer, Ueber die Desinfection des Auswurfs der Phthisiker. Mitth. aus dem Kaiserl. Ges.-Amte. II. S. 131—146.

Nach einer Durchsicht unserer heutigen Desinfectionsmittel und Verfahren kommt Russel (1) zu der Ansicht, dass die auf chemische und auch auf thermische Wirkungen berechneten aus verschiedensten Gründen nicht consequent und überall durchführbar sind. Das brauchbarste Desinfectionsmittel ist unzweifelhaft die Hitze. Alle Contagien, meint Russel, werden durch Kochen zerstört; trockene Hitze von 110° C., oder auch 105° längere Zeit erhalten, ist in der Wirkung ebenso sicher." Auch diese mildeste Form einer Desinfection schädigt eine Masse von Gebrauchsmaterialien. Die meisten Desinfectionsregulative, so die für die französische und englische Armeen, die des National board of Health der Vereinigten Staaten, enthalten gemischte Verfahren thermischer und chemischer chemischer Desinfection, denen aber fast immer eine mechanische Reinigung und Aussetzen der Objecte in Sonne und frische Luft zu folgen hat. Russel hält es aber für unrichtig, in solch einfachem Verfahren, wie gewöhnliches Waschen, mechanisches Reinigen durch Klopfen, Bürsten und dgl., endlich Auslüften und Sonnen nur einen Nothbehelf oder aber eine letzte und sicherste Instanz zu sehen, ist vielmehr der Ansicht, dass gründliche Reinigung der Gebrauchsgegenstände in der bezeichneten Weise ein in den meisten Fällen ausreichendes Verfahren sei und somit zugleich in Anbetracht der öconomischen Vortheile, das einzig anwendbare. Das Waschen, welches mit Kochen verbunden werden kann, desinficirt direct. Aber auch Waschen ohne solches sowie die anderen mechanischen Reinigungen bewirken eine Ablösung der Infectionskeime von ihren Unterlagen, damit eine Einwirkung von Feuchtigkeit, Sonne und endlich der Luft, welcher keinerlei Infectionsstoffe für die Dauer widerstehen. Sonnenlicht und freie Luft sind nach R. die mächtigsten Desinfectionsmittel. Für besondere Aufgaben können besondere Verfahren eingeschlagen werden, so für Desinfection trockener Wände Erneuerung des Anstrichs, für Federn Dampf, ebenso für Wäschebündel, ehe sie aufgemacht werden. Nach diesen Grundsätzen ist R. seit Jahren verfahren, und hat niemals eine Uebertragung ansteckender Krankheiten z. B. durch Wäsche zu beklagen gehabt. Eine weitere Bestätigung derselben liefert die Erfahrung, dass selbst Typhus, der bei unreinlichen und zusammengedrängten Menschen sich so ausserordentlich verbreitet, durch Reinlichkeit und Ventilation allein schon entwaffnet wird. — Ein Zukunftsgemeinde-Desinfectionshaus wird nach R. eine grosse Wasch- und Reinigungsanstalt sein, welche in ihren geschiedenen Abtheilungen ausser einem mit den besten mechanischen Hülfsmitteln versehenen Waschhause Einrichtungen für Haar- und Wollwäsche, zum Dämpfen der Federn, zum Klopfen der Teppiche besitzt. Solche Anstalten müssen ausserhalb der Städte gelegen und mit Vorrichtungen zum Rauch- und Staubverbrennen versehen sein.

Miquel (6) theilt in dem Jahresbericht des Observatoriums von Montsouris Versuche über die aseptische Wirkung verschiedener Körper auf Ochsenbouillon mit und stellt sieben Gruppen, von den stärkstwirkenden bis zu den unwirksamen, letztere in concentrirter Lösung applicirt, auf. Zu den stärkstwirkenden gehört in erster Linie Quecksilberjodid, welches in einem Zusatz von 0,025 g auf 1 l Bouillon wirkt, sodann ozonisirtes Wasser mit 0,050 g per Liter, Quecksilberchlorid mit 0,070 und salpetersaures Silber 0,080 g. Zur zweitstärksten Gruppe gehört Osmiumsäure mit 0,15 g, Chlor, Jod mit 0,25, Brom und Jodoform mit 0,60, Kupfervitriol mit 0,90 g. Unwirksam blieben picrinsaures Kali, chlorsaures Kali, schwefelsaures Natron. Ebenso fand M. eine Reihe von Stoffen unwirksam, „weil sie in Bouillon unlöslich sind": Terpentin-, Citronen-, Anis-, Thymian- und Wintergrünöl.

In Versuchen, welche Vallin (7) über das Eindringen trockener Hitze in Desinfectionsobjecte (Matrazen, Decken, Wollpakete u. dergl.) machte, wurde abermals der Nachweis der Unzulänglichkeit der nur mit trockener Hitze arbeitenden Apparate nachgewiesen, indem bei Temperaturen in den Desinfectionskammern, bei welchen das Material schon erheblich durch Versengen litt, und bei Einwirkungen solcher Temperaturen bis zu 5 Stunden im Innern der von Decken und dergl. gebildeten Pakete Maximaltemperaturen bis zu 54° herab constatirt wurden. Dabei zeigte sich weiter, dass die in Untersuchung genommenen Desinfectionskammern auch insofern mangelhaft arbeiten, als erhebliche Temperaturdifferenzen an verschiedenen Stellen der Kammern bestehen. Abermals dringt V. auf Umänderung der Desinfectionskammern im Sinne der Verwerthung der Koch'schen Versuche und nach dem Muster der Schimmel'schen Apparate.

Rochefort (8) beschreibt die in den Marinehospitälern der Colonien gebrauchten Desinfectionsapparate:

Aus Kesselblech gefertigte Cylinder von 1,60 m × 2,30 m = 5,2 m cub. Raum, aussen mit Holz verkleidet. Wenn kein Dampfkessel zur Verfügung steht, so wird der Dampf aus einem besonderen Generateur entwickelt. Der ganze Apparat ist auf 6 kg Druck geprüft; der Druck geht aber nicht über 1½ kg = 118°. Wenn der Apparat mit den Desinfectionsobjecten beschickt und mit der luftdichten Thür wieder geschlossen ist, lässt man den Dampf einströmen, und zunächst durch zwei Hähne, je einer oben und unten, die Luft ausströmen, bis die mit Dampf vermengte Luft 80—90° zeigt; alsdann werden die Hähne geschlossen und die Temperatur der Cylinder auf 115 bis 118° (1¼—1½ kg Druck) gebracht. Diese Manipulationen erfordern 69—113 Minuten. Zwischen massigen Gegenständen (Matrazen) zeigte sich bei Versuchen eine Temperatur von 110° und nur eine mässige Durchfeuchtung des Materials. (Die Controllversuche scheinen in keiner auch R. nicht ganz genügenden Weise ausgeführt worden zu sein.)

Herrscher (9) beschreibt einen auf Grund der R. Koch'schen Beobachtungen construirten Desinfectionsapparat, dessen Leistungen auf Herstellung einer nach Belieben trockenen Temperatur von 110 bis 115° und einer Dampfatmosphäre von 1 A. Druck abzielen, ohne dass die Wände des Apparates sich mit Wasser beschlagen. H. legt grossen Werth darauf, dass die heisse Luft von oben zugeleitet wird, um gegen das bei Zuleitung von unten schwer zu vermeidende Versengen der Stoffe gesichert zu sein; ferner, dass die Desinfectionsobjecte vor dem Contact mit der Oberfläche der Wärmequellen (Dampfröhren oder Aehnl.) geschützt sind. (Eine beigegebene Abbildung stellt den von dem Hause Herrscher & Genest nach diesen Principien construirten Apparat dar.)

A. Koch (10) empfiehlt zur Desinfection von Eisenbahnwagen eine an jeder Locomotive leicht ausführbare Vorrichtung, welche gestattet, aus deren Kessel je nach Bedürfniss Dampf oder Wasser oder beide gemischt in einem Strahle in oder an die zu desinficirenden Objecte zu werfen. Insbesondere empfiehlt er die ausgiebige Verwendung des wegen seiner hohen Temperatur und Eigenwärme am meisten wirksamen Wassers.

Fischer und Proskauer (11) haben sehr genaue und umfassende Versuche über die Desinfectionswirkung des Chlor und Brom angestellt. Sie legten ihren Arbeiten dasselbe Schema zu Grunde, welchem die Wolffhügel'schen Untersuchungen über die schweflige Säure (Mittheil. des Reichsges.-Amts, I. S. 188) gefolgt sind.

Für beide Körper liegen je zwei Reihen von Untersuchungen vor: Die erste Reihe wurde in einer Flasche, die zweite in einem Kellerraum angestellt. Jene bildeten die Vorversuche, durch welche die Desinfectionswirkungen der Körper, die erforderliche Dosis derselben und die Bedeutung der Nebenbedingungen genau festgestellt wurden; diese lernten die Modificationen kennen, welche die bei den Flaschenversuchen gewonnenen Erscheinungen unter Verhältnissen erleiden, wie sie practische Desinfectionsaufgaben mit sich bringen. Die Flasche war ein Standgefäss von 21 l Gehalt und geeigneter Form, namentlich mit einer zur Herstellung der complicirten Tubulirung und bequemen Einführung und Entnahme der Desinfectionsproben genügend grossen Oeffnung. Der benutzte Keller oder Souterrainraum misst 28 Cubikmeter Raum, hat asphaltirten Fussboden, Decke und Wände mit Kalk verputzt und bestrichen.

I. Chlor.

a) Flaschenversuche. Zur Entwickelung des Chlor wurde Manganhyperoxyd und Salzsäure benutzt, wenn mehr als 0,05 Volumproc. der Flasche zugeführt werden sollte, und Einträufeln von concentrirtem Chlorwasser, wenn weniger als diese Menge. Die Dosirung des Chlors geschah durch die Menge des auf seine Ergiebigkeit vorher geprüften Entwickelungsmaterials und durch directe Bestimmung des Chlorgehaltes einzelner aus der Flasche entnommenen Luftproben mit Jodkalium- und Natriumhyposulfitlösung. Das Verhalten des Gases in der Flasche wurde dahin festgestellt, dass dasselbe in derselben stets nahezu gleichmässig verbreitet war, ferner, dass die Chlormenge während der 24stündigen Beobachtungsdauer jeden Versuchs immer erheblich abnahm. Die Abnahme erfolgte in verschiedener Weise je nach dem Feuchtigkeitsgrade der Luft und dem ursprünglichen Chlorgehalt: bei gewöhnlichem Feuchtigkeitsgehalt der Luft war der Verlust um so kleiner, je geringer die anfängliche Chlormenge bemessen war; bei möglichst hohem Feuchtigkeitsgehalt aber um so grösser. Bei grossen Chlormengen war das Verhalten umgekehrt. Es gingen z. B. innerhalb 24 Stunden ursprüngliche Volumprocente von 28,5, 4,6, 1,004 bei gewöhnlicher Luftfeuchtigkeit herab auf 21,0, 3,8, 0,83, also resp. Verluste von 26,0, 17,4 und 16,9 pCt. der ursprünglichen Menge, während bei mit Feuchtigkeit gesättigter Luft 42,4, 4,7, 1,3, 0,32 Volumproc. herabgingen auf 36,31, 4,0, 1,004, 0,14; also Verluste gleich resp. 13,6, 14,7, 22,8, 56,2 pCt. der Anfangswerthe. Die Verluste waren nicht durch Undichtigkeiten des Apparates, sondern theils durch die Entnahme der Luftproben, insbesondere aber durch chemische Umsetzungen, Absorption und Verdichtung des Chlors an den Oberflächen bedingt. Waren ausser den eigentlichen Desinfectionsproben massigere organische Körper in die Flasche gebracht worden, so erfolgte die Chlorabnahme viel rascher, z. B. ging bei Anwesenheit von Lederproben innerhalb drei Stunden ein anfänglicher Chlorgehalt von 3,18 Volumproc. herab auf 0,56 (Verlust = 82,4 pCt.), ein anfänglicher Chlorgehalt von 0,4 Volumproc auf Null. Die Lederproben zeigten starken Salzsäure-, aber keinen Chlorgehalt.

Der Feuchtigkeitsgehalt der Luft war entweder die der Zimmerluft, oder wurde durch Eingiessen von concentrirter Schwefelsäure verringert, oder durch Eingiessen von 25—50 ccm Wasser gesteigert, jeweils aber direct — meist durch Wägungen — bestimmt

Als Desinfectionsobjecte dienten Bacterien, Hefen, Schimmelpilze und Sarcinen, so dass zugleich sporenhaltiges und sporenfreies Material, pathogene und nicht pathogene Formen in reicher Auswahl vertreten waren. Meist wurden Reinculturen, an Seidenfäden getrocknet, angewandt, oder solche von Kartoffeln resp. Nährgelatine entnommen und befeuchtet in Uhrgläser gebracht, oder Reinculturen mit Kartoffelscheiben, oder endlich Rohmaterial wie tuberculöse Sputa, micrococcenhaltiges Blut und Gartenerde. Die meisten Objecte kamen lufttrocken zur Anwendung, ausnahmsweise nach Austrocknung im Exsiccator, oder Einschluss in eine feuchte Kammer; meist waren die Proben der chlorhaltigen Luft direct ausgesetzt, einzelne aber in Kapseln von Filtrirpapier. Die Desinfectionswirkung wurde durch Aussaat auf geeigneten Nährboden und durch Impfung festgestellt, auch das Bleichen gefärbter Proben berücksichtigt.

Unter diesen Cautelen sind 13 Flaschenversuche gemacht und ihre Ergebnisse in ausführlichen Protocollen und zwei Tabellen mitgetheilt. Die wichtigsten Ergebnisse sind: Die desinficirende Wirkung gleicher Chlormengen war je nach dem Feuchtigkeitsgehalt der Luft verschieden (die Proben waren in der überwiegenden Mehrzahl in lufttrockenem Zustand, in der Minderzahl im Exsiccator getrocknet oder feucht ausgelegt). Einzelne Beispiele: Milzbrandsporen widerstanden bei möglichster Trockenheit der Luft und des Objectes einem Chlorgehalt von 44—41,5 Volumproc. 3 Stunden lang, waren aber nach 24 Stunden vernichtet; bei gewöhnlicher Feuchtigkeit der Luft und lufttrockenem Object einem Chlorgehalt von 4 Volumproc. eine Stunde lang — waren aber geschwächt; bei möglichst feuchter Luft und lufttrockenem Object waren sie bei einem Chlorgehalt von 0,04—0,01 Volumproc. und 3stündiger Wirkung vernichtet. — Micrococcus prodig. widerstand trocken und in trockener Luft einer 44—41 volumproc. chlorhaltigen Luft über 24 Stunden, erlag aber in lufttrockenem Zustande und möglichst feuchter Luft mit 0,32—0,14 Volumproc. Chlor nach drei Stunden. Feuchte Objecte erliegen caet. p. leichter. — Unter den angewandten Proben bildeten sporenfreie Milzbrand- und Mäusesepticämiebacillen, sowie Pilzsporen das leicht-, Bacillensporen des Milzbrandes und der Gartenerde, Micrococc. prodig., Rosahefe und Sarcine schwerabzutödtendes Material. — Ausser diesen wurden noch tuberculöse Sputa, Erysipelasmicrococcen, Aspergillusarten u. A., im Ganzen 18 Objecte versucht. Es gelang bei geeigneter Anwendung des Chlors eine vollständige Desinfection aller Proben. Die Verff. ziehen hieraus den sicherlich berechtigten Schluss, dass das Gleiche für alle Microorganismen angenommen werden dürfe und schliessen den Abschnitt ihrer Darstellung mit dem Satze: „Ist die Luft mit Feuchtigkeit gesättigt, so lässt sich nach unseren, bei den Versuchen in der Glasflasche gemachten Erfahrungen annehmen, dass eine sichere Desinfection aller im lufttrockenen Zustande befindlichen Organismen, vorausgesetzt, dass sie nicht in zu dicker Schicht angeordnet und nicht besonders umhüllt sind, erreicht wird, wenn ein Chlorgehalt von 0,3 Volumproc. 3 Stunden lang, resp. ein solcher von 0,04 Volumproc. 24 Stunden lang einwirkt."

b) In dem Kellerraume wurden zwei Versuche gemacht mit der Absicht, die in der Flasche bei 3stündiger Einwirkung als desinficirend befundene Menge von Chlor nunmehr unter Bedingungen zu entwickeln und zu prüfen, wie sie den bei wirklichen Desinfectionsaufgaben ähnlich sind. Chlorkalk mit Salzsäure sind die einzigen für solche Bedürfnisse in Betracht kommenden Materialien zur Chlorentwickelung. Der von den Verff. verwandte Chlorkalk erforderte zur vollständigen Zersetzung, soweit diese bei gewöhnlicher Temperatur erfolgt, pro Gramm 1 ccm Salzsäure und lieferte beim ersten Versuche 23 Gewichtsprocente des Chlorkalkes Chlor, entsprechend (spec Gew. des Chlor = 3,13) 73,14 l Chlor per 1 Kilo Chlorkalk. Bei Verwendung von 6 Kilo Chlorkalk und 6 Liter Salzsäure berechnen sie für den Kellerraum von 28 cm 1,54 Volumproc. Chlor. Der Ueberschuss gegenüber den nach den Flaschenversuchen erforderlichen 0,3 Volumproc. sollte bei dem zu erwartenden Verlust den Chlorgehalt womöglich unter diese letztere Zahl nicht heruntergehen lassen. Der Chlorkalk wurde in 14 Schüsseln gleichmässig im Raume vertheilt; jedoch gelang die vollständige Zersetzung des Chlorkalks nicht wegen Verlust durch Ueberschäumen. Der Chlorgehalt betrug in Proben, welche entnommen wurden:

	An der Decke Vol.-pCt.	In mittl. Höhe Vol.-pCt.	Am Boden Vol.-pCt.	Im Mittel Vol.-pCt.
I. nach 1/2 Std.	0,014	0,4	1,2	0,538
II. „ 2 „	0.13	0,223	0,28	0,211
III „ 3 1/2 „	0,039	0,083	0,089	0,070
IV. „ 4 1/2 „	0,029	0,044	0,044	0.039
V. „ 24 „	0,00045	0,00033	0,00033	0,00037
Mittel	0,053	0,187	0,403	

Die Feuchtigkeit der Luft stand nach ungefähren Bestimmungen dem Sättigungsgrade nahe.

Nach 24stündiger Dauer der Einwirkung erschienen die in dem Kellerraum gewesenen Stoff- und Lederproben feucht und deren Farben meist stark angegriffen, die Haltbarkeit derselben aber nicht verändert. Microorganismen wurden in 7 Formen offen, 6 Formen in Filtrirpapier eingewickelt ausgesetzt. Beide Gruppen verhielten sich hinsichtlich des Endresultats sehr merklich verschieden: die offen ausgelegten Proben waren zum grössten Theile vernichtet, die eingewickelten grösstentheils erhalten. Folgende Proben waren eingewickelt und offen, sowie in verschiedenen Höhen des Kellers ausgelegt gewesen: Milzbrandsporen, Rosahefe, orangefarbige Sarcine und Micrococcus tetragenus (für Meerschweinchen und Mäuse infectiös). Milzbrandsporen wurden offen ausgelegt in drei Einzelproben, davon wurden 2 desinficirt; von 3 offenen Hefenproben 3; von 3 Sarcinen 2; von 3 Micr. tetrag 3. Dieselben Objecte in Papier eingewickelt waren — in derselben Reihenfolge aufgezählt — von resp. 3 Proben Sp. kein-, von 3 H. kein-, von 3 S. ein-, von 3 M. t. 2 mal desinficirt. An einer Stelle des Kellerraums (nahe dem Fenster) wurden die Proben bei diesem und den folgenden Versuchen auffallend prompt vernichtet, als Beweis, dass locale Umstände nicht leicht zu deutender Art, wahrscheinlich Luftströme, erheblichen Einfluss gewinnen können.

Bei einem zweiten Versuch im Kellerraume wurden 6 kg eines etwas minder werthigen Chlorkalks zersetzt, entsprechend 1,41 Volumproc. Chlorgehalt der Luft desselben; dabei Sorge getragen, dass die Zersetzung des Chlorkalks vollständig erfolgte. Die hierzu bestimmte Vorrichtung dürfte sich auch für practische Verhältnisse wegen Schutz des Desinfectionspersonals vor Chlordämpfen eignen. In die Chlorkalknäpfe wurden nämlich Bechergläser gestellt, welche die in einem Strahle zulaufende Salzsäure zunächst aufnahmen und dann durch Ueberlaufen und Umfallen dem Chlorkalk zuführten. Die Arbeiter konnten ohne die geringste Belästigung die nunmehr möglichst hoch aufgestellten Entwickelungsapparate durch Lösen von Quetschähnen in Thätigkeit setzen. Es ergaben Luftproben, welche genommen waren:

	An der Decke Vol.-pCt.	Mittlere Höhe Vol.-pCt.	Am Boden Vol.-pCt.	Durchschnitt Vol.-pCt.
I. nach ½ Std.	0,958	0,974	1,159	1,030
II. „ 1½ „	9,502	0,736	0,653	0,630
III. „ 2½ „	0,324	0,447	0,357	0,376
IV. „ 3½ „	0,178	0,239	0.209	0,207
V. „ 4½ „	0,106	0,162	0,145	0,137
VI. „ 24 „	0	0	0	0
Mittel	0,442	0,485	0,461	

Diese Werthe entsprechen den in der Vertical-Achse des Zimmers gelegenen Stellen. Luftproben, welche gleichzeitig in der Nähe des Fensters genommen wurden, ergaben an der Decke etwas höheren, am Boden merklich niedereren, im Ganzen etwas niedereren Chlorgehalt als an den entsprechenden Stellen in der Mitte. Der höchste gefundene Chlorgehalt des Raumes (im Durchschnitt 0,982 Volumproc.) verglichen mit dem berechneten (1,41 pCt.) giebt einen Verlust von 30,5 pCt., während dieser beim ersten Versuche 65,1 pCt. betragen hatte. Die Abnahme des Chlorgehalts der Atmosphäre war in den ersten Stunden des zweiten Versuchs eine langsamere als bei dem ersten, die Vertheilung in verticaler Richtung eine erheblich gleichmässigere. Die bei dem Versuche gewählte Art und Weise der Chlorentwickelung dürfte sich also auch für practische Aufgaben empfehlen. Die Wände und die Proben waren am Ende des Versuchs feucht oder mit Wasser beschlagen.

Die Chlorwirkung an beigegebenen Tapeten, Leder und Stoffproben äusserte sich bei den beiden letzteren in Zerstörung der Farben und merklicher Brüchigkeit. Von Microorganismen wurden Gartenerde, Milzbrandsporen, Micrococcus prodig. und Aspergillus niger ausgesetzt, theilweise offen, theilweise bedeckt, in Filtrirpapier oder in Stoffe eingewickelt. Ihre Widerstandsfähigkeit überhaupt zeigte eine in der Reihenfolge der Aufzählung stärkere Abnahme. Von je 8 offen ausgelegten Proben waren desinficirt:

	vollständig	theilweise	nicht
Gartenerde	4	3	1
Milzbrandsporen .	3	4	1
Microc prod. . . .	3	4	1
Aspergillus nig. .	6	2	—

Mit Tapeten bedeckte oder in Holzspalten geschobene Proben wurden sehr vereinzelt, in Fliesspapier eingewickelte kaum zur Hälfte desinficirt; feuchte Objecte — vor dem Versuche unter feuchte Glocken gestellt — erlagen sämmtlich, während die gleichen Objecte lufttrocken widerstanden.

Die Verff. schliessen aus den mitgetheilten Resultaten, dass das Chlor alle andern gasförmigen Desinfectionsmittel an Wirksamkeit und practischer Handlichkeit übertreffe. Denn es gelang schon bei den Kellerversuchen die Desinfection des grössten Theils auch der widerstandsfähigsten Organismen, sofern sie offen lagen; bedeckte bieten allerdings grössere Hindernisse. Doch wird unzweifelhaft die Wirkung des Chlors gesteigert und auch auf leicht bedeckte Stellen ausgedehnt werden können, wenn dem kräftigsten Adjuvans der Chlorwirkung, der vorgängigen Durchfeuchtung der Objecte, noch mehr Rechnung getragen wird, als bei den Versuchen im Kellerraum: in praxi durch starkes Befeuchtung von Fussboden, Thüren, Fenster, sodann Zerstäuben u. A. m. Die zweckmässigste Art der Herstellung der erforderlichen Chlormenge ergiebt sich aus Obigem: pro Cubikmeter Raum sind wegen der wechselnden Zusammensetzung des Chlorkalks 250 g und 350 g Salzsäure zu bemessen; in jede Entwickelungsschüssel sollen höchstens 500 g Chlorkalk kommen, sämmtliche möglichst hochgestellt; zum Schutz des Personals genügt die Vorlage eines Glases in der Chlorkalkschüssel zur Aufnahme der ersten Portion Salzsäure, vielleicht auch schon das Einwickeln des Chlorkalkes in Filtrirpapier. Der En-gros-Preis des Materials beziffert sich auf ca. 15 Pfennig per Cubikmeter Raum.

Die Verwendung des Chlors dürfte sich übrigens auf Desinfection von Räumen und deren Umwandung beschränken, wo wirksamere Mittel (Sublimatwaschung) nicht anwendbar sind oder der mechan. Reinigung (durch Abkratzen des Verputzes, Beseitigung von Tapeten, Bodenfüllung u. dergl.) eine möglichst weitgehende chemische Desinfection zum Schutze der Arbeiter vorausgeschickt werden muss. Kleider und ähnliches organisches Material können ohne erhebliche Beschädigung einer wirksamen Chloratmosphäre nicht ausgesetzt werden; Chlor ist aber auch bei diesen Objecten durch Wasserdampf vollständig entbehrlich.

II. Brom.

a) Bei 4 den Chlorversuchen vollständig parallelen Flaschenversuchen ergab sich, dass sich das Brom in der Flasche weniger gut vertheilte als das Chlor; nur durch Rollen und Liegen desselben war ein gleichmässiger Bromgehalt der Luft zu erzielen. Die Abnahme desselben scheint, soweit die Beobachtungen einen Schluss zulassen, im Wesentlichen von denselben Umständen abzuhängen, wie beim Chlor. Die Luftfeuchtigkeit wurde bei einem Versuche nicht geändert, bei den drei anderen künstlich aufs Maximum gesteigert. Der Unterschied der Bromwirkung war wieder wie bei Chlor, ein sehr beträchtlicher, je nach der Feuchtigkeit der Luft. Lufttrockene Milzbrandsporen behielten in einer 3,1 — 2,4 Volumenprocente Brom-haltigen Luft von 86 pCt. relativer Feuchtigkeit nach dreistündiger Einwirkung ihre Verimpfbarkeit, während dasselbe Object in 0,14—0,21 pCt. Brom-haltiger Luft, welche möglichst feucht gehalten worden war, nach 1 Stunde schon vernichtet wurde. Die der Chlorwirkung gleichwerthigen Bromwirkungen wurden mit etwas niedrigeren aber nahestehenden Volumprocenten (die aber etwas höheren Gewichtsmengen entsprechen) erreicht; den 0,3 Volumprocenten Chlor, welche bei dreistündiger Einwirkung und Feuchtigkeitssättigung eine sehr weitgehende Desinfection bewirkt hatten, sind 0,21 Volumprocente Brom gleichwerthig, den 0,04 Chlor für 24 stündigen Effect 0,03 Brom.

b) Bei zwei Versuchen im Kellerraume wurde Brom aus Frank'schen Kieselguhrklötzchen entwickelt, nachdem beim ersten Versuch eine stärkere, beim zweiten eine minder ausgiebige Wasserverdampfung der Bromentwickelung vorausgeschickt war. Die Brommenge betrug im Ganzen 1 Kilo, welche ohne Verlust den 28 cbm Luftraum beigemengt einen Gehalt desselben von $\frac{35,7}{7,168} = 5$ Liter per cbm also 0,5 Volumprocent erzielt hätte. Statt dessen wurde als grösster Durchschnittsgehalt beim ersten Versuch 0,026 und beim zweiten 0,0706 Volumprocent Brom, also nur 5,2 bezw. 14,1 pCt. des berechneten Werthes von 0,5 pCt. gefunden. Die Differenz zwischen dem berechneten und gefundenen Bromgehalt war also beträchtlich grösser, als bei den entsprechenden Chlorversuchen. Die Vertheilung des Brom in dem Kellerraum gestaltete sich folgendermassen.

Versuch I.	An der Decke.	In mittl. Höhe.	Am Boden.	Durchschnitt.
I. Nach 1/2 Stde.	0,009	0,027	0,042	0,026
II. „ 1 3/4 Stdn.	0,009	0,032	0,036	0,026
III. „ 3 1/2 „	0,018	0,023	0,027	0,023
IV. „ 24 „	0,00036	0,00056	0,00056	0,00049
Mittel	0,012	0,027	0,035	

Versuch II.	An der Decke.	In mittl. Höhe.	Am Boden.	Durchschnitt.
I. Nach 1 Stde.	0,0668	0,0613	0,0836	0,0706
II. „ 2 Stdn.	0,0278	0,0836	0,0946	0,0687
IV. „ 4 „	0,0389	0,0446	0,0444	0,0427
VII. „ 24 „	0,00022	0,00027	0,00036	0,00028

Nach dem Inhalte der Tabellen besteht die Minderwerthigkeit des Luftbromgehaltes im Vergleich zu dem Chlorgehalt der parallelen Versuche insbesondere in den ersten drei Stunden; in den folgenden ist der Gehalt an Brom und Chlor nicht erheblich verschieden, ein Umstand, welcher in der langsameren Bromentwickelung seine volle Erklärung findet. Ferner zeigt die Bromtabelle eine annähernd gleiche Vertheilung in den verschiedenen Höhen des Kellerraumes, wie die Chlortabellen; jedoch treten mehrfache Abweichungen — ein Mehrgehalt der relativ höher gelegenen Zone — hervor. Noch andere, in den Tabellen nicht zum Ausdruck gekommene Beobachtungen zeigen, dass innerhalb der allgemeinen Vertheiluug zahlreiche und erhebliche locale Abweichungen, Ströme und Stürze concentrirterer Luftmischungen bestehen. Hierdurch können locale Erfolge oder Misserfolge unberechenbarer Art eintreten.

Die Wirkung des Broms auf grössere Objecte, (Tapeten, Wolle-, Baumwolle und Leinenstoffe) war in der Mehrzahl sehr erheblich, die Farben waren zerstört und die Gewebe mürbe und zerreisslich. Microorganismen zeigten folgende Veränderungen: Im ersten Versuch waren von offen ausgelegten 18 Milzbrandsporenobjecten 5 desinficirt, 13 noch verimpfbar; von 15 Gartenerdeobjecten 10 getödtet, 5 noch entwickelungsfähig; von 18 orangef. Sarcine 9 getödtet, 7 theilweise, 2 nicht getödtet; von Aspergillus niger 3 getödtet, 3 nicht getödtet; während eingewickelt von 15 Proben Milzbrandsporen 5 gänzlich, 10 nicht, von 15 Proben Gartenerde 10 gänzlich, 2 theilweise, 3 nicht, von 15 Proben or. Sarcine 6 gänzlich, 7 theilweise, 2 nicht, von 15 Proben Aspergillus niger 11 gänzlich, 3 theilweise, 1 nicht desinficirt waren.

Das Endresultat aller Bromversuche geht dahin, dass dasselbe aller Wahrscheinlichkeit nach denselben Desinfectionswerth besitzt wie das Chlor, aber vor diesem auch keinerlei Vorzüge. Die Zerstörung der Stoffe ist eher noch stärker, die Dosirung und Vertheilung schwieriger. Am meisten steht aber das Brom hinter dem Chlor zurück bei Berücksichtigung des Kostenpunktes. Um selbst in kleinen Wohnräumen die zur Desinfection erforderlichen 0,1 vol. pCt. Luftbromgehalt zu erzielen, dürften 36 selbst 54 Pfennige Auslagen für Brom per Cubikmeter Raum kaum genügend sein.

Die desinficirende Wirkung des Chlor und Brom besteht nach den Verff. wesentlich in der Wirkung des Sauerstoffs in Statu nascen., bedingt durch die Wasserstoffentziehung, welche durch jene die meisten organischen Körper, darunter auch die Microorganismen erfahren.

Ckiandi-Bey (13) betont die Löslichkeit des Schwefelkohlenstoffs in Wasser, die er zu 0,002 bis 0,5 g per Liter Wasser bestimmt. „Diese wässrige Lösung hält jede Gährung auf, tödtet alle Microben und ist eines der kräftigsten Antiseptica."

Die wässrige Lösung eignet sich zum innerlichen Gebrauch und hat die Wirkung eines energischen Revulsiv's, so als Gegenmittel der Cholera und aller Microben-Krankheiten Typhus, Diphtheritis, Phthisis etc. Ebenso eignet sich die wässrige Lösung zur Desinfection der Dejectionen, Kleider, Betten etc. sowie auch zur desinficirenden Berieselung der Strassen.

Czernicki (14) glaubt durch starkes und constantes Schwefeln der Casernenräume seines Regiments, welches insbesondere zur Zeit des Zuganges der Rekruten (12. November) ausgeführt wurde, eine dauernde Verminderung der Morbidität und Mortalität der Mannschaften erzielt zu haben. Die Infectionskrankheiten, welche vor den Räucherungen alljährlich in einer oder mehreren Epidemien aufgetreten waren, hörten fast ganz auf und die frühere Gesammtsterblichkeit von 11 p. M. sank auf 1,7. Cz. hält übrigens 70 g Schwefel per Cubicmeter für nothwendig (wobei der Schwefel nicht mehr vollständig verbrannte) und 30 g für unzureichend.

In einem vor Entdeckung des Commabacillus an den k. bayer. Obermedicinalausschuss gerichteten Gutachten spricht sich v. Pettenkofer (15) gegen Desinfection der ostind. Post als Schutzmittel gegen Einschleppung der Cholera in Europa aus und begründet es mit den von ihm schon anderwärts ausgeführten Beweisen für den miasmatischen Character der Cholera, der Abhängigkeit derselben von zeitlichen und örtlichen Umständen, der Incongruenz ihrer Verbreitung mit den Hauptverkehrslinien, der Thatsache, dass Postanstalten und Postbedienstete nicht mehr von Cholera leiden als andere Menschen, und nie erweislich von Poststücken aus inficirt worden sind. — Auch unter der Voraussetzung, dass den Poststücken choleragene Organismen anhaften, muss den thatsächlich geübten Desinfectionsverfahren jede Bedeutung abgesprochen werden, so insbesondere der Triestiner Räucherung mit 1 Schwefelblumen, 1 gestossenem Salpeter und 2 Waizenkleie. Verwendung getheerter Briefsäcke u. A.

Schill's und Fischers Arbeit (16) über die Desinfection des Auswurfs der Phthisiker ist die Erwägung vorausgeschickt, dass der Werth eines Desinfectionsmittels nur nach seiner Wirkung auf die Sporen bemessen werden dürfe. Sie suchten sich demnach möglichst sporenreicher Sputa zu versichern.

Einige Vorversuche führten zu der Frage, wie lange eingetrocknetes sporenreiches Material virulent bleibe. Als längste Frist wurden 186 Tage beobachtet. Ferner wurde das bemerkenswerthe Factum constatirt, dass Tuberkelbacillensporen in feuchtem Sputum, welches 6 Wochen lang der Fäulniss überlassen war, ihre Infectionskraft nicht eingebüsst hatten.

Desinfectionsversuche mit einem mehrere Monate

lang eingetrockneten, vielleicht nicht mehr ganz wirksamen Sputum führten leicht zu einem positiven Resultat sowohl bei Anwendung trockener und feuchter Hitze als auch der von Chemicalien. Solche mit einem 5 resp. 14 Tage alten getrockneten Sputum, dessen Virulenz durch Controlversuche festgestellt war, ergaben: Proben, in eine Capsel aus Filtrirpapier und dreifache Leinwandlagen eingeschlossen, waren nach 1 stündigem Verbleib in einem Trockenschranke von 100°, ferner in gleicher Weise hergerichtete Proben strömendem Wasserdampf ausgesetzt nach 30 Minuten sterilisirt. Bei der prompten Wirkung der Hitze in einer leicht herzustellenden Form kann trockenen Sputa gegenüber von Anwendung von Chemicalien abgesehen werden.

Frisches unzweifelhaft infectiöses Sputum bot ebenfalls der Desinfection keine erheblichen Schwierigkeiten. Zu Quantitäten von 20 ccm strömendem Wasserdampf (im Sterilisirapparat) während 15 Minuten ausgesetzte Sputa waren sterilisirt. Durch directes Kochen (Kölbchen über Feuer) wurden nicht verdünnte Sputa nach wenigen (2—5) Minuten, mit gleichen Theilen Wasser verdünnte jedenfalls in 10 Minuten desinficirt. Sehr belehrend sind die Versuche mit Sublimat. In den Vorversuchen mit altem eingetrockneten Sputum hatte sich derselbe anscheinend sehr wirksam erwiesen; Uebergiessen des Objectes mit der ca. 10fachen Menge einer $^1/_{5000}$ Lösung (also ca. $^1/_{500}$ Sublimat) hatte nach 20 Stunden vollständige Wirkung. Frischen Sputa gegenüber blieben Zusätze von 2 Theilen $^1/_{5000}$ Lösung (also $^1/_{7500}$ Gewichtstheile des Gemisches Sublimat) ohne Wirkung; selbst Gemische von gleichen Theilen Sputum und $^1/_{500}$ Sublimatlösung (also von $^1/_{1000}$ Sublimatgehalt) blieben nach selbst 24stündiger Einwirkung infectiös. Bei Berücksichtigung des Wassergehalts ergiebt sich, dass die gleiche Menge Sputum in trockener Form durch geringere Mengen Sublimat desinficirt wird, als in feuchter Form. Bei letzterer kommt wegen der Gerinnungen an der Oberfläche der Auswurfklumpen die Sublimatlösung offenbar nicht vollständig zur Wirkung. Alcohol zu den Sputa im Verhältniss von mindestens 5 : 1 gesetzt desinficirt nach 24 Stunden. Carbolsäure scheint einen Zusatz von gleichen Mengen $^5/_{100}$ Lösung (also 2.5 pCt. Carbolsäuregehalt des Gemisches) und 24stündige Wirkung zu erfordern. Anilinwasser von 3,2 pCt. Gehalt musste in etwa 10facher Menge zugesetzt werden um gleichen Effect zu erzielen; 5 g Carbolsäure sind also 32 g Anilin äquivalent.

Hiernach dürfte also die Hitze in trockener und feuchter Form angewandt den desinficirenden Chemicalien fast stets vorzuziehen sein, und unter letzteren nur die Carbolsäure in Betracht kommen.

4. Luft.

1) Hesse, W., Ueber quantitative Bestimmungen der in der Luft enthaltenen Microorganismen. Mitth. aus dem Kaiserl. Gesundh.-Amte. II. S. 182—207. — 2) Vallin, E., Autour d'un poêle. Recherches anémometriques. Revue d'hyg. p. 457—467. — 3) v. Fragstein, A., Moderne Ventilationseinrichtungen. Centralbl. für allg. Gesundheitspflege. S. 16—20. (Plädirt für Wasserventilatoren.) — 4) Vallin, E., Sur les coëfficients de la ventilation. Ann. d'hyg. XI. p. 60 bis 69. (S. diesen Bericht pro 1883. I. S. 586.) — 5) Wuttke, Otto, Erläuterungen zu meinem Ventilationssysteme. Eulenberg's Vierteljahrsschr. XL. S. 323 bis 336. — 6) König, Arthur, Ueber das Wuttke'sche Ventilations- und Heizsystem. Ebend. XLI. S. 135 bis 140. — 7) Viry, Ch., Le système de ventilation et chauffage de Wuttke. Revue d'hyg. p. 832—859. — 8) Hesse, W., Ueber den Kohlensäuregehalt der Luft in einem Tunnelbau. Arch. f. Hyg. II. S. 381 bis 384. — 9) Gruber, W., Ueber die hygienische Bedeutung und die Erkennung des Kohlenoxyds. Ebend. S. 246—251. (Eine Kritik des Aufsatzes von A. P. Fokker. S. diesen Bericht für 1883. I. S. 586.) — 10) Ogata, Masanori, Ueber die Giftigkeit der schwefligen Säure. Ebendas. II. S. 223—245. — 11) Uffelmann, F., Spectroscopisch hygienische Studien. Ebendas. II. p. 197—222. — 12) Hirsch, F., Sur un nouveau procédé employé pour secher. les plâtres Revue d'hyg. p. 425—427.

Hesse's (1) Apparat stellt eine sehr erhebliche Verbesserung und Vereinfachung gegenüber den bisherigen aeriscopischen Methoden dar und hat deshalb rasche Verbreitung gefunden. Er ermöglicht übrigens nicht nur eine präcise quantitative Bestimmung der in der Luft enthaltenen Microorganismen, auf welche Angabe sich der Titel beschränkt, sondern eine ebenso einfache als sichere qualitative Untersuchung derselben.

Die Idee des Apparates ist folgende:

Die in der Luft schwebenden Microorganismen haben ein auffallend ausgesprochenes Streben sich zu senken. Dies erfolgt sowohl bei ruhender als auch bei langsam und gleichmässig bewegter Luft. Wenn ein solcher Luftstrom durch geeignet montirte Apparate geleitet wird, so können auf klebender Unterlage alle Organismen aus der Luft entnommen und der nähern quantitativen und qualitativen Bestimmung zugängig gemacht werden.

Im Wesentlichen besteht der Apparat aus einer mit Nährgelatine beschickten Glasröhre und einem Aspirator. Die Röhren haben 70 cm Länge und 3,5 Weite, und sind an beiden Enden mit Verschlüssen versehen, deren einer aus einer central durchbohrten und festgebundenen Cautschukkappe mit einer abnehmbaren nicht durchbohrten Ueberkappe, deren anderer aus einem Cautschukpfropf mit centraler Bohrung besteht, in welcher ein 10 cm langes und 1 cm weites Glasröhrchen steckt, welches seinerseits wieder an seinen beiden Enden durch je einen Wattepfropf geschlossen ist. Das Röhrchen ragt mit dem einen Ende nur wenig in die grosse Glasröhre hinein, und zum grössten Theile über den Pfropf heraus. Die so hergerichtete Röhre wird mit 50 ccm Nährgelatine beschickt und im Wasserdampfe sterilisirt. Beim Erstarren der Gelatine wird die Röhre so gedreht und gelegt, dass die ganze Innenfläche mit Gelatine überzogen wird; der grössere Theil dieser letztern aber sich auf einer Längsseite der Röhre zu einem gleichmässigen etwa 2 cm breiten Gelatinestreifen ansammelt. Die nunmehr zum Gebrauche fertige Röhre wird auf ein Gestell horizontal gelegt und an dem hervorragenden Ende des kleineren Röhrchens mittels Cautschukschlauchs mit dem Aspirator verbunden. Dieser besteht aus 2 Einliterflaschen, zur Hälfte mit Wasser gefüllt, mit geeigneter Tubulirung und Röhrenleitung versehen. Werden sie in verschiedener Höhe aufgehängt, so dass das Wasser in die tieferhängende

Flasche fliessen kann, so bewirken sie eine leicht und sicher abzustufende Aspiration, die beim Auswechseln der Flaschen permanent wirkt und die Luftmenge zugleich misst. Die Beobachtung beginnt damit, dass die äussere Ueberkappe abgenommen und der Aspirationsapparat in Thätigkeit gesetzt wird. Bei richtigem Gang des Apparates müssen sämmtliche Organismen abgefangen werden, welcher Effect dann gesichert erscheint, wenn die aus den Einsaaten sich entwickelnden Colonien das hinterste Theil der Röhre und namentlich den Wattepfropf nicht erreichen, eine Controlle, die der Apparat von selbst giebt. Ein vollständiges Absenken der Organismen wird unter gewöhnlichen Verhältnissen — bei mässig belasteter Luft — erreicht, wenn durch die 70 cm lange Röhre 1 Liter Luft im Freien innerhalb 2—3 Minuten, 1 Liter Zimmerluft in 3—4 Minuten durchgesogen wird, was einer Secundengeschwindigkeit der Luftströmung im Innern der Röhre von 10—5 mm entspricht. Die zu einem anschaulichen Ergebniss erforderliche Luftmenge beziffert sich im Freien auf 10—20 l, in bewohnten Räumen auf 1—5 l, jedoch sind damit nur Mittelzahlen gegeben; namentlich bei Untersuchungen von Luft aus geschlossenen Räumen darf oft nur eine viel geringere Luftmenge durch den Apparat gesogen werden.

Die Art und Weise, wie die Microorganismen sich in der Röhre festsetzen, bietet folgende Eigenthümlichkeiten. Sie sinken alle auf die unten liegende Seite der Gelatinröhre; wenn also der Streifen aus dickerer Gelatinschicht mit annähernd ebener Fläche unten zu liegen gebracht wurde, auf diesen. In dem der Eintrittsöffnung der Luft in die Gelatinröhre näher gelegenen Theil derselben fallen Bacterien, in dem hinteren Theile Pilze relativ häufiger nieder. Die Pilze sind also specifisch leichter als die Bacterien, eine Differenz, deren Ursache in einem Zusammenkleben von Bacterien oder Anhaften an schwereren Trägern zu suchen ist. Die aus den Einsaaten aufgehenden Colonien sind meist Reinculturen; eine innige Mischung von Microorganismen scheint also in der Luft nicht vorzukommen, jedenfalls nicht vorzuherrschen.

Die circa 200 gemachten Einzelbeobachtungen zerfallen in fünf Gruppen: 1. Winterversuche in und um Berlin. 2. Versuche in bewohnten Räumen Berlins. 3. Bodenluft. 4. Durchlässigkeit der Baumaterialien für Microorganismen. 5. Versuche im Freien in Schwarzenberg. (Vierzehn der Beobachtungen aus Ziffer 1, 2 und 5 sind in vorzüglichen Farbendrucktafeln wiedergegeben.)

Einige Gruppen der Untersuchungen in freien und geschlossenen Räumen lassen sich dahin zusammenfassen (auf 1 cbm Luft umgerechnet):

		Gesammtzahl der erhaltenen Colonien.	Davon Bacterien.	Davon Pilze.	Verhältniss der Bacterien zu den Pilzen.
1. Berlin im Freien. 6 Beobachtungen.	Durchschnitt	448	176	272	39 : 51
	Maximum	580	350	550	
	Minimum	200	32	122	
2. Schul- u. Wohnzimmer (Berlin). 4 Beobachtungen.	Durchschnitt	14,990	8,952	6,038	59 : 41
	Maximum	35,000	18,500	16,500	
	Minimum	2,000	1,500	500	
3. Krankensäle (Berlin). 5 Beobachtungen.	Durchschnitt	4,761	4,031	730	85 : 15
	Maximum	12,000	11,000	2,200	
	Minimum	1,000	700	400	

Hieraus erhellt die Mehrbelastung der Zimmerluft mit Microorganismen gegenüber der Luft im Freien und das Ueberwiegen der Pilze im Freien, der Bacterien in geschlossenen Räumen.

Versuche mit Bodenluft wurden so angestellt, dass präparirte Gelatineröhren in ein vorgebohrtes Loch der Bodenarten (Garten, alter Kuh- und Pferdedüngerhaufen, festen, gewachsenen Wiesengrund, frischer Misthaufen) eingelassen und durch dieselbe Erde fest eingebettet wurde. Alsdann wurde die Aspiration in Thätigkeit gesetzt. Die Resultate waren trotz des unzweifelhaft starken Bacteriengehaltes sämmtlicher Erdarten negativ, mit Ausnahme der in frischen Dünger eingegrabenen.

Die Versuche über die Durchlässigkeit der Baumaterialien wurden in der Weise angestellt, dass Platten von Sandstein, Ziegel und Mörtel von der Dicke bis zu 1,2 cm auf die durchbohrte Kautschukklappe aufgeklebt und auf der freien Seite an die Oeffnung einer Flasche gebunden wurden, in welchen eine Staubatmosphäre verschiedener Qualität erregt wurde. Die staubige Luft der Flasche wurde durch die Materialplatte hindurch aspirirt. Obwohl das zu erwartende Ergebniss, die vollständige Filtrirkraft der porösen Baumaterialien für Microorganismen sich einstellte, so lassen doch die Versuche wegen mehrfacher Mängel der Apparate und ihrer Zurichtung an Klarheit zu wünschen übrig. H. glaubt aber auf einen Punkt aufmerksam machen zu müssen: dass durch eine dünne Sandsteinplatte Bacterienstaub nicht, wohl aber Pilzsporenstaub hindurchgegangen ist. Den scheinbaren Widerspruch, dass die kleineren Gebilde (Bacterien) abgefangen, die grösseren (Pilzsporen) durchgelassen werden, erklärt H. durch die auch durch anderweite Beobachtungen (Weiterfliessen der Pilze in den Gelatineröhren) unterstützte Annahme, dass die Pilzsporen meist isolirt, die Bacterien aber unter sich oder mit grösseren Trägern verklebt vorkommen.

Die Versuche im Freien zu Schwarzenberg ergaben an einer ersten Beobachtungskette (in einem Parke) während der Vegetationszeit eine grosse Pilzmasse und zahlreiche Hefen, am stärksten beim Beginn des Regens, am geringsten bei anhaltendem Regen, bei schönem Wetter variables Verhalten. An einer zweiten Beobachtungsstelle (freistehendes Haus, 2. Stock) fanden sich überhaupt weniger Keime. Beobachtungen nach Erlöschen der Vegetation (Ende November) ergaben einen Minimalgehalt an Keimen, der auch erheblich niederer ist, als der Gehalt der Berliner Luft im Freien während des Winters.

Vallin (2) bestimmte die Menge Luft, welche die neuerdings in Gebrauch gekommenen beweglichen Oefen aufnehmen, und fand, dass bei weitem nicht die zur vollständigen Verbrennung der Kohle erforderliche Menge eintritt; statt der hierzu erforderlichen 9 cbm per Kilo Kohle wurden nicht mehr als 4 cbm in den Ofen aufgenommen. Folge dieses Mangels an Luft resp. Sauerstoff ist die Entwicklung einer grossen Menge Kohlenoxyds in den Verbrennungsgasen (10 pCt.). Die geringe Menge Verbrennungsgase bewirkt auch in dem Abzugskamine einen dürftigen Luftzug, so dass ein theilweiser Rücktritt der kohlenoxydreichen Luft in das Zimmer unvermeidlich wird. Zugleich ist die Luft an der Aussenseite des Ofens in sehr geringer Bewegung und die Folge davon eine starke Erhitzung der nächsten Luftschichten (bis zu 55°)

Hesse (8) untersuchte längere Zeit regelmässig die Luft in einem Tunnelbau und zwar meist in dem Firststollen desselben. Der Tunnel war beim Durchschlag 54,3 m lang; es arbeiteten 4—14 Arbeiter in demselben; besondere Ventilationsvorrichtungen nicht vorhanden. Die Entnahme der Luftproben erfolgte während der Arbeit. Der Kohlensäuregehalt variirt von 0,6 bis 7,6 p. M. Die Schwankungen scheinen mehr von Zufälligkeiten, weniger von der Tiefe des Tunnels und der Zahl der Arbeiter abzuhängen. Nach Durchschlag des Tunnels variirt die Kohlensäure von 1,4—1,6 p. M.

Ogata (10) machte an verschiedenen Thieren Versuche über die Giftigkeit der schwefeligen Säure.

Die Thiere wurden in dem kleinen Pettenkofer-Voit'schen Respirations-Apparate der aus einer regulirbaren Schwefelkohlenstoff-Lampe entwickelten Säure ausgesetzt. Die angewandten Concentrationen betrugen 0,399—2,96 pCt. Vol. Die verschiedenen Thiergattungen verhielten sich in steigender Weise resistent: Frösche, Mäuse, Kaninchen, Meerschweinchen; jedoch ist die Wirkung bei den verschiedenen Thiergattungen, sowie den einzelnen Individuen keine ganz gleichmässige.

Frösche bei { 1,09 SO_2 u. 20 Min. } waren todt.
2,2 „ „ 15 „ „ „

Mäuse bei {
0,399 SO_2 u. 4 Std. waren nicht todt (genasen).
0,620 „ „ 6 „ „ „ „
0,637 „ „ 2 „ „ „ „
0,807 „ „ 20 Min. „ „ „
0,898 „ „ 15—2M. „ „ „
1,42 „ „ 20 Min. „ „ „

Kaninchen nicht tracheotomirt bei {
0,399 SO_2 u. 4 Min. waren nicht todt (genas).
0,544 „ „ 2 „ „ „ krank (genasen).
0,657 „ „ 2 „ „ „ „ „
0,837 „ „ 20 „ „ „ „ (starb nach 1 Woche).
2,44 „ „ 4 Std. „ „ todt.
2,96 „ „ 4 „ „ „ todt.

Kaninchen tracheotomirt bei {
2,44 pCt. nach 4 Std. todt.
2,96 „ „ 2 Std. 50 Min. todt.

Meerschweinchen bei {
0,399 pCt. nach 4 Std. genas.
0,98 „ „ 60 Min. „
1,42 „ „ 1 Std. 50 Min. todt.
2,38 „ „ 7 Std. todt.

Die Krankheitssymptome bestanden, abgesehen von Trübung der Cornea, wesentlich in Erscheinungen der Dyspnoe mit Cyanose, Convulsionen und Tod unter solchen; die anatomischen in dunkler Färbung des Blutes und der hiervon besonders gefärbten Organe, bei höheren Concentrationen der SO_2 intensiv catarrhalische bis croupöse Entzündung der Respirationsschleimhaut. Die wichtigsten und schwersten Veränderungen erleidet der Chemismus des Blutes, dasselbe reagirte bei den getödteten Thieren sauer, enthielt aber keine SO_2, dagegen freie SO_3. Der Contact der SO_2 mit den Blutbestandtheilen scheint noch verderblicher zu sein als die Sauerstoffentziehung. Wenigstens blieben vor der SO_2-Einwirkung abgebundene Glieder der Versuchsfrösche viel länger und stärker electrisch erregbar, als nicht abgebundene. Jedenfalls ist die SO_2 ein sehr intensives Gift, dessen Gefährlichkeit für den Menschen, wenn auch die Grenzen der nicht tödtlichen Concentrationen in der Respirationsluft für diesen noch nicht genau festgestellt sind, hinter CO nicht wesentlich zurückstehen dürften. Die Salze besitzen die toxische Eigenschaft der freien SO_2 nicht.

Uffelmann (11) verwendet einige ccm eines mit 50 Wasser vermischten frischen Rindsblutes als CO-bindendes Reagens, und stellt durch Mischung von CO-gesättigtem und CO-freiem Blute in verschiedenen Verhältnissen Controlproben auf, mit welchen die eigentlichen Proben verglichen werden sollen. Wenn Blut, welches CO zugleich mit Oxyhämoglobin enthält, unter Anwendung der Reductionsmittel (Ammoniumsulfid) spectroscopisch beobachtet werde, so seien schon aus dem Ablauf der Bilder zutreffende Schlüsse auf Vorhandensein und Menge der CO zu ziehen. Zuverlässiger und empfindlicher ist folgende Probe: Verdünntes Blut mit Ammoniumsulfid und Kalilauge behandelt, zeigt den Streifen des Hämochromogens. Schüttelt man eine solche Lösung mit CO-haltiger Luft, so wird dieser Streif schwächer, daneben treten aber zwei CO-Hämoglobinbänder auf. Diese Reaction erfolgt noch bei 0,33 pM. CO-Gehalt der Luft, sofern das verdünnte Blut mit grösseren Luftmengen ein- oder mehrmals geschüttelt wird. U. vindicirt dieser Probe, welche an Empfindlichkeit der Fodor'schen nachsteht, den Vorzug grösserer Einfachheit und Zuverlässigkeit.

Hirsch (12) hat an sich selbst wiederholt leichte Kohlenoxydgasvergiftung beobachtet, als in Räumen unter seinem Arbeits- und Schlafzimmer die zur rascheren Austrocknung der Wände angewendeten Kohlenkörbe aufgestellt waren. Diese Art der Austrocknung der Wände war ursprünglich nur in neugebauten noch unbewohnten Häusern üblich. Seit einiger Zeit aber finden sie auch bei Reparaturen und Umbauten in bewohnten Häusern immer häufigere Verwendung. Das reichlich sich entwickelnde Kohlenoxyd muss dabei in benachbarte, namentlich höher gelegene Zimmer eindringen.

[Tryde, Om Infektion fra Kloakudtömmelserne i Kjöbenhavns Havn og Kanaler. Kjöbenhavn. 26 pp. Mit 2 Taf. und 1 Karte.

Kopenhagens Hafen und einige mit demselben in Verbindung stehende Canäle nehmen durch die darin ausmündenden Siele die Abfallstoffe der Stadt (mit Ausnahme der Fäcalien der Bevölkerung, die in Tonnen fortgeschafft werden) in sich auf. Die Ansammlung der festen Stoffe, die auf diese Weise in den Hafen und die Canäle ausgeleert werden, lässt sich auf 7½ Million kg (30 kg per Individuum) jährlich veranschlagen. Trotz der Strömung durch den Hafen, der sowohl nach Norden wie Süden offen ist, und trotz der künstlichen Reinigung bilden sich doch an einzel-Stellen der Canäle bedeutende Morastanhäufungen, die bei niedrigem Wasserstande zum Theil blossgelegt werden. Diesen Morast und das über demselben stehende Wasser hat T. zum Gegenstande seiner Untersuchungen gemacht, und darin eine grosse Menge verschiedenförmiger Bacterien gefunden, worunter lebenskräftige Keime, deren Entwickelung er nach Einimpfung auf Nährgelatine verfolgt hat. Es war deshalb zu befürchten, dass der Morast die Luft — die Grundluft oder die Atmosphäre über dem Canal — mit pathogenen Microorganismen inficiren können. Dass Bacterienkeime als Staub von der eingetrockneten und pulverisirten Morastmasse in die Luft übergehen, ferner dass sie durch die Blasenbildung der Gase durch den Morast mechanisch mitgeführt werden können, sieht der Verf. als unzweifelhaft an; weniger sicher musste es sein, ob die Luft, wenn sie nur einfach über die Oberfläche des Morastes oder des schlammigen Wassers streicht, aus demselben Keime aufnehmen könne, was frühere Schriftsteller verneint haben; diese letztere Frage hat T. zum besonderen Gegenstand seiner Untersuchungen gemacht. Das Ergebniss derselben war folgendes. Wenn eine völlig keimfreie Luft bei gewöhnlicher Temperatur über eine feuchte faulige Masse strich, führte sie aus dieser keine lebenskräftigen Keime mit sich, was dagegen der Fall war, sobald der Versuchsapparat bis ca. 40° C. erwärmt wurde. Um demnächst besondere Versuche mit einer pathogenen Bacterienform anzustellen, wählte er die Tuberkelbacille wegen ihrer leicht erkennbaren Farbenreaction, wodurch sie sich unter Fäulnissorganismen leicht wiederfinden lässt; er fand, dass eine trockene keimlose Luft, die über ein tuberculöses, sporenhaltiges Expectorat strich, bis auf 37—40° erwärmt, von der Oberfläche der Flüssigkeit ausser der Feuchtigkeit auch lebenskräftige Sporen aufzunehmen vermochte, welche mit der Luft weite Strecken geführt, ja sogar flüssige Medien mit derselben passiren, und darnach in dem durch die Verdichtung der Feuchtigkeit gebildeten Wasser wiedergefunden werden konnten. Es zeigte sich ebenfalls, dass die im Canalwasser spontan entwickelte Luft, die aus Kohlenwasserstoff, Schwefelwasserstoff und Kohlensäure bestand, lebenskräftige Keime mit sich zu führen im Stande war, die gezwungen werden konnten, sich mit der Feuchtigkeit der Luft abzulagern. Damit sich aber eine Vegetation entwickele, musste das Medium, in dem sie gedeihen sollten, eine gewisse chemische Veränderung erleiden. Der Verf. nimmt deshalb an, dass der beträchtliche Sielinhalt, der sich täglich in Kopenhagens Hafen und Canäle ausleert, nicht als unschädlich gemacht angesehen werden kann, wenn derselbe so wie jetzt entfernt wird. Trotz Strömung und Aufbaggerung liegt dieselbe hinlängliche Zeit, um eine Infection des Wassers in den Canälen und von da aus des Grundwassers zuwege zu bringen, und auf beiden Wegen ist reichliche Gelegenheit zu einer Infection der Luft durch Keime, unter denen, wie man annehmen muss, Formen mit pathogenen Eigenschaften sich vorfinden, ev. sich entwickeln können. Dieser Gefahr kann nur dadurch vorgebeugt werden, dass der Sielinhalt anderswohin geführt wird wozu der Verf. verschiedene Massregeln in Vorschlag bringt. **Joh. Møller** (Kopenhagen).]

5. Wasser und Boden.

1) Hamon, A., Etude sur les eaux potables et le plomb. Paris. 72 pp. 8. — 2) Michel, H., De l'influence de l'eau potable sur la santé publ. ou recherches sur l'hyg. Ibid. 93 pp. — 3) Grahn, E., Die Art der Wasserversorgung der Städte des deutschen Reichs mit mehr als 5000 Einwohnern. Centralbl. f. allgem. Gesundheitspflege. S. 134—156; auch Vierteljahrsschr. f. öffentl. Gesundheitspflege. XVI. S. 439—463. — 4) Proust, M., Note sur l'appréciation de la valeur des eaux potables à l'aide de la culture par la gélatine. Bull. de l'acad. de méd. p. 1506—1516. — 5) Sur quelques procédés d'analyse d'eau. Gaz. des hôp. No. 110 et 116. — 6) Chamberland, Ch., Sur un filtre donnant de l'eau physiologiquement pur. Comptes rend. T. 99. p. 247. — 7) Vallin, E., Les filtres à l'exposition d'hyg. de Londres. Revue d'hyg. p. 595. — 8) Derselbe, Les controles des pertes et fuites des services publics d'eau. Ibid. p. 353. — 9) Gautrelet, E., Sur la nature des dépôts observés dans l'eau d'un puit contaminé Comptes rend. T. 98. p. 159. — 10) Garnier, L., Sur la contamination des eaux de puits par des infiltrations d'origine excrémentielle. Ann d'hyg. XII. p. 493—506. — 11) Strassmann, Fr., Die Marienquelle am Napoleonstein. Arch. f. Hyg. II. S. 61—67. (Locales.) — 12) Niederstadt, Die artesischen, Fluss, Quell- und Pumpbrunnen von Hamburg und Umgebung. Eulenberg's Vierteljahrsschr. f. ger. Med. XL. S. 123—136. — 13) Sur l'infection de la Seine et les eaux de Paris. Discussion. Bull. de l'acad. de méd. p. 1530—1538. (Schliesst mit zwei Thesen: Wasser, welches zum Genusse benutzt werden muss, darf durch keinerlei Abfallstoffe verunreinigt werden; und: menschliche Fäcalien dürfen unter keinen Umständen in Quellen, Bäche oder Flüsse abgelassen werden) — 14) Lefort, Léon, Sur les eaux de Versailles. Ibid. p. 1528—1529. (Führt die bisherige Immunität V.'s für Cholera auf den Trinkwasserbezug aus der Wasserleitung zurück, die aus den Teichen, der Seine und Quellen gespeist wird.) — 15) Cassal, C. E. et B. A. Whitelegge, The examination of Water for sanitary purpozes. British med. J. p. 605—606. — 16) Hofmann, Fr., Ueber das Eindringen von Verunreinigungen in Boden und Grundwasser. Arch. f. Hyg. II. S. 145—195. — 17) v. Welitschkowski, Beitrag zur Kenntniss der Permeabilität des Bodens für Luft. Ebendas. II. S. 483—498. — 18) Derselbe, Experimentelle Untersuchungen über die Permeabilität des Bodens für Wasser. Ebendas. II. S. 499—512. — 19) Descoust et Yvon, Sur deux Cas d'asphyxie par l'acide carbonique. Revue d'hyg. p. 96—107; auch: Annales d'hyg. XI. p. 273 bis 282. — 20) Dieselben und Paul Bert. Annales d'hyg. XI. p. 477—480. — 21) du Mesnil et Fauvel, Présence de l'acide carbonique dans le sol renfermant des matières organiques en décomposition et notamment dans les cimmetières. Ibid. XI. p. 418—427. Revue d'hyg. p. 234—241.

Grahn (3) giebt in einem Vortrage einen Auszug aus dem gleichbetitelten Werke, welches der Verein von Gas- und Wasserfachmännern veranlasst hat.

Die Einwohnerschaft der deutschen Städte mit mehr als 5000 Einwohnern beziffert sich auf 265 p. M. der Gesammtbevölkerung (12030381 : 45234061 Census vom Jahre 1880). Von den circa 12 Millionen benutzen 645 p. M. einheitliche Wasserleitungen, 71 p. M. sind im Besitze von Leitungen, welche ausschliesslich von Privaten, und 106 p. M. von solchen, welche nur öffentlichen Zwecken dienen.

Von den einheitlichen Leistungen wird, auf 1000 Einwohner berechnet, geliefert:

in Städten	Quell- oder Grundwasser mit natürlichem Gefälle	Quell- oder Grundwasser künstl. gehoben	Flusswasser
über 100000 Einwohnern	23,0	38,5	38,5
von 50000—100000 Einw.	26,9	50,0	23,1
von 10000— 50000 Einw.	42,7	46,6	10,7
von 5000— 10000 Einw.	69,0	22,0	8,9

Die Kopfzahl der mit neuen einheitlichen Wasserleitungen Versorgten zeigt während der letzten 20 Jahre eine erhebliche Steigerung: 1864 : 70000, 1874 : 542067, 1883 : 508485. — Zahlreiche Tabellen, in welchen das reiche Material nach verschiedenen Specialfragen geordnet ist, so namentlich auch nach der Vertheilung desselben auf die Länder und Provinzen Deutschlands gestatten keinen Auszug.

Proust (4) versucht eine Untersuchung der Trinkwässer der Stadt Paris nach der Koch'schen Methode der Cultur auf Gelatineplatten, die aber erheblich modificirt und nichts weniger als verbessert ist. Die gewonnenen Colonien werden gezählt und die Zeit, nach welcher eine Verflüssigung der Gelatine beginnt, notirt. Eine microscopische Bestimmung der die Colonien bildenden Microorganismen wird nicht gemacht. Dieselben Wasserproben, welche bacteriologisch untersucht waren, werden auch einer chemischen Untersuchung unterzogen: die organischen Substanzen durch übermangansaures Kali unter Schwefelsäurezusatz und bei 80°, und die Härtegrade in gewöhnlicher Weise bestimmt. Die Wasserproben aus der Vanne, dem Hopital Lariboisière, der Ourcq und der Seine variiren bezüglich des Gehalts an Microorganismen (Zahl der erhaltenen Colonien) zwischen 8000 (Canal de l'ourcq) und 244000 (Seine-Clichy), bezüglich der Verflüssigungsfrist zwischen 10 Tagen (Vanne) und 2 Tagen (untere Seine). Zwischen den bacteriologischen und chemischen Untersuchungsresultaten besteht ein nur sehr wenig präciser Parallelismus.

Chamberland (6) berichtet, dass Wasser, welches durch poröses Porzellan filtrirt ist, frei von jeglichem Keim und Microben gewonnen wird, wie daraus erhellt, dass dasselbe, mag es vorher in beliebiger Weise verunreinigt gewesen sein, nach der Filtration mit den empfindlichsten Nährflüssigkeiten versetzt werden kann, ohne in denselben eine Zersetzung zu veranlassen. Aus solchem Porzellan gefertigte Röhren von 200 cm Länge und 2.5 Weite, die unmittelbar an Wasserleitungen angesetzt werden können, liefern bei 2 Atmosphären Druck 20 l per Tag, in genügender Zahl aufgestellt also sehr leicht den Bedarf für Haushaltungen etc. Ihre Reinigung geschieht sehr einfach durch Bürsten der Aussenfläche, durch Auskochen. oder durch Erhitzen im Ofen. Die so gereinigte Röhre ist wieder ganz intact und kann unbegrenzte Zeit gebraucht werden.

Vallin (7) beschreibt das auf der Londoner Hygiene-Ausstellung befindliche Chamberland'sche Wasserfilter etwas genauer.

Jeder Porzellancylinder (s. Zff. 6.) ist in eine etwas weitere Metallhülse von ähnlichen Proportionen eingelassen, so dass ein freier Raum zwischen beiden bleibt. Das eine Ende von Metall- und Porzellancylinder ist geschlossen; in dem andern Ende des Metallcylinders ist das offene andere Ende so eingepasst, dass der Zwischenraum zwischen beiden nach allen Seiten vollkommen dicht abgeschlossen ist. Wenn nun das Wasser unter einigem Drucke durch einen Hahn in den Zwischenraum eingelassen wird, kann es nur durch die poröse Porzellanwand hindurch abfliessen, was ohne Weiteres geschieht, da die Cylinder so mit der Wasserleitung in Verbindung gesetzt werden, dass das geschlossene Ende beider nach oben, das offene Ende des Porzellancylinders also nach unten gerichtet ist. — Die Filterkraft des Apparates ist u. A. an faulenden Flüssigkeiten demonstrirbar. Wenn er mit solchen beschickt wird, so fliesst eine vollständig sterilisirte — d. h. bei Einfüllen in sterilisirte und mit Watte verschlossene Reagircylinder unbegränzt lange nicht weiter faulende — Flüssigkeit ab.

Ein anderer von Maignen ausgestellter Filterapparat besteht zunächst in einer Filterschicht von Thierkohle und Asbest, welch letzteres einen Mantel um einen durchlöcherten Porzellancylinder- oder umgekehrten Trichter bildet, um welchen die Thierkohle aufgeschüttet ist. Das Eigenthümliche des Apparates ist der Zusatz von powdered carbo-calcis, d. h. einem Pulver aus Kalkhydrat und mit Salzsäure gereinigter Thierkohle bestehend. Dieses Pulver setzt sich in den Maschen des Asbestes fest und ist der wesentliche Factor der besonderen Leistungen des Apparates. Als solche wird die vollständige Zurückhaltung gelöster schädlicher Substanzen gerühmt; Lösungen von essigsaurem Blei, Kupfer- und Eisenvitriol wurden auch nicht in kleinsten Spuren durchgelassen — wenn die Apparate frisch hergerichtet waren. — Ein dritter Filtrirapparat besteht aus Kohlenpapier d. h. Papiermasse zu 10—20 pCt. ihres Gewichts mit extrahirter Thierkohle versetzt. Dieses Kohlenpapier wird zwischen Metallplatten eingepresst, welche mit einem System concentrischer und radiärer Rillen durchzogen sind. Durch diese kann das Wasser zu- und abfliessen, wobei es inzwischen das Papier passiren muss. Ueber die Leistungsfähigkeit dieses Apparates sind keine Proben mitgetheilt.

Vallin (8) geht mit der Verwaltung der Pariser Wasserwerke scharf ins Gericht, wegen ihrer Wasserverwendung im öffentlichen Dienste, während den Privaten nur $^1/_4$—$^1/_3$ des Gesammtverbrauchs zu Gute komme, und befürwortet die Einstellung von Wassermessern bei allen Privaten (90 pCt. derselben sind schon damit vertreten) um für die von den Privaten nicht verbrauchten Wassermengen eine genauere Controle durchführen zu können.

Gautrelet (9) untersuchte den braunen flockigen Bodensatz, welcher sich aus einem Brunnenwasser, das stark mit Abtrittjauche verunreigt war, nach einigen Tagen Stehens unter Verschluss abgesetzt hatte. Dieselbe bestand aus braunen rundlichen Zellen mit zarter Wand und $^1/_{200}$ mm und ziemlich complicirter Bildung der Oberfläche, die ungefähr in der gewählten Bezeichnung Stercogona tetrastoma Ausdruck findet. Diesen Fund hält G. aus „aus mehreren Gründen“ für den Microbe typhique.

Die Consumenten von Wasser in einer Gruppe von Brunnen, welche stark mit Excrementen verunreinigt waren, litten viel und schwer an chronischen fieberlosen Diarrhoen; Typhuserkrankungen konnten nicht nachgewiesen werden; das von G. als Typhuserreger angesprochene Microbium Stercogona tetrastoma hat nach Garnier (10) diese Bedeutung nicht.

Hofmann (16) geht von der Annahme aus, dass die Verbreitung von in Wasser gelösten Stoffen im Boden niemals beschränkter und langsamer erfolge, als die der suspendirten Körper, und dass also eine Kenntniss des ersteren Vorgangs auf den zweiten schliessen lasse, insoweit die Verbreitung suspendirter Stoffe im Boden unter den günstigsten Bedingungen vor sich gehe. In den oberflächlichen Bodenschichten, der von H. sogenannten Verdunstungszone, hängt das Eindringen von Wasser mit fremden Stoffen wesentlich von dem Trockenheitsgrade des Bodens ab. Eine Zunahme erfolgt bis zur Sättigung der Wassercapacität. In den mittleren Bodenschichten, der sog. Durchgangszone H.'s, ist entscheidend die Feinheit des Kornes bezw. die Feinheit der Poren. Dies wurde an folgendem Modell festgestellt.

Zwei Blechröhren von 16,79 qcm Querschnitt und unten mit einem feinen Gitter geschlossen, werden 1 m hoch mit thonfreiem Sande gefüllt. In das Blechrohr I kommt Sand v. 0,5—1 mm Durchmesser des Korns, in die Röhre II solcher von 0,3—0,5 mm; Rohrvolum, Trockengewicht der Sandfüllung, Volumen des trockenen Sandes, und freies Porenvolum sind in beiden Röhren gleich oder nahezu gleich. Angenässt hält aber Rohr I 182 g Wasser, das mit feinerem Sande gefüllte Rohr II 309 g Wasser zurück. Die mit Capillarwasser gesättigten Sandschichten stellen also den Feuchtigkeitszustand des natürlichen Bodens in der Durchgangszone dar, der bei weiterer Beschickung mit Wasser alsbald ein gleiches Quantum abfliessen lässt.

Auf diese mit reinem Wasser gesättigten zwei Sandschichten wurden an einem Tage je 50 ccm einer 1 pCt. Kochsalzlösung geschüttet und an den folgenden Tagen je 50 ccm reinen Wassers. Die Auslaugung des Kochsalzes war in beiden Röhren am 11. Tage beendigt, die ersten Salzproben flossen aber in der Röhre I schon am 2. Tage ab, erreichten am 3. ihre grösste Reichhaltigkeit mit 178 mg und hörten am 10. Tage auf; die Auslaugung dauerte also 9 Tage. Bei der zweiten Röhre flossen die ersten salzhaltigen Proben am 6. Tage ab, erreichten am 7. ihr Maximum des Gehalts mit 189 mg und nahm die Auslaugung nur 5 Tage in Anspruch. Die absolute und relative Salzmenge des Ablaufs unterscheidet sich, da dieser pro Tag nahezu 50 ccm beträgt, nicht erheblich.

„Der präexistirende Wassereichthum des Bodens übt also keinen entsprechenden Einfluss auf die Verdünnung der von oben eindringenden Verunreinigungen." Vielmehr lieferte der wasserreichere Boden II. einen concentrirteren Abfluss.

Nimmt man die an der Röhre I. beobachteten Vorgänge im Vergleich zu denen an der Röhre II. als Typus des grobporösen Bodens im Gegensatze zum feinporösen, so ergeben sich folgende weitere Schlüsse (allerdings ganz zutreffend nur unter den Bedingungen des Experimentes, d. h. bei einer einmaligen oder bei einzelnen in grösseren Zwischenräumen stattfindenden Beschickungen des Bodens mit gelösten und chemisch indifferenten Verunreinigungen. Ref.).

1. Im grobporösen Boden gelangen die Zuflüsse sehr schnell in die Tiefe; die Verunreinigungen bleiben aber lange im Boden. Sie bewirken event. eine geringere Belastung des Brunnenwassers, weil sie an sich verdünnter in dasselbe gelangen und — wegen der längeren Dauer des Auslaugens — mit einem grösseren Antheil des Grundwasserstromes sich mischen. Wegen des räumlich schnelleren, zeitlich aber längeren Durchgangs durch den grob porösen Boden kann dieser nicht so stark verunreinigt sein, wie dichter Boden.

2. Im fein porösen Boden mischen sich die eindringenden Verunreinigungen auffallend wenig mit dem schon vorhandenen Bodenwasser; sie finden nur eine beschränkte Verbreitung und werden durch das nachdringende Wasser schichtenweis vorgeschoben. Ablauf und Wasser in den obern Schichten können also zu gleichen Zeiten sehr verschiedengradig verunreinigt sein.

H. versucht auch den zeitlichen Verlauf des Eindringens von Stoffen in feinporösen Boden zu bestimmen. „Kennt man die wasserhaltende Kraft der einzelnen Bodenschichten und die versickernde Regenmenge, so lässt sich für den feinporösen Boden direct berechnen, in wie viel Tagen, Wochen oder Monaten eine Verunreinigung in dem Grundwasser angekommen ist" und „es wird sich aus der im dichten Boden vorhandenen Wassermenge und dem Regenquantum wenigstens annähernd berechnen lassen, in welcher Zeit und wie tief Stoffe in den Boden eingedrungen sind." Auf Grund dieses Schema's berechnet H. die Durchgangszeit von Verunreinigungen beispielsweise in dem Friedhofsboden in Leipzig für eine Tiefe von 3 m auf 482,6 Tage. Wichtiger und richtiger scheinen die allgemeinen Folgerungen: dass im Bereiche einer Stadt schon durch die Verschiedenheit der Bodenverhältnisse die Durchgangszeit für Verunreinigungen von der Oberfläche in die Tiefe sehr erheblich variiren muss, ferner: dass im Grundwasser gefundene Verunreinigungen auf eine recht weit zurückliegende Zeit der Beschickung der Bodenoberfläche mit denselben hinweisen, endlich dass in unserem Klima verunreinigende Stoffe besonders im Monat September in den oberflächlichen Bodensichten verbleiben, eine Thatsache, welche in Beziehung zu der Typhus- und Cholera-Häufigkeit in diesem Monate gebracht wird. Gleiche Deutung findet die Choleraacme in der trockenen und heissen Jahreszeit in Indien nach der Statistik **Marpherson's**. Nach H. bedingt die geringe Regenhöhe dieser Zeiten unter Mitwirkung der höheren Temperaturen eine Trockne der oberflächlichen Bodenschichten, welche das Eindringen von Microorganismen in tiefere Schichten hindert aber ihren Uebergang in die freie Luft erleichtert. Schliesslich betont H. die auch aus seinen Beobachtungen wieder erwiesene Nothwendigkeit für Reinhaltung des Bodens in seinen oberflächlichen Schichten, richtige Planirung und Dichtung der Oberfläche, nicht minder natürlich in seinen tieferen Schichten, zu sorgen.

v. **Welitschkowsky** (17) prüfte die **Durchgängigkeit des Bodens für Luft** an Bodenmodellen, bestehend aus Blechcylindern von 10 cm Durchmesser, welche mit Sand verschiedener Korngrösse gefüllt wurden, nämlich 1. Grobkies mit 7 bis 20 mm Korngrösse, 2. Mittelkies mit 4—7 mm. 3. Feinkies mit 2—4 mm, 4. Grobsand mit 1—2 mm, 5. Mittelsand mit $^1/_2$—1 mm, 6. Feinsand unter $^1/_2$ mm. Jedes dieser Materialien wurde vor den Versuchen auf das scheinbare specifische Gewicht, Porenvolum, die Quantität des vom Bodenmaterial zurückgehaltenen Wassers, das Porenvolum im feuchten Zustand bestimmt. Der Grad der Durchlässigkeit wird durch die Menge der Luft ausgedrückt, welche innerhalb einer bestimmten Zeit und bei einem bestimmten Drucke den mit der Bodenprobe gefüllten Cylinder passirt.

Es ergab sich, dass die Luftmenge mit steigendem

Drucke ebenfalls steigt, aber nicht in genauer Proportion, sondern etwas langsamer; mit Verdoppelung des Druckes verdoppelt sich nicht die Luftmenge, sondern vermehrt sich um einen Werth, welcher weniger als 2 (und mehr als 1) beträgt, genauer für die Bodenkorngrösse 6 = 1,981, für den Grobkies (1) = 1,578; für die andern 5, 4, 3, 2, bezw. 1,973, 1,919, 1,743, 1,631 (bei circa 49 cm Schichthöhe). Der Einfluss der Korngrösse ist hiermit ebenfalls bezeichnet. Der Einfluss der Schichthöhe ist aus den Versuchen zwar ersichtlich, der zahlenmässige Werth derselben aber schwieriger zu bestimmen; jedenfalls ist derselbe nicht ein einfach proportionaler in dem Sinne, dass bei doppelter Schicht die Luftmasse die Hälfte betrüge, vielmehr beträgt die Abnahme erheblich weniger. v. W. stellt als Ergebniss seiner Untersuchungen die Formel auf: $Ym = nA \frac{\lg Xm}{\lg_2}$ in welcher Formel Ym die Luftmenge, Xm den Druck, n die Constante für die Schichthöhe und A die Constanten der Korngrösse (1,981—1,578) bezeichnet, kommt also zu ähnlichen, aber doch nicht ganz gleichen Schlüssen, wie Renk in einer früheren Arbeit über dasselbe Thema (s. d. Jahresber. pro 1879. S. 500).

v. Welitschkowsky (18) untersuchte die Permeabilität des Bodens für Wasser in ähnlicher Weise wie für Luft. Dieselben Bodenproben wurden in einen Cylinder eingefüllt und Wasser von oben her unter verschiedenem Drucke durchgeleitet. Die Wasserdurchlässigkeit wächst nicht der Druckhöhe proportional; beide Werthreihen bilden eine arithmetische Progression mit constanter Differenz. Dabei zeigte sich aber auch die Durchlässigkeit bei constantem Drucke nicht sofort constant, sondern stieg während der ersten 3 bis 4 Tage, verminderte sich dann wieder (innerhalb 12 bis 36 Stunden) und blieb erst dann constant. Diese constante Permeabilität, soweit sie von der Druckhöhe beherrscht wird, findet ihren Ausdruck in der Formel $L = a + d\,(n-1)$, wobei L das letzte Glied der Proportion ist, welches die geförderte Wassermenge bei dem Drucke n ausdrückt, welchen das über der Bodenoberfläche stehende Wasser ausübt; a ist das erste Glied der Progression und d die Differenz, Werthe, welche für jede Bodenart experimentell festzustellen sind. Beide Werthe sind abhängig erstens und insbesondere von der Korngrösse; z. B. lassen Korngrössen 2 bis 6 bei einer Schichthöhe von 50 cm bei 50 cm Wasserdruckhöhe durchgehen Liter per Minute: 16.347, 10293, 1.886, 0,179, 0,00022; die Kiessorte 1 war so durchlässig, dass die Wasserzuflüsse nicht stark genug beschafft werden konnten. Der Einfluss der Bodenschichtenhöhe ist minder gross, bei niederem Drucke verschwindend, bei stärkerem Drucke ziemlich erheblich, z. B. bei den Bodenproben betragen die Werthe (l Wasser pr. Minute) bei Bodenschichthöhe von 100 cm und Druckdifferenz von 0,5:100 bezw. 6,056 gegen 10,015, 0,924 gegen 1,729, 0,088 gegen 0.167; der Einfluss der Schichthöhe bei starkem Wasserdrucke ist somit in der Bodenprobe 3 Feinkies niedriger (Verhältniss 1:1,6) als bei Bodenprobe 5 Mittelsand (Verhältniss 1:2).

Descoust und Yvon (19) theilen zwei Fälle von tödtlicher Asphyxie durch die Luft von Brunnenschächten in Aubervillers, der eine im August 1882 der andere April 1883 mit.

Beide Brunnenschächte sind in aufgeschüttetes, mit organischem Material überlastetes Erdreich eingesenkt und 250—300 Meter von einander entfernt. Der erste, 8,50 m tief, führt auf die Wasserschicht, der andere, 7,50 m, auf den gewachsenen Boden, von dessen Fläche aus ein Artesischer Brunnen in die Tiefe geht. Durch besondere Untersuchungen ist nachgewiesen, dass die Kohlensäure der Schachtluft nur aus den umgebenden Bodenschichten, nicht aus dem Bodenwasser oder anstossenden Abtrittsgruben herrührt, ebenso dass die Luft frei von Kohlenoxyd und Schwefelwasserstoff (letzteres einmal in Spuren gefunden) war; jedenfalls fand sich in dem Leichenblut der verunglückten Arbeiter keine Spur von Schwefelwasserstoff oder Kohlenoxyd. Die Zusammensetzung der Luft wurde, aus dem gedeckten Brunnen I. am 1. September, neun Tage nach dem Unglücksfalle in einer Tiefe von 3 m entnommen, bestimmt auf 5,43 pCt. CO_2, 13,27 pCt. O. und 81,30 N., in einer Tiefe von 6 m 8,45 CO_2, 5,91 pCt. O und 85,64 N. Derselbe Schacht enthielt 2½ Monate später, nachdem er 14 Tage abgedeckt geblieben war, folgendes Luftgemisch in einer Tiefe von 1,20 m: 0,69 pCt. CO_2, 20,52 pCt. O. und 78,78 pCt. N., und in einer Tiefe von 8 m: 0,59 pCt. CO_2, 20,73 pCt. O. und 78,65 pCt. N. In dem zweiten Brunnenschachte fand sich 5 Tage nach dem Unfalle (10. April 1883) die Schachtluft nahezu gleich der freien Atmosphäre, nachdem der Schacht mittlerweile unbedeckt geblieben war. Am 28. April wurde, nachdem der Schacht circa 12 Tage zugedeckt gewesen war, gefunden am Boden des Schachts: 12,16 pC. CO_2, 3,69 O. und 84,14 N. Aehnliches ergab eine nochmalige Untersuchung am 23. Juni 1883.

In der an die Vorträge von Yvon und Descoust sich anschliessenden Discussion wies Paul Bert (20) nach, dass der Tod der Arbeiter, welche in den Schacht nie dergestiegen waren, durch einfache Asphyxie resp. Mangel an Sauerstoff entstanden ist.

Du Mesnil und Fauvel (21) untersuchten die Luft in Grüften auf einem Friedhofe in Paris (cimmetière du Sud) an einer Stelle, die wegen der Gefährlichkeit der Luftbeschaffenheit in den Grüften besonders verrufen war.

Die Untersuchung wurde in zwei neuen Grüften von 4,68 bezw. 4,85 m Tiefe und üblicher Construction — d. h. Backsteinbau mit Verstreichung der Fugen mit Cement — vorgenommen. Am 12. September 1883 war die Bauarbeit fertig und Abends die Gruft mit dem Deckstein geschlossen. Nach 21 Stunden wurde sie wieder geöffnet. Ein in dieselbe sofort einsteigender Arbeiter musste sie, nachdem er bis 2,02 m, etwa zur Hälfte, herunter gegangen war, wegen schlechter Luftbeschaffenheit wieder verlassen. Ein brennendes Licht erlosch in etwa derselben Tiefe. Zur Prüfung der Schnelligkeit, mit welcher die Kohlensäure in den Grüften sich aufhäufte, wurden in denselben brennende Kerzen in Tiefen von 1 m Distanzen aufgestellt, nachdem eine gründliche Auslüftung vorgenommen worden war. Es ergab sich, dass in der Gruft I. das am Boden befindliche Licht ¼ Stunde, das in 2 m Höhe 1 Stunde, in 3 m 1¼ Stunde und in 4 m 1½ Stunde fortbrannte. In der Gruft II. erlosch das Licht am Boden derselben schon nach 2 Minuten, in 2 m Höhe in ½ Stunde, in 3 m in 1 Stunde und in 4 m Höhe in 1¼ Stunde. Wie vorläufige Versuche ergeben hatten, erloschen die Kerzen bei einem Kohlensäuregehalt von 3 pCt. Vol. Weitere Beobachtungen hatten ergeben, dass der Mehrgehalt der Gruft II. ein constanter werde, also von den umgebenden Erdschichten abhängig war. Schwefelwasserstoff und Kohlenoxyd waren niemals nachweisbar. Der Sauerstoffgehalt schwankte zwischen 2 und 11,5 pCt. Bei fortlaufenden Untersuchungen über den Kohlensäuregehalt der geschlossenen Grüfte wurden 7—12 pCt. gefunden. Die Maxima scheinen mit den höheren Bodentemperaturen zusammenzufallen, wofür auch spricht, dass ein älterer und drei neuere Unglücksfälle — Ersticken beim Betreten von Grüften — ausnahmslos im Monat August sich ereignet haben.

6. Nahrungs- und Genussmittel.

1) Bell, F., Die Analyse und Verfälschung der Nahrungsmittel. Uebers. v. P. Rasenak. 2. Bd. 240. Ss. gr. 8. Berlin. — 2) Cameron, Charles A., On microorganism and alcaloids, wich render foods poisonous. Dublin journ. of medic. p. 273—490. — 3) Horges, B. R., Dietetic delusions; their deleterious effects and their rectification. Boston medic. and surg. journ. p. 25 bis 31. — 4) Forster, F., Verwendbarkeit der Borsäure zur Conservirung von Nahrungsmitteln. Archiv für Hyg. II. S. 75—116.

a. Animalische Nahrungsmittel.

5) Schmidt-Mülheim, Handbuch der Fleischkunde. 320 Ss. gr. 8. Leipzig. — 6) Sur l'inspection des viandes. Discussion. Bull. de l'acad. de méd. de Belgique. p. 308. 717. 1062. — 7) Brouardel, Importation en France de viande trichineuse. Revue d'hyg. p. 127—135; auch Annales d'hyg. XI. p. 283—294. — 8) Laborde, Dasselbe. Revue d'hyg. p. 220—228. — 9) Gibert, Dasselbe. Ibid. p. 521. — 10) Resolution der Société de méd. publ. Dasselbe. Ibid. p. 332. — 11) Pouchet, G., Die Unschädlichkeit des trichinenhaltigen americanischen Schweinefleisches. Biolog. Centralbl. S. 601—608. (Uebersetzt aus Revue scientifique. Bd. 33. No. 9.) — 12) de Pietra-Sante, Trichine et trichinose aux Etats-unis d'Amérique. Gaz. méd. de Paris. No. 20. p. 233—235. (Darstellung der Schweinezucht und des Pökelverfahrens in America. Befürwortet die Freigebung des Handels damit.) — 13) Flinzer, Eine Fleischvergiftung. Eulenberg's Vierteljahrsschr. XL. S. 318—322. (Kurze Beschreibung einer Massenerkrankung nach Genuss von Fleisch und Eingeweiden einer an Metritis und Nephritis gestorbenen Kuh. Gastroenteritische Erscheinungen mit günstigem Ausgange.) — 14) Derselbe, Weiterer Beitrag zur Lehre von der Fleischvergiftung. Ebendas. S. 97—99. (Aehnlicher Fall wie der vorige.) — 15) Benson, J. Hawtry, A case of poisoning by the ingestion of trainted meat. Dublin journal of sc. p. 226—230. (Vergiftungserscheinungen mit vorwiegender Prostration nach dem Genusse von hochgewordenem Welschhahn. Heilung.) — 16) Berenger-Ferand, Empoisonnement par la morue havariee. Revue d'hyg. p. 1086. — 17) Bertheraud, Le champignon toxique de la morue sèche. Ibid. p. 455. — 18) Addinzell, A. W., Case of poisoning by sardines. Lancet. 27. Sept. — 19) Morris, J. Cheston, On milk supply in larg cities. Boston medic. and surg. journ. p. 317—320. — 20) Abbott, Lloyd F., The milk supply of Boston and the benefit be derived from the spaying of cows. Ibid. p. 317—320. — 21) Girard, Ch., La nourriture des vaches latières et son influence sur la composition du lait. Ann. d'hyg. XII. p. 228—258; auch Revue d'hyg. p. 361—405. — 22) Androuard, A. et V. Dézannay, Influence de la pulpe de diffusion sur le lait de vache. Comptes rend. T. 99. p. 443. — 23) Zborowski, C., Le kefir ou coumis du lait de vache. Montpellier médic. p. 511 bis 523. — 24) Uche, J., Der Kefir. Vierteljahrsschr. f. öff. Ges. 9. Bd. XVI. S. 432—438.

b. Vegetabilische Stoffe.

25) Fodor, J., Mittheilungen aus dem hyg. Institute der Budapester Universität. Archiv f. Hyg. II. Bd. S. 364—372, 432—448. — 26) Launay, Louis, Blanchement des blés par l'acide sulfureux. Annales d'hyg. XI. p. 271—273. Revue d'hyg. p. 121—123. (Macht auf das neuerdings in Marseille aufgekommene Schwefeln des gesunden aber äusserl. gefärbten und daher minderwerthigen Getreides aufmerksam.) — 27) Egger, Beitrag zu den Studien über das Verhältniss von Alcohol zu Glycerin im Bier. Archiv f. Hyg. II. S. 254 bis 256. — 28) Strohmer, F., Ueber die Erkennung einiger fremder Farbstoffe in Rothweinen, Liqueuren und Conditorwaaren. Ebendas. II. S. 425—431. — 29) Egger, Ueber ein neues Unterscheidungsmerkmal reiner Naturweine von Weinen, die unter Zuhilfenahme von Wasser verbessert worden sind. Ebendas. S. 273 bis 380. — 30) Uffelmann, J., Spectroscopisch hygienische Studien. Ebendas. II. S. 197—222. — 31) Egger, Bemerkungen zur Prüfung des Weines auf Kartoffelzucker. Ebendas. II. S. 252—256. (Macht darauf aufmerksam, dass bei Zuckerbestimmung nach Neubauer [Nessler und Barth] eine zu starke Eindickung des mit Kaliumacetat entsäuerten Weines vermieden werden muss.) — 32) Gulczowsky, Quelques accidents causés par le tabac. Annales d'hyg. XI. p. 47—51. (S. dies. Jahresber. pro 1883. I. S. 592.) — 33) Kuborn, H., Rapport de la commission, qui a examiné les mémoires du concours sur les effets de l'alcoolisme. Bull. de l'acad. de méd. de Belgique. p. 355.

Forster (4) erinnert, dass die conservirenden Beisätze der Nahrungsmittel nicht nur wegen ihres toxisch-pharmacologischen Characters, welchen sie als Antiseptica häufig haben, sondern auch wegen ihres Einflusses auf den Nährwerth von Bedeutung sind. Dieser Einfluss kann a priori als ungünstig oder günstig gedacht werden, ersterer indem durch die Zusätze die Resorptionsfähigkeit der Nahrungsmittel verringert, letzteres, indem die faulige Zersetzung im Darme beschränkt und dadurch ein grösserer Theil im Darme vorgefundener Nahrungsmittel vor dieser bewahrt und dem Stoffwechsel erhalten bleibe.

F. fasst in seiner Arbeit diesen Punct, die Aenderung der Ausnutzung der Nahrungsmittel bei conservirenden Zusätzen, besonders ins Auge und theilt die Ergebnisse von Versuchen mit, welche Dr. G. H. Schlenker aus Java in dieser Richtung an sich gemacht hat. Unter den heutigen Conservirungsmitteln stehen die Bor- und Salicylpräparate oben an. Schlenker prüfte die Borsäure in zwei Versuchen.

Im ersten wurden drei je viertägige Perioden von Aufnahme gemischter aber genau gemessener Nahrung durch 4 Tage abgegrenzt, an welchen nur Milch und Ei genossen wurde. Hierdurch war es möglich, die Fäcalmassen der einzelnen Perioden gemischter Nahrung von einander und von den den Milchtagen angehörenden scharf zu trennen und durch quantitative Analyse des Fäces und des Urins die Ausnutzung der genossenen Speisen in jeder Ernährungsperiode festzustellen. Die Milchtage waren also die abgrenzenden Rahmen für die drei Perioden gemischter Nahrung. In der mittleren Periode gemischter Nahrung (also am 6., 7. und

8. Tage des Versuchs) wurden je 3 g reiner Borsäure (1,75 g Bortrioxyd enthaltend) genommen, eine jedenfalls unterhalb des Bereichs toxisch-pharmacologischer Wirkung liegende Dosis. Durch Vergleich dieser Borsäureperiode mit der vorausgegangenen und nachfolgenden konnten also etwaige Aenderungen constatirt werden. In der That stellten sich bei dem Experimentator keine subjectiven oder auffällige objective Störungen seines Befindens ein. — Beim zweiten Versuche wurde in gewissem Sinne umgekehrt verfahren. Dabei bildeten die Tage gemischter Nahrung den Rahmen der eigentlichen Beobachtungstage, an welchen zur sicheren Isolirung der Fäcalien nur Milch und Ei genossen wurde. Diese Milchtage wurden innerhalb zwei Monaten 4mal abgehalten und begannen jeweils mit 18stündiger Essenspause, dann Milch und Eiergenuss (2250 ccm Milch und 12 Eier), dann wieder 18—20stündiges Fasten; zusammen 48 Stunden.

Am ersten dieser Milchdoppeltage wurde 3 g Borsäure am 3. Doppeltage 1 g Borsäure mit der Nahrung genommen. Beobachtungen während des ersten Versuches über die Zusammensetzung des Urins ergaben, dass der Urin während der Borsäureaufnahme mehr Schwefel in Form einfach schwefelsaurer Salze als gepaarter Verbindungen, als Aetherschwefelsäuren enthält, ein Befund, welcher auf eine geringere Bildung aromatischer Substanzen im Darm, also auf eine Beschränkung der Fäulnissprocesse bezogen wird. Auffälliger war das Ergebniss der Fäcalanalysen. Das Gewicht derselben ist an den Borsäuretagen grösser als an den correspondirenden Nicht-Borsäuretagen; der Gehalt an löslichen Substanzen differirt nicht wesentlich, wohl aber der Gehalt an unlöslichen. Setzt man den Werth der in der Nahrung täglich verzehrten Trockenmenge und der täglich verzehrten Stickstoffmenge jede = 100, so beträgt der Gehalt des Fäces an unlöslichem

		Rückstand.	Stickstoff.
I Versuch.	1. Vor Borsäure	0,7	1,5
	2. Borsäure	1,4	3,2
	3. Nach Borsäure	1,1	2,7
II Versuch.	Milchtag mit Borsäure	1,2	2,2
	„ ohne „	1,1	1,9
	Milchtag mit Borsäure	1,3	2,4
	„ ohne „	1,0	1,8

Daraus folgt, dass die Borsäure, der menschlichen Nahrung zugesetzt, die Resorption der aufgenommenen Nahrungsstoffe beeinträchtigt, wobei eine vermehrte Abstossung von Darmepithelien oder erhöhte Abscheidung von Darmschleim nicht ausgeschlossen ist. Diese Wirkung tritt schon bei kleinen, scheinbar ganz indifferenten Dosen und bei verschiedenartiger Nahrung (sowohl gemischter Kost als Milchdiät) ein und ist ziemlich nachhaltig. Es ist anzunehmen, dass Borax ganz in gleicher Weise wirkt. Der Zusatz von Borsäure und Borax zur Conservirung von Nahrungsmitteln, namentlich der Milch, ist mithin hygienisch nicht gleichgültig.

Nach einer sehr eingehenden Discussion in der Belg. Academie (6) vereinigte sich dieselbe auf folgende Thesen, welche der Regierung als Grundlage eines Fleischschaugesetzes vorgelegt wurden. Die Schlachtthiere müssen vor der Schlachtung untersucht werden. Sie müssen nach dem Schlachten und vor dem Zerlegen untersucht werden. Die Untersuchungen vor und nach dem Schlachten müssen, so weit möglich, durch Thierärzte geschehen. In zweifelhaftem Falle ist der Zuzug eines Thierarztes unerlässlich. Der Verkauf von Fleisch gesunder Pferde kann ohne Nachtheil für die öffentliche Gesundheit gestattet werden. Pferde und Schlachtthiere, welche mit einer Entzündungskrankheit in der ersten Periode behaftet sind, können geschlachtet und zum Genusse feilgeboten werden, so fern sie durch Verblutung getödtet worden sind. Thiere, welche mit Wassersucht, Septicämie, Lungenseuche, Tuberculose, Pocken, Finnen, Trichinen, der Wuth, mit acutem oder chronischem Rotz, typhoiden Affectionen, Milzbrand und Rothlauf behaftet sind, ebenso vergiftete Thiere, dürfen nicht zum Genusse feilgeboten werden. Das gleiche gilt für Thiere, welche an irgend einer Krankheit zu Grunde gegangen sind. Thiere, welche an einer Blutung ohne organische Veränderung, an Hirn- oder Herzschlag oder durch äussere Gewalt verendet sind, dürfen nur nach einer vorausgegangenen Untersuchung und schriftlichen Erklärung eines Thierarztes dem Genusse übergeben werden.

Anknüpfend an die Schilderung der Emerslebener Trichinenepidemie von Brouardel und deren Schlusssatz, dass die Prohibitivmaassregeln gegen Einführungen americanischen Schweinefleisches in Frankreich ungerechtfertigt seien, stellt Paul Bert in der Sitzung der Société de médicine publ. vom 23. Januar 1884 einige Fragen über Trichinengehalt des americanischen Schweinefleisches, über die Schutzkraft der Pöckelung und Räucherung, sowie den Schutz einer Trichinenschau an der Grenze. Diese veranlassen (7) B.'s Aeusserung: Trotz des massenhaften Imports lebender Schweine aus Deutschland (jährlich 10,000 bis über 50,000 Stück), woselbst durch die Trichinenschau auf 1632—2800 Stück je ein trichinöses nachgewiesen wird, und eines Importes von ca. 1,000,000 kg gesalzenen Schweinefleisches, ist während der letzten Jahre nicht ein einziger Fall von Trichinose beim Menschen in Frankreich bekannt geworden. B. ist überzeugt, dass ein solcher der gerade jetzt besonders geschärften Aufmerksamkeit der französischen Aerzte nicht entgangen wäre. Dass die Trichine überhaupt in Frankreich existire, ist angesichts des Trichinengehalts der Ratten erwiesen; ob auch bei den in Frankreich gezüchteten Schweinen Trichinen vorkommen, ist mangels einer systematischen Untersuchung nicht zu entscheiden, aber wahrscheinlich zu bejahen, da ein solches schon 1878 die kleine Epidemie von Crespy-en Valois veranlasst hat. Auch wurden in anatomischen Theatern schon wiederholt und in früherer Zeit (Cruveilhier, Richet und Robin) trichinisirte Menschenleichen gefunden. Jedenfalls ist aber kein Fall von Trichinose beim Menschen in Folge Genusses von americanischem Schweinefleisch nachgewiesen. Damit stimmt auch eine Mittheilung von Davaine (vom Jahre 1881) überein. Gleiches gilt nach Virchow für Deutschland. „Die thatsächliche (réelle) Immunität" Frankreichs für Trichinose beruht auf der Zubereitung des Schweinefleisches, dem Salzen und Kochen. Einen classischen Beleg für die allmälige Vernichtung der Trichinen durch Einsalzen des Fleisches lieferte B. die Epidemie zu Ermersleben:

wer dort das trichinenhaltige Fleisch nach dem sechsten Tage der Aufbewahrung genossen hatte, blieb gesund. Die Ergebnisse von Versuchen über die Vernichtung der Trichinen durch Kochen stimmen zwar nicht unter sich überein. Dass aber die landesübliche Kochweise (nos habitudes culinaires) die Franzosen geschützt hat, ist nichtsdestoweniger ein Factum. Eine obligatorische Trichinenschau wäre von zweifelhaftem Werthe. Eher dürfte es sich empfehlen, in jedem Fleischladen eine jedem Käufer auffällige Verwarnung gegen den Genuss rohen Schweinefleisches anzubringen.

Laborde (8) tritt der Ausführung Brouardels entgegen unter Bezugnahme der Beobachtungen Collin's über die Verbreitung der Trichinen unter Thieren und der von Gorecki über den Genuss ungekochten Schweinefleisches in Frankreich und bestätigt letzteres aus eigener Beobachtung. Insbesondere bezweifelt er, dass heutzutage ein Verkennen von Trichinose beim lebenden Menschen in Frankreich nicht mehr möglich sei; ferner, dass ein kurzes Pöckeln die Trichinen tödte, da solche drei Monate nach dem Pöckeln noch lebend gefunden gefunden seien. L. fordert dann in der Sitzung einen der Vertreter der Unschädlichkeit des americanischen Schweinefleisches auf, ein vorgelegtes trichinenhaltiges Stück dieser Provenienz zu verspeisen, welchem Ansinnen aber keine Folge geleistet wird. Er schliesst mit dem Antrage auf zweierlei Massregeln, erstens von Seite der Hygieniker eine Belehrung des Publicums durch die Presse und das Wort, zweitens von Seite der Regierung Massregeln, welche die Interessen der öffent. Gesundheit mit der Freiheit und den guten internationalen Beziehungen thunlichst in Einklang bringen.

Gibert (9) berichtet, dass das americanische Schweinefleisch mindestens 40 Tage lang gut gepöckelt und dann erst eingepackt werde. Das Fleisch zeige hie und da beginnende Zersetzung durch eine graue bis blaue Farbe und sei dann nicht verkäuflich. Maden fänden sich sehr selten und nur bei längerer Lagerung des Fasses in den Magazinen. Bei dem massenhaften Consum des americanischen Fleisches auch im ungekochten Zustande sei nicht ein einziger auch nur verdächtiger Erkrankungsfall beobachtet worden.

Die lange Berathung der Société de méd. publ. (10) endigt mit der Annahme der Resolutionen: 1) Die Einfuhr von lebenden Schweinen oder frischem Fleische in Frankreich ist eine Gefahr wegen möglichen Trichinengehalts. 2) Die Einfuhr gesalzenen americanischen Schweinefleisches von der Güte des „Fully cured" bietet keine Gefahr.

Pouchet (11) gedenkt der neuerdings von Deprez gemachten Versuche an Ratten, welche drei Wochen lang mit trichinenhaltigem americanischen Schweinefleisch gefüttert waren, ohne trichinös zu werden; diese Versuche sind eine Wiederholung der im Jahre 1881 von Rebourgeon gemachten, welche gleichen negativen Erfolg hatten. Auf Grund dieser und zahlreicher anderer citirten Beobachtungen bekämpft Pouchet neuerdings und aufs Energischste die gegen das americanische Schweinefleisch erlassenen Verbote.

In Folge Genusses von Stockfisch, der verdorben, röthlich und sauer war, erkrankten nach Bérenger-Féraud (16) plötzlich 263 Seeleute an Brechdurchfall und Prostration, genasen aber alle in 2—4 Tagen.

Bertheraud (17) veranlasste eine genauere Untersuchung von Stockfischen, deren Genuss eine Massenerkrankung zur Folge gehabt hatte. Die schädlichen Stockfische gehörten einer bestimmten Sorte an („verte"), andere (morue d'Espagne) zeigten die Veränderung und Wirkung niemals. Die schädlichen Fische hatten röthliches Fleisch und leichten Fäulnissgeruch. Die Farbe rührte von einem Pilze (Goniothecium) her, der aus rundlichen, blassen und gerötheten Sporen mit Kern und einem sehr schwachen Mycel bestand. Auch wurde die Ptomaïne-Reaction gemacht mit positivem Erfolg (Ferridcyankalium und Eisenchlorid).

Addinsell (18) berichtet von einer Vergiftung durch Sardinen, die aus einer seit einigen Tagen geöffneten Zinnbüchse genommen und im Betrag von 4 Stücken von einer Frau verspeist worden waren.

Ausser einem kleinen weissen Fleck war nichts Ungewöhnliches bemerkt worden; das Oel war ranzig. Fast unmittelbar nach dem Genusse begannen die Erscheinungen mit Gähnen, eine halbe Stunde nachher kam heftiges Erbrechen mit Durchfall und starken Leibschmerzen; weiterhin starker Collaps, etwas erniedrigte Temperatur. Nach etwa 12 Stunden waren die Haupterscheinungen verschwunden. Da früher andere Personen aus derselben Sardinenbüchse gegessen hatten ohne zu erkranken, so ist nicht zu bezweifeln, dass die Fische durch das Offenstehen der Büchse giftig geworden sind.

Girard (21) untersuchte die Zusammensetzung der Kuhmilch bei verschiedener Fütterung. Als ganz geeignetes Futter sieht er Grünfutter, Heu und Stroh an; die Surrogate Oelkuchen, Malztraber und Rübenschlempe nur bei beschränktem Zusetzen zu Normalfutter als sanitär zulässig und öconomisch vortheilhaft. Durch zu reichlichen Verbrauch der Surrogate leidet die Zusammensetzung der Milch (enthält zu viel Wasser und zu wenig Butter), auch die Gesundheit der Thiere. Eine These des Resumé's: „jede schädliche Substanz, welche in das Blut eindringen kann: Keime, Microben oder Gifte, muss durchaus vom Futter ferngehalten werden; denn alles was sich im Blute finden kann, kann sich auch in der Milch finden", wird übrigens in der Arbeit nicht näher begründet.

Nach Andouard und Dézaunay (22) steigt die Milch- und Buttermenge bei Rübenschlempe unter geeigneter Mischung des Futters; die so erhaltene Milch hat aber einen veränderten Geschmack und gerinnt spontan leichter, als andere Milch, wenn die Schlempe in zu grossen Menge und ohne corrigirende Zusätze, namentlich Grünfutter gereicht wird.

Fodor (25) berichtet über die in seinem Laboratorium bei Lebens- und Genussmitteluntersuchungen angewandten Methoden und erhaltenen Resultate.

U. A. erörtert er die Frage, ob die beim Reinigen von Getreide bleibenden Rückstände, welche ausser vereinzelten guten meist verdorbene Getreidekörner, sowie die fremden Samen des Unkrauts der Getreidefelder enthalten, „Ausreuter“ genannt, dem Verkauf freigegeben werden sollen. Trotz unzweifelhafter Massen von Kornradesamen erwies sich die Verfütterung an Milchkühe sowie verschiedenes Vieh unschädlich, wenn der „Ausreuter“ nur einen gewissen Procentsatz der Nahrung macht. Absichtliche Zusätze von Kornrademehl zu gesundem Futter in Betrag von von 25 pCt. machte Schweine krank durch Dyspepsie. Trotzdem scheint F. ein Verbot des Verkaufs des „Ausreuters“ verfrüht, derselbe vielmehr zulässig, so lange die Körner nicht vermahlen werden, weil hierdurch ein gründlicheres Reinigen des Getreides indirect gefördert, bezw. die Versuchung zum Vermahlen im Mehl gemindert wird.

Strohmer (28) macht auf die zunehmende missbräuchliche Verwendung der Oxyazofarbstoffe zum Färben von Genussmitteln aufmerksam und giebt die Methoden an, einzelne derselben Ponceau R und RR, Bordeaux B und R, Crocein- und Biberich Scharlach nachzuweisen (durch reducirende Reagentien, durch Färben ungebeizter Schafwolle und durch Verhalten der Farbstoffe gegen SO_2).

Egger (29) versuchte die Idee Uffelmann's, Wasserzusatz zu Milch durch den Salpetersäuregehalt des Wassers zu erkennen, auch auf Wein anzuwenden und erwies zunächst, dass reine Naturweine keine Salpetersäure enthalten und der Nachweis und die Bestimmung derselben im Wein sich von den anerkannten Verfahren bei Wasser nicht wesentlich unterscheiden. Doch ist, um die Minimalgrenze der Nachweisbarkeit der Salpetersäure — 0,5 mg per 1 Weisswein oder Rothwein zu erreichen, eine vorbereitende Behandlung der Weinprobe. — Einengen und Extrahiren mit Alcohol — erforderlich.

Uffelmmann (30) giebt eine Fortsetzung seiner vorjährigen Mittheilung gleichen Inhalts. Er behandelt den spectroscopischen Nachweis von freien Mineralsäuren im Weine durch Zusatz von Methylviolettlösung, ebenso im Essig, ferner den Nachweis von Mutterkorn, Kornrade und Alaun im Getreidemehlbrod. Mutterkorn durch Extraction des Materials mit verdünnter Natronlage, Uebersättigen des Filtrats mit conc. Salzsäure und Zusatz von Aether, der nunmehr ein in seinen spectroscopischen Reactionen dem Fuchsin sehr nahe stehenden Farbstoff enthält; Kornrade durch Extrahiren des Materials mit verdünnter Natronlauge, Erhitzen des Filtrats bis die ursprüngliche Orangefärbung in Kupferröthe übergegangen ist; Alaun durch Extrahiren des Materials mit Wasser, Zusatz von Natriumcarbonat bis zur schwachen Alcalescenz und dann einige Tropfen wässriger neutraler Lösung von Campecheholzfarbstoff.

[Panum, P. L., Om Undersögelser angaaende sunde og syge Menneskers Kostrationer, sarlig i Hospitaler, Stiftelser og Faengsler i forskjellige Lande. Nord. medecin. Arkiv. Bd. 16. No. 24.

In einem bei dem 8. internationalen Congresse in Kopenhagen gehaltenen Vortrag behandelt der Verf. die für die Diätetik in Krankenhäusern, Gefängnissen etc. von der physiologischen Forschung festgestellten Regel, und zeigt mittelst concreter Beispielen, dass gegen diese Regel von den Administrationen der Krankenhäuser etc. nicht selten verstossen wird.

Der Verf. schlägt zuletzt dem Congresse vor, dahin zu streben, dass durch Zusammenwirken der Sachverständigen in den verschiedenen Ländern ein Material gesammelt wird, welches über die Stellung oben genannten Fragen in jedem Lande Aufschluss geben konnte. Um in dieser Richtung ein günstiges Resultat zu erlangen, müssten natürlich die Fragen scharf formulirt werden, und der Verf. schlägt auch eine Reihe diesbezüglicher speciellen Fragen vor, in Bezug auf welche, auf das im Congressberichte erscheinende Original verwiesen wird.

Mehrere Sachverständigen der verschiedenen Nationalitäten haben zu dem Zwecke schon ihre Mitwirkung versprochen. Christian Bohr.

Fjord, Om Maelk, saaledes som den i söd og skummet Tilstand forekommer i de danske Mejerier. Hygiejniske Meddel. R. 3. Bd. 2. p. 204.

Zur Aufklärung der mehrererseits aufgestellten Behauptung, dass die durch die Centrifuge (Schleudermühle) abgerahmte Milch einen weit geringeren Nahrungswerth als die bei dem alten Zubersysteme abgerahmte habe, hat Fjord einige Mittheilungen über die Bestandtheile der verschiedenen Arten Milch zusammengestellt.

Nach 43 von Storch unternommenen Analysen frischer Milch von verschiedenen dänischen Meiereien enthielt diese Art Milch durchschnittlich 3,46 pCt. Fett, 3,72 pCt. Eiweissstoffe, 4,42 pCt. Milchzucker, 0,76 pCt. Asche und 87,64 pCt. Wasser. In der abgerahmten Milch war die Fettmenge selbstverständlich bedeutend geringer als die der frischen Milch, und sie erwies sich ganz gewiss auch etwas geringer in der Centrifugenmilch (wo sie durchschnittlich 0,2 pCt. betrug) als in der nach dem Zubersystem abgerahmten (durchschnittlich 0,58 pCt., Maximum 1,06, Minimum 0,30), oder bei dem Eissysteme (Maximum 1,54, Minimum 0,21 pCt.; die Durchschnittsziffer wurde der grossen Verschiedenheiten wegen nicht bezeichnet). Dagegen waren die Eiweissstoffe und der Milchzucker in allen Arten abgerahmter Milch in derselben Menge und ebenso reichlich wie in frischer Milch vorhanden. Der Unterschied zwischen der Centrifugenmilch und anderer abgerahmter Milch beschränkte sich also darauf, dass ein Liter der ersteren 4 g weniger Fett als ein Liter der letzteren enthielt, ein Mangel, der beim Gebrauch der Milch leicht auf andere Weise zu ersetzen wäre.

Dieses Resultat hatte um so grössere Bedeutung, da die Centrifugenmilch ein gewöhnliches Nahrungsmittel für den armen Landarbeiter ist, für den es immer schwieriger wird, andere abgerahmte Milch als diese zu bekommen. — Bei der über diesen Gegenstand entstandenen Verhandlung meinte Cold, dass der Uebelstand bei der centrifugirten Milch nicht allein in ihrer geringeren Fettmenge, sondern noch mehr in ihrer geringeren Haltbarkeit läge, und dass dies um so misslicher sei, weil theils oft einige Zeit vergehe, namentlich wo nur einmal täglich centrifugirt werde, ehe die Milch in die Centrifuge komme, theils wiederum einige Zeit, bis sie den Consumentenin die Hände gelangt. Um eine grössere Haltbarkeit der centrifugirten Milch zu Wege zu bringen, müsse man dieselbe entweder gleich durch Eis abkühlen, was aber ihren Transport und Verkauf erschwere, oder sie kochen, wodurch sie aber den Abnehmern im Allgemeinen weniger angenehm werde.

Panum hob die Wohlfeilheit der centrifugirten Milch hervor und meinte deshalb, dass, wenn man auf andere Weise die fehlende Fettmenge zu Wege bringe, diese Art von Milch für ein vorzügliches Nahrungsmittel angesehen werden müsse. Nur für kleine Kinder sei sie nicht zu verwenden. Joh. Möller (Kopenhagen).

1) Nencki, Projekt regulaminu zywienia w szpitalach warszawskich. (Vorschlag einer Speiseordnung für die Warschauer Krankenhäuser.) Gazeta Lekarska. No. 10. — 2) Zuliński, O wplywie dymu tytuniowego na ustrój ludzki i zwierzęcy. (Ueber den Einfluss des Tabakrauches auf den menschlichen und thierischen Organismus.) Przegl. Lekarski. N. 1, 2, 3, 5, 6, 7, 8, 9, 10, 11 und Separat-Abdruck 60 Ss.

Im Eingange berichtet Nencki (1) über die Leistungen der zur Ausarbeitung von Vorschlägen zu einer neuen Speise-Ordnung für die Warschauer Krankenhäuser eingesetzten Commission. Er entwirft ferner einen Abriss der physiologischen Diätetik auf Grundlage der Forschungsresultate der Münchener Schule und gelangt zu den Grundlagen, auf welchen nach Hoeslin's Untersuchungen eine Krankendiätetik, besonders für Fiebernde beruhen soll. Die beigegebene graphische Tafel zeigt: 1) Die Menge der Nahrung und verschiedener Nahrungsmittel, die je nach Geschlecht und Alter für einen Gesunden nöthig ist; 2) die chemische Zusammensetzung verschiedener Speisen (die die Commission für die Warschauer Krankenhäuser empfohlen hat); und 3) den Verdaulichkeitsgrad verschiedener Nahrungsmittel, die zum täglichen Gebrauche dienen.

Die Arbeit Zuliński's (2) zerfällt in folgende 9 Abschnitte: 1) Die grosse Verbreitung des Tabaks und Zweck der Arbeit. 2) Wie der Tabak die Gesundheit der Menschen beeinflusst. 3) Der Tabakrauch. (Verf. beschreibt hier einen ganz einfachen Apparat, dessen er sich bediente, um die Zusammensetzung des Tabakrauches zu erforschen. Er bestand aus einem Blumentopfe, worin man Tabaksblätter brannte, in dessen Bodenöffnung ein Glasrohr steckte, das den Rauch nach einer ganzen Reihe (3—5) von Wulff'schen Flaschen abführte, deren letzte mit einem grossen Blechgasometer, welches mit Wasser gefüllt war, in Verbindung stand. Nachdem man den unten angebrachten Hahn des Gasometers geöffnet hatte, floss das Wasser aus, während der Tabak im Blumentopfe wie in einer Pfeife brannte. In den mit verdünnter Schwefelsäure, verdünnter Kalilauge u. s. w. gefüllten Wulff'schen Flaschen wurden einige Stoffe des Tabakrauches zurückgehalten, während man andere in dem im Gasometer sich ansammelnden Gase vorfand.) 4) Wie man die Experimente anstellte? 5) Die physiologischen Erscheinungen und Folgen. 6) Die vergleichenden Experimente. 7) Die pathologischen Beobachtungen. 8) Die Angewöhnung an das Rauchen. 9) Die hygienischen Massregeln.

Verf. gelangt zu folgenden Corolarien: Der Einfluss des Tabakrauches ist immer schädlich. Was die chemische Zusammensetzung des Tabakrauches anbelangt, unterscheidet sie sich wesentlich von der Zusammensetzung der Blätter und des Fabriktabaks. Die Schädlichkeit des Tabakrauches hängt nicht ausschliesslich vom Nicotingehalte ab, sondern auch vom Gehalte an anderen Stoffen. Neben dem Nicotingehalte spielen im Tabakrauche eine wichtige Rolle das Kohlenoxyd, aromatische Körper, Cyansäure und Ammoniak, deshalb kann manchmal ein wenig Nicotin enthaltender Tabak dennoch sehr schädlich sein. Die Zusätze, die man bei der Fabrikation des Tabaks gebraucht, können den Tabak sehr schädlich machen. Das Rauchen, wobei man tief den Rauch einzieht, ist schädlicher, als das Rauchen ohne das tiefe Einziehen des Rauches. Der Rauch aus sogen. Nargillen (Pfeifen mit Wasser, durch welches der Rauch durchgeht) schadet weniger als der Rauch der Cigarren, Cigaretten und aus gewöhnlichen Pfeifen. Das Rauchen aus Pfeifen mit langen Röhren ist weniger schädlich als aus Pfeifen mit kurzen Röhren. Das Cigarrenrauchen ist schädlicher als das Rauchen aus Pfeifen. Der Gebrauch von Cigarrenspitzen macht das Cigarrenrauchen weniger schädlich. Das Rauchen in nüchternem Zustande ist schädlicher als nach dem Essen. Das Rauchen in geschlossenen Räumen ist schädlicher als das Rauchen in freier Luft. Der Rauch schadet sowohl dem Raucher als auch dem Nichtraucher, der gezwungen ist, den Rauch einzuathmen. Durch Polizei-Verordnungen soll man die Nichtraucher vor dem schädlichen Einflusse des Rauches schützen; die Tabakfabriken sollen unter einer wachsamen Sanitäts-Controle stehen. Schon früh soll die Jugend über die Schädlichkeit des Rauchens belehrt werden, und die Bemühungen der Vereine gegen Tabaksmissbrauch sind zu unterstützen. Grabowski (Krakau).]

7. Ansteckende Krankheiten.

1) Kranz, Zur Geschichte der Einführung der Schutzpockenimpfung in Bayern. Vortrag. Friedreich's Blätter. S. 149. — 2) Eulenberg, H., Ueber die Wirksamkeit der kgl. preuss. Impfinstitute im Jahre 1882. Eulenberg's Vierteljahrsschr. XL. S. 136—143. (Tabellarische, eines Auszugs nicht gut fähige Zusammenstellung.) — 3) Fickert, Zur Würdigung der animalen Glycerinlymphe. Vierteljahrsschr. f. öffentl. Gesundheitspfl. XVI. S. 425—431. (Referat über günstige Erfolge mit solcher.) — 4) Meyer, Die öffentlichen Impfungen im Kreise Heilsberg im Jahre 1884 ausgeführt mit animaler Lymphe. Eulenberg's Vierteljahrschr. XLI. S. 309—301. — 5) Piza, Kurze Anleitung zur Züchtung, Conservirung und Verwendung animaler Lymphe. Centralbl. f. allgem. Gesundheitspfl. S. 195—199. — 6) Wolffberg, S., Welchen Grad von Schutzkraft besitzt die animale Lymphe. Ebendas. S. 267—270. — 7) Acker, J., Die Uebertragbarkeit der Tuberculose durch die Vaccination. Ebendas. S 421—435. — 8) Vulliet, T., Die letzte Typhusepidemie in Genf. Vierteljahrsschr. f. öffentl. Gesundheitspflege. XVI. S. 568—574. — 9) Pfeiffer, L., Cholerabacillus, Grundwasser und Bodenwärme. Centralbl. f. allgem. Gesundheitspfl. S. 371—380. — 10) Instruction concernant les précautions à prendre en temps du Choléra. Par le comité consultativ d'hyg. publ. en France. Annales d'hyg. XII. pag. 194—201. — 11) Chaumery, Le cuivre et le choléra. Revue d'hyg. p. 262. — 12) Freire et Rebourgeon, Le microbe de fièvre jaune. Inoculation préventive. Comptes rend. T. 99. p. 804. — 13) Jablonski, Sur une épidémie puerperale qui a régné à Poitiers en mars. Revue d'hyg. p. 489. (Vier Fälle von puerperaler Septicämie in der Clientel einer Hebamme.) — 14) Steffan, Ph., Ueber die Nothwendigkeit der Veränderung unserer heutigen Gesetzgebung betr. die Conjunctivitis neonator. blennorrh. Centralbl. f. allg. Gesundheitspfl. S. 123—133. (Dringt auf Anzeigepflicht der Hebammen im Falle ungenügender ärztlicher Behandlung und Aufnahme der Blennorrh. neon. in das zukünftige Reichsseuchengesetz.) — 15) Drouineau, G., Sur la réglementation de la prostitution. Revue

d'hyg. p. 62. — 16) Stern, Emil, Ueber die Verbreitung venerischer Erkrankungen in Breslau. Eulenberg's Vierteljahrsschr. XL. S. 75—89.

Meyer (4) hat 1625 Kinder der ersten und 721 Kinder der Wiederimpfung mit Kälberlymphe, welche nach Pissin'scher Methode gewonnen war, unterzogen und zwar die ersten mit 97,2 pCt., die letzteren mit 94,2 pCt. Erfolg. Seine Lymphe zeigte für fünf Wochen vollständige Haltbarkeit. Sämmtliche Impfungen verliefen ohne Zwischenfälle; nur während sehr heisser Tage trat bei einzelnen Impflingen leichtes Erythem auf.

Wolffberg (6) macht den Freunden der animalen Lymphe gegenüber geltend, dass die Erzielung guter localer Impferfolge, der Pusteln, nicht ohne Weiteres gleichzusetzen sei der Erzielung eines constitutionellen Erfolges, der Immunität. Bei der im Vergleich zur humanisirten Lymphe geringeren Ausdauer und Kraft der Thierlymphe, wie sie sich in dem frühen Erschöpfen ihrer Virulenz bei continuirlichen Thierimpfungen und in der baldigen Wirkungslosigkeit beim Conserviren kundgiebt, ist die Frage sehr wohl erlaubt, ob Schutzimpfung mit Thierlymphe denselben Grad von Immunität verleiht, wie solche mit humanisirter Lymphe, und ist als Beweismittel zunächst die Revaccination heranzuziehen. Es muss durch systematische Parallelversuche festgestellt werden, ob animal- und humanisirt-Vaccinirte einer Revaccination namentlich mit kräftiger humanisirter Lymphe gegenüber sich in gleichem Maasse refractär erweisen.

Acker (7) kommt auf Grund der bisher gemachten Erfahrungen über gleichzeitige Uebertragung von Vaccine und Variola und von Vaccine und Syphilis zu dem Schlusse, „dass die theoretische Möglichkeit, zwei Krankheiten zu übertragen, nicht a priori von der Hand zu weisen sei". Die sonach zunächst zuzulassende Möglichkeit, dass mit Vaccine zugleich Tuberculose übertragen werden könne, fordert zu ihrer näheren Feststellung eine doppelte Untersuchung. Enthält die Vaccine Tuberculöser Tuberkelbacillen? und: Ist durch Impfung, wie sie bei der Vaccination geübt wird, Tuberculose übertragbar? Zu dem Zwecke wurden die Pusteln von 5 revaccinirten Phthisikern untersucht und zwar vom 7. bis 13. Tage nach der Impfung. In keinem einzigen der gefertigten 48 Präparate konnten Bacillen nachgewiesen werden. Doch hält A. die Möglichkeit, dass bei allgemeiner Miliartuberculose ein positives Resultat gefunden werden könne, offen. Die Impfbarkeit der Tuberculose durch Wunden, ähnlich den Vaccinationswunden, ist negativ erhärtet auf Grund zahlloser unabsichtlicher Impfungen mit bacillenhaltigem Material, wie sie Aerzte bei Sectionen etc. erleiden, sodann der Erfolglosigkeit der Versuche, welche anderwärts (von Dr. Schmidt) an Meerschweinchen erhalten worden sind. Vorbehaltlich der allgemeinen Miliartuberculose ist also die Möglichkeit einer Vaccinationstuberculose in Abrede zu stellen.

Vulliet (8) hält durch folgende Umstände den Beweis erbracht, dass die im Jahre 1881 beginnende und im Januar 1884 ihren Höhepunkt erreichende Steigerung der Typhusfrequenz in Genf einer Zufuhr des Typhusgiftes durch die Rhône und dem Gebrauche des so verunreinigten Wassers als Trinkwasser zuzuschreiben sei. Nachdem bis zum Jahre 1881 der Typhus in Genf im Ganzen selten aufgetreten und vor den von der Rhône und Arve aus gespeisten Wasserleitungen mehr und mehr in die Quartiere sich zurückgezogen hatte, welche aus verdächtigen Pumpbrunnen versorgt werden, verbreitete sich die Krankheit seit 1881 gerade bei den Consumenten einer bestimmten Rhônewasserleitung. Diese Leitung schöpft (seit wann? Ref.) ihr Wasser aus der Rhône, nachdem diese durch Abgänge der Uferbewohner in reichlicher Menge (V. veranschlagt dieselbe auf 400 l per Secunde, macht 34,560 cbm per Tag) verunreinigt ist. Ausser diesen Schmutzstoffen gelangen in den Bereich der Wasserentnahme die Abgänge eines Privatspitals, wo auch Typhusfälle behandelt werden, ferner einiger öffentlicher Abtritte, der Schiffsabtritte und endlich die Abgänge mehrerer Waschanstalten, wo auch u. A. Wäsche von Typhuskranken direct im Flusse gewaschen wird. Die Entnahme des Wassers erfolgt direct, ohne Filtration oder sonstige Reinigung. Die Consumenten dieses Wassers erkrankten nun ganz besonders.

Diese Januar 1884-Epidemie geht nach V. von einer Hausepidemie aus, die im November 1883 herrschte und 21 Personen ergriff und diese wieder von einer Cloakeneinsickerung in einen Brunnen. Von derselben Cloake drang nun auch das reichlich gelieferte Typhusgift durch den an der betreffenden Stelle sehr durchlässigen Boden in das See- bezw. Rhônewasser und kam so in die Trinkwasserleitung.

Pfeiffer (9) erörtert die Frage: wo finden sich bei uns die zum Wachsthum des Commabacillus ausserhalb des menschlichen Körpers nöthigen Bedingungen und wo findet sich speciell das von Koch angegebene Temperaturminimum von 16° C.? Ein geeignetes Nährmaterial von der genannten Temperatur und ohne Concurrenz der Fäulniss, welcher die Commas bald erliegen, kann unter einer unabsehbaren Reihe von Combinationen geboten sein, wozu übrigens Bodenwasser wegen der zu niedrigen Temperatur und Flusswasser wegen des Mangels an Nährstoff nicht gehören. Dagegen befinden sich die oberflächlichen Bodenschichten im Hochsommer häufig und lange Zeit in einem für weiteres Wachsthum etwa hineingelangter Commas sehr geeignetem Zustande, namentlich soweit die Temperatur in Betracht kommt; im Juni, Juli, August beträgt die Temperatur der oberflächlichen, nicht tiefer als 0,40 m liegenden Schichten über 16° C. Vorübergehende Temperaturerhebungen über 16° C., welche aber bei dem raschen Wachsthum der Cholerabacillen immerhin ein massenhaftes Vermehren bewirken können, kommen namentlich in den alleroberflächlichsten Schichten, welche in ihren Temperaturschwankungen denen der Luft innerhalb weniger Stunden folgen, zu verschiedenen Zeiten vor und kann bei der Widerstandsfähigkeit der Commabacillen gegen niedere Temperaturen von erheblichem

Einfluss auf die Steigerung von Epidemien sein. Auch die Grundwasserschwankungen können von Einfluss auf die Temperatur der oberflächlichen Bodenschichten sein — beim Steigen dieselben abkühlen —, wenn der Grundwasserspiegel bis in ihre Nähe reicht. Pfeiffer hält seine im Jahre 1872 ausgesprochene Ansicht über den Zusammenhang zwischen Boden und Cholera im Wesentlichen aufrecht unter folgender Fassung: „Die Acme der Choleraepidemien bei uns fällt in die Zeit oder kurz nach der Zeit, in welcher die Bodenwärme in den obersten Schichten mehr als 16 ° C. beträgt. Die Cholera nimmt ab nach dem Sinken dieser Temperatur in den obersten Erdschichten; sie fehlt bei einer Temperatur unter 5—7 ° C. in 0—0,5 m Tiefe im Boden.“

Das am 2. Juli 1884 von Proust (10) der genannten Gesellschaft vorgelegte und von derselben genehmigte Choleraregulativ ist insofern von Interesse, als dasselbe die Ansichten einer Reihe der hervorragendsten Hygieniker Frankreichs über die Ursache und Verbreitung der Cholera sowie über Schutzmassregeln gegen diese Infectionskrankheit wiederspiegelt.

Die individuelle Hygiene oder Prophylaxe besteht nach demselben in psychischer Ruhe und Frische, Vermeidung von Excessen irgend welcher Art, Vermeidung von Erkältungen, „insbesondere während des Nachts durch offene Fenster“ und andere Umstände. „Der Gebrauch von Wasser schlechter Qualität ist eine der gewöhnlichsten Ursachen der Cholera.“ Am besten wird Wasser nur gekocht, ohne oder besser mit geeigneten Zusätzen genossen; Filtration des Wassers durch Kohle ist empfehlenswerth, gute natürliche Mineralwasser sind besonders zweckmässig. Den Bäckern ist die Herstellung des Brodes unter Verwendung von Wasser aus Brunnen, in deren Nähe Abtrittgruben oder Düngerhaufen sich befinden, zu untersagen. Die Vorschriften über Genuss von Obst, Gemüsen, Alcoholica, Eis, lauten wie überall. — Da die Cholera am häufigsten sich von dem Erbrochenen und den Stühlen Cholerakranker aus verbreitet, so müssen diese Massen sofort desinficirt und aus dem Krankenzimmer entfernt werden. Die Desinfection derselben besteht am besten durch Versetzen mit Kupfervitriol, in Ermangelung dessen von Chlorkalk oder Chlorzink und zwar in der Menge: ein grosses Glas 5procentiger Kupferlösung für jeden Stuhl oder auf je einen Liter der flüssigen Massen; hierfür können 80 g trockenen Chlorkalks, oder 1 pCt. Chlorzink genommen werden. — Carbol und Eisenvitriol gelten als unzulänglich. (Eine weitere Vorsichtsmassregel gegenüber den Dejectionen ist nicht angegeben). — Leib- und Bettwäsche, welche mit Dejectionen besudelt sind, werden in 1proc. Kupferlösung getaucht und ausgerungen, feucht in die Wäsche gegeben, daselbst aber sofort vor den gewöhnlichen Proceduren gekocht. Kleider werden entweder in Desinfectionskammern (mit trockener Luft von ca. 110° C.) oder durch Imprägniren mit schwefliger Säure (30 g Schwefelblumen pro cbm Raum) desinficirt. „Der Schwefel wird in eine Schüssel gebracht, welche ihrerseits in einer zur Hälfte mit feuchtem Sand gefüllten Schale steht; nach Anzünden des Schwefels (wie?) muss der Raum schleunigst (rapidement) verlassen und darf erst nach 24 Stunden betreten werden. — Werthlose Stücke werden verbrannt. Der beschmutzte Boden ist mit 5proc. Kupferlösung abzureiben. Die gebrauchten Lappen zu verbrennen. — Das Bettzeug der Kranken ist durch Unterlagen von Theer- (gondronné) oder Zeitungspapier thunlichst vor Verunreinung zu schützen; das Papier zu verbrennen. — Beschmutzte Matrazen sind zunächst durch Abreiben mit Lappen u. dergl. und 1proc. Kupferlösung zu reinigen, dann durch heisse Luft (110°) zu desinficiren. In Ermangelung geeigneter Desinfectionskammern ist schweflige Säure (mindestens 30 g Schwefel per cbm) anzuwenden.

Zweimal täglich werden in den Häusern mit Cholera die Abtrittschüsseln mit 2 Liter 5proc. Kupferlösung (oder einer Suspension von 150 g Chlorkalk in Wasser) begossen. (Abzugscanäle und sonstige Stapelplätze von Schmutzstoffen werden in ähnlicher Weise durch Kupfervitriol desinficirt.)

Die öffentliche Hygiene begegnet der Ansammlung von Menschen, der Aufhäufung von Schmutzstellen im Bereich der Wohnungen und in den Canälen. Entleeren von Abtritten und dergl. ist nur durch geschlossene Tonnen, welche mit Dampf arbeiten und deren Gasabzüge durch Feuer gehen, statthaft. — Erkrankungsfälle sind anzuzeigen. Cholerakranke in Hôtels oder Garnis müssen in geeignete Specialkrankenhäuser gebracht werden. Verbleib im Miethhause ist zulässig, wenn eine Isolirung ohne Gefährdung der Nachbarn möglich ist. — Kranke, welche mit Gesunden ein gemeinsames Zimmer haben müssen, sind zu evacuiren. Cholerawäsche darf an öffentlichen Waschplätzen nicht mit anderer Wäsche zusammengebracht werden. — Cholerahäuser sind polizeilich zu überwachen, die Desinfection durch Angestellte zu besorgen. Zur Ermöglichung der gründlichen Desinfection sind die Bewohner eines inficirten Hauses 24 Stunden anderwärts unterzubringen. Desinfectionsmittel sind von der Behörde gratis zu liefern. Besondere Fuhrwerke, welche jeden Tag desinficirt werden, besorgen den Krankentransport. In allgemeinen Hospitälern sind getrennte Localitäten zur sofortigen Aufnahme einzurichten, ferner eigene Choleraspitäler oder -Baracken.

Dem Glauben an die Schutzkraft des Kupfers gegen Cholera und an die Immunität der Kupferarbeiter für Cholera tritt Chaumery (11) mit folgender Beobachtung entgegen: In Kairo befindet sich ein Bazar (Khan Khabil) aus einem Complexe sehr dicht gruppirter Häuser bestehend, in welchem eine kleine Strasse ausschliesslich von Kupferarbeitern (Graveure und Ciseleure) bewohnt wird. Von den 300—400 Arbeitern erkrankten etliche 30 an Cholera und starben 13—14.

Freire und Rebourgeon (12) finden im Blute von Gelbfieberkranken und Gestorbenen neben ganz kleinen Micrococcen Zellen von der Grösse einer Epithelzelle, von schwärzlicher Farbe, welche zerreissen und diese kleinen Micrococcen austreten lassen, endlich Zwischenformen zwischen denselben und den grossen Zellen. In geeigneter Culturbouillon durchlaufen die Micrococcen bei einer Temperatur von 38 bis 39 ° diese Entwickelungsformen in einigen Stunden. Die Reste der braunen Zellen, welche sich aus der Nahrflüssigkeit absetzen, stellen eine Ptomaïne dar. — Es gelang (wie?), die Culturflüssigkeit in eine gutartige Impfflüssigkeit umzuändern, mit welcher innerhalb vier Monaten 400 Menschen geimpft wurden. Die Geimpften erkrankten unter den Erscheinungen eines leichten Fiebers, genasen aber alle spätestens innerhalb drei Tagen. Das Blut der Geimpften zeigte denselben Microbenbefund; aber die Zellenreste bildeten keine Ptomaïne. Die geimpften Menschen zeigten eine vollständige Immunität, ebenso blieben geimpfte Thiere in den stark inficirten Laboratorien gesund, während frisch gekaufte und nicht geimpfte in denselben spontan nach einigen Stunden starben.

Drouineau (15) verlangt im Sinne der Bekämpfung der Syphilis eine bessere Fürsorge für syphilitische Männer, welchen sociale oder financielle Gründe rechtzeitige Hülfe oft erschweren, oder die Versuchung nahe tritt, sich curpfuschenden Arzneihändlern und Apothekern anzuvertrauen; speciell: dass Vorgesetzte ihre Untergebenen, die syphilitisch erkranken, nicht rigorös behandeln, dass die verschiedenartigen Unterstützungsfonds Syphilitische nicht übergehen, dass der Curpfuscherei der Apotheker gegenüber die Gesetze strenger gehandhabt werden; sodann, dass für unentgeltliche Behandlung Syphilitischer in guten Ambulatorien, und für Verpflegung in Hospitälern durch genügend grosse Specialhospitäler in grösseren Städten, oder Abtheilungen der Krankenhäuser kleinerer Städte gesorgt werde und die Aufnahme jederzeit erfolgen solle (D. rechnet pro 1000 männliche Bevölkung mindestens 2 Betten). Das Land muss endlich seine Kranken in Cantonalspitäler schicken können. Die Mittel sind, so weit nöthig, von Communen und auch vom Staate zu stellen.

[Projekt przepisów majacych na celu ograniczeni cholery w razie wybuchu takowéy w Warszawie. (Vorschlag zu Verordnungen für den Fall des Choleraausbruches in Warschau.) Gazeta Lekarska. No. 28.

Der durch die Redaction der Gazeta Lekarska ausgearbeitete Vorschlag besteht aus einem Eingange und einer Besprechung der Desinfection, der Cholerakrankenhäuser, der Krankenisolation, der Organisation des Sanitätsdienstes, der polizeilichen Aufsicht über die Nahrungsmittel, das Wasser und die Wohnungsverhältnisse und endlich des Verhaltens der einzelnen Personen zur Zeit der Choleraepidemie.

Grabowski (Krakau).]

8. Hygiene der verschiedenen Gewerbe und Beschäftigungen.

1) Lent, Zur Krankheitsstatistik der Eisenbahnbeamten. Centralbl. f. allg. Gesundheitspfl. S. 20. — 2) Burkhardt-Merian, Zur Abwehr der Schädigung des Gehörorgans durch den Lärm unserer Eisenbahnen. Correspondenzbl. für Schweizer Aerzte. S. 1 u. 137. — 3) Blaine et Napias, Sur les poussières industrielles. Annales d'hyg. XI. p. 51—60. (S. diesen Jahresber. pro 1883. I. S. 596.) — 4) Bossmann, H., Ueber die Einwirkung der Metallstaubinhalationen auf die Gesundheit. Friedreich's Blätter. S. 348. — 5) Bérard, E. P., Le soufflage mécanique du verre. Revue d'hyg. p. 407. — 6) Napias, L'hygiène professionelle des ouvrières en fleurs artificielles. Ibid. p. 1014—1018. — 7) Neumann, E. et A. Pábst, La résorcine et l'éosine, au point de vue de l'hyg. profess. Ibid. p. 1001—1013. — 8) Viry, Ch., L'hygiène des ouvriers des fabriques de crin végétal en Algérie. Ibid. p. 1018. — 9) Guermonprez, Fr., Plaies par peignes de filature. Annales d'hyg. XII p. 104—134. — 10) Arnould, Jules, La fabrication du bleu d'outremer. Ibid. XII. p. 404—423. (Findet diese Industrie für den Arbeiter wenig gefahrvoll, hält aber doch die polizeiliche Genehmigung und insbesondere die Auflage, die Abgänge an schwefliger Säure zu unterdrücken, für geboten.) — 11) Racine, Ueber das Verhältniss von Emphysem und Tuberculose zur Kohlenlunge der Bergleute. Eulenberg's Vierteljahrsschr. f. gerichtl. Med. u. öff. Sanitätsw. XL. S. 300. — 12) Coester, Zum Capitel über Arbeiterparesen. Berl. klin. Woch. No. 51. S. 816—818. — 13) Atkin, Ch., On the fibre-dressers. Lancet. 31 May. (Acneausschlag bei Arbeitern an den Extremitäten, welche häufig von dem paraffinhaltigen Oel, welches bei der Arbeit benutzt wurde, beschmutzt waren.) — 14) Hirsch, A. B., Note of a case of poisoning from Mrs. Winslow's Soothing Syrup. Philad. med. and surg Report. p. 469. (Belladonnavergiftung durch das genannte Geheimmittel.) — 15) Tuttle, James J., Cosmetics. Their constituents and general effects with a few special cases other than saturnism. The New-York medic. record. p. 257. — 16) Mayer, W., Die sanitären Zustände der Quecksilberspiegelbelegen in Fürth. Friedreich's Blätter. S. 176—201 u. 285—306.

Lent (1) hat das von 25 deutschen Eisenbahnverwaltungen gesammelte statistische Material über Erkrankungen der Eisenbahnbeamten im Jahre 1882 überarbeitet und stellt die Ergebnisse in instructiven Tabellen dar. Die Districte der verschiedenen Eisenbahnverwaltungen zeigen sehr erhebliche Differenzen in der Erkrankungshäufigkeit des Gesammtpersonals: die günstigste Ziffer die sächsische Staatseisenbahn mit 21 pCt., die ungünstigste Elsass-Lothringen mit 70 pCt. Unter den verschiedenen Categorien von Eisenbahnpersonal zeigte die höchste Erkrankungsziffer das Zugbeförderungs-Personal (Sachsen 39 pCt., Elsass-Lothringen 126 pCt., die geringste das Stations- und Expeditionspersonal mit resp. 15 und 58 pCt. Während die Differenzen der Erkrankungshäufigkeit nach der Art des Dienstes sehr wohl verständlich sind, liegen die Ursachen der Unterschiede in verschiedenen Verwaltungsdistricten noch vollständig unklar.

Burkhardt-Merian (2) giebt eine gedrängte und lebhafte Darstellung der Belästigungen und Gehörs-Schädigungen durch den Pfiff der Locomotiven, deren hoher Ton und unmässiger Gebrauch besonders verantwortlich gemacht wird. Diese Darlegung wird von dem Eisenbahnverwaltungs-Bundesrath Dr. med. Deucher mit der Zusage erwiedert, dass ein Tieferstimmen der Dampfpfeifen und thunlichste Beschränkung im Gebrauch derselben, sowie eine möglichst wenig lärmende Functionirung der Locomotiven angeordnet, dass aber die Dampfpfeife für den Eisenbahndienst unentbehrlich sei.

Bérard (5) giebt auf Grund einer Untersuchung von 57 Glasfabriken eine Uebersicht über die hygienischen Verhältnisse derselben. Eine Gruppe von Schädlichkeiten ist durch die mechanischen Appert'schen Gebläse, welche das frühere Glasblasen durch den Mund und die Respirationsorgane des Arbeiters übernehmen, beseitigt oder wenigstens vermeidbar, so die Folgen der forcirten Exspiration (verschiedene Emphyseme) und die wiederholt grössere Dimensionen annehmende Verbreitung der Syphilis. Es verbleiben aber noch eine Reihe von eigenthümlichen, mit der Gesundheit den Arbeiter collidirenden Anforderungen an denselben, so die Nothwendigkeit, den Arbeiter schon im Alter von 10 Jahren antreten zu lassen (mit 40—45 Jahren sind sie invalide) weil er bei Antreten im späteren Alter angeblich die erforderliche Geschicklichkeit nicht mehr erreicht, bezw. im Falle seiner Unbrauchbarkeit zur Glasblaserei schwer einen andern Erwerbszweig sich aneignen kann; sodann die Nothwendigkeit, die Arbeit ohne Unterbrechung fortzuführen. Um den Arbeitern einen freien Tag (Sonntag) zu ermöglichen, ist es erforderlich, den Schmelzofen bei halbem Feuer (tisage à four mort) zu halten, was für einen mittleren Ofen eine unbezahlte Auslage von 150—200 Frcs. ausmacht, eine Summe, welche im Jahre 50 mal wiederholt den ganzen financiellen Gewinn vieler Fabriken absorbiren würde.

Napias (6) macht darauf aufmerksam, dass die Arbeiten mit künstlichen Blumen noch nicht vollständig unschuldig sind, wenn dieselben auch viel von ihrer frühern Gefährlichkeit verloren haben. Wiederholt wurde bei den Arbeiterinnen, welche längere Zeit mit rothgefärbten Materialien trocken manipulirten, Coliken und Bleisäume des Zahnfleisches beobachtet. Jedoch zeigten sich diese Erscheinungen nur in einem Theil der Ateliers, während die scheinbar gleiche Art und Ausdehnung der Beschäftigung in andern ohne jeglichen Nachtheil verblieb. Die benutzte Farbe, sog. Geranium-Roth, ist ein Lack, welcher aus Eosin hergestellt wird und zwar bald mit Blei, bald mit Thonerde als Basis. Nur wenn Bleieosin verarbeitet wurde, traten die Erscheinungen der Bleivergiftung ein; Thonerdeeosin blieb stets ohne jede unangenehme Wirkung. In andern Ateliers wurden bei den Arbeiterinnen Symptome heftigen Hautreizes beobachtet: Jucken, Knötchenausschlag auf den blossgetragenen Hautstellen, Niesen; diese rührten von Eosinfarben mit starkem Brom oder N.-säuren Gehalt her (meist gelbliche Variationen des Eosin).

Aus den Blättern der Zwergpalme (Chameerops humilis), welche in Algerien überall wuchert, wird ein „vegetabilisches Rosshaar" hergestellt, indem dieselben in Büscheln an eine rotirende, aussen mit Nägeln besetzte Trommel gehalten und dadurch zerfasert werden. Bei dieser Manipulation kommt es vor, dass die Hände der Arbeiter, insbesondere der rechte Daumen und Zeigefinger, von den Nägeln gefasst und zerrissen werden. Viry (8) schlägt zum Schutze der Arbeiter geeignete Verbesserungen vor, insbesondere Ersetzen der Hände durch mechanische Zangen.

Guermonprez (9) beschreibt die Verletzungen, welche die Arbeiter beim Bedienen einer Kämmmaschine für Flachs erleiden können. Der Flachs wird zwischen zwei Reihen Kämme durchgezogen, welche aus scharfen Stahlnadel hergestellt und auf je einer rotirenden Platte so fixirt sind, dass die Zähne einander entgegen arbeiten. Wenn ein Theil des Körpers, meist die Hände, zwischen die Zähne geräth, so treten je nach der Schnelligkeit des Gangs der Maschine und je nachdem ein gröberer oder feinerer Kamm gefasst hat, verschieden gestaltete Verletzungen ein: ersteren Falls eine Serie von Stichverletzungen oder Furchen, welche die Nadeln in die Haut ziehen, letzteren Falls mehr oder weniger starke Substanzverluste, meist damit complicirt, dass abgebrochene Nadeln im Gewebe stecken bleiben. Nur selten kommt es zu schweren Zerreissungen der Weichtheile, und nur in einem Falle, in welchem eine Frau am Leibe von den Zähnen der Kämme gefasst wurde, trat der Tod ein.

Racine (11) vertritt die Ansicht, dass das Einathmen von Kohlenpartikeln eine selbständige und unter Umständen die dominirende Schädlichkeit sei, welche die so häufigen Erkrankungen der Respirationsorgane von Grubenarbeitern verursache und theilt bestimmte Beobachtungen als Beweis dafür mit, dass lediglich durch Einathmen von Luft, welche mit dem russenden Qualm von Lampen, mit Rüböl- und Petroleummischung gespeist, Lungenemphysem hervorgebracht habe. Das vermittelnde Moment bildet nach R. die theilweise Füllung von Alveolen mit Kohle und die hierdurch gegebene Nothwendigkeit dauernder forcirter Inspiration mit dauernd gesteigertem intrathoracischem negativen Druck. (Die nach Ansicht des Ref. nothwendige Unterscheidung zwischen Wirkung der Kohle in Form des Lampenqualms und in Form pulverisirter Steinkohle ist nicht hervorgehoben.) Neben dieser Entstehungsweise des Emphysems behalten die andern: gestörte Ernährung des Brustkorbes und des Lungengewebes, sowie chronische Bronchialcatarrhe ihre volle Bedeutung. Was die Häufigkeit des Emphysems anbelangt, war R. in der Lage 746 Bergleute (89 pCt. der sämmtlichen Bergleute seines Bezirks) ärztlich zu behandeln und auf Lungenemphysem zu untersuchen; er constatirte dasselbe bei 26,4 pCt. der Untersuchten, bei der Mehrzahl allerdings nur in leichtem Grade. — R. theilt ferner einen Fall von plötzlicher massenhafter schwarzer Expectoration (200 ccm) bei einem 42jährigen emphysematischen Bergmann während einer 15tägigen fieberhaften Erkrankung mit und deutet dieselbe nach den physicalischen Erscheinungen und dem microscopischen Befund des Auswurfs als entzündliche Schmelzung einer durch den Druck angehäufter Kohlenmassen necrotischen Lungenpartie.

Die Häufigkeit ächter Tuberculose (mit Ausschluss chronisch-pneumonischer und interstitieller Processe nicht specifischer Art) sucht R. durch genaue Untersuchung der Sputa auf Bacillen festzustellen. Er untersuchte die Sputa der schwerstlungenleidenden Bergleute resp. von 12 wegen Emphysem Invaliden und 30 noch mehr oder weniger arbeitsfähigen aber an ausgesprochenem Emphysem und Bronchialcatarrh leidenden Bergleuten. Nur bei Einem fanden sich Bacillen. Dieser einzelne zeigte aber auch die physicalischen Erscheinungen der Cavernenbildung im rechten obern Lungenlappen. Die übrige Bevölkerung des Districts, namentlich auch die Frauen der Bergleute leiden nicht selten an Tuberculose. Es muss deshalb die Tuberculose bei Kohlenbergwerkarbeitern für besonders selten erklärt, und der Kohle eine geradezu desinficirende Wirkung zugeschrieben werden.

Cöster (12) hat bei den Wickelmacherinnen in Cigarrenfabriken neurotische Störungen beobachtet, welche von der eigenthümlichen Art der Arbeit herrühren. Die Arbeit besteht wesentlich in einem mässig aber gleich-festen Zusammenpressen der Tabacksblätter zwischen den Fingern, nimmt also insbesondere die Hand-, dann die Vorderarmmuskeln, endlich aber auch die Oberarmmuskeln in Anspruch, da die Arme meist in Schwebe gehalten werden müssen. Die Neurose beginnt mit Müdigkeit und Steifheit in den Schultern und Armen, dann Schmerzen insbesondere Brennen in der ganzen obern Extremität, meist stärker rechts, Schwerbeweglichkeit und geringere Leistungsfähigkeit in der Arbeit; endlich Abmagerung der Interossei digit., Abflachen des Daumen- und Kleinfingerballens; Empfindlichkeit gegen Stiche wenig verändert, dagegen die Muskelerregbarkeit auf den inducirten Strom erheblich herabgesetzt.

Tuttle (15) beklagt den unmässigen Gebrauch von Cosmetica und theilt u. A. den Gehalt derselben an Metallen mit. Von 16 offenbar renommirten Pulvern, Waschwassern und Schminken enthielten 3 Sublimat, 1 Calomel, 4 Blei, 6 Zink und 2 Wismuth. Ein in der eleganten Damenwelt gesuchter „Gourand's Oriental-Cream" enthielt in der für einmaligen Gebrauch erforderlichen Menge 0,2—0,5 g (?) Sublimat. T. ist der Ansicht, dass nicht nur das gefürchtete Blei, sondern auch alle andern Metalle nachtheilig und ihre Wirkung nur graduell verschieden seien. „Dyspepsie, Nausea, Verstopfung oder Diarrhoen, Colik, Abzehrung, Tremor, Lähmung und Geistesschwäche können durch den Gebrauch solcher Präparate entstehen."

Die „im Auftrage und mit Hilfe des ärztlichen Bezirksvereins Fürth von W. Mayer (16) bearbeitete" Darlegung der sanitären Zustände der Quecksilber-Spiegelbelegen in Fürth ist eine der bayerischen Regierung in der Absicht eingereichte Denkschrift, durch eine möglichst zutreffende Klarstellung des Sachverhalts das Interesse weiterer Kreise und insbesondere der Staatsbehörden wiederum auf diese wegen ihrer besonderen Gesundheitsgefährlichkeit schon oft verhandelte Industrie zu lenken und hierdurch Abhülfe zu erwirken. Dementsprechend geht die Arbeit vielfach auf locale Verhältnisse, sowie auf die Gesundheitspflege der Arbeiter durch Ordnung und Sicherung ihres Unterstützungs- und Krankenwesens ein, enthält aber eine Reihe thatsächlicher Mittheilungen von allgemeinerer Bedeutung, insbesondere über die Häufigkeit der Quecksilbererkrankungen in Fürth. Diese wurde durch freiwillige statistische Beiträge der Aerzte und durch andere Erhebungen Fall für Fall gesammelt und so eine nicht anfechtbare Minimalzahl von Erkrankungen festgestellt. Im Ganzen wurden auf diese Weise 192 Quecksilberkranke verzeichnet, davon in den letzten 5 Jahren 123, und hiervon wieder jetzt (Herbst 1883) 20 Männer und 22 Frauen in Belegen arbeitend. Diese Zahlen bleiben hinter der wirklichen Erkrankungshäufigkeit offenbar erheblich zurück; viele Kranke wurden überhaupt nicht ärztlich behandelt, viele verzogen und; mannigfache Interessen wiederstrebten den ärztlichen Intentionen. Eine zahlenmässige Morbiditätsstatistik ist demnach unmöglich. Der ärztliche Verein Fürth spricht aber die Ueberzeugung aus, dass fast alle Belegarbeiter, die nicht nur vorübergehend dieses Geschäft treiben, mercurialkrank, und dass Ausnahmen von dieser Regel, wenn sie überhaupt existiren, verschwindend klein seien. Die meist constatirte Form des Mercurialismus ist Tremor, sodann Stomatitis, Erethismus, Merc. Cachexie. Todesfälle durch Mercurialismus sind aus den Sterbfallstatistiken nicht zu entnehmen, weil die hierzu erforderlichen Einträge nicht vorgesehen sind. Bei den Arbeiten in den Belegen ist ausser Gefährdung durch Mercur auch die durch Kohlenoxydgas vorhanden, da Kohlenpfannen primitivster Art in häufigem Gebrauch stehen; ebenso Erkältungen wegen Nichtheizbarkeit der Belegräume. Nach der Denkschrift sind die hygienischen Missstände in den Belegen extremer Natur und auch solche, welche ohne erheblichen Aufwand oder ohne Eingriffe in die Industrie beseitigt werden könnten, in voller Blüthe. Es scheint sogar, dass im letzten Decennium die practische Hygiene der Beleger entschiedene Rückschritte gemacht habe. Die Vorschläge und Forderungen der Aerzte zielen neben einer passenden Diätetik des einzelnen Arbeiters und Durchführung einfacher baulicher und geschäftlicher Maassregeln. ab auf: geordnete Beaufsichtigung der Belegräume und Arbeiter durch staatlich autorisirte Aerzte, welche den Communalbehörden und den mercantilen Elementen gegenüber das gesundheitliche Interesse der Arbeiter zu wahren und die Arbeiter zu überwachen in der Lage sind; Reduction der Arbeitszeit in den Belegen (in Fürth scheinen in dieser Beziehung ganz besonders schlimme Verhältnisse zu herrschen); Unterstellung der Belegen unter den § 16 der Gewerbeordnung, resp. unter die concessionsbedürftigen Gewerbe.

9. Gemeinnützige Anstalten.

1) Baumeister, Die neueren amtlichen Kundgebungen in der Schulhygiene. Vierteljahrsschr. für öffentl. Ges.-Pfl. XVI. S. 575—583. (Fortsetzung S. diesen Bericht für 1883. I S. 599.) — 2) Denkschrift über die Ueberbürdungsfrage vom ärztlichen Verein zu Bochum. Juli 1883. Centralbl. f. allgem. Ges.-Pfl. S. 270 — 3) Die Ueberbürdung der Schüler in den höheren Lehranstalten. Gutachten der Königl. wissenschaftl. Deputation für das Medicinalwesen. Referenten Virchow und Westphal. Datirt v. 19 Decbr. 1883. Eulenberg's Vierteljahrsschr. XL. S. 351—378. — 4) Auer, L, Die Ueberbürdung der Schüler. Friedreich's Blätter. S. 1. (Ein Vortrag.) — 5) Martin, Johnson, Injury from healts from the present system of public education. British medic. journ. p. 311 bis 312. (Für Herabsetzung der Lernzeit und des Lernstoffs insbes. bei der arbeitenden Klasse.) — 6) Cameron, C. A., On the hygiene of Jrish national schools. Dublin journal of med. sc. p. 120—129. — 7) Forster, Einige Grundbedingungen für eine gute Tagesbeleuchtung in den Schulsälen. Vierteljahrsschr. für öffentl. Ges.-Pfl. XVI. S. 417—424. — 8) Cohn, H., Tageslichtmessungen in Schulen. Vorl. Mitth. Deutsche med. Wochenschr. No. 38. — 9) Willy, Ch. Neuchatel, Hygiène de la vue dans nos écoles. Diss. inaug. — 10) Sexton, Samuel, On the necessity of providing for the better education of children with defective hearing in the public schools. The New-York med.

record. p. 675—679. — 11) Dalby, W. B., Education of incurably deaf children. British med. journ. p. 66. — 12) Staffel, F., Die Hygiene des Sitzens. Centralblatt f. allgem. Ges.-Pfl. S. 403—421. — 13) Schubert, Ueber den heutigen Stand der Schiefschriftfrage. Berl. klin. Wochenschr. S. 700—704; 718—721. — 14) Staffel, Die Currentschrift. Centralbl. für allg. Ges.-Pfl. S. 43—56. — 15) Bitter, Ueber Vorsichtsmassregeln beim Turnunterricht der weiblichen Schuljugend. Eulenberg's Vierteljahrsschr. XLI p. 100 bis 110. — 16) Schmidt, F. A., Die Reform der körperlichen Uebungen an unseren Schulen. Centralbl. f. allgem. Ges.-Pfl. S. 235—243. — 17) Knoll, W., Die Schulen der Stadt Mühlheim a. Rh. Centralbl. für allgem. Ges.-Pfl. S. 243—267. — 18) Galippe, Note sur l'éxamen de la bouche et de l'appareil dentaire dans les établissements consacrés à l'instruction publique. Ann. d'hyg. XI. p. 29—46. — 19) Pelmann, Ueber Trinkerasyle. Centralbl. f. allg. Ges.-Pfl. S. 57—68. — 20) Blanche, Rapport sur les projets de reforme relatifs à la législation sur les aliénés. Bull de l'acad. de méd. p. 133—402. — 21) Müller, J. P., Das neue städtische Hospital zu Antwerpen. Centralbl. für allgem. Ges.-Pfl. S. 1—16. — 22) Baer, A., Nach welchen Grundsätzen ist die Beköstigung der Gefangenen vom gesundheitlichen und strafrechtlichen Gesichtspunkte aus einzurichten. Eulenberg's Vierteljahrsschr. XLI S. 111—125; 309—322.

Die Denkschrift (2) constatirt zunächst die Thatsache der Ueberbürdung und berichtigt den von Seite übereifriger Bewunderer der Schule gemachten Einwurf, dass an einer etwaigen Ueberbürdung die Schule viel weniger Schuld trage, als die häusliche Erziehung mit ihren oft überflüssigen und dem jugendlichen Alter wenig entsprechenden Anforderungen.

In der These I wird zur Berechtigung des Eintrittes in die Volksschule das vollendete 7., in die höheren Lehranstalten das 10. Lebensjahr verlangt; dass Kinder schon im 6. bezw. 9. Lebensjahre eintreten ist nicht ausgeschlossen, aber als Ausnahme zu behandeln. Der Grund für die Forderung ist die erheblich grössere Leistungsfähigkeit der auch nur je 1 Jahr älteren Kinder und die Möglichkeit, die Kinder möglichst lange in ihrem natürlichsten Entwicklungskreise, der Familie, zu belassen. Wo letztere eine Entlastung von der Anwesenheit der Kinder nothwendig oder wünschenswerth machen, haben die möglichst bald obligatorisch einzuführenden Kindergärten einzutreten. Der spätere Eintritt in die höheren Schulen ist insbesondere auch durch die Nothwendigkeit geboten, die Schüler mit einem reicheren Maass solider Elementarkenntnisse als bisher auszustatten, bevor sie die gelehrten Schulen betreten.

Nach These II muss in den drei unteren Klassen der höheren Schulen, welche das 11., 12. und 13. Lebensjahr umfassen, der abstracte Unterricht in Sprache und Geschichte möglichst vermieden und möglichst viel Anschauungsunterricht geboten werden. In den mittleren Klassen — 14., 15. und 16. Lebensjahr — erfordert die Pubertätsentwicklung eine besondere Rücksicht, namentlich Förderung und Begünstigung der Bewegung im Freien mit angemessenen Leibesübungen, abstracte Unterrichtsweisen sind immer noch zu beschränken und die Unterrichtsmethoden möglichst leicht fassbar und einfach zu wählen. Memoriren ist kräftig zu üben zur Stärkung des Gedächtnisses und zur Sammlung geistigen Materials; für dieses Alter sind Gedächtnissarbeiten viel leichter als für jedes andere und darum besonders geeignet. Unterrichtsgegenstände. welche auf das Gemüthsleben einzuwirken vermögen. sind besonders zu pflegen: Geschichte und Literatur, namentlich vaterländische, in einer die Jugend fesselnden Form (diese letzteren Fächer müssen namentlich in Mädchenschulen berücksichtigt werden. da sie hiermit abschliessen). Singen ist mehr als Volksgesang, nicht als kunstmässiges zu pflegen. Naturgeschichtliche Gegenstände pflegen bei einigermassen geschickter Behandlung diese Altersclassen beiderlei Geschlechts sehr zu interessiren. Richtige Anschauung der einfachsten physicalischen und chemischen Vorgänge sind auch von positivem Werthe, namentlich für das weibliche Geschlecht. Beim Unterricht ist übrigens die Erweckung des Sinnes für Natur und die Anleitung zur eigenen Beobachtung viel wichtiger als die formelle Bewältigung des Lernstoffes der Lehrbücher. Die ersten Versuche eigener Beobachtung in Form von Sammlungen von Mineralien, Pflanzen und Thiere sind als nützliche Unterhaltung thunlichst zu unterstützen und besonders geeignet, dem Missbrauch der Freistunden vorzubeugen. Die drei oberen Klassen der höheren Schulen nehmen das 17., 18. und 19. Lebensjahr auf, in welchem die Geschlechtsreife erreicht. der Körper nahezu ausgewachsen ist. Jetzt ist die Zeit gekommen, in welcher der Geist, in den mittleren Klassen vorgebildet und mit reichem und sicherem Formenmaterial ausgestattet, in diesen Formen zu ordnen und sichten lernt. Der Mathematik in ihren abstracten Formeln und Gesetzen, der systematischen Beschäftigung mit Geschichte und Literatur, der streng grammatikalischen Behandlung der Mutter- und fremden Sprachen ist nunmehr gebührend Raum zu geben und dabei ernstliche und selbst erhebliche geistige Anstrengung am Platze.

These III lautet: Der Schüler soll in der Schule lernen und üben, die häusliche Arbeit nur soweit gefordert werden, als zum Wecken der selbstständigen Initiative des Lernens, zur Befestigung des Erlernten und zur Uebung des Gedächtnisses nöthig ist. Dem selbstständigen Neben-Beschäftigungen mit Disciplinen, zu denen der Schüler durch Talent und Neigung sich vollständig hingezogen fühlt, wie Musik, Zeichnen, Lecture u. s. w., muss Raum und Zeit gelassen werden. Deshalb ist es nothwendig, dass die Lehrer nicht in erster Reihe Gelehrte, sondern theoretisch und practisch geübte Pädagogen sind.

These IV betont die Verpflichtung der Schule, das leibliche Wohl der Kinder zu fördern. Hierzu gehört vor Allem ein guter Turnunterricht. Ein solcher kann nicht auf wenige (2) Stunden der Woche zusammengedrängt. er muss täglich gegeben werden und durch Zugabe von Spielen, kleinen Märschen, gemeinsamem Schwimmen, Schlittschuhlaufen u. dergl. nicht nur die harmonische Ausbildung des Körpers erzielen, sondern auch eine Erholung von geistiger

Arbeit darbieten. Sodann die Unterrichtspausen: am besten 15 Minuten zwischen zwei Arbeitsstunden. Während letzterer ist eine grössere Freiheit im Wechsel der Körperhaltung zwischen Sitzen und Stehen, je nach dem individuellen Bedürfnisse des Schülers. zu gestatten, als fast allgemein üblich. Die hygienischen Verhältnisse der Schule bezüglich baulicher Einrichtung, Heizung und Ventilation, Subsellien u. A. sind unter specialärztliche fortlaufende Controle zu stellen, da gelegentliche Besichtigungen durch nicht besonders vorgebildete Aerzte erfahrungsgemäss nicht genügen.

Das Gutachten der kg. wissensch. Deputation (3) präcisirt zunächst die von dem kg. Ministerium an dieselbe gestellte Frage in der Ueberbürdungsfrage in einer der Wissenschaft und Erfahrung entsprechenden Fassung: „Ist eine. sei es dem Maasse, sei es der Zeit nach excessive Arbeit gewisser Körperorgane der Schüler, ganz besonders des Gehirns durch Verschulden der Schule vorhanden und bejahenden Falls, wie ist derselben vorzubeugen."

Nach Ansicht der Ref. der Deputation fehlen zur Zeit die Unterlagen für ein wissenschftliches Gutachten über die Ausdehnung einer Ueberbürdung der Schüler der höheren Lehranstalten, insbesondere eine brauchbare, d. h. objective, genügend lange und umfassend durchgeführte Aufzeichnung der Schülerzahl, bei welcher Ueberbürdung wirklich nachweisbar gewesen ist. Als Objecte dieser Statistik müssten die mittelbegabten Schüler. welche die Mehrzahl bilden, dienen. Eine solche erscheint erreichbar, wenn wenigstens eine Anzahl zweckmässig ausgewählter Anstalten unter Mitwirkung geeigneter Aerzte bearbeitet würde. Die bis jetzt angeführten comparativen Statistiken, d. h. der Vergleich von Schädigungen an Gesundheit und Leben bei Schülern der höheren Lehranstalten mit denen junger Leute anderer Categorien, sind nur mit allem Vorbehalt zu verwerthen. theils wegen der mangelnden aber unerlässlichen Individualisirung der Fälle, theils wegen der geringen absoluten Zahl dieser. Die comparativen Statistiken erstrecken sich: 1) auf das Verhältniss der zum Militairdienst untauglich befundenen Schüler. Nach den Zusammenstellungen der obersten Militairbehörden wurden in den Jahren 1877 bis 1881 47,054 Berechtigungsscheine zum Einjährigfreiwilligen-Dienst ausgestellt; von diesen Berechtigten sind 21,236 eingestellt. Die hieraus resultirenden 55 pCt. Untauglicher bedürfen einer Berichtigung, indem die Zöglinge der Cadettenanstalten, welche ebenfalls den Lehrplan der höheren Schulen durchmachen, und die kraft Dispens nicht Dienenden abzurechnen wären. Der Procentsatz der nicht eingestellten Zöglinge höherer Lehranstalten beziffert sich dann auf weniger als 54, während von den untersuchten Altersgenossen anderer Categorien 45—50 pCt. für zeitlich oder dauernd untauglich befunden werden. Diese grosse Statistik, sowie zahlreiche statistische Mittheilungen einzelner Anstalten widersprechen der von Finkelnburg (Vierteljahrsschr. für öffentl. Gesundheitspfl. 1878) auf Grund einer Uebersicht des kg. statistischen Bureaus gemachten und anderwärts adoptirten Annahme, dass mindestens 80 pCt. der zum Einjährigendienst berechtigten jungen Männer physisch unbrauchbar seien, und lassen nicht annehmen, dass die Schulen eine bedenklich hohe Zahl von Schwächlingen liefern. 2) Der Selbstmord unter den Schülern. Nach den Zusammenstellungen der statist. Bureaus ist in den Jahren 1869—1881 die relative Zahl der männlichen Selbstmörder überhaupt genau in demselben Maasse gestiegen (100 : 157,53) wie die der Selbstmorde vom 10. bis 20. Jahre (100 : 157,57). Die absoluten Zahlen der letzteren Categorie sind 165 zu 260 im Jahre. Da die Zahl der Schüler höherer Lehranstalten viel rascher steigt, als die der Gesammtbevölkerung, so ist auf Grund der mitgetheilten Zahlen eher auf eine Ab- als Zunahme des Selbstmordes unter Schülern zu schliessen. Von sämmtlichen in die Jahre 1869—1881 fallenden Selbstmorden männlicher Individuen im Alter von 10 bis 20 Jahren wird für 158 p. M. Geisteskrankheit. in 207 p. M. „Reue, Scham, Gewissensbisse" als Ursache angegeben. 3) Die Geisteskrankheit unter den Schülern. Statistisch nachgewiesen ist, dass bei männlichen Individuen von 10—15 Jahren Geisteskrankheit häufiger auftritt. als bei gleich alten weiblichen, dass aber für die Altersklasse von 15—20 das umgekehrte Verhältniss bedeutend überwiegt. So ist es erklärlich, dass für 1000 jugendliche Selbstmörder 158 Fälle von Geisteskrankheit, für 1000 Selbstmörderinnen 172,7 entfallen, ein Verhältniss, welches nicht für ein Mitverschulden der Schulüberbürdung spricht. — Veranlasst durch die Schrift von Dr. Hasse (Ueber die Ueberbürdung der Schüler mit häuslichen Arbeiten) hat das Ministerium an eine Anzahl von Vorständen von Irrenanstalten Anfragen gerichtet, ob und in wie weit die Schulüberbürdung als Ursache von Geisteskrankheiten. event. der zunehmenden Häufigkeit derselben, zu erkennen sei. Von 17 eingegangenen Berichten fielen 15 verneinend aus, ein Director bejaht dieselbe ohne Fälle aus seiner Anstalt anführen zu können, einer hat zur Zeit des Berichtes 3 Gymnasiasten in seiner Anstalt, deren Erkrankung wegen oder unter Mitwirkung der Ueberbürdung mindestens nicht ausgesprochen ist. Was die Behauptungen Dr. Hasse's anbelangt, so ist für keinen der von ihm als Beleg angeführten 7 Fälle Ueberanstrengung in der Schule als ursächliches oder nur als äusseres veranlassendes Moment nachgewiesen. 4) Kurzsichtigkeit der Schüler. Wenn auch die Statistiken über Myopie noch keineswegs in erforderlicher Vollständigkeit und Sorgfalt gemacht sind, so ist doch die Thatsache von schwerer Bedeutung. dass noch nirgends eine augenärztliche Untersuchung der Schüler einer höheren Lehranstalt stattgefunden hat, ohne dass ein hohes Procentverhältniss von Myopischen gefunden wäre. Bei sorgfältiger Prüfung der zahlreichen Publicationen über diesen Gegenstand, namentlich von Seite der Augenärzte, bei aller Würdigung der hereditären Einflüsse ist daran nicht zu zweifeln, dass die Zahl der myopischen Schüler der höheren Lehranstalten grösser ist und schneller anwächst, als in den parallelen Altersklassen derselben Bevölkerung. dass in dem Unterricht die ersten und meisten Bedingungen für Ausbildung und Ausbreitung der Kurzsichtigkeit liegen. 5) Congestionen zum Kopf, Kopfwehe, Nasenbluten. Die ursächlichen Beziehungen der Schule zu diesen Erscheinungen sind selten genauer geprüft. Versuche einer zahlenmässigen Feststellung nur in geringer Anzahl gemacht worden und auch mit besonderen Schwierigkeiten verbunden. Jene Symptome verdienen aber trotzdem volle Berücksichtigung. Jeder Arzt, der die Gelegenheit wahrnimmt, in den seiner Sorge anvertrauten Familien die Schulkinder zu beobachten, hat nur zu oft Gelegenheit, die Folgen der Ueberanstrengung in congestiven Zuständen des Kopfes zu erkennen. 6) Allgemeine Schwächezustände. Mannigfache, nach der heutigen ärztlichen Terminologie als Ausdruck der Anämie zu bezeichnende Allgemeinerscheinungen sind ebenso häufig, als schwierig zu präcisiren. Bei aller Anerkennung des Verständnisses umsichtiger Schulmänner ist doch eine grössere und namentlich durch Mitwirkung von Aerzten geschärfte Aufmerksamkeit auf diesen Punkt zu fordern. Wenn auch vielleicht nicht ganz zu vermeiden und theilweise den ungünstigen hygienischen Zuständen der Schulräume namentlich bezüglich der Luftbeschaffenheit zur Last fallend, trägt daran die zu wenig geübte Individualisirung der Leistungsfähigkeit der einzelnen Schüler unverkennbare Schuld.

Die gutachtliche Aeusserung über die einzelnen Momente einer Ueberbürdung kann in exacter Form erst dann ertheilt werden, wenn es möglich werden sollte, in den Schulen eine zuverlässige ärztliche Controlle der pädagogischen in geeigneter Weise hinzuzugesellen.

Die zum Schutze der Gesundheit zu ergreifenden Massregeln sind: 1) die Ueberfüllung der einzelnen Schulklassen ist wegen der vielfachen und unzweifelhaften nachtheiligen Wirkung in erster Linie zu rügen. Eine Prüfung des Sachverhaltes hat ergeben, dass die in Preussen für zulässig erklärte Maximalzahl von 50 für VI und V, 40 für IV und III, 30 für II und I in mindestens zwei Klassen jeder Anstalt überschritten wurde: von 251 Gymnasien in 104 (55,75 pCt.), 38 Progymnasien 6 (15,73 pCt.), 105 Realschulen I. und II. Klasse 53 (50,57 pCt.), 104 höheren Bürgerschulen 16 (15,38 pCt.) in einem 3jährigen Mittel sämmtlicher höherer Lehranstalten Preussens mit 24,1 pCt. Hiernach ergiebt sich als erste Aufgabe der Unterrichtsverwaltung, durch Beschaffung neuer Räume die dringlichsten Gefahren für die Gesundheit der den Anstalten anvertrauten Schüler zu beseitigen. Empfehlenswerth scheint die Maximalzahl auch in den unteren Klassen herabzusetzen.

2) Der Mangel genügender Fürsorge in den unteren Klassen ist wegen der in dem Alter bis 11 Jahren sehr leicht eintretenden Gesundheitschädigungen besonders wichtig und müssen alle Vorsichtsmassregeln zum Schutze dieser Altersklassen mit besonderer Sorgfalt gewählt und streng überwacht werden. Der anderwärts gestellte Antrag, den Eintritt in VI des Gymnasiums nicht vor vollendetem 10. Jahre zu gestatten, wird ärztlicherseits befürwortet.

3) Die Erholungspausen zwischen den Lehrstunden scheinen am zweckmässigsten so einzurichten, dass ein Unterschied zwischen den oberen und mittleren Klassen einerseits und den unteren und Vorschulklassen andererseits gemacht wird. Für Schulen, in welchen sämmtliche Unterrichtsstunden vor Mittag abgehalten werden, eine Einrichtung, welche nur unter besonderen Umständen für grosse Städte gestattet sein sollte, dürften für die unteren Klassen täglich 30—40 Minuten Pause, für die höheren 25—30 Minuten genügen. Wo dagegen der Nachmittagsunterricht fortbesteht und der Vormittagsunterricht sich auf 3—4 Stunden beschränkt, würden für den Nachmittag je 5 Minuten ausreichen, für den Vormittag 15 Minuten Hauptpause bei vier Stunden Unterricht, 10 Minuten bei 3 Stunden und im übrigen je 5 Minuten. Diese Minimalzahlen gelten aber nur unter der Voraussetzung, dass die Schulräume über einigermassen genügende Ventilationseinrichtungen verfügen. Wo solche fehlt, also zeitweilig — bei schlechtem Wetter und der Unmöglichkeit genügenden Fensteröffnens — die Luft schlecht bleiben muss, ist der längere Aufenthalt der Schüler im Freien und damit eine Verlängerung der Zwischenpausen unerlässlich. 4) Die Dauer der Schul- und Arbeitszeit muss nach Ansicht des Gutachtens als etwas Einheitliches behandelt werden. Die Hausarbeit ist als eine wesentliche Ergänzung des Schulunterrichts vornehmlich in den mittleren und höheren Klassen anzuerkennen, und als erster Versuch selbständiger Geistesarbeit von grossem Werthe. Ein bestimmtes Verhältniss zwischen der Zahl der Schulstunden und der für Hausarbeit bestimmten Zeit aufzustellen ist von zweifelhaftem Werthe, weil letztere nach der Individualität des Schülers unvermeidlich sehr verschiedene Zeitdauer in Anspruch nehmen muss. Entscheidend ist aber immerhin die Zeit der Schulstunden. Diese sollen in den Vorschulen 3—4 Stunden per Tag nicht überschreiten und mit der Hausarbeit 4 Stunden im Durchschnitt nicht übersteigen. Für die unteren Klassen des Gymnasiums sind 6 Stunden täglicher Beschäftung (davon täglich 5 Stunden Schule) ein jedenfalls nicht zu überschreitendes Maximum. Für die höheren Klassen ist 8 Stunden Gesammtarbeitszeit (davon 5½ Lehrstunden) als Norm zu betrachten. Turnunterricht ist im Allgemeinen mehr auszudehnen, auf mindestens 3 Stunden pro Woche.

In einem Schlussworte wird nochmals eine Betheiligung der Aerzte an der Beaufsichtigung der Schulen und die sofortige Inangriffnahme der Hauptfragen an einzelnen geeigneten Orten durch Aerzte dringend befürwortet.

Cameron (6) schildert die Zustände in den Volksschulen Irlands, die das Elend des Landes in verkleinertem, aber um so grellerem Bilde wiedergeben. „In den grösseren Städten trifft man hie und da freundliche und behagliche Schulzimmer; aber auf dem Lande sind die Schulen mit wenigen Ausnahmen armselige Bauwerke, manchmal nur schmutzige Löcher mit kaltem Lehmboden und Strohdach. In 1704 (von 7302 im Jahr 1882 untersuchten) Schulen fehlt jede Art von Abtritt; die Kinder benutzen die Hecken in der Nähe. — Während in den beaufsichtigten Nachtherbergen 300′ Cub. als Minimalraum per Kopf gefordert ist, finden sich Schulen mit 1½ □′ und 35 Cub.′ per Kopf, wenn dieselben gefüllt sind. In einer Mädchenschule, welche nicht zu den schlechtesten Irlands gehört, ergab sich 4,63 □′ und 33,77 Cub.′ — Luft und Licht verhalten sich dem entsprechend. — Die Heizung ist in den meisten Landschulen ungenügend. Torf oder Kohle in offenem Feuer bilden meist die dürftige Wärmequelle für die oft durch Regen und Schmutz nassgewordenen Kinder. Von sanitärer Fürsorge in sonstigen baulichen Einrichtungen oder im Inventar findet sich in den Landschulen nichts. Und doch sollte, wie C. betont, das Schulhaus an sich, richtig gebaut und anständig hergerichtet, ein Musterhaus für den Bezirk, für das stumpfgewordene Volk ein Schulmeister, ein Culturelement sein. — Die Stellung der Lehrer entspricht dem äussern Character der Schulen. Der Durchschnittsgehalt der 12296 Volksschullehrer beträgt 57 Lstr. 9 S., ungefähr das Verdienst eines gewöhnlichen Maurers. Viele Lehrer haben keine Dienstwohnung und müssen sich mit den kümmerlichsten, von der Schule oft weit entfernt gelegenen Miethwohnungen begnügen. Diese reduciren sich endlich auf einen kleinen, dunkeln nicht heizbaren Raum. Als Typus einer Dienstwohnung in der Grafschaft Kilkenny wird beschrieben: eine Kammer von 13×11′ mit Thonboden, und eine solche von 13×7′, welche letztere als Küche und Schlafzimmer dient; das Haus verwahrlost und gelegentlich überschwemmt; dies die Wohnung von 9 Personen. Von den im Jahre 1880 vorhandenen 7429 Hauptlehrern hatten nur 1515 freie Dienstwohnung. Die Hauptschuld an diesen Zuständen trifft nach C. nicht die Gesetzgeber, welche Handhaben zur Abhülfe geschaffen und das Schulwesen sogar wohlwollend behandelt hatten, sondern die eine ungenügende Aufsicht führenden Inspections-Beamten und die Indolenz und Kargheit der Schulpatrone.

Förster (7) geht von dem, seiner Ansicht nach ausser Frage stehenden Satze aus, dass nur das vom Himmel ausgehende (also von diesem reflectirte) Sonnenlicht zur Beleuchtung von Schulsälen in Betracht komme und hält die sonstigen einem Fenster gegenüber liegenden Flächen z. B. eine Hauswand als unter allen Umständen für zu dunkel, um genügendes Licht zu reflectiren; hiergegen böten auch die grössten Fenster keine Abhülfe. Vielmehr ist 1) jede Stelle der Pultfläche, welche ihr Licht nur von gegenüberstehenden Gebänden erhält, zum Lesen und Schrebeni unbedingt untauglich, 2) muss jede Stelle der Pultfläche, auf welcher der Schüler lesen oder schreiben soll, Licht direct vom Himmel erhalten. Die Intensität der vom Himmel ausgehenden Beleuchtung ist abhängig 1) von dem „Oeffnungswinkel" in welchem es einfällt, d. h. von dem zwischen zwei Linien gelegenen Winkel, deren eine von dem höchsten Puncte des dem Fenster gegenüber gelegenen Gegenstandes (gewöhnlich also Dachgesimse) zu dem Sehobjecte (Tischplatte), deren andere von der tiefsten Kante der Decke der Fensternische zu demselben Sehobjecte gezogen wird. Dieser „Oeffnungswinkel" ist natürlich bei Gebäuden mit nicht freiem Horizonte in den höhern Stockwerken immer grösser, als in den tiefern, und in letzteren in Häusern, welche in einer Strasse stehen, überhaupt nur in unmittelbarer Nähe des Fensters noch vorhanden. Dieser Oeffnungswinkel muss nach empirischen Bestimmungen mindestens 5° betragen. Als 2. Moment kommt die Horizontalentfernung der Pultfläche (Sehobject) vom Fenster in Betracht, weil hiernach der „Einfallswinkel" sich richtet (darunter der Winkel zwischen einer Verticalen und der Verbindungslinie zwischen leuchtendem Punkte und Sehobjecte verstanden). Der Grösse dieses Winkels entspricht seine in die Pultfläche fallende Tangente und muss die Intensität umgekehrt proportional dem Quadrate (? Ref.) der Tangente sein. Hiernach und nach empirischen Bestimmungen darf die Tiefe des Schulzimmers nie mehr betragen, als die doppelte Entfernung von Pultfläche und oberem Fensterrahmen (entsprechend 25—27°). — Einfall des Lichtes von links ist selbstverständlich, doppelter Einfall von rechts und links durchaus zulässig. — Bezüglich der Orientirung der Fenster erklärt sich F. unbedingt für Nord, da die Nordlage an hellen und gemischten Tagen von entschiedenem Vortheil, an trüben Tagen ohne Nachtheil sei. Die Südseite ist nach F. unbedingt zu verwerfen, weil in ein Südfenster die Sonne von Morgens 6 bis Abends 6 hineinscheine (? Ref.). Abblendungen durch Jalousien gänzlich unbrauchbar (? Ref.) und Vorhänge ungenügend seien. Abweichung der Fensterfront nach N.W. ist noch zulässig. — Um Himmelslicht in Schulzimmer zu bringen, welchen solches durch gegenüberliegende Häuser und dergl. verkümmert wird schlägt F. vor, vor die Fenster ein System von Prismen in genügender Flächenausdehnung (60 bis 100 cm Qu.) zu setzen, durch welche das zu steil einfallende Licht ins Innere der Zimmer geworfen wird. Der brechende Winkel dieser Prismen muss jedem Fenster angepasst werden, meist dürften 15—25° genügen.

Cohn (8) bestimmte mit einem neuen von Prof. L. Weber in Breslau erfundenen Photometer die Helligkeit des Tageslichtes in Schulen.

Das Photometer versucht die bis jetzt nicht parirbare Schwierigkeit, Tageslicht mit künstlichem, also gefärbtem Lichte, quantitativ zu vergleichen, dadurch zu umgehen, dass nur das rothe Licht des Tageslichtes mit dem rothen Lichte der Normallichtquelle (Benzinlampe) verglichen wird, in der Voraussetzung, dass die Wechsel in den Mischungsantheilen des rothen Lichts am Tageslicht nicht gross genug sind, um auf das Endresultat der Vergleichung beider Lichtintensitäten einzuwirken; und in der Annahme, dass die Quote des rothen Tageslichts mit 2—3 zu multipliciren sei, um den Werth des ganzen Tageslichts zu erhalten.

Die Beleuchtungsintensität wird am Platze des Sehobjectes — Tischplatte — direct gemessen, und das Ergebniss in Normalkerzen ausgedrückt in dem Sinne, dass die Normalkerzen 1 m von dem Objecte entfernt angenommen werden.

C. bestimmte in dieser Weise die Beleuchtungsintensität in 70 Sälen von vier Breslauer Schulen und zwar einmal an trüben, das andere Mal an hellen Tagen, jeweils an den hellsten (1—1,25 m vom Fenster entfernten) und an den dunkelsten (5—6 m vom Fenster entfernten) Plätzen, sämmtliche aber in der Zeit von 9—11 Uhr Vormittags. Die gefundenen Unterschiede bewegen sich in den Extremen von < 1 Kerze (trüber Tag und schlechtester Platz) und 1410 Kerzen (heller Tag und bester Platz. Die hinsichtlich Beleuchtung bestsituirte Schule ist die katholische Bürgerschule, die ungünstigst situirte das Elisabeth-Gymnasium. Dieselben hatten

	an hellen Tagen		an trüben Tagen	
	am besten Pl.;	am schl. Pl.	am best. Pl.;	am schl. Pl.
Elisabeth G.	61—450;	1,7—32;	4,7—235;	21—22 Krz.
Kath. B.	320—1410;	21,6—160;	79—555;	46—38 „

Mit demselben Apparate bestimmte C. auch die Himmelshelligkeit und fand sie an hellen Tagen zwischen 906 und 11430 Kerzen, an trüben zwischen 304 und 4444. Die Helligkeit auf der Tischplatte (Platzhelligkeit) verhielt sich zur Himmelshelligkeit wie 4,5—645:1000.

Din Platzhelligkeit kann auch annähernd ausgedrückt werden durch die Grösse des Ausschnittes des Himmelsgewölbes, welcher den Platz bescheinen, von ihm aus also auch gesehen werden kann. Durch ein besonderes Instrument, einen Raumwinkelmesser, bestimmt C. die Grösse dieses Ausschnitts in Quadratgraden, deren die Himmelshalbkugel 41253 enthält. Der Querschnitt der Pyramide, welche die Gesammtfläche der Quadratgrade als Basis mit dem Sehobjecte als Spitze bildet, wird (wenn Ref. das Original richtig versteht) Raumwinkel genannt. Dieser Raumwinkel muss nach der empirischen Bestimmung C.'s für den besten Platz mindestens 500°, für den schlechtesten 50° betragen. Der Werth des Raumwinkels steigt und fällt im Verhältniss des Sinus des Einfallwinkels (für horizontale Flächenobjecte, Ref.). Uebrigens können gegenüber stehende Wände heller sein, als der Himmel und somit mehr Licht reflectiren.

Auffallend gross erschienen C. die Lichtverluste durch Vorhänge; die üblichen grauen Staubrouleaux absorbirten 87—89° Licht, während vertical gestellte Leisten von Stoff 43—9 pCt. absorbirten.

Statt der von Förster vorgeschlagenen Prismen empfiehlt C. Spiegel, welche am Fenster angebracht das steil auffallende Licht in wünschenswerthem Winkel in die Zimmer reflectiren.

Willy (9) untersuchte die Sehschärfe in einer Industrieschule, welche in sechs Klassen 118 Knaben im Alter von 12—17 Jahren hatte, und in fünf Klassen 101 Mädchen im Alter von 13—17 Jahren. im Ganzen 437 Augen, sowohl nach subjectiver Wahrnehmung, als auch ophthalmoscopisch. Auch hier fand sich die Zunahme der Myopie mit dem steigenden Alter, und zwar in der jüngsten Knabenklasse 9,4 pCt., in der ältesten 50,0 pCt., in den entsprechenden Mädchenklassen 38,5—90,9 pCt. Der Lehrplan bei beiden Geschlechtern ist annähernd gleich; wenn die gleichen Altersklassen beider Geschlechter zusammengezählt, die nur mit halber und weniger Sehschärfe begabten Kinder aber ausgeschlossen würden, letzteres um nur solche Augen in Rechnung zu ziehen, welche in dem vor den Schulbesuch fallenden Alter als annähernd normal angenommen werden durften, so ergab sich das in folgender Tabelle enthaltene Resultat.

		Hypermetropie. pCt.	Emmetropie. pCt.	Myop. pCt.	Refractionsmittel (Dioptrien).
Primärklassen.	II. 12 jähr.	67,3	31,0	1,7	Hm = 0,409
	I. 13 „	30,7	39,8	29,5	M = 0,077
Industrieklassen.	IV. 14 „	25,7	31,4	42,9	M = 0,288
	III. 15 „	27,3	27,3	45,4	M = 0,393
	II. 16 „	3,2	38,7	58,1	M = 1,097
	I. 17 „	0,0	20,0	80,0	M = 1,190

Höhere Grade von Anisometropie (über 1 D) betrafen Myopen höheren Grades oder complicirtere Augenanomalien. Sehschärfe von $^5/_5$ und darüber fand sich in der jüngsten Klasse bei 75 pCt. und fällt in den höheren Klassen bis auf 50,0 pCt.; Sehschärfe von $^5/_5$—$^5/_{10}$ in der jüngsten Klasse 15,6 pCt., in der ältesten 33,33 pCt., Sehschärfe von $^5/_{10}$ und weniger steigt von 9,4 auf 16,66 pCt., jedoch bilden die zwischen liegenden Zahlen keine irgend regelmässige Reihe. Die Augenspiegelbefunde ergaben eine mit der Alterszunahme stärkere Abnahme der Procentzahl mit normalem Augengrund 37,5 pCt. auf 0,0 pCt., Zunahme der leichten Veränderungen von 46,9 auf 80,0 pCt., der schwereren Veränderungen von 15,6 auf 20,0 pCt.

Die Mädchen zeigten durchweg ungünstigere Befunde als gleich alte Knaben, eine Differenz, welche theils localen Umständen (schlechtere Beleuchtung der Mädchenklassen), theils der geringeren Widerstandsfähigkeit des Körpers, namentlich auch der durchweg schlechteren Haltung der Mädchen zugeschrieben werden muss.

Die Untersuchungen W.'s betrafen, abgesehen von weiteren, mehr specialistischen Details, auch die Hörschärfe. Von 183 Zöglingen aus der I. Primär- und den Industrieklassen wurden 124 (= 66,4 pCt.) vollhörig, 57 (30,5 pCt.) genügend hörfähig (zum Verständniss deutlicher Sprechstimme in einem grossen Saale), 1 (0,5 pCt.) schwerhörig und 1 (0,5 pCt.) so schwerhörig gefunden, dass er sich zum Massenunterricht nicht eignete.

In einem zweiten Theile unterzieht W. die übrigen hygienischen Verhältnisse der Schulen von la Chaux-de-Fonds einer eingehenden Besprechung, welche aber vorwiegend locales Interesse darbietet.

Nach Sexton (10) sind im Sinne der Unterrichtsfrage drei Klassen gehörleidender Kinder zu unterscheiden 1. Kinder, welche in der Nähe eine deutliche Aussprache verstehen. Diese müssen, wenn beide Ohren defect, in die Mitte der vorderen Reihen, wenn nur eines, mit dem normalen Ohr dem Pulte des Lehrers gegenüber gesetzt werden. 2. Schwerhörige Kinder, die auf keinem Ohr weiter als auf einige Zoll, oder nur mit besonderen Hülfsmitteln — Höhrrohr u. s. w. — Sprachlaute unterscheiden können. 3. Ganz taube Kinder, bei welchen der Hörapparat des Mittelohrs nicht functionirt; diese zerfallen in zwei Gruppen, solche, welche sprechen gelernt hatten und dann taub geworden sind, und in taub geborene. — Auf einen beträchtlichen Theil der ärztlicherseits für gehörleidend erkannten Kinder wird in der Schule keine Rücksicht genommen. Früher schon wurde betont, dass viele schwerhörige Kinder lange Zeit in der allgemeinen Schule zugebracht haben, ohne dass die Bemühungen der Lehrer für sie einen entsprechenden und die hierdurch erforderliche Verkürzung des Aufwandes an Zeit und Mühe für die gesunden Kinder ausgleichenden Erfolg gehabt hätten, ferner dass Kinder, welche die ihnen aus ihrem Gebrechen erwachsenden Schwierigkeiten im Fortkommen in der Schule mit aller Anstrengung zu überwinden bestrebt waren, von den Lehrern ungerecht beurtheilt und behandelt wurden, weil sie deren mühsames Fortarbeiten für eine Folge von Unaufmerksamkeit oder Beschränktheit hielten. S. fand bei Untersuchung von 575 Schulkindern bei 13 pCt. derselben Hörmängel verschiedenen Grades; von diesen 13 pCt. gehörleidenden Kindern, hatten nur 3 pCt. selbst davon Kenntniss und die Lehrer wussten es nur von einem einzigen. Für die Gesammtschülerzahl des Staates New-York schätzt S. mindestens 10 pCt. Gehörleidende. Die wegen Schwerhörigkeit ohne Schulkenntnisse Gebliebenen werden auf 500 veranschlagt; 575 Taube befanden sich in Anstalten. Diese Zahlen sind gross genug, um ihnenein sehr weitgehendes Interesse zu sichern; die Verwahrlosten werden leicht eine sociale Last und selbst Gefahr. S.'s Arbeit strebt zunächst eine strengere Sichtung der in öffentlichen Taubstummenschulen Unterrichteten an. Unter diesen als taubstumm Behandelten und Unterrichteten fand sich eine erhebliche Anzahl, welche den Sprechenden unter Mithülfe des Hörrohrs, und eine kleine Zahl, welche ihn ohne Weiteres verstehen konnten. In dem Institut zu Minnesota waren 15—20 pCt. fähig zum Unterricht von Mund zu Ohr und ein gut Theil derselben konnte nach einiger Zeit laute Sprechstimme auf 10—15 Fuss Entfernung wahrnehmen. Diese Kinder gehören also nicht in Taubstummen-Institute, welche der Entlastung bedürfen; sie können auch in anderen Schulen unterrichtet werden. Wirklich taubstumme Kinder gehören übrigens früher in die Schule, als gewöhnlich geschieht, nämlich mit 4—5 Jahren. Seine Hauptsorge wendet nun S. den Schwerhörigen zu, welche der oben sub 2 bezeichneten Gruppe angehören. Der Ausgang der bisherigen Mängel im Unterricht derselben ist die Scheidung der Kinder in Vollhörige und Taubstumme, während das Mittelstück der Reihe, die Schwerhörigen, nicht berücksichtigt werden, so dass Schwerhörige leichten und tieferen Grades in die Schule der Hörenden, letztere aber auch in die Taubstummenschulen geschickt werden. Dieser Umstand ist noch insofern von Wichtigkeit, als der Schwerpunkt des Unterrichts in denselben auf directen mündlichen Unterricht verlegt wird, wie er auch in jeder anderen Schule gegeben werden kann, und damit die wirklich Taubstummen nicht durch ihnen angepasste Methoden genügend erzogen werden können. Der mangelhafte Unterricht erzielt unter dem weiteren erschwerenden Moment, dass die Schüler zu alt in die Schule treten, wenig befriedigende Resultate: etwa 3 pCt. der Taubstummen lernen nicht verständlich sprechen. — Es ist nun Pflicht des Staates, nicht nur für die Taubstummen ausreichende Anstalten zu schaffen, sondern auch den Schwerhörigen genügenden Unterricht zu bieten. Das ist bei richtiger Behandlung der Sache möglich ohne besondere Kosten. Ihre Zahl ist gross genug, dass sie in besonderen Klassen, im Maximum zu 20 für einen Lehrer, versammelt und in derselben Weise und nach demselben Lehrplan unterrichtet werden können, wie Vollhörige. Für die ausserhalb der Anstalten lebenden Tauben müssten besondere Taubstummenklassen in den öffentlichen Schulen errichtet und dem Lehrer höchstens 10 Zöglinge zugewiesen werden. In diesen Schulen können dann auch die künstlichen Vorrichtungen zur verbesserten Zuleitung des Schalles zum Ohr angewandt werden. — Wichtig ist, dass die Kinder möglichst früh in Uebung genommen und gehalten werden, weil ihnen ein noch bestehender Rest von Hörfähigkeit im frühesten Alter wenigstens den Gehörsinn und den Begriff von Sprache erhalten kann, der später verloren gehen kann.

Eine genaue, sachkundige und nöthigenfalls wiederholte Untersuchung der nicht Vollhörigen ist für die Zukunft zur richtigen Unterbringung derselben in den Schulen unerlässlich und sofort zu beginnen.

Dalby (11) mahnt eindringlich, taub gewordene Kinder durch methodische Sprechübungen vor dem Stummwerden zu schützen. Diesem Geschicke verfallen die Kinder regelmässig, welche vor dem 7. bis 8. Jahre ihr Gehör verlieren; sie vergessen die Sprache allmälig, verlernen eine deutliche Aussprache und hören endlich auf zu sprechen. Wenn die Mittel — Lesen lassen und Erlernen des Lippenlesens — rechtzeitig und ausdauernd genug angewandt werden, so gelingt es einer grossen Zahl von Kindern die Sprache zu erhalten oder wieder zu vervollständigen, die sonst in dieselbe Verfassung gerathen wären, wie die taubstumm Geborenen.

Die Veränderungen, welche der sich niedersetzende Körper in seiner Haltung erfährt, bestehen nach Staffel (12) abgesehen von der annähernd rechtwinkligen Beugung der Hüft- und Kniegelenke hauptsächlich in einer mehr senkrechten Stellung des Beckens, also einer Verminderung der Beckenneigung.

Diese Aenderung ist bedingt in der stärkeren Spannung der an der Rückseite der Hüftgelenke und der

Oberschenkel herablaufenden Streckmuskeln des Hüftgelenkes. Zur Compensation der Aufrichtung des Beckens neigt sich der bewegliche Theil der Wirbelsäule, der Lendentheil meist nach vorn über; so können wir die beim Arbeiten im Sitzen erforderliche Verticalstellung oder leichte Vorüberneigung des Rumpfes erreichen und festhalten. In der äusseren Figuration des Körpers zeigt sich die veränderte Haltung dadurch, dass die normale Lordose des Lendentheils der Wirbelsäule, das hohle Kreuz, in eine geradestellige oder leichte Krümmung nach hinten, das flache Kreuz, übergeht. Dieser Veränderung der Haltung entspricht aber eine stärkere Annäherung der unteren Thoraxappertur an den Beckenring oder eine Verkleinerung des der Bauchhöhle zugewiesenen Raumes. Indem so der Inhalt dieser einen Druck erfährt, und seinerseits auf die Umgebung, namentlich die Brusthöhle ausübt, ist einer der Hauptmomente gegeben, welcher den notorischen Rückgang der Function vieler Organe, namentlich des Respirations- und Circulationsapparates, beim anhaltenden Sitzen erklärt. Die Lunge macht geringere Excursionen, übt einen geringeren aspiratorischen Effect auf die grossen Venen und den kleinen Kreislauf, das Herz arbeitet unter grösserem Widerstande als bei ausgiebiger Respiration, auch die Circulation in der Bauchhöhle bleibt nicht ungestört. — Man wird also einen Theil der Gesundheitsschädigungen andauernden Sitzens beseitigen können, wenn die Annäherung von Brustkorb und Becken unterbleibt, d. h. wenn die normale Lordose der Lendenwirbelsäule nicht aufgehoben wird. Dieses wird in einfacher und vollständigster Weise durch Anbringen der hohen Kreuzlehne an den Sitzen erreicht. Die hohe Kreuzlehne umfasst den Lendentheil des Rückens, den zwischen dem letzten Brustwirbel und dem oberen Ende des Kreuzbeins gelegenen Theil desselben, bildet also einen der in der Horizontalebene liegenden Convexität des Lendentheils angepassten Bogen von 12—13 cm Höhe, dessen vordere dem Kreuze zugewendete Fläche gegen dieses vorgewölbt ist, sich also in jeder Beziehung der Figuration des Körpertheils, den die Bogenlehne zunächst stützen soll, anschmiegt. Durch Eisenstangen, die an den Hinterfüssen des Stuhles eingelassen, und in ihrem die Sitzebene überragenden, freien Theile nach vorn gebogen sind, tritt die an dem oberen Ende der Stangen fixirte Kreuzlehne um ein mehr oder weniger Erkleckliches vor die vor dem hinteren Rande des Sitzes gelegene Verticalebene. Becken und Brusttheil der Wirbelsäule können also ohne Hinderniss nach hinten ausweichen. Indem nun durch richtig angebrachte Fussbretter, sowie durch eine kleine Minusdistanz des Tisches dem ganzen Körper ein bestimmter Platz angewiesen ist, bleibt bei allen im Sitzen zu verrichtenden Arbeiten — Lesen, Schreiben — die normale Ueberstreckung der Lendenwirbelsäule, das hohle Kreuz, ohne Muskelanstrengung in bequemster Weise gesichert. — Die die Kreuzlehne tragenden Eisen können verstellbar gemacht, also nach Bedarf für verschiedene Körpergrössen abgeändert werden. Der Stuhl selbst ist von gewöhnlicher Form. Wenn diese hohe Kreuzlehne mit Fussbrettern und einem Pultchen mit schwarzer Platte, welches auf einen flachen Tisch aufgelegt werden kann, combinirt wird, so ist damit eine Sitzvorrichtung für die lesende und schreibende Jugend, aber auch für Erwachsene geschaffen, welche die bekanntesten Modelle von Schultischen und Bänken an Brauchbarkeit und Bequemlichkeit übertrifft, und mit sehr geringen Kosten namentlich im Privathause jedem Kinde beschaffen werden kann.

Schubert (13) bestreitet die Richtigkeit der Berlin-Rembold'schen Auffassung, dass die **Haltung des Kopfes der Schreibenden von einem physiologischen Bedürfnisse abhängig sei**, die Basallinie — Verbindungslinie der beiden Centren des Auges — mit der Linie, in welcher die Grundstriche der Schrift liegen, in einen annähernd rechten Winkel einzustellen; er hält deshalb auch die aus den B.-R.-schen Untersuchungen hervorgehende Empfehlung der medianen Schräglage des zu beschreibenden Papierblattes für unrichtig. Die allgemein constatirte und B.-R. scheinbar bestätigende Thatsache, dass bei Rechtslage des Papiers der Kopf des Schreibenden sich nach rechts neigt, leitet Sch. von der grösseren Beweglichkeit des Kopfes in dieser Haltung gegenüber dem in der Sagittalebene nach vorn übergeneigten und rechtsgewendeten Kopfe ab. Der nach vorn gebeugte Kopf vermag, wenn seitliche Neigung vermieden und nur Rotation geübt wird, je nach dem Grade der Vorwärts beugung, seitliche Excursionen von 55° (bei Beugung von 28°) bis herab zu 35° (ei Beugung von 57°) auszuführen; während bei gleichzeitiger Seitwärtsneigung des Kopfes und Rotation die seitlichen Excursionen des gleichstark (28 bis 57°) gebeugten Kopfes immer 72° 51′ 49″ betragen.

Diese ausgiebigere Excursion macht nun nach Sch. die Einstellung des Kopfes auch schon weniger mühsam, wenn auch das Maximum der Excursion nicht erforderlich ist und veranlasst den Schreibenden bei Fixirung eines rechtsliegenden Punktes, wie ihn die rechtsliegende Papierfläche bietet, nach dieser Seite den Kopf zu neigen. Auch die bei Rechtslage des Papiers unvermeidlich geübte schiefe Richtung (von rechts oben nach links unten) der Grundstriche ist nicht Folge des B.-R.'schen Gesetzes, sondern Folge der anatomischen Anordnung der beim Schreiben zunächst thätigen Muskeln, bezw. der Bewegungen in den Interphalangeal- und Metacarpophalangealgelenken. Bei ungezwungener Grundstrichführung ziehen diese immer gegen die Mittellinie des Körpers, fallen also bei Medianlage des Papiers senkrecht zum Tischrand, bei Rechtslage in einem nach rechts offenen Winkel. — Den Einfluss einer möglichst bequemen Fortbewegung der ganzen Hand auf der Papierfläche in der Richtung der Schriftzeile, welche beim Schnellschreiben sich in zwingender Weise geltend macht, hält Sch. beim Anfänger, also beim Schulkinde für unwesentlich und für keinen Gegengrund, die Geradeschrift bei medianer und nicht schräger Lage des Papiers als die Normal-Schulschreibweise einzuführen. Diese nöthige geradezu den Schüler, den Kopf gerade d. h. in der Sagittalebene zu halten und gestatte eine möglichst natürliche Führung der schreibenden Finger. Die Frage über die Bedeutung der verschiedenen Schreibweisen für Entstehung der Anisometropie hält Sch. für nicht spruchreif, aber kaum für sehr wichtig.

Staffel (14) erklärt sich für Currentschrift, welche alle abendländischen Völker sich zu eigen gemacht haben, indem sie mit derselben dem im modernen, namentlich geschäftlichen Leben mehr und mehr sich geltend machenden Bedürfnisse schnell zu schreiben am leichtesten, d. h. mit geringster Anstrengung oder grösster Kraftersparniss nachkommen können.

Um möglichst mühelos zu schreiben, legen wir den rechten Vorderarm auf und das Papier mitten vor uns aber soweit oben nach links geneigt, dass die Zeile zusammenfällt mit einer Linie, welche die beiden Endpunkte einer Curve mit einander verbindet, die die Federspitze bei einer Adduction und Abduction der Hand im Handwurzelgelenk in bequemer Excursion bildet, d. h. etwa 8° nach beiden Seiten von der Ruhelage hin. Wenn diese Ortsveränderungen der Feder nicht genügen zur Vollendung der Zeile, so schiebt sich der rechte Vorderarm ein Stück weiter nach rechts und vorn und die Bewegungen im Handgelenke führen die Fortsetzung der Zeile aus. Als zweiter Moment tritt in Wirkung, dass die Buchstaben senkrecht zur Grundlinie stehen müssen, wenn die Combination der Thätigkeit der verschiedenen Muskelgruppen und des Auges die bequemste und müheloseste sein soll. Es fallen also bei der Currentschrift senkrechte Buchstaben auf eine schräge Zeile „das ist in der That das Wesen der Currentschrift“. Die Haltung des Vorderarmes und der Hand zur Richtung der Zeile erfordert eine Linksneigung des Papiers um 30°; es müssen also die senkrecht geführten Buchstaben mit der Zeile einen Winkel von 60° bilden. Anders gestaltet sich die Sache bei Links- oder Rechtslage des Papiers; bei ersterer erfordert die Haltung der Hand und des Vorderarms eine stärkere Neigung des Papiers nach links, bei letzterer mehr Geradlage. In beiden Extremen wird eine Schiefhaltung des Kopfes und damit des Körpers inducirt. Als richtiges Verhältniss empfiehlt sich also mässige (um 30° abweichende) links schräge Mittellage des Papiers. Currentschrift bei gerader Mittellage des Papiers ist widersinnig. — Beim Lesen fällt die Mitwirkung der Handstellung fort, und ist die rechtwinklige Kreuzung der Verticalstriche mit der Augengrundlinie massgebend; bei Druckschrift hat also Currentschrift keinen Zweck, höchstens ist sie zur Markirung einzelner Worte oder Sätze zulässig.

Pelmann (19) giebt eine Uebersicht über die Leistungen der bis jetzt in Deutschland bestehenden Trinkerasyle mit der ausgesprochenen Absicht, die werkthätige Unterstützung derselben zu fördern.

Die im Auslande, namentlich Amerika und England bestehenden Anstalten und Einrichtungen haben manches für deutsche Verhältnisse Nachahmenswerthes, aber auch manche zu vermeidenden Mängel; zu ersterem gehört die gesetzlich geregelte Möglichkeit, Trinker zwangsweise in den Asylen unterzubringen und festzuhalten, zu letzteren die Zurücksetzung der vollständig mittellosen Trinker und die vorwiegende Berücksichtigung der Angehörigen der besitzenden Classe. In Deutschland besteht das Bedürfniss der Hülfe vorwiegend für die subsistenzlosen Trinker, die sich selbst überlassen bleiben, bis sie ein Conflict mit dem Strafgesetz in das Gefängniss oder polizeiliche Arbeitshaus führt. Aufnahme in Irrenanstalten ist nur für eine Minderzahl erreichbar und passend. Trinkerasyle stehen im gewissen Sinne zwischen Strafanstalten und Irrenanstalten: bei aller Humanität der Leitung und Sorge für Befriedigung berechtigter körperlicher und geistiger Bedürfnisse darf denselben doch nicht die Berechtigung und Anwendung der nöthigen, selbst strengen Disciplin fehlen.

Das neue städtische Krankenhaus in Antwerpen (2) ist auf einem Areal von 86000 qm erbaut und zur Aufnahme von 400—450 Kranken bestimmt.

Die allgemeine Krankenabtheilung ist in 16 Sälen à 20 Betten von wesentlich gleicher Construction untergebracht, je zwei Säle in einem Pavillon. Diese Pavillon sind zweistöckige Rundthürme; jedes Stockwerk bildet einen Krankensaal von 18,15 m innerem Durchmesser und 5,50 m Höhe. Achtzehn Fenster und zwei gegenüberliegende Thüren unterbrechen den äusseren Mauercylinder jedes Krankensaales; an jedem Zwischenpfeiler steht je 1 Bett mit dem Kopfende gegen die Aussenmauer, also radiär gerichtet. In der Mitte jedes Saales ist eine kreisrunde, durch die ganze Höhe gehende Zelle von 7,2 Durchmesser im Lichten aufgeführt, welche durch Fenster und Thüren mit dem Saale in Verbindung stehend den diensthuenden Schwestern als Aufenthalts- und Beobachtungsraum zugewiesen ist. Der auf jedes Krankenbett fallende Cubikraum beziffert sich auf 66,4 cm. Ein unter jedem Pavillon befindliches Kellergeschoss nimmt die Heizapparate, die grossen Ventilationscanäle und dem wirthschaftlichen Betriebe dienenden Nebenräume auf.

Eine durch die Mitte der acht Pavillonthürme gelegte Linie bildet auf dem Situationsplane ein längliches Viereck von 125 m Länge und 92—108 m Breite; jede Längsseite dieses Vierecks wird von vier Pavillons markirt. Der innerhalb des Vierecks liegende Platz nimmt die Wirthschaftsgebäude auf. Die central gelegenen Seiten des Pavillons werden von einer Verbindungsgallerie flankirt, von der jeder eine Abzweigung erhält. Die Gallerie hat ebenso viel Stockwerke, wie die Pavillons — Keller- 1. und 2. Geschoss. Da der wirthschaftliche Betrieb sich hauptsächlich im Kellergeschoss bewegt, so bleibt der 1. und 2. Stock derselben den Kranken zum Aufenthalt im Freien reservirt.

Die Abtritte sind in durch kurze Gallerien mit den Pavillons verbundenen aber sonst isolirt stehenden Thürmen untergebracht, für jeden Pavillonthurm ein Abtrittthurm. In besonderen, an die allgemeine Verbindungsgallerie anschliessenden kleineren und grösseren Gebäuden sind Privatzimmer, allgemeine Bäder u. A. untergebracht.

Die Heizung wird vom Maschinenhaus durch Dampf besorgt. Die Ventilation ist combinirt: Pulsion durch einen Radventilator und Succion durch Feueressen und -Schlote und durch Wind. Jeder dieser drei Motoren kann mit einer gewissen Selbstständigkeit in Function treten. Die Heiz- und Ventilationseinrichtungen sind von Sulzer in Winterthur geliefert und bieten die von der gen. Firma vielfach aufgestellten Einzelconstructionen: die frische Luft wird vom Ventilator durch einen nicht sehr hohen, geeignet montirten Thurm hindurch in die unterirdisch gelegten grossen gemeinsamen Luftzufuhrcanäle hinab- und den einzelnen Gebäuden zugeführt. Im Kellergeschoss der Gebäude passirt sie die Dampfschlangen und wird hier ev. erwärmt. Durch eiserne Röhren geht sie von hier aus in die Krankenzimmer. Der Abzug der Luft geschieht durch ein in der Verticalachse jedes Pavillons gelegenes weites eisernes Rohr, dessen Triebkraft durch einen im Kellergeschoss stehenden Calorifer und durch Windsauger an dem oberen Ende gesichert ist oder gesteigert werden kann. Die abzuführende Luft gelangt dahin durch in die Aussenmauer eingelassene, in den Kellerraum hinabführende und in die eiserne Zugesse mündende Schächte. Luftzu- und abführende Röhren haben sowohl an der Decke des Saals, als am Boden durch Klappen beliebig zu öffnende oder schliessende Aus- und Einmündungen.

Baer (22) giebt zunächst eine Uebersicht über die Beköstigung der Gefangenen im In- und Auslande, nach welcher England die besten, Deutschland im Ganzen bessere Verhältnisse aufweist als die meisten seiner Nachbarländer. Die von Voit aufgestellte Norm pro Tag von 118 g Eiweiss, 56 Fett und 500 Kohlehydrate für den arbeitenden Gefangenen hält B. für nothwendig für die Gefängnisse mit längerer Haft der Insassen, da dieselben durchweg arbeiten müssen. Auch diese, von mancher Seite schon für überreich gehaltene Tagesportion ist nur dann ausreichend, wenn die Nahrungsmittel genügend leicht verdaulich sind, und in wohlschmeckender Form, namentlich unter Berücksichtigung des nöthigen Wechsels und mit Zusatz von Gewürzen bereitet sind. Im Allgemeinen leiden die in Deutschland giltigen Speiseordnungen an Mangel leicht verdaulichen Eiweisses oder genügender Fleischportionen, ebenso an Mangel von Fett und Gewürzen, dagegen an Ueberlastung mit Kohlenhydraten und unverdaulichen Beigaben, namentlich schweren Vegetabilien, insbesondere aber auch an Wasserüberschuss, da die Speisen, das Brod ausgenommen, in Suppen- oder Breiform gereicht werden. Letztere Form ist, abgesehen von dem Umstande, dass sie das Kauen und damit das Einspeicheln entbehrlich macht, hauptsächlich dafür verantwortlich zu machen, dass der Körper des so Ernährten sehr wasserreich und hierdurch die Controle des Ernährungszustandes durch die Waage illusorisch wird.

Für einen erheblichen Theil der Gefangenen ist aber auch die auf die Voit'sche Norm berechnete, aber in einfachster und derber Form gereichte Nahrung unzureichend, bald wegen des unüberwindlichen Ekels, welchen die Monotonie der Kost bedingt, theils wegen Verdauungsschwäche und anderer Ursachen; bei Beharren dabei leidet der Ernährungszustand solcher Gefangener schwer und endlich in gefahrdrohendem Grade. Für solche Fälle verlangt B. eine Mittelkost. In dem B. unterstehenden Gefängnisse Plötzensee besteht dieselbe gewöhnlich darin, dass der Gefangene an den vier Tagen der Woche, an welchen die einfache „Gesundenkost" kein Fleisch enthält, Fleischbrühsuppen, grüne und andere Gemüse und Fleisch, event. auch $^1/_2$ l Milch erhält. Er bekommt dann an den drei Tagen „Gesundenkost" je 70 g, an den vier Tagen Mittelkost je 150 g Fleisch. Endlich ist noch eine nach ärztlicher Anordnung zu treffende Krankenkost nothwendig. Der splendideren Verabreichung der Mittelkost in Plötzensee (während der letzten Jahre durchschnittlich bei 31 pCt. der Gefangenen) schreibt B. einen wesentlichen Theil des merklich besser gestalteten (tabellarisch mitgetheilten) Gesundheitszustandes von Plötzensee zu. B. unterlässt nicht, seine Anforderungen an die Beköstigung der Gefangenen gegen den Vorwurf falscher Humanität erfolgreich zu vertheidigen.

[1) Hagemann, Om Maudals Sygehus. Tidsskrift for pract. Med. 1883. p. 145. (Beschreibung eines neu gebauten, kleineren Krankenhauses für 12 Kranke.) — 2) Gjellerup, Plan til el Sygehus til omtr. 24 Seuge. Ugeskr. f. Laeger. R. 4. Bd. 9. p. 219. (Plan nebst Zeichnungen eines kleineren Krankenhauses für etwa 24 Kranke.) **Joh. Möller** (Kopenhagen).]

10. Tod. Leichen- und Bestattungswesen. Scheintod.

1) Schuchardt, Paul, Untersuchungen über Leichenalkaloide. Diss. inaug. Leipzig. — 2) Brouardel, La crémation des corps ayant servi à des études anatomiques. Annales d'hyg. XI. p. 411—418. — 3) White, Ernest W., Case of resuscitation and recovery after apparent death by hanging. Lancet. p. 401 bis 402.

Schuchardt (1) suchte aus faulendem Muskelfleisch theils nach der Methode von Selmi, theils durch Extrahiren mit Alcohol, Versetzen des Ertracts mit Barythydrat und Chloroform, darauf Darstellung der in Chloroform gelösten Körper durch Verdampfen und Lösen derselben in Salzwasser, die Leichenalkaloide herzustellen.. Hierbei blieb wieder ein braunflockiger Rückstand. Es gelang Sch. nach keiner der angewandten Methoden, einen gut characterisirten Körper rein darzustellen. Doch zeigten sie alle giftige Eigenschaften, welche an die des Muscarin erinnern.

Brouardel (2) empfiehlt, die 3—4000 Leichen, welche in Paris zu anatomischen Studien jährlich verwendet werden, der Feuerbestattung zu übergeben und knüpft daran eine Kritik der zur Zeit bestehenden Verbrennungs-Apparate. Am besten functionire der Mailänder Apparat (System Gorini mit Holzfeuerung), während der Gothaer Apparat nach Siemens wegen unregelmässiger Leistung und der durch die zu hohe Temperatur eintretenden Verglasung der Knochen sich weniger empfehle.

White (3) berichtet einen Fall von Wiederbelebung einer 35jährigen Frau, welche sich an einem aus ihren Kleidern hergestellten Strang aufgehängt hatte. Sie wurde 11 Minuten, nachdem sie von ihrer Umgebung sich zurückgezogen hatte, entdeckt, sofort abgeschnitten, aber leblos, d. h. ohne Bewegung, Athmung, Puls, ohne fühl- oder hörbare Herzbewegung und ohne Reflexthätigkeit gefunden. Nach nahezu zweistündiger Anwendung der künstlichen Respiration, centripetalem Reiben, äusseren und inneren Reizmitteln war Puls und Respiration wieder vorhanden, nach 7 Stunden Pupillarreflexe, nach 11 Stunden unvollkommenes Bewusstsein, nach einigen Tagen der frühere Grad relativen Wohlseins (die Frau war melancholisch) wieder hergestellt. Wh. misst hauptsächlich der künstlichen Respiration den günstigen Erfolg bei.

[Wulfsberg, Forestilling til Regeringen om en Lov angaaende Vivisektionen. Tidskrift for prakt. Medicin. 1883. p. 33.

In Folge dieses der Regierung überreichten Vorschlages soll die Vivisection als Regel nur den Laboratorien und Instituten der Universität gestattet und von den Lehrern derselben ausgeführt werden; die bei anderen wissenschaftlichen Einrichtungen (Krankenhäusern, Museen) angestellten Personen dürfen nur nach eingeholter ministerieller Erlaubniss Vivisectionen ausführen. In allen Fällen, wo die Natur des Versuches es zulässt, sollen die Thiere vorher anästhesirt werden. Diejenigen Vorlesungen, für welche Vivisectionen als nothwendig angesehen werden, sollen bei geschlossenen Thüren und nur für die mit besonderen Eintrittskarten Versehenen gehalten werden. **Joh. Möller** (Kopenhagen).]

Zoonosen

bearbeitet von

Dr. F. FALK in Berlin.

A. Hundswuth.

1) Clutton, H., A case of hydrophobia. Medical Times and Gazette. 23. Febr. p. 242. — 2) Dujardin-Beaumetz, Rapport sur les cas de rage, qui se sont déclarés pendant les années 1881, 1882, 1883 dans le departement de la Seine. Revue d'hygiène et de police sanitaire. p. 190—215. — 3) Gibier, Recherches sur la rage. Comptes rendus de l'académie des sciences. Tome 98. No. 1. p. 55—57. — 3a) Derselbe, Recherches expérimentales sur la rage et sur son traitement. Thèse. Gazette hebdomadaire. No. 29. — 4) Gordon, J. J., A case of hydrophobia occurring eleven months after dog-bite. Lancet. I. 22 March. p. 521. — 5) Knox, M., Fatal case of Hydrophobia. Ibid. 27 Decemb. — 6) Pitt, G. N., A case of hydrophobia, in which the condition of the larynx was observed during a spasm. Guy's Hospital Reports. XXVII. — 7) Wallis, F. C., Two cases of hydrophobia. The British medical journal. 19 Sept.

Auf Antrag von Voisin hatte der Gesundheitsrath von Paris eine Zusammenstellung der in den Jahren 1881—1883 bekannt gewordenen Fälle von Hundswuth bei Menschen ausarbeiten lassen, deren Ergebnisse Dujardin (2) veröffentlicht.

34 Fälle bilden die Grundlage dieses Berichtes, davon 1881 21, 1882 9, 1883 4 Fälle. Nur in dreien handelte es sich um Katzen-, sonst immer um Hundebiss. Zweimal waren durch die Kleider hindurch tiefe Wunden zugefügt, die Kleider selbst zerfetzt; sonst waren nur unbekleidete Körperstellen gebissen worden, 18 mal Hand und Fuss, 14 mal das Gesicht, 1 mal das Bein und 1 mal ist die Bissstelle nicht ermittelt. 14 mal war der Biss leicht, 4 mal tief. Nicht immer war es ein eigentlicher Biss, einige Male war nur die Zunge des Hundes mit Schleimhaut in Berührung gekommen. Nur in 16 Fällen wurde die Krankheit des Hundes durch einen Thierarzt bestätigt, in den übrigen 18 Fällen waren die Hunde nach dem Biss spurlos verschwunden. Nie war gleich nach dem Biss das Glüheisen angewendet worden, 2 mal sehr spät. Die Incubationsdauer war 5 mal bis zu 1, 16 mal bis zu 2, je 4 mal bis zu 3 und 4, je 1 mal bis zu 5, 18 Monaten, 2½ Jahr, 2 mal unbekannt; die beiden Fälle mit besonders langen Incubationszeiten sind nicht einwandsfrei. Es besteht kein Verhältniss zwischen der Incubationsdauer und der Bissstelle, ebenso wenig zwischen Incubation und Lebensalter. Die Anfangssymptome waren meist Schlaflosigkeit, Dyspnoe, Schluckbeschwerden, Aufgeregtheit, manchmal Gelenkschmerzen, 1 mal Satyriasis.

Die Krankheitsdauer schwankte von 20 Stunden bis zu 6 Tagen, meist war sie dreitägig, das Krankheitsbild das gewöhnliche. Am schnellsten wurde ein 8 jähriges Kind hinweggerafft. Am häufigsten trat der Tod plötzlich ein. Die Therapie war die mannigfaltigste, aber immer unglücklich; von neuen Mitteln kamen das Pilocarpin (5 mal), das Valdivin (aus Picrolemma valdivia; 2 mal), das Hoang-nan, das Xanthium spinosum (1 mal), Schwefelallyl zur Anwendung.

Als wirksamstes Prophylacticum wird das Tödten aller von tollen Hunden gebissenen Thiere und das Einfangen herrenlos umherirrender Hunde empfohlen.

In dem von Clutton (1) beobachteten Falle war eine 43 jährigen Arbeiterfrau 4 Monate zuvor von einer Katze gebissen worden, die ihrerseits einige Wochen zuvor von einem tollwüthigen Hunde inficirt worden war.

Die Bisswunde wurde gleich geätzt und heilte schnell, aber doch trat dann die Krankheit auf, und zwar alsbald unter geradezu tobsüchtigen Anfällen mit voller Schluckunfähigkeit und profuser Absonderung eines klebrigen, aus den Mundwinkeln herabhängenden Speichels. Da die Kranke, die in den Intervallen ganz ruhig, sehr kleinmüthig war, in den Paroxysmen kaum gebändigt werden konnte, Nahrungsaufnahme auch ganz unmöglich wurde, so griff man zu Chloralclystieren, und, sobald Pupillenerweiterung einen Anfall zu signalisiren schien, zur Chloroformirung; es wurde nur wenige Minuten hindurch chloroformirt, in der Narcose durch Schlundsonde Nahrung beigebracht. Da Chloroform nicht vertragen wurde, so verwandte man Aether, kehrte dann zum Chloroform zurück. Man musste aber wiederum davon abstehen, versuchte es mit ernährenden und narcotisirenden Clystieren; alles vergeblich, nach 4 tägiger Krankheitsdauer trat der Tod ein.

Eine 11 monatliche Incubation lag bei dem von Gordon (4) berichteten Falle vor.

Derselbe betraf einen 29 Jahre alten Arbeiter, zeigte ein sehr deutlich ausgesprochenes Krankheitsbild und endete nach 2 Tagen tödtlich. Zu erwähnen ist von den Krankheitserscheinungen, dass der Patient überhaupt bloss, und auch dann wenig, Wasser trinken konnte, wenn es ihm in einer papiernen Röhre gereicht wurde, so dass er es nicht sehen kann. Ein Versuch, ihn durch die Nase zu füttern, führte zu einem heftigen Paroxysmus. Die Zahl der Krampfanfälle war sehr gross; in den Delirien schien er vom Hunde zu sprechen; er wurde sehr gewaltthätig, versuchte sich ein Messer in die Brust zu stechen, „weil er dort ein entsetzliches Gefühl hätte", auch griff er im Wuthanfalle den Wärter an, der eine schwere Bisswunde am Finger und Speichel in's Auge bekam. Schweiss- und Speichelabsonderung war äusserst beträchtlich. Priapismus fehlte. Der Kranke hatte von Anfang an seinen Tod vorausgesagt.

Der von Knox (5) beobachtete Fall von Hundswuth betrifft einen 22jährigen kräftigen Mann, der am 25. Mai von einem Hunde an dem linken Handgelenk gebissen worden war.

Das Thier war sofort getödtet, der Gebissene in ein Krankenhaus geschafft worden, wo die Wunden mit Höllenstein geätzt wurden und Patient 23 Tage verblieb. Am 13. August traten Rücken- und Schulterschmerzen auf und schnell entwickelte sich das typische Bild der Hundswuth. Namentlich war auch die Wasserscheu deutlich ausgeprägt. Der Kranke erhielt Morphium subcutan und Chloralclystiere, doch erfolgte der Tod bereits am 14. August. Auf dem linken Handrücken fanden sich 5, an der Stirn eine Narbe; die Armnerven anscheinend gesund; auch sonst bot das Sectionsergebniss nichts Bemerkenswerthes.

In einem Falle von Hundswuth konnte Pitt (6) während eines Krampfanfalles eine laryngoscopische Untersuchung vornehmen.

Ein 46jähriger Mann war am 15. Mai am rechten Kieferwinkel von seinem Hunde gebissen worden. Das Thier, welches sich vorher mit einem Hunde gebalgt hatte, wurde nach dem Biss nie wieder gesehen. Am 29. October begann die Krankheit mit Schluckbeschwerden, und bald entstanden Krämpfe im Gesicht und Schlund, auch unabhängig von Trinkversuchen und dem Anblick von Flüssigkeit. Während eines Krampfanfalles wurde das Laryngoscop behutsam eingeführt, und man sah, dass die Stimmbänder sich weit von einander entfernten und so einige Secunden verblieben. Der Kehlkopf sah gesund aus; Zunge und Gaumen waren mit Schleim bedeckt. Der Tod trat in der Nacht vom 30.—31. October ein. Die Krämpfe waren 24 Stunden hindurch fast ganz ferngehalten worden, indem man jede Nahrungszufuhr durch den Mund unterliess, und ernährende Clystiere applicirte, denen in 3stündigen Intervallen Bromkalium und Chloralhydrat ana Scr. 1 zugesetzt wurden. Es traten dann maniacalische Paroxysmen auf, welche durch Chloroformwirkung eingedämmt wurden. Einige Minuten vor dem Tode redete Patient ganz vernünftig, und wurde nur durch einen klebrigen Speichel belästigt, den er vergebens herauszubefördern versuchte. Bei der Section fanden sich kleine Blutungen im hinteren Theil des linken Vorderhorns, im Cervicaltheile der Medulla spinalis und ein anderer Blutheerd im rechten Vorderhorn am Dorsaltheil. Zahlreiche Blutquanta waren durch das Rückenmark in dessen grauer und weisser Substanz zerstreut. Die Gefässe im Pons und Cerebrum congestionirt. Die Lungen ödematös. Die microscopische Untersuchung lieferte nichts Erwähnenswerthes zu Tage.

Wallis (7) beobachtete zwei Fälle von Hydrophobie im Bartholomäus-Hospital. Der Verlauf bot in beiden kaum etwas vom gewöhnlichen Symptomencomplex Abweichendes dar. Obduction fand nicht statt. Einer der Kranken, ein 21 Jahre alter Mann war 6 Wochen zuvor von einer wüthigen Katze an zwei Fingern der linken Hand gebissen und mit Höllenstein oberflächlich geätzt worden; das Krankenlager währte 7 Tage. Der andere Kranke, ein 15 Jahre alter Knabe, wurde am 11. Juni von einem Hunde am rechten Zeigefinger gebissen und erkrankte am 17. Juli. Wegen der Schluckkrämpfe wurden durch Nasencatheter Milch und Arzneistoffe, Narcotica und Sudorifica applicirt. Später wurde Patient chloroformirt, kurz vor dem Tode trat Erbrechen ein. Die Krankheit hatte 4 Tage gedauert.

Therapeutische Thierversuche bezüglich der Hundswuth hat Gibier (3) angestellt; im Hinblick auf neuerliche Empfehlungen prüfte er Knoblauch und Pilocarpin. Mit einer wässrigen Lösung von Hirnsubstanz, die von einem an Wuth verstorbenen Hunde stammte, wurden 9 Ratten geimpft; drei derselben wurden sich selbst überlassen, die 6 anderen erhielten vom Impftage an Fleisch mit zerstossenem Knoblauch derartig gemengt, dass die tägliche Knoblauchportion durchschnittlich 4 g betrug. Alle starben zwischen dem 10. bis 15. Tag unter den bei Ratten gewöhnlichen Wuthsymptomen: Unruhe, Priapismus, Wuth, Zittern, Paraplegie, Inappetenz und allgemeine Paralyse. Die Section zeigte am Gehirn für das unbewaffnete Auge nichts Auffälliges.

In einer zweiten Versuchsreihe erhielten 4 Ratten zunächst einen Monat hindurch jene Knoblauchfütterung, um dann geimpft und in analoger Weise fortgefüttert zu werden; sie starben trotzdem unter den gewöhnlichen Wutherscheinungen. Die Hirnsubstanz dieser Thiere wurde anderen Ratten und zwei Katzen mit positivstem Erfolge eingeimpft.

Eine mit Wuthgift geimpfte Ratte erhielt täglich 2 Mal eine Injection von 0,005, ein Kätzchen in gleicher Weise 0,010 (salzsaures) Pilocarpin. Auf jede dieser Einspritzungen erfolgten Speichelfluss, Durchfall, Diurese und gleichzeitig Steigerung der Respirationsfrequenz, die Katze bekam auch Erbrechen, die Ratte überdies eine nach wenigen Stunden schwindende durch den Wasserverlust begründete milchige Trübung der Augenmedien. Im übrigen war der Krankheitsverlauf in gleicher Weise tödtlich wie bei 3 Controlthieren der nämlichen Species.

In seiner These fügt Gibier (3a) diesen Versuchen auch noch welche mit Strychnin, Atropin, Coffein, verdünnter Essigsäure, Ammoniakdämpfen, Phosphor, comprimirter Luft, reinem Sauerstoff u. s. w. an, aber alle diese Mittel waren erfolglos. Diesen therapeutischen Mittheilungen lässt der Verf. aber einen Bericht über sehr interessante experimentelle und microscopische Beobachtungen zur Pathologie der Rabies vorangehen. Er hat das Wuthgift den Versuchsthieren aus der Classe der Carnivoren, Nager und Vögel in der Art beigebracht, dass er in der Mittellinie eine kleine Oeffnung anbohrte, die Stichnadel mit einer Pravazschen Spritze verband und nun Hirnmasse, in Wasser fein vertheilt, einspritzte; man muss in der Höhe der Stirnwindungen in den interhemisphären Raum einstechen, um den Sinus longitudinalis zu vermeiden, auch gleich nach der Durchbohrung der Knochen die Nadel anhalten. Durch Verwendung von Hirnsubstanz, die von Föten wüthiger Kaninchen stammte, deducirte er die Möglichkeit, dass das Wuthgift durch die Placenta hindurchgeht. Ferner konnte man aus Versuchen mit Einspritzung von Hirnsubstanz mehrerer Thiere, in deren Magen Heu, Stroh, Holzsplitter gelegentlich gefunden worden, erschliessen, dass diesem Befunde keine diagnostische Bedeutung für Rabies zukommt.

Als Injections-Ort hat Verf. auch die vordere Augenkammer von Kaninchen und Ratten gewählt.

Als ein hervorstechendes Wuthsymptom bei Säugethieren constatirte Verf. Polyurie. In anderen Versuchen wurde die Injection der infectiösen Hirnsubstanz unter die Kopfhaut gemacht; wird eine andere Hautstelle bei Kaninchen gewählt, so kann die Incubation gegen die dort 14tägige Dauer sich bis auf 10 Monate hinziehen. Hingegen ist die Incubationsdauer keine längere, wenn man anstatt Cerebralsubstanz Speichel wüthiger Hunde verwendet, sie war eine gleiche, ob Verf. an neugeborenen oder an älteren Meerschweinchen operirte.

Um die Wirkung der Kälte auf die Wuth- und andere Infections-Gifte zu erforschen, benutzte er einen ingeniösen Apparat, dessen Beschreibung im Original nachzusehen ist, in welchem er durch Schmelzen von Ammoniak Temperaturen bis zu — 45° beliebig erzeugen konnte. Er studirte daran das Verhalten der Bierhefe, des Rauschbrandes, der Hühner-Cholera, der Jenner-schen Lymphe, des Milzbrandes und der Wuth. Die beiden erstgenannten Gifte blieben intact, das dritte wurde nach 3—4 stündiger Einwirkung von 35° Kälte vernichtet, der Vaccinestoff bleibt wieder unberührt und es empfiehlt sich gerade seine Aufbewahrung in der Kälte, weil dabei gerade die Fäulniss-Organismen zerstört werden. Milzbrand-Organismen, mehrere Stunden einer Kälte von 45° ausgesetzt, konnten nachher ein ungeschmälertes Wachsthum in Nährlösungen darbieten, aber nach noch längerer Einwirkung jener Temperatur und allmäligem Herabgehen auf 0° konnte man selbst grössere Mengen Kaninchen, Meerschweinchen und Hammeln ohne tödtlichen Erfolg injiciren und bei methodischer Verwendung allmälig abgekühlter Culturen konnte man eine Immunität und Schutzimpfung herbeiführen. Wuthgift, einer Anfangs-Temperatur von — 40 langsam auf 0° fallend 2 Stunden hindurch ausgesetzt, konnte einem Hunde intracerebral mit dem Erfolge injicirt werden, dass er noch nach 2 Monaten gesund war und dann, mit frischem Gifte behandelt, nach 14 Tagen an gewöhnlicher Wuth verendete. Wird das Gift nur Temperaturen bis zu — 35° ausgesetzt, so tritt eine Abschwächung, d. h. Verlängerung der Incubation ein.

Verf. hat auch einen specifischen Wuth-Micrococcus entdeckt, d. h. microscopisch festgestellt, Isolirung und Züchtung ausserhalb des Körpers liegt noch nicht vor. Der Microorganismus findet sich im Gehirne, hat sich aber bisher den verschiedensten Farbstoffen gegenüber widerstandsfähig gezeigt. Vor allem findet man ihn in der Medulla oblongata. Verf. empfiehlt folgendes Verfahren:

In einem reinen, erhitzten Probirgläschen die Hirnmasse mit einem reinen Glasstabe zerreiben, dann destillirtes, ausgekochtes und filtrirtes Wasser in 2—3 fachem Volumen der zerriebenen Masse hinzusetzen und vermittelst des Glasstabes vermengen; nach einigen Minuten nehme man mit der Glasstabspitze ein Tröpfchen der Flüssigkeit und bringe es zwischen Object- und dünnem Deckglas unter das Microscop, untersuche bei 800—1500facher Vergrösserung, mit einem Diaphragma mittlerer Dimension. Die Micrococcen, die in gesunden Thiergehirnen vermisst, in denen tollwüthiger Thiere ausnahmslos gefunden wurden, haben Durchmesser von 3—5 Zehntel μ und Verf. konnte die Vermehrung durch Abschnürung unter dem Microscope wahrnehmen. Sie treten um so reichlicher auf, je weiter vorgerücktere Krankheitsstadien vorliegen.

Bis über 1 Monat konnte Verf. das Wuthgift durch Aufbewahrung bei — 5° conserviren; eingetrocknet verliert das Gift, bei Luftzutritt oder -Abschluss verwahrt, schnell seine Wirksamkeit. Wenn Verf. Hühnern und Tauben intracerebral wuthgifthaltige Hirnmasse beibrachte, so erschienen und verblieben die Thiere ganz gesund, wenn er ihnen aber vom 128. Tage nach der Impfung Hirnpartikelchen entnahm, so stellte er durch Microscop und Weiterimpfungen an Hunden und Nagern fest, dass das Wuthgift dennoch vorhanden war; nach 28 Tagen war es bei einer Taube verschwunden. Die Krankheit war also bei den Vögeln latent und spontan geheilt; bei einer zweiten Injection haftete das Wuthgift bei dieser Species überhaupt nicht. Von Vogel zu Vogel kann das Wuthgift übertragen werden, und es scheint sich das Gift beim Durchtritt durch den Vogelorganismus für diese Species an Intensität zu steigern, für Hunde zu mildern.

Bringt man Vögeln grössere Mengen Wuthgiftstoff bei, so können sie unter convulsiven und paralytischen Symptomen erkranken, besonders junge und schwächliche Exemplare und wenn das Gift der nämlichen Species entnommen worden ist; so persistirt denn auch die Virulenz länger. Uebrigens können anscheinend verzweifelte Fälle von Wuth bei Hühnern durch künstliche Fütterung und Magenausspülung geheilt werden.

[Seifmann (Lemberg). Przyczynek do kwestyi wylegania sie wścieklizny. (Ein Beitrag zur Frage der Incubation der Wuthkrankheit.) Medycyna. No. 15.

Mit Berufung auf die Untersuchungen Pasteur's und seiner Schüler, welche nachwiesen, dass nach der unmittelbaren Einimpfung des Wuthgiftes in das Gehirn eines Thieres, die Erscheinungen dieser schrecklichen Krankheit sehr schnell und sicher auftreten, zieht der Verf. daraus auf theoretischem Wege folgende Schlüsse:

1) Die Wuth kann erst dann in Erscheinung treten, wenn die Infectionskeime zu den Nervencentren gelangen.

2) Zu den Nervencentren kann die Infection nur durch die peripheren Nerven sich fortpflanzen.

3) Nach der Entfernung der Infectionsstelle vom Nervencentrum richtet sich auch die Schnelligkeit des Ausbruches der Krankheit. Wenn an der Infectionsstelle sich kein Nerv befindet, und die Infectionskeime zu einem solchen nicht gelangen, wird der Ausbruch der Krankheit nicht ausbleiben.

4) Bis zu dem Zeitpunkte, in welchem der Infectionsstoff noch nicht zu den Nervencentren gelangt, und die Infection sich nur auf die peripheren Nerven erstreckt, dürfte es noch möglich sein, die weitere Verbreitung der Infection zu verhindern, wenn man im Stande wäre z. B. das afficirte Glied zu amputiren.

Aus allen diesen theoretischen Schlüssen einen experimentellen Boden zu schaffen, macht der Verf. folgenden Entwurf. Man stelle zwei Reihen von Untersuchungen an Kaninchen an. Man impfe z. B. fünf Kaninchen den Wuthstoff unmittelbar in die Nerven, die sich in verschiedener Entfernung von dem Gehirne befinden (z. B. in einen N. sympathicus, in einen N. brachialis, in einen N. ischiadicus etc.). Man muss dabei eine grosse Vorsicht beobachten, damit die Wuthkeime nicht in das Blut oder in die Gewebe gelangen. In einer zweiten Untersuchungsreihe wäre die Impfung auf gewöhnlichem Wege auszuführen, indem man zur Impfstelle die Haut oder das Unterhautgewebe wählt. Sind die Schlüsse des Verf. richtig, so wird die Krankheit desto eher zum Ausbruch kommen, je näher dem Centrum der Nerv gelegen ist, in den man die Wuthkeime einimpfte. v. **Kopff** (Krakau).]

8. Milzbrand.

1) Barberini, Contribuzione alla cura della Pustola maligna. Raccoglitore medico. 10. Sept. — 2) Bleuler, Ueber den Milzbrand beim Menschen und die Milzbrand-Impfung. Correspondenz-Blatt der Schweizer Aerzte. No. 7 u. 8. — 3) Jauney, Malignant Pustule. Boston medical and surgical journal. 8. May. — 4) M'Gill, Two cases of Charbon. The Lancet. 6. December. — 5) Planteau, S. S., De la guérison spontanée de la pustule maligne. Paris. — 6) Reynier, P. et L. Gellé, Remarques à propos de deux observations de pustule maligne dans lesquelles la mort est survenue avec des accidents tétaniques. Archives générales de médecine. May. — 7) Monnier, L., Large anthrax de la région dorsale. Fusée purulente dans le canal rachidien et infection purulente. Mort. Gazette médicale de Paris. No. 24.

Barberini (1) empfiehlt zur localen Behandlung des Milzbrandcarbunkels elliptische Umschneidung und dann Aetzung mit 85 proc. Carbolsäure; er hat in dieser Weise 2 sehr schwere Fälle, den einen an einem 40jährigen Schlächter, den andern an einem Seminaristen zu glücklichem Ausgang geführt.

Einen mit Erhaltung des Lebens geendeten Fall von Milzbrand theilt Bleuler (2) mit.

Es handelt sich um einen 64 Jahre alten Schlächter, der einen 2jährigen, innerhalb 24 Stunden zu Grunde gegangenen Mast-Ochsen, ohne die Krankheit erkannt zu haben, ausweidete und nun erst den hernach durch den Amts-Thierarzt bestätigten Verdacht auf Milzbrand schöpfte. Der Schlächter zog sich bei jener Manipulation keine Verletzung zu, wurde auch nicht von einer Fliege gestochen und erkrankte trotzdem, aber erst am 11. Tage. 11 Wochen war er in Krankenhaus-Behandlung; die Local-Eruption war eine typische Pustula maligna am rechten Vorderarm und gleichnamiger Hand; auch nach Excision der Pustel gewahrte man noch eine progrediente Dermatitis, während das Allgemeinbefinden sich allmälig besserte. Noch nach der Entlassung aus dem Hospital konnte der Kranke nur geringe Excursionen mit den Fingern machen und die Hand fast zu nichts gebrauchen. Der excidirte Carbunkel war sofort in Alcohol gelegt und darin gehärtet worden. Die Schnitte wurden mit Methylenblau tingirt und in Damarharz eingeschlossen. Die Anthrax-Bacillen fanden sich fast ausschliesslich in Exsudat-Schichten zwischen Papillarkörper und Rete, ausserdem nur noch in den Papillen, also nur in Cutis-Bezirken, in welchen bereits vollständige Stase und beginnende Necrose zu erkennen war; sie wurden in benachbarten, einfach entzündeten Hautpartien vermisst. Uebrigens erschienen dort die Bacillen, die mit Hartnack-Immersion X. untersucht wurden, theils als verschiedentlich gewundene Fäden, die normale Länge um das 3—4fache überragend, theils auffallend kurz, nur doppelt so lang wie breit, bisweilen in kleine Reihen geordnet.

In 30jähriger Praxis hat Jauney (3) 4 Fälle von Pustula maligna beobachtet; die Aetiologie derselben ist nicht festgestellt, Untersuchung auf Bacillen und Impfversuche sind nicht vorgenommen; in den 3 tödtlichen Fällen hat Autopsie nicht stattgefunden, als Todesursache erschliesst Verf. auf Grund der stertorösen Athmung, des baldigen Coma und der vollständigen Paralyse: Thrombose von Cerebral-Venen oder -Sinus.

Im ersten Falle handelte es sich um einen 60jährigen Farmer, der an der rechten Backe den Carbunkel bekam; trotz ausgiebiger Kreuzschnitte trat ausgedehnte Gangrän an der rechten Gesichts- und Nackenhälfte ein, und dies 58 Stunden nachdem der Kranke zuerst ein Bläschen im Gesichte verspürt hatte.

Im zweiten Falle, dem einer 32jährigen Frau, entwickelte sich ebenfalls schnell der Anthrax an der rechten Gesichtshälfte; die Schwellung breitete sich von hier aus auf grössere Strecken der rechten Seite aus und fast an der ganzen rechten Körperhälfte bestand Hyperästhesie; auch in den rechten Arm reichte die Schwellung und der Tod trat 72 Stunden nach den ersten Wahrnehmungen einer Papel ein. Es waren ausser Kreuzschnitten noch Injectionen von reiner Carbolsäure in die Pusteln gemacht, auch Alcohol local auf das Gesicht applicirt worden.

Den dritten Fall hat Verf. nur ganz kurz beobachtet; er traf die 30jährige Frau sterbend an; vier Tage vorher war zuerst ein kleines Knötchen rechts am Kinn gefühlt worden; auch hier trat ausgedehnte Schwellung nebst Gangrän an der rechten Gesichtshälfte auf; am 3. Krankheitstage war Abort im 5. Monat eingetreten.

Der vierte Fall ist ein wochenlanges Krankenlager eines 44jährigen Wollhändlers, der sich von Colorado die Krankheit in Gestalt einer unterbohnengrossen Papel gebracht hatte; auch hier kam es zu ausgedehntem Anthrax, der grosse Einschnitte und antiseptische Localinjectionen erforderte. Obwohl Zeichen allgemeiner Infection, auch rechtsseitig, dann links Pleuro-Pneumonie, leichte Albuminurie, Hyperidrosis auftraten, konnte der Tod abgewendet werden, innerlich waren Chinin, Ammonium carbonicum mit Morphium gegeben worden.

Zwei Milzbrand-Fälle mit ganz gleicher Infections-Art und verschiedenartigem Ausgange berichtet Gill (4) aus dem Krankenhause zu Leeds.

Die Kranken hatten Thiere abgehäutet, welche auf dem nämlichen Felde geweidet und beide vergrösserte Milz hatten. Der erste, ein 34jähriger Schlächter, bekam 24 Stunden nach der Infection eine ausgedehnte Schwellung des rechten Vorderarms und verfiel trotz zahlreicher Incisionen in das phlegmonenartig verhärtete Gewebe. Barrs untersuchte Serum und Blut vom Arme auf Organismen, aber vergeblich. Vier Tage nach der Infection starb der Kranke. Nun konnte Barrs in mehreren Proben von Blut aus verschiedenen Körperregionen Bacillus anthracis mit Sporen entdecken und Russel fand das nämliche in der Milzpulpa.

Im zweiten Falle trat die Schwellung des rechten Vorderarms vier Tage nach der Infection auf; inmitten der Schwellung bildete sich auf der Flexorenseite ein typischer Milzbrandcarbunkel. Letzterer wurde herausgeschnitten, die entzündete Haut in der Umgebung weithin incidirt; Jodoformverband, dann Aetzung atonischer Granulationen mit Höllenstein; Heilung nach 6 Wochen.

Die ausgeschnittene Pustel wurde in verdünnten Alcohol gelegt und von Jacob microscopisch untersucht; es fand sich Necrose der epithelialen Elemente mit theilweiser Lockerung der Epidermisschichten durch serös-fibrinöse und zellige Infiltration; nach Färbung mit Gentianaviolet gewahrte man in den tiefen wie oberflächlichen Coriumschichten eine grosse Anzahl von Bacillen. Letztere erschienen als dicke Stäbchen, die

Sporen breit und rund, ähnlich denen, welche man durch Züchtung von Bacillus anthracis in Fleischbrühe erhält. Daneben sah man mehrfache Anhäufungen gewöhnlicher septischer Micrococcen.

Einen Fall von Spontanheilung des Milzbrandes theilt Planteau (5) mit.

Er betrifft einen 18jährigen Lazarethkoch, der öfters auch Fleisch auf der Schulter tragen musste. Es bildete sich auf dem Nacken ein Carbunkel, welcher den Patienten bei äusserst geringer Störung des Allgemeinbefindens am 6. Tage veranlasste, in den Krankensaal zu kommen. Die Schwellung und Verdickung sass links 5 cm von der Mittellinie, dicht unterhalb der Haare, hatte einen Durchmesser von 22 mm und die characteristische Eschara im Centrum einen von etwa 11 mm; um dieselbe herum waren kranzförmig zahlreiche stecknadelförmige Bläschen gruppirt mit serös-eitrigem, etwas schwärzlichem Inhalte. Die supraclavicularen und auricularen Lymphdrüsen waren schmerzhaft geschwollen. Die Behandlung war während der ganzen 25tägigen Dauer der Krankheit wesentlich indifferent. Die Ablösung des Schorfes, Eintrocknung der Bläschen und Vernarbung gingen glatt von Statten. Im Inhalte der Bläschen, um den Schorf und darunter, sowie im Blute nahmen Capitan und Chavoin keine Microorganismen wahr. Es wurden Culturversuche mit diesen Flüssigkeiten in reiner Rindsbrühe angestellt und mit den Culturen Inoculationen gemacht, aber erst nach einer kleinen Serie von Fortimpfungen konnte an Meerschweinchen Milzbrand mit characteristischen Bacillen zur Erscheinung gebracht werden. Es handelte sich nach Verf. bei jenem Kranken um ein abgeschwächtes Milzbrandgift; vielleicht war der Patient vorher durch wiederholte, unbeachtete locale Infectionen vor schwerer Milzbrandafficirung vaccinirt.

In zwei von Reynier und Gellé (6) beobachteten tödtlichen Milzbrandfällen hat Cornil die bacterioscopische Untersuchung vorgenommen.

Beide Kranken waren in einer Fabrik beschäftigt, in welcher Fischbein für Corsets verarbeitet wird. Dieser Fischbein stammt von indischen Büffelhörnern, welche im untersten Schiffstheil befördert und dort mehr oder minder von Seewasser bespült werden. Anscheinend bleibt keine Spur organischer Substanz daran und vor der Verarbeitung sägt der Principal die beiden Hornenden ab, so dass der Arbeiter nie den Theil handhabt, der in unmittelbarer Berührung mit der Thierhaut hätte sein können.

Der erste Kranke kam mit höchster Erstickungsnoth in's Krankenhaus. 2 cm ungefähr unter dem rechten Kieferwinkel findet sich ein brandiges Geschwür im Umfange eines 2 Francstückes, breiig anzufühlen und auf lividem, weithin oedematösen Gewebe ruhend. Der Kranke kann nicht den Mund öffnen und kein Wort hervorbringen. Schnell wird von Reynier zur Tracheotomie geschritten; nach Einführung der Canüle sofort bedeutende Erleichterung. Dann wird am Brandheerd eine breite kranzförmige Erweiterung mit dem Thermocauter vorgenommen und Carbol eingespritzt. Nun konnte erst anamnestisch u. a. festgestellt werden, dass der Kranke 14 Tage zuvor an der genannten Halspartie ein Knötchen bemerkt hatte, welches bald schwärzlich wurde und gelbe kleine Bläschen in der Umgebung bekam. Bei allgemeinem Unbehagen war es zu sich allmälig steigernder Athemnoth gekommen. Der Trismus wich nach der Operation nicht, auch schwanden die Erstickungserscheinungen nicht und trotz wiederholter Carbolinjection trat etwa 30 Stunden nach der Tracheotomie der Tod ein. Eiter aus dem Brandherde wurde noch bei Lebzeiten des Kranken entnommen und einem Meerschweinchen eingeimpft, worauf nach etwa 10 Stunden der Tod erfolgte. ¼ Stunde nach dem Tode jenes Arbeiters wurde Alcohol in die Lungen und den Magen der Leiche injicirt. Die Section zeigte ein schwarzes theerartiges Blut, welches alle Gewebe stark durchtränkte. Die Lungen hyperämisch und an der Basis etwas ödematös; etwas Fettleber. Am Halse unterhalb des Geschwürs eine ausgedehnte Eiterdurchsetzung des Zellgewebes, die Nachbardrüsen und -Muskeln gesund. Die Flüssigkeit aus dem Anthraxgeschwür selbst zeigte einfache Fäulniss-Bacterien. An den Lungenschnitten constatirte Cornil aber Milzbrand-Bacillen in der Alveolenwand und im Bindegewebe neben den Gefässen. Im Herzblut fehlten sie, aber in der gehärteten Milz zeigten sie sich in den Maschen des Balkengerüstes und dem Reticulargewebe der Follikel. Am Magen sah man zwischen den Bindegewebs- und den Muskelbündeln grosse Milzbrandstäbchen, stellenweise hakenförmig gekrümmt; auch in den Drüsen findet man die Microorganismen in der Richtung oder schräg zum Drüsengange; das Epithel ist meist erhalten; ausserdem begegnet man im interglandulären und submucösen Bindegewebe hie und da viel rundlichen Bacterien, wahrscheinlich „freie Milzbrandsporen" (?).

Der zweite Kranke hatte auf der rechten Wange ein röthliches, juckendes Knötchen bemerkt, welches trotz wiederholter ärztlicher Besichtigung, bei gutem Allgemeinbefinden innerhalb 8 Tage bis zu Zweifrancstückgrösse anwuchs; die rechtsseitigen Gesichtsmuskeln waren hart, daher Trismus; auch traten heftige tetanische Anfälle auf und der Kranke konnte nur die Bauchlage einnehmen. Im Krankenhause wurden Carboleinspritzungen in's Geschwür und Chloralclystire applicirt; die Körpertemperatur 36° C.; der Kranke stirbt asphyctisch, demgemäss zeigen sich bei der Section Lungen und Nieren hyperämisch. Cornil suchte in der Cerebrospinalflüssigkeit vergeblich nach Bacillen, fand aber einige im Milzblute und in Lebercapillaren. Im Muscul. masseter fand sich Zenker'sche Wachsdegeneration und zwischen den Muskelbündeln viel Ehrlich'sche Mastzellen. Nieren und Magen parenchymatös entzündet.

Obwohl sich in der localen Milzbrand-Eruption in beiden Fällen keine Microorganismen vorfanden, so konnten doch mit deren Inhalte und mit bacillenfreiem Blute Meerschweinchen tödtlich inficirt werden, ohne dass sich in den Geweben dieser Thiere die Milzbrand-Organismen fanden. Verff. lassen unbestimmt, ob man hier eine Unabhängigkeit der Virulenz von der Bacterien- oder Sporenwirkung annehmen will.

Zum Schluss wird über einen geheilten Milzbrandfall berichtet, der einen dritten Arbeiter aus der betreffenden Fabrik betrifft. Der Carbunkel sass am Nacken, hatte 50Centimesstückgrösse und wurde mit dem Thermocauter behandelt; ausserdem wurden Carbolinjectionen vorgenommen. Der Kranke verblieb circa 4 Wochen im Hospital. Im Inhalte der Pustel fand Courtade die Bacillen, nicht aber im Fingerblute des Patienten.

Einen mit Pyämie und Spinalaffection complicirten Anthraxfall hat Monnier (7) beobachtet.

Ein hinfälliger Greis, Reconvalescent von Pneumonie, erkrankte unter heftigem Fieber und zeigte bei der ersten ärztlichen Untersuchung am oberen Theile des Rückens eine 17 cm im Durchmesser grosse, dunkelrothe Geschwulst mit zahlreichen Eiterlöchern; die Mitte prominirt.

C. Rotz.

1) Bucquoy, Relation d'un cas de farcin aigu chez l'homme. Bulletins de l'académie de médecine No. 26. — 2) Monastyrski, Beobachtungen über das Verhalten des Rotzpilzes im menschlichen Organismus. St. Petersburger medicinische Wochenschrift No. 48.

Bucquoy's (1) Fall von acutem Rotz ist als

solcher diagnostisch auch durch Impfungen sichergestellt.

Er betrifft einen 19jährigen trunksüchtigen Kutscher, der bei seiner Aufnahme in das Hospital Cochin eine frische Narbe von hartem Schanker am Innenblatt der Vorhaut nebst beiderseitiger Inguinaldrüsen-Intumescenz, sowie eine über den ganzen Körper verbreitete Pedicularеruption darbot. 14 Tage zuvor hatte die Krankheit mit Inappetenz, Cephalalgie und reissenden Schmerzen in allen Gliedern nebst tiefer Abgeschlagenheit begonnen. Er bot im Krankenhause, bei 39° Körperwärme, ein typhusartiges Bild dar, doch war eigentlich, während sonstige Cardinal-Symptome des Typhus schmal, nur etwas Milztumor und Bronchialkatarrh zu constatiren. Bei genauer Nachforschung fand B. an der Aussenseite des rechten Beins eine 20 Centimesstück starke grosse bläuliche Ulceration mit abgelösten und verdünnten Rändern; etwas höher fühlte man bald auch einen haselnussgrossen, fluctuirenden Heerd. Die Körpertemperatur stieg über 40° und am 5. Tage entwickelte sich nach einem längeren Schüttelfroste am rechten Tibiotarsalgelenk eine lebhafte Röthe mit oedematöser Schwellung. Während diese an Umfang zunahm und dann durch eine kleine Oeffnung eine grosse Menge Eiter entleerte, bildeten sich ähnliche Anschwellungen am rechten Handgelenk und linken Knie. Der Kranke begann zu deliriren und verfiel zusehends. Am 11. Tage des Hospitalaufenthalts erschien ein Bläschen-Ausschlag über den ganzen Körper; die Grösse der Efflorescenzen schwankte von Linsen bis zu 2 Francstück; der Inhalt war erst serös, bald aber eitrig. Dieser Ausschlag liess zuerst bei Berücksichtigung der Beschäftigung des Kranken an Rotz denken. Nach weiteren 2 Tagen trat der Tod ein. Die Section zeigte nur einen faustgrossen Abscess mit buchtigen Rändern im linken Leberlappen und 2 mandelgrosse im rechten; das Lebergewebe in der Umgebung war stark entzündet; eine Anzahl von Leberzellen war fettig entartet. Das Hand- und das Fussgelenk rechts und das Knie links enthielten Eiter, während die Synovialis und die Knorpel intact erschienen. Es wurden zu microscopischen Untersuchungen und Impfungen vor dem Tode und in der Leiche Eiter, Serum, Blut, Schweiss, Thränen gesammelt. Das Microscop deckte keine Microorganismen auf; festgestellt wurde dann, dass in dem Stalle, wo der Kranke als Kutscher bedienstet gewesen, ein Pferd mit chronischem Rotz Monate hindurch verborgen gehalten war. Mit einem Bistouri, welches in Eiter vom Abscess im Tibiotarsalgelenk getaucht worden, wurde ein Einstich in die Nasenschleimhaut und einer in die Innenfläche des Schenkels eines von Leblanc zur Verfügung gestellten Esels gemacht. Bald begann das Thier zu fiebern, die Impfstellen wurden zu grauen Geschwürsflächen, es bildeten sich Wurmknoten und am 10. Tage nach der Impfung trat der Tod ein. Die Section wies zu allem übrigen noch eine dichte Erfüllung der Lunge mit kleinen Rotzknoten auf. Mit dem Nasensecret des Esels wurde 1 Meerschweinchen, mit dem Eiter vom Knieabscess des verstorbenen Kutschers ein anderes Meerschweinchen geimpft und diese beiden Thiere starben an Rotz.

Nachdem Monastyrski (2) schon in einem früheren Falle von Rotz im Blute und in den Geweben neben den Rotzbacillen noch fadenförmige Gebilde mit zum Theil deutlicher Sporenbildung beobachtete, ist ihm neuerdings ein ähnlicher Befund begegnet.

Ein 42 Jahre alter Hausknecht, welcher wiederholt mit rotzkranken Pferden zu thun gehabt hatte, kam in das St. Petersburger Peter-Paul-Hospital mit einer derbelastischen Geschwulst in den Grenzen des linken Deltamuskels; die Haut daselbst war glänzend gespannt und man sah in ihr sechs rundliche, nicht scharf begrenzte, rothe Flecke von der Grösse eines 10—15 Kopekenstückes. In den tieferen Hautschichten konnte man ziemlich derbe Knoten durchfühlen. Die Bewegungen im linken Schultergelenk waren fast unbeschränkt. In den Lungen war catarrhalisches Rasseln. Unter Chloroform wurde durch die Dicke der Haut ein etwa 6 cm langer Schnitt gemacht, der im subcutanen Bindegewebe gelagerte, mit dickem, gelbgraulichem Eiter gefüllte Höhlen aufwies, von welchen die eine haselnuss-, die andere erbsengross war; ein dem ersten paralleler Einschnitt ergab Analoges. Hernach wurden ähnliche Geschwülste am rechten Vorderarm und der rechten Wade constatirt; beim Aufschneiden wurde dicker, braun-grauer Eiter entleert; die Abscesshöhle ragte in die Musculatur hinein. Es bildete sich nun auch an der Stirn ein dunkelblauer grosser Fleck, der von einem breiten, hochrothen Hofe umgeben war, in der Mitte entwickelten sich Blasen mit blutig-serösem Inhalte, während Nase, Augenlider und Wange sich rötheten und stark anschwollen. Der Kranke fieberte stark, begann zu deliriren und starb am 9. Tage des Hospitalaufenthalts.

Die Section zeigte eine Durchsetzung des ganzen linken Deltamuskels mit zahllosen kleinen Eiterheerden; die Stirnhaut war necrotisch, das Periost daselbst mit Eiter durchtränkt; aus den benachbarten Lymphgefässen traten dicke Eitertropfen. Auch enthielten die Lungen Rotzknoten. Das Herz zerging zwischen den Fingern wie Butter, Leber und Nieren auffallend parenchymatös verändert, Milz stark vergrössert, zerfliessend.

Noch bei Lebzeiten des Kranken waren unter den üblichen Cautelen Trockenpräparate aus Blut, Eiter und dem Inhalte der Stirnblasen angefertigt; sie wurden mit Methylenblau tingirt und mit Hartnack, Ocular 3, Oelimmersion I bei offenem Condensor durchmustert. An den Präparaten sah man, ausser zahlreichen Löffler-Schütz'schen Bacillen noch Körnchen, Stäbchen und Fäden. Bacillen und Fäden waren überall gleich dick und alle jene Gebilde hatten sich gleich intensiv gefärbt. An den Fäden war keine Segmentation zu eruiren, doch war die Länge der Fäden eine ungleiche. Wenn nun auch bei Reinzüchtungen des Rotzgiftes nur Bacillen erhalten werden sollen, so ist doch nach Verf. nicht ausgeschlossen, dass im menschlichen Organismus es zu einer etwas differenten Entwickelungsweise kommen kann, und jene verschiedenartigen microscopischen Gebilde verschiedene Entwickelungsstufen des Rotzpilzes sind.

Militair-Sanitätswesen*)

bearbeitet von

Dr. VILLARET, Königl. Preuss. Stabsarzt.

I. Geschichtliches.

1) Die längsten und schnellsten Märsche aller Zeiten. Neue milit. Bl. Bd. 25. S. 27 ff., S. 201 ff., S. 308 ff., S. 378 ff. (Eine kriegsgeschichtlich, aber auch vom militärärztlich hygienischen Gesichtspunkte interessante Arbeit.)

Frölich, H., Die periodische militärärztliche Literatur. Militärarzt. No. 8. (Besprechung der Entwicklung der militärärztlichen Presse etc. in den verschiedenen Staaten.)

Wir fügen hier die zur Zeit periodisch erscheinenden militärärztlichen Journale u. s. w. an, soweit uns solche bekannt sind.

Zur Zeit erscheinen also periodisch: In Deutschland: Deutsche militairärztliche Zeitschrift. In Oesterreich: Der Militairarzt; der Feldarzt. In Frankreich: Revue des médecins des armées (erscheint in unregelmässigen Zwischenräumen); Archives de médecine militaire. In Russland: Wojenno Sanitarnoje djelo; Wojenno medizinski Journal. In Spanien: Gaceta de Sanidad militar. In Italien: Giornale di medicina militare. In Schweden: Tidskrift i Militär Helsowärd. In Portugal: Gazeta des hospitales militares. In Holland: Nederlands militair Geneeskundig Archief. In Belgien: Archives médicales belges, organe du corps sanitaire de l'armée. In Rumänien: Spitalul Rivistà Medicalà. (s. auch Abschnitt VI. Freiwillige Krankenpflege.)

II. Organisation.

A. Allgemeines.

1) Les fonctions du médecin en chef d'une division pendant le combat. Archives militaires. Januar-März. (Beleuchtung der uns bekannten Verdy du Vernois'schen Vorschläge.) — 2) Moreno, Gennaro, Betrachtungen über die Normalmarschordnung eines Armeecorps. Mil. W. Bl. No. 39.

B. Specielles.

1. Deutschland.

3) Rang- und Anciennetätslisten des deutschen Sanitätscorps. Boerner's Reich-Medicinal-Kal. II. und Medicinal-Kalender für den preussischen Staat von Hirschwald — 4) Die Rang- und Quartierliste der Königl. Preuss. Armee für 1884. — 5) Das Militärhandbuch des Königreich Bayern für 1884. — 6) Rangliste des Königlich Sächsischen (XII.) Armeecorps. — 7) Rangliste des Königlich Württembergischen (XIII.) Armeecorps. — 8) Eintheilung und Standquartiere des deutschen Reichs-Heeres, nebst einem Anhang, enthaltend eine Uebersicht der Kaiserlichen Marine. Rev. bis zum 8. April 1885. gr. 8. Berlin.

2. Oesterreich-Ungarn.

9) Reichskriegsministerium. Reglement für den Sanitätsdienst des k. k. österr.-ungar. Heeres. Theil II. — 10) Myrdacz, Jahrbuch für Militärärzte. Wien. — 11) Was hat die militärärztliche Reorganisation gebracht? Wiener med. Presse vom 7 Dec.

3. Frankreich.

12) Das französische Sanitätsofficierscorps (Etat). — 13) Annuaire de l'armée française pour 1884. (Führt im Abschnilt 6 das Sanitätsofficiercorps, dessen Etat sich auf 1300 Aerzte und 185 Pharmaceuten beläuft. Es fehlen einige 100 Aerzte. Der Territorialarmee — Abschnitt 9 — gehören 2133 Aerzte und 214 Pharmaceuten an.) — 14) Almanach de l'armée française en 1884. Paris et Limoges. — 15) Réorganisation du comité consultatif d'hygiène. Institution d'un comité de direction des services d'hygiène. — 16) Règlement sur le service des armées en campagne. (Erlass des Präsidenten der französ. Republik vom 26. Oct 1883; s. a. genauere Inhaltsmittheilung. Mil. W. Bl. No. 13.) — 17) Marschdienst in der französischen Armee aus Abschnitt 8 des Reglements sur le service des armées en campagne. (S. auch Referat in M. W. Bl. No. 15.) — 18) Der Ersatz der Militärärzte der französischen Armee. Mil. W. Bl. No. 1. — 19) Körting, Ueber die Ergänzung und Ausbildung des Sanitätspersonals der französischen Armee. D. mil.-ärztl. Zeitschr. (Umfassende Zusammenstellung und Verarbeitung des ganzen einschlägigen Materials an Reglements etc., welche jedoch schon einzeln in den früheren Jahresberichten,

*) Siehe die Anmerkung zum Bericht des vorigen Jahres. Villaret.

cfr. namentlich den pro 1883, referirt worden sind.) — 20) Groschke, Mittheilungen über das Militärsanitätswesen in Frankreich. Vortrag, gehalten in der mil.-ärztl. Gesellschaft zu Berlin. S. Referat in: D. mil.-ärztl. Zeitschr. S. 43. — 21) Petit, Guide du médecin et du pharmacien de réserve, de l'armée territoriale et du médecin auxiliaire. (Die Gazette hebdomadaire sagt: „Il résume les documents administratifs que doit consulter le médecin pour connaître ses devoirs et ses droits. Les lois, décrets, règlements, circulaires, instructions et lettres ministérielles.")

4. Russland.

22) Der russische Heeresetat an Aerzten. Russ. Invalid No. 73 u. 83. — 23) von Drygalski, Die Entwickelung der Russischen Armee seit dem Jahre 1882 (Verf. bespricht neben den allgemeinen Organisationsveränderungen in der Armee auch diejenigen des Sanitätswesens nebst dessen sonstiger Entwicklung.)

5. England.

24) Der Etat für die Militärärzte in England für das Jahr 1884/85. Lancet. März 22. — 25) Organisationsänderung des Army Hospital Corps in England. Army Circular. October 1. — 26) Einführung eines Examens für die über 20 Jahre dienenden (!) surgeons-major (Stabsärzte) zur Darlegung ihrer Qualification zum brigade-surgeon. Ibid. August 1. — 27) The ambulance movement. Lancet. June 14. — 28) Army medical organization in war, with suggestions as to Militia and Volunteer aid. Journal of the Royal United Service Institution. Vol. 28. No. 123.

6. Italien.

29) Pecco, L'insegnamento nel corpo sanitario militare. Giornale di medicina militare.

7. Griechenland.

30) Stehendes Heer in Griechenland (L'avenir militaire). (Bei einer Präsenzstärke von 23496 Mann Ende August 1883 ist die Sanitätstruppe der Armee 358 Mann stark gewesen.) — 31) Gyllenram, Från mobiliseringen i Grekland 1880—1881. Tidskr. i militär helsovard. Bd. 8. p. 183.

8. Schweden.

32) Sylvèn, O., Om Infanteriets marschdietetik och marschsjukdomar. Tidskrift i militär helsovard. Bd. 8. p. 169.

A. Allgemeines.

Moreno (2) lässt in der Marschordnung des Armeecorps ein Sanitätsdetachement in der Avantgarde, aber erst hinter der der Artillerie folgenden Infanterie marschiren, während ein 2. im Gros hinter der dem zweiten Infanterieregiment des Gros folgenden Artilleriebrigade marschirt, ein 3. endlich am Ende des Gros aber noch vor dem Divisions-Artilleriepark. Wo das Gros der Feldlazarethe marschirt, ist nicht ersichtlich (vgl. No. 17).

B. Specielles.

1. Deutschland.

Die Rang- und Quartierliste der Preussischen Armee (4) weist für die Sanitätsofficiere durch Neu- und Wiederanstellungen einen Zuwachs von 16 (und zwar 4 in der activen Armee, 12 in Reserve und Landwehr), durch Beförderung zum Assistenzarzt 2. Klasse einen solchen von 195 Sanitätsofficieren nach (und zwar 41 in der activen Armee, 154 in Reserve und Landwehr), also zusammen einen Zugang von 211 Sanitätsofficieren. Diesem steht gegenüber ein Abgang durch Verabschiedung von 228 Sanitätsofficieren (davon 39 in der activen Armee und 189 in Reserve und Landwehr), und ein solcher durch den Tod von 31 Sanitätsofficieren (und zwar 16 in der activen Armee und 15 in Reserve und Landwehr) zusammen also ein Abgang von 259 Sanitätsofficieren, so dass im Ganzen 48 Sanitätsofficiere (wovon 10 in der activen Armee und 38 in Reserve und Landwehr) mehr ab- als zugingen.

In der activen Armee wurden im Laufe des Jahres von der nächst unteren Stufe befördert: zu Generalärzten 1. Classe 3, zu Generalärzten 2. Classe 1, zu Oberstabsärzten 1. Classe 13, zu Oberstabsärzten 2. Classe 28, zu Stabsärzten 37, zu Assistenzärzten 1. Classe 42 Sanitätsofficiere und zu Assistenzärzten 2. Classe 41 Unterärzte. In der Reserve und Landwehr wurden von der nächstunteren Stufe befördert: zu Oberstabsärzten 2. Classe 6, zu Stabsärzten 82, zu Assistenzärzten 1. Classe 177 Sanitätsofficiere, und zu Assistenzärzten 2. Classe 154 Unterärzte der Reserve und Landwehr.

Die Rangliste der Sächsischen Armee (des 12. Armeecorps des deutschen Reichs) (6) weist nach a) im activen Dienststande: 1 Generalarzt 1. Classe, 11 Oberstabsärzte 1., 10 2. Classe, 34 Stabsärzte, 22 Assistenzärzte 1., 9 2. Classe; b) in Reserve und Landwehr: 45 Stabsärzte, 68 Assistenzärzte.

2. Oesterreich-Ungarn.

Ein ungenannter Verf. (11) stellt den Etat der Militärärzte des österr.-ungar. Heeres von 1882 dem pro 1884 gegenüber.

Danach waren etatisirt	1882	1884
Generalstabsärzte........	2	4
Oberstabsärzte I. Cl.	21	24
„ II. „	22	30
Regimentsärzte I. „	301	384
„ II. „	301	192
Oberärzte	240	245

Hiernach ist also durch eine geringe Vermehrung der Regimentsarztstellen I. Cl. und der Oberstabsarztstellen eine geringe Avancementsverbesserung geschaffen. Die Wiedereinrichtung der Josephsakademie ist einstweilen vertagt, ebenso wie die Gleichstellung des Sanitätsofficiercorps mit dem Officiercorps der Armee.

3. Frankreich.

Im Januar 1884 bestand das französische Sanitätsofficiercorps (12) aus 1 médecin-inspecteur-général (Rang: General), 8 médecins-inspecteurs (General), 10 directeurs du service de santé in verschiedenen Einzel-Stellungen (Rang: General), 86 médecins principaux 1. classe (41, Rang: Oberst) und

2. classe (45, Rang: Oberstlieutenant), 745 medecins-majors 1. classe (300, Rang: Major) und 2. classe (445, Rang: Hauptmann) und 347 aides-majors 1. classe (244, Rang: Premierlieutenant) und 2. classe (103, Rang: Secondelieutenant). Dazu 1 pharmacien-inspecteur (Rang: General), 12 pharmaciens principaux 1. Classe (6, Rang: Oberst) und 2. Classe (6, Rang: Oberstlieutnant), 89 pharmaciens majors 1. Classe (39, Rang: Major) und 2. Classe (50. Rang: Hauptmann) und 52 pharmaciens aides-majors 1. Classe (34, Rang: Premierlieutenant) und 2. Classe (18, Rang: Secondelieutenant).

Summa: Sanitätsofficiere

a) médecins,	Etat 1300,	vorhanden 1187
b) pharmaciens,	„ 185,	„ 154
Gesammtsumme:	Etat 1485,	vorhanden 1341

Die Pflichten des comité consultatif und des comité de direction des services d'hygiéne (15) sind nach dem Decret des Präsidenten der Republik vom 30. September 1884 folgende: Sanitätspolizeiliche Ueberwachung der Küsten, Quarantänen und ähnlicher Einrichtungen; Erlass von Massregeln zur Verhütung und Bekämpfung von Epidemien; Verbesserung der sanitären Lage der Arbeiter- und Landbevölkerung; Verbreitung der Impfung; Organisation von Gesundheitsräthen in Städten und Ortschaften; Salubrität der Wohnungen, Fabriken, Werkstätten etc.; Wasseruntersuchungen, Medicinal- und Apothekenpolizei; Vorlegung sanitärer Fragen an die Academie der Medicin; jährliche Berichterstattungen. — Schwarze.

Der Sanitätsdienst der französischen Feldarmee (16) steht unter dem militärischen Oberbefehl und wird bei einer Armee durch einen médecin-inspecteur, bei einem Armeecorps durch einen médecin-principal, bei einer Division, Ambulanz oder Feldhospital durch einen médecin-principal oder médecin-major geleitet, der den Titel Chefarzt annimmt. Die höchste Sanitätsbehörde im Stabe des mehrere Armeen commandirenden Generals bildet die inspection générale du service de santé des armées. Die Sanitätsanstalten gliedern sich, wie es in dem Erlass vom 26. Februar 1883 (s. vorigen Jahrgang Bd. I. S. 539. No. 31.) vorgeschrieben ist.

Gemäss der Normal-Marschordnung (17) für die französische Armee marschirt a. bei der Cavalleriedivision ein Feldlazarethdetachement in der Avantgarde direct hinter der reitenden Batterie; b. bei der Infanteriedivision wiederum ein Feldlazarethdetachement in der Avantgarde hinter der Avantgarden-Artillerie und ein Divisionslazareth am Ende des Gros vor den Munitionssectionen; c. bei einem Armeecorps zunächst wie bei b., was die Avantgarde betrifft; im Gros marschirt ein Divisionsfeldlazareth hinter der ersten Infanteriebrigade des Gros, das 2. hinter der 3. Infanteriebrigade vor den Gefechtstrains, in der Arrieregarde endlich marschirt das Feldlazareth des Hauptquartiers. Die Kranken der Truppen marschiren mit den Lazarethen.

Die französische Kammer lehnte Ende 1883 die wiederum geforderten Credite für Errichtung militärärztlicher Schulen (18) zu Bordeaux und Nancy ab, da der Ersatz an Aerzten genügend gedeckt sei (s. vorhergehenden Jahrgang Seite 540. No. 38. Band I.). Dieser Ansicht tritt der Unterstaatssecretär durch folgenden Zahlenbeweis entgegen: 1878 meldeten sich 243 Schüler, von denen 109 angenommen wurden und 62 in die Armee eintraten; 1879 meldeten sich 111, von denen 84 zugelassen wurden und schliesslich 60 eintraten. 1883 belief sich die Zahl der Anmeldungen auf 108, die der Zugelassenen auf 88. die der Eingetretenen auf 48. 1884 werden nur 37 eintreten, während der Bedarf sich auf 70 beläuft. In den letzten 2 Jahren schieden 110 Aerzte aus, 104 traten in die Armee ein, wobei man noch die Ansprüche ermässigen musste.

4. Russland.

In Russland (22) waren:

	Aerzte.	Pharmac.	Lazarethgehülfen als Apotheker	Lazarethgehülfen für die Truppen
Am 1. Jan. 1883 etatsmässig ...	2831	265	4318	4839
Darauf vorhanden	2775	264	3785	3221
Mithin fehlten am 1. Jan. 1883	56	1	533	1618

Die Lazarethgehülfen sind einmal bezeichnet als Apothekerfeldscheere, sodann als Compagnie-, Escadron-, Batterie- u. s. w. Feldscheere.

5. England.

In England wurde für das Militärsanitätswesen für das Jahr 1884/85 gefordert: a) für Besoldung der Sanitätsofficiere 225972 Pfund, b) für Zuschüsse (Tischgelder und Service) 11542 Pfund, c) für die Surgeons der Miliz, incl. die Entschädigung für Medicin 9400 Pfund, d) für die Aerzte bei den Militärgefängnissen 6600 Pfund, wovon 350 Pfund auf die Colonien kommen.

Der Etat des Army Hospitalscorps ist um zweihundert Mann vermehrt und als wichtig erscheint die auch in anderen Armeen angebrachte Neuerung der Einstellung einer Summe von 500 Pfund zur Besoldung von „civilian instructors in cooking for the hospitals". Die Beschaffung der Köche für Feldlazarethe ist eine schwere Frage und gewiss eine wichtige und doch werden in manchen Ländern, die sonst ihre Mobilmachung bis aufs kleinste vorbereiten, als Feldköche oft Leute designirt, die alles andere eher als einen Koch repräsentiren könnten.

Für die Medical school at Netley und die Examination der Candidaten sind 6388 Pfund ausgeworfen und endlich 23000 Pfund für Medicin und chirurg. Instrumente.

Das Medicaldepartement und das Army Hospitalcorgs haben nach Königglicher Verfügung (25) aufgehört zu existiren, und sind aus den Sanitätsofficieren Subalternofficieren etc. der Medical Staff gebildet und the Medical Staff Corps. Den Sanitätsofficieren des Medical Staff ist volle Befehlsgewalt über die darin befindlichen Kranken gegeben. Eine spätere Verfügung bestimmt, dass aus der Miliz eine Reserve des medical staff corps gebildet wird in der Stärke von 1200 Mann; indem jedes Milizbataillon 10 Mann abgiebt. Zur Zeit der Uebung der Miliz werden diese Leute zusammengezogen und unter dem Befehl des obersten Sanitätsofficiers des Districts mit den Pflichten und Aufgaben des medical staff corps vertraut gemacht.

Ferner ist durch Armeecircular vom 1. Mai (27) seitens des Krigsministeriums die Bildung von „Ambulance classes" angeordnet und zwar durch die ganze Armee hindurch, in der regulären, wie in der Milizarmee und in den Freiwilligencorps, um Leute für die Leistung der ersten Hülfe auszubilden. Die Ausbildung geht unter dem Befehl des General officers und unter der Leitung der höheren Sanitätsofficiere des Districts vor sich. Zwei Leute, „oft the rank and file per company" (zwei per Zug?) tragen das rothe Kreuz und sind dadurch als Krankenträger kenntlich.

6. Italien.

Pecco (29) knüpft an die mit dem 1. Januar 1883 ins Leben getretene scuola di applicazione di sanità militare in Florenz einige Bemerkungen über die Nothwendigkeit für eine besondere Ausbildung des militärärztlichen Corps Sorge zu tragen, und geht über zu geschichtlichen Mittheilungen über die Entwicklung des italienischen Sanitätscorps, welche im Jahre 1833, in welches die Errichtung des sardinischen Sanitätscorps fällt, ihren Anfang nimmt. Auch hier ist die Bestrebung zur Beseitigung oder doch wenigstens zur Umänderung der Stellung eines kaum mit Feldscheerbildung versehenen Personals bei gleichzeitigem Ersatz desselben durch vollkommen wissenschaftlich ausgebildete Aerzte der durch die ganze Entwicklung sich hindurchziehende rothe Faden.

Interessant ist die im Jahre 1851 ins Leben getretene Einrichtung wissenschaftlicher Lesecabinette bei den Divisionslazarethen, die bei zahlreicherem ärztlichem Personal subventionirt, bei einer kleineren Anzahl der Aerzte gänzlich vom Staate erhalten wurden, während ein nach Rang und Gehalt verschiedener Abzug den Sanitätsofficieren dafür gemacht wurde. Mit dem 1. Januar 1874 übernahm der Staat ganz und gar die bezüglichen Unterhaltungskosten.

Auch den guten Einfluss des von dem dereinstigen Chef Ribero gestifteten 1000 Francpreises hebt P. hervor und giebt die seit dem Bestehen des Preises (1856) gestellten Preisfragen an.

7. Griechenland.

[Gyllenram (31) veröffentlicht Beobachtungen auf einer Reise in Griechenland während der Mobilisirung 1881.

Die allgemeine Wehrpflicht wurde in Griechenland durch das Gesetz vom 27. Nov. 1878 eingeführt, die Dienstzeit (vom 21.—40. Lebensjahre) auf 3 Jahre in der activen Armee, 6 Jahre in der Reserve und 10 Jahre in der Territorialarmee festgesetzt. Wegen der orientalischen Wirren wurde im August 1880 Mobilisirungsordre für das Heer erlassen, und im Mai 1881 erschien ein königliches Decret, welches unter anderem auch die Ordnung des Sanitätsdienstes enthielt. Darnach wurde die Anzahl der Militärärzte auf 307, die der Apotheker auf 100 und der Thierärzte auf 11 festgesetzt, von denen resp. 126, 51 und 4 zum festen Etat gehörten, die übrigen bei der Mobilisirung hinzukamen. Die Militärärzte vertheilen sich auf 6 Grade mit folgendem Range, monatlicher Besoldung und in folgender Anzahl: 4 Chefärzte (Oberst) mit 560 Drachmen (1 Franc = 1,20 Dr.); 6 Unterchefärzte (Oberstlieutenant) mit 460 Dr.; 18 Aerzte (Major) mit 410 Dr.; 89 Unterärzte (Hauptmann) mit 280—240 Dr.; 90 Hilfsärzte (Lieutenant) mit 200 Dr.; 100 Kandidaten (Unterlieutenant) mit 160—120 Dr.; von den 3 ersten Classen gehörten alle, von den 3 letzten nur resp. 24, 24 und 50 dem festen Etate an. Ausserdem wurde eine Sanitätscompagnie aus 7 Officieren, 151 Unteroffiziere und Hornisten und 1232 Mann bestehend errichtet. Die Lazarethe wurden nach der Grösse der Truppenstärke, zu denen sie gehörten, in 5 Classen eingetheilt; das Personal und Material jeder Classe wird in dem Berichte des Verf. angegeben. Die Stärke der activen Armee wurde auf 81586 Mann bestimmt, so dass ein Arzt auf je 265 Mann kam; die factische Stärke scheint aber 61100 Mann nicht bedeutend überschritten zu haben. — Der griechische Soldat ist, wie das Volk im Allgemeinen, sehr nüchtern, mässig und genügsam. Jede Compagnie besorgt selbst ihre Verproviantirung und die Zubereitung des Essens, indem von der Löhnung jedes Soldaten 26 Leptas (0,26 Dr.) pro Tag zum Einkaufe von Proviant zurückgehalten werden. Eine feste Verpflegungsnorm giebt es nicht. — Der Mobilisirung wegen wurden an verschiedenen Orten des Landes hölzerne Baracken behufs der Einquartierung der einberufenen Mannschaft aufgeführt; die alten Kasernen waren sehr eng, schmutzig und ungesund. Von der zuletzt aufgeführten Kaserne (für die Cavallerie zu Athen), sowie von einer Holzbaracke giebt der Verf. eine Beschreibung. Ebenfalls bespricht er drei der Garnisonlazarethe, nämlich in Athen, Larissa und Lamia. Das Garnisonlazareth in Athen ist nach dem Corridorsystem in 2 Etagen gebaut und für 300 Betten, 18—14 in jeder Krankenstube, bestimmt; es wird von einem Militärarzte mit dem Range eines Oberstlieutenant als Director geleitet. Die griechischen Militärärzte werden gewöhnlich an der Universität zu Athen ausgebildet; einzelne setzen ihre Studien in Wien oder gewöhnlich in Paris fort; um als Candidat in die Armee einzutreten darf ein Arzt nicht über 26 Jahre sein, ausserdem muss er eine besondere Prüfung vor einer Commission von Militärärzten bestanden und darnach ein Jahr am Garnisonlazareth in Athen gedient haben. Jedes Lazareth wird ausschliesslich von einem Arzte als Director geleitet. Die Ausbildung der Sanitätstruppen findet am Lazareth in Athen statt. Von dem Jahrescontingente werden ca. 10 pCt. für dienstuntauglich erklärt; die häufigste Ursache der Dienstuntauglichkeit soll Leistenbruch sein.

Joh. Möller (Kopenhagen).]

8. Schweden.

[Sylven (32) giebt eine Darstellung der Marschhygiene in Bezug auf die in den schwedischen Armeereglements gegebenen Bestimmungen.

Nach diesen soll die Geschwindigkeit des gewöhnlichen Marsches 114—116 Schritt in der Minute mit einer Schrittweite von $2^1/_2$ Fuss sein. Der Verf. meint, dass die Geschwindigkeit ohne vermehrte Muskelarbeit nur 100 Schritt in der Minute sein kann. Nach dem Reglement ist der gewöhnliche Tagesmarsch 2 schwedische Meilen (ca. 21 Kilometer); halbwegs wird eine Stunde Rast gehalten, und ausserdem nach jeder Stunde eine kürzere Rast gemacht; gewöhnlich wird 2 Tage marschirt, der dritte Tag ist Rasttag. Der Verlust an Mannschaft bei einem längeren Marsche bei kühlem, trockenem Wetter und auf guten Wegen wird auf 4—8 pCt. für die Infanterie und auf die Hälfte für die Cavallerie berechnet. Der Verf. giebt eine Uebersicht über die verschiedenen hygienischen Maassregeln, die unmittelbar vor, sowie während des Marsches zu beobachten sind, wie die Pflege der Füsse und der Fussbekleidung, die Wahl der Marschroute und der Marschzeit, die Versorgung mit gutem Trinkwasser die Rücksicht auf die Kleidung u. s. w., nebst einer Darstellung der Marschkrankheiten, namentlich des Sonnenstichs und des Hitzschlages, der Präventivmassregeln und der Behandlung derselben (wesentlich nach Jacubasch). **Joh. Möller** (Kopenhagen)]

III. Militairgesundheitspflege.

A. Allgemeines.

1) Frölich, H., Gesundheitsregeln für Soldaten. Militairarzt No. 20. (Einfache Verhaltungsmassregeln für Lebensweise, Beköstigung, Bekleidung, Unterkunft, Dienst, erste Selbsthülfe.) — 2) Military Hygiene. Journal of the Royal United Service Institution. Vol. 27. No. 122. — 3) Audet, Manuel pratique de médecine militaire. Avec plans. Paris. — 4) Lossowski, Zerstreuung und Arbeit in der Kaserne. Wajennyi Sboruck, Juniheft. (S. a. Mil.-Lit.-Ztg. Behandelt die Gewährung von Branntwein und anderen Anregungsmitteln.)

B. Specielles.

1. Medicinische Topographie.

5) Glück, Ueber die Sanitätsverhältnisse unseres Occupationsgebietes. Wiener med. Presse. No. 17, 19, 21—24. — 6) Michaelis, A., Die hygienische Deckung einer im Osten und Südosten der Monarchie operirenden K. K. Armee, mit Rücksicht auf die homologen Hinterländer. Streffleur's Oesterr. Milit. Zeitschr. Bd. 25. I. S. 83. — 7) Courtois, Aperçu topographique de la partie au nord de la Tunisie. Archives de méd. militair. Band III. p. 23. (Reisebeschreibung.) — 8) Marix, Etude médicale sur le Djerid et le Sud-Tunisien. Ibid. Bd. III. No. 1. — 9) Jebl, Extrait d'un rapport sur le service pharmaceutique de l'ambulance de Béja. Ibid. Bd. III p. 1. (Topographisch-geologisch klimatologische Skizze mit Berichten über Wasseruntersuchungen.) — 10) Bourru, Le Tongking. Annales d'hygiène. Jan. — 11) La Guyane française, sa population et ses productions. Revue maritime et coloniale. Bd. 80. 268. Lieferung. — 12) Essai de géographie medicale de Nossi-Bé. (Côte nord-ouest de Madagascar.) Gaz. hebdom. Thèse. (Auch hier sind es die Sumpffieber, welche das Gebiet beherrschen.) — 13) Nerazzini, Cesare, Osservazioni mediche sulla Baja di Assab. (Affrica orientale.) Giornale di medicina militare. S. 22 u. f.

2. Unterkunft der Truppen.

a. Casernen.

14) von Forst, Unsere Casernen. Ein Wort an die Offiziere der casernirten Truppentheile und den Reichstag. Hannover. — 15) Breitung, Ueber die hygienischen Einrichtungen einer Infanteriecaserne. D. milit.-ärztl. Zeitschr. No. 2. — 16) Ulmer, Ueber Militairunterkünfte vom hygienischen Standpunkt. Militairarzt No. 3, 4, 5. — 17) Renard, Essai sur un projet d'études méthodiques sur l'hygiène des casernements. Arch. de méd. milit. 16. Jan. — 18) Cordero, Die Hygiene des Quartiers. Gaceta de sanidad militar. Januar—März. — 19) Die neue Caserne des Garde-Schützen-Bataillons in Lichterfelde. Allgem. Militär-Zeitung. No. 65. (Kurze Beschreibung der nach dem jetzt bei uns üblichen Typus erbauten Caserne.) — 20) Czernicki, Note complémentaire sur l'assainissement du quartier du palais à Avignon au moyen de l'acide sulfureux. Archives de médecin milit. Bd. IV. p. 20. — 21) Bogaert, van den, Assainissement d'une caserne. — 22) Die Unterbringung der Truppen im Grossfürstenthum Finnland, bes. die Caserne des 1. Nylandskischen Bataillons in Helsingfors. Aus einem Artikel des Mil. Woch.-Bl. No. 46. — 23) O. Les lits militaires, étude sur le couchage des troupes en garnison. Spectat. milit. Tome 27. p. 307. — 24) Le plancher des casernes, leur influence sur l'état sanitaire. Arch. méd. belg. Bd. 25. p. 140. (Zusammenfassung der Arbeiten von Michaelis u. a. über dieses Thema, also auch Empfehlung der Waschungen des Fussbodens mit Sublimat 1 : 1000.) — 25) Zur Desinfection der Fussböden in Casernen. Feldarzt No. 5. (Regimentsarzt Dr. Schaffer empfiehlt einen Theeranstrich.) — 26) Die Rauchverzehrungsfrage. Intermittirende Wasserspülung. Ueber verbesserte Anlage für Luftheizung. Die Falzziegeldecke von Baumeister Schneider in Wien. Siehe in: Mittheilungen über Gegenstände des Artillerie- und Ingenieurwesens, herausgegeben v. K. K. techn. und administr. Militaircomité. (Die vier kleinen Aufsätze betreffen brennende Fragen der Wohnungshygiene, deren Studium gerade besonders für den stets mit Baufragen in Berührung kommenden Militairarzt von Wichtigkeit ist.) — 27) Die Hautpflege beim Militair. Militairarzt No. 8. (Will Badeeinrichtungen in die Casernen eingeführt wissen.) — 28) Frölich, H., Gesundheitliches über künstliche Beleuchtung in militairischen Unterkünften. Ebend. N. 17. (Eine einfache Methode, die Leuchtkraft von Lichtquellen mittelst selbsthergestellten Photometers zu berechnen, ferner Angabe der Behandlung von Steinöllampen und einige Bemerkungen über das electrische Licht.)

b. Baracken und Zelte.

29) Schaffer, Ludwig, Skizze für ein Wagenzelt. Militairarzt No. 6 und 7. — 30) Die Favret'sche Zeltbaracke. Armée française. — 31) Das Papier und seine Verwendung zu Heereszwecken. Milit. Woch.-Bl. No. 35. — 32) K. H. Unterkunftsnothbauten. Streffleur's Oesterr. Milit. Zeitschr. XXV. 1.

3. Ernährung.

a. Allgemeines.

33) Friedens-Verpflegungs-Etat für die preussischen Truppen für das Jahr 1884/85. Berlin. — 34) König, Die menschlichen Nahrungs- und Genussmittel, ihre Herstellung, Zusammensetzung und Beschaffenheit, ihre Fälschungen und deren Nachweisung. Mit einer Einleitung über die Ernährungslehre. (Dieses für jeden Sanitäts-Officier nach unserer Ansicht heute unentbehrliche, ganz vortreffliche Buch ist an anderer Stelle dieses Werkes [siehe Jahrgang 1884] besprochen.) — 35) Die Militair-Cantinen. Jahrbücher für die deutsche Armee und Marine. Heft 3. März. (Der Artikel behandelt die Frage hauptsächlich vom wirthschaftlichen Standpunkte.) — 36) Die Central-Militair-Cantinen-Anstalt in Cöln. Allgem. Militair-Zeitung. No. 48. — 37) Tschirner, Vorschlag zur Ergänzung des Feldgeräths eines Infanterie-Bataillons mit Werkzeugen zum Tödten und Zerlegen des Schlachtviehs. Ebendaselbst.

No. 19. (Schlägt vor, den Truppen die Werkzeuge und Instrumente zum regelrechten Schlachten der Schlachtthiere mitzugeben.) — 38) Ein neuer Feld-Küchenwagen. Ebendaselbst. No. 38. (Beschreibung des Küchenwagens nach Kittgen's Patent, gebaut von Herbrand u. Co. in Ehrenfeld bei Cöln.) — 39) Der Kutgen'sche Cantinenwagen. Militär-Wochenblatt. No. 60. (Giebt einige Details über den Bau des Wagens, sodann über Geschäftsbetrieb und Verwaltung.) — 40) Ein neuer Lebensmittelwagen. Ebendas. No. 97. (Der Wagen verfolgt denselben Zweck wie die bisher construirten Cantinenwagen. Im Militair-Wochenblatt ist genaue Beschreibung nebst Abbildung und Beladungsinhalt nachzulesen.) — 41) Razioni pel soldato e pei quadrupedi in tempo di guerra. Rivista militare italiana. Dec.-Heft. — 42) Panara, P., L'alimentazione dell' adolescente in relazione con lo sviluppo organico e col lavoro intellettuale. Studi fatti nel collegio militare di Firenze. Giornale di medicina militare. p. 385ff. — 43) Die Kriegsverflegung der französischen Armee. Aus dem Artikel: Das Militairbudget Frankreichs für 1884 im Militair-Wochenblatt. No 24. — 44) Reglement sur le service des armées en campagne. Erlass des Präsidenten der französischen Republik, s. a. genaues Ref. in Milit.-Wochenbl. No. 15. — 45) Antony, Etude pratique de l'alimentation dans les corps de troupe. Archives de med milit. Bd. IV. p. 349. (Anleitung mit den gegebenen Mitteln eine ausreichende Ernährung herzustellen.) — 46) Kirn, Léon, L'alimentation du soldat. (Als Journalartikel erschienen in Journal des sciences militaires und dann als Broschüre.) — 47) Fonctionnement du service d'alimentation en temps de guerre. Bullet. de la réunion des offic. No. 8. (Betrachtung vom Verwaltungsstandpunkte aus.) — 48) Ernährung des schwedischen Soldaten. — 49) Die chinesischen Truppen in der Mantschurei. Militair-Wochenblatt. No. 5.

b. Nahrungs- und Genussmittel.

50) Ueber Militairbrot. Neue milit. Bl. S. 575. — 51) Notions sur la viande fraîche destinée à la troupe 2 vol. in 32, avec nombreuses planches intercalées dans le texte. — 52) Miquel-Montsouris, La stérilisation des eaux potables. Sem. médicale. 31. Juillet. — 53) Vassel, Les substances organiques des eaux. Journal de Pharmacie d'Anvers. — 54) Casper, L., International Health Exhibition in London. (Wasserfilter.) Siehe Bericht in der D. Medic. Zeit. No. 70. S. 216. — 55) Heinzerling, Ch., Die Conservirung der Nahrungs- und Genussmittel. (Behandelt in vier einzelnen Heften die Conservirungsmethoden der einzelnen Nahrungsmittel.) — 56) Wickersheimer'sche Fleisch- und Brodconserven. Allgem. Militair-Zeitung. No. 79. — 57) Le conserve alimentari. Rivista militare italiana. Raccolta mensile di scienza, arte e storia militari. Dispensa III. Marzo. — 58) Dugardin, De quelques procédés en usage pour la conservation des substances alimentaires. Thèse. (Verwirft die Conservirung mittelst Salicyl- oder Borsäure, empfiehlt dagegen die Fleischpulver.) — 59) Bodländer und Unger, Der Zinngehalt der in den verzinnten Conservebüchsen aufbewahrten Nahrungs- und Genussmittel und seine hygienische Bedeutung. Centralbl. f. allgem. Gesundheitspflege. Ergänzungsheft. — 60) La viande en poudre et son rôle dans l'alimentation en campagne. Bull. de la réunion des offic. No. 43. (Empfehlung des Fleischpulvers.) — 61) Uhl, Carne pura, ein Verpflegungsartikel. Steeffleur's Mil. Zeitschr. IV. S. 111. — 62) Kirchenberger, Carne pura. Organ der militair-wissenschaftlichen Vereine. XXIX. S. 36. Neue milit. Blätter. XXVI. S. 224. — 63) Hassler, De l'emploi des poudres de viande dans l'alimentation du soldat Archives de méd. et de pharm. mil. Bd. IV. p. 12. — 64) Versuche mit Conserven in Bayern. Allgem. Militair-Zeitung. No. 101. — 65) Versuche in Russland mit Conserven. Militair-Wochenblatt. No. 23.

c. Zubereitung.

66) Ueber Backöfen für Armeezwecke nach den „Blättern für Kriegsverwaltung". — 67) Lorenz'sche Backöfen mit continuirlichem Betriebe. Neue Militärblätter. Bd. 24. S. 577. (Dampfbacköfen, welche ein vom Hefenpilz gänzlich freies, dauerhaftes Brod liefern.) — 68) Die Garnisonschlächterei in Metz. Allg. Milit. Ztg. No. 43. (Schilderung der Verwaltung des Instituts, der gesundheitlichen Vortheile die es bringt und Bericht über das Geschäftsjahr vom 1. April 1883 bis 31. März 1884, der die Lebensfähigkeit der Einrichtung glänzend bekundet.) — 69) Ein neues Kochverfahren für Militärküchen. Neue milit. Bl. No. 238. (Schilderung des Becker'schen Kochverfahrens. Vergl. Jahrg. 1883 dieses Werkes Bd. I.)

4. Bekleidung und Ausrüstung.

70) Das Papier und seine Verwendung zu Heereszwecken. Milit. W. Bl. No. 35. — 71) Tuch oder Drillich? Ebendas. No. 30. — 72) Boubnoff, S., Zur Frage vom Verhalten gefärbter Zeuge zum Wasser und zur Luft. Arch f. Hyg. I. 4. — 73) Müller, B., Ueber die Beziehung des Wassers zur Militärkleidung. Ebendas. II. 1. — 74) Wasserdichte Gewebe zur Bekleidung der Russischen Truppen. Milit. W. Bl. No. 80. Aus dem Russ. Invalid. — 75) Zu den Russischen Versuchen mit Bekleidungsstücken aus wasserdichten Geweben. Milit. W. Bl. 91. — 75a) Preisbewerbung für neue Modelle mehrerer Bekleidungs- und Ausrüstungsstücke für Infanterie. Verf. d. Kriegsminist. Vom 18. April 1884. — 76) Veränderte Trageweise des Gepäcks nach Mendel. Allg. Milit. Ztg. S. 22. — 77) Der Skobelew'sche Marschwagebalken. Wajennyi Sbornik. Heft vom 17. Nov. 1883. — 78) Etwas über die Fussbekleidung der Infanterie. Von einem Compagniechef. Milit. W. Bl. No. 104. — 79) Neues Fussbekleidungsmodell in Russland. Russ. Invalide. No. 152. Milit. W. Bl. No. 93. (Im Lager von Krassnoje Selo wurden Versuche mit einem Halbstiefel gemacht, der an Stelle der langschäftigen getragen werden soll.) — 80) Noch einmal die Militärgesundheitspflege. Neue milit. Bl. S. 139 u. 267 u. fgde. (Bericht über das Buch des Oberstlieutenants Brandt von Lindau: Fussbekleidung des deutschen Soldaten. s. Jahrg. 1884 d. Werkes Bd. I. S. 550 No. 86.) — 81) Salquin, A., La chaussure militaire. Paris. — 81a) Salquin, H., Mdme, Instruction sur la confection des bas et des chaussettes en forme rationelle. Bern.

5. Hygiene des Dienstes.

82) Ueber Militär-Gesundheitspflege. Neue milit. Bl. Bd. 25. S. 265 u. flgde. — 83) Winterfeldmärsche. Ebendas. S. 57. Nach einem Artikel in No. 231 des Russ. Invaliden. — 84) Schmitt, Les marches à pied. Journal d'hygiène. Februar. — 85) Parville, Henri de, Les marches à pied. Ibid. März. — 86) Aschenbrandt, Anwendung des Cocaïn in der Armee. D. med. Wochenschr. Dec. 1883. (A. hat im Manöver der Baiern 1883. 15—20 Tropfen Cocaïnlösung [1: 10] Leuten gegeben, und scheint Cocaïn die tonisirend-stimulirende Wirkung der Coca zu haben.)

III. Militairgesundheitspflege.

B. Specielles.

1. Medicinische Topographie.

Aus Glück's (5) Schilderung der Sanitätsverhältnisse in Bosnien geht hervor, dass, ehe die Oesterreicher Herren Bosniens wurden, hygienische Massregeln dort nicht einmal dem Namen nach bekannt waren. Von endemischen Krankheiten werden beschrieben Blattern mit Variolation und Vaccination, Syphilis. endemischer Kropf und parasitäre Hautkrankheiten. — Schwarze.

Michaelis (6) wirft einige interessante Streiflichter auf die „hygienische Zerklüftung", durch welche Russland wiederholt. zuletzt 1876—78, Armeen verloren hat; er bemüht sich, nachzuweisen. dass in Gegenden, in denen Epidemieen günstigen Boden finden oder Endemien existiren, der Krieg allein nicht mehr entscheidet, sondern dass die Partei im Vortheil bleibt, die am längsten auszudauern vermag und die Verluste, die sie durch Kampf und Krankheit erleidet, zu decken im Stande ist. Die Aufmerksamkeit muss in Folge dessen darauf gerichtet sein, den Moment nicht eintreten zu lassen, wo das Heer seine Erfolge wegen mangelnder Kraft nicht ausnutzen kann und wo das Hinterland bereits völlig durch die Epidemien verwüstet ist, während vorne noch gekämpft wird. Die Epidemien sind aber heute keine unsichtbaren Feinde mehr, die sie erzeugenden Parasiten sind greifbar und sichtbar. Diese sind zu bekämpfen entweder durch Entziehung des Nährbodens oder durch Einschränkung der Berührungspunkte. in denen sich Brutherde entwickeln können, oder durch Einschränkung der Flächen, auf denen er sich verbreitet hat, oder endlich durch Zerstörung der Parasiten auf chemisch-biologischem Wege. Diese Gedanken führt M. alsdann eingehender aus. Nur eines wollen wir noch daraus hervorheben: Um die Etappenstrassen stets gesund, d. h. rein zu erhalten, sollten in allen Ortschaften Civil-Commissionen thätig sein, die die Reinhaltung durchzuführen bezw. zu veranlassen hätten. Bei diesen, meint M., könne man die grosse Menge der Reserve-Apotheker als technische Mitglieder verwenden, indem allerdings für ihre gründliche Ausbildung nach dieser Seite hin Sorge getragen werden müsste.

Marix (8) bringt klimatologische und nosologische Studien über das Gebiet Süd-Tunesiens. Die vorherrschenden Krankheiten sind Augenentzündungen, Dysenterie, Syphilis und Hautaffectionen. Den Schluss bilden hygienische Rathschläge für den Aufenthalt und die Lebensweise in jenen Gegenden. — Schwarze.

In seiner geographisch-medicinischen Studie über Tonkin beschreibt Bourru (10) die geographische Lage, bespricht dann das Klima, welches einzig in den Tropen dastehen soll, indem es die 4 Jahreszeiten der gemässigten Zone hat, so zwar, dass ein heisser Sommer und ein wirklicher Winter mit dazwischenliegenden allerdings kurzen Uebergangsperioden, die als Frühling und Herbst gelten können. existiren. Auf das Eingehendste bespricht dann B. die Temperatur, Regenmenge, kurz die das Klima eines Landes bedingenden Factoren.

Es folgt die Beleuchtung der dort endemisch und der überhaupt vorkommenden Krankheiten. Zu den ersteren gehören Cholera und, sehr stark auftretend, die Pocken. Eine unter dem Namen Pest von Yunnam dort existirende Krankheit ist nicht näher bekannt. Typhus und auffallender Weise auch Malaria sind selten. In der heissen Zeit sind Hautkrankheiten (auch Krätze) sehr verbreitet, sehr stark sind auch die venerischen Krankheiten vorhanden, da die Prostitution bisher keiner Beaufsichtigung unterlag.

Nerazzini (13) giebt eine Beschreibung der Bai von Assab von sanitätlichen Gesichtspunkten aus, schildert die „Dankali", die Eingeborenen, einen äthiopischer Stamm. deren Kleidung, wobei er u. A. bemerkt, dass die Leute in den Fusssohlen jede Empfindung für die Wärme verloren haben müssten, da sie auf dem fast glühend heissen Boden barfuss gingen, während sogar die Hunde oft sich geweigert hätten, weiter vorwärts zu gehen, da sie die Pfoten auf den Boden zu setzen sich scheuten. In gleicher Weise constatirte N. eine völlige Gleichgültigkeit der Leute gegen den Schmerz bei chirurgischen Eingriffen. Auch Hunger und Durst ertragen sie bewunderungswürdig lange. Verschiedene Erkrankungen, z. B. bei Asthma sah es N., pflegen die Dankali mit Scarificationen zu behandeln. die sich der Kranke entweder selbst mit dem Messer, welches er bei sich trägt, macht, oder die ihm ein anderer gewöhnlich mit grosser Exactheit beibringt. Auch bei einem Augenleiden, welches einen kleinen Knaben befallen hatte, constatirte N., dass letzterer sich selbst mittelst eines tiefen, vom unteren Augenhöhlenrand bis zur Lippencommissur herunter geführten Schnittes eine starke Blutentziehung beigebracht hatte, wonach sein bereits verschlechtertes Sehvermögen sich vollkommen wieder hergestellt haben soll.

Verf. beschreibt alsdann die dort einheimischen Krankheiten, den Lichen tropicale, die Biskra- oder Aleppo-Beule, erläutert die syphilitische Natur ähnlicher Hautleiden, die Luesformen der dortigen Gegenden überhaupt u. s. w. Von Infectionskrankheiten constatirte er nur das Vorkommen der Malaria.

2. Unterkunft der Truppen.

a) Casernen.

v. Forst (14) beginnt seine Bemerkungen über den Casernenbau mit einem Capitel der „Officier und Arzt", in welchem er das Verhältniss dieser zum gemeinen Mann beleuchtet. Dann bespricht er die Wahl und Bedingungen des Bauplatzes, die Salubrität der Wohnräume, Anlage der Oeconomiegebäude, Latrinen u. s. w. Viel Neues enthält das Buch nicht.

Breitung (15) stellt die bekannten hygienischen Anforderungen an die Infanterie-Casernen, welche im Princip zwar nicht zu weit gehen und deshalb immer wieder urgirt werden können, in praxi aber wohl noch sehr lange fromme Wünsche bleiben werden, z. B. die Einführung des Blocksystems, Trennung in Wohn-, Schlaf-, Putz-, Wasch-, Speiseräume. Heizung durch Kachelöfen mit Ventilationseinrichtungen und Controle der Temperaturen durch Thermometer, ausreichende Wasserversorgung in allen Etagen. Beschaffung von Desinfectionsöfen etc. — Schwarze.

Die Arbeit Ulmer's (16) über „Militairunterkünfte vom hygienischen Standpunkte" ist eine ab ovo. d. h. von der Vauban'schen Caserne und von der Verschlechterung der Luft durch den Menschen beginnende Erörterung, in der herausgefunden wird, dass die Vauban'sche Caserne nichts taugt, die neueren Systeme besser sind. Um den bösen Einfluss der Casernen auf den Menschen zu beweisen, citirt Verf. die Mortalität an Typhus und Tuberculose einiger Armeen, und zwar für die preussische, die bezüglichen Zahlen der Periode von 1846—1863! Verf. scheint 22 Jahre lediglich — an seiner Arbeit gearbeitet zu haben.

Hinsichtlich der Hygiene der Casernen (17) weist Renard auf die Nothwendigkeit hin, periodische regelmässige Inspectionen vorzunehmen, genaue Pläne des Gebäudes, seiner Entwässerung, der Abort-, Canalisations- und Wasserleitungen u. s. w. anzulegen und Sorge zu tragen, dass bei einem Wechsel des ärztlichen und des Verwaltungspersonals die Fortgehenden ihre Nachfolger eingehend instruiren. Dies soll namentlich mittelst eines Carnet de casernement geschehen, welches der älteste Arzt führt und seinem eventuellen Nachfolger übergiebt. Dieses Carnet, einen Gebäudeplan mit Wasserzuleitung (blau) und Ableitungsröhren jeder Art (roth) enthaltend, wird vom Genie angelegt und enthält alle das Gebäude betreffenden näheren Angaben über Höhenlage, Grundwasserstand und Grundwasserschwankung, Cubikraum der einzelnen Zimmer etc. etc.

Die Redaction des Archivs macht darauf aufmerksam, dass dieses Verfahren seit 12 Jahren in München in Gebrauch ist und empfiehlt die Einführung dringend.

Das in der Schlosscaserne zu Avignon (20) liegende Regiment hatte bis Ende des Jahres 1880 permanent eine excessiv hohe Morbidität an Infectionskrankheiten (Typhus, Pocken, Scharlach, Masern) gehabt. Seit einer damals vorgenommenen durchgreifenden allgemeinen Desinfection der ganzen Caserne mit schwefliger Säure sind mit Ausnahme von zwei Fällen von Masern bis Ende 1882 keine Infectionskrankheiten mehr vorgekommen. Czernicki zieht u. A. den Schluss, dass das Vorkommen dieser beiden letzten Fälle auf einem Zimmer beweise, dass die zuerst angewandte Menge von 35 g Schwefel pro cbm nicht genügend gewesen sei, um die noch vorhandenen Keime zu zerstören, und dass dies erst durch eine Wiederholung der Massregel mit 70 g pro cbm erreicht worden sei. — Schwarze.

Die Truppen Finnlands — 9 Schützenbataillone mit einem dem unsrigen nahe kommenden Friedensetat — sind in hölzernen, eingeschossigen nach dem System Tollet erbauten Casernements (22) untergebracht. Abweichend hiervon besteht die Caserne des 1. Nylandski'schen Bataillons aus zwei grossen, perpendiculär zu einander stehenden zweigeschossigen Gebäuden, die einen grossen Hof einschliessen, dessen beide offene Seiten der Meerbusen bespült. Ein besonderes zweigeschossiges Gebäude auf dem Hof enthält Küchen, Speisesaal, Wasch- und Baderäume. In jedem der grossen Gebäude liegen zwei Compagnien. Erstere sind massiv auf hohen Granitfundamenten aus Ziegeln aufgeführt, haben hohe gewölbte Fenster; besondere Ventilations- und Abzugsrohre sind in der Weise vorgesehen, dass die Luft sich pro Stunde einmal erneuern soll. Im Innern sind ebenfalls massive Granittreppen und den hohen Fenstern entsprechend breite Corridore hergestellt. Der Compagniewohnraum ist durch eine Hauptwand in 2 Räume getrennt, von denen der eine einen $4\frac{1}{2}$ m breiten Corridor, der andere die Schlafräume darstellt. In den Corridoren wird zur Winterszeit Dienst abgehalten. Die Schlafzimmer sind für 14 Mann mit 740 Cubikfuss Luft pro Kopf berechnet (1 Fuss = 0,3 m).

Die Erwärmung der Räume erfolgt durch Wasserheizung bis auf eine Temperatur von 16°, doch wird die sichere Functionirung der Heizung bei der starken Ventilation auf die Dauer bezweifelt.

In dem Oeconomiegebäude befinden sich im Erdgeschoss die Compagniekeller, ebenso sind in diesem zwei Dampfkessel zur Bedienung der Küchen-, Waschräume etc. aufgestellt. Im ersten Stock liegen die luxuriös ausgestatteten Küchen, aus denen die in Holznäpfe gefüllten Speisen mittelst Elevator in den im 2. Stock liegenden Speisesaal befördert werden. Neben den Küchen liegen die Compagnie-Bäckereien, welche Brod nach Belieben (? Ref.) an die Leute verabfolgen. An die Bäckereien schliessen sich die Waschräume an, in denen die Wäsche gekocht, durch Frauen gewaschen und dann in 10 Minuten in der Centrifuge von jeder Nässe befreit wird. Ueber dem Speisesaal liegt ein Trockenboden, der ebenfalls durch Elevator mit den unteren Räumen verbunden ist. Wichtig ist, dass der ganze Waschprocess nur etwa 12 Stunden dauert, so dass der Soldat seine früh Morgens abgegebene schmutzige Wäsche Abends gereinigt zurückerhält. — Die Kosten des ganzen Casernements sollen 2335712 Mark betragen haben.

Im Jahre 1881 schrieb der französische Kriegsminister eine Concurrenz betreffend Herstellung eines Normal-Soldatenbettes aus. Vorgeschriebene Bedingungen waren 1) irgend eine Unterlage, die elastisch sein musste, gegen Staub und Insecten schützen und den Strohsack entbehrlich machen sollte; 2) eine Methode, das Bett gegen die Wand zu heben um möglichst viel Platz zu gewinnen, bei solider sicherer

Befestigung des Bettes sowohl des Bettzeuges. 3) Grösstmöglichste Sparsamkeit. Hierauf gingen mehr als 100 Modelle ein. Sechs nahm die Commission in die engere Prüfung. Diese 6 beschreibt O. (23) und empfiehlt ein Modell als besonders practisch, welches als Bettboden eine starke Leinewand hat und auch sonst die Bedingungen erfüllt. Metallene Bettböden werden als unpractisch betrachtet.

b. Zelte und Baracken.

Schaffer's Wagenzelt (29) ist klug erdacht. Man denke sich einen Wagen etwa in den Dimensionen eines Sanitätswagens mit einem mit überall hervorragenden Rändern versehenen Blechdach, welches auf Stützen emporgehoben und gesenkt werden kann. Dies Dach giebt für das Zelt den Dachreiter ab. Es hat 4—6 Fenster mit starken Gläsern, die beim Transport durch Blechscheiben ersetzt werden.

Der eigentliche Wagenkörper zerfällt in 3 Theile, der mittlere ist der Ofen zum Beheizen des Zeltes und auch zum Kochen. Das Rauchrohr geht durch das Wagendach. Vor und hinter dem Ofen bildet der Wagenboden Tischplatten, die durch Schieber sich verlängern lassen. Auf den Platten stehen vor und hinter (immer in der Wagenlängsrichtung gedacht) dem Ofen je 3 Kisten mit Arznei, Medicamenten etc Die Kisten sind abnehmbar und als Nachttischchen neben die Betten zu practiciren. Von den 4 eisernen Hauptstützen des Wagens gehen die 4 Rippen zur Dachconstruction des Zeltes ab, das im Uebrigen einfach aufzustellen ist.

Das französ. Kriegsminist. hat für die Feld-Bäckereien eine Zeltbaracke (30) eingeführt, die behördlicherseits auf ihre Verwendbarkeit für andere Zwecke hin geprüft wurde. In 30 Minuten stellte der Erfinder mit 4 Mann zwei Glieder der Baracke her, welche 68 Mann Unterkunft gewähren, die in in 5 Reihen übereinanderhängenden Hängematten schlafen. Die einmal aufgestellte Baracke kann ähnlich wie ein Traghimmel bei Processionen aufgehoben und auf ziemliche Entfernungen dislocirt werden. Die Baracke ist in jeder beliebigen Grösse aufstellbar. Das Zerlegen erforderte 10 Minuten.

Zur Herstellung von Nothbaracken für Verwundete nach der Schlacht (31) werden aus Papier gepresste Dachpappen empfohlen, die nur eines leichten Eisengerüstes bedürfen. Dergleichen Platten mit leuchtender Farbe bestrichen, sollen zugleich als Erkennungszeichen des Verbandplatzes dienen.

Die Unterkunfts-Nothbauten will K. H. (32) in Rechteckform als trockenes Klaub oder Bruchsteinmauerwerk aufführen, welches von einem aus Firstbalken, der auf in die Erde eingegrabenen Gabelständern aufliegt, aus Dachsparren, die, in sich am oberen Ende verzahnt, durch Ruthengeflecht verbunden sind, und aus Strohdeckung bestehendem Dach bedeckt wird. Bei 2 Reihen Liegestätten rechnet man 7—8 Schritte Breite und 1/2 Schritt Länge per Mann.

3. Ernährung.

a. Allgemeines.

Die ausserordentlich fleissige Arbeit Panara's (42), betreffend die Ernährung im Jünglingsalter lässt sich nicht gut in einem Referat wiedergeben, da die Beweisführung auf eine Unzahl von Tabellen gestützt wird. P. ist in dem ersten Theil seiner Arbeit „von der Ernährung" in der Weise verfahren, dass er die Mengen der in der Ruhe und während der Arbeit zugeführten Nahrung wog, dazu die Zunahme des Körpergewichts in bestimmtem Zeitraum feststellte, den in der Nahrung enthaltenen Stickstoff u. s. w. bestimmte, ebenso wie endlich die Mengen der im Urin enthaltenen Quantitäten Stickstoff und Phosphorsäure.

Er führte an 23 Individuen 80 Harnanalysen aus, von denen 44 auf 10 Schüler, die sich in normalen Verhältnissen befanden, entfallen. Bei diesen stellt P. fest: 1) Dass der Appetit an den Schul- und Studientagen steigt, mithin mehr Nahrung aufgenommen wird als sonst. Dies gilt aber nicht vom Stickstoff, dessen Menge variirt, aber nicht der Menge der zugeführten Nahrung parallel ist; 2) dass trotz grosser Mannigfaltigkeit des Appetits kein Schüler je die ganze Tagesration, die im Gewicht 2890 g betrug, mit einem mittleren N-Gehalt von 21,656 g, zu sich nahm; 3) dass die Ausscheidung des N auf dem Wege durch die Nieren unabhängig von der Nahrungszufuhr sich an den Arbeitstagen beständig vermehrte; 4) dass mit dem Phosphor das gleiche statthatte; 5) dass, wenn man bei den grösseren Schülern den mit dem Urin ausgeschiedenen N mit dem in den Faeces enthaltenen summirt, man eine Menge von 18—19 g erhält, so dass noch 2 und mehr Gramm für das Wachsthum des Körpers verbleiben; 6) dass unabhängig von der Nahrungszufuhr die N-Ausscheidung in directem Verhältniss zum Körpergewicht mehr als zum Lebensalter zunimmt, dass endlich 7) in den unteren Altersstufen 10 g N mit dem Urin ausgeschieden werden, und 10 g N zu weiterem Wachsthum des Körpers verbleiben, wenn mit den Faeces nicht mehr als die gewöhnliche Menge an N ausgeschieden wird.

Wird die Nahrung ungenügend, so verbraucht der Körper sofort Theile seiner eigenen Substanz, wie P. an einer Reihe von Analysen bewies, die er bei mit beschränkter Gefängnisskost ernährten Zöglingen anstellte.

Er resumirt dann, dass eine wechselnde Nahrung mit einem Gehalt von etwa 21 g N und 350 g C pro Tag, welche etwa in 3 Mahlzeiten zugeführt würden, für Jünglinge von 15—20 Jahren auch bei strenger Arbeit ausreichend sei. Für Knaben von 12—14 Jahren könne ein etwas geringeres in vier Mahlzeiten vertheiltes Quantum genügen.

Im 2. Theil sucht P. die Anthroprometrie auf das Studium der Ernährung anzuwenden, bezw. die Körpermessung mit der Ernährung des Körpers zusammen zu betrachten. Alter, Grösse, Gewicht, Thoraxumfang, Thoraxcapacität (mit Spirometer gemessen), Sternovertebraldurchmesser sind an einer grossen Anzahl von Schülern wiederholt gemessen.

Im 3. Theil beschäftigt sich P. mit der Igiene della pedagogia, bespricht die jetzige Ertheilung des

Unterrichts und construirt schliesslich einen nach seiner Ansicht richtigen Stundenplan. Die Arbeit ist eine sehr verdienstliche und empfehlenswerthe.

Ueber die Kriegsverpflegung der französischen Armee entspann sich bei Feststellung des Budget in der französischen Kammer eine interessante Debatte (43). Aus dieser ging hervor, dass die Armee-Verwaltung, die wegen der darin liegensollenden Eigenmächtigkeit lebhaft angegriffen wurde, mit vier grösseren Unternehmern Contracte abgeschlossen hat, wonach diese in bestimmten Orten, deren Namen sorgfältig verschwiegen wurden, Magazine zu erbauen hatten, die thatsächlich bis Ende 1882 fertiggestellt worden sind. Diese sollen als Marchés de concentration dienen, und haben die Unternehmer sich verpflichtet, in diese Magazine bei eintretender Mobilmachung Lebensmittel in contractlich festgesetzten Mengen und zu ebenso fixirten Preisen zu liefern, welche alsdann ausreichen sollen, die etwa 2 Mill. Köpfe starke Armee sofort und genügend zu ernähren. Die Kammer bewilligte die für das Capitel Lebensmittel geforderten 90204140 Frcs.

Abschnitt 7 in dem Règlement sur le service des armées en campagne handelt von der Verpflegung der Truppen im Felde (44). Die Bestimmungen sind den unsrigen ähnlich. Es sind für die einzelnen Chargen Portionssätze fixirt, doch darf der général en chef Abänderungen, die er für nöthig hält, treffen. Wenn irgend möglich soll die Beschaffung durch Requisition erfolgen und sollen die mitgeführten Reservebestände an Lebensmitteln nur ausnahmsweise angegriffen werden. Von der Gewährung der Verpflegung durch die Quartierwirthe kann in Cantonnements Gebrauch gemacht werden, doch wird hierfür in Feindesland keine Entschädigung gewährt.

Das Buch Kirn's über die Ernährung der Soldaten (46) ist eine geistreich geschriebene Arbeit, bei der dem Leser von Fach die Thatsache eine gewisse Achtung abnöthigt, dass sich der Landwehrhauptmann Kirn — Verf. ist Capitaine der Territorialarmee — so weit in die Wissenschaft von der Ernährung hineingearbeitet hat, wie es der Fall ist. Das Buch hat aber auch andere interessante Seiten. Es ist mit einem Wort zu characterisiren. Es will natürlich Verbesserung der Ernährung, Verbesserung bis zum weitmöglichsten Punkte, nicht des Individuums an sich wegen, das ist hier ja nur Mittel zum Zweck, sondern nur aus glühendem Patriotismus! Zwischen den Zeilen liesst man immer und immer wieder — unausgesetzte Hinweise auf Deutschland, das dabei stellenweise sogar zu gut fortkommt, halten das Interesse dafür wach —: kräftigt die Armee, stärkt sie, damit sie das nächte Mal prête, aber ganz wirklich archiprête sei. Und um dies recht klar zu machen, geht K. okne Erbarmen vorwärts. Rucksichtslos reisst er den Schleier von den Uebelständen weg und stellt sie bloss. So sagt er anlässlich der eingeführten Abwechselung der Nahrung: das ist nur ein „Trompe l'oeil". Allerdings sind in den Küchen Speisezettel ausgehängt, nach denen am Montag soupe aux légumes, Dienstag soupe julienne, Mittwoch potage à la reine verabreicht werden soll, aber in der Schüssel der Soldaten befindet sich trotz der Verschiedenheit stets dasselbe, und zwar immer der éternel boeuf bouilli, und das einzig erreichte Resultat ist: de flatter les autorités supérieures, lorsqu' elles passent par la cuisine.

K. bemüht sich nachzuweisen, dass die französische Ration an Brod (1000 g) zu viel, an Fleisch (300 g incl. Knochen) zu wenig enthalte, er vergleicht die französische Ration mit denen fremder Ländern, schlägt Verbesserungen im Ganzen vor und auch solche, die sich mit den jetzigen Mitteln erreichen lassen, bespricht die Kriegsverpflegung, die dieser erwachsenden Schwierigkeiten, erläutert dies an Beispielen, erwähnt die Wichtigkeit der Conserven, erörtert deren Nothwendigkeit für die heute Kriegsführung und bleibt schliesslich bei einer Gemüse-Fleischconserve, wie sie etwa die Carne-pura-Gesellschaft liefert, stehen. — Wir empfohlen dieses Buch sehr, die Lectüre desselben wird keinen gereuen.

Dem schwedischen Soldaten (48) wird eine Kost gewährt mit einem Durchschnittsgehalt von 185 g Eiweissubstanzen, 108 Fett, 671 Kohlehydraten in 3 Mahlzeiten, die in besonderen Speisesälen eingenommen werden. Als Brod wird eine Art Schiffszwieback in Portionen von 690 bis 850 G. verabreicht.

Der ungenannte Verfasser giebt in dem Artikel des milit. Wochenbl. (49) ein recht lebendiges Bild von der Organisation und den Verpflegungsverhältnissen der chinesischen Truppen im Allgemeinen und der in der Mantschurei im Besonderen. Er bespricht dabei die Verpflegungsverhältnisse, die selten behördlich geregelt werden. Im Allgemeinen verpflegt sich jeder Soldat nack seinem Belieben und nach seinen Mitteln. Im Kriege besteht der ganze Marschproviant des chinesischen Soldaten aus einem Beutelchen voll Reis.

[Underdånigt betänkande med förslag till förändringar i arméns provianteringsstater. Tidsskrift i militär helsovård. Bd. 8. p. 279. (88 pp., 11 Taf.)

Enthält das von der schwedischen Militärsanitätscommission über die Verpflegung des Heeres abgegebene Gutachten nebst Vorschlägen zu Veränderungen in der Beköstigungsnorm des Heeres.

Nach der Ansicht dieser Commission muss der tägliche Portionssatz des Soldaten im Verhältniss zu der von ihm geforderten Arbeit auf folgende Weise zusammengesetzt sein: während des Garnisondienstes aus 120 g Eiweisstoffen, 56 g Fetten und 500 g Kohlehydraten; während der Manöver bezw. aus 135, 80 und 500 g und im Kriege bezw. aus 145, 100 und 500 g; demnächst fordert die Commission, dass wenigstens $^1/_3$ der Eiweisstoffe durch animalische Nahrung gedeckt werde.

In Schweden, wo dem Soldaten die ganze Beköstigung in natura (nichts in Form einer Löhnung) verabfolgt wird, ist gegenwärtig der normirte Portionssatz für die verschiedenen Truppengattungen und Truppenabtheilungen etwas verschieden; zur Beurtheilung dieser Rationen wird von einem Mitgliede der Commission Almén, der sich zum Theil auf eigene Analysen stützt, eine Tabelle über den Nahrungswerth der gewöhnlich in der Beköstigung der Soldaten vorkommenden Nahrungsmittel aufgestellt, worauf er in einer anderen Tabelle eine Uebersicht über den Gehalt der schwedischen, sowie verschiedener fremder Portionssätze an Eiweissstoffen, Fetten und Kohlehydraten liefert. Daraus resultirt, dass der Durchschnittsinhalt von 8 ausländischen Friedenssätzen 130 g Eiweissstoffe (davon 45 g = 33 pCt. von animalischer Nahrung herrührend), 40 g Fette und 551 g Kohlehydrate beträgt; ferner der von 6 ausländischen Kriegssätzen 146 g Eiweissstoffe (davon 57 g = 39 pCt. animalische), 59 g Fette und 557 g Kohlehydrate, während der Durchschnittsinhalt von 17 verschiedenen schwedischen Portionssätzen 181 g Eiweissstoffe (davon 72 g = 39 pCt. animalische), 98 g Fett und 685 g Kohlehydrate ist. Darnach hat es den Anschein, als wären die Portionssätze des schwedischen Heeres gar zu reichlich; die Commission hebt aber als erklärende Momente das strenge Clima, die andauernden Uebungen während der für einen grossen Theil des Heeres kurzen Dienstzeit und die Gewohnheiten der Bevölkerung hervor, sowie endlich, dass der Soldat in Schweden die ganze Nahrung, deren er bedarf, vom Staate erhalten muss, während ihm in mehreren fremden Heeren ein Theil der Beköstigung in Gestalt von Löhnung verabreicht wird. Jedoch findet die Commission, dass die Menge der Kohlehydrate etwas grösser als erforderlich ist, während die Fettmenge lieber etwas vergrössert werden möchte. Demgemäss schlägt die Commission eine neue Beköstigungsnorm vor, die für das ganze schwedische Heer gelten soll.

Nach einer ausführlichen Erörterung der Wahl der in die neue Beköstigungsnorm aufgenommenen Nahrungsmittel, sowie ihrer Zusammensetzung und ihres Nährwerthes werden die Bestandtheile der einzelnen Mahlzeiten für jeden Wochentag, für die man eine grössere Abwechselung als früher herzustellen bemüht war, mitgetheilt. Es werden täglich 4 Mahlzeiten: Morgenimbiss, Frühstück, Mittag und Abendessen berechnet, deren Details im Original nachzusehen sind. Der Inhalt der Nahrungsstoffe dieses vorgeschlagenen täglichen Portionssatzes beträgt nach der Durchschnittszahl einer Woche: 179,1 g Eiweissstoffe (davon 85,2 g = 47,6 pCt. animalische), 102,5 g Fette und 591,6 g Kohlehydrate. Der Preis des Portionssatzes ist 59,2 Ore (= 66 Pfennig) durchschnittlich pro Tag. — Die wesentlichsten Unterschiede zwischen den jetzt vorgeschlagenen und den bisher geltenden Portionssätzen sind, dass die Menge des Brotes in jenen von 850 auf 650 g täglich herabgesetzt ist, da ein Theil, 250 g, aus gebeuteltem Roggenmehl bereitet werden soll; ferner dass die Fleischmenge herabgesetzt, die Speckmenge dagegen etwas vermehrt, Käse und abgerahmte Milch hinzugefügt worden ist; die letztere ergiebt zu wohlfeilem Preise eine verhältnissmässig grosse Menge animalischer Eiweissstoffe (über 31 g täglich für 5,6 Ore = 6,3 Pfennig): ausserdem ist bei der Bereitung des Essens ein Theil der Butter durch geklärtes Schweineschmalz ersetzt, das ebenso gut und wohlfeiler als Butter ist. Kartoffeln können in den Sommermonaten, wo sie schwierig zu bekommen sind, mit Rüben, Kohl u. s. w. umgetauscht werden.

Für die Bereitung des Essens werden einige specielle Regeln gegeben. — Die Commission schlägt vor, dass bei den Regimentern feste Kochstellen errichtet werden, die mit den dazu geeigneten Personen der Mannschaft zu besetzen seien, nachdem diese einen 3monatlichen Cursus im Kochen an dem Garnisonkrankenhause in Stockholm absolvirt haben; und dass ein Kochbuch für Truppenabtheilungen und Garnisonen ausgearbeitet werde.

Die Commission macht ausserdem Vorschläge zu einer Feldportion für das schwedische Heer, bestehend aus 300 g frischem Fleisch, 150 g gesalzenem Speck, 60 g Kümmelkäse, 80 g gesalzenem Hering, 550 g hartem Brot von gebeuteltem Roggenmehl, 10 g Weizenmehl, 120 g gelben Erbsen, 100 g Gerstengraupen, 33 g gezuckerter Chocolade; diese Portion wiegt also 1403 g, kostet 73,7 Ore (83 Pfennig) und enthält 202 g Eiweiss (davon 99,2 g = 49 pCt. animalisches), 137,4 Fette und 565 g Kohlehydrate. Um Abwechselung in den Bestandtheilen der Portionen zu Wege zu bringen, werden verschiedene Abänderungen als erlaubt vorgeschlagen, wie die des frischen Fleisches mit mehr oder weniger gesalzenem, des harten Brotes mit weichem, der Gerstengrütze mit Hafergrütze oder Reis oder mit Kartoffeln (½ Liter), der Chocolade mit Kaffee.

Als Bestandtheile einer Reserveportion, die wesentlich zu verwenden sei, wenn die physische Kraft der Mannschaft auf schwere Proben gestellt würde, wie z. B. bei einem mehrtägigen Kampfe, bei forcirten Märschen und anstrengendem Wachdienste, schlägt die Commission Folgendes vor: 500 g hartes Brot von gebeuteltem Roggenmehl, 200 g gesalzenes und geräuchertes knochenfreies Fleisch, 200 g Kümmelkäse, 33 g gezuckerte Chocolade; diese Portion (bei der auch einige Aenderungen erlaubt sind) wiegt 933 g, kostet 64 Ore (72 Pfennige) und enthält 145,1 g Eiweissstoffe (davon 86,6 g = 60 pCt. animalische), 157,7 g Fette und 393 g Kohlehydrate. Die Commission hebt hervor, dass diese Portion nur aus 4 Gegenständen besteht, die leicht zu einem Packet und nöthigenfalls ohne Zubereitung genossen werden können. Jeder Soldat soll Reserveportionen für 3 Tage mit sich führen. Die Commission bemerkt, dass sie sowohl zu der Feldwie zu der Reserveportion Brot von gebeuteltem Roggenmehl statt des in hohem Grade kleiehaltigen groben Schwarzbrotes vorschlage, weil das letztere leicht zu den so häufig im Felde auftretenden Irritationen der Magen- und Darmschleimhaut disponire.

Joh. Möller (Kopenhagen)]

b. Nahrungs- und Genussmittel.

Das k. k. Kriegsministerium lässt, um ein besseres Brot ohne säuerlichen Geschmack (50) herzustellen, zu je 100 kg Mehl statt wie früher 70 nur 67 kg Wasser zusetzen, die aus dem Sauerteig gebildete Halbsauer wird von 70 auf 45—55 kg auf 100 Teig herabgesetzt und so die Gährung verlangsamt, wodurch der Brotteig aufgelockerter in den Ofen gelangt. Durch Verlängerung der Backdauer wird das Brot besser ausgebacken. Es wird Mehl mit 15 pCt. (statt bisher 12 pCt) Kleienauszug verwendet. (Es werden also aus 100 kg Frucht 82 kg Mehl gewonnen und 15 kg Kleie; 3 kg entfallen auf die Verstaubung.) Das Gewicht des neuen Brotes stellt sich niedriger (840 g) als früher (875 g), es enthält aber ebensoviel an Nährwerth. — In Deutschland wird Mehl mit 15 pCt. Kleieauszug verwendet, in Russland bekommt der Soldat Mehl anstatt Brot und zwar ohne jeden Kleieauszug, mit Berechnung von 2 pCt. Verstaubung. Beimengungen von Erbsen, Hafer, Buchweizen, Kleesamen sind häufig.

Ein Werkchen (51) von einem ungenannten Verf. geht von der richtigen Voraussetzung aus, dass dem Officier, der die Qualität der Nahrungsmittel, insbesondere des Fleisches begutachten soll. die nothwendigen Detailkenntnisse hierfür fehlen. Diese bringt das Buch, indem es auch über Nährwerth der verschiedenen Fleischconserven Erörterungen enthält.

Miquel-Montsouris (52) stellte durch Analysen fest, dass das Wassser durch Kochen bei 100° fast ganz von Microorganismen gereinigt wird. In einem ersten Versuch enthielt Wasser bei 20° noch 58,000 Bacterien auf den Liter, bei 100° nur noch 420, in einem zweiten enthielt das Wasser 106,000 Bacterien im Liter und bei 100° noch 650. Im Ganzen berechnet M., dass von 1000 Bacterien 995 zu Grunde gehen. Wasser auf 110—115° erhitzt, ist vollkommen rein. Derartig gereinigtes Wasser nimmt, sich selbst überlassen, nur langsam die frühere Zahl von Bacterien wieder auf.

Vassal (53) theilt die organischen Beimengungen des Wassers ein in 1) Bacterien, 2) Monaden, 3) grüne Algen, 4) Infusorien. Die ersteren sind Infectionskörper und trüben das Wasser (?). Die Monaden schaden in kleinen Mengen nicht; Algen leben nie in schlechtem Wasser und ist ihr Fehlen oft ein Zeichen für Fäulniss, Infusorien zeigen sicher die Verderbtheit des betreffenden Wassers an. Zur Untersuchung setzt V. eine einprocentige Osmiumsäurelösung zu, welche die Microorganismen tödtet, ohne sie zu verändern, da sie unverändert in dem Wasser niedersinken.

Casper (54) beschreibt mehrere Wasserfilter zum Theil neuer Construction, welche auf der Londoner Hygiene-Ausstellung vertreten waren, darunter: der von Bischoff mit einem Filtermedium, bestehend aus einer Schicht feinen Eisenstaubes, sodann einer zweiten aus Sand mit Pyrolusit. Das Filtermaterial soll anorganischer Natur sein. — Maignen's „filtre rapide" besteht aus dem Maignen'schen patentirten Carbo calcis — mit Kalk bereitete Kohle — und aus Asbest. Die Filtermedien befinden sich seitlich vom Wasser, bieten also eine grössere Filterfläche und steht das Wasser unter geringerem Druck. — Johnson und Comp. haben aus einer auf einer Metallscheibe ruhenden mit Thierkohle imprägnirten Pappscheibe den „Kohlenpapierfilter" gemacht. Die Pappscheibe wird wöchentlich erneuert. Aus der Thierkohle sind die Phosphate entfernt, da die Microorganismen diese zu ihrer Existenz nöthtg haben sollen. — Der Silicated carbon Filter. Der Silicated carbon Filter besteht aus mit Kieselsäure vermischter Kohle, die oben und unten eine nicht poröse Schicht enthält, so dass das Wasser nur seitlich ein und austreten kann. Das filtrirte Wasser enthält weniger organische Bestandtheile als vorher und weniger Calciumbicarbonat, ist also weicher. Ferner hält das Filter Blei zurück, was bei dem Gebrauch von Bleiröhren für die Entleitungen in den Häusern wichtig sein kann. Setzt man dem Wasser etwas Bleinitrat zu, schlägt sich nach Zusatz von Schwefelwasserstoff schwarzes Schwefelblei nieder; filtrirt man dieses Wasser, fällt die Reaction negativ aus.

Wickersheimer (56) hat nach einer geheim gehaltenen Methode einen Hammel nach dem Schlachten präparirt, dessen Fleisch noch 7½ Monat nachher alle Eigenschaften des frischen Fleisches besass, nur erforderte es für die Zubereitung die doppelte Zeit (ein schwerer Nachtheil für den Krieg, Ref.). Commissbrod war nach 9wöchiger Aufbewahrung noch so frisch und geniessbar wie am Tage der Herstellung.

Hassler (63) bespricht die Gewinnung verschiedener Fleischpulver, namentlich auch der Carne pura-Praeparate und referirt dabei über die Versuche Rönnbergs und A.; er empfiehlt die Ausführung ausgedehnter Experimente in der Armee, denn wenn auch die bezüglichen Präparate nicht mit frischem Fleisch verglichen werden können, seien sie doch geeignet, während eines Feldzuges eine Rolle zu spielen.

In mehreren deutschen Garnisonen, auch in Bayern (64), sind im Jahre 1874 Versuche mit Ernährung mittelst Conserven gemacht. Die betr. Mannschaften machten während einiger Wochen täglich bestimmte Märsche und wurden der Hauptsache nach nur mit Conserven verpflegt. In Bayern wurde als Conserve ein Kraftzwieback, bestehend aus Weizenmehl, Speck, geschabtem Fleisch, Gewürz, verwendet.

In Russland prüfte man Conserven (65) derart, dass man einer gemischten Truppe in der Stärke von 400 Mann, die besonders anstrengenden Dienst thaten, während einer Periode von 27 Tagen anstatt frischen Fleisches, Fleisch- und Suppenconserven (Hammelragout, Erbsen- und Bohnensuppe) verabreichte. Das Resultat war gut, die Conserven, in 15 Minuten bereitet, schmeckten den Leuten gut. Von einer Cavallerieabtheilung der letzteren nahmen in den 27 Tagen 62 Mann an Gewicht zu, 38 an Gewicht ab; bei einer Compagnie hatten 87 Mann an Gewicht zu-, 13 abgenommen. An Brod, welches ausserdem den Leuten zur freien Verfügung stand, wurde mehr consumirt wie gewöhnlich; so assen 200 Kosaken täglich 20 Pfund Brod (1 Pfund = 409,5 g) mehr als ihnen sonst zugestanden hätte.

Ein Infanterist konnte in Büchsen 2 Tagesrationen fortbringen, wodurch eine Belastung von 1,23 kg entstand, ein Reiter 3 Tagesrationen, wobei 2,05 kg Gewichtsbelastung entstand.

c. Zubereitung.

Hinsichtlich der Brodverpflegung von Armeen (66) sind Versuche im Grossen mit dem Kaiser'schen und dem Wieghorst'schen Ofen angestellt und hat z. B. Belgien sich für ersteren entschieden. Dieser soll nun viel Reparaturen nöthig machen, die sich im Jahre bis auf 30 pCt. der Herstellungskosten eines neuen Ofens belaufen sollen und sucht der ungenannte Verf. obiger Arbeit die Vortheile des Wieghorst'schen Ofens auseinanderzusetzen. — Zum Schluss erwähnt Verf. die von Oesterreich für den Feldgebrauch acquirirten zerlegbaren Pnjerschen Oefen aus Wellblech. Aus dem Buche „die Kriegsmacht Oesterreichs", Wien 1876, führt er aus dem Capitel „die Reserveanstalten der Armee" u. a. an, dass eine complete Feldbäckerei aus 20 oder 80 Backöfen (je altes oder neues Modell) besteht, und in 24 Stunden den eintägigen Bedarf für 54—60.000 Mann zu liefern im Stande ist. Sie ist theilbar in 5 selbstständig zu etablirenden Sectionen, von denen jede 4 alte oder 16 neue Ofen führt.

Eine vollständige Reservebäckerei besteht aus 64 gemauerten Backöfen, die in 4 Sectionen zu 4 Garnituren eingetheilt ist. Sie kann pro Tag liefern:

117,760 Portionen (pro Garnitur 7.360) in Laiben zu 2 Portionen oder 113,664 Portionen (pro Garnitur 7,104) in Laiben zu einer Portion.

4. Bekleidung und Ausrüstung.

Ein ungenannter Verf. im „Mil. W.-Bl." (70) schlägt vor, die Helme statt aus Leder aus dünnem Papier oder Papiermasse durch Pressung fertig zu stellen, die leichter wären und mit japanischem Lack überzogen ebenso haltbar sein würden wie Lederhelme (?). Desgleichen empfiehlt derselbe Autor die bereits in Japan, China, Anam und America in Gebrauch befindlichen Papiersohlen.

Ein ungenannter Verf. plaidirt für Einführung eines Drillichanzuges auch für die Officiere (71), da ja für diese der dreifache Zweck, den der Drillichanzug erfüllen solle, ebenso auf der Hand liege als für die Leute: nämlich 1. die Hitze erträglicher zu machen, 2. die Ausführung körperlicher Uebungen zu erleichtern, 3. die kostbaren Tuche zu schonen. — Abgesehen davon, dass der Officier bereits eine segeltuchene Hose trägt, ist der ganze Vorschlag gefährlich und zu verwerfen. Sehr selten wagen einzelne Commandeure ab und zu den gefährlichen Versuch, die Mannschaften im Drillichrock zum Exercieren ausrücken zu lassen. Wehe den Leuten, wenn dann der Exercierplatz zugig ist. Der Schweiss dringt alsbald in breiten nassen Streifen neben dem Tornisterriemen zu Tage und jeder Luftzug kühlt den Mann in der schroffsten Weise ab, da die Wohlthaten der langsamen Verdunstung des Schweisses, den die Wolle aufsaugt, ohne dabei wie Leinewand luftundurchlässig zu werden, ihm verloren gehen. Würden wir in der Hitze in Leinenzeug marschiren, würden wir uns bald vor Lungenentzündungen u. s. w. nicht zu lassen wissen.

In Anlehnung an die Versuche Linroth's: „Ueber das Verhalten des Wassers in unseren Kleidern" (s. Zeitschr. für Biol. Bd. 17) stellte Boubnoff (72) eine neue Reihe von Versuchen an, in denen auch der Structur der verwendeten Zeuge, einem bis dahin übersehenen Punkte, Rechnung getragen wurde. B. verwendete gefärbten und ungefärbten Flanell, Leinwand und Shirting.

Linroth giebt bereits an, dass die Farbe der Zeuge keinen Einfluss auf ihre Hygroscopicität hat, und B. gelangt auf Grund seiner eben so sorgfältig angestellten wie beschriebenen Versuche zu folgenden Schlüssen: 1. Die Farbe der Zeuge hat keinen Einfluss, weder auf die Menge des hygroscopischen Wassers, welches von den Zeugen absorbirt wird, noch auf die Schnelligkeit der Absorption. 2. Der Grad der Verdunstung des Capillarwassers ist bei ungefärbten Zeugen derselbe, aber die Verdunstung selbst geht bei den ungefärbten Zeugen nicht so gleichmässig wie bei den gefärbten vor sich. 3. Die Farbe ist von bedeutendem Einfluss auf die Permeabilität der Zeuge für die Luft.

Müller's Versuche (73) vervollständigen diejenigen Pettenkofer's (Zeitschr. für Biol. 1865 Bd. 1) und die Linroth's (ebendas. 1881 Bd. 17). Letzterer bezeichnet selbst seine auf das Verhalten der ganzen Kleidung gegen das Wasser berechneten Resultate als ungefähre, da die einzelnen Theile der Bekleidung trotz der Einheit des Materials am Körper verschiedenartige klimatische Regionen umfassen, woraus die Uebertragung eines nur mit einem Stücke des Stoffs angestellten Versuchs auf das Ganze nothwendig Unsicherheit ergeben muss. M. nahm deshalb eine Militärgarnitur (5.), trocknete sie im Trockenofen, bis ihr Gewicht constant war, hing die Sachen dann im Zimmer, im Keller, im Freien auf, und wog wieder, natürlich unter Beobachtung von Temperatur und relativer Feuchtigkeit der Luft.

Als wichtigstes und erstes Ergebniss wurde festgestellt, dass das Gewicht der einzelnen Kleidungsstücke, je nach dem Aufbewahrungsorte, wesentliche Varietäten darbot. In dem einen Falle enthielt die Gesammtkleidung (Mantel, Tuchrock, Tuchhose, Mütze, Drillrock, Drillhose, Unterhose, Hemd) 454, im anderen Falle 889 g Wasser, die übrigen Werthe lagen zwischen diesen Grenzen. (Es ist hier stets vom hygroscopischen, d. h. dem Wasserdampf der Luft entstammenden Wasser die Rede, welchem gegenübersteht das capillare oder hängende Wasser, das den Kleidern in tropfbar flüssiger Form zugeht.) Setzt man die Hygroscopicität für das Hemd gleich 1, so betrug sie für die Unterhose 1,20, die Drillichkleider 1,26, die Tuchkleider 1,51, womit also die Verschiedenheit der hygroscopischen Eigenschaft der verschiedenen Stoffe ausgedrückt ist.

M. fand ferner, dass die Menge des hygroscopischen Wassers in unseren Kleidern von der relativen Feuchtigkeit der Luft direkt abhängig ist, und zu derselben in gradem Verhältniss steht; dass ferner aber die Temperatur der Luft auf den Gehalt der Kleidung an hygroscopischem Wasser vollständig belanglos ist, wohl aber scheint die Lufttemperatur von Einfluss zu sein auf die Raschheit und Exactheit der hygroscopischen Thätigkeit der Kleidung. Unsere Kleider sind also in Wahrheit wirkliche Hygrometer.

Das Resultat der auf die Beantwortung der Frage: „Wie weit wird das hygroscopische Verhalten unserer Kleidung beim Tragen auf den Körper alterirt," gerichteten Versuche lag in der Erfahrung, dass die Kleider auf dem Körper geringere Mengen hygroscopischen Wassers als ausserhalb desselben aufweisen (nur die Strümpfe sind hier auszunehmen, die ja aber auch nicht der Luft ausgesetzt sind). Die allgemeine Bedeutung des hygroscopischen Wassers in unseren Kleidern liegt nach Pettenkofer in der Einwirkung, die das Wasser auf unser Wärmeleitungsvermögen und die Wärmekapacität der Stoffe ausübt. Bei niedriger Temperatur und hoher relativer Feuchtigkeit werden die feuchten Kleider die besten Wärmeleiter, je grösser aber die Differenzen zwischen Aussen- und Körpertemperatur sind, um so reger geht die Ventilation in der Kleidung vor sich, und führt der Hautoberfläche kühlere Luft zu. Bei hoher Lufttemperatur ist das hygroscopische Wasser in den Militärkleidern von besonderer Bedeutung, da die Zustände, die den Hitzschlag begünstigen, mit denjenigen zusammenfallen, die die Menge des hygroscopischen Wassers in den Kleidern vermehren.

Der weitere Abschnitt in der M.'schen Arbeit beschäftigt sich mit dem Verhalten der Militärkleidung zu dem zwischengelagerten hängenden Wasser. Es ergab sich, dass die Gesammtkleidung (10 Minuten in Wasser getaucht) über 16 Liter zu fassen und (durch Handkraft zweier Männer möglichst ausgerungen) 11—12 Liter zurückzuhalten vermochte. Waren die Kleider am Leibe nassgemacht. (Hineingehen der bekleideten Leute in das Schwimmbassin bis zur Halsbinde) so nahm der Tuchanzug 2 Liter, der Drillichanzug 1½ Liter weniger Wasser auf, als wenn die Kleider allein eingetaucht waren.

Es kann also eine vollständige Durchnässung des Mannes im Kriege geradezu verhängnissvoll werden, da eine vollständige Durchnässung die Belastung des Infanteristen um 16—20 Pfund (im letzteren Falle, wenn der Mantel mit durchnässt wird) vermehren, den kräftigsten Mann also bei längerer Dauer erschöpfen müsste. Glücklicherweise hindert das Rollen des Mantels wenigstens dessen Durchnässung.

Dass die nassen Kleider die Wärmeabgabe des Körpers wesentlich beeinflussen, ist bekannt. M. hat, um diese Verhältnisse zu studiren, weitere Versuche über die Raschheit der Verdunstung aus den nassen Kleidungsstücken angestellt. Schliesslich prüfte M. das Imprägnirungsverfahren der Firma Falkenburg in Magdeburg und fand, dass dasselbe in der That sich bewährte, und endlich berechnet er die Kochsalzmenge, die die einzelnen Kleidungsstücke enthielten, und die beim Mantel 11,7 beim Tuchrock 16,4 g, bei den übrigen Kleidungsstücken Bruchtheile eines Gramms betrugen. Hauptsächlich stammt dieser Gehalt her von der mit Urin (zur Entfettung) geschweissten Tuchwolle, sodann in diesem concreten Falle auch vom Waschen in kochsalzhaltigem Wasser.

Nach dem vorstehenden Artikel erscheint als eine vortreffliche Massregel die vom Russischen Invaliden als für die russische Armee bevorstehend angekündigte Einführung wasserdichter Zeuge (74). In Petersburg besteht eine Fabrik, die derartige Gewebe herstellt. Auch für unsere Armee rathen wir dringend zu einer gleichen Massregel. — In dem 2. Artikel (75) wird über die gelungenen Versuche berichtet. Die Stoffe widerstehen kaltem, bis zum gewissen Grade auch warmem Wasser, verlieren die Farbe nicht und sind leichter und fester als andere Stoffe, wobei sie die Ausdünstung des Körpers nicht hindern. Einen Mantel wasserdicht zu machen, kostet im Einzelnen etwa 1.60 Mark.

Das Preussische Kriegsministerium (75) hofft auf dem Wege der Preisbewerbung zu brauchbaren besseren Modellen für 1) Helm, 2) Tornister bezw. überhaupt einer Einrichtung zum Tragen des Gepäcks nebst Kochkessel und Patronentasche; 3) Feldflasche; 4) Brotbeutel; 5) Marschstiefel; 6) der 2. (leichteren Fussbekleidung) zu gewinnen. Alle Angehörigen der Armee, sei es der activen, sei es des Beurlaubtenstandes incl. Officiere, auch die Officiere z. D. dürfen sich betheiligen. Es sind ausgesetzt zu 1) 5) 6) zwei Preise von 1,000 bezw. 100 Mark, zu 2) zwei Preise von 9.000 bezw. 1,000 Mark, für das Kochgeschirr allein 300 Mark, zu 3) und 4) je ein Preis von 300 Mark. Die Bedingungen findet der Leser im Armee-Verordnungsblatt. Gelingt es diese zu erfüllen, werden wir einen wichtigen Schritt weiter vorwärts gethan haben.

Mendel (76) schlägt vor, den Tornister mittelst des Waffenrocks, indem an den betreffenden Stellen Lederscheiben eingenäht werden, zu tragen, weil dadurch die Last auf den ganzen Körper vertheilt wird. (Aufknöpfen des Rockes bei umgehängtem Tornister ist also nicht möglich.) Bei dem 12. Armee-Corps sollen practische Versuche mit diesem System gemacht sein.

Für die Trageweise des Gepäcks mittelst elastischer Vorrichtungen (77), wobei 33 pCt. an Kraft erspart werden sollen, hatte Bertenson geschrieben (s. Mil. Sanitätswesen. Jahrgang 1884. S. 550. No. 75); in obigem Artikel wird nun die probeweise Beschaffung und Prüfung des Trageapparates angeordnet und erläutert.

Der ungenannte Compagniechef verwirft den langschäftigen Stiefel (78) als zu wenig elastisch und nicht wasserdicht und empfiehlt einen festen Schuh mit darüber geschnallter Gamasche von wasserdichter Leinewand. Der Schuh selbst soll bis auf den Span heraufreichen und seine Seitentheile sollen sich in Klappen verlängern, die oben auf dem Fusse zusammengebunden werden. Diesen Bund bedeckt die Gamasche.

Salquin (81) bespricht in seinem Werk (neue Auflage) nur die militairische Fussbekleidung und die Anwendung rationeller Grundsätze auf diese. Besonders ist er bemüht, unter Aufrechterhaltung der letzteren doch eine möglichst elegante Form zu erzielen. Frau S. erörtert die gesundheitsgemässe zweckmässige Form der Strümpfe von dem Gesichtspunkte aus, dass eine solche die nothwendige Ergänzung der rationellen Fussbekleidung überhaupt bilde. Die bisher üblichen, nur in eine gleichmässige Spitze auslaufenden Strümpfe sollen die Ablenkung der grossen Zehe nach aussen, also das Hervorspringen der grossen Zehenballen nach innen, begünstigen.

Ein ungenannter Verf. (82) giebt unter dem obigen allgemeinen Titel die Grundregeln der Hygiene des Marsches durchaus treffend wieder, ohne jedoch wesentlich Neues zu bringen. Ein Vorschlag erscheint beachtenswerth. Verf. weist darauf hin, dass der deutsche gepackte Tornister lediglich in den gefüllten Patronentaschen sein Gegengewicht finde. Im Manöver wird daher oft versucht, auf Kosten freier Athmung durch festeres Schnallen des Koppels den Tornister leichter tragbar zu machen. Verf. fragt, ob es sich nicht empfehlen würde, das Gegengewicht durch Füllung der leeren Taschen mit Metallgewichten herzustellen.

Die Winter-Feldmärsche (83) wurden beim russischen 9. Armeecorps zur Trainirung der Leute unternommen. Die Märsche wurden aber eingestellt, sobald die Temperatur unter — 6 ° R. sank. Besondere Maassregeln für das Verhalten bei Eintritt grosser Kälte, bei Schneefall und über die Behandlung erfrorener Glieder waren gegeben. die Verpflegung durch Voraussendung von Truppenköchen geregelt.

5. Hygiene des Dienstes.

Schmitt (84) berichtet das Factum, dass zwei italienische Officiere 102—105 km in 20 Stunden und fast 300 km in 4 Tagen zurücklegten.

Hinsichtlich der Körperfunction beim Marsche behauptet Schm., dass die Schnelligkeit des Marsches im Verhältniss zur Körpergrösse stehe, so zwar, dass grössere Leute schneller marschiren als kleine. Er stützt sich hierbei auf den von den Gebrüdern Weber aufgestellten Satz, dass nämlich die Dauer der Pendelbewegung des Beines proportional ist der Quadratwurzel aus der Länge des Beines selbst. Wenn Schm. hieraus nun folgert. dass die Schnelligkeit des Marsches von der Körpergrösse abhängt. so können wir dies noch zugeben. aber wir verstehen nicht, wie er zu dem Schlusse gelangt, dass nun das grössere Individuum von zweien schneller marschire als das kleinere. An sich nimmt doch die Schwingungszeit mit der Pendellänge zu, so zwar, dass die Schwingungszeiten sich wie 1, 2, 3 verhalten. wenn das Verhältniss der Pendellängen wie 1. 4, 9 ist, es muss also, je länger das Bein ist, auch die Schwingungsdauer um so grösser, d. h. die Schnelligkeit der Schwingung um so kleiner sein.

Henri de Parville (85) beweist in einem Briefe an das Journal d'hygiène. dass die Schnelligkeit des Marsches abhänge von der Höhe, von der aus der Fussgänger seinen Schwerpunkt verrückt (Marey). Da nun der kleinere Mensch die Länge der Schritte durch eine grössere Anzahl derselben compensirt. so bleibt das Product bz. in dem b die Breite des Schrittes. z die Zahl derselben ausdrückt, stets sich gleich für eine gegebene Geschwindigkeit, und die beim Marsch zu verrichtende Arbeit ändert sich nur mit dem Gewicht des Körpers; da nun der grössere Mensch ein grösseres Gewicht fortzubewegen hat als der kleinere, so steht also gerade umgekehrt die Geschwindigkeit in umgekehrtem Verhältniss zum Körpergewicht, d. h. zur Körpergrösse.

P. tritt einer zweiten Behauptung Schmitt's entgegen, der nämlich, dass. wenn man pro Stunde nicht mehr als 6 km marschire, die Leistung im Marschiren unbegrenzt sei. P. berechnet, dass es ein tägliches Maximum der Arbeitsleistung gebe, welches je nach der Energie des Individuums u. s. w. wohl schwanke. sich aber annähernd auf 300.000 Kilogrammmeter berechnen lasse. Wenn diese geleistet. ermüdet der Körper sofort. Die Dauer dieser täglichen Arbeit steht in umgekehrtem Verhältniss zum Quadrat der Geschwindigkeit, mit der der Marsch zurückgelegt wird.

IV. Dienstbrauchbarkeit und deren Feststellung.

a. Verschiedenes.

1) Dienstanweisung für Marineärzte zur Beurtheilung der Dienstfähigkeit und zur Ausstellung von Attesten vom 10. April 1884. (Entspricht mit den für die Marine nöthigen Abweichungen den analogen für die Landarmee bestehenden Dienstvorschriften) — 2) A.-C.-O. vom 22. Juli 1884 betreffend Gewährung von Pensionen an die durch innere Dienstbeschädigung invalide gewordenen Unterofficiere und Mannschaften, denen ein gesetzlicher Anspruch auf die Pension nicht zur Seite steht. — 3) Netolitzky, Die Instruction zur ärztlichen Untersuchung der Militärpflichtigen. Wien. med. Presse. S. 19, 91, 279. — 4) Picha, Josef, Ueber die Prüfung des Sehvermögens der Wehrpflichtigen auf dem Assentplatze, mit besonderer Berücksichtigung der in der Instruction von 1883 enthaltenen Bestimmungen. Militärarzt No. 2, 3 und 4. (Enthält eine genaue Darstellung der Prüfung der Sehschärfe und Correctur der etwaigen Refractionsfehler mit Bezug auf die Abänderung der einschlägigen Bestimmungen). — 5) Instruction für die Recrutirungsbehörden in Russland, zur Anleitung bei der Besichtigung des Körperbaues und der Gesundheit der zur Erfüllung ihrer Militärpflicht Berufenen. D. Militärärztliche Zeitschrift. S. 106. — 6) Die Krankheiten mit Beziehung auf die Rechte und Prärogative des Militärs. Wajennyi Sbornik. Juliheft. (Behandelt die durch Dienstalter, Krankheit oder Verwundung erworbenen Pensionscompetenzen russischer Officiere). — 7) Samion, L., Le recrutement en france et en Allemagne. Spectateur milit Tome 27. p. 37 ff. (Ist eine wesentlich politische Abhandlung.) — 8) Archypoff, Steben Brustumfang und Grösse des Soldaten in einem beständigen Verhältniss zu einander? Allg. Militär-Zeitung No. 45 nach dem Russ. Invalid. — 9) Livi, Die Grössenverhältnisse der Mannschaften Italiens. Rivista militare. — 10) Pinto, L'igiene pel circondario di Roma e suoi rapporti colla leva militari. (Enthält werthvolles Material für die einschlägigen militärärztlichen Studien.) — 11) Aubert, Le recrutement dans le département Calvados. (Bericht, gelesen von Lagneau in der Sitzung der Academie der Medicin zu Paris vom 12. August 1884.) — 12) Longuet, Etudes sur le recrutement dans l'Isère. Etiologie du goitre. Archives de méd. et de pharm. mil. B. III. p. 7, 10, 13, 18. — 13) Note relative à des recherches, faites par M. Chauvel au sujet des conscrits exemptés pour pieds plats des années 1876 à 1883. Bull. soc. chir. févr. Nach den Archives de méd. milit. Bd. IV. No. 20.

[Bergh, A., Kortfattad öfversigt af de fel i synapparaten, hvilka inom några olika länder föranleda befrielse fråu krigstjäust. Tidskrift i militär helsovård, Bd. 8. p. 409. (Eine Uebersicht über die Gesichtsfehler, die in Folge der Bestimmungen der Regulative zur Beurtheilung der Wehrpflichtigen in verschiedenen Ländern [Frankreich, Deutschland, der Schweiz, England und Dänemark] vom Kriegsdienste befreien. Zugleich werden die Punkte in Betreff des Kriegsdienstes angeführt, die auf dem Crongresse zu Brüssel 1875 von der ophthalmologischen Section angenommen wurden. Joh. Möller (Kopenhagen).]

b. Aushebung.

1. Deutschland.

14) Hauptresultate des Ersatzgeschäfts für 1882 im Deutschen Reich. Statist. Jahrbuch für das deutsche Reich. — 15) Aushebung im Unter-Elsass. Allg. Milit. Ztg. No. 101.

2. Oesterreich.

16) Militär-Statistisches Jahrbuch für das Jahr 1878. Theil I. Auf Anordnung des k. k. Reichskriegsministerii bearbeitet u. s. w.

3. Frankreich.

17) Compte rendu sur la recrutement de l'armée pendant l'année 1882. Publication du ministère de la guerre.

4. Russland.

18) Aushebung in Russland für 1883. Mil.-W.-Bl. No. 30

5. England.

19) Die Recrutirung der englischen Arme. Milit.-W.-Bl. No. 51.

6. Italien.

20) Pocchi dati intorno alla leva sui giovani nati nell' anno 1862. Giornale di medicina militare. p. 565 u. folg.

7. Belgien.

21) Levées de milices de 1881 und 1882. Nouvelles recherches relatives à la taille, au périmètre thoracique et au poids du corps. (Aus der belgischen Armee)

8. Dänemark.

22) Salomon, Bidrag til en Sündheetsstatistik for Kongeriget Danmark. Ugeskrift for Lager. R. 4. Bd. 9. S. 100.

---

a. Verschiedenes.

Netolitzky (3) unterzieht die neu erlassene Instruction zur ärztlichen Untersuchung der Wehrpflichtigen der kaiserlich königlichen Armee einer Kritik. Der Verf. ist kein Militairärzt und wir müssen zu Gunsten der sämmtlichen Mitglieder der Musterungscommissionen, namentlich aber der Militairärzte annehmen, dass ein Theil der in dem Artikel enthaltenen Beobachtungen bezüglich des Verfahrens bei der Musterung etwas schwarz gefärbt ist. Denn dass z. B. das militairärztliche Mitglied schwächliche, zum Dienst mit der Waffe eigentlich untaugliche Leute für tauglich erklären sollte, aus Rücksicht für den augenblicklichen Bedarf eines Truppentheils an Schreibern, Gärtnern etc., oder dass er gegebenen Falls Juden stets einstellen wird, wenn sie nicht bedeutende Gebrechen haben, weil die Juden im Rufe stehen, sich dem Dienst gern zu entziehen, dass muss entschieden zurückgewiesen werden als eine vage subjective Behauptung. Auch die Stellunng des Militairarztes zum militärischen Vorsitzenden wäre nach N.'s Schilderungen eine wenig erquickliche. Bei der Kritik der Verzeichnisse A-D der neuen Instruction (entsprechend unseren Anlagen 1—4 zu § 7—9 der R. O.) wird auf das Fehlen von Uebergängen zwischen Verzeichniss A und D (tauglich und untauglich) bei vielen körperlichen Fehlern aufmerksam gemacht und eine Reihe von Beispielen dafür angeführt. Ferner wird u. A. verlangt, dass „Erweiterung der Leistencanäle, unbedeutende Verkürzung und Verkrümmung einer Gliedmasse, Krampfadern“ etc. in jedem Falle nur „bedingt tauglich“ machen sollen, nicht aber, wie die Instruction ansetzt, ev. tauglich zu jedem Dienste. Der weitere Vorschlag N.'s, den grössten Theil der bedingt Tauglichen in eine Heeresabtheilung von Professionisten oder Arbeitercompagnien zusammenzustellen, dürfte wohl kaum zur Ausführung gelangen. — Schwarze.

In Russland ist bestimmt, (6) dass nur die zum Dienst brauchbar sind, bei denen der Brustumfang um $^1/_2$ Werschok (2,2 cm; 1 Werschok = 4,4 cm) grösser ist als die halbe Körpergrösse. Hieraus entspringt die Frage: steht Körpergrösse und Brustumfang in constantem Verhältniss? Da nämlich eine nach dieser Richtung hin aufgestellte Statistik folgendes ergab:

Es wurden

von der Körpergrösse (in Werschoks)	zurückgestellt wegen ungenügender Brustweite (pCt.)
34—35	32,0
35—36	21,2
36—37	27,0
37—38	28,9
38—39	40,9
39—40	42,7
40—41	58,1
41—42	33,8
42—42$^3/_8$	100,0

So scheint es also, als wenn mit Zunahme der Grösse eine Abnahme des Brustumfanges verbunden ist. Zur Lösung dieser Frage verglich Archypoff (8) die Masse einer grossen Anzahl Militairpflichtiger, und fand, dass bei 26017 gesunden Leuten der Brustumfang sich fortschreitend mit Zunahme der Grösse von 2,10 bis 0,86 Werschok verminderte, so zwar, dass die Zunahme des absoluten Brustumfanges in jeder Grösse $^3/_8$ Werschock beträgt, die Abnahme des relativen $^1/_8$ Werschok.

Archypoff kommt zu folgenden Schlüssen: 1) Der absolute Brustumfang steht im richtigen Verhältniss zur Körpergrösse, der relative im umgekehrten. 2) Die Entwicklung der Brust tritt um so später ein, je grösser der Mann ist; 3) Die geringste Entwicklung der Brust zeigt sich im 20. Lebensjahre, eine mittlere im 22 bis 23., die grösste im 25. Jahre. 4) Vom 26. Lebensjahre (Aufhören des Wachsthums) sind relativer und absoluter Brustumfang der Grösse proportional. 5) Je kleiner und dabei je näher dem „Mannnwerden“ einer ist, um so kräftiger ist er, während ein hoher Wuchs zu Brustleiden disponirt und überhaupt ist der Mann, je grösser auch um so schwächer. Hieraus folgt, dass je grösser der relative Brustumfang ist, um so geeigneter der Mann ist zum Kriegsdienste, und dass die, deren Brustumfang die halbe Körperlänge nicht um 22 übersteigt als zu schwach bezeichnet werden müssen.

Nach Livi (9) werden die Grössenverhältnisse einer Bevölkerung bedingt: 1) durch die Rasse, 2) durch äussere Einwirkung. Unter letzterer versteht er die die Entwicklung hemmenden krankmachenden Einflüsse, und kommt er z. B. zum Schluss, dass in Italien Malaria und Scropheln einen geringen Einfluss in dieser Richtung ausüben, einen etwas grösseren das Pellagra, einen wesentlichen Einfluss aber der in Italien häufige Kropf. L. giebt die Grössendifferenzen der Provinzen und Kreise, worauf wir hier nicht eingehen können, in detaillirtester Weise an und ist seine Arbeit entschieden ein werthvoller Beitrag zur Anthropometrie.

In einem Bericht über die Rekrutirung im Departement Calvados constatirt Aubert (11) die Beständigkeit der charakteristischen Stammeseigenthümlichkeiten der Bevölkerung des Calvados. In jenem, ursprünglich von Kelten bewohnten Landstrich sind zu der dunklen brachykephalen Bevölkerung von dem kleinen Wuchs der keltischen Rasse nach und nach Galater, Belgier, und hauptsächlich längs der Küste, in der Umgebung von Caen und Bayeux, Sachsen und blonde, dolichokephale Normannen von hoher Statur hinzugetreten, die der nordisch-germanischen Rasse angehörten.

Gerade aber in den Bezirken an der Küste, und besonders im Kreis Caen und dem von Bayeux findet man heute noch am häufigsten junge Leute von hohem Wuchs mit blauen Augen und blondem Haar. Trotz der heutigen Beweglichkeit der Bevölkerung vermischt sich die Landbevölkerung nur wenig, denn es findet wohl eine starke Strömung nach den Städten zu statt, aber eine sehr geringe nach dem Lande zu.

In demographischer Beziehung ist die Abnahme der Bevölkerung des Departement Calvados eine Thatsache, die die vollste Beachtung verdient. Im Jahre 1806 belief sich die Einwohnerzahl dieses Departement auf 505,210 Seelen, und betrug 1881 nur noch 454,012 Köpfe, sie hat also um mehr als ein Zehntel abgenommen. Wenn sich auch dieses Sinken der Bevölkerungsziffer zum Theil durch einen Abfluss der Landleute nach den Städten hin erklärt, so liegt doch der Hauptgrund an dem continuirlichen Ueberwiegen der Zahl der Todesfälle über die Geburten.

Infolge der Aufgabe der Landarbeit zwecks Uebernahme industrieller Arbeiten nimmt die Anzahl der zum Militärdienst tauglichen jungen Leute, welche in anderen Departements steigt, im Departement Calvados continuirlich ab.

Longuet (12) weist auf die Wichtigkeit der bei den Aushebungen gewonnenen Resultate für die ganze Demographie des betreffenden Landes hin und giebt eine ausserordentlich genaue Beschreibung der climatologischen, geologischen, topographischen und ethnographischen Verhältnisse des Isère-Departements mit genauen statistischen Berechnungen aus den letzten Decennien über das Verhältniss der Gemusterten zur Zahl der tauglich Befundenen. Erwähnt sei von den vielen Berechnungen nur, dass man in Frankreich im Durchschnitt auf 1,000 Gemusterte 206.5 Unbrauchbare und bedingt Taugliche rechnet, so wie dass die mittlere Körpergrösse in Frankreich 1, 6528 m beträgt. Unter den endemischen Krankheiten des Departements nimmt der Kropf bei weitem die erste Stelle ein. Nach genauen Untersuchungen über die Aetiologie erklärt sich L. für die hydrotellurische Theorie, da im Isère-Departement sich das Vorkommen auf die Gegenden der Molasse-Formation beschränkt. Weiterhin wird die Verbreitung des Cretinismus, des Stotterns, der Taubstummheit, der Varicen, Hernien, Plattfüsse, der allgemeinen Körperschwäche, Tuberculose und Scrophulose, sowie ihr Einfluss auf die Diensttauglichkeit ausführlich erläutert. Die Arbeit bietet demnach in ihrer Anordnung und Ausführung eine Fülle des interessantesten und wichtigsten Materials. — Schwarze.

Chauvel (13) stellt fest, dass in der siebenjährigen Periode von 1876—83 in Frankreich 6,832 Mann wegen Plattfüsse für dienstuntauglich resp. bedingt tauglich erklärt worden. Die französische Instruction unterscheidet 2 Arten des Fussleidens, nämlich „eine Abweichung des Fusses nach aussen mit Hervorspringen des Astragaluskopfes (macht dienstuntauglich) und eine Abplattung des Fussgewölbes mit geringer Abweichung nach aussen (macht bedingt tauglich). Die Untersuchungen erstreckten sich ferner auf die geographische Verbreitung des Leidens und führten zu dem Resultat, dass der Plattfuss eine Raceeigenthümlichkeit sei und dass die Natur des Bodens und der Beruf keinen so bedeutenden Einfluss auf sein Vorkommen haben, als eben der Raceursprung. — Schwarze.

b. Aushebung.

1. Deutschland.

Im Jahre 1882 wurden bei der Aushebung im deutschen Reich (14) als moralisch unwürdig ausgeschlossen 1 377 (0.4 pCt.), wegen körperlicher oder geistiger Gebrechen ausgemustert 73.057 Mann (= 19.8 pCt.), den Ersatzreserven, bezw. der Seewehr überwiesen: 151,675 Mann (= 41.2 pCt.), ausgehoben 141,965 Mann (= 38.6 pCt.), ergiebt zusammen: 368,074 Mann; ausserdem traten freiwillig ein 19 697 Mann und wurden wegen unerlaubter Auswanderung gerichtlich verurtheilt (incl. alle, deren Verbleib nicht zu ermitteln war) 15,412 Mann.

Im Unterelsass (15) wurden 13,806 Mann in den Aushebungs-Listen geführt. Von diesen wurden zurückgestellt 4.368 Mann, ausgemustert 1,133 Mann, der Ersatz-Reserve I überwiesen 1,286, der Ersatz-Reserve II 300, ausgehoben 1,838, überzählig blieben 350, freiwillig traten ein 246 Mann. Ueber den Rest wurde aus mehreren Gründen noch nicht entschieden. Von den Ausgehobenen wurden 1,789 zum Dienst mit der Waffe, 40 zum Dienst ohne Waffe, 9 für die Flotte ausgehoben.

2. Oesterreich.

Zur regelmässigen Stellung pro 1878 waren berufen in Summa 841.152 Wehrpflichtige. (16). Von diesen wurden 77 p. M. (65,029) zeitlich befreit, 88 p. M. (74,303) waren nicht erschienen, 684 p. M. (575,161) wurden wegen körperlicher Fehler zurückgestellt oder ausgemustert, 145 p. M. (121,683) waren tauglich. (Ueber den Rest 4,97 p. M. war noch nicht entgültig entschieden.) Die Stellungspflichtigen waren um 48 p. M. zahlreicher als im Vorjahre, und 58 p. M. (6719) wurden mehr tauglich befunden als im Vorjahre.

Aerztlich untersucht wurden im Ganzen 701,820 Mann (40,235 mehr als im Vorjahre). Von diesen waren tauglich 173 p. M. (121,654), wegen Mindermaass zurückgestellt 123 p. M. (85,954), wegen körperlicher Gebrechen zurückgestellt 697 p. M. (489,207), in die Lazarethe geschickt 2 p. M. (1291), den Ersatzbehörden überwiesen zur Amtshandlung 5 p. M. (3685).

870 p. M. der untersuchten Wehrpflichtigen hatte die Minimal-Körperlänge von 1,554 m, mit dem Minimalmaass von 1,55 m wurden indess nur 8 p. M. eingestellt, 21 p. M. mit einer Grösse von 1,57 m, während 913 vom Tausend der Eingestellten von 1,57 bis 1,75 m gross war, und 58 p. M. diese Grösse noch übertrafen.

Die meisten Tauglichen, nämlich 696 vom Tausend der Pflichtigen, die diese Grösse besassen, stellte das Contingent mit der Körpergrösse von 1,60 bis 1,80 m.

In der ersten Altersclasse waren 151 p. M. untermässig, in der zweiten 113 p. M.. in der dritten 82 p. M., ein Beweis, wie sehr sich der Körper in den Stellungsjahren entwickelt.

Von 1000 Wehrpflichtigen, welche die Minimal-Körpergrösse hatten, wurden zurückgestellt bezw. ausgemustert: als zeitig zu schwach 457,4 Mann, wegen allgemeiner Leiden 10,1 (darunter wegen Tuberculose 1.9), wegen schlecht geheilter Verletzung oder Verstümmelung (excl. Selbstverstümmelung) 8,5, wegen Selbstverstümmelung 0,1, wegen Krankheiten des Nervensystems 3,6 (darunter Epilepsie 0,5), wegen Augenkrankheiten 21,9 (darunter chronische Bindehautentzündung 7,0), wegen Ohrkrankheiten 4,7, wegen Krankheiten der Athmungsorgane 0,4, der Circulationsorgane 77,0 (darunter wegen Krampfadern 32,2, wegen Kropf 43,2 Mann), wegen Krankheiten der Ernährungsorgane 28,9 (darunter Bruch und Bruchanlage 26,0), wegen Krankheiten der Harnorgane 0,3, der Geschlechtsorgane (excl. Syphilis) 19,9, wegen Syphilis 0,2, wegen Hautkrankheiten 17,8, Knochenkrankheiten 4,9, Gelenkkrankheiten 125,6 (darunter Plattfuss 31,6), wegen Muskelkrankheiten 1,9, wegen angeborener Missbildungen 12,3, wegen nicht bestimmter Krankheiten 3,8 Mann, also in Summa von 1000 Wehrpflichtigen, die die Minimalgrösse hatten, 800,8 Mann.

3. Frankreich.

In Frankreich (17) kamen zur Stellung für 1882 309,689 Mann (+2856 gegen 1881). Von diesen wurden ausgemustert 406,262 = 13,0 pCt. der Untersuchten, den „services auxiliaires" überwiesen 15,427 Mann = 4.9 pCt., zurückgestellt 37.751 Mann = 12,2 pCt. Für tauglich zum Dienst mit der Waffe wurden erklärt 137,425 Mann (—9614 gegen 1881) = 44,3 pCt. der Gestellten.

Die einzelnen Krankheiten, die hauptsächlich die Dienstuntauglichkeitserklärung vernothwendigten, waren (die Zahl in Klammern heisst: = vom Hundert der Gestellten): schwache Körperconstitution 4987 Mann (1,6 pCt.); Unterleibsbrüche 4657 M. (1.5); Augenkrankheiten 4219 M. (1,3); mangelnde Gebrauchsfähigkeit der Glieder, Handverstümmelung 3369 M. (1,1); Missbildung. Abweichung der Wirbelsäule 2985 M. (0,96); Krankheiten der Harn- und Geschlechtsorgane 1641 M. (0,5); Krampfadern 1358 M. (0,4); Hautkrankheiten 1277 M. (0,4); Scropheln 1204 M. (0,3); Tuberculose und Krankheiten der Athmungsorgane 1194 M. (0,3), Cretinismus, Idiotismus 1192 M. (0,3); Herzkrankheiten 1078 M. (0,3); Ohrkrankheiten 1064 M. (0,3); Kropf 769 M. (0,2); Stottern 755 M. (0,2); Zahnkrankheiten 690 M. (0,2); Epilepsie 497 M. (0,1); Plattfüsse 436 M. (0,1).

4. Russland.

In Russland kamen 1883 830.074 Wehrpflichtige (incl. 39,858 Juden) zur Loosung (18). Hiervon erhielten 0,3 pCt. Ausstand (nämlich 2991). 44,7 pCt. (371,810 Mann) wurden ärztlich besichtigt und hiervon 57,9 pCt. für tauglich erklärt. (Diese Zahl nimmt ab, da tauglich waren: 1881 61,3 pCt., 1882 59,0 pCt., 1883 57,9 pCt.) Im Jahre 1883 ist in Russland festgesetzt, dass das Brustmaass nicht weniger als die halbe Körperlänge betragen darf.

Von den Gemusterten waren untauglich wegen Mindermaass und körperlicher Fehler 16,6 pCt. (61,756 Mann); 23,3 pCt. (88,831 Mann) wurden zurückgestellt und 1,9 pCt. (7197 Mann) wurden zur Beobachtung in die Lazarethe aufgenommen.

5. England.

In der englischen Armee wurde 1881 die Dienstzeit in der activen Armee auf 7 Jahre, die in der Reserve auf 5 Jahre festgesetzt. Hinsichtlich des Ersatzes (19) — ein Rekrut muss (mit Ausnahme der Spielleute, die jünger sein können) 19 Jahre alt und eine dem Alter entsprechende Körpergrösse, Brustumfang und Körpergewicht haben. In den letzten 4 Jahren ergaben sich folgende Resultate der Aushebung:

	waren unter 19 Jahr	waren unter 165 cm gross	hatten über 68 cm Brustumf.	hatten ein Körpergew. unter 60 kg
	pCt	pCt	pCt.	pCt.
1879	4,6	8,7	67	9,6
1880	3,7	5,6	63	13,1
1881	5,0	5,2	62	17,4
1882	3,7	6,0	81	—

Da die Manquements für 1883 nicht auf dem gewöhnlichen Wege zu decken waren, wurde die Minimalgrösse für die Infanterie (für die Garde auf 1,69 m) auf 1,595 m und das Eintrittsalter für alle Waffen von 19 auf 18 Jahre herabgesetzt, mit einem Worte, die nöthige Quantität der Rekruten konnte nur auf Kosten der Qualität derselben beschafft werden. Bei der Artillerie sollte der Minimalbrustumfang der Eintretenden 85 cm betragen. In der That haben diese Maassregeln u. A. eine wesentliche Abnahme der Manquements zur Folge gehabt.

6. Italien.

In Italien wurden für 1882 gemustert 306,903 Mann (20). Von diesen wurden ausgemustert, wegen Mindermaass 22,523 (= 7,62 der Untersuchten), wegen körperlicher Gebrechen 29,723 (= 10,06 der Untersuchten), zusammen also: 52,246 Mann (= 17,68 pCt.). Unter den Gebrechen kamen u. A. in absteigender Linie am häufigsten vor: Unterleibsbrüche 4052, schwache Brust 3862. Augenkrankheiten 2759, Kropf und starker Hals 1851, schwacher Körperbau 1415, deformirter Thorax 1309, Varicen und Varicocele 1289, Verkrüppelung 1028. Lungenschwindsucht 98 (später wegen dieser entlassen 407) u. s. w., u. s. w. Es wurden zurückgestellt; wegen Mindermaass 15.524, wegen heilbarer Krankheitszustände 49,293 Mann, aus anderen Gründen 2320, zusammen 67,137 Mann = 21,61 vom Hundert.

Die mittlere Körpergrösse 291.622 gemessener Leute war 1,63 m, die der tauglich befundenen 1,64 m.

7. Belgien.

In der belgischen Armee ist für die Diensttauglichkeit vorgeschrieben (21): 1) dass bei den unter 1,65 m grossen Leuten der Brustumfang um wenigstens 20 mm die halbe Körperlänge übertreffen muss; 2) dass das Körpergewicht nicht mehr als 7 kg unter der Zahl von Kilogrammen sein darf, welche die Decimalstellen des Maasses der Körperlänge ergeben. Das französische Journal bemerkt dazu, dass die belgische Armee in den Jahren 1881/82 von diesen Forderungen bei ca. 20 pCt. der Eingestellten hat nachlassen müssen, da dieselben weder auf einen Theil der Belgier noch auf die Mehrzahl der Franzosen anwendbar seien. — Schwarze.

8. Dänemark.

[Bei der Besichtigung der Wehrpflichtigen in Dänemark, im Herbst 1883, wurden nach Salomon (22) 19,965 Personen untersucht. Von diesen wurden 9765 (48.9 pCt.) vollkommen diensttauglich, 1602 (8,0 pCt.) tauglich zum Dienst ohne Waffe gefunden, 3265 (16,4 pCt.) zur Besichtigung eines folgenden Jahres hingewiesen und 5333 (26.7 pCt.) vollkommen dienstuntauglich erklärt. Die Krankheiten und Gebrechen, welche Dienstuntauglichkeit bedingten, waren: Schwacher Körperbau bei 327, Körperlänge unter 59 Zoll (154,4 cm) 142, Lungenschwindsucht 232, andere Lungenkrankheiten 39, Herzkrankheiten 280, Darmbrüche 358, Deformitäten des Brustkorbs oder Rückgrats 542, Sehschwäche 428, Taubheit oder Schwerhörigkeit 119, Krankheiten und Missbildungen der oberen Extremitäten 270, der unteren Extremitäten 1873 (darunter Plattfuss 645), der Geschlechtsorgane 78. andere Krankheiten und Gebrechen 645.

Joh. Möller (Kopenhagen).]

V. Armeekrankheiten.

1. Simulation und simulirte Krankheiten.

1) Schulz, Ueber die Bedeutung der Reflexe für die Diagnose bei Simulation von Krankheiten des Rückenmarks. Deutsch. Arch. f. klin. Med. Bd. XXXII. S. 455. — 2) Rabl-Rückhard, Zur Entlarvung der Simulation einseitiger Blindheit durch das Stereoscop. Berl. klin. Wochenschr. No. 6. — 3) Weintraub, J., Feststellung simulirter einseitiger Taubheit oder Schwerhörigkeit. Allgem. Wiener Zeitung. No. 38. 1883. — 4) Gentilhomme, Contribution à l'étude de la simulation dans le service militaire. — 5) Duponchel, Sur un cas d'aphonie simulée. Arch. de méd. mil Bd. IV. p. 387. — 6) Bérenger-Féraud, Deux cas de paralysie simulée de la main droite. Annales d'hygiène. Mai. — 7) Koster, Simulirte Verrücktheit mit nachfolgender wirklicher Geistesgestörtheit. Irrenfreund. No. 10.

2. Lungenentzündung und Lungenschwindsucht.

8) Lühe, Tuberkelbacillen und Pneumoniecoccen in ihrer Bedeutung für die Frage der Dienstbeschädigung. D. mil.-ärztl. Zeitschr. Juni. — 9) Cammerer, Zur Frage der Dienstbeschädigung bei Pneumonie und Tuberculose. Ebendas. September. — 10) Fresa, A, Studio clinico-critico sulla pulmonite crupale. Giorn. di medicina militare. p. 865 ff — 11) Sormani, La profilassi della tisi nell' esercito. Rivista militare. — 12) Celli, A. e G. Guarnieri, Intorno alla profilassi della tuberculosi. Studi di igiene sperimentale. Nach einem Referat in Giornale di medicina militare — 13) Ovilo, La tuberculose dans l'armée espagnole. Gaz. médicale de Madrid. No. 21. Nach Referat in den Archives de méd. mil. Bd. IV. p. 330. — 14) Poulet, De l'adénite cervicale tuberculeuse des soldats; son traitement par l'exstirpation et le râclage. Arch. de méd. milit. Bd. III. p 369. (Vergl. auch Abschnitt VII. No. 9 u. 27.)

3. Typhus.

15) Gaffky, Zur Aetiologie des Abdominaltyphus. Mittheilungen des kaiserl. Gesundheitsamtes. II. Bd. — 16) Laveran, De la contagion de la fièvre typhoide. Archives de médecine militaire. Bd. III. 10 et Bd. IV. 26. — 17) Servoles, La fièvre typhoide chez le cheval et chez l'homme Paris. (s. auch Referat in Arch. de méd. milit. Bd. III. S. 499 von Laveran.) — 18) Hüber, Die Typhusepidemie in der Deutsch-

bauskaserne in Ulm 1881/82. — 18a) Ramdohr, Die Typhusepidemie im königl. sächsischen Ulanen-Regiment No. 17 zu Oschatz im Herbst 1882. — 18b) Marvaud, La fièvre typhoïde au corps d'occupation de Tunisie. Arch. de méd. milit. Bd. III. p. 272. — 19) Czernicki, La fièvre typhoide aux colonnes d'opération du sud Oranais en 1881. Archives de méd. milit. Bd. III. 26. — 20) Da Vico, Cenni sulle cause delle malattie tifiche in Brescia, estratti da una relazione al Ministero della guerra. Giorn. di medicina militare. p. 99 ff.

4. Malaria.

21) Sorel, Note Sur l'action de la malaria sur des troupes non acclimatées. Arch. de méd. milit. Bd. III. 18. (Auf einem kleinen Posten, dessen Leute ganz gesund waren, erkrankten im August binnen wenigen Tagen fast sämmtliche Mannschaften, die als Verstärkung dorthin gesandt waren, an Sumpffieber.) — 22) Duponchel, L'endémie palustre à Mateur (Tunisie). (Die Fiebermonate sind Juli, August, September. In 19 Monaten erkrankten von 200 Mann 86, darunter 4 schwer. Melanämie wurde häufiger während der Anfälle beobachtet.) — 23) Goedicke, Malariaformen im östlichen Holstein. D milit.-ärztl. Zeitschr. März. — 24) Maurel, Traité des maladies paludéennes à la Guyane Gaz. hebdom. (Diese Krankheiten sollen Guyana beherrschen. Von 29178 Kranken, welche von 1858—67 im Hospital von Cayenne behandelt wurden, litten 16,606 an Affectionen genannter Art) — 25) Badour, Note sur la Malaria de l'Algérie orientale. Referat: Ibid. — 26) Cabanié, Relation d'une épidémie d'anémie d'origine miasmatique. Arch. de méd. milit. Bd. III. 1.

5. Pocken und Impfung.

27) Militär-statistisches Jahrbuch für das Jahr 1879. II. Theil. Auf Anordnung des k. k. Reichs-Kriegs-Ministerii bearbeitet u s. w. Siehe Seite 200 u. 201. Vaccination und Revaccination. — 28) Hervieux, Revaccinations. Académie de médecine. Séance 16. Sept. Gaz. des hôpitaux. p. 860. — 29) Longet, Mémoire sur les resultats comparatifs des vaccinations et revaccinations pratiquées au moyen de vaccin de genisse et de vaccin humain. Arch. de méd. milit. Bd. III. — 30) Vaillard, Rapport sur le service de la vaccination animale à l'école du Val-de-grace. Ibid. — 31) Laurens, Rapport sur les revaccinations pratiquées à l'hôpital du Dey. Ibid. — 32) Small-Pox in the Army and Navy. Lancet. 20. Sept. — 33) Statistique médicale de l'armée belge, période de 1875 bis 1879. — 34) Office vaccinogène central de l'état. Compte rendu annuel pour 1883. Arch. méd. Belg. Juni u. Juli. — 35) Grade, Rapport sur le fonctionnement de l'institut vaccinogène de l'armée à Anvers, et sur les opérations, qui ont été pratiquées pendant l'année 1883. Ibid. Bd. 25. 16.

6. Andere Infectionskrankheiten.

36) Hunter, On the cholera epidemic of 1883 in Egypt. Lancet. 12. Jan. — 37) Instruction pour les corps de troupe et les hôpitaux en prévision d'une épidemie de Choléra. Archives méd. Belges. Juli. — 38) Laveran, De la diphtherie dans l'armée. Relation d'une petite épidémie de diphtherie, observée à l'hôpital du Gros-Caillou en 1883/84. Archives de méd. milit. Bd. IV. p. 15. — 39) Maljeau, Relation d'une épidémie de diphtherie au 115e de ligne à Tunis. Ibid. Bd. III. p. 13. — 40) Rullier, Rélation d'une épidémie de dysenterie, qui a sévi sur la garnison et la population de Vesoul. Ibid. Bd. IV. p. 28. — 41) Manayra, P. E., Studi storico critici sulla Meningite cerebro-spinale epidemica in Italia e particolarmente nell' esercito. — 42) Maschkowski, Fall von Rotz bei einem Cavalleristen. Wratsch No. 3. Aus Archiv. de méd. milit. Bd. IV. p. 122. — 43) Antony, Relation d'une épidémie de scarlatine à rechutes. Archives de méd. milit. Bd. III. p. 4. — 44) Bich, De l'atrophie testiculaire consécutive aux oreillons, de ses conséquences et de son traitement. Thèse. Paris. (S. a. Archiv. de méd. milit. Bd. 3. p. 185.)

---

45) Vallin und Rochefort, Desinfectionsöfen. Revue d'hygiène. (Beschreibung und Kritik der bisher erbauten Desinfectionsanstalten.)

7. Augenkrankheiten. Syphilis.

46) Seggel, Bericht über die Augenkrankenstation des Königlichen Garnisonlazarethes München. Deutsche milit.-ärztl. Zeitg. No. 4—8. — 47) Froidbise, D'un cas de cataracte provoquée. Archives méd. Belges. August. — 48) Lindemann, Ein Fall artificieller Augenkrankheit. Deutsche milit.-ärztl. Zeitschr. 9. — 49) Vouckbevitsch, Studien über die Behandlung der Conjunctivitis granulosa. — 50) Venereal diseases in the navy. Lancet. 29. März. — 51) Note statistiche interno allo sviluppo dei bubboni venerei ulcerosi. Nach einem Referat in Giornale di medic. militare. p. 168.

8. Besondere durch den Dienst erzeugte Krankheiten.

52) Hahn, Otto, Ueber die Entstehung idiopathischer Herzvergrösserung beim Soldaten. Dissert. inaug. — 53) Veale, On palpitations of the heart in soldiers. The army medical Report for 1882. No. IV. — 54) O'Dwyer, M. D., Cases of sunstroke with high bodily temperature. Lancet. 6. Juli. — 55) Granjux et Dubois, Des accidents par armes à feu au tir à la cible chez les marqueurs. — 56) Fournié, De la projection des étoupilles (Schlagröhren) et des blessures qui en sont habituellement la conséquence. Archives de med. milit. Bd. III. p. 386. — 57) Shooting in the Army. Lancet. 29. März.

9. Verschiedene Krankheiten.

58) Laveran, Du scorbut. (Bespricht die seit 1874 beobachteten Scorbutfälle und erörtert die Theorieen über Entstehung des Scorbuts, ohne zu einem bestimmten Resultat zu kommen.) — 59) Depéret et Boinet, Du bouton de Gafsa au camp de Sathony. — 60) Dieselben, Nouveaux faits relatifs à l'histoire du bouton de Gafsa. Archives de méd. milit. Bd. III. p. 18. 21. f. Bd. IV. p. 28. — 61) Der Kropf in der schweizerischen Armee. Correspondenzbl. für Schweizer Aerzte. S. 101. — 62) Rizzi, Paolo, Studio sulla Malattia di Thomsen con relative considerazioni medicomilitari. Giornale di medicina militare. p. 217 u. f. — 63) Schönfeld, Ein Fall Thomsen'scher Krankheit bei einem 20jährigen Soldaten. Centralblatt für med. Wissenschaften. No. 40. 1883. — 64) Rieder, Ein Fall von Thomsen'scher Krankheit. — 65) Lorenz, Die Lehre vom erworbenen Plattfusse. — 66) Ogston, A., On Flat-Foot, and its cure by operation. Lancet. 26. Jan. (O. legt die Planta bloss, bringt den Fuss in die natürliche Lage und nagelt Astragalus und Os scaph. mit elfenbeinernen Nägeln zusammen, um so die Stellung des Fusses zu erhalten.)

1. Simulation und simulirte Krankheiten.

Rabl-Rückhard (2) theilt anlässlich eines Artikels von Schroeder (Stendal) in No. 44 des Jahres 83 der Berl. Klin.-Wochenschrift über Aufdeckung der Simulation einseitiger Blindheit mit, dass die jetzt unter dem Namen Burchhardt'sches Verfahren nebst Burchhardt'schen Proben bekannte Methode zur Entlarvung einseitiger Blindheit durch das Stereoscop von ihm herrühre, da er dasselbe 1878 in einer Sitzung der militärärztlichen Gesellschaft in Berlin vortrug; auch habe nicht Burchardt etwa, wie Schroeder (Stendal) behaupte, die „Rathschläge" Rabl-Rückhardt's zuerst practisch erprobt, sondern Burchardt, der die Autorschaft des Verf. loyal anerkannt hat, bediente sich der vom Verf. gezeichneten Vorlagen. Die Verbesserung der Schieberprobe, die Schroeder construirt hat, hält R. für unwesentlich.

Weintraubs Methode zur Constatirung simulirter einseitiger Taubheit oder Schwerhörigkeit (3) beruht auf der sog. Paracusis loci, d. h. auf der Angabe des Entstehungsortes eines Geräusches bei verschlossenen Augen. Der angeblich einseitig Taube wird bei dieser nicht zu lange auszudehnenden aber mehrfach zu wiederholenden Prüfung, wobei man die Uhr auf der Seite des kranken Ohres 2—3 Meter vom Untersuchten entfernt hält, durch richtige Angaben verrathen. Bei besonders intelligenten Simulanten kann man, nachdem man die Augen verbunden, das gesunde Ohr noch angeblich verschliessen, nimmt aber dazu einen durchbohrten Pfropf.

Gentilkomme (4) constatirt, dass die Simulationen wie zu Lande so auch in der Marine seltener werden. Nichtsdestoweniger kommen Fälle vor. So wird Hemeralopie simulirt in der tropischen Zone. Conjunctivitiden werden künstlich hervorgebracht durch Tabakssaft, in Neucaledonien wird Icterus durch Einathmen des Rauchs von Cigarren die mit Cocosöl behandelt sind, simulirt. Ferner wurde beobachtet: Simulation eines schweren Gehirnleidens bei wirklich bestehender Kopfwunde, Schwellung und Cyanose eines Unterarms durch längere Compression der Axillarnerven und Gefässe durch einen harten Körper, (identisch mit dem 2. Fall Berenger-Feraud; s. u. No. 6) Gesichtserysipel durch Einblasen von Luft in das Zellgewebe (?), Myelitis, Taubheit, Incontinentia urinae, Abscesse, die künstlich erzeugt wurden etc.

Duponchel (5) überführte einen stimmlosen Mann der Simulation, indem er ihm eine Kehlkopfsonde, sonst für Insufflationen gebraucht, plötzlich und etwas brüsk bis an die Stimmbänder einführte. Der Mann schrie laut auf. Zuber setzt hinzu, dass er einen solchen Mann dadurch überführte, dass er ihn pfeifen liess. Auch dieses brachte der Mann nicht zu Stande, in der Idee, wer keinen Stimmton habe, dürfe auch nicht laut pfeifen können.

Im 1. Falle von simulirter Lähmung der Hand, den Bérenger (6) mittheilt, behauptete ein Matrose, mit der rechten Hand Bewegungen nicht ausführen zu können. Die Hand war cyanotisch und geschwollen und nebst dem Arm gewöhnlich kühler, bisweilen aber auch heisser wie die linke Extremität. Diese Schwankungen erweckten den Verdacht der Simulation, der sich bestätigte. Es wurde mit vieler Mühe und Geduld festgestellt, dass der Simulant Cyanose und Temperaturschwankung dadurch erzeugte, dass er einen harten Körper (grosses metallenes Crucifix oder eine kurze Pfeife aus Buchsbaumwurzel) in die Achselhöhle brachte und — durch seine Lage beim Schlafen — einen längeren continuirlichen Druck auf Nerven und Gefässe ausübte. — Ein zweiter, einjährig Freiwilliger der Marineinfanterie, im übrigen Stud. jur., zeigte dieselben Erscheinungen an der rechten Hand. Dieser gestand die Simulation zu.

Ein Recrut simulirte in gröbster Weise Verrücktheit (7) wurde überführt und gestand die beabsichtigte Simulation zu. Allmälig entwickelte sich wirkliche Geistesgestörtheit, die die Ueberführung des Kranken in eine Anstalt nothwendig machte. Es wird der Vorgang so dargestellt, dass der Pat., ein geistig sehr gering entwickeltes Individuum, dazu erblich belastet, den geistigen Anstrengungen, die ihn die Simulation kostete, erlag.

2. Lungenentzündung und Lungenschwindsucht.

Seitdem bewiesen ist, dass Tuberculose und Pneumonie allein durch Invasion von Microorganismen entstehen können, soll nach Lühe (8) bei allen unter den Mannschaften auftretenden Fällen dieser beiden Erkrankungen der Nachweis der Dienstbeschädigung als eo ipso für erbracht gelten, selbst dann, wenn erbliche oder zufällig erworbene Disposition vorliege, denn der Soldat sei durch Dienst und Wohnung ausser Stande, sich der überall vorhandenen Infectionsmöglichkeit freiwillig zu entziehen. Eine Ausnahme von dieser Regel soll nur dann gemacht werden, wenn der Gegenbeweis geführt werden kann, dass sowohl die praedisponirenden Momente als auch die krankmachende Localität der freiwilligen Wahl des Kranken unterlagen.

Gegen die Schlüsse Lühe's wendet sich Camerer (9). Er giebt bei den betreffenden Krankheiten nur die Möglichkeit der Infection aus dienstlicher Veranlassung zu. Denn da man die specifischen Microorganismen vorläufig nicht mit Sicherheit in ihren Wohnorten verfolgen kann, wird auch der Beweis einer Dienstbeschädigung nur selten geführt werden können. Wahrscheinlichkeiten genügen aber nach § 22 der D. A. v. 8. April 1877 für den beregten Zweck nicht. Mit demselben Recht müsste jeder Dienstunbrauchbare invalidisirt werden, dem nicht die ausserdienstliche Veranlassung für sein Leiden nachgewiesen werden kann, da schliesslich für jede Krankheit oder für eine Disposition zu derselben die Möglichkeit der Entstehung durch das militärische Leben nachgewiesen werden kann. Andrerseits dient der Dienst eher zur Befestigung der Gesundheit; ausserdem wird nirgends so viel für gute hygienische Verhältnisse gethan, als in unserem Heere. — Ebensowenig wie L.'s Ansichten kann C. jedoch die derjenigen billigen, welche seit Entdeckung der infectiösen Natur beider Krankheiten eine dienstliche Gelegenheitsursache (z. B. Erkältung) einfach aus dem Grunde nicht mehr gelten lassen wollen, weil sie nach dem heutigen Stand unserer

Kenntnisse den zusammenhängenden Verlauf der bald nach einer solchen Gelegenheitsursache eintretenden Infection noch nicht verfolgen können. — Schwarze.

Ueber die eingehende Studie Fresca's (10), der unter gründlichster Berücksichtigung der bisherigen Literatur (u. A. Griesinger, Hirsch, Rokitansky, Jürgensen etc.) das Vorkommen der croupösen Pneumonien in den verschiedenen Breiten u. s. w. erörtert, können wir hier nicht näher berichten. Es genüge zu sagen, dass F. auf dem Standpunkt der Nichtcontagionisten steht, und u. A. auch wiederum den Beweis führt, dass nicht vorzugsweise kräftige, sondern gerade schwächere Individuen von der Pneumonie befallen werden.

Sormani (11) knüpft an die Thatsache an, dass im italienischen Heere alljährlich fast 500 junge Leute an Phthise sterben und etwa ebensoviel derselben Krankheit wegen entlassen werden. Er weist auf die preussische Armee hin, in der diese Motalität viel geringer sei, weil die Leute mit scrupulöser Genauigkeit untersucht und bei Zeiten entlassen würden. Früher habe es an einem bestimmten diagnostischen Merkmal, woran die Entwicklung der Phthise zeitig zu erkennen sei, gefehlt, jetzt sei dasselbe in der Koch'schen Entdeckung des Tuberkelbacillus gegeben. Mit dem Erläuterung des nunmehr unbestreitbaren Werthes dieser Entdeckung und ihrer Anwendung beschäftigt sich die Arbeit S.'s im Wesentlichen. Schliesslich verlangt er auf Grund der Koch'schen Entdeckung eine Aenderung der bezüglichen Nummern der Instruction, welche den Anlagen unserer Rekrutirungsordnung bezw. der Dienstanweisung entspricht.

Celli und Guarniere (12) gingen darauf aus, den Koch'schen Bacillus in der Luft der Krankenzimmer und in der von Kranken exspirirten Luft nachzuweisen, und ebenso festzustellen, ob der Bacillus aus den frischen Expectorationen Tuberculöser in die Luft überginge. Die Versuche ergaben stets ein negatives, also günstiges Resultat.

Die Tuberculose in der spanischen Armee soll an Häufigkeit bei weitem das Vorkommen in der Civilbevölkerung übertreffen. Die Gründe dafür sucht Ovila (13) in der grossen Jugend und zu geringen körperlichen Entwicklung der Mannschaften, deren Brustumfang bei einer Minimalgrösse von 1,54 m oft nur 73 cm beträgt, ferner besonders in der schlechten Ernährung und der mangelhaften hygienischen Beschaffenheit der Kasernen. O. klagt bitter über die umständlichen Formalitäten, die nöthig sind, bis ein Schwindsüchtiger zur Entlassung gelangt. Verlangt wird ausser Abstellung der genannten Missverhältnisse Einführung einer practischen Uniform, Aenderungen im Recrutirungsgesetz und Isolirung der Schwindsüchtigen in den Lazarethen. — Schwarze.

Poulet (14) setzt auseinander, dass die Exstirpation erkrankter Drüsengeschwülste eine sehr alte Operation sei, er beweist ferner, dass die Entzündung der Rachendrüsen nach den Kriegen des ersten Kaiserreichs bei den Conscribirten so häufig geworden sei, dass die Affection die Aufmerksamkeit der Chirurgen erregte, die stets die erkrankten Drüsen exstirpirten. Indess die Operation kam allmälig wieder ab, bis Villemin zuerst die parasitäre Natur des Tuberkels erkannte (!). Als man nun zuerst vermuthete, dann wusste, dass die erkrankten Drüsen tuberculös degenerirt waren, fing man in Deutschland an die Exstirpation sehr eifrig zu betreiben, langsamer folgten die Franzosen. Verf. betont hier, dass es selbstverständlich falsch sei, die tuberculöse Adenitis cervicalis als eine der Armee eigenthümliche Krankheit anzusehen. Nachdem nun P. noch die verschiedenen Theorien, die man über Entstehung und Wesen der in Rede stehenden Affection hatte, dahin zusammenfasst, dass die Adenitis cervicalis militaris 1) eine circumscripte locale und 2) immer eine tuberculöse Affection ist, theilt er eine Reihe von Exstirpationen tuberculöser Drüsen mit, bei denen in den meisten Fällen die tuberculöse Natur der Drüsen durch Impfung auf Thiere bewiesen wurde. Im Schlusscapitel bespricht Verf. die Indicationen und kommt zu dem Resultat, dass 1) die Adenitis cervicalis des Soldaten stets tuberculöser Natur ist; 2) jede medicamentöse oder örtliche Behandlung vergeblich und 3) dass die frühzeitige Exstirpation das in solchen Fällen geeignetste Mittel ist.

3. Typhus.

Gaffky (15) beschreibt im Anschluss an eine Erörterung über die neueren bacteriologischen Forschungen eine umschriebene Typhusepidemie in Wittenberg bei der III. Comp. 20. Inf.-Regts., welche in der Caserne und den in der Nähe liegenden Bürgerquartieren auftrat. In der neu erbauten Caserne selbst ergaben sich keine Anhaltspunkte für die Erkrankungen; dagegen war die auf dem Hofe befindliche cementirte Latrine undicht und die Wandung des in der Nähe befindlichen benutzten Brunnens ebenfalls. Da tiefer Grundwasserstand herrschte, macht G. das erwähnte Moment auf Grund seiner Anschauungen über die Aetiologie des Typhus für die Erkrankungen verantwortlich. — Schwarze.

Laveran (16) hält auf Grund von 46 eigenen Beobachtungen, in denen er die Contagien nachweist, den Abdominaltyphus für eine contagiöse Krankheit und fordert dringend dazu auf, bezügliche Fälle zu sammeln und der bisher vernachlässigten Prophylaxe in dieser Richtung mehr Beachtung zu schenken, da ja die meisten Aerzte ebenfalls schon längst zu seiner Ansicht sich bekannt hätten. Er verlangt Isolirung der Typhuskranken in den Hospitälern, energische Desinfectionsmassregeln, Verwendung eines Pflegepersonals, welches die Krankheit schon überstanden hat und Verbot des Ausrückens zu Manövern etc. für Truppen, in denen die Krankheit herrscht. — Schwarze.

Servoles (17) beantwortet die sich selbst gestellte Frage, ob es einen Typhus beim Pferde gäbe, bejahend, und führt einschlägige Beobachtungen an. Besonders junge Pferde werden ergriffen. Verf. und Andere beobachteten mehrfach bei in Folge von Typhus gefallenen Pferden Ulcerationen der Peyer-schen Plaques. Dass der Typhus von Pferd zu Pferd übertragbar ist, ist ganz unzweifelhaft, und bei der grossen Analogie beider Krankheiten ist es sehr fraglich, ob nicht der Typhus des Pferdes wie der des Menschen von ein und demselben Parasiten erzeugt wird. Ebenso fragt es sich, ob nicht der Typhus vom Menschen auf das Pferd und umgekehrt übertragen werden könne. Zur Lösung letzterer Frage macht Laveran den Vorschlag, den Typhus des Menschen dem Pferde einzuimpfen.

Hüber (18) beschreibt eine Typhusepidemie, welche 16 gastrisch-typhöse Erkrankungen während der Zeit vom 1. December 1881 bis Mai 1882 mit einem Nachschub von 5 Erkrankungen im Januar bis April 1883 in einer mit 204 Mann belegten und nach der detaillirten Beschreibung allen hygienischen Forderungen Hohn sprecenden uralten baufälligen Caserne umfasst. Die Untersuchungen über die Aetiologie liessen das Trinkwasser als Infectionsquelle ausschliessen, dagegen gaben der durch undichte Abtrittsgruben während langer Jahre inficirte Untergrund, ein abnorm niedriger Grundwasserstand und die Aspiration der inficirten Bodenluft schon an und für sich Gelegenheit genug für die Verbreitung des in Ulm nie aussterbenden Typhusgiftes. Dazu trat jedoch noch die durch grosse Temperaturdifferenzen geradezu directe Ansaugung der Zersetzungsproducte mehrerer Abtrittsgruben in die Mannschaftssäle. Eine kurzgefasste Uebersicht über den dermaligen Stand der Typhusfrage ist angefügt. — Schwarze.

Die Typhusepidemie zu Oschatz (17) ergriff $^1/_3$ der sämmtlichen Bewohner. Erst in ihrem weiteren Verlauf erstreckte sie sich auf einzelne Stadtquartiere und auf das Garnisonlazareth. Der Beginn fällt ziemlich mit der Zeit der Rückkehr des Regiments aus dem Manöver zusammen, der Höhepunkt wurde im October erreicht, das Ende mit Ausgang November. Abgesehen von einer Anzahl von Abdominalcatarrhen und Gastricismen kamen etwa ausgeprägte Krankheitsfälle bei 100 Leuten vor, von denen 3 starben. Detaillirte Untersuchungen über die baulichen Verhältnisse der Caserne, die Abtrittsanlagen, die Abführung der Abfallswässer, den Untergrund der Kaserne, die zeitliche und örtliche Vertheilung der Erkrankungsfälle führten zu dem Schluss, dass man eine innerhalb der Caserne gelegene Infectionsquelle annehmen musste, dass diese jedoch nicht in den Bodenverhältnissen der Caserne zu suchen sei, sondern in der Versorgung derselben mit Trinkwasser. Dasselbe stammt aus einem Sammelbrunnen, welcher sein Wasser allein aus einem Bache bezieht, der durch die Abfälle dreier Dörfer, in denen der Typhus notorisch vorher herrschte, regelmässig, besonders aber bei Regenwetter stark verunreinigt wird. Die gesundheitswidrige Beschaffenheit dieses durch ein Pumpwerk in die Caserne gehobenen Wassers war schon wiederholt constatirt worden. Ebenso zwanglos, wie R. aus diesem Wasser die primäre Infection der weitaus meisten Krankheitsfälle in der Caserne nachweist, gelingt es ihm, die geringe Zahl von Erkrankungen in der Stadt ebenfalls auf Infection aus der Caserne und die Erkrankungen im Lazareth auf secundäre Ansteckung seitens der Patienten zurückzuführen. Die energischen und umfassenden sanitären Massregeln bestanden im Verbot des Leitungswassers zum Trinken, in Räumung, Desinfection und baulichen Veränderungen der Caserne, in neuen Latrinenanlagen, in Uebersiedlung der Schwadronen ins Reithaus, in extraordinärer Verpflegung, in Verbot des Verkehrs zwischen den Stadt- und Kasernenschwadronen, in Evacuation der ersteren ins Barackenlager zu Zeithain, dazu Vergrösserung des Lazareths, Isolirung des Verkehrs mit demselben und Beurlaubung der Reconvalescenten. Kurze Notizen über den klinischen Verlauf der Epidemie beschliessen die Studie. — Schwarze.

Marvaud (18) will nachweisen, dass die Typhusepidemie unter den französischen Truppen in Tunis 1881 nicht den üblichen banalen Gründen wie klimatischen und atmosphärischen Einflüssen, mangelhafter Nahrung u. s. w. ihr Dasein verdankte, sondern dass sie sich lediglich durch Ansteckung verbreitete und zwar durch Truppentheile und einzelne Individuen der 3. Brigade, die ihrerseits durch das 142. Regiment, inficirt war. In diesem endlich war vor dem Abmarsch zweier Bataillone nach Tunis eine Typhusepidemie in voller Blüthe. Auf den Typhus war man damals nicht gefasst, sondern glaubte es mit den Krankheiten zu thun zu bekommen, die man bei der Eroberung Algiers kennen gelernt, d. h. denen, die die excessive Hitze und der Einfluss des Sumpffieber erzeugt, als da sind: Malaria in jeder Gestalt, bösartige Abscesse, die Dysenterie der heissen Länder, Leberabscesse, Hitzschlag und Sonnenstich.

Marvaud weist nun in der That nach, dass auch die Truppentheile, die angeblich für sich operirten, als der Typhus in ihnen ausbrach, stets mit den inficirten in lebhaftem Verkehr standen durch Ordonnanzen, Leute und Officiere der Verwaltung und besonders der Verpflegung, da z. B. der Brigade Logerot die Verpflegung durch die dritte inficirte Brigade zugeführt wurde. M. schliesst mit der Forderung, niemals an Typhus erkrankte Truppentheile in das Feld mit hinauszunehmen, sondern hinsichtlich des Typhus genau so zu verfahren, wie bezüglich der Krankheiten, deren contagiöser Character nicht mehr angezweifelt wird.

Während der militärischen Operationen der Franzosen (19) in der Provinz Oran erkrankten vom 1. April bis Ende des Jahres 1881 von 21000 Mann 1400 an Typhus, der bei 425 Mann letal endete. Da die Krankheit in den Garnisonen endemisch war, so boten die 14, von Frankreich in gutem Gesundheitszustande angekommenen Bataillone nur einen zu günstigen Boden für die Infection in Folge der Hitze, der grossen Strapazen und Entbehrungen und namentlich in Folge der fehlenden Acclimatisation. Dass die beiden letzten Punkte von grosser ätiologischer Wichtigkeit waren, geht daraus hervor. dass die acclimatisirten Truppen in weit geringem Maasse befallen wurden und dass die später von Frankreich nachgesandten Verstärkungen, die keine Strapazen mehr durchzumachen hatten, ebenfalls ziemlich verschont blieben. Die Krankheit zeigte vorwiegend den adynamischen Character. die Diagnose war häufig durch Complication mit Malaria erschwert. — Schwarze.

In Brescia (20) starben von 1866—1883 760 Officiere und Mannschaften, davon 256 am Ileotyphus, 504 an anderen Krankheiten, d. h. die Todesfälle an Typhus betrugen 33,7 vom Hundert sämmtlicher Todesfälle. Die Gründe für Entstehung der Infectionskrankheiten in Brescia sind theils atmosphärischer Natur, theils liegen sie in der Art des Untergrundes der Stadt, was namentlich hinsichtlich des letzteren Moments eingehend erörtert wird, auch wird ein Vergleich der Typhusmortalität zwischen Civil und Militair gezogen. Juli, August, September erfordern die meisten Opfer.

4. Malaria.

In Plön, dem Wirkungskreise Goedicke's (23) hat die Malaria im Laufe der letzten Jahre zugenommen, während die Gegend früher eine gewisse Immunität gegen diese Krankheit besass. Während früher Neurosen am häufigsten, intermittirende Fieber dagegen sehr selten vorkamen, sind jetzt die Erkrankungen mannnigfacher geworden und als schwere Affectionen Malariatyphoid und Pneumonia intermittens hinzugetreten. Die sehr verschiedenen, häufig schwer zu deutenden Symptome in den mitgetheilten Fällen beider Erkrankungen stellten sich als malarischen Ursprungs durch die Wirksamkeit des Chinins heraus.

Die topographischen Verhältnisse Ost-Holsteins lassen das Vorkommen von Malaria im Allgemeinen nicht wunderbar erscheinen; für die bedeutende Zunahme der Erkrankungen im letzten Jahre glaubt G. neben klimatologischen Unregelmässigkeiten die Senkung des Wasserspiegels des einen grossen Plönersees verantwortlich machen zu müssen, wodurch nicht nur viel früher von Wasser bedecktes Terrain trocken gelegt worden ist, sondern auch bedeutende Schwankungen im Grundwasserstande in Stadt und Umgegend hervorgerufen worden sind. — Schwarze.

Nach Maurel (24) sollen die Sumpffieber Guyana beherrschen. Von 29178 Kranken, welche von 1858—67 im Hospital von Cayenne behandelt wurden, litten 16666 an Affectionen genannter Art; Redour (25) behauptet, dass auch in Algier die Sumpffieber sich bisher nicht verringert haben, was allerdings den Untersuchungen Maillot's direct widerspricht. — Schwarze.

Cabanié (26) berichtet, dass das in Castelnaudary in einer ziemlich neuen Caserne liegende Regiment von Anfang Juni bis Ende August 1883 von 208 Fällen (Iststärke 800 Mann) acuter fieberloser Anaemie heimgesucht wurde, welche mit allgemeiner Abmagerung und Hinfälligheit einherging. Aetiologisch konnte bei Ausschluss anderer Schädlichkeiten nur die von Ende Mai bis Ende Juli dauernde Ausleerung sämmtlicher Abtrittsgruben in der Caserne behufs Anlegung eines anderen Latrinensystems angeschuldigt werden. Die aus jenen Gruben aufsteigenden Emanationen verpesteten bei ihrer Lage die Luft der ganzen Caserne. Die hygienischen Massnahmen bestanden in zahlreichen längeren Beurlaubungen, der vollständigen Evacuation und Desinfection der Caserne mit schwefliger Säure und waren mit Aufhören der ursächlichen Schädlichkeit von durchschlagendem Erfolge. — Schwarze.

5. Pocken und Impfung.

In der österreichischen Armee (27) wurden von 1000 der Effectivstärke geimpft 9 Mann (2764). bei welchen keine Impfnarben sichtbar waren, und zwar hatten von 100 dieser Vaccinationen 45 Erfolg (bei 1245 Mann), 55 keinen Erfolg (bei 1519 Mann). Es wurden ferner von 1000 des Effectifs wiedergeimpft 48 Leute (13612), welche Impfnarben hatten, und waren von 100 dieser Revaccinationen 31 von Erfolg (bei 4249 Mann), 69 ohne Erfolg (bei 9363 Mann).

Hervieux (28) hat bei 834 Pionieren, welche ein oder mehrere Male in ihrem Leben ohne Erfolg revaccinirt waren, mit von der Academie erhaltener Lymphe 66,33 pCt. Erfolge gehabt. Aus der sich anschliessenden Discussion erfährt man einmal, dass diese Zahl erheblich den in der Armee erreichten Durchschnitt übersteigt, dann scheint aber auch aus den Einwürfen mehrerer Militärärzte, H. hätte zweifelhafte Fälle als Erfolge gerechnet, hervorzugehen, dass nur ausgebildete Pusteln in der französischen Armee als erfolgreiche Revaccination angesehen würden. Leider geht die Discussion auf diesen besonders interessanten Punkt nicht näher ein. — Schwarze.

Longet's (29), Vaillard's (30) und Laurens (31) zeigen, welches Interesse man in der französischen Armee der Impfung im Allgemeinen und der animalen Methode im speciellen augenblicklich zuwendet. Im Princip sind alle 3 Verfasser entschiedene Freunde der letzteren und motiviren dies mit der leichten und reichlichen Beschaffung des Stoffes zu jeder Zeit, der Vermeidung event. Uebertragung von Krankheiten, den Vorzügen vor der Abimpfung von Arm zu Arm, der Billigkeit, der prompten Ausführung einer grossen Zahl von Impfungen in relativ sehr kurzer Zeit etc.

Die Arbeit Longet's (29) beschäftigt sich, nebst Angabe der Technik bei Impfung der Kälber und der directen Uebertragung der Lymphe auf die Impflinge, hauptsächlich mit einer vergleichenden Statistik seiner Erfolge bei Anwendung animaler Lymphe, Kinderlymphe, der Lymphe von einmal geimpften Erwachsenen, revaccinirten Erwachsenen und nicht revaccinirten Erwachsenen. Die Procentzahlen sind aus einem relativ kleinen Material gewonnen, die Resultate können daher nur relativen Werth beanspruchen.

Vaillard's (30) Aufsatz ist ein äusserst genauer Bericht über die durch kriegsm. Verf. eingerichtete Versuchsanstalt mit animaler Lymphe in der Ecole du Val-de-Grace. Er erstreckt sich auf die kleinsten Details der Technik bei der Impfung der Kälber, der Abnahme der Lymphe und der Art der Impfung der Mannschaften. Danach liefert jedes Kalb Stoff für ca. 1200 Mann, jede Pustel reicht für 10—12 Mann. Die geimpften 1200 Mann wurden in 1½ Stunde abgefertigt! Von 2542 Mann wurden 43 pCt. mit Erfolg geimpft. Die Wiederholung derselben Impfmethode lieferte noch bei 9,1 pCt. Erfolge. Die Beurtheilung der Erfolge scheint eine ziemlich strenge gewesen zu sein, wenngleich nicht klar angegeben ist, ob nur typisch entwickelte oder auch Abortivpusteln mitgerechnet wurden.

Die Resultate Laurens' (31) sind in Algier gewonnen und sind wesentlich ungünstiger als die in den vorigen Arbeiten verzeichneten. Er hat bei 697 Rekruten 28,4 pCt., bei 217 gedienten Leuten nur 10 pCt. Erfolge erreicht und kommt in Folge dessen zu dem Schluss, dass die Kinderlymphe energischer wirke als die Kälberlymphe. — Schwarze.

In der englischen Armee (32) starben an den Pocken 1860 bei einer Kopfstärke von 203,107 Mann 30 Mann = 0,15 p. M. 1861 starben 0,22, dann sinkt die Ziffer continuirlich bis 1882 und beträgt nur noch 0,01 p. M. Von der Flottenmannschaft starben 1864 0,51 p. M., seitdem aber ist bis 1882 die Zahl 0.26 p. M. nicht überschritten.

In der belgischen Armee (33) wurden in den fünf Jahren von 1875—79 47,119 Impfungen vollzogen, von denen 16,540 d. i. 34,89 pCt. von Erfolg waren.

An den Pocken erkrankten 320 Mann mit 14 Todesfällen.

Das Office vaccinogène central in Belgien (34) hat 125 Kälber während des Jahres geimpft, von diesen 8 388 nutzbare Pusteln erhalten und damit 165 650 Personen geimpft. Das Kalb lieferte also Stoff für 1.225 Personen. Die zum ersten Male Geimpften lieferten 93.75 pCt., die Revaccinirten 44,35 pCt. Erfolge. Der zweite Theil des Rapports beschreibt die angewandte Impftechnik und die verschiedenen Präparationsmethoden der Lymphe. — Schwarze.

Das seit 3 Jahren bestehende Institut vaccinogène de l'armeé à Anvers (35) beginnt seine Thätigkeit zur Zeit der Ankunft der Rekruten. Es impft mit aus dem staatlichen Institut zu Cureghem erhaltenem Stoffe Kühe verschiedenen Alters, welche auf ihre Gesundheit vorher untersucht sind. Die letztjährigen Erfolge, welche schlechter ausgefallen sind, als in den Vorjahren, betragen 27,16 pCt. der Geimpften, wobei jedoch zu bemerken ist, dass dabei nur die Fälle mit typisch entwickelten Pusteln gerechnet werden. Der geringe Erfolg wird auf das verschiedene Thiermaterial zurückgeführt und auf die kleine Zahl (3) der Stiche. Aus einer Erörterung, ob die s. g. Abortivpusteln als vollgültige Erfolge aufzufassen sind, ersieht man, dass man in der Belgischen Armee ziemlich streng in dieser Beziehung denkt. Der Vorwurf der leichtmöglichen Uebertragbarkeit der Tuberculose bei dem angewandten Impfmodus wird damit zurückgewiesen, dass bisher noch niemals in einer Vaccinepustel Tubekelbacillen nachgewiesen worden sind und dass die Armeestatistik keine Vermehrung der Tuberkulose in den letzten Jahren ergiebt. — Schwarze.

6. Andere Infectionskrankheiten.

Hunter (36) behandelt die verschiedenen Theorien über die Entstehung der letzten Choleraepidemie in Egypten, weist die Ansicht der Entstehung durch Einschleppung mittelst Schiffe zurück und sucht zu beweisen, dass die Cholera in Egypten endemisch sei. Der Ansicht Hunter's, dass die Cholera demnach keine contagiöse Krankheit sei, wird in einem 2. Artikel der Lancet energisch entgegengetreten.

Die für Belgien erlassene Cholera-Instruction (37) berücksichtigt die Hygiene der Unterkünfte der Mannschaften und den Dienst der Truppenärzte während einer Epidemie.

Die Aufnahme der Erkrankten soll nur in isolirte Hospitäler geschehen und werden für diesen Zweck mobile Baracken, welche von einer Garnison zur anderen transportirt werden können, am meisten empfohlen. Als Desinfectionsmittel werden vorgeschlagen Chlorzink, Carbolsäure, Chlorkalk, schweflige Säure und als Desinficiens für Latrinen Eisensulfatlösungen. — Schwarze.

Laveran (38) weist an der Hand einer geschichtlichen Uebersicht die jährliche Zunahme der Häufigkeit der Diphtherie in der Armee nach und verlangt die Einrangirung der Krankheit unter die Allgemeinkrankheiten im Rapportschema. Die beschriebene Epidemie von 20 Fällen zeichnete sich durch zahlreiche diphtherische Lähmungen aus. — Schwarze.

Die Diphtheritis-Epidemie, welche Maljean (39) beschreibt, umfasst 36 Fälle bei einem Bataillon und dauerte von Mai bis August 1883. Zu gleicher Zeit traten 52 Fälle von Angina ohne Belag auf. Die Einschleppung in die Caserne war durch andere Truppen erfolgt. Durch Evacuation des Bataillons unter Zelte, deren Standort wöchentlich gewechselt wurde, wurde der Krankheit Einhalt gethan. Befallen wurden nur die Mannschaften, obgleich grade ein Theil der Officiere und Unterofficiere in der inficirten Caserne wohnen blieben. — Schwarze.

In Vesoul trat, wie Rullier (40) berichtet, im Sommer 1884 eine Dysenterie-Epidemie zuerst unter den Mannschaften der Garnison auf, von denen 219 erkrankten, und verbreitete sich auch auf die Civilbevölkerung mit 200—250 Fällen. Die gleich

Beginn der Erkrankungen für das Regiment getroffenen hygienischen Massregeln waren ohne Erfolg für die Verbreitung, für die Aetiologie mussten ausserhalb der Caserne gelegene Momente herangezogen werden und ergaben sich dieselben in der jahrelangen Verunreinigung eines Wasserlaufs, welcher die Stadt in einem unterirdischen Canal durchläuft, aber gerade in unmittelbarer Nähe der Caserne in längerer Ausdehnung zu Tage tritt. In diesen und noch einen zweiten Wasserlauf entleeren sich sämmtliche Abfallstoffe und Abwässer der ganzen Stadt durch nur träge fliessende Zweigcanäle. Dazu traten noch andere mangelhafte hygienische Verhältnisse in der Bauart des am niedrigsten gelegenen Theiles der Stadt, in dem auch die Caserne und das Hospital liegen, um die Verbreitung dort zu begünstigen. Wenn auch die grosse Mehrzahl der Erkrankungen durch diese Infectionsquellen hervorgerufen sind, so weist Verf. doch noch eine Reihe von allein durch Contagion, z. B. im Lazareth entstandenen Fällen nach. Das Trinkwasser und climatologische Verhältnisse waren als ätiologische Momente auszuschliessen. Von den 219 Fällen endete einer letal. — Schwarze.

Maschkowski (42) beschreibt einen typischen Fall von Rotz bei einem Kosaken. Derselbe ging dem Lazareth am 24. Dec. 1882 zu. Am 6. Januar stellt man die Diagnose auf Rotz. (Am 7. reichlicher stinkender Ausfluss aus der Nase.) Am 9. Tod. Section bestätigt die Diagnose. Das Pferd des Kosaken war von Rotz befallen.

Die aus 51 Fällen bestehende Scharlachepidemie, von der Anthony (43) berichtet, wüthete, nachdem einige Vorläufer vorangegangen waren, in der Zeit vom 23. April bis 11. Mai 1883 unter den Mannschaften eines in St. Martin-de-Ré garnisonirenden Bataillons. Sie verbreitete sich stark in den hygienisch ungünstigen Casernen, wurde zu einer Hausepidemie in dem auch von der Civilbevölkerung benutzten Hospital und übertrug sich mit 5 Fällen auf das im übrigen scharf isolirte Sträflingsdepot, zu welchem jedoch das betreffende Bataillon die Bewachungsmannschaften stellte. Die Civilbevölkerung blieb trotz des vielfachen Verkehrs mit der Garnison unbetheiligt. Die Krankheit war demnach eine auf mehrere kleine Herde beschränkte, zeichnete sich ausserdem aber durch zahlreiche Rückfälle aus. Da Isolirung und Desinfectionsmassregeln sich als nutzlos erwiesen, so fand — mit gutem Erfolge — die Evacuation des Bataillons unter Zelte statt. — Schwarze.

Bich schildert einen von Laveran beobachteten Fall (44) von Mumps bei einem 23jährigen Soldaten, welcher sich mit doppelseitiger Hodenentzündung complicirte.

Sehr bald stellt sich eine rapid verlaufende Hodenatrophie ein, so dass die Hoden auf $^1/_3$ ihres normalen Volumens einschrumpfen. Es wird der constante Strom angewendet, vom Moment ab steht die Atrophie und bildet sich, wenn nicht ganz, so doch so weit zurück, que les appetits vénériens, qui avaient disparu, reviennent à la grande joie du malade. Laveran räth dringend dazu, den constanten Strom zu gebrauchen.

7. Augenkrankheiten. Syphilis.

Der Bericht Seggels (46) umfasst die Zeit vom November 1877 bis April 1883, während welcher 830 Augenkranke mit 1,059 Krankheitsformen im Lazareth behandelt wurden. Ausserdem wurden 887 Personen mit 1,162 Augenanomalien ambulant behandelt resp. untersucht. Die einzelnen Fälle werden ausführlich klinisch beleuchtet. Bei der Besprechung der einseitig herabgesetzten Sehschärfe kommt Verf. zu dem Schluss, dass die Leute, welche wegen herabgesetzter rechtsseitiger Sehschärfe links schiessen müssten, nicht bei den Gewehr tragenden Truppen eingestellt werden sollten. Blindheit auf einem Auge ist nach S. noch anzunehmen, wenn S. = $^1/_{200}$ ist, d. h. wenn Finger noch in 1 Fuss Entfernung gezählt werden. Die beobachteten Fälle von Simulation waren plumper Natur, häufiger waren Fälle von Aggravation bestehender Myopie, deren Constatirung jedoch auch keine wesentlichen Schwierigkeiten bot. — Schwarze.

Das Vorkommen von 5 Fällen von Cataract im Fort von Anvers (47) während kurzer Zeit hatte den Verdacht von künstlicher Erzeugung des Leidens erweckt und wie Troidbise berichtet, haben Recherchen auch ergeben, dass die betr. Leute sich mit einer feinen Nadel mitten durch die Hornhaut in die Linse gestochen hatten. — Schwarze.

Lindemann (48) beobachtete hochgradige, lange Zeit jeder Behandlung trotzende Veränderungen der Augenbindehäute, welche sich als durch jahrelang fortgesetzte Einreibung mit einer Cantharidenlösung erzeugt herausstellten. — Schwarze.

Vouckevitsch (49) schlägt zur Heilung der Conjunctivitis granulosa die Excision des Grundes des Conjunctivalsacks (des Conjunctivalblindsackes) vor, ein wohl etwas gefährliches Experiment.

In welcher Weise im englischen Parlament die Controlle über die Sanitätsverhältnisse der Armee gelegentlich ausgeübt wird, zeigt folgender Vorfall (50): In der Sitzung vom 20. März wird der Secretary of the Admiralty befragt, ob es wahr sei, dass in dem „Navy Report" der letzten Jahre ein falscher Vergleich hinsichtlich der Höhe der venerischen Krankheiten in „geschützten und nicht geschützten" Häfen (d. h. geschützt oder nicht durch die Contagions diseases Acts) publicirt sei. Ein zweiter fragt, ob sich nicht der Zugang im Plymouther Lazareth im letzten Halbjahr 1882, als die Contagions diseases Acts in Kraft waren, auf 104 p.M., auf 230 p.M aber im letzten Halbjahr 1883, als die betreffenden Acts suspendirt waren, belaufen habe.

Der Secretary to the Admiralty antwortet, dass besagter Vergleich auf Betreiben der Gegner der diseases Acts in dem Navy Report Aufnahme gefunden, dann für falsch erkannt sei, weggelassen werden sollte und nur durch ein Versehen im bezüglichen Bureau in einigen Exemplaren des in diesem Jahre ausgegebenen Report wieder Aufnahme gefunden hatte.

Auf Grund eines reichen statistischen Materials wird hinsichtlich des Auftretens des eitrigen

Bubo bei Schanker festgestellt (51), dass 1) wenn das Ulcus molle sich bestimmt rechts oder links am Penis befindet, der eitrige Bubo in 100 Fällen 83,33 Mal auf derselben Seite ist; 2) die Ulcera mollia des Präputii am häufigsten, nämlich 48 Mal in 100 Fällen, mit Bubo sich compliciren; 3) der gekreuzte Bubo 7,74 Mal unter 100 Fällen angtroffen wird; 4) unter 100 Fällen der eitrige Bubo 81,2 Mal in den ersten 3 Wochen des Bestehens des Ulcus auftrat; 5) unter 100 Fällen 11,25 Mal doppelseitiger Bubo auftrat, und dass 6) endlich bei Frauen bedeutend seltener ein Bubo sich entwickelt als bei Männern.

8. Besondere durch den Dienst erzeugte Krankheiten.

Hahn (52) bespricht die idiopathische Herzvergrösserung, die also ohne Klappenfehler, ohne Nierenkrankheit vorkommt. Ist sie auch nicht, wie H. sagt, vielfach in neuerer Zeit beobachtet, denn wir haben z. B. in 15jähriger Dienstzeit keinen einzigen Fall selbst gesehen, so ist doch, in Folge der Exactheit der diagnostischen Methoden, die in dieser Richtung gerade Fraentzel viel zu verdanken hat, diese Affection häufiger festgestellt worden. H. erwähnt die aetiologischen Momente in wenig klarer Schilderung, geht auf die Erklärung der Erscheinung ein und schliesst sich der mechanischen Erklärung Fraentzel's an, d. h. in den immer erneuten Versuchen, abnorme Widerstände, die die gesteigerte Arbeit hervorbringt, zu überwinden, erstarkt der Herzmuskel allmälig und wird hypertrophisch, so dass man, da in der Regel auch Dilatation eintritt, beides event. findet. Nur Dilatation findet sich, wenn zwischen der Druckerhöhung und Kraft des Herzmuskels von vornherein eine zu grosse Differenz besteht, oder wenn die Ernährung schlecht ist. (Fraentzel.)

Eine in England vor einigen Jahren zu dem Zwecke eingesetzte Commission, die Ursache der bei den Soldaten beobachteten Herzpalpitationen (53) festzustellen, schrieb dieselben der nachtheiligen Trageweise des Tornisters zu. Man änderte die Trageweise des Gepäcks und verlegte die Hauptlast auf das Kreuz, nichtsdestoweniger nahmen die Herzpalpitationen an Häufigkeit nicht ab. Veale hat nun die Ursachen von 189 Fällen näher untersucht und fand als Ursache: Sumpffieber 26 Mal, Unmässigkeit 22 Mal, Klimatischen Einfluss (Hitze) 21 Mal, übermässige Marschanstrengung 18 Mal, allgemeine Erschöpfung 18 Mal, übermässigen Tabaksgenuss 15 Mal. Letzteres erscheint Veale besonders wichtig.

Ganz besonders wendet sich Veale auch gegen das Tragen von Flanellhemden und flanellenen Leibbinden im heissen Clima. Dies ist nach seiner Ansicht schädlich und weist er auf die fast nackt gehenden Eingeborenen hin.

O'Dwyer (54) beobachtete 3 Fälle von Hitzschlag mit sehr erhöhter Körpertemperatur in der Citadel Station Hospital zu Cairo am 28. und 29. Juli 1883:

1. Der Mann kommt in das Lazareth, wird bewusstlos, Temp. steigt auf 110° F. (= 43,3° C.) in der Achselhöhle; Pat. kommt im kühlen Bade wieder zu sich und ist in einigen Tagen hergestellt. 2. Pat. kommt besinnungslos in das Lazareth, Athmung stockt, Pupillen contrahirt, Puls klein und weich. Temp. in der Achselhöhle 109° F. (= 42,8° C.) Kommt im kühlen Bade zu sich und ist ebenfalls bald hergestellt. 3. Wie 2, Pat. wird auch wie die beiden anderen mit kalten Bädern (und auch Analepticis) behandelt. Temp. in Achselhöhle 108° F. (= 42,2° C.) Wird auch rasch hergestellt.

Granjux und Dubois (55) haben die Verletzungen der Anzeiger beim Scheibenschiessen, und zwar die Verletzungen, welche die Leute beim Aufenthalt hinter dem Schutzwall bekommen, beschrieben. Sie stellen fest, dass die meist leichten Verletzungen von Bleispritzen herrühren, welche durch Aufschlagen der Geschosse auf die dem Schützen zugekehrte Kante der prismatisch geformten eisernen Tragestützen der Scheibe entstehen. Ist diese Kante glatt, schneidet sie die auftreffende Kugel glatt durch, nur wenn die Kante schartig, d. h. die Scheibe also nicht ordentlich gehalten ist, kommen Bleiabsplitterungen vor. Des Weiteren lassen sich die Verff. auf die Möglichkeiten ein, die den ab und zu beim Schiessen vorkommenden Unglücksfällen zu Grunde liegen und finden als solche 1. früher: mangelhafte Construction der Waffe, 2. Platzen des Laufes, 3. Irrthum seitens des Mannes (der mit einem geladenen Gewehr unvorsichtig hantirt, in der Meinung, es sei nicht geladen).

Fournié (56) beschreibt die Schlagröhren und die beim Abfeuern durch Fortschleudern derselben erzeugten Wunden. Am meisten ist der 2. Mann rechts von der Bedienungsmannschaft exponirt (es ist wohl die Nummer gemeint, die abzieht), der unter 11 Fällen 7 mal der Getroffene war, sodann die neben diesem stehende Nummer; der 2 mal getroffen wurde. Trifft die Schlagröhre bekleidete Körperstellen, macht sie kaum Wunden, wiewohl sie unter Umständen die Kleidung durchschlägt. An blossen Stellen macht sie immer, zuweilen sehr starke, Contusionen.

Mannschaften, die nicht im Stande sind, beim Schiessen das eine Auge zu schliessen, werden nach jeder Rekruteneinstellung dem Arzte zugeführt und vielfach von diesem — in etwa 75 pCt. der Fälle mit Erfolg — electrisch behandelt. Eine Anzahl Sachverständiger behauptet nun, es sei richtiger, mit beiden Augen das Ziel fixirend zu schiessen. Für diese Ansicht spricht folgender Versuch (57): Das 1. Freiwilligen Bat., Lancashire Füsiliere, gab auf eine Reihe Strohmänner, diese mit beiden Augen fixirend, in 67 Secunden 8 Salven ab (Distanz nicht angegeben) und hatte 88 pCt. Treffer, was bei der Schnelligkeit des Schiessens viel ist.

9. Verschiedene Krankheiten.

Eine in Süd-Tunesien endemische Affection (59), welche identisch mit der Beule von Aleppo zu sein scheint, besteht in Knotenbildung in der Haut, welche zu tiefen Geschwüren zerfallen. Von dem nach Frankreich aus Tunis zurückgekehrten Bataillon haben ca. 25 Mann die Krankheit in verschiedenen Entwickelungsstadien mitgebracht. Für die in Tunis allgemein angenommene Contagiosität der Affection spricht die Uebertragung auf einen Mann, der Frankreich nie verlassen hatte. Den Verf. sind Culturen und Impfungen (60) mit einem von ihnen entdeckten Micrococcus, sowie Abschwächungen des Giftes gelungen. Die geographische Verbreitung in Tunis ist eine streng begrenzte, die Affection tritt ausserdem nur gegen Ende September auf. — Schwarze.

In einer Versammlung der Sanitätsofficiere der 4. und 5. Division zu Basel hielt Oberstlieutenant Kummer, Divisionsarzt der 4. Division, einen Vortrag (61) über den Sanitätsdienst in der 4. Division während des Truppenzusammenzuges. Von 8419 Mann wurden 311 ausgemustert, darunter 96 wegen Strumen. Der Vortragende verlangt, dass bei der Recrutirung mit grösserer Strenge bezüglich des Kropfes vorgegangen werde. Oberstlieutenant Massini erwiedert darauf, die Rücksicht auf den Mannschaftsbestand, der andernfalls stark zusammenschrumpfen würde, gestatte nicht, alle Strumösen für untauglich zu erklären.

Rizzi (62) bespricht unter sorgfältigster Berücksichtigung der bisher beobachteten und publicirten Fälle die Thomsen'sche Krankheit, deren Wesen nach seiner Ansicht gerade durch die Militairärzte am besten studirt werden könnte. Er hält die Muskelcontraction für keine gleichzeitige und momentan entstehende und schreibt die Muskelstarre einer partiellen Tetanisirung der Muskeln zu, die willkürlich bewegt werden sollten und ebenso auch den Antagonisten derselben. Hinsichtlich der Diagnose ist besonders die mittelst des Dynamographen aufgenommene Curve der Muskelcontractur charakteristisch, aber auch die anderen Zeichen führt Verf. in ausführlicher Schilderung an. Bezüglich der Aetiologie sieht R. die Thomsen'sche Krankheit als eine Affection des Gehirns an, indem er dabei auf die Theorie der Localisirung der Centren der willkürlichen Bewegung in der grauen Rinde recurrirt. Die Behandlung ist erfolglos.

Auch Rieder (64) beschreibt einen typischen Fall Thomsen'scher Krankheit.

Hier contrahirten sich die Muskeln (Biceps, Sternocleidom., Levator scap., Trapezius und Gastrocnemius am deutlichsten) z. B. auf electrischen Reiz rasch, blieben ca. 5 Sec. contrahirt, worauf sich die Contraction löst. Ist der betreffende Muskel in dauernder Arbeit, bemerkt man keine Störung mehr. R. will den Sitz des Leidens centralwärts, d. h. in die Medulla spinalis (Lateralstränge?) verlegen.

VI. Militairkrankenpflege.

A. Allgemeines.

1) Die Berliner Conferenz von höheren Militärärzten u. s. w. über Verbesserungen im Militär-Sanitätswesen. Allgem. milit. Ztg. No. 37. — 2) Bewaffnung der Krankenträger in Bayern mit dem neuen Revolver. A.-C.-O. vom 29. Mai. (Ein wichtiger Fortschritt, da bekanntlich der umgehängte Carabiner die Krankenträger in ihrer Thätigkeit häufig störte.) — 3) Das Militärbudget Frankreichs für 1884. Mil. W.-Bl. No. 24. (Für die Lazarethe wurden 1883 12,150,000 Frcs. gefordert und bewilligt, für 1884 11,292,590 Frcs.) — 4) Manuel, De l'infirmière-ambulancière, rédigé par la commission d'enseignement de l'union des femmes de France. Paris. — 5) Ardavon Raye, J., Ambulance Handbook for Volunteers and Others. London. (Eine Instruction für den Krankenträger, wie er mit Verwundeten umzugehen hat, ehe ärztliche Hülfe zur Stelle ist.) — 6) Degen, Die öffentliche Krankenpflege im Frieden und im Kriege nach dem Ergebniss der Ausstellung auf dem Gebiet der Hygiene und des Rettungswesens zu Berlin 1883. — 7) Veale, M. D., On the organisation of Field Hospitals. Vortrag im Parkes-Museum am 13. März gehalten. Nach der Lancet. 29. März. — 8) Das Kleinkalibergewehr 8 mm. System Rubin. Internationale Revue über die gesammten Armeen und Flotten. Juliheft. (Ein Gewehr, welches dem früher an derselben Stelle besprochenen Heblergewehr im Caliber gleichkommt) — 9) Schweizerische Versuche mit dem Rubingewehr. Allgemeine Mil. Ztg. No. 75. — 10) Das Hebler-Gewehr. Ebendas. No. 88. — 11) Reger, E., Die Gewehrschusswunden der Neuzeit. Eine Kritik der in neuerer Zeit mit Kleingewehrprojectilen angestellten Schiessversuche und deren Resultate unter Berücksichtigung der Prognose und Behandlung gleicher Kriegsverletzungen. — 12) Cornil, Instruction sur le mode de conservation des pièces anatomiques destinées à être examinées au microscope. Archives de méd. mil. Bd. IV. p. 15.

B. Specielles.

1. Die Hülfe in ihren verschiedenen Stadien.

13) Cubasch, W., Die Improvisation der Behandlungsmittel im Kriege und bei Unglücksfällen. Vademecum für Aerzte und Sanitätspersonen. (Für Aerzte geschrieben zu sein kann das Buch wohl kaum Anspruch machen, für das Unterpersonal reicht es aus) — 14) Wernich, Lehrbuch für Heildiener. Mit Berücksichtigung der Wundenpflege, Krankenaufsicht und Desinfection. Berlin. — 15) Rönnberg, Ueber das Krankenträgerinstitut bei der Cavallerie. D. mil.-ärztl. Zeitschr. — 16) Esmarch, Die Antiseptik im Kriege. Vortrag, gehalten in der Section für Kriegschirurgie auf dem Copenhagener Congress. — 17) Der antiseptische Nothverband auf dem Schlachtfelde nach von Nussbaum und Port. — 18) Wittelshöfer, Zur Frage der Verbandpäckchen. Militärarzt No. 10 u. 11. — 19) Schaffer, L., Zur Frage des ersten Verbandes der Soldaten in Form der Verbandtaschen. — 20) Chauvel und Bousquet, Article „Pansement" du Dictionnaire encyclopédique des sciences médicales. Nach einem Referat in den Archives de méd. milit. Bd. IV. p. 84. — 21) Delorme, Du packet du soldat antiseptique et de son utilité. Revue critique. Archives de méd. milit. Bd. IV. p. 403. — 22) Godwin, On Antiseptic surgery and its application to military hospitals and field Service. Vortrag, gehalten in der Sitzung der Woolwich military medical society vom 16. Jan. — 23) Crookshank, E., Remarks on the antiseptic treatment of the wounded of the battle field. Lancet. 8. März. — 24) v. Lesser, Ein kriegschirurgischer Vorschlag. Centralbl. f. Chir. No. 7. — 25) Port, J., Taschenbuch der feldärztlichen Improvisationstechnik. Gekrönte Preisschrift. — 26) Roese, C., Die Kunst, Hülfeleistungen für Verwundete und Kranke zu improvisiren. — 27) Urban, J., Kurze Anthropologie, Gesundheitslehre, Hülfeleistung bei Unglücks- und plötzlichen Erkrankungsfällen, und Sanitätsdienst im Frieden und im Felde. — 28) Gross, Manuel du brancardier. Leitfaden für den freiwilligen

Krankenträger. — 29) Neuber, C., Anleitung zur Technik der antiseptischen Wundbehandlung. Kiel. 1883. — 30) Gamgee, Antiseptic absorbent sponge. Medical Society of London. April. Lancet. — 31) La nuova barella pieghevole. Italia militare. Juli. No. 91. — 32) Mencke, Kriegschirurgische Hülfe unter freiem Himmel. Eine Skizze, den Vereinen vom rothen Kreuz gewidmet. — 33) Krankenträgerübung bei electrischem Licht. Allg. Milit.-Zeitung. No. 47. (Beschreibt die am 18. Juni im Grunewald stattgehabte und erfolgreich ausgefallene Krankenträger-Uebung bei Nacht mit Absuchung des Gefechtsfeldes mit Hülfe electrischen Lichtes.) — 34) Waechter, Friedr., Die Anwendung der Electricität für militairische Zwecke. Band XV. der electro-techn. Bibliothek. (Beschreibt in dem vorletzten Theile des Werkes die bisher construirten Beleuchtungswagen, wie sie auch zur Beleuchtung von nächtlich abzusuchenden Gefechtsfeldern angewendet werden können.) — 35) Das electrische Licht in seiner Anwendung auf die Kriegsheilkunde. Im Auftrage der Wiener freiwilligen Rettungsgesellschaft vom Schriftführer [v. Mundy].) — 36) v. Kranz, Ein Metallband zur Blutstillung. D. mil.-ärztl. Zeitschr. — 37) Institut Balnéaire à l'armée (Annexe de l'hôpital militaire d'Ostende). Période de 1883. Rapport par M. Lejeune. Archives médicales belges. Febr.

2. Unterkunft der Kranken.

38) Zur Nieden, Die provisorische Unterbringung grosser Krankenzahlen im Kriege mit besonderer Rücksicht auf die Anhäufung der Kranken auf den Zugangsstationen unserer Eisenbahnen. Ein Vortrag in der Section für Mil.-San.-Wesen der Magdeb. Naturforscher-Versammlung. (Der bekannte von Zur Nieden wiederholt gehaltene Vortrag.) — 39) La construction des hôpitaux à la Société de médecine publique et d'hygiène professionelle. — 40) Opport, M. D., Hospitals, infirmaires and dispensaires. — 41) Informazioni e studi tecnici intorno agli ospedali militari, con proposte concretate per un ospedale divisionale di 600 letti. Aus Rivista di Artiglieria e Genio in Giorn. di med.-milit. p. 1133. — 42) Mouat, F. M. D. e H. Saxon Snell. Hospita. construction and Menagement. — 43) Rawlinson, R., The Hygiene of Armies in the field. London. (Beschäftigt sich mit der practischen Errichtung von Sanitätsanstalten, sowie auch mit deren Leitung und Verwaltung, wobei der Ingenieur dem Verf. anzumerken ist, da dem Arzte nicht recht die leitende Stellung zuerkannt wird, in der allein er Erspriessliches zu leisten vermag.) — 44) Schwimmendes Hospital (Schweiz). Zeitschr. für Artillerie u. Genie. Juliheft.

3. Krankentransport. Sanitätszüge.

45) Lawson, Robert, On the principles which underlie the construction of appliances for the removal of sick and wounded (lecture, undertaken at the request of the committee of the volunteer Medical Association. — 46) Les ambulances volantes du Dr. Howard. Le progrès médical. No. 30. — 47) Sommerbrodt, Noch einmal die Sanitätszüge auf der Hygiene-Ausstellung. D. mil.-ärztl. Ztschr. No. 1. — 48) Schmidt, R., Ventilation für Lazarethzüge. Ebd. No. 8. — 49) Kirchenberger. Die Benutzung der Flussschifffahrt zum Verwundeten- und Krankentransport. Militairarzt. No. 5 u. 6. — 49a) Smith, Chr, Svenk Hövogn, indrettel til Transport af sáarede. Tidskrift i militär helsovård. Bd. 8. p. 201.

4. Freiwillige Krankenpflege.

Periodisch erscheinende Blätter: Bulletin international des société de secours (Genf). — Kriegerheil (Berlin). — Het roede Kruis (Amsterdam). — La charité aux champs de bataille (Bruxelles). — Der Bote der russischen Gesellschaft (Petersburg, russisch). — La caridad in la guerra (Madrid). — Das rothe Kreuz, Organ der österreischen patriotischen Hülfsvereine (erscheint vom 1. September ab). — Monatsblätter der freiwilligen Wiener Rettungsgesellschaft (erscheint vom 1. Januar 1882 an).

50) Uniformirung des Personals der freiwilligen Krankenpflege in Bayern. A. C.-O. vom. 24. Oct. (Die Uniform ist der preussischen analogen ähnlich) — 51) Hass, Otto, Die Kriegervereine im Dienste des rothen Kreuzes. Mil.-W.-Bl. No. 85. — 52) Loew, A., 1859 bis 1884. Das erste Vierteljahrhundert des Rothen Kreuzes in Oesterreich. Denkschrift nach authentischen Quellen. (Geschichte und Entwicklung der Hülfsvereine in Oesterreich.) — 53) Die Blessirten-Transportcolonnen der Gesellschaft vom „Rothen Kreuz". Militairarzt. No. 9. (Beschreibung der eingehenden Besichtigung der Transportcolonnen des rothen Kreuzes in Wien durch den Kaiser Josef am 27. April) — 54) Aufnahmeregulativ für die activen Mitglieder und Dienstesvorschriften für die Sanitätsmänner und den Sanitätsdienst in den Sanitätsstationen Wiens II. verm. Aufl. Wien. — 55) Taschenbuch für die Blessirtenträger der österr. Gesellschaft vom rothen Kreuz. — 56) Instruction für die Blessirten-Transportcolonnen vom rothen Kreuz. — 57) Instruction für die Hauptdelegirten und für die denselben zugetheilten Delegirten des rothen Kreuzes. — 58) Instruction für das mobile Vereinsdepot, für die Filialmaterialdepots und Materialcolonnen der österr. Gesellschaft vom rothen Kreuz. — 59) Starcke und Rühlemann, Leitfaden für den Unterricht der freiwilligen Krankenträger der Kriegervereine. Im Auftrage des Centralcomité der preuss. Vereine zur Pflege im Felde verwundeter und erkrankter Krieger, auf Grund der Instruction für die Militairärzte zum Unterricht der Krankenträger und der Kr.-San.-Ordnung zusammengestellt. Mit Illustrationen. — 60) Instruction für die Thätigkeit der Société de secours aux blessés militaires in Frankreich für den Kriegsfall vom 3. Juli. — 61) Texte des voeux et résolutions adoptés par la troisième conférence internationale des sociétés de la croix rouge. Bullet. de la croix rouge. — 62) Die russische Gesellschaft vom rothen Kreuz. Rechenschaftsbericht für das Jahr 1880. Russ. Invalid. — 63) Bosco, P., Le legge di guerra e la convenzione di Ginevra. (Eine Zusammenstellung der Genfer Convention nebst den abändernden Bestimmungen und Verbesserungsvorschlägen, die zum grossen Theil ihre Erklärung in den zur Convention gehörigen Sitzungsprotocollen finden.) — 64) The urgent necessity for making surgical provision for railway accidents, a paper read by Mundy at the Royal United Service Institution. Juli 29. St. John Ambulance Association. (Bespricht die bei grossen Eisenbahnkatastrophen erforderlichen Vorkehrungen zur ersten Hülfe.)

5. Technische Ausrüstung.

65) Richter, Ein neuer Krankenheber. D. militairärztl. Zeitschrift. Illustrirte Wochenschrift für ärztl. Polytechnik. 1. Juli. Centralblatt für Chirurgie. No. 14. — 66) Leisrink, Der Moosfilzverband. D. med. Wochenschrift. No. 8. — 67) Kümmel, H., Die Waldwolle als antiseptisches Verbandmaterial. Ebendas. No. 35.

A. Allgemeines.

Am 3. Mai begannen in Berlin die Sitzungen einer Conferenz von höheren Sanitätsofficieren, berühmten Chirurgen (1), Delegirten der freiwilligen Krankenpflege, welche anlässlich der Hygiene-Ausstellung auf Anregung der Kaiserin vom Kriegsminister berufen war. Die Verhandlungen der Conferenz sind nicht publicirt, es ist aber kein Geheimniss. dass als wesentlichstes Resultat die Durchführung strenger Antiseptik mit vorbereitetem Materiale für die Feldchirurgie einstimmig angenommen wurde.

Auch hinsichtlich des Transportwesens sollen Beschlüsse gefasst sein. Interessant ist in dieser Beziehung die Aeusserung Sr. Majestät des Kaisers. der die Mitglieder der Conferenz empfing. Im Feldzuge 70/71, sagte u. A. Sr. Majestät. sind 75000 Pferde für den Train und die Zwecke des Sanitätswesens verwendet, jetzt sind für die gleichen Zwecke 140000 Pferde ins Auge gefasst. Wenn Sie auch hierüber noch hinausgehen wollen. so dürfte sich das kaum realisiren lassen.

Das Manuel für die Ausbildung der Krankenpflegerin leidet in ausgedehnter Weise an dem gewöhnlichen Fehler dieser Instructionsbücher: es ist viel zu weitschweifig und enthält viel zu viel von den rein medicinischen Wissenschaften und zu wenig von kurzen practischen Anleitungen. Von 500 Seiten wird auf 413 die theoretische Wissenschaft, auf 41 die practische Anweisung der Krankenpflege behandelt. Das Buch verfehlt gänzlich seinen Zweck.

Degen (6) schrieb sein Werk in der Absicht, um das auf der Hygieneausstellung vorhandene Material, welches sich auf die öffentliche Krankenpflege bezieht, weiteren Kreisen zugänglich zu machen. Es ist demnach hauptsächlich beschreibender Natur, während die Kritik dabei sehr in den Hintergrund tritt. Der Beschreibung der klinischen Unterrichtsanstalten und der Krankenhäuser, welche in Plänen und Modellen vertreten waren, folgt eine Beschreibung der Bauart von 6 unserer Ganisonslazarethe. Dabei und bei der Beschreibung der ausgestellten Transportmittel und Unterkünfte für Verwundete im Kriege wird mit anerkennenswerther Genauigkeit auf die bezüglichen Reglements namentlich auf die K. S. O. recurrirt. Neue Gesichtspunkte oder wesentliche Aenderungsvorschläge werden dabei nicht zu Tage gefördert. Die letzten Kapitel handeln von der Organisation der freiwilligen Hülfe dnrch die verschiedenen Orden und über weibliche Krankenpflege. — Schwarze.

Veale (7) knüpft seine Bemerkungen über die Organisation der Feldlazarethe an die Thatsache an, dass alle neuen Bestrebungen darauf gerichtet seien, den Arzt selbständiger hinzustellen und dass dies zum Nutzen der Soldaten geschehen sei. Veale tadelt sodann energisch das herrschende Princip, dem Militärarzte Sparsamkeit anzubefehlen, ihm Hand und Fuss durch Reglements zu binden, seinen Forderungen nicht nachzugeben, dann aber (Redner spielt auf die Vorfälle in Egypten an), plötzlich den Spiess umzudrehen und ihnen den Vorwurf zu machen, dass sie ihre Anstalten nicht mit dem nöthigen Comfort einrichteten.

Veale will aber auch dem Hospital nur schwerer Kranke und nicht, wie bisher geschehen, alle Verwundete, mögen sie so leichte Wunden haben, wie sie wollen, zugeführt wissen. Alsdann geht er auf die Erörterung der Hülfe in der ersten, zweiten und dritten Linie über, characterisirt diese und ihre Ausrüstung und betont, dass man bei den bestehenden Kriegslazarethen auf Concentration des ärztlichen Personals und auf Auseinanderlegung der Verwundeten mehr achte als bisher. Die innere Ausstattung der Lazarethe und die Unterkunft derselben wird eingehend beleuchtet. desgleichen die Medication, die dem Redner nicht einfach genug ist. Zum Schluss kommt V. auf die gegen die Saniätsverwaltung seiner Zeit in Egypten erhobenen Beschuldigungen zurück und widerlegt dieselben.

Das Rubingewehr (9) hat ein Kaliber von 8 mm und eine Anfangsgeschwindigkeit von 540 m, woraus eine sehr gestreckte Flugbahn resultirt. Uns interessirt am meisten die sehr bedeutende Durchschlagskraft des 14,5 g schweren Geschosses. Auf 10 m durchschlägt es eine Zinkplatte von 9 mm Stärke, auf 300 m einen Holzblock von 47 Cent. Dicke. Zum ersten Male bei Handfeuerwaffen ist comprimirtes Pulver (5,4 g) angewendet. Die knochenzerschmetternde Kraft des Gewehrs würde also noch grösser sein, aber Brustschüsse und Gelenkverletzungen sicher gefahrloser werden, wie sich dies bereits 1870/71 gezeigt. (Nicht nur die Fortschritte der Chirurgie, sondern das immer kleiner gewordene Kaliber der Gewehrprojectile erklärt die Zunahme an Heilungen von Brustschüssen. Ref.)

Hebler (10) hat das Kaliber seines Gewehres (s. Jahrg. 1883 dieses Werkes, Band I, S. 596, No. 7.) noch verringert. Es hat jetzt 7,5 mm, Geschossgewicht 15,5 g. Ladung 5.4 g. Anfangsgeschwindigkeit 598 m. (Bei unserem Modell 71 sind die entsprechenden Zahlen: 11 mm, 25 g, 5 g, 480 m.

Das Geschoss bedurfte aber einer Umhüllung, um bei dem starken Drall der Verbleiung des Laufes vorzubeugen und die bisherige Papierumhüllung reichte nicht aus. H. nahm daher einen Metallmantel, fand aber auf Thierkörper schiessend, dass die durch dieses Geschoss hervorgebrachte Verwundungen ganz entsetzliche werden, da der Mantel beim Aufschlagen in kleine Splitter zerspringt und alles zerreisst. Eine solche Verwundung am Knochen und Rumpf würde unheilbar, und im letzteren der Tod martervoll für den Verwundeten sein. (Auch Rubin hat solche Geschosse.) Um diesen Uebelstand zu beseitigen, hat H. den Geschosskern, d. h. das eigentliche Geschoss mit dem Mantel verlöthet und stellt diese jetzt „Compound-Geschosse" (anderswo: Panzergeschosse) genannten Projectile mit Kupfer-, Messing- und Stahlmantel her und sollen letztere aus technischen und auch aus dem Grunde die besten sein, weil der Stahl, falls das Geschoss im Körper stecken bleibt, keine Vergiftung erzeugt. — Wir trauen der Sache noch nicht recht, denn der Mantel ist doch immer noch da, splittern wird er unter Umständen auch, wenn auch weniger. Das Stahlmantel-Compoundgeschoss wird wohl noch der Prüfung bedürfen.

Reger's Erörterungen (11) über die Gewehrschusswunden der Neuzeit beanspruchen ein hervorragendes Interesse, nicht sowohl wegen der Gründlichkeit der ganz vorzüglichen Arbeit, die sich auf eigene Versuche stützt, sondern vor allem wegen der positiven Schlussfolgerungen, zu denen Verf gelangt, und welche in der That wesentlich zur Klärung der hier einschlägigen Streitfragen beitragen, ja einige derselben definitiv aus der Welt schaffen. R. beginnt mit der Mechanik der Gewehrschusswunden und stellt den Satz auf, dass die Einwirkung der Geschosse auf den menschlichen Körper bedingt wird 1) durch die lebendige Kraft des Geschosses, 2) durch den Widerstand, den der getroffene Körper dem Geschoss entgegensetzt. Ueberlegt man, dass dies zwei diametral gegen einander gerichtete Kräfte sind, die eine, die zerstören will, die andere, die die Zerstörung verhindern will, so kann man wohl kaum, wie Verf. thut, hieraus die Lehre vom Parallelogramm der Kräfte anwenden, was freilich eine rein äusserliche Frage in diesem Falle ist, sondern es kommt lediglich die Differenz beider Gewalten zur Wirkung. Bezüglich der „Zone der explosiven Wirkungen" geht R. alle zur Erklärung derselben nach und nach aufgestellten Theorien durch. Die bei Erörterung der Theorie des Luftdrucks erwähnte Erscheinung, dass, wie Wahl beim Fischeschiessen beobachtete, Luftblasen aus dem Wasser steigen, erklärt sich übrigens viel ungezwungener als durch die Annahme, dass die Fischblase getroffen, oder im moorigen Grunde durch das auftreffende Geschoss Kohlenwasserstoffblasen frei geworden, dadurch, dass das das Wasser durchfurchende und einen Theil verdrängende Geschoss die im Wasser reichlich mechanisch gebundene Luft durch die Erschütterung oder dergl. frei macht. Schiesst man in stehendes Wasser, sieht man von der Schusslinie regelmässig Streifen von Luftperlen nach oben steigen, die die Schusslinie auf das deutlichste markiren. R. beweist dann — und sind wir auch nicht immer hier mit ihm einverstanden, das Endresultat ist doch unbestreitbar — dass die Deformirung des Geschosses keine secundäre, sondern wesentlich eine primäre Erscheinung ist und dass die Schmelzungstheorie, durch Umsetzung der Bewegung in Wärme eine Erhitzung des Geschosses bis zum Schmelzen hervorzubringen, nicht haltbar ist. Bei dieser Erörterung suchten wir vergebens ein Eingehen auf das hier doch stark in Betracht kommende physicalische Gesetz, dass eine Bleikugel, nach einem Fall von 26 Fuss Höhe auf einen widerstandsfähigen Körper plötzlich gehemmt, ca. $^1/_2$ ° C. in ihrer Eigenwärme zunimmt, und dass diese Wärmeerhöhung dem Quadrate der Geschwindigkeit der Kugel proportional ist. Wenn dieses Gesetz auch bei Anwendung auf die geschossene Kugel wesentlich modificirt werden müsste, so ist es doch da. Oder sollte es widerlegt sein? Hier bleibt noch manches zu klären.

Der Glanzpunkt der R.'schen Arbeit ist das Capitel: Hydraulischer Druck. Mit Hülfe sinnreich angeordneter Versuche beweist Verf., dass der hydraulische Druck in einem Maasse existirt, dass er zur Hervorbringung der beobachteten Zerstörungen mehr wie ausreicht. Die Beweisführung ist klar, zwingend, so dass frühere Gegner dieser Theorie, auch wir gehörten zu diesen, sich beugen müssen. Diese Streitfrage dürfte aus der Welt geschafft sein. Die „Raumbeengung in einer Flüssigkeit haltenden Kapsel" ist stets Bedingung für das Zustandekommen der explosiven Wirkung, und diese Theorie ist so wahr, dass z. B. ein einfacher Anprall eines Geschosses an eine solche Kapsel oder Röhre einen überaus heftigen hydraulischen Druck hervorbringt, der weit fortgeleitet werden kann, sobald nur eine Raumbeengung im Innern eintritt.

Das Capitel über Prognose und Behandlung der Gewehrschusswunden schliesst die hochinteressante Arbeit.

Cornil (12) giebt eine kurz und practisch abgefasste Anleitung, hauptsächlich für die Aerzte der Landarmee und Marine, um sie in den Stand zu setzen, werthvolle Präparate, die sie sammeln, sachgemäss bis zur Verwerthung aufzubewahren. — Schwarze.

B. Specielles.

1. Die Hülfe in den verschiedenen Stadien.

Wernich verfolgt in seinem Leitfaden für Heildiener (14) die Absicht, die antiseptische Wundbehandlung dem Verständniss der Heilgehülfen anzupassen, die erstere in leicht fasslicher Weise so zu erläutern, dass auch der Heilgehülfe in erster Linie den Zweck der antiseptischen Behandlung verstehen lernt, und diesen nicht etwa über der Form des Verbandes und über den Details desselben ausser Acht lässt. Die Anweisung zur Desinfection schliesst sich der jetzt gültigen Desinfectionsordnung an.

Rönnberg (15) hat mehrere Jahre hindurch in 12 × $1^1/_2$ St. die Cavallerie-Krankenträger-Instruction abgehalten und theilt seine Erfahrungen über innezuhaltenden Stundenplan, die Directiven für eine Gefechtsübung und einige Beobachtungen über Improvisationen mit, z. B. die Verwendung des Lassofahrens für den Rückwärtstransport von Verwundeten. — Schwarze.

Esmarch (16) will, dass die Verwundeten im Kriege der Wohlthat antiseptischer Behandlung theilhaftig werden und verlangt in Folge dessen: Vertrautsein des gesammten oberen und unteren Sanitätspersonals mit den Grundsätzen und der Technik der Antiseptik. Ausrüstung sämmtlicher Sanitätsanstalten im weitesten Sinne, von der Lazarethgehülfentasche bis zum Reservedepot mit antiseptischen Mitteln, und mit antiseptischem Verbandmaterial, zum Theil in bestimmt abgetheilten Mengen verpackt, ein antiseptisches Verbandpäckchen für den Mann enthaltend, zwei Compressen aus Mull mit Sublimatlösung imprägnirt (1:1000) und eine 10 cm breite, 5 m lange Binde und ein 3eckiges Tuch; ferner verlangt er: Beseitigung der Schwämme, auf den Verbandplätzen der ersten Linie möglichst wenig operiren (nur bei Verblutungsgefahr) aber antiseptischen Verband, im Feldlazarethstrengste Antiseptik, die mit dem Aseptischmachen der Wunde beginnt. Auf die Verwendung des Carbol für Hände und Instrumente, der Sublimatlösung für die Wunden geht E. näher ein.

Als einen auf dem Schlachtfelde genügenden und von jedem Soldaten mitzuführenden antiseptischen Nothverband (17) empfehlen von Nussbaum und Port folgende in Form einer kleinen Brieftasche untergebrachte Zusammenstellung: 1 g Salicylsäure (als

Pulver), ein Stück Salycilwatte, eine 4 m lange, 4 Querfinger breite baumwollene Binde, eine ebenso breite, 45 cm lange Blechschiene, dies alles in mit Theer überstrichenes Pergamentpapier gepackt. Das Päckchen soll eingenäht werden und soll das zu oberst eingewickelte Blech beim Ausklopfen des Rockes den Verband schützen, auch kann es als Schiene benutzt werden.

Wittelshöfer (18) knüpft an den von Lesserschen Vorschlag (s. No. 24) an, verwirft aber überhaupt das Soldatenverbandpäckchen, welches er als eine Consequenz der Laienausbildungstendenz bezeichnet. Will man das Päckchen beibehalten, damit der Arzt immer Verbandzeug habe, so gebe man einer Anzahl Leuten Behälter in Art der Kochgeschirre mit (noch mehr tragen!), die dem Träger im Bedarfsfalle abgenommen werden.

Mundy pflichtet in No. 11 des Militärarztes W. durchaus bei. (Dem gegenüber müssen wir bemerken, dass das Päckchen 1870—71 doch häufiger uns von Nutzen gewesen ist. Was thuts wenn 2000 Päckchen zu Grunde gehen, falls 200 wirklichen Nutzen brachten?!)

Schaffer (20) dagegen will das Verbandpäckchen nicht missen, und macht auch mit Recht auf seinen moralischen Einfluss aufmerksam.

Chauvel und Bousquet (20) verlangen für jeden Soldaten ein antiseptisches Verbandpäckchen mit carbolisirtem Inhalt, welches in einer oder zwei in den Hosen anzubringenden Taschen getragen werden soll. Für die Sanitätsformationen halten sie Chlorzink und Carbolsäure für die geeignetsten antiseptischen Stoffe.

Delorme (21) kommt nach einer Besprechung der verschiedenen Arten von Verbandpäckchen und der in den letzten Jahren über diesen Gegenstand stattgehabten Discussionen, ohne in seinen Reflexionen wesentlich neue Gesichtspunkte zu entwickeln, zu der auch anderweitig geltend gemachten Ansicht, dass die Beschaffung von Verbandpäckchen für jeden einzelnen Soldaten für denselben nur eine unnütze Last und für den Staat eine verlorene Ausgabe sei. Das Hauptgewicht sei bei einer Schlacht auf die möglichst rasche Zuführung der Verwundeten auf den Verbandplatz zu legen und die Hülfe der Krankenträger habe sich nur auf das Nothwendigste zu beschränken. — Schwarze.

Godwin (22) will auf dem Schlachtfeld die Wunde nur mit einem einfachen antiseptischen Deckverband versehen wissen; es ist nur an der Wunde das, was zur Blutstillung dient oder eine Verschlimmerung verhüten kann, vorzunehmen.

In der am 15. Februar hierüber abgehaltenen Discussion betonte Sir James Hanbury (Präsident der Gesellschaft) die schwierige Lage, in der in der ersten Linie die Wunden aseptisch zu erhalten seien neben der Nothwendigkeit, dies unter allen Umständen zu erreichen. Es muss also die Antisepsis in erster Linie beginnen und müssen deshalb die Krankenträger aus den besten Elementen der Truppen ausgesucht werden. G. hob hervor, dass zur Heilung der Wunden Reactionsentzündung nicht nöthig sei und setzte die Wirkung der Antisepsis auseinander. Lister, der selbst zugegen ist, will die Antiseptik streng durchgeführt wissen; er giebt zu, dass, wenn man nach Operationen die Wunde mit antiseptischer Flüssigkeit wasche, man den Spray entbehren könne. Er empfiehlt das Sublimat als vorzügliches Antisepticum, wobei er auf die vorzügliche Löslichkeit desselben in Glycerin hinweist. Er empfiehlt ein Verbandpäckchen mit Mullbinde, dreieckigem Tuch und einer Quantität Holzwolle nebst einem Röhrchen mit Jodoform für den Soldaten. Auch Mac Cormac empfiehlt das Jodoform.

Crookshank (23) zur Zeit in Egypten, will, dass sein soll e very wounded soldier his own antiseptic dresser, und schlägt deshalb auch die Herstellung eines in wasserdichtem Umschlage befindlichen Verbandpäckchens vor, in dem eine carbolisirte Binde, antiseptische Watte oder dergl. und Jodoform die die Hauptrolle spielen.

Lesser (24) bringt den Vorschlag, den er auch auf dem Chirurgencongress 1884 gemacht, zur Sprache, nämlich eine dem Soldaten mitzugebende antiseptische Substanz in einer leeren Patronenhülse unterzubringen, welche „den Platz der 20. Patrone in der Patrontasche" einnehmen solle. Nie und nimmer wird ein Militärarzt der Militärbehörde einen solchen Vorschlag machen. Einen Schuss weniger und dafür bei jedem Schuss — nicht nur im Dunkeln, denn der Soldat sieht nicht in die Patrontasche beim Schiessen — die Möglichkeit des Irrthums, die antiseptische Patrone zu laden!

In dem vom internationalen Comité des Rothen Kreuzes preisgekrönten Werke (25) bespricht Port die für den Dienst auf den Verbandplätzen möglichen Improvisationen, an welche sich die für den Transport- und Lazarethdienst anschliessen. Versteht man unter Improvisationen, wofür wir das Wort Nothverband, Nothverbandmittel oder Nothbehelfe lieber gesehen hätten, nicht derartige Vorrichtungen, die man im Moment des Gebrauches sich schaffen soll, sondern die während der Concentrirungsmärsche des Nachmittags z. B. in den Quartieren von den Leuten in möglichst grossem Vorrath angefertigt und alsdann bis zum Gebrauch mitgeführt werden, dann sind wir mit der Definition der „Improvisationen" einverstanden. P.'s Buch ist das einzige Buch dieser Art, welches wirklich auszuführende und nicht nur theoretisch erdachte Nothverbandmittel beschreibt. Man versuche z. B. die anderwärts unter Aufzählung der Nothverbände nie fehlende „Schiene aus Baumrinde" bei der practischen Krankenträgerübung herstellen zu lassen. Diese theoretisch so ausserordentlich häufige Schiene ist in praxi noch nie hergestellt.

Neuber (29) schildert die Principien seiner antiseptischen Wundbehandlungsmethode. Sein Streben geht dahin, unter einem Verbande Heilung zu erzielen. Die Verwendbarkeit dieses Dauerverbandes für den Krieg bezweifelt Körte (Berl. klin. Wochenschrift. S. 577), da die minutiösen Vorschriften N.'s auf dem Verbandplatze im Felde kaum durchführbar seien. N. drainirt nur tiefe Wunden mit Gummidrains, andere mit resorbirbaren Drains, oder sie werden gar nicht drainirt. Sein Verbandmaterial ist hauptsächlich Torfmull. Schienen zur Fixirung der Glieder sollen von Glas sein.

Gamgee (30) liess um eine leicht zerbrechliche Kapsel, die mit einem flüssigen Antisepticum gefüllt ist, einen stark hygroscopischen Stoff legen (Watte, Cocosfaser). Im Augenblick der Anwendung wird der Ballon im Innern mit der Hand zerdrückt und die Flüssigkeit wird von der Umgebung aufgenommen. Diese Schwämme sollen sehr billig sein und können gar nicht zweimal gebraucht werden, sind aber zuverlässig antiseptisch.

Eine neue Tragbahre ist von Stabsarzt Guida (31) hergestellt.

Sie hat Vorzüge insofern, als die aus eisernem Rohr construirten Füsse sich selbst beim Aufklappen der Trage durch ihr Eigengewicht einstellen und mittelst einer einfallenden Sperrklinke sich feststellen. In gleicher Weise legen sich die Füsse beim Zusammenlegen der Trage wieder längs der Tragstangen. Der Ueberzug der Trage ist aus wasserdichtem Stoff, der durch eine starke durch mit Metall eingefasste Löcher laufende Verschnürung unter der Trage befestigt ist, und also auch ein leichtes Abnehmen des Ueberzuges gestattet.

Von dem anerkannten Grundsatze ausgehend, dass die Antisepsis auf dem Schlachtfelde beginnen müsse, hält Mencke (32) es für wünschenswerth, dass beim Beginn der Schlacht sämmtliche Aerzte ihre Truppentheile verlassen und sich auf den Verbandplatz begeben. Er plaidirt ferner dafür, dass jedem Soldaten eine Art Conservenbüchse mit antiseptischem Material mitgegeben würde, welche er „irgendwo" unterbringen könne; zu ihrer Oeffnung müsste jeder Krankenträger mit einer Blechscheere versehen sein. Zur Ausführung der auf dem Verbandplatz nöthigen Operationen, zur Absuchung des Schlachtfeldes nach der Schlacht und zur Mitführung hinreichenden antiseptischen Materials empfiehlt er seinen auf der Berliner Hygieneausstellung prämiirten Operations und Verbandwagen, der Aehnlichkeit hat mit 2 an einander gehängten Protzen. Die Deckel der mit Instrumenten und Verbandvorräthen gefüllten Sitzkasten können in 2, übrigens auch auf dem Boden aufstellbare Operationstische verwandelt werden. Da M. für die Vereine vom rothen Kreuz schreibt, so braucht er sich auf die durch seine Erfindung bedingte Vermehrung des Trains nebst allen sich daraus ergebenden Schwierigkeiten nicht weiter einzulassen. Die weiterhin gemachten Vorschläge über Transport der Verwundeten etc. sind zu allgemein gefasst, um hier näher erwähnt zu werden. — Schwarze.

Mundy (35) berichtet in zwei Vorträgen über den Versuch, ein Schlachtfeld des Nachts mit Hülfe des electrischen Lichts abzusuchen. Bisher besitzt nur Frankreich in nennenswerther Anzahl mobile Beleuchtungswagen mit electrischem Licht zu militairischen Zwecken. Für den Sanitätsdienst wären entsprechende Wagen für ca. 8000 Gulden anzuschaffen, welche es ermöglichen würden, auf 1000 m ein Feld von 400 m Breite so zu beleuchten, dass man Todte und Verwundete auffinden und ihnen die nöthige Hülfe leisten kann. Der technischen Beschreibung und Abbildung geeigneter Wagen folgt der Versuch Mundy's, die Gründe, welche etwa gegen die Einführung sprechen könnten, z. B. Vermehrung des Trains, grosse Kosten, strategische Bedenken etc. zu widerlegen und die segensreichen Wirkungen, vor allem die rasche Säuberung des Schlachtfeldes, welche mit anderen Beleuchtungsmitteln nicht möglich sei, klarzustellen. — Der sich an den zweiten Vortrag anschliessende practische Versuch hat nach M. durch die Ungunst verschiedener localer und zeitlicher Verhältnisse nur ein sehr unvollkommenes Bild von der Wirkungsweise der Apparate geben können und ist als nur theilweise gelungen zu bezeichnen. — Schwarze.

v. Kranz (36) giebt folgenden Apparat zur Blutstillung an:

In einem für jedes Glied verschieden einzustellenden gepolsterten Metallband befindet sich ein Loch für eine Pelotte, als welche z. B. ein umwickelter Pfropfen dient. Derselbe wird auf die zu comprimirende Arterie aufgesetzt und durch ein Tuch oder Binde fixirt. Für Improvisationen ist das Instrument jedenfalls zu complicirt.

Im vergangenen Jahre sind 30 Kranke der belgischen Armee in das militairische Seebad (37), das in einem zum Lazareth zu Ostende gehörigen Gebäude etablirt ist, evacuirt worden. Die Indicationen bildeten 16 Mal Drüsenaffectionen, 7 Mal Caries, 1 Mal chronische Lungenentzündung, 1 Mal Albuminurie, 1 Mal Hodengeschwulst, 2 Mal Anaemie, 1 Mal Periostitis, 1 Mal scrophulöse Hornhautentzündung.

2. Unterkunft der Kranken.

Der von einer Commission im Auftrage der oben (39) genannten Gesellschaft ausgearbeitete Entwurf für den Bau und die Einrichtung eines Hospitals von 500 Betten ist von um so grösserem Interesse für die französischen Militairärzte, als nach der kriegsmin. Verf. vom 29. Juni 1883 dieselben Sitz und Stimme in allen Berathungen haben, welche auf den Bau von dem Sanitätsdienst gemidmeten Etablissements sich beziehen. Der Entwurf giebt nur die allgemeinen Directiven an und bedarf erst einer näheren Ausarbeitung in den Einzelheiten. — Schwarze.

Auch Opport (40) bietet uns ein Werk mit einem theoretischen beschreibenden und einem mehr practischen Theil über die Einrichtung von Krankenhäusern. Das Buch enthält eine Fülle von Material, indem in demselben nahe an 300 Lazarethe und Krankenhäuser der verschiedensten Länder beschrieben werden. 74 Abbildungen erläutern den Text.

Die Informazioni (41) enthalten zuerst eine allgemeine Erörterung der heute gültigen Grundsätze für die Erbauung von Hospitälern, sodann wird danach der Plan einer Krankenhauses entworfen, welchem das Pavillonsystem zu Grunde gelegt ist. Im Uebrigen verweisen wir auf das Original, das principiell Neues nicht enthält. Die Kosten berechnen sich auf 4160 lire für das Bett.

Mouat und Snell (42) haben von ihrem Werk über Hospitalbau erst einen zweitheiligen Band publicirt. In der ersten Abtheilung wird ebenfalls Bau und Verwaltung der Hospitäler besprochen, in der zweiten werden die in den verschiedenen Ländern gebräuchlichen Typen des Hospitalbaues erläutert und wird besonders das Pavillonsystem befürwortet. Genauer beschrieben sind die englischen Lazarethe zu Woolwich, Blackburn, Leeds, St. Thomas in London etc., einige belgische, deutsche (Garnisonlazareth zu Tempelhof, Krankenhaus im Friedrichshain, Garnisonlazarethe zu Königsberg, Düsseldorf, Ehrenbreitstein, Küstrin etc.)

Im 2. Bande werden nähere Angaben über das Sanitätswesen in London enthalten sein.

3. Krankentransport. Sanitätszüge.

Lawson (45) beschreibt die Hülfsmittel, welche dazu dienen den Verwundeten vom Gefechtsfeld fortzuschaffen, d. h. also, Tragen und Lazarethwagen. Als erste dem verwundeten Soldaten zu leistende Hilfe bezeichnet er sehr treffend: das Zurückschaffen des Verwundeten vom Gefechtsfeld an einen ausserhalb des Feuerbereichs liegenden Ort, und nicht, wie dies zu vielem Unheil oft gelehrt wird: das Anlegen eines Nothverbandes.

Als an eine Feldtrage zu stellende Anforderungen bezeichnet er: Länge des Leinwandbodens von 6 Fuss, bei grösster Festigkeit grösstmöglichste Leichtigkeit, Abnehmbarkeit der Leinewand, Zusammenlegbarkeit auf den kleinsten Raum, Zusammenfügung und Befestigung der einzelnen Theile der Trage so, dass kein Stück beim Gebrauch verloren gehen kann.

Bei Besprechung der Wagen macht Lawson auf den sehr wichtigen Umstand aufmerksam, dass, wenn man die Wagen einrichte, entweder für zwei liegend oder acht sitzend zu transportirende Verwundete Raum zu geben, dass man dann in die Lage kommt, die Federn des Wagens für die grösste Belastung zu construiren. In diesem Falle aber geht der Wagen, wenn er alsdann nur mit zwei Verwundeten belastet ist, sehr unsicher, denn Federn, die nicht ihre volle Belastung haben, geben starke Schwankungen. Wählt man aber die Federn schwächer, als sie für die stärkste Belastung nöthig sind, und tritt diese alsdann ein, so hört die Federkraft der zu stark belasteten Feder ganz auf. Man kann diesem Uebelstand durch Anbringung einer Hemm-Feder (check-spring) etwas begegnen, d. h. einer Feder, die erst in Function tritt, wenn die volle Belastung der gewöhnlichen Federn erreicht ist. Man könnte letztere alsdann in der That schwächer wählen, als sie für eine Belastung von 8 Personen nebst Gepäck und Wagengewicht sein müssten. Immerhin wird aber die Frage der Stärke der Federn eines Wagens eine Schwierigkeit bleiben, wenn man hinsichtlich der Belastung so verschiedene Anforderungen an ein und denselben Wagen stellt.

Howards (46) fliegende Lazarethe sollen sich im americanischen Secessionskriege und in Paris während des Krieges 1870 bewährt haben.

Der vierrädrige, auf sehr elastischen Federn ruhende Wagen ist nur auf ebenem Terrain zu verwenden, da der Wagenkasten sehr tief steht. Im Inneren befindet sich auf Rollen eine Bahre für einen Schwerverwundeten und eine Sitzbank für 3 Leichtverwundete. — Schwarze.

Sommerbrodt (47) ergänzt die v. Kranz'sche Arbeit (cfr. Jahresber. 1883. S. 565) über die Sanitätszüge der Hygiene-Ausstellung in einzelnen Punkten, z. B. bezüglich der Beck'schen Lagerungsmethode in Hülfslazarethzügen, der Friedrich'schen Einladevorrichtung und der Einrichtungen an den Krankentransport- und Küchenwagen.

Anerkannter Maassen ist die Ventilation der Krankenwaggons noch einer der grössten Mängel an den Lazarethzügen, denn die Dachreiter erfüllen trotz der mannigfachsten Constructionen ihren Zweck bei weitem nicht, namentlich nicht für die Winterventilation. Für die letztere empfiehlt Schmidt (48) nach seinen befriedigend ausgefallenen Versuchen, die reine Luft bis in die Nähe der Decke des Wagens dadurch zu führen, dass sie durch einen Fang zwischen die Mäntel eines Meidinger'schen Ofens gebracht und zugleich erwärmt wird. Sollte diese Zufuhr nicht genügen, könnten event. noch besondere Apparate (Pulsatoren an der Decke des Wagens) einen Ueberschuss zuführen. Die Absaugung der verbrauchten Luft soll in der Nähe des Bodens geschehen durch 4 Sauger auf der Wagendecke, deren Rohre bis etwa 10 cm über dem Boden verlängert sind.

Ueber Sommerventilation hat Sch. Versuche noch nicht angestellt, glaubt jedoch genügende Wirkung zu erzielen durch obere Absaugung durch Sauger auf der Wagendecke und Zuführung ebenfalls auf der Wagendecke durch Pulsatoren, deren Rohre bis in die Nähe des Bodens verlängert sind und zur Niederschlagung des Staubes in Wassergefässe münden.

Kirchenberger (49) knüpft an die bekannte von Körting im Decemberheft 1883 der dtsch. mil.-ärztlichen Zeitschrift übersetzte Arbeit Zubers und du Cazal an, und weist nach, dass Oesterreich nicht erst seit 1878 Schiffsambulanzen kennt, sondern bereits 1854—1856 zwei wohlorganisirte Schiffsambulanzen besessen hat, und dass der Generalarzt Felix v. Kraus als Begründer der Schiffsambulanzen anzusehen ist. Er schildert die Einrichtung der damaligen und jetzigen Schiffsambulanzen und giebt schliesslich eine Uebersicht über das zu diesen Transportzwecken dienstbar zu machende Fluss- und Kanalnetz.

[Smith (49a), der früher (siehe Jahresbericht für 1877 und 1880) gezeigt hat, wie man in kurzer Zeit und durch einfache Apparate einen gewöhnlichen norwegischen Heuwagen zu einem Transportwagen für zwei Schwerverwundete umbilden kann, hat dasselbe System mit Erfolg bei einem schwedischen Heuwagen versucht, der sich wegen seiner bedeutenden Grösse für vier, ja sogar für sechs Schwerverwundete einrichten lässt. Zu diesem Zwecke wurden auf jeder der beiden langen Wagenseiten 2 Paar und auf jeder der kurzen 1 Paar junger, möglichst trockener Fichtenstämme (die die Elasticität besser als Birkenstämme bewahren) auf ähnliche Weise wie bei dem norwegischem Wagen angebracht, indem die Stämme an ihrem dickeren Ende theils durch Riemen von ungegerbter Rindshaut, theils durch gewundene Birkenreiser an den oberen Rand des Wagenkastens festgebunden, während das andere dünnere Ende frei und deshalb elastisch ist; an diesen 6 Paar hölzernen Federn ist im Innern des Wagens ein leichter Rahmen mit einem aus schmalen Querlatten gebildeten Boden aufgehängt, auf dem Matratzen als Lager für Verwundete angebracht werden können. Wie der norwegische wird auch der schwedische Wagen mit einem Ueberbau zum Schutze gegen Sonne, Regen und Wind versehen.

Joh. Möller (Kopenhagen).]

4. Freiwillige Krankenpflege.

Hass (51), rühmlichst bekannt als erster stellvertretender Vorsitzender des Centralcomités des Preussischen Vereins zur Pflege im Felde erkrankter Krieger, giebt in dem Artikel im Milit. W.-Bl. eine Uebersicht über die Leistungen der Landesvereine, die sich zur Linderung der Noth erkrankter Krieger gebildet hatten. Diese collossalen Leistungen sind bekannt und gewürdigt. H. knüpft nun daran an, dass die personellen Hülfeleistungen nicht im Einklang mit den materiellen Opfern standen. Man trat deshalb nach dem Feldzuge der Frage näher und kam auf den glücklichen Gedanken, die Kriegervereine zur Bildung freiwilliger Sanitätscolonnen heranzuziehen. Dieser Gedanke ist nunmehr verwirklicht: es sind im deutschen Reich 43 solcher Sanitätscolonnen ausgebildet und aus 30 Städten ist die Formirung solcher definitiv angemeldet, für zahlreiche andere in Aussicht genommen. Es lässt sich nicht verkennen, dass die freiwillige Krankenpflege hiermit einen der vielleicht wichtigsten Schritte ihrer Weiterentwicklung gethan hat. Nach einem besonderen Leitfaden (siehe folgende No.) werden die Leute unterrichtet.

Der Krankenträgerleitfaden Starcke's und Rühlemann's (59) ist ein für Jedermann verständlich geschriebenes Buch, welches durch die von Rühlemann auch in seinem Krankenträgeralbum publicirten Illustrationen weiterhin das Verständniss erleichtert. Dazu giebt das Buch in der That in exacter Weise wirklich nur die Anleitung zur ersten, zur Nothhülfe und bildet daher wirkliche Helfer aus und nicht Pfuscher.

Die französische Société de secours aux blessés militaires (60) hatte bekanntlich 1870 die für eine freiwillige Gesellschaft total ungehörige Stellung, dass sie den Staat in der Organisation des Sanitätsdienstes so gut wie ganz ersetzte. Ihre fernere eventuelle Thätigkeit ist nunmehr durch oben citirtes Decret geregelt und untersteht die bereits im Frieden bestehende Société im Kriege der militärischen Oberleitung und ebenso den Directoren des Sanitätsdienstes (General- bezw. Armeegeneralärzten). Die Thätigkeit der freiwilligen Hülfe beschränkt sich auf Errichtung von stehenden Reservelazarethen und auf Hülfeleistung auf den Sanitätszügen, sie ist aber von der Hülfeleistung in den Sanitätsanstalten der 1. Linie und in den Etappenlazarethen ausgeschlossen.

Der Kriegsminister bleibt durch halbjährlich ihm einzureichende Berichte (auch im Frieden) über die Mittel der Gesellschaft auf dem Laufenden. Dafür geniesst die Société das Vorrecht, dass sich alle ähnlichen Vereine ihr anschliessen müssen.

Die innere Organisation ist der unsrigen sehr ähnlich; sehr wichtig ist die Bestimmung, die auch bei uns zum Gesetz erhoben werden sollte, dass kein Individuum in den Dienst der Gesellschaft treten kann, das nicht Franzose ist, dass es keine Dienstverpflichtung mehr haben darf, versteht sich von selbst.

Der Staat bezahlt für die in den Lazarethen der Société verpflegten oder in ihren Sanitätszügen transportirten Mannschaften pro Tag 1 Mark.

Auf der diesjährigen internationalen Conferenz der freiwilligen Krankenpflege (62) zu Genf wurden eine Reihe von Thesen berathen bezw. Beschlüsse gefasst, von denen wir die wesentlichsten hier mittheilen, indem wir Leser, die Genaueres zu wissen verlangen, auf die genaue Wiedergabe der Beschlüsse in der Deutsch. militärärztl. Zeitschr. S. 615 u. ff. verweisen.

1. Die Thätigkeit des internat. Comité soll im Kriege zuerst den Verwundeten und Kranken der zurückgehenden Armee gewidmet sein. — 2. Die Centralcomités, unter sich unabhängig, werden durch das in Genf erscheinende Bulletin international de la Croix rouge und durch Conferenzen in Verbindung erhalten. — 3. Im Frieden sind je nach den Aufgaben, die man den Gesellschaften für den Kriegsfall zutheilt, Ausrüstungsgegenstände, die dem ersten Bedürfniss genügen, bereitzustellen; der ganze Bedarf ist durch zweckentsprechende Massregeln sicher zu stellen. — 4. Modelle der Ausrüstungsgegenstände festzustellen, ist wünschenswerth, ebenso wie eine Einheitstrage für alle Armeen. — 5. Die Kriegervereine sind für die Ausbildung von Krankenträgercolonnen zu gewinnen. Den Colonnen ist im Frieden eine entsprechende Thätigkeit zu sichern, sowohl um die Leute zu üben als zu discipliniren. — 6. Die Einführung der Erkennungsmarke ist überall durchzusetzen. — 7. Gesetze müssen den Missbrauch des Genfer Kreuzes streng bestrafen und damit beseitigen u. s. w., u. s. w.

Die Russische Gesellschaft vom rothen Kreuz (62) besass Anfang 1880 ein Vermögen von 1567302 Rubel, am 1. Januar 1881 1706221 Rubel. Zum Verein gehörten 15060 Personen in 364 Vereinen, die noch nahe an 3 Millionen Rubel Special-Capitalien besassen.

5. Technische Ausrüstung.

Der neue Krankenheber, den Richter beschreibt (65) ist eine Verbesserung des bereits im vor. Jahrgange (Fortschritte . . . 1884. Band I. S. 564. No. 72) erwähnten.

Vier ungleicharmige, löffelförmige gepolsterte Stahlzangen sind an ihren kurzen Armen aufgehängt, an einer wagerechten eisernen Hebstange verschiebbar. Die

Zangen umgreifen nun Rumpf, Gesäss, Ober- und Unterschenkel. Die Löffel lassen sich ohne Heben des Kranken bis zu gegenseitiger Berührung unter den Kranken schieben, bezw schieben sich beim ersten Anheben unmerklich soweit zusammen. Der ganze (auseinanderzunehmende) Heber wiegt 70 kg und kostet 200 M. Der Apparat läuft auf Rollen; der Kranke kann also gehoben, in ein anderes Bett oder in die Badewanne etc. niedergelassen werden.

Leisrink hatte schon auf dem Chirurgen-Congress seine Moosfilz-Platten (66) auch besonders für die Feldchirurgie empfohlen.

Er hält dieselben für besonders anwendbar zu starren Verbänden bei Fracturen, Resectionen u. s. w. Das frische Moos wird verlesen, gewaschen und in Platten gepresst, die zur Abhaltung der Insecten mit Sublimatlösung (1 : 1000) besprengt werden. Auf die drainirte, event. auch genähte Wunde kommt nun Jodoformsublimatgaze oder ein anderes Antisepticum; darauf die Moosfilzplatten, die mit einer gestärkten nassen Binde fest angedrückt werden Zehn Platten von je 50 × 100 cm Seite in mittlerer Dicke kosten 15 Mark. Die Aufsaugungsfähigkeit der Platten soll besonders gross sein.

Kümmel macht in seiner die Waldwolle als antiseptisches Verbandmaterial empfehlenden Arbeit (67) zuerst darauf aufmerksam, dass bei den überraschend günstigen Heilerfolgen, die mit der Lister'schen Methode oder mit den Modificationen dieser überall erreicht sind, nicht die Antiseptica, sondern die Beobachtung der peinlichsten, planmässig und zielbewusst durchgeführten Reinlichkeit die Hauptwirkung erzielt hätten. K. empfiehlt sodann die Waldwolle (die fabrikmässig aus Kiefer- oder Tannennadeln hergestellt wird) als Verbandmaterial für Occlusivverbände, die er selbst in 240 Operationsfällen benutzt hat. Die Waldwolle wird, wie sie aus der Fabrik kommt, in Mullsäckchen genäht, diese werden vor dem Gebrauch kurze Zeit in heisses Wasser gelegt, möglichst stark ausgedrückt und dann aufgelegt. Die desodorirende Eigenschaft der Waldwolle ist besonders für Dauerverbände eine recht grosse Annehmlichkeit.

VII. Statistik und Berichte.

A. Allgemeines.

1) Zemanek, A, Werth und Bedeutung der Militairsanitätsstatistik. Wien. — 2) Die Sterblichkeit in den verschiedenen Armeen. Army and Navy Gazette. Decemberheft 1883.

B. Specielles.

1. Deutschland.

3) Der Sanitätsdienst bei den deutschen Heeren im Kriege gegen Fankreich. Herausgegeben von der Militairmedicinalabtheilung des königl. preussischen Kriegsministeriums unter Mitwirkung der Mil.-Med.-Abtheil. des königl. bayer. Kriegsminist., der königl. sächs. Sanitätsdirection und des königl. württemb. Kriegsministeriums. — 4) Statistischer Sanitätsbericht über die königlich preussische Armee und das XIII. (königlich württembergische) Armeecorps für das Rapportjahr vom 1. April 1881 bis zum 31. März 1882. Bearbeitet von der Mil.-Med.-Abtheil. des Kriegsminist. — 5) Krankenbewegung in der deutschen Armee in den 12 Monaten vom October 1883 bis September 1884 incl. Zusammengestellt und berechnet nach den im Mil.-W.-Bl. publicirten Generalrapporten. — 6) Statistischer Sanitätsbericht über die königlich bayerische Armee für die Jahre 1879—1882.

2. Oesterreich.

7) Die Sanitätsverhältnisse des k. k. österreichischen Heeres im Jahre 1879. Militairstatist. Jahrbuch für das Jahr 1879. II. Theil. — 8) Krankenbewegung in der österreichisch ungarischen Armee. Nach den Monatsberichten in den Mittheilungen über Gegenstände des Artillerie- und Ingenieurwesens. Herausgegeben vom k. k. technischen und administrativen Militaircomité. — 9) Myrdacz, Die Lungenentzündungen im k. k. Heere in den Jahren 1873—1882.

3. Frankreich.

10) Das Truppenaufgebot Frankreichs im Kriege 1870/71. Moniteur de l'armée. No. 7 u. ff. Mil.-W.-Bl. No. 49. (Bericht des Deputirten de la Porte, Referent der Commission zur Prüfung des Gesetzentwurfs, der das Ausführungsbudget von 1871 definitiv regeln soll.) — 11) Statistique médicale de l'armée française pendant l'année 1881. Paris. — 12) Marvaud, A., Etude statistique sur la morbidité et la mortalité de l'armée française. Paris. (Die in Buchform erschienenen Aufsätze sind 1883 [s. vorigen Jahrgang Band I. S. 569 No. 9] in den Annales d'hygiène veröffentlicht worden) — 13) Verluste der Franzosen in einzelnen Gefechten des tonkinesischen Krieges. (Verschiedene Quellen.) — 14) Maillot, Morbidité et mortalité de l'armée en Algérie. Considérations générales sur l'état sanitaire de la garnison de Bône de 1832 à 1881. Gazette des hôpitaux. p. 210, 266, 277, 603. — 15) Bonnafont, Douze ans en Algérie, 1830 à 1842. (Tagebuch eines Oberstabsarztes a. D)

4. Russland.

16) Die Vermissten im letzten russischen Kriege. Allg. Mil.-Ztg. S. 46. — 17) Zur Krankenstatistik der russischen Armee für das Jahr 1882. Mil.-W.-Bl. No. 33 aus Russ Invalide. No. 54. — 18) Statistische Nachrichten über den Krankenstand der russischen Armee im Jahre 1882. Russ. Invalide. No. 73 u 83. Vgl. a. Referat im Mil.-W.-Bl. No. 65. — 19) Grodekow, kaiserl. russ. Generalmajor, Der Feldzug in Chiwa im Jahre 1873. Referat in Mil-Lit.-Ztg. No. 12. (Thätigkeit der kaukasischen Abtheilungen.) — 20) Derselbe, Der Krieg in Turkmenien. Der Feldzug Skobeljew's. II. u. III. Band.

5. England.

21) General Annual Return of the British Army for 1882, prepared by the Adjutant-General. — 22) The annual report on the health of the army for the year 1882 (presented to Parliament). — 23) Galbraith, M. D., Healing of Wounds in the Soudan. Lancet. 16. Aug. — 24) Cameron, M. D., A Romance of war, or how the Cash golt in campaigning. (Ein Pamphlet, welches in gehässiger Weise die Sanitätsverwaltung im ägyptischen Feldzuge, bes. hinsichtlich des Transports und der Verpflegung u. s. w. der Verwundeten, angreift.) — 25) L'expedition anglaise en Egypte. Spectat. milit. Tome 27. (Auch in diesem Artikel wird der Transport und Verpflegerdienst in der englischen Armee während des ganzen Feldzuges als durchaus mangelhaft hingestellt.)

6. Italien.

26) Morbidität und Mortalität in der königlich italieni-

schen Armee für das Jahr 1883. Giornale di medicina militare. p. 938 u. ff. — 27) La tuberculosi pulmonare nel regio esercito. Ibid. p. 562 u. ff. — 28) Pecco, Giacomo, Operazioni chirurgiche state eseguite durante l'anno 1882 negli stabilimenti sanitari militari. Ibid. p. 289 u. ff.

7. Belgien.

29) Etat sanitaire de l'armée belge. Statistique médicale de l'armée belge, période de 1875—1879. (Officieller 5jähriger Rapport.)

8. Türkei.

30) Fenykövy, Der sanitäre Dienst und die sanitären Verhältnisse der türkischen Armee. Wien. med. Presse. No 15, 16, 25, 26.

9. Abyssinien.

31) Die abyssinischen Feldtruppen. Verschiedene Quellen, a. Reiseberichte in der Tagespresse.

10. Dänemark.

31a) Salomon, Bidrag til en Sygdomsstatistik for Kongeriget Danemark. Ugeskrift for Laeger. R. 4. Bd. 10. p. 30.

11. Schweden.

31b) Winter, Redogörelse öfver helso-och sjukvaaden vid finska militaren under ar 1882. Tidskr. i milit. helsov. Bd. 8. p. 381.

A. Allgemeines.

Zemanek (1) hat eine verdienstvolle That gethan, als er in seinem Werkchen die Militairsanitätsstatistik von dem unbeachteten Standpunkte, auf dem sie selbst für viele Militairärzte heute noch steht, in die Höhe zu erheben versuchte, um ihren Werth in das rechte Licht zu setzen. Er trifft den Nagel auf den Kopf, wenn er sagt, der Werth der Erforschung der Krankheitsursachen besteht vor Allem darin, dass eine auf diese Weise wissenschaftlich dargestellte Militair-Sanitäts-Statistik der Armeeverwaltung feste Handhabung für die Durchführung der zum Wohle der Armee nothwendigen hygienischen oder administrativen Massregeln bietet. Verf. führt diesen Gedanken weiter aus, indem er an den zur Ergründung der Malariaursachen aufgenommenen im militairstatistischen Jahrbuch für 1877 veröffentlichten 52 hydrographischen Tabellen zeigt, dass diese allein zur Erforschung jener Ursachen nicht ausreichen, dass man den entsprechenden Wärme- und Feuchtigkeitsgrad nicht kenne, der aber zur Beurtheilung der Frage unerlässlich sei. An dem Beispiel der Malariaerkrankungen zeigt nun Verf., wie die Militairsanitätsstatistik zur Erforschung der Krankheitsursachen beitragen könne. Die Art und Weise der Darstellung Z.'s ist ebenso klar wie überzeugend.

Nach Sormani (s. vor. Jahresber. Bd. I. S. 568 No. 1) in Padua starben von 10000 Mann der Armeen (2) in Deutschland 57, in England 84, in Frankreich 92, in Oesterreich-Ungarn 112, in Italien 116. Die allgemeine Sterblichkeit der Bevölkerung in Deutschland beträgt 269, in Frankreich 244, in England 217. Der Berichterstatter der Army and Navy Gazette knüpft an diese Thatsache für Deutschland sehr lobende Bemerkungen über die vorzügliche Handhabung der Hygiene in der Armee. Wir können das Lob annehmen, selbst wenn man berücksichtigt, dass in den Statistiken der übrigen Länder die gestorbenen Officiere mit eingerechnet werden, in Deutschland nicht. Geschähe dies aber für Deutschland, so müsste wiederum festgestellt werden, ob in Deutschland in derselben Ausdehnung Officiere pensionirt werden, wie in anderen Ländern, da es klar ist, dass die Mortalität gerade bei den zum Theil in den höheren Lebensaltern sich befindenden Officieren um so schwerer ins Gewicht fallen muss, je geringer die Zahl der als pensionirt ausscheidenden Officiere ist. Auch dann indess würde Deutschland die geringste Mortalität aufweisen, wenn sich auch die Differenz etwas verringerte.

Bei der allgemeinen Sterblichkeit ist dagegen bei Deutschland sehr wesentlich zu berücksichtigen, dass die hohe Kindersterblichkeit bei dieser Zahl stark mitspricht, die in Frankreich z. B. fehlt, weil die Zahl der Kinder an sich so bedeutend kleiner ist.

B. Specielles.

1. Deutschland.

Das Werk „der Sanitätsdienst bei den deutschen Heeren im Kriege gegen Frankreich 1870/71" (3) gliedert sich, wie aus der Vorrede zu Band I hervorgeht, in einen administrativen Theil, einen statistischen, einen chirurgischen, einen medicinischen und in den Anhang, d. h. Bibliographie und Register. Bisher ist der erste Band erschienen und die 2. Abtheilung des 3. Bandes umfassend die physicalische Wirkung der Geschosse.

Wir verzichten jetzt auf eine Besprechung dieser Bruchstücke, sondern werden, sobald der letzte (achte) Band des Werkes herausgegeben sein wird, das Ganze einer eingehenden Besprechung unterziehen. Nur soviel sei gesagt, dass im ersten Bande abgehandelt sind I. Sanitätspersonal und Sanitätsausrüstung der deutschen Heere; II. Sanitätsdienst und hygienische Massnahmen bei den Truppen; III. Thätigkeit der Sanitätsdetachements und der verschiedenen Lazarethformationen; IV. Krankenzerstreuung; V. Sanitätszüge; VI. Lazarethe im Inlande; VII. Zelte und Baracken; VII. Freiwillige Krankenpflege.

In der preussischen Armee (4) erkrankten im Jahre 1881/82 bei einer Durchschnittsstärke von 355,794 Mann in Summa 404,026 Mann gleich 1135,5 p. M.

Von diesen kamen

in das Lazareth	118948 Mann	=	334.3 p. m.
in das Revier	85250	- =	239.6 p. m.
in Schonung	199828	- =	561.6 p. m.

Der höchste Krankenzugang fiel in den Januar, der demnächst höchste in den Juli, der geringste in den September.

Der tägliche Krankenstand betrug 34,6 p. M. und zwar 20,8 vom Tausend im Lazareth, 5,5 im Revier und 8,3 Schonungskranke. Auf sämmtliche Kranke (incl. Bestand) kamen 4,496,740 Behandlungstage, d. i. im Mittel für den Kranken 10,9 Tage. Jeder Lazarethkranke erforderte 21,4 Tage im Durchschnitt, der Revierkranke 8,2, der Schonungskranke 5,4 Tage. — Durch Krankheit fielen für die ganze Armee 12,6 Tage im Jahr aus.

Unter ausschliesslicher Berücksichtigung der Lazareth- und Revierkranken hatte den höchsten Zugang (wir betrachten nur die wirklichen Waffengattungen) der Train mit 896,8 vom Tausend seiner Kopfstärke, es folgen in absteigender Linie, Artillerie mit 666,6 p. M., Cavallerie mit 598,2 p. M., Infanterie mit 540,7 p. M. und Pioniere mit 520,9 p. M. ihrer Kopfstärke.

Vom Tausend der Iststärke erkrankten an I. allgemeinen Erkrankungen 54,4 (darunter: Typhus 5,5, Wechselfieber 19,4, Ruhr 2,9, Gelenkrheumatismus 8,3); ferner an Krankheiten: II. des Nervensystems 3,9, III. der Athmungsorgane 58,0 (darunter: croupöse Pneumonie 11,9, Brustfellentzündung 3,9, Lungenschwindsucht und Tuberculose 3,1), IV. der Circulationsorgane 9,9, V. der Ernährungsorgane 95,4 (darunter: Mandelentzündungen 33,7, acuter Magen- und Darmcatarrh 44,4), VI. der Harn- und Geschlechtsorgane 7,0; ferner an VII. venerischen Krankheiten 41,0 (darunter constitutionelle Syphilis 10,2, schancröse Affectionen 10,4, gonorrhoische Affectionen 20.3), VIII. an Augenkrankheiten 25,1 (darunter: contagiöse 4,4), IX. Ohrenkrankheiten 9,1, X. Krankheiten der äusseren Bedeckungen 128,2, XI. Krankheiten der Bewegungsorgane 26,8, XII. mechanischen Verletzungen 106,2 (darunter: Knochenbrüche 2,3, Verstauchungen 26,9, Verrenkungen 1,0).

Es wurden 195,249 Kranke geheilt = 548,8 p. M. der Kopfstärke und = 912,8 p. M. der Behandelten. Es starben 1118 = 3,1 p. M. der Iststärke und 5,2 p. M. der Behandelten. Als dienstunbrauchbar gingen ab 7473 Mann = 20,9 p. M. (von denen 3528 ärztlich behandelt waren), als Halbinvalide schieden aus 830 Mann (davon 216 ärztlich behandelt) gleich 2,3 p. M. der Iststärke, als Ganzinvalide 1408 (davon 713 ärztlich behandelt) gleich 4,0 p. M.

Im Ganzen starben im Jahre 1881/82 1613 Mann = 4,5 der Iststärke. Von 1,000 Todesfällen waren 174 durch Selbstmord, 81 durch Unglücksfälle, 745 durch Krankheit veranlasst.

Im Ganzen starben an Krankheiten von den Behandelten 1064 = 5,0 vom Tausend der Behandelten, und zwar an

		Vom Tausend der Todesfälle durch Krankheit.
Krankheiten der Athmungsorgane	521	= 433.4
(darunter: Lungenschwindsucht	276	
Lungenentzündung	175	
Brustfellentzündung	62)	
Allgemeinen Erkrankungen	349	= 290.4
(darunter: Infectionskrankheiten	305	
Abdominaltyphus	196)	
Krankheiten des Nervensystems	83	= 69.1
Krankheiten der Ernährungsorgane	66	= 54.9
Krankheiten der Circulationsorgane	32	= 26.6
Krankheiten der Harn- und Geschlechtsorgane	32	= 26.6
Krankheiten der Bewegungsorgane	17	= 14.1
Krankheiten des Ohres	11	= 9.2
venerischen Krankheiten	7	= 5.8
Krankh. der äusseren Bedeckungen	6	= 5.0
mechanischen Verletzungen	1	= 0.8

Durch Selbstmord kamen um 281 Mann = 0.79 p. m. der Iststärke. In 39 Selbstmordversuchen wurde das Leben erhalten, durch Unglücksfälle verlor die Armee 130 Mann = 0.37 p. m. der Kopfstärke.

Uebersicht über die Krankenbewegung in der deutschen Armee (5) von 1. October 1883 bis 31. September 1884.

	Zugang in Procent des Effectivs.	Abgang in pCt. der Kranken als			Es kamen u. a. vor Fälle von			Fälle von Selbstmord.
		geheilt.	gestorben.	anderweitig.	Infections-krankheiten.	Krankh. der Ernährungsorgane.	Krankh. der Athmungsorgane.	
1883.					(Absolute Zahl.)			(Absol Zahl.)
October	7,3	65,4	0,38	4,1	31	5	25	19
November	8 4	61,5	0,21	2,7	19	4	31	18
December	9,0	69,3	0,20	3,0	21	5	31	22
1884.								
Januar	11,5	67,2	0,14	1,9	17	5	32	25
Februar	11,7	66,1	0,15	1,7	21	3	34	21
März	11,8	70,4	0,18	2,0	13	7	47	18
April	9,7	64,1	0,26	2,1	19	6	52	20
Mai	10,3	72,4	0,25	2,1	17	4	61	23
Juni	9,2	68,0	0,21	2,4	5	11	41	20
Juli	11,0	70,4	0,20	2,0	26	6	37	19
August	9,4	72,8	0,24	2,0	33	6	35	18
September	7,7	64,4	0,30	4,0	25	5	30	5

Man vergleiche die Uebereinstimmung der Zahlen dieses Rapports mit dem analogen im vorigen Jahrgang dieses Werks (s. Band I. Seite 568 B. No. 2). Nur ist dabei dort der bedauerliche Schreibfehler zu beachten, dass die Zahlen für die Athmungsorgankrankheiten in der Rubrik der Ernährungsorgankrankheiten stehen und umgekehrt.

Erfreulich ist die Abnahme der Selbstmorde; in den gleichen 12 Monaten für 1882—1883 betrug die Zahl derselben 266, in diesen 12 Monaten für 1883—1884 nur 209, was um so mehr ins Gewicht fällt, als auch die Zahl 266 bereits einen Rückgang anzeigte. Die Effectivstärken sind in den betreffenden Zeiträumen nahezu dieselben.

In der königlich-bayrischen Armee betrug die der Krankenrapporterstattung (6) zu Grunde zu legende Iststärke für 1879—1880 45257 Mann, 1880 bis 1881 44610 Mann, 1881—1882 47092 Mann incl. Invaliden und Kadetten. Es erkrankten und wurden im Lazareth oder Revier behandelt:

Für 1879/80 24,706 M. = 545 vom 1000 der Iststärke.
" 1880/81 26,955 " = 604 " " " "
" 1881/82 26,524 " = 563 " " " "

Ausserdem wurden noch im Jahre durchschnittlich 1244 Mann vom Tausend der Stärke als Schonungskranke behandelt. Das erste Armeecorps hatte einen stärkeren Zugang als das zweite.

Die Durchschnittsbehandlungsdauer belief sich für Lazareth und Revier für das einzelne Jahr auf 16,9 Tage, und zwar waren täglich im Jahre durchschnittlich krank 1263,7 Mann, d. i. 27,6 vom Tausend der Iststärke. An Diensttagen fielen durch Lazareth- und Revierkranke durchschnittlich 10,1 Tag aus, wobei die Schwankungen in den 3 Jahren sehr gering sind. Den günstigsten Krankenstand hatte die Infanterie (490,7 p. M.), den ungünstigsten die Eisenbahncomp. und die Pioniere (992,7 bezw. 723 2 p. M.). — Von 1000 Kranken wurden 899,9 geheilt, 6,3 starben; 75 4 gingen anderweitig ab. In den 3 Jahren kamen 100 Selbstmorde vor und 56 Todesfälle durch Verunglückung.

2. Oesterreich.

Bei einer Durchschnitts-Iststärke (7) von 281799 Mann kamen im Jahre 1879 im k. k. Heere 418939 Erkrankungen vor, d i. 1487 p. M. des Effectivs gegen 1620 im Jahre 1878. — Die meisten Erkrankungen kamen vor im Juli, demnächst im Januar, die wenigsten im September.

Die meisten Erkrankungen hatten die Pioniere, nämlich 2126 p. M. ihres Effectivs, die wenigsten die Sanitätstruppe, sodann der Train.

Unter 1000 Kranken befanden sich 12 Stabs- und Oberofficiere, 104 Unterofficiere, 884 sonstige Mannschaft.

In Berücksichtigung der wirklich abgeleisteten Dienstpflicht ergiebt sich folgendes Verhältniss für die einzelnen Jahrgänge:

Von Tausend der Gesammtzahl standen
im 1. Dienstjahre 476 Mann.
" 2 " 326 "
" 3. " 255 "
" 4. " 237 "
" 5. " 122 "

Die Summe der Behandlungstage betrug im Revier 1473646 Tage, im Lazareth 4111452 Tage, so dass im Ganzen 19,8 Tage dem Dienste im Jahr durch Krankheit verloren gingen.

Es starben 3518 Mann = 12,5 p. M. der Kopfstärke (gegen 12,4 im Jahre 1878). Der Charge nach befanden sich unter Tausend der Verstorbenen Stabs- und Oberofficiere 32, Unterofficiere 92, Mannschaften 875.

In die Lazarethe wurden im Jahre 1879 152511 Heeresangehörige aufgenommen, d. i. 541 p. M. der Kopfstärke. Von diesen wurden geheilt 133957 Mann (863.1 p. M.), kehrten ungeheilt zur Truppe zurück 1733 Mann (11,2 p. M.), wurden beurlaubt 9767 Mann (62,9 p. M.), wurden dienstunbrauchbar bezw. invalide 6385 (41,1 p. M.) und starben 3331 (21,5 p. M.), endlich desertirten 29 (0 2 p. M.)

Auf jeden Kranken entfallen 26,5 Behandlungstage im Lazareth Hinsichtlich der beobachteten Krankheiten reproduciren wir folgende Verhältnissziffern, indem wir die durch die entsprechende Krankheit verursachten Todesfälle in Klammern dazusetzen: Auf 1000 Mann der Präsenzstärke kamen also in Summa Behandelte 1584,7 (12,5). Von Tausend Mann der Kopfstärke waren u. a. erkrankt (gestorben) an:

1) Allgemeinen Krankheiten 319,2 (4,4) (darunter Abdominaltyphus 13.5 [3,8], Flecktyphus 0,3 [0,1], Wechselfieber 232,0 [0,0]).
2) Scrophulose und Tuberculose 7,9 (2,6), (Tuberculose allein 5,5 [2 3])
3) Verletzungen (excl. Selbstmordversuch und Selbstverstümmelung) 102,0 (0,1).
4) Vergiftungen (excl. Selbstmordversuch) 0,2 (darunter Alcoholvergiftung 0,1).
Ferner an Krankheiten
5) des Nervensystems 6,9 (0,6), 6) des Auges 68.9 (darunter catarrhalische Bindehautentzündung 45,4); 7) des Ohres 12,9; 8) der Athmungsorgane 196,2 (2.0) (darunter Lungenentzündung 9,3 [1,31]); 9) der Circulationsorgane 22,1 (0 2); 10) der Verdauungsorgane 354,3 (1,8) (darunter Mandelentzündung 67,0, acuter Magen- und Darmcatarrh 253.6); 11) der Harnorgane 2,4 (0,3); 12) der Geschlechtsorgane (excl. Venerie) 11,8; 13) an Syphilis 81,4; 14) an Krankheiten der Haut 313,4 (0 4) (darunter Blattern 3,0 [0,2], Wundlaufen 73,6, Krätze 3,8); 15) Krankheiten der Bewegungsorgane 44,6 (0,1).

Im Ganzen wurden von 100 Behandelten 631,1 geheilt, während 7,9 starben.

Hiernach entfielen auf die allgemeinen Krankheiten, ferner die Scrophulose und Tuberculose und die Krankheiten der Athmungsorgane zusammen 2517 Todesfälle von 3518, d. i. 71,6 pCt. Von den einzelnen Krankheiten trugen am meisten zur Gesammtzahl bei Abdominaltyphus mit 30,4 pCt., Lungenschwindsucht mit 18,3 pCt., Lungen- und Brustfellentzündung mit 12,7 pCt. Ferner kamen vor, Selbstmorde 293 = 1,04 p. M. der Kopfstärke, Selbstmordversuche 65 = 0,23 p. M. und Selbstverstümmelungen = 0,28 p. M. der Kopfstärke.

In der österreichischen Armee (8) war am 1. Januar ein Krankenbestand von 10,755 Mann vorhanden. Es gingen zu 338,056 Mann, so dass im Ganzen 348,811 Mann behandelt wurden, und zwar 53 pCt. von diesen im Revier. 47 im Lazareth. Von 100 Kranken wurden geheilt 88,17 (314,124), nicht geheilt entlassen 0,46 (1623), in die Heimath beurlaubt 2,53 (8878), als dienstunbrauchbar entlassen 3,58 (11,811), starben 0.52 Mann (1819) und desertirten 26 Mann. In Bestand blieben am 31. December 1883 10,530 Mann.

Als ein Beispiel, wie sich die Durchführung der Bearbeitung der Militair-Sanitäts-Statistik bezüglich der einzelnen wichtigeren Krankheitsformen zurechtlegen liesse, bespricht Myrdacz die Häufigkeit der Lungenentzündungen (9) im k. k. Heere für das Decennium 1873—1882. In diesem Zeitraume sind bei Personen vom Stande des k. k. Heeres im Ganzen 30,361 Fälle von Lungenentzündung bis zum Abschlusse des Verlaufs behandelt worden. Dies entspricht einer durchschnittlichen Jahresmorbidität von 11,4 p. M., d. h. auf je 10,000 Mann des Verpflegsstandes sind alljährlich 114 Erkrankungen an Lungenentzündung vorgekommen. In der preussischen Armee kamen in den sieben Jahren vom 1. April 1874 bis 31. März 1881 alljährlich im Durchschnitte 3754 Lungenentzündungen zur Beobachtung, entsprechend 115 Fällen auf je 10.000 Mann der Iststärke, also merkwürdigerweise fast genau dieselbe Frequenz wie bei uns. Die angegebene Frequenz der Lungenentzündungen war jedoch nicht in allen Jahren gleich; dieselbe schwankte zwischen 9,3 p. M. im Jahre 1878 und 1879, und 15,5 p. M. im Jahre 1874. Betrachtet man die zeitliche Vertheilung der Pneumonien nach Jahreszeiten und Monaten, so ergiebt sich, dass die Frequenz der Lungenentzündungen im Herbste, d. i. in den Monaten September bis November, constant am niedrigsten, im Frühling hingegen, d. h. in den Monaten März bis Mai weitaus am höchsten ist.

Auffällig ist die sehr verschiedene Frequenz der Pneumonien in der Frühlingsperiode der verschiedenen Jahrgänge: im Frühjahr 1875 wurden nämlich 1554 Fälle von Lungenentzündung behandelt, dagegen in der gleichen Periode des Jahres 1881 nur 964 Fälle, d. h. auf 10,000 Mann gab es im Frühjahr 1875 59 Fälle, im Frühjahr 1881 nur 37 Fälle von Lungenentzündung; letzteres war auch im Jahre 1879 der Fall.

Vergleicht man (soweit dies möglich) die meteorologischen Verhältnisse, so characterisirt sich das Frühjahr mit hoher Pneumonie-Frequenz gegenüber jenem mit geringster Frequenz: 1) durch höheren Luftdruck; 2) durch geringere Luftdruckschwankung; 3) durch ein niedrigeres Temperaturmittel; 4) durch eine grössere Temperaturschwankung und 5) durch bedeutend geringere Niederschläge. Nicht minder verschieden als das zeitliche Auftreten gestaltet sich auch die räumliche Vertheilung der Lungenentzündungen nach Militair-Territorial-Bezirken und Garnisonen. M. geht hierauf näher ein und kommt zu dem Resultat, dass es für diese Verschiedenheit im Auftreten der Pneumonie in den einzelnen Garnisonen nebst den Einwirkungen des Clima und der Witterung auch noch andere eng umschriebene locale Verhältnisse und Ursachen geben müsse, welche das Vorkommen dieser Krankheit beeinflussen. Aber auch innerhalb der einzelnen Garnisonen ist das Vorkommen der Pneumonie sehr bedeutenden Schwankungen unterworfen. So war z. B. die Pneumonie vertreten:

in Wien mit 16 im Jahre 1879 und mit 35 im Jahre 1874,
„ Triest „ 11 „ „ 1873 „ „ 40 „ „ 1882,
„ Prag „ 11 „ „ 1882 „ „ 29 „ „ 1875.

Hierbei kommt auch wohl die Truppengattung und die Provenienz der Truppenkörper in Betracht. M. begründet dies eingehend.

Was nun die Mortalität betrifft, so starben in der Zeit von 1873—1882 vom Verpflegungsstande des k. k. Heeres im Ganzen 3699 Personen an Lungenentzündung, d. i. jährlich 1,4 p. M. oder 14 Personen von je 10,000 Mann. In der preussischen Armee sind in der Zeit vom 1. April 1874 bis 31. März 1878 im Ganzen 687 Todesfälle durch Lungenentzündung vorgekommen, entsprechend etwa 5 Mann jährlich auf je 10,000 Mann der Iststärke. Es verhält sich also die Mortalität in Oesterreich zu jener in Preussen wie 14:5 oder fast wie 3:1.

M. betrachtet schliesslich die Mortalität im Verhältniss zur Intensität der vorgekommenen Erkrankungen, die Widerstandsfähigkeit einzelner Truppengattungen oder Nationalitäten gegen den pneumonischen Process und endlich die Resultate der ärztlichen Behandlung dieser Krankheit. Um gegen die Pneumonie eine sichere Prophylaxe zu gewinnen, will M. Erhebungen anstellen in der Weise, dass die Lungenentzündungen garnisonweise und nach dem Datum ihres Zugangs in ärztliche Behandlung registrirt und von Monat zu Monat, von Garnison zu Garnison mit den Veränderungen der Atmosphäre, mit den Grundwasserverhältnissen, mit dem Auftreten anderer Krankheitsformen u. s. w. verglichen würden. Derartige Erhebungen sollen nicht nur bezüglich der Lungenentzündung, sondern auch über andere wichtige und ätiologisch noch nicht geklärte Krankheitsformen in ca. 60 Garnisonen der Monarchie mit dem laufenden Jahre ins Leben treten.

3. Frankreich.

Frankreich stellte im Kriege 1870/71 vom 1. August 1870 bis 1. Februar 1871 auf (10): 1) 670000 Mann der activen Armee, 2) 455000 Mobile, 3) 600000 M. der Garde mobilisée, 4) 72000 M. in den Freicorps und, hier zuzuzählen, 96000 Mann in den Marschbataillonen von Paris, Gesammtsumme: 1900000 Kämpfer, uneingerechnet die Garde nationale sédentaire (Ortsangehörige), die aber auch hier und da in den Kampf eingriffen. — Diesen gegenüber steht ein Verlust an Gefallenen, Kriegsgefangenen,

Vermissten, Entlassenen u. s. w. von 656509 Mann für die Zeit vom 1. August 1870 bis 1. April 1871.

In Frankreich beträgt die der Krankenbewegung im Jahre 1881 zu Grunde zu legende Effectiv-Kopfstärke 519852 Mann (11), während die mittlere Präsenzstärke 454991 Mann betrug. In die Lazarethe wurden aufgenommen 124341 Mann, d. i. 239 p. M. des Effectivs und 273 p. M. der mittleren Stärke. (218 p. M. in 1880). Ins Revier kamen 140160 M. = 269 p. M. des Effectivs und 308 p. M. der mittleren Stärke. Täglich waren krank 22477 Mann in der ganzen Armee, d. i. 43.23 p. M. des Effectivs und 49,40 p. M. der mittleren Präsenzstärke.

Es starben im Jahre 1881 6228 Mann (+ 1455 gegen 1880; tunesischer Feldzug!), von denen 1341 auf das tunesische Corps und 728 auf die Truppen der Oran-Division entfallen. Es ist also constatirt eine Mortalität von 11.98 p. M. des Effectivs und 13,68.

Von den 2069 Todesfällen, welche bei den operirenden Truppen in Tunis und im Süden Orans vorkamen, waren nur 146 durch feindliches Feuer, 22 durch Niedermetzelung bei der Expedition Flatters, 60 durch Selbstmord und Unglücksfälle, und 1841 durch innere Leiden verursacht. Der Typhus beanspruchte mehr als die Hälfte aller Todesfälle, nämlich 3342 Todesfälle, d. i. 6,42 p. M. des Effectivs. An Tuberculose starben 481 Mann = 0,9 des Effectivs, an Wechselfieber (d. h. Paludismus im Allgemeinen) 283 Mann (davon 132 in Oran vorkamen). An Krankheiten der Ernährungsorgane starben 369 Mann, an denen der Athmungsorgane 582 Mann; 155 Leute legten Hand an sich und tödteten sich selbst (d. i. 0.32 p M. des Effectivs). Als dienstunbrauchbar und invalide schieden aus 6675 Mann, d. i. 12,8 p. M. des Effectivs.

Der wechselreiche tonkinesische Krieg (13) hat den Franzosen ernste Kriegslagen gebracht, wiewohl trotzdem, und zwar in Folge der Bewaffnung des Feindes zum grössten Theile mit Gewehren alter Construction, ihre Verluste nicht so sehr bedeutend gewesen sind. So verloren sie im Gefechte bei Can Giai, 19. Juli 1883, bei einer Stärke von 170 Franzosen und 26 Anamiten in Summa 17 Officiere und Leute, und zwar waren 1 Officier todt, 2 verwundet, 5 Leute todt, 9 verwundet, also Gesammtverlust 8,6 pCt. davon 3,0 pCt. todt, 5,6 pCt. verwundet.

Bei der Einnahme von Huë (August 1883) hatten die Franzosen keine Verluste (nur die eingeborenen Hülfstruppen einige wenige), ebenso sollen bei der Einnahme von Tonanane nur 2—3 Mann verwundet gewesen sein, während der Feind stets viele Hunderte an Todten verlor.

Am 15. und 16. August gegen Sontay dagegen verloren die Franzosen im Ganzen 5 Officiere, 99 Mann (davon 2 Officiere, 25 Mann todt), d. h. von der ungefähren Stärke von 1800 Mann 5,8 pCt. (wovon 1,5 pCt. todt).

Am 1. und 2. August zweiter Vorstoss gegen Sontay, welcher, wie der erste, mit einem Rückzug endete: Gesammtverlust 10 pCt., nämlich 5 Officiere, 67 Mann (wovon 2 Officiere, 27 Mann todt). Nach einer Correspondenz im Avenir vom 1. Novbr. 1883 soll es aber allein etwa 100 Verwundete gegeben haben.

In der Schlacht bei Sontay am 14. und 16. Dec. verloren die Franzosen (excl. Hülfstruppen) 26 Offic. (davon 4 todt) und 376 Mann (davon 81 todt).

Nach Berechnungen aus den Jahren 1877—1880 kommt Maillot (14) zu dem Schluss, dass die Morbidität in der französischen Armee in Africa viel beträchtlicher als in Frankreich ist, ferner dass die Mortalität um $^1/_3$ die des Gouvernements Paris übersteigt, dass jedoch das Verhältniss der Todesfälle zu dem der Erkrankungen in Algier erheblich geringer ist. M. hegt die Hoffnung, dass, je rascher die Colonisation in Algior vorschreitet, namentlich je energischer die Trockenlegung von Seen und Sümpfen und die Anpflanzungen in Angriff genommen werden, desto rascher Algier dahin kommen wird, dass seine Sterblichkeit nicht höher als die des Mutterlandes sein wird.

Welche Erfolge die Assainirung in Algier schon gehabt hat, beweisen die seit 1865 angeführten Zahlennachweise über Mortalität und Morbidität der Garnison und Stadt Bona, welche aus einem ungesunden Trümmerhaufen sich zu einer blühenden Stadt entwickelt hat. Die perniciösen Fieber sind von dort gänzlich verschwunden seitdem Trockenlegung von Sümpfen und eines Sees in der Umgegend Statt gefunden hat. — Schwarze.

4. Russland.

Im Krimkriege (16) konnte am Ende des Feldzuges der Verbleib von über 60000 Mann im Unterofficier- und Gemeinenrange nicht nachgewiesen werden, eine Thatsache, die natürlich tief in die bürgerlichen Verhältnisse einschnitt. Durch Einführung der Erkennungsmarken, bessere Buchführung in den Lazarethen gelang es im letzten Kriege zu erreichen, dass nur 20000 Militairs als vermisst geführt zu werden brauchten, von denen gegenwärtig noch 13000 als verschollen gelten, während mehr wie 250000 Unterofficiere und Gemeine verwundet oder krank ohne jedes Identitätszeugniss oder schriftliche Ueberweisung von den beiden Kriegsschauplätzen nach Russland evacuirt wurden.

Die Kranken der russischen Armee (17) werden in Militärlazarethen verschiedener Art und zum kleineren Theil in Civillazarethen behandelt.

1) In den Hospitälern und Halbhospitälern, 71 an der Zahl mit 27982 Betten, fanden im Jahr 1882 Aufnahme 178631 Kranke, wovon 81,69 pCt. activ dienten. Durchschnittliche Behandlungsdauer = 31 Tage; geheilt wurden 79,70 pCt., als untauglich entlassen 5,81 pCt., es starben 3,66 pCt.

Die Unterhaltung der Lazarethe kostete 5,263,889 Rubel, wovon entfallen a) 30,85 pCt. (1,623,910 Rubel) auf die Verpflegung der Kranken, b) 19,8 pCt.

(1,042,250 Rubel) auf die Erhaltung und Beheizung der Gebäude, c) 35,27 pCt. (1,856,575 Rubel) auf die Kosten für das Personal und d) 14,08 (741,145 Rubel) auf andere Ausgaben.

Somit kostet ein Kranker im Durchschnitt rund 29½ Rubel, eine Summe, die sich aber auf 13¼ Rubel vermindert, wenn man die Summe b—d abrechnet.

2) In 693 Lazarethen und Revierkrankenstuben wurden behandelt 233,754 Kranke mit 17 tägiger durchschnittlicher Behandlungsdauer. Es starben 1,74 pCt. Kranke (also weniger wie in den grossen Hospitälern Gesammtkosten 1,510,548½ Rubel, ein Kranker 40,8 Kopeken (= 130,5 deutsche Pfennige, da ein Kopeke = 3,2 deutsche Pfennige).

3) In 22 Kosakenlazarethen wurden 2,999 Kosaken behandelt und zwar ein jeder 23 Tage im Durchschnitt. Es starben 6,1 pCt. Gesammtkosten 19,214 Rubel, jeder Kranke kostete pro Tag 28,39 Kopeken (= 90,8 deutsche Pfennige).

4) Ausserdem wurden 43,826 Mann, von denen 84,84 activ dienten, in 693 Civilkrankenhäusern behandelt mit einer durchschnittlichen Behandlungsdauer von 23 Tagen und 3,5 pCt. Todesfällen. Hier kostete der einzelne Kranke 72,91 Kopeken (= 233 deutsche Pfennig).

5) Im transcaspischen Gebiet wurden in 2 interimistischen Kriegslazarethen 1268 Kranke im Durchschnitt jeder 24 Tage behandelt, von denen 2.36 pCt. starben. Gesammtkosten 54165 Rubel 21 Kopeken. Jeder Kranke kostete also 42 Rubel 72 Kopeken und pro Tag 1 Rubel 78 Kopeken (d. i. rund 5 Mark 70 Pf.).

Bei einer Effectivstärke der russischen Armee von 888010 Köpfen (incl. Officiere) wurden behandelt im Jahre 1882 (18) im Lazareth und Revier 814 2 vom Tausend der Iststärke (nämlich 754715 Mann); es starben 8,31 vom Tausend der Stärke (nämlich 7384 Mann), während im Jahre 1881 bezw. 1880 behandelt wurden und starben 899 5 und 10,15 bezw. 966,9 und 9,96 vom Tausend der jedesmaligen Stärke.

Die tödtlichsten Krankheiten waren Lungenschwindsucht und -entzündung, Typhusformen, Diarrhöe und Ruhr. Folgende Uebersicht giebt einen Anhalt zur Beurtheilung der Häufigkeit und Schwere einiger Erkrankungsformen:

An	wurden behandelt, absolut. Zahl	d. h. pro Mille des Effectivs	Davon starben		
			absolute Zahl	pro Mille der Behandelten	pro Mille des Effectivs
Lungenentzündung	15,938	18 pCt.	1670	10,5	1.9
Typhösen Fiebern	13,258	14,9 „	1638	12.35	1.85
Diarrhoe (incl. Ruhr)	28,682 (incl. 3116 an Ruhr)	32,3 „	1103 (incl. 520 an Ruhr)	38,45	1,32
Lungenschwindsucht	1,320	1,5 „	589	44,62	0,66
Wechselfieber (nur die im Lazareth Behandelten)	62,287	70,1 „	220	3,53	0,27
Syphilis	35,590	37,8 „	34	0,92	0,04
Augenkrankheiten (im Lazareth und Revier)	60,330 (incl. 1163 an citrig. Augenentzündung)	68,0 „	Von diesen wurden 50 Mann beiderseits blind, 203 auf einem Auge; 584 Mann behielten Augenfehler.		

Als dienstunbrauchbar schieden 31,64 p. M. des Effectivs, nämlich 27778 Mann aus.

Das Werk Grodekow's (19) ist für den Militairarzt deshalb von Interesse, weil es wieder einmal den gewaltigen Einfluss zeigt, welchen klimatische Einflüsse auf die Kriegführung haben können und wie schwer denselben zu begegnen ist. Schon aus Verpflegungsrücksichten wurde die Expeditionsarmee in 5 kleine Colonnen zerlegt, die auf der Oase Chiwa zusammentreffen und von da die Hauptstadt Chiwa angreifen sollten. Eine dieser Colonnen, die von Tschikischljar gegen das alte Bett des Amu vor- und in diesem gegen Chiwa gehen sollte, erreichte das Ziel nicht, sondern wich, von unerhörten, durch Wassermangel hervorgerufenen Qualen bis zur völligen Auflösung heimgesucht, nach Krasnowodsk aus.

Der 2. Band des Grodekow'schen Werkes (20), welches den bekannten Feldzug des General Skobeljews gegen die Tekinzen und die Erstürmung von Geok-Tepe behandelt, ist deshalb von einem besonderen allgemeineren Interesse, weil die wirthschaftlichen Fragen der Vorbereitungsperiode des Feldzuges eingehend behandelt wurden. (Der 3. Band enthält nur die Schilderung der Kriegsereignisse.)

5. England.

Bei einer Durchschnittsstärke von 181282 Mann starben in der englischen Armee im Jahre 1882 (21) 2140 Mann und wurden 3545 invalide, d. i. 11,80 und 19,56 vom Tausend der Stärke, denen pro 1881 14,18 und 20,49 entsprechen.

In England betrug im Jahre 1882 (22) die durchschnittliche Iststärke der weissen Truppen 174537 Mann. Vom 1000 der Kopfstärke gingen den Lazarethen zu 1093, starben 12,06, wurden als dienstunbrauchbar entlassen 19,45 und waren täglich krank 54,21 Mann. Zugang und täglicher Krankenstand waren grösser als der Durchschnitt der letzten 10 Jahre.

Im vereinigten Königreich allein betrug die Durchschnittsstärke 86847 Mann. Vom 1000 dieser gingen den Lazarethen zu 852, starben 6,94, wurden als dienstunbrauchbar entlassen 24,55 und waren täglich krank 47,12 Mann. Mit Ausnahme der Zahl der Invaliden, die in Folge des egyptischen Feldzuges zunahmen, sind diese Zahlen unter dem zehnjährigen Durchschnitt.

Von einzelnen Krankheiten heben wir hervor: Enteric fever mit einem Zugang von 2,0 und 0,47 Todesfällen vom Tausend der Kopfstärke. Erysipelas kam 269 mal zur Beobachtung (mit 4 Todesfällen). Hinsichtlich der Waffengattung stehen die Royal Engineers mit 273 p. M. am besten und die Foot Guards mit 956 p. M. am schlechtesten, während z. B. bei uns die Pioniere umgekehrt immer zu den mit am ungünstigsten gestellten Waffen gehören; indess hinsichtlich der Sterblichkeit stehen die Engineers auch in England mit 8,16 p. M. fast am höchsten.

Im Uebrigen enthält der Report wiederum die Einzelangaben für die Colonien in detaillirtester Weise.

Galbraith (23) berichtet in einer Correspondenz an die Lancet, über die erstaunliche Heilung der Amputationsstümpfe dreier Gefangener, denen auf Befehl Osman Digma die rechte Hand abgehauen war, und welche später befreit wurden. Ohne dass die Wunden behandelt waren (vielleicht deshalb? Ref.) zeigten sie vorzügliche Granulationsbildung und heilten mit kleiner Narbe. Die Operation war in der Weise an ihnen vollzogen, dass ein Strick um den Vorderarm sehr fest umgebunden wurde, und während einer an diesem Strick nach rückwärts, ein zweiter an der Hand nach vorwärts zog, machte ein dritter einen Cirkelschnitt in der Nähe des Handgelenks und halb ziehend, halb schneidend wurde die Hand vom Arm getrennt. Ehe der Strick gelöst wurde, tauchte man den Stumpf in einen Topf mit über Holzkohlenfeuer siedend gemachtem Talg so lange, bis man die Gefahr der Blutung beseitigt glaubte.

6. Italien.

Bei einer Durchschnitts-Kopfstärke der K. Italienischen Armee von 197843 Mann im J. 1883 (26) hatte folgende Krankenbewegung statt:

	im Lazareth	im Revier	in Summa	
	absolute Zahl	absolute Zahl	absolute Zahl	pCt. der Kopfstärke
Am 1. Januar 1883 waren im Bestand	3437	1047	4484	21
Es gingen zu	90646	86528	177174	864
Es wurden geheilt	94038	87575	181658	
Anderweitig gingen ab	8706	71071	158131	
Aus Revier in das Lazareth kamen		14815	14815	
Es starben	1827	16	2162	10.54
	Ausser ärztl. Behandl.	319		
Davon an Wunden und Verunglückung	15		66	
	Ausser ärztl. Behandl.	51		
An Selbstmord	6		71	0.35
	Ausser ärztl. Behandl.	65		
Behandlungstage	1975521	632704	2608225	
Mithin täglich krank				340
Bestand bleibt am 1. Januar 1884	4640	1665	6295	30

Unter den den Tod verursachenden Krankheiten stehen obenan Lungenleiden (excl. Lungenschwindsucht) mit 421 Todesfällen, Typhus mit 332, Masern und Scharlach mit 215, Tuberculose mit 135, Gehirn- und Rückenmarksleiden mit 57 und die Reihe der übrigen Krankheiten schwankend zwischen 48 u. 1 Fall.

Die italienische Armee verlor durch die Lungenschwindsucht (27)

im Jahre	durch Tod	durch Dienstuntauglichkeit	Summe	pCt. der Kopfstärke
1875	328	543	871	4,34
1876	244	454	698	3,67
1877	227	408	635	3,24
1878	259	312	571	2,93
1879	265	282	547	2,83
1880	297	238	535	2,77
1881	178	282	460	2,40

In den italienischen Lazarethen wurden an grösseren Operationen (28) im Jahre 1882 ausgeführt: 15 Amputationen (5 im Oberschenkel, 6 im Unterschenkel, 1 im Oberarm, 2 im Unterarm und eine Fingeramputation), alle geheilt; 18 Exarticulationen (8 ganze Finger, 10 Phalangen betreffend), alle geheilt; 5 Resectionen (darunter eine im Humerus, eine im Ellenbogen, eine in der Tibia), alle geheilt; ferner 2 Trepanationen des Processus mastoideus, geheilt; 42 Toracocentesen mit 30 vollkommenen Heilungen, so dass einige Leute von diesen sogar wieder in den Dienst treten, 4 behielten eine Fistel, 8 starben an Tuberculose; 51 Operationen der Fistula ani mit 50 Heilungen. — Diese Resultate sind ausgezeichnet.

7. Belgien.

In Belgien umfasst die Berichterstattung über die Krankenbewegung in der Armee (29)

5jährige Perioden. Der 2. Bericht (der 1. umfasst die Jahre 1870—74) liegt vor. Bei einer mittleren Präsenzstärke von 209946 Mann (d. i. pro Jahr rund 42000 Mann) gingen den Lazarethen zu 361,4 vom Tausend (85,1 weniger als in 1870—74), ins Revier kamen 1128,9 p. M. (396,6 weniger als in 1870—74).

Es starben in den Lazarethen 948 Mann = 5,30 p. M. des Effectivs, im Quartier 156 (33 durch Krankheit, 93 durch Unglücksfall, 30 durch Selbstmord), in der Heimath 482 = 2,3 vom Tausend der Iststärke.

Von den Krankheiten führen wir nur folgende an, indem wir in Klammer die absolute Zahl der Todesfälle jedesmal dazu setzen.

Es wurden behandelt an 1) venerischen Krankheiten 12,355 Mann = 178,6 p. M. der Kranken; ferner an Krankheiten 2) der Ernährungsorgane 11,245 Mann (45) = 157,7 p. M. der Kranken; 3) der Athmungsorgane 7,742 Mann (395!) = 111,7 p. M. der Kranken; 4) an Fiebern 5,051 (302) = 70,0 p. M. der Kranken; 5) Augenkrankheiten 4,853 Mann (0) = 73,0 p. M. der Kranken; 6) an Gelenkkrankheiten 4,036 (17) = 57,5 p. M. der Kranken; 7) an Krankheiten des Bindegewebes 2,934 Mann (9) = 39,6 p. M. der Kranken; 8) an Hautkrankheiten 2,694 Mann (0) = 38,6 p. M. der Kranken; Krankheiten des Nervensystems 1.166 (9) = 17,7 p. M. der Kranken; des lymphatischen Systems 1,159 Mann (4) = 17,1 p. M. der Kranken; Krankheiten der Muskeln 1,327 Mann (2) = 19,4 p. M. der Kranken; Krankheiten der Knochen 1,038 Mann (28) = 14,3 p. M. der Kranken u. s. w. Als dienstunbrauchbar schieden aus 1,549 = 7,3 der Kopfstärke.

8. Türkei.

Fenykovy (30), welcher sich verleiten liess, in türkische Dienste zu treten, entwirft eine entsetzliche Schilderung von der aller Beschreibung spottenden Corruption, Unwissenheit und Indolenz der türkischen Officiere, Militairärzte und Apotheker, sowie der daraus folgenden grauenhaften sanitären Zustände im türkischen Heere. — Schwarze.

9. Abyssinien.

Die Mehrzahl der abyssinischen Fusstruppen (31) und der Reiterei besteht aus vortrefflichen Schützen, die indess nicht gut bewaffnet sind. Ihr Verpflegungswesen ist das denkbar einfachste. Der Mann führt ein Säckchen mit Mehl bei sich, welches er auf der Schulter oder sonst nach Belieben trägt, dessen Vorrath auf mehrere Tage ausreicht. Auf irgend einem platten Stein wird das Mehl gemengt und mit etwas Wasser zu Teig gerührt. Ein möglichst runder Stein wird im Lagerfeuer heiss gemacht, um diesen der Teig geformt und so auf die glühende Asche gelegt und öfter gewendet. In kürzester Frist ist ein Brodkuchen fertig. Getrocknetes oder gelegentlich auch frisches Ochsenfleisch in Streifen geschnitten vervollständigt das Mahl. Das Fleisch wird mit rothem Pfeffer gewürzt, den unter je zehn einer in einem am Gürtel befestigten Horn trägt. Das Rauchen ist nicht gestattet und soll durch Lippenabschneiden schwer bestraft werden. Wohl aber sollen die Leute Tabak in der Art des Schnupftabaks mit sich führen, den sie indess wie Kautabak verwenden. Die Bekleidung besteht aus einem bis an die Kniee reichenden, um die Hüften mittelst des Patronentaschenriemens festgehaltenen Paar Hosen und einer Toga aus Baumwollenstoff. Ein Schwert wird an der rechten Seite getragen und mit der rechten Hand geschickt und schnell gezogen. Eine Büchse wird über den Rücken geworfen getragen, während die linke Hand den Schild, die rechte den Speer führt. Die Abyssinier sind tapfere Soldaten, halten aber in der Hitze nicht gut aus, weil Kopf und Füsse jeglichen Schutzes entbehren.

10. Dänemark.

[In den 11 Militärlazarethen des Königreichs Dänemark (31a) wurden im Jahre 1883 7,386 Kranke behandelt, von welchen 54 starben und 7,210 entlassen wurden; von diesen letzteren wurden 624 dienstuntauglich erklärt (199 nur temporär, 408 für immer und 17 als tauglich zum Dienst ohne Waffe); 122 blieben am Ende des Jahres in den Lazarethen zurück. Von der ganzen Zahl der Behandelten gehörten 780 der Marine (von denen 12 starben, 714 als geheilt und 32 als dienstuntauglich entlassen wurden), 6,606 dem Heere. Die durchschnittliche tägliche Krankenzahl in sämmtlichen Lazarethen betrug 347,21. Die Kranken (Entlassenen und Gestorbenen) litten an 7,688 Krankheitsfällen, davon 115 gastr. Fieber und 136 Typhoid, 6 Intermittens, 118 Darmcatarrh und Magendarmcatarrh, 102 Erysipelas, 493 Bronchialcatarrh, 411 croup. Pneumonie, 415 Halsentzündung, 186 acut. Gelenkrheumatismus, 16 Masern, 22 Scharlach, 15 Diphtherie, 108 Parotitis epidem., 199 Krätze, 347 Gonorrhoe, 82 vener. Geschwüre, 85 Syphilis. Von Pocken, Flecktyphus, Cholera und Ruhr wurde kein Fall angemeldet. Von Hospitalkrankheiten kamen nur 5 Fälle vor, und zwar Erysipelas, sämmtlich im Garnisonlazareth Kopenhagen, aber kein Fall von Pyämie oder Hospitalbrand. — Im Heere traten 39 Todesfälle ein, und zwar die Todesursache bei 10 Typhoid, 11 croup. Pneumonie, 3 tuberculöse Krankheiten, 3 Meningitis.

Joh. Möller (Kopenhagen).]

11. Schweden.

[Die Durchschnittstärke der Truppen in Finnland (31b) war 2,929 und die Anzahl der im Krankenhause Behandelten 1,134, von denen 9 starben. Die Anzahl der Krankentage war 17,412. Von den behandelten Krankheiten werden hervorgehoben: Acute Pneumonie mit 28 Fällen, Typhoid 41, Variolae 3, Varioloides 5, Alcoholismus 5, Syphilis 155, venerische Geschwüre 64, Urethritis 73, simulirte Krankheit 8. — Die neuen hölzernen Kasernen für 5 Bataillone, seit reichlich einem Jahre bewohnt, haben, obgleich noch nicht ganz vollendet, sich in sanitärer Beziehung als sehr zweckmässig erwiesen. Die Stuben sind hell und geräumig und haben eine Bodenfläche von 50 Quadratfuss und einen Luftcubus von 7—800 Cubikfuss pr. Mann, welche Luftmenge durch das Ventilationssystem jede Stunde erneuert werden kann. Als die schwächste Seite dieser Kasernen werden die Abtritte und Pissoirs angeführt; ausserdem fehlt es fast bei allen Kasernen an gutem und hinlänglichem Trinkwasser. — Um den Einfluss des Militärdienstes auf die Gesundheit und die körperliche Beschaffenheit des Soldaten zu ermitteln, hat 2 mal jährlich eine Wägung und Brustmessung stattgefunden; das Ergebniss der ersteren war, dass das Körpergewicht nach dem Verlaufe eines Jahres um 3—4 Skalpund (= ca. $1^1/_2$ kg) zugenommen hatte; die Resultate der Brustmessung waren dagegen so abweichend, dass sich aus denselben keine Folgerung ziehen liess. — .

Das Sanitätspersonal der Truppen bestand aus einem Oberarzte, 9 Bataillonsärzten, 9 älteren und 36 jüngeren Feldscheerern, 18 Feldscheererzöglingen, 9 Lazarethaufsehern und 45 Lazarethgehülfen. Die Verpflegung der Mannschaft war zum Frühstück Thee mit Zucker, zu Mittag Fleisch-, Kohl- oder Erbsenbrühe, auf $^1/_2$ Skalpund frischem Fleische pr. Mann gekocht nebst dem Fleische; zu Abend Hering und Kartoffeln oder Brei mit etwas Butter gekocht, wozu gutes weiches Roggenbrot und Dünnbier zu beliebiger Verfügung stand. Finnisches Badstubenbad wurde jedem Manne einmal wöchentlich gegeben; im Sommer tägliche Seebäder. — Die Zahl der Dienstuntauglichen nach dem Dienstantritte betrug im Jahre 1882 262 Mann. Von 19,423 Militärpflichtigen der 2. Altersklasse wurden 9,702 (49,24 pCt.) für tauglich zum Kriegsdienste, 6,370 (32,78 pCt.) für dienstuntauglich, 1,118 (5,80 pCt.) für augenblicklich unbrauchbar erklärt, und 2,233 (11,48 pCt.) waren abwesend. Die wichtigsten Gründe zur Dienstuntauglichkeitserklärung waren allgemeine Körperschwäche und fehlender Brustumfang. **Joh. Möller** (Kopenhagen).]

VIII. Marine-Sanitätswesen.

1) Dienstanweisung für Marine-Aerzte zur Beurtheilung der Dienstfähigkeit und zur Ausstellung von Attesten vom 10. April 1884. (Entspricht mit den für die Marine nöthigen Abänderungen den analogen für die Landarmee bestehenden Dienstvorschriften.) — 2) Die Marineordnung vom 4. Dec. 1883 ergänzt die Wehrordnung vom 28. Sept. 1875. (Die Anlage 1 zu § 6—8 enthält einige Abweichungen von den Anlagen 1—4 der Recrutirungsordnung, welche in der D. militärärztl. Zitschrift S. 144 erörtert sind.) — 3) Rang- und Quartierliste der kaiserl. deutschen Marine für das Jahr 1884. (Abgeschlossen am 1. Nov. 1883.) Auf Befehl Sr. Majestät des Kaisers und Königs redigirt von der kaiserlichen Admiralität. — 4) Instruction für die Schiffsverpflegungs-Commissionen an Bord in Dienst gestellter Schiffe vom 12. Dec. 1883. Beilage 1a zum Schiffsverpflegungs-Reglement, § 26a. — 5) Anleitung für Marine-Aerzte zur Beurtheilung einer gesundheitsgemässen Schiffsverpflegung. Berlin. — 6) Statistischer Sanitätsbericht für die kaiserlich deutsche Marine für das Rapportjahr 1881/82. — 7) The annual statistical report on the health of the navy for the year 1882, prepared by the Fleet.-Surgeon Lloyd. — 8) The navy estimates (soweit es das Marine-Sanitätswesen angeht). Lancet. 29. März. — 9) Reynolds, M. D., On the nature and treatment of sea-sickness. — 10) Wendt, Welche Unfälle, Krankheiten und Krankheitsdispositionen kommen bei Menschen vor, die andauernd bei Taucherarbeiten beschäftigt werden? Wie kann man dem möglichst vorbeugen? Marine-Verordnungsbl. Beiheft 51. — 11) Bugge, Ueber Hospitalschiffe. Ebend. Beiheft 56.

Die Instruction (4) für die Verpflegungscommissionen an Bord in Dienst gestellter Schiffe regelt die Zusammensetzung der Commission, welche aus einem den Vorsitz führenden Officier (dem Navigationsofficier, jedenfalls aber einem dienstälteren Officier als die anderen Mitglieder), dem Schiffsarzt und dem Zahlmeister besteht und schreibt die Thätigkeit der Commission, sowie die der einzelnen Mitglieder vor. Der Schiffsarzt hat u. A. besonders die Proviantvorräthe auf ihre Güte und Aufbewahrungsfähigkeit zu untersuchen, und auch event. ausserordentliche Maassnahmen bezüglich der Verpflegung im Interesse der Mannschaft zu beantragen.

In der „Anleitung u. s. w." (5) sind in § 1, der von der Zusammensetzung und Art der Nahrung handelt, kurz die heute gültigen Grundsätze entwickelt, nach denen man die Nahrungsmittel zur Nahrung vereinigt, auch ist der Gehalt der hauptsächlichsten Nährmittel an Eiweiss, Fett, Kohlehydraten in einer Tabelle beigegeben, die etwas reichhaltiger ist, als die analoge der Kriegssanitätsordnung. § 2 enthält dann die Grundsätze für die Wahl und Abwechselung der Nahrungsmittel.

Im Rapportjahr 1881/82 erkrankten von den Mannschaften der Kaiserlich Deutschen Marine (6) 1385,1 Mann vom Tausend der Kopfstärke von 10,181 Mann. Hiervon waren an Bord 5311 Mann, von denen 1394,3 Mann p. M. erkrankten, und 4870 Mann am Lande, von denen 1375,1 Mann p. M. als krank zugingen.

Unter Hinweglassung der Schonungskranken ergiebt sich für die Zahl der in der Heimath, am Lande, an Bord und in den verschiedenen Stationen Erkrankten folgende Uebersicht:

	bei einer Kopfstärke von Mann	gingen zu p. M. im Laz. u. Rev.	wurden geheilt	starben	wurden evacuirt
An Bord in der Heimath......	2156	988,1	729,1	0,5	261,1
Ostasien......	1186	941,8	864,2	1,7	51,4
Südsee	314	1461,8	1391,7	0,0	15,9
Westindien u. Amerika..	970	614,4	547,4	2,1	31,9
Mittelmeer...	685	1170,8	960,6	0,0	198,5
Am Lande.........	4870	955,0	882,1	3,6	20,5

Der Zugang an Bord hatte gegen das Vorjahr um 45,7 p. M. abgenommen, am Lande dagegen um 13,0 p. M. zugenommen.

Jeder Kranke wurde im Durchschnitt 13,9 Tage behandelt. Am Lande waren täglich 44,0, an Bord 46,5 p. M. krank.

Vom Tausend der Kopfstärke litten an: Allgemeinerkrankungen 128,7 (darunter: Infectionskrankheiten 93,6 p. M., Malaria 80,4 p. M., Abdominaltyphus 4,1 p. M.), Krankheiten der Athmungsorgane 74,2 p. M., der Ernährungsorgane 143,4 p. M., venerischen Krankheiten 145,8 p. M. (am höchsten in Ostasien, nämlich 237,8 p. M.), mechanischen Verletzungen 187,1 p. M. u. s. w.

Als dienstunbrauchbar gingen 13,4 p. M., als halbinvalide 1,1 p. M., als ganzinvalide 3,1 Mann vom Tausend der Stärke ab. — Es starben 50 (d. i. 4,9 p. M.) Mann, hiervon 37 durch Krankheit (Pneumonie und Pleuritis 9, Schwindsucht 7, Typhus 8), einer durch Selbstmord, 12 durch Unglücksfall.

Die Durchschnittsstärke der Flottenmannschaften in England belief sich im Jahre 1882 (7) auf 43,475 Mann. Vom Tausend dieser erkrankten 1148 (850 vom Tausend in der Heimath, 1538 vom Tausend in Indien) starben 9,49, wurden invalide 45,03, waren täglich krank 47,43 Mann (und zwar 34 26 p. M. an der amerikanischen Südostküste und 59,1 p. M. in den Stationen in China). — An Cholera kamen nur 5 Fälle mit 3 Todesfällen vor (davon 4 mit 2 Todesfällen in Hongkong). Wegen weiterer Einzelheiten siehe das Original.

Der Etat für das englische Marinesanitätswesen für 1884/85 enthält nach der Lancet (8) 66,450 Pfund St. für Lazarethe im In- und Auslande, 77,720 Pfund für Medicamente, Instrumente und Verbandmittel etc. Marinesanitätsofficiere 129,535 Pfund St. (es sind vorhanden: 1 Director-General, 2 inspectors-general, 9 deputy inspectors-general, 74 Flottensurgeons, 79 Stabs-surgeons und 169 surgeons, zusammen 330 Sanitätsofficiere für die gesammte Flotte). Für Marine-Lazarethe im Inlande werden 2450, im Auslande 650 Pfund gefordert. Für Marine-Baracken endlich 2500 Pfund St.

Reynolds (9) basirt die Theorie der Seekrankheit auf eine Störung der Coordination der Bewegungen und eine Störung verschiedener Centren in der Medulla oblongata, wie z. B. the vomiting centrum, Störungen, die an Bord durch die eigenthümlichen Eindrücke, die das Sensorium empfängt, hervorgerufen werden. Nun hängt aber die Coordination der Bewegungen hauptsächlich von der Thätigkeit der corpora quadrigemina ab, dem Kleinhirn, der Medulla oblongata und auch von den halbzirkelförmigen Kanälen, bezw. von den Druckschwankungen in den Ampullen derselben. Grade diese Druckschwankungen soll aber das rollende, stossende, stampfende Schiff hervorrufen. Durch Erfahrung erlernt das Individuum diese Druckschwankungen zu corrigiren. Haben nun Individuen durch Krankheit (Otorrhoe) Beschädigungen des inneren Ohres aqcirirt, so müssten sie im Grunde genommen von der Seekrankheit frei bleiben, und in der That wirft es ein helles Licht auf die Aetiologie der Seekrankheit, dass solche Personen ausnahmslos nicht seekrank werden. Verf. sah selbst 12 solcher Leute, die nach Ohrenfluss taub waren. Taubheit an sich schützt nicht vor der Seekrankheit, was im Einklang steht mit der Thatsache, dass die Bewegungen in den halbzirkelförmigen Kanälen (the afferent impulses nach Foster) keine Gehörsempfindungen hervorrufen.

Die erste Erscheinung der Seekrankheit ist nun vermehrte Speichelsecretion, die von der erregten Medulla durch Fortleitung durch die Chorda tympani entsteht. Atropin hemmt nun die Secretion, wirkt also auf das Centrum ein und in der That ist seine Verabreichung (stündlich ein Tropfen eines Liquor atropiae sulphatis) in der Seekrankheit sehr wirksam, wirksamer indess am Anfang als in dem zweiten Stadium, in dem man bisweilen Zucker im Urin — offenbar durch Erregung des Zuckerçentrums der Medulla — findet. In diesen Fällen sind kleinste Dosen Fowler'scher Lösung dreimal täglich sehr nützlich. In bereits länger dauernden Fällen ist Entleerung des Darms durch Klystiere und Atropin wie oben indicirt. Verf. warnt vor dem unmässigen Gebrauch des Brom, welches nur dann wirke, wenn es in Quantitäten genommen wird, die Bromismus hervorrufen. Letzterer Symptomencomplex sei aber sehr ernst aufzufassen.

Wendt (10) schildert den Taucherapparat nebst dem über dem Wasser stehenden Theil desselben „die Luftschleusse", in welcher der Arbeiter beim Beginn der Arbeit allmälig dem Druck der comprimirten Luft ausgesetzt und demselben beim Aufhören der Arbeit ebenso allmälig wieder entzogen wird. Die Schädlichkeiten für den Taucher werden nun hervorgerufen 1) durch den Einfluss des vermehrten oder verminderten Luftdrucks auf den Organismus; 2) durch Verunreinigung der Athemluft und langen Aufenthalt im Wasser; 3) durch Störung an den Apparaten.

Die Schädlichkeiten, welche entstehen können sind nun: Ohrenschmerzen und Ohrenblutungen mit acuter und auch dauernder Beeinflussung der Hörfähigkeit; vermehrtes Schwitzen im Arbeitsraum mit Erkältungsgefahr beim Verlassen desselben; Abmagerung; Nasen-, Rachen-, Lungenblutung; bei der Entschleusung lästiges Hautjucken; Muskelschmerzen am Ende der Arbeit, die bis zum völligen Versagen der Extremitäten führen können; Hirnreizungen von der leichtesten Form bis zum Schlagfluss, sowie Rückenmarksreizung durch Blutüberfüllung; Gelenk- und Muskelrheumatismus; Wechselfieber; Hautgeschwüre; Reizung der Augen; directe Unglücksfälle. — Um diesen Schädlichkeiten zu entgehen, werden als Vorsichtsmassregeln angegeben: Nie mit leerem Magen in den Luftkasten gehen; reichliche Fleischkost; Getränk: warmer Kaffee; beim Entschleusen warme Kleidung; nach der Arbeit ruhige Lage; so wenig Alcoholgenuss wie möglich, am besten keinen; wenigsten 8 Stunden Schlaf in der Nacht; genügende Darmentleerung; nur bei voller Gesundheit arbeiten und jede Störung dem Arzte melden. — Diese Punkte erläutert Verf. näher.

Bugge (11) theilt nach kurzer geschichtlicher Einleitung die Hospitalschiffe ein in 1) Stationshospitalschiffe; 2) Transporthospitalschiffe, a. für regelmässigen Verkehr (Colonieen), b. für aussergewöhnliche Verhältnisse (Krankenzerstreuung im Kriege); 3) Expeditionshospitalschiffe (Expeditionen begleitende); 4) Seeschlachthospitalschiffe, a. des Staates, b. der freiwilligen Hülfe.

In erschöpfender und anregender Weise bespricht B. die Grundsätze für die Einrichtung der Hospitalschiffe im Allgemeinen sowohl wie für die einzelnen obengenannten Arten und erleichtert das Verständniss durch Querschnittszeichnungen auch für den Laien. Wir müssen den, der sich für das Thema interessirt, auf die sehr gründliche Arbeit selbst verweisen, welche mit Bemerkungen über die Ausrüstung, Leitung, Personal und Verwaltung der Hospitalschiffe schliesst.

[Underdanigt betänkande med förslag angaende ordnande of flottans sanitetsväsende. Tidskrifti militär helsovard. Bd. 8. p. 33. (108 pp.)

Dieses von der Militair-Sanitätscommisson in Schweden abgegebene Gutachten über die Ordnung des Sanitätswesens der schwedischen Flotte besteht aus 5 Abschnitten.

Abschnitt 1. giebt eine geschichtliche Uebersicht über das Sanitätswesen der Flotte von Gustav I. (1535) bis auf die Gegenwart.

Abschnitt 2. bespricht die Gesundheits- und Krankenpflege auf den beiden Stationen der Flotte Carlskrona und Stockholm. Von den dortigen Kasernen und Krankenhäusern der Flotte wird eine von Zeichnungen begleitete Beschreibung geliefert. Bis auf eine einzige Ausnahme sind die Kasernen mangelhaft und ungenügend, und die Commission schlägt deshalb die Aufführung neuer und zweckmässiger Kasernen, sowie die Restauration der existirenden vor. Auch in den Krankenhäusern fehlt es an Platz, und werden Aenderungen vorgeschlagen. Demnächst bespricht die Commission die in Kriegs- und Epidemiefällen zu treffenden Massregeln, welche darauf ausgehen, schon in Friedenszeiten für Lazarethzwecke geeignete Gebäude zu bestimmen, damit die Benutzung derselben als Krankenhäuser so leicht und schnell wie möglich stattfinden könne. Ferner muss sich auf jeder Station eine bewegliche Krankenbaracke und ein Zelt für 25 Kranke vorfinden, theils um als Modell zu dienen, theils um nach Bedarf benutzt zu werden. Dagegen kann die Commission die Umbildung grösserer ausrangirter Kriegsschiffe zu stationären Krankenhäusern nicht empfehlen, weil des geringen Luftcubus wegen nur eine geringe Anzahl Kranker (70—80 in einem alten Linienschiffe, falls jeder Kranke 1000 Cubikfuss Luft haben soll) untergebracht werden kann, während für die Kosten, die die Umbildung des Schiffes mit sich führen würde, Baracken für eine grössere Krankenzahl (ca. 100) und mit grösserem Vortheil für die Krankenbehandlung gebaut werden können. Im Zusammenhange mit der Gesundheits- und Krankenpflege auf den Stationen bespricht die Commission einige administrative hygienische Bestimmungen, so z. B. die Anforderung an die Körperbeschaffenheit der auf der Flotte einzustellenden Leute. Diese Forderungen sollen die für die Landarmee gültigen sein, nur dass keine bestimmte Körpergrösse, wohl aber normale Sehschärfe und normaler Farbensinn gefordert werde; endlich ist die Flottenmannschaft, welche seit 10 Jahren nicht revaccinirt wurde, aufs Neue zu revacciniren.

Abschnitt 3. behandelt die Gesundheits- und Krankenpflege an Bord. Die Commission beschreibt zuerst die hygienische Beschaffenheit der Kriegsschiffe. Aus den Rapporten der Schiffsärzte geht hervor, dass die älteren Schiffe im Ganzen grössere Kränklichkeit als die neueren aufweisen; am besten war der Gesundheitszustand auf den Monitoren, welches sich gewiss theils aus ihren verhältnissmässig grösseren Geräumigkeit unter dem Verdecke, theils aus ihrem vollständigen Ventilationssysteme, wodurch zugleich die Feuchtigkeit an Bord grossentheils entfernt wird, erklären lässt. — Nach einer ausführlichen Besprechung der verschiedenen hygienischen Verhältnisse an Bord eines Schiffes und der Massregeln, die auf demselben zur Erhaltung der Gesundheit getroffen werden müssen, stellt die Commission folgende Vorschläge auf:

Auf allen grösseren Schiffen, die in Zukunft gebaut werden, ist ein vollständiges Ventilationssystem einzurichten; bestimmte Vorschriften für die Reinhaltung und Desinfection des Kielraumes werden erlassen; die Reinigung mit Wasser ist (um die Feuchtigkeit zu vermeiden) unter dem Verdecke zu beschränken; die Beschaffenheit des Trinkwassers wird genau controlirt; ein „Wasserprotokoll" über die von den Schiffsärzten angestellten Wasseruntersuchungen ist zu führen; alle für längere Expeditionen bestimmten Schiffe werden mit Destillationsapparaten und Eismaschinen versehen; auf den grösseren Dampfschiffen werden, wo möglich, warme Douchen für die Mannschaft eingerichtet; auf allen mit Aerzten versehenen Schiffen werden Krankenkajüten mit Raum für 2 pCt. der Besatzung mit einem Luftcubus von wenigstens 11 cbm für jeden Krankenplatz eingerichtet; auf Schiffen mit gedeckter Batterie ist die Krankencajüte dahin zu verlegen; die Apothekencajüte muss geräumig und auch zur Nachtzeit leicht zugänglich und mit Giftschrank und übriger passender Ausstattung versehen sein; Instructionen für Untersuchungen von Luft und Wasser sind zu erlassen, und sind die Schiffsärzte mit den nöthigen Apparaten auszurüsten; ein Reglement für Verwundetentransport auf den Schiffen der Flotte wurde ausgearbeitet (ein vollständiger Entwurf eines solchen Reglements ist dem Gutachten angeschlossen); schon in Friedenszeiten werden zum Krankentransport eingerichtete Schiffe hergestellt, und endlich wurde von den betreffenden medicinischen Behörden ein Gutachten über die Pläne zum Bau grösserer Kriegsschiffe rücksichtlich der sanitären und hygienischen Verhältnisse eingeholt.

Abschnitt 4. behandelt das Sanitätspersonal (Aerzte und Sanitätstruppen) der Flotte. Die Commission schlägt vor, dass dieses Personal mit dem des Heeres zu einem Sanitätscorps unter der Oberaufsicht des Generalfeldarztes vereinigt werde und dass unmittelbar unter diesem ein Oberstlieutenant im Sanitätscorps die besondere Aufsicht über die Gesundheits- und Krankenpflege der Flotte, sowie über das Sanitätsmaterial derselben führe; das ärztliche Corps der Flotte, das gegenwärtig aus einem Feldarzte, 2 Regimentsärzten, 6 ersten Bataillonsärzten und 15 Stipendiaten besteht, behält diese Formation aber mit veränderten Benennungen (Oberstlieutenant, Majore, Hauptleute, Lieutenants und Aspiranten; die letzteren zum Dienste auf den abcommandirten Schiffen und den Stationen, die ersteren nur auf diesen).

Abschnitt 5. bespricht das Sanitätsmaterial der Flotte, welches, nach dem Vorschlage der Commission, nach und nach durch ein anderes von derselben Beschaffenheit wie das des Heeres ersetzt werden soll. Es wird ein ausführliches Verzeichniss der Medicamente, Instrumente und Verbandsachen mitgetheilt, womit die verschiedenartigen Schiffe der Flotte nach dem Vorschlage ausgestattet werden sollen.

Joh. Möller (Kopenhagen).]

Thierkrankheiten

bearbeitet von

Prof. Dr. ELLENBERGER in Dresden und Prof. Dr. SCHÜTZ in Berlin.

Literatur.*)

I. Neu erschienene Werke.

1) Arloing, Cornevin et Thomas, Du charbon bactérien, Pathogénie et inoculations préventives. — 2) Aureggio, E., Recherches sur les affections farcino-morveuses du cheval et de l'homme. Histoire d'une épizootie de morve, completée par une étude sur la tuberculose du cheval et un mémoire sur les viandes de boucherie. — 3) Derselbe, Nouvelle ferrure a glace avec nouveau crampons à vis et à chevalles. — 4) Baranski, A., Handbuch sämmtlicher Veterinair-Gesetze und Verordnungen, die in Oesterreich-Ungarn und Bosnien gültig sind. Wien. — 5) Bericht über das Veterinairwesen im Königreich Sachsen für das Jahr 1883. Herausgegeben von der Kgl. Commission für das Veterinairwesen. 28. Jahrgang. Dresden. — 6) Bonnet, R., Kurzgefasste Anleitung zur microscopischen Untersuchung thierischer Gewebe für Anfänger in der histologischen Technik. Mit 2 Holzschnitten. München. — 7) Bouley, H., La nature vivante de la contagion, contagiosité de la tuberculose. — 8) Cruzel, J., Traité pratique des maladies de l'espèce bovine, II. Edition par le professeur F. Peuch. Avec figures intercalées dans le texte. Paris. — 9) Dammann, Jahresbericht der Kgl. Thierarzneischule zu Hannover. Herausgegeben von dem Lehrer-Collegium. 16. Bericht 1883/84. Hannover. — 10) Dejean, Traité théorique et pratique des actions rédhibitoires et en réduction de prix dans le commerce des animaux domestiques. — 11) Dégive, Manuel de maréchalerie. Bruxelles. — 12) Ellenberger, W., Handbuch der vergleichenden Histologie und Physiologie der Haussäugethiere. Erster Theil mit 204 Holzschn. Berlin. — 13) Derselbe, Lehrbuch der allgemeinen Therapie der Haussäugethiere. Unter Mitwirkung von Prof Dr. Schütz und Prof. Dr. Siedamgrotzky. Erster Theil. Berlin. — 14) Ellenberger u. Schütz, Jahresbericht über die Leistungen auf dem Gebiete der Veterinair-Medicin. 3. Jahrgang (1883). Berlin. — 15) Flesch, M., Ueber einen Parasiten in der Darmwand des Pferdes. Bern — 16) Galtier, Traité de jurisprudence commerciale et de médecine légale vétérinaire. — 17) Grebner, J. v. und S. v. Straub, Thierärztliches Recepttaschenbuch. 4 Aufl. Ulm. — 18) Goubaux, A. et G. Barrier, De l'extérieur du cheval. Avec 293 figures et 33 planches. Paris. — 19) Gutenäcker, Die Lehre vom Hufbeschlag mit Berücksichtigung der neuesten Fortschritte In Katechismusform. Stuttgart. — 20) Harms, Lehrbuch der thierärztlichen Geburtshülfe. 2. gänzlich umgearbeitete und bedeutend vermehrte Auflage. Hannover. — 21) Haubner, G. C., Landwirthschaftliche Thierheilkunde. 9. Aufl. Vollständig neu bearbeitet von Prof. Dr. Siedamgrotzky. Mit 97 Holzschnitten. Berlin. — 22) Hess, E, Bericht über die entschädigten Rausch- und Milzbrandfälle im Canton Bern während der Zeit vom 1. Juli 1882 bis 31. December 1883. Bern. — 23) Hoffmann, L, Taschenlexicon der Pferdekunde. Mit 441 Holzschnitten. Berlin. — 24) Jacobson, Die macroscopische und microscopische Fleischbeschau. Mit 47 Holzschnitten. Salzwedel. 1883. — 25) Jahresbericht der Kgl. technischen Deputation für das Veterinairwesen über die Verbreitung der ansteckenden Thierkrankheiten in Preussen. 8. Berichtsjahr 1883/84. Berlin. — 26) Johne, Ueber Athmung, Athmungsluft und Luftverderbniss. Berlin. — 27) Kinberg, J. G. H, Arsberättelse från Kongl Veterinair institutet i Stockholm för år 1883. Stockholm. — 28) Koch, A., Die Nematoden der Schaflunge. Wien. — 29) Derselbe, Encyclopädie der gesammten Thierheilkunde und Thierzucht mit Inbegriff aller einschlägigen Disciplinen und der speciellen Etymologie. Unter Mitwirkung vieler Fachautoritäten herausgegeben — mit zahlreichen Illustrationen. Wien. — 30) Leisering, T und C. Müller, Handbuch der Anatomie der Haussäugethiere. 6. Aufl. Mit 248 Holzschnitten. Berlin. 1885. — 31) Müller, F, Lehre vom Exterieur des Pferdes oder von der Beurtheilung des Pferdes nach seiner äusseren Form. 4. vermehrte und verbesserte Auflage. Mit Titelbild und 28 Holzschnitten. Wien. — 32) Peuch, F., Précis de police sanitaire ou exposé des mésures sanitaires applicables aux animaux en France et en Algérie. Paris. — 33) Plaut, H., Färbungsmethoden zum Nachweise der fäulnisserregenden und pathogenen Microorganismen. Leipzig. — 34) Derselbe, Ueber Desinfection der Viehställe. Leipzig. — 35) Richter-Zorn, Der Landwirth als Thierarzt. 2. Aufl. Mit 207 Holzschnitten. Berlin. 1883. — 36) S'Rijks Veeartsenijschool te Utrecht. Programma der lessen voor het schooljaar 1884/85. Utrecht. — 37) Roell, M. T., Veterinärbericht für das Jahr 1882. Wien. — 38) Roloff, F., Thierärztliche Gutachten,

---

*) Hinter den Journalen, Berichten etc, welche regelmässig erscheinen und über welche im Jahresberichte referirt wird, ist in Klammern die gebrauchte Abkürzung beigefügt.

Berichte und Protocolle. Berlin. — 39) Scuola R. superiore di medicina veterinaria di Milano, storia e ordinamento, programmi degl' insegnamenti, instituti scientifici. Milano. — 40) Schmidt-Mühlheim, A., Handbuch der Fleischkunde. Eine Beurtheilungslehre des Fleisches unserer Schlachtthiere mit besonderer Berücksichtigung auf die Gesundheitspflege des Menschen und die Sanitätspolizei. Mit 36 Holzschnitten. Leipzig. — 41) Schneidemühl, G., Lage der Eingeweide bei den Haussäugethieren nebst Anleitung zur Exenteration für anatomische und pathologisch-anatomische Zwecke. Hannover. — 42) Derselbe, Repetitorium der Muskellehre bei den Haussäugethieren. Hannover. — 43) v. Spohr, Oberstlieutenant, Die Bein- und Hufleiden der Pferde. Ihre Entstehung, Verhütung und arzneilose Heilung, nebst einem Anhange über arzneilose Heilung von Druckschäden und Wunden. 2. Auflage. Berlin. — 44) Vallin, E., Traité des desinfectants et de la desinfection. 797 pp. — 45) Verslag van den Koning van de (bed) bevindingen en handelingen van het veeartsenijkundig Staatstoezicht in het jaar 1883. 4. Te s' Gravenhage. — 46) Vogel, E., Die Massage. Ihre practische Verwerthung in der Veterinär-Medicin. Stuttgart. — 47) Vorträge für Thierärzte. 6. Serie, Heft 2—12. 7. Serie, Heft 1 u. 2. Leipzig. — 48) Wehenkel, J. M., Bulletin du comité consultatif pour les affaires rélatives aux épizooties et à la police sanitaire des animaux domestiques. Procès verbaux et rapports 1882/83. Bruxelles. — 49) Derselbe, Compte rendu du IV. congrès international de médicine vétérinaire. Bruxelles. — 50) Derselbe, Etat sanitaire des animaux domestiques dans le Brabant pendant l'année 1883 Bruxelles. — 51) Derselbe, Etat sanitaire des animaux domestiques dans le royaume de Belgique pendant l'année 1882. 4. Bruxelles. — 52) Derselbe, Résumé d'une enquête sur la propagation des affections charbonneuses en Belgique et mesures à prendre contre ces affections. Bruxelles. — 53) Weiskopf, Die 10 Gebote des Pferdebesitzers. — 54) Zürn, Die Lehre vom Hufbeschlag.

II. Thierärztliche Journale.

55) Archiv für wissenschaftliche und practische Thierheilkunde von F. Roloff und F. C. Müller und Schütz. 10. Band. (Berl. Arch.) — 56) Archives vétérinaires publiées à l'école d'Alfort. T. 9. Paris. (Alf. Arch.) — 57) Archiv für Veterinärwissenschaften. Herausgegeben vom Medicinaldepartement des Ministeriums des Innern, redigirt von Schmulewitsch. Petersburg. — 58) Annual Announcement of the New-York College of Veterinary Surgeons. College and Hospital Building. New-York. — 59) Annual Report of the Veterinary Department of the Privy Council Office for the year 1883. — 60) Bericht über das Veterinärwesen im Königreich Sachsen für das Jahr 1883. (Sächsischer Bericht.) — 61) Der Thierarzt, eine Monatsschrift. Herausgegeben von Anacker. 23. Jahrg. Wetzlar. (Thierarzt.) — 62) Deutsche Zeitschrift für Thiermedicin und vergleichende Pathologie. Red. von O. Bollinger und L. Frank. 10. Bd. 6 Hefte Leipzig. (Deutsche Zeitschr. f. Thiermed.) — 63) Giornale di anatomia, fisiologia e patologia degli animali domestici. 16. Jahrg. Pisa. — 64) Giornale di medicina veterinaria pratica della scuola veterinaria di Torino Jahrg. 31. — 65) Il medico veterinario. Giornale della scuola veterinaria di Torino Serie 6. Anno 1. (Il med. vet.) — 66) Journal de médecine vétérinaire et de zootechnie publié à l'école de Lyon. Jahrg. 35. (Lyon. Journ.) — 67) Jahresbericht der Königl. Central-Thierarzneischule in München. 1882—1883. Leipzig. (Münch. Jahresber.) — 68) Jahresbericht der Königl. Thierarzneischule zu Hannover. Herausg. von Dammann. 16. Ber. 1883/84. (Hannover. Jahresber.) — 69) La clinica veterinaria. Rivista di medicina e chirurgia degli animali domestici. Herausgeg. von N. Lanzilotti-Buonsanti. Jahrg. 7. Milano. 1884. (La clinica vet.) — 70) La veterinaria. Periodico men sile dedicato al progresso della medicina veterinaria e della zootechnia. Herausgeg. von Ercole Ardenghi (Parma) und Giacinto Fogliata (Pisa). (La veter.) Jahrg. 5. Casalmaggiore. — 71) The journal of comparative medicine and surgery. A quarterly journal of the anatomy, pathology and therapeutics of the lower animals. Voll. I—V. 1880—84. New-York. (American journ of comp. med. — Von dieser Zeitschrift, deren erster Jahrgang, von E. C. Spitzka angefangen, unter dem Titel: The archives of comp. med. and surg. erschienen ist, sind die Jahrgänge III und IV von W. A. Conklin und W. A. Porter und der Jahrg. V von Conklin und F. S. Billings herausgegeben.) — 72) L'écho vétér. — 73) Lungwitz, Der Hufschmied. Zeitschrift für das gesammte Hufbeschlagswesen. Dresden. — 74) Mittheilungen aus dem Kasaner Veterinärinstitut. Herausgegeben vom Kasaner Vet.-Instit., redigirt von Kirillow in Kasan. — 75) Monatsschr. des Vereins des Thierärzte in Oesterreich. Redig. von Bayer und Konhäuser. 7. Jahrg. Wien. (Oesterr. Monatsschr. des Vereins) — 76) Neues aus der Veterinär-Literatur (Novosti V. L.). Herausgegeben von E. Semmer und J. Petschkowski, redig. von A. Aleksejew in Petersburg. — 77) Oesterreichische Monatsschr. für Thierheilkunde. Red. von Alois Koch. 8. Jahrg. Wien. (Koch's Monatsschr.) — 78) Oesterreichische Vierteljahrsschrift für wissenschaftliche Veterinärkunde. Herausgegeben von den Mitgliedern des Wiener k. k. Thierarzneiinstituts. Red. von Müller u. Forster. Bd. 61 u. 62. Wien. (Oest. Vierteljahrsschr.) — 79) Oreste et Caparini, Bulletino veterinario. Napoli. — 80) La presse vétérinaire. 4. Jahrg. Red. von J. Biot, L. Garnier und H. Rossignol. — 81) Pütz, Centralblatt für Veterinärwissenschaften. Jena. — 82) Recueil de méd. vétérinaire. Publié sous la direction de H. Bouley. Vol. 61. Paris. (Recueil.) — 83) Revue vétérinaire, publiée à l'école vétérinaire de Toulouse. 9. Jahrg. Toulouse. (Revue vétér.) — 84) Revue für Thierheilkunde und Viehzucht. Herausg. von A. Koch. 7. Bd. Wien. (Koch's Revue.) — 85) Repertorium der Thierheilkunde. Begr. von Hering, fortgesetzt von Vogel. 45. Jahrg. Stuttgart. (Repertor.) — 87) Guillebeau, Zschokke u. Strebel, Schweizer Arch. f. Thierheilk. 7. Bd. — 88) The veterinary gazette, a monthly journal. Edited by Meyer, Hamill and Earl. New-York. — 89) The Veterinarian, a monthly journal of veterinary science. Edited by Simonds. London. — 90) The veterinary, journal and annals of comparative pathology. Herausgeg. von G. Fleming. Bd. 19. London. — 91) Thierärztliche Mittheilungen. Organ des Vereins Badischer Thierärzte. Redig. von Lydtin. 19. Jahrg. Carlsruhe. (Badische Mittheil.) — 92) Tidskrift for Veterinaerer. Redig. af H. Krabbe. Kjöbnhavn. — 93) The quarterly journal of veterinary science in India and army animal management. Ed. by Charles Steel. Bongalore. — 94) Tydschrift voor veeartsenijkunde en veeteelt. Uitgegeven door de Maatschappy ter bevordering der veeartsenijkunde in Nederland. Amsterdam. Bd. 13. Lief. 3 u. 4. Amsterdam. (Holl. Zeitschr.) — 95) Veterinärbote (Veterinari Westnik). Red. von E. Semmer und Gordejew. Charkow. — 96) Das Veterinärwesen (Veterinarkoje Diäto). Redig. u. herausgeg. von Aleksejew. — 97) Wehenkel, Etat sanitaire des animaux domestiques pendant l'année 1882 d'après les rapports officiels des médecins vétérinaires du Gouvernement du Belgique. — 98) Wirtz, A. W. H., Ryks veeartsenyschool te Utrecht. Programma der lessen voor het schooljaar 1884/85. — 99) Wochenschrift für Thierheilkunde und Viehzucht. Unter Mitwirkung bewährter Fachmänner. Herausgeg. von Th. Adam. 28. Jahrg. Augsburg. (Woch.)

I. Thierseuchen und ansteckende Krankheiten.

1. Allgemeines.

(S. auch „Parasiten im Allgemeinen".)

1) Annual report of the agricultural Department. Privy Concil Office for the year 1883. London. — 2) Chauveau, Atténuation de virus par la chaleur. Chronique. — 3) Bericht an die Academie des sciences. Recueil No. 9. — 4) Bouley, H., La nature vivante de la contagion. L'inoculation préventive de la rage. Recueil. p. 604. — 5) Law, Contagious diseases of animals in the U. S. Am. vet. rev. vol. VIII. p. 1. 67. — 6) Leblanc, Le rapport sur les maladies contagieuses observées en 1883 dans le département de la Seine. Bullet. de la soc. centrale. Séance du 10. avril. — 7) Dasselbe. Alfort-Archiv. p. 350. — 8) Leisering, Mittheilungen aus den Berichten der Bezirksthierärzte für das Jahr 1883. (Sächs. Bericht.) — 9) Mills, Cattle disease in the Madras presidence. The vet. journ. p. 251. 324. — 10) Pictet et Yung, De l'action du froid sur les microbes. Compt. rend. T. 98. p. 747. — 11) Stewart, Henry, Spontaneity of contagious diseases. Am. vet. rev. Vol. 7. p. 508. — 12) Strebel, Die ansteckenden Thierkrankheiten in der Schweiz. Schweiz. Arch. S. 199. — 13) Umlauf, Aphorismen aus der Praxis. Koch's Monatschr. S. 3. — 14) Die Verbreitung der ansteckenden Thierkrankheiten in Preussen während des Quartals Juli—September 1883. Berl. Arch. S. 149. — 15) Wehenkel, Etat sanitaire des animaux domestiques dans le Brabant pendant l'année 1883. Bruxelles. — 16) Verslag van de bevindingen en handelingen van het veeartsenykundig staatstoezicht in het jaar 1883. 's Gravenhage. 4. (Amtlicher Bericht über die Ergebnisse der thierärztlichen Staatsaufsicht in Holland im Jahre 1883.) Holl. Vet.-Bericht. — 17) Verzameling van wetten en besluiken betreffende het veeartsenykundig staatstoezicht in Nederland, vastgesteld tusschen 20. Juli 1870 en 6. September 1882, die op 1. Maart 1884 nog van Kracht zyn. (Sammlung von Gesetzen und Königl. Verordnungen hinsichtlich der thierärztlichen Staatsaufsicht und Polizei in Holland, welche vom 20. Juli 1870 bis incl. 6. September 1882 erlassen und am 1. März 1884 noch in Kraft sind. Herausgegeben vom Minister des Innern. Haag.) — 18) Zusammenstellung der in den Jahren 1881, 1882 u. 1883 aus den Amtskassen bezahlten Entschädigung für die auf polizeiliche Anordnung wegen Rotz und Lungenseuche (in Baden) getödteten, sowie für die an Milzbrand gefallenen Thiere. Bad. Mitth. S. 180. (Zum Auszug nicht geeignet, s. Original.) — 19) Report of the U. S. American Departement of agriculture on investigations of contagious diseases of domesticated animals during the year 1883—84. Washington. Amerikan. Vet.-Bericht. (Dieser ausführliche Veterinär-Bericht des landwirthschaftlichen Ministeriums der Vereinigten Staaten enthält, nebst einem Generalseuchenberichte und mehreren Abhandlungen über Thierseuchen, worüber die betreffenden Referate nachzusehen sind, viele summarische Localberichte aus den einzelnen Staaten und Territorien über deren Viehstand und Thierseuchen und ausserdem eine Uebersetzung von Mégnin's Abhandlung über die durch Syngamus trachealis verursachte Wurmseuche der Fasane. Drei dem Berichte beigegebene Tafeln bringen Ansichten von der dem Ministerium angehörigen, unter der Leitung D. E. Salmon's, Vorstand der Veterinär-Abtheilung, stehenden Veterinär-Versuchsstation zu Washington.)

Law (5) wünscht strenge Maassregeln zur Unterdrückung der Viehseuchen und besonders der Lungenseuche in Nord-Amerika.

Leblanc (7) theilt in seinem Seuchenberichte für das Seine-Departement mit, dass im Jahre 1883 182 Fälle von Hundswuth vorkamen.

Diese Thiere bissen 198 andere Hunde. Die Polizei fing 4094 herrenlose Hunde ein. Durch wuthkranke Hunde wurden 45 Menschen verletzt, von denen 6 an Rabies erkrankten.

Die Zahl der im Leben diagnosticirten Rotzfälle betrug 303; in den Pferdeschlächtereien constatirte man die Krankheit ausserdem noch bei 68 Thieren, die nur in den inneren Organen Veränderungen hatten. 75 verdächtige Pferde wurden nach einiger Zeit als gesund aus der polizeilichen Aufsicht entlassen.

Die Lungenseuche kam in 95 Ställen, welche 1346 Rinder enthielten, vor. Aber nur in 19 Fällen erstattete der Besitzer Anzeige an die Behörden; die anderen Seuchenherde wurden von den Schlachthausinspectoren entdeckt, und es unterliegt keinem Zweifel, dass manche Seuchenausbrüche gar nicht bekannt geworden sind. In 73 Ställen wurden 919 Stücke geimpft, von denen zwei an den Folgen der Inoculation zu Grunde gingen. Trotz der prophylactischen Impfung mussten 154 (gleich $^{1}/_{6}$) Thiere wegen fortgeschrittener Lungenerkrankung getödtet werden. In 23 Ställen mit 301 Insassen wurde nicht geimpft, weil kein zweiter Seuchenfall auftrat.

Die Maul- und Klauenseuche kam nicht selten vor, doch wurden die Anzeigen an die Behörden nur vier Mal gemacht.

In dem von Leblanc (6) erstatteten Bericht über die contagiösen Krankheiten im Seine-Departement wird eine Abnahme der Fälle von Tollwuth constatirt. Es waren im Jahre

	Wüthende Hunde	Gebissene Hunde	Gebissene Personen	Fälle v. Wuth b. Menschen.
1881	615	729	156	17
1882	276	294	67	11
1883	162	198	45	6

In Bezug auf die Lungenseuche resumirt L. seine Angaben dahin, dass die Seuche im Seine-Departement zugenommen hat, dass die obligatorische Impfung keine guten Resultate ergeben hat, und dass die Anwendung des Gesetzes ebenso wirksam sein würde, wenn die Impfung nur facultativ wäre.

Mills (9) macht statistische Angaben über das Vorkommen von Rinderpest, Milzbrand und Pocken und berichtet über die Massregeln zur Unterdrückung dieser Seuchen.

In Oesterreich betrug 1882 der durch ansteckende Krankheiten verursachte Verlust: 6923 Rinder, 976 Pferde, 1112 Schafe, 115 Ziegen, 3599 Schweine. Die Kosten für Seuchentilgung beliefen sich auf 296,834 Gulden.

Strebel (12) giebt eine Uebersicht über die Seuchenfälle des Vorjahres und fasst dieselben am Schluss in einigen Tabellen zusammen, wovon zwei derselben ein anschauliches Bild bezüglich der zeitlichen Vertheilung gewähren:

Seuchenfälle im Jahre 1883.

	Maul- und Klauenseuche		Lungenseuche.	Rotz.	Milzbrand.	Hundswuth.	Pferderäude.	Ziegenräude.
	Ställe.	Weiden.						
Januar	52	—	—	—	3	—	—	—
Februar	143	—	—	5	10	3	—	—
März	161	—	—	2	7	4	—	—
April	208	—	—	2	9	2	1	1
Mai	193	2	—	8	18	6	—	—
Juni	201	23	1	3	8	6	—	—
Juli	180	94	3	—	10	3	—	—
August	283	164	1	1	6	3	—	—
September ..	321	121	—	2	5	5	—	—
October	341	11	1	1	2	—	—	—
November ..	367	—	1	2	5	2	—	—
December ..	310	—	—	1	2	5	—	—
Sa.	2760	415	7	27	85	39	1	1

Seuchenfälle während der letzten 6 Jahre.

1878	375	1	3	64	63	33	—	—
1879	178	5	20	40	89	11	2	—
1880	543	9	37	39	103	1	1	—
1881	1882	457	20	26	78	8	1	—
1882	678	101	3	26	73	33	2	—
1883	2760	415	7	27	85	39	1	1

2. Rinderpest.

1) Archangelski, Pomcha (trockener Nebel) und Rinderpest. Veterinärbote. — 2) Feldmann, Ueber die Anwendung des Pasteur'schen Verfahrens der Schutzimpfungen gegen die Rinderpest. Moskau — 3) Kostitchew, Untersuchungen über die Rinderpest. Das Veterinärwesen. — 4) Kolesnikow, Spirillen bei der Rinderpest. Neuigkeiten aus der Veterinärmedicin. — 5) Mari, Ueber die 1882 im Kasanschen Gouvernement eingeführten Massregeln gegen die Rinderpest. Mittheilungen aus dem Kasaner Veterinär-Institut. — 6) Nesso, Erfahrungen über die Rinderpest während der Invasion im Jahre 1882 in Croatien. Oesterreichische Monatsschrift des Vereins. S. 3. — 7) Pütz, Zur Aetiologie der Rinderpest. Pütz' Centralblatt. S. 141. (Referat.) — 8) Derselbe, Rinderpestgesetz. Ebendas. S. 45. (Referat.) — 9) Saveljew, Culturen der Rinderpest-Microorganismen. Archiv für Veterinärmedicin. — 10) Serzalow, Rinderpest bei Schafen. Das Veterinärwesen. — 11) Derselbe, Zur Frage über die Incubationsperiode bei der Rinderpest. Ebendas. — 12) Wirtz, Die Rinderpest in Niederl Ostindien. (Aus Colonialberichten und Mittheilungen der Niederl. Regierung übersichtlich zusammengestellt.)

In Preussen ist im Jahre 1883/84 die Rinderpest in einem Gehöfte mit einem Bestande von 10 Stück Rindvieh aufgetreten. 6 Stück Rindvieh sind gefallen und 4 bereits erkrankte getödtet worden. Die Seuche blieb auf dies Gehöft beschränkt. Die Einschleppung konnte nicht aufgeklärt werden. Die Infectionswege blieben vollständig unbekannt. Im übrigen deutschen Reiche ist kein Fall von Rinderpest vorgekommen.

In Oesterreich beschränkte sich die Rinderpest 1882 auf 3 Ortschaften Galiziens, woselbst 8 Rinder erkrankten und 23 Rinder als verdächtig getödtet wurden. — 1883 kam sie in 3 Orten der Bukowina in 6 Höfen vor, woselbst 9 Rinder erkrankten und 14 Rinder und 6 Schafe als verdächtig erschlagen wurden.

Seit 1878 verhielt sich die Verbreitung der Rinderpest in Oesterreich wie folgt:

	Rinder	Schafe	Ziegen
1878 erkrankten an der Rinderpest	866	12	—
1879 " " " "	2600	—	7
1880 " " " "	125	—	—
1881 " " " "	879	3	2
1882 " " " "	8	—	—
1883 " " " "	9	—	—

Diese Abnahme der Rinderpest in Oesterreich dürfte seine Ursache in der 1882 erfolgten Grenzsperre gegen den Viehtransport aus Russland und Rumänien finden. Der Gesammtverlust an wegen Rinderpest getödtetem und gestorbenem Vieh betrug

1878 =	1984 Rinder,	140 Schafe,	2 Ziegen,
1879 =	4598 "	43 "	29 "
1880 =	279 "	2 "	2 "
1881 =	3952 "	56 "	96 "
1882 =	31 "	— "	— "
1883 =	23 "	6 "	— "

Hieraus ergiebt sich eine bedeutende Abnahme der Verluste seit Einführung der Grenzsperre gegen Russland und Rumänien.

In Serbien herrschte die Rinderpest 1882 nur geringgradig, im Herbst trat Stillstand ein und im Januar 1883 brach sie wieder nahe an der österreichischen Grenze aus.

In Bosnien herrschte die Rinderpest im Frühjahr 1882, verschwand im Sommer, brach im September wieder aus und schritt nach Montenegro hinüber. Sie erlosch im April 1883.

Rumänien ist sowohl 1882 als auch 1883 von der Rinderpest heimgesucht worden.

In Bulgarien kam die Seuche in den beiden genannten Jahren (1882 und 1883) vor und erlosch erst Ende 1883.

In der Türkei herrschte die Seuche in beiden Jahren hochgradig.

In Albanien und Griechenland soll nur 1882 die Rinderpest vorgekommen sein.

In Russland hat die Seuche 1882 und 1883 namentlich in Polen, Wolhynien, Kiew, Grodno, Podolien, Bessarabien, Cherson, Jekaterinoslow und Taurien geherrscht. Am schwarzen Meere kam sie ununterbrochen vor. Im Februar 1884 sind z B. in dem Bezirke Odessa 1800 Rinder der Rinderpest erlegen.

Kleinasien und Aegypten sind 1882, 1883 und 1884 von der Rinderpest heimgesucht worden.

3. Milzbrand.

1) Anacker, Zur Pathogenese des Milzbrandes. Thierzt. S. 73. Vortrag, gehalten im thierärztlichen Verein zu Düsseldorf. — 2) Arloing, Cornevin und Thomas, Zur Darstellung der Ursachen, welche die Empfänglichkeit gewisser Körpergegenden für das Gift des Rauschbrandes vermindern und welche eine an und für sich tödtliche Impfung in eine Schutzimpfung umgestalten. Compt. rend. No. 21. Boerner Wochenschrift. 1884. No 12. — 3) Baillet, C., Versuche über die prophylactischen Pasteur'schen Impfungen gegen Milzbrand. Revue vétér. p. 409, 467. — 4) Bertenson, Bericht der aus den Herren Kolesnikow, Lewitzki, Resnikow und Jakimowitch bestehenden Commission über die Resultate der Schutzimpfungen gegen den Milzbrand im Neu-Ladoga'schen Kreise. — 5) Blasekovic, Zur Präventiv-Inoculation Pasteur's. Koch's Monatsschrift. S. 17 — 6) Derselbe, Dasselbe. Oesterreichische Monatsschr. f. Thierheilkunde. No. 3. — 7) Brusasco, L., Carbon-

chio harteridiano e setticemia. Giornale di medicina veterinaria. Torino. No. 1. (Enthält nichts Neues.) — 8) Chamberland et Manssous, Charbon bactéridien. Passage de bactéridies charbonneuses dans le lait des animaux atteints du charbon. Ann de med. vétér. S. 62, und Zeitschr. f. Microsc. u. Fleischbeschau. S. 126. — 9) Chamberland et Roux, Dasselbe. Annal. belg. p. 62. — 10) Chauveau, De la préparation en grandes masses de cultures atténuées par le chauffage rapide pour l'inoculation préventive du sang de rate. Compt. rend. T. 98. p. 73. — 11) Derselbe, Dasselbe. Annal. belg. p. 380. — 12) Derselbe, Du chauffage des grandes cultures de bacilles du sang de rate. Compt. rend. T. 98. p. 126. — 13) Derselbe, De l'atténuation des cultures virulentes par l'oxygène comprimé. Compt. rend. T. 98. p. 1232. — 14) v. Chelchowsky, Zur Characteristik des Milzbrandvirus. Thierzt. S. 15. — 15) Cornil, La pustule maligne et le charbon. Recueil. p. 284. — 16) Delamotte, Enzootie de charbon bactérien sans tumeurs extérieures. Recueil. p. 96. — 17) Faccini, F., Una pagina di storia delle vaccinazioni carbonchiose nel circondario die Cologna Veneta. La Clinica Veter. No. 3. p. 119e. — 18) Falck, Der Milzbrand in Schleswig-Holstein. Berl. Archiv. S. 249. — 19) Feltz, De la durée de l'immunité vaccinale anticharbonneuse chez le lapin. Compt. rend. T. 99. S. 246. — 20) Frank, Ueber Milzbrandimpfungen bei Rindern. Münch. Jahresber. S. 156. — 22) von Froschauer, Ueber das Verhalten der Mäuse zum Impfmilzbrand bei Fütterung mit Hafer, Traubenzucker, Rohrzucker und fettreichen Futterstoffen. Oesterr. Viertelj. Bd. LXI. — 23) Garnier, L., Die Entdeckung der Milzbrandstäbchen. (Zuerst seien dieselben von Davaine im Jahre 1850 gesehen worden, — Bulletin de la Société de Biologie, — 1850. p. 142). Presse vétér. p. 333. — 24) Hess, E., Bericht über die entschädigten Rausch- und Milzbrandfälle im Kanton Bern während des Zeitraumes vom 1. Juli — 31. December 1883. Bern. — 25) Koch, Gaffky, Löffler, Experimentelle Studien über die künstliche Abschwächung der Milzbrandbacillen und Milzbrandinfection durch Fütterung. Börner's Wochenschrift. No. 12. — 26) Dieselben, Dasselbe. Mittheilungen des Gesundheitsamtes. II. S. 147. — 27) Lelièvre, Sang de rate, vaccination et traitement. Recueil. p. 160. — 28) Nocard, Ueber angebliche Zufälle bei der Schutzimpfung gegen Milzbrand. — Einschleppung des Milzbrandes mit Kunstdünger, welcher aus eingetrocknetem Blute bestand. — Uebertragung des Milzbrandes vermittelst Schafscheeren. Alfort. Archiv. p. 641. — 29) Osol, Das Anthraxvirus. Centralbl. f. die med. Wissenschaften. No. 23. — 30) Prazmowski, Ueber den genetischen Zusammenhang der Milzbrand- und Heubacterien. Biologisches Centralblatt. No. 13. — 31) Pütz, Milzbrandimpfung. (Pütz, Centralbl. S. 30. Refer.) — 32) Derselbe, Ueber die Milzbrandimpfungen Pasteur's. Leipzig. — 33) Poyser, Rich., Investigations and observations on anthrax and other diseases, made in March and April, in the district of Sialkote, Punjab, India. The vet. journ. p. 88, 177, 258. — 34) Rivolta, S., Cenni sulla vita libera in natura e sulla morte del micrococco del Bacterio carbuncolare. Giorn. di Anat, Fisiol. etc. Pisa. — 35) Roloff, Ueber die Milzbrandimpfung in Packisch. Berl. Archiv. S. 470. — 36) Schiwopiszew, Resultate der Schutzimpfungen gegen den Milzbrand im Pleskau'schen Gouvernement. Das Veterinärwesen. — 37) Sonin, Anthrax idiopathicus multiplex. Das Veterinärwesen. — 38) Wosnessenski, Schutzimpfungen an Pferden gegen Milzbrand in Schumla. Veterinärbote 1884. — 39) Derselbe, Influence de l'oxygène sous pression augmentée sur la culture du Bacillus anthracis. Compt. rend. 98 p. 314. — 40) Zenkowski, Ueber Milzbrandschutzimpfungen. Archiv f. Veterinärmedicin.

In Preussen ist der Milzbrand 1883—1884 in 214 Kreisen, 633 Ortschaften, 712 Gehöften bei 47 Pferden, 930 Stück Rindvieh, 314 Schafen und 4 Schweinen beobachtet worden. Die durch Milzbrand veranlassten Verluste waren denen des Vorjahres fast gleich. Wie in den Vorjahren sind auch die Rauschbrandfälle (Süderditmarschen und Tondern etc.) mitgezählt. Der Milzbrand trat meist in der apoplectischen, selten in der carbunculösen Form auf. — In den thierärztlichen Berichten werden 32 Menschen als an Milzbrand schwer erkrankt gemeldet. Davon starben 7.

In Baiern sind in der Zeit vom 1. October 1883 bis 1. October 1884 127 Rinder, 2 Pferde, 3 Schweine dem Milzbrand zum Opfer gefallen.

Im Jahre 1883 ist in Württemberg der Milzbrand in 25 Bezirken, 48 Orten, 62 Ställen, bei 75 Rindern zur Beobachtung gelangt. 193 Thiere wurden als verdächtig bezeichnet.

In Baden ist der Milzbrand im ersten Quartale 1884 in 10 Kreisen, 18 Amtsbezirken, 43 Gemeinden, 52 Gehöften bei 55 Rindern, von denen 52 starben und 3 getödtet wurden, beoachtet worden. (27 dieser Thiere litten an Rauschbrand), im 2. Quartale bei 63 Rindern, 2 Pferden in 62 Gehöften in 17 Kreisen; im 3. Quartale bei 38 Rindern, 2 Schafen in 39 Gehöften in 13 Kreisen, im 4. Quartale bei 51 Rindern, 2 Schafen in 48 Gehöften in 18 Kreisen.

In Sachsen ist der Milzbrand 1883 in 6 Amtshauptmannschaften, 34 Orten, 34 Gehöften vorgekommen. Der gefährdete Bestand betrug 498 Stück Rindvieh. Erkrankt sind 69 Stück, verendet 52. Vom Besitzer getödtet 14, genesen 3.

In Elsass-Lothringen ist der Milzbrand 1882 bis 1883 6 mal bei Pferden, 157 mal bei Rindern und 1883—84 10 mal bei Pferden und 80 mal bei Rindern constatirt worden. Die bei weitem grösste Anzahl der Fälle ist jedoch verheimlicht worden. Der Milzbrand richtet auf der Westseite der Vogesen grosse Verheerung an. Hier sterben im Durchschnitt jährlich ca. 250 und im Kreise Forbach (15 Dörfer im Seuchenbezirke) allein ca. 150 Rinder an Milzbrand. Auch viele Schafe gehen an dem Leiden zu Grunde. Bei Schweinen ist der Milzbrand selten vorgekommen.

In Hessen hat die Zahl der Milzbrandfälle zugenommen und beträgt bis zu 48 pro Jahr.

In der Schweiz sind 1882 bis 1883 295 und 1883 bis 1884 134 Milzbrandfälle unter dem Rindvieh constatirt worden.

In Kanton Bern (24) sind in 1½ Jahren (vom 1. Juli 1882 bis 31. December 1883) 1024 Fälle von Rausch- und Milzbrand amtlich constatirt worden, von diesen werden 105 als Milzbrandfälle gemeldet.

In Italien sind monatlich 100—150 Milzbrandfälle beim Rindvieh zur Anzeige gelangt.

In Ungarn kommt der Milzband bei Pferden recht selten vor.

In Russland richtet der Milzbrand (sibirische Seuche) grosse Verheerungen unter den Pferden an. In den Gouvernements Nowgorod, Petersburg und Esthland sind 1883 an Milzbrand gefallen: 484 Pferde, 446 Rinder, 299 Schafe. Es erkrankten in diesen 3 Gouvernements 130 Menschen an der Pustula maligna und starben davon 45.

In Holland kam im Jahre 1883 der Milzbrand in allen Provinzen vor; im Ganzen in 84 Gemeinden 164 Fälle, von denen 152 bei Rindern und 12 bei Pferden. Darunter gehören 35 Fälle in 21 Gemeinden der Provinz Limburg, 29 Fälle in 19 Gemeinden der Provinz Nord-Brabant, 31 Fälle in 8 Gemeinden der Provinz

Friesland, 16 Fälle in 8 Gemeinden der Provinz Süd-Holland und 53 Fälle in 28 Gemeinden den sieben übrigen Provinzen an.

In der Provinz Limburg haben die Erfolge der im Jahre 1882 ausgeführten Pasteur'schen Milzbrandimpfungen (cf. den vorigen Jahresber. S. 11) 33 Viehbesitzer in 2 Gemeinden veranlasst im Frühjahre und Sommer 1883 bei ihren sämmtlichen 82 Stück Rindvieh die Präventivimpfung anzuwenden. Bis zu Ende des Jahres waren diese geimpften Thiere alle von der Krankheit frei geblieben. (Holl. Vet.-Ber.)

In Brabant ist der Milzbrand nur in den Umgebungen von Grimbergen und Grin constatirt worden. Es sind dort 10 Rinder an Milzbrand gestorben. Bei Limburg sind Erkrankungen unter den Schweinen beobachtet worden, die mit dem Milzbrand Aehnlichkeit hatten.

Von Milzbrand sind 1883 in Belgien 222 Fälle festgestellt worden; 1882 sind 167 Thiere an Milzbrand gestorben.

Der Milzbrand wurde 1882 in Oesterreich constatirt: in 153 Bezirken. 563 Orten, 2140 Höfen bei 151 Pferden, 1587 Rindern, 77 Schafen, 29 Ziegen, 475 Schweinen. Der Gesammtverlust an gestorbenen und getödteten Thieren betrug 134 Pferde, 1436 Rinder, 77 Schafe, 29 Ziegen. 413 Schweine. Im Jahre 1883 kam der Milzbrand in allen Provinzen mit Ausnahme von Salzburg zur Constatirung und zwar in 164 Bezirken, 842 Orten und 1565 Höfen bei 252 Pferden, 1832 Rindern, 62 Schafen, 13 Ziegen, 582 Schweinen. Der gesammte Verlust an gestorbenen und getödteten Thieren betrug: 214 Pferde, 1717 Rinder, 62 Schafe, 13 Ziegen, 520 Schweine.

Chamberland und Roux (9) haben in der Milch milzbrandkranker Thiere Milzbrandbacillen nachgewiesen.

Chauveau (13) sagt, wie andere Agentien, welche einen bestimmten Einfluss auf die Entwickelung virulenter Fermente haben, müsse auch der Sauerstoff im Stande sein, die Infectionsfähigkeit solcher Organismen abzuschwächen, wenn man allmälig den Sauerstoffdruck erhöht, ohne jene Spannung zu erreichen, welche jedes Gedeihen der Organismen unmöglich macht. Er bezieht sich nun auf die unter seiner Leitung von Wosnessenski gemachten Experimente und bemerkt, dass das Ergebniss derselben der gehegten Voraussetzung nicht entsprochen hat. Er bestätigt ausdrücklich die Zuverlässigkeit der von W. beobachteten Thatsachen, kann aber trotzdem den Glauben an die Möglichkeit der Abschwächung der Virulenz durch O-Druck nicht aufgeben, da dies ein unabweisbarer Folgesatz aus den P. Bert'schen Demonstrationen ist. Er vermuthet, dass die für die Abschwächung günstige Sauerstoff-Spannung zwischen den von W. ermittelten Grenzen liegt und wegen der jedenfalls geringen Breite schwer zu ermitteln ist. Auch sei wohl das Meerschweinchen (W.'s Impfthier) zu diesem Zwecke schlecht geeignet. Ch. fand im Schafe ein passenderes Impfobject, und die Versuche, welche er unter denselben Verhältnissen vornahm, unter denen W. die seinigen gemacht hat, ergaben, dass eine geringe Vermehrung des Sauerstoffdruckes die Virulenz der Culturen sowohl für Schafe, wie für Meerschweinchen steigert. Eine stärkere Vermehrung erhöht die Virulenz nur für Meerschweinchen, setzt sie dagegen für Schafe etwas herab. Bei einem Drucke, welcher demjenigen sehr nahe liegt, welcher die Entwickelung in den Culturen aufhebt, erhielt er Sporen, welche Meerschweinchen noch sehr schnell tödteten, die aber dem Schafe ohne Schaden eingeimpft werden konnten. Alle geimpften Schafe zeigten aber Störungen im Allgemeinbefinden, alle bekamen eine Temperatursteigerung, die bis 42,5 ° ging; alle waren jedoch in wenigen Tagen wieder gesund. Die durch eine solche Impfung erlangte Immunität ist eine vollkommene, denn mit starkem Virus wieder geimpft, erkrankten die Versuchsthiere nicht nachweislich, während alle Controlthiere in 36 Stunden starben. Die so erlangte Abschwächung hat sich auf Culturen der zweiten Generation, die bei einer Temperatur von 36 und 37° unter normalem Druck gewonnen wurden, vollständig übertragen. Ch. erwähnt noch eine von ihm ermittelte Thatsache, welche in ihm einen Argwohn erweckt hat. Blut von Meerschweinchen, welche an Milzbrand gestorben sind, ist für Schafe gewöhnlich sehr virulent. Aber wenn das Blut von einem Meerschweinchen stammte, welches nach Einimpfung der erwähnten Cultur gestorben war, so schadete es den Schafen nicht. Die 8 so geimpften Schafe waren gleichzeitig immun. Ch. fügt noch hinzu, dass sich die Culturen, mit welchen er die vorstehend verzeichneten Resultate erzielte, ca. 4 Monate lang mit allen ihren Eigenschaften erhalten haben, dass sie also Schafe immun machten und Meerschweinchen in 36—40 Stunden tödteten. Er fand auch, dass die Culturen beim Rinde ebenso wirksam und noch unschädlicher waren, als beim Schafe.

Ch. hat auch andere Contagien durch comprimirten Sauerstoff abgeschwächt. Dies gelang ihm am besten beim Contagium des Schweinerothlaufs. Er knüpft an die mitgetheilten Thatsachen die Hoffnung, dass die Anwendung des comprimirten Sauerstoffs die allgemeine Abschwächungsmethode der Contagien in der Praxis abgeben werde. In Bezug auf den Rothlauf der Schweine verhält er sich noch reservirt, was aber den Milzbrand angeht, so hat er zu den Ergebnissen seiner Versuche grosses Vertrauen. Er hofft, dass seine ferneren Untersuchungen bald zur Ermittelung der Bedingungen führen werden, mit Hülfe deren er die Herstellung des so vorzüglich abgeschwächten Milzbrandvirus werde möglich machen können. Die durch seine Entdeckungen erworbenen Errungenschaften drückt er in folgenden Sätzen aus: 1. Die Immunität wird durch eine einzige Präventiv-Impfung vermittelt; 2. die Sicherheit der Impfung ist gross; 3. es ist möglich, die abgeschwächten Culturen noch lange nach ihrer Darstellung anwenden zu können.

Chauveau (12) bespricht zunächst den Grad der Erwärmung, welchem die Flüssigkeiten der grossen Culturen unterworfen werden müssen, um die Abschwächung zu vollenden. Man nimmt aus der Flasche, die man gut umgeschüttelt hat, eine bestimmte Quantität Flüssigkeit, welche man zu je 10 g in zehn Pasteur'sche Gläser von etwa 20 ccm Inhalt oder in ebenso viele Kölbchen vertheilt. Diese Theile dienen dazu, um den Einfluss der Erwärmung auf 80 °, 81 ° bis 89 °, 90 ° kennen zu lernen. Die Kölbchen etc. werden in ein Wasserbad oder in einen Brütofen gebracht und eine Stunde lang auf je einen der angeführten Temperaturgrade erwärmt, wodurch die Cultur, entsprechend dem Hitzegrade, mehr oder weniger abgeschwächt wird. Um den Grad der Abschwächung zu ermitteln, beschickt man kleine Kölbchen mit einem Tropfen Cultur, bringt sie in den Brütofen und ermittelt, welche von den Proben ihre Vermehrungsfähigkeit gänzlich eingebüsst hat. Auf diese Weise erfährt man, welche Temperaturen auszuschliessen sind. Für die Erhitzung des premier vaccin wählt man die Temperatur, die der am nächsten ist, welche die Vermehrung aufhebt und für die Erhitzung des deuxième vaccin eine Temperatur, welche 2 ° unter der ersteren steht. Mit diesen Impfflüssigkeiten erhält man die sicherste Wirkung bei den Präventivimpfungen. Die dadurch erlangte Immunität genügt nach Ch.'s Erfahrungen. Höchst wahrscheinlich wird die Dauer der erlangten Immunität gesteigert, wenn man zum Erhitzen der Flüssigkeiten Temperaturen von je 1 ° niedriger verwendet. Man setzt sich aber bei der grösseren Wirksamkeit der Impfflüssigkeit Verlusten aus, gegen welche nur Vorversuche bei einer beschränkten Anzahl von Thieren schützen können. Diese Proben sind für jeden speciellen Fall unerlässlich, weil sich in den Culturen nicht immer derselbe Grad der Abschwächung erzielen lässt, wenn auch letztere unter gleichen Bedingungen stattgefunden hat. Auch sind diese Unterschiede in der Abschwächung viel grösser als bei kleinen Culturen. Ch. hatte Culturen, deren Vermehrungsfähigkeit nach einer Erwärmung auf 88 ° noch nicht erloschen war, andere dagegen, die sie schon bei 86 ° verloren hatten. Im Allgemeinen fährt man am besten, wenn man den premier vaccin auf 84 ° und den deuxième auf 82 ° erhitzt. Zuweilen genügte die Erwärmung auf 80 ° für den premier vaccin und die auf 78 für den deuxième, selbst nicht erhitzte Culturen waren für letzteren geeignet. Dieser weite Spielraum wird sich sicher durch ein vollkommeneres Verfahren verringern, und man wird dann gleichmässigere Resultate erzielen. Die Art der Erhitzung ist von grosser Wichtigkeit, denn die verschiedenen Arten geben nicht immer dasselbe Resultat, besonders wenn grössere Mengen des Virus erwärmt werden. Am leichtesten ist Wasser auf einer bestimmten Temperatur zu erhalten; Ch. empfiehlt daher, verschlossene Gläser mit je 20 g der zu erhitzenden Flüssigkeit in das auf einen bestimmten Grad erwärmte Wasser zu stellen. Er schlägt zwei Verfahren für die Erwärmung im Wasserbade vor: 1. man wendet grosse Wassermengen an, welche auf die beabsichtigte Temperatur erwärmt sind; die Temperatur sinkt zwar etwas beim Eintauchen der Gläser, steigt aber bald wieder, wenn die Wassermasse gross genug ist; 2. wenn die Wassermasse gering ist, legt man die Röhren vor der Erwärmung in das Wasser und bringt die Temperatur desselben schnell auf die gewünschte Höhe. Die Erwärmung muss eine Stunde dauern und die Wirkung derselben wird begünstigt, wenn man die Gläser von Zeit zu Zeit schüttelt, ohne sie aus dem Wasserbade herauszunehmen oder ihren Wärmegrad zu verändern. Das erste Verfahren ist das bequemere, weil die Temperatur leichter constant zu erhalten ist. Die Dauer der Wirksamkeit abgeschwächter Culturen steht im umgekehrten Verhältniss zum Grade der Abschwächung. Dasselbe zeigt sich bei nicht erhitzten Culturen. Ist deren Virulenz noch eine sehr grosse, so hält sie sich fast ebenso gut wie in einem starken Virus, während eine weniger wirksame schon am Ende des zweiten Monats oft unschädlich geworden ist. Bei vollkommen abgeschwächten Culturen treten diese Thatsachen noch mehr hervor. Eine abgeschwächte Cultur, welche bei Hammeln und Meerschweinchen nicht mehr wirkte, hatte 24 Tage nach der Erhitzung die immun machende Wirksamkeit für diese Thiere verloren. Diese Thatsachen sind bei der practischen Verwendung grosser durch Erhitzen abgeschwächter Culturen zu beachten. Die Präventiv-Impfungen mit abgeschwächten grossen Culturen tödten eine Anzahl Thiere, wenn die Abschwächung nur gering ist. Sie haben nur unerhebliche Verluste zur Folge, wenn die Abschwächung bis zum gehörigen Grade stattgefunden hat. Ch. hat von den Ueberlebenden, trotz wiederholter Impfungen mit stark wirkendem Virus, nicht einen einzigen Verlust zu verzeichnen. Die doppelte Impfung mit grossen Culturen von der geringsten Wirksamkeit reicht schon aus eine zweifellose Immunität bei den geimpften Thieren herzustellen. Ob die Geimpften der spontanen Infection widerstehen werden, das muss die Erfahrung noch lehren.

Chauveau (10) giebt ein Verfahren an, mit dessen Anwendung man auf einmal in demselben Gefässe die Menge des abgeschwächten Milzbrandvirus bereiten kann, welche erforderlich ist, um bei 4000 bis 8000 Schafen die doppelte Präventiv-Impfung auszuführen. Die Operation zerfällt, wie bei Culturen in kleinen Kölbchen, in zwei Zeitabschnitte, wovon der erste zur Bereitung der abgeschwächten Aussaat erforderlich ist, während der zweite für die Entwickelung dieser Aussaat und für die Abschwächung der Sporen bestimmt ist, welche aus derselben entstehen. Man bringt einen Tropfen frisch inficirten Blutes von einem Meerschweinchen in ein Kölbchen, welches 20 g sterilisirter Bouillon enthält und 20 Stunden lang auf 43 ° erwärmt wird; dann bringt man während 3 Stunden die Temperatur auf 47—49 °, und die Aussaat ist abgeschwächt. Der zweite Theil der Arbeit wird, je nachdem man Impfmaterial für 4000 oder 8000 Schafe bereiten will, in Gefässen von 1—2 l Inhalt ausgeführt. Diese Gefässe bestehen aus Glas und sind mit 3 Röhren versehen. Sie werden zu $^{5}/_{6}$ mit sterilisirter Bouillon gefüllt. Die mittlere Röhre, welche sich nach unten verengt, geht bis auf den Boden des

Gefässes. Sie ist an ihrem oberen Ende mit einem Wattepfropf verschlossen und leitet die Luft in die Flüssigkeit. Die eine der seitlichen Röhren, welche dem Abzuge der Luft dient, ist gleichfalls mit einem Wattepfropf verschlossen und steht mit einem Saugapparate in Verbindung. Die dritte Röhre läuft spitz aus und ist zur Entleerung der Flasche bestimmt. Durch die letzte Röhre führt man die Aussaat ein, indem man an der zweiten saugt (1—3 Tropfen auf 10 g Culturflüssigkeit oder etwa 8 g der Aussaat auf 1600 g Culturflüssigkeit). Nachdem dies geschehen ist, wird die Röhre zugeschmolzen. Darauf wird das auf diese Weise beschickte Gefäss in einem Thermostaten auf 35—37° erwärmt. Sobald nun der Aspirator andauernd Luft durch das Gefäss saugt, tritt eine üppige Entwickelung der Cultur ein. Nach einer Woche ist die Entwickelung in der Regel beendet und haben sich viele Sporen gebildet, welche noch durch eine weitere Erwärmung abgeschwächt werden. Ch. erzielte die besten Resultate, wenn das Gefäss von einem Liter Inhalt mit Hühnerbouillon beschickt wurde, die aus einem Theil mageren Fleisches auf 4 bis 5 Theile Wasser hergestellt war. Der Aspirator muss in einem regelmässigen Strome 1—1,5 l Luft durch die Culturflüssigkeit leiten, und die Flasche muss Abends und Morgens vorsichtig geschüttelt werden. Je mehr man sich bei der Erwärmung einer Temperatur von 40,5° nähert, desto sicherer schwächt sich die Cultur bis zu dem gewünschten Grade ab, wenngleich man Gefahr läuft, dass sie sich schwächer entwickelt. Die gleiche Aussaat bei sonst gleichen Bedingungen wurde bei 40° viel stärker abgeschwächt als bei 35°, obgleich bemerkbare Verschiedenheiten in den morphologischen Eigenschaften der Bacillen oder Sporen nicht zu constatiren waren. Eine Temperatur von 40° empfiehlt sich am meisten. Beim Beginne der Entwickelung wird die Flüssigkeit durch flockige Massen getrübt. Einen graugelben Farbenton erhält die Cultur, wenn die Sporenbildung beginnt. Das Gefäss muss von Zeit zu Zeit geschüttelt werden, weil die Producte der Cultur zu Boden sinken. Bei der microscopischen Untersuchung findet man anfänglich nur abgetheilte oder lange Fäden, welche ein homogenes Protoplasma haben und zum Theil mit einander verschlungen sind. Später bilden sich Sporen. Bevor dies geschieht, zerfallen die Fäden in unregelmässig dicke und aufgequollene Abschnitte, die entweder einzeln oder in Massen zusammen liegen. Im letzteren Falle sind die Grenzen der einzelnen Elemente schwer zu erkennen. Es kommt vor, dass die in dem veränderten Protoplasma sich entwickelnden Sporen sehr klein sind, und dass sie zu unregelmässigen Haufen aneinander kleben, wobei ihre Gestalt sehr verändert wird. Eine Aenderung in den Grundeigenschaften des Virus wird zwar dadurch nicht bedingt; zur Abschwächung jedoch sind diese Sporen weniger geeignet, weil die Erwärmung keinen gleichmässigen Einfluss auf sie hat. Daher darf man solche Culturen nur mit Misstrauen zu Präventiv-Impfungen verwenden. Zwischen den grossen und kleinen Culturen wird eine erhebliche Verschiedenheit in der Wirksamkeit gefunden. Die grossen zeigen stets eine geringere Abschwächung. Die auf 80° erhitzte Flüssigkeit der kleinen Culturen ist bei Schafen unwirksam, dagegen führen die ebenso behandelten grossen Culturen bei den geimpften Schafen oft 17—50 pCt. Verluste herbei. Die reichliche Luftzufuhr steigert also die Abschwächung in den grossen Culturen nicht, sondern die Wirksamkeit der Sporen ist meistens noch so gross, dass man sie nicht, wie die der kleinen Culturen, ohne vorhergehende Erwärmung zur zweiten Präventivimpfung verwenden darf. Die kleinen Culturen verdienen daher bei den Präventivimpfungen den Vorzug.

Wosnessenski (39) hat bei seinen Experimenten die Culturen des Bac. anthr. in verschiedene Temperaturen und unter verschiedenen Luftdruck gebracht. Die Culturen wurden in gewöhnlichen kleinen Kölbchen gemacht, in welchen sich sterilisirte Hühnerbouillon in der Menge von 18—20 g oder 5—7 g befand. Diese Flüssigkeit wurde entweder mit dem Blute eben gestorbener Meerschweinchen oder mit Sporen einer wirksamen Cultur besät. Die Kölbchen wurden dann in einen Druckapparat eingeschlossen und mit diesem in einen Thermostaten gestellt. In die Kölbchen presste man Luft oder reinen Sauerstoff, bis man die gewünschte Spannung erhielt. Bei einer Temperatur von ungefähr 35° und einem Luftdrucke von 3, 5, 6, 10 und selbst 13 Atmosphären entwickelten sich alle Culturen gut, und die unter diesem Drucke 3, 6, 9 12 Tage lang gehaltenen Kölbchen zeigten sich stets trübe. In den Kölbchen mit dünner Flüssigkeitsschicht entwickelte sich bald eine grosse Menge freier Sporen, welche auf den Boden des Glases fielen. In den Kölbchen mit dicker Schicht blieb die Flüssigkeit gleichmässig trübe, in welcher septirte Fäden mit und ohne Sporen suspendirt waren. Die Zahl der freien Sporen war anfänglich eine geringe und nahm erst später zu, war aber selbst am Ende des 12. Tages viel geringer als in dem Kölbchen mit dünner Schicht nach dem 4. Tage. Alle Flüssigkeiten zeigten sich virulent, denn die mit ihnen geimpften Meerschweinchen starben in 36 Stunden. Nur die Flüssigkeiten in den Kölbchen mit dünner Schicht tödteten die Impflinge 5—8 Stunden früher. Mithin scheint Sauerstoff unter mässigem Drucke die Virulenz des Bac. anthr. zu erhöhen; aber bei einem Drucke über 13 und 15 Atmosphären tritt das Gegentheil ein. War die Besäung mit bacillenhaltigem Blut geschehen, so wurden die Bacillen bald ertödtet. Ausgesäte Sporen entwickelten sich nicht, gingen aber auch nicht zu Grunde. Hiervon überzeugt man sich, wenn man die Kölbchen wieder unter normalen Druck bei 35° brachte.

In einer zweiten Reihe von Versuchen wurde der erhöhte Druck gleichzeitig mit einer für die Entwicklung ungünstigen Temperatur von 42—43° in Anwendung gebracht. Es kamen nur mit frischem Milzbrandblut beschickte Culturen zur Verwendung, und es wurden Druckgrade fortgelassen, welche jegliche Entwicklung verhindern. Bei einem Drucke von 3 bis 6 Atmosphären trat stets Entwicklung ein, nur war sie etwas gehemmt. Dabei zeigten sich wiederum auffallende Unterschiede zwischen den Kölbchen mit dünnen und dicken Flüssigkeitsschichten. In den letzteren war die Flüssigkeit gleichmässig trübe, in den ersteren war sie klar und enthielt ziemlich grosse Flocken. Die Trübung war durch kurz gegliederte Fäden bedingt, die ein homogenes oder granulirtes Protoplasma hatten, die Flocken wurden durch lange, verflochtene und granulirte Fäden gebildet. Auch in Bezug auf die Virulenz bestanden grosse Verschiedenheiten zwischen den Culturen. Liess man die letzteren bis zu 12 Tagen in einem Thermostaten von 42—43° unter einem Drucke von 4—6 Atmosphären, so tödteten sie noch alte Meerschweinchen in 42—48 Stunden. Die Culturen in Kölbchen mit dünner Flüssigkeitsschicht dagegen verloren ihre Virulenz in 4—6 Tagen, sie tödteten nach dieser Zeit nicht einmal junge Meerschweinchen mehr. Indessen sind sie nicht abgestorben; brachte man sie in Bezug auf Temperatur und Druck wieder in Verhältnisse, die der Vermehrung günstig waren, so entwickelten sie sich und bildeten Sporen." An diesen in der Entwicklung gehemmten Culturen hat W. alle von Chauveau beschriebenen Eigenschaften, speciell die Abschwächung nachweisen können, sie verhielten sich wie Culturen, die unter normalem oder verringertem Druck gewachsen waren.

In einer dritten Reihe von Versuchen ist der Einfluss ermittelt worden, den der gesteigerte Druck auf die abschwächende Wirkung der schnellen Erwärmung hat. Es ist bekannt, dass Culturen, welche bei normalem Druck 20 Stunden lang in einer Temperatur von 42—43° gehalten worden, ihre Virulenz vollständig verlieren, wenn sie 3 Stunden lang auf 47 bis 48° erhitzt werden. Dieselbe Erhitzung bei einem Drucke von 20 Atmosphären schwächt die Culturen sehr unvollkommen ab, denn die Meerschweinchen, die mit ihnen geimpft wurden, starben ungefähr 56 Stunden nach der Impfung. Aus diesen Versuchen folgert W.: 1) P. Bert hat mit Recht den Sauerstoff bei sehr hoher Spannung als ein tödtliches Gift für das Protoplasma des Bac. anthr. angesehen. 2) Nichts destoweniger führt die allmälige Steigerung der Sauerstoffspannung nicht zum allmäligen Verluste der Lebensfähigkeit der Bacillen. Anfänglich und bevor der Sauerstoffdruck 3 Atmosphären erreicht, widerstehen die Bacillen besser als bei normalem Druck, jedenfalls viel besser als unter vermindertem Druck der abschwächenden Wirkung der Wärme. 3) Der Umstand, ob die Culturflüssigkeit bei erhöhtem Druck eine dünne oder dicke Schicht bildet, hat einen bemerkenswerthen Einfluss auf die Ergebnisse: die Cultur in Kölbchen mit dünner Schicht lässt stets den Einfluss erkennen, den andere beiläufige Bedingungen ausüben. So findet bei der für die Entwicklung günstigsten Temperatur von 35—38° ihre Entwicklung schneller und vollständiger statt und ist ihre Virulenz grösser als bei den Culturen, die sich in Kölbchen mit dicker Flüssigkeitsschicht befinden. Dasselbe hat Chauveau bei normalen Druckverhältnissen festgestellt. Dagegen sind die ersteren bei der bildungsungünstigen Temperatur von 42—43° mehr in ihrer Entwicklung gehemmt und werden in einem vollkommeneren Grade unschädlich.

Im Kaiserlichen Gesundheitsamte waren bereits früher Versuche, welche bezweckten, die Immunität gegen Milzbrand bei Mäusen, Meerschweinchen und Kaninchen durch Impfung mit dem nach Toussaint's Methode abgeschwächten Materiale zu erzielen, angestellt worden und hatten zu negativen Resultaten geführt. Koch, Gaffky und Löffler (26) haben nunmehr Experimente mit Milzbrandcontagium angestellt, das nach der Pasteur'schen Methode durch Züchtung bei 42—43° abgeschwächt wurde. Sie fanden, dass durch 30 tägige Züchtung das Contagium unwirksam wird, und dass durch die Pasteur'sche Methode eine allmälige Abschwächung der Virulenz erzielt werden kann. Von wesentlichstem Einflusse ist jedoch eine durchaus gleichmässige Temperatur. Auch geringe Temperaturdifferenzen sind schon von grossem Einflusse. Die Abschwächung wird nicht durch den Sauerstoff (Pasteur), sondern durch die Wirkung der Temperatur herbeigeführt. Die Experimentatoren bemühten sich auch, gleich Pasteur, 2 verschieden starke Impfstoffe (Vaccin I u. II) herzustellen, und liessen sich auch Pasteur'schen Impfstoff kommen. Sie impften einmal 5, einmal 6 Hammel, im ersteren Falle starben 2, im letzteren 1 Thier. Die Versuche ergaben, dass die geimpften Hammel gegen virulenten Impfmilzbrand immun werden.

Das Verhalten der geimpften und gegen Impfmilzbrand immunen Thiere gegen den natürlichen Milzbrand wurde durch eine Reihe von Versuchen festzustellen gesucht. Man fütterte Hammel mit Infectionsmaterial, das in Kartoffeln eingehüllt war. Sporenfreies Material erzeugte keine Erkrankung; die Bacillen gehen im Magen zu Grunde. Sporenhaltige Substanzen wirkten inficirend. Dasselbe erzeugte jedesmal eine die Impfkrankheit an Bösartigkeit übertreffende Infection. Diese war nicht, wie Pasteur annimmt, durch die (durch stachliges Futter) verletzte sondern durch die unverletzte Schleimhaut erfolgt. — Die Sporen widerstehen, wie Vorstehendes beweist, der Einwirkung des Magensaftes. — Auf vorgeimpfte und nach Pasteur immun gemachte Hammel wirkte das per os verabreichte sporenhaltige Material derart ein, dass von 5 Versuchshammeln 2 an Milzbrand erkrankten und starben. Es scheint aus den vorstehenden Mittheilungen hervorzugehen, dass die Methode der Milzbrandschutzimpfung noch der Verbesserung bedarf. Die Möglichkeit der künstlichen Immunisirung ist aber dargethan. Hieraus erwächst für den Landwirth die Hoffnung, dass es gelingen wird, practisch durchführbare und sichere Immunisirungsmethoden aufzufinden.

4. Rauschbrand.

1) Hink, Ueber die Impfung. des Rauschbrandes. Bad. Mitth. S. 139. (Ein Referat über die Experimental-Untersuchungen von Arloing, Cornevin u. Thomas; s. diese.) — 2) Zur Rauschbrandschutzimpfung. Referat in der deutschen Zeitschr. f. Thiermed. S. 68.

— 3) Die Tenacität des Rauschbrandcontagiums. Ref. Deutsche Zeitschr. f. Thiermed. S. 69. — 4) Strebel, Ergebnisse der im Jahre 1884 in der Schweiz ausgeführten Schutzimpfungen gegen Rauschbrand. Lyon. Journ. p. 625. — 5) Strebel, Zur Rauschbrandimpfung. Schweizer Archiv 84 S. 117. — 6) Ehlers, Untersuchungen über den Rauschbrandpilz. Inaug.-Diss. Rostock. — 7) Neelsen, Ueber das Bacterium des Rauschbrandes. Sitzungsber. der naturforsch. Gesellsch. zu Rostock vom 16. Januar.

In Belgien wurde das Milzbranderysipel 285 Mal constatirt.

In Holland wurde im Jahre 1883 aus mehreren Provinzen über einzelne Fälle von Rauschbrand berichtet. In der Provinz Süd-Holland kamen aber im Nachjahre sehr viele Fälle vor. (Weil diese Krankheit in Holland von fast allen Thierärzten, und zwar auch in polizeilicher Hinsicht, nicht mehr dem Milzbrande beigezählt wird und deshalb nur mehr ausnahmsweise zur gesetzlichen Anzeige kommt, haben die darauf bezüglichen Angaben der practicirenden Thierärzte in statistischer Hinsicht einen sehr untergeordneten Werth. Ref.) (Holl. Vet.-Bericht.)

Der Rauschbrand ist 1882 in Oesterreich in 16 Bezirken und 29 Höfen bei 695 Rindern, von denen 6 getödtet wurden und 689 starben, constatirt worden, kommt aber thatsächlich in viel grösserer Verbreitung vor. Dasselbe gilt auch für das Jahr 1883, in welchem nur 207 Erkrankungsfälle in 118 Höfen, in 47 Orten und 18 Bezirken notirt wurden.

Die statistischen Angaben über den Rauschbrand sind durchaus mangelhaft, weil in fast allen Ländern diese Krankheit noch dem Milzbrande subsumirt wird.

Ueber die Resultate seiner mit Ehlers (6) angestellten Untersuchungen über den sog. Rauschbrandbacillus äussert sich Neelsen (7) dahin, dass derselbe gar kein Bacillus, sondern ein Clostridium sei, welches sich durch unregelmässige Formen und keulenförmige oder citronenförmige Anschwellung bei der Sporenbildung auszeichne. Das Clostridium des Rauschbrandes vom Rind lässt sich zwar auf Meerschweinchen über- und fortimpfen und erzeugt eine ebenso schnell tödtende Krankheit, indess nimmt die characteristische Gasentwicklung in den entzündeten Geweben bis zum völligen Verschwinden ab. Bemerkenswerth ist bei N.'s Versuchen zweierlei:

1) Dass das Clostridium bei der Züchtung ausserhalb des Körpers keine Sporen mehr bildet, sondern schliesslich durch fortgesetzte Theilung nur noch runde Coccen-Gonidien bilden soll. Im Thierkörper sollen sich aus den Coccen Stäbchen bilden, welche wieder Sporen erzeugen.

2) Der Pilz soll eine ausserordentliche Accomodationsfähigkeit zeigen. Vom Thier aus nur auf geronnenes Serum verimpfbar, soll er von diesem leicht auf anderes Nährmaterial übertragen und auf diesem bei Zimmertemperatur fortgezüchtet werden können.

Entgegen Buchner's und Pasteur's Beobachtungen bei der Umzüchtung anderer Pilze hebt N. ausdrücklich hervor, dass das Rauschbrand-Clostridium bei keiner der Umzüchtungen auch nur die geringste Einbusse seiner Virulenz gezeigt habe. Bei Rückimpfung auf das Rind erzeugt es stets wieder den typischen Rauschbrand mit ungeschwächter Intensität.

5. Lungenseuche.

1) Abadie, B., Ueber Zufälle, welche auf die Impfung der Lungenseuche folgen und über die Differentialdiagnose zwischen dieser Krankheit und der einfachen Lungenentzündung. Revue vétér. p. 561. — 2) Cagny, l'inoculation préventive de la péripneumonie peut-elle faire naître cette maladie? Bullet. de la soc. centr. p. 421. — 3) Coulon et Olivier, Etude comparative de la pneumonie sporadique et de la péripneumonie des bêtes bovines. Bullet. et mémoires de la société centrale de médicine vétérinaire. — 4) Dégive, Communication relative à l'inoculation préventive de la pleuropneumonie contagieuse par injection intra-veineuse. Annal. belg. p. 1. — 5) Differentialdiagnose der Lungenseuche und Mittel, die Entwickelung und Verbreitung dieser Krankheit zu verhindern. Internat. thierärztl. Congress in Brüssel. Ref. Berl. Arch. S. 133. — 6) Himmelstoss, Microscopischer Befund in zwei Fällen von Lungenseuche. Bad. Wochenschr. S. 459. — 7) König, Zur Lungenseuche-Impfung. Sächs. Ber. S. 66. — 8) Prietsch, Dasselbe. Ebendas. S. 66. — 9) Pröger, Dasselbe. Ebendas. S. 66. — 10) Mc Lean: Annual report of the department of health of Brooklyn. Am. vet. rev. Vol. VIII. p. 155. — 11) Lwow, Zur Frage über die Microorganismen bei der Lungenseuche. (Aus dem therapeutischen Cabinet des Prof. Lange.) Mittheilungen aus dem Kasaner Vet.-Institut. — 12) Mollereau, Sur l'inoculation de la péripneumonie. Bull. de la soc. centr. p. 435. — 13) Oemler, Ueber die Impfung und Tilgung der Lungenseuche. Berl. Arch. S. 70. — 14) Porter, W. H. und J. Ayorigg Stegeman, Pathological changes in the peripneumonie or lung plague of cattle. American journ. of comp. med. Vol I. p. 14. (Anatomische Veränderungen der Lungen bei der Lungenseuche. Enthält nichts Bemerkenswerthes.) — 15) Pütz, Die Lungenseucheimpfung betreffend. Pütz, Centralbl. S. 91. — 16) Poels und Nolen, Die Micrococcen der Pneumonie des Menschen und der Lungenseuche der Rinder. Ctbl. f. d. med. Wissenschaften. No. 9. — 17) Roloff, Ueber Lungenseuche. Berl. Arch. S. 244. — 18) Santo, C., Rabbia in un cavallo. Il. med. vet. XXXI. p. 245. — 19) Verrier, Un fait de Pleuro-Pneumonie contagieuse survenu sur un veau à la suite d'une inoculation préventive. Bullet. p. 258.

In Preussen ist 1883/1884 die Zahl der Kreise, Ortschaften und Gehöfte, in denen die Lungenseuche vorgekommen, bedeutend grösser gewesen, als im vorhergegangenen Berichtsjahre; die Zahl der getödteten und gefallenen Thiere hat bedeutend zugenommen. Die Seuche wurde in 66 Kreisen, 171 Ortschaften, 281 Gehöften mit einem Viehbestand von 11,171 Thieren beobachtet. Es waren erkrankt 2750 und sind gefallen 81 Stück Rindvieh. Auf polizeiliche Anordnung wurden 2783 und auf Veranlassung der Besitzer 206 Thiere getödtet.

In Baiern ist vom 1. October 1883 bis 1. October 1884 die Lungenseuche bei 658 Rindern constatirt worden.

In Sachsen trat die Lungenseuche des Rindes 1883 auf in 30 Orten, 34 Gehöften. Der gefährdete Bestand betrug 667 Thiere. Erkrankt waren 159, der Seuche verdächtig 20, der Ansteckung verdächtig 488. Verendet sind 4, auf polizeiliche Anordnung getödtet 139 Stück Rindvieh.

In Baden wurde die Lungenseuche 1884 beobachtet im 1. Quartale bei 9, im 2. Quartale bei 6, im 3. Quartale bei 11, im 4. Quartale bei 2 Rindern.

In Württemberg ist die Lungenseuche 1883 in 22 Bezirken, 47 Orten, 64 Gehöften bei 69 Thieren constatirt worden. 173 Thiere waren verdächtig. Es sind 8 Thiere genesen, 15 gefallen, 55 auf polizeiliche

Anordnung getödtet und 163 Thiere wieder freigegeben worden.

In Elsass-Lothringen ist die Lungenseuche 1882/1883 nicht und 1883/1884 nur in einem Stalle vorgekommen. Der ganze Bestand des Stalles: 2 Ochsen, 7 Kühe, 1 Kalb wurde abgeschlachtet und damit die Seuche getilgt. In die grossen Schlachthäuser ist mehrfach lungenseuchekrankes Vieh von auswärts gelangt.

Im Grossherzogthum Hessen ist die Lungenseuche 1878 bei 26, 1879 bei 60, 1880 bei 69 Rindern constatirt worden.

In Grossbritannien betrug die Zahl der Lungenseuchefälle:

1876 = 5253,
1877 = 5330,
1878 = 4590,
1879 = 2144,
1880 = 2765,
1881 = 1875,
1882 = 1200.

Wie man aus dieser Zusammenstellung ersieht, hat die Zahl der Lungenseucheausbrüche in England seit Inkrafttreten des Seuchengesetzes von 1878 stetig abgenommen. Die Zahl der verseuchten Bestände betrug 1883 um 145 weniger als 1882. Es wurden 1883 auf polizeiliche Anordnung getödtet 897 (1882 = 1161) Stück Rindvieh.

Im Seine-Departement Frankreichs wurde die Lungenseuche 1882 in 93 und 1883 in 95 Stallungen beobachtet.

In der Schweiz sind 1882/1883 3 Fälle, 1883/1884 10 Fälle von Lungenseuche vorgekommen.

In Italien wurde 1883 die Lungenseuche 39 Mal in der Lombardei, 25 Mal in Pirmont, 1 Mal in Venetien, 40 Mal in der Emilia (bei Bologna), 2 Mal in Umbria und 1 Mal in Toskana angezeigt.

Die Lungenseuche hat auch 1882 in Belgien viele Opfer gefordert. Es wurden auf polizeiliche Anordnung hin getödtet 1385 und ohne solche 396 Stück Rindvieh. Im Jahre 1883 gelangte die Seuche bei 1187 Thieren zur Beobachtung. Die Verlustlisten gestalteten sich in den letzten Jahren wie folgt.

1878 = 2800,
1879 = 2030,
1880 = 1781,
1881 = 1676,
1882 = 1781,
1883 = 1187 Stück Rindvieh.

In Brabant wurde die Lungenseuche im 1. Quartale 1883 bei 83, im 2. Quartale bei 78, im 3. Quartale 58, im 4. Quartale 66 Rindern festgestellt.

Die Lungenseuche ist in Oesterreich 1882 in Nieder- und Ober-Oesterreich, Böhmen, Mähren, Schlesien und Galizien vorgekommen; dagegen blieben Steiermark, Kärnthen, Krain, das Küstenland, Dalmatien, die Bukowina, Salzburg und Tirol-Vorarlberg frei von der Seuche. Im Ganzen wurde die Seuche in 96 Bezirken, 303 Orten, 449 Höfen bei 2174 Rindern constatirt. Von diesen starben 237 und wurden getödtet 1060. Ausserdem wurden noch 1909 verdächtige Thiere getödtet, so dass der Gesammtverlust 3206 Thiere betrug.

Im folgenden Jahre (1883) kam die Krankheit wieder in denselben Provinzen vor und zwar in 93 Bezirken, 224 Orten, 356 Höfen bei 1473 Rindern. Es starben 121 und wurden getödtet 901. Als verdächtig tödtete man 2018 Stück. Demnach betrug der Gesammtverlust 3040 Stück Rindvieh.

In Nord-Amerika hat sich die Lungenseuche, nachdem sie 1848 nach dort eingeschleppt wurde, enorm verbreitet.

In den Vereinigten Staaten von Nord-Amerika ist im Jahre 1883 die Lungenseuche vorgekommen in den Staaten Connecticut, New-York, New-Yersey, Pensylvanien, Maryland und im Columbia-District; wahrscheinlich auch in Virginien. Es gehörten damals also zum Seuchengebiete besonders die östlichen Mittel- oder Mittel-Atlantischen Staaten. Die im Berichte enthaltenen Mittheilungen beweisen vollgültig, dass die Ausbreitung der Krankheit und die von ihr herrührenden Verluste nur sehr lückenhaft zur Kenntniss der Behörden gelangten und es folglich an zuverlässigen statistischen Angaben mangeln muss. In einem kleinen in der südöstlichen Ecke gelegenen Theile Pensylvaniens herrschte die Krankheit schon im Monat März 1879; von dorther wurde sie, besonders aus Philadelphia und aus dem nahe liegenden Baltimore (Maryland), nach anderen Orten und Staaten verschleppt. In den betreffenden Staaten ist die Seuche nicht gehörig bekämpft worden, besonders weil es durchaus an einheitlichem Vorschreiten fehlte. Es wird deshalb im Berichte eindringlich befürwortet, die Massregeln zur Ausrottung der Seuche sollen nicht mehr von den Einzelstaaten, sondern von der Generalregierung angeordnet und durchgeführt werden. (Amerikanischer Vet.-Bericht.)

Holland. Der abgesperrte Theil des Spülichtdistrictes in der Provinz Süd-Holland (cfr. den Jahresbericht für 1883, S. 29) erfuhr im Laufe des Jahres 1883 zweimal eine bedeutende Einschränkung, und bestand (anstatt aus 4 ganzen und 3 theilweise einbegriffenen Gemeinden im vorigen Jahre) von Februar an nur noch aus den Gemeinden Schiedam und Delfshaven und Theilen der Gemeinden Kethel und Overschie, mit einem unbedeutenden Winkel des Aussentheiles der Stadt Rotterdam. Im Jahre 1883 wurden in den zum Schlachten von krankem und verdächtigem Vieh bestimmten Schlachthäusern lungenseuchekrank befunden:

in Schiedam	77 Rinder	von 26	Besitzern,
in Delfshaven	15 „	„ 6	„
in Overschie	35 „	„ 13	„
in Kethel	26 „	„ 8	„
im ganzen abgesperrten Theile	153 Rinder	von 53	Besitzern.

(Im Jahre 1882 wurde die Krankheit bei 184 Stück vorgefunden, welche 55 Besitzern gehörten.) Die obligatorische Impfung wurde ausgeführt an 14563 Thieren, von denen 168 Stück oder 1,15 pCt. den Folgen der Operation erlagen. Mit der schon im Jahre 1882 angefangenen Tödtung von Viehbeständen, welche, trotz der allgemeinen Impfung, vorgekommener Krankheitsfälle halber für verseucht gehalten, wurde im Jahre 1883 fortgefahren, und demgemäss wurden 755 Stück von 25 Besitzern als der Ansteckung verdächtig gegen Entschädigung des vollen Werthes getödtet. Auch in diesem Jahre ergingen Petitionen von landwirthschaftlichen Vereinen und von Handelskammern an die Regierung, es solle im abgesperrten Theile des Spülichtdistrictes, mit Aufhebung des speciellen Vorgehens gegen die Lungenseuche mittelst der Zwangsimpfung, das Tilgungsverfahren durch Tödtung aller kranken und verdächtigen Thiere allgemein und mit grösster Strenge durchgeführt werden. In einem im Holländ. Veterinär-Berichte enthaltenen speciellen Berichte des Districtsthierarztes J. F. Lamóris, der seit Februar 1884 mit der Aufsicht in der Gegend des Spülichtdistrictes beauftragt ist, nachdem er während $5\frac{1}{2}$ J. mit drei anderen Thierärzten die Zwangsimpfung ausgeführt hatte, wird der Impfung als Mittel zur Einschränkung der Seuche grosses Lob gespendet. Zu deren Ausrottung sei aber seiner Meinung nach die Zwangsimpfung als ausreichend nicht mehr zu erachten, nachdem der Versuch im Spülichtdistricte damit nicht gelungen ist. Dass diese Folgerung nicht für einwurfsfrei zu halten sei, geht schon aus der eigenen nachträglichen Mittheilung des genannten Districtsthierarztes hervor, wonach die im Herbste 1878 angefangene Zwangsimpfung im Nachjahre 1880, im Jahre 1881, im Nachjahre 1882 und im Früh- und Nachjahre 1883 jedesmal, besonders des Mangels an Impfstoff wegen, an vielen Thieren gar nicht oder zu spät ausgeführt wurde.

Ausserhalb des abgesperrten kleinen Theiles des Spülichtdistrictes kamen während des Jahres 1883 im ganzen Lande nur 18 Fälle von Lungenseuche in sechs Gemeinden vor, und zwar 9 Fälle in 2 Gemeinden, die an der Grenze des abgesperrten Theiles liegen und noch vor kurzer Zeit unter eben dieser Sperre standen. Von den übrigen 9 Fällen wurden 7 auf 3 Gehöften in 2 Gemeinden der Provinz Süd-Holland und je ein Fall in den Provinzen Nord-Holland und Friesland vorgefunden. Es wurden neben diesen 18 kranken Thieren 261 der Ansteckung verdächtige getödtet.

Die Gesammtzahl der im ganzen Lande behufs der Tödtung (Abschlachtung von Staatswegen) expropriirten Rinder beläuft sich auf 6 kranke, zum gesammten halben Werthe von 674 Gulden abgeschätzte, und 986 der Ansteckung verdächtige, zu einem gesammten vollen Werthe von 243,072 Gulden (durchschnittlich fl 246,52 pro Stück). Die übrigen kranken und verdächtigen Thiere wurden von den Besitzern geschlachtet. Der Verkauf des Fleisches und der Häute hat fl 141,272,60 ergeben. Die Expropriation behufs der Abschlachtung hat also im Ganzen einen Aufwand von fl 101,799,40 erfordert. (Holl. Vet.-Bericht.)

Die Zunahme der Lungenseuche in Preussen veranlasst Müller (preuss Seuchenbericht S. 95) über die Quellen der Lungenseuche einige Mittheilungen zu machen. Die Lungenseuche ist in 79 der verseuchten Gehöfte in Folge Einführung von kranken, inficirten oder scheinbar durchseuchten Thieren zum Ausbruche gelangt. Die Verhältnisse des Viehhandels geben, wie aus allen Berichten ersichtlich ist, den wesentlichsten Anlass zu Ausbrüchen und zur Verbreitung der Lungenseuche. Als eine in dieser Richtung ganz besonders gefährliche Bezugsquelle wird die Einführung von Zugochsen aus Baiern bezeichnet. Im Berichtsjahre ist sie in 24 Ortschaften durch Vieheinführung aus Baiern zum Ausbruche gelangt und namentlich in Orte und Provinzen eingeschleppt worden, in denen die Lungenseuche selten, resp. seit längerer Zeit gar nicht aufgetreten ist.

An Entschädigung sind bei Bekämpfung der Lungenseuche 532,003 Mark 50 Pf. gezahlt worden.

Oemler (13) behandelt die Frage der Impfung und Tilgung der Lungenseuche und bringt in seinem sehr beachtenswerthen Artikel ein so reiches casuistisches Material bei, dass dasselbe im kurzen Auszuge nicht mitgetheilt werden kann und auf das Original verwiesen werden muss. Oe. bespricht zuerst die Impfungsfrage und schildert a) eine Reihe von practischen Beobachtungen und b) die in dieser Richtung gemachten Versuche, und bespricht das Für und Wider in der eingehendsten Weise. Oe. glaubt ad a den Beweis geliefert zu haben, dass aus den gewöhnlichen klinischen Beobachtungen ein sicheres Urtheil über den Werth oder Unwerth der Lungenseucheimpfung nicht gewonnen werden kann. Die Entscheidung der Impffrage würden sogar nicht einmal solche Fälle aus der Praxis gestatten, in welchen vom Anfange bis zum Ende der Seuche jedes einzelne Thier einer wiederholten und sorgfältigen Untersuchung unterzogen und schliesslich der ganze Viehbestand abgeschlachtet werden könnte. Denn es würde, ganz abgesehen davon, dass die in Folge der Impfung nicht selten eintretende Erhöhung der Körpertemperatur Veranlassung zu falschen Schlüssen geben kann, bei der ausserordentlichen Verschiedenheit der Dauer des chronischen Stadiums und des Verlaufes der Lungenseuche und bei der mangelhaften Kenntniss über das Alter der eigenartigen Krankheitsproducte immer noch zweifelhaft bleiben, ob die gesund gebliebenen Thiere die Krankheit unbemerkt überstanden haben oder hiervon ganz verschont geblieben sind und ob die constatirten Erkrankungen erst nachdem die Impfung ihre Wirkung geäussert oder bereits vorher eingetreten sind. Am allerwenigsten berechtigen die seither bei uns gemachten Beobachtungen zu einem entscheidenden Urtheile über die Impfungsfrage, weil dieselben sammt und sonders nicht diejenigen Verhältnisse (Gesammtzahl des Viehbestandes beim Seuchenausbruche, Zahl der offenbaren Erkrankungen vor und nach der Impfung; Datum der Einschleppung, des Seuchenausbruchs und der Vornahme der Impfung, der Feststellung jedes Erkrankungsfalles und der Entfernung der Erkrankten aus dem Stalle; Angabe über die Art der Aufstellung des Viehes und darüber, ob und wann die Impflinge schon früher die Seuche überstanden haben oder nur einer Ansteckungsgefahr exponirt gewesen oder geimpft worden sind) genau erkennen lassen, welche zur Beurtheilung jener Fragen unerlässlich sind. Dasselbe gilt auch von den in Belgien, Holland, Frankreich, Italien etc. gemachten Beobachtungen. Aus allen Ländern liegen widersprechende Berichte vor. Probate Beweise für die Schutzkraft der Lungenseucheimpfung sind von keiner Seite beigebracht worden. Ad b) bemerkt Oe., nachdem er die vorliegenden Impfversuche geschildert hat, dass auch durch diese der Beweis noch nicht geliefert worden ist, dass man Rindern Immunität gegen die Lungenseuche durch Einimpfung des Virus dieser Krankheit verleihen kann. Nach Oe. ist durch die Versuche die Frage noch nicht mit positiver Sicherheit entschieden, ob alle geimpften und nicht erkrankten Versuchsthiere thatsächlich von der Lungenseuche verschont geblieben sind und ob dies in Folge der Impfung geschehen ist. Die geimpften und scheinbar gesund gebliebenen Rinder sind nicht alle geschlachtet und obducirt, andere sind nicht zur richtigen Zeit abgeschlachtet worden. Aus den Impfversuchen ist auch nicht zu ersehen, ob alle geimpften Thiere ausreichend einer Infection ausgesetzt waren, wie lange die geimpften Thiere nach der Einwirkung des Lungenseuchegiftes beobachtet, ob sie in gleichem Grade der Ansteckungsgefahr ausgesetzt waren wie die nicht geimpften Thiere, und ob bei der Wahl der letzteren gegenüber den geimpften die erforderliche Rücksicht auf Race, Geschlecht, Alter, Nährzustand etc. genommen worden ist. Dann fehlt vor allen Dingen der Nachweis, dass die Versuchsthiere vor der Impfung nicht bereits der Einwirkung des Lungenseuchecontagiums ausgesetzt gewesen waren und Immunität erworben hatten. Auch die Thatsache, dass viele Rinder an sich immun sind und die bekannten und mehrfach besprochenen Thatsachen, welche gelegentlich der über die Contagiosität der Lungenseuche angestellten Experimente constatirt wurden, geben uns genügenden Anlass, die Versuchsresultate mit Vorsicht aufzunehmen. Die Beobachtungszeit war bei vielen Impfversuchen eine zu kurze; die Beobachtung selbst eine ungenügende, sodass ein Theil der Versuchsthiere unmerklich durchgeseucht sein kann.

Nach Oe. sind zur definitiven Beseitigung der Meinungsverschiedenheit über den Werth der Lungenseuchenimpfung neue Versuche erforderlich. Diese sind an einer möglichst grossen Anzahl von solchen Rindern anzustellen, die weder Gelegenheit zur Aufnahme von Lungenseuchecontagium gehabt haben, noch präventiv mit Lungenseuchegift geimpft worden und mit keinen Lungenerkrankungen behaftet sind. Die Controlrinder müssen in Zahl, Race, Geschlecht, Nähr- und Trächtigkeitszustand den Versuchsrindern gleich sein. Die Impfung ist mit allen Cautelen lege artis bei einem Theile der Thiere einmal, beim anderen 2 Mal (zum zweiten Male am Triel) auszuführen. Die Impflinge sind sachgemäss zu behandeln. — Control- und Versuchsthiere sind der Einwirkung des Ansteckungsstoffes in gleicher Weise auszusetzen; letztere natürlich erst dann, wenn alle Erscheinungen der Impfung vorüber sind. — Die Pflege und Fütterung muss bei Versuchs- und Controlrindern dieselbe sein. — Die sorgfältigste Beobachtung und Untersuchung aller Thiere während der Versuchszeit, namentlich die Feststellung der Körpertemperatur ist unerlässlich. Sämmtliche Rinder sind zu schlachten und zu seciren. Die Zeit des Abschlachtens richtet sich nach dem Befinden der Thiere.

Oe. empfiehlt auch das Impfverfahren mittelst eines mitigirten Impfstoffes einer umfassenden Prüfung zu unterziehen, weil diese Methode fast alle Gefahren des bisherigen Verfahrens beseitigt und die Beschaffung des brauchbaren Impfstoffes erleichtert.

Oe. bespricht ferner die Frage des Wesens der Lungenseuche und der Lungenseuche-Impfkrankheit. — Die Specificität der Lungenseuchelymphe ist nach Oe. noch nicht bewiesen. Ebensowenig ist die Identität der Lungenseuche und der Lungenseuche-Impfkrankheit festgestellt. — Oemler verbreitet sich auch über die Verschiedenheiten in der Ausführung der Lungenseucheimpfung, sowie über die durch letztere entstehenden Nachtheile (s. darüber das Orig.).

Oe. spricht sich zum Schlusse seines Artikels dahin aus, dass das Verlangen nach einer Zwangsimpfung zur Zeit noch jeder Berechtigung entbehrt, weil die für den Nutzen der Lungenseucheimpfung beigebrachten Beweisgründe noch nicht als unantastbar angesehen werden können und weil für die Untersuchung der Impfung, sowie die Beurtheilung des örtlichen Impferfolges sichere Anhaltspunkte noch nicht bestehen und weil nach den bisherigen Erfahrungen aus dem Impfverfahren bedeutende Nachtheile resultiren. Oe. glaubt, dass die Tilgung der Lungenseuche in Deutschland auch ohne Zuhülfenahme der Zwangsimpfung gelingen wird, sobald nur gehörige Sorge auf eine strenge und gleichmässige Durchführung anderer geeigneter Tilgungsmassregeln verwendet wird. — Er bestreitet also nach Vorstehendem die Schutzkraft der Lungenseucheimpfung nicht ohne Weiteres, sondern er behauptet nur, dass dieselbe weder durch die Erfahrung sicher bewiesen, noch auch wissenschaftlich erklärt worden ist. — In dem Schluss seiner Abhandlung (Berl. Arch. Bd. XI, S. 1) wendet sich Verf. zu der Frage der Tilgung der Lungenseuche. Zweck der Tilgungsmassregeln muss sein: 1) Verhütung oder möglichste Beschränkung der Einschleppung vom Auslande. 2) Ermittelung und Vernichtung der Brutstätten des Contagiums (Seuchenherde) im Inlande, Verhinderung der Verschleppung von dort. 3) Beseitigung der Empfänglichkeit der gesunden Thiere des Infectionskreises für das Contagium. — Oe. kritisirt einige der in dieser Richtung erlassenen gesetzlichen Bestimmungen, bespricht deren Mängel und macht Vorschläge zu deren Verbesserung. — Ad 1 verlangt er Untersuchung aller die Grenze passirenden Rinder durch beamtete Thierärzte. Ausserdem soll nur solches Rindvieh eingelassen werden, über welches genaue Ursprungsatteste vorliegen, die nachweisen, dass die Thiere aus einem Bestande stammen, in welchem seit Jahresfrist keine fremden Rinder eingeführt worden sind und dass sie im letzten Jahre sich nicht an einem Orte befunden haben, in welchem oder in dessen 20 Klm. weitem Umkreise die Lungenseuche herrscht oder geherrscht hat. — Verbot der Vieheinfuhr aus allen Ländern, in denen die Lungenseuche einen bedeutenden Umfang erreicht hat (z. Z. Holland, Luxemburg, Belgien). Ad 2 verlangt Oe.: von Zeit zu Zeit in den Amtsblättern der verseuchten Kreise die Veröffentlichung von Belehrungen über die Kennzeichen, Verlauf etc. der Lungenseuche und die Anzeigepflicht der Besitzer. Ernennung von Viehrevisoren in den Orten der verseuchten Bezirke. Oeftere Revisionen der Viehregister von den Ortspolizeibehörden. Schleunige Ziehung des Thierarztes bei Verdacht. Bei Seuchenausbrüchen Ernennung besonderer Seuchencommissionen. — Allgemeine Einführung der obligatorischen Fleischschau, Regelung und polizeiliche Ueberwachung des Abdeckereiwesens. Verschärfung der Ausführungsbestimmungen des Seuchengesetzes. Anstatt der Befugniss ist von den Executivbeamten die Pflicht zu den betreffenden Anordnungen aufzuerlegen. Anstatt „kann" sollte in den Bestimmungen „muss" stehen. Alle ansteckungsverdächtigen Viehbestände sind alle 14 Tage einer Nachschau und Controle durch den beamteten Thierarzt zu unterwerfen. Dabei sind Viehregister anzulegen. Jedes Thier, welches eine Temperatursteigerung zeigt, ist zu isoliren. Der Gebrauch der der Ansteckung verdächtigen Thiere ist nur unter der Bedingung zu gestatten, dass dieselben nicht mit fremden Thieren in Berührung kommen und von diesen ca. 40 m entfernt bleiben. — Auch die Weiden müssen so eingerichtet sein, dass die verdächtigen Thiere mindestens 40 m von dem fremden Vieh entfernt sind und dürfen nicht von anderem Vieh benutzt werden. Auch auf dem Wege zur Weide sind diese Vorsichtsmassregeln zu beobachten. — Bei Weidesperren ist noch die Bestimmung bezüglich der

40 Meter Entfernung aufzunehmen. — Für Viehtransporte per Bahn ist festzustellen, dass verdächtiges Vieh nur in Zügen befördert werden darf, die kein sonstiges Rindvieh enthalten und dass ersteres nur so aufgestellt werden darf, dass es 40 m von unverdächtigem Vieh entfernt ist. — Die öffentlichen amtlichen Publicationen von Seucheausbrüchen hält Oe. für entbehrlich. — Man schlachte bei Seuchenausbrüchen lieber ein Thier zu viel als zu wenig. Ob vorhandenes Rauhfutter als Träger des Ansteckungsstoffes anzusehen ist, muss thierärztlich festgestellt werden. Diese Stoffe dürfen auch an neu angekauftes Vieh nicht verfüttert werden. — Verbot der Einfuhr von gesundem Vieh in Seuchengehöfte und in Gehöfte mit verdächtigem Vieh. — Obduction aller gestorbenen und getödteten verdächtigen Rinder durch den beamteten Thierarzt. — Die Ablieferung der Häute lungenseuchekranker Rinder in die Gerberei muss unter Polizeiaufsicht geschehen.

Zum § 91 der Instruction, betr. die Lungenseuche, bemerkt Oe., dass unter „neue Erkrankungen" alle bei Rindern, welche verseuchten Beständen angehören, ermittelten Fälle anzusehen sind, bei denen in den Lungen solche krankhaften Veränderungen gefunden werden, welche erfahrungsgemäss nur durch die Lungenseucheprocesse hervorgerufen werden und die betreffenden Thiere befähigen, die Seuche auf andere Rinder zu übertragen, gleichviel in welchem Umfange oder Stadium sie sich befinden und gleichviel, ob an den damit behafteten Thieren während des Lebens Lungenseuchesymptome beobachtet sind oder nicht.

Nach Oe. sind lungenseuchekranke Rinder so lange ansteckungsfähig, als überhaupt eingekapselte Lungenstücke vorhanden sind, gleichgültig, ob sie mit der derben und völlig geschlossenen Kapsel noch zusammenhängen oder nicht. Die Anschauung, dass die Ansteckungsfähigkeit erlösche, sobald die necrotisirten Lungentheile total abgekapselt sind, ist unrichtig. Jedes Rind hat Ansteckungsfähigkeit besessen, bei dessen Zerlegung die der Lungenseuche eigenthümlichen krankhaften Veränderungen in den Lungen (Hepatisation, Sequestration) festgestellt wurden. — Mit der Erklärung der technischen Deputation, was unter „neue Erkrankung" zu verstehen sei (cf. Referat 17) ist Oe. nicht einverstanden und glaubt, dass dieselbe nachtheilige Wirkungen nach sich ziehen werde.

Oe. verlangt ferner, dass vor Aufhebung der Sperrmassregeln eine nochmalige gründlichste Untersuchung des Viehbestandes durch den beamteten Thierarzt stattfinde und dass jedes verdächtige Thier sofort getödtet werde; ferner gründliche Beseitigung aller Futter- und Strohvorräthe, die Contagiumsträger zu sein verdächtig sind; ferner womöglich 4 wöchentliches Leerstehen des Seuchenstalles; sodann unvertilgbare Kennzeichnung aller verdächtigen Rinder. Der Dünger der Seuchengehöfte ist durch Pferde oder Rinder aus diesem Gehöfte auf Aecker zu transportiren, in deren Nähe fremdes Rindvieh nicht kommt. Möglichste Beschränkung des Personenverkehrs in Seuchenställen. — Rinder, welche vorübergehend mit lungenseuchekranken Thieren gleichzeitig in einem Stalle standen oder sonst in Berührung kamen, oder in leere, nicht desinficirte Ställe gelangten, in denen lungenseuchekrankes Vieh stand, sind als verdächtig 6 Monate zu observiren; die Rinder der grösseren Viehhändler sind von Zeit zu Zeit zu untersuchen und deren Ställe zu desinficiren. — Endlich sei noch erwähnt, dass Oe. eigentlich die radicalen Abschlachtungsmassregeln aller inficirten Rindviehbestände unter gewissen Cautelen und Modificationen für die beste Tilgungsmassregel halten würde. Der ungemein reiche Inhalt des Oe.'schen Artikels gestattete nur eine unvollständige Excerpirung desselben und sei zur genaueren Informirung auf das Orginal nochmals verwiesen.

Roloff (17) bespricht die Fragen, ob Rinder, bei deren Zerlegung sich veraltete Fälle von Lungenseuche finden, als lungenseuchekrank anzusehen sind und was unter dem im § 91 der Instruction vom 24. Februar 1881 gebrauchten Ausdrucke „neue Erkrankungen" zu verstehen ist. Er kommt aus verschiedenen Erwägungen zu dem Schlusse, dass Rinder, bei deren Zerlegung sich in den Lungen alte krankhafte Veränderungen finden, welche mit Sicherheit auf die Lungenseuche zurückgeführt werden können, als lungenseuchekrank anzusehen sind, dass als neue Erkrankung jeder bei der Zerlegung eines Thieres festgestellte Fall von Lungenseuche zu betrachten ist, wenn nicht sämmtliche in der für Lungenseuche characteristischen Art veränderten Theile der Lunge von der umgebenden Substanz vollständig gelöst und mit einer festen und vollständig geschlossenen Kapsel umgeben sind. Bei Antreffen eines lose in einer vollständig geschlossenen Kapsel liegenden Sequesters ist demnach eine neue Erkrankung nicht als vorliegend anzusehen.

6. Pocken.

1) Burke, Variola equina, or horse-pox; its nature, diagnosis, and contagiousness. The veterinarian. p. 441. — 2) Csokor, Ueber den feineren Bau der Geflügelpocke. Jena. 1884. — 3) Dégive, Cultur du vaccin animal. Modes opératoires usités à l'office vaccinogène de l'état. Annal belg. p. 194. — 4) Labat, A., Pustelausbruch auf der Bindehaut eines an Pferdepocken erkrankten Fohlens. Revue vétér. p. 109. — 5) Nocard, Sur les effets de l'ingestion de certains virus. Bullet. d. l. soc. centr. p. 409. — 6) Peuch, Note sur la clavelisation par injection hypodermique de claveau dilué. Expériences faites à Saint-Jean de Védas, près Montpellier. Recueil. p. 490. — 6a) Derselbe, Recherches expérimentales relatives à l'action des agents désinfectants sur le claveau et aux effets de l'excision ou de la cautérisation de la pustule claveleuse naissante. Revue vétér. p. 361. (Cfr. Berl. Archiv. 1885. Heft 1 u. 2. S 114.) — 7) Derselbe, Impfung der Schafpocke vermittelst subcutaner Injectionen verdünnter Pockenlymphe. (Siehe auch dies. Ber. III. S. 33.) Revue vétér. p. 419. — 8) Pourquier, Nouvelles recherches sur la variole ovine. Recueil. p. 667. — 9) Derselbe, Die Uebertragbarkeit der Pocken des Menschen auf Schweine. Pütz, Centralbl. S. 102. Refer. — 9a) Derselbe, Pockenstatistik. Ebend. S. 103. — 10) Ueber Schweinepocken. Oesterr. Monatsschr. d. Ver. S. 14.

In Preussen sind die Schafpocken 1883/1884 in 14 Kreisen, 82 Ortschaften, 145 Beständen beobachtet worden. Es sind gefallen 1351 Thiere. 8 Provinzen blieben von der Seuche ganz verschont.

In Baiern, Baden, Württemberg, Sachsen und Elsass-Lothringen sind 1882 und 1883 keine Pocken unter den Schafen vorgekommen.

Die Pockenkrankheit trat 1882 in Oesterreich bei 374 Schafen in 7 Höfen, 4 Orten, 2 Bezirken und 1883 bei 3376 Schafen in 146 Höfen, 15 Orten, 5 Bezirken auf.

Die Pocken sind in Brabant 1883 nur bei einer Schafherde, die zum Schlachten vorgeführt worden war, beobachtet worden.

1883 sind in England Ausbrüche von Schafpocken nicht constatirt worden.

In Holland sind die Schafpocken im Jahre 1883 nur in 4 Gemeinden der Provinz Friesland bei 55 Thieren vorgekommen. Im selben Jahre sind die Schweinepocken in den zwei südlichen Provinzen Nord-Brabant und Limburg seuchenartig beobachtet worden. In den Monaten Mai und Juni wurden in mehreren Dörfern der Provinz Nord-Brabant viele Schweine von dieser Krankheit befallen; etwa 50 pCt. starben und die durchgeseuchten Thiere kränkelten lange. In den Monaten Juni und Juli erkrankten auch in 3 Gemeinden der Provinz Limburg viele junge Schweine an den Pocken; auch dort war die Mortalität eine grosse. (Holl. Vet.-Bericht.)

Müller (preuss. Seuchenber. S. 102) bemerkt, dass in Preussen diejenigen Provinzen, in denen früher die Schutzimpfung der Lämmer alljährlich vorgenommen wurde und in denen vor Erlass des Reichsgesetzes vom 23. Juni 1880 die Pockenseuche ununterbrochen mehr oder weniger verbreitet herrschte, im Berichtsjahre ganz seuchenfrei geblieben oder nur von vereinzelten Ausbrüchen der Krankheit heimgesucht worden sind und schliesst aus dieser Thatsache, dass das Verbot der Lämmerimpfung den unverkennbaren Erfolg gehabt habe, die Verbreitung der Pockenseuche und die Zahl der Pockenausbrüche wesentlich zu beschränken.

Schweinepocken (10) wurden bei einer Reihe Schweine beobachtet, die castrirt wordon waren. Am zweiten Tage nach der Castration traten die Vorboten der Krankheit (Appetitlosigkeit, Zittern, Verkriechen in der Streu) auf, die Haut röthete sich, auf derselben bildeten sich dunkle dicht stehende Flecken, die nach Angabe des Besitzers rasch in Eiterung übergingen. — Die Untersuchung ergab: Abmagerung, Mattigkeit der Thiere, Schwellung der zum Theil mit einer Kruste, z. Th. mit Geschwüren bedeckten Haut, die Bindehäute der Augen, die Schleimhaut der Luftwege, des Maules und Rachens catarrhalisch erkrankt. — Die Thiere, welche mit den kranken in Berührung kamen, erkrankten an einem pustulösen Hautausschlage ohne Störung des Allgemeinbefindens. — Die Seuche war durch den Schweineschneider eingeschleppt worden. Menschen wurden nicht angesteckt.

7. Rotz.

1) Barrier, Morve aigue latente Bulletin de la soc. centrale. Séance du 28. février. — 2) Bucquoy, Relation d'un cas de farcin aigue chez l'homme. Recueil. p. 473. — 3) Grünwald, Zur Differentialdiagnose des Rotzes. Koch's Monatsschr. S. 1. — 4) Laguerrière, Note au sujet de l'inoculation de la morve au chien. Recueil. p. 219. — 5) Menard, Morve du chien. Bulletin de la soc. centrale. Séance du 13. Mars. — 6) Molkentin, Ein Beitrag zur Sicherstellung des occulten Rotzes. Jena 1883. — 7) Perdau, Zur Pathogenese des Rotzes. Oesterr. Monatsschrift d. Ver. S. 70. — 8) Pütz, Rotzverdächtige Zustände bei Pferden. Pütz' Centralbl. S. 65. — 9) Trasbot, Morve du chat. Bulletin. p. 305. — 10) Derselbe, Inoculation de la morve à des cobayes avec des tubercules anciens pris dans le foie d'un chien, et du pus provenant d'un cheval affectés de morve aigue. Bulletin de la soc. centr. Séance du 10. janvier.

In Preussen hat 1883/84 die Zahl der rotzkranken Pferde um 311 gegen das Vorjahr zu und um 418 gegen das Berichtsjahr 1881/82 abgenommen. Der Verlust an getödteten und gefallenen rotzkranken Pferden betrug 34,3 pCt. der verseuchten Bestände. In diesen waren 5478 Pferde vorhanden. Die Rotzkrankheit ist beobachtet werden in 236 Kreisen, 585 Ortschaften, 664 Gehöften. Es waren erkrankt 1741 Pferde; gefallen sind 99 Thiere. Auf polizeiliche Anordnung wurden getödtet 1706, auf Veranlassung der Besitzer 74 Pferde. Unter den preussischen Provinzen erweisen sich Westpreussen, Posen und Schlesien als diejenigen, in denen die Rotzkrankheit am häufigsten beobachtet wird. In den Provinzen Ostpreussen und Posen hat die Zahl der rotzkranken Pferde im letzten Jahre erheblich zugenommen; in den übrigen Provinzen ist seit 1880/81 eine entschiedene Abnahme eingetreten.

In Baiern sind vom 1. October 1883 bis 1. October 1884 der Rotzkrankheit 227 Pferde zum Opfer gefallen.

In Sachsen trat 1883 die Rotzwurmkrankheit der Pferde in 13 Amtshauptmannschaften, 22 Orten, 34 Gehöften auf. Der gefährdete Bestand betrug 114 Pferde, davon erkrankten 33. Der Seuche verdächtig waren 2, der Ansteckung verdächtig 79 Pferde; es verendeten 3 Stück; auf poliz. Anordnung wurden 28 und vom Besitzer 3 getödtet.

In Württemberg wurde der Rotz 1883 in 46 Bezirken 110 Orten und 171 Ställen beobachtet. Darin fanden sich 109 kranke und 247 verdächtige, also in Summa 356 Pferde.

Von diesen sind 20 gefallen, 113 auf polizeiliche Anordnung getödtet und 198 wieder frei gegeben worden. Die übrigen befanden sich am Jahresschlusse noch in vet.-polizeilicher Behandlung.

In Baden ist die Rotzkrankheit 1884 festgestellt worden im 1. Quartal in 4 Ortschaften und 4 Gehöften bei 8 Pferden, von denen 2 an Lungenrotz litten; im 2. Quartale bei 2, im 3 Quartale bei 2, im 4. Quartale bei 4 Pferden.

In Elsass-Lothringen wurde die Rotzkrankheit 1882/83 bei 53 Pferden in 13 Kreisen, 29 Gemeinden und 35 Gehöften und 1883/84 bei 59 Pferden in 10 Kreisen, 22 Gemeinden und 30 Gehöften constatirt. Das Verhältniss der Rotzfälle zu den Vorjahren ist folgendes:

1877/78 = 107 Fälle.
1878/79 = 89 „
1879/80 = 74
1880/81 = 73
1881/82 = 128
1882/83 = 53 „
1883/84 = 59 „

In dem Berichtsjahre 1882/83 wurden ausser den rotzigen noch 9 und 1883/84 noch 5 Pferde wegen Rotzverdachts getödtet, die sich bei der Section nicht als rotzig erwiesen.

Im Grossherzogthum Hessen wurden im Durchschnitt 24 Rotzfälle pro Jahr constatirt.

Im Grossherzogthum Luxemburg kamen 1882 5 Fälle von Rotzkrankheit vor, 1883 ebenfalls 5 Fälle.

In Grossbritannien sind 1882 2110, 1881 1690, 1882 1389, 1883 1126 (1117) Pferde als rotzig gemeldet.

Von den rotzkranken Pferden entfällt die bei Weitem grösste Anzahl auf London, so z. B. 1883 von 1117 Stück 974.

In Dänemark ist die Zahl der rotzigen Pferde im Durchschnitt 28, in Norwegen 9, in Schweden 250 pro Jahr.

In der Schweiz wurden 1882/83 26 Rotzfälle beobachtet und 1883/84 31 Fälle.

In Italien sind 1882 171 Rotzfälle constatirt worden, 1883 225 Fälle. Es kommen aber oft Verheimlichungen vor.

In Ungarn sind 1883 1381 Pferde wegen Rotz- und Wurmkrankheit getödtet worden.

In Oesterreich ist die Rotzkrankheit 1882 in allen Provinzen mit Ausnahme von Dalmatien festgestellt worden. Die meisten Fälle kamen in Galizien vor, dann folgen Böhmen und Niederösterreich; nur vereinzelte Erkrankungen wiesen Kärnthen, das Küstenland und Salzburg auf. Constatirt wurde die Krankheit in 148 Bezirken und 321 Höfen bei 555 Pferden, von denen 17 starben und 538 getödtet wurden. Ausserdem wurden 61 verdächtige Pferde getödtet. Gesammtverlust: 616 Pferde.

Im Jahre 1883 blieb nur Salzburg von der Krankheit verschont. Die meisten Erkrankungen wurden wieder in Galizien, dann Niederösterreich und Böhmen nachgewiesen Im Ganzen sind notirt 456 Erkrankungen in 260 Höfen in 143 Bezirken und 229 Orten. Es wurden getödtet 441 rotzkranke und 41 verdächtige Pferde und starben 15. Demnach Gesammtverlust: 497 Pferde.

In Holland kamen im Jahre 1883 in acht von den elf Provinzen 58 Fälle von Rotz oder Hautwurm zur Anzeige, von denen 5 bei Militärpferden. In den südlichen Provinzen, Nord-Brabant und Limburg wurde die Krankheit, gleichwie in früheren Jahren mehrmals angetroffen bei Schiffspferden, die durch Verkehr mit dergleichen belgischen Pferden angesteckt worden waren. (Holl. Vet.-Bericht).

In Brabant sind 1882 nur 71, dagegen 1883 78 Fälle von Erkrankungen an der Rotzkrankheit festgestellt worden.

In Belgien betrug die Zahl der in Folge der Rotzkrankheit getödteten Pferde im Jahre 1882 366 Stück, während die Krankheit 1883 bei 365 Thieren constatirt worden ist.

Müller (Seuchenbericht S. 53) giebt als Ursachen der Thatsache, dass die Seuchentilgung bei der Rotzkrankheit in Preussen so geringe Fortschritte gemacht hat, an: 1) Es existiren namentlich in den östlichen Provinzen noch immer zahlreiche alte Rotzstationen, in denen die Seuche nach längeren oder kürzeren Zwischenzeiten wiederholt zum Ausbruche gelangt. 2) Die Anzeige von Ausbrüchen der Rotzkrankheit findet häufig gar nicht oder erst nach längerer Verzögerung statt. 3) In den verseuchten Beständen treten bei einzelnen Pferden die Erkrankungen erst nach langer Zeit auf. Bei der Ansteckung verdächtigen Pferden zeigten sich öfters die ersten Erscheinungen der Rotzkrankheit erst nach Ablauf der sechsmonatlichen Observationszeit. 4) Eine grosse Anzahl der Rotzausbrüche soll dadurch veranlasst worden sein, dass die betr. Pferde unterwegs durch Berührung mit rotzkranken Pferden oder durch Contagium inficirt wurden, welches den Krippen und sonstigen Utensilien der Gastställe anhaftete. 5) Die stets erneute Einschleppung der Krankheit aus Polen erschwert in den anliegenden Provinzen die Seuchentilgung wesentlich und soll den Grund für die starke Verbreitung der Krankheit daselbst wesentlich abgeben.

Mit Lungenrotz ohne gleichzeitig vorhandene krankhafte Veränderungen in den Nasenhöhlen oder der Haut waren 1883/84 in Preussen behaftet: 128 Pferde.

Die Summe der bei Tilgung der Rotzkrankheit gezahlten Entschädigungen betrug 1883/84 in Preussen 456,363 Mark 74 Pf.

8. Wuth.

1) Anacker, Ueber Rabies canina und Hydrophobie und ihre Verhütung. Thierarzt. S. 9. (Ein im Bildungsverein zu Düsseldorf gehaltener Vortrag.) — 2) Baillet, C., Bericht über einen Fall von Wuth bei einem Hunde, welcher mehrere Thiere einer Meute biss, auch einen derselben zerriss. Revue vétér. p. 314. — 3) Béchamp, Les granulations moléculaires et le virus rabique. Bull. de l'Acad. de Méd. No. 13. p. 429. — 4) Bergeron, Note sur un cas de rage. Recueil. p. 171. — 5) Bouley, Traitement de la rage par l'ail et la pilocarpine. Recueil de méd. vétér. No. 1. (Chronique.) — 6) v. Chelchowsky, Lange Incubation der Hydrophobie. Thierarzt. S. 14. — 7) Derselbe, Der Biss eines tollen Pferdes scheint wenig Ansteckungsfähigkeit zu besitzen. Ebendas. S. 14. — 8) Cau, Ein Fall von Wuthkrankheit beim Rinde. Revue vétér. p. 70. (Das erste auffällige Symptom der Krankheit war Afterzwang.) — 9) Davey, A singular result of rabies. The veter. p. 379. — 10) Gibier, Recherches expérimentales sur la rage: 1. les oiseaux contractent la rage; 2. ils guérissent spontanément. Compt. rend. 98. p. 531. — 11) Derselbe, Dasselbe. Annal. belg. p. 377. — 12) Derselbe, Recherches sur la rage. Compt. rend. Tome 98. p. 55. — 13) Hartmann, Fälle von Wuthkrankheit. Oestorr. Vierteljahrsschr. Bd. LXI. — 14) Haselbach, Sectionsergebnisse bei einem angeblich wuthkranken Hunde. Oesterr. Monatsschr. d. Ver. S. 50. — 15) Konhäuser, Wuth bei einer Katze. Ebendas. S. 165 — 16) Derselbe, Dasselbe. Ebendas. S. 18. — 17) Offenberg, Cas de rage guéri chez l'homme. Recueil. p. 559. — 18) Pasteur, Sur la rage. Annal. belg. p. 374. — 19) Derselbe, Prophylaxe de la rage. Ibid. p. 543. (Bericht über Pasteur's Experimente an den Minister Fallières.) — 20) Derselbe, Ueber Hundswuth. Oesterr. Monatsschr. S. 134. (Referat.) — 21) Derselbe, Nouvelle communication sur la rage avec la collaboration de Mm. Chamberland et Roux. Compt. rend. T. 98. p. 457. — 22) Derselbe, Dasselbe. Annal. belg. p. 251. — 23) Derselbe avec la collaboration de Mm. Chamberland et Roux Sur la rage. Compt. rend. T. 98. p. 1229. — 24) Pütz, Impfbarkeit, resp. Schutzimpfung der Hundswuth. Pütz' Centralblatt. S. 344. — 25) Rapport sur les expériences de M. Pasteur relatives à la prophylaxie de la rage, adressé à M le ministre de l'instruction publique par une commission composée de Mm. Béclard, Paul Bert, H. Bouley, Tisserand, Villemin et Vulpian. Gazette hebdom. de méd. et de chir. No. 93. p. 547. — 26) Seifmann, Ein Beitrag zur Lösung der Incubationsfrage der Wuthkrankheit. Koch's Revue. No. 9 u. 10. — 27) Vachetta, A., Sulla trasmissibilità della rabie umana. La clinica veter. No. 7 e 8. — 28) Ausbreitung der Wuth im Königreich Sachsen. Sächs. Ber. S. 74.

In Preussen wurden 1883/84 in 181 Kreisen, 700 Ortschaften, bei 350 Hunden, 7 Pferden, 154 Stück Rindvieh, 51 Schafen, 4 Ziegen, 13 Schweinen die Wuthkrankheit constatirt. Ausserdem wurden 338 herrenlose wuthverdächtige und 811 mit wuthkranken in Berührung gekommene Hunde getödtet. Bei Weitem die Mehrzahl der Wuthfälle bei ortsangehörigen Hunden ist durch den Biss herrenloser umherschweifender Hunde veranlasst worden. Die Zahl der mit wuthkranken Hunden in Berührung gekommenen und getödteten Hunde ist viel bedeutender als angegeben, da in vielen Berichten nicht deren Zahl, sondern nur angegeben ist, dass sämmtliche Hunde der betreffenden Ortschaften getödtet worden sind.

In Baiern ist vom 1. October 1883 bis dahin 1884 die Wuthkrankheit bei 6 Hunden constatirt worden.

In Sachsen trat die Wuthkrankheit 1883 in 9 Amtshauptmannschaften, 10 Orten, bei 10 Hunden auf. Ein Hund war der Wuth verdächtig.

In den letzten 5 Jahren nimmt die Wuthkrankheit in Sachsen derartig ab, dass nach Annahme des sächs. Berichtes (28) ein baldiges gänzliches Erlöschen zu erhoffen ist. Die Zahlenverhältnisse stellen sich nämlich wie folgt:

	Ortschaften	wüthende Hunde	verdächtige Hunde
1879:	155	121	78
1880:	99	82	32
1881:	38	36	8
1882:	42	32	10
1883:	10	10	1

In Würtemberg sind 1883 in 4 Bezirken und 4 Orten 1 Hund und 1 Lamm als an der Tollwuth erkrankt und 4 Hunde als dieser Krankheit verdächtig gemeldet worden.

In Baden wurde die Wuthkrankheit 1884 beobachtet im 1. Quartale bei 1 Hunde, im 2 Quartale bei 1 Hunde, im 3. und 4. Quartale nicht.

In Elsass-Lothringen ist die Tollwuth 1882/83 so häufig vorgekommen, dass z B. im Ober-Elsass kein Kreis verschont blieb; 1883/84 kam dagegen kein einziger Fall zur Beobachtung. Im Jahre 1882/83 wurde die Krankheit constatirt bei 46 Hunden; bei 12 Thieren konnte keine sichere Diagnose gestellt werden. Getödtet wurden 134 Hunde, 9 Katzen. — Ausserdem sind an Wuthkrankheit verstorben 2 Menschen, 1 Schaf, 1 Pferd.

Die Wuthkrankheit verschonte 1882 von österreichischen Provinzen nur das Küstenland und Schlesien. Sie wurde festgestellt bei 739 Hunden in 629 Orten, 156 Bezirken. Gefallen sind 111, getödtet 602, entwichen 26 Hunde. Getödtet wurden 2663 Hunde, 29 Katzen, 1 Gans, weil sie mit wüthenden Thieren in Berührung gekommen waren. Gebissen wurden: 322 Menschen, 9 Pferden, 81 Rinder, 36 Schafe, 11 Ziegen, 92 Schweine und 2663 Hunde. Es erkrankten 20 Menschen, 7 Pferde, 61 Rinder, 20 Schafe, 1 Ziege, 51 Schweine.

Im Jahre 1883 soll im Küstenlande, in Tyrol, Vorarlberg und der Bukowina die Wuthkrankheit nicht vorgekommen sein. Im Uebrigen wurde sie in 150 Bezirken, 646 Orten bei 837 Hunden, von denen 163 starben, 668 getödtet wurden und 6 entwichen, nachgewiesen. Gebissen wurden 307 Menschen, 1 Pferd, 72 Rinder, 14 Schafe, 7 Ziegen, 93 Schweine. Getödtet wurden als gebissen oder mit tollen Thieren in Berührung gekommen: 3435 Hunde, 174 Katzen, 1 Schaf, 12 Stück Geflügel. — Es erkrankten von den Gebissenen 14 Menschen, 7 Pferde, 61 Rinder, 20 Schafe, 1 Ziege, 51 Schweine.

In der Schweiz sind 1883 39 Fällen von Wuthkrankheit beobachtet worden.

In Holland kamen im Jahre 1883 nur in den 3 Grenzprovinzen Gelderland, Limburg und Nord-Brabant in 14 Gemeinden, 14 Wuthfälle bei Hunden zur Beobachtung. Ausserdem kam die Krankheit vor bei einem Pferde und bei den sämmtlichen 17 Schafen einer Herde. (Holl. Vet.-Bericht.)

In Brabant kamen 1883 nur 8 Fälle von Wuthkrankheit zur Beobachtung.

In Belgien sind 1882 94 Hunde mit der Tollwuth behaftet gefunden und 227 getödtet worden, 1883 ist die Wuth bei 81 Thieren constatirt worden, worunter sich 9 Rinder, 22 Schafe, 1 Pferd, 1 Esel und 1 Katze befanden. Als verdächtig wurden 468 Hunde getödtet.

In einem, im Bildungsverein zu Düsseldorf gehaltenen Vortrag giebt Anacker (1) eine populär gehaltene Schilderung der Rabies canina und Hydrophobie und ihre Verhütung, welche für thierärztliche Kreise nichts Neues enthält

Die obige Commission (25) hat unter dem Vorsitz Bouley's im Auftrage des Unterrichtsministeriums Pasteur's Experimente betreffend die Vorbauung bei der Wuthkrankheit controlirt. Die Arbeit dieser Commission nahm ihren Anfang im Monat Juni 1884. Der an den Unterrichtsminister erstattete Bericht enthält über das Ergebniss der Untersuchungen im Beisein der Commission im Resumé Folgendes. Von den 42 zu den Versuchen verwandten Hunden wurden 23 von Pasteur als immun bezeichnet, 19 waren niemals geimpft worden. Von der letzteren Categorie wurden von 6, welche von tollen Hunden gebissen wurden, 3. von 8 intravenös geimpften 6 und von 5 durch Trepanation geimpften alle wuthkrank. Von den 23 präventiv geimpften erkrankte bei allen Versuchen nicht einer an der Wuth. Ein immuner Hund erkrankte und starb nach der Impfung an Diarrhoe mit schwarzen Ausleerungen, die Impfung von seinem verlängerten Mark war resultatlos. Die Commission spricht sich schliesslich dahin aus, dass die Versuche mit Pasteur's immunen Hunden entscheidende Resultate geliefert haben, die Experimente betreffend die Präventivimpfungen aber noch fortgesetzt werden müssten.

Pasteur (23) sagt, es sei jetzt eine allgemein anerkannte Thatsache, dass die Virulenz der Krankheitserreger sehr verschieden sei, und dass man sich gegen Krankheitserreger von hoher Virulenz durch Einimpfung von solchen mit geringerer Virulenz schützen kann. In diesem Sinne sind die folgenden Mittheilungen zu beurtheilen. 1. Ueberträgt man das Wuthgift vom Hunde auf den Affen und dann von Affe zu Affe, so schwächt sich bei jeder der letzteren Uebertragungen seine Virulenz ab. Wird das so veränderte Wuthgift dann wieder auf Hund, Kaninchen und Meerschweinchen zurückübertragen, so bleibt es abgeschwächt, d. h. es hat bei dieser Impfung nicht gleich wieder die Virulenz des gewöhnlichen Hundswuthcontagiums. Wenige Uebertragungen von Affe zu Affe genügen, um die Abschwächung zu bewirken. Impft man mit dem abgeschwächten Contagium Hunde hypodermatisch oder nach Trepanation des Schädels direct am Gehirn, so erfolgt keine Uebertragung der Krankheit, nichtsdestoweniger sind die geimpften Hunde immun gegen die Hundswuth. 2. Die Virulenz des Hundswuthcontagiums steigert sich, wenn es von Kaninchen zu Kaninchen oder von Meerschweinchen zu Meerschweinchen übertragen wird. Wenn es durch diese Uebertragungen das Maximum der Virulenz erreicht hat, so zeigt es sich bei der Rückübertragung auf den Hund wirksamer als das gewöhnliche Hundswuthcontagium. Wird es in die Blutbahn gebracht, so ruft es stets eine tödtlich verlaufende Wuth hervor. 3. Ist die Virulenz des Contagiums durch Uebertragung bei Affen verringert worden, so muss es wiederholt durch den Körper von Meerschweinchen oder Kaninchen gehen, ehe es das Maximum der Virulenz wieder erreicht. Auch das gewöhnliche Hundswuthcontagium erreicht erst das Maximum seiner Virulenz, wenn es durch den Körper der genannten Thierspecies mehrere Male gegangen ist.

P. sagt nun, nach diesen Resultaten sei es leicht, Hunde gegen die Wuth immun zu machen. Es sei auch leicht, das Hundswuthcontagium in verschiedenen Graden abzuschwächen, also ein Contagium herzustellen, welches tödtet, und ein anderes, welches nicht tödtet, aber Immunität hervorruft. Die kürzeste Incubationsdauer der Wuth beträgt bei Kaninchen, die mit dem virulentesten Contagium vermittelst der Trepanation geimpft worden sind, 7—8 Tage. Man entnimmt nun beispielsweise das Wuthgift von einem so geimpften Kaninchen, welches mehrere Tage nach der kürzesten Incubationsdauer gestorben ist, und impft dies einem zweiten Kaninchen ein, das Gift von diesem einem dritten u. s. f. Impft man dann jedesmal von dem erhaltenen und allmälig virulenter gewordenen Gifte einem Hunde etwas ein, so erträgt dieser schliesslich ein sonst tödtlich wirkendes Wuthcontagium und ist gegen jede Impfung mit gewöhnlichem Wuthcontagium immun. P. giebt an, durch Impfungen mit Blut wuthkranker Thiere (unter bestimmten Bedingungen) zu einem sehr vereinfachten Impfverfahren gekommen zu sein, wodurch er dem Hunde eine sichere Immunität verleihe. Die Mittheilung dieses Verfahrens soll später erfolgen. Er will ferner erfolgreiche Versuche gemacht haben, die Entwickelung der Krankheit durch Impfung zu verhindern, was durch die längere Incubation der Wuth nach der Uebertragung durch den Biss begünstigt werde. Er hält diese Versuche indess noch nicht für abgeschlossen. P. hat auch den Unterrichtsminister gebeten, seine immunen Hunde durch eine Commission untersuchen zu lassen. Als Proben schlägt er folgende beide Versuche vor: 1. 20 von seinen geimpften und 20 gesunde Hunde lässt man der Reihe nach von wuthkranken gebissen werden, wonach keiner der geimpften erkranken wird. 2. Er impft vor der Commission 20 Hunde, welche dann mit 20 anderen trepanirt und mit Wuthgift von gewöhnlichen wuthkranken Hunden geimpft werden. Keiner der zuerst geimpften wird die Wuthkrankheit bekommen, die anderen 20 werden aber alle zu Grunde gehen.

9. Maul- und Klauenseuche.

1) Baily, Foot and mouth disease at Portland, Me. Am. vet. rev. Vol. 7. p. 543 — 2) Holcombe, Foot and mouth disease in Kansas. Ann. vet. journ. Vol. VIII. p. 13. — 3) Humilewski, Die Aphthenseuche beim Vieh in Kasan im Sommer 1883. Mittheilungen aus dem Kasaner Veter.-Instit. — 4) Kammerer, Ueber die Maul- und Klauenseuche. Bad. Mitth. S. 169. (Berichte an das Grossh. Bad. Ministerium des Inneren, welche wesentlich die Ausbreitung der Maul- und Klauenseuche im Jahre 1882—1884 behandeln.) — 5) Penhale, Foot rot in sheep. The veterinarian. p. 445.

In Preussen traten 1882/83 Fälle von Maul- und Klauenseuche im ersten Quartale nur vereinzelt auf. Dann trat vom 2. bis 4. Quartale eine stetige Zunahme in der Verbreitung der Seuche hervor. Im Berichtsjahre 1883/84 nahm im 1. und 2. Quartale die starke Verbreitung der Seuche noch zu. Im 3. und 4. Quartale wurde eine stetig fortschreitende Abnahme der Seuche bemerklich. Im Ganzen wurde die Seuche 1883/84 constatirt in 267 Kreisen und 1881 Ortschaften. Es wurden als erkrankt gemeldet 47,647 Stück Rindvieh, 10,440 Schafe, 1,621 Schweine. Am geringsten blieb die Seuche in den exportirenden und wenig importirenden Provinzen.

In Baiern trat vom 1. Oct. 83 bis 1. Oct. 84 die Maul- und Klauenseuche bei 83,225 Rindern, 4,712 Schweinen, 15,620 Schafen, 360 Ziegen und 1,183 männlichen Zuchtthieren auf.

In Sachsen trat die Maul- und Klauenseuche 1883 auf in 8 Amtshauptmannschaften, 132 Ortschaften, 204 Gehöften unter einem Bestande von 4,498 Stück, davon erkrankten 2,625.

In Baden trat 1884 die Maul- und Klauenseuche auf: im 1. Quartale in 90 Gemeinden in 324 Gehöften bei 1,345 Stück Rindvieh, 35 Schafen, 6 Schweinen, 4 Ziegen; im 2. Quartale bei 222 Stück Rindvieh in 49 Gehöften und 20 Ortschaften; im 3. Quartale bei 78 Stück Rindvieh und 1 Ziege in 13 Gehöften und 6 Ortschaften; im 4. Quartale bei 67 Stück Rindvieh und 1 Ziege in 23 Gehöften und 12 Ortschaften.

In Württemberg war 1883 die Maul- und Klauenseuche ziemlich verbreitet.

Elsass-Lothringen war im April 1882 frei von der Maul- und Klauenseuche; im Mai wurde die Seuche aus der Schweiz eingeschleppt, später auch aus Baden und Württemberg. Vom September ab verbreitete sich die Seuche allmälig über das ganze Land. Erst im Januar 1883 trat ein kleiner Rückgang ein; im Februar stieg die Seuche wieder an. Während des ganzen Jahres herrschte die Seuche. Im Februar und März 1884 nahm die Seuche ab, erlosch in Lothringen im Februar, im Elsass erst im Juni 1884. Zur Anzeige gelangten 1882/83 1,848 und 1883/84 1,283 Seuchenausbrüche. Es sind jedoch sehr viele Ausbrüche verheimlicht worden.

In der Schweiz ist 1883 die Aphthenseuche in 2,760 Ställen beobachtet worden.

In Italien wurden im Jahre 1882 20,000 Fälle von Maul- und Klauenseuche gemeldet und im Jahre 1883 sogar 58,000 Fälle.

In England herrschte die Maul- und Klauenseuche seit October 1880 mehr oder weniger verbreitet. In der zweiten Hälfte des Jahres 1883 erlangte die Zahl der Seuchenausbrüche die bedeutendste Höhe. Die polizeilichen Massregeln (Verbot aller Märkte und jeder Viehbewegung in den Grafschaften etc.) haben vielleicht die Zahl der Erkrankungen etwas gemindert (im Vergleich zu früheren Seuchenausbrüchen), aber die Dauer des Seuchenganges erheblich verlängert. 1882 wurde die Maul- und Klauenseuche bei 37,950 Thieren in 1,970 Beständen constatirt. 1883 waren 2,830 Bestände inficirt.

In Oesterreich trat 1882 die Maul- und Klauenseuche auch in Steiermark und Krain auf, welche Länder 1881 verschont geblieben waren. Kärnthen, die Bukowina, Dalmatien blieben seuchefrei. In der ganzen Monarchie trat die Seuche in 78 Bezirken, 243 Orten, 706 Höfen auf und befiel 3,049 Rinder, 1742 Schafe, 21 Ziegen, 419 Schweine. Der Verlust betrug 22 Rinder, 170 Schafe, 2 Ziegen, 71 Schweine.

1883 erlangte die Seuche eine viel grössere Verbreitung. Im Jahre 1881 wurden ca. 64,000, 1882 ca. 5,000, 1883 dagegen ca. 59,000 Erkrankungsfälle constatirt. Im Jahre 1883 wurde die Seuche festgestellt in 118 Bezirken, 693 Orten, 4,646 Höfen bei 40,780 Rindern, 6,229 Schafen, 4,553 Ziegen, 3,242 Schweinen. Der Gesammtverlust (an Gestorbenen und Getödteten) betrug: 262 Rinder, 21 Schafe, 5 Ziegen, 198 Schweine.

Die Maul- und Klauenseuche wurde im letzten Quartale 1882 nach Brabant eingeschleppt und nahm im 1. Quartale 1883 an Ausdehnung der Verbreitung bedeutend zu; im 2. Quartale erfolgte ein Rückgang und blieb die Seuche im 3. Quartale ungefähr auf derselben Höhe, stieg dann im 4. Quartale wieder an. Unter 88 thierärztlichen Rapporten berichten im 1. Quartale 24, im 2. 11, im 3. 12, im 4. 15 von Seuchenausbrüchen.

Die Maul- und Klauenseuche ist 1882 in Belgien nur in 72 Bezirken beobachtet worden, während sie 1883 in 230 Bezirken auftrat.

In Holland ist die Maul- und Klauenseuche im Jahre 1883 zweimal aufgetreten und hat jedesmal mehr oder weniger Verbreitung da gewonnen, wo polizeiliche Maassregeln entweder nicht zeitig genug oder localer Verhältnisse wegen nicht streng genug zur Ausführung kamen. Das erste Mal gelangte die Krankheit zum Ausbruch im Anfang März. Während dieses Monats und des 2. Quartals verbreitete sie sich mehr oder weniger in 7 Provinzen. Nachdem im 3. Quartale fast gar nichts von der Krankheit bemerkt war, brach sie im 4. Quartale zum zweiten Male aus und verbreitete sich mehr oder weniger in 5 Provinzen, während in 5 anderen Provinzen nur einzelne Gehöfte angesteckt wurden. Im Ganzen kamen in 10 von den 11 Provinzen, und in 209 von den 1,124 Gemeinden des Landes, bei 637 Viehbesitzern etwa 12,500 Krankheitsfälle bei Rindern, etwa 800 bei Schafen und etwa 400 bei Schweinen vor; von den Fällen beim Rindvieh allein in Süd-Holland etwa 6,000 in 90 von den 191 Gemeinden dieser Provinz. (Niederland hatte 1882 rundweg 1,428,000 Stück Rindvieh, die Provinz Süd-Holland 213,200 Stück). Auch in diesem Jahre hat die Ueberzeugung mehr und mehr Eingang gefunden, dass nicht nur die Krankheit ausschliesslich durch Einfuhr ihres Ansteckungsstoffes zum Ausbruch kommt und durch Verbreitung desselben zur Seuche wird, sondern dass ihr auch durch polizeiliche Maassregeln mit Erfolg entgegenzutreten ist, wenn dies mit gehöriger Strenge und besonders früh genug stattfindet. Die Meinung, ihre seuchenartige Verbreitung entstehe durch ein äusserst volatiles Contagium, welches innerhalb kurzer Zeit über ganze Provinzen herfallen soll, zieht sich vor den unbefangenen Beobachtungen mehr und mehr zurück. In jenen Provinzen, besonders den beiden Hollanden und Friesland, wo sehr grosse Landesstrecken nur aus den nebeneinander gelegenen Weiden bestehen, ist die erfolgreiche Bekämpfung der Krankheit manchmal sehr beschwerlich. Der Marktverkehr mit Vieh macht überdies immer eine scharfe Aufsicht nöthig. Jedenfalls muss es aber zu einem nicht geringen Theile den polizeilichen Maassregeln zugeschrieben werden, dass ein sehr grosser Theil des Landes entweder von der Seuche ganz freigeblieben ist oder nur vereinzelte Fälle aufzuweisen hatte. Folgende kurze aus den Angaben im Vet.-Bericht zusammengestellte Uebersicht des Seuchengebietes im Jahre 1883 möge als Beleg dazu dienen.

Provinzen.	Gemeinden.	Gehöfte.	Rinder.
Nord-Holland	25	63	795
Süd-Holland	90	280	etwa 6,000
Zeeland	3	3	134
Friesland	17	57	etwa 2,000
Groningen	2	2	14
Drenthe	—	—	—
Overyssel	7	33	242
Gelderland	11	19	127
Utrecht	30	128	2,764
Nord-Brabant	17	28	etwa 300
Limburg	7	24	133
Niederland	209	637	etwa 12,500

(Holl. Vet.-Bericht.)

10. Räude.

1) Schafräude betr. (Thzt. S. 145. Aus d. Verhandlungen d. thierärztlichen Vereines zu Düsseldorf) — 2) Weigel, Uebertragung der Sarcoptesräude von Pferden auf Menschen. Sächs. Ber. S. 73. — Cfr. auch „Hautkrankheiten" und „Parasiten".

In Preussen war die Zahl der Ortschaften, in denen Ausbrüche der Räude vorgekommen und die Zahl der räudekranken Pferde im Jahre 1883/84 erheblich grösser, als im Vorjahre. Die Seuche erlangte ihren höchsten Stand im 4. Quartale, nahm im 1. etwas, im 2. und 3. ganz wesentlich ab. Beinahe die Hälfte aller räudekranken Pferde entfällt auf die Provinzen Ost- und Westpreussen. Die Räude der Pferde wurde in 186 Kreisen, 546 Ortschaften, 698 Beständen beobachtet. Es waren erkrankt 1,449 und starben resp. wurden getödtet 152 Thiere. Die Schafräude ist in 121 Kreisen, 1,004 Ortschaften bei 101,606 Schafen constatirt worden. 921 Thiere sind in Folge der Räude gefallen oder getödtet. Diese Angaben dürften jedoch noch nicht als ganz genau und zuverlässig zu betrachten sein. Bei dieser Seuche findet die Verheimlichung von Seiten der Besitzer oder der Schäfer nicht selten statt.

In Bayern wurden in der Zeit vom 1. October 1883 bis dahin 1884 31,318 Schafe und 61 Pferde mit der Räude behaftet gefunden.

In Sachsen trat die Pferderäude 1883 in 9 Amtshauptmannschaften, 14 Orten, 14 Gehöften bei 25 Thieren unter einem Bestande von 32 Stück auf. Die Schafräude wurde in einer Amtshauptmannschaft in 5 Orten beobachtet.

In Württemberg wurden 1883 in 54 Bezirken, 224 Orten, 323 Gehöften resp. Beständen 25,657 kranke und 23,640 der Räude verdächtige Schafe constatirt. Die Pferderäude ist in 11 Bezirken, 16 Orten, 19 Ställen bei 38 Thieren zur Beobachtung gelangt. Im März 1884 waren daselbst 25,849 räudekranke und zu verseuchten gehörige Schafe vorhanden.

Die Räude trat 1884 in Baden auf: im I. Quartale bei 5 Pferden und 407 Schafen in 5 Herden und 11 Stallungen, im 2. Quartale bei 380 Schafen und 4 Pferden in 5 Ställen und 2 Herden, im 3. Quartale bei 480 Schafen und 1 Pferd in 3 Ställen und 2 Herden, im 4. Quartale bei 215 Schafen und 2 Pferden in 3 Ställen und 1 Herde.

In Elsass-Lothringen ist die Räude der Pferde im Jahre 1882/83 in 151 und 1883/84 nur in 47 Fällen constatirt worden. Unter den Schafen wurde die Räude bei der 1883 angeordneten Erhebung constatirt in 439 Gemeinden und 455 Herden, welche einen Schafbestand von 78,557 Thieren repräsentirten. Dies sind 61 pCt. aller Schafe Elsass-Lothringens.

In Oesterreich ist die Räude 1882 in allen Ländern vorgekommen, und zwar in 928 Bezirken, 401 Orten, 701 Höfen bei 1,103 Pferden, 718 Rindern, 3,469 Schafen, 358 Ziegen. Davon sind gestorben 67 Pferde, 48 Rinder, 46 Schafe, 33 Ziegen und wurden getödtet 110 Pferde, 726 Schafe, 40 Ziegen. Der Gesammtverlust betrug 177 Pferde, 48 Rinder, 789 Schafe, 73 Ziegen. Im Jahre 1883 blieb das Küstenland verschont. Man fand die Krankheit vor in: 108 Bezirken, 279 Orten, 644 Höfen bei 830 Pferden, 225 Rindern, 3,916 Schafen, 1,783 Ziegen. Der Gesammtverlust betrug: 148 Pferde, 10 Rinder, 274 Schafe, 289 Ziegen.

Die Räude wurde 1883 in Brabant nur in einer einzigen Schafherde constatirt.

Die Räude ist 1882 in Belgien in 7 Provinzen zur Beobachtung gelangt.

In der Schweiz wurde die Räude bei 1 Pferd und 1 Ziege 1883 beobachtet.

In Italien ist die Schafräude häufig, besonders in Mittel- und Süditalien.

Die Schafräude herrscht in Grossbritannien in starker Verbreitung. Es waren 1883 im Ganzen 34,571 Schafe in 1,898 Herden an der Räude erkrankt.

In Frankreich ist die Schafräude sehr verbreitet, namentlich in den östlichen Departements von Lothringen, der Champagne und Franche-Comté.

In Holland sind im Jahre 1883 nur 4 Pferde in 3 Provinzen räudekrank befunden und wurde die Schafräude in den Provinzen Nord-Holland, Friesland, Groningen, Drenthe und Limburg in mehreren Herden, in 3 anderen Provinzen in vereinzelten Fällen constatirt. In Folge Klagen der Preussischen Regierung über das Vorkommen von Räude unter den Schafen in niederländischen Grenzgemeinden, wurden Untersuchungen angestellt. Es sind dabei ermittelt worden in der Provinz Groningen in der Grenzgemeinde Vlagtwedde 45 räudige Schafe unter 3,057 Stück, in der Provinz Drenthe in der Grenzgemeinde Emmen 82 räudige unter 2,366 Stück. In der Provinz Limburg wurden in den Grenzgemeinden Bergen, Swalmen und Maasniel von 32 Herden (insgesammt 1,650 Schafen) 9 räudig befunden. (Holländ. Vet.-Bericht.)

11. Beschälseuche und Bläschenausschlag an den Geschlechtstheilen.

In Preussen sind 1883/84 keine Fälle von Beschälseuche beobachtet worden. Der Bläschenausschlag an den Geschlechtstheilen ist in 84 Kreisen, 196 Ortschaften bei 102 Pferden und 885 Rindern zur Beobachtung gelangt.

In Baiern ist 1883/84 kein Fall von Beschälseuche vorgekommen. Dagegen wurde der Bläschenausschlag an den Genitalien bei 361 Rindern und 94 Pferden in der Zeit vom 1. Oct. 1883 bis 1. Oct. 1884 beobachtet.

In Sachsen wurde an den Geschlechtsorganen der Rinder der Bläschenausschlag beobachtet in 8 Amts-Hauptmannschaften, 13 Ortschaften, 35 Gehöften bei 47 Stück.

In Württemberg ist die Beschälseuche nicht vorgekommen. Der Bläschenausschlag wurde in 32 Bezirken, 90 Orten, 473 Ställen bei 549 Rindern festgestellt.

Der Bläschenausschlag an den Geschlechtstheilen wurde in Baden 1884 beobachtet: im 1. Quartale bei 63 Stück Rindvieh in 50 Stallungen in 22 Ortschaften, im 2. Quartale bei 53 Stück Rindvieh in 43 Stallungen in 18 Ortschaften, im 3. Quartale bei 22 Stück Rindvieh in 17 Stallungen in 8 Ortschaften, im 4. Quartale bei 29 Stück Rindvieh in 27 Stallungen in 11 Ortschaften.

In Elsass-Lothringen ist 1882/83 und 1883/84 die Beschälseuche nicht zur Beobachtung gelangt. Der Bläschenausschlag an den Geschlechtstheilen ist bei Pferden nicht vorgekommen. Beim Rindvieh sind 1882/84 89 Kühe und 20 Bullen mit dem Leiden behaftet gefunden worden.

Die Beschälseuche ist 1882 und 1883 in Oesterreich nicht vorgekommen.

Der Bläschenausschlag an den Geschlechtstheilen wurde 1882 in Oesterreich bei 31 Hengsten und 179 Stuten in 27 Bezirken und 121 Orten vorgefunden; 1883 bei 18 Hengsten und 73 Stuten in 53 Orten und 18 Bezirken.

Von Rindern wurden befallen 1882: 10 Stiere und 142 Kühe; 1883: 8 Stiere und 129 Kühe.

Der Bläschenausschlag an den Geschlechtstheilen wurde in Brabant 1883 im 1. Quartale bei mehreren, im 2. Quartale bei einer Kuh gesehen.

In Holland, wo diese Krankheit früher unbekannt war, kam im Jahre 1883 in den Monaten Mai und Juni in 2 Gemeinden der Provinz Limburg bei einigen Zuchtstuten und einem Zuchthengste der Bläschenausschlag der Geschlechtstheile zur Beobachtung. Die Krankheit muss wohl aus Preussen herübergebracht sein, da die Gemeinden, wo sie vorgefunden wurde, nahe an der Grenze liegen. (Holl. Vet.-Ber.)

12. Infectionskrankheiten.

a. Tuberculose (cfr. auch Fleischbeschau).

1) Arloing, Nouvelles expériences comparatives sur l'inoculabilité de la scrofule et de la tuberculose de l'homme au lapin et au cobaye. Annal. belg. S. 655. — 2) Derselbe, Dasselbe. Compt. rend. T. 99. p. 661. — 3) Cartier, Statistique de la tuberculose bovine. Recueil. p 167. — 4) Derselbe, Zahl der Fälle von Tuberculose, welche sich in den Jahren 1875 bis 1882 unter den im Schlachthause der Stadt Cambrai geschlachteten Rindern vorfanden. Presse vétér. p. 184. — 5) Chicoli, N., Tisi tubercolare. Giorn. di med. veterin. No. 4 e 5 — 6) Colin, Sur la transmission de la tuberculose aux grands ruminants. Compt. rend. T. 99. p. 1057. — 7) Gaffky, Ein Beitrag zum Verhalten der Tuberkelbacillen im Sputum. Mittheil. des kaiserl. Gesundheitsamtes II. S. 126. — 8) Gratia, Des pseudo-tubercules chez les animaux domestiques. Annal. belg. p. 12. — 9) Henry, Un cas de tuberculose généralisée chez une poule. Recueil. p. 233. (Siehe Vogelkrankheiten.) — 10) Jarisch, Ueber Tuberculose der Haut. Pütz' Ctbl. S. 268. Ref. — 11) Johne, Tuberculose des Labmagens und der Trachea neben käsiger tuberculöser Phthise (Hüttenrauchtuberculose) beim Rind. Sächs. Bericht. S. 46. — 12) Derselbe, Zur Färbung der Tuberkelbacillen. Deutsche Zeitschr. f. Thiermed. S. 155. — 13) Derselbe, Primäre Tuberculose des Darmes, der Leber, der Gekrösdrüsen, der Lunge etc. (Siehe Vogelkrankheiten.) Sächs. Bericht. S. 44. — 14) Derselbe, Tuberculöse Pericarditis. Ebendaselbst. S. 46. (Siehe Circulations-Apparat.) — 15) Koch, R., Die Aetiologie der Tuberculose. Mittheil. des kaiserl. Gesundheitsamtes. — 16) König, Tuberculöse Euterentzündung bei einer Kuh. Sächs. Bericht. — 17) Landouzy et Martin, Faits cliniques et expérimentaux pour servir à l'histoire de l'hérédité de la tuberculose. Recueil. p. 306. — 18) Lydtin, Die Perlsucht. Berliner Archiv. S. 1. — 19) Derselbe, De la phthisie pulmonaire. Bruxelles. — 20) Macgillivray, The tubercular diathesis in cows and calves. The veterinarian. p. 217. — 21) Derselbe, Tuberculous milk. The veterin. journal. p. 309. — 22) Malassez et Vignal, Tuberculose zoogloeique. Ann. belg. p. 135. — 23) Dieselben, Sur le micro-organisme de la tuberculose zoogloeique. Ibidem. p. 507. — 24) Nocard, Application du procédé d'Erlich au diagnostic des tuberculoses locales, chez les animaux de l'espèce bovine. Bullet. p. 283. — 25) Pascault, Ueber die Gefahr einer tuberculösen

Infection des Menschen durch den Genuss des Fleisches tuberculöser Rinder. Presse vétér. p. 130. — 26) Pütz, Ueber den gegenwärtigen Stand der Tuberculosefrage mit besonderer Rücksicht auf die ursächlichen Beziehungen der Tuberculose der verschiedenen zoologischen Species. Pütz' Centralbl. S. 129. — 27) Derselbe, Die Tuberculose der Hausthiere als Gegenstand der practischen Fleischbeschau. Ebendaselbst. S. 49. — 28) Derselbe, Zur Contagiositätsfrage der Lungenschwindsucht des Menschen und der Perlsucht des Rindviehes. Ebendaselbst. S 85. — 29) Derselbe, Zur Diagnose der Perlsucht des Rindviehes und der Tuberculose anderer Hausthiere. Ebendaselbst. S. 198. — 30) Putscher, Die Tuberculose vom Standpunkt der Veterinär-Polizei betrachtet. Ad. Wochenschr. — 31) Remy, M., Transmission de la Tuberculose bovine par cohabitation. Liège. 1881. Deutsche Zeitschrift für Thiermedicin. S. 64. (Ausführliches Referat.) — 32) Rieu, Die Ergebnisse der Percussion bei der Perlsucht des Rindes. Presse vétér. p. 113. — 33) Schill und Fischer, Ueber die Desinfection des Auswurfs der Phthisiker. Deutsche Zeitschrift für Thiermedicin. S. 435. Mittheilungen des kaiserl. Gesundheitsamtes. S. 290. — 34) Talamon, Der Koch'sche Bacillus vom Standpunkte des Klinikers. Archiv. génér. de Médec. und Alfort. Arch. p. 138. Von H. Schütz referirt. — 35) Trasbot, Sur la tuberculose du cheval. Bulletin de la soc. centr. p. 469. — 36) Wargunin, Ueber die bei Hunden durch Inhalation der Sputa phthisischer Individuen und anderer organischer Substanzen erzeugten Lungenerkrankungen. Virchow's Archiv. Bd. 96. S. 366. — 37) Zschokke, Tuberculose-Infection. Schweiz. Arch. S. 144.

In Holland kommt die Tuberculose im ganzen Lande, aber dem Anschein nach in sehr ungleicher Vertheilung, beim Rindvieh vor. Weil sie nicht der Staatsaufsicht unterstellt, ist eine brauchbare Statistik von ihrer Verbreitung nicht zu erhalten. Bei der genau geführten Fleischschau in der Stadt Utrecht wurde sie im Jahre 1883 unter 4490 Rindern nur in 22 Fällen (0,49 pCt.) vorgefunden. (Holl. Vet.-Ber.).

In Bezug auf die Frage der medicinal-polizeilichen Bedeutung der Rindertuberculose ist vom internationalen thierärztlichen Congresse Folgendes beschlossen worden:

„In Erwägung, dass die Tuberculose experimentell als eine vom Verdauungscanal aus und durch Impfung übertragbare Krankheit anerkannt werden muss, erklärt der Congress: Von der Verwerthung für den Genuss des Menschen ist alles Fleisch auszuschliessen, welches von tuberculösen Thieren stammt, gleichviel welche Beschaffenheit das Fleisch besitzt."

Dazu wurde dann noch die Lydtin'sche Proposition über die Nichtverwendbarkeit der Milch, welche dahin geht:

„Die Milch, welche von an Lungensucht erkrankten oder dieser Krankheit verdächtigen Thieren herrührt, darf weder für den Menschen, noch für Thiere als Nahrungsmittel gebraucht werden. Der Verkauf solcher Milch ist nicht zulässig. — Die Milch von Thieren, welche der Ansteckung verdächtig sind, darf nur nach vorherigem Kochen gebraucht werden", acceptirt.

Lydtin (18) bespricht zuerst „den Einfluss der Vererbung und der Contagiosität auf die Verbreitung der Perlsucht" und schickt einleitend eine längere und eingehende hoch interessante Erörterung über die Symptome, die pathologische Anatomie, die Ursachen und die Verbreitung der Perlsucht voraus. Die Perlsucht ist so verbreitet unter den Hausthieren, wie keine andere Krankheit. und kann vor allen anderen als eine Weltseuche bezeichnet werden. Die Untersuchung der Frage des Einflusses der Vererbung auf die Verbreitung der Perlsucht führt zu folgenden Resultaten: 1) Die Heredität übt einen thatsächlichen Einfluss auf die Verbreitung der Perlsucht aus. 2) Die Krankheit wird sowohl vom Vater als von der Mutter übertragen. 3) Die Uebertragung des Krankheitsstoffes auf das Ei oder den in der Entwickelung begriffenen Fötus ist die Ursache der Unfruchtbarkeit der Elternthiere und der häufig vorkommenden Fehl- und Frühgeburten. 4) Es kommt selten vor, dass ein mit der Perlsucht behafteter Fötus vollständig ausreift und regelmässig geboren wird. 5) Es ist aber nicht ausgeschlossen, dass perlsüchtige Nachkommen geboren werden, wachsen. gedeihen und sich vermehren, gleich wie gesunde Jungthiere. 6) Perlsüchtige Eltern können auch eine Prädisposition für die Krankheit auf ihre Nachkommen vererben.

L. bespricht dann den Einfluss der Contagiosität auf die Verbreitung der Perlsucht und gelangt zu dem Resultate, dass die Perlsucht virulent und ähnlich wie der Rotz und die Lungenseuche etc. ansteckend ist, und dass die Contagion sogar als ein thätigerer Factor bei der Verbreitung der Seuche angesehen werden muss als die Heredität, welch' letztere die grosse Zahl von Erkrankungen nicht zu erklären im Stande ist. Die Ansteckung scheint jedoch dann erst zu erfolgen, wenn ein Thier lange Zeit hindurch oder oft der Ansteckung ausgesetzt war und dabei in die engste Berührung mit dem Träger des Contagiums gekommen ist.

Weiter behandelt L. die Frage, ob die Perlsucht dieselbe Krankheit wie die Tuberculose der Menschen ist und ob eine Wechselbeziehung zwischen der genannten Krankheit des Menschen und der Perlsucht der Thiere besteht. In dieser Richtung steht Folgendes fest: Die Perlsucht der Thiere ist bei allen domesticirten oder gefangen gehaltenen Warmblütern beobachtet worden. Sie bringt dieselben Erscheinungen am Thiere wie die Tuberculose am Menschen hervor. Verlauf und Ausgang beider Krankheiten ist der gleiche. Menschliche tuberculöse Materie bringt bei Thieren Perlsucht hervor, wenn letztere solche einathmen, in den Verdauungscanal oder in eine tief gehende Wunde aufnehmen. Die eingeimpfte, von dem Menschen auf das Thier übertragene Perlsucht kann von Thier zu Thier weiter geimpft werden und erzeugt stets die Erscheinungen der Tuberculose. Die Perlsucht der Thiere und die Tuberculose des Menschen vererben sich auf die Nachkommen. Beide Krankheiten sind ansteckend. Es liegen klinische Beobachtungen der Uebertragung der Perlsucht von den Thieren auf den Menschen durch den Genuss der Milch perlsüchtiger Thiere vor. Die Perlsucht der Thiere kommt ebenso wie die menschliche Tuberculose in den kalten Climaten gar nicht oder selten, in den warmen Climaten dagegen häufig vor. Die Verbreitungsbezirke beider Krankheiten laufen nahezu parallel. Es steht evident fest, dass ein pathogener Pilz von gleichen morphologischen und biologischen Eigenschaften im menschlichen und thierischen Tuberkel vorkommt, der nach Reinzüchtung auf das Thier übertragen die Perlsucht hervorbringt, einerlei, ob er vom Menschen oder Thiere stammt. Aus all diesen Thatsachen folgt mit Sicherheit, dass die Tuberculose des Menschen und die Perlsucht der Thiere eine einzige Krankheit sind, welche wie keine zweite ohne Rücksicht auf die Arten der warmblütigen Geschöpfe diese besonders dort zum Opfer auswählt, wo sie dicht bei einander wohnen. Beide Krankheiten stehen in den engsten causalen Wechselbeziehungen zu einander und es ist die Aufgabe der Gesundheits- und insbesondere der Veterinärpolizei, den Faden in dieser Beziehung thunlichst zu lockern und womöglich zu durchschneiden.

Zum Schlusse seines interessanten Artikels behandelt L. die Frage, was in polizeilicher Hinsicht gegen die Gemeingefahr, welche aus der Perlsucht der Hausthiere, insbesondere des Rindes, entspringt, bisher geschehen? und ob die ergriffenen Massregeln genügen oder ob dieselben zu ergänzen oder andere Wege als die bisher betretenen einzuschlagen sind, um die gedachte Gefahr abzuwenden. L. kommt zu folgenden Resultaten: Schon seit den ältesten Zeiten bis auf den heutigen Tag ist in mehreren Staaten das Feilhalten und der Verkauf des Fleisches und auch der Milch perlsüchtiger Thiere unbedingt oder bedingt polizeilich verboten, und zwar unter mehr oder minder weitgehender Zustimmung der Fachleute. In vielen Staaten sind Einrichtungen getroffen, um das Feilhalten und den Verkauf von Fleisch und Milch überhaupt und somit auch, wenn sie von perlsüchtigen Thieren stammen, gesundheitspolizeilich zu überwachen (öffentliche Schlachthäuser, Fleischbeschau, Milchcontrole). Derartige Einrichtungen haben sich sehr nützlich für das Allgemeinwohl erwiesen.

Die bis jetzt ergriffenen Maassnahmen, welche darauf abzielen, den Menschen vor der Schädlichkeit der Nahrungsmittel zu schützen, welche aus perlsüchtigen Thieren gewonnen sind, sind aber deshalb unzulänglich, weil die Interessen der Landwirthschaft resp. diejenigen der Viehzucht und Viehhaltung gar nicht oder zu wenig Berücksichtigung finden. Die Gefahren, welche die Perlsucht der Viehzucht und Viehhaltung unmittelbar verursacht, sind sehr gross, und es ist in Anbetracht der ansteckenden Natur dieser Krankheit die Frage reiflich zu überlegen, ob es nicht an der Zeit ist, die Perlsucht des Rindes, wenn nicht auch die der anderen Hausthiere in die polizeilich zu bekämpfenden (durch Isolirung, Tödtung und Beseitigung der erkrankten und verdächtigen Thiere, Desinfection ihrer Aufenthaltsorte) Krankheiten einzureihen. L. bejaht diese Frage und ist der Ansicht, dass die Perlsucht in das Seuchengesetz aufzunehmen ist. Er bestreitet, dass die Erkennung der Perlsucht grössere Schwierigkeiten bietet, als die z. B. des occulten Rotzes und der Lungenseuche. Demnach dürfte die Anzeige und Feststellung der Krankheit keine besonderen Schwierigkeiten bieten. Der Einwand, dass die Bekämpfung der Seuche häufig gewaltige Massentödtungen von Thieren veranlassen würde und dass deshalb die Bekämpfung der Seuche nicht erfolgen könne, ist nach L. hinfällig. Selbst wenn Massentödtungen nöthig wären, so könne diese Thatsache doch nicht verhindern eine Seuche zu bekämpfen, welche den Wohlstand vieler Viehzüchter und Viehhalter untergräbt. Die Massentödtungen würden übrigens auch immer seltener werden, wenn die polizeilichen Maassregeln eine Zeit lang in Kraft sind. Uebrigens könnte der öconomische Schaden, der aus der Tödtung der Thiere erwächst, in vielen Fällen dadurch abgeschwächt werden, dass die noch mastfähigen, nur verdächtigen Thiere zur Mast aufgestellt und erst im angemästeten Zustande zur Schlachtbank geliefert würden. Ausser der Tödtung der erkrankten und verdächtigen Thiere ist eine längere polizeiliche Beobachtung der der Ansteckung verdächtigen Thiere nothwendig. Die verdächtigen Thiere sind während der Contumaz vom Handel auszuschliessen. Der Gebrauch der Milch perlsüchtiger Thiere ist bei Strafe zu verbieten. Die technische Benutzung sämmtlicher Cadavertheile ist zu gestatten. Ueber den Genuss des Fleisches perlsüchtiger Thiere dürften die Vorschriften, welche in Baden und Hessen in Kraft sind, zu beobachten sein. Die Desinfection der Standorte der Thiere und aller Gegenstände, mit denen sie in Berührung gekommen sind, ist nothwendig. Wenn die polizeiliche Bekämpfung der Perlsucht eingeführt wird, dann ist eine Entschädigung der Viehbesitzer, wie sie auch bei anderen Contagionen statthat, unerlässlich.

b. Influenza der Pferde.

1) Adam, Th., Beobachtungen über die Pferdestaupe in Augsburg im Jahre 1883. Ad. Woch. S. 214. — 2) Courtenay, Influenza. The vet. journ. p. 240. 319. — 3) Hartenstein, Ungewöhnliche Formen von Influenza der Pferde. Alfort. Arch. p. 245. — 4) Lustig, Zur Kenntniss der Brustseuche oder Brustinfluenza (Influenza pectoralis) der Pferde. Jahresber. der Thierarzneisch. Hannover 1883/84. S. 59. — 5) Walther, Uebertragung der Pferdestaupe auf Hunde. Ad. Woch. S. 305.

In Holland kam im Jahre 1883 die Influenza (den Angaben nach wohl die erysipelatöse Form) in der Provinz Groningen allgemein verbreitet vor. In einem an der preussischen Grenze gelegenen Orte soll die Krankheit mit ostfriesischen Pferden eingeführt worden sein. Auch in der Grenzprovinz Gelderland ist die Krankheit im Frühjahre und im Sommer aufgetreten. (Holl. Vet.-Bericht.)

c. Actinomycose.

1) Bang, Die Strahlenpilzerkrankung (Actinomycose). Deutsche Zeitschr. f. Thiermed. S. 249. — 2) Ciucci, R., Actinomicosi intestinale primitiva; nuova forma actinica nei bovini. La clinica veterinaria. No. 7 e 8. — 3) Duncker, Actinomyces in swine-flesh. The vet. journ. p. 1. — 4) Derselbe, Strahlenpilze im Schweinefleisch. Oesterr. Monatsschr. d. Ver. S. 57. Refer. — 5) Firket, L'Actinomycose de l'homme et

des animaux. Paris. — 6) Haselbach, Ueber Actinomyces im Schweinefleische. Oesterr. Monatsschr. d. Ver. S. 105. — 7) Hertwig, Actinomycespilze im Schweinefleisch. Ad. Woch. S. 59. — 8) Jsrael, O., Die Cultivirbarkeit des Actinomyces. Virchow's Archiv. 95. Bd. — 9) Nocard, Sur un cas d'actinomycose, le premier observé en France. Bulletin de la soc. centrale. Séance du 13. mars. — 10) Pütz, Ueber Actinomyces. Pütz, Centralbl. S. 107. Refer. — 11) Rivolta, S, Del micelio e dell varietà e specie di Discomiceti patogeni. Giornale di Anat. Fisiol. Path. etc. Pisa. Fasc. IV. Juli—August — 12) Strahlenpilze im Schweinefleische. Referat in Deutsche Zeitschr. für Thiermed. S. 236. — 13) Virchow, Actinomycosis im Schweinefleisch. Virchow's Archiv. 95 Bd. — 14) Winchester, Actinomycosis in North Andover. Am. vet. rev. Vol. VIII. p. 76.

Virchow (13) betont, dass bei Schweinen eine Anzahl von Concrementen im Fleisch existire, die wohl unterschieden werden müssen. Abgesehen von den Guaninknoten giebt es (freilich sehr selten) verkalkte Trichinen, sowie verkalkte Cysticerken, und endlich verkalkte Actinomyceten; dieselben liegen ursprünglich im Innern der Primitivbündel. Um sie entwickelt sich eine starke Verdickung des Sarcolemma und in weiterer Folge eine weit ausgreifende Proliferation in dem intramusculären Bindegewebe, welche eine reiche Bildung von Granulationszellen mit sich bringt. V. ist der Ansicht, dass ein derartiges mit Actinomyceten durchsetztes Fleisch dem Genusse der Menschen und Thiere zu entziehen ist.

d. Schweineseuche.

1) Ableitner, Die Schweineseuche oder das Rothlauffieber der Schweine (febris erysipelatosa maligna). Oesterr. Monatsschr. d. Ver. S. 145 — 2) Baillet, Recherches sur le rouget ou mal rouge du porc. Recueil. p. 369. — 2a) Baillot, L., Untersuchungen über die Schweineseuche. Revue vétér. p. 324. — 3) Eggeling, Ueber den Rothlauf der Schweine. Ref. Deutsche Ztschr. f. Thiermed. S. 234. — 4) Herbet, Expériences sur la vaccination contre le rouget du porc. Recueil. p. 712. — 5) Derselbe, Versuche über die Schutzimpfung gegen die Schweineseuche. Revue vét. p. 333, 541. Lyon Journ. p. 365, 539. — 6) Klein, Die Bacterien der Schweineseuche. Virchow's Archiv. Bd. 95. 3. Heft. — 7) Pasteur und Thuillier, La vaccination des porcs à l'aide du virus mortel atténué de cette maladie. Annal. belg. S. 22. (Ueber diese Versuche wurde im vorjährigen Berichte S. 57 berichtet.) — 8) Dieselben, Die Impfung des Rothlaufs der Schweine. Berliner Archiv. S. 142. — 9) Pütz, Rothlaufseuche der Schweine. Pütz' Centralbl. S. 104. (Ref.) — 10) Derselbe, Rothlauf der Schweine. Ebendas. S. 24. (Ref.) — 11) Salmon, D. E., Investigation of swine plague. (Untersuchungen über Schweineseuche. Mit 2 Taf.) Amerik. Vet.-Bericht. S. 78—88.

In Holland kam im Jahre 1883 die Schweineseuche in einzelnen Gemeinden mehrerer Provinzen zur Beobachtung. Sie blieb aber fast überall als Seuche sehr beschränkt und gewann nur in den Provinzen Nord-Holland und Zeeland eine grössere Verbreitung. (Holl. Vet.-Bericht.) W.

Die Schweineseuche forderte in England auch 1883 viele Opfer. Die Seuche wurde in 2,400 Beständen beobachtet, getödtet wurden 8,950, es starben 2,257 Schweine.

Der Rothlauf der Schweine wurde in Oesterreich 1882 bei 1,775 Schweinen in 631 Höfen in 96 Orten und 46 Bezirken constatirt. Von den Erkrankten starben 1,357 und wurden 297 getödtet, sodass sich der Gesammtverlust auf 1,654 Schweine beziffert.

Im Jahre 1883 wurden 2,882 Erkrankungsfälle in 1,263 Höfen, in 266 Orten und 77 Bezirken constatirt. Der Gesammtverlust betrug 2,621 Schweine. Die scheinbare Zunahme der Krankheit ist nicht durch eine grössere Verbreitung derselben, sondern dadurch bedingt, dass dem Auftreten dieser Krankheit eine grössere Aufmerksamkeit zugewendet wird.

Eggeling (3) unterscheidet die rothlaufartigen Krankheiten der Schweine in zwei Gruppen: 1) sporadische (Kopfrose und Nesselfieber). 2) seuchenhafte (Rothlaufseuche und Schweineseuche). Die Rothlaufseuche ist ein ansteckendes acutes Exanthem. Die Schweineseuche ist eine nicht ansteckende Septicämie (heftige Gastro-enteritis, Schwellung der Mesenterialdrüsen, parenchymatöse Degenerationen der grossen drüsigen Organe); sie ist die verbreitetste von beiden Seuchen. Bei der Rothlaufseuche fehlt die Gastroenteritis, die Milz ist meist normal, das Blut kirschroth, während bei der Schweineseuche Gastroenteritis besteht, die Milz nicht geschwollen und das Blut dunkelroth ist. — Bei der Rothlaufseuche ist die Röthung der Haut kupferfarbig und treten zeitweilig schmerzhafte Schwellungen der Haut und Athem- und Schlingbeschwerden auf; bei der Schweineseuche fehlen letztere (die Schwellungen und Athembeschwerden) und ist die Hautfärbung eine dunkelrothe von bläulich-rother Nuance.

Die Rothlaufseuche verbreitet sich auf dem Wege der Ansteckung. Die Schweineseuche tritt seuchenartig infolge einer Schädlichkeit auf, die an den Pflanzen haftet und entsteht daher besonders bei Weidegang und nach Verabreichung von Grünfutter und von Unkraut.

e. Hämoglobinurie.

1) Anacker, Die sogen. schwarze Harnwinde. Thzt. S. 17. (Vortrag gehalten im thierärztlichen Verein zu Düsseldorf.) — 2) Fröhner, Ueber rheumatische Hämoglobinämie (toxämische Hämoglobinurie Bollinger's) beim Pferde und ihr Verhältniss zur paroxysmalen Hämoglobinurie des Menschen. Berl. Archiv. S. 296. — 3) Utz, Ueber subacute Hämoglobinurie (schwarze Harnwinde). — 4) Walley, Remarks on azoturia. The veterinarian. p. 297.

Fröhner (2) behandelt in einer sehr interessanten Abhandluug die von ihm als rheumatische Hämoglobinämie bezeichnete räthselhafte Krankheit, die mit der rheumatischen und paroxysmalen Hämoglobinurie, deren Genese auch noch dunkel ist, eine grosse Aehnlichkeit hat. Er versucht der gen. Pferdekrankheit eine etwas festere ätiologische Basis zu verschaffen. Zur näheren Orientirung über die in Frage stehende Krankheit schildert er drei von ihm beobachtete Krankheitsfälle, die insofern als typische zu bezeichnen sind, als sie die verschiedenen Intensitätsgrade der Krankheit zur Anschauung bringen, und bespricht die über die fragliche Krankheit vorliegende Literatur.

Als Resultat seiner klinischen Beobachtungen würde nach dem Autor die rheumatische Haemoglobinämie des Pferdes in folgender Weise zu characterisiren sein. Aetiologische Momente: Erkältung nach längerer Reise und guter Fütterung, Neigung zu Recidiven; Symptome: paroxysmal auftretende Muskelaffectionen mit vorwiegender Betheiligung der Muskeln der Nachhand, hämoglobinämische Blutdissolution, Ausscheidung des Hämoglobins durch den Harn, die indess auch fehlen kann, secundäre Affection des Darmcanales, der Schleimhäute des Athmungsapparates, der Circulation; Fieber unwesentlich, kann fehlen; Section: Muskelveränderungen, Hämoglobinämie, secundäre Affectionen der Nieren etc.; Wesen der Krankheit: rheumatische Muskelerkrankung mit Hämoglobinämie.

Im Anschluss hieran werden die einzelnen Symptome mit Bezugnahme auf die von verschiedenen Forschern über das Wesen der fraglichen Krankheit geäusserten Ansichten besprochen.

Vor allem wird gegenüber Bollinger betont, dass es eine grosse Anzahl von derartigen Krankheitsfällen gäbe, in welchen dem Harn nicht die geringste diagnostische Bedeutung beigelegt werden könne. Namentlich sei der Hämoglobingehalt des Harns kein wesentliches Kriterium, sondern der des Blutes. Auf Grund der bekannten Arbeiten von Ponfick verwirft Verf. den Namen Hämoglobinurie und bezeichnet die Krankheit als Hämoglobinämie. Die Ausscheidung des Hämoglobins aus dem Blute soll aber nicht allein durch Milz, Leber und Nieren, sondern in hochgradigen Fällen auch durch das rothe Knochenmark erfolgen. — Albuminurie soll vielfach fehlen und wenn sie vorhanden auf den Hämoglobingehalt des Harnes zu beziehen sein. Symptome einer Nierenentzündung seien vielfach selbst in letal verlaufenden Fällen nicht vorhanden. Ebensowenig waren sauere Reaction und eine Erhöhung des spec. Gewichts ein constantes Symptom.

Das eigentlich characteristische Symptom sei die plötzlich auftretende Lähmung — Parese — einzelner Körpertheile und zwar wesentlich des Hintertheiles, welche aus verschiedenen Gründen nicht als die Folge einer Rückenmarksaffection aufgefasst werden dürfe. Als eine bisher fast unbeachtete Eigenthümlichkeit der Hämoglobinämie hebt Verf. deren intermittirendes Auftreten hervor (für welches Ref., wie dem Herrn Verf. entgangen zu sein scheint, bereits im Jahre 1873 eine Beobachtung mittheilte). Erhöhung der Temperatur sei nicht immer vorhanden, wodurch am besten die Annahme einer Infection widerlegt werde.

Die Mortalität soll nach verschiedenen Beobachtern 40 bis 70 pCt. betragen.

Die wichtigsten und characteristischen pathologischen Veränderungen finde man bei der Section im Blute und in den Muskeln.

Ersteres enthalte freies Hämoglobin, nach Siedamgrotzky auch einen bedeutenden Gehalt an Harnstoff und Extractivstoffen, welchen Verf. indess nicht die vom genannten Autor supponirte specifische Bedeutung beilegen will. Constant sei, wie alle Beobachter berichten, neben denselben eine Veränderung der Musculatur, besonders der Poas- und Kruppenmuskeln vorhanden, welche macroscopisch eine helle, blasse Farbe und eine ödematöse Schwellung und Infiltration, microscopisch körnige Trübung, schollige Zerklüftung, hyaline Entartung und Verlust der Querstreifung erkennen lassen.

Bezüglich der Ursachen der Hämoglobinämie weist Verf. zunächst die vielfach angenommene von Vogel und Bollinger aufgestellte Infectionstheorie entschieden zurück und bezeichnet die Krankheit als eine unzweifelhafte Erkältungskrankheit. Er stützt sich hierbei nicht nur auf die Beobachtungen von Lassar und Nasaroff, sondern vor allem auf die Analogie, welche eine ähnliche, beim Menschen vorkommende Krankheit, die sog. paroxysmale Hämoglobinämie, mit der Hämoglobinämie des Pferdes haben soll. Er citirt hier besonders die klinischen Beobachtungen, welche von Lichtheim, Rosenbach und Eichbaum beim Menschen gemacht wurden, und führt die von letzterem beschriebenen, bei der Section einer menschlichen Leiche vorgefundenen Muskelveränderungen an, welche Ref. indess nicht ohne weiteres identisch mit den beim Pferde vorgefundenen anzuerkennen vermag.

Den Zusammenhang zwischen Hämoglobinämie und Erkältung denkt sich Verf. wie folgt. Reizung der sensiblen Hautnerven steigert den Stoffumsatz in den Muskeln. Bei sehr intensiven Reizen, namentlich in Verbindung mit einer individuellen Disposition, werde auch der Organismus der Muskeln, d. h diese selbst angegriffen, und hierdurch degenerative Veränderungen bedingt. Die nach Nasaroff's Versuchen bei Erkältungen eintretenden Blutstauungen führen zum Oedem der Musculatur. Der hohe Stoffwechsel in den Muskeln werde durch die von Siedamgrotzky gefundene, abnorm hohe Harnstoffproduction bewiesen.

Ausser dem Harnstoff und verwandten Stoffen gelange aber auch noch der mit dem Hämoglobin identische Muskelfarbstoff in das Blut, wofür das helle, farblose, wie ausgewaschene Aussehen der Muskeln den besten Beweis biete.

Die nach tagelangem Aufenthalt der Pferde in oft überwarmen Ställen bei Bewegung derselben in kalter Luft einwirkende Erkältung hält Verf. für einen genügend starken Reiz, um obige Steigerung der Stoffwechselprocesse in den Muskeln hervorzurufen. Dass gerade die Muskeln des Hintertheiles (Lenden- und Kruppenmuskeln) vorwaltend degeneriren, habe seinen Grund in der physiologischen Thatsache, dass diese Muskeln bei der Vorwärtsbewegung des Pferdes am meisten angestrengt würden und daher dem degenerativen Process in erster Linie anheimfielen. Zum Schlusse giebt der Verf. eine vollständige Uebersicht der den fraglichen Gegenstand betreffenden veterinärmedicinischen und medicinischen Literatur.

f. Pyämie, Septicämie, Bacteriämie, malignes Oedem, Oedembacillen.

1) Bialzow, Zur Frage über die Microorganismen bei der Pyämie. Veterinärbote. — 2) Blumberg, Zur Frage über die putride Vergiftung. Mit-

theilungen aus dem Kasaner Veterinärinstitut. — 3) Uffreduzzi, G. Bordoni, Sulla piaemia dei Vitelli Neonati. Torino. Archivo per le scienze Mediche. Vol. VIII. No. 16. — 4) Chauveau et Arloing, Etude experimentale sur la septicémie gangréneuse. Ann. belg. p. 385. — 5) Chaveau, De la septicémie gangréneuse. Ibidem. p. 601. — 6) Chaveau et Arloing, Dasselbe. Recueil. p. 544. — 7) Gruber, Ueber die sogen. spontane Einverleibung septischer und specifischer Gifte in die Blut- resp. Säftebahn des Thierkörpers. Pütz' Centralbl. S. 258. — 8) Herz, Ein Fall von Septicämie beim Pferde. Ad. Woch. S. 437. — 9) Lustig, Zur Kenntniss bacteriämischer Erkrankungen bei Pferden. Jahresber. der Thierarzneischule Hannover. 1883/84. S. 83. — 10) v. Nathusius-Königsborn, Eine septische Erkrankung bei Mutterschafen. Pütz' Centralbl. S. 161. — 11) Pütz, Dasselbe. Ebendas. S. 81. — 12) Derselbe, Septicämie. Ebendas. S. 42. (Referat.) — 13) Sutton, Pyämia in a male python (Python sebae). Transact. of the pathol. Soc. XXXIV. p. 325. — 14) Kitt, Einige Bemerkungen über die Bedeutung der Oedembacillen für pathologische Vorgänge bei Hausthieren. Koch's Monatsschrift. S. 81. — 15) Petri, Spontanes Auftreten von malignem Oedem bei Kaninchen, sowie einer Septicämie bei Gänsen, Enten und Hühnern. Centralblatt f. d. med. Wissensch. No. 47 u. 48.

Lustig (9) hat früher Mittheilungen über Erkrankungen bei Pferden gemacht (Hannöv. Jahresber. 1879 und 1880), bei denen Bacillen gefunden wurden, welche den Milzbrandbacillen sehr ähnelten. Diese Bacillen, von Pasteur als Vibrions septiques, von Gaffky auf Koch's Vorschlag als Bacillen des malignen Oedems bezeichnet, werden nach Gaffky in Erstickungsleichen gefunden, sobald dieselben etwa 24 Stunden in einer Temperatur von 38° C. gehalten werden. Auf Grund dieser Thatsachen sprach Koch die Meinung aus, dass es sich in den früher von L. mitgetheilten Fällen um postmortale Veränderungen resp. um gewöhnliche Milzbrandinfection gehandelt habe. L. giebt zu, dass an der Hand der heutigen Kenntnisse in zwei Fällen die in den Lebern gefundenen Bacillen postmortalen Ursprungs waren. Für andere Fälle hält L. seine Meinung, dass die Erkrankungen durch Oedembacillen veranlasst seien, aufrecht unter Anführung weiterer diesbezüglicher Beobachtungen. L. resümirt sich wie folgt: bei Pferden, die an Erstickung gestorben sind, werden 12—24 Stunden und länger nach dem Tode, insbesondere bei höherer Lufttemperatur zunächst in der Leber, dann aber auch weiter verbreitet im Körper Bacillen des malignen Oedems gefunden, welche den Milzbrandbacillen ausserordentlich ähnlich sehen und schwer von letzteren zu unterscheiden sind. Durch Bacillen des malignen Oedems können irrthümliche Milzbranddiagnosen veranlasst werden, besonders bei kolikkranken Pferden, welche dyspnoisch zu Grunde gehen, oder bei Rindern unter ähnlichen Verhältnissen.

Der Unterschied in der Wirkung der Milzbrandbacillen und Oedembacillen ist der, dass Milzbrandbacillen Kaninchen, Meerschweinchen etc. schon tödten, wenn eine kleinste Menge der Haut eingeimpft wird, während von den Oedembacillen grössere Mengen unter die Haut gebracht werden müssen. Ganz auffallend bei den von L. ausgeführten Impfversuchen ist der Umstand, dass zwei Impfgenerationen starben, während die dritten Versuchskaninchen bei ganz conformer Impfung gesund blieben. Ganz dasselbe Impfresultat hat Gaffky bei Meerschweinchen gehabt. Bei Pferden entsteht bei subcutaner Einspritzung von einer Oedembacillen enthaltenden Flüssigkeit Abscedirung. L. ist der Ansicht, dass von umfangreichen Verwundungen aus eine Infection mit Oedembacillen bei Pferden tödtlich werden kann, wofür die oben angedeuteten Krankheitsfälle wesentliche Stützen liefern. Weitere Beobachtungen lassen auch die Meinung gerechtfertigt erscheinen, dass bei Pferden eine sogenannte spontane Infection mit Oedembacillen vielleicht vom Darme aus unter gewissen noch nicht näher gekannten Verhältnissen eintreten und tödtlich werden kann.

g. Staupe der Hunde.

1) Friedberger, Die Staupe der Hunde und Katzen. Münchener Jahresber. S. 52. — 2) Konhäuser, Die Staupe der Hunde. Oesterreich. Monatsschrift.

Friedberger (1) berichtet über eine geradezu seuchenhafte Ausdehnung der Hunde- und Katzenstaupe, indem nahezu ein Drittel sämmtlicher in der internen Klinik behandelten Hunde staupekrank war. Die Morbilität war am grössten im Monat Juni, welcher sich durch eine andauernde trockene und heisse Witterung auszeichnete. Von 84 behandelten Hunden wurden 28 = 33 pCt. geheilt, 19 gebessert, 6 blieben ungeheilt, 8 wurden getödtet und 23 verendeten. 43.4 pCt. der erkrankten Hunde waren über ein Jahr alt; darunter waren 8 2 Jahre, 4 3 Jahre, 2 4 Jahre, 2 6 Jahre und 1 8 Jahre alt, woraus die Unrichtigkeit der Annahme hervorgeht, dass nur junge Hunde von der Staupe befallen werden. In einem Falle hatte sich die specifische Hauterkrankung auf die auskleidende Membran des äusseren Gehörgangs ausgebreitet. Die microscopische Untersuchung der Staupepusteln, des Nasenausflusses und Conjunctivalsecrets liess die von Rabe beschriebenen Micrococcen ebenfalls erkennen; F. lässt es indess dahingestellt, ob dieselben für die Staupe characteristisch sind, da sie sich weder durch Form, noch durch Grösse oder Anordnung in irgend welcher Weise vor anderen Micrococcen auszeichnen. Impfversuche mit dem Pustelinhalt liessen in einem Falle die Uebertragung der Staupe auf einen anderen Hund gelingen. Die Staupe bei dem geimpften Thiere zeichnete sich durch ein sehr kurzes Incubationsstadium, geringe Intensität, raschen Verlauf und durch das Auftreten eines auf den Impfrayon beschränkten pustulösen Ausschlags aus.

Die Erscheinungen der Katzenstaupe bestanden in Trockenheit der Nase, Conjunctivitis, Nasenausfluss, Niesen, Husten, schniefendem und erschwertem Athmen, verminderter Futteraufnahme, Erbrechen, Diarrhoe, Mattigkeit u. s. w. Die Mastdarmtemperatur war nicht oder nur um etwa $^1/_2$ Grad erhöht. Vom klinischen Standpunkte aus musste die Katzenstaupe als vollkommen identisch mit der Hundestaupe erklärt werden.

h. Bösartiges Catarrhalfieber.

1) Frank, Bösartiges Catarrhalfieber. Enzootisches Auftreten desselben im unteren Alsenzthale und seiner Umgebung. Pütz' Centralbl. S. 297. — 2) Friedberger, Bösartiges Catarrhalfieber beim Schaf (Schafrotz). Münchener Jahresber. S 85. — 3) von Ow, Kopfkrankheit des Rindes (bösartiges Catarrhalfieber). Bad. Mitth. S 28. — 4) Popow, Diphtheritis (bösartiges Catarrhalfieber) bei Rindern im Dorfe Koloskowa des Woronesch'schen Gouvernements. Veterinärbote. — 5) Schleg, Bösartiges Catarrhalfieber bei Rindern. Sächs. Bericht. S. 84.

i. Texasfieber.

1) Detmers, H. J., Investigation of southern cattle fever. Amerikan. Veter.-Bericht. p. 247—259. (Untersuchungen über Texasfieber in den Vereinigten Staaten von Nord-Amerika.) — 2) Salmon, D. E., Texas cattle fever. — Is it a chimera or a reality? American journ. of comp. med. Vol. V. p. 213—235. (Ist das Texasfieber des Rindes ein Hirngespinnst oder eine Realität?) — 3) Derselbe, Geographical distribution of southern cattle fever. Amerikan. Vet.-Bericht. S. 70—78. (Geographische Verbreitung des Texasfiebers des Rindes in den Vereinigten Staaten von Nord-Amerika. Mit 3 Karten.) — 4) Trumbower, M. R., Outbreak of southern cattle fever in Kansas. Ebendas. S. 207—246. (Ausbruch des Texasfiebers im Staate Kansas.)

k. Verschiedene andere Infectionskrankheiten.

(Siehe auch das Capitel Seuchen etc. „Allgemeines.")

1) Bouley, Les doctrines microbiennes devant l'académie à propos d'un discours de M. Peter sur l'épidémie de fièvre typhoide à Paris. (Fin.) Rec. de méd. vétér. No. 1. — 2) Bräuer, Ueber die Ursache des seuchenhaften Verkalbens der Kühe und deren neueste Behandlungsweise. Ad. Wochenschr. S. 429 — 3) Chicoli, Fièvre jaune sur les animaux de l'espèce bovine en Sicile. Recueil. p. 119. — 4) Colin, Expériences sur la valeur des agents desinfectants dans le choléra des oiseaux de basse-cour. Compt. rend. T. 99. p. 934. — 5) Friedberger, Stomatitis pustulosa contagiosa beim Pferd. Münch. Jahresber. S. 66. — 6) Gaffky, Zur Aetiologie des Abdominaltyphus. Mittheilungen des Gesundheitsamtes II. S. 372. — 7) Horand und Cornevin, Impfung von Schweinen mit dem Syphiliscontagium (Negative Ergebnisse.) Lyon. Journal. p. 393. — 8) Johne, Referat über die neueren Arbeiten auf dem Gebiete der pathogenen Microorganismen. Deutsche Zeitschrift für Thiermed. S. 203. — 9) Löffler, Ueber die Bedeutung der Microorganismen für die Entstehung der Diphtherie beim Menschen, bei den Tauben und beim Kalbe. Mittheil. des kaiserl. Gesundheitsamtes II. S. 421. — 10) Peters, J. C., Scarlet fever in horses. American journal of comp. med. Vol. V. p. 1 and 134. (Scharlachfieber beim Pferde.) — 11) Plustschewski, Zur pathologischen Anatomie der willkürlichen Muskeln beim Typhus. Veterinärbote. — 12) Pütz, Ueber die Ursachen der Diphtherie des Menschen und der Tauben. Pütz' Centralbl. S. 321. Referat. — 13) Derselbe, Ueber den Werth unserer gegenwärtigen Kenntnisse der biologischen Verhältnisse pflanzlicher Microorganismen für die Aetiologie und Diagnose von Thierkrankheiten. Ebendaselbst. S. 305. — 14) Railliet, Du rôle de la Ttétsé dans la propagation des maladies. Bull. de la soc. Séance du 14. février. — 15) Prietsch, Diphtheritis bei einer Kuh. Sächs. Bericht. — 16) Rivolta, S., Sull' identità del virus dell' epitelio micosi (croup difterite) del piccione con quello dei polli. Giorn. di Anat., Fisiol. e Patol. XVI p. 135. — 17) Derselbe, La così detta Difterite dei polli e la Difterite dell' uomo. Ibidem. XVI. p. 1. — 18) Salmon, Texas cattle fever, is it a chimera or a reality? The journ. of comp. med and surg. p 213. — 19) Sauter, Blutfleckenkrankheit (Purpurea). Bad. Mitth. S. 30. — 20) Stalker, Crotalism, a new disease among horses. Am. vet. rev. Vol. VIII. p. 342. — 21) Stickler, J. W., Abstract of the investigations thus far made in the use of equine scarlatinal virus. American journ. of comp. med. Vol. V. p. 145. (Impfversuche mit Scharlachvirus des Pferdes.) — 22) Tayon, Sur le microbe de la fièvre typhoide de l'homme, culture et inoculation. Annal. belg. p. 668. — 23) Teleschinski, Impfungen mit Syphilis an Schweinen. Veterinärbote.

Colin (4) hat die gegen die Hühnercholera empfohlenen Desinfectionsmittel: schwefelsaures Kupfer, Chlorzink, Chlorkalk und Borax (Natr. biborac.) auf ihre Wirksamkeit geprüft, indem er Blut, Darmschleim und Theile sehr gefässreicher Gewebe von Federvieh, welches an der Hühnercholera gestorben war, mit jenen Substanzen in Verbindung brachte und demnächst gesundes Geflügel mit dem behandelten Wasser impfte. Die Mittel erwiesen sich nicht von gleicher Desinfectionskraft. Kupfersulfat und Chlorzink, im Verhältniss wie 1 : 20 Wasser und in gleichem Gewichte der zu desinficirenden Massen, zeigten sich den anderen überlegen; sie nahmen dem Blute und den stark verdünnten Darmentleerungen nach gründlicher Mischung mit Leichtigkeit ihre Virulenz. Chlorkalk durchdringt dichtere Massen sehr schwer und Borax verändert sie nur sehr wenig, beide Mittel bleiben daher hinter den erstgenannten in der Wirkung weit zurück, ja das letztere Salz schien, indem es die Zersetzung organischer Massen verzögert, die Virulenz mehr zu conserviren als zu zerstören. Innige Mischung und lange Berührung mit den zu desinficirenden Substanzen waren zur Erzielung der erforderlichen Wirkung der beiden Mittel stets nothwendig. Geringe Mengen nicht geronnenen Blutes hatten nach 2 Stunden noch nicht merklich von ihrer Virulenz eingebüsst. Stücke von der Leber, der Milz, den Nieren in zwei Volumen der Desinfectionsflüssigkeiten gebracht, hatten nach 4 Stunden ihre volle Wirkung noch an den in der Nähe der Oberfläche gelegenen Theilen. Erst nach 24 bis 48 Stunden, d. h. nach vollständiger Imprägnation der Organtheile, wurde eine gänzliche Zerstörung der Virulenz erlangt. C. schliesst aus diesen Ergebnissen, dass die sogenannten Desinfectionsmittel eine absolute Sicherheit nicht gewähren. Haben auch die Mittel die Theile in so starker Concentration durchtränkt, dass die Gewebe noch intact bleiben, so erzielt man oft kein anderes Resultat als eine Abschwächung der Virulenz, wozu langer Contact und innige Mischung mit den zu desinficirenden Substanzen unerlässlich sind.

Löffler (9) hat Untersuchungen über die Aetiologie der Diphtherie angestellt, die die Auffindung des dieselbe veranlassenden Microorganismus bezweckten. Er hat 2 Formen von Microorganismen beobachtet, die nach der Art und der Häufigkeit ihres Vorkommens in Beziehungen zum diphtheritischen Krankheitsprocesse gebracht werden können. Er fand als solche Organismen 1) einen kettenbildenden Micrococcus, 2) eine Stäbchenform. Die Micrococcen werden nicht nur an dem Orte der primären Localerkrankung, sondern auch in inneren Organen wiedergefunden. Sie kommen aber besonders in solchen Fällen vor, die nicht durch characteristische Rachen- und Kehlkopferkrankungen markirt sind. Das Eindringen dieser Micrococcen ruft Gewebsnecrose hervor. — Die Stäbchen kamen niemals in inneren Organen vor. L. fand sie nur in einer Reihe von Fällen innerhalb der diphtheritischen Membranen. Er hat nun beide Formen der Microorganismen gezüchtet und mit den erzielten Reinculturen Impfungen nach verschiedenen Methoden und an den verschiedensten Körpertheilen vorgenommen. Die Micrococcenculturen erzeugten Abscesse, eiterige Gelenkentzündungen u. dgl. Krankheitsprocesse, aber keine diphtheritischen Vorgänge. Daraus ergiebt sich, dass der gefundene und gezüchtete Micrococcus nicht das specifische Virus darstellt.

Die Impfungen auf den Bacillenculturen ergaben Folgendes: Mäuse und Ratten waren immun gegen dieselben, Meerschweinchen bekamen hämorrhagische Oedeme in der Umgebung der Impfstelle; bei Hühnern, Tauben und Kaninchen, die in der Trachea und auf der Conjunctiva geimpft worden waren, bildeten sich fibrinöse Membranen auf den betreffenden Schleimhäuten.

Trotzdem ist der Bacillus nicht als das specifische Virus anzusehen. Er fand sich in den erzeugten diphtheritischen Membranen nur vereinzelt und keineswegs in der beim Menschen erkannten Anordnung; auch beim Menschen kam er nur in einer Reihe von Fällen vor; auf die unverletzte Trachealschleimhaut war er unwirksam; aus dem Inhalte der Mundhöhle eines gesunden Kindes züchtete L. Stäbchen, die mit den bei der Diphtherie gefundenen ganz übereinstimmten.

Auf Tauben und Kälber glückten Uebertragungen mit frischem diphtheritischem Materiale. Es gelang aber nicht, das specifische Virus zu finden.

II. Constitutionelle Krankheiten, bösartige Tumoren etc.

1) Arloing, Nouvelles expériences comparatives sur l'inoculabilité de la scrofule et de la tuberculose de l'homme au lapin et au cobaye. Recueil. p. 664. — 3) Burke, „Bursatti", its periodicity and alleged cure — period of respite due to atrophic change — course of the disease — symptoms-clinical character of the sores. The veterinarian. p. 665. 819. — 4) Derselbe, „Bursatti". Record of cases during 1883. The vet. journ. p. 157. 238. 321. — 5) Martin, P., Pathologisch-anatomische Mittheilungen. Münch. Jahresbericht. S. 104. — 6) Mégnin, Sur la nature de la cachexie aqueuse des ruminants. Rec. de méd. vétér. 1. — 7) Pommay und Bizard, Cylinderepithelkrebs des Dünndarmes bei einem Strauss, eine tödtlich verlaufende Verdauungsstörung bedingend. Alfort. Archiv. p. 201. — 7a) Popow, Rhachitis bei einem Füllen. Archiv für Veterinärmedicin. — 8) Rabe, Ueber amyloide Degeneration bei den Hausthieren. Jahresber. der Thierarzneisch. Hannover 1883/84. S. 114. — 9) Rodet, Etude expérimentale sur l'osteomyelite infectieuse. Annal. bel. S. 652. — 9a) Rutherford, Osteoporosis and splenic abscess The vet. journal. p. 413. — 10) Smith, The pathology of bursattee. The vet. journ. p. 16. — 11) Sutton, Bl., Rickets in a baboon (Cynoceph. porc.). Westafrica. Transact. of the pathol. society. 1883. XXXIV. p. 312. — 11a) Derselbe, Rickets in a baboon. Ibid. p. 310. — 12) Derselbe, Bone diseases in animals. Ibid. p. 315.

Rabe (8) berichtet über 7 Fälle von Leberamyloid bei Pferden zum Theil mit gleichartiger Erkrankung anderer Organe, welche von ihm in der Zeit von 1881 bis 1884 beobachtet wurden. Die amyloide Degeneration fand sich relativ häufig (zu beinahe 50 pCt.) bei solchen Pferden, welche an chronischer Pleuritis, Pericarditis oder Peritonitis gelitten hatten und bei denen neben schleimig weichen warzenartigen Wucherungen auf den bezüglichen serösen Häuten grössere Mengen einer lymphatischen Flüssigkeit in der Bauch- oder Brusthöhle bezw. im Herzbeutel vorhanden waren. Nur einmal deutete icterische Färbung der Schleimhäute auf Störung der Gallenausscheidung hin, zu welcher kurz vor dem Tode die Erscheinungen einer acuten Anämie hinzutraten.

Fast in allen Fällen von Leberamyloid bei Pferden war dieses Organ beträchtlich vergrössert, und meist zeigte die im Ganzen blassere Schnittfläche des Parenchyms eine mehr oder weniger deutliche Muscatnusszeichnung. Die Consistenz des mehr trockenen, blutarmen Parenchyms nimmt in dem Grade ab, in dem das Gewicht des ganzen Organs zunimmt. Die Meinung Piana's, dass die Zerreissung der Leber vorzugsweise von der amyloiden Degeneration abhänge, erscheint daher für die Pferdeleber vollkommen zutreffend, denn diese wird in den höheren Graden der Erkrankung bröckelig, krümelig und sogar breiartig. Die Serosa verdickt sich hyperplastisch bis zu 6 und 8 mm. In zwei Fällen ergab sich neben Leberamyloid eine analoge Erkrankung der Milz, in einem Falle Nierenamyloid.

Bei Hunden ist von R. bis jetzt nur einmal Leberamyloid gesehen worden. In Bezug hierauf, sowie auf das Vorkommen von Nierenamyloid bei Hunden und Rindern sind bereits früher Mittheilungen gemacht worden.

Auch in verschiedenen pathologischen Neubildungen hat R. die amyloide Degeneration bei Hausthieren wiederholt angetroffen, so namentlich in Mammacarcinomen von Hündinnen, in denen zuweilen das ganze Stroma mehr oder weniger stark amyloid degenerirt war. Auch bei dem Hausgeflügel, besonders Putern, fanden sich mehrmals aus zahlreichen, rundlichen Knollen und Knötchen zusammengesetzte Tumoren, welche zum grössten Theile aus amyloid degenerirtem Gewebe bestanden.

Endlich zeigt sich die amyloide Degeneration unter ganz eigenartigen Verhältnissen an der Nasenschleimhaut des Pferdes. Diese Krankheit ist auch von Dieckerhoff beobachtet und von Grawitz zuerst beschrieben worden (cf. dies. Ber. pro 1883. S. 85). R. bemerkt, dass die hier fragliche Veränderung in der Provinz Hannover häufiger vorkommt und beschreibt ein von Dr. Lemcke aus Bremen eingesandtes Präparat. Hinsichtlich des Details der Beschreibung muss auf das Original verwiesen werden.

Sutton (11) hat mehrere Fälle von englischer Krankheit an Pavianen beobachtet. Die von ihm erhobenen Befunde enthalten im Wesentlichen Folgendes: 1) Ein 2 Monate altes Thier wurde im zoologischen Garten mit Früchten und Nüssen resp. mit eingeweichtem Brod ernährt; es starb nach 4 Monaten. S. sah nur das Skelet. Alle Knochen mit Ausnahme der Hände und Füsse mit dickem, succulentem Periost bedeckt, und das weiche Knochengewebe liess sich leicht zusammendrücken. Die Zwischenwirbelscheiben verdickt und der Nucleus pulposus vergrössert und fast flüssig. Die Rippenbogen zeigten ein perlschnurartiges Ansehen an der Pleuraseite der Rippen. Das Brustbein, dick und schwammig, enthielt Hohlräume mit halbflüssigem Material. Die Clavicula kurz, ihr Körper verdickt, Scapula gleichfalls verdickt. Humerus, Radius und Ulna hatten verbreiterte Epiphysenschichten, welche von bläulichem, durchscheinendem, schwammigem Gewebe durchsetzt waren. Die Beckenbeine verdickt. Der untere Epiphysenknorpel des Femur war 12 mm breit. Die Wachsthumslinie sehr unregelmässig. Die Tibia, leicht vorwärts gebogen, hatte ähnliche Veränderungen an den Epiphysen. Die vorstehende innere Tuberosität deutete an, dass sich Genu valgum ausbilden wollte. Die Fibula ähnlich wie die Tibia. Der Schädel war ungeheuer verdickt — 6 mm stark. Die Glastafel hart und glatt, die innere weich und uneben, sog Wasser auf wie ein Schwamm. Die Knochen des Gesichts hatten die allgemeine Condition, Unterkiefer stark verdickt, die Zähne normal. 2) Ein Pavianschädel, der noch keinen Reisszahn aufwies, und dessen Basilarnaht noch sichtbar war, hatte 16 mm starke Stirnbeine, alle übrigen Knochen stark verdickt. Die microscopische Untersuchung ergab ein unregelmässiges Balkenwerk, dessen Räume mit Granulationsmasse gefüllt waren. Die Balken selbst waren mit kleinen Lacunen übersäet.

Der Längsschnitt durch den Epiphysenknorpel des Humerus liess 3 unterschiedliche Schichten erkennen: 1. normalen hyalinen Knorpel; 2. in Längsreihen angeordnete Zellenschichten (beträchtlich verbreitert); 3. eine Schicht unregelmässig zerstreuter, kalkiger Trabekeln, welche Inseln von normalem hyalinem Knorpel einschlossen.

Sutton (12) beschreibt folgende Fälle:

1. Ein indischer Monitor. Die Rippenbogen haben an ihrer Verbindungsstelle mit den Rippenknorpeln Auftreibungen, keine deutlichen Knoten. Bei den Lacertilia giebt es an den Röhrenknochen keine Epiphysen, sondern die Enden der Knochen sind mit Knorpelkappen versehen, und zwischen diesen und den ersteren befindet sich ein dünnes Lager von Ossificationsknorpel, von welchem aus das Wachsthum lebenslänglich fortdauert. Im vorliegenden Falle ist der Ossificationsknorpel verbreitert, die Enden der Diaphyse sind äusserst weich und schwammig und leicht zu biegen. In der Mitte der Diaphyse eine dünne Schicht von compacter Knochensubstanz, die Markhöhle gross und mit flüssigem Marke gefüllt. Die compacte Substanz besteht aus dünnen Knochenbälkchen, zwischen welchen grosse mit gleichen Rundzellen angefüllte Maschenräume sich befinden. Vom Periost aus sind fibröse Stränge in die erweichten Massen leicht zu verfolgen. Eine schwammige Beschaffenheit des Gewebes, wie bei Rachitis, fehlt an den Knochen. Die Knochen des Kopfes sind äusserst weich, der Unterkiefer kann um den Finger gewickelt werden. Nur die Centra vertebralia und die Mitte der Diaphysen enthalten feste Knochenmasse. Von den an den verschiedensten Körpertheilen vorkommenden Tumoren ist der grösseste zwischen dem 5. und 7. Halswirbel und scheint in einer Auftreibung dieser Knochen zu bestehen. An beiden Schulterblättern umgiebt die Fossa glenoidea eine grosse Geschwulst. Das rechte Armbein hat zwei unmittelbar über den Condylen, das linke eine. Am Zungenbein sitzen 4, von den Hörnern ausgehend, an den Metacarpalknochen 2. Die Geschwülste haben einen knöchernen Kern mit einer äusseren Knorpelschicht. S. hält dies für Osteomalacie. Die nun folgenden Fälle sind den beschriebenen im Wesentlichen gleich.

2. Rhea Darwinii (südamerikanischer Strauss). Der Thorax dieses jungen Strausses ist erheblich in seiner Form verändert, die Rippen können leicht nach jeder Richtung gebogen werden. Alle Knochen stellen eine Art von Schwamm dar, welcher in den Balkenräumen eine ölige Flüssigkeit einschliesst, die beim geringsten Drucke abfliesst. Die sonst harten Knochen des Schädels haben in diesem Falle eine lederartige Beschaffenheit. Die Markhöhlen der Röhrenknochen sind vergrössert und ebenfalls mit der öligen Flüssigkeit gefüllt. Die Bälkchen der spongiösen Knochensubstanz sind sehr weich und mürbe. Am Metatarsalknochen beider Beine befindet sich je ein wallnussgrosser, knorpeliger Tumor. Diese Tumoren haben ihre Lage da, wo das proximale Ende des Metatarsus einen Epiphysenknorpel bei diesen Vögeln trägt. Die Geschwülste bestehen aus hyalinem Knorpel, welcher mit fibrösen Gewebszügen vermischt ist. Sie gehen von dem Knorpel aus und treiben das Knochengewebe besonders an der äusseren Seite des Knochens auseinander. Die compacte Substanz des gebrochenen linken Metatarsus ist sehr dünn.

3. Ein Macacus-Affe. Ein schwächlicher, elend aussehender, 3jähriger Affe zeigte post mortem als wesentlichste Abweichungen an den Eingeweiden Induration und Vergrösserung der Milz und Atelectase der Lungen. Am Skelet fanden sich folgende Veränderungen vor. Alle Knochen mit Ausnahme des Schädels waren äusserst gefässreich und ihr Periost dick, die Brust zusammengedrückt, aber an den Rippen keine Knoten. Die Schulterblätter waren unentwickelt und durch den Zug des Serratus magnus der Vertebralrand derselben gegen den Körper gebogen. Die Beckenbeine gleichfalls im Wachsthum zurückgeblieben und weich, der Kamm der Hüftbeine gegen die Bauchfläche der Beckenbeine gebogen. Das Becken bot die rostrumähnliche Figur wie bei der Knochenerweichung dar. Die Wirbel erweicht und die Wirbelsäule stark kyphotisch gebogen. Die Epiphysenknorpel 4 mal so dick wie gewöhnlich. Die Diaphysen enthielten in einer sehr dünnen Schale eine ölige Flüssigkeit. Das schwammige Gewebe der Enden war weich und leicht schneidbar. An den Enden weiche Auftreibungen, welche auf Druck eine ölige Flüssigkeit entleerten. An etlichen Röhrenknochen zogen sich längere Züge von diesem Gewebe in Form von Osteophyten hin. Im linken Femur erstreckte sich die Markhöhle durch die ganze Diaphyse. Microscopisch betrachtet bestanden die erweichten Knochen aus grossen, unregelmässigen, mit Rundzellen gefüllten Räumen; hie und da fand man Knorpelinselchen. In den Rändern der Epiphysenknorpel umfangreiche zellige Proliferation, aber das für Rachitis an dieser Stelle so characteristische Gewebe fehlte. Am Schädel sah man am Rande der Nähte Knochenauflagerungen, und das Schädeldach war mit Osteophyten besetzt.

4. Cercopithecus Diana. Thorax sehr eng und seitlich zusammengedrückt. An den Rippen Auftreibungen, besonders da, wo sie sich mit dem Rippenknorpel verbinden. Dieselben Lageveränderungen an Schulterblatt und Hüftbein wie im vorigen Falle. Die Enden der Röhrenknochen sind in der Nähe der Diaphysen stark gebogen. In der Mitte der Ulna und des Radius sind Massen vorhanden, die mit dem provisorischen Callus bei Fracturen viel Aehnlichkeit haben. Die Knochenrinde der Diaphyse ist sehr dünn, in der Markhöhle jene ölige Flüssigkeit. Der microscopische Befund wie oben. Der Schädel zeigt im Wesentlichen dieselben Erscheinungen wie No. 3; ausserdem noch Schwund mit Perforation am Hinterhauptsbein und an den Augenbogen.

5. Cercopithecus cynosurus. Abweichungen nur am Schädel. Das Schädeldach äusserlich dunkelpurpurroth gefärbt. Schädel- und Gesichtsknochen haben 4—5 mal die natürliche Stärke. Die Oberfläche der Knochen ist mit Löchern für Ernährungsgefässe übersäet. Pericranium und harte Hirnhaut haften fest, das Knochengewebe ist porös. An der inneren Fläche der Scheitelbeine sitzt ein sternförmiger Fleck von Knochenauflagerung. Die Rinnen für die meningealen

Gefässe sind vertieft. Das poröse Knochengewebe giebt auf Druck eine röthliche Flüssigkeit.

6. Ein Macacus-Affe. Der Affe ist jung, die Epiphysenknorpel bestehen noch. Radii und Ulnae sind sonderbar gebogen; aber die compacte Masse des Mittelstücks dieser Knochen ist 7 bis 8mal so stark wie in der Norm, am stärksten ist sie an der concaven Seite der Knochen, ihre Beschaffenheit ist hart, dicht, weiss: elfenbeinartig. Die Markhöhlen sind verändert, in der Mitte fast verstrichen. Aeusserlich zeigen die Knochen schwammige Auflagerungen mit netzartigem Aussehen, welche Aehnlichkeit mit Ostitis deformans haben. Es scheint, dass das Thier Rachitis überstanden hat, aber die Untersuchung des ganzen Ske lets ergiebt keine weiteren Anhaltspunkte für diese Annahme.

In den der Aufführung vorstehender Fälle angefügten Bemerkungen spricht sich der Verf. der Hauptsache nach folgendermassen aus. Alle 6 Fälle gehören einer grösseren Gruppe von Knochenkrankheiten an, welche als chronische Entzündung bezeichnet werden können. Die einzelnen in Betracht kommenden Krankheiten sind: Rachitis, Osteomalacia, Craniotabes, Osteoporosis und Ostitis deformans. Die zu Tage tretenden Unterschiede dieser Varietäten sind eigentlich nur im Alter des Thieres begründet und die Veränderungen, welchen somit die erkrankten Knochen unterworfen sind, haben ihr jeweiliges pathologisches Aequivalent. Die folgenden drei Processe beeinflussen das Knochenwachsthum nach der Geburt: 1. das Epiphysenwachsthum, 2. periosteale Auflagerung und 3. Osteoporosis, welche die beiden vorigen im Schach hält. — Das Epiphysenwachsthum ist am lebhaftesten bis zum 3. Jahr. In dieser Zeit führen Störungen zur Rachitis. Wenn später das periosteale Wachsthum auch aufgehoben wird und die Osteoporosis uneingeschränkt fortbestehen bleibt, so tritt Verdünnung (Schwund, Rarefaction) ein. Dies kann man in bester Ausbildung beobachten bei Geschwüren des Integuments, wenn das letztere dem Knochen unmittelbar aufliegt, und bei der Osteomalacie. Bildet das Periost die Auflagerungen zu schnell oder unregelmässig, so entstehen Osteophyten; ist das Periostwachsthum vermehrt bei normaler Osteoporosis, so resultirt Ostitis deformans.

Der vorstehenden Casuistik hat S. 2 tabellarische Zusammenstellungen angeschlossen.

a. Tabellarische Uebersicht der normalen und abnormen Vorgänge beim Knochenwachsthum.

Normal.			Abnorm.
Periosteales Wachsthum	1. unregelmässig	=	Osteophyten
	2. Excess	=	Ostitis deformans
	3. minus	=	Osteoporosis
Osteoporosis	Excess	=	Osteomalacia
Epiphysenwachsthum	Excess	=	Rachitis.

b. Tabelle, in welcher die besprochenen Fälle der Krankheitsart nach aufgeführt sind.

Eidechse, Rhea	Osteomalacie und Knorpelgeschwülste.	Ursache chron. Entzündung.
1. Affe	Osteomalacie.	
2. „	Osteomalacie und Craniotabes.	
3. „	Osteoporosis (Schädel)	
4. „	Ostitis deformans.	
Pavian	Rachitis.	

III. Parasiten im Allgemeinen.*)

1) Blumberg, Ueber das Vorkommen von Parasiten bei den Haussäugethieren in Kasan. Deutsche Zeitschrift f. Thiermed. S 153. — 2) Chuchu, Sur le coenure cérébrale du Boeuf. Bullet. de la soc. centrale. Séance du 13. Novembre. — 3) Cobbold, T. Spencer, New parasites from the horse and ass. The veterinarian. p. 4. — 4) Flesch, Ueber einen neuen Parasiten in der Darmwand des Pferdes. Mittheilung der naturforsch. Gesellsch. z. Zürich. — 5) Friedberger, Der peitschenförmige Pfriemenschwanz (Oxyuris mastigodes Nitzsch) beim Pferde Münch. Jahresber. S. 81. — 6) Hallez, Sur la spermatogénèse et sur les phénomènes de la fécondation chez l'Ascaris megalocephala. Compt. rend. T 98. p. 695. — 7) van Hertsen, Note rélative aux microbes phosphorescents. Annal. belg. p. 216. — 7a) Mégnin, Sur les moeurs des sarcoptides-psoriques et en particulier sur celles du chorioptes spatifer, qui vit sur le cheval, sur le boeuf, sur la chèvre et sur le mouton. Bulletin p. 178. — 8) Neumann, G., Ueber den Spulwurm des Schafes (Ascaris ovis Rudolphii). Mit einer Tafel Revue vétér. p. 382. — 9) Perroncito, E., Azione del freddo sopra gli scolici del Coenurus cerebralis. Il med. vet. XXXI. p. 370. — 10) Raillet, Développement expérimental du trichocéphale du chien. — 11) Derselbe, Sur le ver qui détermine la pneumonie vermineuse des moutons en France. Bullet. de la soc. centrale. Séance du 10. avril. — 12) Derselbe, La mouche du Cayor, Ochromyia anthropophaga, parasite des animaux domestiques. Ibid. Séance du 14. Février. — 13) Derselbe, Sur une nouvelle espèce de dochmie de l'intestin du chien. Ibid. p. 452 — 14) Derselbe, Cysticercus tenuicollis sur le diaphragme du porc. Ibid. Séance du 27. mars. — 15) Rivolta, La natura parassitica delle piaghe estive o gli effetti morbosi di una specie di Filaria che si può denominare Dermofilaria irritans. Giorn. di Anat. Fisiol. e Patol. XVI. p. 128. — 15a) Derselbe, Sopra una specie di Distoma nell gatto e nel cane. Ibidem. XVI. p. 20. — 16) Sutton, A remarcable case of parasites. (Larven in den Peritoneal- und Pleurahöhlen eines kleinen westafrikanischen Carnivoren.) Transact. of the pathological Soc. XXXIV. p 325. — 17) Thomas, Die Entwicklung der Leberegel etc. Deutsche Zeitschr. für Thiermedicin. S. 307. (Referat.) — 18) Tschulowski, Ueber den Bau der Filaria cincinata. Mitth. aus dem Krakauer veter. Institut.

*) Das Specielle über Parasiten, namentlich ihr Vorkommen in den Organen, siehe bei Organkrankheiten; cfr. auch „Fleischbeschau", „Seuchen im Allgemeinen" und die Infectionskrankheiten.

Flesch (4) hat in der Darmwand von einem Pferde einen bisher unbekannten Parasiten nachgewiesen, der von Leuckart als Gobidium bestimmt und von Flesch Globidium Leukartii genannt worden ist. Der Parasit sitzt im unteren Theile der Darmzotten. Er veranlasst unbedeutende entzündliche Neubildungen. Es wurden verschiedene Entwickelungsstufen und Formen gefunden: a) am häufigsten scharf contourirte. ellipsoide, zuweilen kreisrunde Kapseln, die mit zahlreichen glänzenden Kugeln ausgefüllt waren und meist einen durch eine Kapselschicht getrennten Nebenkörper enthielten. b) Gleich grosse Gebilde mit randständiger Anordnung der glänzenden Körper. c) Seltenere Formen, bei welchen man im Innenraum der Capsel eine birnenförmige gastrulaartige Hülse mit micropylenartiger Oeffnung bemerkt. d) Grosse unregelmässige, capselartige Gebilde ohne die glänzenden Kugeln, die eine körnige, farblose Substanz enthalten, in der sich kleine runde, mehr homogene Felder abheben. Letztere nehmen an Grösse und Zahl zu, bilden helle vacuolenartige Felder, während das zwischenliegende Protoplasma grobkörniger wird. Schliesslich können die genannten Felder zu einer einzigen grossen buchtigen Masse zusammenfliessen. Die Art der Invasion und die systematische Stellung des Parasiten sind noch unbekannt.

v. Hertsen (7) hat in zwei Fällen phosphorescirendes Fleisch beobachtet. Da die Phosphorescenz durch einen Microorganismus hervorgerufen wird, so empfiehlt H. gründliche Reinigung und Desinfection des Locales, in welchem solches Fleisch gefunden wird. Wehenkel erwähnt, dass er mit Lako sich bestrebt habe, den betreffenden Microorganismus zu finden, dass es ihnen aber nicht gelungen sei. — Stobbe und Limbourg haben auch Fälle von Phosphorescenz beobachtet. — Lako hat auf phosphorescirendem Fleische Microorganismen gefunden, ähnlich denen auf anderem Fleische. Er hat versucht, diese Individuen zu cultiviren und zu verimpfen. Er hat die phosphorescirende Materie auf frische Beefsteaks gebracht. Die Phosphorescenz hat sich aber nicht ausgebreitet, sondern ist auf den oculirten Punkt beschränkt geblieben. Er hat phosphorescirendes und anderes Fleich unter eine Glocke gebracht und tagelang beobachtet, die Phosphorescenz ist aber nicht übergegangen. Alle Versuche hatten ein negatives Resultat. — Erwärmt man phosphorescirendes Fleisch, dann sieht man, dass sich die Phosphorescenz von 40° ab mindert und bei 80° verschwindet, aber beim Erkalten wiederkommt. Erhitzen bis 100° bringt die Phosphorescenz definitiv zum Schwinden.

Raillet (12) demonstrirt einige Dipteren vom Senegal, die dort als Mouche de Cayor bezeichnet werden, und die sowohl auf Hausthieren wie Menschen schmarotzen. Der Sitz der Larve scheint ausschliesslich das Unterhautgewebe zu sein. Man beobachtet sie besonders bei Hunden. Die Erscheinungen, durch welche sich die Gegenwart der Parasiten unter der Haut verräth, sind dieselben, wie bei den Oestruslarven bei Rindern, nur dass hier die Entwickelung des Parasiten viel schneller vor sich geht. Blanchard hat die Fliege als Ochromyia anthropophaga bezeichnet. Laboulbène rechnet sie zu den Oestriden. Raillet hält indessen die erstere Bestimmung für richtig.

IIIa. Fleischbeschau. Vorkommen von Finnen und Trichinen. Oeffentliche Gesundheitspflege.*)

1) Adam, Fleischconsum und Fleischbeschau in Augsburg 1883. Wochenschr. für Thierheilkunde und Viehzucht. S. 92. — 2) Derselbe, Häufigkeit der Tuberculose beim Rinde in den Schlachthäusern zu Augsburg. Ebend. S. 125. — 3) Derselbe, Der Handel mit frischem Fleisch. Ad. Woch. S. 449. — 4) Bericht über die städtische Fleischbeschau in Berlin pro 1. April 1883/84. Refer. v. Hertwig. Berlin. — 5) Bericht über die Fleischschau in Paris für das Jahr 1883. Presse vétér. p. 501. (Tuberculose kam im Verhältniss von 0,26 pCt. vor, und fand sich gelegentlich auch bei den allerfettesten Thieren.) — 6) Baumgärtel, Der Fleischgenuss von, an Lupinose hochgradig erkrankten, dem Ableben nahen Thieren ist unschädlich, aber durch sein gelbes Aussehen Ekel erregend. Sächs. Ber. S. 89. — 7) Brouardel, l'Epidémie de Trichinose d'Halberstadt. Archives vétérinaires. Alf. Arch. S. 2. — 8) Colin, Ueber die Trichinen und die Trichinose. Academ. de Med. und Alf. Arch. p. 121, Recueil p. 298 und Archives vétérinaires — 9) Csokor, Experimentelle Infection eines Pferdes mit Trichinen. Oesterr Monatsschr. d. Ver. S. 132 und Allgemeine Wiener med. Zeitg. — 10) Duncker, Ueber Strahlenpilze (Actinomyces) im Schweinefleisch. Zeitschr. für Microsc. u. Fleischschau. — 11) Derselbe, Zur Abwehr. Ebendas. S. 160. (Tritt der Johne'schen Ansicht über die Strahlenpilze im Schweinefleische entgegen.) — 12) Derselbe, Distomen im Schweinefleische. Ebendas. S. 39. — 13) Eggers, Historisches zur Frage der Geniessbarkeit des Fleisches von perlsüchtigen Thieren. Dissertation. München. — 14) Die Ergebnisse der Fleischbeschau und der Fleischverbrauch in einigen grösseren Städten Badens im Jahre 1883. Bad. Mitth. S. 124. (Zum Auszug nicht geeignet, s. Original.) — 15) Eulenberg, Ueber die im Jahre 1883 in Preussen auf Trichinen und Finnen untersuchten Schweine. Vierteljahrsschr. für ger. Med. und öffentl. Gesundheitspfl. — 15a) Gambaux, Alimentation; chat et lapin-substitution; caractères distinctifs. Ann. de med. vétér. 1884. p. 568. — 16) Gräber, Oeffentliche Gesundheitspflege auf dem Gebiete der Fleischnahrung Deutsche Zeitschr. f. Thiermed. S. 321. — 17) Geissler, A., Uebersicht der seit 1860 in Sachsen beobachteten Erkrankungen an Trichinose. Zeitschr. d kgl. sächs statist. Bureaus. XXIX Heft 3 und 4. — 18) Hagemann, Die Resultate der Fleischschau auf dem Schlachthof in Hannover. Zeitschr. f. Microsc. und Fleischschau. — 19) Hartenstein, Trichinen, Finnen, Tuberculose auf dem Dresdener Schlachthofe. Sächs. Ber. S 97. — 20) van Hertsen, Viandes phosphorescentes. Observation sur les microbes phosphorescents. Ann. de med. vétér. p. 216. — 21) Hertwig, Ausnutzung des Fleisches und Fettes zurückgewiesener, geschlachteter Schweine in Berlin. Zeitschr. f. Microsc. und Fleischschau. S. 190. — 22) Derselbe, Jahresbericht über die städtische Fleischschau in Berlin pro 1884/85. — 23) Derselbe, Jahresbericht über die städtische Fleischschau in Berlin pro 1883/84. Ztschr. f Microsc. und Fleischschau. — 24) Derselbe, Zusammenstellung und Beschreibung derjenigen Krankh. der Thiere und Veränderungen des Fleisches, welche bei Einführung des Schlachtzwanges in Berlin für die thierärztl. Unters. bes. wichtig sind. — 25) Derselbe, Zur Gelbsucht der Schweine. Adam. Wochenschr. — 26) Derselbe, Thranige Beschaffenheit von Schweinefleisch. Zeitschr. für Microsc. und Fleischschau. — 27) Jacobson, Die macroscopische und microscopische Fleischschau. Lehrbuch der Kunde von den Finnen, Trichinen und dem Microscop. — 28) Jenisch, Ueber Fleischbeschau. Zeitschr. f. Microsc. und Fleischschau. S. 162. — 29) Johne, Uebertragung der Tuberculose vom Menschen auf Hühner. Landwirthschaftliche Presse. No. 3 — 30) Derselbe, Beiträge zur Kenntniss der Trichinosis und Actinomycosis bei Schweinen. Deutsche Zeitschr f Thiermed. S. 280. — 31) Köhne, Resultate der Trichinenschau in Hamburg. Zeitschr. für Microsc und Fleischschau. S. 91. (Näheres auf der letzten Seite des Artikels über das Vorkommen der Trichinen und Finnen in Preussen.) — 32) Lehnert, Schädlichkeit des Fleisches von Kühen, welche an septischer Metritis gelitten haben. Sächs. Ber. S. 94 — 33) von Lindstow, Krebspest. Zeitschr. f. Microsc. und Fleischschau. S. 34. — 34) Lydtin, Einfluss der Vererbung und Contagiosität auf Verbreitung der Perlsucht. Archiv f. Thierheilkunde. — 35) Derselbe, Die Ergebnisse der Fleischbeschau und der Fleischverbrauch in einigen grösseren Städten Badens im Jahre 1883. Bad. Mittheilungen. — 36) May, Ueber die Infectionsfähigkeit und den Genuss der Milch tuberculöser Kühe — 36a) Masse, La ladrerie du boeuf en Syrie Recueil p 115 — 37) Möller, Der Viehmarkt und das öffentliche Schlachthaus in Kopenhagen. Zeitschr. für Microsc. und Fleischschau. S. 134. — 38) Derselbe, Die Ausbildung der Thierärzte als Fleischbeschauer. Ebend. S. 229. — 39) Motz, Fleischconsum und Fleischbeschau in Ulm im Jahre 1883. Repert. 2. Heft. — 40) Resultate der Fleischuntersuchungen in dem Centralschlacht- und Viehhofe zu Hannover vom 1. Nov. 1882 bis 1. Nov. 1883. Zeitschr. f. Microsc. und Fleischschau. No. 3. — 41) Plaut, Einige Beobachtungen über den Duncker'schen Actinomyces — 42) Pütz, Zur Prüfung der Berechtigung des Einfuhrverbotes von americanischem Schweinefleisch

*) cf. auch „Tuberculose“ (z. B. den Artikel von Putscher) und „Parasiten“.

Zeitschr. f. Microsc. und Fleischschau. S. 49. — 43) Derselbe, Ueber Trichinose und deren Verhütung. Pütz' Centralblatt. S 167. Refer. — 44) Derselbe, Ueber Trichinose und deren Verhütung. Ebend. S 116. Refer. — 45) Derselbe, Ueber die gesetzliche Verantwortlichkeit der Trichinenschauer. Referat. Deutsche Zeitschr. f. Thiermed. S. 314, Deutsche med. Woch. 1884 No. 5. 6 und Zeitschr. f. Microsc. etc. S 86. — 46) Derselbe, Ueber die Beziehungen der Tuberculose der Menschen zu der Tuberculose der Thiere, namentlich der Perlsucht des Rindes. — 47) Ritter, Resultate über die Untersuchungen bei der Vieh- und Fleischbeschau in Constanz Zeitschr. f. Microsc. und Fleischschau. S. 94. — 48) Salmon, D. E., Trichiniasis American. Vet.-Bericht. S. 269—290 — 49) Saur, Resultate aus dem Schlachthause in Stuttgart im Jahre 1883. Repert. 2. Heft. — 50) Schmidt-Mühlheim, Methode zum Nachweis der Finnen in Wurst und zerkleinertem Fleisch. Deutsche Zeitschr. f. Thiermed. S. 374. — 51) Derselbe, Handbuch der Fleischkunde. — 52) Schreiber, Vergiftung durch den Genuss verdorbener Fische Deutsche med. Zeitung. — 53) Schregel, Resultate über die Untersuchungen im öffentl. Schlachthause zu Cöln a. Rh — 54) Siegen, Bon pour la troupe. Réflexions sur la viande et le lait destinés à l'alimentation des soldats. Ann. belg p. 149. — 55) Strebel, Zur Schächtfrage. Ein Gutachten über das rituelle Schächten der Israeliten. Auf Veranlassung des Richteramtes zu Aarwangen abgegeben. Deutsche Fleischerzeitung. No. 51 — 56) Stubbe, Quelques reflexions au sujet du travail de M. Andrée: Troupier et troupières. Annal. belg p. 288. (Behandelt die Frage, welches Fleisch den Truppen als geniessbar überwiesen werden darf.) — 57) Derselbe, Méthode nouvelle de coloration des trichines. Arch vétérinaires. — 58) Derselbe, Communication rélative aux trichines. Annal. belg. p. 285. — 59) Trichinen. Pütz' Centralbl S. 283. — 60) Virchow, Beiträge zur Kenntniss der Trichinose und Actinomycose bei Schweinen. Virchow's Archiv. Bd. 95. S. 534. — 61) Derselbe, Actinomycosis im Schweinefleisch. Ebend. Bd. 96. S. 175. — 62) 57. Versammlung der Naturforscher und Aerzte im September 1884 in Magdeburg. Tageblatt der Naturforscherversammlung — 63) Winselmann, Trichinenepidemie in Thorn. Zeitschr f. Microsc. und Fleischschau. S. 13. — 64) Wirtz, Schlussbericht über Fütterungsversuche mit trichinösem, americanischem Schweinefleische an der Thierarzneischule zu Utrecht 1882—83. Niederl. Staatszeitung. — 65) Zopf, Ueber einen neuen Schleimpilz im Schweinekörper. Biol. Centralbl. III. No. 22. — 66) Zürn, Trichinenähnliche Würmer bei dem Hausgeflügel. Zeitschr. f. Microsc. u. Fleischschau. S. 155. — Vergl auch Tuberculose.

Csokor (9) hat 241 Pferde durch Fütterung mit trichinösem Fleisch zu inficiren gesucht. Bei einem Pferde, welches wiederholt stark trichinöses Fleisch erhielt, ist ein positives Resultat erzielt worden. Nach 7 Tagen zeigte das qu. Versuchspferd etwas stärker durchfeuchtete Excremente, blieb aber sonst gesund. Darmtrichinen wurden in den Excrementen nicht gefunden. 4 Wochen nach der Fütterung wurden durch Harpuniren in den Ohrmuskeln eingekapselte Trichinen gefunden. 6 Wochen nach der Fütterung wurde das Pferd getödtet. es fanden sich 1) in den Ohr- und Kehlkopfmuskeln, in den Kaumuskeln nahe den Sehnen, in den Zwischenrippenmuskeln in jeder zweiten Probe 1—2 Trichinen, 2) im Zwerchfell etwa in jeder 6. Probe wenige Trichinen. 3) in den Muskeln der Extremitäten in jeder 10. Probe 1—2 Trichinen, 4) in der Musculatur der Zunge in jeder Probe 3—4 Trichinen, 5) in der Musculatur der Speiseröhre im Hals- und Brusttheil derselben in jeder Probe mehrere Trichinen — Bei 10 pCt. der inficirten Pferde wurden Rainey'sche Schläuche häufig gefunden.

Csokor fasst die Resultate seiner vorstehend geschilderten Untersuchungen wie folgt zusammen: 1) Bei Pferden, denen man eine grosse Menge trichinösen Fleisches verabreicht, demnach eine ausgiebige Infection vornimmt, entwickeln sich in der Musculatur, jedoch nur in der quergestreiften des Skelets, der Zunge, des Schlundes Trichinen. Die sonstigen Organe bleiben trichinenfrei. Das Pferd lässt sich in ähnlicher Ausgiebigkeit wie ein Rind trichinös machen, jedoch keineswegs so ausgedehnt wie Kaninchen. 2) Bei 241 Pferden konnten keine Trichinen, jedoch bei 10 pCt. derselben Rainey'sche Schläuche gefunden werden. 3) Die Ratten des Schlachthauses zu St. Marx sind zu mindestens 5 pCt. trichinös.

Im Schweinefleische sind seit dem Jahre 1881 zuerst von dem Fleischbeschauer Leunis in Waldenburg in Sachsen, dann von Duncker (12) und von verschiedenen Fleischbeschauern gelegentlich der Ausführung der Trichinenschau egelartige microscopische Thierchen gefunden worden, über deren Organisation durch Duncker, Hess, Leuckart und Pagenstecher Folgendes festgestellt wurde. Der Wurm ist ungefähr von der Grösse einer Trichinencapsel und hat annähernd auch dieselbe Form. Er ist äusserst zart und dünn und von grauer Farbe Am Vorderrand befindet sich ein stark entwickelter Saugemund, von welchem aus ein stark musculöser Schlund in die weisslich durchschimmernden, blind endigenden Magensäcke führt. Diese Magensäcke scheinen sich abwechselnd zusammenzuziehen, denn von Zeit zu Zeit ist nur einer derselben sichtbar. Der Bauchsaugenapf befindet sich in der Mitte der Körperfläche, unmittelbar hinter der Stelle, wo die Magensäcke sich trennen. Seitwärts von jedem Magensacke, nach dem äusseren Rande zu, liegen 2 grosse Drüsenzellen, welche den Geschlechtsorganen zugezählt werden müssen, und nach Pagenstecher wahrscheinlich symmetrische Dottersäcke eines geschlechtlich unreifen Thieres sind. Ob die Canäle Ausführungsgänge dieser Drüsen sind, ob sie nach vorn hin blind endigen, oder ob sie hier in einander übergehende Schlingen bilden, war nicht zu unterscheiden. Im hinteren breiten Theile des Thieres befinden sich 2 contractile Blasen, welche mit einem nach vorne verlaufenden Wassergefässsystem in Verbindung stehen. Diese Blasen ziehen sich abwechselnd zusammen, so dass man mitunter nur eine derselben sieht. Bei der Contraction wird ein am hinteren Ende des Thieres mündender Canal sichtbar.

Im Schauamt in Berlin sind ausser der beschriebenen noch 2 Formen gefunden worden. Die eine, als ausgeprägte Cercarie, hatte einen starken, ungefähr den dritten Theil der Körperlänge einnehmenden Schwanz, während die zweite ungeschwänzt sich in einer starken Bindegewebskapsel befand. Alle drei Formen zeigen gleichmässig unter dem Microscop sehr lebhafte Bewegungen. Zum Aufsuchen der Distomen empfiehlt es sich Querschnitte aus den Muskeln herzustellen und dieselben, reichlich mit Wasser versehen, auf den Objectträger zu bringen. Alsdann wird zuerst das Letztere und dann der Muskelschnitt selbst untersucht, wobei besonders darauf zu achten ist, ob zwischen den Muskelfasern graue, psorospermienähnliche Gebilde von wurmartiger Bewegung sich befinden.

Hertwig (21) berichtet über die Ausnutzung des Fleisches zurückgewiesener geschlachteter Schweine.

Das Kgl. Polizei-Präsidium hat in Uebereinstimmung mit dem Magistrat zu Berlin genehmigt. dass 1) die mit Actinomycose behaftet gefundenen Schweine unter denselben Bedingungen wie bisher die finnigen Schweine in der Schmelzküche auf dem Schlachthofe ausgeschmolzen werden dürfen und das dabei gewonnene Fett beliebig verwerthet werden kann; 2) in gleicher Weise mit den Schweinen verfahren werden darf, deren Musculatur mit Kalkconcrementen durchsetzt ist, falls die letzteren nicht etwa auf das Vorhandensein von Trichinen zurückzuführen sind; 3) dass von den tuberculösen Schweinen das Fett in der genannten Schmelzküche ausgeschmolzen und beliebig verwendet werden darf, Fleisch und Eingeweide dieser Thiere aber in der bisherigen Weise (auf der Abdeckerei) gewerblich ausgenutzt werden müssen.

Lehnert (32) hebt in seinem Bericht besonders hervor: er habe schon wiederholt die Beobachtung gemacht, dass das Fleisch von Kühen, welche nach der Geburt an Metritis gelitten und bei welchen zugleich die Placenta ganz oder theilweise zurückgeblieben sei. nach dem Genuss Vergiftungssymptome (Erbrechen, Durchfall etc.) bei Menschen hervorrief, selbst wenn die Krankheit nur einige Tage bestanden hatte. Es ist dies eine auch schon anderwärts mehrfach beobachtete Thatsache. welche von der Medicinalpolizei noch immer nicht genügend gewürdigt wird.

May (36) hat mit roher und gekochter Milch von tuberculösen Kühen ohne Eutertuberculose, dann nur mit solcher aus tuberculösen Eutern und aus Euterhälften, welche tuberkelfrei waren, Impfversuche bei Meerschweinchen angestellt Von den Impfungen mit 6 Sorten roher Milch hat nur eine einmal positiven Erfolg gehabt, dieselbe stammte von einer Kuh, bei welcher sämmtliche Organe tuberculös afficirt waren. Die übrigen Milchsorten waren von Kühen entnommen, welche an localisirter Tuberculose gelitten hatten.

Hieraus schliesst M., dass die Gefahr einer Ansteckung durch Milch perlsüchtiger Kühe keine so grosse ist, wie sie oft angenommen wird und spricht sich dahin aus, dass gekochte derartige Milch ohne Besorgniss genossen werden kann, weil das Ansteckungsvermögen der Milch überhaupt nur ein seltenes ist, dasselbe aber durch Kochen sicher zerstört wird.

Um die Grundsätze festzustellen, welche in strafrechtlichen Fällen, die Trichinenschau betreffend, dem technischen Gutachten als Basis dienen müssen, formulirt Pütz (45) folgende Sätze: 1) Erkranken nach dem einmaligen Genuss von Schweinefleisch mehrere oder gar alle Personen, welche von demselben Fleische gegessen haben, mehr oder weniger schwer an Trichinose, so ist anzunehmen, dass das betreffende Schlachtthier derart mit Trichinen durchsetzt war, dass solche bei sorgfältiger Ausführung der gesetzlich vorgeschriebenen Trichinenschau hätten aufgefunden werden müssen. In diesem Falle würde in den etwa noch vorhandenen Fleischwaaren von dem fraglichen Schweine auch ein reichlicherer Trichinengehalt microscopisch nachgewiesen werden können.

2) Erkranken nach dem in kurzer Zeit öfter wiederholten Genuss von Schweinefleisch die betreffenden Personen in verschiedenem Grade, meist aber leicht an Trichinose, so ist anzunehmen, dass das fragliche Schwein nur derart mit Trichinen behaftet war. dass ein Uebersehen derselben bei der gesetzlich vorgeschriebenen microscopischen Untersuchung ohne Fahrlässigkeit seitens der Fleischbeschauer möglich war.

3) Erkranken aber sämmtliche Personen eines grösseren Haushaltes (von mehr als 3 Personen) nach dem wiederholten Genusse des Fleisches von einem bestimmten Schwein schwer an Trichinose. so ist wiederum anzunehmen. dass der betreffende Fleischbeschauer sich bei der vorgenommenen microscopischen Untersuchung eine strafbare Fahrlässigkeit habe zu Schulden kommen lassen. Dies gilt natürlich um so mehr für solche Fälle. wo nach dem einmaligen Genuss trichinösen Fleisches mehrere schwere Erkrankungen an Trichinose bei Menschen vorgekommen sind.

Schreiber (52) in Königsberg berichtet, dass plötzlich, ca. 20 Stunden nach dem Genuss von Fischen in einer aus 7 Personen bestehenden Familie 6 an heftigem Erbrechen erkrankten. Die Fische waren ca. 5 bis 6 Tage in Essig eingelegt gewesen und in einem irdenen Gefäss aufbewahrt und in einem völlig unverdächtigen Gefäss gekocht worden. Bei allen Patienten hatte sich am Tage nach der Erkrankung Trockenheit im Munde, im Halse und erschwertes Schlucken eingestellt. Im weiteren Verlauf trat Doppelsehen und Schwere und Schwäche der Glieder ein, welche 3 Personen (Mutter und 2 Töchter) zum anhaltenden Liegen zwangen. Am schwersten war die Krankheit bei der Mutter, Lähmung im Gebiete der Nn. oculomotorii, hochgradige Dilatation beider Pupillen, welche völlig reactionslos waren. Der weiche Gaumen hing schlaff herab, die Schleimhaut des Mundes und Rachens auffallend trocken, das Gefühl daselbst abgestumpft. Schlucken sehr erschwert und nicht ohne Gefahr des Verschluckens, hartnäckige Obstipation. Unter plötzlich eintretender Dyspnoë und Cyanose erfolgte der Tod bei völlig freiem Sensorium. Ein gleiches Krankheitsbild bot die ältere Tochter dar, dieselbe musste wegen Unfähigkeit zum Schlucken mit der Nélaton-schen Sonde ernährt werden; vom 16. Tage ab stellten sich Dyspnoëanfälle mit hochgradiger Cyanose ein, welchen sie $3^1/_2$ Wochen nach Beginn der Krankheit erlag. Die zweite Tochter genas nach 40 Tagen, doch bestanden Lähmungserscheinungen an der Pupille und am Gaumen noch fort. Bei den übrigen Familienmitgliedern war die Krankheit leichter verlaufen, bei allen aber hatte Parese des Gaumens, näselnde Sprache, Dilatation und fehlende Reaction der Pupillen, geringes Senken des Augapfels und erschwerte Beweglichkeit der Augen bestanden. Abweichend von ähnlichen Vergiftungsfällen ist der verzögerte Verlauf der Krankheit, das späte Eintreten der ersten Erscheinungen und die auf die Augen- und Schlundnerven beschränkte Lähmung. Nach den bisherigen Annahmen bewirken Hausen, Sterlett und Stör Vergiftungen, wenn sie in einer Salzlake längere Zeit aufbewahrt, roh oder nur mangelhaft gekocht genossen werden, indessen sind auch in der letzten Zeit wiederholt Fälle mitgetheilt worden, wo nach dem Genuss von Stockfischen, von Häringen und Schleien, Vergiftungserscheinungen beobachtet worden sind. Ueber die Natur des Giftes ist nichts Sicheres bekannt, am besten lässt es sich noch den Cadavergiften, den Ptomaïnen, anreihen.

IV. Sporadische äussere und innere Krankheiten.

1. Krankheiten des Nervensystems.

1) Allen, Progressive paraplegia — Necrosis of the dorsal vertebrae. Am. vet. rev. Vol. VIII p. 360. — 2) Benjamin, Congestion de la moelle. Bulletin de la soc. centr. Séance de 28. février. — 3) Blunt, Lactation and tetanus in foals. The vet journ. p. 73. — 4) Cagny, Chorée du diaphragme. Bullet. p. 167. — 5) Chuchu, Sur le coenure cérébrale du boeuf. Bullet. de la soc. centr. 13. Nov. (Refer. s. Paras.) — 6) Davis, Tetanus. The vet. journ. p. 174 — 7) Doyle, Purpura haemorrhagica and tetanus. The vet. journ. p. 86. — 8) Ekkert, Enzootische Cerebrospinalmeningitis bei Pferden. Archiv für Veterinärmedicin. — 9) Fenton, Gerald, Practical observations on tetanus in India. The vet. journ. p 398. — 10) Friedberger, Der Starrkrampf der Wiederkäuer, des Hundes und Schweines. Deutsche Zeitschr. für Thiermed. etc S. 27. — 11) Grebe, Traumatische Reflexparalyse. Mitth. a d. thierärztl. Pr. d. Preuss. Staat. N. Fig. VIII. S. 35. — 12) Derselbe, Ein Fall von Shock beim Pferde. Berl. Archiv. S. 441. — 13) Gratia, Une curieuse anomalie anatomique, constituée par la présence de tissu musculaire strié dans la substance du nerf pneumoqastrique. Annal. belg. p 649. — 14) Hadden, The pathology of canine chorea. Transact of the pathol. Soc. 1883. XXXIV. p. 308. — 15) Hartmann, A., Selten beobachtete Erkrankungsfälle unter einer Herde von Mutterschafen. Oesterr. Viertelj. Bd. LXI. — 16) Hess, Veitstanz bei Schweinen. Schweiz Arch. S. 244. — 17) Henry. Hémiplégie observée chez un chien de chasse. — Guérison par l'emploi des alcaloides végetaux Recueil. p. 178. — 18) Hink, Tobsuchtsanfälle bei einer Kuh. Bad. Mitth. S. 67. — 19) Hübscher, Lähmung einer Kuh in Folge einer Neubildung im Rückenmarkscanale. Schwz. Archiv. S. 142. — 20) Kammerer, Lähmungsartige Zustände bei zwei Kühen. Bad. Mitth S. 62. — 21) Knowler, A case of meningocele. Am. vet. rev. Vol. 7. p. 511. — 22) Laurent, Chorée du diaphragme. Bulletin de la soc. centrale. Séance du 13. mars. — 23) Mégnin, Otite ulcéreuse épidémique grave, aussi chez des furets, causée par un autre acarien psorique: le Chorioptes ecaudatus. Bull. de la soc. Séance du 24. janv — 24) Derselbe, Tumeurs cérébrales chez un cheval. Bullet. p. 234. — 25) Müller-Flöha, Starrkrampf. Sächs Bericht. — 26) Nunn, Chorea in a goat. The vet. journ. p. 84. — 27) Pfisterer, Lähmungserscheinungen der Nachhand bei einem zweijährigen Hengstfohlen in Folge von Onanie, durch Castration geheilt. Bad. Mitth. S. 135. — 28) Pfister, Lähmung der Hüftnerven bei einer Kuh. Schweiz. Archiv. S. 18. — 29) Russi, A., La nevrotomia plantare. La Clin. vet. VII. p 435. (Enthält eine Aufzählung hartnäckiger Lahmheiten auf einem oder beiden Vorderfüssen, bei denen die Neurotomie mit gutem Erfolge zum Theil vor mehr als 2 Jahren vorgenommen wurde.) — 30) Trasbot, Hémiplegie in Folge von Druck auf das Armgeflecht. Alforter Archiv. — 31) Welsby, Epizootic chorea in retriever pups. The vet. journ. p. 85. — 32) Wilhelm, Starrkrampf nach schwerer Geburt bei einer arabischen Vollblutstute. Sächs. Bericht S. 77.

Grebe (12) bespricht zunächst die Bedeutung des als „Shock" bezeichneten Vorganges und beschreibt dann einen von ihm selbst beobachteten Fall. Unter Shock versteben wir die nach eingreifenden Operationen, schwereren Verletzungen und heftigen traumatischen Erschütterungen eines Körpertheiles oder des gesammten Körpers plötzlich eintretende, reflectorische Lähmung der Herz- und Athmungsthätigkeit, die nicht ganz selten zum Stillstande der Circulation und Respiration, d. h. zum Tode führt. Bei der Section werden keine genügenden Veränderungen vorgefunden, die den Eintritt des Todes erklären könnten. Man unterscheidet einen torpiden und einen erethischen Shock. Die hervorragendsten Erscheinungen sind: rascher Kräfteverfall, erheblicher Nachlass der Eigenwärme, bedeutende Herabsetzung der Herzaction, unregelmässige Athmung bei Erhaltung des Bewusstseins. Mit dem Shock können die Gehirnerschütterung, die Ohnmacht und der Collaps verwechselt werden. Bei den beiden ersteren Zuständen besteht Bewusstlosigkeit, bei letzterem ist Fieber als Ursache nachweisbar. Schon durch diese Merkmale unterscheiden sie sich vom Shock. Näheres über die Differentialdiagnose und über das Wesen des Shock lese man im Original nach. Bei der Behandlung des Shock ist alles Operiren und Chloroformiren zu vermeiden. Man verabreiche Excitantien. wende Hautreizungsmittel und die künstliche Respiration an. lasse massiren etc.

Der von G. beobachtete Fall gehörte dem torpiden Shock an, betraf ein 7 Jahre altes Pferd und verlief letal. Ursache des Leidens war ein heftiger Sturz. Die Section ergab enorme Plethora der Baucheingeweide mit hämorrhagischen Infarcten in den Darmhäuten und Blutungen in der Magen- und Darmhöhle.

2. Krankheiten der Respirationsorgane.

1) Afanasjew, Zur Frage über die Micrococcen bei der croupösen Pneumonie. Veterinärbote. — 2) Bouley, Traitement de la bronchite vermineuse par une médication interne. Recueil de méd. vétér. I. (Chronique.) — 3) Burger, Kehlkopfpolyp bei einer Kuh unmittelbar unter den Stimmtaschen. Bad. Mittheil. S. 67. — 4) Cagnat, L, Ueber die ansteckende Lungenentzündung beim Pferde. Alfort. Archiv. S. 841. — 5) Dieckerhoff, Die Lungenemphyseme und ihr Verhältniss zur Dämpfigkeit bei Pferden. Ad. Woch. S. 357. — 6) Friedberger, Seuchenhafte lobäre (croupöse) Pneumonie beim Pferde. Münch Jahresber. S 23. — 7) Germain-Sée, Sur les pneumonies infectieuses et parasitaires. Compt. rend. T. 99. p. 931. — 8) Gillespie, Glanders apparently cured. The vet. journ. p. 8. — 9) Hartenstein, Ein Fall von metastatischer Pneumonie im Verlaufe des Kalbefiebers. Alfort. Archiv. S 448. — 10) Hink, Pneumonia medicamentaria (Fremdkörperpneumonie) durch Einschütten von Arzneien. Bad. Mitth. S. 39. (Enthält ausser einer dringenden Warnung vor dem Gebrauche flüssiger Eingüsse bei Pferden nichts Neues.) — 11) Johne, Pneumonomycosis aspergillina bei 18 Stück Flamingos des zoologischen Gartens zu Dresden. Sächs. Bericht. S. 52. — 12) Derselbe, Narbenstenose der Trachea in Folge einer Tracheotomie nach Viborg. Ebendas. S. 41. — 14) Leuenberger, Beitrag zur Lungenwurmseuche des Jungviehes. Schweiz. Archiv. S. 216. — 15) Laulanié, T., Ueber eine besondere Art von acuter Entzündung, welche in tuberculösen Rindslungen vorkommt, und durch die Bildung zahlreicher, hirsekorngrosser und rotzähnlicher Abscesschen ausgezeichnet ist. Revue vétér. p. 120. (In den vorderen Lappen rothe Hepatisation und zahlreiche Abscesschen wie bei Fremdkörperpneumonie.) — 16) Buti, U., Su di alcuni casi di angina pectoris (?) del cavallo. La clin. vet. VII. p. 545. — 17) Mayrwieser, Ueber infectiösen Bronchialcroup beim Rindvieh. Ad. Woch S. 161.

— 18) Martin, P., Pneumonomycose beim Pferde. Münchener Jahresber. 1882/83. S. 111. — 19) Montané, Ueber einen Abscess in der Nasenscheidewand des Pferdes. Revue vétér. p. 176. (Schmelzung des Knorpels. Negatives Resultat in Bezug auf Rotz bei der Inoculation des Eiters auf einen Esel.) — 20) Nunn, Spasmodic cough caused by an awn of wheat. The vet. journ. p. 156. — 21) Prietsch, Diphtheritische Entzündung der Stimmbänder bei einer Kuh. Sächs. Ber. S. 85. — 22) Pütz, Seuchenhafte lobäre (croupöse) Pneumonie der Pferde. Pütz' Centralbl. S. 177. — 23) Derselbe, Die infectiöse Pneumonie des Menschen, des Pferdes und des Rindviehs. Ebendas. S. 270. Referat. — 24) Derselbe, Die Therapie von Lungenwurmkrankheiten unserer Hausthiere. Ebendas. S. 79. Referat. — 25) Raillet, Linguatule denticulée chez le surmulot. Bullet. de la soc. Séance du 14 février. — 26) Rogers, Pulmonary hemorrhage (?). Am. vet. rev. Vol. VIII. p. 264. — 27) Rowland, Queer place for a fish-hook. Ibid p. 305. — 28) Röckl, Ueber Pneumomycosen. Deutsche Zeitschr. für Thiermed. S. 122. — 29) Derselbe, Pneumomycosen. Koch's Monatsschr. S. 12. Referat. — 30) Schütz, Ueber das Eindringen von Pilzsporen in die Athmungswege und die dadurch bedingten Erkrankungen der Lungen und über den Pilz des Hühnergrindes. Mittheilungen des kaiserl Gesundheitsamtes. III. S. 208 bis 217. — 31) Derselbe, Dasselbe. Deutsche Zeitschr. f. Thiermed. S. 438. — 32) Schlampp, Beitrag zur Pathologie des Luftsackes. Ad. Woch. S. 21. — 32a) Sussdorf, Ueber Respirationsbewegungen etc. Bericht der 56. Versammlung deutscher Naturforscher und Aerzte in Freiburg i. B. — 33) Tappe, Der Lungenbrand der Pferde. Jena. 1883. — 34) van Tright, Eine pseudotuberculöse Form der Lungenwurmkrankheit beim Schaf und Rind. Deutsche Zeitschr. f. Thiermed. S. 370. (cf. vorjähr. Bericht. S. 71.) — 35) Wosnesenski, Zur pathologischen Anatomie der croupösen Lungenentzündung. Veterinärbote.

Dieckerhoff (5) weist auf die vielen Unklarheiten hin, denen die Lehre von der Dämpfigkeit heutzutage noch unterliegt, und die zum Theil darauf zurückzuführen sind, dass die verschiedenen Special-Währschaftsgesetze eine möglichste Erweiterung des Begriffes „Dämpfigkeit" nothwendig machen. Nach einem geschichtlichen Ueberblick über die Entwicklung der Lehre von der Dämpfigkeit von Lafosse bis Gerlach zerlegt D. die verschiedenen chronischen, fieberlosen Krankheitszustände, welche im Sinne der Währschaftsgesetze zur Dämpfigkeit gerechnet werden können in 3 Gruppen: 1) fehlerhafte Zustände in den Bronchien und Lungen (Lungendämpfigkeit), 2) Herzfehler (Herzdämpfigkeit), 3) Hartschnaufigkeit (Kehlkopfs-Luftröhrendämpfigkeit u. s. w.) als Ursache der eigentlichen Lungendämpfigkeit kommen in Betracht:

I. Abnormitäten, welche die Retractionsfähigkeit der Lungen erheblich beschränken und damit zugleich die Exspiration so bedeutend erschweren, dass dabei die Hilfsmuskeln (Bauchpresse) herangezogen werden müssen. Es sind dies hauptsächlich krankhafte Zustände der Bronchien und Bronchiolen, welche überhaupt die wichtigsten und häufigsten Ursachen der Lungendämpfigkeit darstellen und zwar einerseits die diffuse chronische Bronchitis in Verbindung mit allgemeiner Bronchiectasie, andrerseits die diffuse chronische Peribronchitis, welche indess seltener ist. Bei beiden beruht die Ursache der Dämpfigkeit in Lähmung der Bronchialmuskeln, in Folge deren eine exspiratorische Insufficienz und vicariirende Thätigkeit der Bauchpresse eintritt.

II. Abnorme Zustände, welche den Zutritt der Luft zu den Lungenalveolen hindern z. B. Verdickung der Bronchialschleimhaut, ein Zustand, welchen D. als Endobronchitis oder Bronchitis interna chronica bezeichnet. Die Athmung ist dabei sehr beschleunigt, aber oberflächlich.

III. Krankheiten, welche die Respirationsfläche der Lungen erheblich verkleinern, so die speckige Lungendegeneration (speckige Pneumonie nach D.), welche eine eigenartige, wahrscheinlich infectiöse, chronisch indurirende Affection des Lungenparenchyms und der Interstitien darstellt und mit abnormer Beschleunigung der Respiration bei oberflächlicher Flankenbewegung zu Tage tritt; ferner die krankhafte Geschwulstbildung in der Lunge (Carcinom, Sarcom, Melanosarcom) und endlich das selbständige, interlobuläre Lungenemphysem, welches plötzlich nach einer abnormen Anstrengung entsteht und eine unheilbare Dämpfigkeit verursachen kann.

Was die Beziehungen des Emphysems zur Dämpfigkeit betrifft, so constatirt D. zunächst, dass nach seinen Erfahrungen ein substantielles Emphysem, d. h. eine über beide Lungen ausgedehnte allgemeine Atrophie der Alveolarsepta (Rarefaction), welche beim Menschen die häufigste Ursache des Asthma's bildet, bei Pferden nicht vorkommt. Dagegen findet sich nicht selten im Moment des Todes bei verschiedenen Pferden die einfache Alveolarectasie, in Folge deren die Lungen bei der Section maximal mit Luft angefüllt sind und sich puffig anfühlen. Auch nach Eisenbahntransporten hat D. eine vorübergehende inspiratorische Erweiterung der Lungenalveolen beobachtet und die Krankheit als Pleurodynie wegen der damit verbundenen Schmerzen in den Brustwandungen bezeichnet, wobei indess trotz der gegebenen Alveolarectasie keine Hartschnaufigkeit, sondern nur beschleunigtes, oberflächliches Flankenschlagen besteht.

Die bei der Section dämpfiger Pferde etwa vorgefundene Alveolarectasie ist nach D. durch den im Moment einer gesteigerten Inspiration eingetretenen Tod bedingt, in den meisten Sectionsfällen dämpfiger Pferde wurde sie jedoch von D. vermisst. Das partielle vicariirende Emphysem kann für die Aetiologie der Dämpfigkeit nicht in Betracht kommen. Dasselbe findet sich sowohl bei acuten, entzündlichen Lungenkrankheiten, als bei allgemeiner, den Zustand der Dämpfigkeit hervorrufenden Bronchiectasie lediglich als Complication. Als Ursache der Dämpfigkeit kann vielmehr ausschliesslich nur das übrigens seltene, interstitielle oder interlobuläre Lungenemphysem in Betracht kommen. Dasselbe tritt immer plötzlich nach einer vorausgegangenen Ueberanstrengung auf und beruht auf einer Ruptur von Alveolen, welche vielleicht in

Verbindung mit dem gesteigerten Inspirationsdruck durch eine Bronchialerkrankung begünstigt wird. Diagnostisch kennzeichnet sich dieses interlobuläre Emphysem durch trockene Rasselgeräusche, pleuritisches Reibungsgeräusch mit zuweilen rauschenden Gehörswahrnehmungen, sowie lautem hellem, zuweilen tympanitisch anklingendem Percussionsschall.

3. Krankheiten der Verdauungsorgane.

1) Baillet, Dochmius im Darmcanal. Bulletin de la soc. centr. p. 452. — 2) Barrier, Atrophie du lobe droit du foie. Ibid. Séance du 13. novembre. — 3) Benjamin, Sur une lésion ancienne de l'intestin grêle observée sur une jument. Rec. de méd. vétér. No. 1. — 4) Baudon, Ein Fall von Pharyngitis beim Pferde, bei welchem Veränderungen der Nervi vagi vermuthet werden mussten. Lyon. Journ. p. 299. — 5) Bowler, Enteritis in an elephant. The journ. of comp. med. and surg. p. 149. — 6) Bringard, Abscess in der Wand des Dünndarmes bei einem Pferde. Alfort. Archiv. p. 886. — 7) Burke, Parasitic and other special forms of equine stomatitis. The veterinarian. p. 762. — 8) Cadéac, Ein veralteter Leistenbruch mit Hydrocele beim Hengste, welcher durch die Castration geheilt wurde. Revue vétér. p. 479. — 9) Cadiot, Durchbohrung der Brustportion des Schlundes durch ein kleines Knochenblättchen beim Hunde. Alfort. Archiv. p. 893. (Phlegmonöse Oesophagitis, Pleuritis, Septicämie, tödtlicher Ausgang.) — 10) Carette, Un cas de hernie diaphragmatique chez le cheval. Annal. belg. p. 661. — 11) Derselbe, Perforation gastrique. Etat san. etc. dans le Brabant. p. 33. — 12) Critcherson, Impaction of pelvic flexure. Ann. vet. rev. Vol. VIII. p. 302. — 13) Degive, Une affection (type ou maladie inédite) la stomatite papillaire ou papillomateuse. Annal. belg. p. 369. — 14) Dinter, Möbius, Erbrechen beim Pferde. Sächs. Ber. S. 81, 82. — 15) Dinter, Milzberstung beim Pferde. Ebendas. S. 82. (Die Berstung der 8½ kg schweren, in ihrem Gewebe erweichten Milz führte bei einem 26 J. alten, dämpfigen Pferde plötzlich den Tod herbei.) — 16) Fentzling, Zwerchfellriss und Darmblutung bei einem Pferde. Bad. Mitth. S. 118. — 17) Flesch, Ueber einen Parasiten in der Darmwand des Pferdes. Mitth. der naturforschenden Gesellschaft in Bern. (s. Paras.) — 18) Derselbe, Dasselbe. (s. Paras.) — 19) Friedberger, Ueber Colik. Münch. Jahresber. S. 68. — 20) Derselbe, Oxyuris mastigodes beim Pferde. Ebendas. S. 81. (s. Paras.) — 21) Herbst, Heilung zweier Fälle von Darmwunden beim Schweine. Revue vétér. p. 112. — 22) van Tright, Poortadercarcinoom by het rund. Holl. Zeitschr. p. 10. — 23) Gavard, Ein beim Pferde günstig verlaufener Fall von Colik mit Erbrechen. Lyon. Journ. p. 371. — 24) Goosens, Over vreemde voorwerpen met het voedsel opgenomen. Holl. Zeitschr. p. 3. — 25) Gruber, Darmsteine bei einem Pferde Bad. Mittheil. S. 102. — 26) Hamm, Die Diarrhoe und Tympanitis beim Jungvieh. Ad. Woch. S. 382. — 27) Hill, Woodroffe, Ascites in a fowl. The vet journ. p. 335. — 28) Hink, Ueber Magenentzündung beim Rindvieh. Bad. Mittheil. S. 41. — 29) Derselbe, Zungenverletzung bei einem Pferde. Ebendas. S. 47. — 30) Howe, Fistula after enterotomy. Am. vet. rev. Vol. VIII. p. 275. — 31) James, Fistula of the colon, following enterotomy. Ibid. p. 172. — 32) Jewsejenko, Hernia scrotalis bei Pferden. Archiv für Veterinärmedicin. — 33) Derselbe, Schusswunden der Bauch- und Beckenhöhle beim Pferde. Ebendas. — 34) van de Velde, Invaginatie van het ileum en maagbersting by een paard. Holl. Zeitschr. p. 20. (Ein Colikfall bei einem Militärpferde, der während des Manoeuvers entstanden war und wobei die Section eine Invagination von 1½ m des Ileum und Magenberstung nachwies.) — 35) Klemm, Ueber Eserinwirkung bei der Colik der Pferde. Bad. Mitth. III. — 36) Kowalewski, Invagination des Darms bei einem Hunde verbunden mit den Erscheinungen der Wuth. Archiv für Veterinärmedicin. — 37) M'Carmick, Ichoraemia. The vet. journ. p. 10. — 38) Macgillivray, Cases occurring in practice. Ibid. p. 233. — 39) Mathieu, Hernie pelvienne chez un boeuf de travail. Laparotomie. Annal. belg. p. 663. — 40) Mathis, A., Ein Fall von Leberblutung bei einem rotzigen Pferde Lyon. Journ. p. 570. — 41) Mégnin, Die Cachexie aqueuse bei Wiederkäuern. Recueil. p. 1. — 42) Myers, Ruptured stomach. Am. vet. rev. Vol. VIII. p. 311. — 43) Mollereau, Déchirure de la vésicule biliaire. Bullet. de la soc. p. 168. — 44) Morot, Anomalies des dents canines inférieures chez une jument: contiguité du crochet et du coin gauches. Inclusion du crochet droit dans le maxillaire. Ibid. Séance du 14. février. — 45) Moubis, Speekselsteenen. Holl. Zeitschr. p. 42. — 47) Neumann, Spulwurm des Schafs. Revue vétér. p. 382. (s. Parasiten.) — 48) Derselbe, Zur Geschichte der Egelseuche der Schafe. Revue vétér. p. 115. — 49) v. Ow, Darminvagination bei Kühen. Bad. Mittheil. S. 86. — 50) Ortolani, Mario, Sopra una forma di angina paralitica negli equini in seguito all' uso di alimento mantenuto nei Silos (conserve foraggiere). Giorn. di Anat. Fisiol. e Patol. XVI. p. 264. — 51) Palagi, Alfonso, Caso di rantolo in un vitello prodotto da actinomicosi esofagea. Ibid. p. 312. — 52) Palat, Déchirure du petit colon, par un égagropile, Bullet. de la soc. centrale. Séance du 28. février. — 53) Perdan, Neubildung im Schlundkopfe einer Kuh. Oesterr. Monatsschr. d. Ver. S. 36. — 54) Peschel, Uhlich, Müller und Hartenstein, Appetitlosigkeit bei Pferden. Sächs. Ber. S. 79. — 55) Popow, Zur Casuistik penetrirender Bauchwunden bei Thieren. Mittheilungen aus dem Kasaner Veterinärinstitut. — 56) Derselbe, Verletzung der Bauchwand mit Vorfall des Bauchfells und Einklemmung des Darms. Archiv für Veterinärmedicin. — 57) Radionow, Zur pathologischen Anatomie des Pancreas bei chronischen Krankheiten. Veterinärbote. — 58) Resoconto Clinico delle malattie curate nella R. Scuola Zooiatrica. Sezione Medica. Anno 1883. Giorn. di Anat. Fisiol. e Patol. XVI. p. 122. — 59) Ryder, Amyloiddegeneration of the liver and softening of muscular coat of the intestines in a horse died by colics. Am. vet. rev. Vol. VIII. p. 359. — 60) Rost, Colik bei einer Kuh. Sächs. Bericht. — 61) Russi, A., Sull' importanza delle pliche della mucosa gastrica nei solipedi. La Clin vet. VII. p. 439. — 62) Derselbe, Enorme degenerazione cistica del fegato. Ibid. No. 10. p. 437. — 63) Santer, Verdauungsbeschwerden durch einen abgeschluckten Hasenkopf hervorgerufen. Bad. Mitth. S. 45. — 64) Santini, G., Sopra un caso di morte per calcoli intestinali in un cavallo. Giorn. di Anat. Fisiol. e Patol. XVI. p. 319. — 64a) Schaaf, Zur microscopischen Anatomie des Darmcanals der Haussäugethiere. Bericht über das Veterinärwesen des Königreichs Sachsen pro 1883. — 65) Schleg, Ruhrartiger Durchfall bei Kühen. Sächs. Bericht. — 66) Siedamgrotzky, Colik und deren Behandlung mit Eserin. Ebendas. S. 15. — 67) Sing, Sarcomatöse Entartung der Milz eines Pferdes. Oesterr. Monatsschr. d. Ver. S. 167. — 68) Strittmatter, Vorfall des Netzes durch eine Scheidenruptur. Bad. Mitth. S. 31. — 69) Sutton, B., Two hundred abscesses in the liver of a cangaroo. Transact. of the pathol. Soc. XXXIV. p. 325. — 70) Tomaschewitsch, Brand eines Theils der Zunge, Amputation. Archiv für Veterinärmedicin. — 71) Utz, Papillom im Labmagen einer Kuh. Bad. Mitth. S. 62. — 72) Vernaut, Poulain de six mois, affecté de coliques aiguës. — Ver-

tige quelques heures seulement avant la mort. — Congestion intestinale englobant une quantité innombrable de petites tumeurs d'apparence kystique et communiquant toutes avec l'intestin. Recueil No. 11.

Jewsejenko (33) beobachtete im russisch-türkischen Kriege von 1877—1878 im Ganzen 211 Verwundungen an Pferden, davon 62 Brust- und 31 Bauchwunden. Im Krimmkriege wurden Bauchwunden mit Verletzungen der Eingeweide für unheilbar gehalten und die Patienten getödtet, was auch zum Theil noch im letzten russisch-türkischen Kriege von einigen Regimentscommandeuren geschah. In den letzten Kriegen waren die Brust- und Bauchschusswunden weniger tödtlich wegen des kleineren Calibers der Geschosse und der grösseren Kraft und Geschwindigkeit, mit welcher sie eindrangen. Am wenigsten Zerstörungen richteten die Kugeln der Peabody-Martini und der Winchester-Magazinflinten an; am gefährlichsten waren die grossen 3 cm langen und $1\frac{1}{2}$ cm breiten conischen, ausgehöhlten mit Reifen und Holzwerk versehenen, leicht zersplitternden Kugeln der Snidergewehre und die Granatsplitter.'

Alle nicht penetrirenden Bauchwunden und solche die mit Zerreissungen der Bauchmuskeln und Bildung von Bruchsäcken ohne Verletzung von Eingeweiden complicirt waren, endeten mit Genesung. Auf die Bruchsäcke applicirte J. Cantharidentinctur und legte einen permanenten Druckverband an und gab innerlich nur Kleien- und Mehltränke. Die rein äusserlichen Bauchwunden wurden durch fleissige Reinigung und Anwendung carbolisirten Wergs schnell geheilt.

Von 8 Schusswunden mit Verletzung des Darms endeten 5 mit Erguss von Darminhalt in die Bauchhöhle tödtlich. Bei 3 Darmverletzungen ohne Erguss in die Bauchhöhle wurden die Darmwunden mit Seide oder Catgut vernäht, sorgfältig gereinigt und reponirt (nöthigenfalls nach Erweiterung der Schussöffnung) und bei innerlichem Gebrauch von Kalisalzen und subcutaner Anwendung von Chinin. sulfur. erfolgte vollständige Heilung. 2 Magenwunden durch Granatensplitter mit gleichzeitiger Verletzung der umgebenden Organe endeten tödtlich. Eine Kugelwunde im Magen wurde nach Erweiterung der Bauchwunde vernäht und endete mit Heilung in 3 Monaten.

Von 4 Leberwunden endeten 3 tödtlich, ein Patient genas. Die Behandlung bestand in kalten Compressen Mittelsalzen und Calomel.

Von 3 Kugelwunden der Milz endeten 2 tödtlich, die 3. heilte nach Entfernung der Kugel mit der Kornzange. Anwendung 2 proc. Carbolsäurelösungen und innerlicher Gaben von Mittelsalzen. In einem der tödtlichen Fälle fand sich ein grosser Abscess in der Milz, in welchem eine Snidergewehr-Kugel steckte.

Bei einem Nierenschuss wurde die Kugel mit der Kornzange entfernt, worauf blutiger Harn abging. Die Wunde wurde mit Carbolwerg behandelt und innerlich erhielt Patient Decoct. Rad. Althaeae Pfd. 3, Magnes. sulfur. Unc. 3, Kali nitrici Drachm. $\frac{1}{2}$, Extr. Hyoscyanni Dr. 3, 2 Mal täglich eine halbe Flasche voll neben Extr. Eucalypti glob. Ein Pferd erhielt gleichzeitig einen Granaten- und einen Flintenkugelschuss in die Kruppe. Die Flintenkugel wurde ausgeschnitten und die Wunde heilte bei Behandlung mit 2 proc. Carbolsäure. Nach einem Monat bildete sich eine Fistel aus, an deren Basis sich ein Granatsplitter fand. Nach Entfernung des letzteren erfolgte Heilung.

Der sehr kurze Bericht (58) enthält unter anderem eine Besprechung der intra vitam hervortretenden interessanten Symptome der Amyloiddegeneration der Leber beim Pferde. Eine leichte Gelbfärbung der Schleimhäute, eine vorübergehende Verdauungsstörung stellen die Vorboten der Erkrankung dar. Danach tritt allmälig ein allgemeineres Uebelbefinden mit Traurigkeit. Appetitlosigkeit. Trockenheit des Maules, hellgelber Verfärbung der sparsamen Fäces. Trägheit in den Bewegungen. leichte Schweisse und mässige Colikanfälle auf. Dieser Zustand pflegt 4—8 Tage zu dauern, um dann wieder dem normalen Platz zu machen. Nach einiger Zeit kehren die gleichen Erscheinungen wieder, um nach einigen Tagen der Ruhe und Pflege abermals zu verschwinden. Dabei nimmt indessen die allgemeine Anämie mehr und mehr zu, die Fäces bleiben dauernd hell und die Schleimhäute gelblich. Allmälig werden die Thiere zur Arbeit untauglich. Mitten in diesem Wechsel zwischen scheinbarer Gesundheit und Krankheitsanfällen ereignet sich alsdann eine Leberruptur, welche unter Verblutung zum Tode führt. Sie hat ihre Ursache in der mit der Amyloiddegeneration Hand in Hand gehenden Parenchymerweichung.

Friedberger (19) (s. hinten) sah von 135 an Colik behandelten Pferden 89,6 pCt. genesen, 10.4 pCt. verenden resp. ungeheilt abgehen. In 75 Fällen wurde bei den 121 genesenen Pferden von jeder innerlichen medicamentösen Behandlung Umgang genommen, indem sich Diät, Exploration des Mastdarms, Mastdarminfusionen, Frottiren und Massiren der Bauchwand etc. als vollkommen ausreichend erwiesen. Morphiuminjectionen und Darmstich waren je 4 mal indicirt. Das schwefelsaure Physostigmin wurde in 24 Fällen subcutan angewandt zu 0,04 bis 0.1 g. Dabei hatten nur grössere Dosen von 0,1 einen unzweifelhaften und wirklich durchschlagenden Erfolg bezüglich der Wirkung auf den Darm.

F. berichtet noch über einen Versuch mit Physostigminsulfat bei einem gesunden, 18 Jahre alten, 6 Centner schweren Pferde. Nachdem bei demselben eine Dosis von 0,05 g sich auf den Darm vollständig wirkungslos gezeigt hatte, wurden 27 Stunden nach der ersten Injection 0,1 g verabreicht, worauf eine ganz eminente Wirkung eintrat, die sich in hochgradiger Aufregung, Muskelzittern, 3stündiger Diarrhoe mit Entleerung von über 38 Pfund Koth in 38 Partien, ausserordentlicher Mattigkeit, sowie raschem Verfall der Kräfte äusserte; am 5. Tage traten ausgesprochene, maniacalische Erscheinungen auf, so dass das Thier getödtet werden musste; bei der Section fand man im Gehirn und Rückenmark keinerlei pathologische Veränderungen.

4. Krankheiten der Circulationsorgane.

1) Brandt, Anomalien des Herzens bei einem Füllen. Archiv für Veterinärmedicin. — 2) Bräuer, Eigenthümliches Herzleiden bei einer Kuh. Sächsischer Bericht. — 3) Burke, Richard, Cases of endocarditis. The vet. journ p. 78. — 4) Cadiot, Hämorrhagische Phlebitis der Jugularis beim Pferde (Unterbindung — Heilung). Alfort. Archiv. p. 801. — 5) Derselbe, Ein Fall von Berstung der hinteren Aorta beim Pferde. Ebendas. p. 891 — 6) Cagny, Blessure du coeur. (Vache.) Bulletin. p. 246. — 7) Chuchu, Affection du coeur; ossification des oreillettes. Ibid. p. 236. — 8) Cobbold, Haematozoa. An address delivered to the Middlesex hospital medical society. The veterinarian. p. 69. — 9) Dobesch, Erstickungstod bei einem Pferde durch Blutung aus dem rechten Luftsacke. Oesterr. Monatschr. d. Ver. S. 102 — 10) Earl, H. E., A case of heart-filaria in a dog. American journ. of comp. med. Vol. I. p. 23. (Ein Fall von Herz-Filarien beim Hunde.) — 11) Gratia, Oblitération incomplète de l'extrémité terminale de l'aorte postérieure et des artères iliaques internes par thrombose. Annal. belg. p. 57. — 12) Grimm, Blutung bei einer Kuh. Sächs. Bericht. — 13) Hafner, Blutsturz bei einem Pferde. Bad. Mitth. S. 31. — 14) Hora, Ueber eine Blutkrankheit beim Rinde. Oesterr. Monatsschr. d. Ver. S. 34. — 15) Humbert, Oblitération de l'aorte postérieure, des artères iliaques internes et de l'externe droite, occasionnant une boiterie intermittante. Bullet. de la soc. centr. p. 440. — 16) Hübscher, Sehr starke Blutung ins subcutane Bindegewebe bei einer Kuh. Schweiz. Arch. 84. S. 289. — 17) Jakimow, Haematoparasiten bei Vögeln (Coracirostres). Mittheilungen aus dem Kasaner Veter. Institut. — 18) Johne, Tuberculöse Pericarditis mit diffuser Synechie des Herzens. Sächs. Ber. S. 46. — 19) Labat und Cadéac, Durchbruch eines Aneurysma's der Aorta nach der Bauchportion des Mastdarmes. Revue vétér. p. 105. — 20) Leather, Arthur, Rupture of the pericardium. The vet journ. p. 318. — 21) Michotte, Trombose des artères iliaques chez un cheval. Annal. belg. p. 665. — 22) Palat, Boiterie suite d'une obstruction artérielle. Bulletin. pag. 314. — 23) Rudenko, Ueber den pathologischen Character und den diagnostischen Werth der Lymphdrüsenschwellungen im Kehlgang der Pferde. Archiv für Veterinärmedicin. — 24) Skelton, A unique case of cardiac rupture in pyaemia. The veterinarian. p. 305. — 25) Webb, Thrombosis. The vet. journ. p. 18.

Brandt (1) constatirte bei einem aus dem Chrenowoi'schen Gestüt stammenden Herzen eines Hengstfüllens, das 34 Stunden nach der Geburt in Folge allgemeiner Schwäche eingegangen, folgende Anomalien. Das Septum ventriculorum besitzt eine grosse runde Oeffnung, das Ostium venosum dextrum fehlt; die linke Vorkammer ungewöhnlich stark, die rechte sehr schwach entwickelt. Das Foramen ovale offen, es existirt ein einziger gemeinsamer Truncus arteriosus für beide Herzkammern. Das Ostium arteriosum sinistrum fehlt; ebenso der Ductus Botalli; es sind 2 Kranzarterien am Herzen vorhanden, von denen eine vom Truncus brachiocephalicus stammt. Die Blutcirculation beim Füllen war darnach folgende: Das venöse Blut strömte aus der rechten Vorkammer durch das Foramen ovale in die linke Vorkammer und vermischte sich dort mit dem arteriellen Blut aus den Lungenvenen, von der linken Vorkammer strömte das Blut durch das Ostium venosum sinistrum in die linke Kammer und von da durch das Loch in der Scheidewand in die rechte Kammer, aus welcher es in den gemeinsamen Truncus arteriosus gelangte, der sich in die Aorta und Lungenarterie theilte. Sonst waren die Kreislaufsorgane normal. Der grosse sowohl als auch der kleine Kreislauf erhielten somit gemischtes Blut und das Füllen ging an Sauerstoffmangel zu Grunde.

5. Krankheiten der Harnorgane.

1) Bowler, G. M., Posterior paralysis in mules, from entozoa in the kidneys. American journ. of comp. med. Vol. II. p. 118. (Lähmung des Hintertheils durch Nierenwürmer bei Maulthieren.) — 2) Braun, Diabetes insipidus. Bad. Mitth. S. 65 — 3) Cadéac und Mallet, Ein Fall von Echinococcus exogenus des Nierenbeckens beim Pferde. Revue vétér. p. 483. — 4) Cagnat, Ueber die Harnruhr des Pferdes und ihre Ausbreitung durch Ansteckung. Alfort. Arch. p. 168. — 5) Charpentier, G. und P. Lafourcade, Atrophies rénales constatées sur deux animaux de l'espèce porcine. Bullet. de la soc. p. 401. — 6) Degive, De la cautérisation fine, pénétrante au aiguillée au moyen du cautère à point mobile et à chauffage indépendant de M. Bourguet. Annal. belg. p. 70. — 7) van Tright, Myoom der blaas. Holl. Zeitschr. p. 12. — 8) Hess, Fistule entero-urétérale. Ann. belg. p. 81. — 10) Johne, Intracapsuläre, multiloculare Cyste an der linken Niere eines Pferdes. Sächs. Ber. S. 42. — 11) Mathis, A., Ein Fall von Bright'scher Nierenkrankheit beim Hunde. Lyon. Journ p. 286. — 12) Morot, Ueber die Entzündung des Urachus und der Nabelvene in Folge des Harnabflusses durch den Nabel bei jungen Fohlen. Ibid. p. 474, 516, 576, 633. — 13) Rivolta, S., Nefrite bacteritica negli agnellini. Giorn. di Anat.-Fisiol. etc. Pisa. — 14) Schlampp, Zwei Fälle von Diabetes insipidus beim Pferde. Deutsche Zeitschr. f. Thiermed. S. 133. — 15) Utz, Diabetes insipidus oder Lauterstall bei Pferden. Bad. Mitth. S. 10.

Bowler (1) theilt mit, dass er bei einem Viehzüchter unweit der Stadt Cincinnati, der etwa zwanzig Maulthiere verloren hatte, die noch übrigen 40 Stück, 2 bis 3jährige Thiere, untersuchte. Bei den gestorbenen war als erstes Symptom ein Schwanken im Gange bemerkt, das sich fortwährend bis zur vollständigen Lähmung des Hintertheiles verschlimmert hatte, während die Fresslust immer eine sehr gute geblieben war. B. fand mehrere gelähmte Maulthiere vor. Bei einem behufs der Untersuchung sogleich getödteten Thiere fand er eine der Nieren bis zum hühnereigrossen Nierenbecken atrophirt, worin eine grosse Menge kleiner Würmer enthalten waren. Die andere Niere war in gleicher Weise, aber in geringerem Grade verändert. Es wurde sogleich ein zweites, sehr schwer gelähmtes Maulthier, untersucht, und auch bei diesem waren die beiden Nieren hochgradig atrophirt und enthielten eine grosse Menge Würmer. Bei einem dritten Thiere abermals der gleiche Befund, mit dünneren Würmern, welche das Maass einer feinen Stopfnadel hatten. B. hielt diese Würmer für Strongylus.

6. Krankheiten der männlichen Geschlechtsorgane.

1) Fabricius, Ein Fall von Azoospermie beim Pferde. Deutsche Zeitschr. f. Thiermed. S. 52. — 2) Popow, Vergrösserung und Entartung des rechten Hodens bei einem Hengst. Archiv f. Veterinärmedicin. — 3) Raillet, Sur les sclérostomes des cryptorchides. Bullet. p. 301. — 4) Derselbe, Sclérostomes dans les testicules de deux chevaux cryptorchides. Ibidem.

p. 255. — 5) Williams, Cases in practice. The vet. journ. p. 235 — 6) Martin, Pathologisch-anatomische Mittheilungen. Münchener Ber. S. 104.

Raillet (4) theilt mit, dass der Veterinair Simonin bei der Operation eines Cryptorchiden in den centralen Theilen des Hodens einen Wurm constatirt habe, der ihm zur Bestimmung übergeben wurde. Es stellte sich heraus, dass ein weibliches Exemplar von Sclerostomum armatum (Strongylus armatus) vorlag. Der betr. Testikel war kleiner wie normal, sein Parenchym erschien stark bindegewebig und enthielt keine Spermatozoiden. Einige Tage später konnte Simonin im Hoden eines anderen Cryptorchiden einen 3½ cm langen Sclerostomen feststellen, der beim Zutritt der Luft sofort starb. Das Gefäss, welches ihn enthielt, hatte ungefähr einen Durchmesser von 4 mm; seine Wände waren stark verdickt.

Eine dritte Beobachtung über das Vorkommen von Sclerostomen im Hoden theilt Raillet (3) in der Sitzung der Société centrale am 24 Juli 1884 mit. Dieselbe war von seinem Schüler Jacoulet ebenfalls an der Schule zu Saumur gemacht. Der Parasit zeigte keine Bewegungen. Der Hoden war nussgross und an einem kurzen Strange in der Lendengegend aufgehangen. Mégnin macht darauf aufmerksam, dass der Parasit auch bei der Castration normal gebildeter Füllen im Hodensack aufgefunden ist, wie dies die Mittheilung von Clansy im Veterinarian 1865 beweist.

7. Krankheiten der weiblichen Geschlechtsorgane.

1) Greene, Two cases of stricture of the os uteri in the cow. The veterinarian. p. 307. — 2) Harrison, Canine pathology. Am. vet. rev. Vol. 7. p. 457. — 3) Isepponi, E., Caso di prolasso di un corno dell' utero per l'ano in una vacca. La Clin. vet. VII. p. 248. — 4) Derselbe, Vorfall eines Gebärmutterhornes durch den Mastdarm bei einer Kuh. Schw. Arch. S. 132. — 5) Johne, Diffuse Diphtheria superficialis in der Scheide einer Kuh. Sächs. Bericht. S. 28. — 6) Derselbe, Sequesterbildung am Euter einer Kuh Ebendas. S. 41. — 7) Derselbe, Euterentzündung, Mastitis. Ebendas. S. 29. — 8) Derselbe, Diffuse Diphtheritis superficialis in der Scheide einer Kuh. Ebendas. — 9) Leclert, Die Knickung der trächtigen Gebärmutter nach unten und hinten als Geburtshinderniss. Alfort. Arch. p. 523. — 10) Macgillivray, On certain recent inversions of portions of the uterine organs. The veterinarian, p. 756. — 11) Marchal, Ein Fall von Eierstockscyste bei der Stute. Die Cyste veranlasste durch Compression eine tödtlich endende Unwegsamkeit des Mastdarmes. Alfort. Arch. p. 324. — 12) Myer, Torsion of the uterus in a mare — death. Am. vet rev. vol. VIII. p. 120. — 13) Nocard, Sur une mammite contagieuse des vaches laitières. Bullet. p. 308. — 14) Schleg, Brandige Gebärmutterentzündung bei Schafen. Sächs. Ber. S. 88. — 15) Sutton, Retroflexion of the uterus in a baboon (Cynocephalus porcarius). Transact. of the pathol Soc. XXXIV. p. 325. — 16) Martin, Patholog. Anatomisches. Münchener Ber. S. 104.

8. Kalbefieber.

1) Billings, F. S., Eclampsia parturientium. American journ. of comp. med. Vol. V. p. 117. — 2) Braun, Zur Behandlung des Kalbefiebers. Bad. Mitth. S. 64. — 3) Glass, Rob., Parturient apoplexy. The vet. journ. p. 393. — 4) Cox, Parturient apoplexy in cattle, commonly known as „milk fever". The vet. journ. p. 11—94. — 5) Mayor, Parturient eclampsia in the cow. The vet. journ. p. 20. — 6) Pinegin, Eclampsia puerperalis bei einer Hündin. Arch. f. Veterinärmedicin. — 7) Strebel, Das Auftreten des Kalbefiebers bei Kühen, bei denen die Nachgeburt nicht abgegangen. Schweiz. Archiv 84. S. 131.

9. Geburtshülfe.

1) Aché, Ein Fall von Hydramnios und Zwillingsträchtigkeit bei der Kuh Künstliche Frühgeburt und günstig verlaufene Metritis Revue vétér. p. 171. — 2) Hill, J. Woodroffe, Inversion of the bladder, with cystic hernia of the intestines in a mare during parturition — deformity of foetus. The vet. journ. p. 409. — 3) Krassowski, Zur Casuistik der abnormen Lagen der Frucht beim Pferde. Archiv für Veterinärmedicin. — 4) Moulton, Contribution to obstetrics. Am. vet. rev. Vol. VIII. p. 265. — 5) Pinegin, Aus der geburtshülflichen Praxis. Archiv f. Veterinärmedicin. — 6) Subissi, G., Su di uno caso di isterotomia vaginale e di embriotomia in una vacca seguito da esito fausto. La Clin. vet. VII. p. 398.

10. Krankheiten der Bewegungsorgane.

(S. auch „Constitutionelle Krankheiten".)

1) Abraham, On scapulo-humeral dislocation in the horse. The vet. journ. p. 389. — 2) Albrecht, Die Pathogenese und Therapie der Druckschäden und Streichverletzungen bei Pferden. Ad. Woch. S. 133. — 3) Biot, Traitement du vessigon tendineux du jarret par les injections sanguins. — 4) Derselbe, Ueber die idiopathische Atrophie der Schultermuskeln. Alfort. Archiv. p. 281. — 5) Charpentier et Lafourcade, Sur les fractures des côtes dans l'espèce porcine. Bullet. de la soc. p. 404. — 6) Dupuis, Un cas de fracture produite pendant la vie intra-utérine Annal. belg. p. 312. — 7) Dieckerhoff, Die Ueberbeine (Hyperostoses, Supraossa) am Metacarpus des Pferdes. Ad. Woch. S. 1. — 8) Flintoff, Accidental dislocation of the left posterior os coronae. The vet. journ. p. 74. — 9) Flynn, Luxation of the carpometacarpal articulation. Am. vet. rev. Vol. VIII. p. 186. — 10) Gribble, Multiple caudal abscesses and fistulous tracts caused by ingrowing hairs. Ibid. p. 414. — 11) Heinrichs; Die Kronentritte bei Pferden. Ad. Woch. S. 249. — 12) Jacotin, Penetrirende Brustwunde bei einem Pferde und Fractur der linken siebenten Rippe. Alfort. Archiv. p. 696. — 13) James, Acute rheumatism. Am. vet rev. Vol. VIII. p. 362. — 14) Johne, Abnorme angeborene Beugestellung der unteren Fussgelenke in Folge Contraction der Hufbeinbeugesehne der rechten vorderen Extremität eines Fohlens. Sächs. Ber. S. 26. — 15) Kay, Laceration of the perforans tendon and the sesamoid ligaments on three legs of a gelding. Am. vet. rev. Vol. VIII. p. 234. — 16) Klench, Luxation of cervical vertebrae. Ibid. p. 18. — 17) Laulanié, P., Die Psorospermienschläuche in der Musculatur des Schweines und die durch die Schmarotzer veranlassten Veränderungen. Revue vétér. p. 57. Deutsche Zeitschr. f. Thiermed p 313. — 18) Lippold, Kreuzlähme. Sächs. Ber. — 20) Matthews, Diffuse cellulitis (cellular erysipelas) supervening on castration. The vet. journ. p. 83. — 21) Mégnin, Un cas de prolifération extraordinaire de corpuscules calcaires dans le tissu musculaire d'un cheval. Signalé par M. Vittu. Bulletin de la soc. centrale. Séance du 27. mars. — 22) Derselbe, Sur une gale sarcoptique particulière du furet, qui règne

en ce moment épizootiquement dans plusieurs localités du département de Seine-et-Oise. Ibidem. Séance du 24. jan. — 23) Pendry, Laceration of the long vastus muscle; — Fracture of the tibia. Am. vet. rev. Vol. VIII. p. 412. — 24) Popow, Brüche des Fesselbeins. Archiv für Veterinärmedicin. — 25) Derselbe, Zwei Fälle von Bruch des Unterkiefers. Ebendas. — 26) Derselbe, Gelenkentzündung (Rachitis) bei einem Füllen. Ebendas. — 27) Psoitis beim Pferde. Oesterr. Monatsschr. d. Ver. S. 14. — 28) Pütz, Die Ueberbeine am Metacarpus. Pütz' Centralbl. S. 75. Referat. — 29) Raillet, Echinocoques dans le tibia d'un boeuf. — 30) Prietsch, Unvollständige Luxation des Oberschenkelbeins. Sächs. Bericht. — 31) Rodet, Etude expérimentale sur l'ostéomyélite infectieuse. Compt. rend. T. 99. p. 569. — 32) Rogers, Injuries to the lower third of the tibial region and their lesson. Am. vet. rev. Vol. VIII. p. 263. — 33) Strebel, Bruch des medialen Kammes der Oberschenkelbeinrolle bei einem zehn Wochen alten Fohlen. Schweiz. Archiv. S. 232. — 34a) Sutton, B., Rickets in a baboon in West-Africa. Trans. of the path. Soc. XXXIV. p. 312. — 34b) Derselbe, Bone diseases in animals. Ibid. 1883. XXXIV. p. 315. — 34c) Derselbe, Dasselbe. Ibid. p. 310. — 35) Trasbot, Lésions du rhumatisme articulaire chez un cheval. Bulletin de la soc. centrale. Séance du 27. mars. — 36) Trinchera, Contribuzione alla Patologia e Terapia degli spandimenti traumatici primitivi del garrese del cavallo. La Clinica veterinaria. VII. p. 114, 155, 229. — 37) Tschulowski, Filaria circinnata in dem Fesselbeinbeuger. Mittheil. d. Kasaner Veterinärinstit. (s. Parisiten.) — 38) Very, A suggestion concerning the operation of neurotomy on trotting horses. Amer. vet. rev. Vol. VIII. p. 297. — 39) Weber und Barrier, Ataxie locomotrice. — Sclérose de la moelle. Recueil. p. 432. — 40) Wilhelm, Brust- und Schulterbeulen. Sächs. Bericht.

Weber und Barrier (39) berichten über einen Fall von locomotorischer Ataxie beim Pferde. Das letztere wurde in einer öffentlichen Versteigerung gekauft und zeigte in den ersten 3 Monaten nach dem Kaufe ausser einer gewissen Schwäche und Unregelmässigkeit in der Bewegung nichts Krankhaftes. Später steigerte sich die Schwäche, so dass das Thier nur zeitweise benutzt werden konnte. Bei der Untersuchung fand W. das Thier in gutem Nährzustande; dasselbe zeigte ferner im Stande der Ruhe nichts Abnormes. Beim Herausführen des Thieres schien die rechte vordere Gliedmasse der Sitz einer Lahmheit zu sein; nach einigen Schritten jedoch war dieselbe unregelmässige Bewegung auch an den hinteren Gliedmassen vorhanden. Es war dies keine eigentliche Lahmheit, sondern vielmehr eine eigenthümliche Incoordination der Bewegungen, die bald an der einen, bald an der anderen Gliedmasse mehr ausgesprochen war. Die Fortbewegung wurde fast unmöglich, sobald man die Augen des Thieres mit einem Tuche bedeckte; es wurden die Gliedmassen directionslos nach oben, nach vorne, nach hinten bewegt, und sobald es gelungen war, dass Pferd einige Schritte vorwärts zu bringen, drohte es zusammenzubrechen. Die Hautsensibilität war normal, erschien stellenweise sogar etwas gesteigert. Das Thier magerte im weiteren Verlaufe der Krankheit ab und wurde schliesslich 10 Monate nach dem Kaufe auf der Alforter Schule getödtet.

Bei der Section, die von Barrier und Goubaux vorgenommen wurde, fand sich in der Cervicalregion des Rückenmarkes, unmittelbar vor der Wurzel des 7. Halsnervenpaares eine stärkere Consistenz der ganzen rechten Hälfte der Medulla spinalis, etwa auf eine Ausdehnung von $1^1/_2$ cm. Die graue Substanz war nicht scharf von der weissen abgegrenzt. Diese letztere zeigte ferner eine leicht röthliche Färbung, hervorgerufen durch die starke Vascularisation. In der Lendenregion an der Stelle, die dem Ursprunge der anderen Hälfte des Plexus lumbo-sacralis entspricht, fanden sich in der linken Hälfte des Rückenmarkes auf einer Strecke von mehr als 2 cm dieselben Veränderungen wie in der Halsregion vor, nur dass hier eine Erweichung des oberen Hornes ausserdem noch vorlag. Bei der microscopischen Untersuchung der gehärteten Präparate fiel zunächst die beträchtliche Vascularisation auf. Die Wände der Gefässe waren verdickt und von einem Bindegewebsgeflecht von äusserster Feinheit umgeben, dessen Fäden sich zwischen die Nervenfasern fortsetzten. Dieses Netzwerk begann an der Oberfläche des Rückenmarkes und zog sich durch die ganze Dicke der weissen Substanz fort, sich hier und da an den Gefässwänden anhaftend. In den am meisten roth gefärbten Partien waren die Fäden bedeutend verdickt, die nervösen Elemente atrophirt und zum Theil kaum zu erkennen.

Die geschilderten Veränderungen gehören somit einer Affection an, die man als Rückenmarkssclerose oder als Myelitis interstitialis bezeichnet. W. hebt am Schlusse die Unterschiede in der Symptomatologie hervor, die sich bei einer vergleichenden Betrachtung der genannten Affection bei dem Menschen und dem vorliegenden Falle ergeben.

V. Heilmittellehre und Heilmethoden.

1) Abbt, Morphium aceticum als Anästheticum bei Thieren. Adam's Wochenschr. S. 457. — 2) Affanasiew, Sur une méthode nouvelle de transfusion du sang. Annal. belg. p. 449. — 3) Alman, Dowling, Solution of bromide of arsenic. The vet. journ. p. 81. — 4) Andrieu, Operative Entfernung eines Melanomes der Leistengegend, welches starkes Hinken verursacht hatte. Vollständige Genesung. Alfort. Archiv. p. 451. — 5) Aureggio, Ueber eine Zaummarke. Lyon. Journ. S. 228. — 6) Bayer, Ein Maulkeil. Koch's Monatsschr. S. 90. — 7) Derselbe, Die Anwendung des electrischen Glühlichtes in der Thierheilkunde. Ebendas. S. 43. — 8) Baudon, Dreimalige Wiederholung des Darmstiches bei einem Falle von Windcolik des Pferdes. Nachher circumscripte Phlegmone und Abscessbildung in der Bauchhaut. Lyon Journ. p. 190 — 9) Bell, J., Excision of portions of the intestine in the dog. American journ. of comp. med. Vol. V. p. 272. — 10) Benjamin, Passage d'un breuvage dans la trachée, Bullet. de la soc. centr. p. 480. — 11) Bertsche, Die Anwendung des Jodoforms gegen Strahlkrebs. Bad. Mitth. S. 85. — 12) Boijé, Die Anwendung des Leiter'schen Kühlapparats. Archiv f. Veterinärmedicin. — 13) Bonnigal, Viermalige Reposition der eingeklemmten Leistenhernien bei einem Hengste. Sehr umfangreiche Leistenhernie bei einem Wallach. Presse vétér. p. 114. — 14) Butler, Docking horses. The veterinarian. p. 371. — 15) Brusasco, L., Injezioni tracheali di idroclorato di morfina a scopo terapeutico. Il med. vet. XXXI. p. 359. — 16) Derselbe, Impiego dei semi di senapa nera a scopo epispastico ed antiparalitico. Ibid. p. 66. — 17) Cadéac und Malet, Die Anaesthesie durch Chloral oder durch Chloral in Verbindung mit Morphin. Revue vétér. p. 279. — 18) Cadiot, Die Anwendung des Eserins in der Vete-

rinär-Therapie. Alfort. Archiv. S. 681. — 19) Cagny, Essais d'injection sous-cutanées. Bulletin. p. 332 — 20) Derselbe, Recherches sur l'anesthésie. Ibid. p. 329. — 21) Derselbe, Injections sous-cutanées de vératrine dans le traitement de la pneumonie. Ibid. p. 291. — 22) Derselbe, Ethérisation par le rectum. Ibid. p. 169. — 23) Derselbe, Emploi de la ligature élastique dans l'amputation de la queue sur les animaux domestiques. Recueil. p. 741. — 24) Derselbe, Action de la vératrine. Bulletin de la soc. centrale. Séance de 28. Février 1884. — 25) Chauveau, De l'atténuation des cultures virulentes par l'oxygène comprimé. Annal. belg. p. 441. — 26) Chelchowsky, Ein Inhalations- und Respirationsapparat für Hunde und ein Mittel gegen protrahirten Lungencatarrh dieser Thiere. Koch's Monatsschr. S. 27. — 27) Derselbe, Die Fesselung der Pferde. Ebendas. S. 50. — 28) Derselbe, Verbesserter Tracheotubus. Ebendas. S. 33. — 29) Dupuis, Sur le choix des médicaments et leur récolte. Annal. belg. p. 528. — 30) Degive, Considération sur la therapeutique de la hernie ombilicale chez le cheval et le chien. Nouveaux procédés de traitement. Ibid. p. 511. — 31) Derselbe, Des sutures élastiques dans le traitement des plaies. Ibid. p. 317. — 32) Dieckerhoff, Einige Bemerkungen über die Anwendung des Physostigmin. Adam's Wochenschr. S. 113. — 33) Derselbe, Duplik über die Anwendung des Physostigmin. Ebendas. S. 197. — 34) Edelmann, Ueber Pilocarpin und seine Wirkung. Sächs. Ber. — 35) Ellenberger u. Hofmeister, Zur physiologischen Wirkung und Deposition der Bleisalze bei Wiederkäuern. Berl. Archiv. S. 216. — 36) Ellermann, Ergotin-Injectionen bei Prolapsus ani. Thzt. S. 67. — 37) Feser, Zur Wirkung und Anwendung des Physostigminum sulfuricum beim Pferde und Rinde. Adam's Wochenschr. S. 277. — 38) Fogliata, G., Tenotomia del tendine del flessore superficiale delle falangi. Sue indicazioni nel cavallo. Giorn. di Anat. Fisiol. e Patol. XVI. p. 314. — 39) Fonte, Die Behandlung des Kalbefiebers. Alfort. Arch. p. 721. — 40) Forasassi, Marco, Dissolatura ed esportazione del fettone eseguita su due cavalli. Giorn. di Anat, Fisiol. e Pat. XVI. p. 95. — 41) Foucher, Ueber die Ignipunctur. Presse vétér. p. 523. — 42a) Friedberger, Das Niesswurzstecken bei Schafen. Deutsche Zeitschr. f. Thiermed. S. 40. — 42b) Derselbe, Ueber Colik. Münchn. Ber. S. 68. — 43) Fröhner, Radicaloperation eines Nabelbruchs beim Pferde mit Exstirpation des Bruchsackes und Nähen des Bruchringes. Adam's Wochenschr. S. 205. — 44) Fürthmaier, Veratrin als Heilmittel beim sog. Festliegen des Rindes. Koch's Monatsschr. S. 73. — 45) Gaëtano, M., La nevrectomia nella cura della podotrochilite cronica. La Clin. vet. VII. p. 125. — 46) Goffi, G., Rovesciamento completo dell' utero. Amputazione del medesimo. Guarigione. Il Med. vet. XXXI. p. 365. — 47) Gosselin, Dernières recherches sur la coagulation intravasculaire antiseptique. Compt. rend. T. 99. p. 1003. — 48) Grimm, empfiehlt Jodoform bei Gelenkwunden. Sächs. Ber. S. 91. — 49) Hayem, Expériences sur les substances toxiques ou médicamenteuses qui altèrent l'hémoglobine, et particulièrement sur celles qui le transforment en méthémoglobine. Compt. rend. 98. p. 580. — 50) Derselbe, De la transfusion péritoneale. Annal. belg. p. 534. — 51) Hartenstein, Tripolith anstatt des Gypses zur Anlegung von Dauerverbänden bei Knochenbrüchen empfohlen. Sächs. Bericht. S. 93. — 53) Härtel, Die Lufröhrenhaken (Thzt. 91) u. Johne, Die Luftröhrenhaken von Härtel. Ebendas. S. 187. — 54) Henninger, Pilocarp. muriat. gegen Indigestion der Rinder. Bad Mitth. S. 66. (0,1 in 5,0 Wasser, nach Befinden wiederholt mit gutem Erfolg.) — 55) Derselbe, Ueble Erfahrungen mit Vaseline. Ebendas. S. 66. — 56) Derselbe, Physostigmin gegen Colik der Pferde. Ebendas. S. 66. — 57) Hoffmann, Ueber die Antiseptik der Gegenwart. Ebendas. S. 93. Vortrag. — 58) Derselbe, Ueble Folge der Massage und Heilung durch Operation per primam. Rapport. 4. H. — 59) Humbert, Eventration avec hernie du grand épiploon. Bullet. de la soc. centr. p. 482. — 60) Derselbe, Du chloral en injection intra-veineuse. Ibid. p. 407. — 62) Hübner, Pilocarpinum hydrochloricum gegen acuten Muskelrheumatismus. Sächs. Ber. S. 92. — 63) Jacotin und Henryon, Heilung des Starrkrampfs durch Neurotomie. Alf. Arch. Nov. — 64) Jewsejenko, Laparotomie bei einer Katze zum Zweck der Entfernung eines Concrements aus dem Dickdarm. Archiv f. Veterinärmedicin. — 65) Johne, Eine Verbesserung des Tracheotubus von Leblanc und der elastischen Doppelhaken. Deutsche Zeitschr. f. Thiermed. S. 54. — 66) Derselbe, Die Verkürzung vorstehender Backenzähne. Ebendas. S. 83. — 67) Zschokke, Inhalationsmasken. Schweiz. Archiv 84. S. 134. — 68) Jusefowitsch, Bronikowski und Satlow, Anwendung des Terpentinöls bei der Diphtheritis. Veterinärbote. — 69) Kaiser, Ueber die Verwendung der „Nicotina" gegen die Räude der Schafe. Jahresber. d. Thierarzneisch. Hannov. 1883/84. S. 110. — 70) Kassanowitz, Die Phosphorbehandlung bei der Rachitis. Deutsche Zeitschr. f. Thiermedicin. S. 310. Referat. — 71) Kaufmann, Einfluss der Senfteige auf die Vertheilung der thierischen Wärme. Lyon. Journ. p. 561. — 72) Kirillow, Boroglyceridum und Natrum glyceroboratum als antiseptische Mittel. Mittheil. aus dem Kasaner Veter.-Institut. — 73) Klemm, Vertilgung der Läuse der Pferde, Rinder und Schafe. Bad. Mittheil. S. 10. — 74) Derselbe, Ueber Eserinwirkung bei der Colik der Pferde. Ebendas. S. 49. — 75) Labbé, Note sur l'emploi des lavages phéniqués intraarticulaires dans l'hydarthrose chronique. Recueil. p. 418. — 76) Die Lactina und ihr Werth für den Landwirth bei Aufzucht von Kälbern. Schweiz. landwirthsch. Zeitschrift. S. 152. — 77) Leclainche, Lehre, Anhänger und Zukunft der Dosimetrie. Presse vétér. p. 576. (Polemischer Artikel gegen diese Schule.) — 78) Derselbe, Therapie der Rückenmarkswallung (schwarze Harnwinde) beim Pferde. Alfort. Archiv. p. 321. — 79) Levi, G., Corso libero di materia medica e terapeutica comparata. La Clin. vet. VII. p. 13. 109. 149. 222. 394. 537. 541. (Eine Fortsetzung der schon im vorigen Jahresberichte notirten compendiösen Besprechung der Arzneimittel nach Wirkung, Anwendung etc. Dieselbe enthält in Cap. XVII—XXVI die den Circulationsapparat, die Wärmebildung, die Ernährung und Secretionen beeinflussenden Mittel und die Emetica.) — 80) Mac Munn, A new form of suture for approximating the edges of wounds. The veterinarian. p. 764. — 81) Macgillivray, On the different modes of administering medicine in veterinary practice. The vet. journ. p 73. — 82) Marggraff, Arecanuss gegen Tänien. Ad. Woch. S. 346. (M. empfiehlt dieselbe gegen das Bandwurmleiden der Hunde zu 15,0 und 25,0 Ricinusöl.) — 83) Mathé, Le traitement de la fièvre vitulaire. Recueil. p. 658. — 84) Mathieu, Enterotomie. Etat. san. etc. de Brabant. p. 34. — 85) Derselbe, Hernie inguinale étranglée chez un porc. Enterectomie. Guérison. Annal. belg. p. 248. — 86) Merkt, Abtragung eines Theiles der Zitze bei einer Kuh. Ad. Woch. S. 393. — 87) Michaud, Extraction der linken Niere bei einer Kuh. Oesterr. Monatsschr. d. Ver. S. 46. — 88) Müller, Jodoform mit Glycerin (1 : 30—40) ein ausgezeichnetes Mittel gegen Mauke. Sächs. Ber. S. 91. — 89) Derselbe, Ungünstige Erfolge von Vaselinehufschmiere. Sächs. Ber. S. 93. — 90) Millner, Pilocarpin gegen Colik. Bad. Mittheilungen. S. 135. (In Gaben von 0,01 bei Verstopfungscolik mit Vortheil angewendet.) — 91) Nowikow, Resection des Dünndarms beim Pferde. Archiv für Veterinärmedicin. — 92) Van Passen, J., Encore un nouveau tube à trachéotomie. Annal. belg.

p. 423. — 93) Perdau, Oesterr. Monatsschr. d. Ver. S. 37. (Empfiehlt gegen Brandwunden: Calcar. sol. 16,0, Glycerin 150,0, hierzu bei langsamem Erwärmen Aether chlorat. 6,0.) — 94) Perroncito, E., Sull' azione del Cloruro di Sodio e sull' essicamento delle Cercarie. Il med. vet. XXXI. p. 357. — 95) Philippi, Borax gegen Ohrgeschwür der Hunde. Sächs. Bericht. — 96) Derselbe, Einblasen von Boraxpulver bei chronischen Catarrhen des äusseren Gehörganges. Ebendas. S. 91. (Sehr empfohlen.) — 97) Ueber Pilocarpin und seine Wirkung. Referat. Deutsche Zeitschrift f. Thiermedicin. S. 76. — 98) Poljäkow, Ueber Wirkung des Jodoforms. Veterinärbote. — 99) Popow, Die Anwendung der Beeren von Rhamnus cathartica (Kreuzdorn) Baccae spinae cervinae als Purgans. Archiv f. Veterinärmedicin. — 100) Derselbe, Beförderung des Haarwuchses auf operativem Wege. Ebendas. — 101) Derselbe, Ueber die Wirkung des Paraldehyds auf den thierischen Körper. Veterinärbote. — 102) Pütz, Ueber Laparotomie. Pütz Centralbl. S. 13, 17. Referat. — 103) Derselbe, Ueber die Anästhesie unserer Hausthiere. Ebendas. S. 225. — 104) Quadrini, C., Caso di guarigione di una fistola del garrese dopo tre anni e quattro mesi. La Clin. Vet. VII. p. 51. — 105) Ratimoff, Recherches sur les substances antiseptiques et des conséquences qui en résultent pour la pratique chirurgicale. Compt. rend. T. 98. p. 1495. — 106) Sasezki, Ueber den Einfluss des Fiebers und der temperaturerniedrigenden Mittel auf die Aufnahme und den Umsatz stickstoffhaltiger Substanzen. Veterinärbote. — 107) Schapiro, Ueber das frühzeitige Entfernen pleuritischer Exsudate. Ebendaselbst. — 108) Scuola Veterinaria Superiore della R. Università di Pisa. Direzione della Clinica chirurgica (Dr. A. Vachetta). Rendiconto per l'anno scolastico 1882—1883. Giornal. di Anat. Fisiol. e Patol. XVI. p. 29. — 109) Schulz, Ueber den therapeutischen Werth des Arsen. Pütz' Centralblatt. S. 275. Refer. — 110) Siedamgrotzky, Anwendung der Electricität bei Icterus. Sächs. Bericht. — 111) Derselbe, Austreibung von Backenzähnen durch Stempel. Ebendas. — 112) Derselbe, Tolubalsam als Räudemittel. Ebendas. — 113) Derselbe, Colik und deren Behandlung mit Eserin. Ebendas. — 114) Derselbe, Exstirpation einer Euterhälfte bei einem Pferde. Ebendas. — 115a) Derselbe, Carbolinhalationen bei Staupe. Ebend. — 115b) Derselbe, Colik und deren Behandlung mit Eserin. Ebendas. S. 15. — 116) Storch, Ueber die Anwendung des Jäger'schen Augenspiegels in der Thierheilkunde. Oesterr. Vierteljahrsschr. LXII. Bd. — 117) Strebel, Ueber Wirkung und die innerliche Anwendung des weissen Arseniks in der Thierheilkunde. Schweiz. Archiv. p. 84. — 119) Uhlich, Kalium bromatum gegen Starrkrampf. Sächs. Ber. S. 91. — 120) Vigezzi, Dario, Un quadrimestre della clinica chirurgica nella Scuola Veterinaria della R. Università di Pisa. Giorn. di Anat. Fisiol. e Patol. XVI. p. 61. — 121) Derselbe, Sopra l'uso dell termo-cauterio del Paquelin nella clinica chirurgica Veterinaria di Pisa. Ibid. p. 199. — 122) Vogel, Die Fettsucht und ihre Behandlung. Repertor. 1 Heft. — 124) Derselbe, Sublimat für geburtshilfliche Zwecke. Ebendas. 4. Heft. — 125) Derselbe, Die Massage, ihre Theorie und practische Verwerthung in der Veterinärmedicin. Stuttgart. — 126) Weiser, Möbius und Wilhelm, Eserin bei Colik der Pferde. Sächs. Ber. S. 91.

Bell (9) versuchte die Resection eines Dünndarmstückes an 14 Hunden behufs der Anwendung dieser Operation beim Menschen. Die Operation fand unter Carbolspraystatt. Bei einer ersten Reihe von 7 Thieren wurde ein etwa 8 bis 32 cm langes Stück herausgenommen und die Darmnaht nur mittelst Catgut gemacht. In 5 Fällen folgte Heilung; in einem Falle Tod an Peritonitis durch unvollkommene Schliessung der Darmwunde; in einem anderen Falle aber gar keine Anheftung der Darmenden, weil das Catgut überall zerfallen war. Dies brachte B. dazu, bei den übrigen 7 Thieren den Darm mit Seide zu heften. Den Hunden dieser zweiten Reihe wurde ein Dünndarmstück von 4,5 bis 13 cm Länge resecirt. Von diesen genasen 5; einer starb an Peritonitis wegen fehlerhaften Anlegens der Darmnaht, ein anderer verendete an Peritonitis, angeblich in Folge des Eindringens von Luft aus dem Darme in die Bauchhöhle, welches durch Erbrechen des Hundes beim Heften der Bauchwandwunde herbeigeführt wurde.

Siedamgrotzky (110) schildert die Anwendung der Electricität beim Icterus der Hunde. Nach den günstigen Resultaten, welche Glax durch Anwendung der Faradisation der Bauchdecken beim Ascites erlangt hat, lag es für den Verf. nahe, die Faradisation der Bauchdecken zu dem Zwecke zu versuchen, bei Duodenal-Icterus der Hunde wenigstens vorübergehend den Gallendruck derartig zu erhöhen, dass die bei Hunden so rasch zum letalen Ende führende Cholämie verhindert und Zeit für Abschwellung der betreffenden Duodenalpartie gewonnen werde.

Zu dem Versuche wurde ein mit heftigem Magencatarrh eingelieferter Mops verwendet, bei dem sich am dritten Tage ein hochgradiger, schnell steigender Icterus, allgemeiner Kräfteverfall und Sinken der Temperatur zeigten. Acidum tannicum c. Vin. rubr. blieb ohne Erfolg. Hierauf wurde, unter grossem Widerstreben des Patienten, täglich zweimal je 10 Minuten lang der kräftige, secundäre Inductionsstrom eines Stöhrer'schen Apparates in der Lebergegend in derartiger Stärke durch die Bauchhöhle geleitet, dass die in der Nähe der Electroden befindliche Musculatur fast in Tetanus erhalten wurde. Schon nach der dritten Application Besserung des Allgemeinbefindens, Steigerung der Temperatur; nach der sechsten Faradisation wurde die Behandlung ausgesetzt und erfolgte die Heilung sehr bald ohne dieselbe.

In einem zweitem Falle war die Behandlung, vielleicht wegen schon zu weit vorgeschrittenen Kräfteverfalles, erfolglos.

Vogel (122) bespricht die diätetischen Mittel der auf den Ernährungsgesetzen der heutigen Physiologie beruhenden Heilung bei excessiver Ansammlung von Fett im Körper.

Zunächst werden die verschiedenen Formen der Fettneubildung und die Vorgänge, welche zu den letzteren führen, einer Erörterung unterzogen. Die Verschiedenheit der Fette, welche stets neutrale, zusammengesetzte Aether des Glycerins mit drei Fettsäuren darstellen (Triglyceride) rühren nur von verschiedenen Mengenverhältnissen der Stearin-, Palmitin- und Oleïnsäure her.

Das mediastinale Fett und dasjenige des Netzes und Bauchfelles ist der Verflüssigung und Resorption am schwierigsten zugänglich, am ehesten das mehr oleïnhaltige subcutane.

Diagnose und Prognose der Fettsucht.

Die Neigung zur Fettbildung beruht in einer unzulänglichen Verbrennung innerhalb der Zellen. Die Gesammtblutmenge, die Zahl der rothen Blutkörperchen ist vermindert, somit die Zahl der Sauerstoffträger und damit die Verbrennung der Kohlenstoffe. Die letzteren können nunmehr zum Fettdepot verwendet werden, daher beschleunigen kleine Aderlässe die Mast. Unter Voraussetzung eines Missverhältnisses der Nahrungsmenge zum Stoffverbrauche oder ungeeigneten Arrangements in der Ernährungsweise führen ein gewisser Grad von Oligocythämie, eine constitutionelle Anlage, sowie gewisse Vorgänge zur Fettleibigkeit. Grundlegend für die Frage, mit welchen Massnahmen der Fettleibigkeit am sichersten entgegengewirkt werden könne, ist die Beobachtung, dass bei den Carnivoren, welche ausser Fett stickstofffreies Futter nicht erhalten, die Fettbildung eine unbedeutende ist. Sobald man aber Kohlehydrate verabeicht, werden die Thiere ceteris paribus schnell feist und fett. Aehnlich bei den Herbivoren. Ein Theil des Fettüberflusses wird im Körper selbst bereitet. — Der thierische Organismus schöpft Fett 1. aus dem frei in den Alimenten enthaltenen Fett oder Oel, 2. aus den Kohlehydraten und 3. aus den Proteïnstoffen.

Für die Praxis folgende Conclusionen: 1. Mässige Aufnahme von jedweder Nahrung, 2. richtiges Verhältniss zwischen Albuminaten und Fett und ein armes an Kohlehydraten, oder Ersatz zum Theil durch fertiges Fett.

Hieraus ergeben sich Gesichtspunkte für sichere und gefahrlose Beseitigung der Fettsucht. Medicamentöse Behandlung hat unzureichende Erfolge aufzuweisen.

An 5 Hunden und 2 Pferden nach obigen Axiomen physiologisch geleiteten Regimen ist die thierärztliche Probe überraschend günstig ausgefallen. Die Fettsuchtdiät erfordert viel Zeit, im Minimum 19 im Maximum 26 Wochen.

VI. Desinficirende und antiseptische Methode.

1) Cadiot, Die antiseptische Wundbehandlung. Kritischer Rückblick. Alfort. Arch. p. 56. — 2) Schill und Fischer, Ueber die Desinfection des Auswurfs der Phthisiker. Mitth. des kaiserl. Gesundheitsamtes. II. S. 131—146. — 3) Ckiandi-Bey, Sur les propriétés antiseptiques du sulfure de carbone. Compt. rend. T. 99. p. 509. — 4) Fischer und Proskauer, Ueber die Desinfection mit Chlor und Brom. Deutsche Zeitschr. für Thiermed. S. 440. — 5) Dieselben, Dasselbe. Mitth. des Gesundheitsamtes. II. S 228 bis 308. — 6) Gresswell, Observations on the antiseptic treatment of some of the zymotic diseases of the domesticated animals, with special reference to that of splenic apoplexy in cattle. The vet. journ. p. 1. — 7) Krajewski, Ueber die Wirkungen der gebräuchlichsten Antiseptica. Jena. 1883. — 8) Cyon, Le borax comme désinfectant intérieur. Annal. belg. p. 505. — 9) Müller, Zur Wundbehandlung mit Carbolsäure, Chlorzink und Jodoform. Sächs. Ber. S. 90 — 10) Peuch, F., Experimentelle Untersuchungen über den Einfluss der Desinfectionsmittel auf das Contagium der Schafpocken und über die Wirkung des Herausschneidens oder der Cauterisation frisch entstandener Pockenknötchen. Revue vétér. p. 361. — 11) Plaut, Ueber Desinfection der Viehställe. Leipzig. — 12) Pütz, Desinfection mittelst Brom. Pütz' Centralbl. S. 171. Refer. — 13) Ratimoff, Recherches sur les substances antiseptiques et des conséquences qui en résultent pour la pratique chirurgical. Annal. belg. p. 445. — 14) Richet, De l'action toxique comparée des métaux sur les microbes. Annal. belg. p 132. — 15) Schill und Fischer, Ueber die Desinfection des Auswurfs der Phthisiker. Mittheil. des Gesundheitsamtes. II. S. 131. — 16) Vallin, E., Traité des désinfectants et de la désinfection. 1 Bd. in 8. 797 Seiten. — 17) Warrikoff, Ueber die Wirkung einzelner Antiseptica auf das Milzbrandcontagium. Jena. — 18) Gosselin, Ueber die coagulirende Wirkung der Antiseptica. Compt. rend. T. 99. p. 1003. — 19) Ratimoff, Ueber Antiseptica. Ibid. T. 98. p. 1495. — 20) Vogel, Sublimat etc. Repertor. H. 4.

Gosselin (18) hat die in der Chirurgie gebräuchlichsten Antiseptica auf ihre coagulirende Wirkung untersucht. Schon früher prüfte er den Alcohol und das Phenol auf diese Eigenschaft (cf. Jahresbericht pro 1883. S. 120). Im letzten Jahre arbeitete er mit Jodtinctur, Salicylalcohol (3 : 10), Jodquecksilber, Quecksilberchlorid (1 : 1000), einer ätherischen Jodoformlösung (5 : 2), Kupfersulfat (1 : 100), Chlorzink (5 u. 10 : 100), reinstem Ozonwasser und Borsäure (1 : 20). G. will durch seine Untersuchungen beweisen, dass die Wirkung dieser Mittel nicht nur eine keimtödtende, sondern eine umfassendere ist und dass durch das Coagulationsvermögen ihre entzündungswidrige Wirkung bei Behandlung von Wunden zu erklären sei. Er experimentirte an Fröschen und brachte die zu prüfenden Substanzen mit den Schwimmhäuten in Berührung. Die Ergebnisse wurden mit dem Microscope verfolgt. In den folgenden Tabellen sind die Beobachtungen mit Rücksicht auf das extra- und intravasculäre Coagulationsvermögen der Mittel nach Massgabe des Wirkungsgrades aufgeführt worden.

I. Extravasculäre Coagulation.

1. Kupfersulfat.
2. Carbolsäure (1 : 20).
3. Alcohol zu 86°.
4. Chlorzink 5 u. 10procentig.
5. Jodoform (Aetherlösung).
6. Carbolsäure (1 : 40).
7. Quecksilberchlorid.
8. Borsäure (1 : 20).

II. Intravasculäre Coagulation.

1. { Alcohol zu 86°. Carbolsäure 1 : 20.
2. { Campferspiritus, Carbolsäure 1 : 40, ätherische Jodoformlösung, Jodtinctur, Salicylalcohol.
3. Quecksilberbijodat und Quecksilberchlorid, die übrigen sub I aufgeführten Mittel bleiben wirkungslos.

G. macht den Werth der vorstehenden Mittel für die chirurgische Praxis nicht allein von ihrer keimtödtenden, sondern auch wesentlich von der Wirkung abhängig, welche sie in den beiden Arten der Coagulation äussern. Er legt auf das letztere Wirkungsvermögen das Hauptgewicht und führt aus, dass bei reichlicher Waschung frischer Wunden und bei gut schliessendem Verbande dies allein ausreiche, um die Wundheilung zu einem raschen und günstigen Ende zu führen. Nach seiner Ansicht gebühre der Carbolsäure die erste und dem Alcohol die zweite Stelle. Die übrigen Mittel seien nach ihrer Stellung in den Tabellen zu beurtheilen.

VII. Vergiftungen.

1) Adam, Th., Vergiftung von Hunden durch Kesselbrühe vom Wurstmacher. Ad. Woch. S. 333. — 2) Van Autgärten, Vergiftung durch rohe Kartoffeln bei 2 Kühen. Etat san. etc. de Brabant. p. 58. — 3) Reninger, Zur pathologischen Anatomie des Knochenmarks bei Phosphorvergiftung. Veterinärbote. — 4) Courrioux, J., Zufällige Alcoholvergiftung bei einem Pferde, mit tödtlichem Ausgang nach 60 Stunden. Presse vétér. p. 290. — 5) Cox, The action of tobacco as an external application. The vet. journ. p. 317. — 6) Diesbach und Zündel, Eigenthümlicher Vergiftungsfall bei Pferden. Bad. Mitth. S. 115.

— 7) Gréhant et Quinquaud, L'urée est un poison; mesure de la dose toxique dans le sang. — 8) Haselbach, Eine betrunkene Ochsenherde. Oesterr. Monatsschr. d. Vereins. S. 51. — 9) Derselbe, Ueber den Solaninausschlag beim Rinde. Ebendas. S. 19. — 10) Haubold, Quecksilbervergiftung bei 7 Kühen und 2 Kälbern nach Einreibung von $^1/_2$ Pfd. Ungt. hydr. cin. Sächs. Ber. S. 93. — 12) Hübscher, F. J., Vier Vergiftungsfälle in Folge Genuss von Buchsbaum. Schweiz. Arch. S. 140. — 13) Law, James, Report on the recent cattle disease in Kansas. Am. vet. rev. Vol. VIII. p. 199. — 14) Kowalewski, Chronischer Ergotismus gangraenosus an den unteren Fussenden beim Rinde. Archiv für Veterinärmediein. — 15) Lawson, Lead poisoning. The veterinarian. p. 447. — 16) Meyer, Poison in ammonia. Am. vet. rev. Vol. VII. p. 445. — 17) Mergel, Vergiftung mit dem Saft der Blätter von Arum maculatum beim Pferde. Archiv für Veterinärmedicin. — 18) Nodet, Empoisonnement de quinze chevaux par l'arsenic, administré à titre de purgatif. Recueil. p. 105. — 19) Perdau, Speichelfluss bei Hornvieh nach Fütterung mit rostigem Klee. Oesterr. Monatsschr. d. Ver. S. 12. — 20) Derselbe, Vergiftung der Schweine durch Zwetschenkerne. Ebendas. S. 37. — 21) Popow, Ueber die giftige Wirkung des Antirrhinum majus et Ant. orontium. Veterinärbote. — 22) Pütz, Zwei Fälle von Bleivergiftung beim Rindvieh. Pütz' Centralbl. S. 241. — 23) Ross, Vergiftungen von Schweinen durch Fleischlake. Bad. Mitth. S. 65. (9 Schweine im Alter von 8 Wochen bis 5 Monaten erkrankten und starben im Verlauf von 6 Tagen unter den bekannten Erscheinungen nach Verabreichung einer grösseren Quantität Pökelbrühe ohne Salpeterzusatz.) — 24) Salmon, D. E., Enzootics of ergotism. Amerikan. Vet.-Bericht. p. 21—70. (Enzootien von Ergotismus beim Rindvieh in den Vereinigten Staaten von Nordamerika.) — 25) Schleg, Ruhrartiger Durchfall bei Kühen nach Genuss von Ranunculus acer. Sächs. Ber. S. 87. — 26) Simonds and Brown, Acorn-poisoning. The veterinarian. p. 25, 156, 385. (Abdruck aus dem Jahre 1871 dess. Journals.) — 27) Sobornow, Schädliche Folgen der Fütterung mit Branntweinträbern bei Wiederkäuern. Archiv für Veterinärmedicin. — 28) Trumbower, M. R., Ergotism among cattle in Kansas. Amerikan. Vet.-Bericht. p. 89—102. (Ergotismus beim Rindvieh in Kansas.) — 29) Strebel, Vergiftung durch Bleiweiss bei drei Kühen. Schweiz. Arch. S. 291. — 30) Sweetapple, Ergotism in the United States. The vet. journ. p. 407. — 31) Veith, Vergiftung zweier Kühe durch Safransalpeter. Bad. Mittheil. S. 46. — 32) Wankmüller, Massenvergiftung beim Rinde durch Russbrand. Ad. Woch. S. 313.

Kowalewski (14) beobachtete bei 20 Rindern den Ergotismus gangränosus in Folge Verfütterung von Roggen, der zu $^1/_4$ Mutterkorn enthielt. Die Krankheit zerfiel in 2 Perioden. Die erste Periode dauerte 3—4 Wochen und bestand in Lahmheit und einem entzündlichen Process der unteren Fussenden; die zweite Periode erstreckte sich auf $1^1/_2$—2 Monate und characterisirte sich durch gangränöses Abfallen oder Eintrocknen der Fussenden und bei einigen auch des unteren Schwanzendes. Die Patienten fingen meist plötzlich zu lahmen an, vermieden harten Boden und suchten weiche Erde, Streu oder Dünger auf, die Krone schwoll an, wurde schmerzhaft und heiss, nahm eine weissliche Farbe an, secernirte eine geringe Menge Eiter und bedeckte sich mit einem Schorf; darauf starben Haut, Sehnen und Bänder, dann Huf nebst Hufbein und Kronenbein bis zum Kronengelenk ab und gingen verloren, nachdem sie kühl und gefühllos geworden. So lange die Hufe nicht abfielen konnten die Thiere noch stehen und gehen, nachher lagen sie beständig. Appetit und Allgemeinbefinden waren dabei wenig gestört, die Temperatur nicht erhöht, dennoch magerten die Thiere stark ab. In den ersten Stadien der Krankheit leistete eine Salbe aus Theer, Schweinefett und Kupfervitriol gute Dienste, in späteren Stadien war jegliche Behandlung unnütz.

Lupinose.

1) Baumgärtel, Lupinose unter Masthammeln. Sächs. Bericht. — 2) Haselbach, Lupinose bei Fohlen. Oesterr. Monatsschr. d. Ver. S. 136. — 3) Kobel, Ueber Lupinose bei Pferden. Protocoll der 27 Generalversamml. d. Vereins kurhess. Thierärzte. — 4) Pütz, Entgiftung und Entbitterung der Lupinen. Pütz' Centralbl. S. 59. (Referat.) — 5) Schneidemühl, Die Lupinenkrankheit der Schafe Jena. 1883. — 6) Derselbe, Nachtrag zur Mittheilung der weiteren Resultate über die Natur und Wirkung des in den schädlichen Lupinen enthaltenen Stoffes. Deutsche Zeitschr. f. Thiermed. X. S. 156.

VIII. Missgeburten.

1) Cravenna, Santo, Caso di schistosoma secondo il Joffroi di Saint Hillaire, morthuosità rarissima in un feto bovino. — 2) Barrier, Deux remarquables exemples de syndactylie ou de fusion des doigts. Bull. de la soc. centr. p 489. — 3) Brandt, A., Missbildung des Herzens eines neugeborenen Fohlens. (Atresie des Ostium venosum dextrum, eine anomale Oeffnung im Septum ventriculorum) Koch's Revue No. 5. — 4) Cadéac und Malet, Beitrag zur Lehre der Gehirnverbildungen. Mit einer Tafel. Revue vétér. p. 424. — 5) Delaforge, Drei Hoden bei einem Fohlen (Gewicht 30 g, 22 g, 15 g). Alfort. Archiv. p. 248. — 6) Flynn, Supernumerary incisors. Am. vet. rev. Vol. VIII. p. 306. — 7) Hable, Missgeburt beim Rind mit grossen Cysten um den Kopf. Oesterr. Vierteljahresschr. Bd. LXI. — 8) Hübner, Drillingsgeburt bei einer Kuh. Sächs. Ber. S. 76. — 9) Humilewski, Zur Casuistik der Missgeburten. Beschreibung eines Monophthalmos; Mittheilungen aus dem Kasaner Veter.-Institut. — 10) Sanson, Tridactylie (Genisse). Bullet. de la soc. centr. p. 448 — 11) Johne, Beiderseitige Lippen-Kiefer-Spalte (Cheilo-Gnatho-Schisis). Sächs. Ber. S. 57. — 12) Derselbe, Diastase zwischen Stirnfortsätzen und Stirnbein des Rindes. Sächs. Ber. — 13) Marini, A. e R Bardoni, Un caso di eruca cerebrale congenita in un vitello. La Clin. vet. VII. p. 399. — 14) Koster, Tandkyste by een 2½jarig paard. Holl. Zeitschr. p. 25. — 15) Landois, Verschiedene Missbildungen bei Hasen. Pütz's Centralbl. S. 113. — 16) Letard, Drei Hoden bei einem Hengste. Alfort. Archiv. p. 204. — 17) Lyford, Monstrosities Am. vet. rev. Vol. VIII. p. 217. — 18) Pütz, Triorchidie bei Pferden. Pütz' Centralblatt. S. 143. Refer. — 19) Derselbe, Ein einäugiger Doppelhase. Ebend. S. 87. Refer. S. 101. — 20) Roberts, John, Imperforate anus. The vet. journ. p 83. — 21) Schneidemühl, Spiralförmige Drehung der Luftröhre und des Schlundes bei einem Pferde. Jahresber. der Thierarzneisch. Hannover 1883/84. S. 128. — 22) Stahl, Beschreibung einer zweiköpfigen Missbildung beim Kalbe. Alfort. Archiv. p. 294. — 23) Storch, Beiträge zur Anatomie der thierischen Missbildungen. Oesterr. Vierteljahresschr. LXII. Band. — 24) Vauthrin, Drei Hoden bei einem Hengste. (Der dritte Hoden hing etwas höher, unmittelbar vor dem äusseren Leistenringe) Lyon. Journ. p. 369.

Eine von Brandt (3) beschriebene Missbildung des Herzens eines neugeborenen Fohlens (Atresie des Ostium venosum dextrum, abnorme Oeffnung am Septum ventriculorum) eignet sich kaum zum Auszug und muss im

Original nachgelesen werden. Wesentlich handelt es sich um folgende Anomalie:

Der rechte Vorhof ist relativ verkümmert, das Ostium venosum fehlt, hingegen ist an der Scheidewand der Vorhöfe ein enormes Foramen ovale vorhanden. — Der linke Vorhof zeigt ausser letzterem nichts Bemerkenswerthes. — Die linke Kammer besitzt kein Ostium arteriosum. Die Stelle desselben vertritt in der oberen Hälfte des Septum ein grosses, in die rechte Kammer führendes Loch. — Die rechte Kammer ist sehr verkümmert und stellt eigentlich nur eine Spalte dar, welche das Septum ventriculorum bogenförmig umgiebt. Nur ihr oberer rechter Theil, der Conus arteriosus ist bedeutend erweitert und nimmt die oben erwähnte anomale Oeffnung des Septum ventriculorum auf. — Nach links und oben geht der persistirende Truncus arteriosus in einen mehr an die Aorta als an die Lungenarterie erinnernden Gefässstamm über, welcher sich kurz nach seinem Austritt aus dem Herzbeutel in einen hinteren Ast, die A. pulmonalis, und in einen vorderen Ast, den Arcus aortae, theilt. Ersterer zeigt in seinen weiteren Verzweigungen keine, letzterer nicht besondere Eigenthümlichkeiten, deren wesentlichste noch die ist, dass aus dem Truncus brachio-cephalicus nur eine Ernährungsarterie für das Herz entspringt. — Der Ductus Botalli fehlt ganz. — Venen und Herzbeutel zeigen so gut wie keine Abweichungen.

Bezüglich der Genese dieser Missbildung giebt B. folgende Erklärung: Die abnorme Oeffnung in der Kammerscheidewand ist eine Hemmungsbildung derselben. Der Mangel einer Atrioventricularöffnung sei keine Atresie in Folge eines pathologischen Processes, sondern auf eine Atresie der ganzen linken Hälfte der Atrioventricularspalte resp. eine Verschmelzung nicht bloss der mittleren Partie der Atrioventricularlippen, sondern auch ihrer rechten Querspalte zurückzuführen. Näheres, besonders eine eingehende Besprechung der durch die Missbildung bedingten Circulationsverhältnisse s. im Originale.

IX. Hufbeschlag. Anatomie und Physiologie des Hufs.

1) Ableitner, Erfahrungen über den Hufbeschlag der Pferde während des deutsch-französischen Krieges 1870/71. Lungwitz, der Hufschmied. S 25, 56, 67. — 2) Axe, J. Wortley, The histology of so called „seedy toe". The veterinarian. p. 1. — 3) Bertrand, A, Der vervollkommnete Charlier'sche Hufbeschlag. Revue vétér. p. 547. Lyon. Journ. p. 550. Alfort. Arch. p. 853. — 4) Bonnigal, Fractur des Hufbeins, Entfernung des Knochensplitters und Heilung. Presse vétér. p. 114. — 5) Broad, The etiology of so called seedy-toe. The veterinarian. p. 81. — 6) Derselbe, Remarks on the removal of the horny sole of the horses foot. Ibid. p. 370. — 7) Cadiot, Die Necrose des vorderen Seitenbandes des Hufgelenkes, als Folge der Abtragung des Hufknorpels. Alfort. Archiv. p. 361. (Eine wichtige Complication der Wundheilung bei der Javartoperation. Behandlung nach den allgemeinen Regeln.) — 8) v. Chelchowsky, Zur Bändigung der Pferde. Koch's Monatsschr. S. 27. — 9) Derselbe, Die zu lange Hufzehe als Ursache der meisten Erkrankungen am Fusse des Pferdes. Ebendas. — 10) Derselbe, Neues Noth- und Verbandeisen. Ebendas. — 11) Collin, Le traitement des seimes par les rainures. Recueil de méd. vétér. I. — 12) Costa, A., Cenno sui progressi della ferratura a ghiaccio nei principali eserciti europei. La clin. vet. VII. p. 39. — 13) Denenbourg, A propos de la maréchallerie vétérinaire. Annal. belg. p. 139. — 14) Derselbe, Encore à propos de la maréchallerie. Ibid. p. 273. — 15) Derselbe, Encore à propos de la maréchallerie. Ibid. p. 201. — 16) Einsiedel, Graf, Ueber das geschlossene oder Stegeisen. Lungwitz, der Hufschmied. S. 1. — 17) Derselbe, Nicht zu kurz und nicht zu lang. Ebendas. S. 35. — 18) Fröhner, Ueber Hornsäulen. Deutsche Zeitschr. f. Thiermed. S. 272. — 19) Fogliata, Ueber die Entstehung der Dislocation des Hufbeins bei chronischer Hufrehe. Pütz' Centralbl. S. 188. — 20) de Saint-George, Aelteste Nachrichten über den Hufbeschlag und rationelle Verwendung desselben. Mit 5 Tafeln. Journal de la société d'Agriculture de la Suisse romande. p. 5. — 21) Gutenäcker, Der Nothstall. Lungwitz, der Hufschmied. S. 7. — 22) Derselbe, Die Lehre vom Hufbeschlag mit Berücksichtigung der neuesten Fortschritte, in Catechismusform. Stuttgart. — 23) Von der Hufbeschlagsconcurrenz in Wien 1884. Ebendas. S. 167. — 24) Jenisch, Ueber Hufschmiere und Hufpflege. Ebendas. S. 124. — 25) Kalning, Der Hufbeschlag in Bulgarien und beim russischen Militär. Lungwitz, der Hufschmied. S. 17. — 26) Derselbe, Ueber zwei Zwangsmittel beim Hufbeschlage. Ebendas. S. 49, 65. — 27) Kroppe, Hufkrebs oder nicht? Ebendas. S. 152. — 28) Lungwitz, Der Lehrmeister im Hufbeschlag. Ein Leitfaden für die Praxis und Prüfung. Dresden. — 29) Derselbe, Der Hufnagel. Lungwitz, der Hufschmied. S. 23, 37, 73. — 29a) Derselbe, Zur Geschichte des Hufbeschlages. Ebendas. S. 75. — 29b) Derselbe, Dasselbe. Ebendas. S. 81, 101, 121. — 29c) Derselbe, Der krumme Huf. Ebendas. S. 138. — 29d) Derselbe, Bericht über die Thätigkeit der Lehrschmiede an der Thierarzneischule zu Dresden vom Jahre 1879 bis incl. 1883. Ebendas. S. 154. — 29e) Derselbe, Fabrikeisen. Ebendas. S. 157. — 29f) Derselbe, Ueber ein altes aber practisches Mittel, widerspenstige Ochsen aufzuhalten. Ebendas. S. 172. — 29g) Derselbe, Patentirte Hufbeschläge. Ebendas. S. 181. — 29h) Derselbe, Schraubstollen mit Stahladern. Ebendaselbst. S. 186. — 30) Klaueneisen für Rinder. Ebendaselbst. S. 187. — 31) Mayer, Remarks on the removal of the horny-sole of the horses foot and docking. The veterinarian. p. 298. — 32) Oesterreichisch-ungarische und deutsche Hufbeschlagsconcurrenz in Wien 1884. Ebendas. S. 39, 87. — 33) Pillwax, J., Lehrbuch des Huf- und Klauenbeschlages. 4. Aufl. (Unveränderter Abdruck.) Wien. — 34) Vermast, Over een nieuw verbandyger. Holl. Zeitschr. p. 27. Mit Abbild. — 35) Sachse, Ueber das Schmieden von Hufeisen. Der Hufschmied. S. 22. — 36) Schleg, Die Verwendung sogenannter Hornspaltriemen zur Heilung der Hornspalten. Ebendas. S. 108. — 36a) Schwentzky, Mittheilung über Unterstützung des rationellen Hufbeschlages in Ungarn. Ebendas. S. 148. — 37) Siedamgrotzky, Knorpelfisteln. Sächs. Bericht. — 38) Derselbe, Strahlkrebs ohne Strahlerkrankung. Ebendas. — 39) Strebel, Zur Therapie des Hufkrebses. Schweiz. Arch. S. 93. — 40) Peschek, Ueber das geschlossene oder Stegeisen. Der Hufschmied. S. 33. (P. bekämpft die Ansicht des Grafen Einsiedel, dass das Durchbiegen des Steges am geschlossenen Eisen ein grosser Fehler sei und führt Beispiele zur Begründung dessen an.) — 41) Taniak, Ueber die Ausübung des Hufbeschlages in der Bukowina. Ebendas. S. 117, 133. (Eine geschichtliche Skizze). — 42) Wilckens, Ueber den Bau und die Mechanik des Pferdehufes. Vorträge für Thierärzte. VI. Serie. H. 2 u. 3. — 43) Zippelius, Bericht über die zweite bayrische Hufbeschlagsconcurrenz. Der Hufschmied. S. 165.

X. Hautkrankheiten.

1) Biot, Einige Bemerkungen über die traumatische, necrotisirende Phlegmone des Rindes. Alfort. Archiv. p. 446. — 2) Burke, Some forms of skin disease oft be horse in India. The veterinarian. p. 585. — 3) Cadéac, C., Ueber die Identität der Elephantiasis mit dem Anasarka des Rindes (subacuter Milz-

brandcarbunkel) und Beschreibung dieser Krankheit. Revue vétér. p. 521. — 4) Delaforge, Ein Fall von Druse, welcher sich nach der Haut verschlagen hatte. Alfort. Arch. p. 81. — 5) Fleming, George, Skin disease due to a nematode worm. The veter. journ. p. 400. — 6) Gunn, The pathology of a skin disease prevalent among troop horses in India. Ibid. p. 315. — 7) Kohlhepp, Herpes tonsurans. Bad. Mittheil. S. 67. — 8) Prietsch, Eczematöser Hautausschlag bei einer Stute nach schwerer Geburt. Sächs Ber. S. 82. — 9) Laulanié, F., Ueber die parasitäre Natur des Knoten- oder Tuberkelausschlages beim Pferde. (Dermite granuleuse) Revue vétér. p. 166 und Deutsche Zeitschr. f. Thiermed. p. 445. — 10) Mégnin, Sur le trichodecte du mouton. Bulletin de la soc. centrale, Séance du 28. Février. — 11) Derselbe, Sur une gale sarcoptique. Ibid. 24. Jan. — 12) Popow, Zwei Fälle von Heilung des Herpes tonsurans mit Naphtholsalbe. Archiv für Veterinärmedicin. — 13) Raillet, Rapport sur la nature parasitaire des plaies d'été. Bulletin de la soc. centr. Séance du 14. Févr. — 14) Siedamgrotzky, Die americanische Pocke (canadische Pocke, Dermatitis contagiosa canadensis pustulosa). Sächs. Bericht. — 15) Derselbe, Pustulöser Hautausschlag bei einem Hunde, durch Rundwürmer veranlasst. Ebendas.

Siedamgrotzky (15) bespricht einen pustulösen Hautausschlag bei einem Hunde, der durch Rundwürmer veranlasst worden ist.

Bei einem grossen Haushund fand sich an der äusseren Fläche der Vorder- und Hinterschenkel ein heftig juckender Hautausschlag. An den betreffenden, zum Theil haarlos gewordenen Stellen, nirgends sonst, sah man einzelne kleine eitrige Pusteln mit rothem Hof und kleinere rothe Knötchen. In dem dem unterzeichneten Ref. zur microscopischen Untersuchung überwiesenen Pustelinhalt fanden sich kleine Rundwürmer, über welche S. weitere Untersuchungen anstellte.

Jede Pustel enthielt ca. 1—3 Exemplare derselben. Diese waren 0,04—0,7 mm lang und 0,01—0,025 mm im grössten Durchmesser. Das vordere Körperende schien nur mässig verschmächtigt, das hintere verjüngte sich schnell zu einem pfriemenförmigen Schwanze von 0,05—0,08 mm Länge. Haut schwach gerieft; Mund, von 6 kleinen Lippen umstellt, führt sofort in einen gleich dicken Schlund, an dessen Ende ein runder Muskelmagen; Darm einfach, mündet dicht vor der Schwanzspitze.

Die den pustulösen Hautausschlag veranlassenden Wurmembryonen konnten offenbar nur von der Lagerstelle des Hundes aus in die Haarsäcke eingewandert sein. Während die macroscopische und microscopische Untersuchung des nach verabreichten Wurmmitteln abgeführten Kothes ein negatives Resultat ergab, fanden sich in dem aus der Hütte des Thieres erlangten Lagerstroh nicht nur dieselben Wurmembryonen wie in der Haut, sondern auch einzelne erwachsene, weibliche Individuen, deren Beschreibung im Original nachzulesen ist.

Nach drei Wochen, während welchen noch einzelne wurmhaltige Pustelchen auffuhren, war der Hund ohne jedwede Behandlung, ausser Waschungen der betreffenden Theile, geheilt.

Hauterkrankungen, durch Würmer verursacht, sind von Rivolta schon beim Hunde, von Pflug und Droully beim Pferde beobachtet worden. Doch glaubt Verf., dass der vorliegende Fall insofern vereinzelt dastehe, als es sich um embryonale Gelegenheitsparasiten handle, welche von den in faulenden Substanzen (Lagerstroh) vorkommenden, frei lebenden, früher als Anguillulae bezeichneten Rundwürmern abstammen. Die zoologische Bestimmung der Würmer war wegen Mangels männlicher Exemplare nicht möglich. Aehnliche geschlechtslose Wurmembryonen seien nur von Zürn, Leuckart und Möller auf der Haut beobachtet worden, ohne aber Ursache eines Hautausschlages zu werden.

XI. Anatomie und Physiologie.

(Siehe auch Diätetik.)

1) Abadie, B., Einige Fälle frühzeitiger Reife bei beiden Geschlechtern des Rindes und des Pferdes. Revue vetér. p. 11. Schweiz Arch. f. Thierheilkunde. S. 253. — 2) Aljänski, Ueber den Einfluss scharfer Rinderknochen auf den Magen und Darmcanal der Hunde. Veterinärbote. — 3) Audouard et Dézaunay, Influence de la pulpe de diffusion sur le lait de vache. Compt. rend. Tome 99. p. 443. — 4) Baranski, Die Erbfehler unserer Hausthiere. Koch's Revue. No. 1ff. — 5) Baron, Réflexions sur la nature physiologique et mécanique du saut. Bullet. de la soc. centr. p. 454. — 6) Baron, R., Neue Beiträge zum Studium über die „Percepte". (Eine Parallele zwischen der Seelenthätigkeit des Menschen und der Thiere.) Alfort. Arch. p. 375. — 7) Barrier, Etat de la dentition sur les vieux chevaux. Bullet. de la soc. centrale. Séance du 28. Févr. — 8) Bonnet, Entwickelungsgeschichte des Schafs. Koch's Monatsschrift. S. 14. — 9) Brade, Zur Histologie des Magens des Schweines. Sächs. Bericht. — 10) Brücher, Abhandlung über Vertheilung und Anordnung der Geschmackspapillen auf der Zunge der Hufthiere. Deutsche Zeitschr. f. Thiermed. und vergl. Path. Bd. X. S. 93. — 11) Cornevin, Ch., Untersuchungen über die Nahtknochen, Ossicula Wormiana, der Hausthiere. Lyon. Journ. p. 57. — 12) Csokor, Vergleichende histologische Studien über den Bau des Geschmacksorganes der Haussäugethiere. Oesterr. Vierteljahrsschr. Bd. LXII. — 13) Dareste, Recherches sur l'incubation des oeufs de poule dans l'air confiné et sur le rôle de la ventilation dans l'évolution embryonnaire. Compt. rend. T. 98. p. 924. — 14) Demjankow, Ueber den Einfluss des Phosphors auf den Stoffwechsel. Veterinärbote. — 15) Duclaux, Sur la constitution du lait. Compt. rend. T. 98 p. 438. — 16) Ellenberger, Mittheilungen aus dem physiologischen und histologischen Laboratorium. Sächs. Bericht. — 17) Derselbe und Schaaf, Beitrag zur topographischen Anatomie, resp. zum Situs viscerum der Wiederkäuer. Ibid. — 18) Derselbe und Hofmeister, Zur physiologischen Wirkung und Deposition der Bleisalze bei Wiederkäuern. Ibid. — 19) Dieselben, Der Darmsaft des Pferdes. Berliner Arch. S. 427. — 20) Dieselben, Die Darmverdauung des Pferdes. Berl. Arch. S. 328. — 21) Ellenberger und Schaaf, Beitrag zur topographischen Anatomie resp. zum Situs viscerum der Wiederkäuer Mit 3 Taf. Zeitschrift f. Thiermed. X. S. 1. — 22) Flesch, Anatomie und Histologie des Rückenmarks. Tagebl. d. 57. Naturforscherversamml. S 193. — 23) Derselbe, Bau der Hypophyse des Pferdes. Ibid. S. 195. — 24) Derselbe, Bau der Spinalganglien. Ibid. S. 196. — 25) Frank, Zur Anatomie der Lymphgefässe des Pferdes. Deutsche Zeitschrift f. Thiermedicin. S. 51. — 26) Gréhant et Quinquaud, Sur les effets de l'insufflation des poumons par l'air comprimé. Compt rend. T. 97. p. 806. — 27) Grimm (Zittau), Bauchträchtigkeit bei einer Kuh. Sächs. Bericht. — 28) Hüppe, Untersuchungen über die Zersetzungen der Milch durch Microorganismen. Mittheilungen des Gesundheitsamtes. II. S. 309. — 29) Johne, Ueber Athmung, Athmungsluft und Luftverderbniss. Berlin. — 30) Iwanschim, Ueber den Durst als Ursache der Temperatursteigerung bei nicht fiebernden Thieren. Veterinärbote. — 31) Kaufmann, Die wirklichen Ursachen des gestörten Parallelismus der Athembewegungen. Mit einer pneograph. Curve. Lyon. Journ. p 356. — 32) Kuhn, Der histologische Aufbau der Gallenwege und der Gallenblase

der Haussäugethiere. Sächs. Bericht. — 33) Kunze, Beitrag zum histologischen Bau der grösseren Speicheldrüsen bei den Haussäugethieren. Deutche Zeitschrift für Thiermedicin. S. 375. — 34) Lebedew, Experimentelle Erforschung der Fettresorption. Veterinärbote. — 35) Lesbre, X., Schädel und Gehirn der Hunde. Lyon. Journ. p. 418. — 36) Legge, F. und A. Lanzillotti-Buonsanti, Contribuzione allo studio delle circonvoluzioni cerebrali del cavallo. La Clin. vet. VII. p. 303. — 37) Dieselben, Sulla completa assenza della gran falce della dura madre nel cervello degli ovini. Ibid. VII. p. 491. — 38) Longo, Note anatomo-fisiologiche intorno alle ghiandole salivari. Il med. vet. XXI. p. 481. (Dieser erste kurze Abschnitt der im folgenden Jahrgange fortzusetzenden Besprechung giebt nur die gröbere Anatomie der grösseren Kopfspeicheldrüsen der Hausthiere.) — 39) Mairet, Recherches sur le rôle biologique de l'acide phosphorique. Annal. belg. p. 538. — 40) Martin, Beitrag zur Entwickelung der Sinushaare unserer Haussäugethiere. Deutsche Zeitschrift für Thiermed. S. 112. — 41) Montané, Ueber den gestörten Parallelismus der Athembewegungen. Mit 6 pneograph. Curventafeln. Revue vétér. p. 216, 573. — 42) Morochowitz, Experimentelle Untersuchungen über Blutgerinnung. Veterinärbote. H. 3. — 43) Noack, Zur Anatomie und Histologie des ersten und zweiten Vormagens der Wiederkäuer. Sächs. Ber. — 44) Pauli, Ueber den microscopischen Bau des 4. Magens beim Rinde. Berliner Archiv. S. 124. — — 45) Derselbe, Zur Physiologie des 4. Magens der Wiederkäuer. Ebendas. S. 419. — 46) Pauntscheffi, Untersuchungen über den Magen der Wiederkäuer. Leipzig. — 47) Peabody, A young mother. Amer. vet. rev. Vol. VIII, p. 242. — 48) Perdau, Folgen einer Nervenverletzung. Oesterr. Monatsschr. d. Ver. S. 72. — 49) Pfisterer, Der Einfluss des Weideganges auf das Körpergewicht und die Körpergrösse der Fohlen. Thierärztl. Mittheil. aus Baden. No. III. — 50) Pütz, Ueber die photographische Darstellung animaler Locomotion. Pütz's Centralblatt. S. 20. Refer. — 51) Richet, De l'influence des lésions du cerveau sur la température. Compt. rend. T. 98. p. 827. — 52) Röckl, Gangarten des Pferdes. Encyclopädie der Naturwissensch. Abth. Zoologie etc. Bd. 3. S. 280. — 53) Sanson, A., Ueber das Alter, in welchem die Geschlechtsthätigkeit erwacht. Revue vétér. p. 123. — 54) Sawarikin, Ueber den Mechanismus der Fettresorption im Dünndarm. Veterinärb. — 55) Schaaf, Zur microscopischen Anatomie des Darmcanals der Haussäugethiere. Sächs. Bericht. — 56) Schaffer, Ueber den Einfluss der sexualen Erregung auf die Zusammensetzung der Kuhmilch. Referat von Guillebeau im Schweiz. Archiv. S. 96. Original-Mittheil. der naturforschenden Gesellschaft in Bern. 1883. S. 68. — 57) Schatzmann, R., Die Milch bei Grünfütterung im Winter (Fütterung von eingemachtem Grünfutter). Alp- u. milchwirthschaftliche Monatsblätter von Schatzmann. S. 38. (Erfahrungen über Einmachen von Grünfutter. 1883. Monographie von demselben Schriftsteller.) 58) Schlechter, J., Ueber die Ursachen, welche das Geschlecht bestimmen. Koch's Revue. No. 7. — 59) Schneidemühl, Lage der Eingeweide bei den Haussäugethieren etc. Hannover. — 60) Derselbe, Beitrag zum feineren Bau der Gelenke bei den grösseren Hausthieren, speciell des Kniegelenkes beim Pferde. Berl. Archiv. S. 40. u. Hannov. Jahresber. — 61) Derselbe, Ueber das Vorhandensein der Bizzozzero'schen Blutplättchen in dem unter pathologischen Verhältnissen nicht geronnenen Blute. Deutsche Zeitschrift f. Thiermed. S. 152. — 62) Serbinow, Ueber Verdauung der Cellulose bei Vögeln. Veterinärbote. — 63) Storch, Versuche zur Bestimmung der Einstellung des dioptrischen Apparates im Pferdeauge. Oesterr. Monatsschr. d. Ver. S. 183. — 64) Sussdorf, Stellung des Zwerchfells und Lage der Lungenränder während der verschiedenen Respirationsphasen. Koch's Monatsschrift. S. 13. Refer. — 65) Tappeiner, Untersuchungen über die Eiweissfäulniss im Darmcanale der Pflanzenfresser. Zeitschrift für Biologie. S. 215. — 66) Tereg, Beiträge zur Anatomie und Physiologie des äusseren und Mittelohres. Jahresber. der Thierarzneischule Hannover S. 30 — 67) Tizzoni, G., Sulla splenectomia nel Coniglio e sulla mancanza di rapporti funzionali fra la milza e la tiroide. Giorn. di Anat., Fisiol e Patol. XVI. p. 233. — 68) Tobolewski, Kurze Uebersicht über Bau, Zweck und Krankheiten der Haare. Leipzig. — 69) Weiske, Ist die Cellulose ein Nahrungsstoff? Chem. Centralbl. S. 385. — 70) Wiedersheim, Die mechanische Aufnahme der Nahrungsmittel in der Darmschleimhaut. Pütz's Centralbl. S. 51. (Bespricht den bekannten Vorgang der mechanischen Nährstoffaufnahme durch die Darmepithelien vermittelst ihrer Pseudopodien.) — 71) Vignal, Formation et développement des cellules nerveuses de la moëlle épinière des mammifères. Compt. rend. T. 99. p. 420. — 72) Schlechter, Die Vererbung der Grösse auf die weiblichen Nachkommen bei Pferden. Deutsche Zeitschrift f. Thiermed. S 70.

Ellenberger und Hofmeister (19) geben zunächst eine kurze Schilderung der histologischen Verhältnisse der Schleimhaut des Pferdedarmes und heben hierbei besonders hervor, dass die Zellen der Ausführungsgänge der Drüsen sich scharf von den Drüsenzellen unterscheiden und schon hierdurch die abweichenden physiologischen Eigenschaften der letzteren documentirt werden. Das Stützgewebe der Darmmucosa ist cytogen. Propriadrüsen findet man im ganzen Darm. Submucöse Drüsen nur in den ersten 7—8 m. Ganglien kommen intramusculär und submucös vor.

Zur Feststellung der physiologischen Wirkung des Darmsaftes wurden von allen Regionen der auf das Allergründlichste längere Zeit (24 Stunden und darüber) ausgewaschenen Darmschleimhaut in bekannter Weise mit destillirtem, alkalisirtem oder Carbolwasser, sowie mit Glycerin Extracte angefertigt, wobei als wichtig hervorgehoben wird, dass hierzu nur ganz frische Schleimhäute verwendet werden dürfen, zu deren Extraction eine Zeit von 24—48 Std. genügt; oder dass, wenn man getrocknete Schleimhäute hierzu verwendet, die Extractionszeit bis zu 8 Tagen zu dauern hat. Näheres über das Verfahren siehe im Originale. Die allgemeinen physicalischen und chemischen Eigenschaften der Darmschleimhaut-Extracte sind in einer ebendaselbst niedergelegten Tabelle einzusehen. Hieraus ergiebt sich, dass sämmtliche Extracte, die kein Pepton, keinen Zucker, keine oder nur Spuren von Chloriden enthielten, da diese durch das vorherige Auswaschen der Schleimhäute entfernt waren, besonders das Duodenalextract, mucinhaltig waren.

Die Prüfung der physiologischen Wirkung der auf obige Weise künstlich gewonnenen Darmsäfte führte zu folgenden Resultaten:

1) Die Versuche mit Stärkekleister ergaben, dass der Darmsaft ein diastatisches Ferment in nicht unbedeutenden Mengen enthält, das durch Alcohol niedergeschlagen und trocken aufbewahrt werden kann; das ferner durch Kochen und Fäulniss zerstört und

unwirksam wird, dagegen ein 2 maliges Gefrieren und Wiederaufthauen ohne Nachtheil erträgt. Verff. widerlegen hierbei, gestützt auf ihre Versuche, die von Frick ausgesprochenen Zweifel an dem Vorhandensein eines solchen verzuckernden Fermentes und weisen dessen Einwände zurück.

2) Die Versuche mit Eiweiss zeigten, dass mit Ausnahme des Duodenalschleimhaut-Extractes der Darmsaft keine peptonisirende Einwirkung auf Fibrinflocken oder Eiweisswürfel besass. Das Extract des Anfangstheiles der Duodenalschleimhaut löste bei Säurezusatz hingegen Eiweiss gut, eine Wirkung, die weiter nach hinten allmälig abnahm und im Endstück genannter Darmabtheilung vollständig verschwunden war. Verff. schreiben diese Wirkung dem Gehalt an Pepsin zu, welches die betreffende Duodenalabtheilung durch Imbibition aufgenommen habe. Bei diesen Versuchen wurde zugleich die Beobachtung gemacht, dass das Fibrin der Pferde sich oft schon in 0,2 pCt. HCl und in schwachen Salzlösungen auflöst, während Rinderfibrin unter diesen Einwirkungen dies nicht thut.

3) Hinsichtlich der Einwirkung auf Fette war nur die emulgirende Wirkung zu constatiren, welche alkalische und schleimige Flüssigkeiten überhaupt besitzen. Die spaltende Wirkung auf Fette war gleich 0.

4) Eine hervorragende Einwirkung der Darmextracte auf Cellulose konnte nicht constatirt werden.

Martin (40) hat dem Bau der sogen. Sinushaare seine besondere Aufmerksamkeit zugewandt und besonders die Entwickelung des bindegewebigen Haarbalges näher studirt. Schon in seiner ersten Anlage aus Rundzellen fällt letzterer durch seine Dicke gegenüber dem Haarbalg des gewöhnlichen Haares auf. Schliesslich wandelt er sich in eine ziemlich dicke, bindegewebige Hülle um. Diese ist von zahlreichen Gefässen durchzogen, welche theils ein äusseres, den Balg umspinnendes Netz, theils in den inneren, dem Epithelschaft anliegenden Schichten ein inneres Netz bilden. Schliesslich entwickeln sich, wie schon Gurlt, Schubl und Dietl andeuteten, aus dem inneren Gefässnetz innerhalb des Balges Lücken, welche z. Th. Blut enthalten und sich allmälig in weite Räume umwandeln, während die dazwischen liegenden Bindegewebsbrücken dünner werden und schliesslich nur noch feine Spangen bilden. Die Anlage dieses sogen. cavernösen Körpers erfolgt mit Durchbruch des Haares. Nur im oberen Theil des Balges bleibt centralwärts ein wulstartiger Theil desselben, die sogen. Ringwulst, um den Haarschaft stehen, dessen äussere Peripherie ringsum durch einen, auf seinen senkrechten Durchschnitt halbmondförmigen Hohlraum, den sogen. Ringsinus, von der äusseren Schicht des Haarbalges getrennt ist.

Diesen Ringwulst, für welchen Verf. den Namen Sinuskissen vorschlägt, erscheint auf Längsschnitten in seiner Gestalt bei den verschiedenen Thieren von verschiedener Form, aber niemals symmetrisch. Nasalwärts findet immer eine stärkere Entwickelung desselben statt. Verf. glaubt, dass er zur Verstärkung und gleichmässiger Vertheilung des Blutdruckes bei Lageveränderungen des Haares beitrage. Hierdurch werde zugleich die Druckempfindung erhöht. Die Sinushaare seien demnach als Vervollständigung des Tastapparates an den Lippen anzusehen und obsolescirten, sobald kein Bedürfniss vorhanden wäre.

Verf. resumirt seine Arbeit, die unter Leitung von Bonnet gemacht wurde, wie folgt: Das schwellkörperhaltige Sinushaar legt sich ebenso, aber früher an als das gewöhnliche Haar. Der cavernöse Körper geht aus den dem inneren Balgnetze entsprechenden Gefässanlagen hervor. Der Tastapparat an den Lippen wird vervollständigt durch die Sinushaare (seitlich, an den Wangen und im Kehlgange), deren Anlage fast bei allen Thieren vorhanden ist, bei vielen aber wieder verloren geht, und deren Auftreten zum Theil von der Schädelform abhängt. Sie sind das Product des Bedürfnisses. Ebenso der Ringsinus und die Ringwulst. Letztere dient zur Erhöhung der Druckempfindung.

Tappeiner (65) theilt Versuche mit die von L. Böhm und O. Schwenk über die Eiweissfäulniss im Darmcanal der Pflanzenfresser angestellt wurden und knüpft daran weitere Bemerkungen. Die Versuche ergaben Folgendes: In jeder Darmabtheilung des Pferdes und Rindes kommt Phenol vor; am meisten im Pansen und in den Dickdärmen, Skatol findet man im Pansen des Rindes und Grimmdarm des Pferdes und Indol im Dünndarm und Blinddarm von Pferd und Rind, und im Grimmdarm des letzteren. Diese Stoffe sind in den Därmen entstanden und nicht im Futter enthalten gewesen.

T. schliesst aus den Untersuchungen Folgendes: 1) Die vorgenannten Stoffe werden durch Gährung im Darme gebildet. 2) Die Skatolbildung findet nicht nur beim Menschen, sondern auch beim Pferd und Rind statt. 3) Die Eiweissfäulniss beginnt bei den Wiederkäuern bereits im Pansen. — Fast alles Phenol des Harns verdankt Fäulnissvorgängen im Darmcanal seinen Ursprung. 4) Auch beim Pferde beginnt die Eiweissfäulniss sehr früh, und es lassen sich schon im Magen Spuren von Phenol nachweisen. Im Dickdarm des Pferdes nimmt die Gährung bedeutende Dimensionen an und ist hier bedeutend grösser als im ganzen Verdauungsschlauche des Rindes. 5) Die Versuche erklären, warum der Harn des Pferdes viel reicher an Indican ist als der des Rindes. Beim Rinde wird im Verdauungsschlauche mehr Skatol, beim Pferde mehr Indol gebildet. Die Uebereinstimmung zwischen Menge und Art des Vorkommens der flüchtigen, aromatischen Stoffe im Darm und Harn bei verschiedenen Thieren spricht auch dafür, dass diese Stoffe mindestens zum grössten Theil im Darm gebildet werden.

Weiske (69) hat Versuche über die Frage angestellt ob die Cellulose überhaupt ein Nahrungsstoff sei und kommt zu dem Schlusse, dass dies nicht der Fall ist, und dass die Cellulose keine den Kohlehydraten und den Fetten analoge, eiweisssparende Wirkung besitzt.

XII. Vorgeschichte der Hausthiere.

1) Baranski, Zähmung und Abstammung des Pferdes. Leipzig. — 2) Derselbe, Dasselbe. — 3) Derselbe, Die Zähmung unserer Hausthiere. Jena. — 4) Cope, E. D., The extinct Mammalia of the Valley of Mexico. Palaeontological Bulletin. No. 39. 16. May. — 5) Depéret, Nouvelles études sur les Ruminants fossiles de l'Auvergne. No. 5—7. Journal d'histoire naturelle de Bordeaux et du Sud-Ouest. — 6) Kaltenegger, F.,

Iberisches Hornvieh in den tiroler und schweizer Alpen. Wien. — 7) Kitt, Th., Die Vorgeschichte des Pferdes. Revue für Thierheilkunde, 1883/84. (Compilation der wichtigsten Arbeiten über die Stammesgeschichte der Equiden, Darlegung des gegenwärtigen Standpunktes dieser Frage, nebst umfassendem Literaturverzeichniss.) — 8) Schmidt, Oskar, Die Säugethiere in ihrem Verhältniss zur Vorwelt. Leipzig. T. A. Brockhaus. Internationale wissenschaftliche Bibliothek LXV. Bd. — 9) Schirmmacher, E., Die diluvialen Wirbelthierreste der Provinzen Ost- und Westpreussen. Inaug.-Diss. Königsberg 1882. — 10) Nehring, A., Fossile Pferde aus deutschen Diluvialablagerungen. Berlin. P. Parey. Landwirthschaftl. Jahrbücher. — 11) Derselbe, Sitzungs-Ber. der Gesellschaft naturforschender Freunde. No. 7. Berlin. Ueber einen Schädel von Canis jubatus. — 12) Derselbe, Ueber eine zwerghafte Schweinerasse etc. Ebendaselbst. No. 1. — 13) Derselbe, Ueber Rassebildung bei den Inca-Hunden aus den Gräbern von Ancon. Kosmos. I. Bd. — 14) Derselbe, Ueber diluviale und prähistorische Pferde Europas. Sitzungs-Berichte der Gesellschaft naturforschender Freunde in Berlin. No 1. — 15) Wilckens, M., Uebersicht über die Forschungen auf dem Gebiete der Paläontologie der Hausthiere. Biologisches Centralblatt. IV. Bd. Erlangen. — 16) Derselbe, Ueber den Einfluss der Lebensweise auf Formveränderungen des Gebisses und des Mittelfusses bei einigen Hausthieren. Mittheilungen der Anthropol. Gesellschaft in Wien. 8. Jan. — 17) Derselbe, Ueber die Fauna der Nussdorfer Grotte in Krain. Mitth. der Section für Höhlenkunde des österr. Touristen-Clubs. 1. Juli. Wien.

XIII. Diätetik und Viehzucht.

(S. a. „Physiologie".)

1) Ableitner, Welches sind die hauptsächlichsten Ursachen der frühzeitigen Abnutzung der Gliedmassen unserer verschiedenen Gebrauchspferde und welche Mittel erscheinen geeignet, diesem Uebelstand erfolgreich entgegenzuwirken. Preisfrage. Oesterr. Vierteljahrsschr. Bd. LXII. — 2) Agricultura. Officiëel tydblad der landbouwtentoonstelling te Amsterdam. Amsterdam. 1884. 4. Mit Abbild. (Eine von Dr. L. Mulder im Ganzen zu 18 Nummern vom 1. Juni bis 27. September 1884 herausgegebene Zeitung, Ausstellungsblatt der internationalen landwirthschaftlichen Ausstellung zu Amsterdam. Sie enthält über thierärztliche und zootechnische Gegenstände einige Artikel, die in diesem Jahresbericht unter der Bezeichnung „Agricultura" aufgeführt werden.) — 3) Andouard et Dézaunay, Influence de la pulpe de diffusion sur le lait de vache. Annal. belg. p. 658. — 4) Baron, R., Castration und Beschneidung. Alfort. Archiv. p 635. — 5) Derselbe, Die intensive Cultur der Hausthiere. Ebendas. p. 408. — 6) Derselbe, Einfluss der Fütterung auf die Zusammensetzung der Kuhmilch. Ebendas. p. 568. — 7) Baldassarre, S., Le stazioni taurine. Il med.-vet. XXXI. p. 75. — 8) Bailey, Castration of the stallion and cryptorchide, with and without restraint. Am. vet. rev. Vol. VIII. p. 8, 62. — 9) Baranski, Die Thierzucht im Alterthum. Koch's Revue. No. 11 ff. (Dieser eine historische Specialarbeit darstellende, sich durch mehrere Nummern des Jahrganges 1885 fortsetzende Artikel eignet sich nicht zum Auszug und wird hiermit angelegentlich auf das Original verwiesen.) — 10) Bensenger, Zur Frage über die Fütterung der Pferde. Veterinärbote. H. 3. — 11) Clarke, W. H., The ancients on equine age marks. American journ. of comp. med. Vol. V. p 19. (Die Alten über Altersmerkmale beim Pferde.) — 12) Eggmann und Reichenbach, Studienreise nach den k. ungarischen Staatsgestüten. Schweiz. Arch. 84. S. 206 u. 225. — 13) Pfisterer, Der Einfluss des Weideganges auf das Körpergewicht und die Körpergrösse der Fohlen. Bad. Mitth. No. III. — 14) Freitag, C., Das Roxomon Schaf. Koch's Rev. No. 6. — 15) Gerard, Hippologie. Dissertation sur le cheval flammand. Annal. belg. p. 120 — 16) Griglio, Note zootecniche sugli animali agricoli della Sicilia. Il med. vet. XXXI. p. 250. — 17) Hartenstein, Torfstreu. Sächs. Bericht. — 18) Derselbe, Dasselbe. Ebendas. S 95. — 19) Hengeveld, Das Rindvieh auf der internationalen landwirthschaftlichen Ausstellung zu Amsterdam 1884. In holländischer Sprache in: Agricultura. No. 1, 2, 12, 15, 16, 17 und 18. — 20) van Iterson, Das Wollvieh auf der internationalen landwirthschaftlichen Ausstellung zu Amsterdam 1884. In holländ. Sprache in: Agricultura. No. 1, 2, und 13. — 21) Derselbe, Die Schweine auf der internat. landwirthschaftl. Ausstellung zu Amsterdam 1884. In holländ. Sprache in: Agricultura. No. 3 und 12. — 22) Hludsinski, Hippolog. Studien. Veterinärbote. — 23) Huidekoper, R. S., Report on the Hamburg International Exhibition, Amerik. Vet.-Bericht. S. 199. (Kurz gefasst.) — 24) Jordan, Ursachen der frühzeitigen Abnutzung der Gliedmassen unserer Gebrauchspferde und Mittel, diesem Uebelstande erfolgreich zu begegnen. Adam's Wschr. S. 401. — 25) Kitt, Th., Ueber Culturformen von Bos brachyceros. Landw. Jahrbücher. S. 583. — 26) Kühn, Jul., Geburt eines Yak-Sanga-Bastardes. Berl. Arch. S. 394. — 27) Lavalard und Müntz, Sägespähne und Torf als Streumaterial. Lyon. Journ. p 424. — 28) Loring, G. B., The American horse. American journ. of comp. med. Vol. I. p. 115. (Uebersichtliche Bemerkungen über nordamerikanische Pferde und Pferdezucht.) — 29) Martiny, Wesen und Zweck eines Herdebuches. In: Agricultura No. 15. — 30) von Mendel, Das oldenburgische Wagenpferd. In: Agricultura. No. 4. Das Poland-China-Schwein. Ibid. No. 12. — 31) Morini, F., Il carbone della piante. La clin. vet. VII. p. 493. — 32) Nielsen, Die Castration von Spitzhengsten (Cryptorchiden). Deutsche Zeitschr. f. Thiermed. X. S. 351. — 33) Nörner; Bericht über eine Bereisung der Staatsgestüte Oesterreich-Ungarns. Ebendas. S. 380. — 35) Pütz, Geburt eines Yak-Sanga-Bastardes. Pütz' Centralblatt. S. 173 — 36) Prietsch, Getrocknete Biertråber. Sächs. Ber. S. 95. — 37) Reimers, Die Pferde auf der internat. landwirthschaftl. Ausstellung zu Amsterdam 1884. In holländ. Sprache in: Agricultura. No. 2, 11, 12, 17 und 18. — 38) Reul, Le foin nouveau dans la ration du cheval. Annal. belg. p. 496. — 39) Sanders, J. H, Report on the Hamburg International Exhibition. Amerikan. Vet.-Bericht. S. 181. (Sehr kurz gefasst. Enthält ausserdem Reisebemerkungen über die schweren Zugpferde Frankreichs, das Einfuhrverbot amerikanischen Schweinefleisches in Deutschland, die Viehausfuhr nach England und die englische Viehzucht. — 40) Siegen, Le mouton du Grand-Duché de Luxembourg. In: Agricultura. No. 2. Le cheval du Grand-Duché de Luxembourg. Ibid. No. 4. — 41) Storch, Mittheilung über eine nach Budapest und in das königl.-ungar. Staatsgestüt Kisbér unternommene Ferienreise. Oesterr Vierteljahrsschr. Band LXI. — 42) Szpilman, Bericht über eine in den Ferien 1883 unternommene Reise nach Babolna, Kladrub, Dresden und Berlin. Ebendas. Bd LXI. — 43) Ungarn und seine Pferdezucht Oesterr. Monatsschr. d. Ver. S. 6. — 45) Uhlich, Das Scheeren der Pferde. Sächs. Ber. S. 95. (Spricht sich dagegen aus, dass das Scheeren die Ursache von Rheumatismus sei.) — 46) Derselbe, Nachtheile des Blut- und Fleischmehles. Ebendas. S. 95. — 48) Wortman, J. L., Recent discoveries of fossil horses. American. journ. of comp. med. Vol. III. p. 281. — 49) Wentz, Eine Schweine-

castrations-Anstalt. Bad. Mittheil. S. 53. — 50) Zündel, La production du bétail, comparée à la production fourragère en Alsace-Lorraine. Strassburg. — 51) Die schweizerische Viehausstellung in Zürich 1883. Bericht von der Vorschau Commission. Schweizer Archiv 84. S. 61 u. 120.

XIV. Staatsthierheilkunde.

1) Degive, Des pénalités en matière de police sanitaire des animaux domestiques. Annal. belg. p. 593. — 2) Derselbe, Des états de suspicion et de contamination au regard de la loi. Ibid. p 427. — 3) Delaforge, Ueber den juristischen Werth des ganz allgemein abgefassten Verzichtscheines auf die Gewährspflicht im Handel mit Hausthieren. Alfort. Archiv. p. 731. — 4) Dessort, La nouvelle loi française sur les vices redhibitoires Annal. belg. p. 614 — 5) Dyer, Observations on soundness. The vet. journ. p. 75, 153, 233, 317. — 6) Französisches Gesetz vom 6. August über die Gewähr im Handel mit Hausthieren. Recueil de méd. vétér. p. 657. Alfort. Archiv; Lyon. Journ.; Revue vétér.; Presse vétér. — 7) Fricker, Ist Mondblindheit Hauptmangel, auch wenn grauer Staar hinzugetreten? Repert. 3. Heft. — 7a) Fröhner, Einige Bemerkungen zu der Frage, ob die Sichtbarkeit eines Gewährsmangels bedingt, dass derselbe als solcher pro foro nicht gilt Repert. 2. Heft. — 8) Galtier, V., Die Gewähr im Handel mit Hausthieren, seit dem Erlass des französischen Gesetzes vom 6. August. Lyon. Journ. p. 405, 449, 505, 607. — 9) Gsell, Ueber die Nothwendigkeit eines Gesetzes gegen die Curpfuscherei in Frankreich. Presse vétér. 1884 p. 19. — 10) Henniger, Aus der gerichtsärztlichen Praxis. Was ist „frisch und gesund? Bad. Mitth. S. 60. — 11) Jouquan, Ueber den Werth der schriftlichen Verzichtleistung auf die Haftpflicht im Handel mit Hausthieren. Alfort. Archiv. p. 816. — 12) Koch, Alph., Lettre au sujet du nettoyage et de la desinfection du matérial des chemin de fer, des conducts d'eaux ménagères etc. Strassburg. — 13) Derselbe, Utilisation de l'appareil Ricourt-Lechatellier pour la desinfection et le nettoyage par la vapeur et l'eau surchauffée. Strassburg. — 14) Kunow, Besondere Art des Koppens. Thierärztl. Ztg. S. 18. — 15) Peuch, F., Commentar zu dem neuen, am 2. August erlassenen (französischen) Gesetze über die Gewähr beim Handel mit Hausthieren. Revue vétér. p. 580. — 16) Derselbe, Ein Tauschgeschäft, welches Hunde zum Gegenstand hat, fällt nicht unter das (französ) Gesetz über die Gewähr beim Handel mit Hausthieren. Ibid. p. 371. — 16a) Derselbe, Ueber die Haftbarkeit des Hengsthalters bei Mastdarmverletzungen der Stute in Folge des Bedeckens. (Diese Verletzungen entstehen durch höhere Gewalt, und es kann daher der Eigenthümer der Stute keine Entschädigung beanspruchen.) Revue vétér. p. 73. — 17) Pütz, Das Nahrungsmittelgesetz betreffend. Pütz' Centralbl. S. 193. — 18) Storch, Die Untersuchung der Milch zum Zwecke der Marktcontrole. Oesterr. Viertelj. Band LXI. — 19) Thierry, Emile, Todesfall beim Pferde in Folge des durch einen Curpfuscher vorgenommenen Eingusses durch die Nase. Richterliches Urtheil, welches den Schaden dem Besitzer und dem Curpfuscher zu gleichen Theilen auferlegt. Lyon. Journ. p. 232. — 20) Vogel, Ist Mondblindheit Hauptmangel, auch wenn grauer Staar hinzugetreten? Repert. 2. Heft. — 21) Zündel, Der Hausirhandel mit lebenden Hausthieren. Strassburg.

XV. Verschiedenes.

1) Arnold, C., Untersuchungen über das Vorkommen und die Bildung von Ptomainen und ptomainähnlichen Substanzen. Jahresbericht der Thierarzneischule. Hannover. 1883/84. S. 132. — 2) Baldassarre, S., Osservazioni alle idee manifestate dal Prof. N. Lanzilotti-Buonsanti sul voto approvato dal Consiglio Superiore di Agricoltura, di affidare le Scuole Veterinarie al Ministero di Agricoltura. Il Med. vet. XXXI. 49. — 3) Baranski, Die Thiermedicin im Alterthum. Oesterr. Viertelj. Bd. LXII. (Fortsetzung.) — 5) Bericht über die XX. Generalversammlung des Vereins badischer Thierärzte. Bad. Mittheil. S. 153. — 6) Berichte der deutschen und französischen Choleracommission. Deutsche Zeitschr. f. Thiermedicin. S. 237 und 314. — 7) Billings, The Massachusetts veterinary association. The journ. of comp. med. and surg. p. 245. — 9) Bonnet, Ichthyopathologisches. Münch Jahresber. S 129. — 10) Brusasco, L., Considerazioni sul voto approvato dal Consilio superiore di Agricoltura per il passaggio delle Scuole Veterinarie dal Ministero della Pubblica Istruzione a quello di Agricoltura. Il med. vet. XXXI. 43. — 11) Burke, Simple continued fever in the horse. (Febricula.) The veterinarian. p. 514. — 12) Derselbe, Veterinary report on Benares The vet. journ. p. 6, 13. — 13) Cagny, P., Die Verabreichung der Medicamente durch die Thierärzte. Lyon. Journ. p. 86. (Hebt die Vortheile dieses Modus für die Landwirthe und die Thierärzte hervor.) — 14) v. Chelchovsky, Das Ophthalmoscopiren bei Pferden. Thierarzt. S. 65. (Weist auf die Schwierigkeiten hin, welche das Augenspiegeln bei den russischen und türkischen Pferden, mit denen er hauptsächlich zu thun habe, wegen der Unruhe und Unbändigkeit biete.) — 15) Clarke, H. William, The ancients on equine age marks. The journ. of comp. med. and surg. p. 19. — 16) Die Conferenz zur Erörterung der Cholerafrage. Deutsche Zeitschrift f. Thiermed. S. 419. — 17) Csokor, Jahresbericht der pathologisch-anatomischen Anstalt am k. k. Militair-Thierarznei-Institute pro 1882—1883. Oesterr. Viertelj. Bd. LXII. — 18) Der 4. internationale thierärztliche Congress zu Brüssel. Koch's Monatsschrift. S. 4 etc. — 19) Dammann, Die Königl. preussische Thierarzneischule in Hannover. In: Agricultura. No. 17. (Geschichtliche und statistische Uebersicht) — 20) Dyer, Observations on soundness. The vet. journ. p. 313, 418 — 21) Edgar, Alston, Inspection of dairies and zymotic diseases. With whom does the responsibility rest? Ibid. p. 6. — 22) Eichbaum, Ein Fall von abnormer Zahnbildung beim Rinde. Berl. Archiv. S. 156. — 23) Eichenberger, Ueber den Nachweis von Eiweiss im Harne unserer Haussäugethiere. Schw. Arch. S. 194. — 25) Flemming in Lübz, Veterinärmedicinische Analecten. Repert. 1. und 2. Heft. (Fortsetzung.) — 26) Französisches Decret, durch welches den Thierärzten beim Militär Officiersrang verliehen wird. Revue vétér. p. 399. — Lyon. Journ. p. 385. — Alfort. Archiv. p. 521. (Vétér. principal I. Klasse = Oberstlieutenant; Vétér. principal II Klasse = Major; Vétér. en premier = Hauptmann; Vétér. en second = Lieutenant; Aidevétérinaire = Secondlieutenant. — Uniform wie die Officiere der Truppe, nur specielle Rangbezeichnung.) — 27) Fredericq, Léon, Note sur la fièvre chez le lapin. Bull. de l'Acad. de méd. de Belgique. No. 1. p. 179. — 28) Fröhner, Mittheilungen aus der Klinik der Stuttgarter Thierarzneischule. 1883—1884 Repert. 3. Heft. — 29) Derselbe, Dasselbe. 1882—1883. Ebend. 1. H. (Schluss) — 30) Geissler, Zur Harnuntersuchung. Deutsche Zeitschr. für Thiermed. S. 160. — 31) Derselbe, Ein einfacher und bequemer Nachweis von Eiweiss im Harn. Ebend S. 57. — 32) Goffi, G., Epilessia sintomatica in una vacca — Cura idropatica — Guarigione. Il. med. vet. Bd. XXXI. p. 241. — 33) Greaves, The relative value of subjects taught the veterinary students. The veterinarian. p. 759. — 34)

Gresswell, Comparative sphygmography. The vet. journ. p. 410. — 36) Harz, Ueber Krebsseuchen. Münch. Jahresber. S. 174. — 37) Hesse, Ueber quantitative Bestimmung der in der Luft enthaltenen Microorganismen. Mittheil. des Gesundheitsamtes Bd. II. S. 182. — 38) Hilhouse, Docking horses. The veterinarian. p. 595. — 39) Hill, Woodroffe, Special notes on canine diseases. The vet. journ. p. 333. — 40) Hoffmann, Referat über die ausserordentliche Generalversammlung badischer und württembergischer Thierärzte am 9. Juni 1884 in Stuttgart. Bad. Mitth. S. 93. (Enthält Vorträge von Hoffmann: „Ueber die Antiseptik der Gegenwart" und von Fröhner: „Neue Gesichtspunkte über die rheumatische Hämoglobinämie des Pferdes.) — 41) Hoskins, Alumni association of the A. V. C. — its history. Am. vet. rev. vol. VIII. p. 117, 160. — 42) Howe, Fatal case of neurotomy in a mule. Ibid. p. 18. — 43) Huidekoper, Introductory address of the Veterinary Department, University of Pennsylvania, October 2nd. Ibid. p. 377. — 44) Jennings, R., The early history of veterinary medicine and surgery in the United States. American journ. of comp. med. Vol. IV. p. 42 and V. p. 25. (Die frühere Geschichte der Thierheilkunde in den Vereinigten Staaten.) — 45) Derselbe, The early history of veterinary medicine in the United States. The journ. of comp. med. and surg. p. 25. — 46) Johne, Neuere Arbeiten auf dem Gebiete der pathogenen Microorganismen. Deutsche Zeitschr. f. Thiermed S. 203. — 47) Derselbe, Meine Erklärung auf den Angriff des Herrn Prof. W. Dieckerhoff in No. 14 dieser Zeitschr. S. 113. Ad. Woch S. 169. — 48) Kettritz, Temperaturmessungen bei Krankheiten der Pferde. Thierarzt. S. 87. — 49) Koiranski, Schicksal eines verschluckten Schwammes. Veterinärbote. — 50) Latschenberger, Der Nachweis und die Bestimmung des Ammoniaks in thierischen Flüssigkeiten Oesterr. Vierteljahrsschr. Bd. LXI. — 51) Lenoir und Raillet, Die Cayorfliege und ihre Made (Ochromyia anthropophaga). Alfort. Archiv. p. 207. — 52) Lydtin, Die Zahl der Hunde (in Baden) im Jahre 1884. Bad. Mittheilungen. S. 194. — 53) Lanzilotti-Buonsanti, A., l'Anatomia Veterinaria e Carlo Ruini in rapporto allo sviluppo della Medicina degli animali domestici. La Clinica Veter. Bd. VII. p. 22. — 54) Law, J., Report on the Fourth International Veterinary Congress at Brussels. Amerikan. Vet. Bericht. p. 122—180. (Ausführlicher Bericht über den 4. internationalen thierärztlichen Congress zu Brüssel, im September 1883, mit auf Verbesserung der Veterinär-Angelegenheiten in den Vereinigten Staaten zielenden Bemerkungen. — 55) Ministerieller Erlass über die Aufnahmsbedingungen in die französischen Thierarzneischulen. Alfort. Arch. p. 334. Lyon. Journ. p 206. Revue vétér. p. 190. — 56) Nehring, Zur Abstammung des Pferdes. Berl. Arch. S. 141. — 57) Nicolai, Die Gestaltung der Dienstverhältnisse der Bezirksthierärzte in Folge der Allerhöchsten Entschliessungen vom 9. April 1884. Bad. Mitth S. 73. — 58) Organisation des thierärztlichen Unterrichts. Berl. Archiv. S. 137. (Referat über den Brüsseler internationalen Congress 1883.) — 59) Oswald, Abnormal habits in animals The journ. of comp. med. and surg. p. 241. — 60) Plaut, Färbungsmethoden zum Nachweis der fäulnisserregenden und pathogenen Microorganismen. Leipzig. Hugo Voigt. — 61) Procès-Verbal, de la société vétérinaire d'Alsace-Lorraine. Strassburg. — 62) Pröger, Einathmung von Rauch bei 7 Kühen. (Sächs. Bericht.) — 63) Prüfungsreglement für die Bewerber (nur patentirte Thierärzte) um die Stelle eines Aide-vétérinaire beim Militär. Revue vétér. p. 403. — 64) Prüfungsreglement für die Bewerber um die Stelle eines städtischen Thierarztes in Troyes. Rev. vétér. p. 396. Lyon. Journ. p. 380. Presse vétér. p. 269. — 65) Pütz, Ueber das Stürzen der Pferde. Pütz' Centralblatt. S. 277. — 66) Derselbe, Veterinärwesen in Preussen. Ebendas. S. 15. Refer. — 67) Derselbe, Zur Organisationsfrage des Veterinärwesens. Ebendas. S. 33. — 68) Derselbe, Aufhebung des Einführverbotes amerikanischen gesalzenen Schweinefleisches Ebendas. S. 36. (Refer.) — 69) Derselbe, Zur Reform des Veterinärwesens. Ebendas. S. 186. — 70) Derselbe, Hygienisches aus Rumänien. Ebendas. S. 205 — 71) Derselbe, Vaccination und Revaccination des Menschen! Ebendas. S. 37. (Refer.) — 72) Derselbe, Das Veterinärwesen vor dem Forum der Academie der Wissenschaften in Paris. Ebendas. S. 119. — 73) Derselbe, Die Beschlüsse des IV. internationalen Congresses in Brüssel vom 10.—16. September 1883. Ebendas. S. 3 — 74) 'S Ryks Veeartsenyschool te Utrecht. Programma der Lessen voor het Schooljaar 1884—1885. Utrecht. — 75) Robertson, Notes of lectures on the practice of equine surgery. The veterinarian. p. 805. — 76) Roloff, Bericht über die Kgl. Thierarzneischule zu Berlin 1883 bis 1884. Berl Archiv. S. 403. — 77) Ross, The question of soundnest in horses. The vet. journ. p. 176 — 78) Das Selbstdispensiren der Thierärzte. (Referat über den Brüsseler Congress. Berl. Archiv. S. 139. — 79) Die Symbiose im Thierreich. Referat. Deutsche Zeitschr. f. Thiermed. S. 71. — 80) Steel, Die Pathologie der Elephanten Quatorly Journal of Veterinary Science in India. — 81) Derselbe, On the preservation of specimens for veterinary association meetings. The veterinarian. p. 84. — 82) Stubbe, Les alcaloïdes derivés des matières protéiques. Annal. belg. p. 218. — 83) Sussdorf, Bericht über den 4. internationalen thieräztlichen Congress zu Brüssel vom 10.—16. September 1883. Repert. 1. Heft — 84) Derselbe, Bericht über den IV. thierärztlichen Congress zu Brüssel. Deutsche Zeitschr. f. Thiermed. S. 161. — 85) Untersuchungen über eine neue Krankheit der Lämmor. Referat. Ebendas. S. 80. — 86) Vogel, Bericht über die 13 Versammlung des thierärztlichen Zweigvereins für Oberschwaben. Repert. 2. Heft. — 87) Derselbe, Bericht über die XIX. ausserordentliche Versammlung des thierärztlichen Vereins von Württemberg in Gemeinschaft mit dem badischen Verein. Ebendas. 3. Heft — 88) Das Veterinärwesen in der französischen Armee. Alfort. Archiv. p. 213. — 89) Die Verluste an Thieren auf dem Transport über den atlantischen Ocean aus Amerika nach Grossbritanien im Jahre 1883 (conf. Ref. von Müller aus dem Annual report of the Agricultural-Departement, Privy Council Office for the year 1883. London.) Berl. Archiv. S 451. — 90) Ward, Robert, Art and science of veterinary medecine. The journ. of comp. med. and surg. p. 235. — 91) Wehenkel, Ecole de méd. vét. de l'Etat à Cureghem-Bruxelles. In: Agricultura. No. 18. (Geschichtliche Notiz). — 92) Verzeichniss der badischen Thierärzte am Schlusse September 1884 Bad. Mitth. S. 144. — 93) Hugo, Wilhelm, Studien über das Knochenskelet des Büffels. Oesterr. Viertelj. Band LXI. — 94) Wirtz, Die Reichsthierarzneischule zu Utrecht. In holländ. Sprache, in: Agricultura. No. 1, 2 und 3. (Geschichtliche und statistische Uebersicht.) — 95) Derselbe, Ryksveeartsenyschool te Utrecht Programma der lessen voor het schooljaar 1884—1885. — 96) Zunk, Zur Theorie des Fiebers. Pütz' Centralblatt. S. 216. — 97) Zürn, Zusätze zur Entwickelungsgeschichte der vergleichenden Medicin. Deutsche Zeitschrift f. Thiermed. S. 183. — 98) Zschokke, Krankheiten der schweizerischen Remonten. Schweiz. Archiv. 84. S. 169.

In England benutzt man zum Nachweis des Eiweisses im Harn (31) 2 Arten von Papierstreifen. Die eine Art ist mit concentrirter Citronensäure getränktes Fliesspapier. Die andere wird durch Einlegen groben

Fliesspapiers in eine Lösung von Kaliumquecksilberjodid, die einen grossen Ueberschuss von Jodkalium enthält (1 Th. $HgCl_2$: 3—4 Th. KJ) hergestellt. Hofmeister hat Versuche mit diesem Papiere zum Nachweise des Eiweisses in alkalischem Pferdeharn angestellt und gute Resultate damit erzielt. Man verfährt wie folgt: Man nimmt eine kleine Portion (etwa 5 ccm) Harn, verdünnt denselben zur Hälfte mit Wasser, bringt in denselben einen Citronsäurepapierstreifen. Dadurch wird der Harn sauer; dann legt man einen Quecksilberjodidpapierstreifen in diesen Harn ein. Ist Eiweiss vorhanden, dann trübt sich der Harn; ist dies nicht der Fall, dann bleibt derselbe klar. — Stets muss aber vor Anwendung des Quecksilberjodidpapiers festgestellt werden, dass der Harn sauer reagirte. — Ganz kleine Eiweissmengen können durch diese Methode nicht nachgewiesen werden.

XVI. Krankheiten der Vögel.

1) Conklin, Some diseases of the ostrich. The journal of comp. med. and surgical. p. 14. — 2) Johne, Zur Aetiologie der Hühnertuberculose. Deutsche Zeitschrift für Thiermedicin. S. 155. — 3) Derselbe, Primäre Tuberculose des Darms und der Leber bei Hühnern. Sächs. Bericht. S. 89. — 4) Larcher, Etude sur la Goutte des oiseaux. Bullet. de la soc. centr. Séance du 10. janv. — 5) Mühlig, Syngamus trachealis. Deutsche Zeitschr. f. Thiermed. S. 265. — 6) Zschokke, Die Luftsackmilbe bei den Hühnern. Schweiz. Archiv. S. 20. — 7) Henry, Ein Fall von generalisirter Tuberculose bei einem Huhn. Recueil. S. 233. — 8) Martin, Soor beim Truthuhn. Deutsche Zeitschr. f. Thiermed. — 9) Rivolta, Die Diphtherie der Hühner im Vergleich zu der des Menschen. Giorn. di Anat, Fisiol. e Patol. degli animali. Ann. XVI. — 10) Derselbe, Ueber die Identität des Hühnercroups etc. Ibid. p. 125. — 11) Derselbe, Ein Fall von Hühnerdiphtherie. Ibidem. p. 1. — 12) Pommay und Bizard, Cylinderepithelialkrebs im Dünndarm beim Strauss. Alf. Arch. S. 201. — 13) Zürn, Trichinenähnliche Würmer bei dem Hausgeflügel. Zeitschr. für Microscop. und Fleischschau. S. 155.

Vergleichende Augenheilkunde.

Bericht für die Jahre 1883 u. 1884.

Referent: Privatdocent Dr. O. Eversbusch in München.

1) Blažèkovic, Fr., Lehrbuch der Veterinäraugenheilkunde für den Unterricht und practischen Gebrauch. 2. Heft. Wien. 1883. — 2) Hinrichsen, Die Ophthalmoscopie. Bericht über die ordentliche Generalversammlung des Vereins der Schleswig-Holstein'schen Thierärzte. Wochenschr. f. Thierheilkunde u. Viehzucht. 27. Jahrg. S. 232. 1883. — 3) Lustig, Spitalklinik für grosse Hausthiere. Jahresber. der Königl. Thierarzneischule zu Hannover für 1882—1883 und 1883 bis 1884. (Statistik der Augenerkrankungen.) — 4) Quittenbaum, Ueber Ophthalmoscopie. Bericht über die 34. Versammlung des Vereins Mecklenburg. Thierärzte. Wochenschr. für Thierheilkunde und Viehzucht. 27. Jahrg. S. 21. — 5) Ellenberger, Ueber die Wirkung des Pilocarpin bei Pferden. Ber. des Vet.-V. im K. Sachsen für das Jahr 1882. S. 127. — 6) Sing, Altersbestimmung der Pferde. Monatsschrift des Vereins der Thierärzte in Oesterreich. 6. Jahrg. S. 6. — 7) Dieckerhoff, Klinik für grössere Hausthiere. Bericht über die Königl. Thierarzneischule zu Berlin. Archiv für wissenschaftl. und pract. Thierheilk. (Statistik.) — 8) Konhäuser, Bericht über die chirurgische Klinik des Wiener K. K. Thierarznei-Institutes. Oesterr. Vierteljahrsschr. f. wissenschaftl. Veterinärkunde. 59. Bd. S. 68. (Statistik. Einmal wurde eine Bindegewebsneubildung beim Pferde in der Palpebr. tert. wahrgenommen.) — 9) Möller, Klinik für kleine Hausthiere. Bericht über die Königl. Thierarzneischule zu Berlin. Archiv für wissenschaftl. und pract. Thierheilkunde. 9. und 10. Bd. (Statistik.) — 10) Rabe, Spitalklinik für kleine Hausthiere. S. 13. Jahresber. der Königl. Thierarzneischule zu Hannover 1882—1883 und 1883—1884. (Statistik der Augenaffectionen.) — 11) Berlin, Klinische Mittheilungen. Zeitschr. für vergleichende Augenheilkunde. 2. Jahrg. S. 110. — 12) Schindelka, H., Ophthalmologische Beiträge. Oesterr. Vierteljahrsschr. für wissenschaftl. Veterinärk. 9 Bd. S. 127. — 13) Derselbe, Klinische Mittheilungen. Zeitschr. für vergleichende Augenheilkunde. 2. Jahrg. S. 102. — 14) Bayer, Catarrh des Thränensackes. Oesterr. Vierteljahrsschr. f. wissenschaftl. Thierheilk. 60. Bd. S. 58. — 15) Dinter, Plötzlich eingetretene Blindheit eines Pferdes. Ber. über den Vet.-V. im K. Sachsen für das Jahr 1882. S. 83. — 16) Holcombe, Contagious ophthalmia in cattle. Am. Vet. Rev. p. 442. — 17) Harrison, R. H., 1. Exstirpation des Auges bei einem Hunde. 2. Epitheliom der Nickhaut. 3. Ein Stachel eines Stachelschweins in der Nickhaut. 4. Entfernung einer luxirten flottirenden Linse. Ebendas. Referirt nach den Analekten in der Oesterr. Vierteljahrsschr. für wissenschaftl. Thierheilk. 60. Bd. S. 117. — 18) Mayerhausen, Ungewöhnlich langes Persistiren der Tunica vasculosa lentis beim Caninchen. Zeitschr. für vergleichende Augenheilk. 2. Jahrg. S. 80. — 19) Popow, Einige Fälle von Heilung der Maculae corneae durch Lösungen von Cali carbonicum. Arch. für Veterinärmed. St. Petersburg. — 20) Derselbe, Heilung eines Polypen der Conjunctiva durch Jodtinctur. Ebendas. — 21) Schrulle, Hydrophthalmus. Preuss. Mittheilung. S. 65. — 22) Francis, C. A., Filaria im Auge. Americ. Veterin. Journ. (Referirt nach den Analekten in der Oesterr. Vierteljahrsschr. für wissenschaftl. Thierheilk. 60. Bd. S. 116.) — 23) Haselbach, Ein Fadenwurm im Auge eines Schafbockes. Monatsschr. des Vereins der Thierärzte in Oesterreich. VI. Jahrg. S. 152. — 24) Chelchowsky, T. v., Andauernde Compression der Halsgefässe als Ursache einer recidivirenden Iridochorioiditis. Oester. Monatsschr. für Thierheilk. No. 3. S. 17. 1882. — 25) Lange, A., Die Influenza (Pferdestaupe). Arch. f. wissenschaftl.

und pract. Thierheilk. 9. Bd. 4—5. Heft. S. 363. — 26) Lustig, Klinische Analekten. Ein Fall von Influenza intestinalis beim Pferde. Ebend. S. 48. (Dabei trat eine Iritis mit starken conjunctivalen Reizerscheinungen auf. Heilung des Augenleidens durch Atropin, Borwasser und Zinklösung.) — 27) Prietsch, Influenza der Pferde. Ber. über d. V.-V. im K. Sachsen f. das Jahr 1882. S. 77. — 28) Hayne, Ueber den normalen Augenhintergrund des Pferdes und über das Verhalten desselben beim Dummkoller. Wochenschrift für Thierheilkunde und Viehzucht. 27. Jahrg. S. 141. — 29) Tharenko, Ein Fall von Amaurosis beim Pferde in Folge von Hirnerschütterung. Arch. f. Veterinärmed. St. Petersburg. — 30) König, Seuchenhaftes Auftreten der sogen. hitzigen Kopfkrankheit der Rinder. Ber. über das Vet.-Wesen im König. Sachsen für das Jahr 1882. S. 79. — 31) Schlampp, Ein Fall von doppelseitiger Stauungspapille beim Hunde. Zeitschrift für vergleichende Augenheilk. S. 120. — 32) Bovenschen, Beobachtungen über die Lupinose bei Schafen und Pferden. Arch. f. wissenschaftl. u. pract. Thierheilk. 9. Bd. S. 393. — 33) Siedamgrotzky, Vergiftung durch Häringslake. Ber. über das Vet.-W. im K. Sachsen f. das Jahr 1882. S. 16. — 34) Bohr, Angeborne Amaurose bei einem Füllen. Preuss. Mitth. S. 65. — 35) Storch, Beiträge zur Anatomie der thierischen Missgeburten. Oesterr. Vierteljahrsschr. f. wissenschaftl. Thierheilk. 59. Bd. S. 142. (Perocephalus agnathus astomus bei einem Merinoschafe) — 36) Köbner, Zur Frage der Uebertragung der Syphilis auf Thiere. Wiener med. Wochenschr. No. 29. 1883. — 37) Bayer, Ein Fall von Iridochorioiditis (Mondblindheit) an sogenannten Glasaugen. Zeitschr. f. vergleichende Augenheilk. 2. Jahrg. S. 99. — 38) Moebius, Innere Augenentzündung bei Pferden epizootisch auftretend. Ber. über das Vet.-Wes. im K. Sachsen für das Jahr 1883. S. 76. — 39) Müller-Flöha, Innere Augenentzündung bei Pferden. Ebendas. S. 77. — 40) Schleg, a) periodische Augenentzündung. b) Bösartiges Catarrhalfieber. Ebend. S. 77 u. 84. — 41) Kitt, Th., Bluterguss in die vordere Augenkammer beim Rinde. Oesterr. Monatsschr. f. Thierheilk. No. 7. — 42) Konhäuser, Sarcom am rechten Auge bei einem Pferde. Oesterr. Vierteljahrsschr. f. wissenschaftl. Veterinärkunde. 61. Bd. 1. Heft. — 43) Hess, Ernst, Rundzellensarcom der Iris bei einem Rinde. Exstirpation des Bulbus oculi. Heilung. Schweizer Archiv für Thierheilk. Bd. XXVI. — 44) Braun, Heilung des sogenannten Triefauges bei Hunden auf operativem Wege. Thierärztliche Mittheilungen (Baden). 19. Jahrg. No. IV. April. — 45) Schmidt-Mühlheim, Vorläufige Thesen über das sogenannte Kalbefieber. Deutsche Zeitschr. für Thiermedicin und vergleichende Pathologie. XI. Bd. p. 69. — 46) Kotelmann, Augenoperation an einem Lämmergeier des zoologischen Gartens in Hamburg. Der zoologische Garten. 25. Jahrg. No. 9. September. — 47) Ackermann, De houw op 't oog. Holl. Zeitschr. p. 34. — 48) Les maladies des yeux chez les animaux. Recueil. p. 762. — 49) Moore, W. O., Irido-chorioiditis, commonly called blindness, in the horse. Am. journ. of comp. med. Vol. II. p. 106. (Sehr kurz gefasste und unvollständige Zusammenstellung aus der Literatur der periodischen Augenentzündung des Pferdes.) — 50) Derselbe, Some diseases of the eye in lower animals. Ibid. Vol. IV. p. 31 und 199. (Ueber einfache und eiterige Conjunctivitis. Ueber Trachoma, Keratitis und Verstopfung der Thränenröhrchen.) — 51) Schimmel, Pigmentvorming in de cornea. Holl. Zeitschr. p. 1. (Allgemeine Bemerkungen über von Pigmentbildung herrührende dunkelfarbige Hornhautflecke, zumal nach Keratitis diffusa beim Hunde.) — 52) Trasbot, Eczéma des paupières. Bullet. de la soc. centrale. Séance du 10. Avril.

Der Casuistik von Schindelka (12) entnehmen wir folgende Beobachtungen: 1) Totalstaphylom der Cornea und Ectasie der Sclera bei einem 8jährigen Wallach, der wegen Colik in die Veterinärclinik aufgenommen wurde. 2) Hyperplasie der Traubenkörner bei einem Pferde; es fanden sich in der sonst normal gebildeten Iris des rechten Auges die Traubenkörner zwar in normaler Zahl vor, jedoch waren dieselben bedeutend vergrössert (erbsengross); auf dem linken Auge war der ganze Pupillarrand mit 18 runden Körnern besetzt, ihre Oberfläche erschien glatt, ihre Farbe um eine Schattirung dunkler braun als die Farbe der Iris selbst. Die Pupillarreaction war prompt, auch der übrige Augenbefund normal. 3) Luxationen der Linse; 19 Fälle beobachtet. 11 mal war nur das linke, 5 mal das rechte Auge betroffen, in 3 Fällen bestand eine doppelseitige Luxation. In 18 Fällen war die Luxation die Folge einer Iridocyclitis, 1 mal war dieselbe traumatischer Natur, 18 mal war die Linse in den Glaskörper, 1 mal in die vordere Augenkammer luxirt. 4) Beiderseitige hintere, centrale Corticalcataracta. Bei einem wegen Hydrocephalus chronic. zugeführten, 6jährigen Wallach nahm Sch. am linken Auge eine etwa erbsengrosse, ziemlich dichte Trübung am hinteren Linsenpole wahr, von welcher aus zarte fadenförmige Trübungen radienförmig gegen die Peripherie zogen; auch auf dem rechten Auge war eine ebenfalls central gelegene, etwa hanfkorngrosse und ventralwärts von dieser eine zweite kleinere Trübung vorhanden, welche ebenfalls in der Nähe des hinteren Linsenpoles sich befand und ziemlich scharf begrenzt war; auch hier liessen sich von der centralen Trübung einige feine dunkle Streifen nach aufwärts verfolgen. Die vorderen und mittleren Linsenpartien waren rein, das hintere, Purkinje-Sanson'sche Flammbildchen war beiderseits höchst undeutlich, sonst waren beide Augen normal, die Pupillen reagirten prompt und erschienen bei Tagesbeleuchtung schwarz. 5) Abhebungen der Netzhaut beobachtete Sch. zweimal. Im ersten dieser Fälle (bei einer 12jährigen Stute) war am rechten Auge die Cornea in ihren Randtheilen leicht rauchig getrübt, die Iriszeichnung undeutlich, die Pupille mässig erweitert und anscheinend reactionslos; einige punktförmige, bräunliche Auflagerungen auf der vorderen Linsenkapsel; der Glaskörper in seiner vorderen Partie feinflockig getrübt, die Sehnervenscheibe etwas blass, aber scharf begrenzt, die Gefässe der Netzhaut etwas geschlängelt, die letztere selbst unten und aussen vom Sehnerveneintritt in Form einer über papillengrossen Blase abgehoben. Von fast bohnenförmiger Gestalt und nahe dem Opticuseintritt gelegen, zeigte diese Blase eine graugrünliche Farbe und zwei radiär verlaufende Falten. Bei raschen Bewegungen des Auges war eine leichte Undulation der Blase wahrzunehmen; die übrige Netzhaut bis auf eine kleine, temporalwärts von der Papille gelegene, nicht scharf begrenzte Stelle, wo sie trübe war, vollkommen durchsichtig. Der Farbenton des Tapets war ein eigenthümlich matt gelbgrünlicher; die Tension des Bulbus war herabgesetzt. Das linke Auge war phthisisch.

In dem zweiten Falle war die Netzhautablösung eine totale und durch eine abgelaufene Iridochorioiditis bedingt.

Zum Schlusse berichtet Sch. über die Veränderungen am Sehorgan bei den an Influenza erkrankten Pferden. Bis auf 6 Fälle waren sämmtliche an Influenza erkrankten Thiere von einem doppelseitigen Augenleiden befallen, nur ein einziges Mal beschränkten sich die krankhaften Veränderungen auf ein Auge. Die Dauer des Augenleidens war in der Regel an die Dauer des Fiebers geknüpft, so dass mit dem Nachlasse dieses auch eine Besserung in der Erkrankung des Auges constatirt werden konnte; nur in den Fällen, wo tiefergreifende Erkrankungen vorlagen, überdauerte der locale Process das Allgemeinleiden. Gemeiniglich handelte es sich um einen mehr oder weniger heftigen Catarrh der Conjunctiva. In 8 Fällen wurde jene Form der Erkrankung der Lider und der Bindehaut beobachtet, für welche Vogel den Namen der erysipelatösen Conjunctivitis vorgeschlagen hat. In zwei Fällen war die conjunctivale Schwellung so stark, dass dieselbe in Gestalt eines gelbröthlichen, durchscheinenden Wulstes aus der Lidspalte hervorragte und deren Schluss verhinderte. In einem dieser beiden Fälle bestanden am Tage vor dem Tode einzelne, bis hirsekorngrosse Blutextravasate in der infiltrirten Bindehaut. Zu dieser Erkrankung der Bindehaut gesellten sich häufig Affectionen der Hornhaut, nur in 17 Fällen war die Hornhaut vollkommen frei; zumeist war die Cornea in Gestalt des vom Referenten als Oedem der vordersten Schichten bezeichneten Processes betheiligt, in 3 Fällen war dieses Oedem über das ganze Cornealareal verbreitet, während in den übrigen Fällen sich die Erkrankung auf die Peripherie beschränkte.

Bei einem Pferde kam es an beiden Augen zur Entwickelung centraler Hornhautgeschwüre, welche einen gutartigen Verlauf nahmen. In einem anderen Falle kam es zur Ausbildung einer Keratitis parenchymatosa. In 6 Fällen war gleichzeitig der Uvealtractus mit erkrankt, dabei war dreimal die Iris allein betheiligt, dreimal griff der Process auf die Chorioidea über; die Iritiden verliefen schnell, und es kam bald zur Aufsaugung des Vorderkammerexsudates, während die bei den chorioiditischen Processen aufgetretenen Glaskörpertrübungen sich nur wenig verringerten. Zweimal hat Sch. bei der Influenza eine Neuritis optica mit Netzhautblutungen gesehen; der eine dieser beiden Fälle, welcher auch letal endigte, ist dadurch bemerkenswerth, dass es bei demselben zu einer Infiltration des orbitalen Zellgewebes kam, und dass Blutungen sowohl in diesem gelbsulzigen, infiltrirten Gewebe, als auch zwischen den Opticusscheiben und der Nervensubstanz aufgetreten waren. Bei jenen Thieren, welche die Influenza schon überstanden hatten, glaubt Sch. eine Anämie des Sehnerveneintrittes in verschieden hohen Graden constatirt zu haben. Die Therapie bestand bei den Augenaffectionen in Anwendung der Kälte und Atropin-Instillationen.

Gedruckt bei L. Schumacher in Berlin.

Lightning Source UK Ltd.
Milton Keynes UK
UKHW021558110119
335297UK00008B/496/P